MW00533559

उपनिषद्वाक्यकोशः

A CONCORDANCE TO THE PRINCIPAL UPANIṢADS AND BHAGAVADGĪTĀ

उपनिषद्वाक्यकोशः

A CONCORDANCE TO THE PRINCIPAL UPANIṢADS AND BHAGAVADGĪTĀ

Colonel G. A. JACOB

MOTILAL BANARSIDASS

Delhi Mumbai Chennai Calcutta Bangalore
Varanasi Patna Pune

Reprint: Delhi, 1963, 1971, 1985, 1999

ISBN: 81-208-1281-6

MOTILAL BANARSIDASS

236 Sri Ranga, 9th Main III Block, Jayanagar, Bangalore 560 011
41 U.A. Bungalow Road, Jawahar Nagar, Delhi 110 007
8 Mahalaxmi Chamber, Warden Road, Mumbai 400 026
120 Royapettah High Road, Mylapore, Chennai 600 004
Sanas Plaza, 1302, Baji Rao Road, Pune 411 002
8 Camac Street, Calcutta 700 017
Ashok Rajpath, Patna 800 004
Chowk, Varanasi 221 001

PRINTED IN INDIA
BY JAINENDRA PRAKASH JAIN AT SHRI JAINENDRA PRESS,
A-45 NARAINA, PHASE I, NEW DELHI 110 028
AND PUBLISHED BY NARENDRA PRAKASH JAIN FOR
MOTILAL BANARSIDASS PUBLISHERS PRIVATE LIMITED,
BUNGALOW ROAD, DELHI 110 007

PREFACE.

THIS volume owes its existence to a pressing sense of need. I was studying a Vedântic commentary bristling with citations from the Upanishads, and, having an intense dislike to passing by a quotation without attempting to trace it to its source, I used to spend many hours in searching for them. At last I determined to lay aside the philosophy and compile a Concordance.

A friend whom I consulted thought that six months would suffice for the work; but I plodded on unremittingly for seven long years before the end was reached, and the printing has occupied an additional twelve months. It is a satisfaction, however, to feel that the labour of others will be materially lightened by this eight years' toil,—and I doubt not that the student of philosophy, the philologist, and the lexicographer will alike welcome its outcome.

It is perhaps superfluous to say that every syllable of the manuscript had to be written with my own hand, for, in work of this kind, a Sâstrî would be manifestly useless. Let no one suppose, however, that the task was purely mechanical. Before a line of any text could be incorporated in the Concordance it was necessary to collate it with as many manuscripts as possible. This did not lead to much change in the case of the older Upanishads, they having been for the most part stereotyped by the commentaries of Saṁkara and Saṁkarânanda; but as regards the text of the minor Âtharvaṇa Upanishads it was very different. A cursory glance at some of these, as they appear in the volume forming part of the Bibliotheca Indica Series, will suffice to show that without revision they could not have been incorporated in the Concordance. A few examples will demonstrate this.

(*a*) In the *Atharvaśiras*, we find, on page 6, अभित्त्वा शूरणो नुमः.. स्वदर्शी for अभि त्वा शूर नोनुमः..स्वर्दृशं,—on page 8, चक्लपे twice for चाक्लृपे, and त्रिधा धर्ता for त्रिधर्ता (=त्रिधा + ऋता),—on page 9, न च दित्रो देवजनेन गुप्ता न चान्तारिक्षाणि न च भूम इमाः instead of नव दिवो देवजनेन गुप्ता नवान्तरिक्षाणि नव भूम इमाः,—and on page 10, स चक्षुषः पंक्ति पुनाति for आ चक्षुषः पंक्ति पुनाति.

(*b*) In the *Brahma*, page 250, स्वं विभोः प्रजाः संविज्ञायेरन् represents सं विभोः प्रजा विज्ञायेरन्.

(c) In the *Prâṇâgnihotra*, page 264, the lucid sentence स ते प्राणा वापो गृहीत्वा (!!) does duty for सव्ये पाणावपो गृहीत्वा.

These are specimens selected from a multitude of others, and the defects of the Commentaries are even more glaring. Blunders of every description abound, whilst words and sentences have been omitted without number. We have here, however, no direct concern with the Commentaries, so I will cite only one instance of their inaccuracy from that on the *Kaṭhaśruti*. The editor of the volume calls it *Kanthaśruti* and makes Nârâyaṇa responsible for the following :—

यजुर्वेदे तु चरका द्वादशैषा कण्ठाभयः।
सन्यासोपनिषत्तुल्या चतुःखण्डा कृतश्रुतिः ॥

This is, of course, sheer nonsense, and what Nârâyaṇa really wrote was this :—

यजुर्वेदे तु चरका द्वादशैषां कठाख्ययः।
सन्यासोपनिषत्तुल्या चतुःखण्डा कठश्रुतिः ॥

Professor Weber* was therefore undoubtedly right in naming the Upanishad *Kaṭhaśruti*.

The labour of revising the texts was therefore immense, but I am not so sanguine as to suppose that it was always successful. In some instances, the text of even the best MSS. is in a very unsatisfactory state, and yields a minimum of sense.

I agree with Professor Whitney† in thinking that "a little wholesome severity" would not be out of place in dealing with such. "Our attitude towards the obscurities of the Upanishads should be one of judicial, even of skeptical scrutiny...To see the humbly expectant bearing of many a student of these treatises, like that of an ancient Greek at the oracle of a crazed priestess, or a red Indian at the door of a medicine-lodge, is—one can hardly say whether more amusing or more nauseating." The Professor's remarks had reference, primarily, to the interpretation of the Upanishads, but are equally applicable to the question of the text itself.

The materials requisite for restoring these texts have not, however, yet come to hand, and I had no alternative than to accept the reading recognized by the Commentator. As examples of corrupt readings, probably stereotyped many years ago, I may cite two from the *Sannyâsa-*

* See footnote on page 163 of his *History of Indian Literature*.

† *The Upanishads and their latest Translation* (Reprinted from the American Journal of Philology, Vol. vii.), page 6.

Upanishad, namely, अयं मूर्द्धानमस्य देह where Nârâyaṇa explains देह by दिदेह, and यद्ब्रह्माभ्युदय दिवं च लोकं च, where अभ्युदय is said to mean अभ्यजयत्. I have accordingly shown the word देह under the heading दिह् and अभ्युदय under अभ्युदिं. These are but samples of numerous instances which had to be dealt with, and which were productive of not a little perplexity. My friend Mr Mahâdeo Chimṇâjî Âpṭe, the founder of the Ânandâśrama, is preparing an edition of the minor Upanishads for publication in his Sanskrit Series, and its appearance will be very welcome.

It would have been easy to include a larger number of Upanishads in this volume ; but as, with a few exceptions, they are not available for reference in printed form, are of no great value, and have not been explained by any Commentator, I omitted them. The following is a list of those incorporated :—

Ait=Aitareya.
Amṛita=Amṛitabindu.
Âruṇeya.
Âśrama.
Âtmapra=Âtmaprabodha.
Brahma.
Brahmab=Brahmabindû.
Brahmav=Brahmavidyâ.
Bṛih=Bṛihadâraṇyaka.
Chhâ=Chhândogya.
Chûl=Chûlikâ.
Dhyâna=Dhyânabindu.
Garbha.
Gâruḍa.
Gauḍa=Gauḍapâda's Kârikâs.
Gîtâ=Bhagavad-gîtâ.
Gopî=Gopîchandana.
Haṁsa.
Îśâ.
Jâbâla.
Kaivalya.
Kâlâg=Kâlâgnirudra.
Kaṭha.
Kaṭhaśru=Kaṭhaśruti.
Kaush=Kaushîtaki.
Kena.
Kṛish=Kṛishṇa.
Kshur=Kshurikâ.
Mahâ.
Mahânâr=Mahânârâyaṇa.
Maitri.
Mâṇḍû=Mâṇḍûkya.
Mukti=Muktikâ.
Muṇḍ=Muṇḍaka.
Nâda=Nâdabindu.
Nâr=Nârâyaṇa.
Nîla=Nîlarudra.
Nṛip=Nṛisiṁhapûrvatâpanî.
Nṛisut=Nṛisiṁhottaratâpanî.
Nyâsa=Sannyâsa.
Parama=Paramahaṁsa.
Piṇḍa.
Prâṇâg=Prâṇâgnihotra.
Praśna.
Râmap=Râmapûrvatâpanî.
Râmot=Râmottaratâpani.
Sarvop=Sarvopanishatsâra.
Sikhâ=Atharvaśikhâ.
Śiras=Atharvaśiras.
Skanda.
Swet=Swetâśwatara.
Tait=Taittirîya.
Tejo=Tejobindu.
Vâsu=Vâsudeva.
Yogaśi=Yogaśikhâ.
Yogat=Yogatattva.

Excluding the Bhagavadgîtâ, these, according to Indian writers, amount to 66 Upanishads, since the *Kaṭha* consists of two, the *Mâṇḍûkya* (with Kârikâs) of four, the *Mahânârâyaṇa* (or more commonly *Brihannârâyaṇa*) of two, the *Nrisiṁhapûrvatâpanî* of five, and the *Taittirîya* of three Upanishads.

The numbering of the chapters and verses is in strict accord with that of the editions i general use. In the case of one or two of the minor prose Upanishads, the numbering of the sections differs in part from that of the Bibliotheca Indica edition where it was at variance with the manuscripts. I had some difficulty with the *Muktikâ*, the only available edition of which is that most meagre one published by Pandit Jîvânanda Vidyâsâgara. It consists of two chapters, but neither the prose portions nor the verses have any numbers. I have numbered the verses, and the quotations from them show the chapter and verse; but the prose is indicated by the number of the chapter only. This sometimes looks very awkward, as, for example, on page 282*b*; but there seemed to be no remedy except to bring out a properly numbered edition myself, and that I was not prepared to do.

A word as to the typography and I have done. Every effort has been made by the proof-reader, the venerable Vâsudeva Sâstrî Ṭullu, and by myself, to ensure accuracy,—and yet, in spite of it all, mistakes have occurred. These, when of importance, have been corrected at the end of the volume,—but others, such as the dropping out of a *virâma*, or of a vowel mark, can be corrected with ease by the reader. Many of the proofs had to be examined in a darkened room during the hot season, and others whilst I was on tour and had a minimum of leisure to bestow on them. Some of the inaccuracies are I fear partly due to these causes. The setting up of a work of this kind is quite new to native compositors, and their ingenuity must have been considerably taxed.

G. A. J.

Poona, 3rd January, 1891.

उपनिषद्वाक्यकोशः ।

अंश

Maitri. 2. 5. अबुद्धिपूर्वमिहैवावर्त्तते-ऽंशेन
—सोँ ऽशो ऽयं यश्चेतामात्रः 5. 2.
5. 2. अस्य तामसोँ ऽशो ऽसौ सः. . यो ऽयं रुद्रः
—अस्य राजसोँ ऽशो ऽसौ सः. . यो ऽयं ब्रह्मा
—अस्य सात्त्विकोँ ऽशो ऽसौ सः. . यो ऽयं विष्णुः

Gîtâ. 15. 7. ममैवांशो जीवलोके

अंशमात्र

Maitri. 6. 35. नभसो ऽन्तर्गतस्य तेजसोँ-शमात्रम् (4 times).

अंशु

Kaush. 2. 8. यमादित्या अंशुमाप्याययन्ति

अंशुधारय

Maitri. 6. 35. अंशुधारय इवाणुवातेरितः

अंशुमन्त्

Gîtâ. 10. 21. ज्योतिषां रविरंशुमान्

अंस

Kaush. 2. 15. अथेतरः सव्यमन्वंसमभ्यवेक्षते (another reading is सव्यमंसमन्ववेक्षते).

अंहस्

Prâṇâg. 1. नो मुञ्चन्त्वंहसः (bis).

अउम

Râmap. 88. उपर्युपर्यउमैरर्चितानि (so one MS. and Weber; other MSS. read उत्तमैः for अउमैः).

अकण्ठताल्वोष्ठ

Amṛita. 24. अकण्ठताल्वोष्ठमनासिकम्

अकथ्य

Gauḍa. 3. 48. अकथ्यं सुखमुत्तमम्

अकरण

Nṛisut. 9. अकरणमलक्षणमसङ्गम्

अकर्ण

Śwet. 3. 19. स शृणोत्यकर्णः
Kaivalya. 21. स शृणोम्यकर्णः
Amṛita. 14. शृणु शब्दमकर्णवत्

अकर्तृ

Chhâ. 6. 16. 2. यदि तस्याकर्त्ता भवति
7. 9. 1. अकर्त्ताविज्ञाता भवति

Śwet. 1. 9. अनन्तश्चात्मा विश्वरूपो ह्यकर्त्ता

Maitri. 2. 7. अनवस्थो ऽसाति कर्त्ता ऽकर्त्तैवावस्थः

Gîtâ. 4. 13. विद्ध्यकर्त्तारमव्ययम्
13. 29. अकर्त्तारं स पश्यति

अकर्मकृत्

Gîtâ. 3. 5. नहि कश्चित् . . जातु तिष्ठत्यकर्मकृत्

अकर्मन्

Gîtá. 2. 47. मा ते संगो ऽस्त्वकर्मणि
3. 8. कर्म ज्यायो ह्यकर्मणः
—न प्रसिध्येदकर्मणः
4. 16. किं कर्म किमकर्मेति
17. अकर्मणश्च बोद्धव्यम्
18. कर्मण्यकर्म यः पश्येदकर्मणि च कर्म यः

अकल

Śwet. 6. 5. परस्त्रिकालादकलो ऽपि दृष्टः
Maitri. 6. 15. यः प्रागादित्यात् सो ऽकालो ऽकलः
Praśna. 6. 5. अकलो ऽमृतो भवति

अकल्पक

Gauḍa. 3. 33. अकल्पकमजं ज्ञानम्

अकल्मष

Gîtâ. 6. 27. ब्रह्मभूतमकल्मषम्

अकाम

Bṛih. 4. 3. 21. आत्मकाममकामं रूपम्
4. 4. 6. अकामो निष्काम आप्तकामः Nṛisut. 5 (ter).
Maitri. 3. 5. अकाममास्थिरत्वम्
Muṇḍ. 3. 2. 1. उपासते पुरुषं ये ह्यकामाः
Gauḍa 4. 78. वीतशोकं तथाकामम्

अकामचार

Chhâ. 7. 25. 2. तेषां सर्वेषु लोकेष्वकामचारो भवति 8. 1. 6.

अकाममय

Bṛih. 4. 4. 5. काममयो ऽ काममयः

अकामहत

Bṛih. 4. 3. 33. श्रोत्रियो ऽ वृजिनो ऽ कामहतः (ter).
Tait. 2. 8. 1. श्रोत्रियस्य चाकामहतस्य (10 times).

अकाय

Iśâ. 8. शुक्रमकायमव्रणम्

अकार

Mâṇḍû. 8. अकार उकारो मकारः Nâr. 5. Atmapra. 1.
9. अकारः प्रथमा मात्रा
Gauḍa. 1. 23. अकारो नयते विश्वम्
Nṛip. 2. 1. पूर्वा मात्रा पृथिव्यकारः Nṛisut. 3.
Nṛisut. 2. वैश्वानरश्चतूरूपो ऽकार एव चतूरूपो ह्ययमकारः
3. अकारं ब्रह्माणं नाभौ
5. एष एवाकार आप्ततमार्थः
—तस्मादकारोकाराभ्याम्
7. अकारेणेममात्मानमन्विष्य (bis).
—अकारं . . उकारपूर्वार्द्धेनाकृष्य
—तस्यादिरयमकारः स एव भवति
—सर्वात्मकेनाकारेण
—अकारेण परमं ब्रह्मान्विष्य (bis).
—अकारेणेममात्मानमन्विष्य
Brahmav. 5. अकारस्य शरीरं तु
8. अकारः शंखमध्यगः
Śikhâ. 1. पूर्वास्य मात्रा पृथिव्यकारः
Nâda. 1. अकारो दक्षिणः पक्षः
Yogat. 10. अकारे शोचितं पद्मम्
Nâr. 5. कारणरूपमकारं परं ब्रह्म Atmapra. 1.
Kâlâg. 2. प्रथमा रेखा सा . . अकारः
Vâsu. 2. अकारोकारमकाराः
Râmot. 2. अकारः प्रथमाक्षरो भवति
3. अकाराक्षरसम्भूतः
Gîtâ. 10. 33. अक्षराणामकारो ऽस्मि

अकाररूप

Nṛisut. 2. स्थूलसूक्ष्मबीजसाक्षिभिरकाररूपैः

अकार्पण्य

Gauḍa. 3. 2. अतो वक्ष्याम्यकार्पण्यम्

अकार्य

Gitâ. 16. 24. कार्याकार्यव्यवस्थितौ
18. 30. कार्याकार्ये भयाभये
31. कार्यं चाकार्यमेव च

अकार्यकारिन्

Mahânâr. 5. 11. अकार्यकार्यवकीर्णी

अकाल

Maitri. 6 14. द्वे वाव ब्रह्मणो रूपे कालश्चाकालश्च
—यः प्रागादित्यात्सो ऽ कालः

अकीर्त्ति

Gitâ. 2 34. अकीर्त्तिं चापि भूतानि
—सम्भावितस्य चाकीर्त्तिः

अकीर्त्तिकर

Gitâ. 2. 2. अकीर्तिकरमर्जुन

अकुटिल

Mukti. 1. गुणवन्तमकुटिलम्

अकुशल

Gitâ. 18. 10. न द्वेष्टयकुशलं कर्म

अकृत

Chhâ. 8. 13. 1. अकृतं कृतात्मा ब्रह्मलोकमभिसम्भवामि

Bṛih. 1. 4. 15. अन्यद्वा कर्माकृतम्
1. 5. 17. किञ्चिदक्ष्णयाकृतं भवति

Muṇḍ. 1. 2. 12. नास्त्यकृतः कृतेन

Gauḍa. 4. 9. सहजा अकृता च या

Śiras. 3. कृतमकृतं परमपरम्

Gitâ 3. 18. नाकृतेन कश्चन

अकृतबुद्धित्व

Gitâ. 18. 16. पश्यत्यकृतबुद्धित्वात्

अकृतात्मन्

Gitâ. 10. 11. यतन्तो ऽ प्यकृतात्मानः

अकृतार्थ

Maitri. 2. 6. इदन्तरादकृतार्थो ऽ मन्यत

अकृत्वा

Chhâ. 7. 21. 1. नाकृत्वा निस्तिष्ठति

अकृत्स्न

Bṛih. 1. 4. 7. तं न पश्यन्त्यकृत्स्नो हि सः
—अकृत्स्नो ह्येषो ऽ त एकैकेन भवति
17. यावदेतेषामेकैकं न प्राप्नोत्यकृत्स्न एव तावन्मन्यते

अकृत्स्नविद्

Gitâ. 3. 29. तानकृत्स्नविदो मन्दान्

अकृष्टपच्य

Aśrama. 3. अकृष्टपच्यौषधिवनस्पतिभिः

अकोप

Râmap. 55. अकोपो धर्मपालश्च

अक्रतु

Kaṭha. 2. 20. तमक्रतुः पश्यति वीतशोकः

Śwet. 3. 20. तमक्रतुं पश्यति वीतशोकः
Mahânâr. 8. 3.

अक्रिय

Gitâ. 6. 1. न निरग्निर्न चाक्रियः

1. अक्रूर (=अनुस्वार)

Râmap. 75. दीर्घाक्रूरयुता

2. अक्रूर

Kriṣh. 17. सत्याक्रूरो द्दमोद्भवः

अक्रोध

Gîtâ. 16. 2. अहिंसा सत्यमक्रोधः

अक्रोधमय

Bṛih. 4. 4. 5. क्रोधमयो ऽक्रोधमयः

अक्लेद्य

Gîtâ. 2. 24. अक्लेद्यो ऽशोष्य एव च

अक्ष

Chhâ. 7. 3. 1. द्वौ वाक्षौ मुष्टिरनुभवति

अक्षन्, आक्षि

Ait. 1. 4. अक्षिणी निरभिद्येतामक्षिभ्यां चक्षुः
2. 4. आदित्यश्चक्षुर्भूत्वाक्षिणी प्राविशत्

Kaush. 4. 2. दक्षिणे ऽक्षिणि वाचः सव्ये ऽक्षिणि सत्यस्य
17. दक्षिणे ऽक्षिणि पुरुषस्तमेवाहमुपासे
18. सव्ये ऽक्षिणि पुरुषस्तमेवाहमुपासे

Chhâ. 1. 6. 7. तस्य यथा कप्यासं पुण्डरीकमेवमक्षिणी
1. 7. 4. यदेतदक्ष्णः शुक्लं भाः (bis).
5. य एषो ऽन्तरक्षिणि पुरुषो दृश्यते सैवर्क्
4. 15. 1. य एषो ऽक्षिणि पुरुषो दृश्यत एष आत्मा 8. 7. 4.

Bṛih. 2. 2. 2. इमा अक्षन् लोहिन्यो राजयः
—या अक्षन्नापस्ताभिः पर्जन्यः
2. 3. 5. यो ऽयं दक्षिणे ऽक्षन्पुरुषः
4. 2. 2; 5. 5. 2, 4.
4. 2. 3. एतद्वामे ऽक्षिणि पुरुषरूपम्

Maitri. 6. 6. अक्षिण्यग्रास्थितो हि पुरुषः सर्वार्थेषु चरति
7. तारको ऽक्षिणि वैष भर्गाख्यः
6. 35. एतद्यदादित्यस्य मध्य इवेत्यक्षिण्यग्नौ च
7. 11. यो ऽयं दक्षिणे ऽक्षिण्यवस्थितः
—जायेयं सव्ये चाक्षिण्यवस्थिता

Nṛip. 1. 1. भद्रं पश्येमाक्षभिर्यजत्राः
2. 4; Nṛisut. 1.

Garbha. 3. षष्ठे मुखनासिकाक्षिश्रोत्राणि

Mukti. 1. 36. सूर्याद्यध्यात्मकुण्डिका
1.—*vide* सरस्वतीरहस्य
2. 23. अक्षिदृग्द्रव्येषु

अक्षमालिका

Mukti. 1. 36. तुरीयातीतसन्न्यासपरिव्राजाक्षमालिका
1.—*vide* बह्वृच

अक्षय, अक्षय्य

Maitri. 2. 4. अनन्तो ऽक्षय्यः 6. 28.
4. 4. अक्षय्यमपरिमितं.. सुखम् 6. 30.

Mahânâr. 11. 10. अक्षयः कविः

Gauḍa. 3. 40. अक्षया शान्तिरेव च

Chûl. 20. अक्षय्यमन्नपानं च

Gopi. 3. अक्षयं पदमाप्नोति

Gîtâ. 5. 21. सुखमक्षयमश्नुते
10. 33. अहमेवाक्षयः कालः

1. अक्षर adj

Bṛih. 3. 8. 8. एतद्वै तदक्षरं गार्गि
9. एतस्य वा अक्षरस्य प्रशासने (5 times).
10. यो वा एतदक्षरं .. अविदित्वा (bis).
— य एतदक्षरं गार्गि विदित्वा
11. एतदक्षरं .. अदृष्टं द्रष्टृ

Bṛih. 3. 8. 11. एतस्मिन्नु खल्वक्षरे ..आकाश ओतश्च प्रोतश्च
Kaṭha. 3. 2. अक्षरं ब्रह्म यत्परम्
Śwet. 1. 7. सुप्रतिष्ठाक्षरं च
8. संयुक्तमेतत्क्षरमक्षरं च
10. अमृताक्षरं हरः
4. 8. ऋचो अक्षरे परमे व्योमन्
Nṛip. 4. 2 ; 5. 2.
18. तदक्षरं तत्सवितुर्वरेण्यम्
5. 1. द्वे अक्षरे ब्रह्मपुरे त्वनन्ते
Maitri. 7. 6. अक्षरः शुद्धः पूतः
Muṇḍ 1. 1. 5. परा यया तदक्षरमधिगम्यते
7. तथाक्षरात्संभवतीह विश्वम्
1. 2. 13. येनाक्षरं पुरुषं वेद सत्यम्
2. 1. 1. तथाक्षराद्विविधाः सोम्य भावाः
2. अक्षरात्परतः परः
2. 2. 2. तदेतदक्षरं ब्रह्म
3. लक्ष्यं तदेवाक्षरं ..विद्धि
Mahânâr. 1. 2. तदक्षरे परमे व्योमन्
3. तदक्षरे परमे प्रजाः
11. 1. अक्षरं परमं प्रभुम्
13. सो ऽक्षरः परमः स्वराट्
Kaivalya. 8 ; Mahâ. 3.
15. 1. अक्षरं ब्रह्म सम्मितम्
Praśna. 4. 9. स परेऽक्षरे आत्मनि सम्प्रतिष्ठते
10. परमेवाक्षरं प्रतिपद्यते
—अक्षरं वेदयते यस्तु सोम्य 11.
Nṛip. 1. 4. स इन्द्रः सोऽग्निः सो ऽक्षरः
2. 4. जगद्धितं वा एतद्रूपमक्षरं भवति
Śiras. 1. अक्षरमहं क्षरमहम्
3. जगद्धितं वा एतदक्षरम्
6. अक्षरात्सञ्जायते कालः
Garbha. 3. क्षराक्षरं मोक्षं चिन्तयति

Brahma. 1. शुभ्रमक्षरं यद्ब्रह्म
2. तुरीये परमक्षरम्
—यदक्षरं परं ब्रह्म तत्सूत्रम्
Brahmab. 16. यस्मिन् क्षीणे यदक्षरम्
—तद्विद्वानक्षरं ध्यायेत्
Nyâsa. 4. अजरममरमक्षरमव्ययम्
Atmapra. 1. अक्षरं प्रणवं तदेतदोमिति
Mukti. 2. 73. सकृद्विभातं त्वजमेकमक्षरम्
Gîtâ. 8. 3. अक्षरं ब्रह्म परमम्
11. यदक्षरं वेदविदो वदन्ति
21. अव्यक्तो ऽक्षर इत्युक्तः
11. 18. त्वमक्षरं परमं वेदितव्यम्
37 त्वमक्षरं सदसत्तत्परं यत्
12. 1. ये चाप्यक्षरमव्यक्तम्
3. ये त्वक्षरमनिर्देश्यम्
15. 16. क्षरश्चाक्षर एव च
— कूटस्थो ऽक्षर उच्यते
18. अक्षरादपि चोत्तमः

2. अक्षर

Chhâ. 1. 1. 1. ओमित्येतदक्षरमुद्गीथमुपासीत
5. ओमित्येतदक्षरमुद्गीथः
6. एतदस्मिन्नक्षरे संसृज्यते
7. य एतदेवं विद्वानक्षरमुद्गीथमुपास्ते 8 ; 1. 2. 14.
9. तस्यैवाक्षरस्यापचित्यै
10. इति खल्वेतस्याक्षरस्योपव्याख्यानं भवति
1. 3. 6. अथ खलूद्गीथाक्षराण्युपासीत
7. य एतान्येवं विद्वानुद्गीथाक्षराण्युपास्त उद्गीथ इति
1. 4. 1. ओमित्येतदक्षरमुपासीत
4. एष उ स्वरो यदेतदक्षरम्
5. य एतदेवं विद्वानक्षरं प्रणौत्येतदेवाक्षरं स्वरं ..प्रविशति

Chhâ. 2. 10. 3. अक्षरमतिशिष्यते
4. द्वाविंशतिरक्षराणि
Chhâ. 2. 23. 3. तस्या अभितप्ताया एतान्य-
क्षराणि सम्प्रास्रवन्त
8. 3. 5. त्रीण्यक्षराणि सतीयमिति
Bṛih. 5. 2. 1. तेभ्यो हैतदक्षरमुवाच द
इति 2, 3.
5. 3. 1. ह इत्येकमक्षरं . . द इत्ये-
कमक्षरं . . यमित्येकम-
क्षरम्
5. 5. 1. स इत्येकमक्षरं तीत्येकम-
क्षरं यमित्येकमक्षरं प्रथ-
मोत्तमे अक्षरे सत्यम्
3. एकं शिर एकमेतदक्षरम्, 4.
— द्वौ बाहू द्वे एते अक्षरे . . द्वे
प्रतिष्ठे द्वे एते अक्षरे, 4.
5. 14. 1. भूमिरन्तरिक्षं द्यौरित्यष्टा-
वक्षराणि
2. ऋचो यजूंषि सामानीत्यष्टा-
वक्षराणि
3. प्राणो ऽपानो व्यान इत्यष्टा-
वक्षराणि
Kaṭha. 2. 16. एतद्ध्यक्षरं ब्रह्म एतदेवाक्ष-
रं परमेतद्ध्येवाक्षरं ज्ञात्वा
यो यदिच्छति तस्य तत्
Maitri. 6. 2. एता उपासीतोमित्येतदक्ष-
रेण
4. ओमित्येतदक्षरस्य चैतत्
— एतदेवाक्षरं पुण्यमेतदेवाक्ष-
रं परमेतदेवाक्षरं ज्ञात्वा
&c.
5. एतद्वै . . परं चापरं च ब्र-
ह्म यदोमित्येतदक्षरम्
23. यः शब्दस्तदोमित्येतदक्षरम्
7. 11. एतद्वाव तस्य स्वरूपं . . यदो-
मित्येतदक्षरम्
Praśna. 5. 5. त्रिमात्रेणैवोमित्येतेनैवाक्षरेण

Mâṇḍû. 1. ओमित्येतदक्षरमिदं सर्वम्
Nṛip. 2. 2; 4. 1;
Nṛisut. 1; Râmot. 3.
Nṛip. 2. 2. एवं द्वात्रिंशदक्षराणि सम्प-
द्यन्ते
—इत्यक्षराणां न्यासमुपदिशन्ति
4. 2. घृणिरिति द्वे अक्षरे
5. 2. यदक्षरं नारसिंहमेकमक्षरं
तद्भवति
Śikhâ. 1. ओमित्येतदक्षरमादौ प्रयुक्तम्
—ओमित्येतदक्षरस्य पादाश्च-
त्वारः
—चतुष्पादेतदक्षरं परं ब्रह्म
Amṛita. 24. यदक्षरं न क्षरते कदाचित्
Dhyâna. 4. खशब्दं चाक्षरे क्षीणे
Yogat. 7. त्रयाणामक्षरे प्रान्ते यो
ऽधीते ऽप्यर्द्धमक्षरम्
Nâr. 4. नम इति द्वे अक्षरे
—नारायणायेति पञ्चाक्षराणि
Râmot. 2. अकारः प्रथमाक्षरः
—उकारो द्वितीयाक्षरः
—मकारस्तृतीयाक्षरः
—अर्द्धमात्रश्चतुर्थाक्षरः
—बिन्दुः पञ्चमाक्षरः
—नादः षष्ठाक्षरः
3. अकाराक्षरसम्भूतः
—उकाराक्षरसम्भूतः
—मकाराक्षरसम्भवः
Gîtâ. 10. 25. गिरामस्म्येकमक्षरम्
33. अक्षराणामकारो ऽस्मि

अक्षरद्वय

Gopî. 3. गोपीत्यक्षरद्वयम्

अक्षरपञ्चक

Gopî. 3. तस्मादक्षरपञ्चकम्

अक्षरसमुद्भव

Gîtâ. 8. 15. ब्रह्माक्षरसमुद्भवम्

अक्षाध्यक्ष

Maitri. 6. 1. अक्षाध्यक्षो ऽवदातमना:

अक्षारलवणाशिन्

Aśrama. 1. त्रिरात्रमक्षारलवणाशी (2 of the 5 MSS. have अक्षारा°).

अक्षित

Chhâ. 3. 17. 6. आक्षितमस्यच्युतमसि
Tait. 1. 10. 1. सुमेधा अमृतो ऽक्षित:
Atmapra. 1. अमृते लोके अक्षिते

अक्षिति

Kaush. 3. 2. आप्नोत्यमृतत्वमक्षितिं स्वर्गे
Bṛih. 1. 5. 1. यो वै तामक्षितिं वेद 2.
2 पुरुषो वा अक्षिति:
2. 2. 2. तमेता: सप्ताक्षितय उपति-
ष्ठन्ते

अक्षेत्रज्ञ

Chhâ. 8. 3. 2. अक्षेत्रज्ञा उपर्युपरि सञ्च-
रन्त:

अक्षेम

Nila. 3. वि ते ऽक्षेममनीनशत्

अक्ष्णया

Bṛih. 1. 5. 17. किञ्चिदक्ष्णया कृतं भवति

अखण्ड

Râmot. 5. अखण्डैकरस: (2)

अखण्डबोध

Kaivalya. 15. आधारमानन्दमखण्डबोधम्

अखिल

Nṛisut. 2. निरस्ताखिलाविद्यातमोमोह:
Râmap. 1. रघो:कुले ऽखिलं राति
Gîtâ. 4. 33. सर्वं कर्माखिलं पार्थ
7. 29. अध्यात्मं कर्म चाखिलम्
15. 12. जगद्भासयते ऽखिलम्

अगतासु

Gîtâ. 2. 11. गतासूनगतासूंश्च

अगद

Kaush. 2. 15. स यद्यगद: स्यात्
Chhâ. 3. 16. 2. अगदो ह भवति 4, 6.

अगन्तव्य

Nṛisut. 9. अनादातव्यमगन्तव्यम्

अगन्ध

Bṛih. 3. 8. 8. अरसमगन्धम् Nṛisut. 9.

अगन्धवन्त्

Kaṭha. 3. 15. अरसं नित्यमगन्धवच्च
Mukti. 2. 72.

अगम्यगम्यकर्तृ

Tejo. 4. अगम्यगम्यकर्ता च (So one MS. and Nârâyaṇa; 2 others have अगम्यागम°; and other 3, अगम्यागम्य°.)

अगर्हित

Aśrama. 2. कृषिगोरक्षवाणिज्यमगर्हित-
मुपयुञ्जाना:

अगार

Kaush. 2. 15. नवैस्तृणैरगारं संस्तीर्य

अगुण

Nṛisut. 9. अगुणमविक्रियमव्यपदेश्यम्

अगृह्य

Bṛih. 3. 9. 26. अगृह्यो न हि गृह्यते 4. 2.
4; 4. 4. 22; 4. 5. 15.

अगोत्र

Muṇḍ. 1. 1. 6. यत्तदद्रेश्यमग्राह्यमगोत्रम्

अग्नि

Ait. 1. 4. मुखाद्वाग्वाचो ऽग्निः
2. 4. अग्निर्वाग्भूत्वा मुखं प्राविशत्

Kaush. 2. 3. अग्निमुपसमाधाय 15; Brih. 6. 3. 1. Nyâsa. 1.
9. अग्निष्ट एकं मुखं तेनेमं लोकमत्सि
12. एतद्वै ब्रह्म दीप्यते यदग्निर्ज्वलति
3. 3. यथाग्नेर्ज्वलतः सर्वा दिशो विष्फुलिंगा विप्रतिष्ठेरन् 4. 20.
4. 2. अग्नौ विषासहिः
9. अग्नौ पुरुषस्तमेवाहमुपासे
17. अग्नेरात्मा..इति वा अहमेतमुपासे

Kena. 16. ते ऽग्निमब्रुवन् जातवेद एतद्विजानीहि
17. अग्निर्वा अहमस्मि
27. यदग्निर्वायुरिन्द्रस्ते ह्येनं नेदिष्ठं पस्पर्शुः

Chhâ. 1. 3. 5. अग्नेर्मथनं
7. अग्निस्थम्
1. 6. 1. अग्निः साम..अग्निरमः
1. 13. 1. अग्निरीकारः
2. 2. 1. अग्निः प्रस्तावः
2. अग्निः प्रतिहारः
2. 12. 1. एतद्रथन्तरमग्नौ प्रोतम्
2. स य एवमेतद्रथन्तरमग्नौ प्रोतं वेद
—न प्रत्यङ्ङग्निमाचामेत्
2. 20. 1. अग्निर्हिङ्कारः
2. 21. 1. अग्निर्वायुरादित्यः स उद्गीथः
2. 22. 1. अग्नेरुद्गीथः
2. 24. 5. नमो ऽग्नये पृथिवीक्षिते Maitri. 6. 35.

Chhâ. 3. 6. 1. यत्प्रथममभृतं तद्वसव उपजीवन्त्यग्निना मुखेन
3. वसूनामेवैको भूत्वाग्निनैव मुखेन
3. 13. 3. सा वाक् सो ऽग्निः
8. नदथुरिवाग्नेरिव ज्वलतः
3. 15. 6. अग्निं प्रपद्ये
3. 18. 2. अग्निः पादः
3. सो ऽग्निना ज्योतिषा भाति
4. 3. 1. यदा वा अग्निरुद्वायति वायुमेवाप्येति
4. 6. 1. अग्निष्टे पादं वक्ता
— अग्निमुपसमाधाय ..पश्चादग्नेः प्राङुपोपविवेश 4. 7. 1 ; 4. 8. 1.
2. तमग्निरभ्युवाद सत्यकामा३
4. 7. 3. अग्निः कला सूर्यः कला
4. 10. 1. द्वादशवर्षाण्यग्नीन् परिचचार
2. तमग्नी ब्रह्मचारी कुशलमग्नीन् परिचचारीन्मा त्वाग्नयः परिप्रवोचन्
4. अथ हाग्नयः समुदिरे
4. 11. 1. पृथिव्यग्निरन्नमादित्यः
4. 14. 2. इति हाग्नीनभ्यूदे
4. 17. 1. अग्निं पृथिव्याः (प्राबृहत्)
2. अग्नेर्ऋचः
5. 2. 4. अग्नावाज्यस्य हुत्वा 5.
8. पश्चादग्नेः संविशति
5. 4. 1. असौ वाव लोको गौतमाग्निः
2. एतस्मिन्नग्नौ देवाः श्रद्धां जुह्वति Brih. 6. 2. 9.
5. 5. 1. पर्जन्यो वाव गौतमाग्निः
2. एतस्मिन्नग्नौ देवाः सोमं राजानं जुह्वति Brih. 6. 2. 10
5. 6. 1. पृथिवी वाव गौतमाग्निः

Chhâ. 5. 6. 2. एतस्मिन्नग्नौ देवा वर्षं जुह्वति Bṛih. 6. 2. 11. (वृष्टिं)
5. 7. 1. पुरुषो वाव गौतमाग्निः
2. एतस्मिन्नग्नौ देवा अन्नं जुह्वति Bṛih. 6. 2. 12.
5. 8. 1. योषा वाव गौतमाग्निः
2. एतस्मिन्नग्नौ देवा रेतो जुह्वति Bṛih. 6. 2. 13.
5. 9. 2. तं प्रेतं दिष्टमितो ऽग्नय एव हरन्ति
5. 21. 2. अग्निस्तृप्यत्यग्नौ तृप्यति पृथिवी तृप्यति
— यत्किञ्च पृथिवी चाग्निश्चाधितिष्ठतः
5. 24. 3. यथेषीकातूलमग्नौ प्रोतम्
6. 4. 1. यदग्ने रोहितं रूपम्
— अपागादग्नेरग्नित्वम्
7. 12. 1. आकाशो वै . . अग्निः
8. 1. 3. उभावग्निश्च वायुश्च
Bṛih. 1. 1. 1. व्यात्तमग्निर्वैश्वानरः
1. 2. 2. तेजोरसो निरवर्त्तताग्निः
7. अयमग्निरर्कः
1. 3. 12. अग्निरभवत्सो ऽयमग्निः परेण मृत्युमतिक्रान्तः
1. 4. 6. मुखाच्च . . हस्ताभ्यां चाग्निमसृजत
—अग्निरन्नादः
15. तदग्निनैव देवेषु ब्रह्माभवत्
—अग्नावेव देवेषु लोकमिच्छन्ते
1. 5. 11. ज्योती रूपमयमग्निः
—तावानयमग्निः
18. पृथिव्यै चैनमग्नेश्च
22. ज्वलिष्याम्येवाहमित्यग्निः
2. 1. 7. अग्नौ पुरुष एतं . . ब्रह्मोपासे
20. यथाग्नेः क्षुद्रा विस्फुलिङ्गाः
2. 2. 2. यत्कृष्णं तेनाग्निः

Bṛih. 2. 5. 3. अयमग्निः सर्वेषां . . मध्वस्याग्नेः सर्वाणि . . मधु
—अग्नौ . . अमृतमयः पुरुषः
3. 1. 3. होत्रर्त्विजाग्निना वाचा
—सो ऽयमग्निः स होता
3. 2. 10. अग्निर्वै मृत्युः सो ऽपामन्नम्
13. यत्रास्य पुरुषस्य मृतस्याग्निं वागप्येति
3. 7. 5. यो ऽग्नौ तिष्ठन्नग्नेरन्तरो यमग्निर्न वेद यस्याग्निः शरीरं यो ऽग्निमन्तरो यमयति
3. 9. 3. अग्निश्च पृथिवी च वायुश्च 7.
10. पृथिव्येव यस्यायतनमग्निर्लोकः
24. सो ऽग्निः कस्मिन्प्रतिष्ठितः
4. 3. 4. अग्निरेवास्य ज्योतिर्भवतीत्यग्निनैवायं ज्योतिषास्ते
5. शान्ते ऽग्नौ किंज्योतिरेवायम् 6.
5. 9. 1. अयमग्निर्वैश्वानरो यो ऽयमन्तःपुरुषे Maitri. 2. 6.
5. 11. 1. यं प्रेतमग्नावभ्यादधति
5. 14. 8. तस्या अग्निरेव मुखं यदि ह वा अपि बह्विवाग्नावभ्यादधति
5. 15. 1. अग्ने नय सुपथा राये Iśâ. 18.
6. 2. 9. असौ वै लोको ऽग्निः
10. पर्जन्यो वा अग्निः
11. अयं वै लोको ऽग्निः
12. पुरुषो वा अग्निः
13. योषा वा अग्निः
14 अथैनमग्नये हरन्ति तस्याग्निरेवाग्निर्भवति . . एतस्मिन्नग्नौ देवाः पुरुषं जुह्वति
6. 3. 2. अग्नौ हुत्वा मन्थे संस्रवमवनयति (20 times).

Brih. 6. 3. 3. अग्नये स्वाहा 6. 4. 19.
6. जघनेनाग्निं . . संविशति
— जघनेनाग्निमासीनः
6. 4. 5. पुनर्मामैत्विन्द्रियं . . पुनरग्निः
12. आमपात्रे ऽग्निमुपसमाधाय
6. 4. 24. जाते ऽग्निमुपसमाधाय
—अग्निः . . स्विष्टकृत्

Tait. 1. 3. 2. अग्निः पूर्वरूपम्
1. 5. 2. भूरिति वा अग्निः
1. 6. 1. भूरित्यग्नौ प्रतितिष्ठति
1. 7. 1. अग्निर्वायुरादित्यः Maitri 4. 5.
1. 9. 1. अग्नयश्च स्वाध्यायप्रवचने च
2. 1. 1. आकाशाद्वायुर्वायोरग्निरग्नेरापः
2. 8. 1. भीषास्मादग्निश्चेन्द्रश्च मृत्युर्धावति पञ्चमः Nṛip. 2.4.

Katha. 1. 13. त्वमग्निं स्वर्ग्यमध्येषि
14. स्वर्ग्यमग्निं नचिकेतः प्रजानन्
15. लोकादिमग्निं तमुवाच तस्मै
16. तवैव नाम्ना भवितायमग्निः
19. एष ते ऽग्निर्नचिकेतः
— एतमग्निं तवैव प्रवक्ष्यन्ति
2. 10. ततो मया नाचिकेतश्चितो ऽग्निः
4. 8. दिवे दिव ईड्यः . . अग्निः
5. 9. अग्निर्यथैको भुवनं प्रविष्टः
15. नेमा विद्युतो भान्ति कुतो ऽयमग्निः Swet. 6. 14; Mund. 2. 2. 10.
6. 3. भयादस्याग्निस्तपति

Swet. 1. 15. अरणीषु चाग्निः Brahma. 3.
2. 1. अग्नेर्ज्योतिर्निचाय्य
6. अग्निर्यत्राभिमथ्यते
17. यो देवो अग्नौ यो अप्सु

Swet. 4. 2. तदेवाग्निस्तदादित्यः
6. 15. स एवाग्निः सलिले संनिविष्टः

Maitri. 1. 1. यजमानश्चित्वैतानमग्नीन्
2. अग्निरिवाधूमकः
2. 6. यः पुरुषः सो ऽग्निर्वैश्वानरः
3. 3. यथाग्निनायस्पिण्डो वाभिभूतः
—यथायस्पिण्डे हन्यमाने नाग्निरभिभूयाति
5. 1. त्वमग्निर्वरुणो वायुः
6. 2. स एषो ऽग्निर्दिवि श्रितः सौरः
4. शाखा आकाशवाय्वग्न्युदकभूम्यादयः
5. अग्निर्वायुरादित्या इति भास्वत्येषा
—प्राणे ऽग्निः सूर्या इति प्रतापवत्येषा
8. अग्निरिवाग्निना पिहितः
9. अग्निः सवितुश्च रश्मयः पुनन्त्वन्नं मम
—प्राणो ऽग्निर्विश्वो ऽसीति च
—प्राणो ऽग्निः परमात्मा Prāṇāg. 2.
10. यथाग्निर्वै देवानामन्नादः
—अग्निर्वान्नमत्त्येवंवित्
6. 12. अग्निर्वा अन्नेनोज्ज्वलति
17. अग्नौ चाधूमके यज्ज्योतिश्चित्रतरम्
—यश्चैषो ऽग्नौ यश्चायं हृदये . . स एष एकः 7. 7.
24. यत् . . अग्नौ विद्युति विभाति
26. उदरे ऽग्नौ जुहोति
—अनामये ऽग्नौ जुहोति
27. अग्न्ययस्कारादयः
—तेजश्चैवाग्निसूर्ययोः

Maitri. 6. 31. अग्नेर्यदौष्ण्यमाविष्टम्
—धूमार्चिर्विष्फुलिङ्गा इवाग्नेश्च
33. पञ्चेष्टको वा एषो ऽग्निः
—शिरःपक्षसी पुच्छपृष्ठवानेषो ऽग्निः (ter)
—प्राणो वै वायुः प्राणो ऽग्निः
—असौ वा आदित्य इन्द्रः सैषो ऽग्निः
34. तस्मादग्निर्यष्टव्यश्चेतव्यः (bis)
—सो ऽग्मिन्नग्नौ यजामहे
—अग्निरग्नौ वा . . न लक्षयेत्
35. एतद्यत् . . अक्षिण्यग्नौ च
37. तत् त्रेधाभिहितमग्ना आदित्ये प्राणे 7. 11.
—एषाग्नौ हुतमादित्यं गमयति
—यद्धविरग्नौ हूयते तदादित्यं गमयति
—अग्नौ प्रास्ताहुतिः सम्यक्
7. 1. अग्निर्गायत्रं . . पुरस्तादुद्यन्ति
7. इद्धो ऽग्निरिव विश्वरूपः
11. खजाग्नियोगात्

Muṇḍ. 2. 1. 4. अग्निर्मूर्द्धा
5. तस्मादग्निः सामिधो यस्य सूर्यः
7. प्राणो ऽग्निरुदयते

Mahânâr. 1. 7. तदेवाग्निस्तद्वायुस्तत्सूर्यः
2. 9. अबिभ्रदग्न आगहि
3. 7. तन्नो अग्निः प्रचोदयात्
5. 1. नमो ऽग्नये ऽप्सुमते
6. 2. नावेव सिन्धुं दुरितात्यग्निः
4. अग्ने त्वं पारया
5. अग्ने अत्रिवन्नमसा
6. पृतनाजितं सहमानमग्निम्
—क्षामदेवो अतिदुरितात्यग्निः
7. स्वां चाग्ने तन्वं पिप्रयस्व
7. 1. ओं भूरग्नये

Mahânâr. 7. 1. भूर्भुवः सुवरग्निरोम्
2. भूरन्नमग्नये
3. भूरग्नये च पृथिव्यै च
4. पाहि नो अग्न एनसे
11. 10. तस्य मध्ये महानाग्निः
14. 3. आग्निश्च मा मन्युश्च
19. 2. अग्नये स्विष्टकृते स्वाहा
21. 2. अग्नय इत्याहुस्तस्मादग्नय आधातव्याः
22. 1. अग्नयो वै त्रयी विद्या . . तस्मादग्नीन्परमं वदन्ति
24. 1. तेजोदास्त्वमस्यग्नेः
25. 1. तपो ऽग्निः

Praśna. 1. 7. प्राणो ऽग्निरुदयते
2. 2. वायुरग्निरापः पृथिवी
5. एषो ऽग्निस्तपत्येष सूर्यः

Kaivalya. —8. स कालो ऽग्निः स चन्द्रमाः

Nṛip. 1. 4. अग्निर्वै वेदाः
—स इन्द्रः सो ऽग्निः सो ऽक्षरः
2. 1. संवर्त्तको ऽग्निर्मरुतो विराट्
Nṛisut. 3; Śikhâ. 1.
5. 5. सो ऽग्निं स्तंभयति
10. यत्र नाग्निर्दहति

Nṛisut. 2. यथा दाह्यं दग्ध्वाग्निः

Brahmav. 4. लोका वेदास्त्रयो ऽग्नयः

Śiras. 2. यो वै रुद्रः . . यश्चाग्निः
5. अग्निरिति भस्म Kâlâg. 1
6. यो अग्नौ रुद्रः . . तस्मै रुद्राय नमो अस्त्वग्नये
—यो रुद्रो अग्नौ

Garbha. 5. अग्नयो ह्यत्र भ्रियन्ते

Brahma. 2. सो ऽग्निर्जायत्
3. अग्नेरिव शिखा नान्या

Prâṇâg. 2. प्राणो अग्निः परमात्मा
—चत्वारो ऽग्नयः किन्नामधेयाः
—सूर्यो ऽग्निर्नाम
—शारीरो ऽग्निर्नाम

Amrit. 19. अग्निं शब्दमेवाभिचिन्तयेत्
Dhyân. 16. चन्द्राग्निसूर्ययोः (sic)
Yogat. 6. त्रयो ऽग्नयो गुणास्त्रीणि
Nyâsa. 1. अग्नये स्विष्टकृत इति हुत्वा
—अग्नावरणी हुत्वा
—मय्यग्ने अग्निमित्यग्नीन् समारोपयेत् (another reading is अग्नेरग्निमिति च ह्याग्नी &c.)
2. अग्निमाधाय शक्तितः
3. सन्न्यस्याग्निमपुनरावर्त्तनम्
Kathaśru. 3. अग्नये वैश्वानराय प्रजापतये च
—दारुपात्राण्यग्नौ जुहुयात्
4. सन्न्यस्याग्नीन्न पुनरावर्त्तयेत्
Pinda. 3. अहं वसति चाग्निषु
Haṁsa 1. यथा ह्यग्निः काष्ठेषु
2. अग्निश्चोभे पार्श्वे भवतः
Aruṇeya. 4. पितरं पुत्रमग्न्युपवीतम्
(One MS. has अग्निम्.)
Jâbâla. 4. अग्निर्ह वै प्राणः
—तं जानन्नग्न आरोह
—अनेन मंत्रेणाग्निमाजिघ्रेत्
—एष वा अग्नेर्योनिर्यः प्राणः
—ग्रामादग्निमाहृत्य पूर्ववदग्निमाघ्रापयेत्
—यद्यग्निं न विन्देदप्सु जुहुयात्
Vâsu. 2. त्रयो ऽग्नयो ज्योतिष्मन्तः
4. अग्नेर्भस्मासि
Râmap. 77. अग्निसंयुक्ता
88. अर्कविध्वग्नितेजांसि
Gîtâ. 4. 37. यथैधांसि समिद्धो ऽग्निः
8. 24. अग्निर्ज्योतिरहः शुक्लः
9. 16. अहमग्निरहं हुतम्
11. 39. वायुर्यमो ऽग्निर्वरुणः शशांकः
15. 12. यच्चन्द्रमसि यच्चाग्नौ
18. 48. धूमेनाग्निरिवावृताः

अग्निगर्भ

Bṛih. 6. 4. 22. यथाग्निगर्भा पृथिवी

अग्नित्व

Chhâ. 6. 4. 1. अपागादग्नेरग्नित्वम्

अग्निदेवत

Bṛih. 3. 9. 24. किंदेवतो ऽस्यां ध्रुवायां दिश्यसीत्यग्निदेवत इति

अग्निदेशादिक

Râmap. 87. बीजादिकांश्चाग्निदेशादिकांश्च

अग्निपरिचरण

Aśrama. 3. अग्निपरिचरणं कृत्वा (4 times).

अग्निपूत

Kaivalya. 24. सो ऽग्निपूतो भवति Nṛip. 5. 3; Śiras. 7; Mahâ. 4.

अग्निप्रवेश

Kathaśru. 3. अपां प्रवेशमग्निप्रवेशम्
Jâbâla. 5. अपां प्रवेशो वा अग्निप्रवेशो वा

अग्निरूप

Nṛisut. 3. अग्निरूपं प्रणवं सन्दध्यात्

अग्निलोक

Kaush. 1. 3. अग्निलोकमागच्छति

अग्निवर्ण

Mahânâr. 6. 3. तामग्निवर्णां तपसा ज्वलन्तीम्
Nyâsa. 2. अग्निवर्णं निष्क्रामति

अग्निष्टोम

Maitri. 6. 36. यमराज्यमग्निष्टोमेनाभिजयति

Nrip. 5. 8. सो ऽग्निष्टोमेन यजते

Kathasru. 3. सो ऽस्याग्निष्टोमः

Gopi. 5. अग्निष्टोमसहस्राणि

अग्निसंस्थित

Kathasru. 3. अग्निसंस्थितानि पूर्वाणि दारुपात्राण्यग्नौ जुहुयात्

अग्निसंकाश

Brahmav. 9. मकारश्चाग्निसङ्काशः

अग्निसंज्ञ

Maitri. 6. 10. सोमसंज्ञो ऽयं भूतात्माग्निसंज्ञोपि

अग्निस्थान

Garbha. 2. आग्निस्थाने पित्तम्

अग्निहोत्र

Kaush. 2. 5. आन्तरमग्निहोत्रमित्याचक्षते
— अग्निहोत्रं न जुहवाञ्चक्रुः

Chhâ. 5. 24. 1. य इदमविद्वानग्निहोत्रं जुहोति
2. य एतदेवं विद्वानग्निहोत्रं जुहोति 3.
5. एवं सर्वाणि भूतान्यग्निहोत्रमुपासते

Brih. 4. 3. 1. अग्निहोत्रे समूदाते

Tait. 1. 8. 1. ओमित्यग्निहोत्रमनुजानाति
1. 9. 1. अग्निहोत्रं च स्वाध्यायप्रवचने च

Maitri. 6. 36. अग्निहोत्रं जुहुयात्स्वर्गकामः
38. अग्निहोत्रं जुह्वानः

Mund. 1. 2. 3. यस्याग्निहोत्रमदर्शमपौर्णमासम्

Mahânâr. 21. 2. अग्निहोत्रमित्याहुस्तस्मादग्निहोत्रे रमन्ते
22. 1. अग्निहोत्रं . . गृहाणां निष्कृतिः . . तस्मादग्निहोत्रं परमं वदन्ति
25. 1. एतद्वै जरामर्यमग्निहोत्रं सत्रम्

Prâṇâg. 1. विनाप्यग्निहोत्रेण
2. अग्निहोत्रं जुहोमीति

Kathasru. 3. पयसाग्निहोत्रं जुहुयात्

Jâbâla. 6. *vide* स्थण्डिल

अग्निहोत्रक

Mukti. 1. 38. तारसारमहावाक्यपञ्चब्रह्माग्निहोत्रकम्

अग्निहोत्रभस्मन्

Vâsu. 4. रात्रावग्निहोत्रभस्मना

अग्निहोत्रहवणी

Mahânâr. 13. 5. यस्य वैकङ्कत्यग्निहोत्रहवणी

अग्नीध्

Mahânâr. 25. 1. श्रोत्रमग्नीत्

अग्नीषोम

Mahâ. 1. नापो नाग्नीषोमौ

Haṁsa. 2. अग्नीषोमाभ्यां वौषट्
— अग्नीषोमौ पक्षौ

अग्नीषोमात्मक

Râmap. 24. अग्नीषोमात्मकं जगत्

अग्न्यर्चिस्

Brih. 2. 3. 6. यथाग्न्यर्चिः

अग्र

Chhâ. 6. 11. 1. यो ऽस्य ऽभ्याहन्यात्

Brih. 4. 4. 2. एतस्य हृदयस्याग्रं प्रद्योतते

Maitri. 6. 23. यदस्याग्रं तच्छान्तमशब्दम्

Brahma. 1. यथा जलौकायममं नयत्यात्मानं नयति
Dhyân. 18. अवाग्जं प्रणवस्याग्रम्
Mukti. 2. 36. *vide* शालिन्

अग्रतस्

Râmap. 50. हनुमन्तं च श्रोतारमग्रतः

अग्रभुज्

Mahânâr. 11. 10. सो ऽग्रभुग्विभजंस्तिष्ठन्नाहारम्

अग्रयाणतस्

Gauḍa. 4. 90. हेयज्ञेयाप्यपाक्यानि विज्ञेयान्यग्रयाणतः

अग्रस्त

Chhâ. 2. 22. 5. सर्वं ऊष्माणो ऽग्रस्ता अनिरस्ता.. वक्तव्याः

अग्रह

Gauḍa. 3. 32. ग्राह्याभावे तदग्रहम्

अग्रहण

Gauḍa. 1. 13. द्वैतस्याग्रहणं तुल्यम्

अग्राह्य

Maitri. 2. 5. सूक्ष्मो ऽग्राह्यो ऽदृश्यः
Muṇḍ. 1. 1. 6. यत्तदद्रेश्यमग्राह्यमगोत्रम्
Mâṇḍû. 7. अदृष्टमव्यवहार्यमग्राह्यम्
Nṛip. 4. 1.; Nṛisut. 1; Râmot. 3.
Śiras. 3. ग्राह्यमग्राह्येण.. ग्रसति

अग्राह्यत्व

Maitri. 2. 7. अदृश्यत्वादग्राह्यत्वात्

अग्राह्यभाव

Gauḍa. 3. 26. अग्राह्यभावेन हेतुना

अग्रे

Ait. 1. 1. आत्मा वा इदमेक एवाग्र आसीत्
Ait. 4. 3. सो ऽग्र एव कुमारं जन्मनो ऽग्रे ऽधिभावयति
Kaush. 1. 5. पादेनैवाग्र आरोहति
Chhâ. 1. 8. 2. भगवन्तावग्रे वदताम्
1. 10. 5. साग्र एव सुभिक्षा बभूव
3. 19. 1. असदेवेदमग्र आसीत्
6. 2. 1.
6. 2. 1. सदेव सोम्येदमग्र आसीत्
2. सत्त्वेव सोम्येदमग्र आसीत्
Bṛih. 1. 2. 1. नैवेह किञ्चनाग्र आसीत्
1. 4. 1. आत्मैवेदमग्र आसीत्पुरुषविधः
— सो ऽहमस्मीत्यग्रे व्याहरत्
— अहमयमित्येवाग्र उक्त्वा
10. ब्रह्म वा इदमग्र आसीत् 11;
Maitri. 6. 17. (ह वा)
17. आत्मैवेदमग्र आसीदेक एव
1. 5. 2. पयो ह्येवाग्रे मनुष्याः.. उपजीवन्ति
— घृतं वैवाग्रे प्रतिलेहयन्ति
5. 5. 1. आप एवेदमग्र आसुः
Tait. 2. 7. 1. असद्वा इदमग्र आसीत्
Śwet. 5. 2. यस्तमग्रे ज्ञानैर्बिभर्त्ति
Maitri. 2. 6. प्रजापतिर्वा एको ऽग्रे ऽतिष्ठत्
5. 2. तमो वा इदमग्र आसीदेकम्
Mahânâr 22. 1. तपसा देवा देवतामग्र आयन्
Nṛip. 1. 1. कामस्तदग्रे समवर्त्तत
Nâr. 4. ओमित्येतदग्रे व्याहरेत्
Gopî. 3. गोपीत्यग्र उच्यताम्
5. आपो वा अग्र आसन्
Râmap. 61. तदग्रे ऽनंगमालिखेत्
Gitâ. 18. 37. यत्तदग्रे विषमिव
38. यत्तदग्रे ऽमृतोपमम्
39. यदग्रे चानुबन्धे च

अग्र्य

Bṛih. 4. 4. 18. ते निचिक्युर्ब्रह्म पुराणमग्र्यम्

Katha 3. 12. दृश्यते त्वग्र्यया बुद्ध्या
Swet. 3. 19. तमाहुरग्र्यं पुरुषम्
Maitri. 4. 6. ब्रह्मणो वावैता अग्र्यास्तनवः
—या वास्या अग्र्यास्तनवस्ता
अभिध्यायेत्
Brahma. 2. आयुष्यमग्र्यं प्रतिमुञ्च

अघ

Kaush. 2. 8. माहं पुत्र्यमघं रुदमिति
10. मा त्वं पुत्र्यमघं निगाः
Nâr. 3. सर्वेभ्यो अघेभ्यो विमुक्तो
भवति (some MSS. read
पापेभ्यः)
Mukti. 1. 45. सर्वाघौघनिकृन्तनम्
Gîtâ. 3. 13· भुञ्जते ते त्वघं पापाः

अघमर्षण

Mahânâr 5. 8. वरुणः पुनात्वघमर्षणः
11. वरुणो ऽपामघमर्षणः
12. पुनातु वरुणः पुनात्वघमर्षणः

अघायु

Gîtâ 3. 16. अघायुरिन्द्रियारामः

अघासुर

Krish. 17. अघासुरो महाव्याधिः

अघोर

Swet. 3. 5. या ते रुद्र शिवा तनूरघोरा
Nîla 8.
Mahânâr. 17. 3. अघोरेभ्यो ऽथ घोरेभ्यः

अघोष

Amrita. 24. अघोषमव्यञ्जनमस्वरं च

अघ्रातृ

Maitri. 6. 11. अघ्रातारसयिता भवति

अंक

Brih. 6. 4. 24. अङ्क आधाय

अंकस्थित

Râmap. 47. अङ्कस्थितां कृत्वा

अंकितांकभृत्

Râmap. 26. जगद्योन्याङ्किताङ्कभृत्

अंकुर

Maitri. 6. 31. यथैवेह बीजस्याङ्कुरा वा
35. यस्य हि सोमः प्राणा वा
अप्ययङ्कुराः
Gauḍa. 4. 59. जायते तन्मयोऽङ्कुरः
Nṛisut. 9. अङ्कुरेष्वपि गुणभिन्ना
Mukti. 2. 26. बीजाङ्कुरक्रमः
36. *vide* शालिन्

अंकुश

Mukti. 2. 44. अङ्कुशेन विना

अंग

Ait. 4. 1. सर्वेभ्यो ऽङ्गेभ्यस्तेजः सम्भू-
तम्
2. तत् स्त्रिया आत्मभूयं गच्छ-
ति यथा स्वमङ्गं तथा
Kaush. 2. 3. आज्यलेपेनांगान्यनुविमृ-
ज्य
11. अङ्गादङ्गात्सम्भवसि
Brih. 6. 4. 9.
3. 5. वागेवास्या एकमङ्गमुदूल्हम्
(Similarly 9 times more).
Kena. 33. वेदाः सर्वाङ्गानि
Chhâ. 1. 2. 10. एतमु एवाङ्गिरसं मन्यन्ते
ऽङ्गानां यद्रसः
2. 19. 1. यज्ञायज्ञीयमङ्गेषु प्रोतं, 2.
2. नाङ्गेन विहूर्छति
Bṛih 1. 1. 1. ऋतवो ऽङ्गानि
1. 3. 8. आङ्गिरसो ऽङ्गानां हि रसः
19.

Bṛih. 1. 3. 19. प्राणो वा अङ्गानां रसः
—यस्मात्कस्माच्चाङ्गात्प्राण
उत्क्रामति...एष हि वा अ-
ङ्गानां रसः
3. 7. 2. व्यस्रंसिषतास्याङ्गानि
4. 3. 36. एभ्यो ऽङ्गेभ्यः सम्प्रमुच्य
Tait. 1. 5. 1. अङ्गान्यन्या देवताः
Maitri. 2. 6. अणिष्ठो वाङ्गे ऽङ्गेस मानयति
Nṛip. 1. 1. स्थिरैरङ्गैस्तुष्टुवांसः 2. 4.
Nṛisut. 1.
2. किं दैवतं कान्यङ्गानि
3. तत्साम्नो ऽङ्गं वेद (3 times).
2. 2. तस्य हि पञ्चाङ्गानि भवन्ति
—चत्वार्यङ्गानि भवन्ति
—व्यतिषक्तान्यङ्गानि भवन्ति
4. 1. अङ्गानि जानीयात्
Kshur. 3. कूर्मो ऽङ्गानीव संहृत्य
Śiras. 4. सर्वाणि चाङ्गान्यभिमृशति
5. भस्मनाङ्गानि संस्पृशेत्
Mahâ. 2. तान्यङ्गेष्वाश्रितानि
Amṛita. 35. व्यानः सर्वेषु चाङ्गेषु
Kathaśru. 1. यजमानस्याङ्गान्...समा-
रोप्य
Vâsu. 1. ममाङ्गे प्रतिदिनमालिप्तम्
Gopî. 5. सर्वान् वेदान् सरहस्योप-
निषदङ्गान्
Râmap. 8. पुंस्त्वयङ्गात्वादिकल्पना
90. अङ्गव्यूहानिलजाद्यैः
Mukti. 2. 42. अङ्गानङ्गैः समाक्रम्य
Gîtâ. 2. 58. कूर्मोऽङ्गानीव सर्वशः

अंगकषाय

Bṛih. 6. 4. 9. स त्वमङ्गकषायो ऽसि

अंगद

Râmap. 54. अङ्गदं चारिमर्दनम्

अंगन्यास

Hamsa. 2. हृदयाद्यङ्गन्यासकरन्यासौ

अंगमन्त्र

Nṛip. 4. 1. मन्त्रराजस्य..अङ्गमन्त्रान्
नो ब्रूहि

अंगलेपन

Vâsu. 1. मदङ्गलेपनं पुण्यम्

अंगसंग

Kṛish. 4. अङ्गसंगं करिष्यामि

अंगस्पर्शन

Kṛish. 2 तवाङ्गस्पर्शनाद्विना

अंगार

Chhâ. 2. 12. 1. अङ्गारा भवन्ति स प्रतिहारः
5. 4. 1. चन्द्रमा अङ्गाराः
Bṛih. 6. 2. 11.
5. 5. 1. अशनिरङ्गाराः
Bṛih. 6. 2. 10.
5. 6. 1. दिशो ऽङ्गाराः Bṛih. 6. 2. 9.
5. 7. 1. चक्षुरङ्गाराः Bṛih. 6. 2. 12.
5. 8. 1. यदन्तः करोति ते ऽङ्गाराः
Bṛih. 6. 2. 13.
5. 24. 1. यथाङ्गारानपोह्य भस्मनि
जुहुयात्
6. 7. 3. एको ऽङ्गारः खद्योतमात्रः
5. एकमङ्गारं खद्योतमात्रम्
Bṛih. 6. 2. 14. अङ्गारा अङ्गाराः

अंगारावक्षयण

Bṛih. 3. 9. 18. त्वां स्विदिमे ब्राह्मणा अङ्गा-
रावक्षयणमक्रता३ इति

अंगिन्

Chhâ. 2. 19. 2. स य एवमेतद्यज्ञायज्ञीयम-
ङ्गेषु प्रोतं वेदाङ्गी भवति

अंगिर्, अंगिरस्

Chhâ. 1. 2. 10. तं हाङ्गिरा उद्गीथमुपासा-
ञ्चक्रे एतमु एवाङ्गिरसं
मन्यन्ते

Muṇḍ. 1. 1. 2. अथर्वा तां पुरोवाचाङ्गिरे
—भारद्वाजो ऽङ्गिरसे (प्राह)
3. शौनकः..अङ्गिरसं विधि-
वदुपसन्नः
3. 2. 11. तदेतत् सत्यमृषिरङ्गिराः
पुरोवाच
Maitri. 7. 5. अङ्गिरसश्चन्द्रमा ऊर्ध्वा
उद्यान्ति
Nṛip. 5. 9. सो ऽङ्गिरसमधीते
Śikhâ. 1. पिप्पलादो ऽङ्गिराः सनत्कु-
मारश्च
—विराडेकऋषिरङ्गिराः
(so 2 MSS.)
Brahma. 1. अङ्गिरसं भगवन्तं पिप्प-
लादम्

अंगुलि

Śiras. 6. अप्स्वङ्गुल्या मथिते मथितम्
Prâṇâg. 1. कनिष्ठिकयाङ्गुल्या अङ्गुष्ठे-
न च
Amṛit. 19. नासिकापुटमङ्गुल्या पिधाय
Piṇḍa. 6. हस्ताङ्गुल्यः शिरो मुखम्
Vâsu. 2. अनामिक्याङ्गुल्या

अंगुष्ठ

Bṛih. 6. 4. 5. अनामिकाङ्गुष्ठाभ्यामादाय
Maitri. 6. 22. श्रवणाङ्गुष्ठयोगेन
38. अङ्गुष्ठप्रादेशशरीरमात्रम्
Mahânâr. 16. 3. अङ्गुष्ठमात्रः पुरुषो अङ्गुष्ठं
च समाश्रितः
Kshur. 6. अङ्गुष्ठे तु समाहितः
(3 MSS. have न for तु)
Prâṇâg. 1. कनिष्ठिकयाङ्गुल्या अङ्गु-
ष्ठेन च

अंगुष्ठमात्र

Kaṭha. 4. 12. अङ्गुष्ठमात्रः पुरुषो मध्य
आत्मनि तिष्ठति

Kaṭha. 4. 13. अङ्गुष्ठमात्रः पुरुषो ज्यो-
तिरिवाधूमकः
6. 17. अङ्गुष्ठमात्रः पुरुषो ऽन्तरा-
त्मा Śwet. 3. 13.
Śwet. 5. 8. अङ्गुष्ठमात्रो रवितुल्यरूपः
Maitri. 6. 38. शरीरप्रादेशाङ्गुष्ठमात्रम्
Mahânâr. 16. 3. अङ्गुष्ठमात्रः पुरुषो अङ्गु-
ष्ठं च समाश्रितः

अंगुष्ठाग्र

Prâṇâg. 2. अयं पुरुषो यो ऽङ्गुष्ठाग्रे प्रति-
ष्ठितः

अंघ्रि

Râmap. 87. पीठस्याङ्घ्रिष्वेषु

अचक्षुःश्रोत्र

Muṇḍ. 1. 1. 6. अचक्षुःश्रोत्रं तदपाणिपादम्

अचक्षुष्क

Bṛih. 3. 8. 8. अचक्षुष्कमश्रोत्रम्

अचक्षुस्

Śwet. 3. 19. पश्यत्यचक्षुः
Kaivalya. 21. पश्याम्यचक्षुः

अचर

Gîtâ. 13. 15. अचरं चरमेव च

अचल

Maitri. 2. 7. शुद्धः स्थिरो ऽचलः
6. 23. स्थिरमचलममृतम् 7. 3.
38. सत्त्वान्तरस्थमचलममृतम्
Gauḍa. 3. 37. समाधिरचलो ऽभयः
Parama. 2. तं शान्तमचलमद्वयानन्दम्
Vâsu. 4. अचला भक्तिश्चास्य वर्धते
Gîtâ. 2. 24. अचलो ऽयं सनातनः
53. समाधावचला बुद्धिः
6. 13. धारयन्नचलं स्थिरः
7. 21. तस्य तस्याचलां श्रद्धाम्

Gîtâ. 8. 10. प्रयाणकाले मनसाचलेन
12. 3. कूटस्थमचलं ध्रुवम्

अचलप्रतिष्ठ

Gîtâ. 2. 70. आपूर्यमाणमचलप्रतिष्ठम्

अचाण्डाल

Bṛih. 4. 3. 22. चाण्डालो ऽचाण्डालः

अचातुर्मास्य

Muṇḍ. 1. 2. 3. यस्याग्निहोत्रं .. अचातुर्मास्यम्

अचापल

Gîtâ. 16. 2. मार्दवं ह्रीरचापलम्

अचित्त

Chhâ. 7. 5. 2. यद्यपि बहुविदचित्तो भवति —यद्वायं विद्वानित्थमचित्तः स्यात्

Maitri. 6. 19. अचित्तं चित्तमध्यस्थम्

अचित्तचित्त

Tejo. 9. अचित्तचित्तमात्मानम्

अचित्तता

Mukti. 2. 29. चित्तं गच्छत्यचित्तताम्

अचिन्त्य

Maitri. 5. 1. अचिन्त्यायाप्रमेयाय
6. 17. अजो ऽतर्क्यो ऽचिन्त्यः
19. अचिन्त्यं गुह्यमुत्तमम्
7. 1. अचिन्त्यो ऽमूर्त्तो गभीरः

Kaivalya. 6. अचिन्त्यमव्यक्तमनन्तरूपम्

Mâṇḍû. 7. अलक्षणमचिन्त्यमव्यपदेश्यम् Nṛip. 4. 1; Râmot. 3.

Gauḍa. 4. 41. अचिन्त्यान्भूतवत्स्पृशेत्
52. यतो ऽचिन्त्याः सदैव ते

Nṛisut. 1. अलक्षणमलिङ्गमचिन्त्यम्
6. अद्वैतमाचिन्त्यमलिङ्गम्

Brahmab. 6. नैव चिन्त्यं न चाचिन्त्यमचिन्त्यं चिन्त्यमेव च

Tejo. 11. अचिन्त्यमप्रबुद्धं च

Skanda. 14. अचिन्त्यमव्यक्तमनन्तमव्ययम्

Gîtâ. 2. 25. अव्यक्तो ऽयमचिन्त्यो ऽयम
12 3. सर्वत्रगमचिन्त्यं च

अचिन्त्यरूप

Muṇḍ. 3. 1. 7. बृहच्च तद्दिव्यमचिन्त्यरूपम्

Gîtâ. 8. 9. सर्वस्य धातारमचिन्त्यरूपम्

अचिन्त्यशक्ति

Kaivalya. 21. अपाणिपादो ऽहमचिन्त्यशक्तिः

अचिरम्

Tait. 1. 4. 2. कुर्वाणाचीरमात्मनो वासांसि

अचिरात्

Kaivalya. 1. ययाचिरात्सर्वपापं व्यपोह्य

Mukti. 1. 27. ज्ञानं लब्ध्वाचिरादेव मामकं धाम यास्यसि

अचिरेण

Maitri. 6. 27. तद्भावमचिरेणैति —अचिरेणैति भूमित्वम्

Gîtâ. 4. 39. अचिरेणाधिगच्छति

अचीर्णव्रत

Muṇḍ. 3. 2. 11. नैतदचीर्णव्रतो ऽधीते

अचेतन

Maitri. 2. 3. शकटमिवाचेतनमिदं शरीरम्

अचेतयितव्य

Nṛisut. 9. अनहङ्कर्त्तव्यमचेतयितव्यम्

अचेतस्

Piṇḍa. 1. कथं गृह्णन्त्यचेतसः
Gîtâ. 3. 32. विद्धि नष्टानचेतसः
15. 11. नैनं पश्यन्त्यचेतसः
17. 6. कर्शयन्तः ..भूतग्राममचेतसः

अच्छाय

Bṛih. 3. 8. 8. अच्छायमतमः
Praśna. 4. 10. अच्छायमशरीरमलोहितम्

अच्छावद्

Nîlarud. 6. शिवेन वचसा त्वा गिरिशाच्छावदामसि

आच्छिन्न

Dhyâna. 18. तैलधारमिवाच्छिन्नम्

अच्छेद्य

Gîtâ. 2. 24. अच्छेद्यो ऽयमदाह्यो ऽयम्

अच्युत

Chhâ. 3. 17. 6. अक्षितमस्यच्युतमसि
Maitri. 5. 1. त्वं विश्वं त्वमथाच्युतः
6. 23. स्थिरमचलममृतमच्युतम्
38. अचलममृतमच्युतम् 7. 3. —सत्त्वमध्ये स्थितो ऽच्युतः
7. 7. अच्युतो विष्णुर्नारायणः
Mahânâr. 11. 3. शाश्वतं शिवमच्युतम्
Tejo. 8. शाश्वतं ध्रुवमच्युतम्
Vâsu. 2. द्वारकानिलयाच्युत
Skanda. 1. अच्युतो ऽस्मि महादेव
4. सो ऽच्युतो ज्ञानविग्रहः
Gîtâ. 1. 21. रथं स्थापय मे ऽच्युत
11. 42. एको ऽथवाप्यच्युत तत्समक्षम्
18. 73. नष्टो मोहः..त्वत्प्रसादात् ..अच्युत

अच्युताक्षिति.

Mahânâr. 19. 2. अच्युताक्षितये स्वाहा

1. अज adj.

Bṛih. 4. 4. 20. अज आत्मा महान् ध्रुवः
22. स वा एष महानज आत्मा 24, 25.
Kaṭha. 2. 18. अजो नित्यः शाश्वतो ऽयं पुराणः Gîtâ. 2. 20.
5. 1. अजस्यावक्रचेतस
Śwet. 1. 9. ज्ञाज्ञौ द्वावजौ ..अजा ह्येका
2. 15. अजं ध्रुवं सर्वतत्त्वैर्विशुद्धम्
4. 5. अजामेकां..अजो ह्येको जुषमाणो ऽनुशेतेजहात्येनां ..अजो ऽन्यः Mahânâr. 9. 2.
Maitri. 2. 4. अजः स्वतन्त्रः स्वे महिम्नि तिष्ठति 6. 28.
6. 17. अपरिमितो ऽजो ऽतर्क्यः
7. 1. श्रीमानजो धीमान्
Muṇḍ. 2. 1. 2. स बाह्याभ्यन्तरो ह्यजः
Gauḍa. 1. 16. अजमनिद्रमस्वप्नम् 3. 36; 4. 81.
3. 1. प्रागुत्पत्तेरजं सर्वम्
19. नान्यथाजं कथञ्चन
26. अजं प्रकाशते
33. अकल्पकमजं ज्ञानम्
— ब्रह्म ज्ञेयमजं नित्यमजेनाजं विबुध्यते
43. अजं सर्वमनुस्मृत्य
47. अजमजेन ज्ञेयेन
4. 11. जायमानं कथमजम्
12. अतः कार्यमजं यदि
13. अजाद्वै जायते यस्य
38. अजं सर्वमुदाहृतम्

Gauḍa. 4. 46. एवंधर्मा अजाः स्मृताः
48. अनाभासमजं यथा
— अनाभासमजं तथा
57. सद्भावेन ह्यजं सर्वम्
60. नाजेषु सर्वधर्मेषु
74. अजः कल्पितसंवृत्या परमार्थेन नाप्यजः
80. तत्साम्यमजमद्वयम्
93. अजं साम्यं विशारदम् 100
95. अजे साम्ये तु ये केचित्
96. अजेष्वजमसङ्क्रान्तं धर्मेषु ज्ञानमिष्यते

Nṛisut. 2. अप्यजयैनं चतुष्पादं मात्राभिरोङ्कारेण चैकीकुर्यात्
Chûl. 3. अष्टरूपामजां ध्रुवाम्
Śiras. 4. अजः संसृजति विसृजति च
Tejo. 8. दुष्प्रेक्ष्यमजमव्ययम्
Krish. 7. अप्यजेन साजिता पुरा
Skanda. 3. अजो ऽस्मि किमतः परम्
Mukti. 2. 73. सकृद्विभातं त्वजमेकमक्षरम्
75. अजो ऽमरश्चैव तथाजरो ऽमृतः
Gitâ. 2. 21. य एनमजमव्ययम्
4. 6. अजो ऽपि सन्नव्ययात्मा
7. 25. मामजमव्ययम्
10. 3. यो मामजमनादिं च वेत्ति
12. आदिदेवमजं विभुम्

2. अज, अजा

Chhâ. 2. 6. 1. अजा हिंकारः 2. 18. 1.
Bṛih. 1. 4. 4. अजेतराभवद्बस्त इतरः
— ततो ऽजावयो ऽजायन्त

अजत्व

Nṛisut. 7. अजत्वादमरत्वात्

अजपोपसंहार

Hamsa. 2. तदा तुर्यातीतमुन्मननमजपोपसंहारमित्यभिधीयते

अजय

Kṛish. 15. मत्सरो मुष्टिको ऽजयः

अजय्य

Kṛish. 7. अजय्या वैष्णवी माया

अजर

Kaush. 3. 8. स एष प्राण एव प्रज्ञात्मानन्दो ऽजरो ऽमृतः
Bṛih. 4. 4. 25. अजरो ऽमरो ऽमृतो ऽभयः
5. 14. 8. शुद्धः पूतो ऽजरो ऽमृतः
Śwet. 3. 21. वेदाहमेतमजरं पुराणम्
Praśna. 5. 7. शान्तमजरममृतमभयम्
Nṛisut. 1. एकमजरममृतमभयम्
2. अजरममरममृतमभयम्
Nyâsa. 4. अजरममरमक्षरमव्ययम्
Mukti. 2. 75. अजो ऽमरश्चैव तथाजरो ऽमृतः

अजरत्व

Nṛisut. 7. अजरत्वादमृतत्वात्

अजस्रम्

Maitri. 4. 4. यः सुयुक्तो ऽजस्रं चिन्तयति
6. 4. ओमित्यनेनैतदुपासीताजस्रम्
35. ये बिन्दव इवाभ्युच्चरन्त्यजस्रम्
7. 11. अजस्रं ब्रह्मधीयालंबं वा
Nṛip. 2. 4. सर्वाणि भूतानि. . अजस्रं सृजति (bis)
Atmapra. 1. यत्र ज्योतिरजस्रम्
Gitâ. 16. 19. क्षिपाम्यजस्रमशुभान्

अजाग्रत्

Nṛisut. 2. स्वप्ने ऽजाग्रतमसुषुप्तम्
— सुषुप्ते ऽजाग्रतमस्वप्नम्
— तुरीये ऽजाग्रतमस्वप्नमसुषुप्तम्

अजाचल

Gauḍa. 4. 45. अजाचलमवस्तुत्वम्

अजात

Śwet. 4. 21. अजात इत्येवं कश्चिद्भीरुः प्रपद्ये

Gauḍa. 3. 20. अजातस्यैव भावस्य
—अजातो ह्यमृतो भावः
4. 6. अजातस्यैव धर्मस्य
—अजातो ह्यमृते धर्मः
29. अजातं जायते यस्मात्
77. अजातस्यैव सर्वस्य

अजातपुत्र

Kaush. 2. 8. अथाजातपुत्रस्य

अजातशत्रु

Kaush. 4. 1. अजातशत्रुं काश्यमाभ्रज्योवाच
— तं होवाचाजातशत्रुः
(22 times).
19. तं हाजातशत्रुरामन्त्रयाञ्चक्रे

Bṛih. 2. 1. 1. स होवाचाजातशत्रुं काश्यम्
— स होवाचाजातशत्रुः
(17 times).

अजाति

Gauḍa. 3. 2. अजाति समतां गतम् 38.
4. 4. अजातिं ख्यापयन्ति ते
5. ख्याप्यमानामजातिम्
19. अजातिः परिदीपिता
21. अजातेः परिदीपकम्
29. अजातिः प्रकृतिस्ततः
42. अजातेस्त्रसतां सदा
43. अजातेस्त्रसतां तेषाम्

अजानत्

Gauḍa. 1. 15. निद्रातत्त्वमजानतः

Gîtâ. 7. 24. परं भावमजानन्तः 9. 11.
11. 41. अजानता महिमानं तवेमम्
13. 25. अन्ये त्वेवमजानन्तः

अजायमान

Gauḍa. 3. 24. अजायमानो बहुधा मायया जायते तु सः

अजित

Kṛish. 7. अप्यजेन साजिता पुरा

अजिन

Aruṇeya. 5. अजिनं मेखलां यज्ञोपवीतं च त्यक्त्वा

Gîtâ. 6. 11. चेलाजिनकुशोत्तरम्

अजीर्यत्

Kaṭha. 1. 28. अजीर्यताममृतानामुपेत्य

अज्ञ

Śwet. 1. 9. ज्ञाज्ञौ द्वावजोवीशनीशौ

Maitri. 6. 34. अनग्निहोत्र्यनग्निचिदज्ञानभिध्यायिनाम्

Gîtâ. 3. 26. अज्ञानां कर्मसंगिनाम्
4. 40. अज्ञश्चाश्रद्दधानश्च

अज्ञात

Nṛisut. 9. ज्ञातो ऽज्ञातश्चेति होचुः

Mukti. 2. 30. भवानज्ञाततत्पदः

अज्ञान

Maitri. 3. 5. नास्तिक्यमज्ञानं . . इति तामसानि

Skanda. 11. त्यजेदज्ञाननिर्माल्यम्

Mukti. 2. 61. अज्ञानसुघनाकारा

Gîtâ. 5. 15. अज्ञानेनावृतं ज्ञानम्
16. ज्ञानेन तु तदज्ञानम्
13. 11. अज्ञानं यदतो ऽन्यथा
14. 16. अज्ञानं तमसः फलम्
17. प्रमादमोहौ . . अज्ञानमेव च
16. 4. अज्ञानं च . . पार्थ

अज्ञानज

Gîtâ. 10. 11. अज्ञानजं तमः
14. 8. तमस्त्वज्ञानजं विद्धि

अज्ञानतस्

Mukti. 1. 46. ज्ञानतो ऽज्ञानतो वापि

अज्ञानभुज्

Nṛip. 4. 1. अज्ञानभुक् चेतोमुखः प्राज्ञः (so Nârâyaṇa and 2 MSS.)
Nṛisut. 1. अज्ञानभुक् चेतोमुखश्चतुरात्मा प्राज्ञः (so Nârâyaṇa; but other MSS. आनन्दभुक्)

अज्ञानविमोहित

Gîtâ. 16. 15. इत्यज्ञानविमोहिताः

अज्ञानसम्भूत

Gîtâ. 4. 42. तस्मादज्ञानसम्भूतम्

अज्ञानसम्मोह

Gîtâ. 18. 72. कच्चिदज्ञानसम्मोहः प्रनष्टस्ते

अज्वलत्

Nṛisut. 6. ज्वलन्तमज्वलन्तं . . बुबुधिरे

अञ्ज्

Bṛih. 6. 4. 12. शरभृष्टीःप्रतिलोमाः सर्पिषाक्ता जुहुयात्

अञ्जन

Mukti. 2. 46. विचिन्वन्ति तमो ऽञ्जनैः

अञ्जनासुत

Mukti. 1. 28. दृढता नो चेत् . . अञ्जनासुत

अञ्जलि

Chhâ. 5. 2. 6. अञ्जलौ मन्थमाधाय

अञ्जसा

Bṛih. 3. 9. 28. वृक्षो ऽञ्जसा प्रेत्यसम्भवः
4. 4. 15. यदैतमनुपश्यत्यात्मानं देवमञ्जसा
Mukti. 1. 8. वक्ष्यामि वेदान्तस्थितिमञ्जसा

अञ्जिन्

Mahânâr. 20. 6. यदञ्जिभिर्वाघद्भिर्विह्वयामहे

अण्

Mahânâr. 24. 1. वसुरण्यो विभूरसि

अणिमन्

Kaush. 4. 19. पिंगलस्याणिम्ना तिष्ठन्ति
Chhâ. 6. 6. 1. यो ऽणिमा स ऊर्ध्वः समुदीषति 2, 3, 4.
6. 8. 7. स य एषो ऽणिमा 6. 9. 4; 6.10. 3; 6.11. 3; 6.12. 3; 6. 13. 3; 6. 14. 3; 6. 15. 3.
6. 12. 2. यं एतमणिमानं न निभालयस एतस्य . . एषो ऽणिम्न एवं महान्यग्रोधस्तिष्ठति
8. 6. 1.ताः पिङ्गलस्याणिम्नस्तिष्ठन्ति
Bṛih. 4. 3. 20. तावताणिम्ना तिष्ठन्ति
36. यत्रायमणिमानं न्येति . . अणिमानं निगच्छति

अणिष्ठ

Chhâ. 6. 5. 1. यो ऽणिष्ठस्तन्मनः
2. यो ऽणिष्ठः स प्राणः
3 यो ऽणिष्ठः सा वाक्
Maitri. 2. 6. अणिष्ठो वाग्ने ऽग्रे समानयति

अणीय

Mahânâr. 11. 11. तस्य मध्ये वह्निशिखा अणीयोर्ध्वा व्यवस्थिता
Mahâ. 3; Vâsu. 3.

अणीयस्

Chhâ. 3. 14. 3. अणीयान्व्रीहेर्वा यवाद्वा
Kaṭha. 2. 8. अणीयान् ह्यतर्क्यमणुप्रमाणात्
20. अणोरणीयान्
Śwet. 3. 20; Mahânâr. 8. 3; Kaivalya 20.
Śwet. 3. 9. यस्मान्नाणीयो न ज्यायोऽस्ति कश्चित् Mahânâr. 10. 4.
Maitri. 6. 20. यदा .. अणोरणीयांसं .. पश्यति
7. 7. आत्मान्तर्हृदये ऽणीयान्
Mahânâr. 1. 5. अतःपरं नान्यदणीयसम्
Nṛisut. 1. अणोरणीयांसं .. व्याचक्ष्व
Gîtâ. 8. 9. अणोरणीयांसमनुस्मरेद्यः

1. अणु adj.

Kaush. 4. 19. सहस्रधा केशो विपाटितस्तावदण्व्यः
Chhâ. 6. 12. 1. अण्व्य इवेमा धाना भगवः
Bṛih. 4. 4. 8. अणुः पन्था विततः पुराणः
Kaṭha. 1. 21. अणुरेष धर्मः
2. 13. अणुमेतमाप्य स मोदते
20. अणोरणीयान्
Śwet. 3. 20; Mahânâr. 8. 3; Kaivalya. 20.
Maitri. 6. 20. यदा .. अणोरणीयांसं .. पश्यति
35. त्रिसूत्रमणुमव्ययम्
—अणुवातेरितः
38. अणोरप्यण्व्यं ध्यात्वा
7. 11. अणोर्ध्यणुर्द्विरणुः कण्ठदेशे
Muṇḍ. 2. 2. 2. यदणुभ्यो ऽणु
3. 1. 9. एषो ऽणुरात्मा चेतसा वेदितव्यः
Nṛisut. 1. अणोरणीयांसमिममात्मानम्
Kshur. 8. अणुरक्ताश्च पीताश्च
(MSS. have अनु°, but Nârâyaṇa says अणवश्च ता रक्ताश्चेति)
Râmap. 29. यश्चाणुश्च स्वङ्गेतया
Gîtâ. 8. 9. अणोरणीयांसमनुस्मरेद्यः

2. अणु

Bṛih. 6. 3. 13. अणुप्रियङ्गवः

अणुप्रमाण

Kaṭha. 2. 8. अणीयान् ह्यतर्क्यमणुप्रमाणात्

अणुमात्र

Gauḍa. 4. 97. अणुमात्रे ऽपि वैधर्म्ये

अणूपमा

Vâsu. 3. पीता भास्वत्यणूपमा

अण्ड

Ait. 1. 4. मुखं निरभिद्यत यथाण्डम्
Maitri. 6. 8. अपिहितः सहस्राक्षेण हिरण्मयेनाण्डेन
36. अन्तर्याण्डोपयोगात्
Śiras. 6. फेनादण्डं भवत्यण्डाद्ब्रह्मा
Mahâ. 3. तासु तेजो हिरण्मयमण्डम्

अण्डज

Ait. 5. 3. अण्डजानि च जारुजानि च स्वेदजानि चोद्भिज्जानि च
Gauḍa 4. 63. अण्डजान् स्वेदजान् वापि
65.

अण्वन्त

Bṛih. 4. 1. 1. पशूनिच्छन्नण्वन्तानिति

अण्व्य (?)

Maitri. 6. 38. अणोरप्यण्व्यं ध्यात्वा (MS. has अणुम्)

अतत्त्वार्थवन्त्

Gîtâ. 18. 22. अतत्त्वार्थवदल्पं च

अतद्व्यावृत्तिरूप

Mukti. 2. 55. अतद्व्यावृत्तिरूपो ऽसौ समाधिः

अतन्द्रित

Nyâsa. 1. व्रतवान् स्यादतन्द्रितः
Gîtâ. 3. 23. यदि ह्यहं न वर्त्तेयं जातु कर्मण्यतन्द्रितः

अतपस्क

Maitri. 4. 3. नातपस्कस्यात्मज्ञाने ऽधिगमः
Gîtâ. 18. 67. इदं ते नातपस्काय

अतमस्

Bṛih. 3. 8. 8. अच्छायमतमः
Śwet. 4. 18. यदातमस्तन्न दिवा न रात्रिः (2 MSS. read तमस्)
Nṛisut. 7. अतमाः सच्चिदानन्दमात्रः (ter)

अतमस्क

Nṛisut. 9. असत्त्वमरजस्कमतमस्कम्

अतमाविष्ट

Maitri. 6. 24. अतमाविष्टमागच्छति

अतर्क्य

Kaṭha. 2. 8. अणीयान् ह्यतर्क्यमणुप्रमाणात्
Maitri. 6. 17. अपरिमितो ऽजो ऽतर्क्यः

अतल

Aruṇeya. 1. *vide* तलातल

अतसीपुष्प

Dhyâna. 11. अतसीपुष्पसंकाशम्

अतापस

Bṛih. 4. 3. 22. तापसो ऽतापसः

अतिक्रम्

Kaush. 3. 1. बह्वीः सन्धा अतिक्रम्य
Bṛih. 1. 3. 12. परेण मृत्युमतिक्रान्तः 13–16.
3. 9. 26. यस्तान्पुरुषान्निरुह्य प्रत्युह्यात्यक्रामत्
4. 3. 7. इमं लोकमतिक्रामति मृत्यो रूपाणि
6. 4. 7. एनां यष्ट्या वा पाणिना वोपहत्यातिक्रामेत्
Maitri. 6. 28. भूतेन्द्रियार्थानतिक्रम्य
30. ब्रह्मलोकमतिक्रम्य
Haṁsa. 1. अनाहतमतिक्रम्य

अतिक्रम

Maitri. 4. 3. न स्वधर्मातिक्रमेणाभमी भवति
Amṛita. 21. नातिमूर्ध्वमतिक्रमः

अतिगम्भीर

Gauḍa. 4. 100. दुर्दर्शमतिगम्भीरम्

अतिग्रह, अतिग्राह

Bṛih. 3. 2. 1. कति ग्रहाः कत्यतिग्रहाः — अष्टौ ग्रहा अष्टावतिग्रहाः (bis); 9.
2. प्राणो वै ग्रहः सो ऽपानेनातिग्रहेण गृहीतः
3. वाग्वै ग्रहः स नाम्नातिग्राहेण गृहीतः (similarly 6 times more).

अतिघ्नी

Bṛih. 2. 1. 19. अतिघ्नीमानन्दस्य गत्वा

अतिचञ्चल

Amṛita. 5. मनश्चैवाति चञ्चलम्
Mukti. 2. 25. अतिचञ्चलं चित्तम्

अतिच्छन्दस्

Bṛih. 4. 3. 21. अस्यैतदतिच्छन्दाः . . रूपम्

अतिजन

Chhâ. 6. 14. 1. तं ततो ऽतिजने विसृजेत्

अतिजागर

Amṛita. 27. अतिस्वप्नातिजागरम्

अतिज्वलत्

Nṛisut. 7. अतिज्वलन्नतिसर्वतोमुखः

अतितराम्

Kena. 27. तस्माद्वा एते देवा अतितरामिवान्यान्देवान्
28. तस्माद्वा इन्द्रो ऽतितरामिवान्यान्देवान्

अतितॄ

Gîtâ. 13. 25. ते ऽपि चातितरन्त्येव मृत्युम्

अतिथि

Tait. 1. 9. 1. अतिथयश्च स्वाध्यायप्रवचने च
Kaṭha. 1. 7. वैश्वानरः प्रविशत्यतिथिर्ब्राह्मणो गृहान्
9. अतिथिर्नमस्यः
5. 2. वेदिषदतिथिर्दुरोणसत्
Mahânâr. 9. 3; 17. 8; Nṛip. 3. 1.

अतिथिदेव

Tait. 1. 11. 2. अतिथिदेवो भव

अतिथिवर्जित

Muṇḍ. 1. 2. 3. यस्याग्निहोत्रं . . अतिथिवर्जितम्

अतिदीर्घ

Kaṭha 1. 28. अतिदीर्घे जीविते को रमेत

अतिदुश्चर

Mahânâr. 21. 2. धर्मान्नातिदुश्चरम्

अतिदुष्कर

Mahânâr. 21. 2. दानान्नातिदुष्करम्

अतिदूर

Maitri. 6. 14. कालस्तस्यातिदूरमपसरति

अतिधन्वन्

Chhâ. 1. 9. 3. अतिधन्वा शौनकः

अतिनमामि

Nṛisut. 7. अतिनमाम्यत्यहं भूत्वा

अतिनृसिंह

Nṛisut. 7. अतिनृसिंहो ऽतिभीषणः

अतिनेद्

Bṛih. 3. 1. 8. या हुता अतिनेदन्ते (bis).

अतिपत्

Chhâ. 4 1. 2. हंसा निशायामतिपेतुः

अतिपान

Mahânâr. 5. 2. अत्याशनादतीपानात्

अतिपितामह

Bṛih. 6. 4. 28. अतिपितामहो वताभूः

अतिपितृ

Bṛih. 6. 4 28. एतमाहुरतिपिता वताभूः

अतिपृ

Mahânâr. 6. 2. स नः पर्षदति दुर्गाणि विश्वा, 6.
4. अग्ने त्वं पारया . . अति दुर्गाणि विश्वा
5. सिन्धुं न नावा दुरितातिपर्षि

अतिप्रच्छ्

Bṛih. 3. 6. 1. गार्गि मातिप्राक्षीः (bis.). — अनतिप्रश्न्यां वै देवनामतिपृच्छसि

अतिप्रश्न

Praśna. 3. 2. अतिप्रश्नान् पृच्छसि

अतिभद्र

Nṛisut. 7. अतिभद्रो ऽतिमृत्युमृत्युः

अतिभीषण

Nṛisut. 7. अतिसिंहो ऽतिभीषणः

अतिभू

Mahânâr. 17. 1. भवे भवे नातिभवे

अतिम्

Amṛita. 21. नातिमूर्ध्वमतिक्रमः (अतिमतिशयम् Nâr.)

अतिमहत्

Nṛisut. 7. अतिमहानतिविष्णुः

अतिमुक्ति

Bṛih. 3. 1. 3. सा मुक्तिः सातिमुक्तिः 4, 5, 6.

अतिमुच्

Kena. 2. अतिमुच्य धीराः प्रेत्यास्माल्लोकादमृता भवन्ति

Bṛih. 1. 3. 12. यदा मृत्युमत्यमुच्यत 13—16.

3. 1. 3. केन यजमानः..आप्निमतिमुच्यते 4, 5.

अतिमृत्यु

Chhâ. 2. 10. 1. आत्मसम्मितमतिमृत्यु सप्तविधं सामोपासीत, 6 (उपास्ते)

अतिमृत्युमृत्यु

Nrisut. 7. अतिभद्रो ऽतिमृत्युमृत्युः

अतिमोक्ष

Bṛih. 3. 1. 6. इत्यतिमोक्षा अथ सम्पदः

अतिरात्र

Maitri. 6. 36. स्वाराज्यमतिरात्रेण

Nṛip. 5. 8. सो ऽतिरात्रेण यजते

अतिरिच्

Bṛih. 6. 4. 24. यत्कर्मणात्यरीरिचम्

Śwet. 2. 6. सोमो यत्रातिरिच्यते

Mahânâr. 21. 2. एतान्यवराणि तपांसि न्यास एवात्यरेचयत्

24. 1. तस्मान्न्यासमेषां तपसामतिरिक्तमाहुः

Nyâsa. 3. अतो ऽतिरिक्तं यत्किञ्चित्

Gitâ. 2. 34. मरणादतिरिच्यते

अतिरुच्

Bṛih. 2. 1. 9. सर्वांस्तानतिरोचते

अतिरुह्

Śwet. 3. 15. यदन्नेनातिरोहति

अतिवद्

Chhâ. 7. 16. 1. एष तु वा अतिवदति यः सत्येनातिवदति सो ऽहं भगवः सत्येनातिवदानीति

Bṛih. 3. 9. 19. यदिदं कुरुपञ्चालानां ब्राह्मणानत्यवादीः

अतिवह्

Bṛih. 1. 3. 11. एना मृत्युमत्यवहत्

12. वाचमेव प्रथमामत्यवहत्

13. अथ प्राणमत्यवहत् (similarly in 14, 15, 16.)

16. एनमेषा देवता मृत्युमतिवहति

अतिवादिन्

Chhâ. 7. 15. 4. एवं विजानन्नतिवादी भवति तं चेद्ब्रूयुरतिवाद्यसीत्यतिवाद्यस्मीति ब्रूयात्

Muṇḍ. 3. 1. 4. विजानन् विद्वान् भवते नातिवादी

अतिविष्णु

Nṛisut. 7. अतिमहानतिविष्णुः

अतिविस्मित

Maitri. 4. 1. ते ..ऊर्ध्वरेतसो ऽतिविस्मिताः

अतिवीर

Nṛisut. 7. अत्युग्रो ऽतिवीरः

अतिवृत्

Muṇḍ. 3. 2. 1. ते शुक्रमेतदतिवर्त्तन्ति धीराः

Gîtâ. 6. 44. शब्दब्रह्मातिवर्त्तते
14. 21. कथं चैतांस्त्रीन् गुणानतिवर्त्तते

अतिशिष्

Chhâ. 2. 10. 3. अक्षरमतिशिष्यते
6. 7. 3. एका कलातिशिष्टा 6.
8. 1. 4. किं ततो ऽतिशिष्यते

अतिशी

Chhâ. 3. 12. 2. एतामेव नातिशीयते
3. एतदेव नातिशीयन्ते 4.

अतिशेष

Chhâ. 1. 10. 5. स ह खादित्वातिशेषान् जायाया आजहार

1. अतिष्ठा

Śwet. 3. 14. अत्यतिष्ठद्दशाङ्गुलम्

2. अतिष्ठा

Kaush. 4. 3. बृहत्पाण्डुरवासा अतिष्ठाः —एवमुपास्ते ऽतिष्ठाः .. भवति Bṛih. 2. 1. 2.

Bṛih. 2. 1. 2. अतिष्ठाः..इत्येतमुपासे

अतिसर्वतोमुख

Nṛisut. 7. अग्निज्वलन्नतिसर्वतोमुखः

अतिसूक्ष्म

Śwet. 4. 16. घृतात्परं मण्डमिवातिसूक्ष्मम्

Kshur. 9. अतिसूक्ष्मां च तन्वीं च

अतिसृज्

Kaush. 1. 2. तं यः प्रत्याहतमतिसृजते —त्वमस्मीति तमतिसृजते

Bṛih. 1. 4. 11. तच्छ्रेयोरूपमत्यसृजत क्षत्रम्
14. तच्छ्रेयोरूपमत्यसृजत धर्मम्

Kaṭha. 1. 21. अति मा सृजैनम्
2. 3. कामानभिध्यायन्..अत्यस्राक्षीः
11. धृत्या धीरः..अत्यस्राक्षीः

अतिसृष्टि

Bṛih. 1. 4. 6. सैषा ब्रह्मणो ऽतिसृष्टिः —मर्त्यः सन्नमृतानसृजत तस्मादतिसृष्टिः —अतिसृष्ट्यां हास्यैतस्यां भवति य एवं वेद

अतिस्थूल

Amṛita. 21. स्थूलातिस्थूलमात्रायाम्

अतिस्वप्न

Amṛita. 27. अतिस्वप्नातिजागरम्

अतिस्वप्नशील

Gîtâ. 6. 16. न चातिस्वप्नशीलस्य

अतिस्वृ

Chhâ. 1. 4. 4. यदा वा ऋचमाप्नोत्योमि-
त्येवातिस्वरति

अतिहन्

Ait. 3. 3. तदेतदभिसृष्टं नदत् पराङ-
त्यजिघांसत्

अती

Kaush. 1. 4. तं मनसात्येति
—तां मनसैवात्येति

Brih. 1. 3. 1. असुरान्यज्ञ उद्गीथेनात्ययाम
2. अनेन वै न उद्गात्रात्येष्य-
न्तीति 3—7.

3. 5. 1. मोऽहं जरां मृत्युमत्येति

Isâ. 4. तद्धावतोऽन्यानत्येति तिष्ठत्

Kaṭha. 4. 9. तदु नात्येति कश्चन 5. 8;
6. 1

Śwet. 3. 8. तमेव विदित्वातिमृत्युमेति
6. 15.

Maitri. 6. 22. तं पृथग्लक्षणमतीत्य

Mahânâr. 9. 1. सोम: पवित्रमत्येति रेभन्
17. 8.

Kaivalya. 9. ज्ञात्वा तं मृत्युमत्येति

Gîtâ. 8. 28. अत्येति तत्सर्वमिदं विदित्वा
14. 20. गुणानेतानतीत्य त्रीन्
21. गुणानेताननतीतो भवति प्रभो
15. 18. यस्मात्क्षरमतीतो ऽहम्

अतीन्द्रिय

Nâda. 18. अतीन्द्रियं गुणातीतम्

Gitâ. 6. 21. बुद्धिग्राह्यमतीन्द्रियम्

अतीन्द्रियभूत

Maitri. 2. 3. कस्यैष खल्वीदृशो महि-
मातीन्द्रियभूतस्य

अतृणाद

Bṛih. 1. 5. 2. वत्सं जातमाहुरतृणाद इति

अतेजस्क

Bṛih. 3. 8. 8. अतेजस्कमप्राणम्

अतेजोमय

Bṛih. 4. 4. 5. तेजोमयो ऽतेजोमय:

अत्ति

Bṛih. 2. 2. 4. अत्तिर्ह वै नामैतद्यदत्रिरिति

अत्तृ

Bṛih. 1. 2. 5. सर्वस्यैतस्यात्ता भवति
2. 2. 4. सर्वस्यात्ता भवति

Maitri. 6. 9. एवं विधिना खल्वनेनात्ता

Praśna. 2. 11. अत्ता विश्वस्य सत्पति:

अत्यद्भुत

Gitâ. 18. 77. रूपमत्यद्भुतं हरे:

अत्यन्त

Gitâ. 6. 28. अत्यन्तं सुखमश्नुते

अत्यन्तनिर्मल

Mukti. 2. 67. देही चात्यन्तनिर्मल:

अत्यन्तम्

Chhâ. 2. 23. 2. अत्यन्तमात्मानमाचार्यकु-
ले ऽवसादयन्

Kaṭha. 1. 17. इमां शान्तिमत्यन्तमेति
Śwet. 4. 11; Śiras 5.

Śwet. 4. 14. ज्ञात्वा शिवं शान्तिमत्य-
न्तमेति

अत्यन्तमलिन

Mukti. 2. 67. अत्यन्तमलिनो देह:

अत्यर्थम्

Gîtâ. 7. 17. प्रियो हि ज्ञानिनो ऽत्यर्थ-
महम्

अत्यशन

Mahânâr. 5. 2. अत्याशनादतीपानात्

अत्यश्नत्

Gîtâ. 6. 16. नात्यश्नतस्तु योगो ऽस्ति

अत्यहम्

Nṛisut. 7. अतिनमाम्यत्यहं भूत्वा

अत्यागिन्

Gîtâ. 18. 10. भवत्यत्यागिनां प्रेत्य

अत्याश्रमस्थ

Kaivalya. 5. अत्याश्रमस्थः सकलेन्द्रियाणि निरुध्य

अत्याश्रमिन्

Śwet. 6. 21. अत्याश्रमिभ्यः परमं पवित्रं प्रोवाच

Kaivalya. 24. तस्मादविमुक्तमाश्रितो भवत्यत्याश्रमी

अत्याहार

Amṛita. 27. अत्याहारमनाहारम्

अत्युग्र

Nṛisut. 7. अत्युग्रो ऽतिवीरः

अत्युष्ण

Gîtâ. 17. 9. *vide* विदाहिन्

अत्र

Bṛih. 5. 13. 4. प्र क्षत्रमत्रमाप्नोति .. य एवं वेद

अत्रि

Bṛih. 2. 2. 4. वागेवात्रिर्वाचा ह्यन्नमद्यते ऽत्तिर्ह वै नामैतद्यदत्रिरिति

Jâbâla. 2. अथ हैनमत्रिः पप्रच्छ 5; Râmot 4.

अत्रिवत्

Mahânâr 6. 5. अग्ने अत्रिवन्नमसा गृणानः

अत्व

Gauḍa. 1. 19. विश्वस्यात्वविवक्षायाम्

अथकार

Chhâ. 1. 13. 1. चन्द्रमा अथकारः

अथर्व

Muṇḍ. 1. 1. 1. अथर्वाय ज्येष्ठपुत्राय

अथर्वन्

Bṛih. 2. 6. 3. दध्यङ्ङाथर्वणो ऽथर्वणो दैवात् 4. 6. 3.
— अथर्वा दैवो मृत्योः प्राध्वंसनात्

Muṇḍ. 1. 1. 2. अथर्वणे यां प्रवदेत ब्रह्माथर्वा तां पुरोवाचाङ्गिरे

Nṛip. 1. 2. ऋग्यजुःसामाथर्वाणः
5. 9. सो ऽथर्वाणमधीते

Chûl. 10. अथर्वाणो भृगूत्तमाः
14. अथर्वाणः शिरो विदुः

Śiras. 6 मूर्द्धानमस्य संसीव्याथर्वा
— तद्वा अथर्वणः शिरः

Śikhâ. 1. अथर्वाणं भगवन्तं पप्रच्छ
— अथैभ्यो ऽथर्वा प्रत्युवाच

Nyâsa. 1. ब्रह्मणे ऽथर्वणे प्रजापतये

अथर्वविहित

Chûl. 13. स्तूयते मन्त्रसंयुक्तैरथर्वविहितैर्विभुः

अथर्ववेद

Muṇḍ. 1. 1. 5. ऋग्वेदो यजुर्वेदः सामवेदो ऽथर्ववेदः

Nṛip. 2. 1. सार्वर्णैर्मन्त्रैरथर्ववेदः Nṛisut. 3; Śikhâ 1.

Mahâ. 3. आनुष्टुभं छन्दो ऽथर्ववेदः

Mukti. 1. अथर्ववेदगतानां .. उपनिषदाम्

अथर्वशिखा

Mukti. 1. *vide* गारुड

अथर्वशिरस्

Śiras. 7. य इदमथर्वशिरो ब्राह्मणो ऽधीते

— अथर्वशिरः सकृज्जप्त्वा

Nâr. 5. एतदथर्वशिरो यो ऽधीते (one MS. has अथर्वाङ्गिरसम्)

Mukti. 1. *vide* गारुड

अथर्वशिरःशिखा

Nṛip. 5. 10. एकेनाथर्वशिरःशिखाध्यायिकेन

— अथर्वशिरःशिखाध्यायिकशतमेकम्

अथर्वांगिरस्

Chhâ. 3. 4. 1. अथर्वाङ्गिरस एव मधुकृतः

2. एते ऽथर्वाङ्गिरस एतदितिहासपुराणमभ्यतपन्

Bṛih. 2. 4. 10. अथर्वाङ्गिरस इतिहासः पुराणम् 4. 1. 2; 4. 5. 11; Maitri. 6. 32.

Tait. 2. 3. 1. अथर्वाङ्गिरसः पुच्छं प्रतिष्ठा

Maitri. 6. 33. ऋग्यजुःसामाथर्वाङ्गिरसः Mahâ.2; Śiras. 4 (सम्)

Praśna. 2. 8. ऋषीणां चरितं सत्यमथर्वाङ्गिरसामसि

Śiras. 1. सामाहमथर्वाङ्गिरसोहम्

अद्

Ait. 2. 1. यस्मिन् प्रतिष्ठिता अन्नमदामेति

Kaush. 2. 9. तेन मुखेन राज्ञोत्सि..विशोत्सि..पक्षिणोत्सि..लोकमत्सि..भूतान्यत्सि

Chhâ. 1. 12. 5. ओमदामों पिबाम

4. 1. 1. सर्वत एव मे ऽत्स्यन्तीति

4. 3. 7. यदनन्नमत्ति

Chhâ. 5. 10. 6. यो यो ह्यन्नमत्ति..तद्भूय एव भवति

5. 12. 2. अत्स्यन्नं पश्यसि प्रियमत्त्यन्नं पश्यति प्रियम् 5. 13. 2; 5. 14. 2; 5. 15. 2; 5. 16. 2; 5. 17. 2.

5. 18. 1. अन्नमत्थ..सर्वेष्वात्मस्वन्नमत्ति

Bṛih. 1. 2. 5. यद्यदेवासृजत तत्तदत्तुमध्रियत सर्वं वा अत्तीति

1. 3. 17. यद्धि किञ्चान्नमद्यते ऽनेनैव तदद्यते

18. यदनेनान्नमत्ति

1. 5. 1. कस्मात्तानि न क्षीयन्ते ऽद्यमानानि सर्वदा 2.

— अन्नमत्ति प्रतीकेन 2.

2. तत्साधारणमन्नं यदिदमद्यते

2. 2. 4. वाचा ह्यन्नमद्यते

3. 9. 25. श्वानो वैनदद्युः

5. 9. 1. येनेदमन्नं पच्यते यदिदमद्यते Maitri. 2. 6.

Tait. 2. 2. 1. अद्यते ऽत्ति च भूतानि Maitri. 6. 12.

3. 10. 6. अहमन्नमन्नमदन्तमाद्मि Nṛip. 2. 4.

Śwet. 4. 6. तयोरन्यः पिप्पलं स्वाद्वत्ति Muṇḍ. 3. 1. 1.

Maitri. 2. 6. पञ्चभीरश्मिभिर्विषयानत्ति 6. 31.

6. 1. हृत्पुष्कर एवाश्रितो ऽन्नमत्ति 2.

2. सर्वभूतान्यन्नमत्ति

10. अग्निनैवान्नमत्त्येवंवित्

13. यावन्तीह वै भूतान्यन्नमदन्ति तावत्स्वन्तःस्थो ऽन्नमत्ति

Mahânâr. 25. 1. यत्सायंप्रातरत्ति तत्समिधः

Nṛisut. 4. असौ हि..सर्वमत्ति

Prâṇâg. 1. यदन्नमद्मि बहुधा विराद्धम्

अदक्षिण

Gîtâ. 17. 13. मन्त्रहीनमदक्षिणम्

1. अदत्क (भक्षयितृ)

Chhâ. 8. 14. 1. श्वेतमदत्कमदत्कं श्वेतं लिन्दु माभिगाम् (2 MSS. have अतर्क्यं in both places for अदत्कं)

2. अदत्क (दन्तरहित)

Chhâ. 8. 14. 1. See preceding quotation.

अदत्त

Siras. 3. हुतमहुतं दत्तमदत्तम्

अददान

Chhâ. 8. 8. 5. अददानमश्रद्दधानमयजमानम्

अदम्भित्व

Gîtâ. 13. 7. अमानित्वमदम्भित्वम्

अदर्श

Muṇḍ. 1. 2. 3. यस्याग्निहोत्रमदर्शम्

अदर्शन

Mukti. 2. 64. दर्शनादर्शने हित्वा

अदर्शनीय

Chhâ 1. 2. 4. तस्मात्तेनोभयं पश्यति दर्शनीयं चादर्शनीयं च

अदाभ्य

Mahânâr. 20. 14. त्रीणि पदा वि चक्रमे विष्णुर्गोपा अदाभ्यः

अदाह्य

Gîtâ. 2. 24. अच्छेद्यो ऽयमदाह्यो ऽयम्

अदिति

Bṛih. 1. 2. 5. तददितेरदितित्वम् (bis).

Kaṭha. 4. 7. या प्राणेन संभवत्यदितिः

Mahânâr. 13. 7. अदितिर्देवा गन्धर्वाः

Kṛish. 20. रज्जुर्मातादितिस्तथा

अदितित्व

Bṛih. 1. 2. 5. तददितेरदितित्वम् (bis).

अदीर्घ

Bṛih. 3. 8. 8. अह्रस्वमदीर्घम्

अदीर्घत्व

Gauḍa. 2. 2. अदीर्घत्वाच्च कालस्य

अदुग्ध

Śiras. 4. अदुग्धा इव धेनवः

अदृढ

Muṇḍ. 1. 2. 7. प्लवा ह्येते अदृढा यज्ञरूपाः

अदृश्य, अद्रेश्य

Tait. 2. 7. 1. अदृश्ये ऽनात्म्ये ऽनिरुक्ते

Maitri. 2. 5. सूक्ष्मो ऽग्राह्यो ऽदृश्यः

6. 2. कालाख्यो ऽदृश्यः

Muṇḍ. 1. 1. 6. यत्तदद्रेश्यमग्राह्यमगोत्रम्

Nîla. 10. अदृश्यं त्वावरोहन्तम्

Haṁsa. 2. अदृश्यं नवमे देहम्

अदृश्यत्व

Maitri. 2. 7. अदृश्यत्वादग्राह्यत्वात्

अदृष्ट

Bṛih. 3. 7. 23. अदृष्टो द्रष्टा

3. 8. 11. अदृष्टं द्रष्टृ

Praśna. 4. 5. दृष्टं चादृष्टं च . . सर्वं पश्यति

Mâṇḍû. 7. अदृष्टमव्यवहार्यमग्राह्यम् Nṛip. 4. 1; Nṛisut. 1; Râmot. 3.

Nṛisut. 9. भूतेष दृष्टो ऽदृष्टो वेति — किमेष दृष्टो ऽदृष्टो वेति

अदृष्टपूर्व

Gitâ. 11. 6. बहून्यदृष्टपूर्वाणि
45. अदृष्टपूर्वं हृषितो ऽस्मि दृष्ट्वा

अदृष्ट्वा

Bṛih. 1. 4. 15. स्वं लोकमदृष्ट्वा प्रैति

अदेय

Tait. 1. 11. 3. श्रद्धया देयमश्रद्धयादेयम्

अदेव

Bṛih 4. 3. 22. देवा अदेवाः

अदेशकाल

Gitâ. 17. 22. अदेशकाले यद्दानम्

अदेहमुक्तत्व

Mukti. 2. 76. विशत्यदेहमुक्तत्वम्

अदोमय

Bṛih. 4. 4. 5. तद्यदेतदिदम्मयो ऽदोमयः

अद्धा

Chhâ. 3. 14. 4. यस्य स्यादद्धा न विचिकित्सास्ति

Maitri. 1. 1. सपूर्णः खलु वा अद्धाविकलः

अद्भुत

Mahânâr. 2. 7. सदसस्पतिमद्भुतं प्रियम्
Kaivalya. 6. विभुं चिदानन्दमरूपमद्भुतम्
Gitâ. 11. 20. दृष्ट्वाद्भुतं रूपमुग्रं तवेदम्
18. 74. अद्भुतं रोमहर्षणम्
76. संवादमिममद्भुतम्

अद्भुतकर्मन्

Brahmav. 2. विष्णोरद्भुतकर्मणः

अद्य

Chhâ. 6. 4. 5. न नो ऽद्य कश्चनाश्रुतं . . उदाहरिष्यति
8. 8. 5. अद्येहाददानं . . आहुरासुरो वत

Bṛih. 1. 5. 23. स एवाद्य स उ श्वः
Katha. 4. 13.
— तदेवाप्यद्य कुर्वन्ति
3. 1. 7. कतिभिरयार्ग्भिः . . करिष्यति
8. कत्ययमद्याध्वर्युः . . आहुतीर्होष्यति
9. कतिभिरयमद्य ब्रह्मा . . यज्ञं . . देवताभिर्गोपायति
10. कत्ययमद्योद्गाता . . स्तोत्रियाः स्तोष्यति
6. 4. 5. यन्मे ऽद्य रेतः पृथिवीमस्कान्त्सीत्
Katha. 1. 5. यन्मयाद्य करिष्यति
16. वरं तवेहाद्य ददामि भूयः
Mahânâr. 9. 6. अद्या नो देव सवितः 17. 7.
Râmap. 43. आदाय मैथिलीमद्य
Gitâ. 4. 3. स एवायं मया ते ऽद्य
11. 7. पश्याद्य सचराचरम्
16. 13. इदमद्य मया लब्धम्

अद्रष्टृ

Chhâ. 7. 9. 1. अद्रष्टाश्रोतामन्ताबोद्धा . भवति
Maitri. 6. 11. अमन्ताश्रोतास्प्रष्टाद्रष्टा . भवति

अद्रिजा

Katha. 5. 2. अद्रिजा ऋतं बृहत्
Mahânâr. 9. 3 ; 17. 8 ; Nrip. 3. 1.

अद्रोह

Gitâ. 16. 3. अद्रोहो नातिमानिता

अद्रोहिन्

Jâbâla. 5. शुचिरद्रोही भैक्षाणः

अद्वय

Kaivalya. 19. तद्ब्रह्माद्वयमस्म्यहम्

Gauḍa. 2. 33. अद्वयेन च कल्पितः
—भावा अप्यद्वयेनैव
35. प्रपञ्चोपशमो ऽद्वयः
3. 30. अद्वयं च द्वयाभासम् (bis);
• 4. 62 (bis).
4. 4. विवदन्तो ऽद्वयाः
45. विज्ञानं शान्तमद्वयम्
77. यानुत्पत्तिः समाद्वया
80. तत्साम्यमजमद्वयम्
85. ब्राह्मण्यं पदमद्वयम्
Nṛisut. 8. अद्वयो ह्ययमात्मैकल एव
—एतदद्वयं स्वप्रकाशं . . आत्मैव
9. अद्वय एवायमात्मा
—विभुरद्वय आत्मानन्दः
—अविक्रिये ऽद्वये
—असुखदुःखो ऽद्वयः . . अभिन्नो ऽद्वयः
—किमद्वयेन द्वितीयमेव न
—अव्यवहार्यमद्वयम्
— तद्वा एतद्ब्रह्माद्वयं बृहत्त्वात्
— सत्यं सूक्ष्मं परिपूर्णमद्वयम्
— सुविभातमद्वयं पश्यत
— अनुज्ञामद्वयं लब्ध्वा
Parama. 2. तं शान्तमचलमद्वयानन्दम्
Mukti. 1. 34. महानारायणाद्वयम्
2. 73. अलेपकं सर्वगतं यदद्वयम्

अद्वयता

Gauḍa. 2. 33. तस्मादद्वयता शिवा

अद्वयतारक

Mukti. 1. *vide* मुक्तिका

अद्वितीय

Chhâ. 6. 2. 1. एकमेवाद्वितीयम् 2.
Kaivalya. 23. गुहाशयं निष्कलमद्वितीयम्
Nṛisut. 8. अव्यवहार्यः केनचनाद्वितीयः
Nṛisut. 9. आत्मैव सिद्धो ऽद्वितीयः
Râmap. 7. चिन्मयस्याद्वितीयस्य

अद्वितीयत्व

Nṛisut. 8. अविकल्पो ह्ययमात्मा अद्वितीयत्वात्
— अविकल्पो ह्ययमोङ्कारो ऽद्वितीयत्वात्

अद्वेष्टृ

Gîtâ. 12. 13. अद्वेष्टा सर्वभूतानाम्

अद्वैत

Bṛih. 4. 3. 32. सलिल एको द्रष्टाद्वैतो भवति
Mâṇḍû. 7. शान्तं शिवमद्वैतं चतुर्थम्
Nṛisut. 1 (शिवं शान्तं)
12. प्रपञ्चोपशमः शिवो ऽद्वैतः
Nṛisut. 2.
Gauḍa. 1. 10. अद्वैतः सर्वभावानाम्
16. अजमनिद्रमस्वप्नमद्वैतम्
17. अद्वैतं परमार्थतः
2. 18. रज्जुरेवेति चाद्वैतम्
36. अद्वैते योजयेत् स्मृतिम्
—अद्वैतं समनुप्राप्य
3. 18. अद्वैतं परमार्थो हि
Nṛip. 4. 1. शिवमद्वैतं चतुर्थम्
Râmot. 3.
Nṛisut. 6. अद्वैतमाचिन्त्यमलिङ्गम्
Chûl. 15. अद्वैतं द्वैतमित्येतत्
Parama. 2. अद्वैते परमस्थितिः
Atmapra. 1. द्वैतादद्वैतमभयं भवति
Vâsu. 3. सर्वानुस्यूतमद्वैतम्
Râmot. 5. अद्वैतपरमानन्दात्मा (1)
—यः सच्चिदानन्दाद्वैतैकरसात्मा (47).

अद्वैतत्व

Nṛisut. 7. अद्वैतत्वाचाकारेणेममात्मानमन्विष्य

अद्वैतीभूत

Maitri. 6. 7. यत्राद्वैतीभूतं विज्ञानम्

अधःपुष्प

Dhyâna. 14. अष्टपत्रमधःपुष्पम्

अधःपूर्ण

Mukti. 2. 56. ऊर्ध्वपूर्णमधःपूर्णम्

अधःशाख

Gîtâ. 15. 1. ऊर्ध्वमूलमधःशाखम्

अधःस्तंब

Maitri. 7. 8. अधःस्तंबेनाश्लिष्यन्ति

अधम

Gauḍa. 4. 76. उत्तमाधममध्यमान्
Gîtâ. 16. 20. ततो यान्त्यधमां गतिम्

अधर

Bṛih. 2. 2. 2. अधरयैनं वर्तन्या पृथिव्यन्वायत्ता
Tait. 1. 3. 4. अधरा हनुः पूर्वरूपम्
Râmap. 85. पीठाधरोर्ध्वम्

अधराञ्च्

Chhâ. 6. 14. 1. उदङ्वाधराङ्वा प्रध्मायीत

अधरेय

Chhâ. 4. 1. 4. यथा कृताय विजितायाधरेयाः संयन्ति

अधर्म

Chhâ. 7. 2. 1. धर्मं चाधर्मं च 7. 7. 1.
—न धर्मो नाधर्मः
Kaṭha. 2. 14. अन्यत्र धर्मादन्यत्राधर्मात्
Mahânâr. 19. 2. अधर्माय स्वाहा
Gauḍa. 2. 25. धर्माधर्मौ च तद्विदः
Nâda. 2. अधर्मश्चोत्तरं स्मृतम्
Aśrama. 4. न तेषां धर्मो नाधर्मः
Gîtâ. 1. 40. अधर्मो ऽभिभवत्युत
41. अधर्माभिभवात्कृष्ण

Gîtâ. 4. 7. अभ्युत्थानमधर्मस्य
18. 31. यथा धर्ममधर्मं च
32. अधर्मं धर्ममिति या मन्यते

अधर्ममय

Bṛih. 4. 4. 5. धर्ममयो ऽधर्ममयः

अधस्

Aitar. 4. 5. शतं मा पुर आयसीररक्षन्नधः
Kaush. 3. 8. यमधो निनीषते
Bṛih. 3. 1. 8. अध इव हि मनुष्यलोकः
6. 4. 2. तां सृष्ट्वाध उपास्त तस्मात्स्त्रियमध उपासीत
Śwet. 5. 4. सर्वा दिश ऊर्ध्वमधश्च तिर्यक्
Muṇḍ. 2. 2. 11. अधश्चोर्ध्वं च प्रसृतम्
Mahânâr. 11. 8. अधोनिष्ठ्या वितस्त्यां तु
Praśna. 1. 6. यदधः..प्रकाशयति
Nṛip. 1. 3. स मृतो ऽधो गच्छति
— आत्रार्थस्तेनैव मृतो ऽधो गच्छति
Siras. 1. अधश्चोर्ध्वश्चाहम्
Amṛita. 22. तिर्यगूर्ध्वमधो दृष्टिं विनिर्धाय
Nâr. 2. अधश्च नारायणः
Râmap. 51. भरताधस्तु सुग्रीवं शत्रुघ्नाधो विभीषणम्
52. तदधस्तौ तालवृन्तकरौ
59. तदधः साध्यमालिखेत्
86. पृथिव्यब्जे स्वासनाधः प्रकल्प्य
Mukti. 2. 74. पुरस्तिरश्चोर्ध्वमधश्च
Gîtâ. 14. 18. अधो गच्छन्ति तामसाः
15. 2. अधश्चोर्ध्वं प्रसृतास्तस्य शाखाः
—अधश्च मूलान्यनुसन्ततानि

अधस्तात्

Ait. 1. 2. या अधस्तात्ता आपः
Chhâ. 4. 1. 8. सो ऽधस्ताच्छकटस्य

Chhâ. 7. 25. 1. स एवाधस्तात् अहमेवाधस्तात्
2. आत्मैवाधस्तात्
Brih. 1. 4. 11. ब्राह्मणः क्षत्रियमधस्तादुपास्ते
Maitri. 6. 30. ये नैकरूपास्त्वधस्ताद्रश्मयः
7. 6. अधस्तादुद्यन्ति
Śiras. 4. तिर्यगूर्ध्वमधस्ताच्चास्यान्तो नोपलभ्यते
Prâṇâg. 2. प्रायश्चित्तीयस्त्वधस्तात्

अधि

Kena. 3. अविदितादधि
Nîlarud. 1. प्रत्यष्ठाद्भूम्यामधि

अधिक

Śikhâ. 2. तत्राधिकं क्षणमेकमास्थाय
Haṁsa. 2. एकविंशतिसहस्राणि षट् शतान्यधिकानि
Gîtâ. 6. 22. मन्यते नाधिकं ततः
46. तपस्विभ्यो ऽधिको योगी ज्ञानिभ्यो ऽपि मतो ऽधिकः
— कर्मिभ्यश्चाधिको योगी

अधिकतर

Gîtâ. 12. 5. क्लेशो ऽधिकतरस्तेषाम्

अधिकरण

Tait. 1. 3. 1. पञ्चस्वधिकरणेषु

अधिकार

Gîtâ. 2. 47. कर्मण्येवाधिकारस्ते

अधिकृ

Praśna. 3. 4. यथा सम्राडेवाधिकृतान् विनियुंक्ते
Brahma. 3. कर्मण्यधिकृता ये

अधिगम्

Kaṭha. 3. 7. संसारं चाधिगच्छति
Śwet. 6. 13. सांख्ययोगाधिगम्यम्
Maitri. 6. 22. परं ब्रह्माधिगच्छति
Brahmab. 17.
Muṇḍ. 1. 1. 5. परा यया तदक्षरमधिगम्यते
Gîtâ. 2. 71. स शान्तिमधिगच्छति
4. 39. परां शान्तिमचिरेणाधिगच्छति
5. 6. ब्रह्म नचिरेणाधिगच्छति
24. ब्रह्मभूतो ऽधिगच्छति
6. 15. शान्तिं . . अधिगच्छति
14. 19. मद्भावं सो ऽधिगच्छति
18. 49. सन्न्यासेनाधिगच्छति

अधिगम

Kaṭha. 2. 12. अध्यात्मयोगाधिगमेन
Maitri. 4. 3. वेदविद्याधिगमः
— नातपस्कस्यात्मज्ञाने ऽधिगमः
Mukti. 2. 44. अध्यात्मविद्याधिगमः

अधिगा

Chhâ. 7. 1. 3. यद्वै किंचैतदध्यगीष्ठाः

अधिजन्

Kaush. 2. 11. हृदयादधिजायसे
Brih. 6. 4. 9.
Chhâ. 6. 2. 3. तेजस एव तदध्यापो जायन्ते
4. अद्भ्य एव तदध्यन्नाद्यं जायते
Mahânâr. 1. 8. सर्वे निमेषा जज्ञिरे विद्युतः पुरुषादधि
5. 5. ऋतं च सत्यं चाभीद्धात्तपसो ऽध्यजायत
6. समुद्रादर्णवादधि संवत्सरो अजायत
Mahâ. 1. संवत्सरादधिजायन्ते

अधिज्य

Brih. 3. 8. 2. उज्ज्यं धनुरधिज्यं कृत्वा

अधिज्योतिषम्

Tait. 1. 3. 1. अधिलोकमधिज्योतिषम्

Tait. 1. 3. 2. अथाधिज्योतिषम्
— इत्यधिज्योतिषम् (MSS. read ज्यौ in each case).

अधिदैव

Gîtâ. 7. 30. साधिभूताधिदैवं माम्
8. 1. अधिदैवं किमुच्यते

अधिदैवत

Kaush. 2. 12. इत्यधिदैवतम् 4. 2. 10; Kena. 29; Chhá. 1. 5. 2; 1. 6. 8; 4. 3. 2; Bṛih. 2. 3. 3; 3. 7. 14.
Chhâ. 1. 3. 1. अथाधिदैवतम् 3. 18. 1, 2; Bṛih. 1. 5. 22.
3. 18. 1. इत्युभयमादिष्टं भवत्यध्यात्मं चाधिदैवतं च 2.
Gîtâ. 8. 4. पुरुषश्चाधिदैवतम्

अधिदैवत्व

Maitri. 4. 4. अधिदैवत्वं देवेभ्यश्च (एता भवाति)

अधिप

Śwet. 4. 13. यो देवानामधिपः
6. 9. न चास्य कश्चिज्जनिता न चाधिपः

अधिपति

Chhâ. 5. 2. 6. स हि ज्येष्ठः श्रेष्ठो राजाधिपतिः
Bṛih. 1. 3. 18. अन्नादो ऽधिपतिर्य एवं वेद
2. 5. 15. आत्मा सर्वेषां.. अधिपतिः
4. 3. 33. अन्येषामधिपतिः
4. 4. 22. सर्वस्याधिपतिः 5. 6. 1.
6. 3. 5. स राजेशानो ऽधिपतिः स मां राजेशानो ऽधिपतिं करोतु
Maitri. 5. 2. स भूतानामधिपतिर्बभूव
Mahânâr. 12. 3. एष भूतानामधिपतिः
Mahânâr. 17. 5. ब्रह्मणो ऽधिपतिर्ब्रह्मा
Nṛip. 1. 6. ब्रह्मणो ऽधिपतिः

अधिपतिवन्त्

Maitri. 6. 5. ब्रह्मा रुद्रो विष्णुरित्यधिपतिवत्येषा

अधिप्रजम्

Tait. 1. 3. 1. अधिविद्यमधिप्रजमध्यात्मम्
3. अथाधिप्रजं .. इत्यधिप्रजम्

अधिप्रज्ञम्

Kaush. 3. 8. एता दशैव भूतमात्रा अधिप्रज्ञम्

अधिभू

Ait. 4. 3. कुमारं जन्मनो ऽग्रे ऽधिभावयति

अधिभूत

Kaush. 3. 8. दश प्रज्ञामात्रा अधिभूतम्
Bṛih. 3. 7. 14. अथाधिभूतम्
15. इत्यधिभूतम् Tait. 1. 7. 1.
Gîtâ. 8. 1. अधिभूतं च किं प्रोक्तम्
4. अधिभूतं क्षरो भावः

अधिमात्रम्

Mâṇḍú. 8. ओङ्कारो ऽधिमात्रम्

अधियज्ञ

Gîtâ. 8. 2. अधियज्ञः कथं को ऽत्र
4. अधियज्ञो ऽहमेवात्र

अधिरुध्

Śwet. 2. 6. वायुर्यत्राधिरुध्यते (one MS. has अभि°)

अधिलोकम्

Tait. 1. 3. 1. अधिलोकमधिज्योतिषम्
—अथाधिलोकम्
2. इत्यधिलोकम्

अधिवस्

Brahmab. 4. यद्भूतेषु वसत्यधि

अधिवह्

Chhâ. 1. 6. 1. तदेतदेतस्यामृच्यध्यूढं साम तस्मादृच्यध्यूढं साम गीयते 2, 3, 4, 5; 1. 7. 1, 2, 3, 4.

अधिवास

Muṇḍ 1. 2. 5. यत्र देवानां पतिरेकोऽधिवासः

अधिविद्यम्

Tait. 1. 3. 1. अधिविद्यमधिप्रजमध्यात्मम्
2. अथाधिविद्यम्
3. इत्यधिविद्यम्

अधिविधा

Tait. 1. 7. 1. एतदधिविधाय ऋषिरवोचत्

अधिशी

Bṛih. 3. 1. 8. या हुता अधिशेरते (bis).

अधिश्रि

Śwet. 4. 13. यस्मिंल्लोका अधिश्रिताः

अधिष्ठा

Chhâ. 5. 19. 2. यत्किञ्च द्यौश्चादित्यश्चाधितिष्ठतः
5. 20. 2. यत्किञ्च दिशश्च चन्द्रमाश्चाधितिष्ठन्ति
5. 21. 2. यत्किञ्च पृथिवी चाग्निश्चाधितिष्ठतः
5. 22. 2. यत्किञ्च विद्युच्च पर्जन्यश्चाधितिष्ठतः
5. 23. 2. यत्किञ्च वायुश्चाकाशश्चाधितिष्ठतः

Śwet. 1. 1. अधिष्ठिताः केन सुखेतरेषु वर्त्तामहे

Swet. 1. 3. यः कारणानि निखिलानि तानि . . अधितिष्ठत्येकः
4. 11. यो योनिं योनिमधितिष्ठत्येकः 5. 2; Siras. 5.
5. 4. योनिस्वभावानधितिष्ठत्येकः
5. सर्वमेतद्विश्वमधितिष्ठत्येकः

Praśna. 3. 4. एतान् ग्रामानेतान् ग्रामानधितिष्ठस्वेति

Chûl. 4. तेनैवाधिष्ठिता पुरा
19. क्षेत्रज्ञाधिष्ठितम्

Siras. 4. सूक्ष्मो भूत्वा शरीराण्यधितिष्ठति

Gîtâ. 4. 6. प्रकृतिं स्वामधिष्ठाय
13. 17. हृदि सर्वस्य धिष्ठितम्
15. 9. अधिष्ठाय मनश्चायम्

अधिष्ठान

Chhâ. 8. 12. 1. अशरीरस्यात्मनोऽधिष्ठानम्

Nṛisut. 3. तदधिष्ठानमात्मानं संज्वाल्य

Gîtâ. 3. 40. अस्याधिष्ठानमुच्यते
18. 14. अधिष्ठानं तथा कर्त्ता

अधिसमाधा

Prâṇâg. 4. सर्वा ह्यस्मिन् देवताः शरीरेऽधिसमाहिताः

अधिसम्भू

Tait. 1. 4. 1. अध्यमृतात्संबभूव

अधी

Kaush. 1. 1. सदस्येव स्वाध्यायमधीत्य

Chhâ. 6. 1. 2. सर्वान् वेदानधीत्य
7. 1. 1. अधीहि भगवः
2. ऋग्वेदं भगवोऽध्येमि . . एतद् भगवोऽध्येमि
7. 3. 1. मन्त्रानधीयीयेत्यथाधीते
7. 14. 1. आशेद्धो वै स्मरो मन्त्रानधीते

Chhâ. 8. 15. 1. आचार्यकुलाद्वेदमधीत्य यथाविधानम्
—शुचौ देशे स्वाध्यायमधीयानः
Bṛih. 3. 7. 1. यज्ञमधीयानाः
Tait. 2. 1. 1. तेजस्वि नावधीतमस्तु 3. 1. 1. Kaṭha. 6. 19.
3. 1. 1. अधीहि भगवो ब्रह्मेति 3. 2. 1; 3. 3. 1; 3. 4. 1; 3. 9. 1.
Kaṭha 1. 13. त्वमग्निं स्वर्ग्यमध्येषि मृत्यो
Śwet. 1. 5. पञ्चाशद्भेदां पञ्चपर्वामधीमः
Maitri. 7. 10. ब्राह्मणो नावैदिकमधीयीत
Muṇḍ. 3. 2. 11. नैतदचीर्णव्रतो ऽधीते
Kaivalya. 1. अधीहि भगवन् ब्रह्मविद्याम्
24. यः शतरुद्रियमधीते
Nṛip. 5. 3. य एतं मन्त्रराजं . . नित्यमधीते 4–9.
9. स ऋचो ऽधीते
— स यजूंष्यधीते
— स सामान्यधीते
— सो ऽथर्वाणमधीते
— सो ऽङ्गिरसमधीते
— स शाखा अधीते
— स पुराणान्यधीते
— स कल्पानधीते
— स गाथा अधीते
— स नाराशंसीरधीते
— स प्रणवमधीते
— स सर्वमधीते
Śiras. 7. य इदमथर्वशिरो ब्राह्मणो ऽधीते
Śikhâ. 2. एतामधीत्य द्विजो गर्भवासान्मुच्यते
Mahâ. 4. य इमां महोपनिषदं ब्राह्मणो ऽधीते
Prâṇâg. 1. अधीतं . . शारीरयज्ञम्
Amṛit. 1. शास्त्राण्यधीत्य मेधावी
Yogat. 7. यो ऽधीते ऽध्यर्द्धमक्षरम्
Nyâsa. 2. वेदानधीत्यानुज्ञातः . . गुरुणा
Kaṭhaśru. 3. वेदमधीत्य वेदौ वेदान् वा
Nâr. 3. यो ह वै नारायणस्योपनिषदमधीते
4. यो ह वै नारायणस्याष्टाक्षरं पदमध्येति
5. एतदथर्वशिरो यो ऽधीते
— प्रातरधीयानो रात्रिकृतं पापं नाशयति
— सायमधीयानो दिवसकृतं पापं नाशयति
— मध्यन्दिनमादित्याभिमुखो ऽधीयानः
Gâruḍa. 1. य इमां महाविद्याममावास्यायामधीयानो धारयेत्
Kâlâg. 1. अधीहि भगवंस्त्रिपुण्ड्रविधिसतत्त्वम्
2. यस्त्वेतदधीते सोप्येवमेव भवति
Aśrama. 2. अधीयाना नाध्यापयन्तः
— अधीयाना अध्यापयन्तः
Vâsu. 4. यस्त्वेतदधीते वा
Râmot. 2. य एतत्तारकं ब्राह्मणो नित्यमधीते
Mukti. 1. अष्टोत्तरशतोपनिषदं विधिवदधीत्य
2. 65. अधीत्य चतुरो वेदान्
Gîtâ. 18. 70. अध्येष्यते च य इमं धर्म्यं संवादम्

अधीतवेद

Bṛih. 4. 2. 1. अधीतवेद उक्तोपनिषत्कः

अधीश

Râmap. 46. तदधीशेन सार्द्धम्

अधुना

Krish. 4. कृतकृत्याधुना वयम्
Râmap. 42. आशाविदो ऽधुना
58. निर्देशस्तस्य चाधुना
74. मालामन्त्रो ऽधुनेरितः

अधूमक

Katha. 4. 13. ज्योतिरिवाधूमकः
Maitri. 1. 2. अग्निरिवाधूमकः
6. 17. अग्नौ चाधूमके यज्ज्योतिश्चित्रतरम्

अधृति

Bṛih. 1. 5. 3. धृतिरधृतिः . . सर्वं मन एव Maitri. 6. 30.

अधोपहास

Bṛih. 6. 4. 3. अधोपहासं चरति
4. अधोपहासं चरन्ति

अधोबिन्दु

Yogat. 9. ऊर्ध्वनालमधोबिन्दु (so Nârâyaṇa and 2 MSS. of text; but others °बिन्दुं).

अधोमुख

Mahânâr 11. 7. सुषिरं चाप्यधोमुखम् (some MSS. read हृदयं for सुषिरं); Brahma. 3.
Mahâ. 3. हृदये चाप्यधोमुखम्
Dhyâna. 14. ऊर्ध्वनालमधोमुखम्
Yogat. 9. तच्च पद्ममधोमुखम्

अध्यक्ष

Gîtâ. 9. 10. मयाध्यक्षेण प्रकृतिः

अध्यक्षरम्

Mâṇḍû. 8. सो ऽयमात्माध्यक्षरम्

अध्ययन

Chhâ. 2. 23. 1. त्रयो धर्मस्कन्धा यज्ञो ऽध्ययनं दानमिति प्रथमः
Gîtâ. 11. 48. न वेदयज्ञाध्ययनैर्न दानैः

अध्यर्द्ध

Bṛih. 3. 9. 1. कत्येव देवाः . . अध्यर्द्ध इति
8. कतमो ऽध्यर्द्ध इति
9. कथमध्यर्द्ध इति यदस्मिन्निदं सर्वमध्यार्ध्नोत्तेनाध्यर्द्ध इति

अध्यवसाय

Maitri. 2. 5. *vide* लिङ्ग ; 5. 2.
6. 10. अध्यवसायसंकल्पाभिमानाः
30. *vide* लिङ्ग
— अध्यवसायस्य दोषक्षयात्

अध्यवसायात्मन्

Maitri. 6. 30. अध्यवसायात्मबन्धमुपागतः

अध्यात्म

Kaush. 2. 12. अथाध्यात्मम् 4. 2; 4. 10; Kena. 30; Chhâ. 1. 5. 2; 1. 7. 1; 4. 3. 3; Bṛih. 2. 3. 4; 3. 7. 15; Tait. 1. 3. 4; 1. 7. 1.
Chhâ. 1. 2. 14. इत्यध्यात्मम् 3. 18. 1, 2; Bṛih. 1. 5. 21; Tait. 1. 3. 4.
3. 18. 1. इत्युभयमादिष्टं भवत्यध्यात्मं चाधिदैवतं च 2.
Bṛih. 2. 5. 1. यश्चायमध्यात्मं शारीरः . . पुरुषः (similarly in 2—13).
3. 1. 10. कतमास्ता या अध्यात्ममिति
5. 14. 4. एवमेषा गायत्र्यध्यात्मं प्रतिष्ठिता

Tait. 1. 3. 1. अधिविद्यमधिप्रजमध्यात्मम्
Katha. 6. 18. अन्यो ऽप्येवं यो विदध्यात्ममेव
Praśna. 3. 1. कथं बाह्यमभिधत्ते कथमध्यात्मम्
12. अध्यात्मं चैव प्राणस्य विज्ञाय
Tejo. 9. तद्ब्रह्माणं तदध्यात्मम्
Kaṭhaśru. 4. अध्यात्ममस्य ध्यायतः
Mukti. 1. 36. सूर्याक्ष्यध्यात्मकुण्डिका
1. *vide* मुक्तिका
2. 44. अध्यात्मविद्याधिगमः
Gitâ. 7. 29. अध्यात्मं कर्म चाखिलम्
8. 1. किं तद्ब्रह्म किमध्यात्मम्
3. स्वभावो ऽध्यात्ममुच्यते
11. 1. अध्यात्मसंज्ञितम्

अध्यात्मचेतस्

Gitâ. 3. 30. सन्न्यस्याध्यात्मचेतसा

अध्यात्मज्ञान

Gitâ. 13. 11. अध्यात्मज्ञाननित्यत्वम्

अध्यात्मनित्य

Gitâ. 15. 5. अध्यात्मनित्या विनिवृत्तकामाः

अध्यात्मनिष्ठ

Jâbâla. 6. शुक्लध्यानपरायणो ऽध्यात्मनिष्ठः

अध्यात्ममन्त्र

Nyâsa. 3. अध्यात्ममन्त्रान् जपन्
Kaṭhaśru. 4. अध्यात्ममन्त्रान् जपेत्

अध्यात्मयोग

Kaṭha. 2. 12. अध्यात्मयोगाधिगमेन

अध्यात्मविद्या

Mukti. 2. 44. अध्यात्मविद्याधिगमः
Gitâ. 10. 32. अध्यात्मविद्या विद्यानाम्

अध्याभृ

Śwet. 2. 1. अग्नेर्ज्योतिर्निचाय्य पृथिव्या अध्याभरत्

अध्यास्

Chûl. 4. ध्यायते ऽध्यासिता तेन

अध्यृध्

Bṛih. 3. 9. 9. यदस्मिन्निदं सर्वमध्यार्ध्नोत्ते नाध्यर्द्ध इति

अध्रुव

Katha. 2. 10. न ह्यध्रुवैः प्राप्यते हि ध्रुवं तत्
4. 2. ध्रुवमध्रुवेष्विह न प्रार्थयन्ते
Gitâ. 17. 18. राजसं चलमध्रुवम्

अध्वन्

Kaush. 1. 1. अन्यतमो वाध्वा
Chhâ. 5. 10. 5. एतमध्वानं पुनर्निवर्त्तन्ते
Bṛih. 2. 4. 11. सर्वेषामध्वनां पादावेकायनम् 4. 5. 12.
4. 2. 1. महान्तमध्वानमेष्यन्
Katha. 3. 9. सो ऽध्वनः पारमाप्नोति
Gauḍa. 4. 27. निमित्तं न सदा चित्तं संस्पृशत्यध्वसु त्रिषु

अध्वर

Mahânâr. 6. 7. प्रत्नो हि कमीड्यो अध्वरेषु सनाच्च होता

अध्वर्यु

Kaush. 2. 6. आत्मानमध्वर्युः संस्करोति

Chhâ. 4. 16. 2. वाचा होताध्वर्युरुद्गातान्यतराम्

Bṛih. 3. 1. 4. अध्वर्युणर्त्विजा चक्षुषादित्येन चक्षुर्वै यज्ञस्याध्वर्युः
— असावादित्यः सो ऽध्वर्युः
8. कत्ययमद्याध्वर्युः आहुतीर्होष्यतीति

Tait. 1. 8. 1. ओमित्यध्वर्युः प्रतिगरं प्रतिगृणाति

Mahânâr. 25. 1. चक्षुरध्वर्युः

Chûl. 8. स्नातकाध्वर्यवो हये

Prâṇâg. 3. शारीरयज्ञस्य . . को ऽध्वर्युः
4. अहङ्कारो ऽध्वर्युः

अन्

Tait. 2. 7. 1. को ह्येवान्यात्कः प्राण्यात्

अन

Chhâ. 5. 2. 1. एतदनस्यान्नमनो ह वै नाम प्रत्यक्षम्

Bṛih. 1. 3. 17. यद्धि किंचान्नमद्यते ऽनेनैव तदद्यते
18. तस्माद्यदनेनान्नमत्ति
1. 5. 3. प्राणो ऽपानो व्यान उदानः समानो ऽनः
6. 1. 14. य एवमेतदनस्यान्नं वेद
— एतमेव तदनमनग्नं कुर्वन्तो मन्यन्ते

अनग्न

Chhâ. 5. 2. 2. अनग्नो भवति

Bṛih. 6. 1. 14. एतमेव तदनमनग्नं कुर्वन्तो मन्यन्ते

अनग्निक

Jâbâla. 4. उत्सन्नाग्निरनग्निको वा

अनग्निचित्

Maitri. 6. 34. अनग्निहोत्र्यनग्निचिदज्ञानभिध्यायिनाम्

अनग्निहोत्रिन्

Maitri. 6. 34. अनग्निहोत्र्यनग्निचिदज्ञानभिध्यायिनाम्

अनघ

Gîtâ. 3. 3. पुरा प्रोक्ता मयानघ
14. 6. ज्ञानसंगेन चानघ
15. 20. इदमुक्तं मयानघ

अनंग

Râmap. 61. तदग्रे ऽनङ्गमालिखेत्

अनडुह्

Śwet 5. 4. सर्वा दिशः . . प्रकाशयन् भ्राजते यद्वनड्वान्

Chûl. 11. अनड्वान् रोहितोच्छिष्टः

अनणु

Bṛih. 3. 8. 8. अस्थूलमनणु

अनतिप्रश्न्य

Bṛih. 3. 6. 1. अनतिप्रश्न्यां देवतामतिपृच्छसि

अनद्यमान

Chhâ. 4. 3. 7. अनद्यमानो यदनन्नमत्ति

अननुभूत

Praśna. 4. 5. अनुभूतं चाननुभूतं च

अननुमत्त

Aśrama. 4. अननुमत्ता उन्मत्तवदाचरन्तः

अननुविद्य

Chhâ. 8. 1. 6. य इहात्मानमननुविद्य व्रजन्ति
8. 8. 4. आत्मानमननुविद्य व्रजतः

अननुशिष्य

Chhâ. 5. 3. 4. अननुशिष्य वाव किल मा

Bṛih. 4. 1. 2. पिता मे ऽमन्यत नाननुशिष्य हरेतेति 3 – 7.

अननूक्त

Bṛih 1. 4. 15. यथा वेदो वाननूक्तः

अननूच्य

Chhâ. 6. 1. 1. अननूच्य ब्रह्मबन्धुरिव भवति

1. अनन्त

Kaush. 2. 5. एते अनन्ते अमृते आहुती
Kena. 34. अनन्ते स्वर्गे लोके ज्येये प्रतितिष्ठति
Chhâ. 1. 9. 2. स एषो ऽनन्तः
Bṛih. 1. 5. 13. सर्व एव समा सर्वे ऽनन्ताः —अनन्तानुपास्ते ऽनन्तं स लोकं जयति
2. 4. 12. अनन्तमपारं विज्ञानघन एव
2. 5. 19. बहूनि चानन्तानि च
3. 1. 9. अनन्तं वै मनो ऽनन्ता विश्वे देवा अनन्तमेव स तेन लोकं जयति
3. 2. 12. अनन्तं वै नामानन्ता विश्वे देवा अनन्तमेव स तेन लोकं जयति
4. 1. 5. अनन्त इत्येनदुपासीत — अनन्ता हि दिशः
6. 2. 7. बहोरनन्तस्यापर्यन्तस्य
Tait. 2. 1. 1. सत्यं ज्ञानमनन्तं ब्रह्म
Kaṭha. 3. 15. अनाद्यनन्तं महतः परम्
Śwet. 1. 9. अनन्तश्चात्मा विश्वरूपः
5. 1. द्वे अक्षरे ब्रह्मपुरे त्वनन्ते
13. अनाद्यनन्तं कलिलस्य मध्ये
Maitri. 2. 4. अनन्तो ऽक्षय्यः 6. 28.
6. 17. एको ऽनन्तः प्रागनन्तो दक्षिणतो ऽनन्तःप्रतीच्यनन्त उदीच्यनन्तः .. सर्वतो ऽनन्तः
Maitri. 6. 28. अनन्तः परमो गुह्यः
30. अनन्ता रश्मयस्तस्य
7. 4. अप्राणो निरात्मानन्तः
Mahânâr. 11. 7. अनन्तमव्ययं कविम्
Gauḍa. 2. 19. प्राणादिभिरनन्तैश्च भावैः
26. अनन्त इति चापरे
Nṛisut. 9. मोहात्मकमनन्तं तुच्छम्
— सर्वज्ञो ऽनन्तो ऽभिन्नः
Siras. 3. यः सर्वव्यापी सो ऽनन्तो यो ऽनन्तस्तत्तारम्
4. कस्मादुच्यते ऽनन्तः
—तस्मादुच्यते ऽनन्तः
Brahmab. 9. निर्विकल्पमनन्तं च
Sarvop. 3. सत्यं ज्ञानमनन्तमानन्दं ब्रह्म —अनन्तं नाम .. अनन्तमित्युच्यते
Jâbâla. 2. य एषो ऽनन्तो ऽव्यक्त आत्मा (bis); Râmot. 4 (bis).
Râmap. 6. रमन्ते योगिनो ऽनन्ते
56. इन्द्रीशधात्रनन्ताश्च
Gîtâ. 2. 41. बहुशाखा ह्यनन्ताश्च
11. 11. अनन्तं विश्वतोमुखम्
37. अनन्त देवेश जगन्निवास
47. तेजोमयं विश्वमनन्तमाद्यम्

2. अनन्त

Gîtâ. 10. 29. अनन्तश्चास्मि नागानाम्

अनन्तक

Gâruḍa. 1. यद्यनन्तकदूतस्त्वं यदि वानन्तकः स्वयम्

अनन्तग

Râmap. 79. अनन्तगो ऽनलः

अनन्तता

Bṛih. 4. 1. 5. कानन्तता .. दिश एव
Gauḍa. 4. 30. अनन्तता चादितो मोक्षस्य न भविष्यति

अनन्तबाहु

Gîtâ. 11. 19. अनन्तबाहुं शशिसूर्यनेत्रम्

अनन्तमात्र

Gauḍa. 1. 29. अमात्रो ऽनन्तमात्रश्च

अनन्तर

Bṛih. 2. 5. 19. अनन्तरमबाह्यम् 3. 8. 8.
4. 5. 13. अनन्तरो ऽबाह्यः (bis);
Gauḍa. 1. 26.

अनन्तरम्

Gauḍa. 1. 27. व्यश्नुते तदनन्तरम्
Gîtâ. 12. 12. त्यागाच्छान्तिरनन्तरम्
18. 55. विशते तदनन्तरम्

अनन्तरूप

Mahânâr. 1. 5. यदेकमव्यक्तमनन्तरूपम्
Kaivalya. 6. अचिन्त्यमव्यक्तमनन्तरूपम्
Râmap. 23. अत्र रामो ऽनन्तरूपः
Gîtâ. 11. 16. पश्यामि त्वां सर्वतो ऽनन्तरूपम्
38. त्वया ततं विश्वमनन्तरूपम्

अनन्तरूपिन्

Râmap. 14. स्वभूर्ज्योतिर्मयो ऽनन्तरूपी

अनन्तर्हित

Bṛih. 6. 4. 25. अनन्तर्हितेन जातरूपेण प्राशयति

अनन्तलोक

Kaṭha. 1. 14. अनन्तलोकाप्तिमथो प्रतिष्ठां विद्धि

अनन्तवन्त्

Chhâ. 4. 6. 3. एष वै सोम्य चतुष्कलः पादो ब्रह्मणो ऽनन्तवान्नाम
4. 6. 4. स य एतमेवं विद्वांश्चतुष्कलं पादं ब्रह्मणो ऽनन्तवानित्युपास्ते ऽनन्तवानस्मिँल्लोके भवत्यनन्तवतो लोकाञ्जयति

अनन्तविजय

Gîtâ. 1. 16. अनन्तविजयं राजा

अनन्तवीर्य

Gîtâ. 11. 19. अनादिमध्यान्तमनन्तवीर्यम्
40. अनन्तवीर्यामितविक्रमस्त्वम्

अनन्तशक्ति

Maitri. 7. 2. अनन्तशक्तिर्धाता

अनन्तेवासिन्

Bṛih. 6. 3. 12. एतं नापुत्राय वानन्तेवासिने वा ब्रूयात्

अनन्त्य

Kaṭha. 2. 11. क्रतोरनन्त्यमभयस्य पारम्

अनन्द

Bṛih. 4. 4. 11. अनन्दा नाम ते लोकाः
Kaṭha. 1. 3.

अनन्ध

Chhâ. 8. 4. 2. अन्धः सन्ननन्धो भवति
8. 10. 1. यद्यपीदं शरीरमन्धं भवत्यनन्धः स भवति 3.

अनन्न

Chhâ. 4. 3. 7. अनद्यमानो यदनन्नमत्ति
5. 2. 1. न ह वा एवंविदि किञ्चनानन्नं भवति
Bṛih. 6. 1. 14. न ह वा अस्यानन्नं जग्धं भवति नानन्नं परिगृहीतम्

अनन्य

Gîtâ. 8. 22. भक्त्या लभ्यस्त्वनन्यया
9. 22. अनन्याश्चिन्तयन्तो माम्
11. 54. भक्त्या त्वनन्यया
12. 6. अनन्येनैव योगेन

अनन्यगामिन्

Gîtâ. 8. 8. चेतसानन्यगामिना

अनन्यचेतस्

Gîtâ. 8. 14. अनन्यचेताः सततम्

अनन्यत्व

Gauḍa. 3. 13. जीवात्मनोरनन्यत्वम्
4. 12. कारणाद्यद्यनन्यत्वम्

अनन्यधी

Mukti. 1. 22. द्विजो नित्यमनन्यधीः

अनन्यप्रोक्त

Kaṭha. 2. 8. अनन्यप्रोक्ते गतिरत्र नास्ति

अनन्यभक्त

Maitri. 6. 29. अनन्यभक्ताय . . दद्यात्

अनन्यभाज्

Gîtâ. 9. 30. भजते मामनन्यभाक्

अनन्यमनस्

Gîtâ. 9. 13 भजन्त्यनन्यमनसः

अनन्ययोग

Gîtâ. 10. 13. मयि चानन्ययोगेन

अनन्वागत

Bṛih. 4. 3. 15. अनन्वागतस्तेन भवति 16.
22. अनन्वागतं पुण्येनानन्वागतं पापेन

अनपग

Kaush. 4. 12. द्वितीयो ऽनपग इति वा अहमेतमुपासे
Bṛih. 2. 1. 11.

अनपजय्यम्

Mahânâr. 20. 9. लोकाननपजय्यमभ्यजयन्

अनपर

Bṛih. 2. 5. 19. अपूर्वमनपरमनन्तरमबाह्यम्
Gauḍa. 1. 26. अपूर्वो ऽनन्तरो ऽबाह्यो ऽनपरः

अनपानयितव्य

Nṛisut. 9. अप्राणयितव्यमनपानयितव्यम्

अनपेक्ष

Gîtâ. 12. 16. अनपेक्षः शुचिर्दक्षः

अनपेक्षमाण

Kaṭhasru. 1. आत्मानमेवं ध्यात्वानपेक्षमाणम्

अनभिध्यायिन्

Maitri. 6. 34. अनभिहोत्र्यनग्निचिदज्ञानभिध्यायिनाम्

अनभिनिहित

Chhâ. 2. 22. 5. सर्वे स्पर्शा लेशेनानभिनिहिता वक्तव्याः
(so MSS. and Sâyaṇa.)

अनभिभूत

Maitri. 2. 7. सितासितैः कर्मफलैरनभिभूत इव

अनभिमानमय

Maitri. 6. 28. अनभिमानमयेन चैवेषुणा

अनभिशंकित

Kshur. 14. छिन्देदनभिशङ्कितः
(Three MSS. have व for भि)

अनभिष्वंग

Gîtâ. 13. 9. असक्तिरनभिष्वङ्गः

अनभिसन्धाय

Gîtâ. 1. 25. तदित्यनभिसन्धाय फलम्

अनभिस्नेह

Parama. 3. शुभाशुभयोरनभिस्नेहः
Gîtâ. 2. 57. यः सर्वत्रानभिस्नेहः

अनभ्युदित

Kena. 4. यद्वाचानभ्युदितं येन वागभ्युद्यते

अनमामि

Nṛisut. 6. नमाम्यनमामि . . बुबुधिरे

अनमीव

Prâṇâg. 1. अनमीवस्य शुष्मिणः

अनरण्य

Maitri. 1. 4. *vide* आदि

अनर्थ

Maitri. 4. 2. मर्त्ये ऽनर्था इवास्थिताः
Mukti. 2. 1. तत्रोच्छास्त्रमनर्थाय

अनल

Swet. 2. 11. नीहारधूमार्कानिलानलानाम्
6. 19. दग्धेन्धनमिवानलम्
Râmap. 79. अनन्तगो ऽनलः
Gitâ. 3. 39. दुष्पूरेणानलेन च
7. 4. भूमिरापो ऽनलो वायुः

अनलवर्चस्

Kshur. 18. क्षुरेणानलवर्चसा
(Nârâyaṇa reads and explains अमलवर्चसा. He says योग एव निर्मला धारा यस्य तेन क्षुरेण मनसा अमलवर्चसा पादस्योपरि मृष्टत्वान्निर्मलतेजसा)

अनल्प

Nṛisut. 5. तस्मादयमनल्पो ऽभिन्नरूपः

अनवद्य

Tait. 1. 11. 2. यान्यनवद्यानि कर्माणि तानि सेवितव्यानि
Maitri. 7. 1. अनवद्यो घनो गहनः

अनवरुध्य

Bṛih. 1. 2. 7. तमनवरुध्यैवामन्यत

अनवलोकयत्

Gîtâ. 6. 13. दिशश्चानवलोकयन्

अनवस्थ

Kaṭha. 2. 22. अनवस्थेष्ववस्थितम्
Maitri. 2. 7. अनवस्थो ऽसति कर्त्ता ऽकर्तैवावस्थः
4. 3. आश्रमेष्वेवानवस्थः

अनवाप्त

Gîtâ. 3. 22. नानवाप्तमवाप्तव्यम्

अनविप्रयुक्त

Praśna. 5. 6. प्रयुक्ता अन्योन्यसक्ता अनविप्रयुक्ताः

अनवेक्षमाण

Kaṭhaśru. 2. एतच्चैतद्यानवेक्षमाणाः

अनवेक्ष्य

Gîtâ. 18. 25 अनवेक्ष्य च पौरुषम्

अनशन

Mahânâr. 21. 2. तपो नानशनात्परम्
Kaṭhaśru. 3. अत ऊर्ध्वमनशनम्

अनशनायत्व

Nṛisut. 7. अनशनायत्वादपिपासत्वात्

अनशितुम्

Chhâ. 4. 10. 3. स ह व्याधिना ऽनशितुं दध्रे

अनश्नत्

Katha. 1. 8. यस्यानश्नन् वसति ब्राह्मणो गृहे
9. तिस्रो रात्रीर्यदवात्सीर्गृहे मे ऽनश्नन्

Śwet. 4. 6. अनश्नन्नन्यो अभिचाकशीति
Mund. 3. 1. 1.

Gîtâ. 6. 16. न चैकान्तमनश्नतः

अनस्

Brih. 4. 3. 35. यथानः सुसमाहितम्

अनसूय

Gîtâ. 18. 71. श्रद्धावाननसूयश्च

अनसूयन्त्

Gîtâ. 3. 31. श्रद्धावन्तो ऽनसूयन्तः

अनसूयु

Gîtâ. 9. 1. इदं तु ते . . प्रवक्ष्याम्यनसूयवे

अनसूरि

Chhâ. 4. 3. 7. बभसो ऽनसूरिः

अनस्तमित

Brih. 1. 5. 22. सैषानस्तमिता देवता यद्वायुः

अनहंवादिन्

Gîtâ. 18. 26. मुक्तसंगो ऽनहंवादी

अनहंकर्त्तव्य

Nrisut. 9. अनहङ्कर्त्तव्यमचेतयितव्यम्

अनहंकार

Gîtâ. 13. 8. अनहङ्कार एव च

अनहम्

Nrisut. 6. अहमनहं . . बुबुधिरे

अनाकाश

Brih. 3. 8. 8. अवाय्वनाकाशम्

अनाख्येय

Hamsa. 1. अनाख्येयमिदं गुह्यम्

अनागार

Hamsa. 2. पश्यत्यनागारश्च (Four MSS. have अनागारिश्च and one नागारिश्च.)

अनाग्रयण

Mund. 1. 2. 3. यस्याग्निहोत्रं . . अनाग्रयणम्

अनातत

Nila. 12. अनातताय धृष्णवे

अनात्मन्

Sarvop. 1. अनात्मनो देहादीनात्मत्वेनाभिमन्यते

Gîtâ. 6. 6. अनात्मनस्तु शत्रुत्वे

अनात्मप्रकाश

Nrisut. 5. नह्यन्यदस्त्यमेयमनात्मप्रकाशम्

अनात्म्य

Tait. 2. 7. 1. अदृश्ये ऽनात्म्ये ऽनिरुक्ते

अनादर

Chhâ. 3. 14. 2. अवाक्यनादरः 4.

अनादवन्त्

Chûl. 5. गौरनादवती सा तु

अनादातव्य

Nrisut. 9. अव्यक्तमनादातव्यम्

अनादि

Katha. 3. 15. अनाद्यनन्तं महतः परम्

Śwet. 5. 13. अनाद्यनन्तं कलिलस्य मध्ये
Gauḍa. 4. 14. हेतोः फलस्य चानादिः
23. हेतुर्न जायते ऽनादेः
30. अनादेरन्तवत्त्वं च
91. सर्वे धर्मा अनादयः
Sarvop. 4. अनादिरन्तर्वर्ती
Gîtâ. 10. 3. यो मामजमनादिं च वेत्ति
13. 19. अनादी उभावपि

अनादित्व

Gitâ. 13. 31. अनादित्वान्निर्गुणत्वात्

अनादिनिधन

Maitri. 5. 1. अनादिनिधनाय च (नमः)

अनादिमन्त्

Swet. 4. 4. अनादिमत्त्वं विभुत्वेन वर्त्तसे
Gîtâ. 13. 12. अनादिमत्परं ब्रह्म

अनादिमध्यान्त

Gitâ. 11. 19. अनादिमध्यान्तमनन्तवीर्यम्

अनादिमाया

Gauḍa. 1. 16. अनादिमायया सुप्तः

अनादृत्य

Bṛih. 6. 2. 3. अनादृत्य वसतिं कुमारः प्रदुद्राव

अनाद्य

Brahmab. 9. अप्रमेयमनाद्यं च

अनाद्यन्त

Maitṛi. 7. 1. अप्रमेयो ऽनाद्यन्तः
2. अनाद्यन्तो ऽपरिमितः

अनानन्दयितव्य

Nṛisut. 9. अविसर्जयितव्यमनानन्दयितव्यम्

अनानात्व

Gauḍa. 4. 100. बुद्धा पदमनानात्वम्

अनापन्नादिमध्यान्त

Gauḍa. 4. 85. अनापन्नादिमध्यान्तं किमतः परमीहते

अनाप्नुवत्

Gauḍa. 4. 78. हेतुं पृथगनाप्नुवन्

अनाभास

Gauḍa. 3. 46. अनिङ्गनमनाभासम्
4. 48. अनाभासमजं यथा
— अनाभासमजं तथा

अनामक

Gauḍa. 3. 36. अनामकमरूपकम्
Śiras. 5. स गच्छेत्पदमनामकम्
(*vide* पद्मनामकम्)

अनामगोत्र

Mukti. 2. 72. अनामगोत्रं मम रूपमीदृशम्

अनामय

Śwet. 3. 10. तदरूपमनामयम्
Maitri. 4. 4. अनामयं सुखमश्नुते
6. 26. अनामये ऽग्नौ जुहोति
Nyâsa. 2. परं पदमनामयम्
Jâbâla. 4. उद्धृत्य प्राश्नीयात् साज्यं हविरनामयम्
Râmot. 5. नारायणमनामयम्
Gitâ. 2. 51. पदं गच्छन्त्यनामयम्
14. 6. प्रकाशकमनामयम्

अनामिका

Bṛih. 6. 4. 5. अनामिकाङ्गुष्ठाभ्यामादाय
Prâṇâg. 1. अनामिकया अपाने
Vâsu. 2. अनामिक्यांगुल्या

अनायास

Mukti. 1. 6. अनायासेन येनाहं मुच्येयम्

अनारम्बण

Chhâ. 2. 9 4. तान्यन्तरिक्षे ऽनारम्बणानि

Brih. 3. 1. 6. यदिदमन्तरिक्षमनारम्बण-
मिव

अनारम्भ

Gîtâ. 3. 4. न कर्मणामनारम्भात्

अनार्यजुष्ट

Gîtâ. 2. 2. अनार्यजुष्टमस्वर्ग्यम्

अनावृत

Brih. 2. 5. 18. नैनेन किञ्चनानावृतम्

अनावृत्ति

Gîtâ. 8. 23. यत्र काले त्वनावृत्तिम्
26. एकया यात्यनावृत्तिम्

अनाशक

Brih. 4. 4. 22. यज्ञेन दानेन तपसानाशकेन
Jâbâla. 5. वीराध्वाने वा अनाशके वा

अनाशकायन

Chhâ. 8. 5. 3. यदनाशकायनमित्याचक्षते

अनाशिन्

Gîtâ. 2. 18. अनाशिनो ऽप्रमेयस्य

अनाश्रित

Gîtâ. 6. 1. अनाश्रितः कर्मफलम्

अनासिक

Amrita. 24. अकण्ठताल्वोष्टमनासिकं च

अनाहत

Dhyâna. 5. अनाहतं च यच्छब्दम्
Haṁsa. 1. अनाहतमतिक्रम्य

अनाहार

Amrita. 27. अत्याहारमनाहारम्

अनाहिताग्नि

Chhâ. 5. 11. 5. नानाहिताग्निर्नाविद्वान्

अनिकेत

Nyâsa. 3. अनिकेतश्चरेत्
Kathaśru. 4.

Gîtâ 12. 19. अनिकेतः स्थिरमतिः

अनिकेतवासिन्

Jâbâla. 6. अनिकेतवास्यप्रयत्नः

अनिकेतस्थिति

Parama. 3. अनिकेतस्थितिरेव स भिक्षुः

अनिंगन

Gauḍa. 3. 46. अनिङ्गनमनाभासम्

अनिच्छत्

Gîtâ. 3. 36. अनिच्छन्नपि वार्ष्णेय

अनित्य

Katha. 2. 10. जानाम्यहं शेवधिरित्यनि-
त्यम्
— अनित्यैर्द्रव्यैः प्राप्तवानस्मि
नित्यम्

Śiras. 1. सोऽहं नित्यानित्यः
Gîtâ. 2. 14. आगमापायिनो ऽनित्याः
9. 33. अनित्यमसुखं लोकम्

अनिद्र

Gauḍa. 1. 16. अजमनिद्रमस्वप्नम्
3. 36 ; 4. 81.

अनिधन

Brahma. 1. स देवानां निधनमनिधनम्

अनिन्दित

Mukti. 2. 43. विना युक्तिमनिन्दिताम्

अनिन्द्रिय

Nṛip. 2. 4. अनिन्द्रियो ऽपि सर्वतः
पश्यति सर्वतः शृणोति
Nṛisut. 9. अनिन्द्रियमविषयम्

अनिमित्त

Gauḍa. 4. 27. अनिमित्तो विपर्यासः
77. अनिमित्तस्य चित्तस्य

अनिमित्तत्व

Gauḍa. 4. 25. निमित्तस्यानिमित्तत्वम्

अनियत

Garbha. 5. अनियतं मूत्रपुरीषमाहार-परिमाणात्

अनियम

Gauḍa. 4. 34. कालस्यानियमाद्गतौ

अनिरस्त

Chhâ. 2. 22. 5. सर्वे ऊष्माणो ऽग्रस्ता अनि-रस्ता विवृत्ता वक्तव्याः

अनिराकरण

Mahânâr. 7. 6. अनिराकरणं धारयिता भू-यासम्

अनिरुक्त

Chhâ. 1. 13. 3. अनिरुक्तस्त्रयोदशस्तोभः संचरो हुंकारः

2. 22. 1. अनिरुक्तः प्रजापतेः

Tait. 2. 6. 1. निरुक्तं चानिरुक्तं च

2. 7. 1. अदृश्ये ऽनात्म्ये ऽनिरुक्ते

Brahma. 1. यत्र जाग्रति शुभाशुभमनि-रुक्तमस्य देवस्य (so four MSS.; one has निरुक्तम्.)

अनिरूप्यमाण

Sarvop. 4. विकारहेतौ .. अनिरूप्य-माणे सती

अनिर्देश्य

Kaṭha. 5. 14. अनिर्देश्यं परमं सुखम्

Maitri. 7. 1. अनिर्देश्यः सर्वसृक्

Gîtâ. 12. 3. ये त्वक्षरमनिर्देश्यम्

अनिर्वृत्ति

Maitri. 7. 1. अनिर्वृत्तिर्योगीश्वरः

अनिल

Bṛih. 5. 15. 1. वायुरनिलममृतम् Isâ. 17.

Śwet. 2. 11. नीहारधूमार्कानिलानलानाम्

12. पृथ्व्याप्यतेजोऽनिलखे

6. 2 (खानि).

Kaivalya. 23. न चानिलो मे ऽस्ति

Râmap. 56. सहस्रदृग्वह्निधर्मरक्षोवरु-णानिलाः

79. अनिलो ऽनन्तगो ऽनलः

अनिलज

Râmap. 90. अंगव्यूहानिलजाद्यैः

अनिलयन

Tait. 2. 6. 1. निलयनं चानिलयनं च

2. 7. 1. अदृश्ये ऽनात्म्ये ऽनिरुक्ते ऽनिलयने

अनिवर्त्तक

Maitri. 4. 2. अनिवर्त्तकमस्य यत्पुराकृ-तम्

अनिश्चित

Gauḍa. 2. 17. अनिश्चिता यथा रज्जुः

अनिष्ट

Maitri. 2. 4. अनेनेदृशेनानिष्टेन, 5.

3. 5. अनिष्टेष्विन्द्रियार्थेषु द्रिष्टिः

Gîtâ. 18. 12. अनिष्टमिष्टं मिश्रं च

अनिष्टविषय

Sarvop. 2. अनिष्टविषये बुद्धिर्दुःख-बुद्धिः

अनिष्टसंप्रयोग

Maitri. 1. 3. *vide* आद्य

अनिष्ठिवत्

Chhâ. 7. 20. 1. नानिष्ठिवंच्छ्रद्दधाति

अनीडाख्य

Śwet. 5. 14. भावग्राह्यमनीडाख्यम्

अनीश

Śwet. 1. 2. आत्माप्यनीशः सुखदुःखहेतोः
8. अनीशश्चात्मा बुध्यते भोक्तृभावात्
9. ज्ञावजावीशनीशौ

अनीशा

Śwet. 4. 7. अनीशया शोचति मुह्यमानः Mund. 3. 1. 2.

अनीश्वर

Gîtâ. 16. 8. जगदाहुरनीश्वरम्

अनुकम्पा

Gauḍa. 3. 16. उपासनोपदिष्टेयं तदर्थमनुकम्पया
Gîtâ. 10. 11. तेषामेवानुकम्पार्थम्

अनुकृति

Tait. 1. 8. 1. ओमित्येतदनुकृतिः

अनुक्रम

Śwet. 5. 11. कर्मानुगान्यनुक्रमेण .. रूपाणि
Amṛita. 35. अथ वर्णास्तु . . अनुक्रमात्
Kaṭhaśru. 1. यो ऽनुक्रमेण सन्न्यसति

अनुक्रमण

Maitri. 4. 3. स्वाश्रमेष्वेवानुक्रमणम्

अनुगम्

Śwet. 1. 3. ध्यानयोगानुगताः

अनुग्र

Nṛisut. 6. उग्रमनुग्रं . . बुबुधिरे

अनुग्रह्

Maitri. 2. 6. येन वा एता अनुगृहीता इत्येष वाव स व्यानः
Prasna 3. 8. चाक्षुषं प्राणमनुगृह्णानः
Siras. 4. भक्त्या ज्ञानेन भजत्यनुगृह्णाति च
Sarvop. 1. आदित्याद्यनुगृहीतैः

अनुग्रह

Gopî. 4. लोकानुग्रहार्थम्
Râmap. 72. *vide* आदि
Gîtâ. 11. 1. मदनुग्रहाय

अनुचरण

Maitri. 4. 3. स्वधर्मस्यानुचरणम्

अनुचिन्त्

Nṛisut. 3. तुरीयेणानुचिन्तयन् ग्रसेन्
Gîtâ. 8. 8. याति पार्थानुचिन्तयन्

अनुच्छित्तिधर्मन्

Bṛih. 4. 5. 13. अयमात्मानुच्छित्तिधर्मा

अनुज

Râmap. 28. हेमाभेनानुजेनैव
41. जगामागर्जदनुजः

अनुजन्

Bṛih. 1. 1. 2. अहर्वा अश्वं पुरस्तान्महिमान्वजायत
— रात्रिरेनं पश्चान्महिमान्वजायत

1. अनुज्ञा

Chhâ. 1. 1. 8. यद्धि किंचानुजानात्योमित्येव तदाह
Tait. 1. 8. 1. ओमित्यग्निहोत्रमनुजानाति
Mahânâr. 15. 5. ब्राह्मणेभ्यो ह्यनुज्ञाता गच्छ देवि
Nṛisut. 8. एष ह्यस्य सर्वस्य स्वात्मानमनुजानाति
— ओमिति ह्यनुजानाति
— वागेवेदं सर्वमनुजानाति
— ओमिति ह्येवानुजानाति

Nṛisut. 8. वागेव ह्यनुजानाति
9. ओमित्यनुजानीध्वम्

Nyâsa. 2. अनुज्ञातः. . गुरुणा

Kaṭhaśru. 3. तस्य सन्न्यासो गुरुभिरनुज्ञातस्य बान्धवैश्च

2 अनुज्ञा

Chhâ. 1. 1. 8. एषो एव समृद्धिर्यदनुज्ञा

Nṛisut. 1. ओतानुज्ञात्रनुज्ञाविकल्पैः 2 (ter).
3. ओतानुज्ञात्रनुज्ञाविकल्परूपा (Twice more with रूपम्)
8. चिद्धेव ह्यनुज्ञा (so 6 MSS.)
9. कैषानुज्ञेत्येष एवाप्नोति
— अनुज्ञामद्वयं लब्ध्वा

अनुज्ञाक्षर

Chhâ. 1. 1. 8. तद्वा एतदनुज्ञाक्षरम्

अनुज्ञातृ

Nṛisut. 1. ओतानुज्ञात्रनुज्ञाविकल्पैः 2 (ter).
2. अनुज्ञाता ह्ययमात्मा 8.
3. ओतानुज्ञात्रनुज्ञाविकल्परूपा (Twice more with रूपम्)
8. न ह्ययमोतो नानुज्ञाता
— अनुज्ञाता ह्ययमोङ्कारः
9. ओतमोतेन जानीयादनुज्ञातारमान्तरम्

अनुज्ञातृत्व

Nṛisut. 2. ओतत्वादनुज्ञातृत्वात्

अनुज्ञात्व

Nṛisut. 2. अनुज्ञात्वादविकल्परूपत्वात्

अनुज्ञैकरस

Nṛisut. 2. अनुज्ञैकरसो ह्ययमात्मा चिद्रूप एव
8. अनुज्ञैकरसो ह्ययमात्मा प्रज्ञानघन एव
8. अनुज्ञैकरसो ह्ययमोङ्कारः

अनुत्क्रान्त

Chhâ. 8. 6. 4. यावदस्माच्छरीरादनुत्क्रान्तः

अनुत्तम

Chhâ. 3. 13. 7. अनुत्तमेषूत्तमेषु लोकेषु

Brahmav. 1. ब्रह्मविद्यां. . अनुत्तमाम्

Vâsu. 3. वैदिकानामनुत्तमम्

Gîtâ. 7. 18. मामेवानुत्तमां गतिम्
24. ममाव्ययमनुत्तमम्

अनुत्पत्ति

Gauḍa. 4. 77. यानुत्पत्तिः समाह्वया

अनुत्पन्न

Gauḍa. 4. 93. आदिशान्ता ह्यनुत्पन्नाः

अनुदर्शन

Gîtâ. 13. 8. जन्ममृत्युजराव्याधिदुःखदोषानुदर्शनम्

अनुदानयितव्य

Nṛisut. 9. अव्यानयितव्यमनुदानयितव्यम्

अनुदृश्

Kaush. 3. 2. चक्षुः पश्यत्सर्वे प्राणा अनुपश्यन्ति

Bṛih. 4. 4. 15. यदैतमनुपश्यत्यात्मानं देवम्
19. मनसैवानुद्रष्टव्यम्
20. एकधैवानुद्रष्टव्यमेतदप्रमेयम्

Íśâ. 6. सर्वाणि भूतान्यात्मन्येवानुपश्यति
7. कः शोक एकत्वमनुपश्यतः

Kaṭha. 1. 6. अनुपश्य यथा पूर्वे
4. 4. उभौ येनानुपश्यति

Kaṭha. 5. 12. तमात्मस्थं ये ऽनुपश्यन्ति धीराः
13; Śwet. 6. 12; Śiras. 5.

Śwet. 1. 15. सत्येनैनं तपसा यो ऽनुपश्यति Brahma. 3.

Praśna. 4. 5. दृष्टं दृष्टमनुपश्यति

Brahma. 3. तमात्मानं ये ऽनुपश्यान्ति धीराः

Brahmab. 15. एकमेवानुपश्यति

Nyâsa. 2. भयं किमनुपश्यति (Four MSS. have अनुतिष्ठति)

Gîtâ. 1. 31. न च श्रेयो ऽनुपश्यामि
13. 30. एकस्थमनुपश्यति
14. 19. यदा द्रष्टानुपश्यति
15. 10. विमूढा नानुपश्यान्ति

अनुद्विग्नमनस्

Gîtâ. 2. 56. दुःखेष्वनुद्विग्नमनाः

अनुद्वेगकर

Gîtâ. 17. 15. अनुद्वेगकरं वाक्यम्

अनुधे

Bṛih. 1. 5. 2. स्तनं वानुधापयन्ति

अनुध्यै

Kaush. 3. 2. मनो ध्यायत् सर्वे प्राणा अनुध्यायन्ति

Bṛih. 4. 4. 21. नानुध्यायाद्बहूञ्छब्दान्

Śiras. 7. स सर्वैर्वेदैरनुध्यातो भवति Mahâ. 4.

Haṁsa. 1. आज्ञामनुध्यायन् (some MSS. have अनुयायन्)

अनुनम्

Śiras. 5. ऊर्जेन पशवो ऽनुनामयन्तं मृत्युपाशान्

अनुनी

Mukti. 2. 3. तत्र चेदनुनीयसे

अनुन्मत्त

Jâbâla. 6. अनुन्मत्ता उन्मत्तवदाचरन्तः (One MS. has अननुमत्ता)

अनुपकारिन्

Gîtâ. 17. 20. दानं दीयते ऽनुपकारिणे

अनुपतापिन्

Chhâ. 8. 4. 2. उपतापी सन्ननुपतापी भवति

अनुपनीत

Śiras. 7. अनुपनीत उपनीतो भवति Mahâ. 4.

Nṛip. 5. 10. अनुपनीतशतमेकम्

अनुपनीय

Chhâ. 5. 11. 7. तान् हानुपनीयैवैतदुवाच

अनुपप्लव

Nâr. 4. अनुपप्लवः सर्वमायुरप्येति (one MS. has अनुपद्रवः)

Gopî. 4. अनुपप्लवः सर्वमायुरेति (so Nârâyaṇa.)

अनुपरिवृत्

Bṛih. 6. 2. 16. त एवमेवानुपरिवर्त्तन्ते

अनुपलभ्य

Chhâ. 8. 8. 4. अनुपलभ्यात्मानमननुविद्य

अनुपलम्भ

Gauḍa. 4. 88. अवस्त्वनुपलम्भं च

अनुपान

Chhâ. 1. 10. 3. हस्तानुपानमिति

अनुप्रच्छ्

Kaṭha. 1. 25. मरणं मानुप्राक्षीः

अनुप्रतिष्ठा

Chhâ. 4. 16. 5. यज्ञं प्रतितिष्ठन्तं यजमानो ऽनुप्रतितिष्ठति

अनुप्रपद्

Gîtâ. 9. 21. एवं त्रयीधर्ममनुप्रपन्नाः

अनुप्रभू

Chhâ. 6. 11. 1. जीवेनात्मनानुप्रभूतः

अनुप्रविश्

Kaush. 4. 20. इदं शरीरमात्मानमनुप्रविष्टः (bis).

Chhâ. 6. 3. 2. अनेन जीवेनात्मनानुप्रविश्य 3.

Bṛih. 1. 5. 14. सर्वमिदं प्राणभृदनुप्रविश्य

Tait. 2. 6. 1. तत्सृष्ट्वा तदेवानुप्राविशत्तदनुप्रविश्य सच्च त्यच्चाभवत्

Kaṭha. 1. 29. यो ऽयं वरो गूढमनुप्रविष्टः

2. 12. तं दुर्दर्शं गूढमनुप्रविष्टम्

Śiras. 7. तृतीयं जन्मैवमेवानुप्रविशति

अनुप्राण्

Kaush. 3. 2. प्राणं प्राणन्तं सर्वे प्राणा अनुप्राणन्ति

Tait. 2. 3. 1. प्राणं देवा अनुप्राणन्ति

अनुप्राप्

Chhâ. 8. 14. 1. यशो ऽहमनुप्रापत्सि

Nṛip. 2. 4. स्नेहो यथा पललपिण्डमोतं प्रोतमनुप्राप्तं व्यतिषक्तः

Śiras. 4. शान्तरूपमोतप्रोतमनुप्राप्तः

अनुफल

Maitri. 3. 2. कृतस्यानुफलैरभिभूयमानः

अनुबन्ध

Gîtâ. 18. 25. अनुबन्धं क्षयं हिंसाम्

39. यदग्रे चानुबन्धे च

अनुबुध्

Chhâ. 8. 7. 2. देवासुरा अनुबुबुधिरे

अनुब्रू

Bṛih. 1. 4. 16. यदनुब्रूते तेनर्षीणाम्

5. 14. 4. यामेवामूं सावित्रीमन्वाहैषैव

— यस्मा अन्वाह तस्य प्राणांस्त्रायते

5. एके सावित्रीमनुष्टुभमन्वाहुर्वागनुष्टुबेतद्वाचमनुब्रूमः

— गायत्रीमेव सावित्रीमनुब्रूयात्

6. 3. 6. सर्वां च सावित्रीमन्वाह

6. 4. 14. वेदमनुब्रुवीत

15. द्वौ वेदावनुब्रुवीत

16. त्रीन् वेदाननुब्रुवीत

18. सर्वान्वेदाननुब्रुवीत

Maitri. 4. 5. अथोत्तरं प्रश्नमनुब्रूहि

Jâbâla. 4. भगवन् सन्न्यासमनुब्रूहि

Mukti. 1. पृथक् शान्तिमनुब्रूहि

अनुभवात्मन्

Nṛisut. 9. नाविद्यानुभवात्मनि

अनुभा

Kaṭha. 5. 15. तमेव भान्तमनुभाति सर्वम् Śwet. 6. 14; Muṇḍ. 2. 2. 10.

अनुभू

Chhâ. 6. 7. 3. वेदान्नानुभवसि

6. वेदाननुभवसि

7. 3. 1. यथा..मुष्टिरनुभवत्येवं.. मनो ऽनुभवति

Muṇḍ. 1. 2. 10. नाकस्य पृष्ठे ते सुकृते ऽनुभूत्वा

Praśna. 4. 5. अत्रैष देवः स्वप्ने महिमानमनुभवति

Praśna. 4. 5. अनुभूतं चाननुभूतं च
5. 3. श्रद्धया सम्पन्नो महिमानमनुभवति
4. सोमलोके विभूतिमनुभूय

Nṛisut. 1. तदेकमजरममृतमभयमोमित्यनुभूय
3. इममसुनियमे ऽनुभूय
7. कैषेतीयमियं नेत्यवचनेनैवानुभवन्नुवाच
— एवमेव चिदानन्दावप्यवचनेनैवानुभवन्नुवाच

Nṛisut. 9. न ह्यत्र किञ्चनानुभूयते

Haṁsa. 2. स एव जपकोट्यां नादमनुभवति

Mukti. 2. 51. योगिभिर्यानुभूयते

अनुभूति

Nṛisut. 7. किं सदितीदमिदं नेत्यनुभूतिः
9. न विजानात्यनुभूतेः
— माया च तमोरूपानुभूतेः

अनुमति

Bṛih. 6. 4. 19. अग्नये स्वाहानुमतये स्वाहा

Nyâsa. 1. अनुमतये ऽग्नये स्विष्टकृते

अनुमन्तृ

Nṛisut. 9. उपद्रष्टानुमन्तैष आत्मा

Gîtâ. 13. 22. उपद्रष्टानुमन्ता च

अनुमन्त्र्

Kaush. 2. 15. तं पितानुमन्त्रयते

Bṛih. 6. 4. 5. तदभिमृशेदनु वा मन्त्रयेत

Prâṇâg. 1. द्वाभ्यामनुमन्त्रयते

Kaṭhaśru. 1. त्वं ब्रह्मा त्वं यज्ञस्त्वं सर्वमित्यनुमन्त्रयेत्

अनुमा

Maitri. 6. 1. बहिरात्मक्या गत्यान्तरात्मनो ऽनुमीयते गतिः

Maitri. 6. 1. अन्तरात्मक्या गत्या बहिरात्मनो ऽनुमीयते गतिः

अनुमुद्

Gauḍa. 4. 5. ख्याप्यमानामजातिं तैरनुमोदामहे वयम्

Kaṭhaśru. 1. मातरं पितरं भार्यां पुत्रान् सुहृदो बन्धूननुमोदयित्वा

अनुमृज्

Bṛih. 6. 4. 21. त्रिरेनामनुलोमामनुमार्ष्टि

अनुयाज

Prâṇâg. 3. शारीरयज्ञस्य ..के अनुयाजाः
4. भूतान्यनुयाजाः

अनुरञ्ज्

Gîtâ. 11. 36. जगत्प्रहृष्यत्यनुरज्यते च

अनुरिष्

Chhâ. 4. 16. 3. यज्ञं रिष्यन्तं यजमानो ऽनुरिष्यति

अनुरूप

Kaṭhaśru. 3.ताननुरूपाभिर्वृत्तिभिर्वर्तयेत

Mukti. 2. 24. अनुरूपां च मारुते

अनुलिप्

Maitri. 3. 4. मांसेनानुलिप्तम्

अनुलोम

Bṛih. 6. 4. 21. त्रिरेनामनुलोमामनुमार्ष्टि

अनुवच्

Bṛih. 1. 5. 17. यद्वै किञ्चानूक्तम्

Tait. 1. 11. 1. वेदमनूच्याचार्यो ऽन्तेवासिनमनुशास्ति

अनुवद्

Kaush. 3. 2. वाचं वदन्तीं सर्वे प्राणा अनुवदन्ति

Bṛih. 5. 2. 3. दैवी वागनुवदति स्तनयित्नुर्ददद इति

अनुवाक

Nyâsa. 1. ओं चित्सखायमिति चतुर्भिरनुवाकैः

अनुविद्

Ait. 4. 5. गर्भे नु सन्नन्वेषामवेदं जनिमानि

Chhâ. 8. 1. 6. इहात्मानमनुविद्य व्रजन्ति
8. 4. 3. ब्रह्मलोकं ब्रह्मचर्येणानुविन्दन्ति
8. 5. 1. इष्ट्वात्मानमनुविन्दते
2. ब्रह्मचर्येणात्मानमनुविद्य
3. यं ब्रह्मचर्येणानुविन्दते
4. अरं च ण्यं चार्णवौ ब्रह्मलोके ब्रह्मचर्येणानुविन्दन्ति
8. 7. 1. यस्तमात्मानमनुविद्य विजानाति 3.
8. 12. 6. यस्तमात्मानमनुविद्य जानाति

Bṛih. 1. 4. 7. यथा ह वै पदेनानुविन्देत्
4. 4. 8. अणुः पन्थाः ..अनुवित्तो मयैव
9. एष पन्था ब्रह्मणा हानुवित्तः Jâbâla. 5.
13. यस्यानुवित्तः प्रतिबुद्ध आत्मा

Mahânâr. 10. 2. गावि देवासो घृतमन्वविन्दन्
22. 1. तपस ऋषयः सुवरन्वविन्दन्
—शमेन नाकं मुनयो ऽन्वविन्दन्

अनुविधा

Gîtâ. 2. 67. यन्मनो ऽनुविधीयते

अनुविधाव्

Kaṭha. 4. 14. एवं धर्मान् पृथक् पश्यंस्तानेवानुविधावति

अनुविनश्

Bṛih. 2. 4. 12. तान्येवानुविनश्यति 4.5.13.

अनुविमृज्

Kaush. 2. 3. आज्यलेपेनांगान्यनुविमृज्य 4.

अनुविली

Bṛih. 2. 4. 12. उदकमेवानुविलीयेत

अनुविषद्

Chhâ. 8. 12. 4. यत्रैतदाकाशमनुविषण्णं चक्षुः

अनुवीक्ष्

Bṛih. 1. 4. 1. सो ऽनुवीक्ष्य नान्यदात्मनो ऽपश्यत्

अनुवृत्

Gîtâ. 3. 16. नानुवर्तयतीह यः
21. लोकस्तदनुवर्तते
23. मम वर्त्मानुवर्तन्ते 4. 11.

अनुव्याख्या

Chhâ. 8. 9. 3. भूयो ऽनुव्याख्यास्यामि 8. 10. 4; 8. 11. 3.

अनुव्याख्यान

Bṛih. 2. 4. 10. सूत्राण्यनुव्याख्यानानि 4. 1. 2; 4. 5. 11; Maitri. 6. 32.

अनुव्याहृ

Maitri. 6. 6. प्रजापतिस्तपस्तप्त्वानुव्याहरद्भुवः स्वरिति

अनुव्रज्

Kaṭhaśru. 2. अनुव्रजन्नाभुमापातयेत्

अनुशंस्

Chûl. 9. शंसन्तमनुशंसन्ति

अनुशास्

Kena. 3. यथैतदनुशिष्यात्

Chhâ. 4. 2. 2. अनु म एतां भगवो देवतां शाधि यां देवतामुपास्से

4. अन्वेव मा भगवः शाधि

4. 9. 2. को नु त्वानुशशास 4. 14. 2.

4. 11. 1. अथ हैनं गार्हपत्यो ऽनुशशास

4. 12. 1. अथ हैनमन्वाहार्यपचनो ऽनुशशास

4. 13 1. अथ हैनमाहवनीयो ऽनुशशास

4. 14. 2. को नु मानुशिष्यात्

5. 3. 1. कुमारानु त्वाशिषत्पिता

4. अथ नु किमनुशिष्टो ऽवोचथा यो हीमानि न विद्यात् कथं सो ऽनुशिष्टः

— अननुशिष्य वाव किल मा भगवानब्रवीदनु त्वाशिषमिति

Brih. 1. 5. 17. पुत्रमनुशिष्टं लोक्यमाहुः

— तस्मादेनमनुशासति

4. 2. 1. अनु मा शाधीति

4. 3. 32. इति हैनमनुशशास याज्ञवल्क्यः

6. 2. 1. अनुशिष्टो न्वसि पित्रा

3. नो भवान् पुरानुशिष्टानवोचत्

Tait. 1. 11. 1. वेदमनूच्याचार्यो ऽन्तेवासिनमनुशास्ति

Katha. 1. 20. एतद्विद्यामनुशिष्टस्त्वया

2. 7. कुशलानुशिष्टः

Maitri. 4. 1. भगवन् .. अनुशाधि त्वम्

Nṛisnt. 9. इति ह प्रजापतिर्देवाननुशशास

अनुशासन

Brih. 2. 5. 19. इत्यनुशासनम्

Tait. 1. 11. 4. एतदनुशासनम्

Katha. 6. 15. एतावदनुशासनम्

अनुशासितृ

Gîtâ. 8. 9. कविं पुराणमनुशासितारम्

अनुशी

Śwet. 4. 5. अजो ह्येको जुषमाणो ऽनुशेते Mahânâr. 9. 2.

अनुशुच्

Gîtâ. 2. 11. अशोच्यानन्वशोचस्त्वम्

—नानुशोचन्ति पण्डिताः

25. नानुशोचितुमर्हसि

अनुशुष्

Brih. 1. 5. 21. अनुशुष्य हैवान्ततो म्रियते

अनुश्रु

Kaush. 3. 2. श्रोत्रं शृण्वत् सर्वे प्राणा अनुशृण्वन्ति

Praśna. 4. 5. श्रुतं तमेवार्थमनुशृणोति

Gîtâ. 1. 44. नरके नियतं वासो भवतीत्यनुशुश्रुम

अनुषञ्ज्

Maitri. 4. 6. तस्यैव लोके प्रतिमोदतीह यो यस्यानुषक्तः

Gîtâ. 6. 4. न कर्मस्वनुषज्जते

18. 10. कुशले नानुषज्जते

अनुष्ठा

Chhâ. 3. 19. 3. घोषा उलूलवो ऽनुतिष्ठन्ति

Katha. 5. 1. पुरमेकादशद्वारमजस्य .. अनुष्ठाय

Gîtâ. 3. 31. अनुतिष्ठन्ति मानवाः

32. नानुतिष्ठन्ति मे मतम्

अनुष्टुभ्

Brih. 5. 14. 5. एतामेके सावित्रीमनुष्टुभमन्वाहुर्वागनुष्टुबेतद्वाचमनुब्रूमः

Maitri. 7. 4. विश्वे देवा अनुष्टुप्... उत्तरत उद्यन्ति

Nṛip. 1. 1. अनुष्टुभो वा इमानि भूतानि जायन्ते

— अनुष्टुभा जातानि जीवन्ति

— अनुष्टुभं प्रयन्ति

— अनष्टुप् प्रथमा भवति

— अनुष्टुबुत्तमा भवति

— वाग्वा अनुष्टुप्

— परमा वा एषा छन्दसां यदनुष्टुप्

2. 2. द्वात्रिंशदक्षरानुष्टुब् भवति

— अनुष्टुभा सर्वमिदं सृष्टम् 3.

— अनुष्टुभा सर्वमुपसंहृतम् 3.

3. एकादशपदानुष्टुब् भवति

5. 1. द्वात्रिंशदक्षरा वा अनुष्टुप्

— अनुष्टुभा सम्मितं भवति

2. अनुष्टुभा होमं कुर्यादनुष्टुभार्चनम्

Nṛisut. 2. नारसिंहेनानुष्टुभा.. तुरीयं विद्यात्

4. अनुष्टुभा नत्वा प्रसाद्य

— अनुष्टुभा.. संभाव्य

— ब्रह्मणैकीकुर्यादनुष्टुभैव वा

— ब्रह्मण्येवानुष्टुभं सन्दध्यात्

Śiras. 1. त्रिष्टुब्जगत्यनुष्टुप् चाहम्

अनुष्णगु

Râmap. 24. स त्वनुष्णगुविश्वश्चेत्

अनुष्वधम्

Mahânâr. 9. 11. अनुष्वधमावह मादयस्व

अनुसंव्रज्

Chhâ. 4. 4. 5. इमाः सोम्यानुसंव्रज

अनुसञ्चर्

Bṛih. 4. 3. 7. उभौ लोकावनुसञ्चरति

18. उभे कूले ऽनुसञ्चरति

— उभावन्तावनुसञ्चरति

Tait. 3. 10. 5. इमांल्लोकान्..अनुसञ्चरन्

अनुसंज्वर्

Bṛih. 4. 4. 12. कस्य कामाय शरीरमनुसञ्ज्वरेत्

अनुसन्तन्

Chhâ. 3. 16. 2. इदं मे प्रातःसवनं माध्यन्दिनं सवनमनुसन्तनुत

4. इदं मे माध्यन्दिनं सवनं तृतीयसवनमनुसन्तनुत

6. इदं मे तृतीयसवनमायुरनुसन्तनुत

Gîtâ. 15. 2. अधश्च मूलान्यनुसन्ततानि

अनुसन्धा

Nṛisut. 1. एतं त्रिशरीरमात्मानं त्रिशरीरं परं ब्रह्मानुसन्दध्यात्

2. इममात्मानं परं ब्रह्मानुसन्दध्यात्

4. अहमित्यनुसन्दध्यात्

— ओमिति संहरन्ननुसन्दध्यात्

अनुसमाहृ

Chhâ. 1. 5. 5. इति होतृषदनाद्धैवापि दुरुद्गीथमनुसमाहरति

अनुसमि

Kaṭha. 5. 7. स्थाणुमन्ये ऽनुसंयन्ति

अनुसारिन्

Sarvop. 2. पुण्यपापकर्मानुसारी

अनुसिव्

Vâsu. 3. अनुस्यूतो वसामि

अनुसृ

Maitri. 6. 34. इह मनः शान्तिपदमनुसरति

7. 11. स्कन्धात्स्कन्धमनुसरति

अनुस्मरण

Maitri. 6. 34. ब्रह्मणः पदव्योमानुस्मरणं विरुद्धम्

अनुस्मृ

Gauḍa. 3. 43. दुःखं सर्वमनुस्मृत्य
— अजं सर्वमनुस्मृत्य

Gîtâ. 8. 7. मामनुस्मर युध्य च
9. अणोरणीयांसमनुस्मरेद्यः
13. मामनुस्मरन्

अनुस्यूतत्व

Sarvop. 3. मणिगणसूत्रमिव सर्वक्षेत्रेष्वनुस्यूतत्वेन

अनुस्वार

Râmap. 77. अनुस्वारसंयुता

अनूचान

Kaush. 4. 1. गार्ग्यो बालाकिरनूचानः
Bṛih. 2. 1. 1. दृप्तबालाकिर्हानूचानो गार्ग्यः

अनूचानतम

Bṛih. 3. 1. 1. कः स्विदेषां . . अनूचानतमः

अनूचानमानिन्

Chhâ. 6. 1. 2. महामना अनूचानमानी, 3.

अनूच्य

Kaush. 1. 5. वैरूपवैराजे अनूच्ये
—बृहद्रथन्तरे अनूच्ये

अनूत्क्रम्

Bṛih. 4. 4. 2. तमुत्क्रामन्तं प्राणो ऽनूत्क्रामति प्राणमनूत्क्रामन्तं सर्वे प्राणा अनूत्क्रामन्ति

अनूत्था

Chhâ. 3. 19. 3. घोषा उलूलवो ऽनूदतिष्ठन्
—घोषा उलूलवो ऽनूत्तिष्ठन्ति

अनूदि

Bṛih. 2. 1. 10. यन्तं पश्चाच्छब्दो ऽनूदेति

अनूह्य

Maitri. 6. 17. अनूह्य एष परमात्मा

अनृजु

Mukti. 1. 51. असूयकायानृजवे शठाय (so MSS.)

1. अनृण adj.

Mahânâr. 22. 1. पितॄणामनृणो भवति

2. अनृण

Mahânâr. 22. 1. तदेव तस्य अनृणम्

अनृत

Chhâ. 1. 2. 3. तस्मात्तेनोभयं वदति सत्यं चानृतं च
6. 16. 1. तत एवानृतमात्मानं कुरुते
— अनृतेनात्मानमन्तर्धाय
7. 2. 1. सत्यं चानृतं च 7. 7. 1; Tait. 2. 6. 1.
— न सत्यं नानृतम्
8. 3. 1. तेषां सत्यानां सतामनृतमपिधानम्
2. अनृतेन हि प्रत्यूढाः

Bṛih. 5. 5. 1. मध्यतो ऽनृतं तदेतदनृतमुभयतः सत्येन परिगृहीतम्
— नैनं विद्वांसमनृतं हिनस्ति

Maitri. 6. 34. अनृताः कर्मवशानुगाः
7. 10. सत्यमिवानृतं पश्यन्ति
11. सत्यानृतोपभोगार्थः

Muṇḍ. 3. 1. 6. सत्यमेव जयते नानृतम्

Mahânâr. 8. 2. एवमनृतादात्मानं जुगुप्सेत्

Praśna. 1. 16. न येषु जिह्ममनृतम्
6. 1. समूलो वा एष परिशुष्यति यो ऽनृतमभिवदति
— तस्मान्नार्हाम्यहमनृतं वक्तुम्

Gauḍa. 1. 12. न सत्यं नापि चानृतम्
Aruṇeya. 2. *vide* आदि
Aśrama. 4. न तेषां धर्मो नाधर्मो न चानृतम्

अनृतापिधान

Chhâ. 8. 3. 1. सत्याः कामा अनृतापिधानाः

अनृताभिशंसिन्

Maitri. 7. 10. तर्याभिघातिनो ऽनृताभिशंसिनः

अनृताभिसन्ध

Chhâ. 6. 16. 1. सो ऽनृताभिसन्धो ऽनृतेनात्मानमन्तर्द्धाय

अनृसिंह

Nṛisut. 6. नृसिंहमनृसिंहं ..बुबुधिरे

अनेक

Śwet. 4. 1. वर्णाननेकान् ..दधाति
Kaivalya. 22. वेदैरनेकैरहमेव वेद्यः
Nṛisut. 9. अनेकान् स्वाव्यतिरिक्तान् वटान् ..उत्पाद्य
Vâsu. 3. एको विष्णुरनेकेषु

अनेकचित्त

Gîtâ. 16. 16. अनेकचित्तविभ्रान्ताः

अनेकजन्मन्

Gîtâ. 6. 45. अनेकजन्मसंसिद्धः

अनेकदिव्याभरण

Gîtâ. 11. 10. अनेकदिव्याभरणम्

अनेकधा

Maitri. 6. 25. यस्मात्सर्वमनेकधा युनक्ति
Gîtâ. 11. 13. प्रविभक्तमनेकधा

अनेकबाहूदरवक्त्रनेत्र

Gîtâ. 11. 16. अनेकबाहूदरवक्त्रनेत्रं पश्यामि त्वाम्

अनेकरूप

Katha 1. 16. सृङ्कां चेमामनेकरूपां गृहाण
Śwet. 4. 14. विश्वस्य स्रष्टारमनेकरूपम्
5. 13.

अनेकवक्त्रनयन

Gîtâ. 11. 10. अनेकवक्त्रनयनम्

अनेकवटशक्ति

Nṛisut. 9. अनेकवटशक्तिरेकैव

अनेकवर्ण

Brahmab. 19. गवामनेकवर्णानाम्
Gîtâ. 11. 24. नभःस्पृशं दीप्तमनेकवर्णम्

अनेकशस्

Mukti. 2. 65. अधीत्य.. सर्वशास्त्राण्यनेकशः

अनेकाद्भुतदर्शन

Gîtâ. 11. 10. अनेकाद्भुतदर्शनम्

अनेजत्

Iśâ. 4. अनेजदेकं मनसो जवीयः

अनेवंविद्

Chhâ. 4. 17. 10. तस्मादेवंविदमेव ब्रह्माणं कुर्वीत नानेवंविदम्
Brih. 1. 4. 15. यदि ह वा अप्यनेवंविन्महत्पुण्यं कर्म करोति

अनौपम्य

Maitri. 6. 7. निर्वचनमनौपम्यं निरुपाख्यम्
Nâda. 18. अनौपम्यमभावं च

अन्त

Chhâ. 5. 3. 6. यामेव कुमारस्यान्ते वाचमभाषथाः Bṛih. 6. 2. 5.
Chhâ. 6. 13. 2. अन्तादाचामेति (bis).
8. 1. 5. यं यमन्तमभिकामा भवन्ति

Chhâ. 8. 2. 10. यं यमन्तमभिकामो भवति
Bṛih. 1. 3. 10. यत्रासां दिशामन्तः
—न जनमियान्नान्तमियात्
1. 5. 3. सैषा ह्यन्तमायत्त्यैषा हि न
2. 4. 1. अन्तं करवाणीति 4. 5. 2.
3. 3. 1. यत्र लोकानामन्तानपृच्छाम
4. 1. 5. नैवास्या अन्तं गच्छति
4. 3. 18. उभावन्तावनुसञ्चरति
19. एतस्मा अन्ताय धावति
33. सर्वेभ्यो मा ऽन्तेभ्य उदरौत्सीत्
4 4. 3. तृणस्यान्तं गत्वा
6. प्राप्यान्तं कर्मणस्तस्य
Śwet. 1. 10. अन्ते विश्वमायानिवृत्तिः
4. 1. वि चैति चान्ते विश्वम्
6. 20. दुःखस्यान्तो भविष्यति
Maitri. 1. 2. अन्ते सहस्रस्य
Mahânâr. 11. 9. तस्यान्ते सुषिरं सूक्ष्मम्
Gauḍa. 1. 27. मध्यमन्तस्तथैव च
2. 6. आदावन्ते च यन्नास्ति 4. 31.
Nṛisut. 3. ओङ्कारं सर्वेश्वरं द्वादशान्ते
— प्रणवं षोडशान्ते
Siras. 4. तिर्यगूर्ध्वमधस्ताच्चास्यान्तो नोपलभ्यते
Prâṇâg. 2. सो ऽस्यान्ते अमृतायामृतयोनौ
Nyâsa. 1. अमावास्यायां प्रातरेवान्ते ऽग्निमुपसमाधाय
Kathaśru. 3. द्वादशरात्रस्यान्ते
Vâsu. 3. मध्याद्यन्तविवर्जितम्
Gopî. 2. जगत्सृष्टिस्थित्यन्तकारिण्यः
Râmap. 64. अन्ते पञ्चाक्षरानेवम्
Gîtâ. 2. 16. उभयोरपि दृष्टो ऽन्तस्तु
7. 19. बहूनां जन्मनामन्ते
8. 6. त्यजत्यन्ते कलेवरम्
10. 19. नास्त्यन्तो विस्तरस्य मे
20. भूतानामन्त एव च

Gîtâ. 10. 32. सर्गाणामादिरन्तश्च
40. नान्तो ऽस्ति मम दिव्यानां विभूतीनाम्
11. 16. नान्तं न मध्यं न पुनस्तवादिं पश्यामि
15. 3. नान्तो न चादिर्न च सम्प्रतिष्ठा

अन्तःकरण

Maitri. 6. 34. स्वयं तदन्तःकरणेन गृह्यते
Gopî. 2. शुद्धान्तःकरणानाम्
Skanda. 2. अन्तःकरणजृम्भणात्
— अन्तःकरणनाशेन
Râmot. 5. अन्तःकरणचतुष्टयात्मा (12).

अन्तःपुरुष

Maitri. 3. 3. करणैः कारयितान्तःपुरुषः
— भूतात्मान्तःपुरुषेणाभिभूतः

अन्तःप्रज्ञ

Mâṇḍû. 4. स्वप्नस्थानो ऽन्तःप्रज्ञः
Nṛip. 4. 1; Râmot. 3.
7. नान्तःप्रज्ञं न बहिःप्रज्ञम्
Râmot. 3.
Gauḍa. 1. 1. ह्यन्तःप्रज्ञस्तु तैजसः
Nṛip. 4. 1. न बहिःप्रज्ञं नान्तःप्रज्ञम्

अन्तःशरीरस्थ

Gîtâ. 17. 6. मां चैवान्तःशरीरस्थम्

अन्तःशान्त

Mukti. 2. 70. अन्तःशान्तः समस्नेहो भव

अन्तःशुद्ध

Maitri. 7. 4. अन्तःशुद्धः पूतः शून्यः

अन्तःसुख

Gîtâ. 5. 24. यो ऽन्तःसुखो ऽन्तरारामः

अन्तःस्थ

Maitri. 6. 10. पुरुषश्चेता प्रधानान्तःस्थः
— भोक्ता पुरुषोऽन्तःस्थः
13. तावत्स्वन्तःस्थो ऽन्नमत्ति
Gîtâ. 8. 22. यस्यान्तःस्थानि भूतानि

अन्तःस्थान

Gauḍa. 2. 1. अन्तःस्थानात्तु भेदानाम् 4.

अन्तःस्थित

Vásu 1. चक्रतीर्थान्तःस्थितं (some MSS. read. °न्तरे स्थितम्.)

अन्तक

Kaṭha. 1. 26. यदन्तकैतत्सर्वेन्द्रियाणां जरयन्ति तेजः
Mahânâr. 16. 2. रुद्र ओमाविशान्तकः
Nṛip. 4. 3. यो वै नृसिंहः . . यश्चान्तकः (26)
Râmot. 5. यो वै श्रीरामः . . यश्चान्तकः (14).

अन्तकाल

Bṛih. 4. 3. 38. अन्तकाले सर्वे प्राणा अभिसमायन्ति
Śwet. 3. 2. सञ्चुकोचान्तकाले Siras 5.
Nṛisut. 2. यथेदं सर्वमन्तकाले कालाग्निसूर्यो ऽस्रैः
Gîtâ. 2. 72. स्थित्वास्यामन्तकाले ऽपि
8. 5. अन्तकाले च मामेव स्मरन्

अन्ततस्

Chhâ. 1. 2. 9. एतमु एवान्ततो ऽवित्त्वोत्क्रामति व्याददात्येवान्ततः
1. 3. 12. आत्मानमन्तत उपसृत्य स्तुवीत
Bṛih. 1. 4. 11. अयीवान्तत उपनिश्रयति
15. नास्यान्ततः क्षीयते
Bṛih. 1. 5. 21. अनुशुष्य हैवान्ततो म्रियते
6. 3. 6. अन्तत आचम्य पाणी प्रक्षाल्य
Tait. 2. 2. 1. अथैनदपियन्त्यन्ततः Maitri. 6. 11 (एतद्)
3. 10. 1. एतद्वा अन्ततो ऽन्नं राद्धमन्ततो ऽस्मा अन्नं राध्यते
Râmap. 80. अन्ततो नतिः

अन्तर्

Kaush. 2. 10. यत्ते सुसीमे हृदये श्रितमन्तःप्रजापतौ
Chhâ. 1. 6. 6. य एषो ऽन्तरादित्ये हिरण्मयः पुरुषो दृश्यते
1. 7. 5. य एषो ऽन्तरक्षिणि पुरुषो दृश्यते
3. 12. 4. अस्मिन्नन्तःपुरुषे हृदयम्
8. यो ऽयमन्तःपुरुष आकाशः
9. यो ऽयमन्तर्हृदय आकाशः
3. 13. 7. तद्यदिदमस्मिन्नन्तःपुरुषे ज्योतिः
3. 14. 3. एष म आत्मान्तर्हृदये 4.
5. 8. 1. यदन्तः करोति ते ऽङ्गाराः Bṛih. 6. 2. 13.
5. 9. 1. गर्भो दश वा मासानन्तः शयित्वा
8. 1. 1. दहरो ऽस्मिन्नन्तराकाशः 2.
— तस्मिन्यदन्तस्तदन्वेष्टव्यम्
3. तावानेषो ऽन्तर्हृदय आकाशः . . द्यावापृथिवी अन्तरेव समाहिते
Bṛih. 1. 3. 8. अयमास्ये ऽन्तरिति सो ऽयास्यः
2. 1. 17. य एषो ऽन्तर्हृदय आकाशः 4. 2. 3; 4. 4. 22; Tait. 1. 6. 1.
2. 3. 4. यश्चायमन्तरात्मन्नाकाशः 5.

Bṛih. 4. 2. 3. य एषो ऽन्तर्हृदये लोहितपिण्डः
— यदेतदन्तर्हृदये जालकम्
— हिता नाम नाड्यो ऽन्तर्हृदये
4. 3. 7. हृद्यन्तर्ज्योतिः पुरुषः
5. 6. 1. अन्तर्हृदये यथा व्रीहिर्वा
5. 9. 1. अयमग्निर्वैश्वानरो यो ऽयमन्तः पुरुषे Maitri. 2. 6.

Iśâ. 5. तदन्तरस्य सर्वस्य

Maitri. 5. 2. असा आत्मान्तर्बहिश्च
6. 1. द्वौ . . अस्य पन्थाना अन्तर्बहिश्च
— य एषो ऽन्तरादित्ये हिरण्मयः पुरुषः Mahânâr. 12. 2.
24. ध्यानमन्तः परे तत्त्वे . . निधीयते
7. 1. पुनर्विशन्त्यन्तः 2-6.
7. एष हि खल्वात्मान्तर्हृदये

Śwet. 2. 16. पूर्वो हि जातः स उ गर्भे अन्तः
Mahânâr. 2. 1; Śiras. 5.

Muṇḍ 2. 2. 6. स एषो ऽन्तश्चरते
3. 1. 5. अन्तः शरीरे ज्योतिर्मयः

Mahânâr. 1. 1. प्रजापतिश्चरति गर्भे अन्तः
3. यदन्तः समुद्रे कवयो वदन्ति
10. 7. तस्मिन्यदन्तस्तदुपासितव्यम्
11. 6. अन्तर्बहिश्च तत्सर्वं व्याप्य
Vâsu. 3.
15. 6. अन्तश्चरसि भूतेषु
Prâṇâg. 1.

Praśna. 6. 2. इहैवान्तःशरीरे

Gauḍa. 1. 2. मनस्यन्तस्तु तैजसः
2. 14. चित्तकाला हि ये ऽन्तस्तु
15. अव्यक्ता एव ये ऽन्तस्तु
4. 33. कायस्यान्तर्निदर्शनात्

Nṛip. 1. 1. तस्यान्तर्मनसि कामः समवर्त्तत
4. अन्तरादित्ये हिरण्मयः पुरुषः

Chûl. 2. अन्तः पश्यति सत्त्वस्थम्

Śiras. 6. यो अग्नौ रुद्रो यो अप्स्वन्तः
— यो रुद्रो अग्नौ यो रुद्रो अप्स्वन्तः

Nâr. 2. अन्तर्बहिश्च नारायणः

Brahmav. 2. प्रसादान्तःसमुत्थस्य विष्णोः

Râmap. 89. परमात्मानमन्तः

Râmot. 5. यो ब्रह्माण्डस्यान्तर्बहिर्व्याप्नोति विराट् (36).

Gîtâ. 13. 15. बहिरन्तश्च भूतानाम्

1. अन्तर

Bṛih. 3. 7. 1. यो ऽन्तरो यमयति
3. यः पृथिव्यां तिष्ठन्पृथिव्या अन्तरः . . यः पृथिवीमन्तरो यमयति
(similarly in 4-23).

Tait. 2. 2. 1. एतस्मादन्नरसमयादन्यो ऽन्तर आत्मा प्राणमयः
2. 3. 1. एतस्मात्प्राणमयादन्यो ऽन्तर आत्मा मनोमयः
2. 4. 1. अन्यो ऽन्तर आत्मा विज्ञानमयः
2. 5. 1. अन्यो ऽन्तर आत्मानन्दमयः

2. अन्तर

Tait. 2. 7. 1. यदा . . एतस्मिन्नुदरमन्तरं कुरुते

Śiras. 1. सो ऽन्तरादन्तरं प्राविशद्दिशश्चान्तरं प्राविशत्

Parama. 3. इदमन्तरं ज्ञात्वा स परमहंसः

Gopî. 5. वैवस्वते ऽन्तरे

Skanda. 9. यथान्तरं न पश्यामि
10. यथान्तरं (?) न भेदाः स्युः
Râmap. 60. लिखेद्बीजान्तरे रमाम्
Mukti. 2. 67. उभयोरन्तरं ज्ञात्वा
Gîtâ. 11. 20. द्यावापृथिव्योरिदमन्तरं हि
13. 34. क्षेत्रक्षेत्रज्ञयोरेवमन्तरम्

अन्तरतर

Bṛih. 1. 4. 8. अन्तरतरं यदयमात्मा

अन्तरतस्

Bṛih. 1. 4. 6. उभयमलोमकमन्तरतो ऽलोमका हि योनिरन्तरतः
3. 9. 28. अस्थीन्यन्तरतो दारूणि

अन्तरम्

Śwet. 1. 7. अत्रान्तरं वेदविदो विदित्वा

अन्तरा

Chhâ. 8. 14. 1. ते यदन्तरा तद्ब्रह्म
Bṛih. 3. 8. 3. यदन्तरा द्यावापृथिवी 4, 6, 7.
6. 2. 2. यदन्तरा पितरं मातरं च
Maitri. 2. 6. एतेषामन्तरा प्रसूतिरेवोदानस्य
— एतयोरन्तरा देवौष्ण्यं प्रासुवत्
Praśna. 3. 8. अन्तरा यदाकाशः स समानः

अन्तराकाश

Maitri. 6. 28. आविर्भूते ऽन्तराकाशे

अन्तराग्नि

Garbha. 2. हृदये ऽन्तराग्निः

अन्तरात्मक

Maitri. 6. 1. अन्तरात्मकया गत्या बहिरात्मनो ऽनुमीयते गतिः

अन्तरात्मन्

Katha. 4. 1. पराङ् पश्यति नान्तरात्मन्
6. 17. अङ्गुष्ठमात्रः पुरुषो ऽन्तरात्मा Śwet. 3. 13.
Maitri. 6. 1. अन्तरात्मा प्राणः
— बहिरात्मकया गत्यान्तरात्मनो ऽनुमीयते गतिः
Muṇḍ. 2. 1. 9. येनैष भूतैस्तिष्ठते ह्यन्तरात्मा Mahânâr. 8. 5.
Kâlâg. 2. द्वितीया रेखा सा . . अन्तरात्मा
Râmap. 89. आत्मानमन्तरात्मानं च
Gitâ. 6. 47. मद्गतेनान्तरात्मना

अन्तरादिश्

Praśna. 1. 6. यदन्तरादिशः . . प्रकाशयति

अन्तराराम

Gîtâ. 5. 24. यो ऽन्तःसुखो ऽन्तराराामः

अन्तरिक्ष

Ait. 1. 2. द्यौः प्रतिष्ठान्तरिक्षं मरीचयः
Kaush. 3. 1. अतृणमहमन्तरिक्षे पौलोमान्
Chhâ. 1. 3. 7. अन्तरिक्षं गीः
1. 6. 2. अन्तरिक्षमेवर्क्
— अन्तरिक्षमेव सा
2. 2. 1. अन्तरिक्षमुद्गीथः 2.
2. 9. 4. तस्माच्चान्यन्तरिक्षे ऽनारंबणान्यादायात्मानं परिपतन्ति
2. 17. 1. अन्तरिक्षं प्रस्तावः
3. 1. 1. अन्तरिक्षमपूपः
3. 14. 3. ज्यायानन्तरिक्षात्
3. 15. 5. अन्तरिक्षं प्रपद्ये
4. 6. 3. अन्तरिक्षं कला
4. 17. 1. वायुमन्तरिक्षात्

Chhâ. 7. 6. 1. ध्यायतीवान्तरिक्षम्
7. 8. 1. बलेनान्तरिक्षं (तिष्ठति)
7. 10. 1. येयं पृथिवी यदन्तरिक्षम्
Bṛih. 1. 1. 1. अन्तरिक्षमुदरम् 1. 2. 3.
2. 3. 2. एतन्मूर्त्तं यदन्यद्वायोश्चान्तरिक्षाच्च
3. अथामूर्त्तं वायुश्चान्तरिक्षं च
3. 1. 6. यदिदमन्तरिक्षमनारम्बणमिव
3. 7. 6. यो ऽन्तरिक्षे तिष्ठन्नन्तरिक्षादन्तरो यमन्तरिक्षं न वेद यस्यान्तरिक्षं शरीरं यो ऽन्तरिक्षमन्तरो यमयति
3. 9. 3. अन्तरिक्षं चादित्यश्च 7.
5. 14. 1. भूमिरन्तरिक्षं द्यौरित्यष्टावक्षराणि
Tait. 1. 5. 1. भुव इत्यन्तरिक्षम्
1. 7. 1. पृथिव्यन्तरिक्षं द्यौः
Maitri. 6. 33. करैर्यजमानमन्तरिक्षमुत्क्षिप्वा
— अन्तरिक्षं प्रजापतेर्द्वितीया चितिः
6. 34. अन्तरिक्षं दक्षिणाग्निः
Muṇḍ. 2. 2. 5. यस्मिन् द्यौः पृथिवी चान्तरिक्षमोतम्
Mahânâr. 1. 9. अन्तरिक्षमथो सुवः
5. 7. दिवं च पृथिवीं चान्तरिक्षम्
8. यत्पृथिव्यां रजः स्वमान्तरिक्षे विरोदसी
19. 2. अन्तरिक्षाय स्वाहा (bis).
22. 1. अन्वाहार्यपचनो यजुरन्तरिक्षं वामदेव्यम्
23. 1. पृथिवी चान्तरिक्षं च
Praśna. 2. 9. त्वमन्तरिक्षे चरसि
5. 4. अन्तरिक्षं यजुर्भिरुन्नीयते सोमलोकम्
7. यजुर्भिरन्तरिक्षं (अन्वेति)
Nṛip. 1. 2. यक्षगन्धर्वाप्सरोगणैः सेवितमन्तरिक्षम्
2. 1. द्वितीयान्तरिक्षं स उकारः Nṛisut. 3. Śikhâ. 1.
Brahmav. 6. यजुर्वेदो ऽन्तरिक्षं च
Śiras. 2. यो वै रुद्रः. . यच्चान्तरिक्षम्
6. नागा ये अन्तरिक्षे
— नवान्तरिक्षाणि नव भूमइमाः
Nîla. 18. ये अन्तरिक्षे ये दिवि
Kâlâg. 2. द्वितीया रेखा सा. . अन्तरिक्षम्

अन्तरिक्षक्षित्

Chhâ. 2. 24. 9. नमो वायवे ऽन्तरिक्षक्षिते Maitri. 6. 35.

अन्तरिक्षलोक

Bṛih. 1. 5. 4. मनो ऽन्तरिक्षलोकः
3. 1. 10. अन्तरिक्षलोकं याज्यया
3. 6. 1. अन्तरिक्षलोकेषु गार्गीति कस्मिन्नु खल्वन्तरिक्षलोका ओताश्च प्रोताश्चेति

अन्तरिक्षसद्

Kaṭha. 5. 2. अन्तरिक्षसद्धोता Mahânâr. 9. 3; 17. 8; Nṛip. 3. 1.

अन्तरिक्षोदर

Chhâ. 3. 15. 1. अन्तरिक्षोदरः कोशः

अन्तरे, अन्तरेण

Bṛih. 3. 3. 2. तावानन्तरेणाकाशः
6. 4. 5. अन्तरेण स्तनौ वा भ्रुवौ वा निमृंज्यात्
Tait. 1. 6. 1. अन्तरेण तालुके
Kaṭha. 2. 5. अविद्यायामन्तरे वर्त्तमानाः Muṇḍ. 1. 2. 8.
Maitri. 6. 1. एषो ऽन्तरे हृत्पुष्कर एवाश्रितः 2.

Maitri. 7. 9. अविद्यायामन्तरे वेष्टच-
मानाः

Muṇḍ. 1. 2. 2. आज्यभागावन्तरेण

Gîtâ. 5. 27. चक्षुश्चैवान्तरे भ्रुवोः

अन्तर्ग

Maitri. 6. 35. संस्फुरत्यसावन्तर्गः सुराणा-
म्

अन्तर्गत

Maitri. 6. 34. एवमन्तर्गतं यस्य मनः
35. नभसो ऽन्तर्गतस्य तेजसों-
शमात्रम् (Four times.)

Brahma. 3. सूत्रमन्तर्गतं येषाम्

Gîtâ. 7. 28. येषां त्वन्तर्गतं पापम्

अन्तर्ज्योतिस्

Gîtâ. 5. 24. तथान्तर्ज्योतिरेव यः

अन्तर्धा

Kaush. 2. 15. पाणिनान्तर्धाय

Chhâ. 6. 16. 1. अनृतेनात्मानमन्तर्धाय
2. सत्येनात्मानमन्तर्धाय

Maitri. 2. 7. गुणमयेन पटेनात्मानमन्त-
र्धाय

6. 6. एतस्यामिदं सर्वमन्तर्हित-
मस्मिंश्च सर्वास्मिन्नेषान्त-
र्हिता

Râmap. 93. विश्वव्यापी राघवो ऽथो त-
दानीमन्तर्दधे

अन्तर्भू

Maitri. 7. 11. नभसः खे ऽन्तर्भूतस्य (bis).

अन्तर्य

Maitri. 6. 36. अन्तर्याण्डोपयोगात्

अन्तर्याम

Maitri. 2. 6. उपांशुरन्तर्याममभिभवत्य-
न्तर्याम उपांशुं च

अन्तर्यामिन्

Bṛih. 3. 7. 1. वेत्थ नु त्वं..तमन्तर्यामि-
णम्
—यो वै तत्काप्य सूत्रं विद्या-
त्तं चान्तर्यामिणम्
—तत्..सूत्रमविद्वांस्तं चा-
न्तर्यामिणम्
— वेद वा अहं ..तत्सूत्रं
तं चान्तर्यामिणम्
2. अन्तर्यामिणं ब्रूहीति
3. एष त आत्मान्तर्याम्यमृतः
4—23.

Mâṇḍû. 6. एषो ऽन्तर्याम्येष योनिः स-
र्वस्य Nṛip. 4. 1; Nṛisut.
1; Râmot. 3.

Brahma. 1. सम्प्रसारो ऽन्तर्यामी

Sarvop. 1. कूटस्थो ऽन्तर्यामी कथम्
3. तदान्तर्यामीत्युच्यते

अन्तर्वन्त्

Sarvop. 4. अनादिरन्तर्वत्नी

अन्तर्वेदि, °दी

Maitri. 6. 36. यष्टव्यमन्तर्वेद्याम्

Garbha. 5. मुखे ऽन्तर्वेदिः

अन्तर्हितेन्द्रिय

Maitri. 6. 25. निद्रेवान्तर्हितेन्द्रियः

1. अन्तर्हृदय adj.

Maitri. 6. 29. एवमुक्त्वान्तर्हृदयः शाका-
यन्यः 30.

2. अन्तर्हृदय

Maitri. 6. 22. अन्तर्हृदयाकाशशब्दमाक-
र्णयन्ति
27. अन्तर्हृदयाकाशं विनुदन्ति
28. अन्तर्हृदयाकाशस्य पारं
तीर्त्वा

अन्तवत्त्व

Gauḍa. 4. 30. अनादेरन्तवत्त्वं च

अन्तवन्त्

Kaush. 2. 5. या अन्या आहुतयो अन्तवत्यः

Chhâ. 1. 8. 8. अन्तवद्वै किल ते शालावत्यसाम

Bṛih. 1. 5. 13. अन्तवत उपास्ते ऽन्तवन्तं स लोकं जयति

3. 8. 10. अन्तवदेवास्य तद्भवति

Gîtâ. 2. 18. अन्तवन्त इमे देहाः

7. 23. अन्तवत्तु फलं तेषाम्

अन्तवेला

Chhâ. 3. 17. 6. सो ऽन्तवेलायामेतत्त्रयं प्रतिपद्येत

अन्तश्चित्त

Gauḍa. 2. 13. अन्तश्चित्ते व्यवस्थितान्

अन्तश्चेतस्

Gauḍa. 2. 9. अन्तश्चेतसा कल्पितं त्वसत् 10.

अन्तस्तृष्णा

Maitri. 3. 5. अन्तस्तृष्णा स्नेहो रागः

अन्ति

Râmap. 34. अन्ति स्तुत्य देवाद्याः (so all MSS.)

अन्तिक

Iśâ. 5. तद्दूरे तद्वन्तिके

Kaṭha. 4. 5. आत्मानं जीवमन्तिकात्

Maitri. 1. 2. अन्तिकमाजगामाग्निरिव

7. 10. ब्रह्मणो ऽन्तिकं प्रयाताः

Muṇḍ. 3. 1. 7. दूरात्सुदूरे तदिहान्तिके च

Gîtâ. 13. 15. दूरस्थं चान्तिके च तत्

अन्तेवासिन्

Chhâ. 3. 11. 5. प्राणाय्याय वान्तेवासिने

4. 10. 1. अन्यानन्तेवासिनः समावर्तयन्

Bṛih. 6. 3. 7. वाजसनेयाय याज्ञवल्क्यायान्तेवासिने

8. मधुकाय पैङ्ग्यायान्तेवासिने

9. चूलाय भागवित्तये ऽन्तेवासिने

10. जानकय आयस्थूणायान्तेवासिने

11. सत्यकामाय जाबालायान्तेवासिने

12. जाबालो ऽन्तेवासिभ्य उक्त्वोवाच

Tait. 1. 3. 3. अन्तेवास्युत्तररूपम्

1. 11. 1. आचार्यो ऽन्तेवासिनमनुशास्ति

अन्त्य

Nṛip. 1. 7. विष्णुं प्रथमस्यान्त्यम्

—मुखं द्वितीयस्यान्त्यम

—भद्रं तृतीयस्यान्त्यम्

—म्यहं चतुर्थस्यान्त्यं साम जानीयात्

Nṛisut. 7. तस्यान्त्यो ऽयं मकारः

Râmap. 73. अन्त्यार्घीशयुतः

अन्ध

Kaush. 3. 3. जीवति चक्षुरपेतो ऽन्धान् हि पश्यामः

Chhâ. 5. 1. 9. यथान्धा अपश्यन्तः Bṛih. 6. 1. 9.

5. 13. 2. अन्धो ऽभविष्यो यन्मां नागमिष्यः

8. 4. 2. अन्धः सन्ननन्धो भवति

Chhā. 8. 9. 1. अयमस्मिन्नन्धे ऽन्धो भवति 2.
8. 10. 1. यद्यपीदं शरीरमन्धं भवति 3.
Bṛih. 4. 4. 10. अन्धं तमः प्रविशन्ति Īśā. 9, 12.
11. अन्धेन तमसावृताः Īśā. 3.
Kaṭha. 2. 5. अन्धेनैव नीयमाना यथान्धाः Maitri. 7. 9; Muṇḍ. 1. 2. 8.
Nṛisut. 6. अन्धा बधिरा मुग्धाः
Garbha. 3. अन्धाः खञ्जाः कुब्जाः
Amṛita. 14. अन्धवत् पश्य रूपाणि

अन्धकार

Gauḍa. 2. 17. अनिश्चिता यथा रज्जुरन्धकारे विकल्पिता

अन्धोदपानस्थ

Maitri. 1. 4. अन्धोदपानस्थो भेक इवाहम्

अन्न

Ait. 2. 1. यस्मिन्प्रतिष्ठिता अन्नमदाम
3. 1. अन्नमेभ्यः सृजा इति
2. या वै सा मूर्त्तिरजायतान्नं वै तत्
3. अभिव्याहृत्य हैवान्नमत्रप्स्यत्
4. अभिप्राण्य हैवान्नमत्रप्स्यत्
5. दृष्ट्वा हैवान्नमत्रप्स्यत्
6. श्रुत्वा हैवान्नमत्रप्स्यत्
7. स्पृष्ट्वा हैवान्नमत्रप्स्यत्
8. ध्यात्वा हैवान्नमत्रप्स्यत्
9. विसृज्य हैवान्नमत्रप्स्यत्
10. स एषो ऽन्नस्य ग्रहो यद्वायुः
Kaush. 4. 2. चन्द्रमस्यन्नम्
4. अन्नस्यात्मेति वा अहमेतमुपासे
Kaush. 4. 4. एतमेवोपास्ते ऽन्नस्यात्मा भवति
Chhā. 1. 3. 6. अन्नं थमन्ने हीदं सर्वं स्थितम्
1. 8. 4. प्राणस्य का गतिरित्यन्नमिति . . अन्नस्य का गतिः
1. 10. 6. यद्वतान्नस्य लभेमहि
1. 11. 9. अन्नमिति होवाच सर्वाणि ह वा इमानि भूतान्यन्नमेव प्रतिहरमाणानि जीवन्ति
1. 12. 2. अन्नं नो भगवानागायतु
5. अन्नमिहाहरदन्नपते ऽन्नमिहाहराहरोमिति
1. 13. 2. अन्नं या
2. 22. 2. अन्नमात्मन आगायानि
4. 3. 6. यस्मै वा एतदन्नं तस्मा एतन्न दत्तमिति
8. सर्वासु दिक्ष्वन्नमेव दश कृतम्
4. 11. 1. पृथिव्यग्निरन्नमादित्यः
5. 2. 1. किं मे ऽन्नं भविष्यतीति
— तद्वा एतदनस्यान्नम्
5. 6. 2. तस्या आहुतेरन्नं संभवति
5. 7. 2. एतस्मिन्नग्नौ देवा अन्नं जुह्वति Bṛih. 6. 2. 12.
5. 10. 4. तद्देवानामन्नम्
6. यो यो ह्यन्नमत्ति.
तद्भूय एव भवति
5. 12. 2. अत्स्यन्नं पश्यसि प्रियमत्स्यन्नं पश्यति प्रियम् 5. 13. 2; 5. 14. 2; 5. 15. 2; 5. 16. 2; 5. 17. 2.
5. 18. 1. अन्नमत्थ
— सर्वेष्वात्मस्वन्नमत्ति
6. 2. 4. ता अन्नमसृजन्त
— तदेव भूयिष्ठमन्नं भवति
6. 4. 1. यत्कृष्णं तदन्नस्य 2, 3, 4.
6. यदु कृष्णमिवाभूदित्यन्नस्य रूपम्

Chhâ. 6. 5. 1. अन्नमशितं त्रेधा विधीयते
6. 6. 2. अन्नस्याश्यमानस्य
6. 7. 6. सान्नेनोपसमाहिता प्राज्वालीत्
6. 8. 4. तस्य क्व मूलं स्यादन्यत्रान्नात् ..अन्नेन शुङ्गेनापो मूलमन्विच्छ
7. 4. 2. वर्षस्य संक्लृप्त्या अन्नं सङ्क्लृप्यते ऽन्नस्य संक्लृप्त्यै प्राणाः सङ्क्लृप्यन्ते
7. 7. 1. अन्नं च रसं च
7. 9. 1. अन्नं वाव बलाद्भूयः
— अन्नस्याये द्रष्टा भवति
— अन्नमुपास्व
2. यो ऽन्नं ब्रह्मेत्युपास्ते..यावदन्नस्य गतम्
— अस्ति भगवो ऽन्नाद्भूय इत्यन्नाद्भूयो ऽस्तीति
7. 10. 1. आपो वा अन्नाद्भूयस्यः
— अन्नं कनीयो भविष्यति
— अन्नं बहु भविष्यति
7. 26. 1. आत्मनो ऽन्नम्

Bṛih. 1. 2. 5. कनीयो ऽन्नं करिष्ये
— सर्वमस्यान्नं भवति
1. 3. 17. यद्धि किञ्चान्नमद्यते
18. सर्वं यदन्नं तदात्मन आगासीरनु नो ऽस्मिन्नन्न आभजस्व
— यदनेनान्नमत्ति
27. अन्न इत्यु हैक आहुः
1. 4. 6. एतावद्वा इदं सर्वमन्नं चैवान्नादश्च
— सोम एवान्नम्
1. 5. 1. सप्तान्नानि मेधया तपसाजनयत्पिता 2.
— सो ऽन्नमत्ति प्रतीकेन 2.
2. तत्साधारणमन्नं यदिदमद्यते

Bṛih. 1. 5. 2. अन्नं पुनः पुनर्जनयते
— स हीदमन्नं धिया धिया जनयते
2. 1. 3. नास्यान्नं क्षीयते
2. 2. 1. प्राणाः स्थूणान्नं दाम
2. नास्यान्नं क्षीयते य एवं वेद
4. वाचा ह्यन्नमद्यते
— सर्वमस्यान्नं भवति य एवं वेद
3. 2. 10. यदिदं सर्वं मृत्योरन्नं का स्वित्सा देवता यस्या मृत्युरन्नमित्यग्निर्वै मृत्युः सो ऽपामन्नम्
3. 9. 8. अन्नं चैव प्राणश्चेति
4. 2. 3. अथैनयोरेतदन्नम्
4. 3. 37. अन्नैः पानैरावसथैः
5. 9. 1. येनेदमन्नं पच्यते Maitri. 2. 6.
5. 12. 1. अन्नं ब्रह्मेत्येक आहुस्तन्न तथा पूयति वा अन्नमृते प्राणात्
— शुष्यति वै प्राण ऋते ऽन्नात्
— अन्नं वै वि अन्ने हीमानि सर्वाणि भूतानि विष्टानि
6. 1. 14. तस्यो मे किमन्नं..तत्ते ऽन्नम्
— य एवमेतदनस्यान्नं वेद
6. 2. 11. तस्या आहुत्या अन्नं संभवति
16. ते चन्द्रं प्राप्यान्नं भवन्ति
— ते पृथिवीं प्राप्यान्नं भवन्ति
6. 3. 4. अन्नमसि ज्योतिरसि

Tait. 1. 5. 3. मह इत्यन्नमन्नेन वाव सर्वे प्राणा महीयन्ते
2. 1. 1. ओषधीभ्यो ऽन्नमन्नात्पुरुषः
2. 2. 1. अन्नाद्वै प्रजाः प्रजायन्ते Maitri. 6. 11.
— अथो अन्नेनैव जीवन्ति Maitri. 6. 11 (अतो)

Tait. 2. 2. 1. अन्नं हि भूतानां ज्येष्ठम् (bis)
— सर्वं वै ते ऽन्नमाप्नुवन्ति ये ऽन्नं ब्रह्मोपासते
— अन्नाद्भूतानि जायन्ते जातान्यन्नेन वर्धन्ते
Maitri. 6. 12.
— अद्यते ऽत्ति च भूतानि तस्मादन्नं तदुच्यते Maitri 6. 12.
3. 1. 1. तस्मा एतत्प्रोवाचान्नं प्राणम्
3. 2. 1. अन्नं ब्रह्मेति व्यजानादन्नात् .. भूतानि जायन्ते ऽन्नेन जातानि जीवन्त्यन्नं प्रयन्ति
3. 7. 1. अन्नं न निन्द्यात् तद्व्रतं प्राणो वा अन्नम्
— तदेतदन्नमन्ने प्रतिष्ठितं स य एतदन्नमन्ने प्रतिष्ठितं वेद प्रतितिष्ठति 3. 8. 1; 3.9.1.
3. 8. 1. अन्नं न परिचक्षीत तद्व्रतं आपो वा अन्नम्
3. 9. 1. अन्नं बहु कुर्वीत तद्व्रतं पृथिवी वा अन्नम्
3. 10. 1. यया कया च विधया बह्वन्नं प्राप्नुयात् । अराध्यस्मा अन्नमित्याचक्षते
— मुखतो ऽन्नं राद्धं मुखतो ऽस्मा अन्नं राध्यते
— मध्यतो ऽन्नं राद्धं मध्यतो ऽस्मा अन्नं राध्यते
— अन्ततो ऽन्नं राद्धमन्ततो ऽस्मा अन्नं राध्यते
6. अहमन्नमहमन्नमहमन्नम्
— अहमन्नमन्नमदन्तमा३द्मि
Nrip. 2. 4.

Śwet. 3. 15. यदन्नेनातिरोहति

Maitri. 2. 6. योऽयं स्थविष्ठो धातुरन्नस्य
4. 5. कालो यः प्राणो ऽन्नम्
5. 1. त्वमन्नस्त्वं यमस्त्वं पृथिवी (in a MS. of Max Müller's the reading is त्वं मनुस्त्वं यमश्च त्वं, &c.)

Maitri. 6. 1. हृत्पुष्कर एवाश्रितो ऽन्नमत्ति, 2.
2. सर्वभूतान्यन्नमत्ति
5. अन्नमापश्चन्द्रमा इत्याप्यायनवत्येषा
9. सवितुश्च रश्मयः पुनन्त्वन्नम्
10. यथान्नमन्नादश्च
— प्राकृतमन्नं भुंक्ता इति
— तस्यायं भूतात्मा ह्यन्नम्
— प्राकृतमन्नं...महदाद्यं विशेषान्तम्
— एवं व्यक्तमन्नमव्यक्तमन्नम्
— देवानां..सोमो ऽन्नम्
— अग्निनैवान्नमत्त्येवंवित्
11. परं वा एतदात्मनो रूपं यदन्नम्
12. अन्नमभिजिघृक्षमाणानि
— सूर्यो रश्मिभिराददात्यन्नम्
— अन्नेनाभिषिक्ताः पचन्तीमे प्राणाः
— अग्निर्वा अन्नेनोज्ज्वलति
— अन्नमात्मेत्युपासीत
13. विश्वभृद्वै नामैषा तनूर्भगवतो विष्णोर्यदिदमन्नम्
— प्राणो वा अन्नस्य रसः
— यावन्तीह वै भूतान्यन्नमदन्ति तावत्स्वन्तःस्थो ऽन्नमत्ति
— अन्नमेव विजरन्नमन्नं संवननं स्मृतम्
— अन्नं पशूनां प्राणो ऽन्नं ज्येष्ठमन्नं भिषक् स्मृतम्
14. अन्नं वा अस्य सर्वस्य योनिः कालश्चान्नस्य

Maitri. 6. 15. संवत्सरो वै..अन्नम्
17. उदरस्थो ऽथवा यः पचत्यन्नम्
36. यत्समृद्धामिदं तस्यान्नम्
37. तेनान्नं भवत्यन्नाद्भूतानामुत्पत्तिः
— आदित्याज्जायते वृष्टिर्वृष्टेरन्नम्
7. 7. अस्यैवान्नमिदं सर्वम्
Muṇḍ 1. 1. 8. ततो ऽन्नमभिजायते ऽन्नात् प्राणः
9. तस्मात्..अन्नं च जायते
2. 2. 7. प्रतिष्ठितो ऽन्ने
Mahânâr. 12. 3. किं तत्सत्यमन्नमायुः
14. 1. आन्नमापः
16. 1. प्राणमन्नेनाप्यायस्व
(similarly four times more.)
2. तेनान्नेनाप्यायस्व
19. 1. चौरस्यान्नं नवश्राद्धम्
23. 1. औषधिवनस्पातिभिरन्नं भवत्यन्नेन प्राणाः
— तस्मादन्नं ददन्त्सर्वाण्येतानि ददात्यन्नात्प्राणा भवन्ति
Praśna. 1. 14. अन्नं वै प्रजापतिः
2. 10. कामायान्नं भविष्यतीति
3. 5. हुतमन्नं समं नयति
6. 4. मनो ऽन्नमन्नाद्वीर्यम्
Kaivalya. 12. स्त्रियन्नपानादिविचित्रभोगैः
Nṛip. 1. 4. अन्नममृतम्
Siras. 6. तत्प्राणो अभिरक्षति शिरो अन्नमथो मनः
Prâṇâg. 1. अन्नं भूमौ निक्षिप्य
— अन्नपते ऽन्नस्य नो धेहि
— यदन्नमद्मि बहुधा विराद्धम्
Gîtâ. 3 14. अन्नाद्भवन्ति भूतानि
15. 14. पचाम्यन्नं चतुर्विधम्

अन्नकाम

Maitri. 6. 12. अन्नकामेनेदं प्रकल्पितं ब्रह्मणा

अन्नकार्य

Sarvop. 2. अन्नकार्याणां षण्णां कोशानां समूहः

अन्नतम

Maitri. 3. 5. शुक्लस्वरो ऽन्नतमः

अन्नत्व

Maitri. 6. 9. अन्नत्वं न पुनरुपैति
10. तिसृष्ववस्थास्वन्नत्वं भवति
— परिणामत्वात्तदन्नत्वम्

अन्नद

Kaush. 2. 1. अन्नदास्त्वेवैनमुपमंत्रयन्ते
2.

अन्नपति

Chhâ. 1. 12. 5. अन्नपते ऽन्नमिहाहर
Prâṇâg. 1. अन्नपत इति..अनुमन्त्रयते
— अन्नपते ऽन्नस्य नो धेहि

अन्नपान

Chhâ. 8. 2. 7. अन्नपाने समुत्तिष्ठतः
Tait. 1. 4. 2. अन्नपाने च सर्वदा
Maitri. 6. 36. आस्यवशिष्टैरन्नपानैश्च
Chûl. 20. अक्षय्यमन्नपानं च

अन्नपानलोक

Chhâ. 8. 2. 7. अन्नपानलोकेन सम्पन्नो महीयते

अन्नपानलोककाम

Chhâ. 8. 2. 7. यद्यन्नपानलोककामो भवति

अन्नपूर्णा

Mukti. 1. *vide* गारुड

अन्नबहु

Maitri. 6 37. एषा नाद्यन्नबहुम् (!)

अन्नभूत

Maitri. 6. 10. सुखदुःखमोहसंज्ञं ह्यन्नभूतमिदं जगत्

अन्नमय

Chhâ. 6. 5. 4. अन्नमयं हि सोम्य मनः 6. 6. 5; 6. 7. 6.

Tait. 2. 8. 1. एतमन्नमयमात्मानमुपसंक्रामति

3. 10. 5. एतमन्नमयमात्मानमुपसंक्रम्य

Maitri. 6. 11. अन्नमयो ह्ययं प्राणः

Sarvop. 1. अयमन्नमयः प्राणमयः.. कथम्

2. अन्नमयः कोश इत्युच्यते

अन्नरस

Kaush. 1. 7. केनान्नरसानिति जिव्हयेति

2. 15. अन्नरसान्मे त्वयि दधानीति पितान्नरसांस्ते मयि दध इति पुत्रः

3. 5. तस्या अन्नरसः परस्तात्प्रतिविहिता भूतमात्रा

6. प्रज्ञया जिव्हां समारुह्य जिव्हया सर्वानन्नरसानाप्नोति

7. नहि प्रज्ञापेता जिव्हान्नरसं कंचन प्रज्ञापयेत्

—नाहमेतमन्नरसं प्राज्ञासिषम्

8. नान्नरसं विजिज्ञासीतान्नरसस्य विज्ञातारं विद्यात्

अन्नरसमय

Tait. 2. 1. 1. स वा एष पुरुषो ऽन्नरसमयः

2. 2. 1. एतस्मादन्नरसमयादन्यो ऽन्तर आत्मा प्राणमयः

अन्नवन्त्

Chhâ. 1. 3. 7. अन्नवानन्नादो भवति 1. 13. 4; 2. 8. 3; Tait. 3. 6. 1; 3. 7. 1; 3. 8. 1; 3. 9. 1.

Chha. 7. 9. 2. अन्नवतो वै स लोकान्.. अभिसिध्यति

Maitri. 6. 13. अन्नवान्.. भवति यो हैवं वेद

अन्नसम्भव

Gîtâ. 3. 14. पर्जन्यादन्नसम्भवः

अन्नसूत्र

Prâṇâg. 1. अन्नसूत्रं शारीरयज्ञम्

अन्नाद

Kaush. 2. 9. तेन मुखेन मामन्नादं कुरु (Five times.)

Chhâ 1. 3. 7. अन्नवानन्नादो भवति 1. 13. 4; 2. 8. 3; Tait. 3. 6. 1; 3. 7. 1; 3. 8. 1; 3. 9. 1.

2. 12. 2. ब्रह्मवर्चस्यन्नादो भवति 3. 13. 3.

2. 14. 2. तेजस्व्यन्नादो भवति 3. 13. 1.

4. 3. 8. सैषा विराडन्नादी

—अन्नादो भवति य एवं वेद

Bṛih. 1. 3. 18. अन्नादो ऽधिपतिर्य एवं वेद

1. 4. 6. एतावद्वा इदं सर्वमन्नं चैवान्नादश्च

—अग्निरन्नादः

4. 4. 24. आत्मान्नादो वसुदानः

Tait. 3. 7. 1. प्राणो वा अन्नं शरीरमन्नादम्

3. 8. 1. आपो वा अन्नं ज्योतिरन्नादम्

3. 9. 1. पृथिवी वा अन्नमाकाशो ऽन्नादः

3. 10. 6. अहमन्नादो ऽहमन्नादो ऽहमन्नादः

Maitri. 6. 10. यथान्नमन्नादश्च

—यथाग्निर्वै देवानामन्नादः

अन्नाद्य

Chhâ. 3. 1. 3. तस्याभितप्तस्य.. वीर्यमन्नाद्यं रसो ऽजायत 3. 2. 2; 3. 3. 2; 3. 4. 2; 3. 5. 2.

Chhâ. 3. 13. 1. तत्तेजो ऽन्नाद्यमित्युपासीत
3. एतद्ब्रह्मवर्चसमन्नाद्यमित्युपासीत
5. 19. 2. तृप्यति प्रजया पशुभिरन्नाद्येन 5. 20. 2; 5. 21. 2; 5. 22. 2; 5. 23. 2.
6. 2. 4. अद्भ्य एव तदध्यन्नाद्यं जायते

Bṛih. 1. 3. 17. अथात्मने ऽन्नाद्यमागायत्
28. तेष्वात्मने ऽन्नाद्यमागायेत्
1. 5. 2. सर्वं हि देवेभ्यो ऽन्नाद्यं प्रयच्छति

Tait. 1. 3. 4. सन्धीयते . . अन्नाद्येन

अन्नायु

Ait. 3. 10. अन्नायुर्वा एष यद्वायुः

अन्यकृत

Mahânâr. 18. 1. अन्यकृतस्यैनसो ऽवयजनमसि

अन्यतम

Kaush. 1. 1. अन्यतमो वाध्वा
Maitri. 7. 10. अतो ऽन्यतममेतेषामुक्तम्

अन्यतर

Kaush. 3. 8. न ह्यन्यतरतो रूपं किंचन सिध्येत्

Chhâ. 4. 16. 2. तयोरन्यतरां मनसा संस्करोति ब्रह्मा
3. अन्यतरामेव वर्त्तनीं संस्कुर्वन्ति हीयते ऽन्यतरा
4. न हीयते ऽन्यतरा

अन्यतस्त्यजायिन्

Kaush. 4. 7. एवमुपास्ते जिष्णुर्ह वा अपराजयिष्णुरन्यतस्त्यजायी भवति

Bṛih. 2. 1. 6. एवमुपास्ते जिष्णुर्हापराजिष्णुर्भवत्यन्यतस्त्यजायी

अन्यतात्मन्

Maitri. 7. 10. अन्यतात्मानो वै ते ऽसुराः

अन्यतोभू

Gauḍa. 4. 49. नाभासा अन्यतोभुवः 51.

अन्यत्काम

Mahâ. 2. पुनरेव नारायणः सो ऽन्यत्कामः 3.

अन्यत्रमनस्

Bṛih. 1. 5. 3. अन्यत्रमना अभूवं नादर्शमन्यत्रमना अभूवं नाश्रौषम

अन्यथा

Gauḍa. 1. 15. अन्यथा गृह्णतः स्वप्नः

अन्यथाभाव

Gauḍa. 3. 21. प्रकृतेरन्यथाभावो न कथञ्चिद्भविष्यति 4. 7, 29.

अन्यदेवता

Gîtâ. 7. 20. प्रपद्यन्ते ऽन्यदेवताः
9. 53. ये ऽप्यन्यदेवता भक्ता यजन्ते

अन्यभाव

Gauḍa. 4. 53. द्रव्यत्वमन्यभावो वा

अन्यराजन्

Chhâ. 7. 25. 2. ये ऽन्यथातो विदुरन्यराजानस्ते

अन्यहेतुक

Gauḍa. 2. 14. विशेषो नान्यहेतुकः

अन्यादृश

Chhâ. 4. 14. 2. इमे नूनमीदृशा अन्यादृशा इति

अन्याय

Gîtâ. 16. 12. ईहन्ते . . अन्यायेनार्थसञ्चयान्

अन्योन्य

Chhâ. 1. 1. 6. आपयतो वै तावन्योन्यस्य कामम्

Brih. 1. 5. 21. तानि सृष्टान्यन्योन्येनास्पर्द्धन्त

5. 5. 2. एतावन्योन्यास्मिन्प्रतिष्ठितौ

Garbha. 3. *vide* द्वैध्य

अन्योन्यदृश्य

Gauḍa. 4. 67. उभे ह्यन्योन्यदृश्येते

अन्योन्यसक्त

Praśna. 5. 6. प्रयुक्ता अन्योन्यसक्ताः

अन्वभ्यवेक्ष्

Kaush. 2. 15. अथेतरः सव्यमन्वंसमभ्यवेक्षते

अन्वय

Tait. 2. 2. 1. तस्य पुरुषविधतामन्वयं पुरुषविधः 2. 3. 1; 2. 4. 1; 2. 5. 1.

अन्वर्थादिसंज्ञक

Râmap. 11. मन्त्रो ऽन्वर्थादिसंज्ञकः

अन्ववक्रम्

Brih. 4. 4. 1. हृदयमेवान्ववक्रामति

2. सविज्ञानमेवान्ववक्रामति

अन्ववसो

Kaush. 4. 20. एतमात्मानमेत आत्मानो ऽन्ववस्यन्ति

अन्ववार्ज्

Ait. 2. 1. तमशनायापिपासाभ्याम-न्ववार्जत्

अन्ववे

Brih. 1. 3. 10. नेत्पाप्मानं मृत्युमन्ववायानि

अन्वाभज्

Brih. 1. 3. 18. अनु नो ऽस्मिन्नन्न आभजस्वेति

अन्वायत्त

Chhâ. 1. 10. 9. देवता प्रस्तावमन्वायत्ता 1. 11. 4, 5.

10. देवतोद्गीथमन्वायत्ता 1. 11. 6, 7.

11. देवता प्रतिहारमन्वायत्ता 1. 11. 8, 9.

2. 9. 2. तस्मिन्निमानि सर्वाणि भूतान्यन्वायत्तानि

— तदस्य पशवो ऽन्वायत्ताः

3. तदस्य मनुष्या अन्वायत्ताः

4. तदस्य वयांस्यन्वायत्तानि

5. तदस्य देवा अन्वायत्ताः

6. तदस्य गर्भा अन्वायत्ताः

7. तदस्यारण्या अन्वायत्ताः

8. तदस्य पितरो ऽन्वायत्ताः

3. 16. 1. तदस्य वसवो ऽन्वायत्ताः

3. तदस्य रुद्रा अन्वायत्ताः

5. तदस्यादित्या अन्वायत्ताः

Brih. 2. 2. 2. ताभिरेनं रुद्रो ऽन्वायत्तः

—वर्त्तन्या पृथिव्यन्वायत्ता

3. 8. 9. दर्वीं पितरो ऽन्वायत्ताः

अन्वारुह्

Brih. 4. 3. 35. प्राज्ञेनात्मनान्वारूढः

अन्वालभ्

Prâṇâg. 2. हृदयमन्वालभ्य जपेत्

अन्वाविश्

Chhâ. 8. 1. 5. यथा ह्येवेह प्रजा अन्वाविशन्ति

अन्वावृत्

Kaush. आदित्यस्यावृतमन्वावर्त

इति दक्षिणं बाहुमन्वावर्तते, 9.

अन्वाहार्यपचन

Chhâ 4. 12. 1. अथ हैनमन्वाहार्यपचनो ऽनुशशास
5. 18. 2. मनो ऽन्वाहार्यपचनः
Mahânâr. 22. 1. अन्वाहार्यपचनो यजुरन्तरिक्षं वामदेवव्यम्
Praśna. 4. 3. व्यानो ऽन्वाहार्यपचनः
Kaṭhaśru. 1. आहवनीये गार्हपत्ये अन्वाहार्यपचने

अन्वि

Chhâ. 5. 14. 1. रथश्रेणयो ऽनुयन्ति
Kaṭha. 4. 2. पराचः कामाननुयन्ति बालाः
Praśna. 5. 2. एतेनैवायतनेनैकतरमन्वेति
7. तमोङ्कारेणैवायतनेनान्वेति
Gîtâ. 9. 23. यजन्ते श्रद्धयान्विताः 17.1.
16. 10. दम्भमानमदान्विताः
17. धनमानमदान्विताः
17. 5. कामरागबलान्विताः
18. 27. हर्षशोकान्वितः कर्त्ता

अन्विष्

Chhâ. 4. 1. 7. स ह क्षत्तान्विष्य नाविदमिति प्रत्येयाय
6. 8. 4. मूलमन्विच्छ 6.
8. 1. 1. तस्मिन्यदन्तस्तदन्वेष्टव्यम्
2. किं तदत्र विद्यते यदन्वेष्टव्यम्
8. 7. 1. सो ऽन्वेष्टव्यः स विजिज्ञासितव्यः 3
2. तमात्मानमन्विच्छामो यमात्मानमन्विष्य सर्वांश्च लोकानाप्नोति
Maitri. 6. 8. एष वा जिज्ञासितव्यो ऽन्वेष्टव्यः
Praśna. 1. 1. परं ब्रह्मान्वेषमाणाः
Praśna. 1. 10. श्रद्धया विद्ययात्मानमन्विष्य
Nṛisut. 3. तुरीयं चतुरात्मानमन्विष्य
5. पुरतो ऽस्मात् सर्वस्मात् सुविभातमन्विष्य
6. नृसिंहानुष्टुभान्विष्य
7. इममात्मानमन्विष्य
— परमं सिंहमन्विष्य
— सर्वात्मकमात्मानमन्विच्छेत्
— परमं ब्रह्मान्विच्छेत्
— अकारेण परमं ब्रह्मान्विष्य मकारेण मनआद्यवितारं अन्विच्छेत्
Jâbâla. 6. आत्मानमन्विच्छेत्
Mukti. 2. 63. अन्वेष्टव्यं प्रयत्नेन . . ज्योतिरान्तरम्
Gîtâ. 2. 49. बुद्धौ शरणमन्विच्छ

अन्वीक्ष्

Chhâ. 8. 8. 4. तौ हान्वीक्ष्य प्रजापतिरुवाच

अन्वेषणा

Chhâ 4. 1. 7. यत्रारे ब्राह्मणस्यान्वेषणा तदेनमृच्छेति

अन्वेषिन्

Amṛita. 2. ब्रह्मलोकपदान्वेषी

अप्

Ait. 1. 2. अम्भो मरीचीर्मरमापः
— या अधस्तात्ता आपः
3. अद्भ्य एव पुरुषं समुद्धृत्य
4. शिश्नाद्रेतो रेतस आपः
2. 4. आपो रेतो भूत्वा शिश्नं प्राविशन्
3. 2. सो ऽपो ऽभ्यतपत्
5. 3. पृथिवी वायुराकाश आपो ज्योतींषि
Kaush. 1. 7. आपो वै खलु मे

Kaush. 4. 2. अप्सु तेजः
10. अप्सु पुरुषस्तमेवाहमुपासे
Chhâ. 1. 1. 2. पृथिव्या आपो रसो ऽपामोषधयो रसः
1. 8. 4. अन्नस्य का गतिरित्याप इति
5. अपां का गतिः
2. 4. 1. सर्वास्वप्सु पञ्चविधं सामोपासीत
2. न हाप्सु प्रैत्यप्सुमान् भवति य एतदेवं विद्वान् सर्वास्वप्सु पञ्चविधं सामोपास्ते
3. 1. 2. ता अमृता आपः 3. 2. 1; 3. 3. 1; 3. 4. 1; 3. 5. 1.
3. 11. 6. यद्यप्यस्मा इमामद्भिः परिगृहीतां धनस्य पूर्णां दद्यात्
4. 3. 2. यदाप उच्छुष्यन्ति वायुमेवापियन्ति
4. 12. 1. आपो दिशो नक्षत्राणि चन्द्रमाः
4. 14. 3. यथा पुष्करपलाश आपो न श्लिष्यन्ते
5. 2. 2. किं मे वासो भविष्यतीत्याप इति होचुः
— पुरस्ताच्चोपरिष्टाच्चाद्भिः परिदधति
5. 3. 3. पञ्चम्यामाहुतावापः पुरुषवचसो भवन्ति 5. 9. 1.
5. 16. 1. अप एव भगवो राजन्
6. 2. 3. तदपो ऽसृजत . . तेजस एव तदध्यापो जायन्ते
4. ता आप ऐक्षन्त बह्व्यः स्याम
— अद्भ्य एव तदध्यन्नाद्यं जायते
6. 4. 1. यच्छुक्लं तदपाम् 2, 3, 4.
6. यदु शुक्लं . . तदपां रूपम्
6. 5. 2. आपः पीतास्त्रेधा विधीयन्ते
6. 6. 3. अपां सोम्य पीयमानानाम्

Chhâ. 6. 7. 1. काममपः पिब
6. 8. 3. आप एव तदशितं नयन्ते . . एवं तदप आचक्षते ऽशनाया
4. अन्नेन शुङ्गेनापो मूलमन्विच्छाद्भिः शुङ्गेन &c.
6. क्व मूलं स्यादन्यत्राद्भ्यो ऽद्भिः सोम्य शुङ्गेन &c.
7. 2. 1. अपश्च तेजश्च 7. 7. 1.
7. 4. 2. समकल्पतामापश्च तेजश्च
7. 6 1. ध्यायन्तीवापः
7. 10. 1. आपो वा अन्नाद्भूयस्यः
— आप एवेमा मूर्त्ता अप उपास्व
2. यो ऽपो ब्रह्मेत्युपास्ते . . यावदपां गतम्
— अस्ति भगवो ऽद्भ्यो भूय इत्यद्भ्यो वाव भूयो ऽस्तीति
7. 11. 1. तेजो वा अद्भ्यो भूयः
— तेज एव . . अपः सृजते
7. 26. 1. आत्मत आपः
8. 7. 4. यो ऽयं भगवो ऽप्सु परिख्यायते
Brih. 1. 2. 1. तस्यार्चत आपो ऽजायन्त
2. आपो वा अर्कस्तद्यदपां शर आसीत्
3. स एषो ऽप्सु प्रतिष्ठितः
1. 5. 13. प्राणस्यापः शरीरम्
— यावानेव प्राणस्तावत्य आपः
20. अद्भ्यश्चैनं चन्द्रमसश्च
2. 1. 8. अप्सु पुरुष एतं . . ब्रह्मोपासे
2. 2. 2. या अक्षन्नापस्ताभिः पर्जन्यः
2. 4. 11. सर्वासामपां समुद्र एकायनं 4. 5. 12.
2. 5. 2. इमा आपः सर्वेषां भूतानां मध्वासामपां सर्वाणि भूतानि मधु
— अप्सु . . अमृतमयः पुरुषः

Bṛih. 3. 2. 10. अग्निर्वै मृत्युः सो ऽपामन्नम्
13. अप्सु लोहितञ्च रेतश्च निधीयते
3. 6. 1. यदिदं सर्वमप्स्वोतञ्च प्रोतञ्च कस्मिन्नु खल्वाप ओताश्च प्रोताश्च
3. 7. 4. यो ऽप्सु तिष्ठन्नद्भ्यो ऽन्तरो यमापो न विदुर्यस्यापः शरीरं यो ऽपो ऽन्तरो यमयति
3. 9. 16. आप एव यस्यायतनम्
— य एवायमप्सु पुरुषः स एषः
22. वरुणः कस्मिन्प्रतिष्ठित इत्यप्स्विति कस्मिन्न्वापः
5. 5. 1. आप एवेदमग्र आसुस्ता आपः सत्यमसृजन्त
6. 1. 14. आपो वास इति
6. 2. 2. आपः पुरुषवाचो भूत्वा समुत्थाय वदन्ति
6. 4. 1. पृथिव्या आपो ऽपामोषधयः
5. यदोषधीरप्यसरद्यदपः
23. सोष्यन्तीमद्भिरभ्युक्षति

Iśâ. 4. तस्मिन्नपो मातरिश्वा दधाति

Tait. 1. 3. 2. आपः सन्धिः
1. 4. 3. यथापः प्रवता यन्ति
1. 7. 1. आप ओषधयो वनस्पतयः
2. 1. 1. अग्नेरापो ऽद्भ्यः पृथिवी
3. 8. 1. आपो वा अन्नं . . अप्सु ज्योतिः प्रतिष्ठितं ज्योतिष्यापः

Kaṭha. 4. 6. अद्भ्यः पूर्वमजायत
6. 5. यथाप्सु परीव ददृशे

Śwet. 1. 15. आपः स्रोतःसु Brahma. 3.
2. 17. यो देवो अग्नौ यो अप्सु
4. 2. तदापस्तत्प्रजापतिः

Maitri. 6. 5. अन्नमापश्चन्द्रमा इत्याप्यायनवत्येषा
7. अथापो प्यायनात्
9. अद्भिः पुरस्तात्परिदधाति

Maitri. 6. 9. अद्भिर्भूय एवोपरिष्टात्परिदधाति
31. अपां यः शिवतमो रसः
34. अपामापः . . न लक्षयेत्
35. आपो ज्योती रसो ऽमृतम् Śiras. 6; Prâṇâg. 1; Mahânâr. 15. 2, 3.
7. 11. अप्सु प्रक्षेपको लवणस्येव

Muṇḍ. 2. 1. 3. खं वायुर्ज्योतिरापः पृथिवी Praśna. 6. 4; Kaivalya. 15 (आपश्च); Nâr. 1.

Mahânâr. 1. 7. तदापः स प्रजापतिः
9. स आपः प्रदुघे उभे इमे
12. अद्भ्यः सम्भूतो हिरण्यगर्भः
4. 13. सुमित्रिया न आपः
5. 1. नमो वारुण्यै नमो ऽद्भ्यः
— यदपां क्रूरं यदमेध्यम्
8. इमास्तदापो वरुणः पुनातु
11. वरुणो ऽपामघमर्षणः
13. 1. तद्ब्रह्म तदाप आपः
14. 1. आपो वा इदं सर्वम् &c.
—भूर्भुवः सुवराप ओम्
2. आपः पुनन्तु पृथिवीम् Prâṇâg. 1.
—सर्वं पुनन्तु मामापः Prâṇâg. 1.

Praśna. 2. 2. वायुरग्निरापः पृथिवी
4. 8. आपश्चापोमात्रा च

Kaivalya. 23. न भूमिरापो न च वह्निरस्ति

Nṛip. 1. 1. आपो ह वा इदमासन्

Śiras. 1. आपो ऽहं तेजो ऽहम्
2. यो वै रुद्रः . . याश्चापः
6. यो अग्नौ रुद्रो यो अप्स्वन्तः
— यो रुद्रो अग्नौ यो रुद्रो अप्स्वन्तः
— यो रुद्रो अप्सु यो रुद्र ओषधीषु

Śiras. 6. उच्छ्वासिते तमो भवति तमस आपः
— अप्स्वङ्गुल्या मथिते मथितं (भवति)

Garbha. 1. पृथिव्यापस्तेजो वायुराकाशम्
— का पृथिवी का आपः
— यद्द्रवं ता आपः
— आपः पिण्डीकरणे

Mahâ. 1. नापो नाग्नीषोमौ
3. ता इमाः प्रतता आपः

Prâṇâg. 1. आपो ऽमृतमसि
2. सव्ये पाणावपो गृहीत्वा
— तमद्भिः प्रतिषिञ्चामि

Nîla. 9. येषामप्सु सदस्कृतम्

Nyâsa. 4. अद्भिः पूताभिराचरेत्
Kathaśru. 4.
— ज्योतिष आपो ऽद्भ्यः पृथिवी

Kathaśru. 3. मृन्मयान्यप्सु जुहुयात्
— भूः स्वाहेत्यप्सु जुहुयात्
— अपां प्रवेशमग्निप्रवेशम्

Aruṇeya. 2. भूमावप्सु वा विसृजेत्

Aśrama. 2. उद्धृतपरिपूताभिरद्भिः

Jâbâla. 4. यद्यग्निं न विन्देदप्सु जुहुयात्
— आपो वै सर्वा देवताः
5. अपां प्रवेशे वा अग्निप्रवेशे वा
6. भूः स्वाहेत्यप्सु परित्यज्य

Gopî. 5. आपो वा अग्र आसन्

Gîtâ. 2. 23. न चैनं क्लेदयन्त्यापः
70. समुद्रमापः प्रविशन्ति यद्वत्
7. 4. भूमिरापो ऽनलो वायुः
8. रसो ऽहमप्सु कौन्तेय

अपकृष्

Brahma. 1. एकेन तन्तुना जालं विक्षिपति तेनापकर्षति

अपक्वकषाय

Nṛisut. 6. तस्मादपक्वकषाय इममेव ..नृसिंहानुष्टुभैव जानीयात्

अपक्षि

Kaush. 2. 9. मास्माकं प्राणेन प्रजया पशुभिरपक्षेष्ठा यो ऽस्मान् द्वेष्टि .. तस्य .. पशुभिरपक्षीयस्व

Bṛih. 1 5. 14. आ च पूर्यते ऽपचक्षीयते 15.
6. 2. 16. आप्यायस्वापक्षीयस्वेति

अपक्षीयमाणपक्ष

Bṛih. 6. 2. 16. रात्रेरपक्षीयमाणपक्षमपक्षीयमाणपक्षात् &c.

अपगम्

Mahânár 5. 1. यदपां क्रूरं यदमेध्यं .. तदपगच्छतात्

अपचिति

Chhâ. 1. 1. 9. एतस्यैवाक्षरस्यापचित्यै

Bṛih. 1. 5. 14. एतस्या एव देवताया अपचित्यै

अपजि

Bṛih. 1. 2. 7. अप पुनर्मृत्युं जयति 1. 5. 2; 3. 2. 10; 3. 3. 2.
1. 5. 2. तदहः पुनर्मृत्युमपजयति

अपद्

Bṛih. 5. 14. 7. अपदसि न हि पद्यसे

अपद्रु

Kaush. 1. 4. ते ऽस्मादपद्रवंति
5. तावस्मादपद्रवतः

अपध्वंस्

Parama. 2. एतद्ब्रपुरपध्वस्तम्

अपध्वान्त

Chhâ. 2. 22. 1. अपध्वातं वरुणस्य

अपनिन्हु

Chhâ. 4. 14. 2. को नु मानुशिष्याद्गो इति हापेव निह्नुते

अपनुद्

Mahânâr. 20. 2. अप मृधो नुदस्व
22. 1. दानेनारातीरपानुदन्त
— धर्मेण पापमपनुदन्ति
23. 1. यज्ञेनासुरानपानुदन्त
Gîtâ. 2. 8. ममापनुद्याद्यच्छोकम्

अपमान

Tejo. 14. तथा मानापमानयोः
Gîtâ. 6. 7; 12. 18.
Parama. 2. न मानापमानं च
Gîtâ. 14. 25. मानापमानयोस्तुल्यः

अपमृत्यु

Nṛip. 2. 4. मृत्युमपमृत्युं च मारयति

अपर

Kaush. 1. 5. श्यैतनौधसे चापरौ पादौ
— श्रीश्चेरा चापरौ
Chhâ. 8. 9. 3. अपराणि द्वात्रिंशतं वर्षाणि (bis); 8. 10. 4 (bis).
8. 11. 3. अपराणि पञ्च वर्षाणि (bis).
Bṛih 1. 1. 2. तस्यापरे समुद्रे योनिः
3. 8. 5. अपरस्मै धारयस्वेति
4. 3. 18. पूर्वं चापरं च
Kaṭha. 1. 6. प्रतिपश्य तथापरे
Śwet. 3. 9. यस्मात्परं नापरमस्ति किञ्चित् Mahânâr. 10. 4.
5. 12. संयोगहेतुरपरो ऽपि दृष्टः
Maitri. 3. 2. अस्ति खल्वन्यो ऽपरो भूता-त्माख्यः
4. 3. स्तंबशाखेवापराणि
6. 5. एतद्वै सत्यकाम परं चापरं च ब्रह्म Praśna. 5. 2.
10. अथापरं वेदितव्यम्
Muṇḍ. 1. 1. 4. द्वे विद्ये वेदितव्ये .. परा चैवापरा च
5. तत्रापरा ऋग्वेदो यजुर्वेदः सामवेदः &c.
Gauḍa. 1. 9. क्रीडार्थमिति चापरे
12. नात्मानं नापरांश्चैव
26. प्रणवो ह्यपरं ब्रह्म
2. 13. विकरोत्यपरान् भावान्
26. षड्विंश इति चापरे
—अनन्त इति चापरे
27. परापरमथापरे
4. 3. अभूतस्यापरे धीराः
Chûl. 14. सप्तविंशमथापरे
Śiras. 3. परमपरं परायणं च त्वम्
4. यस्मात्परमपरं परायणं च
5. परमपरं परायणं चेति
Brahma. 1. यत्परं नापरं त्यजति
Nâda. 9. विद्युन्माली तथापरा
Mukti. 1. 16. भक्तियोगेन चापरे
Gîtâ. 2. 22. नवानि गृह्णाति नरो ऽपराणि
4. 4. अपरं भवतो जन्म
25. दैवमेवापरे यज्ञम्
— ब्रह्माग्नावपरे यज्ञम्
27. प्राणकर्माणि चापरे
28. योगयज्ञास्तथापरे
29. प्राणे ऽपानं तथापरे
30. अपरे नियताहाराः
6. 22. यं लब्ध्वा चापरं लाभम्
7. 5. अपरेयमितस्त्वन्याम्
13. 24. कर्मयोगेन चापरे

Gîtâ. 16. 14. हनिष्ये चापरानपि
18. 3. न त्याज्यमिति चापरे

अपरपक्ष

Kaush. 1. 2. तानपरपक्षेण प्रजनयति (or °पक्षे न)

Chhâ. 5. 10. 3. रात्रेरपरपक्षमपरपक्षाद्यान् षड् दक्षिणैति मासांस्तान्

Bṛih. 3. 1. 5. पूर्वपक्षापरपक्षाभ्यां (bis) — पूर्वपक्षापरपक्षयोः

अपरप्रयोज्य

Maitri. 7. 2. अपरप्रयोज्यः स्वतन्त्रः

अपरस्पर

Gîtâ. 16. 8. अपरस्परसम्भूतम्

अपराजयिष्णु

Kaush. 4. 7. एतमेवमुपास्ते जिष्णुर्ह वा अपराजयिष्णुः..भवति

अपराजित

Kaush. 1. 3. अपराजितमायतनम् 5.
4. 7. इन्द्रो वैकुण्ठो ऽपराजिता सेना Bṛih. 2. 1. 6.

Chhâ. 8. 5. 3. अपराजिता पूर्ब्रह्मणः

Gîtâ. 1. 17. सात्यकिश्चापराजितः

अपराजिष्णु

Bṛih. 2. 1. 6. जिष्णुर्हापराजिष्णुर्भवति

अपराध्

Bṛih. 6. 2. 8. नस्त्वं गौतम मापराधाः

अपराह्ण

Chhâ. 2. 9. 3. प्रागपराह्णात्स प्रतिहारः
7. प्रागस्तमयात्स उपद्रवः
2. 14. 1. अपराह्णः प्रतिहारः

अपरिखेद

Gauḍa. 3. 41. मनसो निग्रहस्तद्वदखेदपरिखेदतः

अपरिग्रह

Tejo. 3. निराशीरपरिग्रहः Gîtâ. 6. 10.

Aruṇeya. 4. ब्रह्मचर्यमहिंसां चापरिग्रहं च

Jâbâla. 5. मुण्डो ऽपरिग्रहः शुचिः

अपरिच्छिन्न

Maitri. 7. 2. अपरिमितो ऽपरिच्छिन्नः

अपरिज्ञान

4. 19. अशक्तिरपरिज्ञानम्
21. पूर्वापरापरिज्ञानम्

अपरित्यागिन्

Aśrama. 1. आप्रायणाद्गुरोरपरित्यागी

अपरिमित

Maitri. 4. 4. अक्षय्यमपरिमितं..सुखम् 6. 30.
6. 17. अपरिमितो ऽजो ऽतर्क्यः
37. अपरिमितं तेजः 7. 11.
7. 2. अनाद्यन्तो ऽपरिमितः

Sarvop. 4. अपरिमितानन्दसमुद्रः

अपरिमितधा

Maitri. 5. 2. अपरिमितधा चोद्भूतः
6. 26. अपरिमितधा चात्मानं विभज्य

अपरिमेय

Gîtâ. 16. 11. चिन्तामपरिमेयां च

अपरिहार्य

Gîtâ. 2. 27. तस्मादपरिहार्येऽर्थे

अपरोक्षात्

Bṛih. 3. 4. 1. यत्साक्षादपरोक्षाद्ब्रह्म 2; 3. 5. 1.

अपरोक्षात्मन्

Vâsu. 3. अपरोक्षात्मसिद्धये

अपर्यन्त

Bṛih. 6. 2. 7. बहोरनन्तस्यापर्यन्तस्य

अपर्याप्त

Gîtâ. 1. 10. अपर्याप्तं तदस्माकं बलम्

अपलायन

Gîtâ. 18. 43. युद्धे चाप्यपलायनम्

अपलित

Chûl. 11. *vide* पलित

अपवर्ग

Maitri. 6. 30, सर्गस्वर्गापवर्गहेतुः

अपवाद

Gauḍa. 3. 25. संभूतेरपवादाच्च

अपश्यन्त्

Chhâ. 5. 1. 9. यथान्धा अपश्यन्तः
Bṛih. 6. 1. 9.

Bṛih. 4. 1. 4. अपश्यतो हि किं स्यात्

Nṛisut. 9. तदेतदात्मानमोमित्यपश्यन्तः पश्यत

अपसरण

Maitri. 1. 4. स्थानादपसरणं सुराणाम्

अपसृ

Maitri. 6. 14. कालस्तस्यातिदूरमपसरति

अपहततमस्क

Chhâ. 7. 11. 2. तेजस्वतो लोकान्..अपहततमस्कान्

अपहतपाप्मन्

Chhâ. 1. 2. 9. नैवैतेन सुरभि न दुर्गन्धि विजानात्यपहतपाप्मा ह्येषः

8. 1. 5. एष आत्मापहतपाप्मा
Maitri. 7. 7.

8. 4. 1. अपहतपाप्मा ह्येष ब्रह्मलोकः

8. 7. 1. य आत्मापहतपाप्मा 3.

Bṛih. 4. 3. 21. अपहतपाप्माभयं रूपम्

Maitri. 2. 3. अपहतपाप्मानस्तिग्मतेजसः

4. 4. यस्तपसापहतपाप्मा

6. 1. यः कश्चिद्विद्वानपहतपाप्मा

अपहति

Chhâ. 8. 12. 1. न वै सशरीरस्य सतः प्रियाप्रिययोरपहतिरस्ति

अपहन्

Kaush. 4. 20. सर्वान् पाप्मनो ऽपहत्य

Kena. 34. अपहत्य पाप्मानम्

Chhâ. 1. 3. 1. उद्यंस्तमोभयमपहन्ति

2. 24. 6. अपजहि परिघम् 10.

15. अपहत परिघम्

4. 11. 2. अपहते पापकृत्याम् 4. 12. 2; 4. 13. 2.

Bṛih. 1. 3. 10. पाप्मानं मृत्युमपहत्य 11.

Mahânâr. 2. 8. उद्दीप्यस्व जातवेदो ऽपघ्नन्निर्ऋतिं मम

अपहन्तृ

Chhâ. 1. 3. 1. अपहन्ता ह वै भयस्य तमसो भवति य एवं वेद.

अपहानि

Swet. 1. 11. ज्ञात्वा देवं सर्वपाशापहानिः

अपहृ

Chhâ. 6. 16. 1. अपहार्षीत्स्तेयमकार्षीत्

Bṛih. 3. 9. 26. परिमोषिणो ऽस्थीन्यपजह्रुः

अपहृतचेतस्

Gîtâ. 2. 44. तयापहृतचेतसाम्

अपहृतज्ञान

Gîtâ. 7. 15. माययापहृतज्ञानाः

अपन्हु

Chhâ. 7. 15. 4. अतिवाद्यस्मीति ब्रूयान्नापह्नुवीत

अपाणिपाद

Swet. 3. 19. अपाणिपादो जवनो ग्रहीता
Mund. 1. 1. 6. अचक्षुःश्रोत्रं तदपाणिपादम्
Kaivalya. 21. अपाणिपादो ऽहमचिन्त्यशक्तिः
Brahma. 2. अमनस्कमश्रोत्रमपाणिपादम्

अपात्र

Gîtâ. 17. 22. अपात्रेभ्यश्च दीयते

अपादा

Bṛih. 4. 3. 9. अस्य लोकस्य सर्वावतो मात्रामपादाय
6. 2. 7. अस्ति हिरण्यस्यापात्तम्

अपान्

Chhâ. 1. 3. 3. यदपानिति सोऽपानः
— अप्राणन्ननपानन्वाचमभिव्याहरति (similarly in 4,5).
Bṛih. 1. 5. 23. प्राण्याच्चैवापान्याच्च
3. 4. 1. यो ऽपानेनापानिति स त आत्मा सर्वान्तरः
6. 4. 10 अभिप्राण्यापान्यात्
11 अपान्याभिप्राण्यात्

अपान

Ait. 1. 4. नाभ्या अपानो ऽपानान्मृत्युः
2. 4. मृत्युरपानो भूत्वा नाभिं प्राविशत्
3. 10. तदपानेनाजिघृक्षत्
11. यद्यपानेनाभ्यपानितं .. को ऽहमिति
Chhâ. 1. 3. 3. यदपानिति सो ऽपानः
— यः प्राणापानयोः संधिः स व्यानः
3. 13. 3. प्रत्यङ्सुषिः सो ऽपानः
5. 21. 1. तां जुहुयादपानाय स्वाहेत्यपानस्तृप्यति
2. अपाने तृप्यति वाक्तृप्यति
Bṛih. 1. 5. 3. प्राणो ऽपानो व्यान उदानः समानः Tait. 1. 7. 1.
3. 1. 10. अपानो याज्या
3. 2. 2. सो ऽपानेनातिग्रहेण गृहीतो ऽपानेन हि गन्धान् जिघ्रति
3. 4. 1. यो ऽपानेनापानिति स त आत्मा सर्वान्तरः
3. 9. 26. कस्मिन्नु प्राणः .. अपान इति कस्मिन्न्वपानः
5. 14. 3. प्राणो ऽपानो व्यान इत्यष्टावक्षराणि
Tait. 1. 5. 3. भुव इत्यपानः
2. 2. 1. अपान उत्तरः पक्षः
Kaṭha. 5. 3. अपानं प्रत्यगस्यति
5. न प्राणेन नापानेन मर्त्यो जीवति कश्चन
Maitri. 2. 6. प्राणो ऽपानः समान उदानो व्यानः
— यो ऽयमवाङ् संक्रामत्येष वाव सो ऽपानः
— यो ऽयं स्थविष्ठो धातुरन्नस्यापाने प्रापयति
6. 5. प्राणो ऽपानो व्याना इति प्राणवत्येषा
9. प्राणाय स्वाहापानाय स्वाहा
33. प्राणो ऽपानो व्यानः समान उदानः
Mahânâr. 15. 8. अपाने निविष्टो ऽमृतं जुहोमि 9.
16. 1. अपाने निविश्यामृतं हुतमपानमन्नेनाप्यायस्व
Praśna. 3. 5. पायूपस्थे ऽपानम्
8. सैषा पुरुषस्यापानमवष्टभ्य
4. 3. गार्हपत्यो ह वा एषो ऽपानः
Garbha. 1. अपानमुत्सर्गे
Prâṇâg. 1. अनामिकया अपाने
4. अपानः प्रतिप्रस्थाता
Amṛita. 34. अपानस्तु पुनर्गुदे
36. अपानस्तस्य मध्ये तु

Nyâsa. 4. वृषणापानयोर्मध्ये

Kaṭhaśru. 1. प्राणापानव्यानोदानसमानान्

Mukti. 2. 51. अपाने ऽस्तंगते

52. यावन्नापान उद्गतः

Gîtâ. 4. 29. अपाने जुह्वति प्राणं प्राणे ऽपानं तथापरे

— प्राणापानगती रुद्ध्वा

अपाप

Mahânâr. 5. 3. सोऽहमपापो विरजो निर्मुक्तः

अपापविद्ध

Iśâ. 8. शुद्धमपापविद्धम्

अपार

Bṛih. 2. 4. 12. अनन्तमपारं विज्ञानघन एव

Maitri. 6. 21. तीर्त्वा पारमपारेण पश्चाद्भुञ्जीत

Mahânâr. 1. 1. अम्भस्यपारे

अपावृ

Chhâ. 2. 24. 4. लोकद्वारमपावार्णू 8, 12, 13.

Bṛih. 5. 15. 1. तत्त्वं पूषन्नपावृणु Iśâ. 15; Maitri. 6. 35.

Gîtâ. 2. 32. स्वर्गद्वारमपावृतम्

अपिग्रह्

Chhâ 3. 13. 8. कर्णावपिगृह्य

अपितृ

Bṛih. 4. 3. 22. पिता ऽपिता भवति

अपिधा

Bṛih. 5. 9. 1. यमेतत्कर्णावपिधाय शृणोति Maitri. 2. 6.

5. 15. 1. हिरण्मयेन पात्रेण सत्यस्यापिहितं मुखम् Iśâ. 15; Maitri. 6. 35.

Tait. 1. 4. 1. ब्रह्मणः कोशो ऽसि मेधयापिहितः

Maitri. 6. 8. अग्निरिवाग्निनापिहितः

Amṛita. 19. नासिकापुटमङ्गुल्यापिधाय

अपिधान

Chhâ. 8. 3. 1. तेषां सत्यानां सतामनृतमपिधानम्

Prâṇâg. 2. अथापिधानमसि

अपिपास

Chhâ. 3. 17. 6. अपिपास एव स बभूव

8. 1. 5. विजिघत्सो ऽपिपासः

8. 7. 1, 3.

Maitri. 7. 7. अविचिकित्सो ऽपिपासः

अपिपासत्व

Nṛisut. 7. अनशनायत्वादपिपासत्वात्

अपी

Kaush. 3. 3. तदेनं वाक् सर्वैर्नामभिः सहाप्येति (similarly 6 times more) 4. 20.

Chhâ. 4. 3 1. यदा वा अग्निरुद्वायति वायुमेवाप्येति (similarly thrice more)

2. यदाप उच्छुष्यन्ति वायुमेवापियन्ति

3. प्राणमेव वागप्येति

6. 8. 1. स्वमपीतो भवति

6. 10. 1. समुद्रात्समुद्रमेवापियन्ति

8. 11. 1 विनाशमेवापीतो भवति 2.

Bṛih. 3. 2. 13. अग्निं वागप्येति

4. 1. 2. देवो भूत्वा देवानप्येति 3-7.

4. 4. 6. ब्रह्मैव सन् ब्रह्माप्येति Nṛisut. 5 (ter).

8. तेन धीरा अपियन्ति.. स्वर्गम्

14. इतरे दुःखमेवापियन्ति Śwet. 3. 10.

Tait. 2. 2. 1. अथैनदपियन्त्यन्ततः
Maitri. 6. 11 (एतद्)
2. 8. 1. ये कर्मणा देवानपियन्ति
Muṇḍ. 1. 2. 7. जरामृत्युं ते पुनरेवापियन्ति
2. 1. 1. प्रजायन्ते तत्र चैवापियन्ति
Nṛip. 2. 4. यमप्येति भुवनं साम्पराये
Nâr. 4. सर्वमायुरप्येति

अपीति

Mâṇḍû. 11. मितेरपीतेर्वा Nṛisut. 2.
— अपीतिश्च भवति य एवं वेद
Nṛisut. 2.

अपुंस्

Śiras. 1. पुमानपुमान् स्त्रियश्चाहम्

अपुत्र, ०त्रिन्

Bṛih. 6. 3. 12. एतं नापुत्राय..ब्रूयात्
Śwet. 6. 22. नापुत्रायाशिष्याय वा पुनः (दातव्यं)
Maitri. 6. 29. एतद्गुह्यतमं नापुत्राय नाशिष्याय..कीर्त्तयेत्
Kaṭhaśru. 1. यद्यपुत्रो भवति
Râmap. 83. अपुत्रिणां पुत्रदं त्र

अपुनरावर्त्तन

Nyâsa. 3. सन्न्यस्याग्निमपुनरावर्त्तनम्

अपुनरावृत्ति

Gîtâ. 5. 17. गच्छन्त्यपुनरावृत्तिम्

अपुष्प

Prâṇâg. 1. अपुष्पा याश्च पुष्पिणीः

अपूप

Chhâ. 3. 1. 1. अन्तरिक्षमपूपः

अपूर्व

Bṛih. 2. 5. 19. अपूर्वमनपरमनन्तरमबाह्यम्
Gauḍa. 1. 26. अपूर्वो ऽनन्तरो ऽबाह्यः
Gauḍa. 2. 8. अपूर्वं स्थानिधर्मो हि

अपृथक्

Gauḍa. 2. 34 न पृथङ्नापृथक्किञ्चित् (MSS. न पृथक्त्वात्पृ०)
Parama. 3. न पृथग्नापृथक्

अपृथग्धर्मिन्

Maitri. 6. 22. तत्र ते ऽपृथग्धर्मिणो ऽपृथग्विवेक्याः

अपृथग्भाव

Gauḍa. 2. 30. एतैरेषो ऽपृथग्भावैः

अपृथग्विवेक्य

Maitri. 6. 22. तत्र ते ऽपृथग्धर्मिणो ऽपृथग्विवेक्याः

अपे

Chhâ. 6. 4. 1. अपागादग्नेरग्नित्वम्
2. अपागादादित्यादादित्यत्वम्
3. अपागाच्चन्द्राच्चन्द्रत्वम्
4. अपागाद्विद्युतो विद्युत्त्वम्

अपेक्ष्

Nṛip. 1. 4. यदि दातुमपेक्षते पुत्राय शुश्रूषवे दास्यति
7. य इह स्थातुमपेक्षते

अपेक्षा

Gauḍa. 4. 18. यस्य सिद्धिरपेक्षया

अपैशुन

Gîtâ. 16. 2. त्यागः शान्तिरपैशुनम्

अपोह्

Chhâ. 5. 24. 1. यथाङ्गारानपोह्य भस्मनि जुहुयात्तादृक् तत्स्यात्

अपोहन

Gîtâ. 15. 15. मत्तः स्मृतिर्ज्ञानमपोहनं च

अपौर्णमास

Mund. 1. 2. 3. यस्याग्निहोत्रं . . अपौर्णमासम्

अपौल्कस

Brih. 4. 3. 22. पौल्कसो ऽपौल्कसः

अप्तोर्याम

Nrip. 5. 8. सो ऽप्तोर्यामेण यजते

अप्यय

Katha. 6. 11. योगो हि प्रभवाप्ययौ

Mându. 6. प्रभवाप्ययौ हि भूतानाम् Nrip. 4. 1; Nrisut. 1; Râmot. 3.

अप्रकाश

Gîtâ. 14. 13. अप्रकाशो ऽप्रवृत्तिश्च

अप्रच्युत

Gauda. 2. 38. तत्त्वादप्रच्युतो भवेत्

अप्रजायमान

Brih. 6. 1. 12. यथा क्लीबा अप्रजायमाना रेतसा

अप्रज्ञ

Mându. 7. न प्रज्ञं नाप्रज्ञम् Nrip. 4. 1; Nrisut. 1; Râmot. 3.

अप्रतिगृह्य

Brih. 4. 1. 3. अप्रतिगृह्यस्य प्रतिगृह्णाति

अप्रतिमप्रभाव

Gîtâ. 11. 43. लोकत्रये ऽप्यप्रतिमप्रभाव

अप्रतिरूप

Kaush. 4. 11. प्रतिरूपो हैवास्य प्रजायामाजायते नाप्रतिरूपः

Brih. 1. 3. 2. यदेवेदमप्रतिरूपं वदति (similarly in 3—6.)

2. 1. 8. प्रतिरूपं हैवैनमुपगच्छति नाप्रतिरूपम्

अप्रतिष्ठ

Gîtâ. 6. 38. अप्रतिष्ठो महाबाहो

16. 8. असत्यमप्रतिष्ठम्

अप्रतिष्ठित

Chhâ. 1. 8. 6. अप्रतिष्ठितं वै किल ते दाल्भ्य साम

अप्रतीकार

Gîtâ. 1. 46. यदि मामप्रतीकारम्

अप्रदाय

Gîtâ 3. 12. तैर्दत्तानप्रदायैभ्यो यो भुंक्ते

अप्रदाह

Mahânâr. 15. 9. शिवोमाविशाप्रदाहाय (five times).

अप्रबुद्ध

Maitri. 2. 6. ता अश्मेवाप्रबुद्धा अप्राणाः

Tejo. 11. अचिन्त्यमप्रबुद्धं च

अप्रमत्त

Chhâ. 1. 3. 12. कामं ध्यायन्नप्रमत्तः

2. 22. 2. एतानि मनसा ध्यायन्नप्रमत्तः स्तुवीत

Katha. 6. 11. अप्रमत्तस्तदा भवति

Swet. 2. 9. मनो धारयेताप्रमत्तः

Mund. 2. 2. 4. अप्रमत्तेन वेद्धव्यम् Dhyâna. 19.

Mukti. 1. 52. यमेवैष त्रिद्याः श्रुतमप्रमत्तम्

अप्रमाण

Sarvop. 4. प्रमाणाप्रमाणसाधारणा

अप्रमेय

Brih. 4. 4. 20. एकधैवानुद्रष्टव्यमेतदप्रमेयम्

Maitri. 5. 1. अचिन्त्यायाप्रमेयाय

7. 1. अप्रमेयो ऽनाद्यन्तः

Brahmab. 9. अप्रमेयमनाद्यं च

Gîtâ. 2. 18. अनाशिनो ऽप्रमेयस्य
11. 17. दीप्तानलार्कद्युतिमप्रमेयम्
42. तत्क्षामये त्वामहमप्रमेयम्

अप्रयत्न

Jâbâla. 6. अनिकेतवास्यप्रयत्नः

अप्रवर्त्तिन्

Chhâ. 3. 12. 9. तदेतत्पूर्णमप्रवर्त्ति
— पूर्णामप्रवर्त्तिनीं श्रियं लभते
य एवं वेद

Bṛih. 2. 1. 5. पूर्णमप्रवर्त्तीति . . एतमुपासे

अप्रवृत्त

Gauḍa. 4. 30. निवृत्तस्याप्रवृत्तस्य

1. अप्रवृत्ति

Kaush. 4. 8. पूर्णमप्रवृत्ति ब्रह्मेति वा
अहमेतमुपासे

2. अप्रवृत्ति

Gîtâ. 14. 13. अप्रकाशो ऽप्रवृत्तिश्च

अप्रशान्त

Śwet. 6. 22. नाप्रशान्ताय दातव्यम्

अप्रसाह

Chhâ. 5. 2. 8. वाचंयमो ऽप्रसाहः

अप्रसिद्ध

Gauḍa. 4. 17. अप्रसिद्धः कथं हेतुः

अप्रसिद्धत्व

Gauḍa. 4. 38. उत्पादस्याप्रसिद्धत्वात्

अप्राण

Bṛih. 3. 8. 8. अतेजस्कमप्राणम्

Maitri. 2. 4. अप्राणो निरात्मा 6. 28;
7. 4.
6. ता अश्मेवाप्रबुद्धा अप्राणाः
6. 19. अप्राणादिह यस्मात् सम्भूतः
प्राणसंज्ञको जीवः

Muṇḍ. 2. 1. 2. अप्राणो ह्यमनाः शुभ्रः

Nṛisut. 7. अशरीरो निरिन्द्रियो ऽप्राणः (ter).

अप्राणत्

Kaush. 2. 14. अप्राणच्चक्षुष्कं . . शिष्ये

Chhâ. 1. 3. 3. अप्राणन्ननपानन् 4, 5.

Bṛih. 4. 1. 3. अप्राणतो हि किं स्यात्

अप्राणयितव्य

Nṛisut. 9. अप्राणयितव्यमनपानयितव्यम्

अप्राणाख्य

Maitri. 6. 26. असावप्राणाख्यः प्राणसंस्पर्शेनोज्ज्वलति

अप्राप्त

Sarvop. 2. अप्राप्तशरीरसंयोगम्

अप्राप्य

Chhâ. 8. 9. 1. इन्द्रो ऽप्राप्यैव देवान्
8. 10. 1. सहाप्राप्यैव देवान् 8. 11. 1.

Tait. 2. 4. 1. यतो वाचो निवर्त्तन्ते अप्राप्य 2. 9. 1; Brahma. 3.

Gîtâ. 6. 37. अप्राप्य योगसंसिद्धिम्
9. 3. अप्राप्य मां निवर्त्तन्ते
16. 20. मामप्राप्यैव कौन्तेय

अप्रिय

Kaush. 1. 4. तस्य प्रिया ज्ञातयः सुकृतमुपयन्त्यप्रिया दुष्कृतम्

Bṛih. 1. 4. 10. एकस्मिन्नेव पशावादीयमाने ऽप्रियं भवति

Tait. 3. 10. 4. पर्येणं म्रियन्ते द्विषन्तः सपत्नाः परि ये ऽप्रिया भ्रातृव्याः

Gîtâ. 5. 20. नोद्विजेत्प्राप्य चाप्रियम्

अप्रियवेत्तृ

Chhâ. 8. 10. 2. अप्रियवेत्तेव भवति 4.

अप्रोच्य

Chhâ. 4. 10. 2. तस्मै हाप्रोच्यैव प्रवासा-
ञ्चक्रे

अप्सरस्, अप्सरा

Kaush. 1. 3. अम्बाश्चाम्बायवीश्चाप्सरसः
4. तं पञ्चशतान्यप्सरसां प्र-
तियन्ति

Maitri. 6. 31. अप्सरसो भानवीयाश्च म-
रीचयः

Mahânâr. 16. 6. अप्सरासु च या मेधा

Nṛip. 1. 2. यक्षगन्धर्वाप्सरोगणैः

अप्सुचारिन्

Maitri. 6. 26. अप्सुचारिणः . . सूत्रयन्त्रे-
णोद्धृत्य

अप्सुमन्त्

Chhâ. 2. 4. 2. न हाप्सु प्रैत्यप्सुमान् भ-
वति

अफल

Prâṇâg. 1. याः फलिनीर्या अफलाः

अफलप्रेप्सु

Gîtâ. 18. 23. अफलप्रेप्सुना कर्म

अफलाकांक्षिन्

Gîtâ. 17. 11. अफलाकांक्षिभिः . . इज्यते
17. अफलाकांक्षिभिर्युक्तैः

अबल

Chhâ. 4. 4. 5. कृशानामबलानां चतुःशता
गा निराकृत्य

अबलिमन्

Chhâ. 8. 6. 4. अबलिमानं नीतो भवति

अबलीयंस्

Bṛih. 1. 4. 14. अबलीयान् बलीयांसमाशं-
सते धर्मेण

अबल्य

Bṛih. 4. 4. 1. स यत्रायमात्माबल्यं न्येत्य

अबाह्य

Bṛih. 2. 5. 19. अनन्तरमबाह्यम् 3. 8. 8.
4. 5. 13. अनन्तरो ऽबाह्यः (bis);
Gauḍa. 1. 26.

अबाह्यस्वरूप

Nṛisut. 9. अत एव शुद्धो ऽबाह्यस्व-
रूपः

अबिभ्रत्

Mahânâr. 2. 9. अबिभ्रदग्ने आगहि

अबुद्ध, अबुद्धि

Gauḍa. 3. 8. तथा भवत्यबुद्धानाम्

Gîtâ. 7. 24. मन्यन्ते मामबुद्धयः

अबुद्धिपूर्व

Maitri. 2. 5. अबुद्धिपूर्वमिहैवावर्त्तते
ऽशेनेति सुप्तस्येवाबुद्धिपूर्वं
विबोधः

अबुध

Bṛih. 4. 4. 11. अविद्वांसो ऽबुधो जनाः

अबोद्धव्य

Nṛisut. 9. अमन्तव्यमबोद्धव्यम्

अबोद्धृ

Chhâ. 7. 9. 1. अबोद्धाकर्त्ताविज्ञाता

अब्ज

Râmap. 86. पृथिव्यब्जे स्वासनाधः प्र-
कल्प्य
92. गदारिशंखाब्जधरम्

अब्जकाण्ड

Kṛish. 25. अब्जकाण्डं जगद्बीजम्

अब्जा

Katha. 5. 2. अब्जा गोजा ऋतजा:
Mahânâr. 9. 3; 17. 8;
Nrip. 3. 1.

अब्धि

Râmap. 43. ततस्ततार हनुमानब्धिम्

अब्रह्मन्

Śiras. 1. ब्रह्माब्रह्माहम्

अब्रह्मवादिन्

Nrip. 2. 4. मुमुक्षवो ऽब्रह्मवादिनश्च
(so Nârâyaṇa and
Śankara; but they
give ब्रह्मवादिनश्च as a
variant).

अब्रह्मविद्

Muṇḍ. 3. 2. 9. नास्याब्रह्मवित्कुले भवति
Mâṇḍûkya. 10.

अब्राह्मण

Chhâ. 4. 4. 5. नैतदब्राह्मणो विवक्तुमर्हति

अभक्त

Gîtâ. 18. 67. इदं ते नातपस्काय नाभ-
क्ताय कदाचन

अभद्र

Nrisut. 6. भद्रमभद्रं . . बुबुधिरे

अभय

Chhâ. 1. 4. 4. एतदक्षरमेतदमृतमभयं तत्
प्रविश्य देवा अभया अ-
भवन्
5. एतदेवाक्षरं स्वरममृतमभ-
यं प्रविशति
4. 15. 1. एतदमृतमभयमेतद्ब्रह्म
8. 3. 4; 8. 7. 4; 8. 8. 3;
8.10. 1; 8. 11.1; Maitri.
2. 2; Nrisut. 8 (4 times).

Brih. 4. 2. 4. अभयं वै जनक प्राप्तो ऽसि
—अभयं त्वागच्छताद्यो नो
भगवन्नभयं वेदयसे
4. 3. 21. अपहतपाप्माभयं रूपम्
4. 4. 25. एष महानज आत्मा . . अ-
भयो ब्रह्म
—अभयं वै ब्रह्माभयं हि वै
ब्रह्म भवति य एवं वेद
Nrisut. 8 (4 times).

Tait. 2. 7. 1. यदा ह्येवैष एतस्मिन्नदृश्ये
. . अभयं प्रतिष्ठां विन्दते
—अथ सो ऽभयं गतो भवति

Katha. 2. 11. अभयस्य पारम्
3. 2. अभयं तितीर्षतां पारम्

Maitri. 6. 8. सर्वभूतेभ्यो ऽभयं दत्त्वा
23. शान्तमशब्दमभयम् 7. 3.
7. 9. इन्द्रस्याभयाय

Mahânâr. 20. 2. अभयं कृणुहि विश्वतो नः
4. यत इन्द्र भयामहे ततो
नो अभयं कृधि

Praśna. 1. 10. एतदमृतमभयमेतत्परायणम्
5. 7. शान्तमजरममृतमभयम्

Gauḍa. 3. 37. समाधिरचलो ऽभयः
39. अभये भयदर्शिनः
40. मनसो निग्रहायत्तमभयम्
4. 78. अभयं पदमश्नुते

Nrisut. 1. एकमजरममृतमभयम्
2. अजरममरममृतमभयम्

Prâṇâg. 1. ईशानो अभयं कृणोतु
2. अभयं सर्वभूतेभ्यः
Aruṇeya. 4.

Atmapra. 1. द्वैताद्द्वैतमभयं भवति

Gîtâ. 10. 4. भयं चाभयमेव च
16. 1. अभयं सत्त्वसंशुद्धिः
18. 30. कार्याकार्ये भयाभये

अभयङ्कर

Mahânâr. 20. 5. सोमपा अभयंकरः

अभयत्व

Nṛisut. 7. अभयत्वादशोकत्वात्

अभात

Nṛisut. 6. अभातमद्वैतमचिन्त्यम्

अभाव

Śwet. 6. 4. तेषामभावे कृतकर्मनाशः
Gauḍa. 2. 3. अभावश्च रथादीनाम्
Nâda. 18. अनौपम्यमभावं च
Brahmab. 7. भावो नाभाव इष्यते
Sarvop. 1. शब्दाद्यभावे ऽपि
—विषयविशेषविज्ञानाभावात्
2. अवस्थात्रयाभावात्
Vâsu. 3. यो गोपीचन्दनाभावे
Skanda. 6. तुषाभावे न तण्डुलः
Gîtâ. 2. 16. नाभावो विद्यते सतः
10. 4. सुखं दुःखं भावो ऽभावः

अभावयत्

Gîtâ. 2. 66. न चाभावयतः शान्तिः

अभिकाम

Chhâ. 8. 1. 5. यं यमन्तमभिकामा भवन्ति
8. 2. 10. यं यमन्तमभिकामो भवति

अभिकाश्

Bṛih. 4. 3. 11. असुप्तः सुप्तानभिचाकशीति
Śwet. 3. 5. तया नस्तनुवा अभिचाकशीहि
4. 6. अनश्नन्नन्यो अभिचाकशीति Muṇḍ. 3. 1. 1.
Nîla. 8. तया नस्तन्वा.. अभिचाकशत्

अभिक्लृप्

Kaṭha. 6. 9. हृदा मनीषा मनसाभिक्लृप्तः Swet. 3. 13; 4. 17, 20 (2 MSS.); Mahânâr. 1. 11.

अभिक्रम्

Bṛih. 6. 4. 6. मलोद्वाससं यशस्विनीमभिक्रम्योपमन्त्रयेत

अभिक्रम

Gîtâ. 2. 40. नेहाभिक्रमनाशो ऽस्ति

अभिक्षर्

Bṛih. 4. 1. 2. सर्वाण्येनं भूतान्यभिक्षरन्ति 3-7.

अभिगम्

Bṛih. 4. 4. 11. तांस्ते प्रेत्याभिगच्छन्ति Iśâ. 3.
Muṇḍ. 1. 2. 12. गुरुमेवाभिगच्छेत्
Nṛip. 1. 1. यत् पुरुषो मनसाभिगच्छति

अभिगा

Chhâ. 8. 14. 1. श्वेतं लिन्दु माभिगाम्

अभिगामिन्

Aśrama. 1. ऋतुकालाभिगामी

अभिगै

Chhâ. 1. 5. 2. एतमु एवाहमभ्यगासिषम् 4.
4. प्राणांस्त्वं भूमानमभिगायतात्
2. 24. 3. वासवं सामाभिगायति
7. रौद्रं सामाभिगायति
11. वैश्वदेवं सामाभिगायति

अभिग्रह्

Maitri. 6. 12. अन्नमभिजिघृक्षमाणानि

अभिघ्रा

Kaush. 2. 11. पुत्रस्य मूर्धानमभिजिघ्रेत्
— पुत्र ते नाम्ना मूर्धानमभिजिघ्रामीति त्रिरस्य मूर्धानमभिजिघ्रेत्

अभिचिन्त्

Amṛita. 19. शब्दमेवाभिचिन्तयेत्

अभिजन्

Chhâ. 7. 12. 1. आकाशमभिजायते
Mund. 1. 1. 8. ततो ऽन्नमभिजायते
Amrita. 38. न स भूयो ऽभिजायते
Gîtâ. 13. 23.
Yogaśi. 1. गात्रकम्पो ऽभिजायते
Pinda. 5. मतिस्तस्याभिजायते
Gîtâ. 2. 62. कामात्क्रोधो ऽभिजायते
6. 41. योगभ्रष्टो ऽभिजायते
16. 3. सम्पदं दैवीमभिजातस्य
4. अभिजातस्य . . सम्पदमासुरीम्
5. सम्पदं दैवीमभिजातो ऽसि पाण्डव

अभिजनवन्त्

Gîtâ. 16. 15. आढ्यो ऽभिजनवानस्मि

अभिजि

Maitri. 6. 36. यमराज्यमग्निष्टोमेनाभिजयति (°यजति in MS.)
Mahânâr. 20. 9. छन्दोभिरिमांल्लोकाननपजय्यमभ्यजयन्
25. 1. सूर्याचन्द्रमसोर्महिमानौ ब्राह्मणो विद्वानभिजयति
Praśna. 1. 9. चान्द्रमसमेव लोकमभिजयन्ते
10. आदित्यमभिजयन्ते
Nyâsa. 1. सर्वमभिजित्य सर्वश्रियं दधतु (one MS. has सर्वमभिजन्युः)

अभिज्ञा

Gîtâ. 4. 14. इति मां यो ऽभिजानाति
7. 13. मोहितं नाभिजानाति माम्
25. मूढो ऽयं नाभिजानाति लोकः
9. 24. न तु मामभिजानन्ति
18. 55. भक्त्या मामभिजानाति

अभितःसर

Nîla. 25. गर्इभावभितःसरौ (MSS. अभितस्करौ).

अभितप्

Ait. 1. 4. तमभ्यतपत्तस्याभितप्तस्य &c.
3. 2. सो ऽपो ऽभ्यतपत्ताभ्यो ऽभितप्ताभ्यो मूर्त्तिरजायत
Chhâ. 2. 23. 3. प्रजापतिर्लोकानभ्यतपत्
4. 17. 1.
— तेभ्यो ऽभितप्तेभ्यस्त्रयी विद्या संप्रास्रवत्
— तामभ्यतपत्तस्या अभितप्ताया: &c.
4. तान्यभ्यतपत्तेभ्यो ऽभितप्तेभ्य ओंकारः &c.
3. 1. 3. एतमृग्वेदमभ्यतपन्
— तस्याभितप्तस्य यशस्तेज इन्द्रियं वीर्यमन्नाद्यं रसो ऽजायत 3. 2. 2; 3. 3. 2; 3. 4. 2; 3. 5. 2.
3. 2. 2. एतं यजुर्वेदमभ्यतपन्
3. 3. 2. एतं सामवेदमभ्यतपन्
3. 4. 2. एतदितिहासपुराणमभ्यतपन्
3. 5. 2. एतद्ब्रह्माभ्यतपन्
4. 17. 2. एतास्तिस्रो देवता अभ्यतपत्
3. एतां त्रयीं विद्यामभ्यतपत्
7. 11. 1. वायुमागृह्याकाशमभितपति

अभितस्

Chhâ. 3. 1. 4. तद्वादित्यमभितो ऽश्रयत् 3. 2. 3; 3. 3. 3; 3. 4. 3; 3. 5. 3.
8. 6. 4. तमभित आसीनाः

Brih. 1. 1. 2. एतौ वा अर्थं महिमानावभितः सम्बभूवतुः
Nîla. 9. ये चेमे अभितो रुद्राः
Râmap. 62. लिख्य मन्त्र्यभितो गिरम्
Gitâ. 5. 26. अभितो ब्रह्मनिर्वाणम्

अभिदास्

Chhâ. 1. 2. 8. यश्चैनमभिदासति

अभिदृश्

Chhâ. 4. 3. 6. तं . . नाभिपश्यन्ति मर्त्याः

अभिद्रु

Kena. 17. तदभ्यद्रवत् 21, 24.
Brih. 1. 3. 2. तमभिद्रुत्य पाप्मनाविध्यन् 3-6.
7. तमभिद्रुत्य पाप्मनाविव्यत्सन्

1. अभिधा

Maitri. 4. 3. एष स्वधर्मो ऽभिहितो यो वेदेषु
6. 25. सर्वभावपरित्यागो योग इत्यभिधीयते
37. तत् त्रेधाभिहितमग्ना आदित्ये प्राणे 7. 11.
7. 10. यद्वेदेष्वभिहितं तत् सत्यम्
Praśna. 3. 1. कथं बाह्यमभिधत्ते कथमध्यात्मम्
Brahma. 1. स जाग्रदभिधीयते
Sarvop. 3. ज्ञानमित्यभिधीयते
Haṁsa. 2. तदा तुर्यातीतमुन्मननमजपोपसंहारमित्याभिधीयते
Râmap. 6. परं ब्रह्माभिधीयते
Mukti. 1. 22. सैव सालोक्यसारूप्यमुक्तिरित्यभिधीयते
2. 16. मुक्तमित्यभिधीयते
Gitâ. 2. 39. एषा ते ऽभिहिता सांख्ये
13. 1. क्षेत्रमित्यभिधीयते
17. 27. सदित्येवाभिधीयते
Gitâ. 18. 11. स त्यागीत्यभिधीयते
68. मद्भक्तेष्वभिधास्यति

2. अभिधा

Gauḍa. 4. 60. शाश्वताशाश्वताभिधा

अभिधान

Mukti. 2. 34. चित्तनाशाभिधानम्

अभिधाव्

Kaush. 1. 3. तं ब्रह्माहाभिधावत मम यशसा

अभिधी (?)

Maitri. 7. 9. अतो नैनामभिधीयेत

अभिध्यातृ

Maitri. 6. 22. असा अभिध्याता . . स्वातन्त्र्यं लभते
7. 11. अभिध्यातुर्विस्तृतिरिवैतत्

अभिध्यान

Śwet. 1. 10. तस्याभिध्यानाद्योजनात्
11. तस्याभिध्यानात्तृतीयम्
Maitri. 7. 9. वेदादिशास्त्रहिंसकधर्माभिध्यानमस्तु

अभिध्यै

Kaush. 2. 3. यदेकधनमभिध्यायात्
Katha. 1. 28. अभिध्यायन् वर्णरतिप्रमोदान्
2. 3. कामानभिध्यायन्नचिकेतो ऽत्यस्राक्षीः
Maitri. 1. 1. आत्मानमभिध्यायेत्
— कः सो ऽभिध्येयो ऽयं यः प्राणाख्यः
2. 6. सो ऽत्मानमभिध्यात्वा
4. 5. एके ऽन्यमभिध्यायन्त्येके ऽन्यम्
6. ता आभिध्यायेदर्चयेन्निह्नुयाच

Maitri. 6. 9. आत्मन्नेवाभिध्यायति
— द्वाभ्यामात्मानमभिध्यायेत्
22. द्वे वाव ब्रह्मणी अभिध्येये
34. तस्मादग्निः . . अभिध्यातव्यः (bis).
— तत्सवितुर्वरेण्यं भर्गो ऽस्याभिध्येयम्
38. काममभिध्यायमानः

Praśna. 5. 1. स यः. . प्रायणान्तमोङ्कारमभिध्यायीत
3. स यद्येकमात्रमभिध्यायीत
5. ओमित्येतेनैवाक्षरेण परं पुरुषमभिध्यायीत

अभिनद्धाक्ष

Chhâ. 6. 14. 1. पुरुषं गन्धारेभ्यो ऽभिनद्धाक्षमानीय
— अभिनद्धाक्ष आनीतो ऽभिनद्धाक्षो विसृष्टः

अभिनन्द्

Muṇḍ. 1. 2. 7. एतच्छ्रेयो ये ऽभिनन्दन्ति मूढाः

Gîtâ. 2. 57. नाभिनन्दति न द्वेष्टि

अभिनन्द

Chhâ. 5. 8. 1. अभिनन्दा विस्फुलिंगाः
Bṛih. 6. 2. 13.

अभिनहन

Chhâ. 6. 14. 2. तस्य यथाभिनहनं प्रमुच्य

अभिनिःसृ

Chhâ. 8. 6. 6. तासां मूर्धानमभिनिःसृतैका
Kaṭha. 6. 16.

अभिनिधा

Bṛih. 6. 4. 25. अस्य दक्षिणं कर्णमभिनिधाय

अभिनिपद्

Kaush. 2. 15. एत्य पुत्र उपरिष्टादभिनिपद्यते

अभिनिवृत्

Sarvop. 1. सो ऽभिमानो ययाभिनिवर्त्तते सा विद्या

अभिनिवेश

Gauḍa. 4. 75. अभूताभिनिवेशः
79. अभूताभिनिवेशात्

अभिनिष्पत्ति

Gauḍa. 4. 74. परतन्त्राभिनिष्पत्त्या

अभिनिष्पद्

Chhâ. 8. 3. 4. स्वेन रूपेणाभिनिष्पद्यते
8. 12. 3; Maitri. 2. 2.
8. 4. 2. नक्तमहरेवाभिनिष्पद्यते
8. 12. 2. स्वेन रूपेणाभिनिष्पद्यन्ते

Bṛih. 6. 2. 16. अथेममेवाकाशमभिनिष्पद्यन्ते

अभिनु

Śiras. 4. अभि त्वा शूर नोनुमः

अभिन्न

Nṛisut. 9. सर्वज्ञो ऽनन्तो ऽभिन्नः

अभिन्नरूप

Nṛisut. 5. तस्मादयमनल्पो ऽभिन्नरूपः

अभिपद्

Kaush. 4. 19. तं ह पाणावभिपद्य प्रवव्राज

Bṛih. 3. 1. 3. सर्वं मृत्युनाभिपन्नम्
4. सर्वमहोरात्राभ्यामभिपन्नम्
5. सर्वं पूर्वपक्षापरपक्षाभ्यामभिपन्नम्
6. 4. 20. अथैनामभिपद्यते

अभिप्रज्ञा

Ait. 2. 5. आवाभ्यामभिप्रजानीहि

अभिप्रतन्

Kaush. 4. 19. हिता नाम पुरुषस्य नाड्यो हृदयात्पुरीततमभिप्रतन्वन्ति

अभिप्रतारिन्

Chhâ. 4. 3. 5. अभिप्रतारिणं च काक्षसेनिम्
6. अभिप्रतारिन् !

अभिप्रवृत्

Kaush. 2. 13. यदि ह वा एवंविद्वांसमुभौ पर्वतावभिप्रवर्तेयाताम्
Gîtâ. 4. 20. कर्मण्यभिप्रवृत्तो ऽपि

अभिप्रव्रज्

Kaush. 2. 3. वाचंयमो ऽभिप्रव्रज्य, 4.
Chhâ. 8. 7. 2. इन्द्रो हैव देवानामभिप्रवव्राज

अभिप्रस्था

Chhâ. 4. 4. 5. ता अभिप्रस्थापयन्नुवाच
4. 6. 1. स ह श्वोभूते गा अभिप्रस्थापयाञ्चकार 4. 7. 1; 4. 8. 1.
Bṛih. 2. 1. 19. पुरीततमभिप्रतिष्ठन्ते

अभिप्रहन्

Bṛih. 4. 3. 11. स्वप्नेन शारीरमभिप्रहत्य

अभिप्राण्

Ait. 3. 4. अभिप्राण्य हैवान्नमत्रप्स्यत्
11. यदि प्राणेनाभिप्राणितं.. को ऽहम्
Bṛih. 6. 4. 10. अभिप्राण्यापान्यात्
11. अपान्याभिप्राण्यात्

अभिप्रातर्

Bṛih. 6. 4. 19. अभिप्रातरेव स्थालीपाकावृताज्यं चेष्टित्वा

अभिप्राप्

Chhâ. 5. 10. 3. नैते संवत्सरमभिप्राप्नुवन्ति

अभिप्रास्

Chhâ. 6. 13. 2. अभिप्रास्यैनदथ मोपसीदथाः

अभिप्रे

Kaush. 1. 4. ब्रह्म विद्वान् ब्रह्माभिप्रैति
— ब्रह्म विद्वान् ब्रह्मैवाभिप्रैति

अभिप्रेक्ष्

Aśrama. 3. यां दिशमभिप्रेक्षन्ते

अभिभव

Gîtâ. 1. 41. अधर्माभिभवात्कृष्ण

1. अभिभू

Kaush. 4. 20. तावदेनमसुरा अभिबभूवुः
Chhâ. 1. 2. 1. अनेनैनानभिभविष्याम इति
4. 6. 1. ता यत्राभि सायं बभूवुः 4. 7. 1; 4. 8. 1.
Tait. 3. 10. 6. अहं विश्वं भुवनमभ्यभवाम् Nṛip. 2. 4.
Maitri. 2. 6. उपांशुरन्तर्याममभिभवति
3. 1. कर्मफलैरभिभूयमानः 2.
— द्वंद्वैरभिभूयमानः 2.
2. अभिभूतः प्राकृतैर्गुणैः
— कृतस्यानुफलैरभिभूयमानः
3. यथाग्निनायस्पिण्डो वाभिभूतः
— भूतात्मान्तःपुरुषेणाभिभूतः
— यथायस्पिण्डे हन्यमाने नाग्निरभिभूयत्येवं नाभिभूयत्यसौ पुरुषो ऽभिभूयत्ययं भूतात्मा
5. एतैः परिपूर्ण एतैरभिभूतः
4. 4. यैः परिपूर्णो ऽभिभूतः
6. 27. अयस्पिण्डं यथाग्ययस्काराद्यो नाभिभवन्ति

Praśna. 4. 6. स यदा तेजसाभिभूतो भवति

Gîtâ. 1. 40. अधर्मो ऽभिभवत्युत
14. 10. रजस्तमश्चाभिभूय

2. अभिभू

Mahânâr. 15. 1. सर्वमसि सर्वायुरभिभूः

अभिभूतत्व

Maitri. 3. 2. अभिभूतत्वात् सम्मूढत्वं प्रयातः

अभिमथ्

Chhâ. 2. 12. 1. अभिमन्थति स हिंकारः
Bṛih. 1. 4. 6. अथेत्यभ्यमन्थत्
Swet. 2. 6. अग्निर्यत्राभिमथ्यते

अभिमन्

Bṛih. 1. 2. 5. यदि वा इममभिमंस्ये
Muṇḍ. 1. 2. 9. वयं कृतार्था इत्यभिमन्यन्ति बालाः
Sarvop. 1. अनात्मनो देहादीनात्मत्वेनाभिमन्यते

अभिमन्तृ

Nṛisut. 9. अभिमन्ता जीवः

अभिमन्त्र्

Bṛih. 6. 4. 6. यद्युदक आत्मानं परिपश्येत्तदभिमन्त्रयेत
28. अथास्य मातरमभिमन्त्रयते
Mahânâr. 4. 5. तेन या ब्रह्मदत्तासि काश्यपेनाभिमन्त्रिता
Kâlâg. 1. अग्निरिति भस्मेत्यनेन चाभिमन्त्र्य
Vâsu. 2. त्रिवारमभिमन्त्र्य

अभिमान

Maitri. 2. 5. *vide* लिङ्ग ; 5. 2.
6. 10. अध्यवसायसंकल्पाभिमानाः
30. *vide* लिङ्ग
Práśna. 2. 4. सो ऽभिमानादूर्ध्वमुत्क्रामत इव
Sarvop. 1. सो ऽभिमान आत्मनो बन्धः
—तमभिमानं कारयति या साविद्या
—सो ऽभिमानो ययाभिनिवर्त्तते सा विद्या
Gîtâ. 16. 4. दम्भो दर्पो ऽभिमानश्च

अभिमानाध्यक्ष

Maitri. 6. 28. अभिमानाध्यक्षः क्रोधज्यं . . धनुर्गृहीत्वा

अभिमानित्व

Maitri. 3. 2. अभिमानित्वं प्रयातः
6. 30.

अभिमुख

Kaush. 2. 15. अभिमुखायैव सम्प्रदध्यात्
Râmap. 21. आभिमुखो भवेत्
Gîtâ. 11. 28. समुद्रमेवाभिमुखा द्रवन्ति

अभिमृश्

Kaush. 2. 10. संवेशयन् जायायै हृदयमभिमृशेत्
Bṛih. 6. 3. 4. अथैनमभिमृशति
6. 4. 5. तदभिमृशेदनु वा मन्त्रयेत
9. उपस्थमस्या अभिमृश्य
Maitri. 1. 2. शिरसास्य चरणावभिमृशमानः
Śiras. 4. सर्वाणि चाङ्गान्यभिमृशति (one MS. has अभिस्पृशति).

अभिया

Brahma. 1. देवदत्तः स्वप्ने आनन्दमभियाति

अभिरक्ष्

Chhâ. 4. 17. 10. कुरूनश्वाभिरक्षति
— सर्वांश्चर्त्विजो ऽभिरक्षति

Śiras. 6. तत्प्राणो आभिरक्षति शिरः

Gîtâ. 1. 10. बलं भीष्माभिरक्षितम्
— बलं भीमाभिरक्षितम्
11. भीष्ममेवाभिरक्षन्तु

अभिरम्

Gîtâ. 18. 45. स्वे स्वे कर्मण्यभिरतः

अभिराम

Râmap. 3. अभिरामेण वपुषा

अभिलाषिन्

Maitri. 6. 30. सद्ब्रह्माणि सत्यभिलाषिणि

अभिवच्

Kaush. 1. 6. तदेतच्छ्लोकेनाभ्युक्तम्

Bṛih. 4. 4. 23. तदेतदृचाभ्युक्तम् Muṇḍ. 3. 2. 10; Praśna. 1. 7; Nṛip. 4. 2; 5. 2, 10; Mukti. 1. 51; 2. 77.

Tait. 2. 1. 1. तदेषाभ्युक्ता Nṛip. 1. 1.

अभिवद्

Kena. 4. येन वागभ्युद्यते
17. तमभ्यवदत् को ऽसीति 21.

Chhâ. 4. 1. 2. हंसो हंसमभ्युवाद
8. तं हाभ्युवाद त्वं नु भगवः सयुग्वा रैक्व इति
4. 2. 1. तं हाभ्युवाद रैक्वेमानि षट् शतानि गवाम्
4. तं हाभ्युवाद रैक्वेदं सहस्रं गवाम्
4. 5. 1. एनमृषभो ऽभ्युवाद
4. 6. 2. तमग्निरभ्युवाद
4. 7. 2. तं हंस उपनिपत्याभ्युवाद
4. 8. 2. तं मद्गुरुपनिपत्याभ्युवाद

Chhâ. 4. 9. 1. तमाचार्यो ऽभ्युवाद 4. 14. 1.
4. 14. 2. इति हाग्नीनभ्यूदे

Bṛih. 2. 4. 14. इतर इतरमभिवदति 4. 5. 15.
— केन कमभिवदेत् 4. 5. 15.
3. 2. 3. वाचा हि नामान्यभिवदति
3. 8. 8. तदक्षरं . . ब्राह्मणा अभिवदन्ति
6. 2. 1. तमुदीक्ष्याभ्युवाद

Kaṭha. 1. 10. त्वत्प्रसृष्टं माभिवदेत्प्रतीतः

Muṇḍ. 1. 2. 6. प्रियां वाचमभिवदन्त्यः

Praśna. 2. 2. ते प्रकाश्याभिवदन्ति
4. 2. न स्पृशते नाभिवदते
6. 1. यो ऽनृतमभिवदति

अभिवन्दन

Brahma. 3. तस्मात् सन्ध्याभिवन्दनम्

अभिवादिन्

Maitri. 4. 5. भगवन्नभिवाद्यसीत्यभिवाद्यसीति

अभिविज्वल्

Gîtâ. 11. 28. विशन्ति वक्त्राण्यभिविज्वलन्ति

अभिविमान

Chhâ. 5. 18. 1. प्रादेशमात्रमभिविमानमात्मानम्

अभिविसृज्

Kaush. 3. 4. वागेवास्मिन् सर्वाणि नामान्यभिविसृज्यन्ते
—प्राण एवास्मिन् सर्वे गन्धा अभिविसृज्यन्ते
—चक्षुरेवास्मिन् सर्वाणि रूपाण्यभिविसृज्यन्ते
—श्रोत्रमेवास्मिन् सर्वे शब्दा अभिविसृज्यन्ते

Kaush. 3. 4. मन एवास्मिन्सर्वाणि ध्यानान्यभिविसृज्यन्ते
(In each of the above, some MSS. read अस्मात् for अस्मिन्).

अभिवीक्ष्

Ait. 3. 12. स जातो भूतान्यभिव्यैक्षत्

अभिवृ

Katha. 2. 2. श्रेयो हि धीरो ऽभि प्रेयो वृणीते

अभिवृष्

Prasna. 2. 10. यदा त्वमभिवर्षस्यथेमाः प्राण ते प्रजा आनन्दरूपाः

अभिव्यक्तिकर

Śwet. 2. 11. ब्रह्मण्यभिव्यक्तिकराणि

अभिव्यादा

Brih. 1. 2. 4. तं जातमभिव्याददात्

अभिव्याप्

Gopi. 5. अभिव्याप्यायतो भूत्वा
(2 MSS. read अप्सरोभिर्वृतो भूत्वा).

अभिव्याहार

Chhâ. 8. 12. 4. अभिव्याहाराय वाक्

अभिव्याहृ

Ait. 3. 3. अभिव्याहृत्य हैवान्नमत्रप्स्यत्
11. यदि वाचाभिव्याहृतम्

Kaush. 1. 6. एतया वाचाभिव्याह्रियते सत्यम्

Chhâ. 1. 3. 3. अप्राणन्ननपानन्वाचमभिव्याहरति
4. अप्राणन्ननपानन्नृचमभिव्याहरति

Chhâ. 8. 12. 4. यो वेदेदमभिव्याहराणीति स आत्मा

अभिव्रज्

Siras. 4. उदञ्चः प्राञ्चो ऽभिव्रजन्त्येके

अभिषिच्

Maitri. 6. 12. अन्नेनाभिषिक्ताः पचन्तीमे प्राणाः

Nrip. 1. 3. सावित्रस्याष्टाक्षरं पदं श्रियाभिषिक्तं .. वेद श्रिया हैवाभिषिच्यते 4. 2.

अभिष्टु

Chhâ. 1. 3. 9. यां देवतामभिष्टोष्यन् स्यात्
11. यां दिशमभिष्टोष्यन् स्यात्

Maitri. 6. 38. तद्ब्रह्माभिष्टूयमानम्

अभिष्वङ्ग

Maitri. 3. 5. इष्टेष्वभिष्वङ्गः

अभिष्वङ्गिन्

Maitri. 7. 10. तदिमे मूढा उपजीवन्त्यभिष्वङ्गिणः

अभिसंवाञ्छ्

Kena. 31. अभि हैनं सर्वाणि भूतानि संवाञ्छन्ति

अभिसंविश्

Chhâ. 1. 11. 5. सर्वाणि ह वा इमानि भूतानि प्राणमेवाभिसंविशन्ति
3. 6. 2. त एतदेव रूपमभिसंविशन्ति
3. 7. 2; 3. 8. 2; 3. 9. 2; 3. 10. 2.
3. स एतदेव रूपमभिसंविशति
3. 7. 3; 3. 8.3; 3. 9. 3; 3. 10. 3.

Bṛih. 1. 3. 18. माभिसंविशतेति
— एनं स्वा अभिसंविशन्ति
Tait. 3. 1. 1. यत्प्रयन्त्यभिसंविशन्ति
3. 2. 1. अन्नं प्रयन्त्यभिसंविशन्ति
3. 3. 1. प्राणं प्रयन्त्यभिसंविशन्ति
3. 4. 1. मनः प्रयन्त्यभिसंविशन्ति
3. 5. 1. विज्ञानं प्रयन्त्यभिसंविशन्ति
3. 6. 1. आनन्दं प्रयन्त्यभिसंविशन्ति
Nṛip. 1. 1. अनुष्टुभं प्रयन्त्यभिसंविशन्ति
3 1. आकाशं प्रयन्त्यभिसंविशन्ति

अभिसंवृति

Gauḍa. 4. 73. परतन्त्राभिसंवृत्या

अभिसंस्था

Chhâ. 1. 8. 5. स्वर्गं वयं लोकं सामाभिसंस्थापयामः
7. प्रतिष्ठां वयं लोकं सामाभिसंस्थापयामः

अभिसन्धा

Gopî. 5. धूममार्गविस्तृतं हि वेदार्थमभिसन्धाय
— अर्चिमार्गविस्तृतं वेदार्थमभिसन्धाय
Gîtâ. 17. 12. अभिसन्धायं तु फलम्

अभिसमावृत्

Chhâ. 8. 15. 1. अभिसमावृत्य कुटुंबे .. स्वाध्यायमधीयानः

अभिसामि

Chhâ. 4. 1. 4. एनं सर्वं तदभिसमेति
4. 15. 2. एतं हि सर्वाणि वामान्यभिसंयन्ति

अभिसमे

Chhâ. 5. 1. 12. तं हाभिसमेत्योचुः
Bṛih. 3. 1. 1. ब्राह्मणा अभिसमेताः
4. 3. 38. यथा राजानं प्रयियासन्तं .. अभिसमायन्त्येवमात्मानं .. अभिसमायन्ति
4. 4. 1. एनमेते प्राणा अभिसमायन्ति
Maitri. 4. 1. अतिविस्मिता अभिसमेत्योचुः

अभिसम्पद्

Chhâ. 8. 15. 1. ब्रह्मलोकमभिसम्पद्यते
Bṛih. 4. 3. 8. शरीरमभिसम्पद्यमानः
33. ये कर्मणा देवत्वमभिसम्पद्यन्ते
4. 4. 5. यत्कर्म कुरुते तदभिसंपद्यते
6. 1. 4. श्रोत्रे हीमे सर्वे वेदा अभिसम्पन्नाः
Praśna. 5. 3. तूर्णमेव जगत्यामभिसम्पद्यते

अभिसंप्रपद्

Śwet. 5. 11. देही .. रूपाण्यभिसंप्रपद्यते

अभिसंभू

Kaush. 2. 14. प्राणमेव प्रज्ञात्मानमभिसंभूय (bis)
Chhâ. 3. 14. 4. एतमितः प्रेत्याभिसंभवितास्मि
4. 15. 5. अर्चिषमेवाभिसंभवन्ति 5. 10. 1.
5. 10. 3. धूममभिसंभवन्ति Bṛih. 6. 2. 16.
8. 13. 1. ब्रह्मलोकमभिसंभवामि
Bṛih. 6. 2. 15. ते अर्चिरभिसंभवन्ति
Mahânâr. 2. 7. आत्मनात्मानमभिसंबभूव

अभिसिध्

Chhâ. 7. 4. 3. स लोकान् .. अभिसिध्यति
7. 5. 3; 7. 7. 2; 7. 9. 2; 7. 11. 2; 7. 12. 2;

अभिसृज्

Ait. 3. 3. तदेतदभिसृष्टं नदत् . . अत्यजिघांसत्

Brih. 6. 4. 2. तेनैनामभ्यसृजत्

अभिहन्

Maitri. 1. 3. °रोगशोकाद्यैरभिहते ऽस्मिञ्छरीरे

Gîtâ. 1. 13. सहसैवाभ्यहन्यन्त

अभिहिंकृ

Kaush. 2. 11. गवां त्वा हिंकारेणाभिहिंकरोमीति त्रिरस्य मूर्धानमभिहिंकुर्यात्

अभिहु

Maitri. 6. 9. प्राणाय स्वाहा . . इति पञ्चभिरभिजुहोति

अभिहृ

Brih. 4. 1. 6. मनसा वै स्त्रियमभिहार्यते
5. 3. 1. अभिहरन्त्यस्मै स्वाश्चान्ये च य एवं वेद

अभी

Mukti. 2. 39. ज्ञमनो नाशमभ्येति

अभीक्ष्ण

Kena. 30. अनेन चैतदुपस्मरत्यभीक्ष्णं संकल्पः

अभीद्ध

Mahânâr. 5. 5. ऋतं च सत्यं चाभीद्धात्तपसो ऽध्यजायत

अभीष्

Râmot. 4. वृणीष्व यदभीष्टम्

अभीषण

Nrisut. 6. भीषणमभीषणं . . बुबुधिरे

अभूत

Gauda 4. 3. अभूतस्यापरे धीराः
4. अभूतं नैव जायते
26. अभूतो हि यतश्चार्थः
38. न च भूतादभूतस्य संभवो ऽस्ति
75. अभूताभिनिवेशः
79. अभूताभिनिवेशात्

अभूततस्

Gauda. 3. 23. भूततो ऽभूततो वापि

अभूति

Brih. 1. 4. 10. तस्य ह न देवाश्चनाभूत्या ईशते

अभेद

Gauda. 3. 13. अभेदेन प्रशस्यते

Skanda. 11. अभेददर्शनं ज्ञानम्

अभोज्य

Mahânâr. 14. 2. यदुच्छिष्टमभोज्यम्
Prâṇâg. 1.

अभ्यधिक

Swet. 6. 8. न तत्समश्चाभ्यधिकश्च दृश्यते

Gîtâ. 11. 43. न त्वत्समो ऽस्त्यभ्यधिकः कुतो ऽन्यः

अभ्यनुवच्

Chhâ. 3. 12. 5. तदेतदृचाभ्यनूक्तम्

अभ्यनुशास्

Chhâ. 5. 11. 3. हन्ताहमन्यमभ्यनुशासानीति

1. अभ्यन्तर adj.

Muṇḍ. 2. 1. 2. स बाह्याभ्यन्तरः

Praśna. 5. 6. क्रियासु बाह्याभ्यन्तरमध्यमासु

Dhyâna. 9. स बाह्याभ्यन्तरे स्थितः

2. अभ्यन्तर

Maitri. 2. 6. अभ्यन्तरं विविशामि . . अभ्यन्तरं प्राविशत्

Garbha. 3. अर्द्धमासाभ्यन्तरे पिण्डम् — मासाभ्यन्तरे कठिनम्

अभ्यपान्

Ait. 3. 11. यद्यपानेनाभ्यपानितं . . को ऽहम्

अभ्यर्च्

Kaush. 2. 6. श्रैष्ठ्यायाभ्यर्च्यन्ते (one MS. has °र्चन्ते)

Râmap. 90. विमलादींश्च शक्तीरभ्यर्चयेत्

Gitâ. 18. 46. स्वकर्मणा तमभ्यर्च्य

अभ्यवदान्य

Bṛih. 6. 2. 7. मा नो भवान् बहोरनन्तस्यापर्यन्तस्याभ्यवदान्यो ऽभूत्

अभ्यस्

Maitri. 6. 23. मूर्द्ध्रि स्थाने ततो ऽभ्यसेत्

Garbha. 4. तत् सांख्यं योगमभ्यसेत् (3 MSS. have अभ्यसे).

Brahmab. 13. ग्रन्थमभ्यस्य मेधावी

Amṛita. 1. अभ्यस्य च पुनः पुनः

28. नित्यमभ्यस्यतः क्रमात्

Haṁsa. 2. दशममेवाभ्यसेत्

Vâsu. 3. पूर्वमभ्यस्य पुण्ड्रस्थं हृत्पद्मस्थं ततो ऽभ्यसेत्

Mukti. 2. 11. नाभ्यस्तं च पुनः पुनः

14. जन्मान्तरशताभ्यस्ता

25. दृढाभ्यस्तपदार्थैकभावनात्

अभ्यसन

Gitâ. 17. 15. स्वाध्यायाभ्यसनं चैव

अभ्यसूय

Gitâ. 3. 32. ये त्वेतदभ्यसूयन्तः

18. 67. न च मां यो ऽभ्यसूयति

अभ्यसूयक

Gitâ. 16. 18. प्रद्विषन्तो ऽभ्यसूयकाः

अभ्याख्या

Tait. 1. 11. 4. अथाभ्याख्यातेषु

अभ्यागम्

Kâush. 1. 1. तं हाभ्यागतं पप्रच्छ

Chhâ. 5. 11. 2. तं हन्ताभ्यागच्छामेति तं हाभ्याजग्मुः 4.

अभ्यादा

Chhâ. 3. 14. 2. सर्वमिदमभ्यात्तः 4.

अभ्याधा

Chhâ. 6. 7. 3. महतो ऽभ्याहितस्य 5.

Bṛih. 2. 4. 10. यथार्द्रैधाग्नेरभ्याहितात्

4. 5. 11. यथार्द्रैधाग्नेरभ्याहितस्य Maitri. 6. 32.

5. 11. 1. यं प्रेतमग्नावभ्यादधति

5. 14. 8. यदि ह वा अपि बह्विवाग्नावभ्यादधति

अभ्यारोह

Bṛih. 1. 3. 28. अथातः पवमानानामेवाभ्यारोहः

अभ्याश

Chhâ. 1. 3. 12. अभ्याशो ह यदस्मै स कामः समृध्येत यत्कामः स्तुवीत

2. 1. 4. अभ्याशो ह यदेनं साधवो धर्मा आ च गच्छेयुः

3. 19. 4. अभ्याशो ह यदेनं साधवो घोषा आ च गच्छेयुः

Chhâ. 5. 10. 7. अभ्याशो ह यत्ते रमणीयां योनिमापद्येरन्
— अभ्याशो ह यत्ते कपूयां योनिमापद्येरन्

अभ्यास

Śwet. 1. 14. ध्याननिर्मथनाभ्यासात्
Brahma. 3; Dhyâna. 20.
Kaivalya. 11. ज्ञाननिर्मथनाभ्यासात्
Nyâsa. 4. तदभ्यासेन प्राणापानौ संयम्य
5. तदभ्यासेन लभ्येत पूर्वजन्मार्जितात्मना
Mukti. 2. 8. व्रागभ्यासवशाद्याति
— तदाभ्यासस्य साफल्यम्
40. एकतत्त्वदृढाभ्यासात्
53. ध्यानाभ्यासप्रकर्षत:
Gîtâ. 6. 35. अभ्यासेन तु कौन्तेय
12. 10. अभ्यासे ऽप्यसमर्थो ऽसि
12. श्रेयो हि ज्ञानमभ्यासात्
18. 36. अभ्यासाद्रमते यत्र

अभ्यासयोग

Kshur. 14. चतुरभ्यासयोगेन
Gîtâ. 8. 8. अभ्यासयोगयुक्तेन
12. 9. अभ्यासयोगेन ततः

अभ्याहन्

Chhâ. 6. 11. 1. वृक्षस्य यो मूले ऽभ्याहन्यात्..मध्ये ऽभ्याहन्यात्..अग्रे ऽभ्याहन्यात्

अभ्युक्ष्

Bṛih. 6. 4. 19. तेनैनां त्रिरभ्युक्षति
23. सोष्यन्तीमद्भिरभ्युक्षति

अभ्युच्चर्

Maitri. 6. 26. प्राणादयो वै पुनरेव तस्मादभ्युच्चरन्तीह 31.

Maitri. 6. 35. ये बिन्दव इवाभ्युच्चरन्त्यजस्रम्

अभ्युत्थान

Gîtâ. 4. 7. अभ्युत्थानमधर्मस्य

अभ्युदय

Mukti. 2. 39. मनसो ऽभ्युदयो नाशः (MSS. अभ्युदये).

अभ्युदि

Nyâsa. 1. यद्ब्रह्माभ्युदय दिवं च लोकम् (अभ्युदय अभ्यजयत् Nâr.)
Mukti. 2. 51. प्राणो यावन्नाभ्युदितो हृदि

अभ्युद्धा

Chhâ. 1. 11. 5. सर्वाणि ह वा इमानि भूतानि प्राणमेवाभिसंविशन्ति प्राणमभ्युज्जिहते

अभ्येर्

Mahânâr. 2. 5. तृतीये धामान्यभ्यैरयन्त

अभ्र

Chhâ. 2. 15. 1. अभ्राणि संप्लवन्ते स हिंकारः
5. 5. 1. अभ्रं धूमः
5. 10. 5. धूमो भूत्वाभ्रं भवति
6. अभ्रं भूत्वा मेघो भवति
8. 12. 2. अभ्रं विद्युत्स्तनयित्नुः
Bṛih. 6. 2. 10. अभ्राणि धूमः

अभ्रार्चिस्

Maitri. 6. 35. विद्युदिवाभ्रार्चिषः परमे व्योमन्

अभ्रूणहन्

Bṛih. 4. 3. 22. भ्रूणहा ऽभ्रूणहा

अम्

Prâṇâg. 1. अमा शिष्यान्तो ऽसि

अम

Chhâ. 1. 6. 1. इयमेव सा ऽग्निरमस्तत्साम
2. अन्तरिक्षमेव सा वायुरमस्तत्साम (similarly in 3, 4, 6.)
1. 7. 1. वागेव सा प्राणो ऽमस्तत्साम
2. ...आत्मामः
3. ...मनो ऽमः
4. यन्नीलं परः कृष्णं तदमः
5. 2. 6. अमो नामासि
Brih. 1. 3. 22. वाग्वै सामैष सा चामश्चेति तत्साम्नः सामत्वम्
6. 4. 20. अमो ऽहमस्मि सा त्वं सा त्वमस्यमो ऽहम्

अमत

Kena. 11. यस्यामतं तस्य मतम्
Chhâ. 6. 1. 3. अमतं मतं (भवति)
6. 4. 5. न नो ऽद्य कश्चनाश्रुतममतमविज्ञातमुदाहरिष्यति
Brih. 3. 7. 23. अमतो मन्ता
3. 8. 11. अमतं मन्तृ

अमत्वा

Chhâ. 7. 18. 1. नामत्वा विजानाति

अमनस्

Chhâ. 5. 1. 11. यथा बाला अमनसः
Brih. 3. 8. 8. अवागमनः
4. 1. 6. अमनसो हि किं स्यात्
Mund. 2. 1. 2. अप्राणो ह्यमनाः शुभ्रः

अमनस्क

Katha. 3. 7. अमनस्कः सदाशुचिः
Brahma. 2. स्वयममनस्कमश्रोत्रम्

अमनस्ता

Gauda. 3. 32. अमनस्तां तदा याति
Mukti. 2. 30. अमनस्ता तदोदेति

अमनीभाव

Maitri. 6. 34. यदा यात्यमनीभावम्
Gauda. 3. 31. मनसो ह्यमनीभावे द्वैतं नैवोपलभ्यते

अमन्तव्य

Nrisut. 9. अमन्तव्यमबोद्धव्यम्

अमन्तृ

Chhâ. 7. 9. 1. अद्रष्टाश्रोतामन्ता..भवति
Maitri. 6. 11. अमन्ताश्रोतास्प्रष्टा..भवति

अमन्त्रवत्

Aruneya. 2. अत ऊर्ध्वममंत्रवदाचरेत्

1. अमर

Brih. 4. 4. 25. अजरो ऽमरो ऽमृतः
Nrisut. 2. अजरममरममृतमभयम्
Nyâsa. 4. अजरममरमक्षरमव्ययम्
Mukti. 2. 75. अजो ऽमरश्चैव तथाजरो ऽमृतः

2. अमर (=उ)

Râmap. 75. अमरविभूषिता

अमरत्व

Nrisut. 7. अजत्वादमरत्वात्

अमर्ष

Gîtâ. 12. 15. हर्षामर्षभयोद्वेगैः

अमल

Hamsa. 2. दिव्यचक्षुस्तथामलम्
Râmap. 94. ये ते पठन्त्यमला यान्ति मोक्षम्
Mukti. 2. 69. गृहाणामलवासनाः
Gîtâ. 14. 14. लोकानमलान्प्रतिपद्यते

अमलक

Chhâ. 7. 3. 1. यथा वै द्वे वामलके

अमलवर्चस्

Kshur. 18. *vide*. अनलवर्चस्

अमहत्

Nṛisut. 6. महान्तममहान्तं . . बुबुधिरे

अमा

Chhâ. 5. 2. 6. अमो नामास्यमा हि ते सर्वमिदम्

Bṛih. 1. 5. 20. अमैवासां तद्भवति

Prâṇâg. 1. प्राणे जुहोम्यमा शिष्यान्तोऽसि (all the MSS. have जुहोम्यामा).

अमातृ

Bṛih. 4. 3. 22. माता ऽमाता

अमात्र

Bṛih. 3. 8. 8. अमुखममात्रम्

Mâṇḍû. 12. अमात्रश्चतुर्थो ऽव्यवहार्यः Nrisut. 2.

Gauḍa 1. 23. नामात्रे विद्यते गतिः
29. अमात्रो ऽनन्तमात्रश्च

अमात्रा

Nṛisut. 2. मात्रामात्राः प्रतिमात्राः कुर्यात् (मात्राश्च ता अमात्राश्च मात्रामात्राः Śankarânanda.)

अमानव

Chhâ. 4. 15. 5. तत् पुरुषो ऽमानवः 5. 10. 2.

अमानित्व

Gîtâ. 13. 7. अमानित्वमदम्भित्वम्

अमाय

Nṛisut. 9. अमायमप्यौपनिषदमेव

अमावास्या

Kaush. 2. 3. पौर्णमास्यां वामावास्यायां वा

Kaush. 2. 8. मासि मास्यमावास्यायां वृत्तायाम्

Chhâ. 5. 2. 4. अमावास्यायां दीक्षित्वा

Bṛih. 1. 5. 14. अमावास्यां रात्रिम्

Nyâsa. 1. अमावास्यायां प्रातरेवान्ते

Gâruḍa. 1. य इमां महाविद्याममावास्यायां शृणुयात्
— य इमां महाविद्याममावास्यायामधीयानो धारयेत्

अमितद्युति

Nṛip. 1. 6. पिनाकिनं ह्यमितद्युतिम्

अमितविक्रम

Gîtâ. 11. 40. अनन्तवीर्यामितविक्रमस्त्वम्

अमितौजस्

Kaush. 1. 3. आमितौजाः पर्यंकः
5. स आगच्छत्यमितौजसं पर्यंकम्

अमुख

Bṛih. 3. 8. 8. अमुखममात्रम्

अमुत्र

Kaṭha. 4. 10. यदेवेह तदमुत्र यदमुत्र तदन्विह

Gîtâ. 6. 40. पार्थ नैवेह नामुत्र

अमुर्हि

Bṛih. 1. 5. 23. यद्वा एते ऽमुर्ह्यध्रियन्त

अमूढ

Nṛisut. 9. अमूढो मूढ इव व्यवहरन्नास्ते

Gîtâ. 15. 5. गच्छन्त्यमूढाः पदमव्ययं तत्

अमूर्त्त

Bṛih. 2. 3. 1. द्वे वाव ब्रह्मणो रूपे मूर्त्तं चैवामूर्त्तं च Maitri 6. 3.

Brih. 2. 3. 3. अथामूर्त्तं वायुश्चान्तरिक्षं च
—एतस्यामूर्त्तस्य .. एष रसः
5. अथामूर्त्तं प्राणश्च यश्चायमन्तरात्मन्नाकाशः
Maitri. 6. 3. यदमूर्त्तं तत्सत्यं तद्ब्रह्म
7. 1. अचिन्त्यो ऽमूर्त्तः
2. अलिङ्गो ऽमूर्त्तः
Muṇḍ. 2. 1. 2. दिव्यो ह्यमूर्त्तः पुरुषः
Praśna 1. 5. रयिर्वा एतत्सर्वं यन्मूर्त्तं चामूर्त्तं च
Gauḍa. 2. 23. अमूर्त्त इति च तद्विदः
Nâr. 2. मूर्त्तामूर्त्तं च नारायणः

अमूर्त्तिमत्

Maitri. 6. 14. कालो मूर्त्तिरमूर्त्तिमान्

अमूल

Chhâ. 6. 8. 3. नेदममूलं भविष्यति 5.

अमृत

Ait. 4. 6. स्वर्गे लोके सर्वान् कामानाप्त्वामृतः समभवत् 5. 4; Atmapra. 1.
Kaush. 2. 5. एते अनन्ते अमृते आहुती
14. यदमृता देवास्तदमृतो भवति य एवं वेद
3. 2. मामायुरमृतमित्युपास्व
—स यो मामायुरमृतमित्युपास्ते
8. स एष प्राण एव प्रज्ञात्मानन्दो ऽजरो ऽमृतः
Kena. 2. धीराः प्रेत्यास्माल्लोकादमृता भवन्ति 13.
12. विद्यया विन्दते ऽमृतम्
Chhâ. 1. 4. 4. एतदक्षरमेतदमृतमभयं तत्प्रविश्य देवा अमृता अभवन्
Chhâ. 1. 4. 5. स्वरममृतमभयं प्रविशति
— यदमृता देवास्तदमृतो भवति
3. 1. 2. ता अमृता आपः 3. 2. 1; 3. 3. 1; 3. 4. 1; 3. 5. 1.
3. 5. 4. तानि वा एतान्यमृतानाममृतानि वेदा ह्यमृतास्तेषामेतान्यमृतानि
3. 6. 1. यत्प्रथमममृतं तद्वसव उपजीवन्ति (similarly 4 times more).
— अमृतं दृष्ट्वा तृप्यन्ति 3. 7. 1; 3. 8. 1; 3. 9. 1; 3. 10. 1.
3. स य एतदेवममृतं वेद .. एतदेवामृतं दृष्ट्वा तृप्यति 3. 7. 3; 3. 8. 3; 3. 9. 3; 3. 10. 3.
3. 12. 6. त्रिपादस्यामृतं दिवि
4. 15. 1. एतदमृतमभयमेतद्ब्रह्म 8. 3. 4; 8. 7. 4; 8. 8. 3; 8. 10. 1; 8. 11. 1; Maitri. 2. 2; Nṛisut. 8 (4 times).
7. 24. 1. यो वै भूमा तदमृतम्
8. 3. 5. तद्यत्सत्तदमृतम्
8. 12. 1. अमृतस्याशरीरस्यात्मनो ऽधिष्ठानम्
8. 14. 1. तद्ब्रह्म तदमृतं स आत्मा
Bṛih. 1. 3. 28. मृत्योर्माऽमृतं गमय (ter).
— मृत्युर्वा असत्सदमृतम्
— अमृतं मा कुर्वित्येवैतदाह (bis).
— मृत्युर्वै तमो ज्योतिरमृतम्
1. 4. 6. मर्त्यः सन्नमृतानसृजत
1. 5. 17. प्राणा अमृता आविशन्ति
1. 6. 3. एतदमृतं सत्येन छन्नं प्राणो वा अमृतम्

Bṛih. 2. 3. 1. द्वे वाव ब्रह्मणो रूपे .. मर्त्यं चामृतं च
3. एतदमृतमेतद्यदेतत्त्यं. एतस्यामृतस्यैतस्य यत एतस्य त्यस्य. 5.
2. 4. 2. कथं तेनामृता स्यामिति
3. येनाहं नामृता स्यां 4. 5. 4.
2. 5. 1. इदममृतमिदं ब्रह्मेदं सर्वम् (14 times).
3. 7. 3. एष त आत्मान्तर्याम्यमृतः 4—23.
3. 9. 10. तस्य का देवतेत्यमृतमिति
4. 3. 12. बहिः कुलायादमृतश्चरित्वा — स ईयते ऽमृतो यत्रकामम्
4. 4 7. अथ मर्त्यो ऽमृतो भवति Kaṭha. 6. 14, 15.
—अयमशरीरो ऽमृतः प्राणः
4. 4. 14. य एतद्विदुरमृतास्ते भवन्ति Kaṭha. 6. 2, 9. Śwet. 3. 1, 10, 13 ; 4. 17, 20.
16. ज्योतिषां ज्योतिरायुः .. अमृतम्
17. विद्वान्ब्रह्मामृतो ऽमृतम्
25. अजरो ऽमरो ऽमृतो ऽभयः
4. 5. 3. स्यां न्वहं तेनामृताहो नेति
5. 14. 8. शुद्धः पूतो ऽजरो ऽमृतः
5. 15. 1. वायुरनिलममृतम् Iśâ. 17.

Iśâ. 11. विद्ययामृतमश्नुते Maitri. 7. 9.
14. संभूत्यामृतमश्नुते

Tait. 1. 4. 1. अध्यमृतात्संबभूव
— अमृतस्य देव धारणो भूयासम्
1. 6. 1. अमृतो हिरण्मयः
2. शान्तिसमृद्धममृतम्
1. 10. 1. सुमेधा अमृतो ऽक्षितः
3. 10. 3. प्रजातिरमृतमानन्द इत्युपस्थे

Tait. 3. 10. 6. पूर्वं देवेभ्यो ऽमृतस्य नाभायि Nṛip. 2. 4.

Kaṭha. 1. 28. अजीर्यताममृतानामुपेत्य
5. 8. तदेव शुक्रं तद्ब्रह्म तदेवामृतम्. 6. 1.
6. 17. तं विद्याच्छुक्रममृतम्

Śwet. 1. 10. क्षरं प्रधानममृताक्षरं हरः
2. 5. शृण्वन्तु विश्वे अमृतस्य पुत्राः
3. 7. ईशं तं ज्ञात्वा अमृता भवन्ति
5. 1. क्षरं त्वविद्या ह्यमृतं तु विद्या
6. ते तन्मया अमृता वै बभूवुः
6. 6. ज्ञात्वात्मस्थममृतं विश्वधाम
17. स तन्मयो ह्यमृत ईशसंस्थः
19. अमृतस्य परं सेतुम्

Maitri. 3. 2. अमृतो ऽस्यात्मा बिन्दुरिव पुष्करे
4. 6. परस्यामृतस्याशरीरस्य 6. 27.
6. 22. एतदमृतमेतत् सायुज्यत्वम्
23. अचलममृतमच्युतम् 38 ; 7. 3.
24. तद्ब्रह्म चामृतं शुक्रम्
35. एतद्ब्रह्मैतदमृतमेतद्भर्गः (bis).
— एतद्यदादित्यस्य मध्ये अमृतम्
— आपो ज्योती रसो ऽमृतं ब्रह्म Śiras. 6; Prâṇâg. 1; Mahânâr. 13. 1; 15. 2, 3.
—एतच्छुक्रमेतदमृतमेतद्ब्रह्मविषयम्

Muṇḍ. 1. 1. 8. कर्मसु चामृतं (जायते).
1. 2. 11. यत्रामृतः स पुरुषो ह्यव्ययात्मा
2. 2. 2. तदमृतं तद्वेद्धव्यम्
5. अमृतस्यैष सेतुः
7. आनन्दरूपममृतं यद्विभाति

Muṇḍ. 2. 2. 11. ब्रह्मैवेदममृतं पुरस्तात्
3. 2. 9. गुहाग्रन्थिभ्यो विमुक्तो ऽमृतो भवति

Mahânâr. 1. 7. तदेव शुक्रममृतं तद्ब्रह्म
11. य एनं विदुरमृतास्ते भवन्ति
2. 4. प्र तद्वोचे अमृतं नु विद्वान्
5. यत्र देवा अमृतमानशानाः (अमृतत्वं Nârâyaṇa).
9. 12. जिह्वा देवानाममृतस्य नाभिः
11. 7. या सा सत्येत्यमृता
12. 3. अन्नमायुरमृतो जीवो विश्वः
14. 1. अमृतमापः
15. 8. प्राणे निविष्टो ऽमृतं जुहोमि 9.
— अपाने निविष्टो ऽमृतं जुहोमि 9.
— व्याने निविष्टो ऽमृतं जुहोमि 9.
— उदाने निविष्टो ऽमृतं जुहोमि 9.
— समाने निविष्टो ऽमृतं जुहोमि
16. 1. प्राणे निविश्यामृतं हुतम् (similarly 4 times more).

Praśna. 1. 10. एतदमृतमभयमेतत्परायणम्
2. 5. सदसच्चामृतं च यत्
3. 11. न हास्य प्रजा हीयते ऽमृतो भवति
12. अमृतमश्नुते
5. 7. शान्तमजरममृतमभयम्
6. 5. अकलो ऽमृतो भवति

Kaivalya. 6. शिवं प्रशान्तममृतम्

Gauḍa. 3. 19. मर्त्यताममृतं व्रजेत्
20. अजातो ह्यमृतो भावः
21. न भवत्यमृतं मर्त्यं न मर्त्यममृतं तथा 4. 7.
22. स्वभावेनामृतो यस्य भावः
— कृतकेनामृतस्तस्य 4. 8.

Gauḍa. 4. 6. अजातो ह्यमृतो धर्मः
8. स्वभावेनामृतो यस्य धर्मः

Nṛip 1. 4. अन्नममृतम्
6. तमेवं विद्वानमृत इह भवति
2. 4. यस्य छायामृतम्

Nṛisut. 1. तदेकमजरममृतमभयम्
2. अजरममरममृतमभयम्
3. ज्ञो ऽमृतो हुतसंविल्कः

Śiras. 2. यो वै रुद्रः.. यच्चामृतम्
3. अपाम सोमममृता अभूम
— किमु धूर्त्तिरमृतं मर्त्यं च

Prâṇâg. 1. आपो ऽमृतमसि
— अमृतं प्राणे जुहोमि
2. अमृताय त्वोपदधामि
— सो ऽस्यान्ते अमृतायामृतयोनौ

Atmapra. 1. अमृते लोके अक्षिते (bis).

Jâbâla. 3. शतरुद्रियेणेत्येतान्येव ह वा अमृतस्य नामानि
— एतैर्ह वा अमृतो भवति (4 MSS. add कथं जानीयाम्)

Râmot. 5. ब्रह्मानन्दामृतम् (3).
— यो वै श्रीरामः.. यच्चामृतम् (16).

Mukti. 2. 75. अजो ऽमरश्चैव तथाजरो ऽमृतः

Gîtâ. 9. 19. अमृतं चैव मृत्युश्च
10. 18. तृप्तिर्हि शृण्वतो नास्ति मे ऽमृतम्
13. 12. यज्ज्ञात्वामृतमश्नुते
14. 20. विमुक्तो ऽमृतमश्नुते
27. अमृतस्याव्ययस्य च

अमृतत्व

Kaush. 2. 10. तेनामृतत्वस्येशाने मा त्वं पुत्र्यमघं निगाः
3. 2. प्राणेन ह्येवास्मिंल्लोके ऽमृतत्वमाप्नोति

Kaush. 3. 2. आप्नोत्यमृतत्वमाक्षितिं स्वर्गे लोके

Kena. 12. अमृतत्वं हि विन्दते

Chhâ. 2. 22. 2. अमृतत्वं देवेभ्य आगायानि

2. 23. 2. ब्रह्मसंस्थो ऽमृतत्वमेति

8. 6. 6. तयोर्ध्वमायन्नमृतत्वमेति Katha. 6. 16.

Bṛih. 2. 4. 2. अमृतत्वस्य तु नाशास्ति वित्तेन 4. 5. 3.

4. 5. 15. एतावदरे खल्वमृतत्वमिति

Katha. 1. 13. स्वर्गलोका अमृतत्वं भजन्ते

4. 1. आवृत्तचक्षुरमृतत्वमिच्छन्

2. अथ धीरा अमृतत्वं विदित्वा

6. 8. अमृतत्वं च गच्छति Nṛip. 3.1; 4.3; Atmapra. 1 (ter); Râmot. 2, 5.

Śwet. 1. 6. जुष्टस्ततस्तेनामृतत्वमेति

3. 15. उतामृतत्वस्येशानः

Maitri. 6. 24. एनं दृष्ट्वामृतत्वं गच्छति

36. पुण्यलोकविजित्यर्थायामृतत्वाय च

Mahânâr. 9. 12. उपांशुना सममृतत्वमानट्

10. 5. त्यागेनैके अमृतत्वमानशुः Kaivalya. 2.

15. 10. ब्रह्मणि स आत्मामृतत्वाय 16. 1.

Gauḍa. 4. 92. सो ऽमृतत्वाय कल्पते Brahmav. 14; Gîtâ. 2. 15.

Nṛip. 1. 2. यो जानीते सो ऽमृतत्वं च गच्छति 3-7; 2. 3; 4. 1.

7. येनासावमृतीभूत्वा सो ऽमृतत्वं च गच्छति

Nṛisut. 7. अमरत्वादजरत्वादमृतत्वात्

— ब्रह्म ह वा इदं सर्वममृतत्वात्

Kshur. 25. अमृतत्वं समाप्नोति (most MSS. omit this verse).

Mahâ. 4. जाप्येनामृतत्वं च गच्छति

Nyâsa. 1. अमृतत्वाय कल्पताम्

Nâr. 2. ब्रह्मत्वं च गत्वामृतत्वं च गच्छति

—ततो ऽमृतत्वमश्नुते Gopî. 3.

Jâbâla. 3. किं जप्येनामृतत्वं ब्रूहि

अमृतनाद

Mukti. 1. *vide* सरस्वतीरहस्य

अमृतनिषेवण

Haṁsa. 2. षष्ठे ऽमृतनिषेवणम्

अमृतबिन्दु

Mukti. 1. *vide* सरस्वतीरहस्य

अमृतमय

Bṛih. 2. 5. 1. तेजोमयो ऽमृतमयः पुरुषः (28 times).

Nṛip. 5. 2. ब्रह्ममयममृतमयं भवति

Nṛisut. 3. अमृतमयश्चतुरात्मा

अमृतयोनि

Mahânâr. 14. 3. इदमहं माममृतयोनौ सत्ये ज्योतिषि जुहोमि

4. इदमहं माममृतयोनौ सूर्ये ज्योतिषि जुहोमि

Prâṇâg. 2. सो ऽस्यान्ते अमृतायामृतयोनौ (so four MSS.)

अमृतसम्भूत

Mahânâr. 4. 2. दूर्वा अमृतसम्भूता: (°ता in four MSS.)

अमृतस्थान

Dhyâna. 23. अमृतस्थानं विजानीयात्

अमृताख्य

Maitri. 6. 7. आत्मनो ऽत्मा नेतामृताख्यः

अमृतापिधान

Mahânâr. 15. 10. अमृतापिधानमसि

अमृतीभू

Nṛip. 1. 7. येनासावमृतीभूत्वा सो ऽमृतत्वं च गच्छति

Jâbâla. 1. येनासावमृतीभूत्वा मोक्षी भवति Râmot. 1.

अमृतोद्भव

Gîtâ. 10. 27. उच्चैःश्रवसं . . अमृतोद्भवम्

अमृतोपम

Gîtâ. 18. 37. परिणामे ऽमृतोपम्
38. यत्तदग्रे ऽमृतोपमम्

अमृतोपस्तरण

Mahânâr. 15. 7. अमृतोपस्तरणमसि Prâṇâg. 1.

अमृयु

Kaush. 1. 2. तन्म ऋतवो ऽमृत्यव आभरध्वम्

अमृत्युमृत्यु

Nṛisut. 6. मृत्युमृत्युममृत्युमृत्युं . . बुबुधिरे

अमृषा

Bṛih. 3. 9. 28. यथा वृक्षो वनस्पतिस्तथैव पुरुषो ऽमृषा

अमेध्य

Mahânâr. 5. 1. यदपां क्रूरं यदमेध्यम्
Gîtâ. 17. 10. उच्छिष्टमपि चामेध्यम्

अमेय

Nṛisut. 5. न ह्यन्यदस्त्यमेयमनात्मप्रकाशम्

अमोघ

Chhâ. 7. 14. 2. अमोघा ह्यस्याशिषो भवान्ति

अमोघा (= क्ष)

Râmap. 76. क्षुधा क्रोधिन्यमोघा च

अमोहत्व

Nṛisut. 7. अशोकत्वादमोहत्वात्

अमौन

Bṛih. 3. 5. 1. अमौनं च मौनं च निर्विद्य

अम्बया

Kaush. 1. 3. अम्बया नद्यः

अम्बर

Kaivalya. 23. न चानिलो मे ऽस्ति न चाम्बरं च

अम्बरीष

Maitri. 1. 4. *vide* आदि

अम्बा

Kaush. 1. 3. अम्बाश्चाम्बायवीश्चाप्सरसः

अम्बायवी (?)

Kaush. 1. 3. अम्बाश्चाम्बायवीश्चाप्सरसः (*vide* Goldstücker's Lexicon).

अम्बिका

Nṛip. 3. 1. पाहि . . औपलामम्बिकाम्

अम्बिकापति

Mahânâr. 13. 4. अम्बिकापतये . . नमः

अम्बु

Śwet. 1. 5. पञ्चस्रोतोम्बु

अम्बुभक्ष

Nyâsa. 2. वायुभक्षो ऽम्बुभक्षो वा

अम्बुवेग

Gîtâ. 11. 28. यथा नदीनां बहवो ऽम्बुवेगाः

अम्भस्

Ait. 1. 2. अम्भो मरीचीर्मरमापः

— अदो ऽम्भः परेण दिवः

Mahânâr. 1. 1. अम्भस्यपारे भुवनस्य मध्ये

Râmap. 80. प्राणो ऽम्भो विद्यया युतम्

Gîtâ. 2. 67. वायुर्नावमिवाम्भसि

5. 10. पद्मपत्रमिवाम्भसा

अम्भिणी

Brih. 6. 5. 3. वागम्भिण्याः

— अम्भिण्यादित्यात्

अम्ल

Garbha. 1. *vide* रस

Gîtâ. 17. 9. *vide* विदाहिन्

अयक्ष्म

Nîla. 6. यथा नः सर्वमिज्जगदयक्ष्मम्

17. तया . . अस्मानयक्ष्मया परिभुज

अयजमान

Chhâ. 8. 8. 5. अश्रद्दधानमयजमानम्

अयज्ञ

Gîtâ. 4. 31. नायं लोके ऽस्त्ययज्ञस्य

अयज्ञोपवीत

Nrisut. 6. अशिखा अयज्ञोपवीताः

अयज्ञोपवीतिन्

Jâbâla. 5. अयज्ञोपवीती कथं ब्राह्मणः

अयति

Gîtâ. 6. 37. अयतिः श्रद्धयोपेतः

अयत्नोपनत

Mukti. 2. 23. अयत्नोपनतेष्वक्षिदृग्द्रव्येषु

अयथावत्

Gîtâ. 18. 31. अयथावत्प्रजानाति

अयन

Śwet. 3. 8. नान्यः पन्था विद्यते ऽयनाय 6. 15.

Praśna. 1. 9. तस्मायने दक्षिणं चोत्तरं च

Gîtâ. 1. 11. अयनेषु च सर्वेषु

अयशस्

Brih. 6. 4. 7. इत्ययशा एव भवति

Gîtâ. 10. 5. तपो दानं यशो ऽयशः

अयस्कार

Maitri. 6. 27. अग्न्ययस्कारादयः

अयस्पिण्ड

Maitri. 3. 3. यथाग्निनायास्पिण्डो वाभिभूतः

— यथायस्पिण्डे हन्यमाने

6. 27. भूमावयास्पिण्डं निहितम्

— मृद्वत्संस्थमयास्पिण्डम्

अयाचत्

Kaush. 2. 1. एष धर्मो ऽयाचतो भवति 2.

अयाचमान

Kaush. 2. 1. अयाचमानाय बलिं हरन्ति (bis) ; 2. 2 (bis).

अयाचित

Mahânâr 17. 6. त्रिसुपर्णमयाचितं ब्राह्मणाय दद्यात्

7. य इमं त्रिसुपर्णमयाचितं ब्राह्मणाय दद्यात् 8.

अयाज्य

Brih. 4. 1. 3. प्राणस्य वै कामायायाज्यं याजयति

अयाज्ययाजक

Maitri. 7. 8. अयाज्ययाजकाः शूद्रशिष्याः

अयास्य

Bṛih. 1. 3. 8. अयमास्ये ऽन्तरिति सो ऽयास्यः
19. अयास्य आङ्गिरसः 24.
2. 6. 3. पन्थाः सौभरो ऽयास्यादाङ्गिरसात् 4. 6. 3.
—अयास्य आङ्गिरस आभूतेस्त्वाष्ट्रात् 4. 6. 3.

अयुक्त

Kaṭha. 3. 5. अयुक्तेन मनसा सदा
Maitri. 4. 3. आश्रमेष्वेवानवस्थस्तपस्वी वेत्युच्यता इत्येतदयुक्तम्
Gîtâ. 2. 66. नास्ति बुद्धिरयुक्तस्य न चायुक्तस्य भावना
5. 12. अयुक्तः कामकारेण
18. 28. अयुक्तः प्राकृतः स्तब्धः

अयुत

Śiras. 7. प्रणवानामयुतं जप्तं भवति Mahâ. 4.

अयोग

Gîtâ. 5. 6. दुःखमाप्तुमयोगतः

अयोध्या

Mukti. 1. 1. अयोध्यानगरे रम्ये

अयोनि

Maitri. 6. 20. निरात्मकत्वादसंख्यो ऽयोनिः
Nṛisut. 9. अयोनि स्वात्मस्थम्

1. अर

Kaush. 3. 8. यथा रथस्यारेषु नेमिरर्पितो नाभावरा अर्पिताः
Chhâ. 7. 15. 1. यथा वा अरा नाभौ समर्पिताः
Bṛih. 2. 5. 15. यथा रथनाभौ च रथनेमौ चाराः सर्वे समर्पिताः
Muṇḍ. 2. 2. 6. अरा इव रथनाभौ Praśna. 2. 6; 6. 6.
Nṛip. 5. 1. नाभ्यां वा एते अरा. प्रतिष्ठिताः
—अरैर्वा एतत् सुबद्धं भवति
—वेदा वा एते अराः

2. अर

Chhâ. 8. 5. 3. अरश्च ह वै ण्यश्चार्णवौ ब्रह्मलोके
4. अरं च ण्यं चार्णवौ ब्रह्मलोके

3. अर (=अल्प)

Tait. 2. 7. 1. यदा ह्येवैष एतस्मिन्नुदरमन्तरं कुरुते

अरजस्क

Nṛisut. 9. असत्त्वमरजस्कमतमस्कम्

अरणि

Bṛih. 6. 4. 22. हिरण्मयी अरणी
Kaṭha. 4. 8. अरण्योर्निहितो जातवेदाः
Śwet. 1. 14. स्वदेहमरणिं कृत्वा Dhyâna. 20.
15. अरणीषु चाग्निः Brahma. 3.
Kaivalya. 11. आत्मानमरणिं कृत्वा Brahma. 3.
Nyâsa. 1. अग्नावरणी हुत्वा

अरणिदेश

Kaṭhaśru. 3. अरणिदेशाद्भस्ममुष्टिं पिबेदित्येके

अरण्य

Chhâ. 5. 10. 1. ये चेमे ऽरण्ये श्रद्धातप इत्युपासते
Bṛih. 5. 11. 1. यं प्रेतमरण्यं हरन्ति
6. 2. 15. ये चामी अरण्ये श्रद्धां सत्यमुपासते

Maitri. 1. 2. अरण्यं निर्जगाम
6. 8. अरण्यं गत्वा .. उपलभेतै-नम्
Muṇḍ. 1. 2. 11. तपःश्रद्धे ये ह्युपवसन्त्य-रण्ये
Mahânâr. 21. 2. शम इत्यरण्ये मुनयः
Śiras. 1. गुह्यो ऽहमरण्यो ऽहम्
Nyâsa. 1. अरण्ये गत्वा .. ब्राह्मेष्टिं निर्वपेत्
Kaṭhaśru. 3. सो ऽरण्यं परेत्य

अरण्यायन

Chhâ. 8. 5. 3. यदरण्यायनमित्याचक्षते

अरति

Gîtâ. 13. 10. अरतिर्जनसंसदि

अरस

Bṛih. 3. 8. 8. अरसमगन्धम् Nṛisut. 9.
Kaṭha. 3. 15. अरसं नित्यमगन्धवच्च यत् Mukti. 2. 72.

अरसयितृ

Maitri. 6. 11. अघ्रातारसयिता भवति

अरागद्वेषतस्

Gîtâ. 18. 23. अरागद्वेषतः कृतम्

अराति

Mahânâr. 22. 1. तपसा सपत्नान् प्रणुदामारातीः
— दानेनारातीरपानुदन्त
Śiras. 3. किं नूनमस्मान् कृणवदरातिः

अरातीय

Mahânâr. 6. 2. अरातीयतो निदहाति वेदः

अरि

Gîtâ. 6. 9. सुहृन्मित्रार्युदासीनमध्यस्थद्वेष्यबन्धुषु

अरिन्

Râmap. 92. गदारिशंखाब्जधरम्

अरिमर्द्दन

Râmap. 54. अंगदं चारिमर्द्दनम्
Mukti. 2. 8. विद्धि त्वमरिमर्द्दन

अरिमारण

Râmap. 34. आश्वरिमारणं कुरु

अरिष्ट

Chhâ. 3. 15. 3. अरिष्टं कोशं प्रपद्ये
Yogat. 15. निश्चितं चात्मभूतानामरिष्टं योगसेवया

अरिष्टनेमि

Nṛip. 1. 1. स्वस्ति नस्तार्क्ष्यो ऽरिष्टनेमिः Nṛisut. 1.

अरिष्टि

Kaush. 2. 11. येन प्रजापतिः प्रजाः पर्यगृह्णात्तदरिष्टचै
Bṛih. 1. 4. 16. स्वाय लोकायारिष्टिमिच्छेत्
— सर्वाणि भूतान्यारिष्टिमिच्छन्ति

अरिसूदन

Gîtâ. 2. 4. पूजार्हावरिसूदन

1. अरुण

Nîla. 9. असौ यस्ताम्रो अरुणः

2. अरुण

Bṛih. 6. 5. 3. उद्दालको ऽरुणात्
— अरुण उपवेशेः

अरुन्धती

Nîla. 21. कल्माषपुच्छमोषधे जंभयाश्वरुन्धति

अरुन्मुख

Kaush. 3. 1. अरुन्मुखान् यतीन् सालावृकेभ्यः प्रायच्छम्

अरूप, अरूपक

Katha. 3. 15. अशब्दमस्पर्शमरूपम्

Nṛisut. 9; Mukti. 2. 72.

Śwet. 3. 10. ततो यदुत्तरतरं तदरूपम्

Kaivalya. 6. चिदानन्दमरूपमद्भुतम्

Gauḍa. 3. 36. अनामकमरूपकम्

Mukti. 2. 32. सरूपो ऽरूप एव च

33. अरूपो देहमुक्तिगः

36. अरूपस्तु मनोनाशः

अरूपज्ञ

Bṛih. 4. 4. 1. तथारूपज्ञो भवति

अरेतस्

Bṛih. 6. 4. 10. इत्यरेता एव भवति

अरेफजात

Amṛita. 24. अरेफजातमुभयोष्ठवर्जितम्

अर्क

Bṛih. 1. 2. 2. आपो वा अर्कः

7. अयमग्निरर्कः

— तावेतावर्काश्वमेधौ

Śwet. 2. 11. नीहारधूमार्कानिलानलानाम्

Maitri. 6. 8. एष हि खल्वात्मा . . अर्कः

Praśna. 4. 2. अर्कस्यास्तं गच्छतः

Dhyâna. 15. तत्रार्कचन्द्रवह्नीनाम्

Râmap. 88. अर्कविध्वग्नितेजांसि

अर्कत्व

Bṛih. 1. 2. 1. तदेवार्क्यस्यार्कत्वम्

— य एवमेतदर्क्यस्यार्कत्वं वेद

अर्क्य

Bṛih. 1. 2. 1. *vide* अर्कत्व

अर्घांश

Râmap. 73. अन्त्यार्घांशयुतः

अर्घ्य

Bṛih. 6. 2. 4. अथ हास्मा अर्घ्यं चकार

अर्च्

Bṛih. 1. 2. 1. सो ऽर्चन्नचरत्तस्यार्चत आपो ऽजायन्तार्चते वै मे कमभूत्

Maitri. 4. 6. ता अभिध्यायेदर्चयेन्निह्नुयाच्च

6. 5. ओमित्युक्तेनैताः प्रस्तुता अर्चिताः

Muṇḍ. 1. 2. 6. प्रियां वाचमभिवदन्त्योऽर्चयन्त्यः

3. 1. 10. तस्मादात्मज्ञमर्चयेद्भूतिकामः

Mahânâr. 13. 1. अर्चयन्ति तपः सत्यम्

Śiras. 6.

Praśna. 6. 8. ते तमर्चयन्तस्त्वं हि नः पिता

Râmap. 86. रत्नासने देशिकं चार्चयित्वा

87. तांस्तस्य दिक्ष्वर्चयेच्च

88. अउमैरर्चितानि

89. ज्ञानात्मानं चार्चयेत्

Râmot. 4. क्षेत्रे ऽस्मिन्यो ऽर्चयेद्भक्त्या

Gîtâ. 7. 21. श्रद्धयार्चितुमिच्छति

अर्चन

Nṛip. 5. 2. अनुष्टुभा होमं कुर्यादनुष्टुभार्चनम्

Râmot. 4. जपहोमार्चनादिभिः

अर्चाविधि

Râmap. 85. अर्चाविधावस्य

अर्चिमन्त्

Muṇḍ. 2. 2. 2. यदर्चिमद्यदणुभ्यो ऽणु

Nyâsa. 2. सङ्न्यासं सहते ऽर्चिमान्

अर्चिर्मार्ग

Gopî. 5. अर्चिर्मार्गविस्तृतं वेदार्थम्

अर्चिस्

Chhâ. 4. 15. 5. अर्चिषमेवाभिसम्भवन्त्य-
र्चिषो ऽहः 5. 10. 1.
5. 4. 1. अहरर्चिः Bṛih. 6. 2. 9.
5. 5. 1. विद्युदर्चिः Bṛih. 6. 2. 10.
5. 6. 1. रात्रिरर्चिः Bṛih. 6. 2. 11.
5. 7. 1. जिह्वार्चिः
5. 8. 1. योनिरर्चिः Bṛih. 6. 2.13.
Bṛih. 6. 2. 12. वागर्चिः
14. अर्चिरर्चिः
15. ते ऽर्चिरभिसम्भवन्त्यर्चि-
षो ऽहः
Maitri. 6. 31. धूमार्चिर्विष्फुलिङ्गा इव
35. अर्चिषो वै यशस आश्रय-
वशात्
Muṇḍ. 1. 2. 2. यदा लेलायते ह्यर्चिः
2. 1. 8. सप्तार्चिषः समिधः
Mahânâr. 8. 4.
12. 2. एतस्मिन्मण्डले अर्चिषि
—एतस्मिन्मण्डले ऽर्चिर्दीप्यते
Praśna. 3. 5. तस्मादेताः सप्तार्चिषो भव-
न्ति
Mahâ. 3. तस्य मध्ये महानर्चिः
(so MSS.)

अर्चिसमप्रभ

mṛita. 37. व्यानो ऽप्यर्चिसमप्रभः

अर्जुन

Gîtâ. 1. 4. भीमार्जुनसमा युधि
47. एवमुक्त्वार्जुनः संख्ये
2. 2. अकीर्त्तिकरमर्जुन
45. निर्गुण्यो भवार्जुन
3. 7. नियम्यारभते ऽर्जुन
4. 5. तव चार्जुन
Gîtâ. 4. 9. मामेति सो ऽर्जुन
37. भस्मसात्कुरुते ऽर्जुन
6. 16. जाग्रतो नैव चार्जुन
32. समं पश्यति यो ऽर्जुन
46. तस्माद्योगी भवार्जुन
7. 16. जनाः सुकृतिनो ऽर्जुन
26. वर्त्तमानानि चार्जुन
8. 16. पुनरावर्त्तिनो ऽर्जुन
27. योगयुक्तो भवार्जुन
9. 19. सदसच्चाहमर्जुन
10. 32. मध्यं चैवाहमर्जुन
39. तदहमर्जुन
42. किं ज्ञानेन तवार्जुन
11. 47. मया प्रसन्नेन तवार्जुन
50. इत्यर्जुनं वासुदेवस्तथोक्त्वा
54. अहमेवंविधो ऽर्जुन
18. 9. नियतं क्रियते ऽर्जुन
34. धृत्या धारयते ऽर्जुन
61. हृद्देशे ऽर्जुन तिष्ठति
76. केशवार्जुनयोः

अर्णव

Ait. 2. 1. महत्यर्णवे प्रापतन्
Chhâ. 8. 5. 2. अरश्च ह वै ण्यश्चार्णवौ
4. अरं च ण्यं चार्णवौ
Maitri. 6. 35. एतद्भानुरर्णवः
Mahânâr. 5. 5. ततः समुद्रो अर्णवः
6. समुद्रादर्णवादधि संवत्सरो
अजायत

अर्थ

Kaush. 2. 3. अर्थं ब्रूयाद्दूतं वा प्रहिणुयात्
Chhâ. 5. 11. 6. येन हैवार्थेन पुरुषश्चरेत्तं है-
व वदेत्
Bṛih. 6. 4. 9. तस्यामर्थं निष्ठाय 10,11,21.
Iśâ. 8. अर्थान् व्यदधाच्छाश्वती-
भ्यः समाभ्यः
Kaṭha. 2. 1. हीयते ऽर्थाद्य उ प्रेयो वृणीते

Katha. 3. 10. इन्द्रियेभ्यः परा ह्यर्था अर्थेभ्यश्च परं मनः
Śwet. 6. 23. तस्यैते कथिता ह्यर्थाः
Maitri. 2. 6. अमन्यतार्थानभानीति
4. 2. शब्दस्पर्शादयो ह्यर्थाः
5. 1. स्वार्थे स्वाभाविके ऽर्थे च
6. 28. भूतेन्द्रियार्थानतिक्रम्य
7. 8. अर्थं पुरस्कृत्य
10. अयमर्थः स्यात्
11. सत्यानृतोपभोगार्थः
Muṇḍ. 3. 2. 6. वेदान्तविज्ञानसुनिश्चितार्थाः Mahânâr. 10. 6; Kaivalya. 3.
Praśna. 4. 5. श्रुतं तमेवार्थमनुशृणोति
Gauḍa. 4. 26. चित्तं न संस्पृशत्यर्थम्
—अभूतो हि यतश्चार्थः
Nṛip. 4. 2. न सान्नार्थो ऽस्ति यः सावित्रीं वेद
Nyâsa. 2. संविभज्य सुतानर्थान्
(Nâr. has अर्थैः)
Râmap. 12. अर्थं मन्त्रो वदत्ययम्
Mukti. 1. 17. वेदान्तवाक्यार्थविचारात्
2. 20. नैष्कर्म्येण न तस्यार्थस्तस्यार्थो ऽस्ति न कर्मभिः
Gîtâ. 2. 27. तस्मादपरिहार्ये ऽर्थे
46. यावानर्थ उदपाने
3. 18. नैव तस्य कृतेनार्थः
34. इन्द्रियस्येन्द्रियस्यार्थे
13. 11. तत्त्वज्ञानार्थदर्शनम्
18. 34. यया तु धर्मकामार्थान्

अर्थकाम

Gîtâ. 2. 5. हत्वार्थकामांस्तु गुरूनिहैव

अर्थं, अर्थाय, अर्थे

Maitri. 6. 14. आत्मसम्बोधनार्थम्
36. पुण्यलोकविजित्यर्थाय
Muṇḍ. 1. 2. 12. तद्विज्ञानार्थम्
Gauḍa. 1. 9. भोगार्थं सृष्टिरित्यन्ये क्रीडार्थमिति चापरे
Nṛip. 5. 2. दक्षिणार्थं तावत्कल्पते
Garbha. 4. यन्मया परिजनस्यार्थे कृतं कर्म
Nyâsa. 3. जन्तुसंरक्षणार्थम् Kaṭhaśru. 4.
Kaṭhaśru. 1. प्राणसन्धारणार्थम् Jâbâla. 6.
Parama. 1. स्वशरीरस्योपभोगार्थाय
Aruṇeya. 5. भिक्षार्थं ग्रामं प्रविशन्ति
Gopî. 4. लोकानुग्रहार्थम्
Kṛish. 21. संहारार्थं च शत्रूणाम्
— कृपार्थे सर्वभूतानाम्
Râmap. 7. उपासकानां कार्यार्थम्
35. स्वनिवृत्त्यर्थम्
Gîtâ. 1. 7. संज्ञार्थं तान्ब्रवीमि ते
9. मदर्थे त्यक्तजीविताः
33. येषामर्थे कांक्षितम्
3. 9. तदर्थं कर्म कौन्तेय
4. 8. धर्मसंस्थापनार्थाय
10. 11. तेषामेवानुकम्पार्थम्
11. 42. यच्चावहासार्थमसत्कृतो ऽसि
12. 10. मदर्थमपि कर्माणि कुर्वन्
16. 12. ईहन्ते कामभोगार्थम्
17. 12. दम्भार्थमपि चैव यत्
18. सत्कारमानपूजार्थम्
19. परस्योत्सादनार्थं वा
21. यत्तु प्रत्युपकारार्थम्

अर्थव्यपाश्रय

Gîtâ. 3. 18. कश्चिदर्थव्यपाश्रयः

अर्थसञ्चय

Gîtâ. 16, 12. ईहन्ते . . अर्थसञ्चयान्

अर्थाभास

Gauḍa. 4. 26. नार्थाभासं तथैव च
— नार्थाभासस्ततः पृथक्

अर्थार्थिन्

Gîtâ. 7. 16. आर्त्तो जिज्ञासुरर्थार्थी

अर्थोपार्जन

Maitri. 3. 5. जिगीषार्थोपार्जनम्

1. अर्द्ध

Maitri. 6. 14. एतस्याप्रमेयमर्द्धमर्द्धं वारुणम्
Yogat. 7. यो ऽधीते ऽध्यर्द्धमक्षरम्

2. अर्द्ध

Chhâ. 5. 3. 4. स हायस्तः पितुरर्द्धमेयाय
6. गौतमो राज्ञो ऽर्द्धमेयाय
Prasna. 1. 11. दिव आहुः परे अर्द्धे पुरीषिणम्

अर्द्धचतुर्

Garbha. 5. अर्द्धचतस्रो रोमाणि कोटयः

अर्द्धचतुर्थ

Siras 5. या सार्द्धचतुर्थी मात्रा

अर्द्धचतुर्थमात्र

Siras. 5. तदेतेनात्मन्नेतेनार्द्धचतुर्थमात्रेण शान्तिं संसृजति

अर्द्धचन्द्राकृति

Prâṇâg. 2. शारीरो ऽग्निः.. अर्द्धचंद्राकृतिः

अर्द्धमात्र

Amrita. 31. अर्द्धमात्रं च चिन्तयेत्
Dhyâna. 17. त्रिमात्रं चार्द्धमात्रं च
Râmot. 2. अर्द्धमात्रश्चतुर्थाक्षरो भवति

अर्द्धमात्रा

Nṛip. 2. 1. यावसाने ऽस्य चतुर्थ्यर्द्धमात्रा Nṛisut. 3; Sikhâ. 1.
4. 3. यो वै नृसिंहः..याश्चतस्रो ऽर्द्धमात्रास्तस्मै वै नमो नमः (12).
Brahmav. 4. तिस्रो मात्रार्द्धमात्रा च
10. अर्द्धमात्रा तथा ज्ञेया
Sikhâ. 1. चतुर्थ्यर्द्धमात्रा स्थूलह्रस्वदीर्घप्लुतः
Nâda. 1. अर्द्धमात्रा शिरस्तथा
7. परमा चार्द्धमात्रा च
Dhyâna. 22. अर्द्धमात्रां रज्जुं कृत्वा
Yogat. 10. अर्द्धमात्रा तु निश्चला
Râmot. 5. यो वै श्रीरामः..याश्चतस्रो ऽर्द्धमात्राः (40).

अर्द्धमात्रात्मक

Râmot. 3. अर्द्धमात्रात्मको रामः

अर्द्धमास

Bṛih 1. 1. 1. मासाश्चार्द्धमासाश्च पर्वाणि
3. 8. 9. अर्द्धमासा मासा ऋतवः Mahânâr. 1. 9.
Mahânâr. 25. 1. ये ऽर्द्धमासाश्च मासाश्च ते चातुर्मास्यानि
Garbha. 3. अर्द्धमासाभ्यन्तरे पिण्डम्

अर्द्धवृगल

Bṛih. 1. 4. 3. इदमर्द्धवृगलमिव स्वः

अर्द्धान्त्य

Nṛip. 1. 5. वीरं प्रथमस्यार्द्धान्त्यं तं स द्वितीयस्यार्द्धान्त्यं हं भी तृतीयस्यार्द्धान्त्यं मृत्युं चतुर्थस्यार्द्धान्त्यं साम जानीयात्

अर्पण

Gîtâ. 9. 27. तत्कुरुष्व मदर्पणम्

अर्पितमनोबुद्धि

Gîtâ. 8. 7. मय्यर्पितमनोबुद्धिः 12. 14.

अर्यमन्

Tait. 1. 1. 1. शं नो भवत्वर्यमा 1. 12. 1.

Nṛip 2. 4. इन्द्रो वरुणो मित्रो ऽर्यमा देवाः

Gîtâ. 10. 29. पितृणामर्यमा चास्मि

अर्वन्

Bṛih. 1. 1. 2. अर्वासुरान् (अवहत्)

अर्वाग्बिल

Bṛih. 2. 2. 3. अर्वाग्बिलश्चमस ऊर्ध्वबुध्नः (ter).

अर्वाञ्च्

Chhâ. 1. 7. 6. स एष ये चैतस्मादर्वाञ्चो लोकास्तेषां चेष्टे

8. ये चैतस्मादर्वाञ्चो लोकास्तांश्चाप्नोति

3. 10. 4. अर्वागस्तमेता

Bṛih. 4. 4. 16. यस्मादर्वाक् संवत्सरो ऽहोभिः परिवर्त्तते

Maitri. 6. 2. अर्वाग्विचरत एतौ प्राणादित्यौ

अर्ह्

Chhâ. 4. 4. 5. नैतदब्राह्मणो विवक्तुमर्हति

Bṛih. 6. 2. 8. को हि त्वेवं ब्रुवन्तमर्हति प्रत्याख्यातुमिति

Kaṭha. 2. 21. कस्तं मदामदं देवं मदन्यो ज्ञातुमर्हति

Maitri. 1. 4. उद्धर्तुमर्हसि

Prâśna. 6. 1. तस्मान्नार्हाम्यहमनृतं वक्तुम्

Gîtâ. 2. 17. न कश्चित्कर्तुमर्हति

25. नानुशोचितुमर्हसि

26. नैनं शोचितुमर्हसि

27. न त्वं शोचितुमर्हसि 30.

31. न विकम्पितुमर्हसि

3. 20. सम्पश्यन्कर्त्तुमर्हसि

6. 39. छेत्तुमर्हस्यशेषतः

10. 16. वक्तुमर्हस्यशेषेण

11. 44. प्रियः प्रियायार्हसि देव सोढुम्

Gîta. 16. 24. कर्म कर्तुमिहार्हसि

1. अर्ह

Gîtâ. 1. 37. तस्मान्नार्हा वयं हन्तुम्

2. अर्ह

Chhâ. 5. 11. 5. पृथगर्हाणि कारयाञ्चकार

अर्हा

Chhâ. 5. 3. 6. तस्मै ह प्राप्तायार्हां चकार

अलक्ष

Parama. 3. न लक्षं नालक्षम् (so MSS.)

अलक्षण

Mâṇḍû. 7. अलक्षणमचिन्त्यम्

Nṛip. 4. 1; Râmot. 3.

Nṛisut. 1. अलक्षणमलिङ्गमचिन्त्यम् (so two MSS.)

9. अकरणमलक्षणमसङ्गम्

अलक्ष्मी

Mahânâr. 20. 10. अलक्ष्मी मे नश्यत

अलङ्कार

Chhâ. 8. 8. 5. प्रेतस्य शरीरं . . अलङ्कारेणेति संस्कुर्वन्ति

अलङ्कृ

Kaush. 1. 4. तं ब्रह्मालङ्कारेणालङ्कुर्वन्ति —स ब्रह्मालङ्कारेणालङ्कृतः

Râmap. 27. सर्वालङ्कृतया चिता

57. नलादिभिरलङ्कृतः

अलब्धावरण

Gauḍa. 4. 98. अलब्धावरणाः सर्वे धर्माः

अलब्ध्वा

Kaush. 2. 1. ग्रामं भिक्षित्वालब्ध्वा 2.

Chhâ. 6. 8. 2. अन्यत्रायतनमलब्ध्वा

अलम्

Ait. 2. 2. न वै नो ऽयमलमिति

Brih. 1. 3. 18. न हैवालं भार्य्येभ्यो भवति
— सहैवालं भार्य्येभ्यो भवति
2. 4. 13. अलं वा अर इदं विज्ञानाय

Mukti. 1. 26. माण्डूक्यमेकमेवालम्
2. 12. निषेव्यन्ते यद्येते चिरमप्य-
लम्

अलस

Gîtâ. 18. 28. शठो नैष्कृतिको ऽलसः

अलात

Gauda. 4. 47. अलातस्पन्दितं यथा
48. अस्पन्दमानमलातम्
49. अलाते स्पन्दमाने वै
— नालातं प्रविशन्ति ते
50. न निर्गता अलातात्ते

अलातचक्र

Maitri. 6. 24. अलातचक्रमिव स्फुरन्तम्

अलाबुपात्र

Aruṇeya. 5. मृत्पात्रं वा अलाबुपात्रं
दारुपात्रं वा

अलाभ

Jâbâla. 6. लाभालाभौ समौ भूत्वा
Gîtâ. 2. 38. लाभालाभौ जयाजयौ

अलिङ्ग

Kaṭha 6. 8. व्यापको ऽलिङ्ग एव च
Maitri. 6. 31. तस्यैतल्लिङ्गमलिङ्गस्य
35. तच्छुक्रं पुरुषमलिङ्गम्
7. 2. अलिङ्गो ऽमूर्त्तो ऽपरिच्छि-
न्नः

Muṇḍ. 3. 2. 4. न च प्रमादात्तपसो वाप्य-
लिङ्गात्

Nṛisut. 1. अलक्षणमलिङ्गमचिन्त्यम्
6. अद्वैतमचिन्त्यमलिङ्गम्

अलूक्ष

Tait. 1. 11. 4. अलूक्षा धर्मकामाः स्युः
(bis).

अलेपक

Mukti. 2. 73. अलेपकं सर्वगतं यदद्वयम्

अलेप्य

Maitri. 2. 7. स्थिरो ऽचलश्चालेप्यः

अलोक

Bṛih. 4. 3. 22. लोका अलोकाः

अलोक्यता

Bṛih. 1. 3. 28. न हैवालोक्यताया आशास्ति

अलोमक

Bṛih 1. 4. 6. तस्मादेतदुभयमलोमकम-
न्तरतो ऽलोमकाहि योनि-
रन्तरतः

अलोलत्व

Gîtâ. 16. 2. दया भूतेष्वलोलत्वम्
(other readings are
अलोलुत्वं and अलोलुप्त्वम्)

अलोलुपत्व

Śwet. 2. 13. लघुत्वमारोग्यमलोलुपत्वम्

अलोहित

Bṛih. 3. 8. 8. अलोहितमस्नेहम्
Praśna. 4. 10. अच्छायमशरीरमलोहितम्

अल्प

Chhâ. 7. 6. 1. ये ऽल्पाः कलहिनः पिशुनाः
7. 23. 1. नाल्पे सुखमस्ति
7. 24. 1. यत्र . . अन्यद्विजानाति तद-
ल्पम्
—यदल्पं तन्मर्त्यम्

Kaṭha. 1. 26. सर्वं जीवितमल्पमेव
Śwet. 2. 13. मूत्रपुरीषमल्पम्
Gauḍa. 4. 43. दोषो ऽप्यल्पो भविष्यति
Nṛisut. 9. सर्वे जीवाः सर्वमयाः . . त-
थाप्यल्पाः

Nṛisut. 9. अव्यवहार्यो ऽप्यल्पः
—नाल्पः साक्ष्यविशेषः

Gîtâ. 18. 22. अतत्त्वार्थवदल्पं च

अल्पबुद्धि

Gîtâ. 16. 9. नष्टात्मानो ऽल्पबुद्धयः

अल्पमेधस्

Kaṭha. 1. 8. पुरुषस्याल्पमेधसः

Gîtâ. 7. 23. तद्भवत्यल्पमेधसाम्

अल्पविद्

Chhâ. 7. 5. 2. यद्यल्पविच्चित्तवान् भवति

अव्

Ait. 3. 10. तदपानेनाजिघृक्षत्तदावयत्

Chhâ. 1. 2. 9. तेनेतरान्प्राणानवति

Bṛih. 1. 5. 8. वागेनं तद्भूत्वा ऽवति
9. मन एनं तद्भूत्वा ऽवति
10. प्राण एनं तद्भूत्वा ऽवति
20. सर्वाणि भूतान्यवन्ति (bis).

Tait. 1. 1. 1. तन्मामवतु । तद्वक्तारमवतु । अवतु माम् । अवतु वक्तारम्
1. 12. 1. तन्मामावीत् । तद्वक्तारमावीत् । आवीन्माम् । आवीद्वक्तारम्
2. 1. 1. सह नाववतु 3. 1. 1; Kaṭha. 6. 19.
3. 10. 6. यो मा ददाति स इदेव मा३वाः

Mahânâr. 6. 1. पवित्रे अधि सानो अव्ये
17. 6. ब्रह्म मे ऽव 7, 8.

Gauḍa. 2. 29. तं चावति स भूत्वासौ

Nṛip. 2. 4. यो मा ददाति स इदेव मावत् (Nârâyaṇa, however, explains मावत् by मद्वत्)

Vâsu. 2. अतो देवा अवन्तु नः

Mukti. 1. सह नाववत्विति शान्तिः

अव

Prâṇâg. 2. महानवो ऽयं पुरुषः

अवकाश

Maitri. 6. 22. यथोर्णनाभिस्तन्तुनोर्ध्वमुत्क्रान्तो ऽवकाशं लभति

अवकाशप्रदान

Garbha. 1. आकाशमवकाशप्रदाने

अवकीर्णिन्

Mahânâr. 5. 11. अकार्यकार्यवकीर्णी स्तेनः

अवक्तृ

Maitri. 6. 11. अस्प्रष्टाद्रष्टावक्ता . . भवति

अवक्रचेतस्

Kaṭha. 5. 1. पुरमेकादशद्वारमजस्यावक्रचेतसः

अवक्रम्

Mahânâr. 8. 2. यथासिधारां कर्ते ऽवहितामवक्रामेत्

अवक्री

Bṛih. 6. 4. 6. काममेनामवक्रीणीयात्

अवगम्

Nṛisut. 9. प्रमाणैरेतैरवगतः

Gîtâ. 10. 41. तत्तदेवावगच्छ त्वम्

अवचन

Nṛisut. 7. कैषेतीयमियं नेत्यवचनेनैवानुभवमुवाच
— एवमेव चिदानन्दावप्यवचनेनैवानुभवमुवाच

अवज्ञा

Gîtâ. 9. 11. अवजानन्ति मां मूढाः
17. 22. असत्कृतमवज्ञातम्

अवट

Maitri. 6. 28. अवटैवावटकृद्धातुकामः संविशति

Nîla. 20. ये चावटेषु शेरते

अवटकृत्

Maitri. 6. 28. अवटैवावटकृद्धातुकामः संविशति

अवतन्

Nîla. 14. अवतत्य धनुस्त्वं सहस्राक्ष

अवतार

Gauḍa. 3. 15. उपायः सो ऽवताराय

Kṛish. 1. नो ऽवद्यमवतारान्वै

2. आज्ञयावतारांस्ते हि (so one MS. and Nâr., other MSS. °तारास्ते).

3. गृह्णन्ते ऽवतारान्वयम्

Râmot. 5. मत्स्यकूर्माद्यवताराः (10).

अवतॄ

Kṛish. 8. सो ऽवतीर्णो महीतले

Mukti. 2. 6. शुभेष्वेवावतारयेत्

अवदत्

Chhâ. 5. 1. 8. यथा कला अवदन्तः Bṛih. 6. 1. 8.

Bṛih. 4. 1. 2. अवदतो हि किं स्यात्

अवदातमनस्

Maitri. 6. 1. अक्षाध्यक्षो ऽवदातमनाः

अवदान

Maitri. 6. 33. यजमानस्यात्मविदे ऽवदानं करोति

अवद्य

Kṛish. 1. नो ऽवद्यमवतारान् वै

अवधा

Chhâ. 6. 13. 1. लवणमेतदुदके ऽवधाय

Chhâ. 6. 13. 1. यद्दोषा लवणमुदके ऽवाधाः

Bṛih. 1. 4. 7. यथा क्षुरः क्षुरधाने ऽवहितः

Mahânâr. 8. 2. यथासिधारां कर्ते ऽवहितामवक्रामेत्

अवधू

Mahânâr. 22. 1. दमेन दान्ताः किल्बिषमवधून्वन्ति

अवधूत, °तक

Mukti. 1. 37. परब्रह्मावधूतकम्

1. *vide* सरस्वतीरहस्य

अवध्य

Gîtâ. 2. 30. देही नित्यमवध्यो ऽयम्

अवनह्

Maitri. 3. 4. चर्मणावनद्धम्

अवनिपाल

Gîtâ. 11. 26. अवनिपालसंघैः

अवनी

Chhâ. 5. 2. 4. अमामाज्यस्य हुत्वा मन्थे सम्पातमवनयेत् (5 times).

Bṛih. 6. 3. 2. अमी हुत्वा मन्थे संस्रवमवनयति (20 times).

अवपद्

Chhâ. 2. 9. 6. तस्मात्ते प्रतिहृता नावपद्यन्ते

अवभास्

Sarvop. 3. आत्मा यदावभासते

अवभृथ

Chhâ. 3. 17. 5. तन्मरणमेवास्यावभृथः

Mahânâr. 25. 1. यन्मरणं तदवभृथः

Prâṇâg. 3. शारीरयज्ञस्य . . किमवभृथमिति

4. अवभृथं मरणात्

अवमन्

Amrita. 16. यं लब्ध्वाप्यवमन्येत

अवमृश्

Chhâ. 6. 13. 1. तद्धावमृश्य न विवेद

Mahânâr. 5. 2. पाणिना ह्यवमर्शतु

अवयजन

Mahânâr. 18. 1. देवकृतस्यैनसो ऽवयजनमसि

— मनुष्यकृतस्यैनसो ऽवयजनम्

— पितृकृतस्यैनसो ऽवयजनम्

— आत्मकृतस्यैनसो ऽवयजनम्

— अन्यकृतस्यैनसो ऽवयजनम्

— दिवा च नक्तं चैनश्चकृम तस्यावयजनमसि

— विद्वांसश्चाविद्वांसश्चैनश्चकृम तस्यावयजनम् (bis).

— स्वपन्तश्च जाग्रतश्चैनश्चकृम तस्यावयजनमसि

— सुषुप्तश्च जाग्रतश्चैनश्चकृम तस्यावयजनम्

— एनस एनसो ऽवयजनम्

अवयव

Gauḍa. 3. 7. विकारावयवी (bis).

अवयवभूत

Śwet. 4. 10. तस्यावयवभूतैस्तु व्याप्तं ..जगत्

अवर

Kaush. 3. 1. न वै वरो ऽवरस्मै वृणीते

— अवरो वै किल मेति होवाच प्रतर्दनः

Bṛih. 4. 3. 12. प्राणेन रक्षन्नवरं कुलायम्

Kaṭha. 2. 8. न नरेणावरेण प्रोक्तः

Śwet 5. 8. आराग्रमात्रो ह्यवरो ऽपि दृष्टः

Muṇḍ. 1. 2. 7. उक्तमवरं येषु कर्म

Mahânâr. 21. 2. एतान्यवराणि तपांसि

Gîtâ. 2. 49. दूरेण ह्यवरं कर्म

अवरपुरुष

Chhâ. 4. 11. 2. नास्यावरपुरुषाः क्षीयन्ते 4. 12. 2 ; 4. 13. 2.

अवरुध्

Kaush. 2. 3. सा मे ऽमुष्मादिदमवरुन्ध्यात् (6 times).

Chhâ. 2. 15. 2. विरूपांश्च सुरूपांश्च पशूनवरुन्धे

Bṛih. 1. 5. 21. तान्याप्त्वा मृत्युरवारुन्धत्

2. 2. 1. सप्त द्विषतो भ्रातृव्यानवरुणद्धि

3. 1. 1. गवां सहस्रमवरुरोध

अवरुह्

Nîla. 1. अपश्यं त्वावरोहन्तम्

2. दिव उग्रो अवारुक्षत्

10. अदृश्यं त्वावरोहन्तम्

अवरोधन

Kaush.. 2. 3. अथात एकधनावरोधनम्

अवरोधिन्

Kaush 2. 3. वाङ्मम देवतावरोधिनी (so MSS.; similarly five times more).

अवर्ण

Śwet. 4. 1. य एको ऽवर्णः (the MSS. with Śankarânanda and Nârâyaṇa read वर्णः; so too Anubhûtiprakâśa xii. 62).

Muṇḍ. 1. 1. 6. अमात्रमगोत्रमवर्णम्

अवलम्ब

Maitri. 3. 5. परिग्रहावलम्बः

अवलुप्

Mahânâr. 14. 3. अहस्तदवलुंपतु
4. रात्रिस्तदवलुंपतु

अवलोकन

Parama. 3. हाटकादीनां नैव परिग्रहेणावलोकनं च

अवलोकनमात्र

Parama. 3. अवलोकनमात्रेण न बाधकं इति चेत्

अवश

Maitri. 6. 30. इह कर्मोपभोगाय तैः संसरति सो ऽवशः

Gîtâ. 3. 5. कार्यते ह्यवशः कर्म
6. 44. ह्रियते ह्यवशो ऽपि सः
8. 19. रात्र्यागमे ऽवशः पार्थ
9. 8. भूतग्रामं . . अवशम्
18. 60. करिष्यस्यवशो ऽपि तत्

अवशिष्

Bṛih. 5. 1. 1. पूर्णस्य पूर्णमादाय पूर्णमेवावशिष्यते Mukti. 1.

Maitṛi. 6. 9. अवशिष्टं यतवागभाति
36. आस्यवशिष्टैरन्नपानैश्च

Gîtâ. 7. 2. ज्ञातव्यमवशिष्यते

अवश्य

Kaṭha. 3. 5. तस्येंद्रियाण्यवश्यानि

अवष्टम्भ्

Praśna. 2. 2. एतद्बाणमवष्टभ्य विधारयामः
3. एतद्बाणमवष्टभ्य विधारयामि
3. 8. सैषा पुरुषस्यापानमवष्टभ्य

Nṛisut. 3. तत्तेज आत्मचैतन्यरूपं बलमवष्टभ्य

Haṁsa. 1. गुदमवष्टभ्य

Gîtâ. 9. 8. प्रकृतिं स्वामवष्टभ्य
16. 9. एतां दृष्टिमवष्टभ्य

अवस्

Nîla. 1. अवरोहन्तं दिवितः पृथिवीमवः

अवसद्

Chhâ. 2. 23. 2. अत्यन्तमात्मानमाचार्यकुले ऽवसादयन्

Gîtâ. 6. 5. नात्मानमवसादयेत्

अवसान

Mahânâr 19. 2. अवसानेभ्यः स्वाहा

Nṛip. 2. 1. यावसाने ऽस्य चतुर्थ्यर्द्धमात्रा Nṛisut. 3; Śikhâ. 1.

अवसानपति

Mahânâr. 19. 2. अवसानपतिभ्यः स्वाहा

अवस्तु

Gauḍa. 4. 87. अवस्तु सोपलंभं च
88. अवस्त्वनुपलंभं च

अवस्तुक

Gauḍa. 4. 36. स्वप्ने चावस्तुकः कायः
— चित्तदृश्यमवस्तुकम्

अवस्तुत्व

Gauḍa. 4. 45. अजाचलमवस्तुत्वम्

अवस्थ

Maitri. 2. 7. अनवस्थो ऽस्ति कर्ता ऽकर्तैवावस्थः

1. अवस्था

Kaṭha. 2. 22. अनवस्थेष्ववस्थितम्
6. 10. यदा पञ्चावतिष्ठन्ते ज्ञानानि Maitri. 6. 30.

Maitri. 2. 7. प्रेक्षकवदवस्थितः स्वस्थश्च
— कृतभुक्..अवस्थितः
6. 6. अक्षिण्यवस्थितो हि पुरुषः सर्वार्थेषु चरति
7. 11. दक्षिणे ऽक्षिण्यवस्थितः
— सव्ये चाक्षिण्यवस्थिता

Nṛisut. 6. प्रणवेनैव तस्मिन्नवस्थिताः

Kshur. 2. तत्रासनमवस्थितः

Śikhâ. 2. प्रणवश्चतुर्धावस्थितः

Tejo. 10. शून्यातीतमवस्थितम्

Nyâsa. 5. परात्परमवस्थिताः (so Nârâyaṇa with अवस्थात् as variant).

Parama. 1. यच्चित्तं तत्सदा मय्येवावतिष्ठते तस्मादहं च तस्मिन्नेवावस्थीयते
3. सदात्मा आत्मन्येवावतिष्ठते

Vâsu. 3. आत्मा भूतेष्वहमवस्थितः
— भूतेषु तथात्मावस्थितोऽस्म्यहम्

Gitâ. 1. 11. यथाभागमवस्थिताः
22. योद्धुकामानवस्थितान्
27. सर्वान्बन्धूनवस्थितान्
30. न च शक्नोम्यवस्थातुम्
33. त इमे ऽवस्थिता युद्धे
2. 6. ते ऽवस्थिताः प्रमुखे धार्तराष्ट्राः
6. 18. आत्मन्येवावतिष्ठते
9. 4. न चाहं तेष्ववस्थितः
11. 32. ये ऽवस्थिताः प्रत्यनीकेषु योधाः
14. 23. यो ऽवतिष्ठति नेंगते
15. 11. पश्यन्त्यात्मन्यवस्थितम्

2. अवस्था

Maitri. 6. 10. तिसृष्ववस्थास्वन्धत्वं भवति

Vâsu. 2. त्रयः कालास्तिस्रो ऽवस्थाः

अवस्थात्रय

Sarvop. 1. अवस्थात्रयाभावात्

अवस्थान

Parama. 2. तदेवावस्थानम्

अवहन्

Bṛih. 6. 4. 13. व्रीहीनवघातयेत्

अवहा

Kaṭhaśru. 3. मा त्वं मामवहाय परागाः
— नाहं त्वामवहाय परागाम्

अवहास

Gitâ. 11. 42. यच्चावहासार्थमसत्कृतो ऽसि

अवाक्शाख

Kaṭha. 6. 1. ऊर्ध्वमूलो ऽवाक्शाखः

अवाकिन्

Chhâ. 3. 14. 2. अवाक्यनादरः 4.

अवाग्ज

Dhyâna. 18. अवाग्जं प्रणवस्याग्रम्

अवाङ्मनोगोचरत्व

Nṛisut. 2. अविकल्पो ह्ययमात्मा अवाङ्मनोगोचरत्वात्

अवाङ्मुख

Garbha. 4. अवाङ्मुखः पीडितो ऽहम् (one MS. has अवाङ्मुखपीड्यमान;)

अवाच्

Bṛih. 3. 8. 8. अवागमनः

1. अवाच्य

Maitri. 6. 7. निर्वचनमनौपम्यं निरुपाख्यं किं तदवाच्यम्

2. अवाच्य

Maitri. 3. 1. अवाच्योर्ध्वा वा गतिः 2 (bis).

अवाच्यवाद

Gîtâ. 2. 36. अवाच्यवादांश्च बहून्

अवाञ्च्

Bṛih. 3. 8. 3. यदवाक् पृथिव्याः 4, 6, 7.
4. 2. 4. अवाची दिगवाञ्चः प्राणाः
Maitri. 2. 6. यो ऽयमवाङ् संक्रामति
4. 3. अनेनोर्ध्वभाग्भवत्यन्यथावाङिति
6. 17. ऊर्ध्वं चावाङ् च सर्वतो ऽनन्तः
— तिर्यग्वावाङ् वोर्ध्वं वा
Śiras. 5. मुनयो ऽवाग्वदन्ति न तस्य ग्रहणम्

अवान्तरदिश्, °दिशा

Chhâ. 5. 6. 1. अवान्तरदिशो विस्फुलिंगाः Bṛih. 6. 2. 9.
Bṛih. 1. 1. 1. अवान्तरदिशः पर्शवः
Tait. 1. 7. 1. दिशो ऽवान्तरदिशः
Mahânâr. 23. 1. दिशश्चावान्तरदिशाश्च

अवाप्

Chhâ. 8. 8. 4. उभौ लोकाववाप्नोति
Katha. 2. 3. नैतां सृङ्कां वित्तमयीमवाप्तः
Maitri. 6. 29. सन्तोषं द्वन्द्वतितिक्षां शान्तत्वं योगाभ्यासादवाप्नोति
Śiras. 7. द्वितीयं जप्त्वा गणाधिपत्यमवाप्नोति
Śikhâ. 2. क्रतुशतस्यापि फलमवाप्नोति
Nâr. 4. स सर्वान् कामानवाप्नोति
Vâsu. 3. ऊर्ध्वं पदमवाप्नोति
Gopî. 5. तेषां पुण्यमवाप्नोति
Gîtâ. 2. 8. अवाप्य भूमावसपत्नमृद्धम्
33. पापमवाप्स्यसि
38. नैवं पापमवाप्स्यसि
53. तदा योगमवाप्स्यसि
Gîtâ. 3. 11. श्रेयः परमवाप्स्यथ
22. नानवाप्तमवाप्तव्यम्
6. 36. शक्यो ऽवाप्तुमुपायतः
12. 5. दुःखं देहवद्भिरवाप्यते
10. सिद्धिमवाप्स्यसि
15. 8. शरीरं यदवाप्नोति
16. 23. न स सिद्धिमवाप्नोति
18. 56. यत्प्रसादादवाप्नोति

अवाप्ति

Mukti. 2. नित्यानन्दावाप्तिः

अवायु

Bṛih. 3. 8. 8. अवाय्वनाकाशम्

अवारित

Nyâsa. 4. भिक्षादि वैदलं पात्रं स्नानद्रव्यमवारितम् (so all the MSS.)

अवासनत्व

Mukti. 2. 29. अवासनत्वात्सततम्

अवि

Chhâ. 2. 6. 1. अवयः प्रस्तावः 2. 18. 1.
Bṛih. 1. 4. 4. अविरितरा मेष इतरः
— ततो ऽजावयो ऽजायन्त

अविकम्प

Gîtâ. 10. 7. सो ऽविकम्पेन योगेन युज्यते

अविकल

Maitri. 1. 1. अविकलः संपद्यते यज्ञः

अविकल्प

Nṛisut. 1 ओतानुज्ञात्रनुज्ञाविकल्पैः 2 (ter).
2. अविकल्पो ह्ययमात्मा 8.
3. ओतानुज्ञात्रनुज्ञाविकल्परूपा (twice with रूपम्)

Nṛisut. 8. अद्वयो ह्ययमात्मैकल एवाविकल्पः
— अविकल्पो ह्ययमोङ्कारः
— अविकल्पो नाविकल्पो ऽपि

अविकल्परूप

Nṛisut. 2. अविकल्परूपं हीदं सर्वम्

अविकल्परूपत्व

Nṛisut. 2. अनुज्ञात्वादविकल्परूपत्वात्

अविकार

Nṛisut. 9. अविकारो ह्युपलब्धा सर्वत्र

अविकारित्व

Nṛisut. 8. असङ्गत्वादविकारित्वात्

अविकार्य

Gîtâ. 2. 25. अविकार्यो ऽयमुच्यते

अविक्रिय

Nṛisut. 2. ततो ऽविक्रियो महाचैतन्यः
9. सर्वसाक्षिण्याविक्रिये ऽद्वये
—द्रष्टा द्रष्टुः साक्ष्यविक्रियः
—अगुणमविक्रियमव्यपदेश्यम्

अविक्रियात्मक

Mukti. 2. 74. दृशिस्तु शुद्धो ऽहमविक्रियात्मकः

अविचिकित्स

Bṛih. 4. 4. 23. अविचिकित्सो ब्राह्मणो भवति
Maitri. 7. 7. अविचिकित्सो ऽपिपासः

अविचिकित्सत्

Nṛisut. 7. किमिदमेवमित्यु इत्येवाहाविचिकित्सन्
—आत्मानं . . मकारेण ब्रह्मणा सन्दध्याद् उकारेणाविचिकित्सन्
Nṛisut. 7. एनं मकारार्थेन . . एकीकुर्यादुकारेणाविचिकित्सन्

अविजानन्त्

Kena. 11. विज्ञातमविजानताम्
Chhâ. 7. 17. 1. नाविजानन् सत्यं वदति

अविज्ञात

Kena. 11. अविज्ञातं विजानताम्
Chhâ. 6. 1. 3. अविज्ञातं विज्ञातमिति
6. 4. 5. न नो ऽद्य कश्चनाश्रुतममतमविज्ञातमुदाहरिष्यति
7. यद्वविज्ञातमेवाभूत्
Bṛih. 1. 5. 8. विज्ञातं विजिज्ञास्यमविज्ञातमेत एव
10. यत्किञ्चाविज्ञातं प्राणस्य तद्रूपं प्राणो ह्यविज्ञातः
3. 7. 23. अविज्ञातो विज्ञाता
3. 8. 11. अविज्ञातं विज्ञातृ

अविज्ञातृ

Chhâ. 7. 9. 1. अकर्ताविज्ञाता भवति

अविज्ञान

Tait. 2. 6. 1. विज्ञानं चाविज्ञानं च

अविज्ञानवन्त्

Kaṭha. 3. 5. यस्त्वविज्ञानवान् भवति 7.

अविज्ञाय

Śwet. 6. 20. तदा देवमविज्ञाय दुःखस्यान्तो भविष्यति

अविज्ञेय

Gîtâ. 13. 15. सूक्ष्मत्वात्तदविज्ञेयम्

अवितथ

Gauḍa. 2. 6. अवितथा इव लक्षिताः
4. 31.

अवितृ

MahâNâr. 6. 5. अस्माकं बोध्यविता तनूनाम्
20. 3. त्रातारमिन्द्रमवितारमिन्द्रम्

Nṛisut. 7. मकारेण मनआद्यवितारं ..अन्विच्छेत्

अवित्ति

Chhâ. 1. 11. 2. भगवतो वा अहमवित्त्यान्यानवृषि (so Sâyaṇa, but 2 MSS. read अविन्त्या).

अवित्त्वा

Chhâ. 1. 2. 9. एतमु एवान्ततो ऽवित्त्वा

अविदित

Kena. 3. अविदितादधि

Bṛih. 1. 4. 15. एनमविदितो न भुनक्ति

Nṛisut. 9. विदिताविदितात्परः (bis).

अविदित्वा

Bṛih. 3. 8. 10. यो वा एतदक्षरं गार्ग्यविदित्वास्मिंल्लोके जुहोति
—यो वा एतदक्षरं गार्ग्यविदित्वास्माल्लोकात्प्रैति

अविद्ध

Chhâ. 8. 4. 2. विद्धः सन्नविद्धो भवति

अविद्या

Chhâ. 1. 1. 10. नाना तु विद्या चाविद्या च

Bṛih. 4. 3. 20. तदत्राविद्यया मन्यते
4. 4. 3. अविद्यां गमयित्वा 4.
10. ये ऽविद्यामुपासते Iśâ. 9.

Iśâ. 10. अन्यदेवाहुरविद्यया
11. विद्यां चाविद्यां च यस्तद्वेदोभयं सह । अविद्यया मृत्युं तीर्त्वा Maitri 7. 9.

Kaṭha. 2. 4. अविद्या या च विद्येति ज्ञाता Maitri. 7. 9.
5. अविद्यायामन्तरे वर्त्तमानाः Muṇḍ. 1. 2. 8.

Śwet. 5. 1. क्षरं त्वविद्या ह्यमृतं तु विद्या

Maitri. 7. 9. बृहस्पतिः..इमामविद्यामसृजत्
— अविद्यायामन्तरे वेष्ट्यमानाः

Muṇḍ. 1. 2. 9. अविद्यायां बहुधा वर्त्तमानाः

Praśna. 6. 8. अविद्यायाः परं पारं तारयसि

Nṛisut. 2. निरस्ताखिलाविद्यातमोमोहः
9. तथाहि प्राज्ञैः सैषाविद्या जगत्सर्वम्

Nṛisut. 9. माया चाविद्या च स्वयमेव भवति
— नाविद्यानुभवात्मनि

Sarvop. 1. का अविद्या का विद्येति
— तमभिमानं कारयति या सा अविद्या

Râmot. 3. निरस्ताविद्यातमोमोहः

अविद्याग्रन्थि

Muṇḍ. 2. 1. 10. सो ऽविद्याग्रन्थिं विकिरतीह सोम्य

अविद्यातत्कार्यहीन

Nṛisut. 2. अविद्यातत्कार्यहीनः स्वात्मबन्धहरः Râmot. 3.

अविद्वंस्

Chhâ. 1. 10. 9. तां चेदविद्वान् प्रस्तोष्यसि 1. 11. 4.
10. तां चेदविद्वानुद्गास्यसि 1. 11. 6.

Chhâ. 1. 10. 11. तां चेदविद्वान्प्रतिहरिष्यसि
1. 11. 8.
1. 11. 5. तां चेदविद्वान् प्रास्तोष्यः
7. तां चेदविद्वानुदगास्यः
9. तां चेदविद्वान् प्रत्यहरिष्यः
5. 11. 5. नानाहिताग्निर्नाविद्वान्
5. 24. 1. स य इदमविद्वानग्निहोत्रं जुहोति
8. 6. 5. निरोधो ऽविदुषाम्
Bṛih. 3. 7. 1. सूत्रमविद्वांस्तं चान्तर्यामिणम्
4. 4. 11. अविद्वांसो ऽबुधो जनाः
6. 1. 11. यथा मुग्धा अविद्वांसो मनसा
6. 4. 3. य इदमविद्वानधोपहासं चरति
4. य इदमविद्वांसो ऽधोपहासं चरन्ति
Tait. 2. 6. 1. उताविद्वानमुं लोकं प्रेत्य कश्चन गच्छती ३
Mahânâr. 18. 1. यद्विद्वांसश्चाविद्वांसश्चैनश्चकृम
— यच्चाहमेनो विद्वांसश्चाविद्वांसश्चैनश्चकृम
Gîtâ. 3. 25. सक्ताः कर्मण्यविद्वांसः

अविधि

Muṇḍ. 1. 2. 3. यस्याग्निहोत्रं .. अविधिना हुतम्

अविधिपूर्वकम्

Gîtâ. 9. 23. यजन्त्यविधिपूर्वकम्
16. 17. यजन्ते .. दम्भेनाविधिपूर्वकम्

अविनश्यत्

Gîtâ. 13. 27. विनश्यत्स्वविनश्यन्तम्

अविनाभाव्य

Râmap. 22. कीलो मध्ये ऽविनाभाव्यः

अविनाशित्व

Bṛih. 4. 3. 23. न हि द्रष्टुर्दृष्टेर्विपरिलोपो विद्यते ऽविनाशित्वात्
(similarly in 24—30).

अविनाशिन्

Bṛih. 4. 5. 14. अविनाशी वा अरे ऽयमात्मा
Sarvop. 3. सत्यमविनाशि
— यन्न विनश्यति तदविनाशि
Gîtâ. 2. 17. अविनाशि तु तद्विद्धि
21. वेदाविनाशिनं नित्यम्

अविपश्चित्

Gauḍa. 4. 97. अणुमात्रे ऽपि वैधर्म्ये जायमाने ऽविपश्चितः
Gîtâ. 2. 42. प्रवदन्त्यविपश्चितः

अविभक्त

Nṛisut. 3. अविभक्तांस्त्रीनेव .. सम्पूज्य
Gîtâ. 13. 16. अविभक्तं च भूतेषु
18. 20. अविभक्तं विभक्तेषु

अविमुक्त

Kaivalya. 24. तस्मादविमुक्तमाश्रितो भवत्यत्याश्रमी
Jâbâla. 1. अविमुक्तं वै कुरुक्षेत्रम्
Râmot. 1.
—तदेव मन्येत तदविमुक्तमेव
Râmot. 1 (so 4 MSS.)
— तस्मादविमुक्तमेव निषेवेताविमुक्तं न विमुञ्चेत्
Râmot. 1.
2. सो ऽविमुक्त उपास्यः
(bis); Râmot. 4.
— सो ऽविमुक्ते प्रतिष्ठितः
Râmot. 4.
— सो ऽविमुक्तः कस्मिन् प्रतिष्ठितः Râmot. 4

Jâbâla. 2. सो ऽविमुक्तं ज्ञानमाचष्टे Râmot. 4.

Râmot. 2. सो ऽविमुक्तमाश्रितो भवति

4. अविमुक्ते तव क्षेत्रे

— यो ऽविमुक्तं पश्यति

अविरत

Katha. 2. 24. नाविरतो दुश्चरितात्

अविरुद्ध

Gauḍa. 4. 2. अविवादो ऽविरुद्धश्च

अविरोध

Amṛita. 16. आगमस्याविरोधेन

अविलक्षण

Gauḍa. 3. 9. आकाशेनाविलक्षणः

अविवश

Maitri. 6. 25. इन्द्रियबिले ऽविवशः (MS. reads अविनाशः in text and com.)

अविवाद

Gauḍa. 4. 2. अविवादो ऽविरुद्धश्च

5. अविवादं निबोधत

अविशंकित

Gauḍa. 2. 30. कल्पयेत्सो ऽविशङ्कितः

अविशिष्ट

Sarvop. 4. अविशिष्टसुखस्वरूपः

अविशिष्टता

Sarvop. 3. अविशिष्टतयोपलभ्यमानः (most MSS. have अव०)

अविशेष

Maitri. 6. 24. अविशेषविज्ञानं विशेषमुपगच्छति

Gauḍa. 4. 50. आभासस्याविशेषतः

Sarvop. 2. तद्गतविशेषाविशेषज्ञः

अविश्व

Śiras. 3. सर्वमसर्वं विश्वमविश्वम्

अविषय

Nṛisut. 9. अनिन्द्रियमविषयम्

अविषयज्ञानत्व

Nṛisut. 9. अविषयज्ञानत्वाज्ज्ञानन्नैव ह्यत्र न विजानाति

अविष्कन्दिन्

Prâṇâg. 2. हविरविष्कन्दी (so the best of my MSS.; but Nârâyaṇa has अविस्कन्दति)

अविष्टंभन

Maitri. 2. 2. उच्छ्वासाविष्टंभनेन

अविष्णु

Nṛisut. 6. विष्णुमविष्णुं .. बुबुधिरे

अविसर्जयितव्य

Nṛisut. 9. अविसर्जयितव्यमनानन्दयितव्यम्

अवीर

Nṛisut. 6. वीरमवीरं .. बुबुधिरे

अवीरहन्

Nîla. 3. एष एत्यवीरहा रुद्रः

अवृजिन

Bṛih. 4. 3. 33. श्रोत्रियो ऽवृजिनो ऽकामहतः (ter).

अवे

Bṛih. 6. 4. 23. सहावैतु जरायुणा

Kaivalya. 2. श्रद्धाभक्तिध्यानयोगादवैहि

अवेक्ष्

Chhâ. 8. 8. 1. उदशराव आत्मानमवेक्ष्य

Chhâ. 8. 8. 1. उदशरावे ऽवेक्षाञ्चक्राते 2.
2. उदशरावे ऽवेक्षेथाम्

Gîtâ. 1. 23. योत्स्यमानानवेक्षेऽहम्
2. 31. स्वधर्ममपि चावेक्ष्य

अवेद

Bṛih. 4. 3. 22. वेदा अवेदाः

अवेदि

Bṛih. 4. 4. 14. न चेदवेदिर्महती विनष्टिः [A MS. in Poona College reads न चेदवेदीर्महती &c.]

अवैदिक

Maitri. 7. 10. तस्माद्ब्राह्मणो नावैदिकमधीयीत

अवैश्वदेव

Muṇḍ. 1. 2. 3. यस्याग्निहोत्रं . . अवैश्वदेवम्

अवोपधा

Kaush. 4. 20. यथा क्षुरः क्षुरधाने ऽवोपहितः

अव्यक्त

Kaṭha. 3. 11. महतः परमव्यक्तमव्यक्तात् पुरुषः परः
6. 7. महतो ऽव्यक्तमुत्तमम्
8. अव्यक्तात्परः पुरुषः

Śwet. 1 8. व्यक्ताव्यक्तं भरते विश्वमीशः

Maitri. 6. 10. एवं व्यक्तमन्नमव्यक्तमन्नम्
22. परे ऽशब्दे ऽव्यक्ते ब्रह्मणि

Mahânâr. 1. 5. यदेकमव्यक्तमनन्तरूपम्

Kaivalya. 6. अचिन्त्यमव्यक्तमनन्तरूपम्

Gauḍa. 2. 15. अव्यक्ता एव ये ऽन्तस्तु

Nṛisut. 9. अव्यक्तमनादातव्यम् (one MS. has अव्यक्ताव्यम् and two others अवक्तव्यम्).

Chûl. 15. अव्यक्तं व्यक्तदर्शनम्

Śiras. 1. नित्यानित्यो व्यक्ताव्यक्तः
4. अव्यक्ते महति तमसि

Tejo. 5. अव्यक्तं ब्रह्म निराश्रयम्

Sarvop. 4. अव्यक्तादिसृष्टिप्रपञ्चेषु

Jâbâla. 2. य एषो ऽनन्तो ऽव्यक्त आत्मा (bis); Râmot. 4. (bis).

Skanda. 14. अचिन्त्यमव्यक्तमनन्तमव्ययम्

Mukti. 1. 36. अव्यक्तैकाक्षरं पूर्णा
1. *vide* जाबालि

Gîtâ. 2. 25. अव्यक्तो ऽयमचिन्त्यो ऽयम्
7. 24. अव्यक्तं व्यक्तिमापन्नम्
8. 18. अव्यक्ताद्व्यक्तयः सर्वाः
20. अव्यक्तो व्यक्तात्सनातनः
21. अव्यक्तो ऽक्षर इत्युक्तः
12. 1. ये चाप्यक्षरमव्यक्तम्
3. अव्यक्तं पर्युपासते
5. अव्यक्तासक्तचेतसाम्
6. अव्यक्ता हि गतिः
13. 5. बुद्धिरव्यक्तमेव च

अव्यक्तगायत्री

Haṁsa. 2. अव्यक्तगायत्री छन्दः (so MSS.)

अव्यक्तत्व

Maitri. 2. 7. अव्यक्तत्वात् सौक्ष्म्यात्

अव्यक्तनिधन

Gîtâ. 2. 28. अव्यक्तनिधनान्येव

अव्यक्तमुख

Maitri. 6. 10. सोमसंज्ञो ऽयं भूतात्माग्निसंज्ञो ऽप्यव्यक्तमुखः

Maitri. 6. 10. पुरुषो ह्यव्यक्तमुखेन त्रिगुणं भुंक्ता इति

अव्यक्तमूर्त्ति

Gîtâ. 9. 4. मया .. अव्यक्तमूर्त्तिना

अव्यक्तलिंग

Aśrama. 4. अव्यक्तलिङ्गा अव्यक्ताचाराः Jâbâla. 6.

अव्यक्तसंज्ञक

Gîtâ. 8. 18. तत्रैवाव्यक्तसञ्ज्ञके

अव्यक्ताचार

Aśrama. 4. अव्यक्तलिङ्गा अव्यक्ताचाराः Jâbâla. 6.

अव्यक्तादि

Gîtâ. 2. 28. अव्यक्तादीनि भूतानि

अव्यक्तीभूत

Siras. 5. अव्यक्तीभूता खं विचरति

अव्यग्र

Maitri. 2. 7. अचलश्चालेप्यो ऽव्यग्रः

अव्यञ्जन

Amṛita. 24. अघोषमव्यञ्जनमस्वरं च

अव्यथमान

Chhâ. 7. 4. 3. लोकान् .. अव्यथमानानव्यथमानो ऽभिसिध्यति 7. 5. 3.

अव्यपदेश्य

Mâṇḍû. 7. अलक्षणमचिन्त्यमव्यपदेश्यम्
Nṛip. 4. 1; Râmot. 3.

Nṛisut. 1. अलिङ्गमचिन्त्यमव्यपदेश्यम्
9. अगुणमविक्रियमव्यपदेश्यम्

अव्यभिचार

Gîtâ. 14. 26. मां च यो ऽव्यभिचारेण भक्तियोगेन सेवते

अव्यभिचारिन्

Nṛisut. 2. अव्यभिचारिणं नित्यानन्दम्

Sarvop. 4. यस्य लक्षणं .. अव्यभिचारि

Gîtâ. 13. 10. भक्तिरव्यभिचारिणी
18. 33. योगेनाव्यभिचारिण्या

अव्यय

Kaush. 1. 7. असावृक्षूर्तिरव्ययः स ब्रह्मा

Kaṭha. 3. 15. अशब्दमस्पर्शमरूपमव्ययम् Mukti. 2. 72.

Śwet. 3. 12. ईशानो ज्योतिरव्ययः
6. 10. स नो दधातु ब्रह्माव्ययम्

Maitri. 6. 18. परे ऽव्यये सर्वमेकीकरोति
20. सुखमव्ययमश्नुते 34.
35. त्रिसूत्रमणुमव्ययम्

Muṇḍ. 1. 1. 6. ब्रसूक्ष्मं तदव्ययम्
3. 2. 7. परे ऽव्यये सर्व एकीभवन्ति

Mahânâr. 11. 7. अनन्तमव्ययं कविम्

Gauḍa. 1. 10. ईशानः प्रभुरव्ययः
26. अनपरः प्रणवो ऽव्ययः

Chûl. 1. त्रिसूत्रं मणिमव्ययम्

Tejo. 8. दुष्प्रेक्ष्यमजमव्ययम्

Nyâsa. 4. अजरममरमक्षरमव्ययम्
5. भित्त्वा मूर्धानमव्ययम्

Nâr. 3. विष्ण्वाख्यं पदमव्ययम्

Vâsu. 3. यो मां ध्यायते हरिमव्ययम्
— मद्रूपमव्ययं ब्रह्म

Skanda. 14. अचिन्त्यमव्यक्तमनन्तमव्ययम्

Mukti. 1. 24 ध्यायन्मद्रूपमव्ययम्
2. 75. सर्वगतो ऽहमव्ययः

Gîtâ. 2. 17. विनाशमव्ययस्यास्य
21. य एनमजमव्ययम्
34. अकीर्त्तिं .. कथयिष्यन्ति ते ऽव्ययाम्
4. 1. प्रोक्तवानहमव्ययम्
13. विद्ध्यकर्त्तारमव्ययम्
7. 13. मामेभ्यः परमव्ययम्
24. ममाव्ययमनुत्तमम्
25. मामजमव्ययम्
9. 2. सुसुखं कर्त्तुमव्ययम्
13. ज्ञात्वा भूतादिमव्ययम्
18. निधानं बीजमव्ययम्
11. 2. माहात्म्यमपि चाव्ययम्
4. दर्शयात्मानमव्ययम्
18. त्वमव्ययः शाश्वतधर्मगोप्ता
13. 31. परमात्मायमव्ययः
14. 5. देहे देहिनमव्ययम्
27. अमृतस्याव्ययस्य च
15. 1. अश्वत्थं प्राहुरव्ययम्
5. गच्छन्त्यमूढाः पदमव्ययं तत्
17. बिभर्त्त्यव्यय ईश्वरः
18. 20. एकं भावमव्ययमीक्षते
56. शाश्वतं पदमव्ययम्

अव्ययमान

Maitri. 2. 2. व्ययमानो ऽव्ययमानः

अव्ययात्मन्

Muṇḍ. 1. 2. 11. यत्रामृतः स पुरुषो ह्यव्ययात्मा

Gîtâ. 4. 6. अजो ऽपि सन्नव्ययात्मा

अव्यवसायिन्

Gîtâ. 2. 41. बुद्धयो ऽव्यवसायिनाम्

अव्यवहार्य

Mâṇḍû. 7. अदृष्टमव्यवहार्यम्
Nṛip. 4. 1; Nṛisut. 1; Râmot. 3.

Mâṇḍû. 12. अमात्रश्चतुर्थो ऽव्यवहार्यः
Nṛisut. 2.

Nṛisut. 8. एकरसो ऽव्यवहार्यः केनचन
9. अव्यवहार्यो ऽप्यल्पः
(Nârâyaṇa reads व्यवहार्यः)
— सुविभातमव्यवहार्यमद्वयम्
— अव्यवहार्यं केनचन

अव्याकृत

Bṛih. 1. 4. 7. तद्धेदं तर्ह्यव्याकृतमासीत्

अव्यानयितव्य

Nṛisut. 9. अव्यानयितव्यमनुदानयितव्यम्

अव्याहृत

Maitri. 6. 6. अथाव्याहृतं वा इदमासीत्

अव्युत्पन्नमनस्

Mukti. 2. 30. अव्युत्पन्नमना यावत्

अव्रण

Isâ. 8. अकायमव्रणमस्नाविरम्

अव्रतिन्

Jâbâla. 4. अथ पुनरव्रती वा व्रती वा

1. अश् (भोजने)

Kaush. 2. 1. नाहमतो दत्तमश्नीयाम् 2.
Chhâ. 1. 2. 9. तेन यदश्नाति यत्पिबति
2. 19. 2. संवत्सरं मज्ज्ञो नाश्नीयात्तद्व्रतं मज्ज्ञो नाश्नीयादिति वा
3. 6. 1. न वै देवा अश्नन्ति न पिबन्ति 3. 7. 1; 3. 8. 1. 3. 9. 1; 3. 10. 1.
3. 17. 1. स यदशिशिषति यत्पिपासति
2. यदश्नाति यत्पिबति

Chha. 4. 10. 3. ब्रह्मचारिन्नशान किं नु नाश्नासीति
— व्याधिभिः प्रतिपूर्णो ऽस्मि नाशिष्यामीति
5. 2. 2. अशिष्यन्तः पुरस्ताच्चोपरिष्टाच्चाद्भिः परिदधति
6. 5. 1. अन्नमशितं त्रेधा विधीयते
3. तेजो ऽशितं त्रेधा विधीयते
6. 6. 2. अन्नस्याश्यमानस्य
4. तेजसः सोम्याश्यमानस्य
6. 7. 1. पञ्चदशाहानि माशीः
6. 7. 2. स ह पञ्चदशाहानि नाश
3. अशानाथ मे विज्ञास्यसि
4. स हाशाथ हैनमुपससाद
6. 8. 3. यत्रैतत्पुरुषो ऽशिशिषति नामाप एव तदशितं नयन्ते
7. 9. 1. यद्यपि दशरात्रीर्नाश्नीयात्
Bṛih. 3. 8. 8. न तदश्नाति ।किञ्चन न तदश्नाति कश्चन
4. 1. 2. इष्टं हुतमाशितं पायितं 4. 5. 11.
6. 1. 14. श्रोत्रिया अशिष्यन्त आचामन्त्यशित्वाचामन्ति
6. 4. 14. अश्नीयातामीश्वरौ जनयितवै 15-18.
Maitri. 1. 4. यैरेवाशितस्यासकृदिहाव-र्त्तनम्
2. 6. अमन्यतार्थानश्नानीति
6. 9. अवशिष्टं यतवागश्नाति
11. न यद्यश्नात्यमन्ता . . भवति
— यदि खल्वश्नाति प्राणसमृद्धो भूत्वा मन्ता भवति
Mahânâr. 25. 1. यदश्नाति तद्धविः
Garbha. 3. मात्राशितपीतनाडीसूत्रगतेन
5. कोष्ठाग्निर्नामाशितपीतलेह्यचोष्यं पचतीति

Prâṇâg. 2. अशितपीतलीढखादितानि
Yogaśi. 10. यदा नाश्नाति किल्बिषम्
Kaṭhaśru. 1. यथालाभमश्नीयात्
Gîtâ. 5. 8. अश्नन् गच्छन्
9. 20. अश्नन्ति दिव्यान्दिवि देवभोगान्
26. अश्नामि प्रयतात्मनः
27. यत्करोषि यदश्नासि

2. अश् (प्राप्तौ)

Bṛih. 1. 3. 22. अश्नुते साम्नः सायुज्यम्
Iśâ. 11. विद्ययामृतमश्नुते Maitri. 7. 9.
14. संभूत्यामृतमश्नुते
Tait. 2. 1. 1. सो ऽश्नुते सर्वान् कामान्
Maitṛi. 4. 4. अनामयं सुखमश्नुते
6. 20. सुखमव्ययमश्नुते 34.
Mahânâr. 2. 5. यत्र देवा अमृतमानशानाः
10. 5. त्यागेनैके अमृतत्वमानशुः Kaivalya. 2.
Praśna. 3. 12. अमृतमश्नुते
Kaivalya. 24. कैवल्यं फलमश्नुते
Gauḍa. 1. 15. तुरीयं पदमश्नुते
4. 78. अभयं पदमश्नुते
Nṛip. 3. 1. महतीं श्रियमश्नुते 4. 2.
Nâda. 20. परमानन्दमश्नुते
Nâr. 4. ततो ऽमृतत्वमश्नुते Gopî. 3.
Gopî. 4. मृतो मोक्षमश्नुते
5. देवेन्द्रपदमश्नुते
Gîtâ. 3. 4. नैष्कर्म्यं पुरुषो ऽश्नुते
5. 21. सुखमक्षयमश्नुते
6. 28. अत्यन्तं सुखमश्नुते
13. 12. यज्ज्ञात्वामृतमश्नुते
14. 20. विमुक्तो ऽमृतमश्नुते

अशक्त

Kaṭhaśru. 1. यद्यशक्तो भवति
Gîtâ. 12. 11. अथैतदप्यशक्तो ऽसि कर्तुम्

अशक्ति

Gauḍa. 4. 19. अशक्तिरपरिज्ञानम्

अशन

Bṛih. 1. 4. 16. यदेभ्यो ऽशनं ददाति
Kaṭhaśru. 1. पाणिपात्रेणाशनं कुर्यात्
Aruṇeya. 4. औषधवदशनमाचरेत्

अशनापिपास

Chhâ. 6. 8. 3. अशनापिपासे मे सोम्य विजानीहि

अशनाय

Chhâ. 1. 12. 2. अन्नं नो भगवानागायतु अशनायाम वा इति

अशनाया

Chhâ. 6. 8. 3. एवं तदप आचक्षते ऽशनायेति
Bṛih. 1. 2. 1. मृत्युनैवेदमावृतमासीदशनायया
— अशनाया हि मृत्युः
4. अशनाया मृत्युः

अशनायापिपास

Ait. 2. 1. तमशनायापिपासाभ्यामन्ववार्जत्
5. तमशनायापिपासे अब्रूताम्
— भागिन्यावेवास्यामशनायापिपासे भवतः
Bṛih. 3. 5. 1. यो ऽशनायापिपासे.. अत्येति
Kaṭha. 1. 12. उभे तीर्त्वाशनायापिपासे

अशनि

Chhâ. 5. 5. 1. अशनिरङ्गाराः Bṛih. 6. 2. 10.
Bṛih. 3. 9. 6. कतमः स्तनयित्नुरित्यशनिरिति

अशब्द

Kaṭha. 3. 15. अशब्दमस्पर्शमरूपम् Nṛisut. 9; Mukti. 2. 72.
Maitri. 6. 22. द्वे वाव ब्रह्मणी.. शब्दश्चाशब्दश्च
— शब्देनैवाशब्दमाविष्क्रियते
— अनेनोर्ध्वमुत्क्रान्तो ऽशब्दे निधनमेति
— परे ऽशब्दे ऽव्यक्ते ब्रह्मण्यस्तं गताः
23. शान्तमशब्दमभयम् 7. 3.
Nṛisut. 8. न ह्यशब्दमिवेहास्ति

अशम

Gîtâ. 14. 12. लोभः प्रवृत्तिः .. अशमः स्पृहा

अशरीर

Chhâ. 8. 12. 1. अमृतस्याशरीरस्यात्मनो ऽधिष्ठानम्
— अशरीरं वाव सन्तं न प्रियाप्रिये स्पृशतः
2. अशरीरो वायुः.. अशरीराण्येतानि
Bṛih. 4. 4. 7. अयमशरीरो ऽमृतः प्राणः
Kaṭha. 2. 22. अशरीरं शरीरेषु
Maitri. 4. 6. परस्यामृतस्याशरीरस्य 6. 27.
Praśna. 4. 10. अच्छायमशरीरमलोहितम्
Nṛisut. 7. अशरीरो निरिन्द्रियो ऽप्राणः (ter).

अशरीरिन्

Râmap. 7. निष्कलस्याशरीरिणः

अशस्त्र

Gîtâ. 1. 46. अशस्त्रं शस्त्रपाणयः

अशान्त

Katha. 2. 24. नाशान्तः . . एनमाप्नुयात्

Maitri. 6. 29. एतद्गुह्यतमं ... नाशान्ताय कीर्त्तयेत्

Mahânâr. 5. 1. यदमेध्यं यदशान्तं तदपगच्छतात्

Gîtâ. 2. 66. अशान्तस्य कुतः सुखम्

अशान्तमानस

Katha. 2. 24. नाशान्तमानसो वापि

अशाश्वत

Maitri. 1. 2. अशाश्वतं मन्यमानः शरीरम्

Gauda. 4. 60. शाश्वताशाश्वताभिधा

Gîtâ. 8. 15. दुःखालयमशाश्वतम्

अशास्त्रविहित

Gîtâ. 17. 5. अशास्त्रविहितं घोरम्

अशिख

Nrisut. 6. अशिखा अयज्ञोपवीताः

अशिव

Maitri. 7. 9. तया शिवमशिवमित्युद्दिशन्त्यशिवं शिवमिति

अशिष्य

Śwet. 6. 22. नापुत्रायाशिष्याय वा (दातव्यम्)

Maitri. 6. 29. नापुत्राय नाशिष्याय . . कीर्त्तयेत्

अशीतिषट्शत

Amrita. 33. अशीतिषट्शतं चैव

अशीर्य

Brih. 3. 9. 26. अशीर्यो न हि शीर्यते 4. 2. 4; 4. 4. 22; 4. 5. 15.

अशुचि

Katha. 3. 7. अमनस्कः सदाशुचिः

Brahma. 2. नोच्छिष्टो नाशुचिर्भवेत्

Mukti. 2. 66. स्वदेहाशुचिगन्धेन

Gîtâ. 16. 16. पतन्ति नरके ऽशुचौ

18. 27. लुब्धो हिंसात्मको ऽशुचिः

अशुचिव्रत

Gîtâ. 16. 10. प्रवर्त्तन्ते ऽशुचिव्रताः

अशुद्ध

Maitri. 6. 34. शुद्धं चाशुद्धमेव च Brahmab. 1.

— अशुद्धं कामसम्पर्कात्

Brahmab. 1. अशुद्धं कामसङ्कल्पम्

अशुभ

Jâbâla. 6. अशुभकर्मनिर्मूलनपरः (one MS. has शुभाशुभ°)

Garbha. 4. अशुभक्षयकारकम् (ter).

Mukti. 2. 3. शुभश्चैवाशुभश्च तौ

4. अथ चेदशुभो भावः

6. अशुभेषु समाविष्टम्

7. अशुभाक्षालितं याति

Gîtâ. 4. 16. यज्ज्ञात्वा मोक्ष्यसे ऽशुभात् 9. 1.

16. 19. क्षिपाम्यजस्रमशुभान्

18. 71. सो ऽपि मुक्तो ऽशुभात्

अशुश्रूषु

Gîtâ. 18. 67. न चाशुश्रूषवे वाच्यम्

अशून्य

Tejo. 10. अशून्ये शून्यभावं च

अशृण्वत्

Chhâ. 5. 1. 10. यथा बधिरा अशृण्वन्तः Brih. 6. 1. 10.

Brih. 4. 1. 5. अशृण्वतो हि किं स्यात्

अशेष

Mukti. 1. 21. निर्धूताशेषपापौघः

अशेषतस्

Brahmab. 18. त्यजेद्ग्रन्थमशेषतः
Aruṇeya. 1. केन..कर्माण्यशेषतो विसृजामि
Gîtâ. 6. 24. त्यक्त्वा सर्वानशेषतः
39. छेत्तुमर्हस्यशेषतः
7. 2. वक्ष्याम्यशेषतः
18. 11. त्यक्तुं कर्माण्यशेषतः

अशेषेण

Gîtâ. 4. 35. येन भूतान्यशेषेण द्रक्ष्यसि
10. 16. वक्तुमर्हस्यशेषेण
18. 29. प्रोच्यमानमशेषेण
63. विमृश्यैतदशेषेण

अशोक

Bṛih. 5. 10. 1. स लोकमागच्छत्यशोकमहिमम्
Maitri. 6. 23. अभयमशोकमानन्दम् 7.3.

अशोकत्व

Nṛisut. 7. अशोकत्वादमोहत्वात्

अशोच्य

Gîtâ. 2. 11. अशोच्यानन्वशोचस्त्वम्

अशोष्य

Gitâ. 2. 24. अक्लेद्यो ऽशोष्य एव च

अश्मन्

Kaush. 2. 11. अश्मा भव परशुर्भव
Chhâ. 1. 2. 7. यथाश्मानमाखणमृत्वा विध्वंसेत, 8 (विध्वंसते).
8. स एषो ऽश्माखणः
Bṛih. 1. 3. 7. यथाश्मानमृत्वा लोष्टो विध्वंसेत
Maitri. 2. 6. ता अश्मेवाप्रबुद्धा अप्राणाः
Aśrama. 4. समलोष्टाश्मकाञ्चनाः

अश्रद्दधत्, दधान

Chhâ. 7. 19. 1. नाश्रद्दधन्मनुते
8. 8. 5. अददानमश्रद्दधानम्
Praśna. 2. 4. ते ऽश्रद्दधाना बभूवुः
Gitâ. 4. 40. अज्ञश्चाश्रद्दधानश्च
9. 3. अश्रद्दधानाः पुरुषाः

अश्रद्धा

Bṛih. 1. 5. 3. श्रद्धाश्रद्धा..सर्वं मन एव Maitri. 6. 30.
Tait. 1. 11. 3. श्रद्धया देयमश्रद्धया ऽदेयम्
Gîtâ. 17. 28. अश्रद्धया हुतं दत्तम्

अश्रमण

Bṛih. 4. 3. 22. श्रमणो ऽश्रमणः

अश्रवणीय

Chhâ. 1. 2. 5. तस्मात्तेनोभयं शृणोति श्रवणीयं चाश्रवणीयं च

अश्रु

Maitri. 1. 3. *vide* संघात
Kaṭhaśru. 2. अनुव्रजन्नाश्रुमापातयेत्
— यदश्रुमापातयेत्

अश्रुत

Chhâ. 6. 1. 3. येनाश्रुतं श्रुतं भवति
6. 4. 5. न नो ऽद्य कश्चनाश्रुतममतमविज्ञातमुदाहरिष्यति
Bṛih. 3. 7. 23. अश्रुतः श्रोता
3. 8. 11. अश्रुतं श्रोतृ
Praśna. 4. 5. श्रुतं चाश्रुतं च

अश्रुपातक

Nyâsa. 2. पृथिव्यां नाश्रुपातकाः (4 MSS. read व for त)

अश्रुपूर्ण

Gîtâ. 2. 1. अश्रुपूर्णाकुलेक्षणम्

अश्रोतृ

Chhâ. 7. 9. 1. अद्रष्टाश्रोतामन्ता..भवति
Maitri. 6. 11. अमन्ताश्रोतास्प्रष्टा.. भवति

अश्रोत्र

Bṛih. 3. 8. 8. अचक्षुष्कमश्रोत्रम्
Brahma. 2. अमनस्कमश्रोत्रमपाणिपादम्

अश्रोत्रिय

Śiras. 7. अश्रोत्रियः श्रोत्रियो भवति Mahâ. 4.

अश्व, अश्वा

Ait. 2. 2. ताभ्यो ऽश्वमानयत्
5. 3. अश्वा गावः पुरुषा हस्तिनः
Chhâ. 2, 6. 1. अश्वाः प्रतिहारः 2. 18, 1.
4. 17. 10. कुरूनश्वाभिरक्षति
8. 13. 1. अश्व इव रोमाणि विधूय पापम्
Bṛih. 1. 1. 1. उषा वा अश्वस्य मेध्यस्य शिरः
— संवत्सर आत्माश्वस्य मेध्यस्य
2. अहर्वा अश्वम्पुरस्तान्महिमा
— एतौ वा अश्वं महिमानावभितः
— अश्वो मनुष्यान् (अवहत्)
1. 2. 7. अश्वः समभवद्यदश्वत्
2. 5. 16. अश्वस्य शीर्ष्णा प्र यदीमुवाच
3. 4. 2. असौ गौरसावश्वः
Katha. 1. 23. हस्तिहिरण्यमश्वान्
Śwet. 4. 22. मा नो अश्वेषु रीरिषः
Mahânâr. 2. 9. मा नो हिंसीत्..गामश्वम्
Gitâ. 10. 27. उच्चैःश्रवसमश्वानाम्

अश्वक्रान्त

Mahânâr. 4. 4. अश्वक्रान्ते रथक्रान्ते

अश्वतर

Nîla. 25. यस्य हरी अश्वतरी

अश्वतरीरथ

Chhâ, 4. 2. 1. निष्कमश्वतरीरथं तदादाय
2. अयं निष्को ऽयमश्वतरीरथः 4.
3. निष्कमश्वतरीरथं दुहितरं तदादाय
5. 13. 2. प्रवृत्तो ऽश्वतरीरथो दासीनिष्कः

अश्वत्थ

Chhâ. 8. 5. 3. अश्वत्थः सोमसवनः
Katha. 6. 1. एषो ऽश्वत्थः सनातनः
Gîtâ. 10. 26. अश्वत्थः सर्ववृक्षाणाम्
15. 1. अश्वत्थं प्राहुरव्ययम्
3. अश्वत्थमेनं सुविरूढमूलम्

अश्वत्थनामन्

Maitri. 6. 4. एको ऽश्वत्थनामैतद्ब्रह्म

अश्वत्थामन्

Gîtâ. 1. 8. अश्वत्थामा विकर्णश्च

अश्वनाय

Chhâ. 6. 8. 3. गोनायो ऽश्वनायः 5.

अश्वपति

Chhâ. 5. 11. 4. अश्वपतिर्वै भगवन्तो ऽयं कैकेयः
Maitri. 1. 4. *vide* आदि

अश्वमेध

Bṛih. 1. 2. 7. तदेवाश्वमेधस्याश्वमेधत्वम्
— अश्वमेधं वेद य एनमेवं वेद
— एष वा अश्वमेधो य एष तपति

Bṛih. 1. 2. 7. तावेतावर्काश्वमेधौ

अश्वमेधकृत्

Gopi. 5. नाश्वमेधकृतः फलम्

अश्वमेधत्व

Bṛih. 1. 2. 7. तदेवाश्वमेधस्याश्वमेधत्वम्

अश्वमेधयाजिन्

Bṛih. 3. 3. 2. यत्राश्वमेधयाजिनो गच्छन्ति
— क्व न्वश्वमेधयाजिनो गच्छन्ति
— यत्राश्वमेधयाजिनो ऽभवन्

अश्वल

Bṛih. 3. 1. 2. होताश्वलो बभूव
— प्रष्टुं दध्रे होताश्वलः
10. ततो होताश्वल उपरराम

अश्ववृष

Bṛih. 1. 4. 4. वडवेतराभवदश्ववृष इतरः

अश्विन्

Bṛih. 2. 5. 16. तन्मधु दध्यङ्ङाथर्वणो ऽश्विभ्यामुवाच 17, 18, 19.
17. अश्विना दधीचे ऽश्व्यं शिरः प्रत्यैरयतम्
2. 6. 3. विश्वरूपस्त्वाष्ट्रो ऽश्विभ्याम् 4. 6. 3.
— अश्विनौ दधीच आथर्वणात् 4. 6. 3.
6. 4. 21. गर्भं ते अश्विनौ देवावाधत्तां पुष्करस्रजौ
22. हिरण्मयी अरणी याभ्यां निर्मन्थतामश्विनौ

Mahânâr. 16. 5. मेधां मे अश्विनावुभावाधत्ताम्

Nâr. 2. अश्विनौ च नारायणः

Gîtâ. 11. 6. अश्विनौ मरुतस्तथा
22. विश्वे ऽश्विनौ मरुतश्चोष्मपाश्च

अश्व्य

Bṛih. 2. 5. 17. दधीचे ऽश्व्यं शिरः प्रत्यैरयतम्

अष्टक

Śwet. 1. 4. अष्टकैः षड्भिः (Nâr. explains अब्जकैः with अक्षकैः as variant).

Râmap. 26. धृष्टचष्टकविभूषितः

अष्टदल

Haṁsa. 2. हृदये ऽष्टदले हंसात्मानं ध्यायेत्

Râmap. 64. पुनरष्टदलं लिखेत्

अष्टधा

Maitri. 5. 2. अष्टधैकादशधा द्वादशधा

Haṁsa. 2. तस्याष्टधा वृत्तिर्भवति.

Gîtâ. 7. 4. भिन्ना प्रकृतिरष्टधा

अष्टन्

Bṛih. 3. 2. 1. अष्टौ ग्रहा अष्टावतिग्रहाः (bis); 9.
3. 9. 2. अष्टौ वसवः
26. अष्टावायतनान्यष्टौ लोका अष्टौ देवा अष्टौ पुरुषाः
5. 14. 1. भूमिरन्तरिक्षं द्यौरित्यष्टावक्षराणि
2. ऋचो यजूंषि सामानीत्यष्टावक्षराणि
3. प्राणो ऽपानो व्यान इत्यष्टावक्षराणि

Śwet. 6. 3. एकेन द्वाभ्यां त्रिभिरष्टभिर्वा

Mahânâr. 1. 12. अद्भ्यः संभूतो हिरण्यगर्भ इत्यष्टौ

Nṛip. 4. 3. यो वै नृसिंहः .. ये चाष्टौ लोकपालास्तस्मै वै नमो नमः (16).

Nṛip. 4. 3. यो वै नृसिंहः.. ये चाष्टौ वसवस्तस्मै वै नमो नमः (17)
— यो वै नृसिंहः.. ये चाष्टौ महास्तस्मै वै नमो नमः (20)
5. 2. अष्टसु पत्रेष्वष्टाक्षरं नारायणं भवति
Śiras. 2. यो वै रुद्रः.. ये चाष्टौ महाः
— यो वै रुद्रः.. ये चाष्टौ प्रतिमहाः
Garbha. 3. अष्टौ प्रकृतयः षोडश विकाराः
5. हृदयं पलान्यष्टौ
Aruṇeya. 3. अष्टौ मासानेकाकी यतिश्चरेत्
Nâr. 1. नारायणादष्टौ वसवः
Gâuḍa. 1. अष्टौ ब्राह्मणान् ग्राहयित्वा
Aśrama. 3. शेषानष्टौ मासान्
Kṛish. 14. अष्टावष्टसहस्रे द्वे
Râmap. 8. द्विचत्वारि षडष्टासाम्
69. ध्यायेदष्टवसून्
Râmot. 5. यो वै श्रीरामः.. ये चाष्टौ वसवः (31).
— यो वै श्रीरामः.. ये चाष्टौ लोकपालाः (32.)

अष्टपत्र

Nṛip. 5. 1. अष्टारमष्टपत्रं चक्रम्
Dhyâna. 14. अष्टपत्रमधःपुष्पम्
Râmap. 63. केसरेष्वष्टपत्रेषु

अष्टपाद

Maitri. 6. 35. अष्टपादं शुचिं हंसम्
Chûl. 1. अष्टपादं शुचिर्हंसम्

अष्टम

Chhâ. 1. 1. 3. अष्टमो यदुद्गीथः
Bṛih. 2. 2. 3. वागष्टमी ब्रह्मणा संविदाना (bis.)
Bṛih. 2. 2. 3. वाग्घ्यष्टमी ब्रह्मणा संवित्ते
Nṛip. 2. 3. भद्रमष्टमं (स्थानं जानीयात्)
Garbha. 3. अष्टमे सर्वसम्पूर्णः
Nâda. 10. शाङ्करी च तथाष्टमी
15. अष्टम्यां व्रजते रुद्रम्
Piṇḍa. 7. अष्टमेन तु पिण्डेन
Haṁsa. 2. अष्टमो मृदङ्गनादः
— परा वाचा तथाष्टमे

अष्टरूप

Chûl. 3. अष्टरूपामजां ध्रुवाम्

अष्टसहस्र

Kṛish. 14. अष्टावष्टसहस्रे द्वे

अष्टाक्षर

Bṛih. 5. 14. 1. अष्टाक्षरं ह वा एकं गायत्र्यै पदम् 2, 3.
Nṛip. 1. 3. सावित्रस्याष्टाक्षरं पदम् 4. 2.
2. 2. अष्टाक्षरः प्रथमः पादो भवति
— अष्टाक्षरास्त्रयः पादा भवन्ति
5. 1. अष्टाक्षरा वै गायत्री
2. अष्टसु पत्रेष्वष्टाक्षरं नारायणं भवति
Nâr. 4. एतद्वै नारायणस्याष्टाक्षरं पदम्
— यो ह वै नारायणस्याष्टाक्षरं पदमध्येति

अष्टाचत्वारिंशत्

Chhâ. 3. 16. 5. अष्टाचत्वारिंशद्वर्षाणि
Aśrama. 1.
Aśrama. 1. अष्टाचत्वारिंशद्वर्षवासी

अष्टाचत्वारिंशदक्षर

Chhâ. 3. 16. 5. अष्टाचत्वारिंशदक्षरा जगती

अष्टादशन्

Muṇḍ. 1. 2. 7. प्लवा ह्येते अदृढा यज्ञरूपा अष्टादश

Râmap. 9. अष्टादशामी कथिताः

अष्टार

Nṛip. 5. 1. अष्टारमष्टपत्रं चक्रं भवति

अष्टार्ण

Râmap. 64. तेषु नारायणाष्टार्णम्

अष्टोत्तर

Mukti. 1. 44. सारमष्टोत्तरं शतम्
46. गुह्यमष्टोत्तरं शतम्
50. एवमष्टोत्तरं शतम्

अष्टोत्तरशत

Mukti. 1. 29. अष्टोत्तरशतं पठ
40. एवमष्टोत्तरशतम्
42. गृहीत्वाष्टोत्तरशतम्
47. इदमष्टोत्तरशतम्
1. अष्टोत्तरशतोपनिषदम्
2. अष्टोत्तरशतोपनिषदः प्रमाणम्

1. अस् (भुवि)

Ait. 1. 1. आत्मा वा इदमेक एवाग्र आसीत्
3. 11. कथं न्विदं मदृते स्यात्
14. तमिदन्द्रं सन्तमिन्द्रमित्याचक्षते
4. 5. गर्भे नु सन्नन्वेषामवेदं .. जनिमानि

Kaush. 1. 1. अस्ति संवृतं लोके
— ब्रह्मार्हो ऽसि गौतम (so MSS.)
2. तमागतं पृच्छति को ऽसीति
— द्वादशत्रयोदशेन पित्रासम्
— ऋतुरस्म्यार्तवो ऽस्मि को ऽसि त्वमस्मीति

Kaush. 1. 5. तं ब्रह्मा पृच्छति को ऽसीति
6. ऋतुरस्म्यार्तवो ऽस्मि
— त्वमात्मासि यस्त्वमसि सो ऽहमस्मि तमाह को ऽहमस्मीति
— इदं सर्वमासि
7. वर्गो ऽसि पाप्मानं मे वृङ्धि
— एतयैवावृता मध्ये सन्तमुद्वर्गो ऽसि पाप्मानं म उद्वृङ्धि
— संवर्गो ऽसि पाप्मानं मे संवृङ्धि
2. 9. सोमो राजासि .. पंचमुखो ऽसि
11. आत्मा वै पुत्र नामासि
— तेजो वै पुत्र नामासि
15. यद्यु वा उपाभिगदः स्यात्
— स यद्यगदः स्यात्
3. 2. स होवाच प्राणो ऽस्मि
— अस्ति त्वेव प्राणानां निःश्रेयसम्
8. यद्धि भूतमात्रा न स्युर्न प्रज्ञामात्राः स्युर्यद्वा प्रज्ञामात्रा न स्युर्न भूतमात्राः स्युः
4. 1. अनूचानः संस्पष्ट आस
19. बालाकिस्तूष्णीमास

Kena. 13. इह चेदवेदीदथ सत्यमस्ति
17. तमभ्यवदत् को ऽसीति 21.
— अग्निर्वाहमस्मीत्यब्रवीज्जातवेदा वा अहमस्मीति
21. वायुर्वा अहमस्मीत्यब्रवीन्मातरिश्वा वा अहमस्मीति

Chhâ. 1. 3. 8. येन साम्ना स्तोष्यन् स्यात् (similarly in 9, 10, 11.)
1. 5. 2. तस्मान्मम त्वमेको ऽसीति 4.
1. 8. 1. उद्गीथे वै कुशलाः स्मः
1. 10. 3. उच्छिष्टं वै मे पीतं स्यात्

Chhā. 1. 11. 1. उषस्तिरस्मि चाक्रायणः
7. आदित्यमुच्चैःसन्तं गायन्ति
2. 11. 2. महामनाः स्यात्तद्व्रतम्
2. 21. 3. तेभ्यो न ज्यायः परमन्यदस्ति
4. सर्वमस्मीत्युपासीत तद्व्रतम्
3. 14. 4. यस्य स्यादद्धा न विचिकित्सास्ति
3. 17. 6. अक्षितमस्यच्युतमासि प्राणसंशितमसीति
3. 19. 1. असदेवेदमग्र आसीत्तत्सदासीत्
4. 1. 1. बहुदायी बहुपाक्य आस
3. कम्वर एनमेतत्सन्तं स युग्वानमिव रैक्कमात्थ
4. 2. 3. हारेत्वा शूद्र तवैव सह गोभिरस्तु
4. 3. 8. पञ्चान्ये पञ्चान्ये दश सन्तः
4. 4. 1. किंगोत्रो ऽहमस्मीति
2. यद्गोत्रस्त्वमसि (bis), 4.
— जबाला तु नामाहमस्मि सत्यकामो नाम त्वमसि 4.
4. किंगोत्रो नु सोम्यासि
— यद्गोत्रो ऽहमस्मि
— सत्यकामो जाबालो ऽस्मि
4. 5. 1. प्राप्ताः सोम्य सहस्रं स्मः
4. 10. 3. व्याधिभिः प्रतिपूर्णो ऽस्मि
4. 11. 1. सो ऽहमस्मि स एवाहमस्मीति 4. 12. 1; 4. 13. 1.
5. 1. 6. अहं श्रेयानस्म्यहं श्रेयानस्मीति
12. भगवन्नेधि त्वं नः श्रेष्ठो ऽसि
13. यदहं वसिष्ठास्मि त्वं तद्वसिष्ठो ऽसि Bṛih. 6. 1. 14.
— यदहं प्रतिष्ठास्मि त्वं तत्प्रतिष्ठासि

Chhā. 5. 1. 14. यदहं सम्पदस्मि त्वं तत्सम्पदसि Bṛih. 6. 1. 14.
— यदहमायतनमस्मि त्वं तदायतनमसि Bṛih. 6. 1. 14.
5. 2. 6. अमो नामासि
— अहमेवेदं सर्वमसानि
5. 11. 5. यक्ष्यमाणो भगवन्तो ऽहमस्मि
5. 15. 1. तस्मात्त्वं बहुलो ऽसि प्रजया
5. 16. 1. तस्मात्त्वं . . पुष्टिमानसि
5. 17. 1. तस्मात्त्वं प्रतिष्ठितो ऽसि प्रजया
5. 24. 1. यथाङ्गारानपोह्य भस्मनि जुहुयात्तादृक् तत्स्यात्
4. तद्वैश्वानरे हुतं स्यात्
6. 1. 1. श्वेतकेतुर्हारुणेय आस
3. अनूचानमानी स्तब्धो ऽसि
4. सर्वं . . विज्ञातं स्यात् 5, 6.
6. 2. 1. सदेव सोम्येदमग्र आसीत्
— असदेवेदमग्र आसीत्
2. कुतस्तु खलु सौम्यैवं स्यात्
— सत्त्वेव सोम्येदमग्र आसीत्
3. तदैक्षत बहु स्याम्
— तत्तेज ऐक्षत बहु स्याम्
4. आप ऐक्षन्त बह्व्यः स्याम
6. 7. 3. एको ऽङ्गारः . . परिशिष्टः स्यात्
— एका कलातिशिष्टा स्यात्
6. 8. 4. तस्य क्व मूलं स्यात् 6.
7. तत्त्वमसि श्वेतकेतो 6. 9. 4; 6. 10. 3; 6. 11. 3; 6. 12. 3; 6. 13. 3; 6. 14. 3; 6. 15. 3; 6. 16. 3.
6. 9. 2. अमुष्याहं वृक्षस्य रसो ऽस्मि (bis).
6. 10. 1. न विदुरियमहमस्मीति

Chhâ. 7. 1. 3. मन्त्रविदेवास्मि नात्मवित्
5. अस्ति भगवो नाम्नो भूय इति नाम्नो वाव भूयो ऽस्ति (similarly in each section down to 14th).
7. 5. 2. नायमस्तीत्येवैनमाहुः..यद्ययं विद्वान्नेत्थमचित्तः स्यात्
7. 15. 2. धिक् त्वास्त्वित्येवैनमाहुः पितृहा वै त्वमसि मातृहा वै त्वमसि, &c., &c.
3. नैवैनं ब्रूयुः पितृहासीति न मातृहासीति, &c., &c.
4. तं चेद्ब्रूयुरतिवाद्यसीत्यतिवाद्यस्मीति ब्रूयात्
7. 23. 1. नाल्पे सुखमस्ति
8. 1. 3. यच्चास्येहास्ति यच्च नास्ति
8. 3. 1. तेषां सत्यानां सताम्
8. 4. 2. अन्धः सन्..विद्धः सन्..उपतापी सन्
8. 8. 3. साध्वलङ्कृतौ सुवसनौ परिष्कृतौ स्वः
8. 11. 1. अयमहमस्मीति 2.
8. 12. 1. न वै सशरीरस्य सतः प्रियाप्रिययोरपहतिरस्त्यशरीरं सन्तं न प्रियाप्रिये स्पृशतः

Bṛih. 1. 2. 1. नैवेह किञ्चनाग्र आसीन्मृत्युनैवेदमावृतमासीत्
— आत्मन्वी स्यामिति
2. अपां शर आसीत्
4. तद्यद्रेत आसीत्
— न ह पुरा ततः संवत्सर आस
6. तस्य शरीर एव मन आसीत्
7. मेध्यं म इदं स्यादात्मन्व्यनेन स्यामिति

Bṛih. 1. 3. 28. नात्र तिरोहितमिवास्ति
— न हैवालोक्यताया आशास्ति
1. 4. 1. आत्मैवेदमग्र आसीत् 17.
— सो ऽहमस्मीत्यग्रे व्याहरत्
2. यन्मदन्यन्नास्ति कस्मान्नु बिभेमीति
3. स हैतावानास यथा स्त्रीपुमांसौ
— तस्मादिदमर्द्धवृगलमिव स्वः
5. अहं वाव सृष्टिरस्मि
6. मर्त्यः सन्नमृतानसृजत
7. तद्धेदं तर्ह्यव्याकृतमासीत्
— यथा क्षुरः क्षुरधाने ऽवहितः स्यात्
8. ईश्वरो ह तथैव स्यात्
10. ब्रह्म वा इदमग्र आसीत् 11. Maitri. 6. 17 (ह वा)
— अहं ब्रह्मास्मि (bis).
— अन्यो ऽसावन्यो ऽहमस्मि
11. एकं सन्न व्यभवत्
— क्षत्रात्परं नास्ति
14. धर्मात्परं नास्ति
17. जाया मे स्यात्..वित्तं मे स्यात् (bis).
1. 5. 2. तस्मान्नेष्टियाजुकः स्यात्
21. अस्यैव सर्वे रूपमसामेति
1. 6. 3. एतत्त्रयं सदेकमयमात्मात्मो एकः सन्नेतत्त्रयम्
2. 1. 1. अनूचानो गार्ग्य आस
13. स ह तूष्णीमास गार्ग्यः
2. 3. 6. न ह्येतस्मादिति नेत्यन्यत्परमस्ति
2. 4. 1. उद्यास्यन्..अस्मात्स्थानादस्मि

Brih. 2. 4. 2. पृथिवी वित्तेन पूर्णा स्यात्कथं तेनामृता स्यामिति
— तथैव ते जीवितं स्यादमृतत्वस्य तु नाशास्ति वित्तेन 4. 5. 3.
3. येनाहं नामृता स्याम् 4. 5. 4.
4. प्रिया बतारे नः सती
12. न हास्योद्ग्रहणायेव स्यात्
— न प्रेत्य संज्ञास्ति 13; 4. 5. 13.
3. 1. 2. ब्रह्मिष्ठो ऽसी ३ इति
— गोकामा एव वयं स्मः
3. 3. 1. तस्यासीद्दुहिता गन्धर्वगृहीता
— तमपृच्छाम को ऽसीति 3. 7. 1.
3. 5. 1. स ब्राह्मणः केन स्याद्येन स्यात्तेनेदृश एव
3. 7. 1. तस्यासीद्भार्या गन्धर्वगृहीता
23. नान्यो ऽतो ऽस्ति द्रष्टा नान्यो ऽतो ऽस्ति श्रोता &c.
3. 8. 5. नमस्ते ऽस्तु याज्ञवल्क्य 4. 2. 1, 4.
11. नान्यदतो ऽस्ति द्रष्टृ नान्यदतो ऽस्ति श्रोतृ &c.
3. 9. 10. स वै वेदिता स्यात् 11—17.
20. किंदेवतो ऽस्यां प्राच्यां दिश्यसि (similarly in 21—24).
25. यद्धैतदन्यत्रास्मत्स्यात्
26. कस्मिन्नु त्वं चात्मा च प्रतिष्ठितौ स्थः
4. 1. 2. अवदतो हि किं स्यात्
3. अप्राणतो हि किं स्यात्
4. अपश्यतो हि किं स्यात्
5. अशृण्वतो हि किं स्यात्

Brih. 4. 1. 6. अमनसो हि किं स्यात्
7. अहृदयस्य हि किं स्यात्
4. 2. 1. उपनिषद्भिः समाहितात्मासि
— एवं वृन्दारक आढ्यः सन्
2. एतमिन्धं सन्तमिन्द्र इत्याचक्षते
4. अभयं वै जनक प्राप्तो ऽसि
— इमे विदेहा अयमहमस्मीति
4. 3. 7. समानः सन्नुभौ लोकावनुसञ्चरति
20. अहमेवेदं सर्वमस्मीति
23. न तु तद्द्वितीयमस्ति 24—30.
31. यत्र वा अन्यदिव स्यात्
4. 4. 6. ब्रह्मैव सन् ब्रह्माप्येति Nṛisut. 5 (ter).
12. अयमस्मीति पूरुषः
14. इहैव सन्तो ऽथ विद्मस्तद्वयम्
19. नेह नानास्ति किञ्चन Katha. 4. 11.
23. तस्यैव स्यात्पदवित्
4. 5. 2. प्रव्रजिष्यन्..अस्मि
3. यन्नु मे..पृथिवी वित्तेन पूर्णा स्यात्स्यां न्वहं तेनामृता
5. प्रिया वै खलु नो भवती सती
15. उक्तानुशासनासि मैत्रेयि
5. 4. 1. तद्वै तदेतदेव तदास सत्यमेव
— जित इन्न्वसावसत्
5. 5. 1. आप एवेदमग्र आसुः
5. 14. 7. गायत्र्यस्येकपदी द्विपदी
— अपदसि न हि पद्यसे
5. 15. 1. यो ऽसावसौ पुरुषः सो ऽहमस्मि Iśá. 16.
6. 1. 14. यद्वा अहं प्रतिष्ठास्मि त्वं तत्प्रतिष्ठो ऽसि

Bṛih. 6. 1. 14. यद्वा अहं प्रजातिरस्मि त्वं तत्प्रजातिरसि
6. 2. 1. अनुशिष्टो न्वसि पित्रा
4. स आजगाम..यत्र प्रवाहणस्य जैवलेरास
7. अस्ति हिरण्यस्यापात्तम्
6. 3. 4. भ्रमदसि ज्वलदसि &c.
6. माध्वीर्नः सन्त्वोषधीः Mahânâr. 9. 8; 17. 7.
— मधु द्यौरस्तु नः पिता Mahânâr. 9. 9; 17. 7.
— मधुमाँ अस्तु सूर्यः Mahânâr 9. 10; 17. 7.
— दिशामेकपुण्डरीकमसि
6. 4. 9. त्वमङ्गकषायो ऽसि
12. यस्य जायायै जारः स्यात्
20. अमो ऽहमस्मि सा त्वं सा त्वमस्यमो ऽहं सामाहमस्मि
26. अस्य नाम करोति वेदो ऽसि
28. इलासि मैत्रावरुणी
Iśâ. 2. एवं त्वयि नान्यथेतो ऽस्ति
Tait. 1. 1. 1. त्वमेव प्रत्यक्षं ब्रह्मासि 1. 12. 1.
1. 4. 1. ब्रह्मणः कोशो ऽसि
3. यशो जने ऽसानि
— श्रेयान् वस्यसो ऽसानि
— प्रतिवेशो ऽसि
1. 10. 1. ऊर्ध्वपवित्रो वाजिनीव स्वमृतमस्मि
1. 11. 3. वृत्तविचिकित्सा वा स्यात्
4. अलूक्षा धर्मकामाः स्युः (bis).
2. 1. 1. तेजस्वि नावधीतमस्तु 3. 1. 1; Kaṭha. 6. 19.
2. 6 1. अस्ति ब्रह्मेति चेद्वेद सन्तमेनं ततो विदुः
— सो ऽकामयत बहु स्याम्

Tait. 2. 7. 1. असद्वा इदमग्र आसीत्ततो वै सदजायत
— यदेष आकाश आनन्दो न स्यात्
2. 8. 1. युवा स्यात्साधुयुवाध्यायिकः.. तस्येयं पृथिवी सर्वा वित्तस्य पूर्णा स्यात्
3. 10. 6. अहमस्मि प्रथमजा ऋता३स्य Nṛip. 2. 4.
Kaṭha. 1. 1. नचिकेता नाम पुत्र आस
9. नमस्ते ऽस्तु ब्रह्मन् स्वस्ति मे ऽस्तु
10. सुमना यथा स्यात्
12. स्वर्गे लोके न भयं किञ्चनास्ति
20. अस्तीत्येके नायमस्तीति चैके
24. महाभूमौ नचिकेतस्त्वमेधि
2. 6. अयं लोको नास्ति परः
8. अनन्यप्रोक्ते गतिरत्र नास्ति
9. सत्यधृतिर्वतासि
10. प्राप्तवानस्मि नित्यम्
6. 12. अस्तीति ब्रुवतो ऽन्यत्र कथं तदुपलभ्यते
13. अस्तीत्येवोपलब्धव्यः
— अस्तीत्येवोपलब्धस्य
Śwet 3. 9. यस्मात्परं नापरमस्ति..न ज्यायो ऽस्ति कश्चित् Mahânâr. 10. 4.
19. न च तस्यास्ति वेत्ता
4. 3. त्वं स्त्री त्वं पुमानसि
19. न तस्य प्रतिमा अस्ति
6. 9. न तस्य कश्चित् पतिरस्ति
Maitri. 2. 1. मरुन्नामेति विश्रुतो ऽसि
3. 2. अस्ति खल्वन्यो ऽपरो भूतात्माख्यः
4. 1. भगवन्नमस्ते ऽस्तु

Maitri. 4. 4. अस्ति ब्रह्मेति ब्रह्मविद्या-
विदब्रवीत्
5. भगवन्नभिवाद्यसीत्यभिवा-
द्यसीति
5. 2. तमो वा इदमग्र आसीदेकं
तत् परे स्यात्
6. 2. चतस्रो दिशश्चतस्र उपदि-
शो दलसंस्था आसम्
3. एताभिः सर्वमिदमोतं प्रोतं
चैवास्मि
6. अथाव्याहृतं वा इदमासीत्
9. प्राणो ऽग्निर्विश्वो ऽसीति च
— विश्वो ऽसि वैश्वानरो ऽसि
— यत्र विश्वामृतो ऽसि
10. न हि बीजस्य स्वादुपरिभ-
हो ऽस्ति
30. सद्ध्यायी सद्याजी स्यात्
34. यद्येवं ब्रह्मणि स्यात्
35. सैकधामेतः स्यात् तदात्म-
कश्च
7. 9. वेदादिशास्त्रहिंसकधर्माभि-
ध्यानमस्त्विति वदन्ति
10. अयमर्थः स्यात्
11. द्वयोरेका द्विधा सती
Muṇḍ. 1. 1. 7. यथा सतः पुरुषात्
1. 2. 12. नास्त्यकृतः कृतेन
Mahânâr. 2. 4. यस्तद्वेद स पितुः पितासत्
4. 5. उद्धृतासि वराहेण
— तेन या ब्रह्मदत्तासि
13. सुमित्रिया न आप ओष-
धयः सन्तु
5. 10. आर्द्रं ज्वलति ज्योतिरहम-
स्मि ज्योतिर्ज्वलति ब्रह्मा-
हमस्मि योऽहमस्मि ब्रह्मा-
हमस्मि
7. 6. धारणं मे अस्तु
9. 4. यस्मान्न जातः परो ऽन्योऽस्ति
Nrip. 2. 4.

Mahânâr. 9. 12. घृतस्य नाम गुह्यं यदस्ति
11. 12. पीताभा स्यात्तनूपमा
13. 2. तस्मै रुद्राय नमो ऽस्तु; 3.
15. 1. ओजोसि सहोसि बलमसि
भ्राजोसि देवानां धाम नामा-
सि विश्वमसि..सर्वमासि
7. अमृतोपस्तरणमसि
10. अमृतापिधानमसि
16. 2. प्राणानां ग्रन्थिरसि
17. 3. नमस्ते अस्तु रुद्र रूपेभ्यः
5. ब्रह्मा शिवो मे अस्तु
18. 1. एनसो ऽवयजनमसि
(10 times).
19. 2. पितृभ्यः स्वधा अस्तु
20. 7. ज्योतिष्कृदसि सूर्य
8. उपयामगृहीतो ऽसि
24. 1.
13. वरुणस्य स्कम्भनमसि व-
रुणस्य स्कम्भसर्जनमसि
24. 1. वसुरण्यो विभूरसि
— प्राणे त्वमसि सन्धाता
— ब्रह्मन् त्वमसि विश्वसृक्
— तेजोदास्त्वमस्यग्नेः
— वर्चोदास्त्वमसि सूर्यस्य
— द्युम्नोदास्त्वमसि चन्द्रम-
सः
Praśna. 2. 8. देवानामसि वह्नितमः
— चरितं सत्यमथर्वाङ्गिर-
सामसि
9. रुद्रो ऽसि परिरक्षिता
3. 2. ब्रह्मिष्ठो ऽसीति
6. 7. नातःपरमस्तीति
Kaivalya. 19. तद्ब्रह्माद्वयमस्म्यहम्
20. शिवरूपमास्मि
21. न चास्ति वेत्ता मम
22. मम नास्ति नाशो न जन्म
देहेन्द्रियबुद्धिरस्ति

Kaivalya. 23. न च वह्निरस्ति न चानिलो मे ऽस्ति

Gauḍa. 1. 19. स्यादाप्तिसामान्यमेव च

20. स्यादुभयत्वं तथाविधम्

2. 6. आदावन्ते च यन्नास्ति 4. 31.

— वितथैः सदृशाः सन्तः 4. 31.

3. 6. आकाशस्य न भेदो ऽस्ति

15. नास्ति भेदः कथञ्चन

4. 13. दृष्टान्तस्तस्य नास्ति वै

17. फलादुत्पद्यमानः सन्

38. न च भूतादभूतस्य संभवो ऽस्ति

40. नास्त्यसद्धेतुकमसत्

— सच्च सद्धेतुकं नास्ति

42. अस्ति वस्तुत्ववादिनाम्

44. अस्ति वस्तु तथोच्यते

50. विज्ञाने ऽपि तथैव स्युः

53. द्रव्यं द्रव्यस्य हेतुः स्यात्

55. नास्ति हेतुफलोद्भवः

57. शाश्वतं नास्ति तेन वै

— उच्छेदस्तेन नास्ति वै

67. किं तदस्तीति चोच्यते

73. यो ऽस्ति कल्पितसंवृत्या परमार्थेन नास्त्यसौ

— परतन्त्राभिसंवृत्या स्यान्नास्ति परमार्थतः

75. अभूताभिनिवेशो ऽस्ति

83. अस्ति नास्त्यस्ति नास्तीति नास्ति नास्तीति वा पुनः

94. वैशारद्यं तु वै नास्ति

97. असङ्गता सदा नास्ति

Nṛip. 1. 1. आपो ह वा इदमासन् सलिलमेव

— रेतः प्रथमं यदासीत्

2. 4. तस्मान्नृसिंह आसीत्

Nṛip. 4. 2. न ह वा एतस्यर्चा न यजुषा न साम्नार्थो ऽस्ति

Nṛisut. 2. नैव तत्र काचन भिदास्ति 8.

— सर्वात्मा सन्सर्वमत्ति

5. न ह्यन्यदस्त्यमेयमनात्मप्रकाशम्

8. न ह्यशब्दमिवेहास्ति

— नैवात्र काचन भिदास्ति

9. न ह्यस्ति द्वैतसिद्धिः

Śiras. 1. अहमेकः प्रथममासीत्

3. विश्वरूपो ऽसि ब्रह्मैकस्त्वम्

— हृदि त्वमसि यो नित्यम्

6. तस्मै रुद्राय नमो अस्त्वग्नये

— तस्मादन्यं न परं किञ्चनास्ति

— न तस्मात्पूर्वं न परं तदस्ति न भूतं नोत भव्यं यदासीत्

Garbha. 3. द्विधा तनूः स्यात्

Mahâ. 1. एको ह वै नारायण आसीत्

Brahma 2. बलमस्तु तेजः

3. स विद्वान् यज्ञोपवीती स्यात्

—एकं सन्तं बहुधा यः करोति (one MS. has सततम्).

Prâṇâg. 1. आपो ऽमृतमसि

—अमा शिष्यान्तो ऽसि

2. अथापिधानमसि

— विश्वो ऽसि .. विश्वामृतो ऽसि

Nîla. 4. नमस्ते अस्तु बाहुभ्याम्

6. सुमना असत्

11. नमो ऽस्तु नीलशिखण्डाय

18. नमो ऽस्तु सर्पेभ्यः

Nâda. 9. पतङ्गी च तृतीया स्यात्

Brahmab. 22. तदस्म्यहं वासुदेवः

Yogat. 8. पयोमध्ये ऽस्ति सर्पिवत्

Nyâsa. 1. व्रतवान् स्यादतन्द्रितः

Nyâsa. 4. नदीपुलिनशायी स्यात्
Kaṭhaśru. 4.

Kaṭhaśru. 2. त्वं त्वष्टा त्वं प्रतिष्ठासि
— अहं त्वष्टाहं प्रतिष्ठास्मि
3. द्वादशरात्रं पयोभक्षः स्यात्

Parama. 1. तस्य न मुख्यो ऽस्ति
2. विज्ञानघन एवास्मि
3. तद्बाधको ऽस्त्येव
— तद्ब्रह्माहमस्मि (MSS. omit अस्मि)

Aruṇeya. 4. ओजः सखा यो ऽसीन्द्रस्य वज्रो ऽसि

Nâr. 2. न द्वितीयो ऽस्ति कश्चित्

Jâbâla. 5. यद्यातुरः स्यान्मनसा वाचा वा सन्न्यसेत्

Vâsu. 2. ब्रह्मैवाहस्मीति भावयन्
3. भूतेषु तथात्मावस्थितोस्म्यहम्
4. अग्नेर्भस्मासि

Gopî. 2. गोप्यो नाम विष्णुपत्न्यः स्युः
4. मायाशबलितं ब्रह्मासीत्
— पञ्चभूतेषु गन्धवतीयं पृथिव्यासीत्
5. आपो वा अग्र आसन्

Krish. 22. यत्सृष्टमीश्वरेणासीत्

Skanda. 1. अच्युतो ऽस्मि महादेव
— विज्ञानघन एवास्मि शिवो ऽस्मि किमतः परम्
3. अजो ऽस्मि किमतः परम्
6. तुषेण बद्धो व्रीहिः स्यात्
10. यथान्तरं (?) न भेदाः स्युः

Râmap. 5. भुवि स्यादथ तत्त्वतः
16. रेफारूढा मूर्त्तयः स्युः
18. जगत्प्राणाय..नमः स्यात्
20. रामो वाच्यः स्यात्
29. एवं त्रिकोणरूपं स्यात्

Râmap. 39. स तु रामे शंकितः सन्
48. ततः सिंहासनस्थः सन्
50. स्यात्त्रिकोणगम्

Râmot. 4. मुक्ताः सन्तु न चान्यथा
— जीवन्तो मन्त्रसिद्धाः स्युः

Mukti. 1. 4. राम त्वं परमात्मासि
10. तास्तूपनिषदः काः स्युः
11. तेषां शाखा ह्यनेकाः स्युः
12. ऋग्वेदस्य तु शाखाः स्युः
13. आथर्वणस्य शाखाः स्युः
25. सैव सायुज्यमुक्तिः स्यात्
44. नास्त्यत्र संशयः
51. शेवधिष्टे ऽहमस्मि
— वीर्यवती तथा स्याम्
2. 20. तस्यार्थो ऽस्ति न कर्मभिः
21. नास्त्युत्तमं पदम्
32. द्विविधश्चित्तनाशो ऽस्ति
33. जीवन्मुक्तः सरूपः स्यात्
38. उपाय एक एवास्ति
45. एतास्ता युक्तयः पुष्टाः सन्ति
46. सतीषु युक्तिष्वेतासु
53. सम्प्रज्ञातसमाधिः स्यात्
61. मलिना जन्महेतुः स्यात्
68. मोक्षः स्याद्वासनाक्षयः
74. न मे ऽस्ति कश्चिद्विषयः स्वभावतः

Gîtâ. 1. 36. का प्रीतिः स्याज्जनार्दन
37. सुखिनः स्याम माधव
2. 7. यच्छ्रेयः स्यात्
12. न त्वेवाहं जातु नासम्
40. नेहाभिक्रमनाशो ऽस्ति
42. नान्यदस्तीति वादिनः
47. मा ते संगो ऽस्त्वकर्मणि
66. नास्ति बुद्धिरयुक्तस्य
3. 10. एष वो ऽस्त्विष्टकामधुक्
12. यज्ञशिष्टाशिनः सन्तः

Gîtâ. 3. 17. यस्त्वात्मरतिरेव स्यात्
22. न मे पार्थास्ति कर्त्तव्यम्
24. संकरस्य च कर्त्ता स्याम्
4. 3. भक्तो ऽसि मे सखा चेति
6. अजो ऽपि सन्नव्ययात्मा भूतानामीश्वरो ऽपि सन्
31. नायं लोको ऽस्त्ययज्ञस्य
36. अपि चेदसि पापेभ्यः
40. नायं लोको ऽस्ति न परः
6. 16. नात्यश्नतस्तु योगो ऽस्ति
7. 7. मत्तः परतरं नान्यत्किञ्चिदस्ति धनञ्जय
8. प्रभास्मि शशिसूर्ययोः
9. तेजश्चास्मि विभावसौ
— तपश्चास्मि तपस्विषु
10. बुद्धिर्बुद्धिमतामस्मि
11. कामो ऽस्मि भरतर्षभ
8. 2. ज्ञेयो ऽसि नियतात्मभिः
5. नास्त्यत्र संशयः
9. 29. न मे द्वेष्यो ऽस्ति न प्रियः
32. ये ऽपि स्युः पापयोनयः
10. 17. चिन्त्यो ऽसि भगवन् मया
18. तृप्तिर्हि शृण्वतो नास्ति मे ऽमृतम्
19. नास्त्यन्तो विस्तरस्य मे
21. मरीचिर्मरुतामस्मि
22. वेदानां सामवेदो ऽस्मि देवानामस्मि वासवः
— इन्द्रियाणां मनश्चास्मि भूतानामस्मि चेतना
23. रुद्राणां शंकरश्चास्मि
— वसूनां पावकश्चास्मि
24. सरसामस्मि सागरः
25. गिरामस्म्येकमक्षरम्
— यज्ञानां जपयज्ञो ऽस्मि
28. धेनूनामस्मि कामधुक्
— प्रजनश्चास्मि कन्दर्पः सर्पाणामस्मि वासुकिः

Gîtâ. 10. 29. अनन्तश्चास्मि नागानाम्
— पितॄणामर्यमा चास्मि
30. प्रह्लादश्चास्मि दैत्यानाम्
31. पवनः पवतामस्मि
— झषाणां मकरश्चास्मि स्रोतसामस्मि जाह्नवी
33. अक्षराणामकारो ऽस्मि
36. द्यूतं छलयतामस्मि
37. वृष्णीनां वासुदेवो ऽस्मि
38. दण्डो दमयतामस्मि नीतिरस्मि जिगीषताम्
— मौनं चैवास्मि गुह्यानाम्
39. न तदस्ति विना यत्स्यान्मया
40. नान्तो ऽस्ति मम दिव्यानां विभूतीनाम्
11. 12. यदि भाः सदृशी सा स्यात्
31. नमो ऽस्तु ते देववर
32. कालो ऽस्मि लोकक्षयकृत्
38. वेत्तासि वेद्यं च परं च धाम
39. नमो नमस्ते ऽस्तु सहस्रकृत्वः
40. नमो ऽस्तु ते सर्वत एव सर्व
— सर्वं समाप्नोषि ततो ऽसि सर्वः
42. यच्चावहासार्थमसत्कृतो ऽसि
43. पितासि लोकस्य चराचरस्य
— न त्वत्समो ऽस्त्यभ्यधिकः कुतो ऽन्यः
45. अदृष्टपूर्वं हृषितो ऽस्मि दृष्ट्वा
51. इदानीमस्मि संवृत्तः सचेताः
52. दृष्टवानसि
53. दृष्टवानसि

Gîtâ. 12. 10. अभ्यासे ऽप्यसमर्थो ऽसि
11. अथैतदप्यशक्तो ऽसि
15. 18. अतो ऽस्मि लोके वेदे च
20. एतद्बुद्ध्वा बुद्धिमान् स्यात्
16. 5. सम्पदं दैवीमभिजातो ऽसि
13. इदमस्ति . . धनम्
15. आढ्यो ऽभिजनवानस्मि को ऽन्यो ऽस्ति सदृशो मया
18. 16. तत्रैवं सति
40. न तदस्ति पृथिव्याम्
— मुक्तं यत् . . स्यात्त्रिभिर्गुणैः
55. यावान्यश्चास्मि तत्त्वतः
64. इष्टो ऽसि मे दृढमतिः
65. प्रियो ऽसि मे
70. अहमिष्टः स्यामिति मे मतिः
73. स्थितो ऽस्मि गतसन्देहः

2. अस् (क्षेपणे)

Katha. 5. 3. अपानं प्रत्यगस्यति
Śwet. 3. 6. यामिषुं . . हस्ते बिभर्ष्यस्तवे
Nîla. 5.
Nîla. 1. अपश्यमस्यन्तं रुद्रम्
Nyâsa. 5. अयं मूर्धानमस्य देह

असंयतात्मन्

Gîtâ. 6. 36. असंयतात्मना योगो दुष्प्रापः

असंवित्ति

Nṛisut. 9. मायया नासंवित्तिः स्वप्रकाशे

असंविदान

Chhâ. 8. 7. 2. तौ हासंविदानावेव . . आजग्मतुः

असंवृत

Bṛih. 2. 5. 18. नैनेन किञ्चनासंवृतम्

असंशय

Gîtâ. 8. 7. मामेवैष्यस्यसंशयः
18. 68. मामेवैष्यत्यसंशयः

असंशयम्

Gîtâ. 6. 35. असंशयं महाबाहो
7. 1. असंशयं समग्रं माम्

असकृत्

Maitri. 1. 4. यैरेवाशितस्यासकृदिहावर्त्तनम्

असकृदावर्त्तिन्

Chhâ. 5. 10. 8. असकृदावर्त्तीनि भूतानि भवन्ति

असक्त

Gîtâ. 3. 7. असक्तः स विशिष्यते
19. तस्मादसक्तः सततम्
— असक्तो ह्याचरन्कर्म
25. कुर्याद्विद्वांस्तथासक्तः
9. 9. असक्तं तेषु कर्मसु
13. 14. असक्तं सर्वभृच्चैव

असक्तबुद्धि

Gîtâ. 18. 49. असक्तबुद्धिः सर्वत्र

असक्तात्मन्

Gîtâ. 5. 21. बाह्यस्पर्शेष्वसक्तात्मा

असक्ति

Gîtâ. 13. 9. असक्तिरनभिष्वंगः

असंकल्पनीय

Chhâ. 1. 2. 6. उभयं सङ्कल्पयते सङ्कल्पनीयं चासङ्कल्पनीयं च

असंक्रान्त

Gauḍa. 4. 96. अजेष्वजमसंक्रान्तं धर्मेषु ज्ञानमिष्यते

असंख्य

Maitri. 6. 20. निरात्मकत्वादसंख्यो ऽयो-
निश्चिन्त्यः

असंख्यात

Chûl. 6. असंख्याताः कुमारकाः

असंग

Bṛih. 3 8. 8. अनाकाशमसङ्गम्
3. 9. 26. असङ्गो न हि सज्यते
4. 2. 4 ; 4. 4. 22 ; 4. 5. 15.
4. 3. 15. असङ्गो ह्ययं पुरुषः 16.
Gauḍa. 4. 72. असङ्गं तेन कीर्त्तितम् 96.
Nṛisut. 5. एष हि स्वप्रकाशो ऽसङ्गः
9. असङ्गो ह्ययमात्मा
— हन्तासङ्गा वयमिति ह्योचुः
— अकरणमलक्षणमसङ्गम्
Mukti. 2. 28. असङ्गव्यवहारत्वात्

असंगता

Gauḍa. 4. 97. असङ्गता सदा नास्ति

असंगत्व

Nṛisut. 8. असङ्गत्वादविकारित्वाद-
सत्त्वादन्यस्य

असंगशस्त्र

Gîtâ. 15. 3. असङ्गशस्त्रेण दृढेन छित्वा

असञ्चरत्

Bṛih. 1. 5. 20. सञ्चरंश्चासञ्चरंश्च न व्य-
थते 21.

असत्

Chhâ. 3. 19. 1. असदेवेदमग्र आसीत्
6. 2. 1.
6. 2. 1. तस्मादसतः सज्जायेत
2. कथमसतः सज्जायेत
Bṛih. 1. 3. 28. असतो मा सद्गमय
Bṛih. 1. 3. 28. स यदाहासतो मा सद्गम-
येति मृत्युर्वा असत्
Tait. 2. 6. 1. असन्नेव स भवत्यसद्ब्रह्मे-
ति वेद चेत्
2. 7. 1. असद्वा इदमग्र आसीत्
Śwet. 4. 18. यदातमस्तन्न . . सन्न चासन्
Maitri. 2. 7. अनवस्थो ऽसति कर्त्ता
ऽकर्त्तैवावस्थः
Muṇḍ. 2. 2. 1. एतज्जानथ सदसद्वरेण्यम्
Mahânâr. 14. 2. असतां च प्रतिग्रहम् Prânâg. 1.
Praśna. 2. 5. सदसच्चामृतं च यत्
4. 5. सच्चासच्च सर्वं पश्यति
Gauḍa. 2. 9. अन्तश्चेतसा कल्पितं त्वसत्
10 (MSS. read तदिदम-
सत् for त्वसत्).
33. भावैरसद्भिरेवायम्
3. 28. असतो मायया जन्म
4. 22. सदसत्सदसद्वापि
39. असज्जागरिते दृष्ट्वा
— असत् स्वप्ने ऽपि दृष्ट्वा
40. नास्त्यसद्धेतुकमसत्
— सद्धेतुकमसत्कुतः
Nṛip. 1. 1. सतो बन्धुमसति निरविन्दन्
Nṛisut. 4. वश्यां स्फुरन्तीमसतीं नि-
पीड्य
9. इहापि सन्मात्रमसदन्यत्
Sarvop. 4. न सती नासती न सदसती
— विकारहेती निरूप्यमाणे
ऽसती
Gîtâ. 2. 16. नासतो विद्यते भावः
9. 19. सदसच्चाहमर्जुन
11. 37. त्वमक्षरं सदसत्तत्परं यत्
13. 12. न सत्तन्नासदुच्यते
17. 28. असदित्युच्यते पार्थ

असत्कृत

Gîtâ. 11. 42. यच्चावहासार्थमसत्कृतो ऽसि

Gîtâ. 17. 22. असत्कृतमवज्ञातम्

1. असत्त्व

Nṛisut. 9. असत्त्वमरजस्कमतमस्कम्

2. असत्त्व

Nṛisut. 8. असत्त्वादन्यस्य
9. अस्य सत्त्वमसत्त्वं च दर्शयति

असत्य

Maitri. 6. 3. यन्मूर्त्तं तदसत्यम्
Gîtâ. 16. 8. असत्यमप्रतिष्ठम्

असद्ग्राह

Gîtâ. 16. 10. मोहाद्गृहीत्वासद्ग्राहान्

असद्धेतुक

Gauḍa. 4. 40. नास्त्यसद्धेतुकमसत् सदसद्धेतुकं तथा

असन्न्यस्तसंकल्प

Gîtâ. 6. 2. न ह्यसन्न्यस्तसङ्कल्पः

असपत्न

Bṛih. 1. 5. 12. स इन्द्रः स एषो ऽसपत्नः
Gîtâ. 2. 8. असपत्नमृद्धम्

असमत्व

Maitri. 3. 5. उद्धतत्वमसमत्वमिति तामसानि

असमर्थ

Gîtâ. 12. 10. अभ्यासे ऽप्यसमर्थो ऽसि

असमानयितव्य

Nṛisut. 9. अनुदानयितव्यमसमानयितव्यम्

असमाहित

Kaṭha 2. 24. नाशान्तो नासमाहितः

असम्प्रज्ञात

Mukti. 2. 54. असम्प्रज्ञातनामायं समाधिः

असम्बन्ध

Gauḍa. 4. 16. असंबन्धो विषाणवत्

असम्बाध

Chhâ. 7. 12. 2. लोकान्..असंबाधान्.. अभिसिध्यति

असम्भव

Iśâ. 13. अन्यदाहुरसंभवात्

असम्भूति

Iśâ. 12. अन्धं तमः प्रविशन्ति ये ऽसंभूतिमुपासते

असम्भेद

Chhâ. 8. 4. 1. एषां लोकानामसंभेदाय
Bṛih. 4. 4. 22.

असम्मूढ

Dhyâna. 8. स्थिरबुद्धिरसम्मूढः
Gîtâ. 5. 20.
Gîtâ. 10. 3. असम्मूढः स मर्त्येषु
15. 19. यो मामेवमसम्मूढो जानाति

असम्मोह

Gîtâ. 10. 4. बुद्धिर्ज्ञानमसम्मोहः

असर्व

Śiras. 3. सर्वमसर्वं विश्वमाविश्वम्

असर्वतोमुख

Nṛisut. 6. सर्वतोमुखमसर्वतोमुखं.. बुबुधिरे

असहस्र

Chhâ. 4. 4. 5. नासहस्रेणावर्त्तयेति

असह्य

Chûl. 3. असह्यः सो ऽन्यथाद्रष्टुम्
(one MS. has अशक्यः)

असाधु

Kaush. 3. 8. नो एवासाधुना कनीयान्
Bṛih. 4. 4. 22.
— एष उ एवासाधु कर्म कारयति

Chhâ. 2. 1. 1. यदसाधु तदसामेति
2. तदाहुरसाम्नैनमुपागादित्यसाधुनैनमुपागादिति
3. असाम नो वतेति यदसाधु भवत्यसाधु वतेति
7. 2 1. साधुचासाधु च 7. 7. 1.
— न साधु नासाधु

Bṛih. 5. 12. 1. किमेवास्मा असाधु कुर्यामिति

Mahânâr. 4. 11. यन्मया भुक्तमसाधूनाम्

असामन्

Chhâ. 2. 1. 1. यदसाधु तदसामेति
2. तदाहुरसाम्नैनमुपागात्
3. तदाहुरसाम नो वतेति

असार

Maitri. 4. 2. कदलीगर्भ इवासारम्

असिक्नी

Mahânâr. 5. 4. असिक्निया मरुद्वृधे . . भृगुणा

1. असित (सि)

Bṛih. 3. 9. 26. असितो न व्यथते न रिष्यति
4. 2. 4; 4. 4. 22; 4. 5. 15.

2. असित

Chûl. 5. असिता सितरक्ता च

3. असित

Bṛih. 6. 5. 3. जिह्वावान् वाध्योगो ऽसिताद्वार्षगणात्
— असितो वार्षगणो हरितात् कश्यपात्

Gîtâ. 10. 13. असितो देवलो व्यासः

असिद्ध

Nṛisut. 9. सिद्धं ह्यसिद्धं तत्

Mukti. 1. 27. तथाप्यसिद्धं चेज्ज्ञानम्

असिद्धत्व

Nṛisut. 9. सिद्धत्वासिद्धत्वाभ्याम्

असिद्धि

Gîtâ. 2. 48. सिद्ध्यसिद्ध्योः समो भूत्वा
4. 22. समः सिद्धावसिद्धौ च
18. 26. सिद्ध्यसिद्ध्योर्निर्विकारः

असिधारा

Mahânâr 8. 2. यथासिधारां कर्त्ते ऽवहिताम्

असु

Ait. 5. 2. क्रतुरसुः कामो वश इति

Kaush. 4. 2. प्रतिश्रुत्कायामसुः
13. असुरिति वा अहमेतमुपासे Bṛih. 2. 1. 10.

Bṛih. 3. 9. 15. तस्य का देवतेत्यसुरिति

Mahânâr. 11. 5. परादपि परश्चासु
(4 MSS. read परश्चास्तु)

1. असुख

Gîtâ. 9. 33. अनित्यमसुखं लोकम्

2. असुख

Chhâ. 7. 22. 1. नासुखं लब्ध्वा करोति

असुखदुःख

Nṛisut. 9. असुखदुःखो ऽद्वयः परमात्मा

असुनियम

Nṛisut. 3. इममसुनियमे ऽनुभूय (Nârâyaṇa seems to have read असौ नियमे).

असुप्त

Bṛih. 4. 3. 11. असुप्तः सुप्तानभिचाकशीति

असुभोजन

Kṛish. 25. शरः कालो ऽसुभोजनः

असुमन्त्

Mahânâr. 5. 1. नमो ऽग्नये ऽसुमते (MSS. read सुमते).

असुर

Kaush. 4. 20. तावदेनमसुरा आभिबभूवुः
— अथ हत्वासुरान्

Chhâ 1. 2. 1. देवासुरा ह वै यत्र संयेतिरे
2. तं हासुराः पाप्मना विविधुः (similarly 3, 4, 5, 6).
7. तं हासुरा ऋत्वा विदध्वंसुः

8. 7. 2. देवासुरा अनुबुबुधिरे
— विरोचनो ऽसुराणाम्

8. 8. 4. देवा वासुरा वा
— विरोचनो ऽसुरान् जगाम
5. असुराणां ह्येषोपनिषत्

Bṛih. 1. 1. 2. अर्वासुरान् (अवहत्)
1. 3. 1. देवाश्चासुराश्च
— कानीयसा एव देवा ज्यायसा असुराः
— असुरान्यज्ञ उद्गीथेनात्ययामेति
7. अभवन् परासुराः

5. 2. 1. देवा मनुष्या असुराः
3. एनमसुरा ऊचुर्ब्रवीतु नो भवानिति

Maitri. 1. 4. *vide* आदि
7. 9. असुरेभ्यः क्षयाय
10. देवासुरा ह वै य आत्मकामाः

Mahânâr. 13. 7. मनुष्याः पितरो ऽसुराः
23. 1. यज्ञेनासुरानपानुदन्त

Râmap. 37. असुरं हत्वा कबन्धम्
44. सीतां दृष्ट्वासुरान् हत्वा

Râmot. 5. देवासुरमनुष्यादिभावात्मा

Gîtâ. 11. 22. गन्धर्वयक्षासुरसिद्धसंघाः

असुषुप्त

Nṛisut. 2. जाग्रत्यस्वप्नमसुषुप्तम्
— स्वप्ने ऽजाग्रतमसुषुप्तम्
— तुरीये ऽजाग्रतमस्वप्नमसुषुप्तम्

असूत्र

Kaṭhaśru. 4. लघुमुण्डो ऽसूत्रोदरपात्रः कस्मात्

असूयक

Mukti. 1. 51. असूयकायानृजवे शठाय

असूया

Parama. 2. *vide* आदि
Aruṇeya. 3. *vide* आदि

असूर्य

Iśâ. 3. असूर्या नाम ते लोकाः (असुर्याः is a variant).

असृष्टान्न

Gîtâ. 17. 13. विधिहीनमसृष्टान्नम्

असौनामन्

Bṛih. 1. 4. 7. असौनामायमिदंरूपः (bis)

अस्तम् (इ, गम् &c.)

Kaush. 2. 7. एतयैवावृतास्तं यन्तम्
Chhâ. 1. 9 1. आकाशं प्रत्यस्तं यन्ति

Chhâ. 2. 9. 8. यत्प्रथमास्तमिते तन्निधनम्
2. 14. 1. अस्तं यन्निधनम्
3. 6. 4. पश्चादस्तमेता 3. 7. 4.
3. 7. 4. उत्तरतो ऽस्तमेता 3. 8. 4.
3. 8. 4. पुरस्तादस्तमेता 3. 9. 4
3. 9. 4. दक्षिणतो ऽस्तमेता 3. 10. 4.
— अर्वागस्तमेता
3. 11. 1. नैवोदेता नैवास्तमेता
4. 3. 1. यदा सूर्यो ऽस्तमेति
— यदा चन्द्रो ऽस्तमेति
Bṛih. 1. 5. 22. सैषानस्तमिता देवता
23. अस्तं यत्र च गच्छति
— प्राणे ऽस्तमेति
4. 3. 3. अस्तमित आदित्ये 4—6; Kaṭhaśru. 1.
4. चन्द्रमस्यस्तमिते 5, 6.
Kaṭha. 4. 9. सूर्यो ऽस्तं यत्र च गच्छति
Maitri. 6. 14. काले चास्तं नियच्छन्ति
15. संवत्सरे प्रत्यस्तं यन्ति
17. अस्मिंश्च प्रत्यस्तं याति
22. अव्यक्ते ब्रह्मण्यस्तं गताः
Muṇḍ. 3. 2. 8. समुद्रे ऽस्तं गच्छन्ति
Praśna. 4. 2. अर्कस्यास्तं गच्छतः
6. 5. समुद्रं प्राप्यास्तं गच्छन्ति
— पुरुषं प्राप्यास्तं गच्छन्ति
Mukti. 2. 51. अपाने ऽस्तं गते
52. बाहिरस्तं गते प्राणे

अस्तमय

Chhâ. 2. 9. 7. यदूर्ध्वमपराह्णात्प्रागस्तमयात्स उपद्रवः
Kaṭha. 6. 6. इन्द्रियाणां . . उदयास्तमयौ

अस्तिता

Gauḍa. 4. 24. परतन्त्रास्तिता मता

अस्तृत

Kaush. 2. 11. हिरण्मयस्तृतं भव

अस्तेन

Bṛih. 4. 3. 22. स्तेनो ऽस्तेनो भवति

अस्त्र

Nṛip. 2. 2. ओमस्त्राय फट्
Nṛisut. 2. कालाग्निसूर्यो ऽस्त्रैः
Râmap. 8. पुंखयंगास्त्रादिकल्पना
45. तैः सार्द्धमादायास्त्रांश्च
67. वर्मास्त्रनतिसंयुक्तम्
90. धृष्टचादिकैर्लोकपालैस्तदस्त्रैः

अस्थि

Chhâ. 2. 19. 1. अस्थि प्रतिहारः
6. 5. 3. तस्य यः स्थविष्ठो धातुस्तदस्थि भवति
Bṛih. 1. 1. 1. नक्षत्राण्यस्थीनि
3. 9. 26. परिमोषिणो ऽस्थीन्यपजह्रुः
28. अस्थीन्यन्तरतो दारूणि
Tait. 1. 7. 1. चर्म मांसं स्नावास्थि मज्जा
Maitri. 1. 3. अस्थिचर्मस्नायु . . संघाते
3. 4. शरीरं . . अस्थिभिश्चितम्
Garbha. 2. स्नाय्नो ऽस्थीन्यस्थिभ्यो मज्जा
5. अस्थीनि च ह वै त्रीणि शतानि षष्टिश्च
Piṇḍa. 5. अस्थि मज्जा प्रजायते
Vâsu. 3. अस्थीनि चक्ररूपाणि भवन्ति

अस्थिर

Maitri. 3. 2. कलुषीकृतश्चास्थिरश्चञ्चलः 6. 30.
Gîtâ. 6. 26. मनश्चञ्चलमस्थिरम्

अस्थिरत्व

Maitri. 3. 5. अकाममस्थिरत्वम्

अस्थूल

Bṛih. 3. 8. 8. अस्थूलमनणु

अस्नातक

Jâbâla. 4. स्नातको वा ऽस्नातको वा

अस्नाविर

Iśâ. 8. अकायमव्रणमस्नाविरम्

अस्नेह

Bṛih. 3. 8. 8. अलोहितमस्नेहम्

अस्पन्दता

Mukti. 2. 76. विशल्यदेहमुक्तत्वं पवनो ऽस्पन्दतामिव

अस्पन्दमान

Gauḍa. 4. 48. अस्पन्दमानमलातम्
— अस्पन्दमानं विज्ञानम्

अस्पर्श

Kaṭha. 3. 15. अशब्दमस्पर्शमरूपम्
Nṛisut. 9; Mukti. 2. 72.

अस्पर्शयोग

Gauḍa. 3. 39. अस्पर्शयोगो नामायम्
4. 2. अस्पर्शयोगो वै नाम

अस्पृष्ट

Gauḍa. 4. 84. भगवानाभिरस्पृष्टः

अस्प्रष्टृ

Maitri. 6. 11. अमन्ताश्रोतास्प्रष्टा . . भवति

अस्मदीय

Gîtâ. 11. 26. सहास्मदीयैरपि योधमुख्यैः

अस्वप्न

Gauḍa. 1. 16. अजमनिद्रमस्वप्नम् 3. 36; 4. 81.

Nṛisut. 2. जाग्रत्स्वप्नमसुषुप्तम्
— सुषुप्ते ऽजाग्रतमस्वप्नम्
— तुरीये ऽजाग्रतमस्वप्नमसुषुप्तम्

अस्वप्ननिद्रा

Gauḍa. 1. 14. प्राज्ञस्त्वस्वप्ननिद्रया

अस्वर

Brahmab. 7. अस्वरं भावयेत् परम्
— अस्वरेण हि भावेन

Amṛita. 4. अस्वरेण मकारेण
24. अघोषमव्यञ्जनमस्वरं च

अस्वर्ग्य

Maitri. 7. 8. अस्वर्ग्यैः सह स्वर्ग्यस्य
— ते तस्करा अस्वर्ग्याः

Gîtâ. 2. 2. अनार्यजुष्टमस्वर्ग्यम्

अस्वातन्त्र्य

Maitri. 4. 2. बन्धनस्थस्येवास्वातन्त्र्यम्

अस्वादु

Ait. 5. 1. येन वा स्वादु चास्वादु च विजानाति

अह

Śwet. 2. 16. एषो ऽह देवः

Maitri. 6. 22. अथाहैषा गतिः

अहंश्रेयस्

Kaush. 2. 14. देवता अहंश्रेयसे विवदमानाः

Chhâ. 5. 1. 6. प्राणा अहंश्रेयसि व्यूदिरे

Bṛih. 6. 1. 7. ते हेमे प्राणा अहंश्रेयसे विवदमानाः

अहंकार

Śwet. 5. 8. संकल्पाहङ्कारसमन्वितः

Maitri. 6. 5. बुद्धिर्मनो ऽहङ्कार इति चेतनवत्येषा

Praśna. 4. 8. अहङ्कारश्चाहङ्कर्तव्यं च

Mahâ. 1. अहङ्कारस्त्रयोदशः

Prâṇâg. 4. अहङ्कारो ऽध्वर्युः

Parama. 2. *vide* आदि

Aruṇeya. 3. *vide* आदि
Mukti. 2. 62. घनाहङ्कारशालिनी
Gîtâ. 3. 27. अहङ्कारविमूढात्मा
7. 4. अहङ्कार इतीयं मे
13. 5. महाभूतान्यहङ्कारः
16. 18. अहङ्कारं बलं दर्पम् 18. 53.
17. 5. दम्भाहङ्कारसंयुक्ताः
18. 58. अथ चेत्त्वमहङ्कारात्
59. यदहङ्कारमाश्रित्य

अहंकारादेश

Chhâ. 7. 25. 1. अथातो ऽहङ्कारादेशः

अहंकृ

Praśna. 4. 8. अहङ्कारश्चाहङ्कर्त्तव्यं च
Gîtâ. 18. 17. यस्य नाहङ्कृतो भावः

अहंकृति

Mukti. 2. 53. अहङ्कृतिं विना

अहत

Kaush. 2. 15. अहतेन वाससा संप्रच्छन्नः

अहतवासस्

Bṛih. 6. 4. 13. त्र्यहं कंसे न पिबेदहतवासाः

अहत्वा

Gîtâ. 2. 5. गुरूनहत्वा हि महानुभावान्

अहन्

Chhâ. 4. 15. 5. अर्चिषो ऽहरह्न आपूर्यमाणपक्षम् 5. 10. 1 ; Bṛih. 6. 2. 15.
5. 4. 1. अहरर्चिः Brih. 6. 2. 9.
6. 7. 1. पञ्चदशाहानि माशीः
2. पञ्चदशाहानि नाश
8. 4. 2. नक्तमहरेवाभिनिष्पद्यते

Bṛih. 1. 1. 2. अहर्वा अश्वं पुरस्तात्
4. 4. 16. संवत्सरो ऽहोभिः परिवर्त्तते
5. 5. 3. तस्योपनिषदहरिति
Mahânâr. 14. 3. यदह्ना पापमकार्षं . . अहस्तदवलुंपतु
Praśna. 1. 13. अहरेव प्राणो रात्रिरेव रयिः
Kaṭhaśru. 1. यथाहनि तथा रात्रौ
Parama. 3. नाहर्न नक्तम् (instead of this two MSS. read नाहं न त्वं).
Gîtâ 8. 17. सहस्रयुगपर्यन्तमहः
24. अग्निर्ज्योतिरहः शुक्लः

अहन्त्व

Nṛisut. 7. नमामित्वादहन्त्वादिति
— पुनः पुनरहन्त्वादिति

अहम्

Bṛih. 1. 4. 1. ततो ऽहन्नामाभवत्
5. 5. 4. तस्योपनिषदहमिति
Nṛip. 2. 3. अहमित्येकादशं स्थानं जानीयात्
4. कस्मादुच्यते अहमिति
Nṛisut. 2. निरस्ताखिलाविद्यातमोमोहो ऽहमेवेति
4. अहमित्यनुसन्दध्यात्
— अहमित्यात्मानमादाय
— एष एवनमाम्येष एवाहम्
5. एष एवाहमेष हि व्याप्ततमः
— एष एवाहमेष ह्येवोत्कृष्टः
— एतदेवाहमेतद्धि महाविभूति
6. अहमनहं . . बुबुधिरे
7. कस्त्वमित्यहमिति होवाच
— तस्मादहमिति सर्वाभिधानम्
9. अहं सः सो ऽहमिति

Piṇḍa. 3. अहं वसति तोयेष्वहं वस-
ति चाग्निषु
— अहमाकाशगो भूत्वा

Gopî. 2. प्रकृतिमहदहमाद्याः

Gîtâ. 9. 29. मयि ते तेषु चाप्यहम्

अहरहर्

Chhâ. 8. 3. 2. सर्वाःप्रजा अहरहर्गच्छन्त्यः
3. अहरहर्वा एवंवित् स्वर्गं
लोकमेति 5.

Bṛih. 2. 1. 3. अहरहर्ह सुतः प्रसुतो भव-
ति

Maitri. 6. 12. सर्वाणि . . भूतान्यहरहःप्रप-
तन्ति

Praśna. 4. 4. स एनं यजमानमहरहर्ब्रह्म
गमयति

अहरागम

Gîtâ. 8. 18. प्रभवन्त्यहरागमे
19. प्रभवत्यहरागमे

अहर्गण

Mahânâr. 25. 1. ये संवत्सराश्च परिवत्सरा-
श्च ते ऽहर्गणाः

अहर्जर

Tait. 1. 4. 3. यथा मासा अहर्जरं (य-
न्ति)

अहर्निशम्

Mukti. 1. 2. स्तूयमानमहर्निशम्

अहल्लिक

Bṛih. 3. 9. 25. अहल्लिकेति होवाच

अहिंसत्

Chhâ. 8. 15. 1. अहिंसन्त्सर्वभूतान्यन्यत्र
तीर्थेभ्यः

अहिंसा

Chhâ. 3. 17. 4. यत्तपोदानमार्जवमहिंसा

Prâṇâg. 4. स्मृतिर्दया क्षान्तिरहिंसा
पत्नीसंयाजाः
— अहिंसा इष्टयः

Aruṇeya. 4. ब्रह्मचर्यमहिंसां चापरिग्र
हं च

Kṛish. 16. सत्यभामाहिंसेति वै

Gîtâ. 10. 5. अहिंसा समता तुष्टिः
13. 7. अहिंसा क्षान्तिरार्जवम्
16. 2. अहिंसा सत्यमक्रोधः
17. 14. ब्रह्मचर्यमहिंसा च

अहित

Gîtâ. 2. 36. वदिष्यन्ति तवाहिताः
16. 9. क्षयाय जगतो ऽहिताः

अहिनिर्ल्वयनी

Bṛih. 4. 4. 7. यथाहिनिर्ल्वयनी वल्मीके
मृता

अहिम

Bṛih. 5. 10. 1. स लोकमागच्छत्यशोकम-
हिमम्

अहुत

Muṇḍ. 1. 2. 3. यस्याग्निहोत्रं . . अहुतम्

Śiras. 3. हुतमहुतं दत्तमदत्तम्

अहृदय

Bṛih. 4. 1. 7. अहृदयस्य हि किं स्यात्

अहृदयज्ञ

Chhâ. 7. 2. 1. हृदयज्ञं चाहृदयज्ञं च
7. 7. 1.
— न हृदयज्ञो नाहृदयज्ञः

अहैतुक

Gîtâ. 18. 22. एकस्मिन् कार्ये सक्तमहै-
तुकम्

अहोरात्र

Kaush. 1. 4. एवमहोरात्रे पर्यवेक्षेत
2. 7. यदहोरात्राभ्यां पापमकरोत्

Kaush. 2. 7. यदहोरात्राभ्यां पापं करोति
Chhâ. 8. 4. 1. नैतं सेतुमहोरात्रे तरतः
Bṛih. 1. 1. 1. अहोरात्राणि प्रतिष्ठाः
3. 1. 4. सर्वमहोरात्राभ्यामाप्तं .. केन यजमानो ऽहोरात्रयोराप्तिमातिमुच्यते
3. 8. 9. निमेषा मुहूर्ता अहोरात्राणि
Maitri. 6. 1. अहोरात्रेणैती व्यावर्त्तेते
Mahânâr. 1. 8. अहोरात्राश्च सर्वशः
5. 6. अहोरात्राणि विदधत्
25. 1. ये अहोरात्रे ते दर्शपूर्णमासौ
Praśṇa. 1. 13. अहोरात्रो वै प्रजापतिः
Nyâsa. 2. तासामहोरात्रेण निर्वपेत्
Haṁsa. 2. अहोरात्रयोरेकविंशतिसहस्राणि षट्शतान्यधिकानि भवन्ति

अहोरात्रकृत

Gopi. 4. अहोरात्रकृतं पापं नाशयति

अहोरात्रप्रमाण

Amṛita. 33. अहोरात्रप्रमाणतः

अहोरात्रविद्

Gîtâ. 8. 17. अहोरात्रविदो जनाः

अह्रस्व

Bṛih. 3. 8. 8. अह्रस्वमदीर्घम्

आ

Chhâ. 2. 8. 1. यदेति स आदिः

आकम्प्

Chhâ. 7. 8. 1. शतं विज्ञानवतामेको बलवानाकम्पयते

आकर्ण्

Maitri. 6. 22. अन्तर्हृदाकाशशब्दमाकर्णयन्ति

आकर्षण

Amṛita. 9. वायोराकर्षणं तथा

आकार

Mukti. 2. 62. अज्ञानसुघनाकारा

आकाश

Ait. 5. 3. पृथिवी वायुराकाश आपो ज्योतींषि
Kaush. 1. 6. आकाशाद् योनेः संभूतः
4. 2. आकाशे पूर्णम्
8. आकाशे पुरुषस्तमेवाहमुपासे
Kena. 25. तस्मिन्नेवाकाशे स्त्रियमाजगाम
Chhâ. 1. 9. 1. अस्य लोकस्य का गतिरित्याकाश इति
— इमानि भूतान्याकाशादेव समुत्पद्यन्त आकाशं प्रत्यस्तं यन्ति
— आकाशो ह्येवैभ्यो ज्यायान्
— आकाशः परायणम् Nṛip. 3. 1.
3. 12. 7. यो ऽयं बहिर्धा पुरुषादाकाशः
8. यो ऽयमन्तः पुरुष आकाशः
9. यो ऽयमन्तर्हृदय आकाशः
3. 13. 5. स वायुः स आकाशः
3. 18. 1. आकाशो ब्रह्म
4. 10. 5. प्राणं च हास्मै तदाकाशं चोचुः
4. 13. 1. प्राण आकाशो द्यौर्विद्युत्
5. 6. 1. आकाशो धूमः
5. 10. 4. पितृलोकादाकाशमाकाशाच्चन्द्रमसम्

Chh. 5. 10. 5. यथेतमाकाशमाकाशाद्वायुम्
5. 15. 1. आकाशमेव भगवो राजन्
5. 23. 2. आकाशस्तृप्यत्याकाशे तृप्यति यत्किञ्च वायुश्चाकाशश्चाधितिष्ठतस्तत्तृप्यति
7. 2. 1. वायुं चाकाशं च 7. 7. 1.
7. 4. 2. समकल्पेतां वायुश्चाकाशं च
7. 11. 1. वायुमागृह्याकाशमभितपति
7. 12. 1. आकाशो वाव तेजसो भूयानाकाशे वै सूर्याचन्द्रमसौ
— आकाशेनाह्वयत्याकाशेन शृणोत्याकाशेन प्रतिशृणोति . . आकाशमुपास्व
2. स य आकाशं ब्रह्मेत्युपास्ते (bis).
— यावदाकाशस्य गतम्
— अस्ति भगव आकाशाद्भूय इत्याकाशाद्भूयो ऽस्तीति
7. 13. 1. स्मरो वा आकाशाद्भूयः
7. 26. 1. आत्मत आकाशः
8. 1. 1. दहरो ऽस्मिन्नन्तराकाशः 2.
3. यावान्वा अयमाकाशस्तावानेषो ऽन्तर्हृदय आकाशः
8. 12. 2. यथैतान्यमुष्मादाकाशात्समुत्थाय
4. यत्रैतदाकाशमनुविषण्णं चक्षुः
8. 14. 1. आकाशो वै नाम नामरूपयोर्निर्वहिता
Bṛih. 1. 4. 3. तस्मादयमाकाशः स्त्रिया पूर्यते
2. 1. 5. आकाशे पुरुष एतं . . ब्रह्मोपासे

Bṛih. 2. 1. 17. य एषो ऽन्तर्हृदय आकाश 4. 2. 3; 4. 4. 22; Tait. 1. 6. 1.
2. 3. 4. यश्चायमन्तरात्मन्नाकाशः 5.
2. 5. 10. आकाशः सर्वेषां . . मध्वस्याकाशस्य सर्वाणि . . मधु
— आकाशे . . अमृतमयः पुरुषः
3. 2. 13. आकाशमात्मा (अप्येति)
3. 3. 2. तावानन्तरेणाकाशः
3. 7. 12. य आकाशे तिष्ठन्नाकाशादन्तरो यमाकाशो न वेद यस्याकाशः शरीरं य आकाशमन्तरो यमयति
3. 8. 4. आकाशे तदोतं च प्रोतं च 7.
7. कस्मिन्नु खल्वाकाश ओतश्च प्रोतश्च
11. एतस्मिन्नु खल्वक्षरे गार्ग्याकाश ओतश्च प्रोतश्चेति
3. 9. 13. आकाश एव यस्यायतनम्
4. 1. 2. आकाशः प्रतिष्ठा 3—7.
4. 3. 19. आकाशे श्येनो वा सुपर्णो वा
4. 4. 17. आकाशश्च प्रतिष्ठितः
20. विजरः पर आकाशात्
6. 2. 16. अथेममेवाकाशमभिनिष्पद्यन्त आकाशाद्वायुम्
Tait. 1. 3. 1. आकाशः सन्धिः
1. 7. 1. आकाश आत्मा 2. 2. 1.
2. 1. 1. आत्मन आकाशः संभूत आकाशाद्वायुः
2. 7. 1. यदेष आकाश आनन्दो न स्यात्

Tait. 3. 9. 1. पृथिवी वा अन्नमाकाशो ऽन्नादः पृथिव्यामाकाशः प्रतिष्ठित आकाशे पृथिवी
3. 10. 3. सर्वमित्याकाशे
Śwet. 6. 20. यदा चर्मवदाकाशं वेष्टयिष्यन्ति
Maitri. 6. 2. इदं वाव तत्पुष्करं योऽयमाकाशः
4. शाखा आकाशवाय्वग्न्युदकभूम्यादयः
17. एतस्मादाकाशादेष खल्विदं चेतामात्रं बोधयति
22. अन्तर्हृदयाकाशशब्दमाकर्णयन्ति
27. अन्तर्हृदयाकाशं विनुदन्ति
28. अन्तर्हृदयाकाशस्य पारं तीर्त्वा
38. अतःपरमाकाशम्
Mahânâr. 12. 3. आदित्यो वै ...वायुराकाशः
Praśna. 2. 2. आकाशो ह वा एष देवः
3. 8. अन्तरा यदाकाशः स समानः
4. 8. आकाशश्चाकाशमात्रा च
Gauḍa. 1. 2. आकाशे च हृदि प्राज्ञः
3. 4. आकाशे सम्प्रलीयन्ते
6. आकाशस्य न भेदो ऽस्ति
7. नाकाशस्य घटाकाशः
9. आकाशेनाविलक्षणः
12. यथाकाशः प्रकाशितः
Nṛip. 3. 1. आकाशादेव जायन्त आकाशादेव जातानि जीवन्त्याकाशं प्रयन्ति
— तस्मादाकाशं बीजं विद्यात्
Śiras. 2. यो वै रुद्रः.. यच्चाकाशम्
Śikhâ. 2. शिवमाकाशं मध्ये ध्रुवस्थम्
Garbha. 1. पृथिव्यापस्तेजोवायुराकाशम्
— को वायुः किमाकाशम्
Garbha. 1. यत्सुषिरं तदाकाशम्
— आकाशमवकाशप्रदाने
Brahma. 1. श्येनाकाशवत्
2. हृद्याकाशे तद्विज्ञानमाकाशं तत्सुषिरमाकाशं तद्वेद्यं हृद्याकाशम्
Brahmab. 13. घटसंभृतमाकाशम्
— घटो लीयेत नाकाशम्
Amṛit. 11. आकाशं शून्यं कृत्वा
31. एकमात्रस्तथाकाशः
Nyâsa. 4. मनसाकाशश्चाकाशाद्वायुः
Gîtâ. 13. 32. आकाशं नोपलिप्यते

आकाशकल्प

Gauḍa. 4. 1. ज्ञानेनाकाशकल्पेन

आकाशग

Piṇḍa. 3. अहमाकाशगो भूत्वा

आकाशमय

Bṛih. 4. 4. 5. वायुमय आकाशमयः
Maitri. 6. 27. हृद्याकाशमयं कोशम्

आकाशमात्रा

Praśna. 4. 8. आकाशश्चाकाशमात्रा च

आकाशवत्

Gauḍa. 3. 3. आत्मा ह्याकाशवत्
4. 91. प्रकृत्याकाशवज्ज्ञेयाः
Sarvop. 4. आकाशवत् सूक्ष्मः केवलः

आकाशवन्त्

Chhâ. 7. 12 2. आकाशवतो वै स लोकान् ..अभिसिध्यति

आकाशशरीर

Tait. 1. 6. 2. आकाशशरीरं ब्रह्म

आकाशस्थित

Gîtâ. 9. 6. यथाकाशस्थितो नित्यम्

आकाशात्मन्

Kaush. 2. 14. आकाशात्मानः स्वरीयुः
— आकाशात्मा स्वरेति

Chhâ. 3. 14. 2. सत्यसंकल्प आकाशात्मा
Maitri. 2. 6.

Maitri. 6. 17. एष आकाशात्मैव

आकुल

Gîtâ. 2. 1. अश्रुपूर्णाकुलेक्षणम्

आकूति

Mahânâr. 20. 16. वाङ्मनश्चक्षुःश्रोत्रजिह्वाघ्राण-
रेतोबुद्ध्याकूतिसंकल्पा मे
शुध्यन्ताम्

आकृति

Śwet. 6. 6. वृक्षकालाकृतिभिः परः

आकृष्

Nrip. 5. 7. स मनुष्यानाकर्षयति
— स देवानाकर्षयति
— स नागानाकर्षयति
— स ग्रहानाकर्षयति
— स यक्षानाकर्षयति
— स सर्वानाकर्षयति

Nṛisut. 7. अकारं .. उकारपूर्वार्द्धमा-
कृष्य
— उत्तरार्द्धेन तं सिंहमाकृष्य
— शृङ्गं शृङ्गार्द्धमाकृष्य

Brahma. 1. यदा याति संसृष्टमाकृष्य

Amṛita. 19. एकेन मारुतमाकृष्य

Dhyâna. 21. तोयमाकर्षयेत् पुनः

आक्रम्

Chhâ. 8. 6. 5. रश्मिभिरूर्ध्व आक्रमते

Bṛih. 3. 1. 6. केनाक्रमेण .. स्वर्गं लोक-
माक्रमते
4. 3. 9. तमाक्रममाक्रम्य
4. 4. 3. अन्यमाक्रममाक्रम्य (bis)

Bṛih. 5. 10. 1. तेन स ऊर्ध्व आक्रमते (ter)

Maitri. 6. 30. अक्षय्यमपरिमितं सुखमा-
क्रम्य

Muṇḍ. 3. 1. 6. येनाक्रमन्त्यृषयो ह्याप्तका-
माः

आक्रम

Bṛih. 3. 1. 6. केनाक्रमेण .. स्वर्गं लोक-
माक्रमते
4. 3. 9. तमाक्रममाक्रम्य
4. 4. 3. अन्यमाक्रममाक्रम्य (bis).

आखण

Chhâ. 1. 2. 7. यथाऽश्मानमाखणमृत्वा
विध्वंसेत, 8 (°सते).
8. स एषो ऽश्माखणः

1. आख्या

Bṛih. 1. 4. 12. गणश आख्यायन्ते
1. 5. 21. एतेनाख्यायन्ते प्राणाः
6. 5. 3. इमानि शुक्लानि यजूंषि वा-
जसनेयेन याज्ञवल्क्येना-
ख्यायन्ते

Maitri. 2. 3. इयं ब्रह्मविद्या ...मैत्रिणा-
ख्याता

Nâda. 8. एष ओङ्कार आख्यातः

Vâsu. 1. गोपीचन्दनमाख्यातम्

Gopî. 1. य एवं विद्वानेतदाख्यापये-
त्

Gita. 11. 31. आख्याहि मे को भवानुग्र-
रूपः
18. 63. इति ते ज्ञानमाख्यातम्

2. आख्या

Râmap. 5. तथा रात्यस्य रामाख्या

आगम्

Kaush. 1. 2. तमागतं पृच्छति को ऽसीति
3. अग्निलोकमागच्छति
— तमित्थंविदागच्छति

Kaush. 1. 4. स आगच्छत्यारं ह्रदम् (similarly twice more).
5. स आगच्छतील्यंवृक्षम् (similarly 6 times more).
4. 19. तौ ह सुप्तं पुरुषमाजग्मतुः

Kena. 25. तस्मिन्नेवाकाशे स्त्रियमाजगाम

Chhâ. 2. 1. 4. अभ्याशो ह यदेनं साधवो धर्मा आ च गच्छेयुः
3. 19. 4. अभ्याशो ह यदेनं साधवो घोषा आ च गच्छेयुः
4. 14. 1. आजगाम हास्याचार्यः
5. 12. 2. मूर्धा ते व्यपतिष्यद्यन्मां नागमिष्यः
5. 13. 2. अन्धोऽभविष्यो यन्मां नागमिष्यः
5. 14. 2. प्राणस्त उदक्रमिष्यद्यन्मां नागमिष्यः
5. 15. 2. सन्देहस्ते व्यशीर्यद्यन्मां नागमिष्यः
5. 16. 2. वस्तिस्ते व्यभेत्स्यद्यन्मां नागमिष्यः
5. 17. 2. पादौ ते व्यम्लास्येतां यन्मां नागमिष्यः
5. 19. 1. यद्भक्तं प्रथममागच्छेत्
6. 10. 2. सत आगम्य न विदुः सत आगच्छामह इति
8. 7. 2. प्रजापतिसकाशमाजग्मतुः
8. 9. 2. किमिच्छन् पुनरागमः
8. 10. 3; 8. 11. 2.

Bṛih. 2. 1. 12. नैनं पुरा कालान्मृत्युरागच्छति
15. तौ ह पुरुषं सुप्तमाजग्मतुः
4. 3. 37. अयमायात्ययमागच्छतीति — इदं ब्रह्मायातीदमागच्छतीति
5. 10. 1. स वायुमागच्छति — स आदित्यमागच्छति

Bṛih. 5. 10. 1. स चन्द्रमसमागच्छति — स लोकमागच्छत्यशोकम्
6. 1. 8. संवत्सरं प्रोष्यागत्योवाच 9—12.
6. 2. 1. पञ्चालानां परिषदमाजगाम — स आजगाम जैवलिं प्रवाहणम्
3. स आजगाम पितरम्
4. स आजगाम गौतमः

Maitri. 1. 2. अन्तिकमाजगाम ... शाकायन्यः
6. 7. ग इति गच्छन्त्यस्मिन्नागच्छन्त्यस्मादिमाः प्रजाः
24. अतमाविष्टमागच्छति

Mahânâr. 2. 9. अविभ्रदन्न आगहि
16. 7. आ मां मेधा...जगम्या

Brahma. 3. स्वप्ने...गच्छत्यागच्छते पुनः

Râmap. 44. आगत्य रामेण सह

Mukti. 1. 51. विद्या ह वै ब्राह्मणमाजगाम

Gîtâ. 3. 34. तयोर्न वशमागच्छेत्
4. 10. सद्भावमागताः
14. 2. मम साधर्म्यमागताः

आगम

Amṛita. 16. आगमस्याविरोधेन

आगमन

Maitri. 4. 2. दुर्निवार्यमस्य मृत्योरागमनम्

Gauḍa. 3. 9. गत्यागमनयोरपि

आगमापायिन्

Gîtâ. 2. 14. आगमापायिनोऽनित्याः

आगातृ

Chhâ. 1. 2. 14. आगाता ह वै कामानां भवति

आगार

Aśrama. 4. शून्यागारदेवगृहवासिनः

आगै

Chhâ. 1. 2. 13. स ह स्मैभ्यः कामानागायति
1. 7. 9. कं ते काममागायानि
1. 12. 2. अन्नं नो भगवानागायतु
2. 22. 2. अमृतत्वं देवेभ्य, आगाया-
नीत्यागायेत्
— अन्नमात्मन आगायानि

Bṛih. 1. 3. 2. यो वाचि भोगस्तं देवेभ्य आ-
गायत् (similarly in
3—7).
17. अथात्मने ऽन्नाद्यमागायत्
18. यदन्नं तदात्मन आगासीः
28. तेष्वात्मने ऽन्नाद्यमागायेत्
— यं कामं कामयते तमागायति

आग्निवेश्य

Bṛih. 2. 6. 2. गौतम आग्निवेश्यात् 4.6.2.
— आग्निवेश्यः शाण्डिल्या-
च्चानभिम्लाताच्च
4. 6. 2. आग्निवेश्यो गार्ग्यात्

आग्नीध्रीय

Chhâ. 2. 24. 7. जघनेनाग्नीध्रीयस्य

आग्नेय

Maitri. 6. 14. एतस्याग्नेयमर्द्धमर्द्धं वारु-
णम्
— मघाद्यं श्रविष्ठार्द्धमाग्नेयम्
38. सौरसौम्याग्नेयसात्त्विकानि

Nâda. 6. आग्नेयी प्रथमा मात्रा

Amṛit. 30. आग्नेयस्तु त्रिमात्राणि

Haṁsa. 2. आग्नेय्यां निद्रालस्यादयो
भवन्ति

Kâlâg. 1. यद्द्रव्यं तदाग्नेयं भस्म

Jâbâla. 4. आग्नेयीमेव कुर्यात्

Râmap. 53. आग्नेयादिषु संयुतः

आग्रह्

Chhâ. 7. 11. 1. एतद्ध्यायुमागृह्य

आधार

Prâṇâg. 3. शारीरयज्ञस्य .. कावा-
धारौ
4. श्रोत्रे आधारौ

आघ्रा

Ait. 5. 1. येन वा गन्धानाजिघ्रति

Jâbâla. 4. अनेन मंत्रेणाभिमाजिघ्रेत्
— ग्रामादग्निमाहृत्य पूर्ववद-
ग्निमाघ्रापयेत्

आङ्गिरस

Chhâ. 3. 17. 6. घोर आङ्गिरसः

Bṛih. 1. 3. 8. अयास्य आङ्गिरसः 19, 24.
2. 6. 3. पन्थाः सौभरो ऽयास्यादा-
ङ्गिरसात् 4. 6. 3.
— अयास्य आङ्गिरस आभू-
तेस्त्वाष्ट्रात् 4. 6. 3.
3. 3. 1. सुधन्वाङ्गिरसः

आच्

Kaush. 2. 3. दक्षिणं जान्वाच्य

आचक्ष्

Ait. 3. 14. तमिदन्द्रं सन्तमिन्द्रमित्या-
चक्षते परोक्षेण

Kaush. 2. 5. आन्तरमग्निहोत्रमित्याचक्षते
15. पितापुत्रीयं संप्रदानमिति चा-
चक्षते

Chhâ. 1. 3. 2. स्वर इतीममाचक्षते
6. वाग्गीर्वाचो ह गिर इत्याच-
क्षते
2. 1. 1. यत्खलु साधु तत्सामेत्या-
चक्षते
4. 15. 2. एतं संयद्वाम इत्याचक्षते
5. 1. 15. न मनांसीत्याचक्षते प्राणा
इत्येवाचक्षते

Chhâ. 6. 8. 1. तस्मादेनं स्वपितीत्याचक्षते
3. एवं तदप आचक्षतेऽशनाया
5. एवं तत्तेज आचष्ट उदन्या
7. 24. 2. गोअश्वमिह महिमेत्याचक्षते
7. 26. 2. तं स्कन्द इत्याचक्षते
8. 5. 1. यद्यज्ञ इत्याचक्षते ब्रह्मचर्यमेव तत् (similarly 5 times more).

Bṛih. 1. 5. 21. तेन ह वाव तत्कुलमाचक्षते
3. 8. 3. यद्भूतं च भवच्च भविष्यच्चेत्याचक्षते 4, 6, 7.
3. 9. 9. स ब्रह्म त्यदित्याचक्षते
4. 2. 2. इन्धं सन्तमिन्द्र इत्याचक्षते

Tait. 1. 3. 1. ता महासंहिता इत्याचक्षते
2. 6. 1. तत्सत्यमित्याचक्षते
3. 10. 1. अराध्यस्मा अन्नमित्याचक्षते

Praśna. 4. 2. स्वपितीत्याचक्षते

Nṛip. 1. 1. तस्मात् सर्वमिदमानुष्टुभमित्याचक्षते
3. तस्मात् सर्वदा नाचष्टे यद्याचष्टे स आचार्यः
4. तस्मादिदं साम यत्रकुत्रचिन्नाचष्टे

Jâbâla. 2. सोऽविमुक्तं ज्ञानमाचष्टे यो वै तदेवं वेद Râmot. 4.

आचम्

Chhâ. 2. 12. 2. न प्रत्यङ्ङग्निमाचामेत्
5. 2. 7. एतयर्चा पच्छ आचामति तत्सवितुर्वृणीमह इत्याचामति वयं देवस्य भोजनमित्याचामति श्रेष्ठं सर्वधातममित्याचामति
6. 13. 2. अन्तादाचामेति . . मध्यादाचामेति . . अन्तादाचामेति

Bṛih. 6. 1. 14. श्रोत्रिया अशिष्यन्त आचामन्त्यशित्वाचामन्ति
6. 3. 6. अथैनमाचामति तत्सवितुर्वरेण्यम्
— अन्तत आचम्य पाणी प्रक्षाल्य

Maitri. 6. 9. आचान्तो भूत्वात्मेज्यानः

Jâbâla. 5. प्राश्याचम्यायं विधिः परिव्राजिनाम्

आचर्

Chhâ. 5. 10. 9. पञ्चमश्चाचरंस्तैः
10. न स ह तैरप्याचरन् पाप्मना लिप्यते

Muṇḍ. 1. 2. 1. तान्याचरथ नियतं सत्यकामाः

Mahânâr. 22. 1. शमेन शान्ताः शिवमाचरन्ति

Gauḍa. 2. 36. जडवल्लोकमाचरेत्

Nṛisut. 6. देवानां व्रतमाचरन्

Nyâsa. 4. अद्भिः पूताभिराचरेत् Kaṭhaśru. 4.

Aruṇeya. 2. अमंत्रवदाचरेत्
— त्रिसन्ध्यादौ स्नानमाचरेत्
— सन्धिं समाधावात्मन्याचरेत्
4. औषधवदशनमाचरेत्

Aśrama. 4. अनुन्मत्ता उन्मत्तवदाचरन्तः

Jâbâla. 6. अनुन्मत्ता उन्मत्तवदाचरन्तः
— भैक्षमाचरन्नुदरपात्रेण

Skanda. 12. भैक्षमाचरेद्देहरक्षणे
13. इत्येवमाचरेद्धीमान्

Mukti. 2. 17. मनो निर्वासनीभावमाचराशु
31. निर्णीतं तावदाचर

Gîtâ. 3. 19. असक्तो ह्याचरन्कर्म
21. यद्यदाचरति श्रेष्ठः

Gîtâ. 4. 23. यज्ञायाचरतः कर्म
16. 22. आचरत्यात्मनः श्रेयः

आचरण

Chhâ. 8. 12. 3. यथा प्रयोग्य आचरणे युक्तः

आचार

Gîtâ. 16. 7. न शौचं नापि चाचारः

आचार्य

Kaush. 1. 1. हन्ताचार्यं पृच्छानीति
Chhâ. 4. 9. 1. तमाचार्यो ऽभ्युवाद सत्यकाम
3. आचार्याद्धैव विद्या विदिता साधिष्ठं प्रापयति
4. 14. 1. आचार्यस्तु ते गतिं वक्तेत्याजगाम हास्याचार्यस्तमाचार्यो ऽभ्युवाद
7. 15. 1. प्राण आचार्यः
2. स यदि ..आचार्यं वा.. किञ्चिद्भृशमिव प्रत्याह
Tait. 1. 3. 2. आचार्यः पूर्वरूपम्
1. 11. 1. आचार्यो ऽन्तेवासिनमनुशास्ति
— आचार्याय प्रियं धनमाहृत्य
Nṛip. 1. 3. यद्याचष्टे स आचार्यस्तेनैव मृतो ऽधो गच्छति
Gîtâ. 1. 2. आचार्यमुपसंगम्य
3. पश्यैतां ..आचार्य
26. आचार्यान्मातुलान्भ्रातॄन्
34. आचार्याः पितरः पुत्राः

आचार्यकुल

Chhâ. 2. 23. 2. आचार्यकुलवासी तृतीयो ऽत्यन्तमात्मानमाचार्यकुले ऽवसादयन्
4. 5. 1. प्रापय न आचार्यकुलग
Chhâ. 4. 9. 1. प्राप हाचार्यकुलम्
8. 15. 1. आचार्यकुलाद्वेदमधीत्य

आचार्यजाया

Chhâ. 4. 10. 3. तमाचार्यजायोवाच

आचार्यदेव

Tait. 1. 11. 2. आचार्यदेवो भव

आचार्यमुख

Nṛip. 1. 5. तस्मादिदं साम येन केनचिदाचार्यमुखेन यो जानीते

आचार्यवन्त्

Chhâ. 6. 14. 2. आचार्यवान् पुरुषो वेद
Bṛih. 4. 1. 2. यथा ..आचार्यवान् ब्रूयात् 3–7.

आचार्यहन्

Chhâ. 7. 15. 2. आचार्यहा वै त्वमसि
3. नाचार्यहासीति

आचार्योपासन

Gîtâ. 13. 7. आचार्योपासनं शौचम्

आच्छादन

Nyâsa. 3. कौपीनाच्छादनं तथा Kaṭhaśru. 4.
Parama. 1. कौपीनं दण्डमाच्छादनं च ..परिग्रहेत्
2. नाच्छादनं चेति परमहंसः (so 6 out of 7 MSS. of the text, but instead of चेति Nârâyaṇa reads चरति and says चरति गच्छत्यादत्त इत्यर्थः
Aruṇeya 1. दण्डमाच्छादनं च कौपीनं च परिग्रहेत्

आच्छिद्

Yogat. 14. पद्मपत्रमिवाच्छिन्नम्

आजन्

Kaush. 4. 11. प्रतिरूपो हैवास्य प्रजाया-माजायते
Katha. 1. 6. सस्यमिवाजायते पुनः
Mahâ. 1. पुरुषाश्चतुर्दशाजायन्ते

आजानज

Tait. 2. 8. 1. आजानजानां देवानाम् (bis).

आजानदेव

Bṛih. 4. 3. 33. एक आजानदेवानामानन्दः — शतमाजानदेवानामानन्दाः

आजि

Chhâ. 1. 3. 5. आजेः सरणम्

1. आज्ञा

Chhâ. 5. 3. 7. चिरं वसेत्याज्ञापयाञ्चकार

2. आज्ञा

Haṁsa. 1. आज्ञामनुध्यायन्
Kṛish. 2. आज्ञयावतारांस्ते हि
Râmap. 37. तस्याज्ञया तथा

आज्ञान

Ait. 5. 2. संज्ञानमाज्ञानं विज्ञानम्

आज्य

Chhâ. 5. 2. 4. अग्नावाज्यस्य हुत्वा 5.
Bṛih. 6. 3. 1. आवृताज्यं संस्कृत्य
13. आज्यस्य जुहोति
6. 4. 19. स्थालीपाकावृताज्यं चेष्टित्वा
Maitri. 6. 36. *vide* आदि
Mahânâr. 25. 1. काम आज्यम्
Gîtâ. 9. 16. मन्त्रो ऽहमहमेवाज्यम्

आज्यभाग

Muṇḍ. 1. 2. 2. तदाज्यभागावन्तरेण
Prâṇâg. 3. शारीरयज्ञस्य . . कावाज्यभागौ
4. चक्षुषी आज्यभागौ

आज्यलेप

Kaush 2. 3. आज्यलेपेनाङ्गान्यनुविमृज्य, 4.

आज्यस्थाली

Prâṇâg. 3. शारीरयज्ञस्य . . का आज्यस्थाली
4. सव्यहस्त आज्यस्थाली

आज्याहुति

Kaush. 2. 3. स्रुवेणाज्याहुतीर्जुहोति
4. एता आज्याहुतीर्जुहोति
Nyâsa. 1. आज्याहुतीर्जुहुयात्

आञ्जनहस्त

Kaush. 1. 4. शतमाञ्जनहस्ताः

आटिकी

Chhâ. 1. 10. 1. आटिक्या सह जायया

आढक

Garbha. 5. कफस्याढकम्

आढ्य

Bṛih. 4. 2. 1. वृन्दारक आढ्यः सन्
Gîtâ. 16. 15. आढ्यो ऽभिजनवानस्मि

आणव

Tejo. 1. आणवं शांभवं शाक्तम्

आण्ड

Chhâ. 3. 19. 1. तदाण्डं निरवर्तत

आण्डकपाल

Chhâ. 3. 19. 1. ते आण्डकपाले रजतं च सुवर्णं चाभवताम्

आण्डज

Chhâ. 6. 3. 1. आण्डजं जीवजमुद्भिज्जम्

आत्

Chhâ. 3. 17. 7. आदित् प्रत्नस्य रेतसः

आततायिन्

Gîtâ. 1. 36. हत्वैतानाततायिनः

आतन्

Chhâ. 4. 1. 2. समं दिवा ज्योतिराततम्
8. 6. 2. महापथ आतत उभौ ग्रामौ
Praśna. 3. 3. यथैषा पुरुषे छायैतस्मिन्ने-तदाततम्
Nrip. 5. 10. दिवीव चक्षुराततम् Aruṇeya. 5; Vâsu. 4; Skanda. 15; Mukti. 2. 77.

आतप

Kaṭha. 3. 1. छायातपौ ब्रह्मविदो वदन्ति
6. 5. छायातपयोरिव ब्रह्मलोके

आतुर

Muṇḍ. 1. 2. 9. तेनातुराः क्षीणलोकाश्च्यव-न्ते
Jâbâla. 5. यद्यातुरः स्यान्मनसा वाचा वा सन्न्यसेत्

आत्तसर्वेह

Mukti. 2. 20. हृदयेनात्तसर्वेहः

आत्मक

Skanda. 14. विरिञ्चिनारायणशंकरा-त्मक
Râmot. 5. यत्स्थावरजंगमात्मकम् (18).
Vâsu. 2. ऊर्ध्वपुण्ड्रत्रयात्मकाः

आत्मकाम

Bṛih. 4. 3. 21. आप्तकाममात्मकाममका-मं रूपम्
4. 4. 6. आप्तकाम आत्मकामः Nṛisut. 5 (ter).
Maitri. 6. 7. स वा एवं प्रवरणीय आ-त्मकामेन
7. 10. देवासुरा ह वै य आत्म-कामाः
Maitri. 7. 10. भगवन् वयमात्मकामाः

आत्मकृत

Mahânâr. 18. 1. आत्मकृतस्यैनसो ऽवयज-नमसि

आत्मक्रीड

Chhâ. 7. 25. 2. आत्मरतिरात्मक्रीडः
Muṇḍ. 3. 1. 4. आत्मक्रीड आत्मरतिः
Nṛisut. 6. आत्मरतय आत्मक्रीडाः

आत्मगुण

Śwet. 5. 8. बुद्धेर्गुणेनात्मगुणेन चैव
12. क्रियागुणैरात्मगुणैश्च तेषाम्
6. 3. कालेन चैवात्मगुणैश्च सूक्ष्मैः

आत्मचैतन्यरूप

Nṛisut. 3. तत्तेज आत्मचैतन्यरूपं ब-लमवष्टभ्य

आत्मज

Krish. 21. गोपारं धर्ममात्मजम्
Râmap. 27. पुष्टः कोशलजात्मजः

आत्मज्ञ

Maitri. 2. 1. शीघ्रमात्मज्ञः कृतकृत्यः
Muṇḍ. 3. 1. 10. तस्मादात्मज्ञं ह्यर्चयेद्भूति-कामः
Nṛisut. 9. दृश्यते चेन्नात्मज्ञाः

आत्मज्ञान

Maitri. 4. 3. नातपस्कस्यात्मज्ञाने ऽधि-गमः
Śiras. 4. आत्मज्ञानेन योगैश्वर्येण

आत्मज्योतिस्

Śikhâ. 1. नसममित्यात्मज्योतिः

आत्मतत्त्व

Śwet. 2. 14. तद्वात्मतत्त्वं प्रसमीक्ष्य देही

Śwet. 2. 15. यदात्मतत्त्वेन तु ब्रह्मतत्त्वं ..प्रपश्येत्

आत्मतृप्त

Gítâ. 3. 17. आत्मतृप्तश्च मानवः

आत्मत्व

Sarvop. 1. अनात्मनो देहादीनात्मत्वेनाभिमन्यते

आत्मदा

Nṛip. 2. 4. य आत्मदा बलदाः

आत्मध्यान

Kaṭhaśru. 1. इदमेवास्य तद्यज्ञोपवीतं यदात्मध्यानम्

आत्मन्

Ait. 1. 1. आत्मा वा इदमेक एवाग्र आसीत्

4. 1. आत्मन्येवात्मानं बिभर्त्ति

2. सास्यैतमात्मानमत्र गर्त भावयति

3. आत्मानमेव तद् भावयति

4. आत्मा पुण्येभ्यः कर्मभ्यः प्रतिधीयते

— अस्यायमितर आत्मा कृतकृत्यः..प्रैति

5. 1. कोयमात्मेति वयमुपास्महे कतरः स आत्मा

4. स एतेन प्रज्ञेनात्मनास्माल्लोकादुत्क्रम्य Atmapra. 1.

Kaush. 1. 6. आत्मा भूतस्य भूतस्य त्वमात्मासि

2. 6. एतदैष्टिकं कर्ममयमात्मानमध्वर्युः संस्करोति

— स एष त्रय्यै विद्याया आत्मैष उ एवैतदिन्द्रस्यात्मा भवति

11. आत्मा वै पुत्रनामासि

Kaush. 3. 3. एवमेवैतस्मादात्मनः प्राणा यथायतनं विप्रतिष्ठन्ते 4. 20.

8. स म आत्मेति विद्यात्

4. 4. अन्नस्यात्मेति वा अहमेतमुपास इति स यो हैतमेवमुपास्ते ऽन्नस्यात्मा भवति

5 सत्यस्यात्मेति वा अहमेतमुपासे..एवमुपास्ते सत्यस्यात्मा भवति

6. शब्दस्यात्मेति वा अहमेतमुपासे

— एवमुपास्ते शब्दस्यात्मा भवति

10. तेजस आत्मेति वा अहमेतमुपासे..एवमुपास्ते तेजस आत्मा भवति

17. वाच आत्माग्नेरात्मा ज्योतिष आत्मेति वा अहमेतमुपासे

— एतमेवमुपास्त एतेषां सर्वेषामात्मा भवति 4. 18.

18. सत्यस्यात्मा विद्युत आत्मा तेजस आत्मेति वा अहमेतमुपासे

20. इदं शरीरमात्मानमनुप्रविष्टः (bis).

— एतमात्मानमेत आत्मानो ऽन्ववस्यन्ति

— एवमेवैत आत्मान आत्मानं भुंजन्ति

— यावद्ध वा इन्द्र एतमात्मानं न विजज्ञे

Kena. 12. आत्मना विन्दते वीर्य्यम्

Chhâ. 1. 3. 12. आत्मानमन्तत उपसृत्य स्तुवीत

Chhâ. 1. 7. 2. आत्मा साम..आत्मामः
1. 13. 1. आत्मेहकारः
2. 9. 4. आदायात्मानं परिपतन्ति
2. 22. 2. अन्नमात्मन आगायानि
3. सर्वे स्वरा इन्द्रस्यात्मानः सर्वे ऊष्माणः प्रजापतेरात्मानः सर्वे स्पर्शा मृत्योरात्मानः
5. प्रजापतेरात्मानं परिददानि
— मृत्योरात्मानं परिहराणि
2. 23. 2. अत्यन्तमात्मानमाचार्यकुले ऽवसादयन्
3. 14. 3. एष म आत्मान्तर्हृदये 4.
4. 3. 7. आत्मा देवानां जनिता प्रजानाम्
4. 15. 1. अक्षिणि पुरुषो दृश्यत एष आत्मा 8. 7. 4.
5. 11. 1. को न आत्मा किं ब्रह्मेति
2. सम्प्रतीममात्मानं वैश्वानरमध्येति 4.
5. 12 1. कं त्वमात्मानमुपास्से 5. 13. 1; 5. 14. 1; 5. 15. 1; 5. 16. 1; 5. 17. 1.
— सुतेजा आत्मा वैश्वानरो ऽयं त्वमात्मानमुपास्से
2. भवत्यस्य ब्रह्मवर्चसं कुले य एतमेवमात्मानमुपास्ते 5. 13. 2; 5. 14. 2; 5. 15. 2; 5. 16. 2; 5. 17. 2.
— मूर्धा त्वेष आत्मनः
5. 13. 1. विश्वरूप आत्मा वैश्वानरो ऽयं त्वमात्मानमुपास्से
2. चक्षुष्ट्वेतदात्मनः
5. 14. 1. पृथग्वर्त्मात्मा वैश्वानरो ऽयं त्वमात्मानमुपास्से
2. प्राणस्त्वेष आत्मनः
5. 15. 1. एष वै बहुल आत्मा वैश्वानरो ऽयं त्वमात्मानमुपास्से

Chhâ. 5. 15. 2. सन्देहस्त्वेष आत्मनः
5. 16. 1. एष वै रयिरात्मा वैश्वानरो ऽयं त्वमात्मानमुपास्से
2. वस्तिस्त्वेष आत्मनः
5. 17. 1. एष वै प्रतिष्ठात्मा वैश्वानरो ऽयं त्वमात्मानमुपास्से
2. पादौ त्वेतावात्मनः
5. 18. 1. पृथगिवेममात्मानं वैश्वानरं विद्वांसः
— प्रादेशमात्रमभिविमानमात्मानम्
— सर्वेष्वात्मस्वन्नमत्ति
2. आत्मनो वैश्वानरस्य मूर्धैव सुतेजाः..प्राणः पृथग्वर्त्मात्मा
5. 24. 2. तस्य..सर्वेष्वात्मसु हुतं भवति
4. आत्मनि हैवास्य तद्वैश्वानरे हुतं स्यात्
6. 3. 2. अनेन जीवेनात्मनानुप्रविश्य 3.
6. 8. 7. तत्सत्यं स आत्मा 6. 9. 4; 6. 10. 3; 6. 11. 3; 6. 12. 3; 6. 13. 3; 6. 14. 3; 6. 15. 3; 6. 16. 3.
6. 11. 1. जीवेनात्मनानुप्रभूतः
6. 16. 1. अनृतमात्मानं कुरुते .. अनृतेनात्मानमन्तर्धाय
2. सत्यमात्मानं कुरुते..सत्येनात्मानमन्तर्धाय
7. 3. 1. मनो ह्यात्मा
7. 5. 2. चित्तमात्मा
7. 25. 2. आत्मैवाधस्तादात्मोपरिष्टात् &c.
— आत्मैवेदं सर्वमिति
7. 26. 1. आत्मतः प्राण आत्मत आशा &c.

Chhâ. 7. 26. 1. आत्मत एवेदं सर्वमिति
8. 1. 5. एष आत्मापहतपाप्मा
Maitri. 7. 7.
6. य इहात्मानमननुविद्य
— य इहात्मानमनुविद्य
8. 3. 3. स वा एष आत्मा हृदि
4. एष आत्मेति होवाच
8. 8. 3; Maitri. 2. 2.
8. 4. 1. अयं य आत्मा स सेतुः
8. 5. 1. इष्ट्वात्मानमनुविन्दते
2. सत आत्मनस्त्राणं विन्दते
— ब्रह्मचर्येण ह्येवात्मानमनुविद्य मनुते
3. एष ह्यात्मा न नश्यति
8. 7. 1. य आत्मापहतपाप्मा 3.
— यस्तमात्मानमनुविद्य विजानाति 3.
2. तमात्मानमन्विच्छामो यमात्मानमन्विष्य सर्वांश्च लोकानाप्नोति
8. 8. 1. उदशराव आत्मानमवेक्ष्य यदात्मनो न विजानीथः
— भगव आत्मानं पश्यावः
4. आत्मानमननुविद्य व्रजतः
— आत्मैवेह महय्य आत्मा परिचर्य्य आत्मानमेवेह महयन्नात्मानं परिचरन्
8. 10. 1. स्वप्ने महीयमानश्चरत्येष आत्मा
8. 11. 1. स्वप्नं न विजानात्येष आत्मा
— नाह खल्वयमेवं सम्प्रत्यात्मानं जानाति 2.
8. 12. 1. अशरीरस्यात्मनो ऽधिष्ठानम्
4. यो वेदेदं जिघ्राणीति स आत्मा
— यो वेदेदमभिव्याहराणीति स आत्मा

Chhâ. 8. 12. 4. यो वेदेदं शृण्वानीति स आत्मा
5. यो वेदेदं मन्वानीति स आत्मा
6. ब्रह्मलोके तं..देवा आत्मानमुपासते
— यस्तमात्मानमनुविद्य जानातीति
8. 14. 1. तद्ब्रह्म तदमृतं स आत्मा
8. 15. 1. आत्मनि सर्वेन्द्रियाणि सम्प्रतिष्ठाप्य
Brih. 1. 1. 1. संवत्सर आत्माश्वस्य
1. 2. 3. स त्रेधात्मानं व्यकुरुत
Maitri. 6. 3.
4. द्वितीयो म आत्मा जायेत
5. स तया वाचा तेनात्मनेदं सर्वमसृजत
7. तं..आत्मन आलभत
— तस्य संवत्सर आत्मा
— तस्येमे लोका आत्मानः
— मृत्युरस्यात्मा भवति
1. 3. 2. यत्कल्याणं वदति तदात्मने (similarly in 3—6.)
7. भवत्यात्मना...य एवं वेद
17. अथात्मने ऽन्नाद्यमागायत्
18. इदं सर्वं यदन्नं तदात्मन आगासीः
28. तेष्वात्मने ऽन्नाद्यमागायेत्
— आत्मने वा यजमानाय वा
1. 4. 1. आत्मैवेदमग्र आसीत्पुरुषविधः सो ऽनुवीक्ष्य नान्यदात्मनो ऽपश्यत्
3. आत्मानं द्वेधापातयत्
4. मात्मन एव जनयित्वा
7. आत्मेत्येवोपासीत
— एतत्पदनीयमस्य सर्वस्य यदयमात्मा

Bṛih. 1. 4. 8. अन्तरतरं यदयमात्मा
— यो ऽन्यमात्मनः प्रियं ब्रुवाणं ब्रूयात्
— आत्मानमेव प्रियमुपासीत
— स आत्मानमेव प्रियमुपास्ते
10. आत्मानमेवावेत्
— आत्मा ह्येषां स भवति
15. आत्मानमेव लोकमुपासीत
स य आत्मानमेव लोकमुपास्ते
— आत्मनो यद्यत्कामयते
16. अयं वा आत्मा सर्वेषां भूतानां लोकः
17. आत्मैवेदमग्र आसीदेक एव
— मन एवास्यात्मा
— आत्मैवास्य कर्मात्मना हि कर्म करोति
1. 5. 1. त्रीण्यात्मने ऽकुरुत 3.
3. तान्यात्मने ऽकुरुत
— एतन्मयो वा अयमात्मा
15. आत्मैवास्य षोडशी कला
— तदेतन्नभ्यं यदयमात्मा
— आत्मना चेज्जीवति
20. एवंवित्सर्वेषां भूतानामात्मा
1. 6. 3. अथ कर्मणामात्मेत्येतदेषामुक्थम्
— एतत्त्रयं सदेकमयमात्मात्मो एकः सन्नेतत्त्रयम्
2. 1. 13. आत्मनि पुरुष एतं .. ब्रह्मोपास्ते
20. आत्मनः सर्वे प्राणाः .. व्युच्चरन्ति
2. 3. 4. यथायमन्तरात्मन्नाकाशः 5.
2. 4. 5. आत्मनस्तु कामाय पतिः प्रियो भवति (similarly 9 times more); 4. 5. 6. (11 times more).

Bṛih. 2. 4. 5. आत्मा वा अरे द्रष्टव्यः श्रोतव्यः 4. 5. 6.
— आत्मनो वा अरे दर्शनेन श्रवणेन
6. ब्रह्म तं परादाद्यो ऽन्यत्रात्मनो ब्रह्म वेद (similarly 5 times more); 4. 5. 7. (6 times more).
— इदं सर्वं यदयमात्मा 4. 5. 7.
14. यत्र वा अस्य सर्वमात्मैवाभूत् 4. 5. 15.
2. 5. 1. अयमेव स यो ऽयमात्मा (14 times).
14. अयमात्मा सर्वेषां भूतानां मध्वस्यात्मनः सर्वाणि .. मधु
— यश्चायमस्मिन्नात्मनि .. पुरुषः
— यश्चायमात्मा तेजोमयः .. पुरुषः
15. स वा अयमात्मा सर्वेषां भूतानामधिपतिः
— आत्मनि .. एत आत्मानः समर्पिताः
19. अयमात्मा ब्रह्म सर्वानुभूः
3. 2. 13. आकाशमात्मा (अप्येति)
3. 3. 2. तान्वायुरात्मनि धित्वा
3. 4. 1. य आत्मा सर्वान्तरस्तं मे व्याचक्ष्व 2; 3. 5. 1.
— एष त आत्मा सर्वान्तरः (bis); 2 (bis); 3. 5. 1.
— यः प्राणेन प्राणिति स त आत्मा सर्वान्तरः (similarly 3 times more).
3. 5. 1. एतं वै तमात्मानं विदित्वा
3. 7. 3. एष त आत्मान्तर्याम्यमृतः 4—23.

Brih. 3. 9. 4. आत्मैकादशः
10. सर्वस्यात्मनः परायणम्
(16 times).
26. कस्मिन्नु त्वं चात्मा च प्रतिष्ठितौ
— स एष नेति नेत्यात्मा
4.2.4; 4.4.22; 4.5.15.
4. 2. 3. अस्माच्छारीरादात्मनः
4. 3. 6. आत्मैवास्य ज्योतिर्भवतीत्यात्मनैवायं ज्योतिषास्ते
7. कतम आत्मेति Maitri. 6. 31.
21. प्राज्ञेनात्मना सम्परिष्वक्तः
35. शारीर आत्मा प्राज्ञेनात्मनान्वारूढः
38. आत्मानमन्तकाले सर्वे प्राणा अभिसमायन्ति
4. 4. 1. स यत्रायमात्माबल्यं न्येत्य
2. तेन प्रद्योतेनैष आत्मा निष्क्रामति
3. अन्यमाक्रममाक्रम्यात्मानमुपसंहरति (bis).
—अयमात्मेदं शरीरं निहत्य 4.
5. स वा अयमात्मा ब्रह्म
12. आत्मानं चेद्विजानीयात्
13. यस्यानुवित्तः प्रतिबुद्ध आत्मा
15. यदैतमनुपश्यत्यात्मानम्
17. तमेव मन्य आत्मानम्
20. अज आत्मा महान्ध्रुवः
22. स वा एष महानज आत्मा 24, 25.
—येषां नो ऽयमात्मायं लोकः
23. आत्मन्येवात्मानं पश्यति सर्वमात्मानं पश्यति
4. 5. 6. आत्मनि खल्वरे दृष्टे श्रुते मते

Brih. 4. 5. 13. अयमात्मानन्तरो ऽबाह्यः
14. अविनाशी वा अरे ऽयमात्मानुच्छित्तिधर्मा
6. 4. 2. एतं प्राञ्चं ग्रावाणमात्मन एव समुदपारयत्
6. यद्युदक आत्मानं परिपश्येत्
Iśâ. 6. सर्वाणि भूतान्यात्मन्येवानुपश्यति सर्वभूतेषु चात्मानम्
7. यस्मिन् सर्वाणि भूतान्यात्मैवाभूत्
Tait. 1. 4. 2. कुर्वाणाचीरमात्मनो वासांसि
1. 5. 1. मह इति तद्ब्रह्म स आत्मा
1. 7. 1. आकाश आत्मा 2. 2. 1.
2. 1. 1. तस्माद्वा एतस्मादात्मन आकाशः संभूतः
— अयमात्मा । इदं पुच्छम्
2. 2. 1. अन्यो ऽन्तर आत्मा प्राणमयः
2. 3. 1. तस्यैष एव शारीर आत्मा यः पूर्वस्य 2. 4. 1; 2. 5. 1; 2. 6. 1.
— अन्यो ऽन्तर आत्मा मनोमयः
— आदेश आत्मा
2. 4. 1. अन्यो ऽन्तर आत्मा विज्ञानमयः
— योग आत्मा
2. 5. 1. अन्यो ऽन्तर आत्मानन्दमयः
— आनन्द आत्मा
2. 7. 1. तदात्मानं स्वयमकुरुत
2. 8. 1. एतमन्नमयमात्मानं . . प्राणमयमात्मानं . . मनोमयमात्मानं . . . विज्ञानमयमात्मानं . . आनन्दमयमात्मानमुपसंक्रामति
3. 10. 5. (उपसंक्रम्य).

Taitt. 2. 9. 1. स य एवं विद्वानेते आत्मानं स्पृणुत उभे ह्येवैष एते आत्मानं स्पृणुते य एवं वेद

Katha. 2. 20. आत्मास्य जन्तोर्निहितो गुहायाम्
— तमक्रतुः पश्यति . . महिमानमात्मनः
22. महान्तं विभुमात्मानं मत्वा 4. 4.
23. नायमात्मा प्रवचनेन लभ्यः Mund. 3. 2. 3.
— तस्यैष आत्मा विवृणुते तनूं स्वाम् Mund. 3. 2. 3.
3. 3. आत्मानं रथिनं विद्धि
4. आत्मेन्द्रियमनोयुक्तम्
10. बुद्धेरात्मा महान् परः
13 तद्यच्छेज्ज्ञान आत्मनि
— ज्ञानमात्मनि महति नियच्छेत्तद्यच्छेच्छान्त आत्मनि
4. 5. य इमं मध्वदं वेद आत्मानम्
12. मध्य आत्मनि तिष्ठति
15. एवं मुनेर्विजानत आत्मा भवति
5. 6. यथा च मरणं प्राप्य आत्मा भवति
6. 5. यथादर्शे तथात्मनि
7. सत्त्वादधि महानात्मा

Śwet. 1. 2. आत्माप्यनीशः सुखदुःखहेतोः
6. पृथगात्मानं . . मत्वा
8. अनीशश्चात्मा बुध्यते भोक्तृभावात्
9. अनन्तश्चात्मा विश्वरूपः
10. क्षरात्मानावीशते देवः
15. एवमात्मात्मनि गृह्यते Brahma. 3.

Śwet. 1. 16. सर्वव्यापिनमात्मानम् Brahma. 3.
3. 20. आत्मा गुहायां निहितो ऽस्य जन्तोः Mahânâr. 8. 3.

Maitri. 1. 1. चित्वैतानग्नीनात्मानमभिध्यायेत्
2. 1. अयं वाव खल्वात्मा ते
2. तमः प्रणुदत्येष आत्मा
— स्वेन रूपेणाभिनिष्पद्यता इत्येष आत्मा
6. स वायुरिवात्मानं कृत्वा
— पञ्चधात्मानं विभज्य (bis).
7. स वा एष आत्मेहोशन्ति कवयः
— गुणमयेन पटेनात्मानमन्तर्धाय
3. 1. यद्येवमस्यात्मनो महिमानं सूचयसि
2. अमृतो ऽस्यात्मा बिन्दुरिव पुष्करे
—निबध्नात्यात्मनात्मानम् 6.30
4. 1. आत्मन्नेव सायुज्यमुपैति, 4.
3. मनसः प्राप्यते ह्यात्मा
5. 2. असा आत्मान्तर्बहिश्च
6. 1. द्विधा वा एष आत्मानं बिभर्त्ति
3. आत्मानं युञ्जीतेति
7. आत्मनो त्मा नेनामृताख्यः
—सर्वमात्मा जानीतेति
8. एषं हि खल्वात्मेशानः 7.7.
9. एष उभयात्मैवंविदात्मन्नेवाभिध्यायत्यात्मन्नेव यजति
— द्वाभ्यामात्मानमभिध्यायेत्
11. परं वा एतदात्मनो रूपं यदन्नम्
12. अन्नमात्मेत्युपासीत

Maitri. 6. 14. तत्रैकैकमात्मनो नवांशकं सचारकविधम्
15. संवत्सरो वै ..आत्मा
20. यदात्मनात्मानं ... पश्यति तदात्मनात्मानं दृष्ट्वा निरात्मा भवति
— प्रसन्नात्मात्मनि स्थित्वा 34.
26. अपरिमितधा चात्मानं विभज्य
31. आत्मा ह्येषामुद्रन्ता
32. एतस्मादात्मनि सर्वे प्राणाः ...उच्चरन्ति
34. आत्मन्येव धत्ते
— चेतसो निवेशितस्यात्मनि
36. इमौ स्थितावात्मशुची
7. 1. सर्वस्यात्मा सर्वभुक्
7. एष हि खल्वात्मान्तर्हृदये

Muṇḍ. 2. 2. 4. प्रणवो धनुः शरो ह्यात्मा Dhyâna. 19.
5. तमेवैकं जानथ आत्मानम्
6. ओमित्येवंध्यायथ आत्मानम्
7. दिव्ये ब्रह्मपुरे ह्येष व्योम्न्यात्मा प्रतिष्ठितः
3. 1. 5. सत्येन लभ्यस्तपसा ह्येष आत्मा
9. एषो ऽणुरात्मा चेतसा वेदितव्यः
— यस्मिन् विशुद्धे विभवत्येष आत्मा
3. 2. 4. नायमात्मा बलहीनेन लभ्यः
— तस्यैष आत्मा विशते ब्रह्मधाम
7. कर्माणि विज्ञानमयश्च आत्मा

Mahânâr. 2. 7. आत्मनात्मानमभिसम्बभूव
8. 2. अनृतादात्मानं जुगुप्सेत्
11. 4. आत्मा नारायणः परः
12. 3. आदित्यो वै ..आत्मा
15. 10. ब्रह्मणि स आत्मामृतत्वाय 16. 1.
23. 1. स एव परमेष्ठी ब्रह्मात्मा
— विज्ञानेनात्मानं वेदयति
24. 1. ओमित्यात्मानं युञ्जीत
25. 1. आत्मा यजमानः Garbha. 5 ; Prâṇâg. 4.

Praśna. 1. 10. विद्ययात्मानमन्विष्य
2. 3. पञ्चधात्मानं प्रविभज्य
3. 1. आत्मानं वा प्रविभज्य कथं प्रातिष्ठते
3. आत्मन एष प्राणो जायते
6. हृदि ह्येष आत्मा
10. प्राणस्तेजसा युक्तः सहात्मना
4. 7. एवं ..तत्सर्वं पर आत्मनि सम्प्रतिष्ठते
9. स परे ऽक्षरे आत्मनि सम्प्रतिष्ठते

Kaivalya. 10. सर्वभूतस्थमात्मानं सर्वभूतानि चात्मनि Gitâ. 6. 29.
11. आत्मानमरणिं कृत्वा Brahma. 3.
12. स एव मायापरिमोहितात्मा

Mâṇḍû. 2. अयमात्मा ब्रह्म Nṛip. 4. 1 ; Nṛisut. 1 ; Râmot. 3.
— सोऽयमात्मा चतुष्पात् Nṛip. 4. 1 ; Nṛisut. 1; Râmot. 3.
7. स आत्मा स विज्ञेयः Nṛip. 4. 1. (most MSS. omit second स); Râmot. 3. (omitting second स).
8. सो ऽयमात्माध्यक्षरम्

Mâṇḍû 12. ओङ्कार आत्मैव संविशत्यात्मनात्मानं य एवं वेद Nṛisut. 2.

Gauḍa. 1. 12. नात्मानं नापरांश्चैव

2. 12. कल्पयत्यात्मनात्मानमात्मा देवः

17. तद्वदात्मा विकल्पितः

3. 3. आत्मा ह्याकाशवत्

4. तद्वज्जीवा इहात्मनि

7. नैवात्मनः सदा जीवः

8. आत्मापि मलिनो मलैः

11. तेषामात्मा परो जीवः

13. जीवात्मनोरनन्यत्वम्

14. जीवात्मनोः पृथक्त्वम्

Nṛip. 1. 7. आत्मनि ब्रह्मण्यानुष्टुभं जानीयात्

2. 4. सर्वानात्मनः . . उद्गृह्णाति

— सर्वानात्मनः . . विरमति

— सर्वानात्मनः . . स्वतेजसा ज्वलति

5. 1. नात्मानं माया स्पृशति

Nṛisut. 1. अणोरणीयांसमिममात्मानं . . नो व्याचक्ष्व

— तमेतमात्मानमोमिति ब्रह्मणैकीकृत्य

— ब्रह्म चात्मना ओमित्येकीकृत्य

— तं वा एतं त्रिशरीरमात्मानम्

— चिदेकरसो ह्ययमात्मा

— स एवात्मा स एव विज्ञेयः

2. एतमात्मानं जाग्रत्यस्वप्नमसुषुप्तम्

— ओतो ह्ययमात्मा

— अनुज्ञाता ह्ययमात्मा 8.

— अनुज्ञैकरसो ह्ययमात्मा

— अविकल्पो ह्ययमात्मा 8.

Nṛisut. 2. चतूरूपो ह्ययमोङ्कारः . . आत्मैव

— अमात्रश्चतुर्थः . . आत्मैव

— एष ह्यात्मानं प्रकाशयति

— इममात्मानं परं ब्रह्मानुसन्दध्यात्

3. तदधिष्ठानमात्मानं संज्वाल्य

4. तं वा एतमात्मानं परमं ब्रह्म

— एतमेवात्मानं परमं ब्रह्म

— एकादशात्मानमात्मानम्

— एतमेवात्मानमात्मानं परमं ब्रह्म

— अहमित्यात्मानमादाय

5. आत्मन्येव नृसिंहे ब्रह्मणि वर्त्तते (bis).

— इदं सर्वं यदयमात्मा मायामात्रम्

— तस्मादात्मानमेवैवं जानीयात् (ter).

— आत्मैव नृसिंहो देवः (ter).

— असङ्गो ऽन्यं न वीक्षत आत्मा

— आत्मन्येव नृसिंहे देवे परे ब्रह्मणि वर्त्तते

— इममात्मानमाप्ततममुत्कृष्टतमं . . आन्विष्य

6. देवा इममात्मानं ज्ञातुमैच्छन्

— तुरीयातुरीयमात्मानं . . . बुबुधिरे

— तुरीयातुरीयमात्मानं जानीयात्

— तुरीयातुरीयमात्मानं . . अन्विष्य

— आत्मनैवात्मानं परमं ब्रह्म पश्यति

7. अकारेणेममात्मानमन्विष्य (bis).

Nrisut. 7. अकारमिममात्मानमुकारपूर्वार्द्धमाकृष्य

— मकारार्थेनानेनात्मनैकीकुर्यात्

— सर्वं ह्ययमात्मा . . आत्मैवेदं सर्वम्

— सर्वात्मकमात्मानमन्विच्छेत्

8. ओतश्च प्रोतश्च ह्ययमात्मा सिंहः

— अद्वयो ह्ययमात्मैकल एव

— एतदद्वयं स्वप्रकाशं महानन्दमात्मैव

9. ओङ्कारमात्मानमुपदिश

— उपद्रष्टानुमन्तैष आत्मा

— आत्मैव सिद्धो ऽद्वितीयः

— स वा एष आत्मा पर एव

— आत्मा परमात्मैव

— अस्य व्यञ्जिका नित्यनिवृत्तापि मूढैरात्मैव दृष्टा

— आत्मन एव त्रैविध्यं (4 MSS., read आत्मन्येव).

— तस्मादद्वय एवायमात्मा

— बुद्धः सुखरूप आत्मा

— आत्मा पुरतो हि सिद्धः

— आत्मा हि स्वमहिमस्थः

— किं तन्नित्यमात्मा (so 2 MSS., but Nârâyaṇa reads किं तन्निरात्मकमात्मनः)

— असङ्गो ह्ययमात्मा

— सदानन्दचिन्मात्रमात्मैव

— तदेतदात्मानमोमित्यपश्यन्तः पश्यत

— आत्मा ब्रह्मैव ब्रह्मात्मैव

— कैषानुज्ञेत्येष एवात्मेति

Kshur. 4. पूरयेत्सर्वमात्मानम्

Chûl. 12. आत्मा पुरुष एव च

Siras. 5. तदेतेनात्मन्नेतेनार्धचतुर्थमात्रेण शान्तिं संसृजति

Mahâ. 1. प्राणाश्चातुर्दश आत्मा

Brahma. 1. प्राणो ह्येष आत्मा आत्मनो महिमा बभूव

— आत्मानं नयति परं सन्धय

— परापरं ब्रह्मात्मा

3. तमात्मानं ये ऽनुपश्यन्ति धीराः (so 4 MSS.; one has आत्मस्थं).

— यदात्मा प्रज्ञयात्मानं सन्धत्ते परमात्मनि

Prâṇâg. 2. एष एवात्मा ध्यायेत

Brahmab. 11. एक एवात्मा मन्तव्यः

Amṛit. 5. चिन्तयेदात्मनो रश्मीन्

15. संक्षिप्यात्मनि बुद्धिमान्

— धारयित्वा तथात्मानम्

31. चिन्तयेदात्मनात्मनि

Dhyân. 8. एवं सर्वाणि भूतानि मणिसूत्रमिवात्मनि

10. सर्वत्रात्मा व्यवस्थितः

16. आत्मा सञ्चरते ध्रुवम्

Tejo. 9. अचित्तचित्तमात्मानम्

Yogat. 11. लभते योगयुक्तात्मा

12. शिरस्यात्मनि धारयेत्

Nyâsa. 5. पूर्वजन्मार्जितात्मनः

Kaṭhaśru. 1. य आत्मानं . . क्षुगुप्तं करोति

— आत्मानमेवं ध्यात्वानपेक्षमाणम्

— एतेनात्मानं सन्धत्ते

Sarvop. 1. आत्मा मायाचेति कथम्

— सो ऽभिमान आत्मनो बन्धः

— तदात्मनो जागरणम्

— तदात्मनः स्वप्नम् (so 2 MSS.; 3 have तन्मनःस्वप्नं)

— तदात्मनः सुषुप्तम्

Sarvop. 2. एतत्कोशद्वयसंयुक्तः .. आत्मा
3. यदा प्रकाशत आत्मा
— आत्मा यदावभासते
4. तत्पदार्थस्यात्मेत्युच्यते

Parama. 2. परमात्मात्मनोरेकत्वज्ञानेन
3. सदात्मा आत्मन्येवावतिष्ठते

Aruṇeya. 2. सन्धि. समाधावात्मन्याचरेत्

Kâlâg. 2. प्रथमा रेखा सा..आत्मा

Atmapra. 1. तस्य य आत्मा हेमपुण्डरीकमध्ये

Aśrama. 2. आत्मानं प्रार्थयन्ते (4 times); 3 (4 times); 4 (3 times).
4. आत्मानं मोक्षयन्ते

Jâbâla. 1. य एषो ऽनन्तो ऽव्यक्त आत्मा (bis); Râmot. 4. (bis).
5. इदमेवास्य तद्यज्ञोपवीतं य आत्मा
6. आत्मानमन्विच्छेत्

Vâsu. 2. त्रय आत्मानः
— स्वमात्मानं पश्यन्
3. स्वमात्मानं भावयेत् (bis).
— हृत्पङ्कजे स्वमात्मानम्
— आत्मा भूतेष्वहमवास्थितः
— भूतेषु तथात्मावस्थितोस्म्यहम्

Gopî. 2. या आत्मना...परं धाम अजयन्

Râmap. 18. जगत्प्राणायात्मने
19. आत्मा रामेति गीयते
89. आत्मानमन्तरात्मानं च

Râmot. 3. परं ज्योतीरसो ऽहमित्यात्मानमादाय

Râmot. 5. अद्वैतपरमानन्दात्मा (1).
— देवासुरमनुष्यादिभावात्मा (9).
— अन्तःकरणचतुष्टयात्मा
— सच्चिदानन्दाद्वैतैकरसात्मा (47).

Mukti. 1. 37. सावित्र्यात्मा पाशुपतम्
58. भावितं तीव्रसंवेगादात्मना

Gîtâ. 2. 55. आत्मन्येवात्मना तुष्टः
3. 13. ये पचन्त्यात्मकारणात्
17. आत्मन्येव च सन्तुष्टः
43. संस्तभ्यात्मानमात्मना
4. 7. तदात्मानं सृजाम्यहम्
35. द्रक्ष्यस्यात्मन्यथो मयि
38. कालेनात्मनि विन्दति
42. ज्ञानासिनात्मनः
5. 7. सर्वभूतात्मभूतात्मा
16. येषां नाशितमात्मनः
21. विन्दत्यात्मनि यः सुखम्
6. 5. उद्धरेदात्मनात्मानं नात्मानमवसादयेत्
— आत्मैव ह्यात्मनो बन्धुरात्मैव रिपुरात्मनः
6. बन्धुरात्मात्मनस्तस्य येनात्मैवात्मना जितः
— वर्त्तेतात्मैव शत्रुवत्
7. परमात्मा समाहितः
8. ज्ञानविज्ञानतृप्तात्मा
10. योगी युञ्जीत सततमात्मानम्
11. स्थिरमासनमात्मनः
15. युञ्जन्नेवं सदात्मानम् 28.
18. आत्मन्येवावतिष्ठते
19. युञ्जतो योगमात्मनः
20. यत्र चैवात्मनात्मानं पश्यन्नात्मनि तुष्यति
26. आत्मन्येव वशं नयेत्
7. 18. ज्ञानी त्वात्मैव मे मतम्

Gîtâ. 8. 12. मूर्ध्न्याधायात्मनः प्राणम्
9. 5. ममात्मा भूतभावनः
28. सन्न्यासयोगयुक्तात्मा
34. युक्त्वैवमात्मानं मत्परायणः
10. 15. स्वयमेवात्मनात्मानम्
18. विस्तरेणात्मनो योगम्
20. अहमात्मा गुडाकेश
11. 3. आत्मानं परमेश्वर
4. दर्शयात्मानमव्ययम्
13. 24. ध्यानेनात्मनि पश्यन्ति केचिदात्मानमात्मना
28. न हिनस्त्यात्मनात्मानम्
29. यः पश्यति तथात्मानम्
32. तथात्मा नोपलिप्यते
15. 11. पश्यन्त्यात्मन्यवस्थितम्
16. 21. नाशनमात्मनः
22. आचरत्यात्मनः श्रेयः
17. 19. मूढग्राहेणात्मनः
18. 16. कर्त्तारमात्मानं केवलम्
39. सुखं मोहनमात्मनः
51. धृत्यात्मानं नियम्य च

आत्मनिष्ठ

Mukti. 1. 52. वैष्णवीमात्मनिष्ठाम्

आत्मन्विन्

Bṛih. 1. 2. 1. आत्मन्वी स्यामिति
7. आत्मन्व्यनेन स्यामिति
2. 1. 13. आत्मन्वीति..एतमुपास्ते
— एवमुपास्त आत्मन्वीह भवत्यात्मान्विनीहास्य प्रजा भवति

आत्मपरदेह

Gîtâ. 16. 18. मामात्मपरदेहेषु प्रद्विषन्तः

आत्मप्रकाश

Nṛisut. 6. आत्मप्रकाशं शून्यं जानन्तः

आत्मप्रबोध

Atmapra. 1. आत्मप्रबोधोपनिषदं मुहूर्त्तमुपासित्वा न स पुनरावर्त्तते

Mukti. 1. *vide* बह्वृच

आत्मबुद्धिप्रकाश

Śwet. 6. 18. तं ह देवमात्मबुद्धिप्रकाशम्

आत्मबुद्धिप्रसादज

Gîtâ. 18. 37. तत्सुखं...आत्मबुद्धिप्रसादजम्

आत्मबोधक

Mukti. 1. 33. योगतत्त्वात्मबोधकम्

आत्मभाव

Śwet. 1. 2. संयोग एषां न त्वात्मभावात्

Gauḍa. 2. 34. नात्मभावेन नानेदम्

आत्मभावस्थ

Gîtâ. 10. 11. नाशयाम्यात्मभावस्थः

आत्मभूत

Yogat. 15. निश्चितं चात्मभूतानामरिष्टं योगसेवया

Gîtâ. 5. 7. सर्वभूतात्मभूतात्मा

आत्मभूय

Ait. 4. 2. तत् स्त्रिया आत्मभूय गच्छति

आत्ममलच्युति

Amṛiṭa 20. कुर्यादात्ममलच्युतिम्

आत्ममात्र

Nṛisut. 5. आत्ममात्रं ह्येतदुत्कृष्टम्

आत्ममाया

Gauḍa. 3. 10. संघाताः स्वप्नवत्सर्वे आत्ममायाविसर्जिताः

Gîtâ. 4. 6. सम्भवाम्यात्ममायया

आत्ममिथुन

Chhâ. 7. 25. 2. आत्ममिथुन आत्मानन्दः
Nṛisut. 6. आत्ममिथुना आत्मानन्दाः

आत्ममूर्ति

Râmap. 31. श्रीरामायात्ममूर्त्तये

आत्मयज्ञ

Maitri. 6. 10. उत्तरो विकारो ऽस्यात्मयज्ञस्य

आत्मयाजिन्

Maitri. 6. 10. सन्न्यासी योगी चात्मयाजी च (bis).

आत्मयोग

Gîtâ. 11. 47. रूपं परं दर्शितमात्मयोगात्

आत्मयोनि

Śwet. 6. 16. स विश्वकृद्विश्वविदात्मयोनिः

आत्मरति

Chhâ. 7. 25. 2. आत्मरतिरात्मक्रीडः
Muṇḍ. 3. 1. 4. आत्मक्रीड आत्मरतिः
Nṛisut. 6. आत्मरतय आत्मक्रीडाः
Gîtâ. 3. 17. यस्त्वात्मरतिरेव स्यात्

आत्मवत्

Maitri. 6. 30. परेष्वात्मवद्विगतभयः

आत्मवन्त्

Nṛisut. 8. नहीदं सर्वं स्वत आत्मवत्
Gîtâ. 2. 45. निर्योगक्षेम आत्मवान्
4. 41. आत्मवन्तं न कर्माणि निबध्नन्ति धनञ्जय

आत्मवश्य

Gîtâ. 2. 64. आत्मवश्यैर्विधेयात्मा

आत्मविद्

Chhâ. 7. 1. 3. मन्त्रविदेवास्मि नात्मवित्
— तरति शोकमात्मवित्
Brih. 3. 7. 1. स आत्मवित्स सर्ववित्
Maitri. 1. 2. आत्मविद्भगवाञ्छाकायन्यः
—नाहमात्मवित् त्वं तत्त्ववित्
6. 33. करैर्यजमानस्यात्मविदे ऽवदानं करोत्यथात्मविदुत्क्षिप्य ब्रह्मणे प्रायच्छत्
Muṇḍ. 2. 2. 9. तद्यदात्मविदो विदुः

आत्मविद्या

Chhâ. 4. 14. 1. एषा सोम्य ते ऽस्मद्विद्यात्मविद्या च
Śwet. 1. 16. आत्मविद्यातपोमूलम्
Brahma. 3.

आत्मविनिग्रह

Gîtâ. 13. 7. स्थैर्यमात्मविनिग्रहः
17. 16. मौनमात्मविनिग्रहः

आत्मविनिश्चय

Gauḍa. 2. 18. तद्वदात्मविनिश्चयः

आत्मविभूति

Gîtâ. 10. 16. दिव्या ह्यात्मविभूतयः
19.

आत्मविवृद्धिजन्मन्

Śwet. 5. 11. ग्रासांबुवृष्ट्या चात्मविवृद्धिजन्म

आत्मशुद्धि

Gîtâ. 5. 11. संगं त्यक्त्वात्मशुद्धये
6. 12. युंज्याद्योगमात्मविशुद्धये

आत्मसंयमयोगाग्नि

Gîtâ. 4. 27. आत्मसंयमयोगाग्नौ जुह्वति

आत्मसंस्थ

Śwet. 1. 12. नित्यमेवात्मसंस्थम्
Gauḍa. 3. 38. आत्मसंस्थं तदा ज्ञानम्
Gîtâ. 6. 25. आत्मसंस्थं मनः कृत्वा

आत्मसत्यानुबोध

Gauḍa. 3. 32. आत्मसत्यानुबोधेन न सङ्कल्पयते यदा

आत्मसन्निधि

Sarvop. 2. आत्मसन्निधौ नित्यत्वेन प्रतीयमानः

आत्मसंबोधन

Maitri. 6. 14. प्रमेयो ऽपि प्रमाणतां .. उपैत्यात्मसंबोधनार्थम्

आत्मसम्भावित

Gîtâ. 16. 17. आत्मसम्भाविताः स्तब्धाः

आत्मसम्मित

Chhâ. 2. 10. 1. आत्मसम्मितमतिमृत्यु सप्तविधं सामोपासीत 6 (°स्ते)

आत्मसाक्षिक

Maitri. 6. 24. यत् सुखं चात्मसाक्षिकम्

आत्मसात्कृ

Nṛisut. 8. त्रिद्धीदं सर्वं निरात्मकमात्मसात्करोति

आत्मसिद्ध

Nṛisut. 9. ब्रूतैवैनमात्मसिद्धमिति होवाच

आत्मस्थ

Kaṭha. 5. 12. तमात्मस्थं ये ऽनुपश्यन्ति धीराः 13 ; Swet. 6. 12; Śiras. 5 ; Bṛahma. 3 (*vide* आत्मन्).
Swet. 6. 6. ज्ञात्वात्मस्थममृतं विश्वधाम
Maitri. 3. 2. आत्मस्थं प्रभुं .. नापश्यत्

आत्महन्

Isâ. 3. ये केचात्महनो जनाः
Parama. 3. स आत्महा भवेत्

आत्माख्य

Maitri. 3. 1. अन्यो वा परः को ऽयमात्माख्यः

आत्मात्मक

Maitri. 6. 31. प्रत्याहात्मात्मकानीति

आत्मादेश

Chhâ. 7. 25. 2. अथात आत्मादेशः

आत्मानन्द

Chhâ. 7. 25. 2. आत्मामिथुन आत्मानन्दः
Nṛisut. 6. आत्ममिथुना आत्मानन्दाः
9. विभुरद्वय आत्मानन्दः

आत्मेज्यान

Maitri. 6. 9. आचान्तो भूत्वात्मेज्यानः

आत्मेश्वर

Mahânâr. 11. 3. पतिं विश्वस्यात्मेश्वरम्
Sarvop. 1. आत्मेश्वरो ऽनात्मनो देहादीनात्मत्वेनाभिमन्यते

आत्मोपाधि

Sarvop. 2. आत्मसन्निधौ नित्यत्वेन प्रतीयमान आत्मोपाधिः

आत्मौपम्य

Gîtâ. 6. 32. आत्मौपम्येन सर्वत्र

आत्यन्तिक

Gîtâ. 6. 21. सुखमात्यन्तिकं यत्

आत्रेय

Bṛih. 2. 6. 3. भारद्वाज आत्रेयात् 4. 6. 3.
— आत्रेयो माण्टेः 4. 6. 3.

आत्रेयीपुत्र

Bṛih. 6. 5. 2. कापीपुत्र आत्रेयीपुत्रात्
— आत्रेयीपुत्रो गौतमीपुत्रात्

आथर्वण

Chhâ. 7. 1. 2.अध्येमि . . आथर्वणं चतुर्थम्
4. नाम वै . . आथर्वणश्चतुर्थः
7. 2. 1. वाग्वै . . विज्ञापयति . . आथर्वणं चतुर्थम्
7. 7. 1. विज्ञानेन वै . . विजानाति आथर्वणं चतुर्थम्

Bṛih. 2. 5. 16. दध्यङ्ङाथर्वणः 17, 18, 19.
17. आथर्वणाय . . दधीचे
2. 6. 3. अश्विनौ दधीच आथर्वणात् 4. 6. 3.
— दध्यङ्ङाथर्वणो ऽथर्वणो दैवात् 4. 6. 3.
3. 7. 1. कबन्ध आथर्वणः

Nṛip. 2. 1. साथर्वणैर्मन्त्रैरथर्ववेदः Nṛisut. 3; Śikhâ. 1.

Mukti. 1. 13. आथर्वणस्य शाखाः स्युः

आदर्श

Kaush. 4. 2. आदर्शे प्रतिरूपः
11. आदर्शे पुरुषस्तमेवाहमुपासे

Chhâ. 8. 7. 4. यश्चायमादर्शे कतम एषः

Bṛih. 2. 1. 9. आदर्शे पुरुष एतं . . ब्रह्मोपासे
3. 9. 15.य एवायमादर्शे पुरुषः स एषः

Kaṭha. 6. 5. यथादर्शे तथात्मनि

Gîtâ. 3. 38. यथादर्शो मलेन च

आदा

Kaush. 1. 3. पुष्पाण्यादाय

Kena. 22. इदं सर्वमाददीयम्
23. एतदादत्स्वेति . . तन्न शशाकादातुम्

Chhâ. 2. 9. 4. आदायात्मानं परिपतन्ति
3. 16. 5. प्राणा वावादित्या एते हीदं सर्वमाददते
4. 2. 1. निष्कमश्वतरीरथं तदादाय प्रतिचक्रमे
3. निष्कमश्वतरीरथं दुहितरं तदादाय प्रतिचक्रमे
8. 12. 1. शरीरमात्तं मृत्युना
— आत्तो वै सशरीरः प्रियाप्रियाभ्याम्
6. सर्वे च लोका आत्ताः

Bṛih. 1. 4. 10. एकस्मिन्नेव पशावादीयमाने
2. 1. 15. तं पाणावादायोत्तस्थौ
17. प्राणानां विज्ञानेन विज्ञानमादाय
2. 4. 12. यतो यतस्त्वाददीत लवणमेव
3. 9. 5. इदं सर्वमाददाना यन्ति
4. 3. 11. शुक्रमादाय पुनरेति स्थानम्
5. 1. 1. पूर्णस्य पूर्णमादाय Mukti.1.
6. 4. 5. इदमहं तद्रेत आददे
— अनामिकाङ्गुष्ठाभ्यामादाय
7. इन्द्रियेण ते यशसा यश आददे
10. इन्द्रियेण ते रेतसा रेत आददे
12. प्राणापानौ त आददे ऽसाविति
— पुत्रपशूंस्त आददे ऽसाविति
— इष्टासुकृते त आददे ऽसाविति
— आशापराकाशौ त आददे ऽसाविति

Kaṭha. 2. 1. श्रेय आददानस्य साधु भवति

Śwet. 5. 10. यद्यच्छरीरमादत्ते

Maitri. 6. 12. सूर्यो रश्मिभिराददात्यन्नम्

Muṇḍ. 1. 2. 5. यथाकालं चाहुतयो ह्याद-
दायन्
Praśna. 4. 2. नादत्ते नानन्दयते
8. हस्तौ चादातव्यं च
Nṛip. 2. 4. सर्वत आदत्ते
Nṛisut. 4. अहमित्यात्मानमादाय
Prâṇâg. 2. पुनरादाय पुनरुपस्पृशेत्
Vâsu. 2. इमं मे गङ्ग इति जलमादाय
Râmap. 35. स्वनिवृत्त्यर्थमाददे
43. आदाय मैथिलीमद्य ददत
45. तैः सार्द्धमादायास्त्रांश्च
47. जनकात्मजामादाय
Râmot. 3. परं ज्योतीरसो ऽहमित्या-
त्मानमादाय
Gîtâ. 5. 15. नादत्ते कस्यचित्पापम्

आदान

Maitri. 6. 7. आदानादादित्यः
Mukti. 2. 57. यदादानं पदार्थस्य

1. आदि

Chhâ. 2. 8. 1. यदेति स आदिः
2. 9. 4. यत्संगववेलायां स आदिः
2. 10. 2. आदिरिति द्व्यक्षरम्
Śwet. 4. 1. वि चैति चान्ते विश्वमादौ
6. 5. आदिः स संयोगनिमित्तहेतुः
Maitri. 1. 4. यथेमे दंशमशकादयः
— सुद्युम्नभूरिद्युम्नेन्द्रद्युम्नकुव-
लयाश्वयौवनाश्ववध्र्यश्वा-
श्वपतिःशशबिन्दुर्हरिश्च-
न्द्रोंबरीषननक्तुशर्यातिय-
यात्यनरण्योक्षसेनादयः
— गन्धर्वासुरयक्षराक्षसभूत-
गणपिशाचोरगग्रहादीनां
निरोधं पश्यामः
6. 1. शाखा आकाशवाय्वग्न्युद-
कभूम्यादयः
16. यस्मादेवेमे चन्द्रर्क्षग्रहसं-
वत्सरादयः सूयन्ते

Maitri. 6. 27. अभ्ययस्कारादयः
31. शान्तादिलक्षणोक्तः
36. मंत्रौषधाज्यामिषपुरोडा-
शस्थालीपाकादिभिः
7. 6. शनिराहुकेतूरगरक्षोयक्ष-
नरविहगशरभेभादयः
8. यक्षराक्षसभूतगणपिशा-
चोरगग्रहादीनाम्
Mâṇḍû. 9. आदिश्च भवति य एवं वेद
Nṛisut. 2.
Gauḍa. 1. 27. सर्वस्य प्रणवो ह्यादिः
2. 6. आदावन्ते च यन्नास्ति
4. 31.
4. 14. हेतोरादिः फलं येषामा-
दिर्हेतुः फलस्य च 15.
23. आदिर्न विद्यते यस्य तस्य
ह्यादिर्न विद्यते
93. आदौ बुद्धास्तथा मुक्ताः
Nṛisut. 7. तस्यादिरयमकारः स एव
भवति
Śiras. 3. भूस्ते आदिः
Śikhâ. 1. किमादौ प्रयुक्तं ध्यानं ध्या-
यितव्यम्
— ओमित्येतदक्षरमादौ प्रयु-
क्तम्
Nyâsa. 4. भिक्षादि वैदलं पात्रम्
Sarvop. 1. अनात्मनो देहादीन्
— आदित्याद्यनुगृहीतैः
3. ब्रह्मादिपिपीलिकापर्यन्तम्
— कूटस्थाद्युपहितभेदानाम्
4. अव्यक्तादिसृष्टिप्रपञ्चेषु
Haṁsa. 2. निद्रालस्यादयः
Parama. 1. स्वपुत्रमित्रकलत्रबन्ध्वादीन्
2. निन्दागर्वमत्सरदंभदर्पेच्छा-
द्वेषसुखदुःखकामक्रोधरो-
षलोभमोहमदहर्षासूयाहं-
कारादींश्च हित्वा

Aruṇeya. 3. कामक्रोधलोभमोहदंभदर्पासूयाममत्वाहंकारानृतादीन्यपि त्यजेत्

Vâsu. 3. मध्याद्यन्तविवर्जितम्

Kṛish. 24. एवमादि न संशयः

Râmap. 52. आदौ स्वदीर्घाङ्गैरेष संयुतः

72. कूटरेफानुग्रहेन्दुनादशक्त्यादिभिर्युतः

Mukti. 2. 42. जयेदादौ स्वकं मनः

Gîta. 3. 41. तस्मात्त्वमिन्द्रियाण्यादौ

4. 4. त्वमादौ प्रोक्तवानिति

10. 2. अहमादिर्हि देवानाम्

20. अहमादिश्च मध्यं च

32. सर्गाणामादिरन्तश्च

11. 16. न पुनस्तवादिं पश्यामि

15. 3. नान्तो न चादिर्न च संप्रतिष्ठा

2. आदि (अ+आदि)

Râmap. 66. आदिक्षान्तान्

आदिकर्तृ

Gîtâ. 11. 37. गरीयसे ब्रह्मणो ऽप्यादिकर्त्रे

आदितस्

Ait. 4. 1. पुरुषे ह वा अयमादितो गर्भो भवति

1. आदित्य

Chhâ. 2. 24. 11. स आदित्यं स वैश्वदेवं सामाभिगायति

Bṛih. 6. 5. 3. आदित्यानीमानि शुक्लानि यजूंषि

2. आदित्य

Ait. 1. 4. चक्षुष आदित्यः

2. 4. आदित्यश्चक्षुर्भूत्वाक्षिणी प्राविशत्

Kaush. 2. 7. कौषीतकिरुद्यन्तमादित्यमुपतिष्ठते

Kaush. 2. 7. एतयैवावृतादित्यमुपतिष्ठते

8. यमादित्या अंशुमाप्याययन्ति

— आदित्यस्यावृतमन्वावर्ते 9.

12. तस्यादित्यमेव तेजो गच्छति

— एतद्वै ब्रह्म दीप्यते यदादित्यो दृश्यते

4. 2. आदित्ये बृहत्

3. य एवैष आदित्ये पुरुषस्तमेवाहमुपासे

Chhâ. 1. 3. 7. आदित्य एवोत्

1. 5. 1. असौ वा आदित्य उद्गीथः Maitri. 6. 4.

1. 6. 3. आदित्यः साम . . आदित्यो ऽमः

5. यदेतदादित्यस्य शुक्लं भाः 6.

6. य एषो ऽन्तरादित्ये हिरण्मयः पुरुषो दृश्यते

1. 11. 7. आदित्य इति होवाच सर्वाणि ह वा इमानि भूतान्यादित्यमुच्चैः सन्तं गायन्ति

1. 13. 2. आदित्य ऊकारः

2. 2. 1. आदित्यः प्रतिहारः

2. आदित्यः प्रस्तावः

2. 9. 1. अमुमादित्यं सप्तविधं सामोपासीत

8. आदित्यं सप्तविधं सामोपास्ते

2. 10. 5. एकविंशत्यादित्यमाप्नोत्येकविंशो वा इतो ऽसावादित्यो द्वाविंशेन परमादित्याज्जयति

6. आप्नोतीहादित्यस्य जयम्

— परो हास्यादित्यस्य जयाज्जयो भवति

2. 14. 1. एतद्बृहदादित्ये प्रोतम् 2.

2. 20. 1. आदित्य उद्गीथः

2. 21. 1. अग्निर्वायुरादित्यः स उद्गीथः

Chhâ. 2. 24. 1. आदित्यानां च विश्वेषां च देवानां तृतीयसवनम्
14. नम आदित्येभ्यश्च विश्वेभ्यश्च देवेभ्यः
16. तस्मा आदित्याश्च . . तृतीयसवनं संप्रयच्छन्ति
3. 1. 1. असौ वा आदित्यो देवमधु
4. तदादित्यमभितो ऽश्रयत् 3. 2. 3; 3. 3. 3; 3. 4. 3; 3. 5. 3.
— एतद्यदेतदादित्यस्य रोहितं रूपम्
3. 2. 3. एतद्यदेतदादित्यस्य शुक्लं रूपम्
3. 3. 3. एतद्यदेतदादित्यस्य कृष्णं रूपम्
3. 4. 3. एतद्यदेतदादित्यस्य परः कृष्णं रूपम्
3. 5. 3. एतद्यदेतदादित्यस्य मध्ये क्षोभत इव
3. 6. 4. यावदादित्यः पुरस्तादुदेता 3. 7. 4.
3. 8. 4. यावदादित्यो दक्षिणत उदेता . . आदित्यानामेव तावदाधिपत्यं स्वाराज्यं पर्येता
3. 9. 4. यावदादित्यः पश्चादुदेता
3. 10. 4. यावदादित्य उत्तरत उदेता
3. 13. 1. स प्राणस्तच्चक्षुः स आदित्यः
3. 15. 6. आदित्यं प्रपद्ये
3. 16. 5. तदस्यादित्या अन्वायत्ताः प्राणा वावादित्याः
6. स ब्रूयात्प्राणा आदित्याः
— माहं प्राणानामादित्यानां मध्ये यज्ञो विलोप्सीय
3. 18. 2. आदित्यः पादः
5. स आदित्येन ज्योतिषा भाति च तपति च

Chhâ. 3. 19. 1. आदित्यो ब्रह्मेत्यादेशः
3. यत्तदजायत सो ऽसावादित्यः
4. स य एतमेवं विद्वानादित्यं ब्रह्मेत्युपास्ते
4. 11. 1. पृथिव्यग्निरन्नमादित्यः
— य एष आदित्ये पुरुषो दृश्यते
4. 15. 5. संवत्सरादादित्यमादित्याच्चन्द्रमसम् 5. 10. 2.
4. 17. 1. आदित्यं दिवः
2. सामान्यादित्यात्
5. 4. 1. आदित्य एव समित् Brih. 6. 2. 9.
5. 13. 1. आदित्यमेव भगवो राजन्
5. 19. 2. चक्षुषि तृप्यत्यादित्यस्तृप्यत्यादित्ये तृप्यति द्यौस्तृप्यति
— यत्किञ्च द्यौश्चादित्यश्चाधितिष्ठतस्तत्तृप्यति
6. 4. 2. यदादित्यस्य रोहितं रूपम्
— अपागादादित्यादादित्यत्वम्
8. 6. 1. असौ वा आदित्यः पिङ्गलः
2. आदित्यस्य रश्मय उभौ लोकौ गच्छन्ति . . आदित्यात्प्रतायन्ते ते . . आदित्ये सृप्ताः
5. यावत् क्षिप्येन्मनस्तावदादित्यं गच्छति
Brih. 1. 2. 3. आदित्यं तृतीयम्
1. 3. 14. स आदित्यो ऽभवत्सो ऽसावादित्यः परेण मृत्युमतिक्रान्तस्तपति
1. 4. 12. वसवो रुद्रा आदित्याः
1. 5. 12. ज्योतीरूपमसावादित्यः
— तावानसावादित्यः

Bṛih. 1. 5. 19. दिवश्चैनमादित्याच्च
22. तप्स्याम्यहमित्यादित्यः
2. 1. 2. आदित्ये पुरुष एतमेवाहं ब्रह्मोपासे
2. 2. 2. या कनीनका तयादित्यः
2. 5. 5. आदित्यः सर्वेषां . . मध्वस्यादित्यस्य सर्वाणि . . मधु
— आदित्ये . . अमृतमयः पुरुषः
3. 1. 4. अध्वर्युणर्त्विजा चक्षुषादित्येन
— इदं चक्षुः सो ऽसावादित्यः
3. 2. 13. चक्षुरादित्यं (अप्येति)
3. 7. 9. य आदित्ये तिष्ठन्नादित्यादन्तरो यमादित्यो न वेद यस्यादित्यः शरीरं य आदित्यमन्तरो यमयति
3. 9. 2. द्वादशादित्याः
3. आदित्यश्च द्यौश्च 7.
5. कतम आदित्या इति
— एते आदित्याः . . ते यदिदं सर्वमाददाना यन्ति तस्मादादित्या इति
12. य एवासावादित्ये पुरुषः स एषः
20. स आदित्यः कस्मिन्प्रतिष्ठितः
4. 3. 2. आदित्येनैवायं जोतिषास्ते
3. अस्तमित आदित्ये 4—6. Kaṭhaśru. 1.
5. 5. 2. यत्तत्सत्यमसौ स आदित्यः
5. 10. 1. स आदित्यमागच्छति
6. 2. 15. यान् षण्मासानुदङ्ङादित्य एति
— देवलोकादादित्यमादित्याद्वैद्युतम्

Bṛih. 6. 2. 16. यान् षण्मासान् दक्षिणादित्य एति
6. 3. 6. प्रातरादित्यमुपतिष्ठते
6. 5. 3. अंभिण्यादित्यात्
Tait. 1. 3. 2. आदित्य उत्तररूपम्
1. 5. 2. मह इत्यादित्य आदित्येन वाव सर्वे लोका महीयन्ते
— सुवरित्यादित्यः
1. 6. 2. सुवरित्यादित्ये (प्रतितिष्ठति)
1. 7. 1. अग्निर्वायुरादित्यः Maitri. 4. 5.
2. 8. 1. यश्चायं पुरुषे यश्चासावादित्ये स एकः 3. 10. 4.
Śwet. 4. 2. तदेवाग्निस्तदादित्यः
Maitri. 1. 2. आदित्यमुदीक्षमाणः
6. 1. अयं यः प्राणो यश्चासा आदित्यः
— असौ वा आदित्यो बहिरात्मा
— एषो ऽन्तरादित्ये हिरण्मयः पुरुषः Mahânâr. 12. 2.
2. अर्वाग्विचरत एतौ प्राणादित्यौ
3. यज्ज्योतिः स आदित्यः
— एतद्वा आदित्य ओमित्येवं ध्यायत
4. एतस्यैतत्तेजो यदसा आदित्यः
5. अग्निर्वायुरादित्या इति भास्वत्येषा
6. भूः पादा आदित्यश्चक्षुः
7. असौ वा आदित्यः सविता
— यो ह वा अमुष्मिन्नादित्ये निहितः . . एष भर्गाख्यः
— आदानादादित्यः

Maitri. 6. 15. यः प्रागादित्यात् सो ऽकालः
16. कालसंज्ञमादित्यमुपासीतादित्यो ब्रह्मेत्येके
17. अस्यैतद्भास्वरं रूपं यदमुष्मिन्नादित्ये तपति
— यश्चायं हृदये यश्चासा आदित्ये स एष एकः 7. 7.
24. ब्रह्म तमसः परमपश्यद्यदमुष्मिन्नादित्ये . . विभाति
30. भगवानसावादित्यः
33. असौ वा आदित्य इन्द्रः
34. हृद्यादित्ये प्रतिष्ठितः
35. नम आदित्याय दिविक्षिते
— यो ऽसा आदित्ये पुरुषः
— एष ह वै सत्यधर्मो यदादित्यस्यादित्यत्वम्
— एतद्यदादित्यस्य मध्य इव
— एतद्यदादित्यस्य मध्ये अमृतम्
— एतद्यदादित्यस्य मध्ये यजुर्दीप्यति
— एतद्यदादित्यस्य मध्ये उदित्वा मयूखे भवतः
37. तत् त्रेधाभिहितमग्ना आदित्ये प्राणे 7. 11.
— एषाग्नौ हुतमादित्यं गमयति
— यद्धविरग्नौ हूयते तदादित्यं गमयति
— अग्नौ प्रास्ताहुतिः . . आदित्यमुपतिष्ठत आदित्याज्जायते वृष्टिः
7. 3. आदित्याः पश्चादुद्यन्ति

Mahânâr. 1. 3. येनादित्यस्तपति तेजसा
3. 9. तन्न आदित्यः प्रचोदयात्
10. आदित्याय विद्महे
12. 2. आदित्यो वा एष एतन्मण्डलं तपति

Mahânâr. 12. 3. आदित्यो वै तेज ओजः
— संवत्सरो ऽसावादित्यः 23. 1.
13. 1. घृणिः सूर्य आदित्यः
22. 1. सत्येनादित्यो रोचते दिवि
23. 1. य एष आदित्ये पुरुषः स परमेष्ठी ब्रह्मात्मा
— याभिरादित्यस्तपति रश्मिभिः
25. 1. आदित्यस्य सायुज्यं गच्छति

Praśna. 1. 5. आदित्यो ह वै प्राणः
6. अथादित्य उदयन्यत्प्राचीं दिशं प्रविशति
10. आदित्यमभिजयन्ते
3. 8. आदित्यो ह वै बाह्यः प्राणः

Nṛip. 1. 2. वसुरुद्रादित्यैः सर्वैः सेवितम्
4. अन्तरादित्ये हिरण्मयः पुरुषः
2. 1. रुद्रादित्याः Nṛisut. 3.
4. 2. आदित्य इति त्रीणि
3. यो वै नृसिंहः . . ये चादित्यास्तस्मै वै नमो नमः (19).
5. 2. आदित्याः पश्चात् (आसते)
5. स आदित्यं स्तंभयति

Śikhâ. 1. विष्णुरादित्या जगत्याहवनीयः

Brahma. 2. स आदित्यश्च विष्णुश्चेश्वरश्च

Sarvop. 1. आदित्याद्यनुगृहीतैः

Nâr. 1. नारायणाद् द्वादशादित्याः
2. द्वादशादित्याश्च नारायणः

Râmot. 5. यो वै श्रीरामः . . ये च द्वादशादित्याः (34).

Gîtâ. 5. 16. तेषामादित्यवज्ज्ञानम्

Gîtâ. 10. 21. आदित्यानामहं विष्णुः
11. 6. पश्यादित्यान्वसून्
22. रुद्रादित्या वसवो ये च साध्याः

आदित्यगत

Gîtâ. 15. 12. यदादित्यगतं तेजः

आदित्यज्योतिस्

Bṛih. 4. 3. 2. आदित्यज्योतिः सम्राडिति होवाच

आदित्यत्व

Chhâ. 6. 4. 2. अपागादादित्यादादित्यत्वम्
Maitri. 6. 35. एष ह वै सत्यधर्मो यदादित्यस्यादित्यत्वम्

आदित्यदेवत

Bṛih. 3. 9. 20. किंदेवतो ऽस्यां प्राच्यां दिश्यसीत्यादित्यदेवत इति

आदित्यपूत

Nṛip. 5. 3. स आदित्यपूतो भवति

आदित्यमण्डल

Yogaśi. 5. आदित्यमण्डलं दिव्यम्

आदित्यलोक

Bṛih. 3. 6. 1. आदित्यलोकेषु गार्गीति कस्मिन्नु खल्वादित्यलोका ओताश्च प्रोताश्चेति

आदित्यवर्ण

Śwet. 3. 8. आदित्यवर्णं तमसः परस्तात् Gitâ. 8. 9.
Maitri. 6. 24. आदित्यवर्णमूर्जस्वन्तं ब्रह्म

आदित्यात्मन्

Maitri. 6. 16. तस्मादादित्यात्मा ब्रह्म

आदित्याद्य

Maitri. 6. 15. य आदित्याद्यः स कालः

आदित्याभिमुख

Nâr. 5. मध्यन्दिनमादित्याभिमुखो ऽधीयानः

आदिदेव

Gîtâ. 10. 12. आदिदेवमजं विभुम्
11. 38. त्वमादिदेवः पुरुषः पुराणः

आदिबुद्ध

Gauḍa. 4. 92. आदिबुद्धाः प्रकृत्यैव सर्वे धर्माः सुनिश्चिताः

आदिभाजिन्

Chhâ. 2. 9. 4. आदिभाजीनि ह्येतस्य साम्नः

आदिमत्त्व

Mâṇḍû. 9. आप्तेरादिमत्त्वाद्वा Nṛisut. 2.

आदिमध्यान्तविहीन

Kaivalya. 6. तमादिमध्यान्तविहीनमेकम्

आदिमन्त्

Gauḍa. 4. 30. अनन्तता चादिमतो मोक्षस्य न भविष्यति

आदिश्

Chhâ. 3. 18. 1. इत्युभयमादिष्टं भवति 2.
Nâda. 18. योगयुक्तं तदादिशेत्
Mukti. 1. 46. इदं शास्त्रं मयादिष्टम्

आदिशान्त

Gauḍa. 4. 93. आदिशान्ता ह्यनुत्पन्नाः

आदिसामान्य

Gauḍa 1. 19. आदिसामान्यमुत्कटम्

आदीप्

Maitri. 6. 18. यथा पर्वतमादीप्तम्

आदेश

Kena. 29. तस्यैष आदेशः

Chhâ. 3. 5. 1. गुह्या एवादेशा मधुकृतः
2. एते गुह्या आदेशा एतद्ब्र-ह्माभ्यतपन्
3. 19. 1. आदित्यो ब्रह्मेत्यादेशः
6. 1. 3. उत तमादेशमप्राक्ष्यः
4. कथं नु भगवः स आदेशः
6. एवं सोम्य स आदेशः
Brih. 2. 3. 6. अथात आदेशो नेति नेति
Tait. 1. 11. 4. एष आदेश एष उपदेश
2. 3. 1. आदेश आत्मा
Nrisut. 1. अथायमादेशः
2. अथ तस्यायमादेशः

1. आद्य (= अदनीय)

Praśna. 2 11. वयमाद्यस्य दातारः

2. आद्य

Maitri. 1. 3. कामक्रोधलोभमोहभयवि-षादेर्ष्येष्टवियोगानिष्टसंप्र-योगक्षुत्पिपासाजरामृत्यु-रोगशोकाद्यैः
6. 28. तं ब्रह्मद्वारपारं निहत्याद्यम्
Mahânâr. 25. 1. याद्याहुतीराहुती
Gauḍa 1. 14. स्वप्ननिद्रायुतावाद्यौ
3. 15. मृल्लोहविस्फुलिङ्गाद्यैः
Nrip. 1. 4. उग्रं प्रथमस्याद्यं ज्वलं द्वि-तीयस्याद्यं नृसिं तृतीय-स्याद्यं मृत्युं चतुर्थस्याद्यं साम जानीयात्
6. महा प्रथमान्तार्द्धस्याद्यम्
— वैतो द्वितीयान्तार्द्धस्याद्यम्
— षणं तृतीयान्तार्द्धस्याद्यम्
— नमा चतुर्थान्तार्द्धस्याद्यम्
Amrita. 34. प्राण आद्यो हृदि स्थाने
Gopî. 2. प्रकृतिमहदहमाद्याः
Gîtâ. 8. 28. योगी परं स्थानमुपैति चाद्यम्
11. 31. विज्ञातुमिच्छामि भवन्त-माद्यम्
Gîtâ. 11. 47. तेजोमयं विश्वमनन्तमाद्यम्
15. 4. तमेव चाद्यं पुरुषं प्रपद्ये

आद्यन्त

Râmap. 38. शंसतां सर्वमाद्यन्तम्

आद्यन्तवत्त्व

Gauḍa. 2. 7. तस्मादाद्यन्तवत्त्वेन मिथ्यैव खलु ते स्मृताः 4. 31.

आद्यन्तवन्त्

Gîtâ. 5. 22. आद्यन्तवन्तः कौन्तेय

आद्रु

Brih. 4. 3. 15. प्रतिन्यायं प्रतियोन्याद्रवति 16, 17, 34, 36.

आधा

Chhâ. 4. 6. 1. समिधमाधाय 4. 7. 1; 4. 8. 1.
5. 2. 6. अञ्जलौ मन्थमाधाय
Brih. 6. 4. 8. इन्द्रियेण ते यशसा यश आदधामि
11. इन्द्रियेण ते रेतसा रेत आ-दधामि
21. गर्भं ते अश्विनौ देवावाध-त्ताम्
24. अङ्क आधाय
Mahânâr. 16. 5. मेधां मे अश्विनावुभावाध-त्ताम्
20. 3. स्वस्ति नो मघवाधातु
21. 2. तस्माद्ब्रह्म आधातव्याः
Nyâsa. 2. आग्निमाधाय शक्तितः
Gîtâ. 5. 10. ब्रह्मण्याधाय कर्माणि
8. 12. मूर्ध्न्याधायात्मनः प्राणम्
12. 8. मय्येव मन आधत्स्व

आधान

Brih. 2. 2. 1. तस्येदमेवाधानम्

आधार

Maitri. 6. 36. यच्छान्तं तस्याधारं खम्
— वर्त्याधारस्नेहयोगात्

Kaivalya. 15. आधारमानन्दमखण्डबोधम्

Haṁsa. 1. आधाराद्वायुमुत्थाप्य
— आधाराद्ब्रह्मरन्ध्रपर्यन्तम्

आधाराख्यक

Râmap. 86. शक्तिं चाधाराख्यकाम्

आधिक्य

Gauḍa. 3. 10. आधिक्ये सर्वसाम्ये वा

आधिपत्य

Kaush. 4. 20. आधिपत्यं पर्यैत्
— आधिपत्यं पर्येति

Chhâ. 3. 6. 4. आधिपत्यं स्वाराज्यं पर्येता 3. 7. 4; 3. 8. 4; 3. 9. 4; 3. 10. 4.
5. 2. 6. स मा...आधिपत्यं गमयतु

Gîtâ. 2. 8. सुराणामपि चाधिपत्यम्

आध्मा

Bṛih. 3. 2. 11. स उच्छ्वयत्याध्मायत्याध्मातो मृतः शेते

आध्यात्मिक

Gauḍa. 2. 16. बाह्यानाध्यात्मिकांश्चैव
38. तत्त्वमाध्यात्मिकं दृष्ट्वा

आध्यायिक

Tait. 2. 8. 1. युवा स्यात्साधुयुवाध्यायिकः

आन

Mahânâr. 1. 2. तदेव भूतं तदु भव्यमानम् [अनितीत्यानं प्राणिजातम् Nâr. Dîpikâ].

आनक

Gîtâ. 1. 13. पणवानकगोमुखाः

आनन्त्य

Kaṭha. 3. 17. तदानन्त्याय कल्पते

Śwet. 5. 9. स चानन्त्याय कल्पते

आनन्द्

Tait. 2. 7. 1. एष ह्येवानन्दयाति

Praśna. 4. 2. नादत्ते नानन्दयते
8. उपस्थश्चानन्दयितव्यं च.

Brahma. 1. ज्योतिष्कामो ज्योतिरानन्दयते

आनन्द

Kaush. 1. 7. केनानन्दं रतिं प्रजातिमिति
2. 15. आनन्दं रतिं प्रजातिं मे त्वयि दधानीति पितानन्दं रतिं प्रजातिं ते मयि दध इति पुत्रः
3. 5. तस्यानन्दो रतिः प्रजातिः परस्तात् प्रतिविहिता भूतमात्रा
6. प्रज्ञयोपस्थं समारुह्योपस्थेनानन्दं रतिं प्रजातिमाप्नोति
7. न हि प्रज्ञापेत उपस्थ आनन्दं न रतिं न प्रजातिं कांचन प्रज्ञापयेत्
— नाहमेतमानन्दं न रतिं न प्रजातिं प्राज्ञासिषम्
8. नानन्दं.. विजिज्ञासीतानन्दस्य.. विज्ञातारं विद्यात्
— स एष प्राण एव प्रज्ञात्मानन्दः

Bṛih. 2. 1. 19. अतिघ्नीमानन्दस्य गत्वा
2. 4. 11. सर्वेषामानन्दानामुपस्थ एकायनम् 4. 5. 12.
3. 9. 28. विज्ञानमानन्दं ब्रह्म
4. 1. 6. आनन्द इत्येनदुपासीत
— प्रतिरूपः पुत्रो जायते स आनन्दः

Brih. 4. 3. 9. पाप्मन आनन्दांश्च पश्यति
10. न तत्रानन्दाः..भवन्त्यथानन्दान्..सृजते
32. एषो ऽस्य परम आनन्द एतस्यैवानन्दस्यान्यानि भूतानि मात्रामुपजीवन्ति
33. स मनुष्याणां परम आनन्दः
— ये शतं मनुष्याणामानन्दाः स एकः पितॄणां जितलोकानामानन्दः (similarly 5 times more).
— एष एव परम आनन्दः

Tait. 2. 4. 1. आनन्दं ब्रह्मणो विद्वान् 2. 9. 1.
2. 5. 1. आनन्द आत्मा
2. 7. 1. यदेष आकाश आनन्दो न स्यात्
2. 8. 1. सैषानन्दस्य मीमांसा भवति
— स एको मानुष आनन्दः
— ते ये शतं मानुषा आनन्दाः स एको मनुष्यगन्धर्वाणामानन्दः (similarly 9 times more).
3. 6. 1. आनन्दो ब्रह्मेति व्यजानादानन्दाद्धि..भूतानि जायन्त आनन्देन जातानि जीवन्त्यानन्दं प्रयन्ति
3. 10. 3. प्रजातिरमृतमानन्द इत्युपस्थे

Maitri. 6. 13. आनन्दं विज्ञानस्य (रसः)
23. अभयमशोकमानन्दम् 7. 3.
27. आनन्दं परमालयम्

Mahânâr. 23. 1. विज्ञानादानन्दो ब्रह्मयोनिः

Kaivalya. 15. आधारमानन्दमखण्डबोधम्

Gauḍa. 1. 4. आनन्दस्तु तथा प्राज्ञम्

Nṛisut. 7. चिदानन्दावप्यवचनेनैवानुभवन्नुवाच
7. स परम आनन्दः

Brahma. 1. यथा कुमारः.. आनन्दमुपयाति तथा..देवदत्तः ..आनन्दमभियाति
3. आनन्दमेतज्जीवस्य

Tejo. 8. आनन्दं नन्दनातीतम्

Sarvop. 3. सत्यं ज्ञानमनन्तमानन्दं ब्रह्म
4. आनन्दो नाम सुखचैतन्यस्वरूपः
— अपरिमितानन्दसमुद्रः
— आनन्द इत्युच्यते

Parama. 2. तं शान्तमचलमद्वयानन्दम्

Gopî. 5. चिद्घनानन्दैकरूपम्
— परब्रह्मानन्दैकरूपम्

आनन्दघन

Nṛisut. 2. अस्मात् सर्वस्मात् प्रियतम आनन्दघनं हि
6. स्वप्रकाशमानन्दघनम्
8. सद्घनो ऽयं चिद्घन आनन्दघनः

आनन्दचिद्घन

Nṛisut. 9. अयोनि स्वात्मस्थमानन्दचिद्घनम्

आनन्दता

Brih. 4. 1. 6. कानन्दता..मन एव

आनन्दन

Garbha. 1. उपस्थ आनन्दने

आनन्दभुज्

Mâṇḍû. 5. आनन्दभुक् चेतोमुखः Nṛip. 4. 1; Nṛisut. 1 (*vide* अज्ञानभुज्); Râmot. 3.

Gauḍa. 1. 3. आनन्दभुक्तथा प्राज्ञः

आनन्दभोग

Nṛisut 1. ऐक्यादानन्दभोगाच्च

आनन्दमय

Tait. 2. 5. 1. अन्यो ऽन्तर आत्मानन्दमयः
2. 8. 1. एतमानन्दमयमात्मानमुपसंक्रामति 3. 10. 5 (उपसंक्रम्य)

Mâṇḍû. 5. प्रज्ञानघन एवानन्दमयः
Nṛip. 4. 1; Nṛisut. 1; Râmot. 3.

Sarvop. 1. अयं . . आनन्दमयः कथम्
2. तदानन्दमयः कोश इत्युच्यते

आनन्दयितृ

Maitri. 6. 7. आनन्दयिता कर्ता

आनन्दरूप

Muṇḍ. 2. 2. 7. आनन्दरूपममृतं यद्विभाति

Praśna. 2. 10. ते प्रजा आनन्दरूपास्तिष्ठन्ति

Nṛisut. 2. द्वैतरहित आनन्दरूपः
Râmot. 3.

आनन्दवन्त्

Maitri. 6. 13. आनन्दवांश्च भवति यो हैवं वेद

आनन्दामृत

Nṛisut. 3. अथानन्दामृतेनैनांश्चतुर्धा सम्पूज्य

आनन्दामृतरूप

Nṛisut. 3. आनन्दामृतरूपं प्रणवम्

आनन्दिन्

Chhâ. 7. 10. 1. आनन्दिनः प्राणा भवन्ति

Bṛih. 1. 5. 19. येनानन्द्येव भवति

Tait. 2. 7. 1. रसं ह्येवायं लब्ध्वानन्दी भवति

Maitri. 6. 33. तत्रानन्दी मोदी भवति

आनभिम्लात

Bṛih. 2. 6. 2. आग्निवेश्यः शाण्डिल्याच्चानभिम्लाताच्च
— आनभिम्लात आनभिम्लातात् (bis).
— आनभिम्लातो गौतमात्

आनी

Ait. 2. 2. ताभ्यो गामानयत्
— ताभ्यो ऽश्वमानयत्
3. ताभ्यः पुरुषमानयत्

Kaush. 2. 7. उदकमानीय

Chhâ. 6. 14. 1. अभिनद्धाक्षमानीय
— अभिनद्धाक्ष आनीतः
6. 16. 1. पुरुषं . . हस्तगृहीतमानयन्ति

आनुष्टुभ

Nṛip. 1. 1. स एतं मन्त्रराजं नारसिंहमानुष्टुभमपश्यत्
— सर्वमिदमानुष्टुभमित्याचक्षते
7. आत्मनि ब्रह्मण्यानुष्टुभं जानीयात्
2. 1. मन्त्रराजं नारसिंहमानुष्टुभं प्रायच्छत्
— मन्त्रराजं नारसिंहमानुष्टुभं प्रतिगृह्णीयात्
3. सर्वमिदमानुष्टुभं जानीयात्
3. 1. आनुष्टुभस्य मन्त्रराजस्य नारसिंहस्य शक्तिं . . ब्रूहि
4. 1. आनुष्टुभस्य मन्त्रराजस्य . . अङ्गमन्त्रान् नो ब्रूहि
5. 2. द्वात्रिंशदक्षरं मन्त्रराजं नारसिंहमानुष्टुभम्
3. आनुष्टुभस्य मन्त्रराजस्य . . फलं नो ब्रूहि

Nṛip. 5. 3. य एतं मन्त्रराजं . . आनुष्टुभं नित्यमधीते 4-9.

Mahâ. 3. आनुष्टुभं छन्दो ऽथर्ववेदः

आनृण्य

Mahânâr. 19. 1. श्रीश्च पुष्टिश्चानृण्यम्

आन्तर

Kaush. 2. 5. आन्तरमग्निहोत्रमित्याचक्षते

Bṛih. 4. 3. 21. न बाह्यं किञ्चन वेद नान्तरम् (bis).

Nṛisut. 9. बाह्यान्तरवीक्षणात्

— ओतमोतेन जानीयादनुज्ञातारमान्तरम्

Mukti. 2. 63. ज्योतिरान्तरम्

आन्तरान्तर

Maitri. 7. 1. सर्वस्यान्तरान्तरः

आप्

Ait. 4. 6. स्वर्गे लोके सर्वान् कामानाप्त्वा 5. 4; Atmapra. 1.

Kaush. 1. 7. केन मे पौंस्नानि नामान्याप्नोषि

2. 15. स्वर्गान् लोकान् कामानाप्नुहि

3. 2. प्राणेन ह्येवास्मिंल्लोके ऽमृतत्वमाप्नोति

— आप्नोत्यमृतत्वमक्षितिं स्वर्गे लोके

4. वाचा सर्वाणि नामान्याप्नोति (similarly 4 times more); 6 (similarly 9 times more).

Chhâ. 1. 1. 6. आपयतो वै तावन्योन्यस्य कामम्

Chhâ. 1. 4. 4. यदा वा ऋचमाप्नोत्योमित्येवातिस्वरति

1. 7. 7. स एष ये चामुष्मात्पराञ्चो लोकास्तांश्चाप्नोति

8. ये चैतस्मादर्वाञ्चो लोकास्तांश्चाप्नोति

2. 10. 5. एकविंशत्यादित्यमाप्नोति

6. आप्नोतीहादित्यस्य जयम्

7. 10. 2. आप्नोति सर्वान् कामान्

7. 26. 2. सर्वमाप्नोति सर्वशः Maitri. 7. 11.

8. 1. 4. यदैनज्जरा वाप्नोति

8. 7. 1. स सर्वांश्च लोकानाप्नोति 2, 3; 8. 12. 6.

Bṛih. 1. 2. 7. नैनं मृत्युराप्नोति

1. 4. 17. तदिदं सर्वमाप्नोति य एवं वेद

1. 5. 21. तान्याप्नोत्तान्याप्त्वा मृत्युरवारुन्धत्

— अथेममेव नाप्नोत्

23. नेन्मा पाप्मा मृत्युराप्नुवत्

3. 1. 3. सर्वं मृत्युनाप्तम्

4. सर्वमहोरात्राभ्यामाप्तम्

5. सर्वं पूर्वपक्षापरपक्षाभ्यामाप्तम्

4. 4. 19. मृत्योः स मृत्युमाप्नोति Katha. 4. 10; Atmapra. 1.

4. 5. 14. अत्रैव मा भगवान्मोहान्तमापीपिपत्

5. 14. 6. प्रथमं पदमाप्नुयात्

— द्वितीयं पदमाप्नुयात्

— तृतीयं पदमाप्नुयात्

— तुरीयं दर्शतं पदं . . . नैव केनचनाप्यम्

Iśâ. 4. नैनद्देवा आप्नुवन्

Tait. 1 6 2. आप्नोति स्वाराज्यमाप्नोति मनसस्पतिम्

Tait. 2. 1. 1. ब्रह्मविदाप्नोति परम्
2. 2. 1. सर्वं वै ते ऽन्नमाप्नुवन्ति
Katha. 2. 9. नैषा तर्केण मतिरापनेया
. . यां त्वमापः
13. अणुमेतमाप्य स मोदते
24. प्रज्ञानेनैनमाप्नुयात्
3. 7. न स तत्पदमाप्नोति
8. स तु तत्पदमाप्नोति
9. सो ऽध्वनः पारमाप्नोति
4. 11. मनसैवेदमाप्तव्यम्
Maitri. 3. 5. भूतात्मा तस्मान्नानारूपाण्याप्नोति
4. 3. यमाप्त्वा न निवर्त्तते
Mahânâr. 12. 3. ब्रह्मणः सायुज्यं . . आप्नोत्येतासामेव देवतानां सायुज्यं . . आप्नोति
24. 1. य एवं वेद ब्रह्मणो महिमानमाप्नोति तस्माद्ब्रह्मणो महिमानम्
25. 1. तस्माद्ब्राह्मणो महिमानमाप्नोति (bis).
Kaivalya. 24. अनेन ज्ञानमाप्नोति संसारार्णवनाशनम्
Mâṇḍû. 9. आप्नोति ह वै सर्वान् कामान् . . य एवं वेद
Gauḍa. 4. 90. हेयज्ञेयाप्यपाक्यानि
Nṛip. 3. 1. महतीं श्रियमाप्नुयात्
Nṛisut. 2. आप्नोति ह वा इदं सर्वं . . य एवं वेद
8. मृत्योर्मृत्युमाप्नोति
Brahmab. 16. यदीच्छेच्छान्तिमाप्नुयात्
Amṛita. 29. इच्छयाप्नोति कैवल्यम्
Nâr. 3. सर्वांश्च लोकानाप्नोति
5. नारायणे सायुज्यमाप्नोति
Vâsu. 2. योगी मत्सायुज्यमाप्नोति
3. तत्र ध्यात्वाप्नुयात्परम्
4. विष्णुसायुज्यमाप्नोति
Gopî. 3. अक्षय्यं पदमाप्नोति
Skanda. 13. स एव मुक्तिमाप्नुयात्
Râmap. 92. मोक्षमाप्नोति सर्वः
Mukti. 1. 19. सालोक्यमुक्तिमाप्नोति
— मृतो मत्तारमाप्नुयात्
2. 4. मामकं पदमाप्नुहि
Gîtâ. 2. 70. स शान्तिमाप्नोति न कामकामी
3. 2. येन श्रेयो ऽहमाप्नुयाम्
19. परमाप्नोति पूरुषः
4. 21. नाप्नोति किल्बिषम्
18. 47.
5. 6. दुःखमाप्तुमयोगतः
12. शान्तिमाप्नोति नैष्ठिकीम्
8. 15. नाप्नुवन्ति महात्मानः
12. 9. मामिच्छाप्तुं धनञ्जय
18. 50. यथा ब्रह्म तथाप्नोति निबोध मे

आप

Mahânâr. 13. 1. तद्ब्रह्म तदाप आपो ज्योती रसो ऽमृतं (आप आप्यम् Nâr.) 15. 3.

आपत्

Kaṭhaśru. 2. अनुव्रजन्नाश्रुमापातयेत्
— यदश्रुमापातयेत्

आपद्

Kaush. 1. 3. देवयानं पन्थानमापद्य
Chhâ. 5. 10. 7. रमणीयां योनिमापद्येरन्
— कपूयां योनिमापद्येरन्
Bṛih. 6. 2. 2. वेत्थो यथेमं लोकं पुनरापद्यन्ता ३ इति
Kaṭha. 2. 6. पुनः पुनर्वशमापद्यते मे
Maitri. 3. 1. सदसद्योनिमापद्यता इति
2 (bis).
Praśna. 2. 3. मा मोहमापद्यथ
Gîtâ. 7. 24. अव्यक्तं व्यक्तिमापन्नम्
16. 20. आसुरीं योनिमापन्नाः

आपयितृ

Chhâ. 1. 1. 7. आपयिता ह वै कामानां भवति

आपाण्डुर

Amṛita. 37. आपाण्डुर उदानस्तु

आपिष्

Bṛih. 2. 1. 15. तं पाणिनापेषं बोधयाञ्चकार

आपीड्

Garbha. 4. मन्त्रेणापीड्यमानो महता दुःखेन

आपूर्यमाणपक्ष

Chhâ. 4. 15. 5. अह्न आपूर्यमाणपक्षमापूर्यमाणपक्षाद्यान् षडुदङ्ङेति मासांस्तान् 5. 10. 1.

Bṛih. 6. 2. 15. अह्न आपूर्यमाणपक्षमापूर्यमाणपक्षाद्यान् षण्मासानुदङ्ङादित्य एति

6. 3. 1. आपूर्यमाणपक्षस्य पुण्याहे

आपॄ

Bṛih. 1. 5. 14. आ च पूर्यते ऽप च क्षीयते 15.

Gîtâ. 2. 70. आपूर्यमाणमचलप्रतिष्ठम्

11. 30. तेजोभिरापूर्य जगत्समग्रम्

आपोमय

Chhâ. 6. 5. 4. आपोमयः प्राणः 6. 6. 5; 6. 7. 6.

6. 7. 1. आपोमयः प्राणो न पिबतो विच्छेत्स्यते

Bṛih. 4. 4. 5. पृथिवीमय आपोमयः

आपोमात्रा

Praśna. 4. 8. आपश्चापोमात्रा च

आप्तकाम

Bṛih. 4. 3. 21. आप्तकाममात्मकामं . . रूपम्

4. 4. 6. आप्तकाम आत्मकामः Nṛisut. 5 (ter).

Śwet. 1. 11. केवल आप्तकामः

Muṇḍ. 3. 1. 6. येनाक्रमन्त्यृषयो ह्याप्तकामाः

Gauḍa. 1. 9. आप्तकामस्य का स्पृहा

आप्ततम

Nṛisut. 5. एष ह्येवाप्ततमः

— आप्ततममुत्कृष्टतमं चिन्मात्रम् (bis).

आप्ततमार्थ

Nṛisut. 5. एष एवाकार आप्ततमार्थः

आप्ति

Bṛih. 3. 1. 3. केन यजमानो मृत्योराप्तिमतिमुच्यते

4. केन . . अहोरात्रयोराप्तिमतिमुच्यते

5. केन . . पूर्वपक्षापरपक्षयोराप्तिमतिमुच्यते

Kaṭha. 1. 14. अनन्तलोकाप्तिमथो प्रतिष्ठां विद्धि

2. 11. कामस्याप्तिं जगतः प्रतिष्ठाम्

Mâṇḍû. 9. आप्तेरादिमत्त्वाद्वा Nṛisut. 2.

आप्तिसामान्य

Gauḍa. 1. 19. आप्तिसामान्यमेव च

आप्य

Śwet. 2. 12. पृथ्व्याप्यतेजोऽनिलखे 6. 2 (खानि)

आप्यायनवन्त्

Maitri. 6. 5. अन्नमापश्चन्द्रमा इत्याप्यायनवत्येषा

आप्यै

Kaush. 1. 2. तेषां प्राणैः पूर्वपक्ष आप्यायते

2. 8. आप्यायस्व समेतु ते

— यमादित्या अंशुमाप्याययन्ति

— मास्माकं प्राणेन प्रजया पशुभिराप्याययिष्ठा यो ऽस्मान् द्वेष्टि यं च वयं द्विष्मस्तस्य . . पशुभिराप्याययस्व

Bṛih. 6. 2. 16. आप्यायस्वापक्षीयस्वेति

Mahânâr. 16. 1. प्राणमन्नेनाप्यायस्व

— अपानमन्नेनाप्यायस्व

— व्यानमन्नेनाप्यायस्व

— उदानमन्नेनाप्यायस्व

— समानमन्नेनाप्यायस्व

2. तेनान्नेनाप्यायस्व

Garbha. 3. मात्राशितपीतनाडीसूत्रगतेन प्राण आप्यायते

Mukti. 1. आप्यायन्त्विवति शान्तिः

आप्लु

Bṛih. 6. 4. 13. त्रिरात्रान्त आप्लुत्य

आबन्ध्

Bṛih. 3. 1. 1. दश दश पादा एकैकस्याः शृङ्गयोराबद्धाः

Nṛisut. 6. शृङ्गाभ्यां शृङ्गमाबध्य

आबल्य

Kaush. 3. 3. आबल्यमेत्य सम्मोहमेति (आबाल्यं is another reading).

आभज्

Ait. 2. 5. एतास्वेव वां देवतास्वाभजामि

आभा

Mahânâr. 20. 7. विश्वमाभासि रोचनम्

Brahmav. 8. सूर्यमण्डलमाभाति (so all the MSS.)

आभास

Gauḍa. 4. 47. ऋजुवक्रादिकाभासम्

49. नाभासा अन्यतोभुवः 51.

50. आभासस्याविशेषतः

Nṛisut. 9. जीवेशावाभासेन करोति (Nârâyaṇa and one other MS. read जीवेशावभासेन).

आभू

Chhâ. 6. 9. 3. यद्यद्भवन्ति तदाभवन्ति 6. 10. 2.

Bṛih. 3. 9. 28. न पुनराभवेत्

Nîla. 14. शिवो नः शम्भुराभव

आभूति

Bṛih. 2. 6. 3. अयास्य आङ्गिरस आभूतेस्त्वाष्ट्रात् 4. 6. 3.

— आभूतिस्त्वाष्ट्रो विश्वरूपास्त्वाष्ट्रात् 4. 6. 3.

आभृ

Kaush. 1. 2. विचक्षणादृतवो रेत आभृतम्

— तन्म ऋतवो ऽमृत्यव आभरध्वम्

आमन्

Bṛih. 6. 3. 5. आमंस्यामंहि ते महि

आमन्त्

Kaush. 4. 19. तं हाजातशत्रुरामन्त्रयांचक्रे

Chhâ. 4. 4. 1. जबालां मातरमामन्त्र्यांचक्रे

Bṛih. 1. 4. 1. तस्मादप्येतर्ह्यामन्त्रितः
2. 1. 15. तमेतैर्नामभिरामन्त्रयांचक्रे

आमपात्र

Bṛih. 6. 4. 12. आमपात्रे ऽग्निमुपसमाधाय

आमय

Maitri. 3. 4. अन्यैश्चामयैर्बहुभिः परिपूर्णम्
Gîtâ. 17. 9. दुःखशोकामयप्रदाः

आमिष

Maitri. 6. 36. *vide* आदि

आम्ना

Katha. 2. 15. सर्वे वेदा यत्पदमामनन्ति

आम्नाय

Gauḍa. 3. 24. नेह नानेति चाम्नायात्

आम्र

Bṛih. 4. 3. 36. यथाम्रं वोदुंबरं वा पिप्पलं वा

1. आय

Chhâ. 7. 9. 1. अन्नस्याये द्रष्टा भवति (the MSS. have अन्नस्यायी, but Sâyaṇa gives the above as a variant).

2. आय (dat. term).

Râmap. 19. तथा चायेति कथ्यते

आयज्

Mahânâr. 6. 7. अस्मभ्यं च सौभगमायजस्व

आयतन

Ait. 2. 1. आयतनं नः प्रजानीहि
Kaush. 1. 3. अपराजितमायतनम् 5.
Kena. 33. सत्यमायतनम्
Chhâ 5. 1. 5. यो ह वा आयतनं वेदायतनं ह स्वानां भवति मनो ह वा आयतनम्
Chhâ. 5. 1. 14. मन उवाच यदहमायतनमस्मि त्वं तदायतनमसीति
5. 2. 5. आयतनाय स्वाहा
6. 8. 2. अन्यत्रायतनमलब्ध्वा
7. 24. 2. क्षेत्राण्यायतनानीति
Bṛih. 3. 9. 10. पृथिव्येव यस्यायतनम्
11. काम एव यस्यायतनम्
12. रूपाण्येव यस्यायतनम् 15.
13. आकाश एव यस्यायतनम्
14. तम एव यस्यायतनम्
16. आप एव यस्यायतनम्
17. रेत एव यस्यायतनम्
26. एतान्यष्टावायतनानि
4. 1. 2. अब्रवीत्तु ते तस्यायतनम् 3—7.
— वागेवायतनम् (similarly 3—7).
7. हृदयं वै सर्वेषां भूतानामायतनम्
6. 1. 5. यो ह वा आयतनं वेदायतनं स्वानां भवत्यायतनं जनानां मनो वा आयतनम्
14. यद्वा अहमायतनमस्मि त्वं तदायतनमसीति मनः
6. 3. 2. श्रोत्राय स्वाहायतनाय स्वाहा
Katha. 1. 23. भूमेर्महदायतनं वृणीष्व
Mahânâr. 11. 8. विश्वस्यायतनं महत् Kaivalya. 16; Brahma. 3; Dhyâna. 23.
Praśna. 1. 10. एतद्वै प्राणानामायतनम्
5. 2. एतेनैवायतनेनैकतरमन्वेति
7. तमोङ्कारेणैवायतनेनान्वेति
Kshur. 7. वायोरायतनं चात्र

आयतनवन्त्

Chhâ. 4. 8. 3. एष वै सोम्य चतुष्कलः पादो ब्रह्मण आयतनवान्नाम

Chhâ. 4. 8. 4. स यः..चतुष्कलं पादं ब्रह्मण आयतनवानित्युपास्त आयतनवानस्मिँल्लोके भवत्यायतनवतो ह लोकाञ्जयति

आयतप्राण

Amṛita. 10. त्रिः पठेदायतप्राणः (all the MSS. have आयतः)

आयति

Praśna. 3. 12. उत्पत्तिमायतिं स्थानम्

आयत्त

Bṛih. 1. 5. 3. सैषा ह्यन्तमायत्तैषा हि न

आयम्

Bṛih. 4. 3. 14. तं नायतं बोधयेत्
Muṇḍ 2. 2. 3. आयम्य तद्भावगतेन चेतसा
Gauḍa. 4. 56. संसारस्तावदायतः
Gopî. 5. अभिव्याप्यायतो भूत्वा (2 MSS. read अप्सरोभिर्वृतो भूत्वा).

आयमन

Chhâ. 1. 3. 5. दृढस्य धनुष आयमनम्

आयस्

Chhâ. 5. 3. 4. स हायस्तः पितुरर्द्धमेयाय

आयस

Ait. 4. 5. शतं मा पुर आयसीररक्षन्

आयस्थूण

Bṛih. 6. 3. 10. जानकय आयस्थूणाय
11. जानकिरायस्थूणः

आया

Bṛih. 4. 3. 37. यथा राजानमायान्तं..प्रतिकल्पन्ते ऽयमायाति
— इदं ब्रह्मायातीदमागच्छतीति

Muṇḍ.1. 2. 12. ब्राह्मणो निर्वेदमायात्
Mahânâr. 15. 1. आयातु वरदा देवी
Praśna. 3. 1. कथमायात्यस्मिञ्छरीरे
3. मनोकृतेनायात्यस्मिञ्छरीरे
10. यच्चित्तस्तेनैष प्राणमायाति
Kshur. 11. तद्भित्त्वा कण्ठमायाति
Mukti. 2. 18. शममायाति दीपवत्

आयास्य

Chhâ. 1. 2. 12. तेन तं हायास्य उद्गीथमुपासांचक्र एतमु एवायास्यं मन्यन्त आस्याद्यदयते

आयु

Śwet. 4. 22. मा न आयौ..रीरिषः (आयुषि is a variant)

आयुज्

Tait. 1. 11. 4. ये तत्र ब्राह्मणाः सम्मर्शिनो युक्ता आयुक्ताः (bis; in first case one MS. has युक्ता वायुक्ताः)

आयुध

Nîla. 12. नमांसि त आयुधाय
Râmap. 57. वह्निस्तदायुधैः पूज्यः
Gîtâ. 10. 28. आयुधानामहं वज्रम्

आयुष्य

Brahma. 2. आयुष्यमग्र्यं प्रतिमुञ्च
Gopî. 5. गोपीचन्दनमायुष्यम्

आयुस्

Kaush. 2. 11. शतं शरद आयुषो जीवस्य
3. 2. मामायुरमृतमित्युपास्वायुः प्राणः प्राणो वा आयुर्यावद्ध्यस्मिञ्छरीरे प्राणो वसति तावदायुः
— स यो मामायुरमृतमित्युपास्ते सर्वमायुरस्मिँल्लोक एति

Kaush. 4. 8. सर्वमायुरेति 4. 16; Chhâ. 2. 11. 2; 12. 2; 13. 2; 14. 2; 15. 2; 16. 2; 17. 2; 18. 2; 19. 2; 20. 2; 4. 11. 2; 4. 12. 2; 4. 13. 2; Gopî. 4.

Chhâ. 2. 24. 6. एतास्म्यत्र यजमानः परस्तादायुषः 10, 15.

3. 16. 6. इदं मे तृतीयसवनमायुरनुसन्तनुत

Bṛih. 2. 1. 10. एवमुपास्ते सर्वं हैवास्मिँल्लोक आयुरेति 12.

4. 4. 16. आयुर्होपासते ऽमृतम्

6. 4. 14. सर्वमायुरियादिति 15—18.

Tait. 2. 3. 1. प्राणो हि भूतानामायुः (bis).

— सर्वमेव ते आयुर्यन्ति ये प्राणं ब्रह्मोपासते

Maitri. 5. 1. विश्वभुग्विश्वमायुस्त्वम्

Mahânâr. 4. 2. शतमायुर्विवर्द्धति

12. 3. किं तत्सत्यमन्नमायुः

Nṛip. 1. 1. व्यशेम देवहितं यदायुः 2. 4; Nṛisut. 1.

3. *vide* ऐश्वर्यवन्त्

3. 1. तामिहायुषे शरणं प्रपद्ये

Śiras. 1. आयुरायुषा ...तर्पयामि

Brahma. 1. देवानामायुः

Prâṇâg. 1. या त आयुरुपहारात्

Piṇḍa. 7. दीर्घमायुः प्रजायते

Nâr. 4. सर्वमायुरप्येति

Skanda. 9. तथा मे स्वस्तिरायुषि

Râmap. 82. आयुरारोग्यवर्द्धनम्

Gîtâ. 17. 8. *vide* विवर्द्धन

आर

Kaush. 1. 3. एतस्य ब्रह्मलोकस्यारो ह्रदः

4. स आगच्छत्यारं ह्रदम्

आरण्य

Chhâ. 2. 9. 7. तदस्यारण्या अन्वायत्ताः

आरण्यक

Aruṇeya. 2. सर्वेषु वेदेष्वारण्यकमावर्त्तयेत्

आरभ्

Śwet. 6. 3. आरभ्य कर्माणि गुणान्वितानि

Maitri. 7. 9. नारम्भणीयेति

Gîtâ. 3. 7. नियम्यारभते ऽर्जुन

18. 25. मोहादारभ्यते कर्म

आरम्भ

Gîtâ. 14. 12. लोभः प्रवृत्तिरारम्भः कर्मणाम्

आराग्रमात्र

Śwet. 5. 8. आराग्रमात्रो ह्यवरो ऽपि दृष्टः

आराध्

Gopî. 5. कृष्णमाराधयामासुः

Râmap. 91. आराधयेद्राघवं चन्दनाद्यैः

आराधन

Gîtâ. 7. 22. तस्याराधनमीहते

आराम

Bṛih. 4. 3. 14. आराममस्य पश्यन्ति

आरुणि

Kaush. 1. 1. गार्ग्यायणिर्यक्ष्यमाण आरुणिं वव्रे

Chhâ. 3. 11. 4. उद्दालकायारुणये

5. 11. 2. उद्दालको वै .. अयमारुणिः

5. 17. 1. उद्दालकमारुणिम्

6. 8. 1. उद्दालको हारुणिः

Bṛih. 3. 6. 1. उद्दालक आरुणिः 23 ; 6. 3. 7 ; 6. 4. 4.

Kaṭha. 1. 11. औद्दालकिरारुणिः

Mahânâr. 22. 1. प्राजापत्यो हारुणिः सुपर्णेयः

Aruṇeya. 1. आरुणिः प्रजापतेर्लोकं जगाम

Jâbâla. 6. *vide* प्रभृति

Mukti. 1. 31. श्वेताश्वो हंस आरुणिः
1. *vide* जाबालि

आरुणेय

Chhâ. 5. 3. 1. श्वेतकेतुर्हारुणेयः 6. 1. 1; Bṛih. 6. 2. 1.

आरुद्

Mahânâr. 5. 12. रजो भूमिस्त्वमाँरोदयस्व

आरुध्

Kaush. 2. 2. वाक्परस्ताचक्षुरारुंधते चक्षुः परस्ताच्छ्रोत्रमारुंधते &c.

आरुरुक्षु

Gîtâ. 6. 3. आरुरुक्षोर्मुनेर्योगम्

आरुह्

Kaush. 1. 5. पादेनैवाग्र आरोहति

Maitri. 6. 29. अनया ब्रह्मविद्यया . . ब्रह्मणः पन्थानमारूढाः

Mahânâr. 5. 3. नाकस्य पृष्ठमारुह्य

Praśna. 6. 1. स तूष्णीं रथमारुह्य प्रवव्राज

Nṛisut. 1. तस्मिन्निदं सर्वं त्रिशरीरमारोप्य

Amṛita. 2. ओङ्कारं रथमारुह्य

Jâbâla. 4. तं जानन्नग्न आरोह

आरोग्य

Śwet. 2. 13. लघुत्वमारोग्यमलोलुपत्वम्

Gopî. 5. बलारोग्यविवर्द्धनम्

Râmap. 82. आयुरारोग्यवर्द्धनम्

Gîtâ. 17. 8. *vide* विवर्द्धन

आर्जव

Chhâ. 3. 17. 4. यत्तपोदानमार्जवमहिंसा

Gîtâ. 13. 7. अहिंसा क्षान्तिरार्जवम्
16. 1. स्वाध्यायस्तप आर्जवम्
17. 14. शौचमार्जवम्
18. 42. क्षान्तिरार्जवमेव च

आर्जीकीया

Mahânâr 5. 4. आर्जीकीये शृणुह्या सुषोमया

आर्त्त

Kaush. 3. 3. यत्रैतत्पुरुष आर्त्तो मरिष्यन्

Bṛih. 3. 4. 2. अतो ऽन्यदार्त्तम् 3. 5. 1; 3. 7. 23.

Gîtâ. 7. 16. आर्त्तो जिज्ञासुरर्थार्थी

आर्त्तभाग

Bṛih. 3. 2. 1. जारत्कारव आर्त्तभागः 13. 13. आहर सोम्य हस्तमार्त्तभाग

आर्त्तभागीपुत्र

Bṛih. 6. 5. 2. वार्कारुणीपुत्र आर्त्तभागीपुत्रात्
— आर्त्तभागीपुत्रः शौङ्गीपुत्रात्

आर्त्तव

Kaush. 1. 2. ऋतुरस्म्यार्त्तवो ऽस्मि 1. 6.

Bṛih. 6. 4. 13. यस्य जायामार्त्तवं विन्देत्

आर्त्तिह

Mukti. 2. 72. ममं रूपमीदृशं भजस्व आर्त्तिहम्

आर्त्विज्य

Chhâ. 1. 10. 6. स मा सर्वैरार्त्विज्यैर्वृणीतेति
1. 11. 2. भगवन्तं वा अहमेभिः सर्वैरार्त्विज्यैः पर्य्यैशिषम्

Chhâ. 1. 11. 3. भगवांस्त्वेव मे सर्वैरार्त्विज्यैरिति

Bṛih. 1. 3. 25. आर्त्विज्यं करिष्यन्वाचि स्वरमिच्छेत तया वाचा .. आर्त्विज्यं कुर्य्यात्

आर्द्र

Bṛih. 1. 4. 6. यत्किञ्चेदमार्द्रं तद्रेतसोऽसृजत

6. 3. 4. आर्द्रं सन्दीप्रमसि

Mahânâr. 5. 10. आर्द्रं ज्वलति ज्योतिरहमास्मि

आर्द्रैधाग्नि

Bṛih. 2. 4. 10. यथार्द्रैधाग्नेरभ्याहितात्

4. 5. 11. यथार्द्रैधाग्नेरभ्याहितस्य

Maitri. 6. 32.

आर्षभ

Bṛih. 6. 4. 18. औक्ष्णेन वार्षभेण वा

आर्षेय

Chhâ. 1. 3. 9. यदार्षेयं तमृषिं..उपधावेत्

आलप्

Chhâ. 4. 2. 5. अनेनैव मुखेनालापयिष्यथा इति

आलभ्

Bṛih. 1. 2. 7. तं..आत्मन आलभत

— प्रोक्षितं प्राजापत्यमालभन्ते

आलम्ब्

Tait. 1. 6. 1. य एष स्तन इवालंबते

Mahânâr 11. 9. लंबत्याकोशसन्निभम्

Mahâ. 3.

आलम्ब

Maitri. 7 11. ब्रह्मधीयालम्बं वा

आलम्बन

Kaṭha. 2. 17. एतदालंबनं श्रेष्ठमेतदालंबनं परमेतदालंबनं ज्ञात्वा ब्रह्मलोके महीयते

आलम्बायनीपुत्र

Bṛih. 6. 5. 2. साङ्कृतीपुत्र आलंबायनीपुत्रात्

— आलंबायनीपुत्र आलंबीपुत्रात्

आलम्बीपुत्र

Bṛih. 6. 5. 1. कौशिकीपुत्र आलंबीपुत्राच्च वैयाघ्रपदीपुत्राच्च

2. आलंबायनीपुत्र आलंबीपुत्रात्

— आलंबीपुत्रो जायन्तीपुत्रात

आलय

Brahma. 1. याति स्वमालयम्

आलस्य

Amṛita. 27. भयं क्रोधमथालस्यम्

Yogaśi. 8. आलस्याच्च प्रमादतः

Haṁsa. 2. आग्नेय्यां निद्रालस्यादयो भवन्ति

Gîtâ. 14. 8. प्रमादालस्यनिद्राभिः

18. 39. निद्रालस्यप्रमादोत्थम्

आलिख्

Râmap. 58. त्रिरेखापुटमालिख्य

59. तन्मध्ये बीजमालिख्य तदधः साध्यमालिखेत्

61. तदग्रे ऽनंगमालिखेत्

63. वर्गाष्टकमथालिखेत्

71. एवं मण्डलमालिख्य

आलिप्

Vâsu. 1. ममाङ्गे प्रतिदिनमालिप्तं गोपीभिः प्रक्षालनात्

Vasu. 3. गोपीचन्दनमालिप्य

आलोक्

Maitri. 6. 28. आवृत्तचक्रमिव संसारचक्रमालोकयति

आलोकन

Mukti. 2. 17. सम्यगालोकनात्सत्यात्

आवरणच्युति

Gauḍa. 4. 97. किमुतावरणच्युतिः

आवर्त्तन

Maitri. 1. 4. असकृदिहावर्त्तनं दृश्यते

आवस्

Chhâ. 5. 10. 9. गुरोस्तल्पमावसन्
Nâda. 14. ओषितः सह देवत्वम्

आवसथ

Ait. 3. 12. तस्य त्रय आवसथास्त्रयः स्वप्नाः
— अयमावसथः (ter).
Chhâ. 4. 1. 1. स ह सर्वत आवसथान् मापयाञ्चक्रे
Bṛih. 4. 3. 37. अन्नैः पानैरावसथैः

आवसथ्य

Kaṭhaśru. 1. सभ्यावसथ्ययोश्च

आवह्

Tait. 1. 4. 1. आवहन्ती वितन्वाना
2. ततो मे श्रियमावह
1. 5. 3. सर्वे ऽस्मै देवा बलिमावहन्ति
Mahânâr. 2. 8. पशूंश्च मह्यमावह जीवनं च
9. 11. अनुष्वधमावह मादयस्व
15. 1. गायत्रीमावाहयामि सावित्रीमावाहयामि सरस्वतीमावाहयामि
Nyâsa. 3. यन्मन्युर्जायामावहत्
Kaṭhaśru. 4.

Râmap. 90. देवमावाहयेच्च

आवा

Mahânâr. 22. 1. सत्येन वायुरावाति

आवाहन

Parama. 3. नावाहनं न विसर्जनम्

आविक्षिप्

Kaush. 4. 19. तत उ हैनं यष्ट्याविचिक्षेप

आविरस्

Maitri. 6. 27. आविःसन्नभसि निहितम्

आविर्भाव

Chhâ. 7. 26. 1. आत्मत आविर्भावतिरोभावौ
Śarvop. 3. आविर्भावतिरोभावज्ञाता
— आविर्भावतिरोभावहीनः

आविर्भू

Maitri. 6. 28. आविर्भूते ऽन्तराकाशे
Gopî. 5. तत उपनिषदः श्रुतय आविर्बभूवुः
— सगुणं ब्रह्म . . वसुदेवसद्मन्याविर्भविष्यति

आविश्

Bṛih. 1. 5. 17. प्राणैः सह पुत्रमाविशति
— एनमेते दैवाः प्राणा अमृता आविशन्ति
18. दैवी वागाविशति
19. दैवं मन आविशति
20. दैवः प्राण आविशति
2. 5. 18. पुरः पुरुष आविशत्
Kaṭha. 1. 1. कुमारं सन्तं श्रद्धाविवेश
Śwet. 2. 17. यो विश्वं भुवनमाविवेश
Maitri. 6. 24. अथाविष्टं भित्त्वा
31. अग्नेर्यदौष्ण्यमाविष्टम्
38. महो देवो भुवनान्याविवेश

Muṇḍ. 1. 2. 10. इमं लोकं हीनतरं चाविशन्ति
3. 2. 5. युक्तात्मानः सर्वमेवाविशन्ति
Mahânâr. 7. 5. छन्दोभ्यश्छन्दांस्याविवेश
9. 4. य आविवेश भुवनानि विश्वा Nrip. 2. 4.
10. 1. महो देवो मर्त्यानाविवेश
15. 9. शिवोमाविशाप्रदाहाय (5 times).
16. 2. रुद्र ओमाविशान्तकः
Praśna. 4. 11. स सर्वज्ञः सर्वमेवाविवेश
Śiras. 6. ओषधीर्वीरुध आविवेश (bis).
Gîtâ. 1. 28. कृपया परयाविष्टः
2. 1. तं तथा कृपयाविष्टम्
8. 10. भ्रुवोर्मध्ये प्राणमावेश्य सम्यक्
12. 2. मय्यावेश्य मनः
15. 13. गामाविश्य च
17. यो लोकत्रयमाविश्य

आविष्कृ

Bṛih. 2. 5. 16. दंस उग्रमाविष्कृणोमि
Maitri. 6. 22. शब्देनैवाशब्दमाविष्क्रियते
34. आविष्कृतमेतेनास्य यज्ञम्

आविस्

Muṇḍ. 2. 2. 1. आविः सन्निहितं गुहाचरम्

आवृ

Chhâ. 5. 9. 1. स उल्वावृतो गर्भः
Bṛih. 1. 2. 1. मृत्युनैवेदमावृतमासीदशनायया
4. 4. 11. लोका अन्धेन तमसावृताः Iśâ. 3.
Śwet. 3. 16. सर्वमावृत्य तिष्ठति Gîtâ. 13. 12.
6. 2. येनावृतं नित्यमिदं हि सर्वम्
Mahânâr. 1. 3. येनावृतं खं च दिवं मही च

Gauḍa. 4. 82. सुखमाव्रियते नित्यम्
83. चलस्थिरोभयाभावैरावृणोत्येव बालिशः
Prâṇâg. 2. पञ्चवायुभिरावृतः
Râmap. 55. सुमन्त्रैरेभिरावृतः
56. दशभिस्त्वेभिरावृतः
Gîtâ. 3. 38. धूमेनाव्रियते वह्निः
— यथोल्वेनावृतो गर्भस्तथा तेनेदमावृतम्
39. आवृतं ज्ञानमेतेन
40. ज्ञानमावृत्य देहिनम्
5. 15. अज्ञानेनावृतं ज्ञानम्
14. 9. ज्ञानमावृत्य तु तमः
18. 32. मन्यते तमसावृता
48. धूमेनाग्निरिवावृताः

आवृज्

Bṛih. 6. 4. 3. आस्य स्त्रियः सुकृतं वृङ्क्ते

1. आवृत्

Kaush. 2. 8. इत्यैन्द्रीमावृतमावर्ते
9. इति दैवीमावृतमावर्ते
Chhâ. 2. 2. 2. अथावृत्तेषु
3. कल्पन्ते हास्मै लोका ऊर्ध्वाश्चावृत्ताश्च
4. 4. 5. नासहस्रेणावर्त्स्येयेति
4. 15. 6. इमं मानवमावर्त्तं नावर्त्तन्ते
4. 17. 9. यतो यत आवर्त्तते तत्तद्गच्छति
5. 3. 2. वेत्थ यथा पुनरावर्त्तन्ते
8. 15. 1. न च पुनरावर्त्तते Vâsu. 4.
Maitri. 2. 5. अबुद्धिपूर्वमिहैवावर्त्तते ऽंशेन
Praśna. 1. 9. त एव पुनरावर्त्तन्ते
10. एतस्मान्न पुनरावर्त्तन्ते
5. 4. सोमलोके विभूतिमनुभूय पुनरावर्त्तते
Śiras. 6. स एवेदमावरीवर्त्ति भूतम्

Śikhâ. 1. सकृदावर्त्तव्यः
Garbha. 2. शुक्रशोणितसंयोगादावर्त्तते गर्भः
Yogaśi. 8. यदि त्रिकालमावर्त्तेत्
Kaṭhaśru. 2. प्रदक्षिणमावृत्य
4. सन्न्यस्याग्नीन्न पुनरावर्त्तयेत्
Aruṇeya. 2. सर्वेषु वेदेष्वारण्यकमावर्त्तयेत्
— उपनिषदमावर्त्तयेत्
Kâlâg. 2. न स पुनरावर्त्तते
Atmapra. 1.
Gîtâ. 8. 26. अन्ययावर्त्तते पुनः

2. आवृत्

Kaush. 2. 4. एतयैवावृता . . जुहोति
7. एतयैवावृता मध्ये सन्तम्
— एतयैवावृतास्तं यन्तम्
— एतयैवावृतादित्यमुपतिष्ठते
8. पश्चाच्चंद्रमसं दृश्यमानमुपतिष्ठेतैतयैवावृता
— इत्यैन्द्रीमावृतमावर्त आदित्यस्यावृतमन्वावर्ते
9. पुरस्ताच्चंद्रमसं दृश्यमानमुपतिष्ठेतैतयैवावृता
— इति दैवीमावृतमावर्त आदित्यस्यावृतमन्वावर्ते
Bṛih. 6. 3. 1. आवृताज्यं संस्कृत्य
6. 4. 19. स्थालीपाकावृताज्यं चेष्टित्वा

आवृत्तचक्र

Maitri. 6. 28. आवृत्तचक्रमिव संसारचक्रमालोकयति

आवृत्तचक्षुस्

Kaṭha. 4. 1. आवृत्तचक्षुरमृतत्वमिच्छन्
Maitri. 6. 1. तन्निष्ठा आवृत्तचक्षुः

आवृत्ति

Gîtâ. 8. 23. आवृत्तिं चैव योगिनः

आवृह्

Bṛih. 3. 9. 28. यत्समूलमावृहेयुर्वृक्षम्

आवे

Kaush. 1. 3. पुष्पाण्यादायावयतो वै च जगानि
Brih. 3. 6. 1. यदिदं सर्वमप्स्वोतं च प्रोतं च कस्मिन्नु खल्वाप ओताश्च प्रोताश्च
— कस्मिन्नु खलु वायुरोतश्च प्रोतश्च (similarly nine times more).
3. 8. 3. कस्मिंस्तदोतं च प्रोतं चेति 6.
4. आकाशे तदोतं च प्रोतं चेति 7.
7. कस्मिन्नु खल्वाकाश ओतश्च प्रोतश्चेति
11. एतस्मिन्नु खल्वक्षरे . . आकाश ओतश्च प्रोतश्चेति
Maitri. 6. 3. एताभिः सर्वमिदमोतं प्रोतम्
7. 7. अस्मिन्नोता इमाः प्रजाः
Muṇḍ. 2. 2. 5. यस्मिन् द्यौः पृथिवी चान्तरिक्षमोतम्
3. 1. 9. प्राणैश्चित्तं सर्वमोतं प्रजानाम्
Mahânâr. 2. 3. स ओतः प्रोतश्च विभुः प्रजासु
Nṛip. 2. 4. स्नेहो यथा पललपिण्डमोतं प्रोतमनुप्राप्तं व्यतिषक्तः
Nṛisut. 1. ओतानुज्ञात्रनुज्ञाविकल्पैः 2 (ter).
2. ओतो ह्ययमात्मा
3. ओतानुज्ञात्रनुज्ञाविकल्परूपा (twice more with रूपम्).

Nṛisut. 8. ओतश्च प्रोतश्च ह्ययमात्मा सिंहः
— अयं हि सर्वमेवौतः
(a variant is सर्वं नैवौतः)
— अयं ह्योत इव
— ओतश्च प्रोतश्चैष ओङ्कारः
— न ह्ययमोतो नानुज्ञाता
(bis).
9. ओतमोतेन जानीयादनुज्ञातारमान्तरम्
Śiras. 4. शान्तरूपमोतप्रोतमनुप्राप्नः
6. यस्मिन्निदं सर्वमोतप्रोतम्
Brahma. 2.

आवेशितचेतस्

Gîtâ. 12. 7. मय्यावेशितचेतसाम्

आव्रज्

Kaush. 4. 1. स हाजातशत्रुं काश्यमाव्रज्य
Bṛih. 4. 1. 1. याज्ञवल्क्य आवव्राज
Nṛisut. 9. उपद्रष्टारमाव्रजेत्

आशंस्

Bṛih. 1. 4. 14. अबलीयान् बलीयांसमाशंसते धर्मेण

आशय

Gîtâ. 15. 8. वायुर्गन्धानिवाशयात्

आशा

Chhâ. 2. 22. 2. आशां मनुष्येभ्यः (आगायानि)
7. 14. 1. आशा वाव स्मराद्भूयस्याशेद्धो वै स्मरो मन्त्रानधीते
— आशामुपास्वेति
2. स य आशां ब्रह्मेत्युपास्त आशयास्य सर्वे कामाः समृध्यन्ति
— यावदाशाया गतम्

Chhâ. 7. 14. 2. अस्ति भगव आशाया भूय इत्याशाया वाव भूयोऽस्ति
7. 15. 1. प्राणो वा आशाया भूयान्
7. 26. 1. आत्मत आशा
Bṛih. 1. 3. 28. न हैषालोक्यताया आशास्ति
2. 4. 2. अमृतत्वस्य तु नाशास्ति वित्तेन 4. 5. 3.
6. 4. 12. आशापराकाशौ त आददे
Kaṭha. 1. 8. आशाप्रतीक्षे सङ्गतं सूनृतां च
Prâṇâg. 4. आशा रशना
Râmap. 89. आशाव्याशास्वपि

आशापाशशत

Gîtâ. 16. 12. आशापाशशतैर्बद्धाः

आशाम्बर

Parama. 3. आशांबरो ननमस्कारः

आशाविद्

Râmap. 42. आशाविदोऽधुना

आशिष्ठ (आशु)

Tait. 2. 8. 1. आशिष्ठो दृढिष्ठो बलिष्ठः

आशिस्

Chhâ. 1. 3. 8. अथ खल्वाशीःसमृद्धिः
7. 14. 2. अमोघा ह्यस्याशिषो भवन्ति

आशु

Nîla. 21. जम्भयाश्वरुन्धति
Râmap. 34. आश्वरिमारणं कुरु
40. सप्ततालान् विभिद्याशु
43. आश्वाशु गच्छत
Râmot. 4. आशु मुक्ताः सन्तु
Mukti. 2. 4. तत्क्रमेणाशु तेनैव
17. आचराशु महाकपे
38. शोषयाशु यथा शोषमेति
58 भवत्याशु ..विगतेतरवासनः

Gîtâ. 2. 65. प्रसन्नचेतसो ह्याशु

आशेद्ध

Chhâ. 7. 14. 1. आशेद्धो वै स्मरो मन्त्रानधीते

आश्चर्य

Kaṭha. 2. 7. आश्चर्यो वक्ता .. आश्चर्यो ज्ञाता

Gîtâ. 2. 29. आश्चर्यवत्पश्यति कश्चिदेनमाश्चर्यवद्वदति तथैव चान्यः

— आश्चर्यवच्चैनमन्यः शृणोति

11. 6. पश्याश्चर्याणि भारत

आश्चर्यरूप

Nṛisut. 9. यूयमाश्चर्यरूपा इति न चेति

आश्रम

Maitri. 4. 3. आश्रमेष्वेवानवस्थः

Gauḍa. 2. 27. आश्रमा इति तद्विदः

3. 16. आश्रमास्त्रिविधाः

Aśrama. 1. चत्वार आश्रमाः षोडशभेदा भवन्ति

आश्रमपार

Nyâsa. 1. स्वस्थो वाश्रमपारं गच्छेयम्

आश्रमिन्

Maitri. 4. 3. न स्वधर्मातिक्रमेणाश्रमी भवति

Nyâsa. 2. अनुज्ञात उच्यते गुरुणाश्रमी

आश्रय

Śwet. 2. 10. शब्दजलाश्रयादिभिः

— गुहानिवाताश्रयेण

Maitri. 6. 27. प्रणश्यति चित्तं तथाश्रयेण सह

35. अर्चिषो वै यशस आश्रयवशात्

Sarvop. 2. सुखदुःखबुद्ध्याश्रयः

आश्रि

Maitri. 6. 1. एषो ऽन्तरे हृत्पुष्कर एवाश्रितः 2.

18. यथा पर्वतमादीप्तं नाश्रयन्ति मृगद्विजास्तद्वद्ब्रह्मविदो दोषा नाश्रयन्ति

Kaivalya. 24. अविमुक्तमाश्रितो भवत्यत्याश्रमी

Kshur. 12. योगमाश्रित्य नित्यशः

Mahâ. 2. तान्यङ्गेष्वाश्रितानि

Brahma. 1. यथा खं श्येनमाश्रित्य

Amṛit. 34. उदानः कण्ठमाश्रितः

Râmot. 2. सो ऽविमुक्तमाश्रितो भवति

Gîtâ. 1. 36. पापमेवाश्रयेदस्मान्

7. 15. आसुरं भावमाश्रिताः

29. मामाश्रित्य यतन्ति ये

9. 11. मानुषीं तनुमाश्रितम्

13. दैवीं प्रकृतिमाश्रिताः

12. 11. मद्योगमाश्रितः

15. 14. प्राणिनां देहमाश्रितः

16. 10. काममाश्रित्य दुष्पूरम्

18. 59. यदहंकारमाश्रित्य

आश्रु

Chhâ. 1. 1. 9. ओमित्याश्रावयति

Tait. 1. 8. 1. ओश्रावयेत्याश्रावयन्ति

आश्लिष्

Maitri. 7. 8. अधःस्तंबेनाश्लिष्यन्ति

आश्वतराश्वि

Chhâ. 5. 11. 1. बुडिल आश्वतराश्विः

5. 16. 1. बुडिलमाश्वतराश्विम्

Bṛih. 5. 14. 8.

आश्वत्थ

Aruṇeya. 5. पालाशं बैल्वमाश्वत्थं दण्डम् (so Nârâyaṇa only).

आश्वलायन

Praśna. 1. 1. कौसल्य श्चाश्वलायनः 3. 1.
Kaivalya. 1. अथाश्वलायनो भगवन्तं परमेष्ठिनं परिसमेत्य

आश्वस्

Gîtâ. 11. 50. आश्वासयामास च भीतमेनम्

आस्

Kaush. 1. 5. तस्मिन् ब्रह्मास्ते
2. 15. अपि वास्मा आसीनायाभिमुखायैव संप्रदध्यात्
Chhâ. 1. 10. 11. ते ह समारतास्तूष्णीमासांचक्रिरे
4. 2. 3. अयं ग्रामो यस्मिन्नास्से
7. 13. 1. यद्यपि बहव आसीरन्
8. 6. 4. तमभित आसीना आहुः
Bṛih. 2. 2. 3. तस्यासत ऋषयः सप्त तीरे (bis).
2. 4. 4. एह्यास्व व्याख्यास्यामि ते
4. 1. 1. जनको वैदेह आसाञ्चक्रे
4. 3. 2. आदित्येनैवायं ज्योतिषास्ते (similarly in 3—6).
6. 3. 6. जघनेनाग्निमासीनः
Tait. 3. 10. 5. एतत्साम गायन्नास्ते
Kaṭha. 2. 21. आसीनो दूरं व्रजति
5. 3. मध्ये वामनमासीनं . . उपासते
Nṛip. 5. 2. तस्य पुरस्ताद्धसत्र आसते
Nṛisut. 9. मूढ इव व्यवहरन्नास्ते मायैव
Mukti. 2. 64. य आस्ते कापिशार्दूल
Gîtâ. 2. 54. किमासीत व्रजेत किम्
61. युक्त आसीत मत्परः ·6. 14.
3. 6. य आस्ते मनसा स्मरन्
5. 13. आस्ते सुखं वशी
Gîtâ. 9. 9. उदासीनवदासीनम्
14. 23. उदासीनवदासीनः

आसक्तचेतस्

Gîtâ. 12. 5. अव्यक्तासक्तचेतसाम्

आसक्तमनस्

Gîtâ. 7. 1. मय्यासक्तमनाः पार्थ

आसक्तिपूरित

Mahânâr. 24. 1. आसक्तिपूरितं जारयित्वाः

आसद्

Kaush. 1. 1. पितरमासाद्य पप्रच्छ
Gîtâ. 9. 20. ते पुण्यमासाद्य सुरेन्द्रलोकम्

आसन्

Maitri. 6. 36. आस्न्यवशिष्टैरन्नपानैश्च

आसन

Bṛih. 6. 2. 4. तस्मा आसनमाहृत्य
Tait. 1. 11. 3. तेषां त्वयासनेन प्रश्वसितव्यम्
Kshur. 2. तत्रासनमवस्थितः
Yogaśi. 2. आसनं पद्मकं बध्वा
Aruṇeya. 5. आसनशयनादिकं भूमौ (2 MSS. read आसनशयनाभ्याम्).
Aśrama. 4. *vide* धारिन्
— *vide* यज्ञोपवीत
Râmop. 85. पद्माद्यासनस्थः
Gîta. 6. 11. स्थिरमासनमात्मनः
12. उपविश्यासने
11. 42. विहारशय्यासनभोजनेषु

आसन्दी

Kaush. 1. 3. विचक्षणासन्दी
5. स आगच्छति विचक्षणामासन्दीम्

आसन्य

Bṛih. 1. 3. 7. इममासन्यं प्राणमूचुः

आसहस्रसंवत्सरान्त

Maitri. 6. 36. प्राजापत्यमासहस्रसंवत्स-
रान्तक्रतुना

आसिच्

Bṛih. 6. 4. 21. आसिञ्चतु प्रजापतिः
Kaṭha. 4. 15. यथोदकं शुद्धे शुद्धमासि-
क्तम्

आसु (अभिषवे)

Chhâ. 5. 12. 1. तस्मात्तव सुतं प्रसुतमासुतं
कुले दृश्यते

आसुर

Chhâ. 8. 8. 5. अयजमानमाहुरासुरो व-
तेति
Nṛisut. 6. तान् हासुरः पाप्मा परिज-
घास
— एनमासुरं पाप्मानं परिम-
सामः
— तेभ्यो हासावासुरः पाप्मा
. . ज्योतिरभवत्
— तस्य हासावासुरः पाप्मा
. . ज्योतिर्भवति
Râmap. 35. तदा रावण आसुरः
Gîtâ. 7. 15. आसुरं भावमाश्रिताः
9. 12. राक्षसीमासुरीं चैव
16. 4. अभिजातस्य . . सम्पदमा-
सुरीम्
5. निबन्धायासुरी मता
6. दैव आसुर एव च
— आसुरं पार्थ मे शृणु
7. जना न विदुरासुराः
19. आसुरीष्वेव योनिषु
20. आसुरीं योनिमापन्नाः

आसुरनिश्चय

Gîtâ. 17. 6. तान्विद्ध्यासुरनिश्चयान्

आसुरायण

Bṛih. 2. 6. 3. जातूकर्ण्य आसुरायणाच्च
यास्काच्च 4. 6. 3.
— आसुरायणस्त्रैवणेः 4. 6. 3.
6. 5. 2. प्राश्नीपुत्र आसुरायणात्
— आसुरायण आसुरेः

आसुरि

Bṛih. 2. 6. 3. औपजन्धनिरासुरेः
4. 6. 3.
— आसुरिर्भारद्वाजात्
4. 6. 3.
6. 5. 2. आसुरायण आसुरेः
3. आसुरिर्याज्ञवल्क्यात्

आसुरिवासिन्

Bṛih. 6. 5. 2. साञ्जीवीपुत्रः प्राश्नीपुत्रा-
दासुरिवासिनः

आसू (प्रेरणे)

Mahânâr. 9. 7. यद्भद्रं तन्न आसुव
17. 7.

आसृप्

Chhâ. 1. 12. 4. बहिष्पवमानेन संरब्धाः स-
र्पन्तीत्येवमाससृपुः

आस्ताव

Chhâ. 1. 10. 8. उद्गातॄनास्तावे स्तोष्यमाणा-
नुपोपविवेश

आस्तिक्य

Gîtâ. 18. 42. ज्ञानं विज्ञानमास्तिक्यम्

आस्था

Śwet. 2. 5. आ ये धामानि दिव्यानि
तस्थुः

Maitri. 1. 2. स परमं तप आस्थाय
4. 2. मर्त्ये ऽनर्थो इवास्थिताः
Kaivalya. 12. शरीरमास्थाय करोति सर्वम्
Kshur. 2. निःशब्दं देशमास्थाय
21. निःशब्दं देशमास्थितः
Śikhâ. 2. तत्राधिकं क्षणमेकमास्थाय
Brahma. 2. योगमुत्तममास्थितः
Nyâsa. 5. वृषणापानयोर्मध्ये पाणी आस्थाय
Gîtâ. 3. 20. कर्मणैव हि संसिद्धिमास्थिताः
4. 42. योगमातिष्ठ
5. 4. एकमप्यास्थितः सम्यक्
6. 31. एकत्वमास्थितः
7. 18. आस्थितः स हि युक्तात्मा
20. तं तं नियममास्थाय
8. 12. आस्थितो योगधारणाम्

आस्य

Chhâ. 1. 2. 12. एतमु एवायास्यं मन्यन्त आस्याद्यदयते
5. 18. 2. आस्यमाहवनीयः
Bṛih. 1. 3. 8. अयमास्ये ऽन्तरिति सो ऽयास्यः
Maitri. 6. 36. आस्यमाहवनीयमिति मत्वा

आस्रु

Bṛih. 4. 2. 3. एताभिर्वा एतदास्रवदास्रवति

आस्वाद्

Gauḍa. 3. 45. नास्वादयेत् सुखं तत्र

आहन्

Bṛih. 3. 9. 28. तृण्णात् प्रैति रसो वृक्षादिवाहतात्
Maitri. 7. 11. मनः कायाग्निमाहन्ति

आहरितपिङ्गल

Mahânâr. 20. 24. उत्तिष्ठ पुरुषाहरितपिङ्गल

आहव

Râmap. 41. तं वालिनमथाहवे (निहत्य)
46. तमाहवे हत्वा
Gîtâ. 1. 31. हत्वा स्वजनमाहवे

आहवनीय

Chhâ. 2. 24. 11. जघनेनाहवनीयस्य
4. 13. 1. अथ हैनमाहवनीयो ऽनुशशास
4. 17. 6. आहवनीये जुहुयात्
5. 18. 2. आस्यमाहवनीयः
Maitri. 6. 5. गार्हपत्यो दक्षिणाग्निराहवनीया इति मुखवत्येषा
34. द्यौराहवनीयः
36. आस्यमाहवनीयमिति मत्वा
Mahânâr. 22. 1. आहवनीयः साम सुवर्गो लोको बृहत्
25. 1. यन्मुखं तदाहवनीयः
Praśna. 4. 3. यद्गार्हपत्यात्प्रणीयते प्रणयनादाहवनीयः प्राणः
Nṛip. 2. 1. रुद्रादित्या जगत्याहवनीयः Nṛisut. 3.
Brahmav. 7. आहवनीयस्तथैव च
Siras. 1. गार्हपत्यो दक्षिणाग्निराहवनीयो ऽहम्
Śikhâ. 1. विष्णुरादित्या जगत्याहवनीयः
Garbha. 5. मुखे आहवनीयः
Prâṇâg. 1. ह्वे आहवनीये (जुहोति)
2. आहवनीयो भूत्वा मुखे तिष्ठति
Kaṭhaśru. 1. आहवनीये गार्हपत्ये
3. एवमाहवनीयम्
Kâlâg. 2. तृतीया रेखा सा..आहवनीयः

आहार

Mahânâr. 11. 10. विभजंस्तिष्ठन्नाहारम्
Garbha. 4. आहारा विविधा भुक्ताः
Gîtâ. 17. 7. आहारस्त्वपि सर्वस्य
8. आहाराः सात्विकप्रियाः
9. आहारा राजसस्येष्टाः

आहारपरिमाण

Garbha. 5. अनियतं मूत्रपुरीषमाहार-परिमाणात्

आहारशुद्धि

Chhâ. 7. 26. 2. आहारशुद्धौ सत्वशुद्धिः

आहिताग्नि

Nyâsa. 1. अथाहिताग्निर्म्रियेत

आहुति

Kaush. 2. 5. एते अनन्ते अमृते आहुती — या अन्या आहुतयो ऽन्त-वत्यः
Chhâ. 5. 3. 3. पञ्चम्यामाहुतावापः पुरुष-वचसो भवन्ति 5. 9. 1.
5. 4. 2. तस्या आहुतेः सोमो राजा संभवति
5. 5. 2. तस्या आहुतेर्वर्षं संभवति
5. 6. 2. तस्या आहुतेरन्नं संभवति
5. 7. 2. तस्या आहुते रेतः संभवति
5. 8. 2. तस्या आहुतेर्गर्भः संभवति
5. 19. 1. यां प्रथमामाहुतिं जुहुयात्
Bṛih. 3. 1. 8. कति . . आहुतीर्होष्यति
6. 2. 2. यतिथ्यामाहुत्यां हुतायाम्
9. तस्या आहुत्यै सोमो राजा संभवति
10. तस्या आहुत्यै वृष्टिः संभ-वति
11. तस्या आहुत्या अन्नं संभ-वति
Bṛih. 6. 2. 12. तस्या आहुत्यै रेतः संभव-ति
13. तस्या आहुत्यै पुरुषः संभ-वति
14. तस्या आहुत्यै पुरुषो भा-स्वरवर्णः संभवति
Maitri. 6. 9. विशन्तु त्वामाहुतयश्च स-र्वाः
37. अग्नौ प्रास्ताहुतिः सम्यक्
Muṇḍ. 1. 2. 2. तदाज्यभागावन्तरेणाहुतीः प्रतिपादयेत्
5. यथाकालं चाहुतयो ह्या-ददायन्
6. एह्येहीति तमाहुतयः
Mahânâr. 13. 5. प्रत्येवास्याहुतयस्तिष्ठन्ति
25. 1. याद्याहुतीराहुती (so Nârâyaṇa)
Praśna. 4. 4. एतावाहुती समं नयतीति स समानः
Prâṇâg. 2. विश्वं तु त्वाहुतयः सर्वाः
Nyâsa. 1. तस्यैषाहुतिर्दिव्या

आह

Chhâ. 1. 2. 1. देवा उद्गीथमाजह्रुः
1. 10. 5. अतिशेषान् जायाया आज-हार
1. 12. 5. अन्नमिहाहरदन्नपते ऽन्नमि-हाहराहरोमिति
4. 2. 5. आजहारेमाः शूद्र
4. 4. 5. समिधं सोम्याहर
6. 12. 1. न्यग्रोधफलमत आहर
6. 13. 1. लवणमुदके ऽवाधा अङ्ग तदाहर
Bṛih. 3. 2. 13. आहर सोम्य हस्तम्
6. 2. 4. आसनमाहृत्योदकमाहार-याञ्चकार
Tait. 1. 11. 1. आचार्याय प्रियं धनमाहृत्य

Dhyâna. 16. तस्याहुर्बीजमाहत्य
Nyâsa. 2. दारमाहत्य सदृशम्
Kaṭhaśru. 3. दारानाहत्य पुत्रानुत्पाद्य
Âśrama. 2. प्रतिदिवसमाहृतोञ्छवृत्तिमुपयुञ्जानाः(2 MSS. read आहृत्यो°)
3. तदाहृतोदुंबरबदरनीवारश्यामाकैः
Jâbâla. 4. ग्रामादग्निमाहत्य
Vâsu. 1. विष्णुचन्दनं वैकुण्ठस्थानादाहत्य

आह्राद

Chhâ. 7. 11. 1. विद्युद्भिराह्रादाश्चरन्ति

आह्लाद

Gopî. 2. कथाह्लादः (bis).

आह्लादन

Gopî. 2. तासां चन्दनमाह्लादनम्

आह्वे

Kaush. 2. 15. पिता पुत्रं प्रेष्यन्नाह्वयति
Chhâ. 7. 12. 1. आकाशेनाह्वयति
Râmap. 38. आहूय शंसतां सर्वम्
42. हरीनाहूय सुग्रीवः
45. तानाहूयाथ वानरान्

इ

Kaush. 1. 4. तमित्वा संप्रतिविदो मज्जन्ति
2. 14. स्वरीयुः . . स्वरेति
3. 1. इन्द्रः सत्यादेव नेयाय
2. सर्वमायुरस्मिँल्लोक एति
3. आबल्यमेत्य सम्मोहमेति

Kaush. 4. 8. सर्वमायुरेति 16; Chhâ. 2. 11. 2; 2. 12. 2; 2. 13. 2; 2. 14. 2; 2. 15. 2; 2. 16. 2; 2. 17. 2; 2. 18. 2; 2. 19. 2; 2. 20. 2; 4. 11. 2; 4. 12. 2; 4. 13. 2; Gopî. 4.
13. न पुरा कालात्सम्मोहमेति
Chhâ. 1. 2. 12. एतमु एवायास्यं मन्यन्त आस्याद्यदयते
1. 5. 1. ओमिति ह्येष स्वरन्नेति, 3.
2. 23. 2. ब्रह्मसंस्थोऽमृतत्वमेति
2. 24. 6. एतास्म्यत्र यजमानः परस्तादायुषः 10, 15.
3. 17. 2. तदुपसदैरेति
3. स्तुतशस्त्रैरेव तदेति
4. 4. 5. न सत्यादगाः
4. 15. 5. षडुदङेति मासान् 5.10.1.
4. 16. 1. एष ह यन्निदं सर्वं पुनाति
5. 9. 2. यत एवेतो यतः सभूतः
5. 10. 3. षड्दक्षिणैति मासान्
8. 3. 3. एवंवित् स्वर्गं लोकमेति 5.
8. 6. 6. तयोर्ध्वमायन्नमृतत्वमेति Kaṭha. 6. 16.
Bṛih. 1. 2. 3. यत्र क्वचैति तदेव प्रतितिष्ठति
1. 3. 10. न जनमियान्नान्तमियात्
1. 5. 15. प्रधिनागादित्येवाहुः
2. 1. 10. यन्तं पश्चाच्छब्दोऽनूदेति
— सर्वं हैवास्मिँल्लोक आयुरेति 12.
2. 3. 1. द्वे वाव ब्रह्मणो रूपे . . स्थितं च यच्च
3. एतदमृतमेतद्यदेतत्त्यम् 5.
— एतस्य यतः . . एष रसः 5.
2. 5. 19. इन्द्रो मायाभिः पुरुरूप ईयते

Bṛih. 3. 3. 1. पतञ्चलस्य काप्यस्य गृहा-
नैम
3. 9. 5. इदं सर्वमाददाना यन्ति
4. 1. 3. वधाशङ्का भवति यां दिश-
मेति
4. 2. 1. महान्तमध्वानमेष्यन्
4. 3. 11. शुक्रमादाय पुनरेति स्थानम्
12. स ईयते ऽमृतो यत्रकामम्
13. उच्चावचमीयमानः
4. 4. 6. सह कर्मणैति लिङ्गं मनो
यत्र निषक्तम्
9. तेनैति ब्रह्मवित्पुण्यकृत्
5. 3. 1. एति स्वर्गं लोकं य एवं वेद
6. 2. 15. यान् षण्मासानुदङ्ङादित्य
एति
16. यान् षण्मासान्दक्षिणादि-
त्य एति
6. 4. 14. सर्वमायुरियादिति 15-18.

Tait. 1. 4. 3. यथापः प्रवता यन्ति
2. 3. 1. सर्वमेव त आयुर्यन्ति ये
प्राणं ब्रह्मोपासते

Kaṭha. 1. 5. बहूनामेमि प्रथमो बहूना-
मेमि मध्यमः
17. इमां शान्तिमत्यन्तमेति
Śwet. 4. 11; Siras. 5.
4. 2. ते मृत्योर्यन्ति विततस्य
पाशम्

Śwet. 1. 6. जुष्टस्ततस्तेनामृतत्वमेति
2. 3. युक्त्वाय मनसा देवान्
सुवर्यतः
4. 14. ज्ञात्वा शिवं शान्तिमत्य-
न्तमेति

Maitri. 4. 6. अथ कृत्स्नक्षय एकत्वमेति
पुरुषस्य
6. 17. एकस्य हैकत्वमेति य एवं
वेद

Maitri. 6. 21. ततो निरात्मकत्वमेति
22. अशब्दे निधनमेति
27. तद्भावमचिरेणैति
— अचिरेणैति भूमित्वम्
35. सैकधामेतः स्यात्

Mahânâr. 20. 5. वृषेन्द्रः पुर एतु नः
22. 1. तपसा देवा देवतामग्र
आयन्

Praśna. 4. 2. न विसृजते नेयायते

Kaivalya. 12. स एव जाग्रत् परितृप्तिमेति
13. तमोभिभूतः सुखरूपमेति

Gauḍa. 3. 20. मर्त्यतां कथमेष्यति
4. 6.

Nṛip. 1. 7. ब्रह्मणः सायुज्यं सलोक-
तां यान्ति

Śiras. 1. देवा ह वै स्वर्गं लोकमायन्

Nîla. 3. एष एत्यवीरहा रुद्रः
— वातीकारो ऽप्येतु ते
9. एषां हेड ईमहे

Haṁsa. 1. तं विदित्वा न मृत्युमेति

Kâlâg. 2. शिवसायुज्यमेति

Jâbâla. 5. तेनैति सन्न्यासी ब्रह्मवित्

Mukti. 1. 50. स मामेति न संशयः
2. 34. शान्तिमेति न संशयः
38. यथा शोषमेति संसारपाद-
पः

Gîtâ. 4. 9. पुनर्जन्म नैति मामेति सो
ऽर्जुन
8. 6. तं तमेवैति कौन्तेय
7. मामेवैष्यस्यसंशयः
9. 34. मामेवैष्यसि युक्त्वैवमात्मा-
नम्
11. 55. स मामेति पाण्डव
18. 65. मामेवैष्यसि सत्यं ते प्र-
तिजाने
68. मामेवैष्यत्यसंशयः

इक्ष्वाकु

Maitri. 2. 1. इक्ष्वाकुवंशध्वज

Gîtâ. 4. 1. मनुरिक्ष्वाकवे ऽब्रवीत्

इङ्ग

Gîtâ. 6. 19. यथा दीपो निवातस्थो नेङ्गते

14. 23. यो ऽवतिष्ठति नेङ्गते

इच्छा

Amṛita. 29. इच्छयाप्नोति कैवल्यम्

Parama. 2. *vide* आदि

Mukti. 1. 29. विदेहमुक्ताविच्छा चेत्

Gîtâ. 7. 27. इच्छाद्वेषसमुत्थेन

13. 6. इच्छा द्वेषः सुखं दुःखम्

इच्छादि

Sarvop. 2. मनआदिश्च प्राणादिश्च सत्त्वादिश्चेच्छादिश्च

इच्छामय

Maitri. 6. 28. इच्छामयेन चैवेषुणा

इच्छामात्र

Gauḍa. 1. 8. इच्छामात्रं प्रभोः सृष्टिः

इच्छाशक्ति

Kâlâg. 2. द्वितीया रेखा सा . . इच्छाशक्तिः

इज्या

Gîtâ. 11. 53. न दानेन न चेज्यया

इडा

Kshur. 16. इडा रक्षतु वामेन

Prâṇâg. 3. शारीरयज्ञस्य . . केडा

4. जिह्वेडा

इतरथा

Jâbâla. 4. यदि वेतरथा ब्रह्मचर्यादेव प्रव्रजेत

इतिहास

Bṛih. 2. 4. 10. इतिहासः पुराणम् 4. 1. 2; 4. 5. 11; Maitri. 6. 32, 33.

इतिहासपुराण

Chhâ. 3. 4. 1. इतिहासपुराणं पुष्पम्

2. एते ऽथर्वाङ्गिरस एतदितिहासपुराणमभ्यतपन्

7. 1. 2. अध्येमि . . इतिहासपुराणम्

4. नाम वै . . इतिहासपुराणः

7. 2. 1. वाग्वै . . विज्ञापयति . . इतिहासपुराणम्

7. 7. 1. विज्ञानेन वै . . विजानाति . . इतिहासपुराणम्

Siras. 7. इतिहासपुराणानां रुद्राणां शतसहस्राणि जप्तानि भवन्ति Mahâ. 4,

इत्थंविद्

Kaush. 1. 3. तमित्थंविदागच्छति

5. तमित्थंवित्पादेनैवाग्र आरोहति

इत्था

Kaṭha. 2. 25. क इत्था वेद यत्र सः

इत्या

Kaush. 1. 7. केनेत्या इति पादाभ्यामिति

2. 15. इत्यां मे त्वयि दधानीति पितेत्यां ते मयि दध इति पुत्रः

3. 5. तयोरित्याः परस्तात्प्रतिविहिता भूतमात्रा

6. प्रज्ञया पादौ समारुह्य पादाभ्यां सर्वा इत्या आप्नोति

7. न हि प्रज्ञापेतौ पादावित्यां कांचन प्रज्ञापयेयाताम्

— नावामेतामित्यां प्राज्ञासिष्व

Kaush. 3. 8. नेत्यां विजिज्ञासीतैतारं विद्यात्

इत्वन् (?)

Chhâ. 4. 2. 3. हारेत्वा शूद्र तवैव सह गोभिरस्तु

इद्

Chhâ. 3. 17. 7. आदित् प्रत्नस्य रेतसः
Bṛih. 5. 4. 1. जित इन्वसावसत्
Tait. 3. 10. 6. यो मा ददाति स इदेव मा ३ वाः
Śwet. 2. 4. वयुनाविदेक इत्
4. 8. य इत्तद्विदुस्त इमे समासते Nṛip. 4. 2 ; 5. 2.
22. सदमित्त्वा हवामहे
Nṛip. 2. 4. यो मा ददाति स इदेव मावत्
Nîla. 6. यथा नः सर्वमिज्जगदयक्ष्मम्

इदंरूप

Bṛih. 1. 4. 7. असौनामायमिदंरूपः (bis).

इदन्द्र

Ait. 3. 14. तस्मादिदन्द्रो नामेदन्द्रो ह वै नाम तमिदन्द्रं सन्तमिन्द्रमित्याचक्षते

इदम्मय

Bṛih. 4. 4. 5. इदम्मयो ऽदोमयः

इध्म

Bṛih. 6. 3. 13. औदुंबर इध्मः
Mahânâr. 25. 1. शारीरमिध्मः

इन

Râmap. 70. द्वादशेनांश्च धातारम्

इन्दु

Maitri. 6. 8. एष हि खल्वात्मा . . इन्दुः
Mahânâr. 6. 1. बृहत्सोमो वावृधे सुवान इन्दुः
Râmap. 56. इन्द्वीशधात्रनन्ताश्च
72. *vide* आदि

इन्द्र

Ait. 3. 14. तमिदन्द्रं सन्तमिन्द्रमित्याचक्षते
5. 3. एष ब्रह्मैष इन्द्रः
Kaush. 1. 3. इन्द्रप्रजापती द्वारगोपौ 5.
2. 6. एष उ एवैतदिन्द्रस्यात्मा भवति
11. इन्द्र श्रेष्ठानि द्रविणानि धेहि
3. 1. इन्द्रस्य प्रियं धामोपजगाम
— तं हेन्द्र उवाच प्रतर्दन वरं वृणीष्व
— तं हेन्द्र उवाच न वै वरोऽवरस्मै वृणीते
— इन्द्रः सत्यादेव नेयाय सत्यं हीन्द्रः
2. एवमु हैतदिति हेन्द्र उवाच
4. 2. वायाविन्द्रो वैकुण्ठः
7. इन्द्रो वैकुण्ठो ऽपराजिता सेनेति वा अहमेतमुपासे Bṛih. 2. 1. 6.
20. स यावद्ध वा इन्द्र एतमात्मानं न विजज्ञे
Kena. 24. अथेन्द्रमब्रुवन्मघवन्नेतद्विजानीहि
27. यदग्निर्वायुरिन्द्रस्ते ह्येनन्नेदिष्ठं पस्पर्शुः
28. तस्माद्वा इन्द्रो ऽतितरामिवान्यान्देवान्
Chhâ. 2. 22. 1. श्लक्ष्णं बलवदिन्द्रस्य
3. सर्वे स्वरा इन्द्रस्यात्मानः
— इन्द्रं शरणं प्रपन्नो ऽभूवम्
5. इन्द्रे बलं ददानीति

Chhâ. 3. 7. 1. यद् द्वितीयममृतं तद्रुद्रा उपजीवन्तीन्द्रेण मुखेन
3. रुद्राणामेवैको भूत्वेन्द्रेणैव मुखेन
8. 7. 2 इन्द्रो हैव देवानामभिप्रवव्राज
8. 9. 1. इन्द्रो ऽप्राप्यैव देवानेतद्भयं ददर्श
Bṛih. 1. 4. 11. इन्द्रो वरुणः सोमो रुद्रः
1. 5. 12. स इन्द्रः स एषो ऽसपत्नः
2. 2. 2. यच्छुक्लं तेनेन्द्रः
2. 5. 19. इन्द्रो मायाभिः पुरुरूपः
3. 3. 2. तानिन्द्रः सुपर्णो भूत्वा वायवे प्रायच्छत्
3. 9. 2. इन्द्रश्चैव प्रजापतिश्च
6. कतम इन्द्रः..स्तनयित्नुरेवेन्द्रः
4. 2. 2. एतमिन्धं सन्तमिन्द्र इत्याचक्षते
6. 4. 22. यथा द्यौरिन्द्रेण गर्भिणी
23. इन्द्रस्यायं व्रजः कृतः
— तमिन्द्र निर्जहि गर्भेण
Tait. 1. 1. 1. शं न इन्द्रो बृहस्पतिः 1. 12. 1.
1. 4. 1. स मेन्द्रो मेधया स्पृणोतु
2. 8. 1. भीषास्मादग्निश्चेन्द्रश्च मृत्युर्धावति पञ्चमः
Nṛip. 2. 4.
— शतं देवानामानन्दाः स एक इन्द्रस्यानन्दः
— शतमिन्द्रस्यानन्दाः स एको बृहस्पतेरानन्दः
Katha. 6. 3. भयादिन्द्रश्च..धावति
Maitri. 5. 1. त्वमिन्द्रस्त्वं निशाकरः
6. 8. एष हि खल्वात्मा..इन्द्रः
33. दिवमुत्क्षिप्त्वेन्द्राय प्रायच्छदसौ वा आदित्य इन्द्रः

Maitri. 7. 2. इन्द्रस्त्रिष्टुप्पञ्चदशः
9. इन्द्रस्याभयाय
11. पुरुषश्चाक्षुषः..इन्द्रो ऽयम्
Mahânâr. 2. 7. प्रियमिन्द्रस्य काम्यम्
4. 12. तन्मे इन्द्रो वरुणः..पुनन्तु
5. 1. नम इन्द्राय नमो वरुणाय
7. 5. प्रोवाचोपनिषदिन्द्रः
10. 2. इन्द्र एकं..जजान
11. 13. स ब्रह्मा स शिवः सेन्द्रः Kaivalya. 8.
16. 5. मेधां मे इन्द्रो ददातु
20. 3. त्रातारमिन्द्रमवितारमिन्द्रं ..शूरमिन्द्रं ह्वयामि.. पुरुहूतमिन्द्रं स्वस्ति नो मघवाधात्विन्द्रः
4. यत इन्द्र भयामहे
5. वृषेन्द्रः पुर एतु नः
11. महाँ इन्द्रो वज्रबाहुः
Praśna. 2. 9. इन्द्रस्त्वं प्राण तेजसा
Gauḍa. 3. 24. इन्द्रो मायाभिरित्यपि
Nṛip. 1. 1. स्वस्ति न इन्द्रो वृद्धश्रवाः Nṛisut. 1.
4. स इन्द्रः सो ऽग्निः सो ऽक्षरः
2. 4. इन्द्रो वरुणो मित्रो ऽर्यमा देवाः
Śiras. 2. यो वै रुद्रः..यश्चेन्द्रः
4. ईशानमिन्द्र तस्थुषः
Śikhâ. 2. ब्रह्मविष्णुरुद्रेन्द्राः सम्प्रसूयन्ते
Nâda. 15. षष्ठ्यामिन्द्रस्य सायुज्यम्
Aruṇeya. 4. इन्द्रस्य वज्रो ऽसि
Nâr. 1. नारायणादिन्द्रो जायते
Gâruḍa. 1. बृहत्सेन इन्द्रायेन्द्रो भारद्वाजाय
— हतमिन्द्रस्य वज्रेण
Kṛish. 10. शृंगमिन्द्रः सखा सुराः

इन्द्रगोप, °गोपक

Bṛih. 2. 3. 6. यथेन्द्रगोपः
Amṛita. 36. इन्द्रगोपकसन्निभः

इन्द्रजाल

Maitri. 4. 2. इन्द्रजालमिव मायामयम्
7. 8. वृथातर्कदृष्टान्तकुहकेन्द्र-जालैः
10. सत्यमिवानृतं पश्यन्तीन्द्र-जालवत्

इन्द्रद्युम्न

Chhâ. 5. 11. 1. इन्द्रद्युम्नो भाल्लवयः
5. 14. 1. इन्द्रद्युम्नं भाल्लवयम्
Maitri. 1. 4. *vide* आदि

इन्द्रयोनि

Tait. 1. 6. 1. अन्तरेण तालुके य एष स्तन इवालंबते सेन्द्रयोनिः

इन्द्रलोक

Kaush. 1. 3. स इंद्रलोकं [आगच्छति]
Bṛih. 3. 6. 1. इन्द्रलोकेषु गार्गीति कस्मिन्नु खल्विन्द्रलोका ओताश्च प्रोताश्चेति

इन्द्रवज्र

Kshur. 13. इन्द्रवज्र इति प्रोक्तः

इन्द्रसेना

Nṛip 3. 1. यामिन्द्रसेनेत्युत आहुः

इन्द्रिय

Kaush. 2. 15. इन्द्रियैरिन्द्रियाणि संस्पृश्य
Chhâ. 3. 1. 3. इन्द्रियं वीर्यमन्नाद्यं रसो ऽजायत 3. 2. 2; 3. 3. 2; 3. 4. 2; 3. 5. 2.
Bṛih. 6. 4. 5. पुनर्मामैत्विन्द्रियं पुनस्तेजः
6. मयि तेज इन्द्रियं यशः
Bṛih. 6. 4. 7. इन्द्रियेण ते यशसा यश आददे
8. इन्द्रियेण ते यशसा यश आदधामि
10. इन्द्रियेण ते रेतसा रेत आददे
11. इन्द्रियेण ते रेतसा रेत आदधामि
Kaṭha. 3. 4. इन्द्रियाणि हयानाहुः
— आत्मेन्द्रियमनोयुक्तम्
5. तस्येन्द्रियाण्यवश्यानि
6. तस्येन्द्रियाणि वश्यानि
10. इन्द्रियेभ्यः परा ह्यर्था:
6. 6. इन्द्रियाणां पृथग्भावं...मत्वा
7. इन्द्रियेभ्यः परं मनः
Swet. 2. 8. हृदीन्द्रियाणि मनसा सन्निवेश्य
Maitri. 6. 21. इन्द्रियाणि संयोज्य महिमानं निरीक्षेत
25. एकत्वं प्राणमनसोरिन्द्रियाणां तथैव च
28. भूतेन्द्रियार्थानतिक्रम्य
31. किमात्मकानि वा एतानीन्द्रियाणि प्रचरन्ति
Praśna. 3. 9. इन्द्रियैर्मनसि सम्पद्यमानैः
6. 4. इन्द्रियं मनो ऽन्नम्
Kaivalya. 5. सकलेन्द्रियाणि निरुध्य
22. न जन्म देहेन्द्रियबुद्धिरस्ति
Nṛip. 1. 4. प्राणा वा इन्द्रियाणि पशवः
Nṛisut. 9. भूतानीन्द्रियाणि..सृष्ट्वा
Śikhâ. 2. सर्वाणि चेन्द्रियाणि सहभूतानि
Mahâ. 1. दशेन्द्रियाणि
Nyâsa. 4. घातयन्तीन्द्रियाणि
Kaṭhaśru. 4.

Parama. 3. इन्द्रियाणां गतिरुपरमते

Mukti. 2. 22. चक्षुरादीन्द्रियं स्वतः

41. निगृहीतेन्द्रियद्विषः

Gîtâ. 2. 8. उच्छोषणमिन्द्रियाणाम्

58. इन्द्रियाणीन्द्रियार्थेभ्यः 68.

60. इन्द्रियाणि प्रमाथीनि

61. वशे हि यस्येन्द्रियाणि

64. विषयानिन्द्रियैश्चरन्

67. इन्द्रियाणां हि चरताम्

3. 7. यस्त्विन्द्रियाणि मनसा नियम्य

34. इन्द्रियस्येन्द्रियस्यार्थे

40. इन्द्रियाणि मनो बुद्धिः

41. तस्मात्त्वमिन्द्रियाण्यादौ

42. इन्द्रियाणि पराण्याहुरिन्द्रियेभ्यः परं मनः

4. 26. श्रोत्रादीनीन्द्रियाणि

5. 9. इन्द्रियाणीन्द्रियार्थेषु

11. केवलैरिन्द्रियैरपि

10. 22. इन्द्रियाणां मनश्चास्मि

13. 5. इन्द्रियाणि दशैकं च

15. 7. मनःषष्ठानीन्द्रियाणि

18. 33. मनःप्राणेन्द्रियक्रियाः

38. विषयेन्द्रियसंयोगात्

इन्द्रियकर्मन्

Maitri. 6. 10. एवं सर्वाणीन्द्रियकर्माणि

Gîtâ. 4. 27. सर्वाणीन्द्रियकर्माणि

इन्द्रियकृत

Amṛita. 7. तथेन्द्रियकृता दोषा दह्यन्ते

Jâbâla. 2. सर्वानिन्द्रियकृतान्दोषान्वारयति (one MS. has इन्द्रियपुरुषान्); Râmot. 4.

Jâbâla. 2. सर्वानिन्द्रियकृतान्पापान्नाशयति (one MS. has सर्वाणीन्द्रियकृतपापानि); Râmot. 4.

इन्द्रियगोचर

Gîtâ. 13. 5. पञ्च चेन्द्रियगोचराः

इन्द्रियग्राम

Gîtâ. 6. 24. मनसैवेन्द्रियग्रामम्

12. 14. सन्नियम्येन्द्रियग्रामम्

इन्द्रियधारणा

Kaṭha. 6. 11. स्थिरामिन्द्रियधारणाम्

इन्द्रियनिग्रह

Skanda. 12. शौचमिन्द्रियनिग्रहः

इन्द्रियबिल

Maitri. 6. 25. इन्द्रियबिले ऽविवशः

इन्द्रियाग्नि

Gîtâ. 4. 26. इन्द्रियाग्निषु जुह्वति

इन्द्रियान्तर

Gauḍa. 2. 15. विशेषस्त्विन्द्रियान्तरे

इन्द्रियाराम

Gîtâ. 3. 16. अघायुरिन्द्रियारामः

इन्द्रियार्थ

Maitri. 3. 5. अनिष्टेष्विन्द्रियार्थेषु द्विष्टिः

6. 8. बहिःकृत्वेन्द्रियार्थान्

10. इन्द्रियार्थान् पञ्च स्वादुनि भवन्ति

— इन्द्रियार्थांस्तद्वद्यो न स्पृशति

19. बहिः .. इन्द्रियार्थांश्च .. निवेशयित्वा

34. इन्द्रियार्थविमूढस्य

Gîtâ. 2. 58. इन्द्रियाणीन्द्रियार्थेभ्यः 68.

3. 6. इन्द्रियार्थान्विमूढात्मा

Gîtâ. 5. 9. इन्द्रियाणीन्द्रियार्थेषु
6. 4. यदा हि नेन्द्रियार्थेषु
13. 8. इन्द्रियार्थेषु वैराग्यम्

इन्ध्

Maitri. 7. 7. इद्धो ऽग्निरिव विश्वरूपः
Chûl. 1. द्विवर्त्तमानं तेजसैद्धम् (4 MSS. have तेजसैन्धं)

इन्ध

Bṛih. 4. 2. 2. इन्धो ह वै नामैषः . . तमिन्धं सन्तमिन्द्र इत्याचक्षते
Maitri. 6. 35. द्विधर्मो ऽन्धं तेजसेन्धम्

इन्धन

Śwet. 1. 13. इन्धनयोनिगृह्यः

इभ

Maitri. 7. 6. *vide* आदि

इभ्य

Chhâ. 1. 10. 2. स हेभ्यं कुल्माषान् खादन्तं बिभिक्षे

इभ्यग्राम

Chhâ. 1. 10. 1. उषस्तिर्ह चाक्रायण इभ्यग्रामे प्रद्राणक उवास

इरा

Kaush. 1. 5. श्रीश्चेरा चापरौ (पादौ)

इला

Bṛih. 6. 4. 28. इलासि मैत्रावरुणी

इल्य

Kaush. 1. 3. इल्यो वृक्षः
5. स आगच्छतील्यं वृक्षम्

1. इष् (इच्छायां)

Chhâ. 7. 3. 1. पुत्रांश्च पशूंश्चेच्छेयेत्यथेच्छत इमं च लोकममुं चेच्छेयेत्यथेच्छते
Chhâ. 7. 14. 1. पुत्रांश्च पशूंश्चेच्छत इमं च लोकममुं चेच्छते
8. 3. 2. यच्चान्यदिच्छन्न लभते
8. 7. 3. किमिच्छन्तावावास्तमिति
— तमिच्छन्तावावास्तमिति
8. 9. 2. किमिच्छन् पुनरागमः
Bṛih 1. 3. 25. वाचि स्वरमिच्छेत
1. 4. 3. स द्वितीयमैच्छत्
15. अग्नावेव देवेषु लोकमिच्छन्ते
16. यत्प्रजामिच्छते
— स्वाय लोकायारिष्टिमिच्छेत्
— सर्वाणि भूतान्यरिष्टिमिच्छन्ति
17. नेच्छंश्चनातो भूयो विन्देत्
4. 1. 1. पशूनिच्छन्नण्वन्तानिति
4. 4. 12. किमिच्छन् कस्य कामाय
22. एतमेव प्रव्राजिनो लोकमिच्छन्तः प्रव्रजन्ति
6. 2. 7. स वै गौतम तीर्थेनेच्छासै
6. 4. 9. स यामिच्छेत्कामयेत मेति
10. यामिच्छेन्न गर्भं दधीतेति
11. यामिच्छेद्दधीतेति
12. एवंविच्छ्रोत्रियस्य दारेण नोपहासमिच्छेत्
14. य इच्छेत्पुत्रो मे शुक्लो जायेत
15. य इच्छेत्पुत्रो मे कपिलः पिङ्गलो जायेत
16. य इच्छेत्पुत्रो मे श्यामो लोहिताक्षो जायेत
17. य इच्छेद्दुहिता मे पण्डिता जायेत
18. य इच्छेत्पुत्रो मे पण्डितः . . जायेत
19. अन्यामिच्छ प्रफर्व्यं सं जायां पत्या सह

Katha. 1. 23. स्वयं च जीव शरदो यावदिच्छसि
2. 15. यदिच्छन्तो ब्रह्मचर्यं चरन्ति
Gîtâ. 8. 11.
16. यो यदिच्छति तस्य तत्
Maitri. 6. 4.
4. 1. अमृतत्वमिच्छन्
Maitri 3. 5. इष्टेष्वभिष्वङ्गः
6. 4. देवताभिध्यानमिच्छति
7. 8. वैदिकेषु परिस्थातुमिच्छन्ति
Mahânâr. 20. 1. बलिमिच्छन्तः
Gauḍa. 1. 11. कार्यकारणबद्धौ ताविष्येते विश्वतैजसौ
3. 20. अजातस्य . . जातिमिच्छन्ति
4. 6.
4. 3. भूतस्य जातिमिच्छन्ति
10. जरामरणमिच्छन्तः
25. इष्यते युक्तिदर्शनात्
— इष्यते भूतदर्शनात्
37. तद्धेतुः स्वप्न इष्यते
— सञ्जागरितमिष्यते
64. स्वप्नदृक्चित्तमिष्यते
66. जाग्रतश्चित्तामिष्यते
87. द्वयं लौकिकमिष्यते
— शुद्धं लौकिकामिष्यते
96. धर्मेषु ज्ञानमिष्यते
Nṛip. 1. 3. यजुर्लक्ष्मीं स्त्रीशूद्राय नेच्छन्ति
Nṛisut. 6. देवा इममात्मानं ज्ञातुमैच्छन्
Brahmav. 13. योज्यः शान्तये सर्वमिच्छता
Brahmab. 3. मनसो मुक्तिरिष्यते
7. भावो नाभाव इष्यते
16. यदीच्छेच्छान्तिमाप्नुयात्
Nyâsa. 2. गुहां प्रवेष्टुमिच्छामि

Mukti. 1. 5. स्वरूपं ज्ञातुमिच्छामि
23. सैव सालोक्यसारूप्यसामीप्यमुक्तिरिष्यते
Gîtâ. 1. 35. एतान्न हन्तुमिच्छामि
3. 12. इष्टान् भोगान्हि वः
7. 21. श्रद्धयार्चितुमिच्छति
11. 3. द्रष्टुमिच्छामि ते रूपम्
7. यच्चान्यद्द्रष्टुमिच्छसि
31. विज्ञातुमिच्छामि भवन्तम्
46. इच्छामि त्वां द्रष्टुमहं तथैव
12. 9. मामिच्छाप्तुं धनञ्जय
17. 9. आहारा राजसस्येष्टाः
18. 1. तत्त्वमिच्छामि वेदितुम्
12. अनिष्टमिष्टं मिश्रं च
60. कर्तुं नेच्छसि यन्मोहात्
63. यथेच्छसि तथा कुरु
64. इष्टो ऽसि मे दृढमतिः

2. इष् (गतौ)

Kena. 1. केनेषितं पतति प्रेषितं मनः
— केनेषितां वाचमिमां वदन्ति
Gauḍa. 4. 16. एषितव्यः क्रमस्त्वया

इष

Śiras. 5. शाश्वतं वै पुराणमिषम्
— रुद्रो हि . . इषं . . नियन्ता

इषीका

Kaṭha. 6. 17. प्रवृहेन्मुञ्जादिवेषीकाम्

इषीकातूल

Chhâ. 5. 24. 3. यथेषीकातूलमग्नौ प्रोतम्

इषु

Śwet. 3. 6. यामिषुं . . हस्ते बिभर्षि
Nîla. 1.
Maitri. 6. 28. अनभिमानमयेन चैवेषुणा
— इच्छामयेन चैवेषुणा
Nîla. 4. उतो त इषवे नमः
7. या त इषुः शिवतमा

Nîla. 13. याश्च ते हस्त इषवः
15. अनेशन्नस्येषवः
20. या इषवो यातुधानानाम्
Gîtâ. 2. 4. इषुभिः प्रतियोत्स्यामि

इषुधि

Nîla. 16. अथो य इषुधिस्तवारे

इष्टका

Katha. 1. 15. या इष्टका यावतीर्वा यथा वा
Maitri. 6. 33. तस्येमा इष्टकाः (ter).

इष्टकामदुह्

Gîtâ. 3. 10. एष वो ऽस्त्विष्टकामधुक्

इष्टफल

Praśna. 4. 4. इष्टफलमेवोदानः

इष्टवियोग

Maitri. 1. 3. *vide* आद्य

इष्टविषय

Sarvop. 2. इष्टविषये बुद्धिः सुखबुद्धिः

इष्टानिष्ट

Garbha. 1. इष्टानिष्टानि..दशविधा भवन्ति
Gîtâ. 13. 9. इष्टानिष्टोपपत्तिषु

इष्टापूर्त्त

Chhâ. 5. 10. 3. इष्टापूर्ते दत्तमित्युपासते
Katha. 1. 8. इष्टापूर्ते पुत्रपशूंश्च
Muṇḍ. 1. 2. 10. इष्टापूर्तं मन्यमाना वरिष्ठम्
Mahânâr. 1. 6. इष्टापूर्तं बहुधा जातं जायमानम्
Praśna. 1. 9. ये ह वै तदिष्टापूर्ते कृतमित्युपासते
Brahma. 1. एवमिष्टापूर्तैः शुभाशुभैर्न लिप्यते

इष्टासुकृत

Brih. 6. 4. 12. इष्टासुकृते त आददे

इष्टि

Praśna. 1. 12. शुक्र इष्टिं कुर्वन्ति
Prâṇâg. 3. शारीरयज्ञस्य..का इष्टयः
4. अहिंसा इष्टयः
Nyâsa. 2. ब्राह्मीमिष्टिं यजेत्
Kaṭhaśru. 1. वैश्वानरीमिष्टिं कुर्यात्
Jâbâla. 4. तद्धैके प्राजापत्यामेवेष्टिं कुर्वन्ति

इष्टियाजुक

Brih. 1. 5. 2. तस्मान्नेष्टियाजुकः स्यात्

इहकार

Chhâ. 1. 13. 1. आत्मेहकारः

इहजन्मन्

Kshur. 19. प्रभावादिहजन्मनि

इहलोक

Gîtâ. 2. 5. श्रेयो भोक्तुं भैक्ष्यमपीहलोके

ईकार

Chhâ. 1. 13. 1. अग्निरीकारः

ईक्ष्

Ait. 1. 1. स ईक्षत लोकान्नु सृजै
3. स ईक्षतेमे नु लोकाः 3. 1.
3. 11. स ईक्षत कथं न्विदं मदृते स्यात्
— स ईक्षत कतरेण प्रपद्यै
— स ईक्षत यदि वाचाभिव्याहृतं..अथ को ऽहमिति
Kena. 14. त ऐक्षन्तास्माकमेवायं विजयः

Chhâ. 6. 2. 3. तदैक्षत बहु स्यां प्रजायेय
— तत्तेज ऐक्षत बहु स्याम्
4. आप ऐक्षन्त बह्व्यः स्याम
6. 3. 2. सेयं देवतैक्षत
Bṛih. 1. 2. 5. स ऐक्षत यदि वा इमम-
भिमंस्ये
1. 4. 2. स हायमीक्षाञ्चक्रे
4. सो हेयमीक्षाञ्चक्रे
6. 4. 2. प्रजापतिरीक्षाञ्चक्रे हन्ता-
स्मै प्रतिष्ठां कल्पयानि
Kaṭha. 4. 1. कश्चिद्धीरः प्रत्यगात्मानमै-
क्षत्
Maitri. 7. 1. विवरेणेक्षन्ति 2—6.
Praśna. 5. 5. पुरिशयं पुरुषमीक्षते
6. 3. स ईक्षाञ्चक्रे कस्मिन्नहमु-
त्क्रान्त उत्क्रान्तो भविष्या-
मि
Gauḍa. 4. 66. जाग्रच्चित्तेक्षणीयास्ते
Nṛisut. 6. त ऐक्षन्त हन्तैनमासुरं पा-
प्मानं परिग्रसाम:
Râmap. 36. तद्व्याजेनेक्षितुं सीताम्
Gîtâ. 6. 29. ईक्षते योगयुक्तात्मा
18. 20. एकं भावमव्ययमीक्षते

ईक्षण

Gîtâ. 2. 1. अश्रुपूर्णाकुलेक्षणम्

1. ईड्

Kaṭha. 1. 17. ब्रह्मजज्ञं देवमीड्यं विदित्वा
4. 8. दिवे दिव ईड्यः . . अग्निः
Śwet. 4. 11. ईशानं वरदं देवमीड्यम्
Śiras. 5.
6. 5. तं विश्वरूपं भवभूतमीड्यम्
7. विदाम देवं भुवनेशमीड्यम्
Mahânâr. 6. 7. प्रत्नो हि कमीड्यः
Gîtâ. 11. 44. प्रसादये त्वामहमीशमी-
ड्यम्

2. ईड्

Nîla. 9. एषां हेड ईमहे

ईदृश्, ईदृश

Chhâ. 4. 14. 2. इमे नूनमीदृशा अन्यादृशा:
Bṛih. 3. 5. 1. केन स्याद्येन स्यात्तेनेदृश एव
Kaṭha. 1. 25. न हीदृशा लम्भनीया मनुष्यैः
Maitri. 2. 3. कस्यैष खल्वीदृशो महिमा
4. अनेनेदृशेनानिष्टेन
Yogaśi. 4. ईदृशे तु शरीरे वा
Mukti. 2. 72. अनामगोत्रं मम रूपमी-
दृशम्
Gîtâ. 2. 32. लभन्ते युद्धमीदृशम्
6. 42. लोके जन्म यदीदृशम्
11. 49. दृष्ट्वा रूपं घोरमीदृङ्ममेदम्

ईम्

Bṛih. 2. 5. 16. प्र यदीमुवाचेति
Nṛip. 3. 1. स ईं पाहि य ऋजीषी

ईर्

Chhâ. 7. 4. 1. वाचमीरयति तामु नाम्नीर-
यति 7. 5. 1.
Maitri. 2. 6. अनेन खल्वीरितः परिभ्रम-
तीदं शरीरम्
3. 3. एतानि गुणानि पुरुषेणेरि-
तानि
5. 2. तत्परेणेरितं विषमत्वं प्र-
याति
— तद्रजः खल्वीरितं विषमत्वं
प्रयाति
—तत्सत्त्वमेवेरितं रसः सम्प्रा-
स्रवत्
6. 35. अंशुधारय इवाणुवातेरितः
Râmap. 74. मालामन्त्रो ऽधुनेरितः
(so MSS. and Weber, but
Nârâyaṇa has °रिता).
Mukti. 1. 11. वेदाश्चत्वार ईरिताः
17. चतुर्धा मुक्तिरीरिता

ईरज

Râmap. 67. तत्सन्धिष्वीरजादीनाम्

ईरपुत्र

Râmap. 38. पूजितावीरपुत्रेण

ईर्म

Bṛih. 1. 2. 3. असौ चासौ चेर्मौ

ईर्ष्या

Maitri. 1. 3. *vide* आद्य
3. 5. व्यावृतत्वमीर्ष्या

1. ईश्

Chhâ. 1. 6. 8. स एष ये चामुष्मात्परांचो लोकास्तेषां चेष्टे देवकामानां च
1. 7. 6. स एष ये चैतस्मादर्वाञ्चो लोकास्तेषां चेष्टे मनुष्यकामानां च
9. एष ह्येव कामागानस्येष्टे

Bṛih. 1. 4. 10. तस्य ह न देवाश्चनाभूत्या ईशते

Kaṭha. 1. 27. जीविष्यामो यावदीशिष्यसि

Śwet. 1. 10. क्षरात्मानावीशते देव एकः
3. 1. ईशत ईशिनीभिः (bis), 2.
4. 13. य ईशे ऽस्य द्विपदश्चतुष्पदः
5. 1. विद्याविद्ये ईशते यस्तु सो ऽन्यः
6. 2. तेनेशितं कर्म विवर्त्तते
17. य ईशे अस्य जगतः

Mahânâr. 1. 10. न तस्येशे कश्चन तस्य नाम महद्यशः

Śiras. 4. यः सर्वान्देवानीशते
5. य इमाँल्लोकानीशत ईशानीभिः

Brahma. 2. न तत्र देवा ऋषयः पितर ईशते

2. ईश्, ईश

Iśâ. 1. ईशा वास्यमिदं सर्वम्

Śwet. 1. 8. व्यक्ताव्यक्तं भरते विश्वमीशः
9. ज्ञाज्ञौ द्वावजावीशनीशौ
3. 7. ईशं तं ज्ञात्वा अमृता भवन्ति
20. पश्यति . . महिमानमीशम् Mahânâr. 8. 3.
4. 7. जुष्टं यदा पश्यत्यन्यमीशम् Muṇḍ. 3. 1. 2.
5. 3. भूयः सृष्ट्वा पतयस्तथेशः

Maitri. 6. 18. यदा पश्यन् पश्यति . . ईशम्

Muṇḍ. 3. 1. 3. यदा पश्यः पश्यते... ईशम्

Mahânâr. 16. 3. ईशः सर्वस्य जगतः

Nṛisut. 9. जीवेशावाभासेन करोति

Kaivalya. 20. पुरातनोऽहं पुरुषो ऽहमीशः

Śikhâ. 2. ईशा वा सर्वमिदं प्रयुक्तम्

Râmap. 56. इन्द्वीशधात्रनन्ताश्च

Mukti. 1. 30. *vide* तित्तिरि

Gîtâ. 11. 15. ब्रह्माणमीशं कमलासनस्थम्
44. प्रसादये त्वामहमीशमीड्यम्

ईशन

Śwet. 6. 17. नान्यो हेतुर्विद्यत ईशनाय

ईशनी

Śiras. 4. ईशनीभिर्जननीभिश्च शक्तिभिः (one MS. has ईशा°)
5. इमाँल्लोकानीशत ईशनीभिः

ईशसंस्थ

Śwet. 6. 17. स तन्मयो ह्यमृत ईशसंस्थः

ईशान

Kaush. 2. 10. अमृतत्वस्येशाने मा त्वं पुत्र्यमघं निगाः

Bṛih. 1. 4. 11. पर्जन्यो यमो मृत्युरीशानः

Bṛih. 4. 4. 15. ईशानं भूतभव्यस्य Kaṭha. 4. 5.
22. सर्वस्येशानः सर्वस्याधिपतिः 5. 6. 1.
6. 3. 5. स हि राजेशानो ऽधिपतिः स मां राजेशानो ऽधिपतिं करोतु

Kaṭha. 4. 12. ईशानो भूतभव्यस्य 13.

Śwet. 3. 12. ईशानो ज्योतिरव्ययः
15. उतामृतत्वस्येशानः
17. सर्वस्य प्रभुमीशानम्
4. 11. ईशानं वरदं देवमीड्यम् Śiras. 5.

Maitri. 6. 8. एष हि खल्वात्मेशानः 7. 7.
7. 1. सर्वस्येशानः

Mahânâr. 17. 5. ईशानः सर्वविद्यानाम् Nṛip. 1. 6.

Gauḍa. 1. 10. ईशानः प्रभुरव्ययः

Nṛisut. 9. विष्णुरीशानो ब्रह्मा

Śiras. 3. यो रुद्रः स ईशानो य ई-शानः स भगवान्महेश्वरः
4. कस्मादुच्यते ईशानः
— ईशानमस्य जगतः स्वर्दृश-मीशानमिन्द्र तस्थुषः
— तस्मादुच्यते ईशानः

Śikhâ. 2. ध्येयमीशानं प्रध्यायन्ति

Mahâ. 1. न ब्रह्मा न ईशानः
3. स ब्रह्मा स ईशानः

Prâṇâg. 1. तदीशानो अभयं कृणोतु .. ईशानाय स्वाहा

Haṁsa. 2. ईशाने व्रव्यादाने

ईशानदेवत्य

Śiras. 5. या सा तृतीया मात्रा ईशान-देवत्या (one MS. has दै)

ईशावास्य

Mukti. 1. *vide* मुक्तिका

ईशितृ

Śwet. 6. 9. न चेशिता नैव च तस्य लि-ङ्गम्

ईशिनी

Śwet. 3. 1. ईशत ईशिनीभिः (bis) 2.

ईश्वर

Bṛih. 1. 4. 8. ईश्वरो ह तथैव स्यात्
6. 4. 14. अभीयातामीश्वरौ जनयि-तवै 15–18.

Śwet. 6. 7. तमीश्वराणां परमं महेश्वरम्

Mahânâr. 4. 8. ईश्वरीं सर्वभूतानाम्
17. 5. ईश्वरः सर्वभूतानाम् Nṛip. 1. 6. Gîtâ. 18. 60.

Gauḍa. 1. 28. प्रणवं हीश्वरं विद्यात्

Nṛip. 4. 3. यो वै नृसिंहः .. यश्चेश्वर-स्तस्मै वै नमोनमः (5).

Nṛisut. 1. प्राज्ञ ईश्वरस्तृतीयः पादः
2. ईश्वरश्चतूरूपो मकार एव चतूरूपो ह्ययं मकारः
5. एष हि साक्ष्येष हीश्वरः
9. नियन्तेश्वरः सर्वाहंमानी
— सर्वगो ह्येष ईश्वरः

Brahmav. 7. ईश्वरः परमो देवः

Sikhâ. 2. ईश्वरः शिव एव च

Chûl. 12. *vide* श्याव

Brahma. 2. स आदित्यश्च विष्णुश्चेश्वरश्च

Kṛish. 22. यत्सृष्टमीश्वरेणासीत्

Râmap. 84. ईश्वरेणापि दुर्गमम्

Râmot. 5. यो ब्रह्मा विष्णुरीश्वरः (5).

Gîtâ. 4. 6. भूतानामीश्वरो ऽपि सन्
13. 28. समवस्थितमीश्वरम्
15. 8. यच्चाप्युत्क्रामतीश्वरः
17. बिभर्त्यव्यय ईश्वरः
16. 14. ईश्वरो ऽहमहं भोगी

ईश्वरग्रास

Nṛisut. 1. ईश्वरग्रासस्तुरीयः
2. तुरीय ईश्वरग्रासः स्वराट्

ईश्वरभाव

Gîtâ. 18. 43. दानमीश्वरभावश्च

ईश्वरवत्

Nṛisut. 9. त्रिरूप ईश्वरवत्

ईह्

Gauda. 4. 85. किमतः परमीहते
Gîtâ. 7. 22. तस्याराधनमीहते
16. 12. ईहन्ते कामभोगार्थम्

उ

Nṛisut. 7. किमिदमेवमित्यु इत्येवाह

उकार

Mâṇḍû. 8. अकार उकारो मकारः
Nâr. 5 ; Atmapra. 1.
10. उकारो द्वितीया मात्रा
Gauḍa. 1. 23. उकारश्चापि तैजसम्
Nrip. 2. 1. द्वितीयान्तरिक्षं स उकारः
Nṛisut. 3 ; Śikhâ 1.
Nṛisut. 2. हिरण्यगर्भश्चतूरूप उकार एव चतूरूपो ह्ययमुकारः
3. उकारं विष्णुं हृदये
5. एष एवोकार उत्कृष्टतमार्थः
— तस्मादकारोकाराभ्याम्
7. उकारेण परमं सिंहमन्विष्य
— आत्मानं . . मकारेण ब्रह्मणा सन्दध्यादुकारेणाविचिकित्सन्
— एनं मकारार्थेन . . एकीकुर्यादुकारेणाविचिकित्सन्
Brahmav. 6. उकारः परिकीर्तितः
8. उकारश्चन्द्रसंकाशः
Nâda. 1. उकारस्तूत्तरः स्मृतः
Yogat. 10. उकारेणैव भिद्यते
Kâlâg. 2. द्वितीया रेखा सा . . उकारः
Vâsu. 2. अकारोकारमकाराः
Râmot. 2. उकारो द्वितीयाक्षरो भवति
3. उकाराक्षरसम्भूतः

उकारपूर्वार्द्ध

Nṛisut. 7. अकारं उकारपूर्वार्द्धमाकृष्य

उकाररूप

Nṛisut. 2. स्थूलसूक्ष्मबीजसाक्षिभिरुकाररूपैः

उक्तक्रम

Râmap. 81. उक्तक्रमाल्लिखेत्

उक्तानुशासन

Bṛih. 4. 5. 15. उक्तानुशासनासि मैत्रेयि

उक्तोपनिषत्क

Bṛih. 4. 2. 1. अधीतवेद उक्तोपनिषत्कः

उक्थ

Kaush. 2. 6. उक्थं ब्रह्मेतिह स्माह शुष्कभृंगारः
3. 3. तस्मादेतदेवोक्थमुपासीतेति
Chhâ. 1. 7. 5. अक्षिणि पुरुषो दृश्यते . . तदुक्थम्
Bṛih. 1. 6. 1. एतदेषामुक्थम् 2, 3.
5. 13. 1. प्राणो वा उक्थं...उक्थस्य सायुज्यं सलोकतां जयति य एवं वेद
Maitri. 6. 36. सोमराज्यमुक्थेन
(should it not be उक्थ्येन ?)

Nṛip. 2. 4. प्र नूनं ब्रह्मणस्पतिर्मन्त्रं वदत्युक्थम् (3 MSS. read उक्थ्यम्)

उक्थविद्

Bṛih. 5. 13. 1. उद्धस्मादुक्थविद्वीरस्तिष्ठति

उक्थ्य

Nṛip. 5. 8. स उक्थ्येन यजते

उक्षसेन

Maitri. 1. 4. *vide* आदि

उग्र

Bṛih. 2. 5. 16. दंस उग्रमाविष्कृणोमि
4. 3. 37. उग्राः प्रत्येनसः सूतग्रामण्यः
38.

Śwet. 1. 5. पञ्चयोन्युग्रवक्राम्

Mahânâr. 5. 2. यच्च उग्रात्प्रतिमहात्
6. 6. अग्निमुग्रं हुवेम

Nṛip. 1. 4. उग्रं प्रथमस्याद्यम्
2. 3. उग्रं प्रथमं स्थानं जानीयात्
4. कस्मादुच्यते उग्रमिति
— मृगं न भीममुपहत्नुमुग्रम्
— तस्मादुच्यते उग्रमिति

Nṛisut. 4. एष ह्येवोग्रः
5. एष एवोग्र एष हि व्याप्ततमः
— एष एवोग्र एष ह्येवोत्कृष्टः
— एतदेवोग्रमेतद्धि महाविभूति
6. उग्रमनुग्रं . . बुबुधिरे

Śiras. 1. उग्रं च बलिश्च पुरस्ताज्ज्योतिः

Nîla. 2. दिव उग्रो अवारुक्षत्

Gîtâ. 11. 20. दृष्ट्वाद्भुतं रूपमुग्रं तवेदम्
30. भासस्तवोग्राः प्रतपन्ति विष्णो
48 न तपोभिरुग्रैः

उग्रकर्मन्

Gîtâ. 16. 9. प्रभवन्त्युग्रकर्माणः

उग्रत्व

Nṛisut. 7. उग्रत्वाद्वीरत्वान्महत्त्वात् (bis).

उग्रपुत्र

Bṛih. 3. 8. 2. काश्यो वा वैदेहो वोग्रपुत्रः

उग्ररूप

Gîtâ. 11. 31. आख्याहि मे को भवानुग्ररूपः

उच्चर्

Bṛih. 2. 1. 20. यथोर्णनाभिस्तन्तुनोच्चरेत्
4. 2. 3. एषा हृदयादूर्ध्वा नाड्युच्चरति
4. 3. 5. यत्र वागुच्चरति

Maitri. 6. 32. तस्माद्वा . . सर्वे प्राणाः . . सर्वाणि च भूतान्युच्चरन्ति

Śiras. 4. यस्मादुच्चार्यमाण एव (8 times).

उच्चारितमात्र

Maitri. 7. 11. उच्चारितमात्र एव सर्वं शरीरं विद्योतयति

Śikhâ. 1. सकृदुच्चारितमात्रः

उच्चावच

Bṛih. 2. 1. 18. उतेवोच्चावचं निगच्छति
4. 3. 13. स्वप्नान्त उच्चावचमीयमानः

उच्चैःश्रवस्

Gîtâ. 10. 27. उच्चैःश्रवसमश्वानाम्

उच्चैस्

Chhâ. 1. 11. 7. सर्वाणि ह वा इमानि भूतान्यादित्यमुच्चैः सन्तं गायन्ति

Gîtâ. 1. 12. सिंहनादं विनद्योच्चैः

उच्छास्त्र

Mukti. 2. 1. उच्छास्त्रं शास्त्रितं चेति
— तत्रोच्छास्त्रमनर्थाय

उच्छिष्

Chhâ. 1. 10. 3. उच्छिष्टं वै मे पीतं स्यादिति
4. न स्विदेते ऽप्युच्छिष्टा इति
5. 24 4. यद्यपि चण्डालायोच्छिष्टं प्रयच्छेत्

Maitri. 6. 9. उच्छिष्टोच्छिष्टोपहतं यच्च पापेन दत्तम्

Mahânâr. 14. 2. यदुच्छिष्टमभोज्यम्
Prâṇâg. 1.

Brahma. 2. नोच्छिष्टो नाशुचिर्भवेत्

Gîtâ. 17. 10. उच्छिष्टमपि चामेध्यम्

उच्छिष्टोपहत

Maitri. 6. 9. मनःपूतिमुच्छिष्टोपहतमित्यनेन तत्पावयेत्
— उच्छिष्टोच्छिष्टोपहतं यच्च पापेन दत्तम्

उच्छुष्

Chhâ. 4. 3. 2. यदाप उच्छुष्यन्ति वायुमेवापियन्ति

उच्छेद

Gauḍa. 4. 57. उच्छेदस्तेन नास्ति वै

उच्छेदिन्

Gauḍa. 4. 59. नासौ नित्यो न चोच्छेदी

उच्छोषण

Gîtâ. 2. 8. यच्छोकमुच्छोषणमिन्द्रियाणाम्

उच्छ्वस्

Śwet. 2. 9. क्षीणे प्राणे नासिकयोच्छ्वसीत (two MSS. read नासिकयोः श्वसीत)

Maitri. 7. 11. अनेनैव तंदुद्धुः ध्यत्युदयत्युच्छ्वसति

Śiras. 6. उच्छ्वसिते तमो भवति

Amṛita. 12. नोच्छ्वसेन्नानुच्छ्वसेत्

Yogat. 13. उच्छ्वसन्निश्वसंस्तथा

उच्छ्वास

Maitri. 2. 2. उच्छ्वासाविष्टंभनेन

Praśna. 4. 4. उच्छ्वासनिश्वासौ

उच्छ्रि

Bṛih. 3. 2. 11. स उच्छ्वयत्याध्मायति

उज्ज्य

Bṛih. 3. 8. 2. उज्ज्यं धनुरधिज्यं कृत्वा

उज्ज्वल्

Bṛih. 3. 1. 8. या हुता उज्ज्वलन्ति (bis).

Maitri. 6. 12. अग्निर्वा अन्नेनोज्ज्वलति
26. सर्पिस्तृणकाष्ठसंस्पर्शेनोज्ज्वलति
— अप्राणाख्यः प्राणसंस्पर्शेनोज्ज्वलति
— यदुज्ज्वलत्येतद्ब्रह्मणो रूपम्

उञ्छवृत्ति

Aśrama. 2. उञ्छवृत्तिमुपयुंजानाः

उत्

Chhâ. 1. 3. 6. प्राण एवोत्प्राणेन ह्युत्तिष्ठति
7. द्यौरेवोत्
— आदित्य एवोत्
— सामवेद एवोत्
1. 6. 7. तस्योदिति नाम
2. 8. 2. यदुदिति स उद्गीथः

Bṛih. 1. 3. 23. प्राणो वा उत्
— उच्च गीथाचेति स उद्गीथः

उत

Chhâ. 6. 1. 3. उत तमादेशमप्राक्ष्यः

उत्कट

Gauḍa. 1. 19. आदिसामान्यमुत्कटम्
21. मानसामान्यमुत्कटम्

उत्कर्त्तृत्व

Nṛisut. 7. उद्गृष्टत्वादुत्कर्त्तृत्वात्

उत्कर्ष

Mâṇḍû 10. उत्कर्षादुभयत्वाद्वा Nṛisut. 2.

Gauḍa 1. 20. उत्कर्षो दृश्यते स्फुटम्

उत्कृष्

Mâṇḍû. 10. उत्कर्षति ह वै ज्ञानसन्ततिम् Nṛisut. 2.

Gauḍa. 3. 16. हीनमध्यमोत्कृष्टदृष्टयः

Nṛisut. 5. आत्ममात्रं ह्येतदुत्कृष्टम्
— एष एवोम एष ह्येवोत्कृष्टः (so with each word of the Mantra).

Dhyân. 21. तथैवोत्कर्षयेद्वायुम्

Gopî. 5. सर्वलोकोत्कृष्टसौन्दर्यक्रीडाभोगाः

उत्कृष्टतम

Nṛisut. 5. अयं . . ब्रह्मैव व्याप्ततम उत्कृष्टतमः
— आप्ततममुत्कृष्टतमं चिन्मात्रम् (bis)

उत्कृष्टतमार्थ

Nṛisut. 5. एष एवोकार उत्कृष्टतमार्थः

उत्कृष्टत्व

Nṛisut. 7. उत्कृष्टत्वादुत्पादकत्वात्

उत्क्रम्

Ait. 4. 6. अस्माच्छरीरभेदादूर्ध्व उत्क्रम्य

Ait. 5. 4. एतेन प्रज्ञेनात्मनास्माल्लोकादुत्क्रम्य Atmapra. 1.

Kaush. 2. 14. देवता अहंश्रेयसे विवदमाना अस्माच्छरीरादुच्चक्रमुः
— देवताः प्राणे निःश्रेयसं विदित्वा . . शरीरादुच्चक्रमुः
— तथो एवैवंविद्वान् . . शरीरादुत्क्रामति

3. 3. तमाहुरुदक्रमीच्चित्तम्
— स यदास्माच्छरीरादुत्क्रामति सहैवैतैः सर्वैरुत्क्रामति

4. सह ह्येतावस्मिञ्छरीरे वसतः सहोत्क्रामतः

Chhâ. 1. 2. 9. एतमु एवान्ततो ऽवित्त्वोत्क्रामति

5. 1. 7. यस्मिन् व उत्क्रान्ते Bṛih. 6. 1. 7.

8. वागुच्चक्राम Bṛih. 6. 1. 8.

9. चक्षुर्होच्चक्राम Bṛih. 6. 1. 9.

10. श्रोत्रं होच्चक्राम Bṛih. 6. 1. 10.

11. मनो होच्चक्राम Bṛih. 6. 1. 11.

12. प्राण उच्चिक्रमिष्यन् . . मोत्क्रमीरिति

5. 14. 2. प्राणस्त उदक्रमिष्यत्

8. 6. 5. अस्माच्छरीरादुत्क्रामति

Bṛih. 1. 2. 6. यशोवीर्य्यमुदक्रामत्
— तत्प्राणेषूत्क्रान्तेषु

1. 3. 19. यस्मात्कस्माच्चाङ्गात्प्राण उत्क्रामति

3. 2. 11. उदस्मात्प्राणाः क्रामन्त्याहो नेति

Bṛih. 3. 2. 13. तौ होत्क्रम्य मन्त्रयाञ्चक्राते
3. 9. 4. यद्दास्माच्छरीरान्मर्त्यादुत्क्रामन्ति
4. 3. 8. स उत्क्रामन् म्रियमाणः
4. 4. 2. तमुत्क्रामन्तं प्राणो ऽनूत्क्रामति
6. न तस्य प्राणा उत्क्रामन्ति Nṛisut. 5 (ter).
5. 5. 2. स यदोत्क्रमिष्यन् भवति 5. 9. 1; Maitri. 2. 6.
6. 1. 12. रेतो होच्चक्राम
13. अथ ह प्राण उत्क्रमिष्यन्
— ते होचुर्मा भगव उत्क्रमीः
Maitri. 2. 2. उच्छ्वासाविष्टंभनेनोर्ध्वमुत्क्रान्तः
6. य ऊर्ध्वमुत्क्रामत्येष वाव स प्राणः
6. 21. तया.. ऊर्ध्वमुत्क्रमेत्
22. अनेनोर्ध्वमुत्क्रान्तो ऽशब्दे निधनमेति
— तन्तुनोर्ध्वमुत्क्रान्तः
— ओमित्यनेनोर्ध्वमुत्क्रान्तः
7. 11. नभसि प्रशाखयैवोत्क्रम्य
Praśna. 2. 4. अभिमानादूर्ध्वमुत्क्रामत इव
— तस्मिन्नुत्क्रामत्यथेतरे सर्व एवोत्क्रामन्ते
— यथा मक्षिका मधुकरराजानमुत्क्रामन्तं सर्वा एवोत्क्रामन्ते
12. शिवां तां कुरु मोत्क्रमीः
3. 1. कथं प्रातिष्ठते केनोत्क्रमते
6. 3. कस्मिन्नहमुत्क्रान्त उत्क्रान्तो भविष्यामि
Kshur. 22. निर्विशङ्कः खमुत्क्रमेत्
Śiras. 4. प्राणानूर्ध्वमुत्क्रामयति
Śikhâ. 1. प्राणान्.. ऊर्ध्वमुत्क्रामयतीत्योङ्कारः
Jâbâla. 1. अत्र हि जन्तोः प्राणेषूत्क्रममाणेषु (प्राणैरुत्क्रममाणस्य is a variant); Râmot. 1.
Gîtâ. 15. 8. यच्चाप्युत्क्रामतीश्वरः
10. उत्क्रामन्तं स्थितं वापि

उत्क्रम

Maitri. 6. 14. उत्क्रमेण सार्पाद्यं श्रविष्ठार्द्धान्तं सौम्यम्

उत्क्रमण

Chhâ. 8. 6. 6. विष्वङ्ङन्या उत्क्रमणे भवन्ति Kaṭha. 6. 16.

उत्क्रान्तप्राण

Chhâ. 7. 15. 3. यद्यप्येनानुत्क्रान्तप्राणाञ्छूलेन समासं व्यतिसन्दहेत्

उत्क्षिप्

Maitri. 6. 33. कर्त्रैयजमानं.. उत्क्षिप्त्वा (bis).
— आत्मविदुत्क्षिप्य ब्रह्मणे प्रायच्छत्
Amṛita. 11. उत्क्षिप्य वायुम्

उत्तम

Chhâ. 3. 13. 7. अनुत्तमेषूत्तमेषु लोकेषु
3. 17. 7. उद्.. अगन्म ज्योतिरुत्तमम्
8. 12. 3. स उत्तमः पुरुषः
Bṛih. 5. 5. 1. प्रथमोत्तमे अक्षरे सत्यम्
Kaṭha. 6. 7. मनसः सत्त्वमुत्तमं.. महतो ऽव्यक्तमुत्तमम्
Maitri. 6. 19. अचिन्त्यं गुह्यमुत्तमम्
Mahânâr. 15. 5. उत्तमे शिखरे देवी
Gauḍa. 3. 47. अकथ्यं सुखमुत्तमम्

Gauḍa. 3. 48. एतत्तदुत्तमं सत्यम् 4. 71.
4. 76. उत्तमाधममध्यमान्
Nṛip. 1. 1. अनुष्टुबुत्तमा भवति
Brahma. 2. योगमुत्तममास्थितः
3. पवित्रं ज्ञानमुत्तमम्
Yogaśi. 1. सर्वज्ञानेषु चोत्तमाम्
Mukti. 2. 21. नास्त्युत्तमं पदम्
Gîtâ. 4. 3. रहस्यं ह्येतदुत्तमम्
6. 27. सुखमुत्तमम्
9. 2. पवित्रमिदमुत्तमम्
14. 1. ज्ञानानां ज्ञानमुत्तमम्
15. 17. उत्तमः पुरुषस्त्वन्यः
18. अक्षरादपि चोत्तमः
18. 6. निश्चितं मतमुत्तमम्

उत्तमाविद्

Gîtâ. 14. 14. तदोत्तमाविदां लोकान्

उत्तमांग

Gîtâ. 11. 27. सन्दृश्यन्ते चूर्णितैरुत्तमाङ्गैः

उत्तमाशय

Mukti. 2. 20. मुक्त एवोत्तमाशयः

उत्तमौजस्

Gîtâ. 1. 6. उत्तमौजाश्च वीर्यवान्

उत्तम्भ्

Bṛih. 1. 3. 23. प्राणेन हीदं सर्वमुत्तब्धम्

1. उत्तर adj.

Kaush. 2. 13. यदि . . पर्वतावभिप्रवर्तेयातां दक्षिणश्चोत्तरश्च
Chhâ. 3. 15. 1. द्यौरस्योत्तरं बिलम्
3. 17. 7. पश्यन्त उत्तरं देवं देवत्रा सूर्यम्
Bṛih. 2. 2. 2. द्यौरुत्तरया (वर्त्तन्यान्वायत्तः)
Tait. 1. 3. 4. उत्तरा हनुरुत्तररूपम्
2. 1. 1. अयमुत्तरः पक्षः
Tait. 2. 2. 1. अपान उत्तरः पक्षः
2. 3. 1. सामोत्तरः पक्षः
2. 4. 1. सत्यमुत्तरः पक्षः
2. 5. 1. प्रमोद उत्तरः पक्षः
Maitri. 2. 6. उत्तरं व्यानस्य रूपं च
4. 5. अथोत्तरं प्रश्नमनुब्रूहि
6. 10. उत्तरो विकारो ऽस्यात्मयज्ञस्य
7. 11. त्रिपाच्चरति चोत्तरे
Praśna. 1. 9. तस्यायने दक्षिणं चोत्तरं च
10. उत्तरेण . . आदित्यमभिजयन्ते
Nâda. 1. उकारस्तूत्तरः स्मृतः
2. अधर्मश्चोत्तरं स्मृतम्
7. भानुमण्डलसङ्काशा भवेन्मात्रा तथोत्तरा

2. उत्तर

Gîtâ. 6. 11. चैलाजिनकुशोत्तरम्

उत्तरतर

Śwet. 3. 10. ततो यदुत्तरतरं तदरूपम्

उत्तरतस्

Chhâ. 3. 7. 4. उत्तरतो ऽस्तमेता 3. 8. 4.
3. 9. 4. उत्तरत उदेता 3. 10. 4.
7. 25. 1. स उत्तरतः . . अहमुत्तरतः
2. आत्मोत्तरतः
Maitri. 7. 4. उत्तरत उद्यान्ति
Nṛip. 5. 2. विश्वेदेवा उत्तरतः
Siras. 3. तस्योत्तरतः शिरः
— य उत्तरतः स ओङ्कारः

उत्तररूप

Tait. 1. 3. 1. द्यौरुत्तररूपम्
2. आदित्य उत्तररूपम्
3. अन्तेवास्युत्तररूपम्
— पितोत्तररूपम्
4. उत्तरा हनुरुत्तररूपम्

उत्तरवेदि

Prâṇâg. 3. शारीरयज्ञस्य..कोत्तरवेदिः
4. नासिकोत्तरवेदिः

उत्तराभिमुख

Amṛita. 18. उत्तराभिमुखः स्थितः

उत्तरामुख

Mahâ. 3. उत्तरामुखो भूत्वा

उत्तरायण

Maitri. 6. 30. मरुदुत्तरायणं गतः
Gîtâ. 8. 24. षण्मासा उत्तरायणम्

उत्तरारणि

Śwet. 1. 14. प्रणवं चोत्तरारणिम् Kaivalya. 11; Brahma. 3; Dhyâna. 20.

उत्तरार्द्ध

Nṛisut. 7. उत्तरार्द्धेन तं सिंहमाकृष्य

उत्तरासङ्ग

Nyâsa. 3. उत्तरासङ्गस्त्रिदण्डः
Kaṭhaśru. 4. उत्तरासङ्गमेव च

उत्तरेण

Muṇḍ. 2. 2. 11. ब्रह्म दक्षिणतश्चोत्तरेण
Siras. 5. उत्तरेण येन देवा यान्ति

उत्तितीर्षु

Nṛisut. 6. ते देवा ज्योतिष उत्तितीर्षवः

उत्तीर्णविकृतित्व

Nṛisut. 7. उद्भ्रान्तकत्वादुत्तीर्णविकृतित्वात्

उत्तॄ

Kṛish. 27. भूमावुत्तारितं सर्वम्

उत्थ

Gîtâ. 18. 39. निद्रालस्यप्रमादोत्थम्

उत्था

Kaush. 3. 3. प्राण एव..शरीरं परिगृह्योत्थापयति (bis).
Chhâ. 1. 3. 6. प्राण एवोत्प्राणेन ह्युत्तिष्ठति
2. 24. 6. इत्युक्त्वोत्तिष्ठति 10, 15.
7. 8. 1. उत्तिष्ठन् परिचरिता भवति
Bṛih. 1. 6. 1. अतो हि सर्वाणि नामान्युत्तिष्ठन्ति
2. अतो हि सर्वाणि रूपाण्युत्तिष्ठन्ति
3. अतो हि सर्वाणि कर्माण्युत्तिष्ठन्ति
2. 1. 15. तं पाणावादायोत्तस्थौ —स नोत्तस्थौ..स होत्तस्थौ
5. 13. 1. प्राणो वा उक्थं प्राणो हीदं सर्वमुत्थापयत्युद्धास्मादुक्थविद्वीरस्तिष्ठति
6. 4. 19. उत्तिष्ठातो विश्वावसो
Mahânâr. 20. 24. उत्तिष्ठ पुरुषाहरितपिङ्गल
Kaṭha. 3. 14. उत्तिष्ठत जाग्रत
Maitri. 1. 2. उत्तिष्ठोत्तिष्ठ वरं वृणीष्व
Mahânâr. 25. 1. यत्सञ्चरत्युपविशत्युत्तिष्ठते च स प्रवर्ग्यः
Nṛisut. 7. तदैतत्सर्वमस्माद्देवोत्तिष्ठति
Haṁsa. 1. आधाराद्वायुमुत्थाप्य
Aśrama. 3. उदुंबराः प्रातरुत्थाय
Gîtâ. 2. 3. उत्तिष्ठ परन्तप
37. तस्मादुत्तिष्ठ कौन्तेय
4. 42. उत्तिष्ठ भारत
11. 12. भवेद्युगपदुत्थिता
33. तस्मात्त्वमुत्तिष्ठ यशो लभस्व

उत्थातृ

Chhâ. 7. 8. 1. यदा बली भवत्युत्थाता भवति

उत्थापन

Dhyâna. 16. पद्मस्योत्थापनं कृत्वा

उत्थापयितृत्व

Nṛisut. 7. उत्प्रवेष्टृत्वादुत्थापयितृत्वा-त्

उत्पट

Bṛih. 3. 9. 28. त्वच एवास्य रुधिरं प्र-स्यन्दि त्वच उत्पटः

उत्पत्

Chhâ. 6. 8. 3. शुङ्गमुत्पतितं विजानीहि 5.

उत्पत्ति

Maitri. 6. 37. अन्नाद्भूतानामुत्पत्तिः
Praśna. 3. 12. उत्पत्तिमायतिं स्थानम्
Gauḍa. 2. 32. न निरोधो न चोत्पत्तिः Brahmab. 10.
3. 1. प्रागुत्पत्तेरजं सर्वम्
14. प्रागुत्पत्तेः प्रकीर्तितम्
Brahmav. 1. यत्रोत्पत्तिं लयं चैव
Sarvop. 3. उत्पत्तिविनाशरहितम्
Râmot. 3. उत्पत्तिस्थितिसंहारकारिणी
Mukti. 2. 24. चित्तस्योत्पत्तिपरमां वास-नाम्

उत्पथवारकत्व

Nṛisut. 7. उत्पथवारकत्वादुद्ग्रासक-त्वात्

उत्पद्

Kaṭha. 6. 6. इन्द्रियाणां . . पृथगुत्पद्य-मानानाम्
Praśna. 1. 4. स मिथुनमुत्पादयते रयिं च प्राणं च
15. ते मिथुनमुत्पादयन्ते
Gauḍa. 4. 17. फलादुत्पद्यमानः सन्
— फलमुत्पादयिष्यति
Nṛisut. 9. स्वाव्यतिरिक्तान् वटान् स्वबीजानुत्पाद्य
Amṛita. 28. स्वयमुत्पद्यते ज्ञानम्
Kaṭhaśru. 3. दारानाहृत्य पुत्रानुत्पाद्य
Râmap. 24. उत्पन्नं सीतया भाति

उत्पलनाल

Amṛita. 13. वक्त्रेणोत्पलनालेन
Dhyâna. 21. यथैवोत्पलनालेन

उत्पाटिका

Bṛih. 3. 9. 28. त्वगस्योत्पाटिका बहिः

उत्पाद

Gauḍa. 4. 38. उत्पादस्याप्रसिद्धत्वात्

उत्पादकत्व

Nṛisut. 7. उत्कृष्टत्वादुत्पादकत्वात्

उत्प्रवेष्टृत्व

Nṛisut. 7. उत्प्रवेष्टृत्वादुत्थापयितृत्वात्

उत्व

Gauḍa. 1. 20. तैजसस्योत्वविज्ञाने

उत्सद्

Gîtâ. 1. 43. उत्साद्यन्ते जातिधर्माः
3. 24. उत्सीदेयुरिमे लोकाः

उत्सन्नकुलधर्म

Gîtâ. 1. 44. उत्सन्नकुलधर्माणां मनुष्या-णाम्

उत्सन्नाग्नि

Jâbâla. 4. उत्सन्नाग्निरनग्निको वा

उत्सर्ग

Gauḍa. 3. 38. ग्रहो न तत्र नोत्सर्गः
Garbha. 1. अपानमुत्सर्गे

उत्सादन

Gîtâ. 17. 19. परस्योत्सादनार्थम्

उत्साह

Gîtâ. त्साहसमन्वितः

ज्

Bṛih. 4. 3. ... यथा नः सुसमाहितमुत्सर्जं-याथादेवमेवायं शारीर आत्मा.. उत्सर्जन्याति

Maitri. 6. 11. प्राणांश्चोत्सृजति

Amṛita. 1. उल्कावन्नान्ययोत्सृजेत

8. रथमुत्सृज्य गच्छति

Áśrama. 3. पुष्पफलमुत्सृजन्तः

Mukti.* 2. 46. चेतसो दीपमुत्सृज्य

Gîtâ. 9. 19. वर्षं निगृह्णाम्युत्सृजामि च

16. 23. यः शास्त्रविधिमुत्सृज्य

17. 1. ये शास्त्रविधिमुत्सृज्य

उत्सेक

Gauḍa. 3. 41. उत्सेक उदधेर्यद्वत्

उत्स्रष्टृ

Maitri. 6. 7. चेता मन्ता गन्तोत्स्रष्टा

उदक

Kaush. 2. 7. उदकमानीय

Chhâ. 1. 4. 3. यथा मत्स्यमुदके परिपश्येत्

2. 22. 2. तृणोदकं पशुभ्यः (आगायानि)

3. 19. 2. यद्वास्तेयमुदकं स समुद्रः

4. 15. 1. यद्यप्यस्मिन् सर्पिर्वोदकं वा सिञ्चन्ति

6. 13. 1. लवणमेतदुदकेऽवधाय

— यद्दोषा लवणमुदकेऽवाधाः

Bṛih. 2. 4. 12. सैन्धवखिल्य उदके प्रास्त उदकमेवानुविलीयेत

6. 2. 4. उदकमाहारयाञ्चकार

6. 4. 6. यद्युदक आत्मानं परिपश्येत्

Katha. 1. 7. हर वैवस्वतोदकम्

4. 14. यथोदकं दुर्गे वृष्टम्

15. यथोदकं शुद्धे शुद्धमासिक्तम्

Maitri. 6. 4. आकाशवाय्वग्न्युदकभूम्यादयः

Nṛip. 5. 5. स उदकं स्तंभयति

Gîtâ. 1. 42. लुप्तपिण्डोदकक्रियाः

उदकुम्भ

Kaush. 2. 15. उदकुम्भं सपात्रमुपनिधाय

उदकप्रवण

Chhâ. 4. 17. 9. एष ह वा उदक्प्रवणो यज्ञः

उदगयन

Bṛih. 6. 3. 1. उदगयन आपूर्यमाणपक्षस्य पुण्याहे

Mahânâr. 25. 1. य एवं विद्वानुदगयने प्रमीयते

उदङ्कः

Bṛih. 4. 1. 3. उदङ्कः शौल्वायनः

उदङ्मुख

Chhâ. 2. 24. 3. उदङ्मुख उपविश्य 7, 11.

उदज्

Bṛih. 3. 1. 2. स एता गा उदजताम्

— एताः सौम्योदज

3. 7. 1. ब्रह्मगवीरुदजसे

1. उदञ्च्

Bṛih. 5. 1. 1. पूर्णात्पूर्णमुदच्यते Mukti. 1.

2. उदञ्च्

Chhâ. 3. 4. 1. येऽस्योदञ्चो रश्मयस्ता एवास्योदीच्यो मधुनाड्यः

3. 13. 4. उदङ् सुषिः स समानः

3. 15. 2. सुभूता नामोदीची

Chhâ. 4. 5. 2. उदीची दिक् कला
4. 15. 5. षडुदङ्ङेति मासान् 5.10.1.
6. 14. 1. उदङ् वाधराङ् वा प्रध्मायीत

Bṛih. 1. 2. 3. दक्षिणा चोदीची च पार्श्वे
3. 9. 23. किंदेवतो ऽस्यामुदीच्यां दिश्यसि
4. 2. 4. उदीची दिगुदञ्चः प्राणाः
6. 2. 15. यान् षण्मासानुदङ्ङादित्य एति

Maitri. 6. 17. प्रतीच्यनन्त उदीच्यनन्तः
Prasna. 1. 6. यदुदीचीं . . प्रकाशयति
Śiras. 1. दक्षिणां च उदञ्चो ऽहम्
4. उदञ्चः प्राञ्चो ऽभिव्रजन्त्येके
Kaṭhaśru. 1. प्राचीमुदीचीं वा दिशम्
Râmap. 50. उदग्दक्षिणयोः स्वस्य

उदधि

Gauḍa. 3. 41. उत्सेक उदधेर्यद्वत्
Kṛish. 19. भग्नभाण्डोदधिर्गृहे

उदन्

Bṛih. 3. 4. 1. य उदानेनोदानिति स आत्मा सर्वान्तरः

उदन्या

Chhâ. 6. 8. 5. तत्तेज आचष्ट उदन्येति

उदपात्र

Kaush. 2. 7. त्रिः प्रसिच्योदपात्रम्
Bṛih. 6. 4. 19. उदपात्रं पूरयित्वा
Kaṭhaśru. 1. कार्यं निर्वर्त्तयन्नुदपात्रे

उदपान

Chhâ. 1. 10. 4. कामो म उदपानमिति
Gîtâ. 2. 46. यावानर्थ उदपाने

उदय

Chhâ. 2. 9. 2. तस्य यत्पुरोदयात्स हिंकारः
Chhâ. 3. 19. 3. तस्योदयं प्रति . . घोषा उलूलवो ऽनूत्तिष्ठन्ति
Kaṭha. 6. 6. इन्द्रियाणां . . उदयास्तमयौ
Nâda. 17. ज्योतिषामुदयो यतः
Mukti. 2. 8. याति यदा ते वासनोदयम्

उदर

Bṛih. 1. 1. 1. अन्तरिक्षमुदरम् 1. 2. 3.
Maitri. 6. 26. उदरे ऽग्नौ जुहोति
Mahânâr. 14. 3. पापमकार्षं . . उदरेण 4.
Gauḍa. 3. 12. पृथिव्यामुदरे चैव
Garbha. 5. उदरे गार्हपत्यः

उदरपात्र

Kaṭhaśru. 4. लघुमुण्डो ऽसूत्रोदरपात्रः कस्मात् (so most MSS., but Nârâyaṇa °पात्रम्)
Aruṇeya. 5. उदरपात्रं पाणिपात्रं वा
Jâbâla. 6. भैक्षमाचरन्नुदरपात्रेण

उदरशाण्डिल्य

Chhâ. 1. 9. 3. तं हैतमतिधन्वा शौनक उदरशाण्डिल्यायोक्त्वोवाच

उदरस्थ

Maitri. 6. 17. उदरस्थो ऽथवा यः पचत्यन्नम्

उदराग्नि

Aruṇeya. 2. लौकिकाग्नीनुदराग्नौ समारोपयेत्

उदशराव

Chhâ. 8. 8. 1. उदशराव आत्मानमवेक्ष्य — उदशरावे ऽवेक्षाञ्चक्राते, 2.
2. उदशरावे ऽवेक्षेथामिति

उदहार

Nîla. 10. अदृशन्नुत त्वोदहार्य्यः

उदाकृ

Bṛih. 3. 1. 2. ता होदाचकार

उदान

Chhâ. 3. 13. 5. ऊर्ध्वः सुषिः स उदानः
5. 23. 1. तां जुहुयादुदानाय स्वाहेत्युदानस्तृप्यति
2. उदाने तृप्यति वायुस्तृप्यति
Bṛih. 1. 5. 3. प्राणो ऽपानो व्यान उदानः Tait. 1. 7. 1.
3. 4. 1. य उदानेनोदानिति स त आत्मा सर्वान्तरः
3. 9. 26. कस्मिन्नु व्यानः.. उदान इति कस्मिन्नूदानः
Maitri. 2. 6. प्राणो ऽपानः समान उदानो व्यानः
— एतेषामन्तरा प्रसूतिरेवोदानस्य
— पीताशितमुद्गिरति निगिरतीति वैष वाव स उदानः
6. 9. प्राणाय स्वाहा.. उदानाय स्वाहा
33. प्राणो ऽपानो व्यानः समान उदानः
Mahânâr. 15. 8. उदाने निविष्टो ऽमृतं जुहोमि 9.
16. 1. उदाने निविश्यामृतं हुतमुदानमन्नेनाप्यायस्व
Praśna. 3. 7. एकयोर्ध्व उदानः..नयति
9. तेजो ह वै उदानः
4. 4. इष्टफलमेवोदानः
Prâṇâg. 1. सर्वाभिरुदाने
4. उदान उद्गाता
Amṛita. 34. उदानः कण्ठमाश्रितः
37. आपाण्डुर उदानस्तु
Kaṭhaśru. 1. प्राणापानव्यानोदानसमानान्

उदार

Gîtâ. 7. 18. उदाराः सर्व एवैते

उदास्

Nṛisut. 6. त्रयो देवा उदासते
Chûl. 8. उदासीनं ध्रुवं हंसम्
Gîtâ. 6. 9. सुहृन्मित्रार्युदासीनमध्यस्थद्वेष्यबन्धुषु
9. 9. उदासीनवदासीनम्
12. 16. उदासीनो गतव्यथः
14. 23. उदासीनवदासीनः

उदाहृ

Chhâ. 6. 4. 5. न नो ऽद्य कश्चनाश्रुतममतमविज्ञातमुदाहरिष्यति
Bṛih. 6. 2. 3. इति ह प्रतीकान्युदाजहार
Maitri. 6. 30. अत्रोदाहरन्ति (bis), 31, 35, 36, 37, 38 (bis); 7. 11.
Gauḍa. 4. 38. अजं सर्वमुदाहृतम्
Kṛish. 6. माया त्रेधा ह्युदाहृता
Gîtâ. 13. 6. सविकारमुदाहृतम्
15. 17. परमात्मेत्युदाहृतः
17. 19. तत्तामसमुदाहृतम् 22; 18. 22, 25.
24. तस्मादोमित्युदाहृत्य
18. 24. तद्राजसमुदाहृतम्

उदि

Kaush. 2. 7. कौषीतकिरुद्यंतमादित्यमुपतिष्ठते
Chhâ. 1. 3. 1. उद्यन्वा एष प्रजाभ्य उद्गायति । उद्यंस्तमोभयमपहन्ति
1. 6. 7. स एष सर्वेभ्यः पाप्मभ्य उदितः
— उदेति ह वै सर्वेभ्यः पाप्मभ्यो य एवं वेद
2. 9. 3. यत्प्रथमोदिते स प्रस्तावः
2. 14. 1. उद्यन्हिंकार उदितः प्रस्तावः

Chhâ. 3. 6. 2. एतस्माद्रूपादुद्यन्ति 3. 7. 2; 3. 8. 2; 3. 9. 2; 3. 10. 2.
3. एतस्माद्रूपादुदेति 3. 7. 3; 3. 8. 3; 3. 9. 3; 3. 10. 3.
4. यावदादित्यः पुरस्तादुदेता 3. 7. 4.
3. 8. 4. यावदादित्यो दक्षिणत उदेता
3. 9. 4. यावदादित्यः पश्चादुदेता
3. 10. 4. यावदादित्य उत्तरत उदेता
3. 11. 1. नैवोदेता नास्तमेता
2. न निम्लोच नोदियाय
3. न ह वा अस्मा उदेति
3. 16. 2. उद्धैव तत एति 4, 6.
Bṛih. 1. 1. 1. उद्यन्नु पूर्वार्द्धः
1. 5. 23. यतश्चोदेति सूर्यः
— प्राणाद्वा एष उदेति
Tait. 2. 8. 1. भीषोदेति सूर्यः Nṛip. 2. 4.
Kaṭha. 4. 9. यतश्चोदेति सूर्यः
Maitri. 2. 6. खानीमानि भित्त्वोदितः
6. 8. प्राणः प्रजानामुदयत्येष सूर्यः Praśna. 1. 8.
35. एतद्यदादित्यस्य मध्ये उदित्वा मयूखे भवतः
7. 1. पुरस्तादुद्यन्ति
2. दक्षिणत उद्यन्ति
3. पश्चादुद्यन्ति
4. उत्तरत उद्यान्ति
5. ऊर्ध्वा उद्यान्ति
6. अधस्तादुद्यन्ति
11. अनेनैव तदुद्बुध्यत्युद्गयत्युच्छ्वसति
Praśna. 1. 6. आदित्य उदयन्यत्प्राचीं दिशं प्रविशति
Praśna. 1. 7. स एष वैश्वानरो विश्वरूपः प्राणो ऽग्निरुदयते
3. 8. आदित्यो ह वै बाह्यः प्राण उदयति
4. 2. ताः पुनः पुनरुदयतः प्रचरन्ति
Gauḍa. 3. 3. आत्मा ह्याकाशवज्जीवैर्घटाकाशैरिवोदितः
Nṛip. 1. 1. वाचैव प्रयन्ति वाचैवोद्यान्ति
Mukti. 2. 30. अमनस्ता तदोदेति

उदीक्ष्

Bṛih. 6. 2. 1. तमुदीक्ष्याभ्युवाद
Maitri. 1. 2. आदित्यमुदीक्षमाणः

उदीर्

Kaush. 2. 12. तस्मादेव पुनरुदीरते 13.

उदुंबर

Bṛih. 4. 3. 36. यथाम्रं वोदुंबरं वा
Aśrama. 3. वैखानसा उदुंबरा बालखिल्याः फेनपाश्च
— उदुंबराः प्रातरुत्थाय (one MS. has औदुंबराः)
— तदाहृतोदुंबरबदरनीवारश्यामाकैः

उद्दृ

Mahânâr. 9. 12. समुद्रादूर्मिर्मधुमाँउदारत्

उद्दे

Chhâ. 3. 11. 1. तत ऊर्ध्व उदेत्य
5. 3. 6. स ह प्रातः सभाग उदेयाय

उदोदन

Bṛih. 6. 4. 16. उदोदनं पाचयित्वा

उद्गन्तृ

Maitri. 6. 31. उद्गन्ता चैतेषामिह कः
— आत्मा ह्येषामुद्गन्ता

उद्गम्

Chhâ. 3. 17. 7. उद्...अगन्म ज्योतिरुत्तमम्

Mukti. 2. 52. यावन्नापान उन्नतः

उद्गातृ

Kaush. 2. 6. ऋङ्मये साममयमुद्गाता (प्रवयति)

Chhâ 1. 2. 13. स ह नैमिषीयानामुद्गाता बभूव

1. 6. 8. तस्मात्त्वेवोद्गातैतस्य हि गाता

1. 7. 8. एवंविदुद्गाता ब्रूयात्

1. 10. 8. उद्गातॄनास्तावे स्तोष्यमाणानुपोपविवेश

10. एवमुद्गातारमुवाच — उद्गातर्या देवतोद्गीथमन्वायत्ता 1. 11. 6.

1. 11. 6. अथ हैनमुद्गातोपससाद

4. 16. 2. वाचा होताध्वर्युरुद्गाता

Brih. 1. 3. 2. अनेन वै न उद्गात्रात्येष्यन्तीति 3—7.

28. स एष एवंविदुद्गाता

3. 1. 5. उद्गात्रर्त्विजा वायुना प्राणेन प्राणो वै यज्ञस्योद्गाता — स वायुः स उद्गाता

10. कत्ययमद्योद्गाता..स्तोत्रियाः स्तोष्यति

Mahânâr. 25. 1. प्राण उद्गाता

Prâṇâg. 3. शारीरयज्ञस्य..क उद्गाता

4. उदान उद्गाता

उद्गीथ

Kaush. 1. 5. उद्गीथ उपश्रीः

Chhâ. 1. 1. 1. ओमित्येतदक्षरमुद्गीथमुपासीत

2. साम्न उद्गीथो रसः

Chhâ. 1. 1. 3. परमः परार्ध्योऽष्टमो य उद्गीथः

4. कतमः कतम उद्गीथः

5. ओमित्येतदक्षरमुद्गीथः

7. य एतदेवं विद्वानक्षरमुद्गीथमुपास्ते 8; 1. 2. 14.

1. 2. 1. देवा उद्गीथमाजह्रुः

2. ते ह नासिक्यं प्राणमुद्गीथमुपासाञ्चक्रिरे (similarly in 3, 4, 5, 6, 7).

10. तं हाङ्गिरा उद्गीथमुपासाञ्चक्रे (similarly in 11, 12).

1. 3. 1. य एवासौ तपति तमुद्गीथमुपासीत

2. तस्माद्वा एतमिमममुं चोद्गीथमुपासीत

3. व्यानमेवोद्गीथमुपासीत 5.

4. यत्साम स उद्गीथः

6. अथ खलूद्गीथाक्षराण्युपासीतोद्गीथ इति

7. य एतान्येवं विद्वानुद्गीथाक्षराण्युपास्त उद्गीथ इति

1. 5. 1. य उद्गीथः स प्रणवो यः प्रणवः स उद्गीथ इत्यसौ वा आदित्य उद्गीथः Maitri. 6. 4.

3. मुख्यः प्राणस्तमुद्गीथमुपासीत

5. य उद्गीथः स प्रणवो यः प्रणवः स उद्गीथः

1. 6. 7. तस्यर्क् च साम च गेष्णौ तस्मादुद्गीथः

1. 8. 1. त्रयो होद्गीथे कुशला बभूवुः — उद्गीथे वै कुशलाः स्मो हन्तोद्गीथे कथां वदामः

1. 9. 2. स एष परोवरीयानुद्गीथः

Chhâ. 1. 9. 2. परोवरीयांसमुद्गीथमुपास्ते
3. यावत्त एनं प्रजायामुद्गीथं वेदिष्यन्ते
1. 10. 10. देवतोद्गीथमन्वायत्ता
1. 11. 6, 7.
1. 12. 1. अथातः शौव उद्गीथः
2. 2. 1. अन्तरिक्षमुद्गीथः 2.
2. 3. 1. वर्षति स उद्गीथः 2. 15. 1.
2. 4. 1. याः प्राच्यः स्यन्दन्ते स उद्गीथः
2. 5. 1. वर्षा उद्गीथः 2. 16. 1.
2. 6. 1. गात्र उद्गीथः 2. 18. 1.
2. 7. 1. चक्षुरुद्गीथः 2. 11. 1.
2. 8. 2. यदुदिति स उद्गीथः
2. 9. 5. यत्संप्रति मध्यन्दिने स उद्गीथः
2. 10. 3. उद्गीथ इति त्र्यक्षरम्
2. 12. 1. ज्वलति स उद्गीथः
2. 13. 1. स्त्रिया सह शेते स उद्गीथः
2. 14. 1. मध्यन्दिन उद्गीथः
2. 17. 1. द्यौरुद्गीथः
2. 19. 1. मांसमुद्गीथः
2. 20. 1. आदित्य उद्गीथः
2. 21. 1. अग्निर्वायुरादित्यः स उद्गीथः
2. 22. 1. अमेरुद्गीथः
Brih. 1. 3. 1. असुरान्यज्ञ उद्गीथेनात्ययाम
23. एष उ वा उद्गीथः
— उच्च गीथा चेति स उद्गीथः
6. 3. 1. उद्गीथमसि
Maitri. 6. 4. उद्गीथं प्रणवाख्यं प्रणेतारम्
37. स उद्गीथं वर्षति

उद्गीथभाजिन्

Chhâ. 2. 9. 5. उद्गीथभाजिनो ह्येतस्य साम्नः

उद्गॄ

Maitri. 2. 6. यो ऽयं पीताशितमुद्गिरति निगिरति

उद्गै

Chhâ. 1. 1. 1. ओमित्युद्गायति 9; 1. 4. 1.
1. 3. 1. उद्यन्वा एष प्रजाभ्य उद्गायति
4. अप्राणन्ननपानन्नुद्गायति
1. 10. 10. तां चेदविद्वानुद्गास्यसि 1. 11. 6.
1. 11. 7. तां चेदविद्वानुदगास्यः
Brih. 1. 3. 2. त्वं न उद्गायेति तथेति तेभ्यः . . उदगायत् 3--7.
24. यदितः . . अन्येनोदगायत्
— प्राणेन चोदगायत्
6. 3. 4. उद्गीथमस्युद्गीयमानमसि
Śwet. 1. 7. उद्गीतमेतत्परमं तु ब्रह्म

उद्ग्रह्

Chhâ. 2. 3. 2. उद्गृह्णाति तन्निधनम् 2. 15. 1.
Nrip. 2. 4. सर्वाणि भूतान्युद्गृह्णाति . . उद्ग्राह्यत उद्गृह्यते

उद्ग्रहण

Brih. 2. 4. 12. न हास्योद्ग्रहणायेव स्यात्

उद्ग्रासकत्व

Nrisut. 7. उत्पथवारकत्वादुद्ग्रासकत्वात्

उद्दालक

Chhâ. 3. 11. 4. उद्दालकायारुणये
5. 11. 2. उद्दालको वै . . अयमारुणिः
5. 17. 1. उद्दालकमारुणिम्
6. 8. 1. उद्दालको हारुणिः
Brih. 3. 7. 1. उद्दालक आरुणिः 23; 6. 3. 7; 6. 4. 4.
6. 5. 3. याज्ञवल्क्य उद्दालकात्
— उद्दालको ऽरुणात्

उद्दालकायन

Brih. 4. 6. 2. गार्ग्यायण उद्दालकायनात्
—उद्दालकायनो जाबालायनात्

उद्दिश्

Maitri. 7. 9. तया शिवमशिवमित्युद्दिशन्त्यशिवं शिवमिति
Gîtâ. 17. 21. फलमुद्दिश्य वा पुनः

उद्दीप्

Mahânâr. 2 8. उद्दीप्यस्व जातवेदः

उद्देशतस्

Râmap. 58. एवमुद्देशतः प्रोक्तम्
Gîtâ. 10. 40. एष तूद्देशतः प्रोक्तः

उद्द्रष्टृत्व

Nṛisut. 7. उद्द्रष्टृत्वादुत्कर्तृत्वात्

उद्धतत्व

Maitri. 3. 5. उद्धतत्वमसमत्वमिति तामसानि

उद्धरण

Maitri. 6. 30. परमं वै शेवधेरिव परस्योद्धरणम्

उद्धव

Krish. 17. सत्याक्रूरो दमोद्धवः

उद्धूलन

Vâsu. 4. अग्निहोत्रभस्मना . . उद्धूलनं कुर्यात् (one MS. has उद्वर्त्तनम्)

उद्धृ

Bṛih. 6. 4. 19. उद्धृत्य प्राश्नाति
Maitri. 1. 4. उद्धर्तुमर्हसि
6. 26. अप्सुचारिणः . . उद्धृत्य — इमान् प्राणान् . . उद्धृत्य
Mahânâr. 4. 5. उद्धृतासि वराहेण
Aśrama. 2. उद्धृतपरिपूताभिरद्भिः कार्यं कुर्वन्तः
Jâbâla. 4. उद्धृत्य प्राश्नीयात् साज्यं हविरनामयम्

Vâsu. 2. गोपीचन्दनं नमस्कृत्वोद्धृत्य
Gîtâ. 6. 5. उद्धरेदात्मनात्मानम्

उद्धुभ्य्

Maitri. 7. 11. अनेनैव तदुद्धुभ्यत्युदयत्युच्छ्वसति

उद्भव

Śwet. 3. 1. य एवैक उद्भवे संभवे च
4. यो देवानां प्रभवश्चोद्भवश्च 4. 12.
Piṇḍa. 4. मांसत्वक्शोणितोद्भवः
Vâsu. 1. वैकुण्ठस्थानोद्भवम्
Gîtâ. 10. 34. उद्भवश्च भविष्यताम्

उद्भा

Nṛisut. 4. नृसिंहः स्वयमुद्बभौ

उद्भिज्ज

Ait. 5. 3. अण्डजानि च जारुजानि च स्वेदजानि चोद्भिज्जानि च
Chhâ. 6. 3. 1. आण्डजं जीवजमुद्भिज्जमिति

उद्भू

Maitri. 1. 4. उद्भूतप्रध्वंसिनः
3. 4. शरीरमिदं मैथुनादेवोद्भूतम्
5. 2. अपरिमितधावोद्भूतः
Gopî. 5. कृष्णगोपीरतोद्भूतम्

उद्भूतत्व

Maitri. 5. 2. उद्भूतत्वाद्भूतम्

उद्भ्रान्तकत्व

Nṛisut. 7. उद्भ्रान्तकत्वादुत्तीर्णविकृतित्वात्

उद्यम्

Bṛih. 6. 3. 5. अथैनमुद्यच्छति
Kaṭha. 6. 2. महद्भयं वज्रमुद्यतम्

Gîtâ. 1. 20. धनुरुद्यम्य पाण्डवः
45. हन्तुं स्वजनमुद्यताः

उद्या

Bṛih. 2. 4. 1. उद्यास्यन्वा अरे ऽहमस्मात्स्थानादस्मि

उद्युज्

Mukti. 2. 47. विमूढाः कर्त्तुमुद्युक्ताः

उद्रुध्

Bṛih. 4. 3. 33. सर्वेभ्यो माऽन्तेभ्य उदरौत्सीत्

उद्रेक

Râmap. 2. स्वोद्रेकतो ऽथवा

उद्वर्ग

Kaush. 2. 7. उद्वर्गो ऽसि पाप्मानं म उद्वृङ्धि

उद्वर्त्मन्

Maitri. 6. 30. न ह्यत्रोद्वर्त्मना गतिः

उद्वह्

Kaush. 3. 5. वागेवास्या एकमङ्गमुदूल्हम् (similarly 9 times more; another reading is उदूढम्)

उद्वा

Chhâ. 4. 3. 1. यदा वा अग्निरुद्वायति वायुमेवाप्येति

उद्विज्

Gîtâ. 5. 20. नोद्विजेत्प्राप्य चाप्रियम्
12. 15. यस्मान्नोद्विजते लोको लोकान्नोद्विजते च यः

उद्वृज्

Kaush. 2. 7. उद्वर्गो ऽसि पाप्मानं म उद्वृङ्धि

उद्वृत्

Bṛih. 2. 1. 5. नास्यास्माल्लोकात्प्रजोद्वर्तते

उद्वेग

Parama. 3. दुःखे नोद्वेगः (so MSS.)

Gîtâ. 12. 15. हर्षामर्षभयोद्वेगैः

उद्व्रज्

Chhâ. 1. 12. 1. स्वाध्यायमुद्वव्राज

उन्नम्

Śwet. 2. 8. त्रिरुन्नतं स्थाप्य समं शरीरम्

Kshur. 4. किञ्चिद्धृदयमुन्नतम्

उन्नी

Kaush. 3. 8. यमेभ्यो लोकेभ्य उन्निनीषते

Kaṭha. 5. 3. ऊर्ध्वं प्राणमुन्नयति

Praśna. 5. 4. अन्तरिक्षं यजुर्भिरुन्नीयते
5. स सामभिरुन्नीयते ब्रह्मलोकम्

उन्मत्तक

Aśrama. 3. फेनपा उन्मत्तकाः (2 MSS. read उन्मादकाः and one उन्मदकाः)

उन्मद्

Nṛisut. 6. उन्मत्ता इव परिवर्त्तमानाः

Aśrama. 4. अनुन्मत्ता उन्मत्तवदाचरन्तः

Jâbâla. 6. अनुन्मत्ता उन्मत्तवदाचरन्तः

Mukti. 2. 47. नागेन्द्रमुन्मत्तम्

उन्मनन

Haṁsa. 2. तदा तुर्यातीतमुन्मननमजपोपसंहारमित्यभिधीयते (6 MSS. have उन्मनाम°, and one reads उन्मनाः)

उन्मनीभाव

Brahmab. 4. यदा यात्युन्मनीभावम्

उन्मिष्

Gîtâ. 5. 9. उन्मिषन्निमिषन्नपि

उन्मी

Chhâ. 8. 6. 5. स ओमिति वा होद्वा मीयते

उन्मुक्त

Mahânâr. 20. 13. उन्मुक्तो वरुणस्य पाशः

उप

Chhâ. 2. 8. 2. यदुपेति स उपद्रवः

उपकरणवन्त्

Bṛih. 2. 4. 2. यथैवोपकरणवतां जीवितम् 4. 5. 3.

उपकोसल

Chhâ. 4. 10. 1. उपकोसलः कामलायनः
4. 14. 1. उपकोसलैषा . . अस्मद्विद्या — आचार्यो ऽभ्युवादोपकोसला ३ इति

उपगम्

Kaush. 3. 1. इन्द्रस्य प्रियं धामोपजगाम
Bṛih. 2. 1. 8. प्रतिरूपं हैवैनमुपगच्छति
Maitri. 6. 24. अतो ऽविशेषविज्ञानं विशेषमुपगच्छति
Parama. 1. इति नारदो भगवन्तमुपगम्योवाच

उपगै

Kṛish. 7. या देवैरुपगीयते

उपग्रह्

Maitri. 6. 31. स्वकैर्लिङ्गैरुपगृह्यः

उपघात

Bṛih. 6. 4. 19. स्थालीपाकस्योपघातं जुहोति
24. पृषदाज्यस्योपघातं जुहोति

उपचार

Gauḍa. 3. 36. नोपचारः कथञ्चन
Parama. 1. लोकस्योपचाराय (so MSS.)

उपचारिन्

Maitri. 6. 30. यथावदुपचारी

उपजन्

Kaush. 1. 2. स जाय उपजायमानः
Gîtâ. 2. 62. संगस्तेषूपजायते
65. हानिरस्योपजायते
14. 2. सर्गे ऽपि नोपजायन्ते
11. प्रकाश उपजायते

उपजन

Chhâ. 8. 12. 3. नोपजनं स्मरन्निदं शरीरम्

उपजीव्

Chhâ. 3. 6. 1. यत्प्रथमममृतं तद्वसव उपजीवन्ति (similarly 4 times more).
8. 1. 5. तं तमेवोपजीवन्ति
Bṛih. 1. 4. 16. आपिपीलिकाभ्य उपजीवन्ति
1. 5. 1. स ऊर्जमुपजीवति 2.
2. पयो ह्यग्रे मनुष्याश्च पशवश्चोपजीवन्ति
4. 3. 32. एतस्यैवानन्दस्यान्यानि भूतानि मात्रामुपजीवन्ति
5. 8. 1. द्वौ स्तनौ देवा उपजीवन्ति
Maitri. 7. 10. तदिमे मूढा उपजीवन्ति — यद्देवेषूक्तं तद्विद्वांस उपजीवन्ति
Mahânâr. 11. 2. पुरुषस्तद्विश्वमुपजीवति Mahâ. 3 (reads पुरुषम्)

Mahânâr. 22. 1. लोके दातारं सर्वभूतान्युपजीवन्ति

उपतप्

Chhâ. 3. 16. 2. तं चेदेतस्मिन्वयसि किञ्चिदुपतपेत् 4, 6.
7. किं म एतदुपतपसि

Bṛih. 4. 3. 6. उपतपता वाणिमानं निगच्छति

Nyâsa. 4. नात्यर्थं . . शरीरमुपतापयेत्
Kaṭhaśru. 4.

उपतापिन्

Chhâ. 6. 15. 1. पुरुषं . . उपतापिनं ज्ञातयः पर्युपासते
8. 4. 2. उपतापी सन्ननुपतापी भवति

1. उपदिश्

Gauḍa. 3. 16. उपासनोपदिष्टेयम्

Nṛip. 2. 2. अक्षराणां न्यासमुपदिशन्ति ब्रह्मवादिनः
5. 1. मोक्षद्वारं यद्योगिन उपदिशन्ति

Nṛisut. 9. ओङ्कारमात्मानमुपदिश

Gopî. 5. ताश्चोपादिशत्

Râmot. 4. उपदेक्ष्यसि मन्मन्त्रम्

Mukti. 1. 24. गुरूपदिष्टमार्गेण
45. मयोपदिष्टं शिष्याय तुभ्यम्
50. यथावदुपदिश्यते
2. 66. किमन्यदुपदिश्यते

Gîtâ. 4. 34. उपदेक्ष्यन्ति ते ज्ञानम्

2. उपदिश्

Maitri. 6. 2. चतस्रो दिशश्चतस्र उपदिशः

उपदेश

Tait. 1. 11. 4. एष आदेश एष उपदेशः

Gauḍa. 1. 18. उपदेशादयं वादः

Mukti. 1. 16. कारयां तारोपदेशतः .

उपदेष्टृ

Nṛip. 5. 2. सर्वेषां मन्त्राणामुपदेष्टा भवति

उपद्रव

Chhâ. 2. 8. 2. यदुपैति स उपद्रवः
2. 9. 7. यदूर्ध्वमपराह्णात्प्रागस्तमयात्स उपद्रवः
2. 10. 3. उपद्रव इति चतुरक्षरम्

उपद्रवभाजिन्

Chhâ. 2. 9. 7. उपद्रवभाजिनो ह्येतस्य साम्नः

उपद्रष्टृ

Nṛisut. 9. उपद्रष्टानुमन्तैष आत्मा — उपद्रष्टारमाव्रजेत्

Gîtâ. 13. 22. उपद्रष्टानुमन्ता च

उपद्रु

Chhâ. 2. 9. 7. ते पुरुषं दृष्ट्वा कक्षं श्वभ्रमित्युपद्रवन्ति

उपधा

Prâṇâg. 2. अमृताय त्वोपदधामि

Sarvop. 3. कूटस्थाद्युपहितभेदानाम् (4 MSS. have उपरहित).

उपधाव्

Chhâ. 1. 3. 8. येन साम्ना स्तोष्यन् स्यात्तत् सामोपधावेत् (similarly in 9, 10, 11).

Nṛip. 2. 1. ते प्रजापतिमुपाधावन्

उपधृ

Gîtâ. 7. 6. एतद्योनीनि भूतानि . . उपधारय
9. 6. तथा सर्वाणि भूतानि मत्स्थानीत्युपधारय

उपनम्

Chhâ. 2. 1. 4. एनं साधवो धर्मा आ च गच्छेयुरुप च नमेयुः
Nṛip. 1. 1. उपैनं तदुपनमति यत्कामो भवति (2 MSS. read उपनमिति and Nârâyaṇa explains thus: उप एनं तत् उ पनं इति पदच्छेदःपनं पन्नं छान्दसो वर्णलोपः)

उपनयन

Aruṇeya. 4. सोपनयनादूर्ध्वमेतानि प्राग्वा त्यजेत्
Aśrama. 1. उपनयनादूर्ध्वं त्रिरात्रम्

उपनिधा

Kaush. 2. 15. उदकुंभं सपात्रमुपनिधाय
Chhâ. 1. 10. 2. ये म इम उपनिहिता इति

उपनिपत्

Chhâ. 4. 7. 2. तं हंस उपनिपत्याभ्युवाद
4. 8. 2. तं मद्गुरुपनिपत्याभ्युवाद

उपनिम्रेड्

Chhâ. 3. 19. 4. साधवो घोषा आ च गच्छेयुरुप च निम्रेडेरन्

उपनिश्रि

Bṛih. 1. 4. 11. ब्रह्मैवान्तत उपनिश्रयति स्वां योनिम्

उपनिषद्, ॰षद

Kaush. 2. 1. य एवं वेद तस्योपनिषन्न याचेदिति 2. 2.
Kena. 32. उपनिषदं भो ब्रूहीत्युक्ता त उपनिषद् ब्राह्मीं वाव त उपनिषदमब्रूमेति
Chhâ. 1. 1. 10. यदेव..करोति श्रद्धयोपनिषदा
Chhâ. 1. 13. 4. अन्नादो भवति य एतामेवं साम्नामुपनिषदं वेद
8. 8. 4. तेभ्यो हैतामुपनिषदं प्रोवाच
5. असुराणां ह्येषोपनिषत्
Bṛih. 2. 1. 20. तस्योपनिषत्सत्यस्य सत्यमिति Maitri. 6. 32.
2. 4. 10. उपनिषदः श्लोकाः सूत्राणि 4. 1. 2; 4. 5. 11; Maitri. 6. 32.
4. 2. 1. एताभिरुपनिषद्भिः समाहितात्मासि
5. 5. 3. तस्योपनिषदहरिति
4. तस्योपनिषदहमिति
Tait. 1. 3. 1. संहिताया उपनिषदं व्याख्यास्यामः
2. 9. 1. इत्युपनिषत् Mahânâr. 12. 3; 24. 1; 25. 1; Skanda. 16; Râmot. 3; Mukti. 1.
3 10. 6. य एवं वेदेत्युपनिषत् Mahânâr. 21. 2; Nṛip. 2. 4; 3. 1; Gopî. 2.
Śwet. 1. 16. तद्ब्रह्मोपनिषत्परम् Brahma. 3.
5. 6. तद्वेदगुह्योपनिषत्सु गूढम्
Mahânâr. 7. 5. प्रोवाचोपनिषदिन्द्रो ज्येष्ठः
Aruṇeya. 2. उपनिषदमावर्त्तयेत्
5. एतदुपनिषदं विन्यसेत् खल्वेतदुपनिषदं विद्वान्
Nâr. 3. एतद्वै नारायणस्योपनिषदम्
— यो ह वै नारायणस्योपनिषदमधीते
Kâlâg. 2. ओं सत्यमित्युपनिषत् Mukti. 2. 78.
Gopî. 5. तत उपनिषदः श्रुतय आविर्बभूवुः
— सरहस्योपनिषदङ्गान्
Kṛish. 15. ऋचोपनिषदस्ता वै

Atmapra. 1. आत्मप्रबोधोपनिषदं मुहूर्त्त-
मुपासित्वा

Mukti. 1. 10. तासूपनिषदः काः स्युः
11. तासूपनिषदस्तथा
14. एकैकोपनिषन्मता
1. दशसंख्यकानामुपनिषदाम्
— एकोनविंशतिसंख्यकाना-
मुपनिषदाम्
— द्वात्रिंशत्संख्याकानामुपनि-
षदाम्
— षोडशसंख्याकानामुपनिष-
दाम्
— एकत्रिंशत्संख्याकानामुप-
निषदाम्
— अष्टोत्तरशतोपनिषदम्

उपनिष्क्रम्

Kaush. 2. 15. अथ दाक्षिणावृदुपनिष्क्रामति

1. उपनी

Kaush. 4. 19. प्रतिलोमरूपमेव तन्मन्ये
यत् क्षत्रियो ब्राह्मणमुप-
नयेत

Chhâ. 4. 4. 5. उप त्वा नेष्ये . . तमुपनीय

Praśna. 5. 3. तमृचो मनुष्यलोकमुपन-
यन्ते

Nṛip. 5. 10. अनुपनीतशतमेकमेकेनोप-
नीतेन तत्समम्
— उपनीतशतमेकम्

Śiras. 7. अनुपनीत उपनीतो भवति
Mahâ. 4.

2. उपनी (√इ)

Bṛih. 4. 3. 5. यत्र वागुच्चरत्युपैव तत्र
न्येति

उपपत्ति

Gauḍa. 3. 10. नोपपत्तिर्हि विद्यते

Gîtâ. 13. 9. इष्टानिष्टोपपत्तिषु

उपपद्

Gauḍa. 4. 53. द्रव्यत्वमन्यभावो वा ध-
र्माणां नोपपद्यते

Mukti. 1. 52. ब्रह्मचर्योपपन्नम्

Gîtâ. 2. 3. नैतत्त्वय्युपपद्यते
32. यदृच्छया चोपपन्नम्
6. 39. त्वदन्यः . . छेत्ता न ह्युपप-
द्यते
13. 18. मद्भावायोपपद्यते
18. 7. सन्न्यासः . . नोपपद्यते

उपपातक

Nâr. 5. पञ्चमहापातकोपपातकेभ्यः
प्रमुच्यते (some MSS.
read °पातकात्)

Kâlâg. 2. समस्तमहापातकोपपात-
केभ्यः

उपप्रे

Kena. 19. तदुपप्रेयाय सर्वजवेन 23.

उपबर्हण

Kaush. 1. 5. श्रीरुपबर्हणम्

उपभुज्

Chhâ. 4. 11. 2. उप वयं तं भुञ्ज्मः 4. 12.
2; 4. 13. 2.

उपभोक्तृ

Śwet. 5. 7. कृतस्य तस्यैव स चोपभो-
क्ता (one MS. has रसो°
for स चो°).

उपभोग

Maitri. 7. 11. सत्यानृतोपभोगार्थः

Parama. 1. स्वशरीरस्योपभोगार्थाय

उपमथ्

Chhâ. 5. 2. 4. सर्वौषधस्य मन्थं दधिमधु-
नोरुपमथ्य

उपमन्त्

Kaush. 2. 1. त एवैनमुपमन्त्रयन्ते 2.
— अन्नदास्त्वेवैनमुपमन्त्रयन्ते 2.

Chhâ. 2. 13. 1. उपमन्त्रयते स हिंकारः
5. 8. 1. यदुपमन्त्रयते स धूमः

Bṛih. 6. 2. 3. एनं वसत्योपमन्त्रयाञ्चक्रे
6. 4. 6. यशस्विनीमभिक्रम्योपमन्त्रयेत

उपमन्थनी

Bṛih. 6. 3. 13. औदुंबर्या उपमन्थन्यौ

उपमा

Maitri. 6. 22. सप्तविधेयं तस्योपमा

Gîtâ. 6. 19. सोपमा स्मृता

उपमास

Kaush. 1. 2. द्वादशत्रयोदशोपमासः (another reading is) ०शो मासः)

उपयम्

Bṛih. 1. 5. 21. मृत्युः श्रमो भूत्वोपयेमे

उपया

Mahânâr. 20. 8. उपयाम गृहीतो ऽसि 24. 1. (so Nârâyaṇa in both cases).
24. 1. भूयो न मृत्युमुपयाहि

Brahma. 1. यथा कुमारो निष्काम आनन्दमुपयाति

Gîtâ. 10. 10. येन मामुपयान्ति ते

उपयुज्

Aśrama. 2. कृषिगोरक्षवाणिज्यमगर्हितमुपयुञ्जानाः
— उञ्छवृत्तिमुपयुञ्जानाः

उपयोग

Maitri. 6. 36. अन्तर्बाण्डोपयोगात्

उपर

Praśna. 1. 11. इमे अन्य उपरे विचक्षणं ..आहुरर्पितम्

उपरम्

Bṛih. 3. 1. 10. ततो होताश्वल उपरराम
3. 2. 13. ततो ह जारत्कारव आर्तभाग उपरराम
3. 3. 2. ततो ह भुज्युर्लाह्यायनिरुपरराम
3. 4. 2. ततो होषस्तश्चाक्रायण उपरराम
3. 5. 1. ततो ह कहोलः कौषीतकेय उपरराम
3. 6. 1. ततो ह गार्गी वाचक्नव्युपरराम
3. 7. 23. ततो होद्दालक आरुणिरुपरराम
3. 8. 12. ततो ह वाचक्नव्युपरराम
4. 4. 23. शान्तो दान्त उपरतः

Nṛisut. 6. शान्ता दान्ता उपरताः

Parama. 3. इन्द्रियाणां गतिरुपरमते

Gîtâ. 2. 34. भयाद्रणादुपरतम्
6. 20. यत्रोपरमते चित्तम्
25. शनैः शनैरुपरमेत्

उपरम

Sarvop. 1. चतुर्दशकरणोपरमात्

उपरि

Chhâ. 8. 3. 2. उपर्युपरि सञ्चरन्तो न विन्देयुः

Bṛih. 5. 14. 3. एष रज उपर्युपरि तपति

Maitri. 4. 6. अतस्ताभिः सहैवोपर्युपरि लोकेषु चरति

Mahânâr. 11. 8. नाभ्यामुपरि तिष्ठति

Brahmav. 10. शिखा च दीपसङ्काशा कस्मिन्नुपरि वर्तते

Brahmav. 10. प्रणवस्योपरि स्थिता
Kshur. 12. पादस्योपरि मर्मृज्य
Dhyân. 15. उपर्युपरि चिन्तयेत्
Râmap. 88. उपर्युपर्यउमैरर्चितानि

उपरिष्टात्

Kaush. 2. 15. एत्य पुत्र उपरिष्टादभिनिपद्यते
Chhâ. 5. 2. 2. पुरस्ताच्चोपरिष्टाच्चाद्भिः परिदधाति
7. 25. 1. स उपरिष्टात्..अहमुपरिष्टात्
2. आत्मोपरिष्टात्
Maitri. 6. 9. अद्भिर्भूय एवोपरिष्टात्परिदधाति
Mahânâr. 24. 1. तपसोपरिष्टाज्ज्ञात्वा तम्
Nâr. 4. नारायणायेत्युपरिष्टात्

उपरिस्थ

Maitri. 2. 4. यो ह खलु वावोपरिस्थः श्रूयते

उपरुध्

Chhâ. 4. 6. 1. गा उपरुध्य 4. 7. 1; 4. 8. 1.
Kaṭha. 1. 21. मा मोपरौत्सीः

उपलक्ष्

Yogaśi. 4. मतिमानुपलक्षयेत्

उपलब्धि

Maitri. 6. 10. एवं प्रधानस्य व्यक्ततां गतस्योपलब्धिर्भवति
14. न विना प्रमाणेन प्रमेयस्योपलब्धिः
Gauḍa. 4. 24. संक्लेशस्योपलब्धेश्च

उपलब्धृ

Nṛisut. 9. अविकारो ह्युपलब्धा सर्वत्र

उपलभ्

Kaṭha. 6. 12. अन्यत्र कथं तदुपलभ्यते
13. अस्तीत्येवोपलब्धव्यः
— अस्तीत्येवोपलब्धस्य
Maitri. 4. 4. विद्यया तपसा चिन्तया चोपलभ्यते ब्रह्म
6. 8. स्वाच्छरीरादुपलभेतैनम्
Gauḍa. 3. 31. अमनीभावे द्वैतं नैवोपलभ्यते
Siras. 4. तिर्यगूर्ध्वमधस्ताच्चास्यान्तो नोपलभ्यते
— द्रुतमस्य रूपमुपलभ्यते
Sarvop. 1. शब्दादीन् विषयान् स्थूलान् यदोपलभते
— वासनामयान् शब्दादीन् यदोपलभते
3. अविशिष्टतयोपलभ्यमानः
Gîtâ. 15. 3. न रूपमस्येह तथोपलभ्यते

उपलम्भ

Gauḍa 4. 42. उपलम्भात् समाचारात् 44 (bis).
43. उपलम्भाद्धियन्ति ये
90. उपलम्भास्त्रिषु स्मृतः

उपलिप्

Śwet. 2. 14. यथैव बिंबं मृदयोपलिप्तम्
Gîtâ. 13. 32. आकाशं नोपलिप्यते
— तथात्मा नोपलिप्यते

उपवर्ण्

Gauḍa. 4. 14. कथं तैरुपवर्ण्यते

उपवस्

Muṇḍ. 1. 2. 11. तपःश्रद्धे ये ह्युपवसन्त्यरण्ये

उपवादिन्

Chhâ. 7. 6. 1. अल्पाः कलहिनः पिशुना उपवादिनः

उपविश्

Kaush. 2. 1. ग्रामं भिक्षित्वा ऽलब्ध्वोपविशेत् 2.

Chhâ. 2. 24. 3. उदङ्मुख उपविश्य 7, 11.

Mahânâr. 25. 1. यत्सञ्चरत्युपविशत्युत्तिष्ठते च स प्रवर्ग्यः

Mukti. 2. 43. उपविश्योपविश्य

Gitâ. 1. 47. रथोपस्थ उपाविशत्

6. 12. उपविश्यासने

उपवेशि

Bṛih. 6. 5. 3. अरुण उपवेशेः

— उपवेशिः कुश्रेः

उपव्याख्यान

Chhâ. 1. 1. 1. तस्योपव्याख्यानम्

1. 4. 1; 3. 19. 1; Mâṇḍû. 1; Nṛip. 4. 1; Nṛisut. 1; Râmot. 3.

10. इति खल्वेतस्याक्षरस्योपव्याख्यानं भवति

उपव्ये

Brahma. 3. उपवीतं च तन्मयम्

Aruṇeya. 2. उपवीतं शिखां . . विसृजेत्

4. पितरं पुत्रमभ्युपवीतम्

उपशम्

Chhâ. 2. 12. 1. उपशाम्यति स निधनम्

Maitri. 6. 34. स्वयोना उपशाम्यते (bis.)

— स्वयोना उपशान्तस्य मनसः

उपशम

Gauḍa. 1. 29. द्वैतस्योपशमः शिवः

Mukti. 2. 30. परमोपशमप्रदा

37. संकल्पोपशमे न तत्

उपशान्ततेजस्

Praśna. 3. 9. तेजो ह वै उदानस्तस्मादुपशान्ततेजाः

उपश्रि

Chhâ. 6. 8. 2. बन्धनमेवोपश्रयते

— प्राणमेवोपश्रयते

उपश्री

Kaush. 1. 5. उद्गीथ उपश्रीः

उपश्रु

Chhâ. 3. 13. 8. नदथुरिवाग्नेरिव ज्वलत उपशृणोति

4. 1. 5. तदु ह जानश्रुतिः पौत्रायण उपशुश्राव

Mahânâr. 9. 13. उप ब्रह्मा शृणवच्छस्यमानम्

उपसंश्लिष्टत्व

Maitri. 3. 3. अभिभूयत्ययं भूतात्मोपसंश्लिष्टत्वात्

उपसंहृ

Bṛih. 4. 4. 3. आत्मानमुपसंहरति (bis).

Nṛip. 2. 2. अनुष्टुभा सर्वमुपसंहृतम्

उपसंक्रम्

Tait. 2. 8. 1. एतमन्नमयमात्मानमुपसंक्रामति

— प्राणमयमात्मानमुपसंक्रामति

— मनोमयमात्मानमुपसंक्रामति

— विज्ञानमयमात्मानमुपसंक्रामति

— आनन्दमयमात्मानमुपसंक्रामति

3. 10. 5. एतमन्नमयमात्मानमुपसंक्रम्य, &c., as above.

उपसङ्क्रम्

Mukti. 1. सद्गुरुं विधिवदुपसङ्क्रम्य

Gîtâ. 1. 2. आचार्यमुपसङ्क्रम्य

उपसत्तृ

Chhâ. 7. 8. 1. परिचरन्नुपसत्ता भवति

1. उपसद्

Chhâ. 1. 11. 4. अथ हैनं प्रस्तोतोपससाद
6. अथ हैनमुद्गातोपससाद
8. अथ हैनं प्रतिहर्तोपससाद
6. 7. 2. अथ हैनमुपससाद 4.
6. 13. 1. मा प्रातरुपसीदथाः
2. अभिप्रास्यैनदथ मोपसीदथाः
7. 1. 1. उपससाद सनत्कुमारं नारदः
— यद्वेत्थ तेन मोपसीद
7. 8. 1. उपसीदन्द्रष्टा भवति
Muṇḍ. 1. 1. 3. अङ्गिरसं विधिवदुपसन्नः
1. 2. 13. तस्मै स विद्वानुपसन्नाय
Praśna. 1. 1. भगवन्तं पिप्पलादमुपसन्नाः
Mukti. 1. 52. अस्मा इमामुपसन्नाय

2. उपसद्

Mahânâr. 25. 1. यद्रमते तदुपसदः

उपसद

Chhâ. 3. 17. 2. तदुपसदैरेति

उपसदी

Bṛih. 6. 4. 24. अस्योपसद्यां मा छैत्सीत् प्रजया च पशुभिः

उपसद्वतिन्

Bṛih. 6. 3. 1. द्वादशाहमुपसद्वती भूत्वा

उपसमाधा

Kaush. 2. 3. अग्निमुपसमाधाय 15; Bṛih. 6. 3. 1; Nyása. 1.
Chhâ. 4. 6. 1. तत्राग्निमुपसमाधाय 4. 7. 1; 4. 8. 1.
6. 7. 5. तं तृणैरुपसमाधाय प्रज्वालयेत्
Chhâ. 6. 7. 6. सामिनोपसमाहिता प्राज्वालीत्
Bṛih. 6. 4. 12. आमपात्रे ऽग्निमुपसमाधाय
24. जाते ऽग्निमुपसमाधाय

उपसमि

Chhâ. 1. 12. 3. इहैव मा प्रातरुपसमीयात

उपसमे

Chhâ. 1. 12. 2. अन्ये श्वान उपसमेत्योचुः
Jâbâla. 4. अथ ह जनको वैदेहो याज्ञवल्क्यमुपसमेत्योवाच

उपसम्पद्

Chhâ. 6. 14. 2. गान्धारानेवोपसम्पद्येत
8. 3. 4. परं ज्योतिरुपसम्पद्य 8. 12. 2, 3; Maitri. 2. 2.

उपसरण

Chhâ. 1. 3. 8. उपसरणानीत्युपासीत

उपसिच्

Bṛih. 6. 3. 13. तान् पिष्टान् दधनि मधुनि घृत उपसिञ्चति

उपसृ

Chhâ. 1. 3. 12. आत्मानमन्तत उपसृत्य स्तुवीत
Tait. 3. 1. 1. वरुणं पितरमुपससार 3. 2. 1; 3. 3. 1; 3. 4. 1; 3. 5. 1.
Mahânâr 22. 1. प्रजापतिं पितरमुपससार

उपसृज्

Bṛih. 1. 3. 6. एता देवताः पाप्मभिरुपासृजन्

उपसृप्

Mahânâr. 22. 1. लोके धर्मिष्ठं प्रजा उपसर्पन्ति

उपसेचन

Kaṭha. 2. 25. मृत्युर्यस्योपसेचनम्

उपसेव्

Chhâ. 2. 22. 1. तान् सर्वानिवोपसेवेत
Gîtâ. 15. 9. विषयानुपसेवते

उपस्तरण

Kaush. 1. 5. सोमांशव उपस्तरणम्

उपस्थ

Kaush. 1. 7. केनानंदं रतिं प्रजातिमित्युपस्थेनेति
3. 5. उपस्थ एवास्या एकमंगमुदूल्हम्
6. प्रज्ञयोपस्थं समारुह्योपस्थेनानन्दं रतिं प्रजातिमाप्नोति
7. न हि प्रज्ञापेत उपस्थ आनंदं न रतिं न प्रजातिं कांचन प्रज्ञापयेत्
Chhâ 5. 8. 1. तस्या उपस्थ एव समित्
Bṛih. 6. 2. 13.
Bṛih. 2. 4. 11. सर्वेषामानन्दानामुपस्थ एकायनम् 4. 5. 12.
6. 4. 3. तस्या वेदिरुपस्थः
9. उपस्थमस्या अभिमृश्य
Tait. 3. 10. 3. प्रजातिरमृतमानन्द इत्युपस्थे
Praśna. 4. 8. उपस्थश्चानन्दयितव्यं च
Garbha. 1. उपस्थ आनन्दने

उपस्था

Kaush. 2. 7. कौषीतकिरुद्यंतमादित्यमुपतिष्ठते
— एवं विद्वानेतयैवावृतादित्यमुपतिष्ठते
8. पश्चाचंद्रमसं दृश्यमानमुपतिष्ठेत
9. पुरस्ताचंद्रमसं दृश्यमानमुपतिष्ठेत
Bṛih. 2. 2. 2. तमेताः सप्ताक्षितय उपतिष्ठन्ते
5. 14. 7. न हैवास्मै स काम ऋध्यते यस्मा एवमुपतिष्ठते
6. 3. 6. प्रातरादित्यमुपतिष्ठते
Maitri. 6. 37. अग्नौ प्रास्ताहुतिः सम्यगादित्यमुपतिष्ठते
Chûl. 20. पितॄणां चोपतिष्ठते
Nyâsa. 1. प्रेतस्य मन्त्रैः संस्कारोपतिष्ठते
— तैरेवोपतिष्ठते

उपस्थान

Bṛih. 5. 14. 7. तस्या उपस्थानम्

उपस्पर्शन

Kaṭhaśru. 1. कथं वास्योपस्पर्शनम् (bis).

उपस्पृश्

Bṛih. 1. 5. 3. पृष्ठत उपस्पृष्टो मनसा विजानाति
Prâṇâg. 2. उपस्पृश्य पुनरादाय पुनरुपस्पृशेत्

उपस्मृ

Kena. 30. अनेन चैतदुपस्मरत्यभीक्ष्णं संकल्पः

उपहत्नु

Nṛip. 2. 4. मृगं न भीममुपहत्नुमुग्रम्

उपहन्

Bṛih. 6. 4. 7. यष्ट्या वा पाणिना वोपहत्य
13. नैनां वृषलो न वृषल्युपहन्यात्
Gîtâ. 1. 38. लोभोपहतचेतसः
2. 7. कार्पण्यदोषोपहतस्वभावः
3. 24. उपहन्यामिमाः प्रजाः

उपहार

Nṛisut. 3. सम्पूज्योपहारैर्भर्तुर्धो

Mukti. 1. उपहारपाणयः

उपहास

Bṛih. 6. 4. 12. एवंविच्छ्रोत्रियस्य दारेण नोपहासमिच्छेत्

उपहितत्व

Sarvop. 2. उपहितत्वाज्जीव इत्युच्यते

उपहु

Gîtâ. 4. 25. यज्ञेनैवोपजुह्वति

उपहृ

Prâṇâg. 1. या त आयुरुपहरात् (=उपहरेत् Nârâyaṇa).

उपह्वे

Mahânâr. 4. 8. तामिहोपह्वये श्रियम्

उपांशु

Maitri. 2. 6. उपांशुरन्तर्याममभिभवत्यन्तर्याम उपांशुं च

Mahânâr. 9. 12. उपांशुना सममृतत्वमानट्

उपाकरण

Chhâ. 2. 24. 3. पुरा प्रातरनुवाकस्योपाकरणात्

7. पुरा माध्यन्दिनस्य सवनस्योपाकरणात्

8. पुरा तृतीयसवनस्योपाकरणात्

उपाकृ

Chhâ. 4. 16. 2. यत्रोपाकृते प्रातरनुवाके 4.

Bṛih. 4. 5. 1. अन्यद्वृत्तमुपाकरिष्यन्

उपाख्यान

Kaṭha. 3. 16. नाचिकेतमुपाख्यानम्

Maitri. 1. 1. तस्योपाख्यानम्

3. 2. अस्योपाख्यानम् 6. 10.

उपागम्

Maitri. 6. 30. अध्यवसायात्मबन्धमुपागतः

उपादा

Bṛih. 4. 4. 4. पेशसो मात्रामुपादाय

उपाधि

Tejo. 7. उपाधिरहितं स्थानम्

Sarvop. 3. सर्वोपाधिविनिर्मुक्तः

Mukti. 1. उपाधिविनिर्मुक्तघटाकाशवत् 2.

उपानह्

Nyâsa. 4. त्रिविष्टपमुपानही (3 MSS. have त्रिविष्टपमनामयम्); Kaṭhaśru. 4.

उपाप्

Tait. 1. 8. 1. ब्रह्मोपाप्नुवानीति ब्रह्मैवोपाप्नोति

उपाभिगद

Kaush. 2. 15. यद्यु वा उपाभिगदः स्यात् समासेनैव ब्रूयात्

उपाय

Muṇḍ. 3. 2. 4. एतैरुपायैर्यतते यस्तु विद्वान्

Gauḍa. 3. 15. उपायः सो ऽवताराय

42. उपायेन निगृह्णीयात्

Haṁsa. 1. ब्रह्मविद्याप्रबोधो हि केनोपायेन जायते

Mukti. 1. 26. केनोपायेन सिध्यति

2. 38. उपाय एक एवास्ति

Gîtâ. 6. 36. शक्यो ऽवाप्तुमुपायतः

उपायनकीर्त्ति

Bṛih. 6. 2. 7. स होपायनकीर्त्या उवाच

उपालभ्

Chhâ. 2. 22. 3. तं यदि स्वरेषूपालभेत
4. यद्येनमूष्मसूपालभेत
— यद्येनं स्पर्शेषूपालभेत

उपावसृप्

Bṛih. 4. 2 1. कूर्चादुपावसर्पन्

उपाश्रि

Kaṭha. 5. 5. यस्मिन्नेतावुपाश्रितौ
Gîtâ. 4. 10. मामुपाश्रिताः
14. 2. इदं ज्ञानमुपाश्रित्य
16. 11. चिन्तां..प्रलयान्तामुपाश्रि-
ताः
18. 57. बुद्धियोगमुपाश्रित्य

उपास्

Ait. 5. 1. को ऽयमात्मेति वयमुपा-
स्महे
Kaush. 2. 6. तदृगित्युपासीत (similarly
5 times more).
3. 2. मामायुरमृतमित्युपास्व
— स यो मामायुरमृतमित्यु-
पास्ते
3. तस्मादेतदेवोक्थमुपासीत
4. 3. तमेवाहमुपासे (16 times).
— अहमेतमुपासे (16 times).
— स यो हैतमेवमुपास्ते (16
times).
Kena. 4. तदेव ब्रह्म त्वं विद्धि नेदं य-
दिदमुपासते 5, 6, 7, 8.
31. तद्वनमित्युपासितव्यम्
Chhâ. 1. 1. 1. ओमित्येतदक्षरमुद्गीथमुपा-
सीत
7. अक्षरमुद्गीथमुपास्ते 8.
1. 2 2. ते ह नासिक्यं प्राणमुद्गीथ-
मुपासाञ्चक्रिरे (similarly
in 3, 4, 5, 6, 7).

Chhâ. 1. 2. 10. तं हांगिरा उद्गीथमुपासां-
चक्रे (similarly in 11.
12).
14. य एतदेवं विद्वानक्षरमुद्गीथ-
मुपास्ते
1. 3. 1. य एवासौ तपति तमुद्गी-
थमुपासीत
2. तस्माद्वा एतमिममम् चोद्गी-
थमुपासीत
3. व्यानमेवोद्गीथमुपासीत 5.
6. अथ खलूद्गीथाक्षराण्युपा-
सीत
7. य एतान्येवं विद्वानुद्गीथा-
क्षराण्युपास्ते
8. उपसरणानीत्युपासीत
1. 4. 1. ओमित्येतदक्षरमुपासीत
1. 5. 3. प्राणस्तमुद्गीथमुपासीत
1. 9. 2. परोवरीयांसमुद्गीथमुपास्ते
4. य एतमेवं विद्वानुपास्ते
2. 1. 4. य एतदेवं विद्वान् साधु
सामेत्युपास्ते
2. 2. 1. पञ्चविधं सामोपासीत 3. 1;
4. 1; 5. 1; 6. 1.
3. पञ्चविधं सामोपास्ते 3. 2;
4. 2; 5. 2; 6. 2.
2. 7. 1. पञ्चविधं परोवरीयः सामो-
पासीत
2. पञ्चविधं परोवरीयः सामो-
पास्ते
2. 8. 1. सप्तविधं सामोपासीत 9. 1;
10. 1.
3. सप्तविधं सामोपास्ते 9. 8;
10. 6.
2. 21. 4. सर्वमस्मीत्युपासीत तद्व्रतम्
3. 13. 1. तत्तेजो ऽन्नाद्यमित्युपासीत
2. श्रीश्च यशश्चेत्युपासीत
3. ब्रह्मवर्चसमन्नाद्यमित्युपा-
सीत

Chhâ. 3. 13. 4. कीर्त्तिश्च व्युष्टिश्चेत्युपासीत
5. ओजश्च महश्चेत्युपासीत
8. दृष्टं च श्रुतं चेत्युपासीत
3. 14. 1. शान्त उपासीत
3. 18. 1. मनो ब्रह्मेत्युपासीत
3. 19. 4. आदित्यं ब्रह्मेत्युपास्ते
4. 2. 2. अनु म एतां देवतां शाधि यां देवतामुपास्से
4. 3. 7. वयं ब्रह्मचारिन्निदमुपास्महे
4. 5. 3. चतुष्कलं पादं ब्रह्मणः प्रकाशवानित्युपास्ते
4. 6. 4. .. अनन्तवानित्युपास्ते
4. 7. 4. ....ज्योतिष्मानित्युपास्ते
4. 8. 4. ..आयतनवानित्युपास्ते
4. 11. 2. स य एतमेवं विद्वानुपास्ते 4. 12. 2; 4. 13. 2.
5. 10. 1. अरण्ये श्रद्धातप इत्युपासते
3. ग्राम इष्टापूर्त्ते दत्तमित्युपासते
5. 12. 1. कं त्वमात्मानमुपास्से 5. 13. 1; 5. 14. 1; 5. 15. 1; 5. 16. 1; 5. 17. 1.
— एष वै सुतेजा आत्मा वैश्वानरो यं त्वमात्मानमुपास्से (similarly 5 times more).
2. भवत्यस्य ब्रह्मवर्चसं कुले य एतमेवमात्मनं वैश्वानरमुपास्ते 5. 13. 2; 5. 14. 2; 5. 15. 2; 5. 16. 2; 5. 17. 2.
5. 18. 1. प्रादेशमात्रमभिविमानमात्मानमुपास्ते
5. 24. 5. एवं सर्वाणि भूतान्यग्निहोत्रमुपासते
7. 1. 4. नामैवैतन्नामोपास्व

Chhâ. 7. 1. 5. यो नाम ब्रह्मेत्युपास्ते (bis).
7. 2. 1. वाचमुपास्व
2. यो वाचं ब्रह्मेत्युपास्ते (bis).
7. 3. 1. मन उपास्व (similarly down to section 14).
2. यो मनो ब्रह्मेत्युपास्ते (and similarly in each section down to 14th).
8. 12. 6. ब्रह्मलोके..देवा आत्मानमुपासते
Bṛih. 1. 4. 7. यो ऽत एकैकमुपास्ते न स वेद
— आत्मेत्येवोपासीत
8. आत्मानमेव प्रियमुपासीत
— आत्मानमेव प्रियमुपास्ते
10. यो ऽन्यां देवतामुपास्ते
11. ब्राह्मणः क्षत्रियमधस्तादुपास्ते राजसूये
15. आत्मानमेव लोकमुपासीत स य आत्मानमेव लोकमुपास्ते
1. 5. 2. एतदुपास्ते न स पाप्मनो व्यावर्त्तते
13. यो हैतानन्तवत उपास्ते
— यो हैताननन्तानुपास्ते
2. 1. 2. आदित्ये पुरुष एतं..ब्रह्मोपासे
— अतिष्ठाः..राजेति..एतमुपासे
— एवमुपास्ते ऽतिष्ठाः..भवति
3. चन्द्रे पुरुष एतं..ब्रह्मोपासे
— सोमो राजेति..एतमुपासे
— एवमुपास्ते ऽहरहर्ह सुतः प्रसुतो भवति

Bṛih. 2. 1. 4. विद्युति पुरुष एतं . . ब्रह्मोपासे
— तेजस्वीति . . एतमुपासे
— एवमुपास्ते तेजस्वी ह भवति
5. आकाशे पुरुष एतं ब्रह्मोपासे
— पूर्णमप्रवर्तीति . . एतमुपासे
— एवमुपास्ते पूर्यते प्रजया
6. वायौ पुरुष एतं . . ब्रह्मोपासे
— इन्द्रो वैकुण्ठः . . एतमुपासे
— एवमुपास्ते जिष्णुर्ह . . भवति
7. अग्नौ पुरुष एतं . . ब्रह्मोपासे
— विषासहिरिति . . एतमुपासे
एवमुपास्ते विषासहिर्ह भवति
8. अप्सु पुरुष एतं . . ब्रह्मोपासे
— प्रतिरूप इति . . एतमुपासे
— एवमुपास्ते प्रतिरूपं हैवैनमुपगच्छति
9. आदर्शे पुरुष एतं . . ब्रह्मोपासे
— रोचिष्णुरिति . एतमुपासे
— एवमुपास्ते रोचिष्णुर्ह भवति
10. यन्तं पश्चाच्छब्दो ऽनूदेत्येतं . . ब्रह्मोपासे
— असुरिति . . एतमुपासे
— एवमुपास्ते सर्वं . . आयुरेति 12.
11. दिक्षु पुरुष एतं . . ब्रह्मोपासे
— द्वितीयो ऽनपग इति . . एतमुपासे
— एवमुपास्ते द्वितीयवान् ह भवति

Bṛih. 2. 1. 12. छायामयः पुरुष एतं . . ब्रह्मोपासे
—मृत्युरिति वा अहमेतमुपासे
13. आत्मनि पुरुष एतं . . ब्रह्मोपासे
— आत्मन्वीति . . एतमुपासे
— एवमुपास्त आत्मन्वीह भवति
4. 1. 2. प्रज्ञेत्येनदुपासीत
— देवो भूत्वा देवानप्येति य एवं विद्वानेतदुपास्ते 3—7.
3. प्रियमित्येनदुपासीत
4. सत्यमित्येनदुपासीत
5. अनन्त इत्येनदुपासीत
6. आनन्द इत्येनदुपासीत
7. स्थितिरित्येनदुपासीत
4. 4. 10. ये ऽविद्यामुपासते Iśâ. 9.
16. आयुर्होपासते ऽमृतम्
5. 5. 1. ते देवाः सत्यमेवोपासते
5. 8. 1. वाचं धेनुमुपासीत
6. 2. 15. ये चामी अरण्ये श्रद्धां सत्यमुपासते
6. 4. 2. तां सृष्ट्वाध उपास्त तस्मात् स्त्रियमध उपासीत
Iśâ. 12. ये ऽसंभूतिमुपासते
Tait. 1. 6. 2. इति प्राचीनयोग्योपास्व
1. 11. 2. यान्यस्माकं सुचरितानि तानि त्वयोपास्यानि नो इतराणि
4. एवमुपासितव्यमेवमु चैतदुपास्यम्
2. 2. 1. ये ऽन्नं ब्रह्मोपासते
2. 3. 1. ये प्राणं ब्रह्मोपासते
2. 5. 1. विज्ञानं . . ब्रह्मज्येष्ठमुपासते
3. 10. 3. तत्प्रतिष्ठेत्युपासीत . . तन्मह इत्युपासीत . . तन्मन इत्युपासीत

Tait. 3. 10. 4. तन्नम इत्युपासीत . . तद्ब्रह्मेत्युपासीत . . तद्ब्रह्मणः परिमर इत्युपासीत

Katha. 5. 3. विश्वे देवा उपासते

Swet. 6. 5. देवं स्वचित्तस्थमुपास्य

Maitri. 4. 4. अनेन त्रिकेण ब्रह्मोपास्ते

6. 2. एता उपासीतोमित्येतदक्षरेण

4. ओमित्यनेनैतदुपासीताजस्रम्

6. एतस्माद्भूर्भुवःस्वरित्युपासीतानेन हि प्रजापतिः . . उपासितो भवति

— तस्मादेषोपासीत (MM. proposes एतां for एषा).

12. अन्नमात्मेत्युपासीत

14. यः कालं ब्रह्मेत्युपासीत

16. कालसंज्ञमादित्यमुपासीत

23. सर्वापरत्वाय तदेता उपासीत

37. तस्मादोमित्यनेनैतदुपासीत 7. 11.

Mund.3. 2. 1. उपासते पुरुषं ये ह्यकामाः

Mahânâr. 8. 1. ब्रह्मैतदुपास्यैतत्तपः

10. 7. तस्मिन्यदन्तस्तदुपासितव्यम्

Praśna. 1. 9. इष्टापूर्ते कृतमित्युपासते

Nrip. 2. 4. विश्व उपासते प्रशिषं यस्य देवाः

Śiras. 5. तदेतदुपासीत

Nyâsa. 4. एतां वृत्तिमुपासीनाः (5 MSS. have उपासीत).

Kaṭhaśru. 4. एतां वृत्तिमुपासन्तः (so 4 MSS.; one has सेत).

Atmapra. 1. आत्मप्रबोधोपनिषदं मुहूर्तमुपासित्वा

Jâbâla. 2. सोऽविमुक्त उपास्यः (bis); Râmot. 4.

— एतद्वै सन्धिं सन्ध्यां ब्रह्मविद उपासते Râmot. 4.

4. तद्ब्रह्मैतदुपासितव्यम्

Gopî. 5. गोपीचन्दनलिप्ताङ्गं पुरुषं य उपासते

— सन्मुखास्तानुपासते

Râmot. 2. इत्युपासितव्यम्

— तदेवोपास्यमिति ज्ञेयम्

Gîtâ. 9. 14. नित्ययुक्ता उपासते 12. 2.

15. यजन्तो मामुपासते

12. 6. मां ध्यायन्त उपासते

13. 25. श्रुत्वान्येभ्य उपासते

उपासक

Râmap. 7. उपासकानां कार्यार्थम्

उपासन, °ना

Kaush. 2. 7. कौषीतकेस्त्रीण्युपासनानि भवन्ति

Chhâ. 2. 1. 1. समस्तस्य खलु साम्न उपासनं साधु

Gauḍa. 3. 16. उपासनोपदिष्टेयम्

Parama. 3. न ध्यानं नोपासनं च

Mukti. 1. 25. मदुपासनया भवेत्

1. न कर्मसांख्ययोगोपासनादिभिः

उपासनाश्रित

Gauḍa. 3. 1. उपासनाश्रितो धर्मः

उपासा

Muṇḍ. 2. 2. 3. शरं ह्युपासानिशितं सन्धीयत

उपे

Kaush. 1. 1. उपायानीति 4. 19.

— यो न मानमुपागाः

4. तस्य प्रिया ज्ञातयः सुकृतमुपयन्ति

Chhâ. 2. 1. 2. साध्वेनमुपागादिति साधुनैनमुपागात्
— असाध्वेनमुपागादित्यसाधुनैनमुपागादिति
4. 4. 3. उपेयां भगवन्तमिति
6. 1. 2. स ह द्वादशवर्ष उपेत्य
Brih. 2. 1. 14. उप त्वायानीति
15. प्रतिलोमं वै तद्यद् ब्राह्मणः क्षत्रियमुपेयात्
6. 2. 7. उपैम्यहं भवन्तमिति वाचा ह स्म वै पूर्व उपयन्ति
Katha. 1. 28. अजीर्यताममृतानामुपेत्य
Maitri. 1. 2. वैराग्यमुपेतो ऽरण्यं निर्जगाम
3. 3. नानात्वमुपैति (bis).
4. 1. आत्मन्येव सायुज्यमुपैति 4.
6. 9. अमृतत्वं न पुनरुपैति
14. प्रमेयो ऽपि प्रमाणतां पृथक्त्वादुपैति
Mund. 3. 1. 3. परमं साम्यमुपैति
3. 2. 8. परात्परं पुरुषमुपैति दिव्यम्
Praśna. 1. 2. कबन्धी कात्यायन उपेत्य पप्रच्छ
6. 1. मामुपेत्यैतं प्रश्नमपृच्छत
Brahma. 1. परं ब्रह्मधाम क्षेत्रज्ञमुपैति
Nyâsa. 2. दीक्षामुपेयात् Kaṭhaśru. 4.
Gîtâ. 6. 27. उपैति शान्तरजसम्
37. अयतिः श्रद्धयोपेतः
8. 10. स तं परं पुरुषमुपैति दिव्यम्
15. मामुपेत्य पुनर्जन्म .. नाप्नुवन्ति
16. मामुपेत्य तु कौन्तेय
28. योगी परं स्थानमुपैति चाद्यम्
9. 28. विमुक्तो मामुपैष्यसि
12. 2. श्रद्धया परयोपेताः

उपेक्ष्

Nṛisut. 7. स यदेतत् सर्वमुपेक्षते

उपोत्था

Brih. 3. 8. 2. द्वौ बाणवन्तौ .. हस्ते कृत्वोपोत्तिष्ठेदेवमेवाहं त्वां द्वाभ्यां प्रश्नाभ्यामुपोदस्थाम्

उपोद्गृह्

Chhâ. 4. 2. 5. तस्या ह मुखमुपोद्गृह्णन्

उपोपविश्

Chhâ. 1. 10. 8. उद्गातॄनास्तावे स्तोष्यमाणानुपोपविवेश
4. 1. 8. सोऽधस्ताच्छकटस्य पामानं कषमाणमुपोपविवेश
4. 6. 1. पश्चादग्नेः प्राङुपोपविवेश 4. 7. 1; 4. 8. 1.

उभ

Kaush. 1. 1. एष्युभौ गमिष्यावः
2. 13. यदि ह वा एवंविद्वांसमुभौ पर्वतावभिप्रवर्तेयाताम्
Chhâ. 1. 1. 10. तेनोभौ कुरुतः
1. 7. 7. उभौ स गायति
4. 16. 4. उभे एव वर्त्तनी संस्कुर्वन्ति
5. रथो वोभाभ्यां चक्राभ्यां वर्त्तमानः
7. 12. 1. सूर्य्याचन्द्रमसावुभौ 8. 1. 3.
8. 1. 3. उभे अस्मिन् द्यावापृथिवी .. उभावग्निश्च वायुश्च
8. 3. 5. यद्यं तेनोभे यच्छति यदनेनोभे यच्छति तस्माद्यम्
8. 6. 2. महापथ आतत उभौ ग्रामौ गच्छति .. आदित्यस्य रश्मय उभौ लोकौ गच्छन्ति
8. 8. 4. उभौ लोकाववाप्नोति

Bṛih. 3. 5. 1. उभे ह्येते एषणे एव भवतः
4. 4. 22.
4. 3. 7. उभौ लोकावनुसञ्चरति
9. उभे स्थाने पश्यति
18. उभे कूले ऽनुसञ्चरति..
उभावन्तावनुसञ्चरति
4. 4. 22. उभे उ हैवैष एते तरति
Tait. 2. 9. 1. उभे ह्येवैष एते आत्मानं स्पृणुते य एवं वेद
Kaṭha. 1. 12. उभे तीर्त्वाशनायापिपासे
2. 1. उभे नानार्थे पुरुषं सिनीतः
19. उभौ तौ न विजानीतः
Gîtâ. 2. 19.
25. उभे भवत ओदनम्
4. 4. उभौ येनानुपश्यति
6. 13. तत्त्वभावेन चोभयोः
Maitri. 7. 11. तेजस्तत्..उभयोस्तयोः
Mahânâr. 1. 9. स आपः प्रदुघे उभे इमे अन्तरिक्षमथो सुवः
16. 5. मेधां मे अश्विनावुभावाधत्ताम्
Praśna. 3. 7. उभाभ्यामेव मनुष्यलोकं (नयति)
Gauḍa. 1. 13. उभयोः प्राज्ञतुर्ययोः
2. 11. उभयोरपि..स्थानयोः
4. 67. उभे ह्यन्योन्यदृश्ये ते
Garbha. 3. उभयोर्बीजतुल्यत्वाच्चपुंसकम्
Nila. 12. उभाभ्यां..बाहुभ्याम्
13. उभयो राज्ञोर्ज्याम्
Haṁsa. 2. अग्निश्चोभे पार्श्वे भवतः
Mukti. 2. 67. उभयोरन्तरं ज्ञात्वा
Gîtâ. 1. 21. सेनयोरुभयोर्मध्ये 24; 2. 10.
27. सेनयोरुभयोरपि
2. 16. उभयोरपि दृष्टो ऽन्तः
50. उभे सुकृतदुष्कृते
5. 2. निःश्रेयसकरावुभौ

Gîtâ. 5. 4. उभयोर्विन्दते फलम्
13. 19. अनादी उभावपि

उभय

Chhâ. 1. 2. 1. उभये प्राजापत्याः
2. तस्मात्तेनोभयं जिघ्रति (similarly in 3–6).
3. 18. 1. इत्युभयमादिष्टम् 2.
8. 7. 2. तद्धोभये देवासुरा अनुबुबुधिरे
Bṛih. 1. 4. 6. तस्मादेतदुभयमलोमकमन्तरतः
14. एतद्धैवैतदुभयं भवति
4. 1. 1. उभयमेव सम्राडिति होवाच
4. 3. 9. उभयान् पाप्मन आनन्दांश्च पश्यति
Iśâ. 11. यस्तद्वेदोभयं सह 14; Maitri. 7. 9.
Śwet. 1. 13. तद्वोभयं वै प्रणवेन देहे
Maitri. 6. 9. एष उभयात्मैवंवित्
Gauḍa. 1. 5. वेदैतदुभयं यस्तु
4. 67. लक्षणाशून्यमुभयम्
Haṁsa. 2. शिष्टोभयपार्श्वे भवतः
Râmap. 13. सोभयस्यास्य देवस्य

उभयतस्

Bṛih. 5. 5. 1. एतदनृतमुभयतः सत्येन परिगृहीतम्
Nṛip. 2. 2. प्रत्यक्षरमुभयत ओङ्कारो भवति

उभयतःप्रज्ञ

Mâṇḍû. 7. नान्तःप्रज्ञं न बहिःप्रज्ञं नोभयतःप्रज्ञम् Râmot. 3.
Nṛip. 4. 1. न बहिःप्रज्ञं नान्तःप्रज्ञं नोभयतःप्रज्ञम्
Nṛisut. 1. न स्थूलप्रज्ञं न सूक्ष्मप्रज्ञं नोभयतःप्रज्ञम्

उभयत्व

Mâṇḍû. 10. उत्कर्षादुभयत्वाद्वा
Nṛisut. 2.
Gauḍa. 1. 20. स्यादुभयत्वं तथाविधम्

उभयथा

Gauḍa. 3. 18. तेषामुभयथा द्वैतम्

उभयपद्

Chhâ. 4. 16. 5. स यथोभयपाद् व्रजन्

उभयविभ्रष्ट

Gîtâ. 6. 38. कच्चिन्नोभयविभ्रष्टः

उभयोष्ठवर्जित

Amṛita. 24. अरेफजातमुभयोष्ठवर्जितम्

उमा

Kena. 25. उमां हैमवतीम्

उमापति

Mahânâr. 13. 4. उमापतये नमोनमः
Nṛip. 1. 6. उमापतिं पशुपतिम्

उमासहाय

Kaivalya. 7. उमासहायं परमेश्वरं प्रभुम्

उरग

Maitri. 1. 4. *vide* आदि
7. 6. *Ditto.*
8. *Ditto.*
Gîtâ. 11. 15. उरगांश्च दिव्यान्

उरस्

Chhâ. 5. 18. 2. उर एव वेदिः
Bṛih. 1. 2. 3. इयमुरः
Maitri. 7. 11. मारुतस्तूरासि चरन्
Mahânâr. 25. 1. उरो वेदिः
Kshur. 4. उरोमुखकटिग्रीवम्

उरु

Nṛip. 2. 4. यस्योरुषु त्रिषु विक्रमणे ष्वधि

उरुक्रम

Tait. 1. 1. 1. शं नो विष्णुरुरुक्रमः
1. 12. 1.

उरुगाय

Kaṭha. 2. 11. स्तोममहदुरुगायम्

उरुगायवन्त्

Chhâ. 7. 12. 2. लोकान्..असंबाधानुरुगायवतोऽभिसिध्यति

उर्वी

Mahânâr. 6. 4. पृथ पृथ्वी बहुला न उर्वी
13. 7. उर्वी पृथ्वी बहुला विश्वा

उलूलु

Chhâ. 3. 19. 3. घोषा उलूलवोऽनूदतिष्ठन्
— घोषा उलूलवोऽनूत्तिष्ठन्ति

उल्का

Amṛita. 1. उल्कावन्नान्यथोत्सृजेत्
(so Nârâyaṇa, but 2 MSS. उल्कावत्ता°)

उल्व

Chhâ. 3. 19. 2. यदुल्वं स मेघो नीहारः
5. 9. 1. स उल्वावृतो गर्भः
Gîtâ. 3. 38. यथोल्वेनावृतो गर्भः

उशनस्

Gîtâ. 10. 37. कवीनामुशना: कविः

उशीनर

Kaush. 4. 1. सोऽवसदुशीनरेषु

उष्

Bṛih 1. 4. 1. सर्वान्पाप्मन औषत्
—ओषति ह वै स तम्

उषस्

Bṛih. 1. 1. 1. उषा वा अश्वस्य मेध्यस्य शिरः

6. 3. 6. मधु नक्तमुतोषसः Mahânâr 9. 9; 17. 7.

उषस्त, उषस्ति

Chhâ. 1. 10. 1. उषस्तिर्ह चाक्रायणः

1. 11. 1. उषस्तिरस्मि चाक्रायणः

Bṛih. 3. 4. 1. उषस्तश्चाक्रायणः 2.

उष्ण

Chhâ. 1. 3. 2. उष्णो ऽयमुष्णो ऽसौ

Garbha. 1. यदुष्णं तत्तेजः

Parama. 2. न शीतं न चोष्णम्

उष्णिमन्

Chhâ. 3. 13. 7. उष्णिमानं संस्पर्शेन विजानाति

उष्मप

Gitâ. 11. 22. विश्वे ऽश्विनौ मरुतश्चोष्मपाश्च

ऊकार

Chhâ. 1. 13. 2. आदित्य ऊकारः

ऊति

Mahânâr. 20. 4. मघवञ्छग्धि तव तन्न ऊतिभिः

6. ऊर्ध्व ऊ षु ण ऊतये तिष्ठा

ऊरु

Bṛih. 6. 4. 21. अथास्या ऊरू विहापयति

Kshur. 7. द्वे जानुनि तथोरुभ्याम्

14. ऊरोर्मध्ये तु संस्थाप्य

ऊरुच्छिन्न

Kaush. 3. 3. जीवत्युरुच्छिन्न इत्येवं हि पश्यामः

ऊर्ज

Bṛih. 1. 5. 1. स ऊर्जमुपजीवति 2.

Siras. 5. ऊर्जेन पशवो ऽनुनामयन्तं मृत्युपाशान्

—शाश्वतेन वै पुराणेन.. ऊर्जेन

Prâṇâg. 1. ऊर्जं नो धेहि

ऊर्जित

Gitâ. 10. 41. श्रीमदूर्जितमेव वा

ऊर्जस्वन्त्

Maitri. 6. 24. आदित्यवर्णमूर्जस्वन्तं ब्रह्म

Mahânâr. 16. 7. ऊर्जस्वती पयसा पिन्वमाना

ऊर्णनाभ

Swet. 6. 10. यस्तूर्णनाभ इव तन्तुभिः (2 MSS. have तन्तुनाभः)

ऊर्णनाभि

Bṛih. 2. 1. 20. यथोर्णनाभिस्तन्तुनोच्चरेत्

Maitri. 6. 22. यथोर्णनाभिस्तन्तुनोर्ध्वमुत्क्रान्तः

Muṇḍ. 1. 1. 7. यथोर्णनाभिः सृजते गृह्णते च

Brahma. 3. ऊर्णनाभिर्यथा तन्तून्

ऊर्णनाभी

Kshur. 9. ऊर्णनाभीव तन्तुना

ऊर्ध्व

Ait. 4. 6. शरीरभेदादूर्ध्व उत्क्रम्य

Chhâ. 1. 4. 3. ऊर्ध्वा ऋचः साम्नो यजुषः

2. 2. 1. इत्यूर्ध्वेषु

Chhâ. 2. 2. 3. कल्पन्ते हास्मै लोका ऊर्ध्वाश्चावृत्ताश्च
2. 9. 6. यदूर्ध्वं मध्यन्दिनात्प्रागपराह्णात्स प्रतिहारः
7. यदूर्ध्वमपराह्णात्प्रागस्तमयात्स उपद्रवः
3. 5. 1. ये ऽस्योर्ध्वा रश्मयस्ता एवास्योर्ध्वा मधुनाड्यः
3. 10. 4. द्विस्तावदूर्ध्वमुदेता
3. 11. 1. तत ऊर्ध्व उदेत्य नैवोदेता नास्तमेता
3. 13. 5. ऊर्ध्वः सुषिः स उदानः
6. 6. 1. यो ऽणिमा स ऊर्ध्वः समुदीषति 2, 3, 4.
7. 1. 1. ततस्त ऊर्ध्वं वक्ष्यामि
7. 11. 1. ऊर्ध्वाभिश्च तिरश्चीभिश्च विद्युद्भिः
8. 6. 5. रश्मिभिरूर्ध्व आक्रमते
6. तयोर्ध्वमायन्नमृतत्वमेति Katha. 6. 16.

Brih. 3. 8. 3. यदूर्ध्वं . . दिवः 4, 6, 7.
4 2. 3. यैषा हृदयादूर्ध्वा नाड्युच्चरति
4. ऊर्ध्वा दिगूर्ध्वाः प्राणाः
4. 3. 14. अत ऊर्ध्वं विमोक्षाय ब्रूहि 15, 16, 33.
4. 4. 8. इत ऊर्ध्वा विमुक्ताः
5. 10. 1. तेन स ऊर्ध्व आक्रमते (ter).

Katha. 5. 3. ऊर्ध्वं प्राणमुन्नयति

Swet. 4. 19. नैनमूर्ध्वं . . परिजग्रभत् Mahânâr. 1. 10.
5. 4. सर्वा दिश ऊर्ध्वमधश्च तिर्यक्

Maitri. 2. 2. उच्छ्वासाविष्टंभनेनोर्ध्वमुत्क्रान्तः
6. य ऊर्ध्वमुत्क्रामत्येष वाव स प्राणः

Maitri. 3. 1. अवाच्योर्ध्वा वा गतिः 2 (bis).
6. 17. ऊर्ध्वं चावाङ् च सर्वतो ऽनन्तः
— तिर्यग्वावाङ् वोर्ध्वं वा
21. तया . . ऊर्ध्वमुत्क्रमेत्
22. अनेनोर्ध्वमुत्क्रान्तो ऽशब्दे निधनमेति
— तन्तुनोर्ध्वमुत्क्रान्तः
— ओमित्यनेनोर्ध्वमुत्क्रान्तः
30. ऊर्ध्वेन विनिर्यतः
— ऊर्ध्वमेकः स्थितस्तेषाम्
— ऊर्ध्वमेव व्यवस्थितम्
7. 5. ऊर्ध्वा उद्यन्ति

Muṇḍ. 2. 2. 11. अधश्चोर्ध्वं च प्रसृतम्

Mahânâr. 11. 11. अणीयोर्ध्वा व्यवस्थिता Mahâ. 3; Vâsu. 3.
20. 6. ऊर्ध्व ऊ षु ण ऊतये तिष्ठा
— ऊर्ध्वो वाजस्य सनिता

Praśna. 1. 6. यदूर्ध्वं . . . प्रकाशयति
2. 4. ऊर्ध्वमुत्क्रामत इव
3. 7. एकयोर्ध्व उदानः . . नयति

Śiras. 1. अधश्चोर्ध्वश्चाहम्
4. प्राणानूर्ध्वमुत्क्रामयति
— तिर्यगूर्ध्वमधस्ताच्चास्यान्तो नोपलभ्यते
6. येन रुद्रेण जगदूर्ध्वं धारितम्
— मस्तिष्कादूर्ध्वः प्रैरयत्

Śikhâ. 1. प्राणान् . . ऊर्ध्वमुत्क्रामन्प्रतीत्योङ्कारः

Amṛita. 21. नातिमूर्ध्वमतिक्रमः
22. तिर्यगूर्ध्वमधो दृष्टिं विनिधार्य

Nyâsa. 5. ऊर्ध्वं प्रपद्यते देहात्

Kaṭhaśru. 3. अत ऊर्ध्वमनशनम्

Aruṇeya. 2. अत ऊर्ध्वममंत्रवदाचरेत्
4. उपनयनादूर्ध्वं . . प्राग्वा

Aruṇeya. 4. ऊर्ध्वं वैणवं दण्डं . . परिमहेत्
Nâr. 2. ऊर्ध्वं च नारायणः
Aśrama. 1. उपनयनादूर्ध्वं त्रिरात्रम्
Vâsu. 2. पुण्ड्रास्त्रय ऊर्ध्वाः
3. ऊर्ध्वं पदमवाप्नोति
Râmap. 59. द्वितीयान्तं च तस्योर्ध्वम्
85. पीठाधरोर्ध्वम्
Mukti. 2. 74. पुरस्तिरश्चोर्ध्वमधश्च
Gîtâ. 12. 8. अत ऊर्ध्वं न संशयः
14. 18. ऊर्ध्वं गच्छन्ति सत्त्वस्थाः
15. 1. अधश्चोर्ध्वं प्रसृतास्तस्य शाखाः

ऊर्ध्वक

Nyâsa. 3. ऊर्ध्वको बाहुर्विमुक्तमार्गः (Nârâyaṇa reads ऊर्ध्वगोपायुः and gives this as variant.)

ऊर्ध्वग

Maitri. 6. 21. ऊर्ध्वगा नाडी सुषुम्नाख्या

ऊर्ध्वगमन

Aruṇeya. 2. ऊर्ध्वगमनं विसृजेत्

ऊर्ध्वगोपायु

Nyâsa. 3. ऊर्ध्वगोपायुर्विमुक्तमार्गः (so Nârâyaṇa with ऊर्ध्वको बाहुः as variant); Kaṭhaśru. 4.

ऊर्ध्वचतुष्कवन्त्

Vâsu. 3. यतिरूर्ध्वचतुष्कवान्

ऊर्ध्वदण्डिन्

Vâsu. 3. ऊर्ध्वदण्ड्यूर्ध्वरेताः

ऊर्ध्वद्वार

Amṛita. 26. ऊर्ध्वद्वारमतः परम्

ऊर्ध्वनाल

Dhyâna. 14. ऊर्ध्वनालमधोमुखम्
Yogat. 9. ऊर्ध्वनालमधोबिन्दुम्

ऊर्ध्वपवित्र

Tait. 1. 10. 1. ऊर्ध्वपवित्रो वाजिनीव स्वमृतमस्मि

ऊर्ध्वपुण्ड्र

Vâsu. 2. एकमूर्ध्वपुण्ड्रं वा धारयेत्
3. हृदयस्थोर्ध्वपुण्ड्रमध्ये
— ऊर्ध्वपुण्ड्रं विधीयते

ऊर्ध्वपुण्ड्रत्रय

Vâsu. 2. एते सर्वे प्रणवमयोर्ध्वपुंड्रत्रयात्मकाः

ऊर्ध्वपुण्ड्रविधि

Vâsu. 1. ऊर्ध्वपुण्ड्रविधिं . . मे ब्रूहीति

ऊर्ध्वपुण्ड्रिन्

Vâsu. 3. ऊर्ध्वपुण्ड्र्यूर्ध्वयोगवित्

ऊर्ध्वपूर्ण

Mukti. 2. 56. ऊर्ध्वपूर्णमधःपूर्णम्

ऊर्ध्वबाहु

Maitri. 1. 2. ऊर्ध्वबाहुस्तिष्ठति
Śiras. 1. ते देवा ऊर्ध्वबाहवो रुद्रं स्तुवन्ति

ऊर्ध्वबुध्न

Bṛih. 2. 2. 3. अर्वाग्बिलश्चमस ऊर्ध्वबुध्नः (ter).

ऊर्ध्वभाज्

Maitri. 4. 3. अनेनोर्ध्वभाग्भवति

ऊर्ध्वमूल

Kaṭha. 6. 1. ऊर्ध्वमूलो ऽवाक्शाखः
Maitri. 6. 4. ऊर्ध्वमूलं त्रिपाद्ब्रह्म

Gîtâ. 15. 1. ऊर्ध्वमूलमधःशाखम्

ऊर्ध्वयोगविद्

Vâsu. 3. ऊर्ध्वपुण्ड्रचूर्ध्वयोगवित्

ऊर्ध्वरेत, तस्

Maitri. 2. 3. ऊर्ध्वरेतसो वालखिल्याः
4. गुणेष्विवोर्ध्वरेतसः
4. 1. ऊर्ध्वरेतसो ऽतिविस्मिताः
Mahânâr. 12. 1. ऊर्ध्वरेतं विरूपाक्षम् Nṛip. 1. 6.
Vâsu. 3. ऊर्ध्वदण्डचूर्ध्वरेताः

ऊर्ध्ववायु

Yogat. 14. ऊर्ध्ववायुविमोक्षणे

ऊर्ध्वोच्छ्वासिन्

Bṛih. 4. 3. 35. यत्रैतदूर्ध्वोच्छ्वासी भवति 38.

ऊर्मि

Śwet. 1. 5. पञ्चप्राणोर्मिम्
Maitri. 4. 2. महानदीषूर्मय इव
Mahânâr. 9. 12. समुद्रादूर्मिर्मधुमाँ उदारत्
Râmap. 63. विलिखेदूर्मिसंख्यया

ऊवध्य

Bṛih. 1. 1. 1. ऊवध्यं सिकताः

ऊष्मन्

Chhâ. 2. 22. 3. सर्व ऊष्माणः प्रजापतेरात्मानः
4. यद्येनमूष्मसूपालभेत
5. सर्व ऊष्माणो ऽग्रस्ता अनिरस्ता विवृत्ता वक्तव्याः

ऊहन

Amṛita. 16. आगमस्याविरोधेन ऊहनम्

ऋ

Kaush. 3. 8. तद्यथा रथस्यारेषु नेमिरर्पितो नाभावरा अर्पिता एवमेवैता भूतमात्राः प्रज्ञामात्रास्वर्पिताः प्रज्ञामात्राः प्राणे ऽर्पिताः
Chhâ. 1. 2. 7. तं हासुरा ऋत्वा विदध्वंसुर्यथाश्मानमाखणमृत्वा विध्वंसेत
8. यथाश्मानमाखणमृत्वा विध्वंसते
4. 1. 7. यत्रारे ब्राह्मणस्यान्वेषणा तदेनमृच्छेति
Bṛih. 1. 3. 7. यथाश्मानमृत्वा लोष्टो विध्वंसेत
1. 4. 11. स्वां स योनिमृच्छति
Kaṭha. 4. 9. तं देवाः सर्वे ऽर्पिताः
Swet. 1. 16. क्षीरे सर्पिरिवार्पितम् Brahma. 3 (MSS. have अन्वितम्)
Maitri. 6. 4. प्रस्तुता अश्रिता अर्पिता भवन्ति
Praśna. 1. 11. सप्तचक्रे षडर आहुरर्पितम्
Dhyâna. 9. पुष्पे गन्धमिवार्पितम्
Kṛish. 3. शश्वत्स्पर्शार्पिते ऽस्माकम्
Gîtâ. 2. 72. ब्रह्मनिर्वाणमृच्छति
5. 29. ज्ञात्वा मां शान्तिमृच्छति

ऋक्ष

Maitri. 6. 16. *vide* आदि

ऋग्यजुःसामाथर्वरूप

Nṛip. 1. 4. ऋग्यजुःसामाथर्वरूपः सूर्यः

ऋग्वेद

Chhâ. 1. 3. 7. ऋग्वेदस्थम्
3. 1. 2. ऋग्वेद एव पुष्पम्
3. एता ऋच एतमृग्वेदमभ्यतपन्

Chhâ. 3. 15. 7. ऋग्वेदं प्रपद्ये
7. 1. 2. ऋग्वेदं भगवो ऽध्येमि
4. नाम वा ऋग्वेदः
7. 2. 1. वाग्वा ऋग्वेदं विज्ञापयति
7. 7. 1. विज्ञानेन वा ऋग्वेदं विजानाति
Brih. 1. 5. 5. वागेवर्ग्वेदः
2. 4. 10. ऋग्वेदो यजुर्वेदः सामवेदः 4. 1. 2 ; 4. 5. 11; Maitri. 6. 32 ; Muṇḍ. 1. 1. 5.
Nṛip. 2. 1. सऋग्भिः ऋग्वेदः Nṛisut. 3 ; Sikhâ. 1.
Brahmav. 5. ऋग्वेदो गार्हपत्यश्च
Mahâ. 3. गायत्रं छन्द ऋग्वेदः
Kâlâg. 2. प्रथमा रेखा सा . . ऋग्वेदः
Mukti. 1. 11. ऋग्वेदादिविभागेन
1. 12. ऋग्वेदस्य तु शाखाः स्युः
1. ऋग्वेदगतानां . . उपनिषदाम्

ऋङ्मय

Kaush. 2. 6. यजुर्मयं ऋङ्मयं ऋङ्मये साममयं (प्रवयति)
Nṛip. 5. 2. ऋङ्मयं यजुर्मयं साममयम्

ऋङ्मूर्त्ति

Kaush. 1. 7. सामशिरा असावृङ्मूर्त्तिः

ऋच्

Kaush. 1. 5. ऋचश्च सामानि च प्राचीनातानानि
2. 6. तदृगित्युपासीत
8. एतास्तिस्र ऋचो जपित्वा
Chhâ. 1. 1. 2. वाच ऋग्रस ऋचः साम रसः
4. कतमा कतमर्क्
5. वागेवर्क् प्राणः साम
— वाक् च प्राणश्चर्क् च साम च
Chhâ. 1. 3. 4. या वाक् सर्क् तस्मादप्राणन्ननपानन्नृचमभिव्याहरति यर्क् तत्साम
9. यस्यामृचि तामृचं . . उपधावेत्
1. 4. 3. तानु तत्र मृत्युः . . पर्यपश्यदृचि साम्नि यजुषि
— ते नु विदित्वोर्ध्वा ऋचः साम्नो यजुषः
4. यदा वा ऋचमाप्नोत्योमित्येवातिस्वरति
1. 6. 1. इयमेवर्गग्निः साम
— तदेतदेतस्यामृच्यध्यूढं साम तस्मादृच्यध्यूढं साम गीयते 2, 3, 4, 5.
2. अन्तरिक्षमेवर्क्
3. द्यौरेवर्क्
4. नक्षत्राण्येवर्क्
5. यदेतदादित्यस्य शुक्लं भाः सैवर्क्
8. तस्यर्क् च साम च गेष्णौ
1. 7. 1. वागेवर्क्
2. चक्षुरेवर्क्
3. श्रोत्रमेवर्क्
4. यदेतदक्ष्णः शुक्लं भाः सैवर्क्
5. य एषो ऽन्तरक्षिणि पुरुषो दृश्यते सैवर्क्
3. 1. 2. ऋच एव मधुकृतः
3. एता ऋच एतमृग्वेदमभ्यतपन्
3. 12. 5. तदेतदृचाभ्यनूक्तम्
3. 17. 6. तत्रैते द्वे ऋचौ भवतः
4. 17. 2. अग्नेर्ऋचः
3. भूरित्यृग्भ्यः
4. तद्यदृक्तो रिष्येत् . . ऋचामेव तद्रसेनर्चां वीर्येणर्चां यज्ञस्य विरिष्टं संदधाति

Chhā. 5. 2. 7. एतयर्चा पच्छ आचामति
6. 7. 2. ऋचः सोम्य यजूंषि सामानीति
Brih. 1. 2. 5. ऋचो यजूंषि सामानि 5. 14. 2; Praśna. 2. 6.
3. 1. 7. कतिभिः..ऋग्भिः..करिष्यति
4. 4. 23. तदेतदृचाभ्युक्तम् Mund. 3 2. 10; Praśna. 1. 7; Nrip. 4. 2; 5. 2, 10; Mukti. 1. 51; 2. 77.
6. 4. 20. सामाहमस्मि ऋक्त्वम्
Tait. 1. 5. 2. भूरिति वा ऋचः
2. 3. 1. ऋग्दक्षिणः पक्षः
Śwet. 4. 8. ऋचो अक्षरे परमे व्योमन् Nrip. 4. 2; 5. 2.
— यस्तन्न वेद किमृचा करिष्यति Nrip. 4. 2; 5. 2.
Maitri. 6. 5. ऋग्यजुः सामेति विज्ञानवत्येषा
33. ऋग्यजुःसामाथर्वाङ्गिरसः Mahâ. 2; Siras. 4.
Mund. 2. 1. 6. तस्मादृचः साम यजूंषि
Mahânâr. 12. 1. तत्र ता ऋचस्तदृचा मण्डलं स ऋचां लोकः
22. 1. गार्हपत्यमृक् पृथिवी रथन्तरम्
Prasna. 5. 3. तमृचो मनुष्यलोकमुपनयन्ते
7. ऋग्भिरेतं..अन्वेति
Nrip. 1. 2. ऋग्यजुःसामाथर्वाणः
2. 1. स ऋग्भिः ऋग्वेदः Nrisut. 3; Sikhâ. 1.
4. 2. न ह वा एतस्य ऋचा.. अर्थो ऽस्ति यः सावित्रीं वेद
5. 9. स ऋचो ऽधीते
Siras. 1. ऋगहं यजुरहम्

Vâsu. 2. एताभिर्ऋग्भिः..त्रिवारमभिमंत्र्य
Krish. 9. गोप्यो गाव ऋचस्तस्य
15. ऋचोपनिषदस्ता वै ब्रह्मरूपा ऋचः स्त्रियः
Râmap. 94. इमा ऋचः सर्वकामार्थदाश्च
Mukti. 1. 14. तासामेकामृचं यस्तु पठते
Gîtâ. 9. 17. ऋक् साम यजुरेव च

ऋच

Mukti. 1. 40. *vide* मुक्तिका

ऋजीषिन्

Kaush. 2. 11. अस्मै प्रयन्धि मघवन्नृजीषिन्
Nrip. 3. 1. स ईं पाहि य ऋजीषी तरुत्रः

ऋजु

Gauda. 4. 47. ऋजुवक्रादिकाभासम्

ऋत

Tait. 1. 1. 1. ऋतं वदिष्यामि
1. 9. 1. ऋतं च स्वाध्यायप्रवचने च
1. 12. 1. ऋतमवादिषम्
2. 4. 1. ऋतं दक्षिणः पक्षः
3. 10. 6. अहमस्मि प्रथमजा ऋता३स्य Nrip. 2. 4.
Katha. 3. 1. ऋतं पिबन्तौ सुकृतस्य लोके
5. 2. अद्रिजा ऋतं बृहत् Mahânâr. 9. 3; 17. 8; Nrip 3. 1.
Mahânâr. 1. 6. तदेवर्त्तं तदु सत्यमाहुः
2. 6. ऋतस्य तन्तुं विततं विवृत्य
7. प्रजापतिः प्रथमजा ऋतस्य
5. 5. ऋतं च सत्यं चाभीद्धात्तपसो ऽध्यजायत
8. 1. ऋतं तपः सत्यं तपः
12. 1. ऋतं सत्यं परं ब्रह्म Nrip. 1. 6.

Siras. 6. पृथिवी द्विधा त्रिधर्त्ता धारिता
Gîtâ. 10. 14. सर्वमेतदृतं मन्ये

ऋतजा

Kaṭha. 5. 2. अब्जा गोजा ऋतजाः Mahânâr. 9. 3 ; 17. 8 ; Nṛip. 3. 1.

ऋतभुज्

Maitri. 2. 7. ऋतभुक्..अवस्थिता इति

ऋतय्

Bṛih. 2. 5. 17. स वां मधु प्रावोचदृतायन्
6. 3. 6. मधु वाता ऋतायते..क्षरन्ति Mahânâr. 9. 8; 17. 7.

ऋतसद्

Kaṭha. 5. 2. नृषद्वरसदृतसत् Mahânâr. 9. 3 ; 17. 8; Nṛip. 3. 1.

ऋतु

Kaush. 1. 2. विचक्षणादृतवो रेत आभृतम्
— तन्म ऋतवो ऽमृत्यव आभरध्वम्
— ऋतुरस्म्यार्तवो ऽस्मि 6.
Chhâ. 2. 5. 1. ऋतुषु पञ्चविधं सामोपासीत
2. कल्पन्ते हास्मा ऋतव ऋतुमान् भवति य एतदेवं विद्वानृतुषु पञ्चविधं सामोपास्ते
2. 16. 1. एतद्वैराजमृतुषु प्रोतम् 2.
2. ऋतून्न निन्देत्तद्व्रतम्
Bṛih. 1. 1. 1. ऋतवो ऽङ्गानि
3. 8. 9. अर्द्धमासा मासा ऋतवः Mahânâr. 1. 9.
Śwet. 4. 4. ऋतवः समुद्राः
Mahânâr. 25. 1. य ऋतवस्ते पशुबन्धाः
Nṛip. 5. 1. षड् वा ऋतव ऋतुभिः सम्मितं भवति
Gîtâ. 10. 35. ऋतूनां कुसुमाकरः

ऋतुकाल

Garbha. 3. ऋतुकाले प्रयोगात्
Aśrama. 1. ऋतुकालाभिगामी

ऋतुमन्त्

Chhâ. 2. 5. 2. ऋतुमान् भवति

ऋते

Ait. 3. 11. स ईक्षत कथं न्विदं मदृते स्यात्
Chhâ. 5. 1. 8. कथमशकतर्त्ते मज्जीवितुमिति 9, 10, 11.
Bṛih. 5. 12. 1. पूयति वा अन्नमृते प्राणात्
— शुष्यति वै प्राण ऋते ऽन्नात्
6. 1. 8. कथमशकत मदृते जीवितुमिति 9—12.
13. न वै शक्ष्यामस्त्वदृते जीवितुम्
Sarvop. 2. भूतात्मज्ञानादृते
Mukti. 2. 21. सन्त्यक्तवासनान्मौनादृते
Gîtâ. 11. 32. ऋते ऽपि त्वां न भविष्यन्ति सर्वे

ऋत्विज्

Chhâ. 4. 17. 10. मानवो ब्रह्मैवैक ऋत्विक्कुरूनश्वाभिरक्षत्येवंविद्ध वै ब्रह्मा यज्ञं.. सर्वांश्चर्त्विजो ऽभिरक्षति
5. 11. 5. यावदेकैकस्मा ऋत्विजे धनं दास्यामि
Bṛih. 3. 1. 3. होत्रर्त्विजाग्निना वाचा
4. अध्वर्युणर्त्विजा चक्षुषादित्येन

Brih. 3. 1. 5. उद्गात्रर्त्विजा वायुना प्राणेन
6. ब्रह्मणर्त्विजा मनसा चन्द्रेण
Prâṇâg. 3. शारीरयज्ञस्य . . के ऋत्विजः
Kaṭhaśru. 1. ये चास्य ऋत्विजस्तान् . वृणीत्वा
— यजमानस्याङ्गान्यृत्विजः . . समारोप्य

ऋत्विय

Jâbâla. 4. अयं ते योनिर्ऋत्वियः

ऋध्

Brih. 5. 14. 7. न हैवास्मै स काम ऋध्यते
Gîtâ. 2. 8. अवाप्य भूमावसपत्नमृद्धम्

ऋभु

Jâbâla. 6. *vide* प्रभृति

ऋष्

Iśâ. 4. नैनद्देवा आप्नुवन् पूर्वमर्षत् (2. MSS. have अर्शत्)

ऋषभ

Chhâ 4. 5. 1. एनमृषभो ऽभ्युवाद
Brih. 1. 4. 4. सा गौरभवदृषभ इतरः
5. 8. 1. प्राण ऋषभो मनो वत्सः
Tait. 1. 4. 1. यश्छन्दसामृषभः Mahânâr. 7. 5.
Nrisut. 4. संयोज्य शृङ्गैर्ऋषभस्य
Garbha. 1. *vide* निषाद

ऋषि

Ait. 2. 4. तदुक्तमृषिणा
Kaush. 1. 7. स ब्रह्मेति विज्ञेय ऋषिः
Chhâ. 1. 3. 9. यदार्षेयं तमृषिं . . उपधावेत्
Brih. 1. 4. 10. तथर्षीणां तथा मनुष्याणाम्
— तद्धैतत्पश्यन्नृषिर्वामदेवः
16. यदनुब्रूते तेनर्षीणाम्
Brih. 2. 2. 3. तस्यासत ऋषयः सप्त तीरे (bis).
— प्राणा वा ऋषयः
2. 5. 16. तदेतदृषिः पश्यन्नवोचत् 17, 18, 19.
6. 2. 2. अपि हि न ऋषेर्वचः श्रुतम्
Tait. 1. 7. 1. एतदधिविधाय ऋषिरवोचत
Śwet. 5. 2. ऋषिं प्रसूतं कपिलं यस्तमग्रे
6. ये पूर्वं देवा ऋषयश्च तद्विदुः
Muṇḍ. 3. 1. 6. येनाक्रमन्त्यृषयो ह्याप्तकामाः
3. 2. 5. सम्प्राप्यैनमृषयो ज्ञानतृप्ताः
11. एतत्सत्यमृषिरङ्गिराः पुरोवाच
Mahânâr. 5. 12. पुनन्तु ऋषयः
7. 5. इन्द्राय ऋषिभ्यो नमः
9. 1. ऋषिर्विप्राणाम् 17. 8.
16. 4. त्वया जुष्ट ऋषिर्भवतु
22. 1. तपसऋषयःसुवरन्वविन्दन्
23. 1. मानसा ऋषयः प्रजा असृजन्त
Praśna. 1. 2. तान् ह स ऋषिरुवाच
9. ऋषयः प्रजाकामाः
12. एते ऋषयः शुक्र इष्टिं कुर्वन्ति
2. 8. ऋषीणां चरितं सत्यम्
Nrip. 1. 2. किं छन्दः क ऋषिरिति
3. 1. तदेतदृषिणोक्तं निदर्शनम् (bis).
Śiras. 4. ऋषिभिर्नान्यैर्भक्तैः
5. येन देवा यान्ति येन पितरो येन ऋषयः
Mahâ. 3. ऋषिं विश्वेश्वरं देवं (4 MSS. have ऋषिं कविं and omit देवम्)
Brahma. 2. न तत्र देवा ऋषयः पितर ईशते

Kaṭhaśru. 1. तदप्येतदृषिणोक्तम्
Piṇḍa. 1. देवता ऋषयः सर्वे
Haṁsa. 2. अथ हंस ऋषिः
Nâr. 1. नारायणात्..सर्वे ऋषयः
2. सर्वे ऋषयो ऽपि नारायणः
Râmap. 35. स्तुवन्त्येवं हि ऋषयः
82. प्रागुक्तमृषिसेवितम्
Gîtâ. 5. 25. ऋषयः क्षीणकल्मषाः
10. 13. आहुस्त्वामृषयः सर्वे
11. 15. ऋषींश्च सर्वानुरगांश्च दिव्यान्
13. 4. ऋषिभिर्बहुधा गीतम्

ऋषिसंघ

Śwet. 6. 21. प्रोवाच सम्यगृषिसंघजुष्टम्

ॡम्

Râmap. 68. ह्रं सृं भृं त्रृं ॡं गृं जृं च

ए

Kaush. 1. 1. एह्युभौ गमिष्यावः
— एहि व्येव त्वा ज्ञपयिष्यामि 4. 19.
2. 11. अथ प्रोष्यायन् पुत्रस्य मूर्धानमभिजिघ्रेत्
15. एत्य पुत्र उपरिष्टादभिनिपद्यते
3. 3. आबल्यमेत्य सम्मोहमेति
4. 19. कुत एतदागादिति Bṛih. 2. 1. 16.
— यत एतदागादिति
Chhâ. 1. 10. 7. यज्ञं विततमेयाय
4. 4. 3. गौतममेत्योवाच
Chhâ. 5. 1. 7. प्रजापतिं पितरमेत्योचुः
5. 3. 1. पञ्चालानां समितिमेयाय
4. स हायस्तः पितुरर्द्धमेयाय
6. राज्ञो ऽर्द्धमेयाय
5. 14. 1. त्वां पृथग्बलय आयन्ति
6. 1. 2. अनूचानमानी स्तब्ध एयाय
8. 6. 6. तयोर्ध्वमायन्नमृतत्वमेति Kaṭha. 6. 16.
8. 9. 2. स समित्पाणिः पुनरेयाय 8. 10. 3; 8. 11. 2.
Bṛih. 2. 4. 4. एह्यास्व व्याख्यास्यामि ते
4. 4. 6. पुनरैत्यस्मै लोकाय कर्मणः
5. 14. 4. यदिदानीं द्वौ विवदमानावेयाताम्
6. 2. 15. पुरुषो मानस एत्य
6. 3. 6. यथैतमेत्य
6. 4. 5. पुनर्मामैत्विन्द्रियं पुनस्तेजः
20. तावेहि संरभावहै सह
Tait. 1. 4. 2. आमायन्तु ब्रह्मचारिणः
3. एवं मां ब्रह्मचारिणो धातरायन्तु सर्वतः
Kaṭha. 1. 17. त्रिभिरेत्य सन्धिम्
2. 2. श्रेयश्च प्रेयश्च मनुष्यमेतः
Maitri. 7. 11. हृदयादायती तावत्..सारणी
Muṇḍ. 1. 2. 6. एह्येहीति तमाहुतयः
Mahânâr. 16. 4. आगाद्विश्वाची भद्रा

एक

Ait. 1. 1. आत्मा वा इदमेक एवाग्र आसीत्
Kaush. 2. 3. एतेषामेकस्मिन्पर्वणि 4.
9. ब्राह्मणस्त एकं मुखम्
— राजा त एकं मुखम्
— श्येनस्त एकं मुखम्
— अग्निष्ट एकं मुखम्

Kaush. 3. 2. एक आहुरेकभूयं वै प्राणा गच्छन्ति
4. प्रज्ञायै सर्वाणि भूतान्येकं भवन्ति
5. वागेवास्या एकमङ्गमुदूल्हम् (similarly 9 times more).

Chhâ. 1. 5. 2. तस्मान्ममत्वमेकोऽसीति 4
2. 10. 2. तत इहैकं तत्समम्
3. 6. 3. वसूनामेवैको भूत्वा (similarly 4 times more).
4. 3. 6. महात्मनश्चतुरो देव एकः कः स जगार
4. 16. 3. रथो वैकेन चक्रेण वर्त्तमानः
4. 17. 10. मानवो ब्रह्मैवैक ऋत्विक्
5. 3. 5. तेषां नैकञ्चनाशकं विवक्तुमिति
— अहमेषां नैकञ्चन वेद
6. 1. 4. यथा सोम्यैकेन मृत्पिण्डेन
5. यथा सोम्यैकेन लोहमणिना
6. यथा सोम्यैकेन नखनिकृन्तनेन
6. 2. 1. एकमेवाद्वितीयम् 2.
— एक आहुरसदेवेदमग्र आसीत्
6. 7. 3. एको ऽङ्गारः खद्योतमात्रः
—एका कलातिशिष्टा स्यात्
5. एकमङ्गारं खद्योतमात्रम्
6. 11. 2. अस्य यदेकां शाखां जीवो जहाति
6. 12. 1. आसामङ्गैकां भिन्धि
7. 4. 1. नाम्नि मन्त्रा एकं भवन्ति 7. 5. 1.
7. 8. 1. शतं विज्ञानवतामेको बलवानाकम्पयते
7. 26. 2. दश चैकं च
8. 6. 6. शतं चैका च हृदयस्य नाड्यस्तासां मूर्धानमभिनिःसृतैका Katha. 6. 16.

Bṛih. 1. 2. 7. एकैव देवता भवति मृत्युरेव
—एतासां देवतानामेको भवति
1. 3. 27. अन्न इत्यु हैक आहुः
1. 4. 7. अत्र ह्येते सर्व एकं भवन्ति
10. एकस्मिन्नेव पशावादीयमाने
11. ब्रह्म वा इदमग्र आसीदेकमेव तदेकं सन्न व्यभवत्
17. आत्मैवेदमग्र आसीदेक एव
1. 5. 1. एकमस्य साधारणम् 2.
— पशुभ्य एकं प्रायच्छत् 2.
23. तस्मादेकमेव व्रतं चरेत्
1. 6. 3. एतत्त्रयं सदेकमयमात्मात्मो एकः सन्नेतत्त्रयम्
3. 1. 9. एकयेति कतमा सैकेति
3. 9. 1. कत्येव देवाः.. एक इति
9. यदयमेक इवैव पवते
— कतम एको देव इति प्राण इति
4. 3. 32. सलिल एको द्रष्टा ऽद्वैतो भवति
33. स एकः पितॄणां जितलोकानामानन्दः (similarly 5 times more).
5. 3. 1. ह इत्येकमक्षरं..द इत्येकमक्षरं..यमित्येकमक्षरम्
5. 5. 1. स इत्येकमक्षरं तीत्येकमक्षरं यमित्येकमक्षरम्
3. एकं शिर एकमेतदक्षरम् 4.
5. 12. 1. अन्नं ब्रह्मेत्येक आहुः..प्राणो ब्रह्मेत्येक आहुः
5. 14. 1. अष्टाक्षरं ह वा एकं गायत्र्यै पदम् 2, 3.
5. एके सावित्रीमनुष्टुभमन्वाहुः
— न हैव तद्गायत्र्या एकञ्चन पदं प्रति

Bṛih. 6. 2. 2. नाहमत एकञ्चन वेदेति
3. ततो नैकञ्चन वेदेति

Iśâ. 4. अनेजदेकं मनसो जवीयः

Tait. 2. 8. 1. स एको मानुष आनन्दः
— स एको मनुष्यगन्धर्वाणामानन्दः
— स एको देवगन्धर्वाणामानन्दः
— स एकः पितॄणां . . आनन्दः
— स एक आजानजानां देवानामानन्दः
— स एकः कर्मदेवानामानन्दः
— स एको देवानामानन्दः
— स एक इन्द्रस्यानन्दः
— स एको बृहस्पतेरानन्दः
— स एकः प्रजापतेरानन्दः
— स एको ब्रह्मण आनन्दः
— स यश्चायं पुरुषे यश्चासावादित्ये स एकः 3. 10. 4.

Kaṭha. 1. 20. अस्तीत्येके नायमस्तीति चैके
5. 9. अग्निर्यथैको भुवनं प्रविष्टः
— एकस्तथा सर्वभूतान्तरात्मा 10, 11.
10. वायुर्यथैको भुवनं प्रविष्टः
12. एको वशी . . एकं रूपं बहुधा यः करोति
13. एको बहूनां यो विदधाति कामान् Śwet. 6. 13.

Śwet. 1. 3. यः कारणानि . . अधितिष्ठत्येकः
9. अजा ह्येका भोक्तृभोगार्थयुक्ता
10. क्षरात्मानावीशते देव एकः
2. 4. वयुनाविदेक इत्
14. एकः कृतार्थो भवते वीतशोकः

Śwet. 3. 1. य एको जालवानीशते
— य एवैक उद्भवे संभवे च
2. एको हि रुद्रो न द्वितीयाय तस्थुः
3. द्यावाभूमी जनयन्देव एकः Mahânâr. ?. 2 (Nârâyaṇa has °पृथिवी)
7. विश्वस्यैकं परिवेष्टितारम् 4. 14, 16 ; 5. 13.
9. वृक्ष इव स्तब्धो दिवि तिष्ठत्येकः Mahânâr. 10. 4.
4. 1. य एको ऽवर्णः . . वर्णाननेकान् . . दधाति
5. अजामेकां . . अजो ह्येको जुषमाणः Mahânâr. 9. 2.
11. यो योनिं योनिमधितिष्ठत्येकः 5. 2 ; Śiras. 5.
5. 4. योनिस्वभावानधितिष्ठत्येकः
5. सर्वमेतद्विश्वमधितिष्ठत्येकः
6. 1. स्वभावमेके कवयो वदन्ति
3. एकेन द्वाभ्यां त्रिभिरष्टभिः
10. देव एकः समावृणोति
11. एको देवः सर्वभूतेषु गूढः Brahma. 3.
12. एको वशी . . एकं बीजम्
15. एको हंसो भुवनस्यास्य मध्ये

Maitri. 2. 6. प्रजापतिर्वा एको ऽग्रे ऽतिष्ठत् स नारमतैकः
— स एको नाशकत्
4. 5. एके ऽन्यमभिध्यायन्त्येके ऽन्यम्
5. 2. तमो वा इदमग्र आसीदेकम्
— स वा एष एकस्त्रिधा भूतः
6. 4. एको ऽश्वत्थनामैतद्ब्रह्म
— एको ऽस्य संबोधयिता

Maitri. 6. 8. ज्योतिरेकं तपन्तम्
Praśna. 1. 8.
16. आदित्यो ब्रह्मेत्येके
17. एको ऽनन्तः प्रागनन्तः
— एष कृत्स्नक्षय एको जागर्त्ति
— यश्चैषो ऽग्नौ यश्चायं हृदये ..स एष एकः 7. 7.
— एकस्यैकत्वमेति य एवं वेद
30. अत्रैका आहुः
— ऊर्ध्वमेकः स्थितस्तेषाम्
31. अपां यः शिवतमो रस इत्येके
— वाक् श्रोत्रं..प्राण इत्येके
— बुद्धिर्धृतिः स्मृतिः प्रज्ञानमित्येके
36. शान्तमेकं समृद्धं चैकम्
7. 11. एका द्विधा सती
Muṇḍ. 1. 2. 5 यत्र देवानां पतिरेको ऽधिवासः
2. 2. 5. तमेवैकं जानथ आत्मानम्
Mahânâr. 1. 5. एकमव्यक्तमनन्तरूपम्
2. 3. यस्मिन्निदं सं च वि चैकम्
10. 2· इन्द्र एकं सूर्य एकं जजान वेनादेकं स्वधया निष्टतक्षुः
5. त्यागेनैके अमृतत्वमानशुः
Kaivalya. 2.
Praśna. 3. 7. एकयोर्ध्व उदानः पुण्येन पुण्यं लोकं नयति
Kaivalya. 6. आदिमध्यान्तविहीनमेकम्
Gauḍa. 1. 1. एक एव त्रिधा स्थितः
2. 5. एकमाहुर्मनीषिणः
26. पञ्चविंशक इत्येके
3. 5. यथैकस्मिन् घटाकाशे
Nṛip. 1. 1. स प्रजापतिरेकः पुष्करपर्णे समभवत्
2. 4. एकः पुरस्ताद्य इदं बभूव

Nṛip. 5. 10. अनुपनीतशतमेकमेकेनोपनीतेन तत्समम्
— उपनीतशतमेकमेकेन गृहस्थेन तत्समम्
— गृहस्थशतमेकमेकेन वानप्रस्थेन तत्समम्
— वानप्रस्थशतमेकमेकेन यतिना तत्समम्
— रुद्रजापकशतमेकमेकेनाथर्वशिरःशिखाध्यायिकेन तत्समम्
— अथर्वशिरःशिखाध्यायिकशतमेकमेकेन मन्त्रराजजापकेन तत्समम्
Nṛisut. 1. तदेकमजरममृतमभयम्
8. एकमेव तद्भवति (4 times).
9. अनेकवटशक्तिरेकैव
— यथावटबीजसामान्यमेकम्
— एक एव साक्षी स्वप्रकाशः
Kshur. 18. सुषुम्णैका न छिद्यते
Chûl. 6. एकस्तु पिबते देवः
14. तं षड्विंशकमित्येके
16. तमेकमेव पश्यन्ति
Śiras. 1. अहमेकः प्रथममासीत्
3. यत्परं ब्रह्म स एको य एकः स रुद्रः
4. कस्मादुच्यते एकः
— तीर्थमेके व्रजन्ति तीर्थमेके
— प्राञ्चो ऽभिव्रजन्त्येके
— साकं स एको भूतश्चरति प्रजानाम्
— तस्मादुच्यते एकः
5. एको ह देवः प्रदिशो ऽनु सर्वाः
— एको रुद्रो न द्वितीयाय तस्थौ
Śikhâ. 2. तत्राधिकं क्षणमेकमास्थाय
— शिव एको ध्येयः शिवङ्करः

Mahâ. 1. एको ह वै नारायण आसीत्
— पुरुषाश्चतुर्दशाजायन्त एका कन्या
Brahma. 1. एकेन तन्तुना जालं विक्षिपति
2. एकमेव परं ब्रह्म विभाति
3. एको मनीषी . . एकं सन्तम्
Prâṇâg. 1. तूष्णीमेकामेकऋषौ जुहोति . . एकां दक्षिणाग्नावेकां गार्हपत्ये एकां सर्वप्रायश्चित्तीये
4. एकेन जन्मना जन्तुर्मोक्षं च प्राप्नुयात्
Brahmab. 11. एक एवात्मा मन्तव्यः
12. एक एव हि भूतात्मा
15. एकमेवानुपश्यति
Amṛita. 19. एकेन मारुतमाकृष्य
20. ओमित्येकेन रेचयेत्
33. लक्षश्चैको ऽपि निश्वासः
Kaṭhaśru. 3. भस्ममुष्टिं पिबेदित्येके
4. भिक्षाशी न दद्याल्लवैकं धारयेत्
Piṇḍa. 3. दिनमेकं तु वायुगः
Parama. 1. यद्येको ऽपि भवति
2. तयोर्भेद एक एव विभग्नः
3. पूर्णानन्दैकरूपरसबोधः
Nâr. 2. नित्यो देव एको नारायणः
— शुद्धो देव एको नारायणः
5. सर्वभूतस्थमेकं नारायणम्
Atmapra. 1.
Jâbâla. 4. तद्धैके प्राजापत्यामेवेष्टिं कुर्वन्ति
Vâsu. 2. एकमूर्ध्वपुण्ड्रं वा धारयेत्
3. एको विष्णुरनेकेषु
Gopî. 2. ब्रह्मानन्दैकरूपम्
5. चिद्घनानन्दैकरूपम्
Gopî. 5. परब्रह्मानन्दैकरूपम्
Râmot. 3. ब्रह्मानन्दैकविग्रहः
5. पूर्णानन्दैकविज्ञानम्
Mukti. 1. 14. तासामेकामृचं यस्तु पठते
15. मुक्तिरेकेति चाक्षिरे
18. कैवल्यमुक्तिरेकैव
26. माण्डूक्यमेकमेवालम्
2. 25. दृढाभ्यस्तपदार्थैकभावनात्
27. एकस्मिंश्च तयोः क्षीणे
38. उपाय एक एवास्ति
40. एकतत्त्वदृढाभ्यासात्
48. एकं प्राणपरिस्पन्दः
73. सकृद्विभातं त्वजमेकमक्षरम्
Gîtâ. 2 41. एकेह कुरुनन्दन
3. 2. तदेकं वद निश्चित्य
5. 1. यच्छ्रेय एतयोरेकम्
4. एकमप्यास्थितः सम्यक्
5. एकं सांख्यं च योगं च
8. 26. एकया यात्यनावृत्तिम्
10. 25. गिरामस्म्येकमक्षरम्
11. 20. व्याप्तं त्वयैकेन दिशश्च सर्वाः
42. एको ऽथवाप्यच्युत तत्समक्षम्
13. 5. इन्द्रियाणि दशैकं च
33. यथा प्रकाशयत्येकः . . रविः
18. 3. इत्येके . . प्राहुर्मनीषिणः
20. एकं भावं . . . ईक्षते
22. एकस्मिन् कार्ये सक्तम्
66. मामेकं शरणं व्रज

एकऋषि, एकार्षि

Bṛih. 2. 6. 3. प्रध्वंसन एकऋषेरेकऋषिर्विप्रचित्तेः 4. 6. 3.
5. 15. 1. पूषन्नेकर्षे यम सूर्य Iśâ. 16.
Muṇḍ. 3. 2. 10. स्वयं जुह्वते एकार्षिम्
Praśna. 2. 11. व्रात्यस्त्वं प्राणैकऋषिः

Nṛip. 2. 1. विराडेकऋषिः Nṛisut. 3.
Śikhâ. 1. विराडेकऋषिरङ्गिराः (so some MSS.)
Prâṇâg. 1. तूष्णीमेकामेकऋषौ जुहोति
2. एकऋषिर्भूत्वा मूर्धनि तिष्ठति

एकतर

Praśna. 5. 2. एतेनैवायतनेनैकतरमन्वेति

एकता, एकत्व

Chhâ. 6. 9. 1. एकतां रसं गमयन्ति
Bṛih. 1. 5. 17. तस्य सर्वस्य ब्रह्मेत्येकता
— तेषां सर्वेषां यज्ञ इत्येकता
— तेषां सर्वेषां लोक इत्येकता
Iśâ. 7. कः शोक एकत्वमनुपश्यतः
Maitri. 4. 6. कृत्स्नक्षय एकत्वमेति पुरुषस्य
6. 17. एकस्य हैकत्वमेति य एवं वेद
25. एकत्वं प्राणमनसोः
Śiras. 5. रुद्रमेकत्वमाहुः (bis)
Brahmab. 15. भिन्ने तमसि चैकत्वम्
Parama. 2. परमात्मात्मनोरेकत्वज्ञानेन
Gîtâ. 6. 31. एकत्वमास्थितः
9. 15. एकत्वेन पृथक्त्वेन

एकत्रिंशक

Gauḍa. 2. 26. एकत्रिंशक इत्याह्वः

एकत्रिंशत्

Bṛih. 3. 9. 2. अष्टौ वसव एकादश रुद्रा द्वादशादित्यास्त एकत्रिंशत्

एकत्रिंशत्संख्याक

Mukti. 1. एकत्रिंशत्संख्याकानामुपनिषदाम्

एकदण्डधर

Aśrama. 4. हंसा एकदन्डधराः

एकदण्डिन्

Brahma. 3. सा सन्ध्या ह्येकदण्डिनाम्
Parama. 3. एकदण्डी स उच्यते
Gopî. 5. एकदण्डी त्रिदण्डी वा

एकधन

Kaush. 2. 3. अथात एकधनावरोधनम्
— यदेकधनमभिध्यायात्

एकधा

Kaush. 3. 3. अस्मिन्प्राण एवैकधा भवति (bis); 4. 20.
Chhâ. 7. 26. 2. स एकधा भवति
Bṛih. 4. 4. 20. एकधैवानुद्रष्टव्यमेतत्
Brahmab. 12. एकधा बहुधा चैव
Nâr. 5. तानेकधा समभवत्तदोमिति
Vâsu. 2. तदेतदोमित्येकधा समभवत्

एकधाभूय

Bṛih. 5. 12. 1. एकधाभूयं भूत्वा (bis)

एकधामन्

Maitri. 6. 35. सैकधामेतः स्यात्

एकनीड

Mahânâr. 2. 3. यत्र विश्वं भवत्येकनीडम्

एकनेमि

Śwet. 1. 4. तमेकनेमिं त्रिवृतं षोडशान्तम्

एकपद्

Chhâ. 4. 16. 3. स यथैकपाद् व्रजन्
Bṛih. 4. 1. 2. एकपाद्वा एतत्सम्राडिति 3—7.
5. 14. 7. गायत्र्यस्येकपदी
Maitri. 7. 11. त्रिष्वेकपाच्चरेद्ब्रह्म

एकपाश

Śwet. 1. 4. विश्वरूपैकपाशम्

एकपुण्डरीक

Bṛih. 6. 3. 6. दिशामेकपुण्डरीकमस्यहं मनुष्याणामेकपुण्डरीकं भूयासम्

एकबिन्दु

Gauḍa. 3. 41. कुशाग्रेणैकबिन्दुना

एकभक्ति

Gîtâ. 7. 17. एकभक्तिर्विशिष्यते

एकभूय

Kaush. 3. 2. तद्धैक आहुरेकभूयं वै प्राणा गच्छन्ति
— एकभूयं वै प्राणा भूत्वा

एकमात्र

Praśna. 5. 3. यद्येकमात्रमभिध्यायीत
Amṛita. 31. एकमात्रस्तथाकाशः

एकमूर्द्धन्

Śiras. 6. सहस्रपादेकमूर्ध्ना व्याप्तम्

एकमोह

Śwet. 1. 4. द्विनिमित्तैकमोहम्

एकरस

Nṛisut. 2. सुविभातमेकरसमेव
5. सच्चिदानन्दमात्रमेकरसम् (bis).
8. एकरसो ऽव्यवहार्यः केनचन

Râmot. 5. अखण्डैकरसः (So MSS. ; editions read °रसात्मा)
— सच्चिदानन्दाद्वितैकरसात्मा (47)

एकरात्र

Garbha. 3. एकरात्रोषितं कललं भवति
Kaṭhaśru. 1. ग्रामे एकरात्रं . . वसेत्
Áśrama. 4. ग्रामैकरात्रवासिनः
— एकरात्रद्विरात्रकृच्छ्रचांद्रायणादि चरन्तः

एकल

Chhâ. 3. 11. 1. एकल एव मध्येस्थाता
Nṛisut. 4. नृसिंह एवैकलः
8. अद्वयो ह्ययमात्मैकल एव

एकवर्णता

Brahmab. 10. क्षीरस्याप्येकवर्णता

एकविंश

Chhâ. 2. 10. 5. एकविंशो वा इतो ऽसावादित्यः
Maitri. 7. 4. अनुष्टुबेकविंशः . . उत्तरत उद्यन्ति

एकविंशति

Chhâ. 2. 10. 5. एकविंशत्यादित्यमाप्नोति
Mukti. 1. 12. एकविंशतिसंख्यया
Haṁsa. 2. अहोरात्रयोरेकविंशतिसहस्राणि

एकशत

Chhâ. 8. 11. 3. तान्येकशतं सम्पेदुः
— एकशतं ह वै वर्षाणि ब्रह्मचर्यमुवास
Praśna. 3. 6. अत्रैतदेकशतं नाडीनाम्

एकशफ

Bṛih. 1. 4. 4. तत एकशफमजायत

एकसभ

Bṛih. 6. 3. 4. एकसभमसि

एकस्तंभ

Yogaśi. 4. एकस्तंभे नवद्वारे

एकस्थ

Gîtâ. 11. 7. इहैकस्थं जगत्कृत्स्नम्
13. तत्रैकस्थं जगत्कृत्स्नम्
13. 30. एकस्थमनुपश्यति

एकहंस

Bṛih. 4. 3. 11. हिरण्मयः पुरुष एकहंसः 12.

एकांश

Gîtâ. 10. 42. विष्टभ्याहमिदं कृत्स्नमेकांशेन

एकाकिन्

Bṛih. 1. 4. . तस्मादेकाकी बिभेति
3. तस्मादेकाकी न रमते
17. तस्मादप्येतर्ह्येकाकी कामयते जाया मे स्यात्

Garbha. 4. एकाकी तेन दह्येऽहम्

Mahâ. 1. स एकाकी नर एव

Aruṇeya. 3. अष्टौ मासानेकाकी यतिश्चरेत्

Gîtâ. 6. 10. एकाकी यतचित्तात्मा

1. एकाक्षर adj.

Nṛip. 5. 2. यदक्षरं नारसिंहमेकाक्षरं तद्भवति

Brahmav. 3. ओमित्येकाक्षरं ब्रह्म Amṛit. 20; Gîtâ 8. 13.

Mukti. 1. 36. अव्यक्तैकाक्षरं पूर्णा
1. *vide* सरस्वतीरहस्य

2. एकाक्षर

Garbha. 3. तदेकाक्षरं ज्ञात्वा

Nâr. 4. ओमित्येकाक्षरम्

एकाग्र

Maitri. 6. 27. तदेकाग्रेणैवमन्तर्हृदयाकाशं विनुदन्ति

Gîtâ 6. 12. तत्रैकाग्रं मनः कृत्वा
18. 72. एकाग्रेण चेतसा

एकाग्रभक्ति

Vâsu. 3. नित्यमेकाग्रभक्तिस्तु

एकाग्रमनस्

Vâsu. 3. एकाग्रमनसा यो मां ध्यायते

एकात्मप्रत्ययसार

Mâṇḍâ. 7. एकात्मप्रत्ययसारं प्रपञ्चोपशमम् Nṛip. 4. 1; Nṛisut. 1; Râmot. 3.

एकादश

Bṛih. 3. 9. 4. आत्मैकादशः

Nṛip. 2. 3. अहमित्येकादशं स्थानं जानीयात्

Mahâ. 1. मन एकादशम्

Nâda. 11. एकादशी भवेन्मौनी
16. एकादश्यां तपोलोकम्

एकादशद्वार

Kaṭha. 5. 1. पुरमेकादशद्वारमजस्य

एकादशधा

Maitri. 5. 2. अष्टधैकादशधा द्वादशधा

एकादशन्

Chhâ. 7. 26. 2. पुनश्चैकादश स्मृतः

Bṛih. 3. 9. 2. एकादश रुद्राः

Nâr. 1. नारायणादेकादश रुद्राः

Râmap. 69. एकादश रुद्रांश्च तत्र वै

Râmot. 5. यो वै श्रीरामः . . ये चैकादश रुद्राः (33)

एकादशपद

Nṛip. 2. 3. एकादशपदानुष्टुब् भवति

एकादशात्मन्

Nṛisut. 4. एकादशात्मानमात्मानम्

एकान्त

Skanda. 13. एकान्ते द्वैतवर्जिते

एकान्तम्

Gîtâ. 6. 16. न चैकान्तमनश्नतः

एकान्तिक (?)

Skanda. 13. वसेदेकान्तिको भूत्वा

एकायन

Chhâ. 7. 1. 2. अध्येमि . . एकायनम्
4. नाम वै . . एकायनम्
7. 2. 1. वाग्वै . . विज्ञापयति . . एकायनम्
7. 5. 2. चित्तं ह्येवैषामेकायनम्
7. 7. 1. विज्ञानेन वै . . विजानाति . . एकायनम्

Brih. 2. 4. 11. सर्वासामपां समुद्र एकायनम् (similarly 12 times more); 4. 5. 12. (similarly 12 times more).

एकार

Chhâ. 1. 13. 2. निहव एकारः

एकीकृ

Maitri. 6. 18. परेऽव्यये सर्वमेकीकरोति

Gauda. 3. 45. एकीकुर्यात् प्रयत्नतः

Nrisut. 1. आत्मानमोमिति ब्रह्मणैकीकृत्य
— ब्रह्म चात्मना ओमित्येकीकृत्य
2. चतुष्पादं मात्राभिरोङ्कारेण चैकीकुर्यात्
4. आत्मानमादाय . . ब्रह्मणैकीकुर्यात् Râmot. 3.
7. तं सिंहं . . मकारार्थेनानेनात्मनैकीकुर्यात्
— एनं मकारार्थेन परेण ब्रह्मणैकीकुर्यात्

एकीभू

Brih. 4. 4. 2. एकीभवति न पश्यतीत्याहुः (similarly 7 times more).

Mund. 3. 2. 7. परेऽव्यये सर्व एकीभवन्ति

Prasna. 4. 2. सर्वा एतस्मिंस्तेजोमण्डल एकीभवन्ति
— तत्सर्वं परे देवे मनस्येकीभवति

Mândû. 5. सुषुप्तस्थान एकीभूतः Nrip. 4. 1; Nrisut. 1; Râmot. 3.

एकैक

Kaush. 3. 2. एकैकमेतानि सर्वाणि प्रज्ञापयन्ति

Chhâ. 5. 11. 5. यावदेकैकस्मा ऋत्विजे
6. 3. 3. त्रिवृतं त्रिवृतमेकैकाम् 4.
4. त्रिवृत्त्रिवृदेकैका भवति 6. 4. 7; 6. 8. 6.

Brih. 1. 4. 6. अमुं यजामुं यजेत्येकैकं देवम्
7. एकैकमुपास्ते न स वेदाकृत्स्नो ह्येषोऽत एकैकेन भवति
10. एकैकः पुरुषो देवान्भुनक्ति
17. यावद् . . एकैकं न प्राप्नोति
3. 1. 1. दश दश पादा एकैकस्य शृङ्गयोः

Swet. 5. 3. एकैकं जालं बहुधा विकुर्वन्

Maitri. 6. 14. तत्रैकैकमात्मनो नवांशकं सचारकाविधम्

Prasna. 3. 6. तासां शतं शतमेकैकस्याम्

Nrisut. 1. तुरीयावसितत्वादेकैकस्य

Mukti. 1. 14. एकैकस्यास्तु शाखाया एकैकोपनिषन्मता

एकैकशस्

Mukti. 2. 12. एकैकशो निषेव्यन्ते

एकोत्तर

Kshur. 15. एकोत्तरं नाडिशतम्

एकोनविंशतिमुख

Mâṇḍû. 3. सप्ताङ्ग एकोनविंशतिमुखः 4 ; Nṛip. 4. 1 ; Nṛisut. 1, Râmot. 3.

एकोनविंशतिसंख्यक

Mukti. 1. एकोनविंशतिसंख्यकानामुपनिषदाम्

एज्

Bṛih. 6. 2. 2. ताभ्यामिदं विश्वमेजत्समेति

6. 4. 23. एवा ते गर्भ एजतु

Îśâ. 5. तदेजति तन्नैजति

Kaṭha. 6. 2. सर्वं प्राण एजति निःसृतम्

Muṇḍ 2. 2. 1. एजत्प्राणन्निमिषच्च यत्

Mahânâr. 19. 2. यदेजति जगति

एतदात्मन्

Maitri. 6. 3. स वा एष ओमित्येतदात्माभवत्

एतदुपनिषद्

Chhâ. 8. 8. 4. यतर एतदुपनिषदो भविष्यन्ति

एतद्योनि

Gîtâ. 7. 6. एतद्योनीनि भूतानि

एताद्विध

Maitri. 1. 4. एतद्विधे ऽस्मिञ्छरीरे किं कामोपभोगैः

2. 3. एतद्विधं.. चेतनवत् प्रतिष्ठापितम् 4, 5.

एतन्मय

Bṛih. 1. 5. 3. एतन्मयो वा अयमात्मा

एतर्हि

Chhâ. 6. 7. 3. एतर्हि वेदान्नानुभवसि

6. एतर्हि वेदाननुभवसि

Bṛih. 1. 4. 17. एतर्ह्येकाकी कामयते

एतृ

Kaush. 3. 8. नेत्यां विजिज्ञासीतैतारं विद्यात्

Bṛih. 1. 3. 18. श्रेष्ठः पुर एता भवति

Maitri. 4. 4. स ब्रह्मणः पर एता भवति

एध्

Bṛih. 6. 4. 24. एधमानः स्वे गृहे

एधस्

Gîtâ. 4. 37. यथैधांसि समिद्धो ऽग्निः

एनस्

Bṛih. 5. 15. 1. युयोध्यस्मज्जुहुराणमेनः Îśâ. 18.

Mahânâr. 7. 4. पाहि नो अग्न एनसे

18. 1. देवकृतस्यैनसो ऽवयजनमसि

— मनुष्यकृतस्यैनसो ऽवयजनम्

— पितृकृतस्यैनसो ऽवयजनम्

— आत्मकृतस्यैनसो ऽवयजनम्

— अन्यकृतस्यैनसो ऽवयजनम्

— यद्दिवा च नक्तं चैनश्चकृम

— यद्विद्वांसश्चाविद्वांसश्चैनश्चकृम

— यच्चाहमेनो विद्वांसश्चाविद्वांसश्चैनश्चकृम

— यत्स्वपन्तश्च जाग्रतश्चैनश्चकृम

Mahânâr. 18. 1. यत्सुषुप्तश्च जाग्रतश्चैनश्चकृम — एनस एनसो ऽवयजनमसि

एर्

Kaush. 1. 2. मा पुंसि कर्तर्येरयध्वम्

एलापत्रक

Gâruḍa. 2. यद्येलापत्रकदूतस्त्वं यदि वैलापत्रकः स्वयम्

एवंभूत

Râmap. 92. एवंभूतं जगदाधारभूतम्

एवंरूप

Gîtâ. 11. 48. एवंरूपः शक्य अहं नृलोके द्रष्टुम्

एवंविद्

Chhâ. 1. 2. 8. य एवंविदि पापं कामयते
1. 7. 8. एवंविदुद्गाता ब्रूयात्
4. 14. 3. एवंविदि पापं कर्म न श्लिष्यते
4. 17. 8. यत्रैवंविद्ब्रह्मा भवति 9.
9. एवंविदं ह वा एषा ब्रह्माणमनु गाथा
10. एवंविद्ध वै ब्रह्मा यज्ञं .. अभिरक्षति तस्मादेवंविदमेव ब्रह्माणं कुर्वीत
5. 2. 1. न ह वा एवंविदि किञ्चनानन्नं भवति
5. 24. 4. एवंविद्यद्यपि चण्डालायोच्छिष्टं प्रयच्छेत्
8. 3. 3. एवंवित्स्वर्गं लोकमेति 5.

Bṛih. 1. 3. 18. य एवंविदं स्वेषु प्रतिप्रतिर्बुभूषति
28. स एष एवंविदुद्गाता
1. 4. 16. एवंविदे .. अरिष्टिमिच्छन्ति
1. 5. 15. यो ऽयमेवंवित्पुरुषः
17. यदैवंविदस्माल्लोकात्प्रैति
20. एवंवित्सर्वेषां भूतानामात्मा भवति

Bṛih. 1. 5. 20. एवंविदं सर्वाणि भूतान्यवन्ति
21. य उ हैवंविदा स्पर्द्धते
4. 3. 37. एवं हैवंविदं .. प्रतिकल्पन्ते
4. 4. 23. एवंविच्छान्तो दान्तः
5. 14. 5. यदि ह वा अप्येवंविद्बह्विव प्रतिगृह्णाति
8. एवं हैवैवंविद्यद्यपि बह्विव पापं कुरुते
6. 4. 12. एवंविच्छ्रोत्रियस्य दारेण नोपहासमिच्छेदुत ह्येवंवित्परो भवति
28. य एवंविदो ब्राह्मणस्य पुत्रो जायते

Tait. 2. 8. 1. स य एवंविदस्माल्लोकात्प्रेत्य 3. 10. 5.

Kaṭha. 6. 18. अन्यो ऽप्येवं यो विदध्यात्ममेव

Maitri. 6. 9. एष उभयात्मैवंवित्
10. अग्निनैवान्नमत्त्येवंवित्
35. यो हैवंवित्स सवित्

Nṛisut. 6. एवंवित् .. परमेव ब्रह्म भवति

एवंविद्वंस्

Aitareya. 4. 6. स एवंविद्वान् .. अमृतः समभवत्.

Kaush. 2. 7. एवंविद्वानेतयैवावृतादित्यमुपतिष्ठते
13. यदि ह वा एवंविद्वांसमुभौ पर्वतावभिप्रवर्त्तेयाताम्
14. एवंविद्वान् प्राणे निःश्रेयसं विदित्वा
4. 20. एवंविद्वान् सर्वान् पाप्मनो ऽपहत्य

Bṛih. 1. 2. 3. तदेव प्रतितिष्ठत्येवंविद्वान्
1. 5. 2. तदहः पुनर्मृत्युमपजयत्येवंविद्वान्

Bṛih. 4. 1. 2. देवो भूत्वा देवानप्येति य एवंविद्वानेतदुपास्ते 3-7.
5. 12. 1. किंस्विदेवैवंविदुषे साधु कुर्याम्
6. 4. 3. य एवंविद्वानधोपहासं चरति
6. 4. 12. यमेवंविद्वान् ब्राह्मणः शपति
Kaṭha. 1. 18. य एवंविद्वांश्चिनुते नाचिकेतम्
Maitri. 4. 4. य एवंविद्वाननेन त्रिकेण ब्रह्मोपास्ते
Mahânâr. 25. 1. तस्यैवंविदुषो यज्ञस्यात्मा यजमानः
Praśna. 3. 11. य एवंविद्वान् प्राणं वेद
Gauḍa. 4. 86. एवंविद्वाञ्छमं व्रजेत्
Kaṭhaśru. 1. य एवंविद्वानेतेनात्मानं सन्धत्ते
Gopî. 1. य एवंविद्वानेतदाख्यापयेत्
3. य एवंविद्वान् गोपीचन्दनं धारयेत्
4. य एवंविद्वान् यतिहस्ते दद्यात्

एवंविध

Gîtâ. 11. 53. शक्य एवंविधो द्रष्टुम्
54. अहमेवंविधो ऽर्जुन

एषणा

Bṛih. 3. 5. 1. उभे ह्येते एषणे एव भवतः 4. 4. 22.

ऐकान्तिक

Gîtâ. 14. 27. सुखस्यैकान्तिकस्य च

ऐक्य

Nṛisut. 1. ऐक्यादानन्दभोगाच्च
3. गुणैरैक्यं सम्पाद्य
Râmap. 18. नमस्त्वैक्यं प्रवदेत्

ऐक्ष्वाक

Maitri. 1. 2. दुःशक्यमेतत् प्रभमैक्ष्वाक

ऐतदात्म्य

Chhâ. 6. 8. 7. ऐतदात्म्यमिदं सर्वम् 6. 9. 4; 6. 10. 3; 6. 11. 3; 6. 12. 3; 6. 13. 3; 6. 14. 3; 6. 15. 3; 6. 16. 3.

ऐतरेय

Chhâ. 3. 16. 7. महिदास ऐतरेयः
Mukti. 1. 30. ऐतरेयं च छान्दोग्यम्
1. *vide* बह्वृच

ऐन्द्र

Kaush. 2. 8. इत्यैन्द्रीमावृतमावर्ते
Nâda. 10. षष्ठी चैन्द्री विधीयते

ऐरंमदीय

Chhâ. 8. 5. 3. तदैरंमदीयं सरः

ऐरावत

Gîtâ. 10. 27. ऐरावतं गजेन्द्राणाम्

ऐशान

Śiras. 5. स गच्छेदैशानं पदम्

ऐश्वर

Chûl. 2. भिन्ने तमासि चैश्वरे
Gîtâ. 9. 5. पश्य मे योगमैश्वरम् 11.8.
11. 3. ते रूपमैश्वरं पुरुषोत्तम
9. परमं रूपमैश्वरम्

ऐश्वर्य

Kaush. 2. 15. स यद्यगदः स्यात्पुत्रस्यैश्वर्ये पिता वसेत्
Śikhâ. 2. करणं सर्वमैश्वर्यं सम्पन्नम्
Mahâ. 2. बिभ्रत्. . मन ऐश्वर्यम्
Râmap. 5. ऐश्वर्यं यस्य पूजनात्
34. त्वमैश्वर्यं दापयाथ

°ऐश्वर्यवन्त्

Nṛip. 1. 3. आयुर्यशःकीर्त्तिज्ञानैश्वर्यवान् भवति

ऐष्टिक

Kaush. 2. 6. एतदैष्टिकं कर्ममयमात्मानमध्वर्युः संस्करोति

ओकस्

Nṛip. 2. 4. यस्मिन् .. देवा ओकांसि चक्रिरे

ओगीयस्

Bṛih. 5. 14. 4. तस्मादाहुर्बलं सत्यादोगीयः

ओघ

Mukti. 1. 21. निर्धूताशेषपापौघः
45. सर्वाघौघनिकृन्तनम्

ओङ्कार

Chhâ. 2. 23. 4. तेभ्यो ऽभितप्तेभ्य ओङ्कारः संप्रास्तवत्
— ओङ्कारेण सर्वा वाक् सन्तृण्णा ओङ्कार एवेदं सर्वम्

Maitri. 6. 21. *vide* युज्
23. यो ऽसौ परापरो देवा ओङ्कारो नाम नामतः
25. एवं प्राणमथोङ्कारं .. युनक्ति

Praśna. 5. 1. स यः .. प्रायणान्तमोङ्कारमभिध्यायीत
2. एतद्वै .. परं चापरं च ब्रह्म यदोङ्कारः
7. तमोङ्कारेणैवायतनेनान्वेति विद्वान्

Mâṇḍû. 1. भूतं भवद्भविष्यदिति सर्वमोङ्कार एव Nṛip. 4. 1; Nṛisut. 1; Râmot. 3.

Mâṇḍû. 1. यच्चान्यत्त्रिकालातीतं तदप्योङ्कार एव Nṛip. 4. 1; Nṛisut. 1; Râmot. 3.
8. सो ऽयमात्माध्यक्षरमोङ्कारो ऽधिमात्रम्
12. शिवो ऽद्वैत एवमोङ्कार आत्मैव Nṛisut. 2.

Gaṇḍa. 1. 24. ओङ्कारं पादशो विद्यात्
— ओङ्कारं पादशो ज्ञात्वा
28. सर्वव्यापिनमोङ्कारं मत्वा
29. ओङ्कारो विदितो येन

Nṛip. 2. 1. सा सोमलोक ओङ्कारः Nṛisut. 3.
2. प्रत्यक्षरमुभयत ओङ्कारो भवति
4. 3. यो वै नृसिंहः .. यश्चोङ्कारस्तस्मै वै नमोनमः (11)

Nṛisut. 1. इममात्मानमोङ्कारं नो व्याचक्ष्व
2. मात्राभिरोङ्कारेण चैकीकुर्यात्
— चतूरूप ओङ्कार एव चतूरूपो ह्ययमोङ्कारः
3. ओङ्कारं सर्वेश्वरं द्वादशान्ते
4. परमं ब्रह्मोङ्कारम् (ter).
— ब्रह्मण्येवानुष्टुभं सन्दध्यादोङ्कार इति
6. ओङ्कारे परे ब्रह्मणि पर्यवसितः
8. ओतश्च प्रोतश्चैष ओङ्कारः
— वाग्वा ओङ्कारो वागेवेदं सर्वम्
— चिन्मयो ह्ययमोङ्कारः (4 times).
— अनुज्ञाता ह्ययमोङ्कारः

Nṛisut. 8. वाग्वा ओङ्कारो वागेवेदं सर्वमनुजानाति
— अनुज्ञैकरसो ह्ययमोङ्कारः
— वाग्वा ओङ्कारो वागेव ह्य-नुजानाति
— अविकल्पो ह्ययमोङ्कारः
9. ओङ्कारमात्मानमुपदिश

Brahmav. 13. ओङ्कारस्तु तथा योज्यः

Śiras. 3. य उत्तरतः स ओङ्कारो य ओङ्कारः स प्रणवः
4. कस्मादुच्यते ओङ्कारः
— तस्मादुच्यते ओङ्कारः
6. वायोरोङ्कार ओङ्कारात् सावित्री

Śikhâ. 1. स एष ह्योङ्कारश्चतुष्पादः
— प्राणान्.. ऊर्ध्वमुत्क्रामय-तीत्योङ्कारः

Prâṇâg. 4. ओङ्कारो यूपः

Nâda. 8. एष ओङ्कार आख्यातः

Amṛita. 2. ओङ्कारं रथमारुह्य

Yogaśi. 3. ओङ्कारं तत्र चिन्तयेत्

Kathaśru. 2. त्वं वषट्कारस्त्वमोङ्कारः
— अहं वषट्कारो ऽहमोङ्कारः

Haṁsa. 2. ओङ्कारः शिरः

Gopî. 5. तत ओङ्कारमपश्यत्

Râmap. 31. ओङ्काराय नमोनमः

Râmot. 5. यो वै श्रीरामः..यश्चो-ङ्कारः (39)

Gîtâ. 9. 17. वेद्यं पवित्रमोङ्कारः

ओङ्कारगत

Śikhâ. 2. कृत्स्नमोङ्कारगतं च

ओङ्कारप्लव

Maitri. 6. 28. ओङ्कारप्लवेन..पारं तीर्त्वा

ओङ्काररूप

Nṛisut. 2. ओतानुज्ञात्रनुज्ञाविकल्पैरो-ङ्काररूपैः

ओङ्काराग्र

Nṛisut. 6. त एतमेवोङ्काराग्रविद्योतं.. बुबुधिरे
— इममेवोङ्काराग्रविद्योतं ..जानीयात्
— इममेवोङ्काराग्रविद्योतं.. अन्विष्य

ओजस्

Chhâ. 3 13. 5. एतदोजश्च महश्चेत्युपासीत

Mahânâr. 12. 3. आदित्यो वै तेजओजोबलम्
15. 1. ओजो ऽसि सहो ऽसि बल-मसि

Aruṇeya. 4. ओजः सखा यो ऽसि

Gîtâ. 15. 13. धारयाम्यहमोजसा

ओजस्विन्

Chhâ. 3. 13. 5. ओजस्वी महस्वान् भवति

ओतत्व

Nṛisut. 2. ओतत्वादनुज्ञातृत्वात्

ओदन

Katha. 2. 25. यस्य ब्रह्म च क्षत्रं च उभे भवत ओदनम्

ओम्

Chhâ. 1. 1. 1. ओमित्येतदक्षरमुद्गीथमुपा-सीत
— ओमित्युद्गायति
5. ओमित्येतदक्षरमुद्गीथः
6. एतन्मिथुनमोमित्येतदस्मि-न्नक्षरे संसृज्यते
8. यद्धि किंचानुजानात्योमि-त्येव तदाह
9. ओमित्याश्रावयत्योमिति शंसत्योमित्युद्गायति
1. 4. 1. ओमित्येतदक्षरमुपासीत
— ओमिति ह्युद्गायति

Chhâ. 1. 4. 4. यदा वा ऋचमाप्नोत्योमित्येवातिस्वरति
1. 5. 1. ओमिति ह्येष स्वरन्नेति 3.
1. 12. 5. ओमदामों पिबाम...अन्नमिहाहराहरोम्
8. 6. 5. स ओमिति वा होह्वा मीयते
Bṛih. 3. 9. 1. ओमिति होवाच (7 times); 5. 2. 1, 2, 3; 6. 2. 1.
5. 1. 1. ओं खं ब्रह्म
5. 15. 1. ओं क्रतो स्मर कृतं स्मर Iśâ. 17.
Tait. 1. 8. 1. ओमिति ब्रह्म
— ओमितीदं सर्वम्
— ओमित्येतदनुकृतिर्ह स्म वा अप्योश्रावयेत्याश्रावयन्ति
— ओमिति सामानि गायन्ति
— ओं शोमिति शस्त्राणि शंसन्ति
— ओमित्यध्वर्युः प्रतिगरं प्रतिगृणाति
— ओमिति ब्रह्मा प्रसौति
— ओमित्यग्निहोत्रमनुजानाति
— ओमिति ब्राह्मणः प्रवक्ष्यन्नाह
Kaṭha. 2. 15. तत्ते पदं सङ्ग्रहेण ब्रवीम्योमित्येतत्
Maitri. 4. 4. ओं ब्रह्मणो महिमा
6. 2. एता उपासीतोमित्येतदक्षरेण
3. स वा एष ओमित्येतदात्माभवत्
— ओमिति तिस्रो मात्राः
— एतद्वा आदित्य ओमित्येवं ध्यायत
4. एतस्यैतत्तेजो यदसा आदित्य ओमित्येतदक्षरस्य चैतत्

Maitri. 6. 4. तस्मादोमित्यनेनैतदुपासीत 37; 7. 11.
5. स्वनवत्येषास्य तनूर्या ओमिति
— इत्यत ओमित्युक्तेनैताः प्रस्तुताः
— एतद्वै सत्यकाम परं चापरं च ब्रह्म यदोंम् (cf. Praśna. 5. 2.)
22. तत्रा ओमिति शब्दः
— ओमित्यनेनोर्ध्वमुत्क्रान्तः
23. यःशब्दस्तदोमित्येतदक्षरम्
24. धनुः शरीरमोमित्येतच्छरः
26. प्राणानोमित्यनेनोद्धृत्य
35. ओमापो ज्योती रसोऽमृतं ब्रह्म
— भूर्भुवःस्वरोम् Mahânár. 13. 1; Siras, 6; Prâṇâg. 9. 1.
7. 11. एतद्वाव तत्स्वरूपं..यदोमित्येतदक्षरम्
Muṇḍ. 2. 2. 6. ओमित्येवं ध्यायथ आत्मानम्
Mahânâr. 13. 1. घृणिः सूर्य आदित्य ओम्
15. 9. शिवोमाविशाप्रदाहाय (5 times).
16. 2. रुद्रोमाविशान्तकः
17. 5. सदाशिवोम्
24. 1. ओमित्यात्मानं युञ्जीत
Praśna. 5. 5. त्रिमात्रेणैवोमित्येतेनैवाक्षरेण
Mâṇḍû. 1. ओमित्येतदक्षरमिदं सर्वम् Nṛip, 2. 2; 4. 1; Nṛisut. 1; Râmot. 3.
Nṛisut. 1. एतमात्मानमोमिति ब्रह्मणैकीकृत्य ब्रह्म चात्मना ओमित्येकीकृत्य
— तदेकमजरममृतमभयमोमित्यनुभूय

Nṛisut. 1. संहरेदोमिति
4. ओमिति संहृत्य
— ओमिति संहरन्
8. एवं नैवमिति पृष्ट ओमित्येवाह
— ओमिति ह्यनुजानाति
— ओमिति ह्येवानुजानाति
9. तदेतदात्मानमोमित्यपश्यन्तः पश्यत
— अत्र ह्येव न विचिकित्स्यमित्यों सत्यम्
— ओमित्यनुजानीध्वम्

Brahmav. 3. ओमित्येकाक्षरं ब्रह्म
Amrit. 20; Gîtâ. 8. 13.

Śiras. 7. ओं सत्यमों सत्यम्

Śîkhâ. 1. ओमित्येतदक्षरमादौ प्रयुक्तं ध्यानं ध्यायितव्यम्
— ओमित्येतदक्षरस्य पादाश्चत्वारः
— ओमोमोमिति त्रिरुक्तः

Mahâ. 3. ओं जनादिति व्याहृत्या

Amṛita. 20. ओमित्येकेन रेचयेत्

Haṁsa. 2. ओं वेदप्रवचनम्

Nyâsa. 1. ओं चित्सखायम्

Aruṇeya. 5. ओं हि ओं हि ओं हीत्येतदुपनिषदं विन्यसेत्
(one MS. has. ओं ह्रीं ओं ह्रीं ओं ह्रीं विन्यसेत्)

Nâr. 4. ओमित्येतदग्रे व्याहरेत्
— ओमित्येकाक्षरम्
5. ओं नमो नारायणाय
Atmapra. 1.
— तानेकधा समभवत्तदोमिति
— अकारं परं ब्रह्म ओम्

Kâlâg. 2. ओं सत्यमित्युपनिषत्
Mukti. 2. 78.

Atmapra. 1. इत्यक्षरं प्रणवं तदेतदोमिति

Vâsu. 2. तदेतदोमित्येकधा समभवत्

Râmap. 14. जीवत्वेनेदमों यस्य
65. तथों नमो भगवते वासुदेवाय

Râmot. 3. अहमों तत्सद्यत्परं ब्रह्म
— ओं तद्रामभद्रः परं ज्योती रसोऽहम्

Mukti. 2. 73. तदेव चाहं सकलं विमुक्त ओम्

Gîtâ. 17. 23. ओं तत्सदिति निर्देशो ब्रह्मणः
24. तस्मादोमित्युदाहृत्य

ओंतद्ब्रह्मात्मक

Râmot. 2. ओंतद्ब्रह्मात्मकाः सच्चिदानन्दाख्याः (so Nârâyaṇa).

ओषधि

Chhâ. 1. 1. 2. अपामोषधयो रस ओषधीनां पुरुषो रसः

Bṛih. 1. 1. 1. ओषधयश्च वनस्पतयश्च लोमानि
3. 2. 13. ओषधीर्लोमानि (अपियन्ति)
6. 3. 6. माध्वीर्नः सन्त्वोषधीः
Mahânâr 9. 8; 17. 7.
6. 4. 1. अपामोषधय ओषधीनां पुष्पाणि
5. यदोषधीरप्यसरद्यदपः

Tait. 1. 7. 1. आप ओषधयो वनस्पतयः
2. 1. 1. पृथिव्या ओषधय ओषधीभ्यो ऽन्नम्

Śwet 2. 17. य ओषधीषु यो वनस्पतीषु

Muṇḍ. 1. 1. 7. यथा पृथिव्यामोषधयः सम्भवन्ति
2. 1. 5. ओषधयः पृथिव्याम्
9. अतश्च सर्वा ओषधयः
Mahânâr. 8. 5 (विश्वा)

Mahânâr. 1. 4. यत ओषधीभिः पुरुषान्पशूंश्च

Mahânâr. 4. 13. सुमित्रिया न आप ओषधयः सन्तु
Nṛip. 1. 4. य ओषधीनां प्रभवति तारापतिः सोमः
Śiras. 6. य ओषधीर्वीरुध आविवेश
— यो रुद्र ओषधीर्वीरुध आविवेश
— यो रुद्र ओषधीषु
Prâṇâg. 1. या ओषधयः सोमराज्ञीः (bis).
— मा ते बधाम्योषधे
Nîla. 21. कल्माषपुच्छमोषधे जम्भय
Gîtâ. 15. 13. पुष्णामि चौषधीः सर्वाः

ओषधिवनस्पति

Ait. 1. 4. लोमभ्य ओषधिवनस्पतयः
2. 4. ओषधिवनस्पतयो लोमानि भूत्वा
Chhâ. 5. 10. 6. ते . . ओषधिवनस्पतय इति जायन्ते
Mahânâr. 19. 2. ओषधिवनस्पतिभ्यः स्वाहा
23. 1. पर्जन्येनौषधिवनस्पतयः प्रजायन्त ओषधिवनस्पतिभिरन्नं भवति
Aśrama. 3. अकृष्टपच्यौषधिवनस्पतिभिः

ओषधिसंभार

Nyâsa. 1. ओषधिसंभारान् संभृत्य (3. MSS. have विधिवत्संभारान् and 2 others omit वत्)

ओष्ठ

Garbha. 5. षोडश पार्श्वदन्तौष्ठपटलानि
Prâṇâg. 4. दन्तोष्ठौ सूक्तवाकः

औक्ष्ण

Bṛih. 6. 4. 18. औक्ष्णेन वार्षभेण वा

औदुंबर

Bṛih. 6. 3. 1. औदुंबरे कंसे चमसे वा
13. चतुरौदुंबरो भवति
— औदुंबरः स्रुवः
— औदुंबरश्चमसः
— औदुंबर इध्मः
— औदुंबर्या उपमन्थन्यौ
Aruṇeya. 5. पालाशं बैल्वमौदुंबरं दण्डम् (so 2 MSS).

औद्दालकि

Kaṭha. 1. 11. औद्दालकिरारुणिः

औपजन्धनि

Bṛih. 2. 6. 3. त्रैवणिरौपजन्धनेः
4. 6. 3.
— औपजन्धनिराश्चुरेः
4. 6. 3.

औपनिषद

Bṛih. 3. 9. 26. तं त्वौपनिषदं पुरुषं पृच्छामि
Muṇḍ. 2. 2. 3. धनुर्गृहीत्वौपनिषदं महास्त्रम्
Nṛisut. 9. अमायमप्यौपनिषदमेव

औपमन्यव

Chhâ. 5. 11. 1. प्राचीनशाल औपमन्यवः
5. 12. 1. औपमन्यव कं त्वमात्मानमुपास्से

औपल

Nṛip. 3. 1. पाहि . . औपलामंबिकाम्

औपस्वतीपुत्र

Bṛih. 6. 5. 1. पाराशरीपुत्र औपस्वतीपुत्रात्
— औपस्वतीपुत्रः पाराशरीपुत्रात्

औपाधिक

Sarvop. 4. त्वंपदार्थादौपाधिकात्तत्पदार्थादौपाधिकाद्विलक्षणः

औषध

Maitri. 6. 36. *vide* आदि
Kathaśru. 1. औषधवत् प्राश्नीयात्
Aruṇeya. 4. औषधवदशनमाचरेत्
Gîtâ. 9. 16. स्वधाहमहमौषधम्

औष्ण्य

Maitri. 2. 6. एतयोरन्तरा देवौष्ण्यं प्रासुवद्यदौष्ण्यं स पुरुषः
6. 27. ब्रह्मणो वावैतत्तेजः..यच्छरीरस्यौष्ण्यम्
31. अग्नेर्यदौष्ण्यमाविष्टम्
7. 11. एतत् समीरणे प्रकाशप्रक्षेपकौष्ण्यस्थानीयम्
— घृतस्य चौष्ण्यमिव

औहोइकार

Chhâ. 1. 13. 2. विश्वे देवा औहोइकारः

क

Chhâ. 4. 10. 5. कं ब्रह्म खं ब्रह्मेति
— कं च खं च न विजानामि
— यद्वाव कं तदेव खं यदेव खं तदेव कमिति
Bṛih. 1. 2. 1. अर्चते वै मे कमभूत्
— कं ह वा अस्मै भवति
Śwet. 4. 13. कस्मै देवाय हविषा विधेम
Nṛip. 2. 4.

1. कंस

Chhâ. 5. 2. 8. निर्णिज्य कंसं चमसं वा
Bṛih. 6. 3. 1. औदुंबरे कंसे चमसे वा
Bṛih. 6. 4. 13. त्र्यहं कंसे न पिबेत्
24. कंसे पृषदाज्यं सन्नीय

2. कंस

Kṛish. 17. कालिः स कंसभूपतिः

कक्ष

Chhâ. 2. 9. 7. ते पुरुषं दृष्ट्वा कक्षं श्वभ्रमित्युपद्रवन्ति

कक्षोपस्थलोमन्

Nyâsa. 3. कक्षोपस्थलोमानि वर्जयेत् (so 2 MSS. and Nârâyaṇa.); Kathaśru. 4 (लोमान्)

कक्ष्य

Bṛih. 2. 5. 17. स वां मधु प्रावोचत्..कक्ष्यम्

कच्चिद्

Gîtâ. 6. 38. कच्चिन्नोभयविभ्रष्टः
18. 72. कच्चिदेतच्छ्रुतं पार्थ
— कच्चिदज्ञानसम्मोहः प्रनष्टस्ते

कटि

Kshur. 4. उरोमुखकटिग्रीवम्
Garbha. 3. गुल्फजठरकटिप्रदेशः

कटिदेश

Nâda. 3. स्वर्लोकः कटिदेशे तु

कटु

Garbha. 1. *vide* रस
Gîtâ. 17. 9. *vide* विदाहिन्

कठ

Mukti. 1. 30. *vide* तित्तिरि
37. त्रिपुरा कठभावना

कठरुद्र

Mukti. 1. *vide* सरस्वतीरहस्य

कठवल्ली

Mukti. 1. *vide* सरस्वतीरहस्य

कठिन

Garbha. 1. तत्र यत्कठिनं सा पृथिवी
3. मासाभ्यन्तरे कठिनम्

कण्ठ

Nṛip. 5. 2. कण्ठे बाहौ वा शिखायां वा बध्नीयात्
Kshur. 11. ताश्छित्त्वा कण्ठमायाति
Brahma. 2. नाभिर्हृदयं कण्ठं मूर्द्धा
3. कण्ठे स्वप्नं विनिर्दिशेत्
Amṛita. 34 उदानः कण्ठमाश्रितः
Piṇḍa. 6. हृत्कण्ठं तालु जायते
Vâsu. 2. ललाटकण्ठहृदयबाहुमूलेषु

कण्ठदेश

Maitri. 7. 11. ह्विरणुः कण्ठदेशे
Nâda. 4. कण्ठदेशे तपस्ततः

कण्ठान्तर

Kshur. 15. ततः कण्ठान्तरे योगी

कतम

Chhâ. 1. 1. 4. कतमा कतमर्क्कतमत्कतम त्साम कतमः कतम उद्गीथः
1. 11. 4. कतमा सा देवतेति 6, 8.
8. 7. 4. यश्चायमादर्शे कतम एषः
Bṛih. 3. 1. 7. कतमास्तास्तिस्र इति 8,10.
9. कतमा सैकेति
10. कतमास्ता या अध्यात्ममिति
3. 2. 1. ये ते ऽष्टौ ग्रहा अष्टावतिग्रहाः कतमे ते
3. 4. 1. कतमो याज्ञवल्क्य सर्वान्तरः 2; 3. 5. 1.
3. 9. 1. कतमे ते त्रयश्च त्री च शता
2. कतमे ते त्रयस्त्रिंशादिति

Bṛih. 3. 9. 3. कतमे वसव इति
4. कतमे रुद्रा इति
5. कतम आदित्या इति
6. कतम इन्द्रः कतमः प्रजापतिरिति ..कतमः स्तनयित्नुरिति ..कतमो यज्ञ इति
7. कतमे षडिति
8. कतमे ते त्रयो देवा इति कतमौ तौ द्वौ देवाविति ..कतमो ऽध्यर्द्ध इति
9. कतम एको देव इति
4. 3. 7. कतम आत्मेति Maitri. 6.31.
6. 2. 3. कतमे त इतीम इति
Maitri. 2. 1. यः कतमो भगवा इति
3. 2. कतम एष इति
4. 5. श्रेयः कतमो यः सो ऽस्माकं ब्रूहि
Mahânâr. 12. 3. कतमः स्वयम्भूः
13. 7. कतमा का या सा सत्येत्यमृता
23. 1. ब्रह्मा विश्वः कतमः
Praśna. 5. 1. कतमं वाव स तेन लोकं जयति
Jâbâla. 2. कतमं चास्य स्थानं भवति (but Nârâyaṇa and 2 MSS. of text. कतमत्); Râmot. 4.

कतर

Ait. 3. 11. स ईक्षत कतरेण प्रपद्यै
5. 1. कतरः स आत्मा
Chhâ. 5. 10. 8. एतयोः पथोर्न कतरेणचन
Praśna. 2. 1. कतर एतत् प्रकाशयन्ते
4. 1. कतर एष देवः स्वमान् पश्यति
Gauḍa. 4. 18. कतरत्पूर्वनिष्पन्नम्
Gîtâ 2. 6. नचैतद्विद्मः कतरन्नो गरीयः

कतिविध

Mukti. 1. 10. राम वेदाः कतिविधाः

कथ्

Śwet. 6. 23. तस्यैते कथिता ह्यर्थाः
Maitri. 2. 3. राजन्..अहं ते कथयिष्यामि
Yogaśi. 9. संक्षेपात् कथितं मया
Haṁsa. 1. पार्वत्या कथितं तत्त्वम्
Parama. 3. स यतिः कथ्यते (MSS)
Râmap. 9. अष्टादशामी कथिताः
19. तथा चायेति कथ्यते
Gîtâ. 2. 34. अकीर्तिं..कथयिष्यन्ति ते ऽव्ययाम्
10. 9. कथयन्तश्च मां नित्यम्
18. भूयः कथय
19. हन्त ते कथयिष्यामि
18. 75. कृष्णात्साक्षात्कथयतः स्वयम्

कथा

Chhâ. 1. 8. 1. हन्तोद्गीथे कथां वदामः
Mukti. 2. 63. बहुशास्त्रकथाकन्थारोमन्थेन वृथैव किम्

कदर्य

Chhâ. 5. 11. 5. जनपदे न कदर्यो न मद्यपः

कदलीगर्भ

Maitri. 4. 2. कदलीगर्भ इवासारम्

कदलीपुष्प

Dhyâna. 14. कदलीपुष्पसङ्काशम्

कदाचन, कदाचित्

Chhâ. 3. 11. 2. न निम्लोच नोदियाय कदाचन
Mahânâr. 21. 2. सत्येन न सुवर्गाल्लोकाच्च्यवन्ते कदाचन
Maitri. 6. 28. पुत्रदारकुटुम्बेषु सक्तस्य न कदाचन
Nṛisut. 9. न हीदं सर्वं कदाचित्
Amṛita. 24. यदक्षरं न क्षरते कदाचित्
Prâṇâg. 2. न भवेदहं कदाचन
Dhyâna. 3. नान्यो भेदः कदाचन
Gîtâ. 2. 20. न जायते म्रियते वा कदाचित्
47. मा फलेषु कदाचन
18. 67. नाभक्ताय कदाचन

कद्रु

Maitri. 6. 30. कद्रुनीलाः

कद्रुद्र

Mahânâr. 13. 3. कद्रुद्राय प्रचेतसे

कनिष्ठिका

Prâṇag. 1. कनिष्ठिकयाङ्गुल्या अङ्गुष्ठेन च

कनीनका

Bṛih. 2. 2. 2. या कनीनका तयादित्यः

कनीयस्

Kaush. 3. 28. नो एवासाधुना कनीयान् Bṛih. 4. 4. 22.
Chhâ. 7. 10. 1. अन्नं कनीयो भविष्यति
Bṛih. 1. 2. 5. कनीयो ऽन्नं करिष्ये
4. 4. 23. न वर्द्धते कर्मणा नो कनीयान्

कन्था

Nyâsa. 3. शीतोपघातिनीं कन्थाम् Kaṭhaśru. 4.
Aśrama. 4. कन्थाकौपीनवाससः
Mukti. 2. 63. बहुशास्त्रकथाकन्थारोमन्थेन

कन्दर

Jâbâla. 6. *vide* स्थण्डिल

कन्दर्प

Gîtâ. 10. 28 प्रजनश्चास्मि कन्दर्पः

कन्यकुमारी

Mahânâr. 3. 12. कन्यकुमार्यै धीमहि (2 MSS. read °मारि)

कन्या

Mahâ. 1. पुरुषाश्चतुर्दशाजायन्त एका कन्या

कपाल

Tait. 1. 6. 1. व्यपोह्य शीर्षकपाले
Garbha. 5. शिरः कपालं केशा दर्भाः

कपालसम्पुट

Yogasi. 7. कपालसम्पुटं भित्त्वा

कपालाष्टक

Brahma. 1. यथैवैष कपालाष्टकं सन्नयति

कपि

Mukti. 1. 18. मन्नामभजनात्कपे
2. 5. जेतव्यो भवता कपे

कपिध्वज

Gîtâ. 1. 20. अथ . . दृष्ट्वा . . कपिध्वजः

1. कापिल

Bṛih. 6. 4. 15. पुत्रो मे कापिलः पिङ्गलो जायेत
Śwet. 5. 2. ऋषिं प्रसूतं कपिलं यस्तमग्रे
Maitri. 6. 30. कपिला मृदुलोहिताः
Śiras. 5. ईशानदेवत्या कपिला वर्णेन
Garbha. 2. धूम्रः पीतः कपिलः पाण्डुरः

2. कपिल

Gîtâ. 10. 26. सिद्धानां कपिलो मुनिः

कपिशार्दूल

Mukti. 2. 64. य आस्ते कपिशार्दूल

कपिश्रेष्ठ

Mukti. 2. 58. भवत्याशु कपिश्रेष्ठ

कपीन्द्र

Râmap. 40. तेन दृष्टः कपीन्द्रो ऽसौ

कपीश्वर

Râmap. 38. कपीश्वरमाहूय शंसताम्

कपूय

Chhâ. 5. 10. 7. कपूयचरणाः . . कपूयां योनिमापद्येरन्

कपूयचरण

Chhâ 5. 10. 7. *vide* कपूय

कप्यास

Chhâ. 1. 6. 7. तस्य यथा कप्यासं पुण्डरीकमेवमक्षिणी

कफ

Maitri. 1. 3. *vide* संघात
3. 4. *vide* वसा
Garbha. 5. पित्तप्रस्थं कफस्याढकम्

कबन्ध

Bṛih. 3. 7. 1. कबन्ध आथर्वणः
Râmap. 37. असुरं हत्वा कबन्धम्

कबन्धिन्

Praśna. 1. 1. कबन्धी कात्यायनः 3.

1. कम्

Chhâ. 1. 2. 8. य एवंविदि पापं कामयते
5. 2. 9. यदा कर्मसु काम्येषु स्त्रियं स्वप्नेषु पश्यति
8. 2. 10. यं कामं कामयते सो ऽस्य सङ्कल्पादेव समुत्तिष्ठति

Bṛih. 1. 2. 4. सो ऽकामयत द्वितीयो म आत्मा जायेत
6. सो ऽकामयत भूयसा यज्ञेन भूयो यजेय
7. सो ऽकामयत मेध्यं म इदं स्यात्
1. 3. 28. तेषु वरं वृणीत यं कामं कामयेत
— यं कामं कामयते तमागायति
1. 4. 15. आत्मनो यद्यत्कामयते तत्तत् सृजते
17. सो ऽकामयत जाया मे स्यात्
— एकाकी कामयते जाया मे स्यात्
3. 2. 7. मनसा हि कामान्कामयते
3. 9. 27. यो वः कामयते (bis).
4. 3. 19. यत्र सुप्तो न कञ्चन कामं कामयते Mâṇḍû. 5. Nṛip. 4. 1; Nṛisut. 1; Ramot. 3.
4. 4. 6. इति नु कामयमानो ऽथाकामयमानः
22. प्रजां न कामयन्ते
6. 1. 4. सं हास्मै पद्यते यं कामं कामयते (bis).
6. 3. 1. स यः कामयेत महत्प्राप्नुयाम्
6. 4. 9. स यामिच्छेत्कामयेत मेति
Tait. 2. 6. 1. सो ऽकामयत बहु स्याम्
Muṇḍ. 3. 1. 10. विशुद्धसत्त्वः कामयते यांश्च कामान्
3. 2. 2. कामान् यः कामयते मन्यमानः
Mahânâr. 2. 7. प्रियमिन्द्रस्य काम्यम्
Nâr. 1. पुरुषो ह वै नारायणो ऽकामयत
Gîtâ. 18. 2. काम्यानां कर्मणां न्यासम्

2. कम्

Mahânâr. 6. 7. प्रत्नो हि कमीड्यः
Vâsu. 2. विष्णोर्नु कमिति मर्हयेत्

कमण्डलु

Parama. 1. न दण्डं न कमण्डलुं न शिखाम् (The words न कमण्डलुं are only in one of the MSS.)
Aśrama. 4. *vide* धारिन्
— शिक्यकमण्डलुहस्ताः
— *vide* यज्ञोपवीत
Jâbâla. 6. त्रिदण्डं कमण्डलुं शिक्यम्

कमण्डलुधर

Mahânâr. 3. 18. कमण्डलुधराय धीमहि

कमलधारिन्

Râmap. 27. श्लिष्टः कमलधारिण्या

कमलपत्राक्ष

Gîtâ. 11. 2. त्वत्तः कमलपत्राक्ष

कमलासन

Dhyâna. 12. चिन्तयेत् कमलासनम्
Kṛish. 9. यष्टिका कमलासनः

कमलासनस्थ

Gîtâ. 11. 15. ब्रह्माणमीशं कमलासनस्थम्

कम्प्

Praśna. 5. 6. न कम्पते ज्ञः
Haṁsa. 2. चतुर्थे कम्पते शिरः

कम्बलाश्वतर

Gâruḍa. 2. यदि कंबलाश्वतरदूतस्त्वं यदि वा कंबलाश्वतरः स्वयम्

कर

Maitri. 6. 33. करैर्थजगानमन्तरिक्षमुत्क्षिप्त्वा

Maitri. 6. 33. करैर्यजमानं दिवमुत्क्षिप्त्वा — करैर्यजमानस्यात्मविदे ऽवदानं करोति

करण

Śwet. 6. 8. न तस्य कार्यं करणं च विद्यते

Maitri. 3. 3. करणैः कारयितान्तः पुरुषः

Śikhâ. 2. करणं सर्वमैश्वर्यं सम्पन्नम्

Sarvop. 1. चतुर्भिः करणैः 2.

Gîtâ. 18. 14. करणं च पृथग्विधम्

18. करणं कर्म कर्त्तेति

करणाधिपाधिप

Śwet. 6. 9. स कारणं करणाधिपाधिपः

करन्यास

Haṁsa. 2. हृदयाद्यङ्गन्यासकरन्यासौ भवतः

कराली

Muṇḍ. 1. 2. 4. काली कराली च

करीषिन्

Mahânâr. 4. 8. नित्यपुष्टां करीषिणीम्

करुण

Gîtâ. 12. 13. मैत्रः करुण एव च

कर्कटक

Brahma. 1. खगः कर्कटकः पुष्करः

कर्कोटक

Gâruḍa. 2. यदि कर्कोटकदूतस्त्वं यदि वा कर्कोटकः स्वयम्

1. कर्ण

Ait. 1. 4. कर्णौ निरभिद्येतां कर्णाभ्यां श्रोत्रम्

2. 4. दिशः श्रोत्रं भूत्वा कर्णौ प्राविशन्

Kaush. 2. 11. अथास्य दक्षिणे कर्णे जपति

Chhâ. 3. 13. 8. यत्रैतत्कर्णावपिगृह्य निनदमिव . . उपशृणोति

Bṛih. 5. 9. 1. तस्यैष घोषो भवति यमेतत्कर्णावपिधाय शृणोति Maitri. 2. 6.

6. 4. 25. अथास्य दक्षिणं कर्णमभिनिधाय

Tait. 1. 4. 1. कर्णाभ्यां भूरि विश्रुवम्

Mahânâr. 7. 6. कर्णयोः श्रुतं मा च्योढ्वम्

Nṛip. 1. 1. भद्रं कर्णेभिः शृणुयाम देवाः 2. 4 ; Nṛisut. 1.

Râmot. 4. मुमूर्षोर्दक्षिणे कर्णे

Mukti. 1. 21. जन्तोर्दक्षिणकर्णे तु

1. भद्रं कर्णेभिरिति शान्तिः

2. कर्ण

Gîtâ. 1. 8. भवान्भीष्मश्च कर्णश्च

11. 34. कर्णं तथान्यानपि योधवीरान्

कर्णिका

Haṁsa. 2. कर्णिकायां स्वमम्

कर्त्त

Mahânâr. 8. 2. यथासिधारां कर्त्ते ऽवहितामवक्रामेद्यद्यु वेह वेह वा विह्वलिष्यामि कर्त्ते पतिष्यामि

कर्त्तृ

Kaush. 1. 2. तन्मा पुंसि कर्त्तर्येरयध्वं पुंसा कर्त्रा मातरि मा निषिंच

3. 8. न कर्म विजिज्ञासीत कर्त्तारं विद्यात्

4. 19. यो वै बालाक एतेषां पुरुषाणां कर्त्ता

Chhâ. 6. 16. 1. स यदि तस्य कर्त्ता भवति
7. 8. 1. उपसीदन्..कर्त्ता भवति
7. 9. 1. अन्नस्यायै..कर्त्ता भवति
Bṛih. 4. 3. 10. स्रवन्त्यः सृजते स हि कर्त्ता
4. 4. 13. स विश्वकृत्स हि सर्वस्य कर्त्ता
Maitri. 2. 7. अनवस्थो ऽसति कर्त्ता ऽकर्त्तैवावस्थः
3. 3. यः कर्त्ता सो ऽयं वै भूतात्मा
— कर्त्तृभिर्हन्यमानः
6. 7. आनन्दयिता कर्त्ता वक्ता
10. अस्य कर्त्ता प्रधानः
18. यदा पश्यन् पश्यति रुक्मवर्णं कर्त्तारम्
Muṇḍ.1. 1. 1. विश्वस्य कर्त्ता
3. 1. 3. यदा पश्यः पश्यते रुक्मवर्णं कर्त्तारम्
Mahânâr. 18. 2. कामः कर्त्ता कामः कारयिता
3. मन्युः कर्त्ता मन्युः कारयिता
Praśna. 4. 9. एष हि..मन्ता बोद्धा कर्त्ता
Sarvop. 1. कर्त्ता जीवः क्षेत्रज्ञः..कथम्
2. सुखदुःखबुद्धयाश्रयो देहान्तः कर्त्ता
Râmap. 12. क्रियाकारणकर्तॄणां (*vide* क्रिया)
Gîtâ. 3. 24. संकरस्य च कर्त्ता स्याम्
27. कर्त्ताहमिति मन्यते
4. 13. तस्य कर्त्तारमपि माम्
14. 19. नान्यं गुणेभ्यः कर्त्तारम्
18. 14. अधिष्ठानं तथा कर्त्ता
16. कर्त्तारमात्मानं केवलम्
18. करणं कर्म कर्त्तेति
19. ज्ञानं कर्म च कर्त्ता च
Gîtâ. 18. 26. कर्त्ता सात्त्विक उच्यते
27. हर्षशोकान्वितः कर्त्ता
28. कर्त्ता तामस उच्यते

कर्त्तृत्व

Mukti. 2. कर्त्तृत्वभोक्तृत्वसुखदुःखादिलक्षणः
— कर्त्तृत्वादिदुःखनिवृत्तिः
Gîtâ. 5. 14. न कर्त्तृत्वं न कर्माणि
13. 20. कार्यकारणकर्त्तृत्वे

कर्मकृत

Mahânâr. 4. 7. वाचा कृतं कर्मकृतम्

कर्मक्षय

Śwet. 6. 4. कर्मक्षये याति स तत्त्वतो ऽन्यः

कर्मचारिन्

Nâda. 6. न बध्यते कर्मचारी

कर्मचित

Muṇḍ.1. 2. 12. परीक्ष्य लोकान् कर्मचितान्

कर्मचोदना

Gîtâ. 18. 18. त्रिविधा कर्मचोदना

कर्मज

Gîtâ. 2. 51. कर्मजं बुद्धियुक्ता हि
4. 12. सिद्धिर्भवति कर्मजा
32. कर्मजान्विद्धि तान्सर्वान्

कर्मजित

Chhâ. 8. 1. 6. यथेह कर्मजितो लोकः क्षीयते

कर्मण्य

Nṛip. 2. 4. यतो वीरः कर्मण्यः सुदक्षः
Śiras. 7. शुचिः पूतः कर्मण्यो भवति

कर्मदेव

Bṛih. 4. 3. 33. एकः कर्मदेवानामानन्दः
Tait. 2. 8. 1.
— शतं कर्मदेवानामानन्दाः
Tait. 2. 8. 1.

कर्मन्

Ait. 4. 4. अयमात्मा पुण्येभ्यः कर्मभ्यः प्रतिधीयते

Kaush. 1. 7. केन कर्माणीति हस्ताभ्यामिति

2. 15. कर्माणि मे त्वयि दधानीति पिता कर्माणि ते मयि दध इति पुत्रः

3. 1. यो मां वेद न ह वै तस्य केनचन कर्मणा लोको मीयते

5. तयोः कर्म परस्तात्प्रतिविहिता भूतमात्रा

6. प्रज्ञया हस्तौ समारुह्य हस्ताभ्यां सर्वाणि कर्माण्याप्नोति

7. न हि प्रज्ञापेतौ हस्तौ कर्म किंचन प्रज्ञापयेयाताम्

— नावामेतत्कर्म प्राज्ञासिष्व

8. न कर्म विजिज्ञासीत कर्त्तारं विद्यात्

— न साधुना कर्मणा भूयान्
Bṛih. 4. 4. 22.

— एष ह्येव साधु कर्म कारयति

— एष उ एवासाधु कर्म कारयति

4. 19. यस्य वै तत्कर्म स वै वेदितव्यः

Kena. 33. तस्यै तपो दमः कर्मेति प्रतिष्ठा

Chhâ. 1. 3. 5. यान्यन्यानि वीर्यवन्ति कर्माणि

Chhâ. 4. 14. 3. एवंविदि पापं कर्म न श्लिष्यते

5. 2. 8. समृद्धं कर्मेति विद्यात्

9. यदा कर्मसु काम्येषु स्त्रियं स्वप्नेषु पश्यति

7. 3. 1. कर्माणि कुर्वीयेत्यथ कुरुते

7. 4. 1. मन्त्रेषु कर्माणि

2. मन्त्राणां संक्लृप्त्यै कर्माणि सङ्कल्पन्ते कर्मणां संक्लृप्त्यै लोकः सङ्कल्पते

7. 14. 1. आशेद्धो वै स्मरः . . कर्माणि कुरुते

7. 26. 1. आत्मतः कर्माणि

Bṛih. 1. 4. 15. अन्यद्वा कर्माकृतम्

— महत्पुण्यं कर्म करोति

— न हास्य कर्म क्षीयते

17. अथ कर्म कुर्वीय (bis).

— आत्मैवास्य कर्मात्मना हि कर्म करोति

1. 5. 2. कर्मभिर्यद्ध्येतन्न कुर्यात् क्षीयेत ह

16. मनुष्यलोकः पुत्रेणैव जय्यो नान्येन कर्मणा

— कर्मणा पितृलोकः

21. प्रजापतिर्ह कर्माणि ससृजे

— एवमन्यानि कर्माणि यथाकर्म

1. 6. 1. त्रयं वा इदं नाम रूपं कर्म

— कर्मणामात्मेत्येतदेषामुक्थमतो हि सर्वाणि कर्माण्युत्तिष्ठन्ति

— एतद्धि सर्वैः कर्मभिः समम्

— एतदेषां ब्रह्मैतद्धि सर्वाणि कर्माणि बिभर्ति

2. 4. 11. सर्वेषां कर्मणां हस्तावेकायनम् 4. 5. 12.

3. 2. 8. स कर्मणातिग्राहेण गृहीतो हस्ताभ्यां हि कर्म करोति

Brih. 3. 2. 13. तौ ह यदूचतुः कर्म हैव तदूचतुः
— यत् प्रशशंसतुः कर्म हैव तत्प्रशशंसतुः
— पुण्यो वै पुण्येन कर्मणा भवति 4. 4. 5 (omits वै)
4. 3. 2. पल्ययते कर्म कुरुते 3—6.
33. ये कर्मणा देवत्वमभिसम्पद्यन्ते
4. 4. 2. तं विद्याकर्मणी समन्वारभेते
5. यत्क्रतुर्भवति तत्कर्म कुरुते यत्कर्म कुरुते तदभिसम्पद्यते
6. तदेव सक्तः सह कर्मणैति
— प्राप्यान्तं कर्मणस्तस्य
— पुनरैत्यस्मै लोकाय कर्मणः
23. न वर्द्धते कर्मणा नो कनीयान्
— न लिप्यते कर्मणा पापकेन
6. 4. 24. यत्कर्मणात्यरीरिचम्
Iśâ. 2. कुर्वन्नेवेह कर्माणि
— न कर्म लिप्यते नरे
Tait. 1. 11. 2. यान्यनवद्यानि कर्माणि तानि सेवितव्यानि
3. यदि ते कर्मविचिकित्सा
2. 5. 1. विज्ञानं . . कर्माणि तनुते ऽपि च
2. 8. 1. ये कर्मणा देवानपियन्ति
3. 10. 2. कर्मेति हस्तयोः
Śwet. 6. 2. तेनेशितं कर्म विवर्त्तते ह
3. तत्कर्म कृत्वा विनिवृत्य भूयः
4. आरभ्य कर्माणि गुणान्वितानि
Maitri. 6. 7. कार्यकारणकर्मनिर्मुक्तम्
20. हन्ति कर्म शुभाशुभम् 34.

Muṇḍ. 1. 1. 8. कर्मसु चामृतम् (अभिजायते)
1. 2. 1. मन्त्रेषु कर्माणि . . अपश्यन्
7. उक्तमवरं येषु कर्म
2. 1. 10. कर्म तपो ब्रह्म परामृतम्
2. 2. 8. क्षीयन्ते चास्य कर्माणि
3. 1. 8. नान्यैर्देवैस्तपसा कर्मणा वा
3. 2. 7. कर्माणि विज्ञानमयश्च आत्मा
Mahânâr. 4. 12. कर्मणा वा दुष्कृतं कृतम् 19.1.
8. 2. एवं पुण्यस्य कर्मणो दूराद्गन्धो वाति
10. 5. न कर्मणा न प्रजया धनेन Kaivalya. 2.
Praśna. 6. 4. वीर्यं तपो मन्त्राः कर्म
Nṛip. 1. 1. तत् कर्मणा करोति
Kshur. 23. सर्वाणि कर्माणि . . दग्ध्वा
Garbha. 3. शुभाशुभं च कर्म विन्दति 5.
4. यन्मया . . कृतं कर्म शुभाशुभम्
— नच कर्म शुभाशुभं विन्दति
Kaivalya. 14. जन्मान्तरकर्मयोगात्
Brahma. 3. कर्मण्यधिकृता ये
Nîla. 23. कर्मणि कर्मणि
Jâbâla. 6. अशुभकर्मनिर्मूलनपरः
Sarvop. 2. पुण्यपापकर्मानुसारी
Aruṇeya. 1. केन . . कर्माण्यशेषतो विसृजामि
4. कर्म कलत्रं चान्यदपीह
Skanda. 7. कर्मनाशे सदाशिवः
Râmap. 73. महमारणकर्मणि
Mukti. 1. न कर्मसांख्ययोगोपासनादिभिः
2. 19. समाधिमथ कर्माणि
20. तस्यार्थो ऽस्ति न कर्मभिः
Gitâ. 2. 47. कर्मण्येवाधिकारस्ते
48. योगस्थः कुरु कर्माणि
49. दूरेण ह्यवरं कर्म

Gîtâ. 2. 50. योगः कर्मसु कौशलम्
3. 1. ज्यायसी चेत्कर्मणस्ते
— तत्किं कर्मणि घोरे
4. न कर्मणामनारम्भात्
5. कार्यते ह्यवशः कर्म
8. नियतं कुरु कर्म त्वं कर्म ज्यायो ह्यकर्मणः
9. यज्ञार्थात्कर्मणो ऽन्यत्र
— तदर्थं कर्म कौन्तेय . . समाचर
15. कर्म ब्रह्मोद्भवं विद्धि
19. कार्यं कर्म समाचर
— असक्तो ह्याचरन्कर्म
20. कर्मणैव हि संसिद्धिम्
22. वर्त्त एव च कर्मणि
23. यदि ह्यहं न वर्त्तेयं जातु कर्मणि
24. न कुर्यां कर्म चेदहम्
25. सक्ताः कर्मण्यविद्वांसः
27. क्रियमाणानि . . कर्माणि सर्वशः
30. मयि सर्वाणि कर्माणि सन्न्यस्य
31. मुच्यन्ते ते ऽपि कर्मभिः
4. 9. जन्म कर्म च मे दिव्यम्
12. कांक्षन्तः कर्मणां सिद्धिम्
14. न मां कर्माणि लिम्पन्ति
— कर्मभिर्न स बध्यते
15. एवं ज्ञात्वा कृतं कर्म
— कुरु कर्मैव तस्मात्
16. किं कर्म किमकर्मेति
— तत्ते कर्म प्रवक्ष्यामि
17. कर्मणो ह्यपि बोद्धव्यम्
— गहना कर्मणो गतिः
18. कर्मण्यकर्म यः पश्येदकर्मणि च कर्म यः
20. कर्मण्यभिप्रवृत्तो ऽपि

Gîtâ. 4. 21. शारीरं केवलं कर्म
23. यज्ञायाचरतः कर्म
33. सर्वं कर्माखिलं पार्थ
41. आत्मवन्तं न कर्माणि निबध्नन्ति
5. 1. सन्न्यासं कर्मणां कृष्ण
10. ब्रह्मण्याधाय कर्माणि
11. योगिनः कर्म कुर्वन्ति
14. न कर्तृत्वं न कर्माणि
6. 1. कार्यं कर्म करोति यः
3. कर्म कारणमुच्यते
4. न कर्मस्वनुषज्जते
17. युक्तचेष्टस्य कर्मसु
7. 29. अध्यात्मं कर्म चाखिलम्
8. 1. किं कर्म पुरुषोत्तम
9. 9. न च मां तानि कर्माणि निबध्नन्ति
— असक्तं तेषु कर्मसु
12. 6. ये तु सर्वाणि कर्माणि मयि सन्न्यस्य
10. मदर्थमपि कर्माणि कुर्वन्
13. 29. प्रकृत्यैव तु कर्माणि क्रियमाणानि
14. 9. रजः कर्मणि भारत
12. लोभः प्रवृत्तिरारम्भः कर्मणाम्
16. कर्मणः सुकृतस्याहुः
16. 24. कर्म कर्तुमिहार्हसि
17. 26. प्रशस्ते कर्मणि तथा
27. कर्म चैव तदर्थीयम्
18. 2. काम्यानां कर्मणां न्यासम्
3. त्याज्यं दोषवत् . . कर्म
— यज्ञदानतपःकर्म 5.
6. एतान्यपि तु कर्माणि
7. नियतस्य तु . . कर्मणः
8. दुःखमित्येव यत्कर्म
9. यत्कर्म नियतं क्रियते ऽर्जुन

Gîtâ. 18. 10. न द्वेष्टयकुशलं कर्म
11. नहि देहभृता शक्यं त्यक्तुं कर्माण्यशेषतः
12. त्रिविधं कर्मणः फलम्
15. यत्कर्म प्रारभते नरः
18. करणं कर्म कर्त्तेति
19. ज्ञानं कर्म च कर्त्ता च
23. अफलप्रेप्सुना कर्म यत्
24. यत्तु कामेप्सुना कर्म
25. मोहादारभ्यते कर्म
41. कर्माणि प्रविभक्तानि
43. क्षात्रं कर्म स्वभावजम्
44. परिचर्यात्मकं कर्म
45. स्वे स्वे कर्मण्यभिरतः
47. स्वभावनियतं कर्म कुर्वन्
48. सहजं कर्म कौन्तेय
60. निबद्धः स्वेन कर्मणा

कर्मनामन्

Brih. 1. 4. 7. तान्यस्यैतानि कर्मनामान्येव

कर्मफल

Maitri. 2. 7. सितासितैः कर्मफलैरनभिभूत इव
3. 1. सितासितैः कर्मफलैरभिभूयमानः 2.
Mahânâr. 6. 3. कर्मफलेषु जुष्टाम्
Gîtâ. 4. 14. न मे कर्मफले स्पृहा
5. 12. युक्तः कर्मफलं त्यक्त्वा
6. 1. अनाश्रितः कर्मफलम्

कर्मफलत्याग

Gîtâ. 12. 11. सर्वकर्मफलत्यागम्
18. 2.
12. ध्यानात्कर्मफलत्यागः

कर्मफलत्यागिन्

Gîtâ. 18. 11. यस्तु कर्मफलत्यागी

कर्मफलप्रेप्सु

Gîtâ. 18. 27. रागी कर्मफलप्रेप्सुः

कर्मफलसंयोग

Gîtâ. 5. 14. न कर्मफलसंयोगम्

कर्मफलहेतु

Gîtâ. 2. 47. मा कर्मफलहेतुर्भूः

कर्मफलासङ्ग

Gîtâ. 4. 20. त्यक्त्वा कर्मफलासंगम्

कर्मबन्ध

Gîtâ. 2. 39. कर्मबन्धं प्रहास्यसि

1. कर्मबन्धन

Gîtâ. 3. 9. लोको ऽयं कर्मबन्धनः

2. कर्मबन्धन

Gîtâ. 9. 28. मोक्ष्यसे कर्मबन्धनैः

कर्ममय

Kaush. 2. 5. ताः कर्ममय्यो हि भवन्ति
6. एतदैष्टिकं कर्ममयमात्मानमध्वर्युः संस्करोति

कर्मयोग

Gîtâ. 3. 3. कर्मयोगेन योगिनाम्
7. कर्मेन्द्रियैः कर्मयोगम्
5. 2. सन्न्यासः कर्मयोगश्च
— कर्मयोगो विशिष्यते
13. 24. कर्मयोगेन चापरे

कर्मवशानुग

Maitri. 6. 34. अनृताः कर्मवशानुगाः

कर्मसङ्ग

Gîtâ. 14. 7. तन्निबध्नाति . . कर्मसङ्गेन

कर्मसङ्गिन्

Gîtâ. 3. 26. अज्ञानां कर्मसंगिनाम्
14. 15. कर्मसंगिषु जायते

कर्मसंग्रह

Gîtâ. 18. 18. त्रिविधः कर्मसंग्रहः

कर्मसंज्ञित

Gîtâ. 8. 3. विसर्गः कर्मसंज्ञितः

कर्मसन्न्यास

Gîtâ. 5. 2. तयोस्तु कर्मसन्न्यासात्

कर्मसमुद्भव

Gîtâ. 3. 14. यज्ञः कर्मसमुद्भवः

कर्मसिद्धि

Maitri. 4. 3. नातपस्कस्यात्मज्ञाने ऽधिगमः कर्मसिद्धिर्वा

कर्मातिशेष

Chhâ. 8. 15. 1. गुरोः कर्मातिशेषेण

कर्माध्यक्ष

Śwet. 6. 11. कर्माध्यक्षः सर्वभूताधिवासः
Brahma. 3.

कर्मानुग

Swet. 5. 11. कर्मानुगानि . . रूपाणि

कर्मानुबन्धिन्

Gîtâ. 15. 2. कर्मानुबन्धीनि मनुष्यलोके

कर्मिन्

Muṇḍ. 1. 2. 9. यत्कर्मिणो न प्रवेदयन्ति रागात्

Gîtâ. 6. 46. कर्मिभ्यश्चाधिको योगी

कर्मेन्द्रिय

Maitri. 2. 6. कर्मेन्द्रियाण्यस्य हयाः

Garbha. 5. कर्मेन्द्रियाणि हवींषि
Prâṇâg. 4.

Gîtâ. 3. 6. कर्मेन्द्रियाणि संयम्य
7. कर्मेन्द्रियैः कर्मयोगम्

कर्मोपभोग

Maitri. 6. 30. इह कर्मोपभोगाय तैः संसरति

कल्

Gîtâ. 10. 30. कालः कलयतामहम्

कल

Chhâ. 5. 1. 8. यथा कला अवदन्तः
Bṛih. 6. 1. 8.

कलत्र

Aruṇeya. 4. कर्म कलत्रं चान्यदपीह

Parama. 1. स्वपुत्रमित्रकलत्रबन्ध्वादीन्

कलल

Garbha. 3. एकरात्रोषितं कललं भवति

कलविकरण

Mahânâr. 17. 2. कलविकरणाय नमः

कलहिन्

Chhâ. 7. 6. 1. ये ऽल्पाः कलहिनः पिशुनाः

कला

Chhâ. 4. 5. 2. प्राची दिक् कला प्रतीची दिक् कला &c.

4. 6. 3. पृथिवी कलान्तरिक्षं कला &c.

4. 7. 3. अग्निः कला सूर्यः कला &c.

4. 8. 3. प्राणः कला चक्षुः कला &c.

6. 7. 3. ते षोडशानां कलानामेका कलातिशिष्टा 6.

Bṛih. 1. 5. 14. तस्य रात्रय एव पञ्चदश कला ध्रुवैवास्य षोडशी कला

— एतया षोडश्या कलया

15. वित्तमेव पञ्चदश कला आत्मैवास्य षोडशी कला

Maitri. 6. 14. यावत्यो वै कालस्य कलाः

Muṇḍ. 3. 2. 7. गताः कलाः पञ्चदश प्रतिष्ठाः

Mahânâr. 1. 8. कला मुहूर्ताः काष्ठाश्च

Praśna. 6. 6. कला यस्मिन् प्रतिष्ठिताः
Piṇḍa. 4. कलानां तस्य संभवः (some MSS. गलानां)
Râmap. 89. कलापारतत्त्वे

कलात्रयानन

Nâda. 8. कलात्रयानना वापि तासां मात्रा

कलासर्गकर

Śwet. 5. 14. कलासर्गकरं देवं ये विदुः

कलासूक्ष्म

Tejo. 5. व्योमरूपं कलासूक्ष्मम्

कलि

Nṛip. 1. 5. कलौ नान्येषां भवति
Kṛish. 17. कलिः स कंसभूपतिः
Mukti. 1. 40. *vide* मुक्तिका

कलिकाल

Kṛish. 11. कलिकालस्तिरस्कृतः

कलिल

Swet. 4. 14. सूक्ष्मातिसूक्ष्मं कलिलस्य मध्ये
5. 13. अनाद्यनन्तं कलिलस्य मध्ये

कलिसन्तरण

Mukti. 1. *vide* सरस्वतीहरस्य

कलुषीकृत

Maitri. 3. 2. कलुषीकृतश्चास्थिरः 6. 30.

कलेवर

Nâda. 19. शनैर्मुञ्चेत् कलेवरम्
Gîtâ. 8. 5. मुक्त्वा कलेवरम्
6. त्यजत्यन्ते कलेवरम्

कल्प

Muṇḍ. 1. 1. 5. शिक्षा कल्पो व्याकरणम्
Nṛip. 5. 9. स कल्पानधीते

कल्पक्षय

Gîtâ. 9. 7. कल्पक्षये पुनस्तानि

कल्पतरु

Râmap. 30. कल्पतरौ स्थितम्

कल्पता

Mahânâr. 1. 9. संवत्सरश्च कल्पताम् (= समर्थतां गतः Nâr.)

कल्पना

Râmap. 7. रूपकल्पना
8. पुंस्त्र्यंगास्त्रादिकल्पना
9. वर्णवाहनकल्पना
10. शक्तिसेनाकल्पना
— सेनादिकल्पना
13. यन्त्रकल्पना

कल्पादि

Gîtâ. 9. 7. कल्पादौ विसृजाम्यहम्

कल्पितसंवृति

Gauḍa. 4. 73. यो ऽस्ति कल्पितसंवृत्या
74. अजः कल्पितसंवृत्या

कल्माषपुच्छ

Nila. 21. कल्माषपुच्छमोषधे जम्भय

कल्याण

Bṛih. 1. 3. 2. यत्कल्याणं वदति तदात्मने
3. यत्कल्याणं जिघ्रति तदात्मने
4. यत्कल्याणं पश्यति तदात्मने
5. यत्कल्याणं शृणोति तदात्मने
6. यत्कल्याणं सङ्कल्पयति तदात्मने
4. 4. 22. अतः कल्याणमकरवम्
Nṛip. 2. 4. शोभमानः कल्याणः (bis).

कल्याणकृत्

Gîtâ. 6. 40. नहि कल्याणकृत्कश्चित्

कल्याणतम

Bṛih. 5. 15. 1. यत्ते रूपं कल्याणतमं तत्ते पश्यामि Iśâ. 16.

कल्याणतर

Bṛih. 4. 4. 4. नवतरं कल्याणतरं रूपम् (bis).

कवच

Nṛip. 2. 2. ओं कवचाय हुम्

कवि

Iśâ. 8. कविर्मनीषी परिभूः

Kaṭha. 3. 14. दुर्गं पथस्तत्कवयो वदन्ति

Śwet. 6. 1. स्वभावमेके कवयो वदन्ति

Maitri. 2. 7. स वा एष आत्मेहोशन्ति कवयः

Muṇḍ. 1. 2. 1. मन्त्रेषु कर्माणि कवयो यान्यपश्यन्

Mahânâr. 1. 3. यदन्तः समुद्रे कवयो वदन्ति

6. तदेव ब्रह्म परमं कवीनाम्

9. 1. पदवीः कवीनाम् 17. 8.

11. 7. अनन्तमव्ययं कविम्

10. अक्षयः कविः

Praśna. 5. 7. स सामभिर्यत्तत्कवयो वेदयन्ते

Nṛip. 1. 1. हृदि प्रतीष्य कवयो मनीषा

Gitâ. 4. 16. कवयो ऽप्यत्र मोहिताः

8. 9. कविं पुराणमनुशासितारम्

10. 37. कवीनामुशनाः कविः

18. 2. सन्न्यासं कवयो विदुः

कश्मल

Gitâ. 2. 2. कुतस्त्वा कश्मलमिदम्

कश्यप

Bṛih. 2. 2. 4. इमावेव वसिष्ठकश्यपावयमेव वसिष्ठो ऽयं कश्यपः

6. 5. 3. आसितो वार्षगणो हरितात् कश्यपात्

— हरितः कश्यपः शिल्पात् कश्यपात्

— शिल्पः कश्यपः कश्यपान्नैध्रुवेः

— कश्यपो नैध्रुविर्वाचः

Kṛish. 20. कश्यपोलूखलः ख्यातः

कष्

Chhâ. 4. 1. 8. पामानं कषमाणमुपोपविवेश

कषाय

Garbha. 1. *vide* रस

कषायकुण्डलिन्

Maitri. 7. 8. वृथा कषायकुण्डलिनः

कहोल

Bṛih. 3. 5. 1. कहोलः कौषीतकेयः

कांस्य

Maitri. 6. 22. नद्यः किङ्किणी कांस्यम्

कांस्यघण्टा

Brahmav. 13. कांस्यघण्टानिनादस्तु

काक्षसेनि

Chhâ. 4. 3. 5. अभिप्रतारिणं च काक्षसेनिम्

कांक्ष्

Gîtâ. 1. 32. न कांक्षे विजयं कृष्ण

33. येषामर्थे कांक्षितं नो राज्यम्

4. 12. कांक्षन्तः कर्मणां सिद्धिम्

5. 3. यो न द्वेष्टि न कांक्षति

12. 17. न शोचति न कांक्षति 18. 54.

14. 22. न निवृत्तानि कांक्षति

काञ्चन

Dhyâna. 7. पाषाणेष्विव काञ्चनम्
Yogat. 8.

Aśrama. 4. समलोष्टाश्मकाञ्चनाः

काञ्चनाद्रि

Gopî. 5. काञ्चनाद्रिसमं फलम्

काण्ड

Mahânâr. 4. 3. काण्डात्काण्डात्प्ररोहन्ती

काण्वीपुत्र

Bṛih. 6. 5. 1. वैयाघ्रपदीपुत्रः काण्वीपुत्राच्च कापीपुत्राच्च

कात्यायन

Praśna. 1. 1. कबन्धी कात्यायनः 3.

कात्यायनी

Bṛih. 2. 4. 1. ते ऽनया कात्यायन्यान्तं करवाणीति 4. 5. 2.
4. 5. 1. मैत्रेयी च कात्यायनी च
— स्त्रीप्रज्ञैव तर्हि कात्यायनी

Mahânâr. 3. 12. कात्यायन्यै विद्महे

कात्यायनीपुत्र

Bṛih. 6. 5. 1. गौतिमाषीपुत्रः कात्यायनीपुत्रात्
— कात्यायनीपुत्रो गौतमीपुत्रात्
— पाराशरीपुत्रः कात्यायनीपुत्रात्
— कात्यायनीपुत्रः कौशिकीपुत्रात्

कानीयस

Bṛih. 1. 3. 1. ततः कानीयसा एव देवाः

कापालिन्

Maitri. 7. 8. वृथा . . कापालिनः

कापीपुत्र

Bṛih. 6. 5. 1. वैयाघ्रपदीपुत्रः काण्वीपुत्राच्च कापीपुत्राच्च
2. कापीपुत्र आत्रेयीपुत्रात्

कापेय

Chhâ. 4. 3. 5. शौनकं च कापेयम्
6. तं कापेय नाभिपश्यन्ति
7. शौनकः कापेयः

काप्य

Bṛih. 2. 6. 3. शाण्डिल्यः कैशोर्यात्काप्यात् 4. 6. 3.
— कैशोर्यः काप्यः कुमारहारितात् 4. 6. 3.
3. 3. 1. पतञ्चलस्य काप्यस्य
3. 7. 1.
3. 7. 1. पतञ्चलं काप्यम् (ter).
— पतञ्चलः काप्यः (bis).
— वेत्थ नु त्वं काप्य (bis).

काम

Ait. 4. 6. स्वर्गे लोके सर्वान् कामानाप्त्वा 5. 4 ; Atmapra. 1.
5. 2. क्रतुरसुः कामो वश इति

Kaush. 1. 7. केन धियो विज्ञातव्यं कामानिति
2. 15. स्वर्गान् लोकान् कामानामुहि
3. 5. तस्य धीः कामाः परस्तात्प्रतिविहिता भूतमात्रा

Chhâ. 1. 1. 6. आपयतो वै तावन्योन्यस्य कामम्
7. आपयिता ह वै कामानां भवति
8. समर्द्धयिता ह वै कामानां भवति
1. 2. 13. सह स्त्रैभ्यः कामानागायति

Chhâ. 1. 2. 14. आगाता ह वै कामानां भवति

1. 3. 12. स्तुवीत कामं ध्यायन्

— अभ्याशो ह यदस्मै स कामः समृध्येत यत्कामः स्तुवीत

1. 7. 9. कं ते काममागायानि

1. 10. 4. कामो म उदपानमिति

3. 19. 3. सर्वाणि च भूतानि सर्वे च कामाः (bis).

4. 9. 2. भगवांस्त्वेव मे कामे ब्रूयात्

4. 10. 3. बहव इमे ऽस्मिन्पुरुषे कामा नानात्ययाः

5. 1. 4. सं हास्मै कामाः पद्यन्ते

7. 10. 2. आप्नोति सर्वान् कामान्

7. 14. 2. अस्य सर्वे कामाः समृध्यन्ति

8. 1. 4. सर्वे च कामाः

5. अस्मिन् कामाः समाहिताः

6. व्रजन्त्येतांश्च सत्यान् कामान्

8. 2. 10. यं कामं कामयते

8. 3. 1. इमे सत्याः कामा अनृतापिधानाः 2.

8. 7. 1. आप्नोति सर्वांश्च कामान् 2, 3; 8. 12. 6.

8. 12. 5. एतान् कामान् पश्यन् रमते

6. सर्वे च लोका आप्ताः सर्वे च कामाः

Brih. 1. 3. 28. वरं वृणीत यं कामं कामयेत

— यं कामं कामयते तमागायति

1. 4. 17. एतावान्वै कामः

1. 5. 3. कामः सङ्कल्पो विचिकित्सा Maitri. 6. 30.

2. 4. 5. न वा अरे पत्युः कामाय पतिः प्रियो भवत्यात्मनस्तु कामाय पतिः प्रियो भवति (similarly 9 times more); 4. 5. 6 (similarly 11 times more).

Brih. 3. 2. 7. स कामेनातिग्राहेण गृहीतो मनसा हि कामान्कामयते

3. 9. 11. काम एव यस्यायतनम्

4. 1. 3. प्राणस्य वै कामाय

4. 3. 19. यत्र सुप्तो न कञ्चन कामं कामयते Mâṇḍû. 5; Nṛip. 4. 1; Nṛisut 1; Râmot. 3.

4. 4. 7. यदा सर्वे प्रमुच्यन्ते कामाः Kaṭha. 6. 14.

12. किमिच्छन् कस्य कामाय

5. 14. 7. असावस्मै कामो मा समर्द्धि.. न हैवास्मै स काम ऋध्यते

6. 1. 4. सं हास्मै पद्यते यं कामं कामयते (bis).

6. 3. 1. यावन्तो देवाः.. घ्नन्ति पुरुषस्य कामान्

— ते मा तृप्ताः सर्वैः कामैस्तर्पयन्तु

Tait. 2. 1. 1. सो ऽश्नुते सर्वान् कामान्

2. 5. 1. सर्वान् कामान् समश्नुते

3. 10. 4. तन्नम इत्युपासीत नम्यन्ते ऽस्मै कामाः

Kaṭha. 1. 24. कामानां त्वा कामभाजं करोमि

25. ये ये कामा दुर्लभाः.. सर्वान् कामांश्छन्दतः प्रार्थयस्व

2. 3. प्रियान् प्रियरूपांश्च कामान् अत्यस्राक्षीः

Katha. 2. 4. न त्वा कामा बहवो ऽलोलुपन्त Maitri. 7. 9 (लोलुपन्ते)
11. कामस्याप्तिं जगतः प्रतिष्ठाम्
4. 2. पराचः कामाननुयन्ति बालाः
5. 8. कामं कामं .. निर्मिमाणः
13. एको बहूनां यो विदधाति कामान् Swet. 6. 13.

Maitri. 1. 2. अन्यान् कामान् वृणीष्व
3. *vide* आद्य
6. 30. अत्र हि सर्वे कामाः समाहिताः 35, 38.
38. कामममभिध्यायमानः

Muṇḍ.3. 1. 10. कामयते यांश्च कामान्... जयते तांश्च कामान्
3. 2. 2. कामान् यः कामयते...स कामभिर्जायते तत्र तत्र (Nârâyaṇa explains कर्मभिः)
— इहैव सर्वे प्रविलीयन्ति कामाः

Mahânâr. 18. 2. कामो ऽकार्षीन्नाहं करोमि कामः करोति कामः कर्त्ता कामः कारयिता एतत्ते काम कामाय स्वाहा
19. 2. कामाय स्वाहा
25. 1. काम आज्यम्

Praśna. 2. 10. कामायान्नं भविष्यतीति

Mâṇḍû. 9. आप्नोति ह वै सर्वान् कामान्..य एवं वेद

Gauḍa. 3. 42. यथा कामो लयस्तथा

Nṛip. 1. 1. तस्यान्तर्मनसि कामः समवर्त्तत
— कामस्तदग्रे समवर्त्तत

Kshur. 25. यदा कामात् स मुच्यते (not in most MSS.)

Prâṇâg. 4. कामः पशुः

Tejo. 12. कामं क्रोधं च किल्विषम्

Nyâsa. 2. त्यक्त्वा कामान् सन्न्यस्यति

Parama. 2. *vide* आदि
— सर्वान् कामान् परित्यज्य
3. सर्वे कामा मनोगता व्यावर्त्तन्ते (सर्वान् कामानात्मनो गतान् व्यावर्त्तेरन् MSS.)

Aruṇeya. 3. *vide* आदि

Nâr. 4. स सर्वान् कामानवाप्नोति

Gîtâ. 2. 55. प्रजहाति यदा कामान्
62. संगात्सञ्जायते कामः कामात्क्रोधो ऽभिजायते
70. तद्वत्कामा यं प्रविशन्ति सर्वे
71. विहाय कामान् यः सर्वान्
3. 37. काम एष क्रोध एष
6. 24. संकल्पप्रभवान् कामान्
7. 11. कामरागविवर्जितम्
— कामो ऽस्मि भरतर्षभ
20. कामैस्तैस्तैर्हृतज्ञानाः
22. लभते च ततः कामान्
16. 10. काममाश्रित्य दुष्पूरम्
18. कामं क्रोधं च संश्रिताः
21. कामः क्रोधस्तथा लोभः
17. 5. कामरागबलान्विताः
18. 34. यया तु धर्मकामार्थान्
53. कामं क्रोधं परिग्रहम्

कामकाम

Gîtâ. 9. 21. गतागतं कामकामा लभन्ते

कामकामिन्

Gîtâ. 2. 70. स शान्तिमाप्नोति न कामकामी

कामकार

Gîtâ. 5. 12. अयुक्तः कामकारेण

कामकारतस्

Gîtâ. 16. 23. वर्तते कामकारतः

कामक्रोधपरायण

Gîtâ. 16. 12. कामक्रोधपरायणाः

कामक्रोधवियुक्त

Gîtâ. 5. 26. कामकोधवियुक्तानाम्

कामक्रोधोद्भव

Gîtâ. 5. 23. कामक्रोधोद्भवं वेगम्

कामचार

Chhâ. 7. 25. 2. सर्वेषु लोकेषु कामचारो भवति 8. 1. 6; 8. 4. 3; 8. 5. 4.

कामद

Gopî. 5. कामदं मोक्षदं चैव

कामदुह्

Gîtâ. 10. 28. धेनूनामस्मि कामधुक्

कामपूरण

Mukti. 1. 47. याचतः कामपूरणम्

कामप्रश्न

Bṛih. 4. 3. 1. स ह कामप्रश्नमेव वव्रे

कामभाज्

Kaṭha. 1. 24. कामानां त्वा कामभाजं करोमि

कामभोग

Gauḍa. 3. 42. विक्षिप्तं कामभोगयोः
43. कामभोगान्निवर्त्तयेत्

Gîtâ. 16. 16. प्रसक्ताः कामभोगेषु

कामम्

Chhâ. 6. 7. 1. काममपः पिब

Bṛih. 6. 4. 7. काममेनामवक्रीणीयात्
— काममेनां यष्टया वा पाणिना वोपहत्य

काममय

Bṛih. 3. 9. 11. य एवायं काममयः पुरुषः

Bṛih. 4. 4. 5. काममयो ऽकाममयः
— काममय एवायं पुरुष इति

काममालिनी

Mahânâr. 3. 14. काममालिन्यै धीमहि

कामरूप

Râmap. 30. कामरूपाय रामाय

Gitâ. 3. 39. कामरूपेण कौन्तेय
43. कामरूपं दुरासदम्

कामरूपिन्

Tait. 3. 10. 5. कामान्नी कामरूपी

कामलायन

Chhâ. 4. 10. 1. उपकोसलः कामलायनः

कामविवर्जित

Maitri. 6. 34. शुद्धं कामविवर्जितम्
Brahmab. 1

कामसङ्कल्प

Brahmab. 1. अशुद्धं कामसङ्कल्पम्

Gîtâ. 4. 19. कामसङ्कल्पवर्जिताः

कामसम्पर्क

Maitri. 6. 34. अशुद्धं कामसम्पर्कात्

कामहैतुक

Gîtâ. 16. 8. किमन्यत्कामहैतुकम्

कामागान

Chhâ. 1. 7. 9. एष ह्येव कामागानस्येष्टे

कामात्मन्

Gîtâ. 2. 43. कामात्मानः स्वर्गपराः

कामान्निन्

Tait. 3. 10. 5. कामान्नी कामरूपी

कामिका (=त)

Râmap. 74. मेदश्च कामिका
79. कामिका कामिका रुद्रयुक्ता

कामिकापञ्चम

Râmap. 78. कामिकापञ्चमो लान्तः

कामिन्

Maitri. 6. 10. यद्वन्न काश्चिच्छून्यागारे कामिन्यः प्रविष्टाः स्पृशति

कामेप्सु

Gîtâ. 18. 24. यत्तु कामेप्सुना कर्म

कामोपभोग

Maitri. 1. 3. अस्मिञ्छरीरे किं कामोपभोगैः (bis).
4. अस्मिन्त्संसारे किं कामोपभोगैः

Gîtâ. 16. 11. कामोपभोगपरमाः

काय

Gauḍa. 4. 33. कायस्यान्तर्निदर्शनात्
36. स्वप्ने चावस्तुकः कायः
— यथा कायस्तथा सर्वम्

Brahma. 3. वाक्कायक्लेशवर्जिता

Gîtâ. 5. 11. कायेन मनसा बुद्ध्या
6. 13. समं कायशिरोग्रीवम्
11. 44. तस्मात्प्रणम्य प्रणिधाय कायम्
18. 8. कायक्लेशभयात्त्यजेत्

कायाग्नि

Maitri. 7. 11. मनः कायाग्निमाहन्ति

कारक

Garbha. 4. अशुभक्षयकारकम् (ter).

Gîtâ. 1. 43. वर्णसंकरकारकैः

कारण

Śwet. 1. 1. किं कारणं ब्रह्म
3. यः कारणानि . . अधितिष्ठति
6. 9. स कारणं करणाधिपाधिपः
6. 13. तत्कारणं सांख्ययोगाधिगम्यम्

Maitri. 6. 7. कार्यकारणकर्मनिर्मुक्तम्
34. मन एव . . कारणं बन्धमोक्षयोः Brahmab. 2.

Gauḍa. 3. 25. कारणं प्रतिषिध्यते
4. 11. कारणं यस्य वै कार्यं कारणं तस्य जायते
12. कारणाद्यद्यनन्यत्वम्
— कारणं ते कथं ध्रुवम्

Chûl. 19. कारणैर्व्यञ्जयेद्बुधः

Gopî. 1. ब्रह्मानन्दकारणम्

Râmap. 12. क्रियाकारणकर्तृणाम् (*vide* क्रिया)

Mukti. 2. 22. वासनामात्रकारणम्
25. जन्मजरामरणकारणम्
66. विरागकारणं तस्य
75. न कारणं कार्यम्

Gîtâ. 3. 13. ये पचन्त्यात्मकारणात्
6. 3. कर्म कारणमुच्यते
— शमः कारणमुच्यते
13. 20. कार्यकारणकर्तृत्वे
21. कारणं गुणसंगो ऽस्य
18. 13. पञ्चेमानि . . कारणानि

कारणत्व

Râmap. 15. कारणत्वेन चिच्छक्त्या

कारणबद्ध

Gauḍa. 1. 11. प्राज्ञः कारणबद्धस्तु

कारणरूप

Nâr. 5. कारणरूपमकारं परं ब्रह्म Atmapra. 1.

Atmapra. 1. तस्मात्कारणरूपं बोधस्वरूपम्

कारयितृ

Maitri. 3. 2. भगवन्तं कारयितारं नापश्यत्

Maitri. 3. 3. करणैः कारयितान्तःपुरुषः
Mahânâr. 18. 2. कामः कर्त्ता कामः कारयिता
3. मन्युः कर्त्ता मन्युः कारयिता

कारिन्

Gopî. 2. जगत्सृष्टिस्थित्यन्तकारिण्यः
Râmot. 3. जगदाकारकारिणी
— उत्पत्तिस्थितिसंहारकारिणी

कारुण्य

Skanda. 1. तव कारुण्यलेशतः

कार्त्तिकी

Aśrama. 3. कार्त्तिक्यां पौर्णमास्याम्

कार्पण्य

Maitri. 3. 5. कार्पण्यं क्रोधः . . इति तामसानि
Gîtâ. 2. 7. कार्पण्यदोषोपहतस्वभावः

कार्य्यकारणताभाव

Gauḍa. 4. 52. कार्य्यकारणताभावाद्यतोऽचिन्त्याः सदैव ते

कार्यकारणबद्ध

Gauḍa. 1. 11. कार्यकारणबद्धौ तौ

कार्शकेयीपुत्र

Bṛih. 6. 5. 2. वैदृभतीपुत्रः कार्शकेयीपुत्रात्
— कार्शकेयीपुत्रः प्राचीनयोगीपुत्रात्

कार्ष्णायस

Chhâ. 6. 1. 6. एकेन नखनिकृन्तनेन सर्वं कार्ष्णायसं विज्ञातम्

काल

Kaush. 4. 13. न पुरा कालात्सम्मोहमेति
Kaush. 4. 14. न पुरा कालात् प्रैति
Chhâ. 2. 13. 1. कालं गच्छति तन्निधनम्
Bṛih. 1. 2. 4. तमेतावन्तं कालमबिभः
— तमेतावतः कालस्य परस्तादसृजत
2. 1. 10. नैनं पुरा कालात्प्राणो जहाति
12. नैनं पुरा कालान्मृत्युरागच्छति
Śwet. 1. 2. कालः स्वभावो नियतिः
4. 15. स एव काले भुवनस्य गोप्ता
6. 1. कालं तथान्ये परिमुह्यमानाः
3. कालेन चैवात्मगुणैश्च
6. वृक्षकालाकृतिभिः परः
Maitri. 4. 5. कालो यः प्राणः
6. 14. अन्नं . . सर्वस्य योनिः कालश्चान्नस्य सूर्यो योनिः कालस्य
— निमेषादिकालात्
— अनेनैव प्रमीयते हि कालः
— यावत्यो वै कालस्य कलाः
— यः कालं ब्रह्मेत्युपासीत कालस्तस्यातिदूरमपसरति
— कालात्स्रवन्ति भूतानि कालाद्वृद्धिं प्रयान्ति च
— काले चास्तं नियच्छन्ति कालो मूर्त्तिरमूर्त्तिमान्
15. द्वे वाव ब्रह्मणो रूपे कालश्चाकालश्च
— य आदित्याद्यः स कालः
— तस्मात्संवत्सरो वै . . कालः
— कालः पचति भूतानि . . महात्मनि
— यस्मिंस्तु पच्यते कालः
16. विग्रहवानेष कालः
Mahânâr. 11. 14. अहमेव कालो नाहं कालस्य
17. 2. कालाय नमः

Kaivalya. 8. स कालो ऽग्निः स चन्द्रमाः
Gauḍa. 1. 8. कालात्प्रसूतिं भूतानाम्
2. 2. अदीर्घत्वाच्च कालस्य
24. काल इति कालविदः
4. 34. कालस्यानियमाद्गतौ
Nṛip. 4. 3. यो वै नृसिंहः यश्च कालस्तस्मै वै नमोनमः 22.
Brahmav. 3. स्थानं कालं लयं तथा
Chûl. 2. भूतसम्मोहने काले
12. कालः प्राणश्च भगवान्
Siras. 2. यो वै रुद्रः..यश्च कालः
6. अक्षरात्सञ्जायते कालः कालाद्व्यापक उच्यते (for कालात् one MS. has कालः)
Amṛita. 23. कालतो नियतः स्मृतः
Sarvop. 3. नामदेशकालवस्तुनिमित्तेषु
4. देशकालनिमित्तेषु
Haṁsa. 2. बाहू कालश्च
Nâr. 2. कालश्च नारायणः
Vâsu. 2. त्रयः कालास्तिस्रो ऽवस्थाः
Kṛish. 25. शरः कालो ऽसुभोजनः
Râmap. 80. नारायणात्मकः कालः
Mukti. 1. 43. ततः कालवशादेव
Gîtâ. 4. 2. स कालेनेह महता
38. कालेनात्मनि विन्दति
8. 7. तस्मात्सर्वेषु कालेषु
23. यत्र काले त्वनावृत्तिम्
— तं कालं वक्ष्यामि भरतर्षभ
27. तस्मात्सर्वेषु कालेषु
10. 30. कालः कलयतामहम्
33. अहमेवाक्षयः कालः
11. 32. कालो ऽस्मि लोकक्षयकृत्
17. 20. देशे काले च पात्रे च

कालकर्णी

vide भुवःकालकर्णी

कालकाङ्क्ष

Kaush. 3. 1. अतृणं..पृथिव्यां कालकाङ्क्षान्

कालकाल

Śwet. 6. 2. ज्ञः कालकालो गुणी 16.

कालचिन्तक

Gauḍa. 1. 8. मन्यन्ते कालचिन्तकाः

कालवन्त्

Maitri. 6. 5. भूतं भव्यं भविष्यदिति कालवत्येषा

कालविद्

Gauḍa. 2. 24. काल इति कालविदः

कालसंज्ञ

Maitri. 6. 16. कालसंज्ञमादित्यमुपासीत

कालसात्कृ

Mukti. 2. 76. स्वदेहे कालसात्कृते

कालाख्य

Maitri. 6. 2. कालाख्यो ऽदृश्यः

कालाग्निरुद्र

Kâlâg. 1. कालाग्निरुद्रं भगवन्तं सनत्कुमारः पप्रच्छ
2. इत्याह भगवान् कालाग्निरुद्रः
Mukti. 1. 32. कालाग्निरुद्रमैत्रेयी
1. *vide* सरस्वतीरहस्य

कालाग्निसूर्य

Nṛisut. 2. यथेदं सर्वमन्तकाले कालाग्निसूर्यो ऽस्रैः

कालात्मयुक्त

Śwet. 1. 3. यः कारणानि निखिलानि तानि कालात्मयुक्तान्यधितिष्ठति

कालानल

Gîtâ. 11. 25. कालानलसन्निभानि

कालिक

Gâruḍa. 2. यदि कालिकदूतस्त्वं यदि वा कालिकः स्वयम्

कालिका

Krish. 24. गदा च कालिका साक्षात्

काली

Muṇḍ. 1. 2. 4. काली कराली च

कावषेय

Bṛih. 6. 5. 4. यज्ञवचा राजस्तंबायनस्तुरात्कावषेयात्
— तुरः कावषेयः प्रजापतेः

काशिराज

Gîtâ. 1. 5. काशिराजश्च वीर्यवान्

काशिविदेह

Kaush. 4. 1. सो ऽवसत्..काशिविदेहेषु

काशी

Mukti. 1. 16. काश्यां तारोपदेशतः
19. काश्यां तु ब्रह्मनाले ऽस्मिन्
20. यत्रकुत्रापि वा काश्याम्

काश्य

Kaush. 4. 1. अजातशत्रुं काश्यम्
Bṛih. 2. 1. 1.

Bṛih. 3. 8. 2. काश्यो वा वैदेहो वोग्रपुत्रः

Gîtâ. 1. 17. काश्यश्च परमेष्वासः

काश्यप

Mahânâr. 4. 5. तेन या ब्रह्मदत्तासि काश्यपेनाभिमन्त्रिता

काषायण

Bṛih. 4. 6. 2. सौकरायणः काषायणात्
— काषायणः सायकायनात्

काषायवासस्

Nyâsa. 3. काषायवासाः कक्षोपस्थलोमानि वर्जयेत्

Kaṭhaśru. 4. काषायवासाः कक्षोपस्थलोमान् वर्जयेत् (MSS. vary considerably.)

काषायवेष

Aśrama. 4. *vide* धारिन्

काष्ठ

Maitri. 6. 26. तृणकाष्ठसंस्पर्शेन

Amṛita. 14. काष्ठवत् पश्यते देहम्

Haṁsa. 1. यथा ह्यग्निः काष्ठेषु

Gâruḍa. 3. तृणेन मोक्षयाति काष्ठेन मोक्षयति

Vâsu. 3. तैलं तिलेषु काष्ठेषु वह्निः

काष्ठदण्ड

Parama. 3. काष्ठदण्डो धृतो येन

काष्ठा

Bṛih. 6. 4. 28. परमां बत काष्ठां प्रापत्

Kaṭha. 3. 11. सा काष्ठा सा परा गतिः

Mahânâr. 1. 8. कला मुहूर्त्ताः काष्ठाश्च

किंकिणी

Maitri. 6. 22. नद्यः किङ्किणी कांस्यम्

किंगोत्र

Chhâ. 4. 4. 1. किंगोत्रो ऽहमस्मि
4. किंगोत्रो नु सोम्यासि

किंज्योतिस्

Bṛih. 4. 3. 2. किंज्योतिरयं पुरुषः 3—6

किनाट

Bṛih. 3. 9. 28. किनाटं स्नावतत्स्थिरम्

किंदेवत

Bṛih. 3. 9. 20. किंदेवतो ऽस्यां प्राच्यां दिश्यसि

Bṛih. 3. 9. 21. किंदेवतो ऽस्यां दक्षिणायां दिश्यसि
22. किंदेवतो ऽस्यां प्रतीच्यां दिश्यसि
23. किंदेवतो ऽस्यामुदीच्यां दिश्यसि
24. किंदेवतो ऽस्यां ध्रुवायां दिश्यसि

किन्नामधेय

Prâṇâg. 2. चत्वारो ऽग्नयस्ते किन्नामधेयाः

किमर्थम्

Bṛih. 4. 1. 1. किमर्थमचारीः

किमाचार

Gîtâ. 14. 21. किमाचारः कथं च

किमात्मक

Maitri. 6. 31. किमात्मकानि वा एतानीन्द्रियाणि प्रचरन्ति

किम्मय

Maitri. 6. 2. कः पुष्करः किम्मयो वेति

1. किरीटिन्

Gîtâ. 11. 17. किरीटिनं गदिनं चक्रिणं च
46. किरीटिनं गदिनं चक्रहस्तम्

2. किरीटिन्

Gîtâ. 11. 35. कृताञ्जलिर्वेपमानः किरीटी

किल्बिष

Mahânâr. 22. 1. दमेन दान्ताः किल्बिषमवधुन्वन्ति
Amṛita. 8. धारणाभिश्च किल्बिषम् (दहेत्)
— किल्बिषं च क्षयं नीत्वा
Tejo. 12. कामं क्रोधं च किल्बिषम्
Yogaśi. 10. यदा नाभाति: किल्बिषम्
Gîtâ. 4. 21. नाप्नोति किल्बिषम् 18. 47.

कीट

Kaush. 1. 2. कीटो वा पतङ्गो वा Chhâ. 6. 9. 3; 6. 10. 2.
Chhâ. 7. 2. 1. आकीटपतङ्गपिपीलकम् 7. 7. 1; 7. 8. 1; 7. 10. 1.
Bṛih. 6. 1. 14. आकीटपतङ्गेभ्यः
6. 2. 16. ते कीटाः पतङ्गा यदिदं दन्दशूकम्
Râmot. 4. कृमिकीटादयः
Mukti. 1. 24. भ्रमरकीटवत्

कीर्त्ति

Kaush. 2. 15. यशो ब्रह्मवर्चसं कीर्त्तिस्त्वा जुषतामिति
Chhâ. 2. 11. 2. महान् कीर्त्त्या 12. 2; 13. 2; 14. 2; 15. 2; 16. 2; 17. 2; 18. 2; 19. 2; 20. 2; Tait. 3. 6. 1; 3. 7. 1; 3. 8. 1; 3. 9. 1.
3. 13. 4. एतत्कीर्त्तिश्च व्युष्टिश्चेत्युपासीत
3. 18. 3. भाति च तपति च कीर्त्त्या यशसा . . य एवं वेद 4, 5, 6.
Bṛih. 1. 4. 7. कीर्त्तिं श्लोकं विन्दते य एवं वेद
Tait. 1. 10. 1. कीर्त्तिः पृष्ठं गिरेरिव
Nṛip. 1. 3. *vide* ऐश्वर्यवन्त्
Gîtâ. 2. 33. ततः स्वधर्मं कीर्त्तिं च
10. 34. कीर्त्तिः श्रीर्वाक्च नारीणाम्

कीर्त्तिमन्त्

Chhâ. 3. 13. 4. कीर्त्तिमान् व्युष्टिमान् भवति

कील

Râmap. 22. कीलो मध्ये ऽविनाभाव्यः

कीलक

Haṁsa. 2. सो ऽहमिति कीलकम्

कुंकुम

Vâsu. 1. चन्दनं कुङ्कुमादिसहितम्
Gopî. 5. केलिकुङ्कुमसंभवम्
— कुङ्कुमं . . जलक्रीडासु संभृतम्
—कृष्णगोपीजलक्रीडाकुङ्कुमम्

कुचर

Nrip. 2. 4. मृगो न भीमः कुचरो गिरिष्ठाः

कुटीचर

Aruṇeya. 2. कुटीचरो ब्रह्मचारी (so 4 MSS; 2 read कुटीचकः)
Aśrama. 4. कुटीचरा बहूदका हंसाः परमहंसाश्च (1 MS. has कुटीचकाः)
— कुटीचराः स्वपुत्रगृहेषु भिक्षाचर्यं चरन्तः (2 MSS. have कुटीचकाः)

कुटुम्ब

Chhâ 8. 15. 1. कुटुंबे शुचौ देशे स्वाध्यायमधीयानः
Maitri. 6. 28. पुत्रदारकुटुंबेषु सक्तस्य
Aruṇeya. 2. कुटुंबं विसृजेत्

कुडव

Garbha. 5. शुक्रकुडवम्

कुणप

Parama. 2. स्ववपुः कुणपमिव दृश्यते

कुण्डलिन्

Râmap. 25. द्विभुजः कुण्डली रत्नमाली

कुण्डली

Mukti. 1. 38. हृदयं कुण्डली भस्म

कुण्डिका

Nyâsa. 4. कुण्डिकां चमसं शिक्यम् Kaṭhaśru. 4.
Mukti. 1. 36. सूर्याक्ष्यध्यात्मकुण्डिका
1. *vide* जाबालि

कुन्तिभोज

Gîtâ. 1. 5. पुरुजित्कुन्तिभोजश्च

कुन्तीपुत्र

Gîtâ. 1. 16. कुन्तीपुत्रो युधिष्ठिरः

कुब्ज

Garbha. 3. अन्धाः खञ्जाः कुब्जा वामनकाः

कुमार; °री

Ait. 4. 3. कुमारं जन्मनो ऽग्रे ऽधिभावयति
Chhâ. 5. 3. 1. कुमारानु त्वाशिषत्पिता
6. यामेव कुमारस्यान्ते वाचमभाषथाः Bṛih. 6. 2. 5 (तु for एव)
Bṛih. 1. 5. 2. कुमारं जातं घृतं वैवाग्रे प्रतिलेहयन्ति
2. 1. 19. यथा कुमारो वा महाराजो वा
6. 2. 1. तमुदीक्ष्याभ्युवाद कुमारा३ इति
3. अनादृत्य वसतिं कुमारः प्रदुद्राव
Kaṭha. 1. 2. तं ह कुमारं सन्तम्
Śwet. 4. 3. त्वं कुमार उत वा कुमारी
Praśna. 6. 1. तमहं कुमारमब्रुवम्
Brahma. 1. यथा कुमारो निष्काम आनन्दमुपयाति

Nîla. 24. नमः कुमाराय शत्रवे

कुमारक

Chûl. 3. ध्येयमानः कुमारकः
6. असंख्याताः कुमारकाः

कुमारहारित

Bṛih. 2. 6. 3. कैशोर्यः काप्यः कुमारहारितात् 4. 6. 3.
— कुमारहारितो गालवात् 4. 6. 3.
6. 4. 4. तद्विद्वान् कुमारहारित आह

कुम्भक

Amṛita. 9. रेचकपूरककुम्भकाः
13. कुम्भकस्येति लक्षणम्
Dhyâna. 12. कुम्भकेन हृदि स्थाने
Yogat. 13. निर्वाणं कुम्भकं विदुः
Mukti. 2. 52. बहिष्ठं कुम्भकं विदुः

कुम्भकावस्था

Mukti. 2. 51. तावत्सा कुम्भकावस्था

कुरु

Chhâ. 1. 10. 1. मटचीहतेषु कुरुषु
4. 17. 10. कुरूनश्वाभिरक्षति
Gîtâ. 1. 25. समवेतान् कुरून्

कुरुक्षेत्र

Jâbâla. 1. कुरुक्षेत्रं देवानां देवयजनम् (ter); Râmot. 1 (ter).
Gîtâ. 1. 1. धर्मक्षेत्रे कुरुक्षेत्रे

कुरुद्वय

Râmap. 60. कुरुद्वयं च तत्पार्श्वे

कुरुनन्दन

Gîtâ. 2. 41. एकेह कुरुनन्दन
6. 43. संसिद्धौ कुरुनन्दन
14. 13. तमसि . . विवृद्धे कुरुनन्दन

कुरुपञ्चाल

Kaush. 4. 1. सो ऽवसत्कुरुपञ्चालेषु
Bṛih. 3. 1. 1. कुरुपञ्चालानां ब्राह्मणाः
3. 9. 19. यदिदं कुरुपञ्चालानां ब्राह्मणानत्यवादीः

कुरुप्रवीर

Gîtâ. 11. 48. त्वदन्येन कुरुप्रवीर

कुरुवृद्ध

Gîtâ. 1. 12. कुरुवृद्धः पितामहः

कुरुश्रेष्ठ

Gîtâ. 10. 19. प्राधान्यतः कुरुश्रेष्ठ

कुरुसत्तम

Gîtâ. 4. 31. कुतो ऽन्यः कुरुसत्तम

कुल

Chhâ. 3. 13. 6. अस्य कुले वीरो जायते
5. 12. 1. तव सुतं प्रसुतमासुतं कुले दृश्यते
2. भवत्यस्य ब्रह्मवर्चसं कुले 5. 13. 2; 5. 14. 2; 5. 15. 2; 5. 16. 2; 5. 17. 2.
5. 13. 1. तव बहु विश्वरूपं कुले दृश्यते
Bṛih. 1. 5. 21. तेन ह वाव तत्कुलमाचक्षते यस्मिन् कुले भवति य एवं वेद
Muṇḍ. 3. 2 9. नास्याब्रह्मवित्कुले भवति Mâṇḍû. 10.
Gopî. 5. पुनात्यादशमं कुलम्
Râmap. 1. रघोः कुले ऽखिलं राति
Gîtâ. 1. 40. धर्मे नष्टे कुलं कृत्स्नम्
42. कुलघ्नानां कुलस्य च
6. 42. कुले भवति धीमताम्

कुलक्षय

Gîtâ. 1. 40. कुलक्षये प्रणश्यन्ति

कुलक्षयकृत्

Gîtâ. 1. 38. कुलक्षयकृतं दोषम् 39.

कुलघ्न

Gîtâ. 1. 42. कुलघ्नानां कुलस्य च
43. दोषैरेतैः कुलघ्नानाम्

कुलधर्म

Gîtâ. 1. 40. कुलधर्माः सनातनाः
43. कुलधर्माश्च शाश्वताः

कुलस्त्री

Gîtâ. 1. 41. प्रदुष्यन्ति कुलस्त्रियः

कुलाय

Kaush. 4. 20. विश्वम्भरकुलाये Brih. 1. 4. 7.

Brih. 4. 3. 12. प्राणेन रक्षन्नवरं कुलायं बहिः कुलायादमृतश्चरित्वा

कुलालशाला

Jâbâla. 6. *vide* स्थण्डिल

कुलिक

Gâruḍa. 2. यदि कुलिकदूतस्त्वं यदि वा कुलिकः स्वयम् (5 MSS. omit.)

कुलीन

Chhâ. 6. 1. 1. न वै सोम्यास्मत्कुलीनः &c.

Mukti. 1. 49. कुलीनाय सुमेधसे

कुल्माष

Chhâ. 1. 10. 2. स हेभ्यं कुल्माषान् खादन्तं बिभिक्षे
7. तं जायोवाच हन्त ये त इम एव कुल्माषा इति

कुवलयापीड

Krish. 16. दर्पः कुवलयापीडः

कुवलयाश्व

Maitri. 1. 4. *vide* आदि

कुविद्

Mahânâr. 9. 5. वसोः कुविद्वनाति नः

कुश

Gîtâ. 6. 11. चेलाजिनकुशोत्तरम्

कुशल

Chhâ. 1. 8. 1. त्रयो होद्गीथे कुशला बभूवुः
— उद्गीथे वै कुशलाः स्मः

4. 10. 2. तम्हो ब्रह्मचारी कुशलममीन् परिचचारीत्
4. तम्हो ब्रह्मचारी कुशलं नः परिचचारीत्

Tait. 1. 11. 1. कुशलान्न प्रमदितव्यम्

Kaṭha. 2. 7. कुशलो ऽस्य लब्धा
— आश्चर्यो ज्ञाता कुशलानुशिष्टः

Gîtâ. 18. 10. कुशले नानुषज्जते

कुशाग्र

Gauḍa. 3. 41. कुशाग्रेणैकबिन्दुना

कुश्रि

Brih. 6. 5. 3. उपवेशिः कुश्रेः
— कुश्रिर्वाजश्रवसः
4. वात्स्यः कुश्रेः
— कुश्रिर्यज्ञवचसो राजस्तंबायनात्

कुष्टान्न

Mahânâr. 19. 1. कुष्टान्नं पतितान्नं भुक्त्वा

कुसीद

Mahânâr. 20. 12. शमलं कुसीदम्

कुसुमाकर

Gîtâ. 10. 35. ऋतूनां कुसुमाकरः

कुहक

Maitri. 7. 8. वृथातर्कदृष्टान्तकुहकेन्द्रजालैः
— नैरात्म्यवादकुहकैः

Krish. 12. दुर्बोधं कुहकं तस्य

कूट

Râmap. 72. *vide* आदि

कूटस्थ

Sarvop. 1. कूटस्थो ऽन्तर्यामी कथम्
3. तदा कूटस्थ इत्युच्यते
— कूटस्थाद्युपहितभेदानाम्

Gîtâ. 6. 8. कूटस्थो विजितेन्द्रियः
12. 3. कूटस्थमचलं ध्रुवम्
15. 16. कूटस्थो ऽक्षर उच्यते

कूपचक्रघट

Yogat. 5. एवं संसारचक्रेण कूपचक्रघटा इव

कूपभूत

Dhyâna. 22. कूपभूतं तु पङ्कजम्

कूर्च

Bṛih. 4. 2. 1. जनको ह वैदेहः कूर्चादुपावसर्पन्

कूर्म

Kshur. 3. कूर्मोऽङ्गानीव संहृत्य

Yogat. 2. कूर्मवत् पाणिपादाभ्याम्

Râmap. कूर्मनागौ

Râmot. 5. मत्स्यकूर्माद्यवताराः (10)

Gîtâ. 2. 58. कूर्मो ऽङ्गानीव सर्वशः

कूल

Bṛih. 4. 3. 18. यथा महामत्स्य उभे कूले ऽनुसञ्चरति

1. कृ (करणे)

Ait. 2. 5. एतास्तु भगिन्यौ करोमि

Kaush. 2. 7. यज्ञोपवीतं कृत्वा
— यदहोरात्राभ्यां पापमकरोत्
— यदहोरात्राभ्यां पापं करोति
9. तेन मुखेन मामन्नादं कुरु (5 times)

3. 1. नास्य पापं चक्रुषो मुखान्नीलं वेतीति
8. एष ह्येव साधु कर्म कारयति
— एष उ एवासाधु कर्म कारयति

Chhâ. 1. 1. 10. तेनोभौ कुरुतो यश्चैतदेवं वेद यश्च न वेद
— यदेव विद्यया करोति

1. 3. 5. अप्राणन्ननपानंस्तानि करोति

2. 24. 2. स यस्तं न विद्यात्कथं कुर्यादथ विद्वान् कुर्यात्

3. 14. 1. स क्रतुं कुर्वीत

4. 1. 4. यत्किञ्च प्रजाः साधु कुर्वन्ति 4. 1. 6.

4. 15. 5. यदु चैवास्मिञ्छव्यं कुर्वन्ति यदि च न

4. 17. 10. एवंविदमेव ब्रह्माणं कुर्वीत

5. 3. 6. तस्मै ह प्राप्तायार्हाञ्चकार

5. 8. 1. यदन्तः करोति ते ऽङ्गाराः Bṛih. 6. 2. 13.

5. 11. 1. समेत्य मीमांसां चक्रुः
5. पृथगर्हाणि कारयाञ्चकार

6. 3. 3. तासां त्रिवृतं त्रिवृतमेकैकां करवाणि
4. तासां त्रिवृतं त्रिवृतमेकैकामकरोत्

13. 1. स ह तथा चकार
2. तद्ध तथा चकार

6. 16. 1. स्तेयमकार्षीत् (र्षीः in one MS.)

Chha. 6. 16. 1. अनृतमात्मानं कुरुते
2. सत्यमात्मानं कुरुते
7. 3. 1. कर्माणि कुर्वीयेत्यथ कुरुते
7. 14. 1. आशेद्धो वै स्मरो मन्त्रानधीते कर्माणि कुरुते
7. 21. 1. यदा वै करोत्यथ निस्तिष्ठति..कृत्वैव निस्तिष्ठति
7. 22. 1. यदा वै सुखं लभते ऽथ करोति नासुखं लब्ध्वा करोति सुखमेव लब्ध्वा करोति

Brih. 1. 2. 1. तन्मनो ऽकुरुत
4. स भाणकरोत्
5. कनीयो ऽन्नं करिष्ये
1. 3. 25. आर्त्विज्यं करिष्यन्
— आर्त्विज्यं कुर्य्यात्
28. अमृतं मा कुरु (bis).
1. 4. 15. महत्पुण्यं कर्म करोति
17. अथ कर्म कुर्वीय (bis).
— आत्मना हि कर्म करोति
1. 5. 1. त्रीण्यात्मने ऽकुरुत 3.
2. यद्धैतन्न कुर्यात् क्षीयेत ह
3. मनो वाचं प्राणं तान्यात्मने ऽकुरुत
23. तं देवाश्चक्रिरे धर्मम्
— तदेवाप्यद्य कुर्वन्ति
2. 4. 1. ते ऽनया कात्यायन्यान्तं करवाणीति 4. 5. 2.
2. 4. 3. किमहं तेन कुर्याम् 4. 5. 4.
2. 5. 18. पुरश्चक्रे द्विपदः पुरश्चक्रे चतुष्पदः
3. 1. 2. नमो वयं ब्रह्मिष्ठाय कुर्मः
7. कतिभिः..ऋग्भिः.. करिष्यति
3. 2. 8. हस्ताभ्यां हि कर्म करोति
3. 8. 2. उज्ज्यं धनुरधिज्यं कृत्वा
— द्वौ बाणवन्तौ..हस्ते कृत्वा

Brih. 3. 9. 18. त्वां स्विदिमे ब्राह्मणा अङ्गारावक्षयणमक्रता३ इति
28. मज्जा मज्जोपमा कृता
4. 3. 2. पल्ययते कर्म कुरुते 3—6.
13. रूपाणि देवः कुरुते बहूनि
4. 4. 4. नवतरं कल्याणतरं रूपं कुरुते
5. यत्क्रतुर्भवति तत्कर्म कुरुते यत्कर्म कुरुते तदभिसंपद्यते
6. यत्किञ्चेह करोत्ययम्
21. प्रज्ञां कुर्वीत ब्राह्मणः
22. किं प्रजया करिष्यामः
— पापमकरवं..कल्याणमकरवम्
5. 12. 1. एवंविदुषे साधु कुर्यां किमेवास्मा असाधु कुर्याम्
5. 14. 5. न तथा कुर्याद्गायत्रीमेव सावित्रीमनुब्रूयात्
8. एवंविद्यद्यपि बह्विव पापं कुरुते
5. 15. 1. ओं क्रतो स्मर कृतं स्मर क्रतो स्मर कृतं स्मर Isa. 17.
6. 1. 13. तस्यो मे बलिं कुरुतेति
14. एतमेव तदनमनग्नं कुर्वन्तो मन्यन्ते
6. 2. 2. यत्कृत्वा देवयानं वा पन्थानं प्रतिपद्यन्ते
4. अस्मा अर्घ्यं चकार
6. 3. 5. स मां र [illegible] शानो ऽधिपतिं करोतु
6. 4. 23. इन्द्रस्यायं व्रजः कृतः
24. यद्वा न्यूनमिहाकरं..तत्..स्विष्टं सुहुतं करोतु नः
26. अथास्य नाम करोति
27. तमिह धातवे करिति
28. वीरवतो भव यस्मान् वीरवतो ऽकरत्

Iśâ. 2. कुर्वन्नेवेह कर्माणि
Tait. 1. 4. 2. कुर्वाणाचीरमात्मनो वासांसि
2. 1. 1. सह वीर्यं करवावहै। 3. 1. 1.
2. 7. 1. तदात्मानं स्वयमकुरुत
— यदा ह्येवैष एतस्मिन्नुदरमन्तरं कुरुते
2. 9. 1. किमहं साधु नाकरवं किमहं पापमकरवम्
3. 9. 1. अन्नं बहु कुर्वीत तद्व्रतम्
Kaṭha. 1. 5. किं स्विद्यमस्य कर्त्तव्यं यन्मयाद्य करिष्यति
7. तस्यैतां शान्तिं कुर्वन्ति
24. कामानां त्वां कामभाजं करोमि
5. 12. एकं रूपं बहुधा यः करोति
Swet. 1. 14. स्वदेहमरणिं कृत्वा Dhyâna. 20.
2. 3. बृहज्ज्योतिः करिष्यतः
7. तत्र योनिं कृणवसे
3. 6. शिवां गिरित्र तां कुरु
4. 8. यस्तन्न वेद किमृचा करिष्यति Nṛip. 4. 2; 5. 2.
5. 3. सर्वाधिपत्यं कुरुते महात्मा
7. कृतस्य तस्यैव स चोपभोक्ता
6. 3. तत्कर्म कृत्वा विनिवृत्य भूयः (so MSS.)
8. न तस्य कार्यं करणं च विद्यते
12. एकं बीजं बहुधा यः करोति
Maitri. 2. 6. स वायुरिवात्मानं कृत्वा
3. 2. कृतस्यानुफलैरभिभूयमानः
6. 7. कार्यकारणकर्मनिर्मुक्तम्
8. बहिः कृत्वेन्द्रियार्थान्
9. अनेनैव चतुर्दशविधस्य मार्गस्य व्याख्या कृता भवति

Maitri. 6. 33. यजमानस्य . . अवदानं करोति
34. मनः कृत्वा सुनिश्चलम्
Muṇḍ. 1. 2. 12. नास्त्यकृतः कृतेन
Mahânâr. 4. 6. यन्मया दुष्कृतं कृतम्
7. वाचा कृतं कर्मकृतम्
12. कर्मणा वा दुष्कृतं कृतम् 19. 1.
13. 6. कृणुष्व पाज इति पञ्च
14. 3. यदह्ना पापमकार्षम्
4. यद्रात्र्या पापमकार्षम्
18. 1. यद्दिवा च नक्तं चैनश्चकृम
— यद्विद्वांसश्चाविद्वांसश्चैनश्चकृम
— यच्चाहमेनो विद्वांसश्चाविद्वांसश्चैनश्चकृम
— यत्स्वपन्तश्च जाग्रतश्चैनश्चकृम
— यत्सुषुप्तश्च जाग्रतश्चैनश्चकृम
2. कामो ऽकार्षीन्नाहं करोमि कामः करोति
3. मन्युरकार्षीन्नाहं करोमि मन्युः करोति
20. 2. अभयं कृणुहि विश्वतो नः
4. यत इन्द्र भयामहे ततो नो अभयं कृधि
11. स्वस्ति नो मघवा करोतु
Praśna. 1. 4. एतौ मे बहुधा प्रजाः करिष्यतः
9. इष्टापूर्ते कृतमित्युपासते
12. एते ऋषयः शुक्रं इष्टिं कुर्वन्तीतर इतरस्मिन्
2. 12. शिवां तां कुरु मोत्क्रमीः
Kaivalya. 11. आत्मानमरणिं कृत्वा Brahma. 3.
12. शरीरमास्थाय करोति सर्वम्

Gauḍa. 3. 6. रूपकार्यसमाख्याश्च
4. 11. कारणं यस्य वै कार्य्यम्
12. अतः कार्य्यमजं यदि
— जायमानाद्धि वै कार्य्यात्

Nṛip. 1. 1. तत् कर्मणा करोति
5. तेनैव शरीरेण देवतादर्शनं करोति
2. 4. यस्मिन् ... देवा ओकांसि चक्रिरे
5. 2. अनुष्टुभा होमं कुर्यात्

Nṛisut. 2. मात्रामात्राः प्रतिमात्राः कुर्यात्
— इदं सर्वं स्वात्मानमेव करोति
3. मात्रामात्राः प्रतिमात्राः कृत्वा
9. जीवेशावाभासेन करोति

Kshur. 6. स्थिरमात्रादृढं कृत्वा
— द्वे तु गुल्फे तु कुर्वीत

Śiras. 3. कृतमकृतं परमपरम्

Garbha. 4. यन्मया.. कृतं कर्म शुभाशुभम्
5. दर्शनामी रूपाणां दर्शनं करोति

Brahma. 2. सशिखं वपनं कृत्वा
3. एकं सन्तं बहुधा यः करोति

Prâṇâg. 1. तदीशानो अभयं कृणोतु

Nîla. 5. शिवां गिरित्र तां कृणु
11. तेभ्यो ऽहमकरं नमः
12. उभाभ्यामकरं नमः
19. येषामप्सु सदस्कृतम्

Brahmab. 3. निर्विषयं.. मनः कार्यम्

Amṛita. 2. विष्णुं कृत्वा तु सारथिम्
11. शून्यं कृत्वा निरात्मकम्
13. वायुं कृत्वा निराश्रयम्
17. कृत्वा मनोमयीं रक्षाम्
20. कुर्यादात्ममलच्युतिम्

Amṛita. 31. सिद्धिं कृत्वा तु मनसा चिन्तयेत्

Dhyâna. 16. पद्मस्योत्थापनं कृत्वा
22. अर्द्धमात्रां रज्जुं कृत्वा

Yogaśi. 2. कुर्यान्नासाग्रदृष्टिं च
3. हत्कृत्वा परमेष्ठिनम्

Nyâsa. 1. पितृभ्यः श्राद्धतर्पणं कृत्वा

Kaṭhaśru. 1. य आत्मानं क्रियाभिः सुगुप्तं करोति
— वैश्वानरीमिष्टिं कुर्यात्
— पाणिपात्रेणाशनं कुर्यात्
— कार्यं निर्वर्त्तयन्नुदपात्रे

Sarvop. 1. तमभिमानं कारयति या साविद्या
2. सङ्कल्पादिधर्मान् यदा करोति
— अप्राप्तशरीरसंयोगमिव कुर्वाणः

Haṁsa. 2. एवं कृत्वा हृदये ऽष्टदले हंसात्मानं ध्यायेत्

Aruṇeya. 4. सन्न्यस्तं मया सन्न्यस्तं मया सन्न्यस्तं मयेति त्रिः कृत्वा
— इत्यनेन मंत्रेण कृत्वा

Nâr. 3. रुद्रं स सारथिं कृत्वा

Kâlâg. 2. त्रिपुण्ड्रं भस्मना करोति

Aśrama. 2. उद्धृतपरिपूताभिरद्भिः कार्यं कुर्वन्तः
3. अग्निपरिचरणं कृत्वा (4 times).
— वृत्त्युपार्जनं कृत्वा

Jâbâla. 4. एके प्राजापत्यामेवेष्टिं कुर्वन्ति
— तदु तथा न कुर्यादाग्नेयीमेव कुर्यात्
4. प्राणमेवैतया करोति
— त्रैधातवीमेव कुर्यात्
6. सन्न्यासेन देहत्यागं करोति

Vâsu. 4. अग्निहोत्रभस्मना .. उद्धूलनं कुर्यात्

Gopi. 5. जपदानादि यत्कृतम्

— नात्र कार्या विचारणा

Krish. 2. गोपान्नः स्त्रीश्च नो कुरु

4. अंगसंगं करिष्यामि भवद्वाक्यं करोम्यहम्

13. रुद्रो येन कृतो वंशः

19. दुग्धोदधिः कृतस्तेन

Râmap. 4. प्रभाहीनांस्तथा कृत्वा

7. उपासकानां कार्यार्थम्

30. स्तुतिं चक्रुश्च जगतः पतिम्

34. आश्वरिमारणं कुरु

46. युद्धमकारयत्

47. अंकस्थितां कृत्वा

85. द्वारपूजां कृत्वा

86. (मध्यपद्मार्चनं च) कृत्वा

Mukti. 1. श्रवणमननिदिध्यासनानि नैरन्तर्येण कृत्वा

— वेदान्तश्रवणादि कृत्वा

2. 19. मा करोतु करोतु वा

23. तद्वत्कार्य्येषु धीरधीः

26. क्रियते चित्तबीजस्य

47. विमूढाः कर्त्तुमुद्युक्ताः

75. न कारणं कार्य्यम्

Gitâ. 1. 1. किमकुर्वत सञ्जय

45. महत्पापं कर्त्तुं व्यवसिता वयम्

2. 17. न कश्चित्कर्त्तुमर्हति

33. संग्रामं न करिष्यसि

38. सुखदुःखे समे कृत्वा

48. योगस्थः कुरु कर्माणि

3. 5. कार्यते ह्यवशः कर्म

8. नियतं कुरु कर्म त्वम्

17. तस्य कार्यं न विद्यते

18. नैव तस्य कृतेनार्थः

19. कार्यं कर्म समाचर

Gitâ. 3. 20. सम्पश्यन्कर्त्तुमर्हसि

21. स यत्प्रमाणं कुरुते

22. न मे पार्थास्ति कर्त्तव्यम्

24. न कुर्यां कर्म चेदहम्

25. यथा कुर्वन्ति भारत

— कुर्याद्विद्वांस्तथासक्तः

27. प्रकृतेः क्रियमाणानि गुणैः कर्माणि

33. निग्रहः किं करिष्यति

4. 15. एवं ज्ञात्वा कृतं कर्म

— कुरु कर्मैव तस्मात्त्वं पूर्वैः पूर्वतरं कृतम्

20. नैव किञ्चित्करोति सः

21. शारीरं केवलं कर्म कुर्वन्

22. कृत्वापि न निबध्यते

5. 7. कुर्वन्नपि न लिप्यते

8. नैव किञ्चित्करोमीति

10. संगं त्यक्त्वा करोति यः

11. योगिनः कर्म कुर्वन्ति

13. नैव कुर्वन्न कारयन्

27. स्पर्शान्कृत्वा बहिर्बाह्यान्

— प्राणापानौ समौ कृत्वा

6. 1. कार्यं कर्म करोति यः

12. तत्रैकाग्रं मनः कृत्वा

25. आत्मसंस्थं मनः कृत्वा

9. 2. सुसुखं कर्त्तुमव्ययम्

27. यत्करोषि यदश्नासि

— तत्कुरुष्व मदर्पणम्

12. 10. मदर्थमपि कर्माणि कुर्वन्

11. अथैतदप्यशक्तो ऽसि कर्त्तुम्

— सर्वकर्मफलत्यागं ततः कुरु

13. 20. कार्यकारणकर्तृत्वे

29. प्रकृत्यैव तु कर्माणि क्रियमाणानि

31. न करोति न लिप्यते

16. 24. कार्याकार्यव्यवस्थितौ

Gitâ. 16. 24. कर्म कर्त्तुमिहार्हसि
17. 18. दम्भेन चैव यत् क्रियते
19. यत्पीडया क्रियते तपः
25. क्रियन्ते मोक्षकांक्षिभिः
28. तपस्तप्तं कृतं च यत्
18. 5. न त्याज्यं कार्यमेव तत्
6. कर्त्तव्यानीति मे..मतम्
8. स कृत्वा राजसं त्यागम्
9. कार्यमित्येव यत्कर्म नियतं क्रियते ऽर्जुन
22. एकस्मिन् कार्ये सक्तमहैतुकम्
23. अरागद्वेषतः कृतम्
24. क्रियते बहुलायासम्
30. कार्याकार्ये भयाभये
31. कार्यं चाकार्यमेव च
47. स्वभावनियतं कर्म कुर्वन्
56. सर्वकर्माण्यपि सदा कुर्वाणः
60. कर्त्तुं नेच्छसि यन्मोहात्करिष्यस्यवशो ऽपि तत्
63. यथेच्छसि तथा कुरु
68. भक्तिं मयि परां कृत्वा
73. करिष्ये वचनं तव

2. कृ (हिंसायां)

Śiras. 3. किं नूनमस्मान् कृणवदरातिः

कृकलास

Bṛih. 1. 5. 14. प्राणं न विच्छिन्द्यादपि कृकलासस्य

कृच्छ्रचान्द्रायण

Aśrama. 4. एकरात्रद्विरात्रकृच्छ्रचान्द्रायणादि चरन्तः

कृच्छ्रीभू

Chhâ. 5. 3. 7. स ह कृच्छ्रीबभुव

कृत्

Kshur. 12. तद्रूपं नाम कृन्तयेत्

कृत

Chhâ. 4. 3. 8. एते पञ्चान्ये पञ्चान्ये दश सन्तस्तत्कृतं तस्मात्सर्वासु दिक्ष्वन्नमेव दश कृतम्

कृतक

Gauḍa. 3. 22. कृतकेनामृतः 4. 8.

कृतकर्मनाश

Swet. 6. 4. तेषामभावे कृतकर्मनाशः

कृतकृत्य

Ait. 4. 4. अस्यायमितर आत्मा कृतकृत्यः..प्रैति
Maitri. 2. 1. शीघ्रमात्मज्ञः कृतकृत्यः
6. 30. कृतकृत्यो मरुदुत्तरायणं गतः
Parama. 3. इति कृतकृत्यो भवति
Krish. 4. कृतकृत्याधुना वयम्
Gitâ. 15. 20. कृतकृत्यश्च भारत

कृतघ्न

Gopî. 5. ब्रह्महन्ता कृतघ्नश्च
Mukti. 1. 48. नास्तिकाय कृतघ्नाय

कृतनिश्चय

Gitâ. 2. 37. युद्धाय कृतनिश्चयः

कृतपिण्ड

Piṇḍa. 6. षष्ठेन कृतपिण्डेन

कृतपुरश्चरण

Nṛip. 1. 7. स कृतपुरश्चरणो ऽपि महाविष्णुर्भवति

कृताकृत

Bṛih. 4. 4. 22. नैनं कृताकृते तपतः
Kaṭha. 2. 14. अन्यत्रास्मात्कृताकृतात्

कृताञ्जलि

Gîtâ. 11. 14. कृताञ्जलिरभाषत
35. कृताञ्जलिर्वेपमानः किरीटी

कृतात्मन्

Chhâ. 8. 13. 1. कृतात्मा ब्रह्मलोकमभिसंभवामि
Muṇḍ. 3. 2. 2. पर्याप्तकामस्य कृतात्मनस्तु
5. कृतात्मानो वीतरागाः प्रशान्ताः

कृतान्त

Gîtâ. 18. 13. सांख्ये कृतान्ते प्रोक्तानि

कृताय

Chhâ. 4. 1. 4. यथा कृतायविजिताय 6.

कृतार्थ

Śwet. 2. 14. एकः कृतार्थो भवते वीतशोकः
Muṇḍ. 1. 2. 9. वयं कृतार्था इत्यभिमन्यन्ति बालाः

कृति

Chhâ. 7. 21. 1. कृतिस्त्वेव विजिज्ञासितव्येति कृतिं भगवो विजिज्ञासे

कृते

Gîtâ. 1. 35. किन्नु महीकृते

कृत्याकृत्य

Kaivalya. 24. कृत्याकृत्यात् पूतो भवति

कृत्स्न

Bṛih. 4. 5. 13. कृत्स्नो रसघन एव
— कृत्स्नः प्रज्ञानघन एव
Kaṭha. 6. 18. योगविधिं च कृत्स्नम्
Gauḍa. 4. 84. प्राप्य सर्वज्ञतां कृत्स्नाम्
Śiras. 2. यो वै रुद्रः . . यच्च कृत्स्नम्
Sikhâ. 2. कृत्स्नमोङ्कारगतं च
Mukti. 2. 50. विलाप्य विकृतिं कृत्स्नाम्
Gîtâ. 1. 40. धर्मे नष्टे कुलं कृत्स्नम्
7. 6. अहं कृत्स्नस्य जगतः
29. ते ब्रह्म तद्विदुः कृत्स्नम्
9. 7. भूतग्राममिमं कृत्स्नम्
10. 42. विष्टभ्याहमिदं कृत्स्नम्
11. 7. इहैकस्थं जगत्कृत्स्नम्
13. तत्रैकस्थं जगत्कृत्स्नम्
13. 33. यथा प्रकाशयति . . कृत्स्नं लोकम्
— क्षेत्रं क्षेत्री तथा कृत्स्नं प्रकाशयति
18. 22 यत्तु कृत्स्नवदेकस्मिन्

कृत्स्नकर्मकृत्

Gîtâ. 4. 18. स युक्तः कृत्स्नकर्मकृत्

कृत्स्नक्षय

Maitri. 4. 6. कृत्स्नक्षय एकत्वमेति पुरुषस्य
6. 17. एष कृत्स्नक्षय एको जागर्ति

कृत्स्नता

Bṛih. 1. 4. 17. तस्यो कृत्स्नता

कृत्स्नविद्

Gîtâ. 3. 29. कृत्स्नविन्न विचालयेत्

कृप

Gîtâ. 1. 8. कृपश्च समितिञ्जयः

कृपण

Bṛih. 3. 8. 10. अक्षरं . . अविदित्वास्माल्लोकात्प्रैति स कृपणः
Gauḍa. 3. 1. तेनासौ कृपणः स्मृतः
4. 94. तस्मात्ते कृपणाः स्मृताः
Gîtâ. 2. 48. कृपणाः फलहेतवः

कृपा

Kṛish. 21. कृपार्थे सर्वभूतानाम्
Mukti. 1. 6. कृपया वद मे राम
10. कृपया वद तत्त्वतः
Gîtâ. 1. 28. कृपया परयाविष्टः
2. 1. तं तथा कृपयाविष्टम्

कृमि

Bṛih. 6. 1. 14. यदिदं किञ्चाश्वभ्य आकृमिभ्यः
Râmot. 4. कृमिकीटादयः

कृश्

Gîtâ. 17. 6. कर्शयन्तः शरीरस्थं भूतग्रामम् (another reading is कर्षयन्तः)

कृश

Chhâ. 4. 4. 5. कृशानामबलानां चतुःशता गा निराकृत्य

कृशीभू

Kaṭhaśru. 1. कृशीभूत्वा ग्रामे एकरात्रं . . वसेत्

कृष्

Dhyâna. 22. कर्षयेन्नालमार्गेण
Gîtâ. 15. 7. इन्द्रियाणि प्रकृतिस्थानि कर्षति

कृषि

Aśrama. 2. कृषिगोरक्षवाणिज्यम्
Gîtâ. 18. 44. कृषिगोरक्ष्यवाणिज्यम्

1. कृष्ण

Kaush. 4. 19. शुक्लस्य कृष्णस्य पीतस्य
Chhâ. 3. 3. 3. एतदादित्यस्य कृष्णं रूपम्
6. 4. 1. यत्कृष्ण तदन्नस्य 2, 3, 4.
6. यदु कृष्णमिवाभूदित्यन्नस्य रूपम्
Bṛih. 2. 2. 2. यत्कृष्णं तेनाग्निः
Śwet. 4. 5. लोहितशुक्लकृष्णाम् Mahânâr. 9. 2.
Mahânâr. 19. 1. तिलाः कृष्णास्तिलाः श्वेताः
Kshur. 8. कृष्णास्ताम्रविलोहिताः
Siras. 2. यो वै रुद्रः . . यच्च कृष्णम्
5. विष्णुदेवत्या कृष्णा वर्णेन
Sikhâ. 1. तृतीया कृष्णा विष्णुमती विष्णुदेवत्या
Garbha. 2. शुक्लो रक्तः कृष्णो धूम्रः
Gîtâ. 8. 25. धूमो रात्रिस्तथा कृष्णः
26. शुक्लकृष्णे गती ह्येते

2. कृष्ण

Chhâ. 3. 17. 6. कृष्णाय देवकीपुत्राय
Mahânâr. 4. 5. कृष्णेन शतबाहुना
Vâsu. 2. कृष्णादिपञ्चनामभिः
Gopî. 5. कृष्णगोपीरतोद्भृतम्
— कृष्णगोपीनां जलक्रीडासु
— कृष्णगोपीजलक्रीडाकुङ्कमम्
— तत्र भवत्यः . . कृष्णं भजिष्यथ
— कृष्णमाराधयामासुः
Kṛish. 8. वेदार्थः कृष्णरामयोः
14. कृष्णो ब्रह्मैव शाश्वतम्
Mukti. 1. 39. गोपालतपनं कृष्णम्
1. *vide* गारुड
Gîtâ. 1. 28. दृष्ट्वेमं स्वजनं कृष्ण
32. न काङ्क्षे विजयं कृष्ण
42. अधर्माभिभवात्कृष्ण
5. 1. सन्न्यासं कर्मणां कृष्ण
6. 34. चञ्चलं हि मनः कृष्ण
37. कां गतिं कृष्ण गच्छति
39. एतं मे संशयं कृष्ण
11. 35. नमस्कृत्वा भूय एवाह कृष्णम्

Gîtâ. 11. 41. हे कृष्ण हे यादव हे सखेति
17. 1. तेषां निष्ठा तु का कृष्ण
18. 75. योगेश्वरात्कृष्णात्
78. यत्र योगेश्वरः कृष्णः

कृष्णपक्ष

Praśna. 1. 12. तस्य कृष्णपक्ष एव रयिः

कृष्णपिङ्गल

Mahânâr. 12. 1. पुरुषं कृष्णपिङ्गलम्
Nṛip. 1. 6. कृष्णपिङ्गलमूर्ध्वरेतम्

कृष्णयजुर्वेद

Mukti. 1. कृष्णयजुर्वेदगतानां . . उपनिषदाम्

कृष्णवर्त्मन्

Maitri. 6. 35. जटाभिरूपा इव कृष्णवर्त्मनः

कृष्णाख्य

Gopî. 2. कृष्णाख्यं परं धाम

कृष्णायस

Chhâ. 6. 1. 6. कृष्णायसमित्येव सत्यम्

कृत्

Maitri. 6. 29. एतद्गुह्यतमं नापुत्राय नाशिष्याय नाशान्ताय कीर्त्तयेत्
Gauḍa. 4. 72. असङ्गं तेन कीर्त्तितम् 96.
Gîtâ. 9. 14. सततं कीर्त्तयन्तो माम्

क्लृप्

Chhâ. 2. 2. 3. कल्पन्ते हास्मै लोका ऊर्ध्वाश्चावृत्ताश्च
2. 5. 2. कल्पन्ते हास्मा ऋतवः
Bṛih. 5. 13. 3. सम्यञ्चि हास्मै सर्वाणि भूतानि श्रैष्ठ्याय कल्पन्ते
6. 4. 2. अस्मै प्रतिष्ठां कल्पयानि
Bṛih. 6. 4. 5. धिष्ण्या यथास्थानं कल्पन्ताम्
21. विष्णुर्योनिं कल्पयतु
Kaṭha. 3. 17. तदानन्त्याय कल्पते
6. 4. ततः सर्गेषु लोकेषु शरीरत्वाय कल्पते
Śwet. 5. 9. शतधा कल्पितस्य च भागः — स चानन्त्याय कल्पते
Maitri. 6. 17. न ह्यस्य प्राच्यादिदिशः कल्पन्ते
Mahânâr. 5. 7. सूर्याचन्द्रमसौ यथापूर्वमकल्पयत्
Kaivalya. 13. स्वमायया कल्पितविश्वलोके . . विलीने
Gauḍa. 1. 18. कल्पितो यदि केनचित्
2. 9. अन्तश्चेतसा कल्पितं त्वसत् 10.
12. कल्पयत्यात्मनात्मानम्
13. एवं कल्पयते प्रभुः
14. कल्पिता एव ते सर्वे 15.
16. जीवं कल्पयते पूर्वम्
30. कल्पयेत्सोऽविशङ्कितः
33. अद्वयेन च कल्पितः
4. 92. सोऽमृतत्वाय कल्पते Brahmav. 14; Gîtâ. 2. 15.
Nṛip. 5. 2. दक्षिणार्थं तावत्कल्पते
Siras. 6. इमा विश्वा भुवनानि चाक्लृपे (bis.)
Nyâsa. 1. अमृतत्वाय कल्पताम् (4 MSS. read कल्पते)
Râmap. 10. कल्पितस्य शरीरस्य
Gîtâ. 14. 26. ब्रह्मभूयाय कल्पते 18. 53

केतु

Maitri. 7. 6. *vide* आदि

केन

Mukti. 1. 30. ईशकेनकठप्रश्नमुण्डमाण्डूक्यतित्तिरिः
1. *vide* जाबालि

केलि

Gopî. 5. केलिकुङ्कुमसंभवम्

केवल

Śwet. 1. 11. केवल आप्तकामः
4. 18. शिव एव केवलः
6. 11. साक्षी चेता केवलो निर्गुणश्च Brahma. 3.
Nâda. 20. विमलः केवलः प्रभुः
Sarvop. 4. आकाशवत् सूक्ष्मः केवलः
Skanda. 6. स जीवः केवलः शिवः 10.
Gîtâ. 4. 21. शारीरं केवलं कर्म
5. 10. केवलैरिन्द्रियैरपि
18. 16. कर्त्तारमात्मानं केवलम्

केवलत्व

Maitri. 6. 21. केवलत्वं लभता इति

केवलरूप

Mukti. 2. 64. स्वयं केवलरूपतः

केश

Kaush. 4. 19. तद्यथा सहस्रधा केशो विपाटितः
Bṛih. 3. 2. 13. वनस्पतीन्केशाः (अपियन्ति)
4. 2. 3. यथा केशः सहस्रधा भिन्नः 4. 3. 20.
Muṇḍ. 1. 1. 7. यथा सतः पुरुषात्केशलोमानि
Garbha. 5. शिरः कपालं केशा दर्भाः
Prâṇâg. 4. केशा दर्भाः
Kaṭhaśru. 1. सशिखान् केशान्निष्कृत्य 2, 3.
3. केशश्मश्रुलोमनखानि

केशधारिन्

Brahma. 3. नेतरे केशधारिणः (one MS. has इतरे)

केशव

Vâsu. 2. केशवादिद्वादशनामभिः
Skanda. 10. शिवकेशवयोस्तथा
Gîtâ. 1. 31. विपरीतानि केशव
2. 54. समाधिस्थस्य केशव
3. 1. मां नियोजयसि केशव
10. 14. यन्मां वदसि केशव
11. 35. एतच्छ्रुत्वा वचनं केशवस्य
18. 76. केशवार्जुनयोः

केशान्त

Tait. 1. 6. 1. यत्रासौ केशान्तो विवर्त्तते

केशिनिषूदन

Gîtâ. 18. 1. पृथक् केशिनिषूदन

केसर

Haṁsa. 2. केसरे जाग्रदवस्था
Râmap. 63. केसरेष्वष्टपत्रेषु
64. लिखेत्तत्केसरे रमाम्
66. आदिक्षान्तान् केसरेषु
— विलिखेत्केसरे ह्रियम्

कैकेय

Chhâ. 5. 11. 4. अश्वपतिर्वै . . कैकेयः

कैवल्य

Kaivalya. 24. एवं विदित्वैनं कैवल्यं फलमश्नुते
Amṛita. 29. इच्छयाप्नोति कैवल्यम्
Mukti. 1. 18. कैवल्यमुक्तिरेकैव
26. इयं कैवल्यमुक्तिस्तु
31. ब्रह्मकैवल्यजाबालश्वेताश्वः
1. *vide* सरस्वतीरहस्य
—विदेहमुक्तिः सैव कैवल्यमुक्तिः
— कैवल्यमुक्तिर्ज्ञानमात्रेणोक्ता
— तेन सह कैवल्यं लभन्ते

कैशोर्य

Bṛih. 2. 6. 3. शाण्डिल्यः कैशोर्यात्का-
प्यात् 4. 6. 3.
— कैशोर्यः काप्यः कुमारहा-
रितात् 4. 6. 3.

कोटर

Jâbâla. 6. *vide* स्थण्डिल

कोटि, कोटी

Gauḍa. 4. 84. कोट्यश्चतस्रो एतास्तु
Garbha. 5. अर्द्धचतस्रो रोमाणि कोट्यः
Haṁsa. 2. भानुकोटिप्रतीकाशः

कोटिगुण

Gopî. 5. ततः कोटिगुणं पुण्यम्

कोणत्रय

Râmap. 28. तदा कोणत्रयं भवेत्

कोणपार्श्व

Râmap. 61. कोणपार्श्वे रमामाये

कोणाग्रान्तर

Râmap. 62. क्रोधं कोणाग्रान्तरेषु

कोल

Chhâ. 7. 3. 1. ह्रे वा कोले ह्रौ वाक्षौ

कोश

Chhâ. 3. 15. 1. अन्तरिक्षोदरः कोशः
— स एष कोशो वसुधानः
3. अरिष्टं कोशं प्रपद्ये ऽमुना-
मुनामुना
Tait. 1. 4. 1. ब्रह्मणः कोशो ऽसि मेधया
पिहितः
Maitri. 3. 4. आमयैर्बहुभिः परिपूर्णं को-
श इव वसुना
6. 27. हृद्याकाशमयं कोशम्
Muṇḍ 2. 2. 9. हिरण्मये परे कोशे
Gauḍa. 3. 11. रसादयो हि ये कोशाः
Nṛisut. 9. देवताः कोशांश्च सृष्ट्वा
Mahânâr. 11. 9. लम्बत्या कोशसन्निभम्
Mahâ. 3 (but Śaṁkar-
ânanda reads कोशव-
दिदम्)
Sarvop. 2. षण्णां कोशानां समूहो
ऽन्नमयः कोशः
— अन्नमये कोशे
— प्राणमयः कोशः
— मनोमयः कोशः
— विज्ञानमयः कोशः
— आनन्दमयः कोशः

कोशचतुष्टय

Sarvop. 2. एतत्कोशचतुष्टयम्

कोशत्रय

Sarvop. 2. एतत्कोशत्रयसंयुक्तः

कोशद्वय

Sarvop. 2. एतत्कोशद्वयसंयुक्तः

कोशलजा

Râmap. 27. पुष्टः कोशलजात्मजः

कोष्ठाग्नि

Garbha. 5. ज्ञानाग्निर्दर्शनाग्निः कोष्ठाग्निः
— कोष्ठाग्निर्नामाशितपीतलेह्य-
चोष्यं पचतीति
Prâṇâg. 2. कोष्ठाग्निर्नामाशितपीतलीढ-
खादितानि सम्यक् श्रपयि-
त्वा

कौण्डिन्य

Bṛih. 2. 6. 1. कौशिकः कौण्डिन्यात्
4. 6. 1.
— कौण्डिन्यः शाण्डिल्यात्
4. 6. 1.

कौत्स

Bṛih. 6. 5. 4. माण्डव्यः कौत्सात्
— कौत्सो माहित्थेः

कौत्सायन

Maitri. 5. 1. अथ यथेयं कौत्सायनी स्तुतिः

कौन्तेय

Gitâ. 1. 27. तान् समीक्ष्य स कौन्तेयः
2. 14. मात्रास्पर्शास्तु कौन्तेय
37. तस्मादुत्तिष्ठ कौन्तेय
60. यततो ह्यपि कौन्तेय
3. 9. तदर्थं कर्म कौन्तेय
39. कामरूपेण कौन्तेय
5. 22. आद्यन्तवन्तः कौन्तेय
6. 35. अभ्यासेन तु कौन्तेय
7. 8. रसो ऽहमप्सु कौन्तेय
8. 6. तं तमेवैति कौन्तेय
16. मामुपेत्य तु कौन्तेय
9. 7. सर्वभूतानि कौन्तेय
10. हेतुनानेन कौन्तेय
23. ते ऽपि मामेव कौन्तेय
27. यत्तपस्यसि कौन्तेय
31. कौन्तेय प्रतिजानीहि
13. 1. इदं शरीरं कौन्तेय
31. शरीरस्थो ऽपि कौन्तेय
14. 4. सर्वयोनिषु कौन्तेय
7. तन्निबध्नाति कौन्तेय
16. 20. मामप्राप्यैव कौन्तेय
22. एतैर्विमुक्तः कौन्तेय
18. 48. सहजं कर्म कौन्तेय
50. समासेनैव कौन्तेय
60. स्वभावजेन कौन्तेय

कौपीन

Nyâsa. 3. कौपीनाच्छादनं तथा Kathaśru 4.

Parama. 1. कौपीनं दण्डमाच्छादनं च ..परिग्रहेत्

Aruṇeya. 1 दण्डमाच्छादनं च कौपीनं च परिग्रहेत्

Aruṇeya. 4. वैणवं दण्डं कौपीनं परिग्रहेत्

Aśrama. 4. *vide* धारिन्
— कन्थाकौपीनवाससः

कौमार

Maitri. 6. 10. कौमारं यौवनं जरा Gitâ. 2. 13.

कौरव्यायणीपुत्र

Brih. 5. 1. 1. इति ह स्माह कौरव्यायणीपुत्रः

कौशल

Gitâ. 2. 50. योगः कर्मसु कौशलम्

कौशिक

Brih. 2. 6. 1. गौपवनः कौशिकात् 4. 6. 1.
— कौशिकः कौण्डिन्यात् 4. 6. 1.
— शाण्डिल्यः कौशिकाच्च गौतमाच्च 4. 6. 1.

कौशिकायनि

Brih. 2. 6. 2. वैजवापायनः कौशिकायनेः
— कौशिकायनिर्घृतकौशिकात् 4. 6. 2.
4. 6. 2. सायकायनः कौशिकायनेः

कौशिकीपुत्र

Brih. 6. 5. 1. कात्यायनीपुत्रः कौशिकीपुत्रात्
— कौशिकीपुत्र आलंबीपुत्राच्च वैयाघ्रपदीपुत्राच्च

कौषीतकि

Kaush. 2. 1. प्राणो ब्रह्मेति ह स्माह कौषीतकिः
7. सर्वजितः कौषीतकेः
— सर्वजिद्ध स्म कौषीतकिः

Chhâ. 1. 5. 2. कौषीतकिः पुत्रमुवाच 4.

कौषीतकी

Mukti. 1. 32. मैत्रायणी कौषीतकी
1. *vide* बह्वृच

कौषीतकेय

Brih 3. 5. 1. कहोलः कौषीतकेयः

कौसल्य

Praśna. 1. 1. कौसल्यश्चाश्वलायनः 3. 1.
6. 1. हिरण्यनाभः कौसल्यो राजपुत्रः

क्रतु

Ait. 5. 2. क्रतुरसुः कामो वश इति
Chhâ. 3. 14. 1. स क्रतुं कुर्वीत
Brih. 5. 15. 1. ओं क्रतो स्मर कृतं स्मर क्रतो स्मर Iśâ. 17.
Katha. 2. 11. क्रतोरनन्त्यमभयस्य पारम्
Śwet. 4. 9. छन्दांसि यज्ञाः क्रतवो व्रतानि
Maitri. 2. 3. क्रतुं प्रजापतिमब्रुवन्
6. 36. आसहस्रसंवत्सरान्तक्रतुना
Muṇḍ 2. 1. 6. क्रतवो दक्षिणाश्च
Mahânâr.22. 1. अग्निहोत्रं . . यज्ञक्रतूनां प्रायणम्
Nrip. 5. 8. स सर्वैः क्रतुभिर्यजते
Śiras. 7. तेन सर्वैः क्रतुभिरिष्टं भवति Mahâ. 4.
Gîtâ. 9. 16. अहं क्रतुरहं यज्ञः

क्रतुमय

Chhâ. 3. 14. 1. अथ खलु क्रतुमयः पुरुषः

क्रतुशत

Śikhâ. 2. क्रतुशतस्यापि फलमवाप्नोति

क्रम्

Mahânâr. 6. 1. अक्रान्त्समुद्रः प्रथमे विधर्मन्
Gauḍa. 4. 96. यतो न क्रमते ज्ञानम्
99. क्रमते नहि बुद्धस्य ज्ञानम्

क्रम

Maitri. 6. 14. मघाद्यं श्रविष्ठार्द्धमाग्नेयं क्रमेण
Gauḍa. 4. 16. एषितव्यः क्रमस्त्वया
89. क्रमेण विदिते स्वयम्
Garbha. 2. प्राजापत्यात् क्रमात्
Amrita. 28. नित्यमभ्यस्यतः क्रमात्
Kaṭhaśru. 1. यो वा एवं क्रमेण सन्न्यसति
Vâsu. 3. क्रमादेवं स्वमात्मानं भावयेत्
Râmap. 23. एष साधारणः क्रमः
88. मध्ये क्रमादर्कविध्वग्नितेजांसि
— वृत्तत्रयं . . क्रमाद्भावयेच्च
Mukti. 1. 29. अमासां क्रमं सशान्ति च
2. 4. तत्क्रमेणाशु तेनैव
26. बीजांकुरक्रमः
50. संभवव्यत्ययक्रमात्

क्रमकोप

Gauḍa 4. 19. क्रमकोपो ऽथवा पुनः

क्रमशस्

Amrita. 21. क्रमशो मन्त्र निर्दिशेत् (so MSS; मन्त्र = मन्त्रं Nârâyaṇa).

क्रिया

Praśna. 5. 6. क्रियासु . . सम्यक् प्रयुक्तासु न कम्पते ज्ञः
Chûl. 7. ध्यानक्रियाभ्यां . . भुंक्ते
Kaṭhaśru. 1. य आत्मानं क्रियाभिः सुगुप्तं करोति
Aśrama. 2. शतसंवत्सराभिः क्रियाभिर्यजन्तः (4 times).
3. पञ्चमहायज्ञक्रियाम्

Râmap. 12. क्रियाकारणकर्तृणाम् (so 4 MSS.; but one MS. and Weber have क्रियाकर्मेज्य॰)

Gîtâ. 1. 42. लुप्तपिण्डोदकक्रियाः
11. 48. न च क्रियाभिर्न तपोभिरुग्रैः
17. 24. यज्ञदानतपःक्रियाः
25. यज्ञतपःक्रियाः
— दानक्रियाश्च विविधाः
18. 33. मनःप्राणेन्द्रियक्रियाः

क्रियागुण

Śwet. 5. 12. क्रियागुणैरात्मगुणैश्च तेषाम्

क्रियाङ्ग

Brahma. 3. क्रियाङ्गं तद्धि वै स्मृतम्

क्रियाज्ञानात्मन्

Nṛisut. 9. सर्वगो ह्येष ईश्वरः क्रियाज्ञानात्मा

क्रियावन्त्

Muṇḍ. 3. 1. 4. आत्मक्रीड आत्मरतिः क्रियावान्
3. 2. 10. क्रियावन्तः श्रोत्रिया ब्रह्मनिष्ठाः

क्रियाविशेषबहुल

Gîtâ. 2. 43. क्रियाविशेषबहुलाम्

क्रियाशक्ति

Kâlâg. 2. प्रथमा रेखा सा...क्रियाशक्तिः

क्रीड्

Chhâ. 8. 12. 3. जक्षन् क्रीडन् रममाणः
Kaivalya. 14. प्रबुद्धः पुरत्रये क्रीडति
Kṛish. 9. वने वृन्दावने क्रीडन्
19. क्रीडते बालको भूत्वा

क्रीडा

Maitri. 5. 1. विश्वक्रीडारतिप्रभुः
Gauḍâ. 1. 9. क्रीडार्थमिति चापरे
Haṁsa. 2. वारुण्यां क्रीडा

क्रीडाभोग

Gopî. 5. सर्वलोकोत्कृष्टसौन्दर्यक्रीडाभोगाः

क्रुध्

Bṛih. 3. 1. 2. ते ह ब्राह्मणाश्चुक्रुधुः

क्रूर

Mahânâr. 5. 1. यदपां क्रूरं यदमेध्यम्
Haṁsa. 2. याम्ये क्रूरे मतिः
Gîtâ. 16. 19. तानहं द्विषतः क्रूरान्

क्रोध

Maitri. 1. 3. *vide* आद्य
3. 5. कार्पण्यं क्रोधः..इति तामसानि
6. 38. न क्रोधान् स्तुन्वानः (न प्रशंसन् क्रोधम् MS.)
Siras. 5. यस्मिन् क्रोधं या च तृष्णां क्षमां च..हित्वा
Amṛita. 27. भयं क्रोधमथालस्यम्
Tejo. 12. कामं क्रोधं च किल्विषम्
Parama 2. *vide* आदि
Aruṇeya. 3. *vide* आदि
Kṛish. 11. लोभक्रोधादयो दैत्याः
Ramap. 62. क्रोधं कोणाग्रान्तरेषु
Gîtâ. 2. 62. कामात्क्रोधोऽभिजायते
63. क्रोधाद्भवति सम्मोहः
3. 37. काम एष क्रोध एष
16. 4. क्रोधः पारुष्यमेव च
18. कामं क्रोधं च संश्रिताः
21. कामः क्रोधस्तथा लोभः
Gîtâ. 18. 53. कामं क्रोधं परिग्रहम्

क्रोधज्य

Maitri. 6. 28. क्रोधज्यं..धनुर्गृहीत्वा

क्रोधमय

Bṛih. 4. 4. 5. क्रोधमयो ऽक्रोधमयः

क्रोधरूपिन्

Râmap. 45. तदा रामः क्रोधरूपी

क्रोधिनी (=र)

Râmap. 76. क्षुधा क्रोधिन्यमोघा च

क्रौञ्च

Chhâ. 2. 22. 1. क्रौञ्चं बृहस्पतेः

क्रौञ्चिकीपुत्र

Bṛih. 6. 5. 2. भालुकीपुत्रः क्रौञ्चिकीपुत्राभ्याम्
— क्रौञ्चिकीपुत्रौ वैदृभतीपुत्रात्

क्लद्

Śiras. 4. क्लन्दते क्लामयति च (two MSS. read क्लामयते)

क्लम्

Siras. 4. *vide* क्लद्

क्लिद्

Gîtâ. 2. 23. न चैनं क्लेदयन्त्यापः

क्लीब

Bṛih. 6. 1. 12. यथा क्लीबा अप्रजायमाना रेतसा

Nṛisut. 6. मुग्धाः क्लीबा मूकाः

क्लेश

Śwet. 1. 11. क्षीणैः क्लेशैः

Brahma. 3. वाक्कायक्लेशवर्जिता

Mukti. 2. क्लेशरूपत्वात्

Gîtâ. 12. 5. क्लेशो ऽधिकतरस्तेषाम्

18. 8. कायक्लेशभयात्

क्लैब्य

Gîtâ. 2. 3. क्लैब्यं मास्म गमः पार्थ

क्लोमन्

Bṛih. 1. 1. 1. यकृच्च क्लोमानश्च पर्वताः

क्वधःस्थ

Kaṭha. 1. 28. जीर्यन्मर्त्यः क्वधःस्थः

क्षण

Śikhâ. 2. तत्राधिकं क्षणमेकमास्थाय

Kṛish. 13. तेषां ज्ञानं हृतं क्षणात्

Râmap. 83. प्राप्नुवन्ति क्षणात्सम्यक्

Gîtâ. 3 5. नहि कश्चित्क्षणमपि

क्षणवेष

Maitri. 4. 2. नट इव क्षणवेषम्

क्षणितु

Bṛih. 5. 13. 4. त्रायते हैनं प्राणः क्षणितोः

क्षत्तृ

Chhâ. 4. 1. 5. स ह सञ्जिहान एव क्षत्तारमुवाच

7. स ह क्षत्तान्विष्य नाविदमिति प्रत्येयाय

8. स ह क्षत्ताविदमिति प्रत्येयाय

क्षत्र

Chhâ. 5. 3. 7. सर्वेषु लोकेषु क्षत्रस्यैव प्रशासनमभूत्

Bṛih. 1. 4. 11. तच्छ्रेयो रूपमत्यसृजत क्षत्रम्
— यान्येतानि देवत्रा क्षत्राणि
— क्षत्रात्परं नास्ति
— क्षत्र एव तद्यशो दधाति
— सैषा क्षत्रस्य योनिर्यद्ब्रह्म

14. क्षत्रस्य क्षत्रं यद्धर्मः

15. तदेतद्ब्रह्म क्षत्रं विट् शूद्रः

2. 4. 5. न वा अरे क्षत्रस्य कामाय

क्षत्रं प्रियं भवत्यात्मनस्तु कामाय क्षत्रं प्रियं भवति 4. 5. 6.

Brih. 2. 4. 6. क्षत्रं तं परादाद्यो ऽन्यत्रात्मनः क्षत्रं वेद 4. 5. 7.

— इदं क्षत्रं . . इदं सर्वं यदयमात्मा 4. 5. 7.

5. 13. 4. प्राणो वै क्षत्रं प्राणो हि वै क्षत्रम्

— प्र क्षत्रमत्रमाप्नोति क्षत्रस्य सायुज्यं सलोकतां जयति य एवं वेद

6. 3. 3. क्षत्राय स्वाहा

Katha. 2. 25. यस्य ब्रह्म च क्षत्रं च उभे भवत ओदनम्

Praśna. 2. 6. यज्ञः क्षत्रं ब्रह्म च

क्षत्रविद्या

Chhâ. 7. 1. 2. अध्येमि . . क्षत्रविद्याम्

4. नाम वै . . क्षत्रविद्या

7. 2. 1. वाग्वै . . विज्ञापयति . . क्षत्रविद्याम्

7. 7. 1. विज्ञानेन वै . . विजानाति . . क्षत्रविद्याम्

क्षत्रिय

Kaush. 4. 19. प्रतिलोमरूपमेव तन्मन्ये यत् क्षत्रियो ब्राह्मणमुपनयेत

Brih. 1. 4. 11. ब्राह्मणः क्षत्रियमधस्तादुपास्ते

15. क्षत्रियेण क्षत्रियः (अभवत्)

2. 1. 15. प्रतिलोमं वै तद्यद् ब्राह्मणः क्षत्रियमुपेयात्

Gitâ. 2. 31. श्रेयो ऽन्यत्क्षत्रियस्य न विद्यते

32. सुखिनः क्षत्रियाः पार्थ

18. 41. ब्राह्मणक्षत्रियविशाम्

क्षत्रिययोनि

Chhâ. 5. 10. 7. ब्राह्मणयोनिं वा क्षत्रिययोनिं वा वैश्ययोनिं वा

क्षम्

Maitri. 7. 6. भान्तः क्षान्तः शान्तः

Mahânâr. 6. 6. क्षामहेवो अतिदुरितात्यग्निः

Gîtâ. 11. 42. तत्क्षामये त्वामहमप्रमेयम्

क्षमा

Siras. 5. क्षमां हित्वा हेतुजालस्य मूलम् (bis).

— क्रोधं या च तृष्णां क्षमां च . . हित्वा

Gitâ. 10. 4. क्षमा सत्यं दमः शमः

34. स्मृतिर्मेधा धृतिः क्षमा

16. 3. तेजः क्षमा धृतिः शौचम्

क्षमिन्

Gitâ. 12. 13. समदुःखसुखः क्षमी

क्षय

Maitrî. 7. 9. असुरेभ्यः क्षयाय

Garbha. 4. अशुभक्षयकारकम् (ter).

Brahmab. 5. यावद्धृदि गतं क्षयम्

Amṛita. 8. किल्बिषं च क्षयं नीत्वा

Mukti. 1. 43. प्रारब्धक्षयपर्यन्तम्

— प्रारब्धे तु क्षयं गते

1. प्रारब्धक्षयात् 2.

2. सर्ववासनाक्षयात्

2. 10. वासनाक्षयविज्ञानमनोनाशाः

Gîtâ. 16. 9. क्षयाय जगतो ऽहिताः

18. 25. अनुबन्धं क्षयं हिंसाम्

क्षयिष्णु

Maitri. 1. 4. सर्वं चेदं क्षयिष्णु पश्यामः

क्षय्यलोक

Chhâ. 7. 25. 2. ते क्षय्यलोका भवन्ति

क्षर्

Brih. 6. 3. 6. ऋतायते मधु क्षरन्ति सिन्धवः Mahânâr. 9. 8; 17. 7.
Mahânâr. 13. 1. मधु क्षरन्ति तद्ब्रह्म 15. 3.
Siras. 6. मधु क्षरन्ति यद्ध्रुवम्
Amrita. 24. यदक्षरं न क्षरते कदाचित्

क्षर

Swet. 1. 8. संयुक्तमेतत् क्षरमक्षरं च
10. क्षरं प्रधानं . . क्षरात्मानावीशते देवः
5. 1. क्षरं त्वविद्या ह्यमृतं तु विद्या
Siras. 1. अक्षरमहं क्षरमहम्
Garbha. 3. क्षराक्षरं मोक्षं चिन्तयति
Gitâ. 8. 4. अधिभूतं क्षरो भावः
15. 16. क्षरश्चाक्षर एव च
— क्षरः सर्वाणि भूतानि
18. यस्मात्क्षरमतीतोऽहम्

क्षात्र

Gitâ. 18. 43. क्षात्रं कर्म स्वभावजम्

क्षान्त (=क्ष+अन्त)

Râmap. 66. आदिक्षान्तान्

क्षान्ति

Ganda. 4. 92. यस्यैवं भवति क्षान्तिः
Prânâg. 4. स्मृतिर्दया क्षान्तिरहिंसा पत्नीसंयाजाः
Gitâ. 13. 7. अहिंसा क्षान्तिरार्जवम्
18. 42. क्षान्तिरार्जवमेव च

1. क्षि (क्षये)

Chhâ. 4. 11. 2. नास्यावरपुरुषाः क्षीयन्ते 4. 12. 2; 4. 13. 2.
8. 1. 6. कर्मजितो लोकः क्षीयते . . पुण्यजितो लोकः क्षीयते
Brih. 1. 4. 15. तद्धास्यान्ततः क्षीयत एव — न हास्य कर्म क्षीयते
1. 5. 1. कस्मात्तानि न क्षीयन्ते ऽद्यमानानि सर्वदा 2.
2. यद्धैतन्न कुर्यात् क्षीयेत ह
2. 1. 3. नास्यान्नं क्षीयते 2. 2. 2.
Swet. 1. 11. क्षीणैः क्लेशैर्जन्ममृत्युप्रहाणिः
2. 9. क्षीणे प्राणे नासिकयोच्छ्वसीत
Mund. 2. 2. 8. क्षीयन्ते चास्य कर्माणि
Ganda. 1. 15. विपर्यासे तयोः क्षीणे
4. 55. क्षीणे हेतुफलावेशे 56.
Brahmab. 16. यस्मिन् क्षीणे यदक्षरम्
Dhyâna. 4. सुशब्दं चाक्षरे क्षीणे
Mukti. 2. 14. न क्षीयते क्वचित्
27. एकस्मिंश्च तयोः क्षीणे
41. क्षीयन्ते भोगवासनाः
Gitâ. 9. 21. क्षीणे पुण्ये मर्त्यलोकं विशन्ति

2. क्षि (निवासे)

Nrip. 2. 4. क्षियन्ति भुवनानि विश्वा

क्षिप्

Chhâ. 8. 6. 5. स यावत् क्षिप्येन्मनस्तावदादित्यं गच्छति
Swet. 2. 7. नहि ते पूर्त्तमाक्षिपत्
Râmap. 39. यो रामस्तमाचिक्षिपत्
Gitâ. 16. 19. क्षिपाम्यजस्रमशुभान्

क्षिप्रम्

Mukti. 2. 27. क्षिप्रं द्वे अपि नश्यतः
Gitâ. 4. 12. क्षिप्रं हि मानुषे लोके
9. 31. क्षिप्रं भवति धर्मात्मा

क्षीणकल्मष

Gitâ. 5. 25. ऋषयः क्षीणकल्मषाः

क्षीणदोष

Mund. 3. 1. 5. यं पश्यन्ति यतयः क्षीणदोषाः

क्षीणलोक

Muṇḍ. 1. 2. 9. क्षीणलोकाश्च्यवन्ते

क्षीर

Śwet. 1. 16. क्षीरे सर्पिरिवार्पितम्
Brahma. 3.
Brahmab. 19. क्षीरस्याप्येकवर्णता
— क्षीरवत्पश्यते ज्ञानम्
Vâsu. 3. क्षीरे घृतं यथा

क्षीरोदार्णवशायिन्

Nṛip. 1. 5. क्षीरोदार्णवशायिनं नृकेसरिम्

क्षीरौदन

Bṛih. 6. 4. 14. क्षीरौदनं पाचयित्वा

क्षुत्पिपास

Tejo. 13. शीतोष्णं क्षुत्पिपासं च

क्षुद्र

Ait. 5. 3. इमानि च क्षुद्रमिश्राणीव
Chhâ. 5. 10. 8. क्षुद्राण्यसकृदावर्त्तीनि भूतानि
Bṛih. 2. 1. 20. यथाग्नेः क्षुद्रा विस्फुलिङ्गा व्युच्चरन्ति
Gîtâ. 2. 3. क्षुद्रं हृदयदौर्बल्यम्

1. क्षुध्

Chhâ. 5. 24. 5. यथेह क्षुधिता बाला मातरं पर्युपासते

2. क्षुध्

Maitri. 1. 3. *vide* आद्य
3. 5. क्षुत् पिपासा . . इति तामसानि

क्षुधा

Râmap. 76. क्षुधा क्रोधिन्यमोघा च

क्षुभ्

Chhâ. 3. 5. 3. एतदादित्यस्य मध्ये क्षोभत इव

क्षुर

Kaush. 4. 20. यथा क्षुरः क्षुरधाने ऽवोपहितः
Bṛih. 1. 4. 7. यथा क्षुरः क्षुरधाने ऽवहितः
3. 3. 2. यावती क्षुरस्य धारा
Katha. 3. 14. क्षुरस्य धारा निशिता दुरत्यया
Kshur. 11. मनसस्तु क्षुरं गृह्य
18. क्षुरेणानलवर्चसा

क्षुरधान

Kaush. 4. 20. *vide* क्षुर
Bṛih. 1. 4. 7. *vide* क्षुर

क्षुरि, क्षुरिका

Kshur. 1. क्षुरिकां सम्प्रवक्ष्यामि
Mukti. 1. 32. क्षुबालक्षुरिमन्त्रिका
1. *vide* सरस्वतीरहस्य

क्षेत्र

Chhâ. 7. 24. 2. क्षेत्राण्यायतनानीति
Śwet. 5. 3. यस्मिन् क्षेत्रे संहरत्येष देवः
Nṛip. 5. 1. क्षेत्रं क्षेत्रं वा मायैषा सम्पद्यते
Nṛisut. 9. परिपूर्णानि क्षेत्राणि दर्शयित्वा
Râmot. 4. मणिकर्ण्यां वा मत्क्षेत्रे वा
— क्षेत्रे ऽत्र तव देवेश
— अविमुक्ते तव क्षेत्रे
— क्षेत्रे ऽस्मिन्यो ऽर्चयेत्
Gîtâ. 13. 1. क्षेत्रमित्यभिधीयते
2. क्षेत्रक्षेत्रज्ञयोर्ज्ञानम्
3. तत्क्षेत्रं यच्च यादृक् च
6. एतत्क्षेत्रं . . उदाहृतम्

Gîtâ. 13. 18. इति क्षेत्रं तथा ज्ञानम्
26. क्षेत्रक्षेत्रज्ञसंयोगात्
33. क्षेत्रं क्षेत्री तथा कृत्स्नम्
34. क्षेत्रक्षेत्रज्ञयोरेवमन्तरम्

क्षेत्रज्ञ

Śwet. 6. 16. प्रधानक्षेत्रज्ञपतिः
Maitri. 2. 5. चेतामात्रः प्रतिपुरुषः क्षेत्रज्ञः
5. 2.
Chûl. 19. क्षेत्रज्ञाधिष्ठितम्
Brahma. 1. परं ब्रह्मधाम क्षेत्रज्ञमुपैति
Sarvop. 1. कर्त्ता जीवः क्षेत्रज्ञः.. कथम्
2. तत्र यत् प्रकाशते चैतन्यं स क्षेत्रज्ञ इत्युच्यते
Gîtâ. 13. 1. तं प्राहुः क्षेत्रज्ञमिति तद्विदः
2. क्षेत्रज्ञं चापि मां विद्धि
— क्षेत्रक्षेत्रज्ञयोर्ज्ञानम्
26. क्षेत्रक्षेत्रज्ञसंयोगात्
34. क्षेत्रक्षेत्रज्ञयोरेवमन्तरम्

क्षेत्रपाल

Râmap. 87. विघ्नं दुर्गां क्षेत्रपालं च वाणीम्

क्षेत्रभाग

Chhâ. 8. 1. 5. यं जनपदं यं क्षेत्रभागम्

क्षेत्रिन्

Gîtâ. 13. 33. क्षेत्रं क्षेत्री.. प्रकाशयति

क्षेम

Tait. 3. 10. 2. क्षेम इति वाचि

क्षेमतर

Gîtâ. 1. 46. तन्मे क्षेमतरं भवेत्

क्ष्वेल

Râmap. 77. क्ष्वेलः प्रीतिश्च सामरा

ख

Chhâ 4. 10. 5. कं ब्रह्म खं ब्रह्मेति
— कं च तु खं च न विजानामि
— यद्वाव कं तदेव खं यदेव खं तदेव कमिति
Bṛih. 5. 1. 1. खं ब्रह्म खं पुराणं वायुरं खम्
5. 10. 1. यथा रथचक्रस्य खम्
— यथा लम्बरस्य खम्
— यथा दुन्दुभेः खम्
Kaṭha. 4. 1. पराञ्चि खानि व्यतृणत्
Śwet. 2. 12. पृथ्व्याप्यतेजोनिलखे 6. 2. (°खानि)
Maitri. 2. 6. खानीमानि भित्त्वोदितः
6. 36. यच्छान्तं तस्याधारं खम्
7. 11. नभसः खे ऽन्तर्भूतस्य (bis).
Muṇḍ.2. 1. 3. खं वायुर्ज्योतिरापः पृथिवी
Praśna. 6. 4; Kaivalya. 15; Nâr. 1.
Mahânâr. 1. 3. येनावृतं खं च दिवं मही च
Gauḍa. 3. 11. खं यथा सम्प्रकाशितः
4. 28. खे वै पश्यन्ति ते पदम्
Kshur. 22. निर्विशङ्कः खमुत्क्रमेत्
Śiras. 5. अव्यक्तीभूता खं विचरति
Brahma. 1. यथा खं श्येनमाश्रित्य
Kṛish. 23. छत्त्रं च खं च संविद्धि
Gîtâ. 7. 4. खं मनो बुद्धिरेव च
8. शब्दः खे पौरुषं नृषु

खखोल्क

Mahânâr. 20. 23. खखोल्काय स्वाहा

खग

Brahma. 1. खगः कर्कटकः पुष्करः
Kṛish. 16. गर्वो रक्षः खगो बकः

खचर

Maitri. 3. 2. जालेनेव खचरः 6. 30.

खज

Maitri. 7. 11. खजाग्नियोगाद्बुद्धि सम्प्रयुक्तम्

खञ्ज

Garbha. 3. अन्धाः खञ्जाः कुब्जाः

खड्गरूप

Krish. 20. खड्गरूपो महेश्वरः

खण्ड

Gopî. 5. गोपीचन्दनखण्डं तु

खद्योत

Swet. 2. 11. खद्योतविद्युत्स्फटिकशशीनाम्

खद्योतमात्र

Chhâ. 6. 7 3. एको ऽङ्गारः खद्योतमात्रः
5. एकमङ्गारं खद्योतमात्रम्

खलकुल

Bṛih. 6. 3. 13. खल्वाश्च खलकुलाश्च

खल्व

Bṛih. 6. 3. 13. *vide* खलकुल

खाद्

Chhâ. 1. 10. 2. कुल्माषान् खादन्तं बिभिक्षे
4. न वा अजीविष्यमिमानखादन्निति
5. स ह खादित्वातिशेषान् जायाया आजहार
7. तान् खादित्वामुं यज्ञं विततमेयाय

Prâṇâg 2. अशितपीतलीढखादितानि

खिद्

Nyâsa. 2. ब्रह्मचर्याश्रमे खिन्नः

खेदन

Haṁsa. 2. तृतीये खेदनं याति

ख्या

Gauḍa. 4. 4. अजातिं ख्यापयन्ति ते
5. ख्याप्यमानामजातिम्

Amṛita. 32. एष प्राण इति ख्यातः

Krish. 20. कश्यपोलूखलः ख्यातः

Râmap. 36. स रावण इति ख्यातः

ग

Maitri. 6. 7. ग इति गच्छन्त्यस्मिन्

गगन

Mahânâr. 10. 7. तत्रापि दह्रं गगनं विशोकः

Gauḍa. 3. 8. गगनं मलिनं मलैः

गगनोपम

Gauḍa. 4. 1. धर्मान् यो गगनोपमान्

Mukti. 2. 73. दृशिस्वरूपं गगनोपमं परम्

गङ्गा

Mahânâr. 5. 4. इमं मे गङ्गे यमुने . .स्तोमं सचत

Vâsu. 2. इमं मे गङ्गे इति जलमादाय

Gopî. 5. न गङ्गया समं तीर्थम्

Râmot. 4. गङ्गायां वा तटे पुनः

गजेन्द्र

Gîtâ. 10. 27. ऐरावतं गजेन्द्राणाम्

गण

Bṛih. 2. 1. 11. नास्माद्गणश्छिद्यते

Maitri. 1. 4. *vide* आदि
7. 8. ditto.

Nṛip. 1. 2. यक्षगन्धर्वाप्सरोगणैः

Mukti. 1. 2. सनकाद्यैर्मुनिगणैः
38. रुद्राक्षगणदर्शनम्

गणपति

Mukti. 1. *vide* गारुड

गणशस्

Bṛih. 1. 4. 12. गणश आख्यायन्ते

गणाधिपत्य

Śiras. 7. द्वितीयं जप्त्वा गणाधिपत्य-
मवाप्नोति

गणान्न

Mahânâr.19. 1. गणान्नं गणिकान्नम्

गणिकान्न

Mahânâr. 19. 1. *vide* गणान्न

गतक्षय

Maitri. 6. 34. हृदि यावद्गतक्षयम्

गतरस

Gîtâ. 17. 10. यातयामं गतरसम्

गतव्यथ

Mukti. 2. 19. यस्तिष्ठति गतव्यथः
Gîtâ. 12. 16. उदासीनो गतव्यथः

गतश्री

Mahânâr.16. 4. गतश्रीरुत त्वया

गतसङ्ग

Gîtâ. 4. 23. गतसंगस्य युक्तस्य

गतसन्देह

Gîtâ. 18. 73. स्थितो ऽस्मि गतसन्देहः

गतागत

Gîtâ. 9. 21. गतागतं कामकामा लभन्ते

गतासु

Gîtâ. 2. 11. गतासूनगतासूंश्च

गति

Chhâ. 1. 8. 4. का साम्नो गतिरिति
— स्वरस्य का गतिः
— प्राणस्य का गतिः
— अन्नस्य का गतिः
Chhâ. 1. 8. 5. अपां का गतिः
— अमुष्य लोकस्य का गतिः 7.
7. अस्य लोकस्य का गतिः
1. 9. 1.
4. 14. 1. आचार्यस्तु ते गतिं वक्ता
Bṛih. 4. 3. 32. एषास्य परमा गतिः
Tait. 3. 10. 2. गतिरिति पादयोः
Kaṭha 2. 8. अनन्यप्रोक्ते गतिरत्र नास्ति
3. 11. सा काष्ठा सा परा गतिः
6. 10. तामाहुः परमां गतिम् Maitri. 6. 30; Gîtâ. 8. 21.
Maitri. 1. 4. भगवंस्त्वं नो गतिः
3. 1. अवाच्योर्ध्वा वा गतिः
2 (bis).
4. 1. अस्माकं गतिरन्या न वि-
द्यते
6. 1. बहिरात्मकया गत्यान्तरा-
त्मनो ऽनुमीयते गतिः
— अन्तरात्मकया गत्या बहि-
रात्मनो ऽनुमीयते गतिः
7. भाभिर्गतिरस्य हीति भर्गः
22. अथ हैषा गतिः
24. सा गतिर्लोक एव सः
30. न ह्यत्रोद्वर्त्मना गतिः
— तेन यान्ति परां गतिम्
Mahânâr. 4. 7. गच्छामि परमां गतिम्
Gauḍa. 1. 23. नामात्रे विद्यते गतिः
3. 9. गत्यागमनयोरपि
4. 34. कालस्यानियमाद्गतौ
Nyâsa. 5. एषा गतिर्गतिमताम् (4 MSS. have मतिर्मतिमतः)
— ये प्राप्य परमां गतिम्
Parama. 3. इन्द्रियाणां गतिरुपरमने
Gîtâ. 4. 17. गहना कर्मणो गतिः
29. प्राणापानगती रुद्ध्वा
6. 37. कां गतिं कृष्ण गच्छति
45. ततो याति परां गतिम्
13. 28; 16. 22.

Gîtâ. 7. 18. मामेवानुत्तमां गतिम्
8. 13. स याति परमां गतिम्
26. शुक्लकृष्णे गती ह्येते
9. 18. गतिर्भर्ता प्रभुः साक्षी
32. ते ऽपि यान्ति परां गतिम्
12. 5. अव्यक्ता हि गतिः
16. 20. ततो यान्त्यधमां गतिम्
23. न सुखं न परां गतिम्

गतिमन्त्

Nyâsa. 5. एषा गतिर्गतिमताम् (4 MSS. have मतिर्मतिमतः)

गतिविस्तार

Haṁsa. 1. हंसस्य गतिविस्तारम्

गद्

Maitri. 1. 2. राजेमां गाथां जगाद

गदा

Krish. 24. गदा च कालिका साक्षात्
Râmap. 92. गदारिशंखाब्जधरम्
93. शंखचक्रे गदाब्जे
Râmot. 5. एतया गदया नमस्करोति (one MS. has गाथया)

गदिन्

Gîtâ. 11. 17. किरीटिनं गदिनं चक्रिणं च
46. किरीटिनं गदिनं चक्रहस्तम्

गन्तृ

Maitri. 6. 7. चेता मन्ता गन्तोत्स्रष्टा

गन्ध

Ait. 5. 1. येन वा गन्धानाजिघ्रति
Kaush. 1. 7. केन गन्धानिति घ्राणेनेति
3. 4. अस्मिन् सर्वे गन्धा अभिविसृज्यन्ते घ्राणेन सर्वान् गन्धानाप्नोति
Kaush. 3. 5. तस्य गन्धः परस्तात्प्रतिविहिता भूतमात्रा
6. प्रज्ञया घ्राणं समारुह्य घ्राणेन सर्वान् गन्धानाप्नोति
7. न हि प्रज्ञापेतः घ्राणो गन्धं कञ्चन प्रज्ञापयेत्
— नाहमेतं गन्धं प्राज्ञासिषम्
8. न गन्धं विजिज्ञासीत घ्रातारं विद्यात्
Chhâ. 8. 12. 4. गन्धाय घ्राणम्
Brih. 2. 4. 11. सर्वेषां गन्धानां नासिके एकायनम् 4. 5. 12.
3. 2. 2. अपानेन हि गन्धान् जिघ्रति
Kaṭha. 4. 3. येन . . गन्धं . . एतेनैव विजानाति
Swet. 2. 13. गन्धः शुभो मूत्रपुरीषमल्पम्
Mahânâr. 8. 2. दूराद्गन्धो वाति (bis).
Dhyâna. 7. पुष्पमध्ये यथा गन्धम् Yogat. 8.
9. पुष्पे गन्धमिवार्पितम्
Nyâsa. 5. नासिके न गन्धाय
Sarvop. 2. शब्दस्पर्शरूपरसगन्धाः
Parama. 2. न गन्धं न च मनो ऽपि
Vâsu. 3. यथा गन्धः पुष्पेषु
Mukti. 2. 66. स्वदेहाशुचिगन्धेन
Gîtâ. 7. 9. पुण्यो गन्धः पृथिव्याम्
15. 8. वायुर्गन्धानिवाशयात्

गन्धद्वार

Mahânar. 4. 8. गन्धद्वारां दुराधर्षाम्

गन्धमाल्य

Chhâ. 8. 2. 6. गन्धमाल्ये समुत्तिष्ठतः

गन्धमाल्यलोक

Chhâ. 8. 2. 6. गन्धमाल्यलोकेन सम्पन्नो महीयते

गन्धमाल्यलोककाम

Chhâ. 8. 2. 6. यदि गन्धमाल्यलोककामो भवति

गन्धरसादिज्ञान

Garbha. 3. बुद्धिर्गन्धरसादिज्ञाना

गन्धर्व

Chhâ. 2. 21. 1. सर्पा गन्धर्वाः पितरः
Bṛih. 1. 1. 2. वाजी गन्धर्वान्
Maitri. 1. 14. *vide* आदि
Mahânâr. 2. 4. प्र तद्वोचे . . गन्धर्वः
13. 7. अदितिर्देवा गन्धर्वा मनुष्याः
16. 6. गन्धर्वेषु च यन्मनः
Nâda. 13. गन्धर्वस्तु चतुर्थिकाम्
Nṛip. 1. 2. यक्षगन्धर्वाप्सरोगणैः
Gîtâ. 10. 26. गन्धर्वाणां चित्ररथः
11. 22. गन्धर्वयक्षासुरसिद्धसंघाः

गन्धर्वगृहीत

Bṛih. 3. 3. 1. तस्यासीद्दुहिता गन्धर्वगृहीता
3. 7. 1. तस्यासीद्भार्य्या गन्धर्वगृहीता

गन्धर्वनगर

Gauḍa. 2. 31. गन्धर्वनगरं यथा

गन्धर्वलोक

Bṛih. 3. 6. 1. गन्धर्वलोकेषु गार्गीति कस्मिन्नु खलु गन्धर्वलोका ओताश्च प्रोताश्चेति
4. 3. 33. स एको गन्धर्वलोक आनन्दः
— ये शतं गन्धर्वलोक आनन्दाः
Kaṭha. 6. 5. यथाप्सु . . तथा गन्धर्वलोके

गन्धवन्त्

Gopî. 4. पञ्चभूतेषु गन्धवतीयं पृथिव्यासीत्

गन्धार

Chhâ. 6. 14. 1. पुरुषं गन्धारेभ्यो ऽभिनक्षमानीय
2. एतां दिशं गन्धाराः
— गन्धारानेवोपस पद्येत

गभीर

Maitri. 7. 1. गभीरो गुप्तः

गम्

Ait. 4 2. तत् स्त्रिया आत्मभूयं गच्छति यथा स्वमङ्गम्
— सास्यैतमात्मानमत्र गतं भावयति
Kaush. 1. 1. एह्युभौ गमिष्यावः
2. चन्द्रमसमेव ते सर्वे गच्छन्ति
2. 4. संस्पर्शं जिगमिषेत्
12. आदित्यमेव तेजो गच्छति
— चन्द्रमसमेव तेजो गच्छति
— विद्युतमेव तेजो गच्छति
— दिश एव तेजो गच्छति
13. चक्षुरेव तेजो गच्छति
— श्रोत्रमेव तेजो गच्छति
— मन एव तेजो गच्छति
— प्राणमेव तेजो गच्छति
14. स तद्गच्छति यत्रैते देवाः
3. 2. एक आहुरेकभूयं वै प्राणा गच्छन्ति
Kena. 3. न तत्र चक्षुर्गच्छति न वाग् गच्छति नो मनः
30. यदेतद्गच्छतीव च मनः
Chhâ. 2. 13. 1. कालं गच्छति तन्निधनं पारं गच्छति तन्निधनम्
2. 20. 2. देवतानां सलोकतां सार्ष्टितां सायुज्यं गच्छति
4. 15. 1. वर्त्मनी एव गच्छति
6. स एतान् ब्रह्म गमयति 5. 10. 2.

Chhā. 4. 17. 9. यतो यत आवर्त्तते तत्तद्गच्छति
5. 2. 4. यदि महज्जिगमिषेत्
6. स मा ज्यैष्ठ्यं श्रैष्ठ्यं राज्यमाधिपत्यं गमयतु
5. 3. 7. इयं न प्राक् त्वत्तः पुरा विद्या ब्राह्मणान् गच्छति
6. 9. 1. एकतां रसं गमयन्ति
7. 1. 5. यावन्नाम्नो गतं तत्रास्य यथाकामचारो भवति
7. 2. 2. यावद्वचो गतं तत्र &c. (similar y in each section down to 14th.)
8. 3. 2. सर्वं तदत्र गत्वा विन्दते
— सर्वाः प्रजा अहरहर्गच्छन्त्यः
8. 6. 2. महापथ आतत उभौ ग्रामौ गच्छति . . आदित्यस्य रश्मय उभौ लोकौ गच्छन्ति
5. यावत् क्षिप्येन्मनस्तावदादित्यं गच्छति
8. 8. 4. विरोचनोऽसुरान् जगाम
Brih. 1. 3. 10. यत्रासां दिशामन्तस्तद्गमयाञ्चकार
28. असतो मा सद्गमय तमसो मा ज्योतिर्गमय मृत्योर्माऽमृतं गमय
— मृत्योर्माऽमृतं गमय (ter).
1. 4. 11. यद्यपि राजा परमतां गच्छति
1. 5. 1. स देवानपि गच्छति 2.
20. पुण्यमेवामुं गच्छति न ह वै देवान् पापं गच्छति
2. 1. 19. अतिघ्नीमानन्दस्य गत्वा
3. 3. 2. अगच्छन्वै ते यत्राश्वमेधयाजिनो गच्छन्तीति क न्वश्वमेधयाजिनो गच्छन्तीति
— तत्रागमयद्यत्राश्वमेधयाजिनोऽभवन्

Brih. 4. 1. 5. यां कां च दिशं गच्छति नैवास्या अन्तं गच्छति
4. 2. 1. इतो विमुच्यमानः क गमिष्यसीति नाहं . . वेद यत्र गमिष्यामि . . वक्ष्यामि यत्र गमिष्यसि
4. अभयं त्वा गच्छताद्याज्ञवल्क्य
4. 3. 1. जनकं ह वैदेहं याज्ञवल्क्यो जगाम
4. 4. 3. तृणस्यान्तं गत्वा
— अविद्यां गमयित्वा 4.
5. 12. 1. परमतां गच्छतः . . परमतां गच्छति
6. 1. 6. प्राणा अहंश्रेयसे विवदमाना ब्रह्म जग्मुः
6. 2. 4. भवानेव गच्छत्विति
15. ब्रह्मलोकान् गमयन्ति
Tait. 2. 6. 1. उताविद्वानमुं लोकं प्रेत्य कश्चन गच्छती ३
2. 7. 1. अथ सोऽभयं गतो भवति
Katha. 1. 3. तान् स गच्छति ता ददत्
4. 11. मृत्योः स मृत्युं गच्छति
6. 8. अमृतत्वं च गच्छति Nrip. 3. 1; 4. 3; Atmapra. 1 (ter); Rāmot. 2, 5.
Maitri. 6. 7. ग इति गच्छन्त्यास्मिन्
8. अरण्यं गत्वा . . उपलभेतैनम्
10. प्रधानस्य व्यक्ततां गतस्य
24. एनं दृष्ट्वामृतत्वं गच्छति
30. अनेनास्य तमसः पारं गमिष्यति
— मरुदुत्तरायणं गतः
37. एषाग्नौ हुतमादित्यं गमयति
— यद्धविरग्नौ हूयते तदादित्यं गमयति
38. अतः परगतां गच्छति

Muṇḍ.3. 2. 7. गताः कलाः पञ्चदश प्रतिष्ठाः
Mahânâr. 4. 7. गच्छामि परमां गतिम्
5. 3. गच्छेद्ब्रह्मसलोकताम्
15. 5. गच्छ देवि यथासुखम्
21. 2. यज्ञेन हि देवा दिवं गताः 23. 1.
22. 1. दमेन ब्रह्मचारिणः सुवरगच्छन्
25. 1. देवानामेव महिमानं गत्वादित्यस्य सायुज्यं गच्छति
— पितॄणामेव महिमानं गत्वा चन्द्रमसः सायुज्यं गच्छति
Praśna. 4. 4. स एनं यजमानमहरहर्ब्रह्म गमयति
8. पादौ च गन्तव्यं च
Kaivalya. 7. मुनिर्गच्छति भूतयोनिम्
Gauḍa. 2. 2. गत्वा देशान्न पश्यति
8. तानयं प्रेक्षते गत्वा
3. 2. अजाति समतां गतम् 38.
22. स्वभावेनामृतो यस्य भावो गच्छति मर्त्यताम् 4. 8 (has धर्मः for भावः)
4. 34. न युक्तं दर्शनं गत्वा कालस्यानियमाद्गतौ
Nṛip. 1. 2. यो जानीते सो ऽमृतत्वं च गच्छति 3 (bis), 4 (bis), 5 (bis), 6 (ter), 7 (ter); 2. 3 (ter); 4. 1.
3. स मृतो ऽधो गच्छति
— आचार्यस्तेनैव मृतो ऽधो गच्छति
7. येनासावमृतीभूत्वा सो ऽमृतत्वं च गच्छति
2. 4. सर्वतो गच्छति
5. 10. यत्र गत्वा न निवर्त्तन्ते योगिनः
Kshur. 5. भूत्वा तत्र गतः प्राणः

Śiras. 3. अगन्म ज्योतिरविदाम देवान्
5. स गच्छेद्ब्राह्मं पदम्
— स गच्छेद्वैष्णवं पदम्
— स गच्छेदैशानं पदम्
— स गच्छेत्पद्मनामकम्
Garbha. 4. गतास्ते फलभोगिनः
Mahâ. 4. जाप्येनामृतत्वं च गच्छति
Brahma. 1. भूयस्तेनैव स्वप्नाय गच्छति जलौकावत्
3. स्वप्ने . . गच्छत्यागच्छते पुनः
Brahmab. 4. यावद्धृदि गतं क्षयम्
Amṛita. 3. तावद्रथेन गन्तव्यम्
— रथमुत्सृज्य गच्छति
4. पदं सूक्ष्मं च गच्छति
25. प्राणस्तेन हि गच्छति
Yogaśi. 8. स गच्छेत् परमं पदम्
Nyâsa. 1. आश्रमपारं गच्छेयम्
— अरण्ये गत्वा . . ब्राह्मेष्टिं निर्वपेत्
— यज्ञयज्ञं गच्छ
2. वनं गच्छति संयतः
Kaṭhaśru. 2. देवानां सार्ष्टितां सालोक्यतां सायुज्यतां गच्छति
3. वीराध्वानं महाप्रस्थानं वृद्धाश्रमं वा गच्छेत्
Piṇḍa. 2. देहे गते पञ्चसु पञ्चधा
— हंसस्त्यक्त्वा गतो देहम्
Sarvop. 2. तद्गतविशेषाविशेषज्ञः
Haṁsa. 1. मणिपूरकं च गत्वा
Âruṇeya. 1. आरुणिः . . प्रजापतेर्लोकं जगाम तं गत्वोवाच
Nâr. 3. ब्रह्मत्वं च गत्वामृतत्वं च गच्छति
5. वैकुण्ठभुवनं गमिष्यति
Atmapra. 1. वैकुण्ठं भगवल्लोकं गमिष्यति (a variant is गमयि°)

Jabâla. 1. यत्र क्वचन गच्छति तदेव मन्येत Râmot. 1.
4. प्राणं गच्छ स्वाहा

Râmap. 37. शबरीं गत्वा
41. जगामागर्जदनुजः
43. आश्वाशु गच्छत
47. स्वपुरं तैर्जगाम सः

Mukti. 1. 43. प्रारब्धे तु क्षयं गते
1. ऋग्वेदगतानां . . उपनिषदाम्
-- शुक्लयजुर्वेदगतानाम्
-- कृष्णयजुर्वेदगतानाम्
-- सामवेदगतानाम्
-- अथर्ववेदगतानाम्
2. 29. चित्तं गच्छत्यचित्तताम्

Gîtâ. 2. 3. क्लैब्यं मास्म गमः पार्थ
52. तदा गन्तासि निर्वेदम्
4. 24. ब्रह्मैव तेन गन्तव्यम्
5. 5. तद्योगैरपि गम्यते
8. अश्नन् गच्छन्
17. गच्छन्त्यपुनरावृत्तिम्
6. 37. कां गतिं कृष्ण गच्छति
40. दुर्गतिं तात गच्छति
8. 15. संसिद्धिं परमां गताः
24. तत्र प्रयाता गच्छन्ति ब्रह्म
11. 51. सचेताः प्रकृतिं गतः
14. 1. परां सिद्धिमितो गताः
15. रजसि प्रलयं गत्वा
18. ऊर्ध्वं गच्छन्ति सत्त्वस्थाः
— अधो गच्छन्ति तामसाः
15. 4. यस्मिन्गता न निवर्त्तन्ति भूयः
5. गच्छन्त्यमूढाः पदमव्ययं तत्
6. यद्गत्वा न निवर्त्तन्ते
18. 62. तमेव शरणं गच्छ

गमन

Haṁsa. 2. वायव्ये गमनादौ बुद्धिः

गय

Bṛih. 5. 14. 4. एषा गयांस्तत्रे प्राणा वै गयाः
-- तद्यद्गयांस्तत्रे तस्माद्गायत्री

गरीयस्

Gîtâ. 2. 6. न चैतद्विद्मः कतरन्नो गरीयः
11. 37. गरीयसे ब्रह्मणो ऽप्यादिकर्त्रे
43. त्वमस्य पूज्यश्च गुरुर्गरीयान्

गरुड

Mahânâr. 3. 15. तन्नो गरुडः प्रचोदयात्

Krish. 26. गरुडो वटभाण्डीरः

गरुडध्वज

Atmapra. 1. ब्रह्मण्यो गरुडध्वजः

गर्ज्

Râmap. 41. जगामागर्जदनुजः

गर्त्त

Bṛih. 4. 3. 20. गर्त्तमिव पतति

Mukti. 1. 48. शास्त्रगर्त्तेषु मुह्यते

गर्त्तसद्

Nṛip. 2. 4. स्तुहि श्रुतं गर्त्तसदं युवानम्

गर्दभ, गर्दभी

Bṛih. 1. 4. 4. गर्दभीतरा गर्दभ इतरः

Nîla. 25. गर्दभावभितःसरौ

गर्दभीविपीत

Bṛih. 4. 1. 5. गर्दभीविपीतो भारद्वाजः

गर्भ

Ait. 4. 1. पुरुषे ह वा अयमादितो गर्भो भवति

Ait. 4. 3. तं स्त्री गर्भं विभर्त्ति
5. गर्भे नु सन्नन्वेषामवेदमहं देवानां जनिमानि
— गर्भ एवैतच्छयानो वामदेवः

Chhâ. 2. 9. 6. तदस्य गर्भा अन्वायत्ताः
5. 8. 2. तस्या आहुतेर्गर्भः संभवति
5. 9. 1. गर्भो दश वा मासानन्तः शयित्वा

Bṛih. 6. 4. 10. यामिच्छेन्न गर्भं दधीत
21. धाता गर्भं दधातु ते
— गर्भं धेहि सिनीवालि गर्भं धेहि पृथुष्टुके
— गर्भं ते अश्विनौ देवावाधत्ताम्
22. तं ते गर्भं हवामहे दशमे मासि सूतवे
— वायुर्दिशां यथा गर्भ एवं गर्भं दधामि ते ऽसौ
23. एवा ते गर्भ एजतु
— तमिन्द्र निर्जहि गर्भेण

Kaṭha. 4. 8. गर्भ इव सुभृतो गर्भिणीभिः

Śwet. 2. 16. पूर्वो हि जातः स उ गर्भे अन्तः Mahânâr. 2. 1; Śiras. 5.

Mahânâr. 1. 1. प्रजापतिश्चरति गर्भे अन्तः

Praśna. 2. 7. प्रजापतिश्चरसि गर्भे

Śiras. 4. *vide* महाभय

Garbha. 2. शुक्रशोणितसंयोगादावर्त्तते गर्भः

Râmot. 2. *vide* महद्भय

Mukti. 1. 31. गर्भो नारायणो हंसः
1. *vide* सरस्वतीरहस्य

Gîtâ. 3. 38. यथोल्वेनावृतो गर्भः
14. 3. तस्मिन् गर्भं दधाम्यहम्

गर्भवास

Śikhâ. 2. एतामधीत्य द्विजो गर्भवासान्मुच्यते

Nyâsa. 2. गर्भवासमयाद्भीतः

गर्भिन्

Bṛih. 6. 4. 11. इति गर्भिण्येव भवति
22. यथा द्यौरिन्द्रेण गर्भिणी

Kaṭha. 4. 8. गर्भ इव सुभृतो गर्भिणीभिः

गर्व

Parama. 2. *vide* आदि

Kṛish. 16. गर्वो रक्षः खगो बकः

गहन

Bṛih. 4. 4. 13. अस्मिन्सन्देहे गहने प्रविष्टः

Maitri. 7. 1. अनवद्यो घनो गहनः

Gîtâ. 4. 17. गहना कर्मणो गतिः

गह्वरेष्ठ

Kaṭha. 2. 12. गुहाहितं गह्वरेष्ठं पुराणम्

गाण्डीव

Gîtâ. 1. 30. गाण्डीवं स्रंसते हस्तात्

गातृ

Chhâ. 1. 6. 8. तस्मात्त्वेवोद्गातैतस्य हि गाता

गात्र

Amṛita. 12. नैव गात्राणि चालयेत्

Haṁsa. 2. प्रथमे चिञ्चिणी गात्रम्

Gîtâ. 1. 29. सीदन्ति मम गात्राणि

गात्रकम्प

Yogaśi. 1. गात्रकम्पो ऽभिजायते

गात्रभञ्जन

Haṁsa. 2. द्वितीये गात्रभञ्जनम्

गाथा

Chhâ. 4. 17. 9. एषा ब्रह्माणमनु गाथा

Maitri. 1. 2. राजेमां गाथां जगाद

Nṛip. 5. 9. स गाथा अधीते

गान्धर्व

Bṛih. 4. 4. 4. पित्र्यं वा गान्धर्वं वा

गान्धार

Garbha. 1. *vide* निषाद

गायत्र

Chhâ. 2. 11. 1. एतद्गायत्रं प्राणेषु प्रोतम्
2. स य एवमेतद्गायत्रं प्राणेषु प्रोतं वेद प्राणी भवति
3. 16. 1. गायत्रं प्रातःसवनम्
Maitri. 7. 1. अग्निर्गायत्रं त्रिवृद्रथन्तरं ..पुरस्तादुद्यन्ति
Mahâ. 3. गायत्रं छन्द ऋग्वेदः
Aśrama. 1. गायत्रो ब्राह्मणः प्राजापत्यो बृहन्
— त्रिरात्रमक्षारलवणाशी गायत्रीमन्त्रे स गायत्रः

गायत्री

Chhâ. 3. 12. 1. गायत्री वा इदं सर्वं भूतं यदिदं किञ्च वाग्वै गायत्री
2. या वै सा गायत्रीयं वाव सा येयं पृथिवी
5. सैषा चतुष्पदा षड्विधा गायत्री
3. 16. 1. चतुर्विंशत्यक्षरा गायत्री
Bṛih. 5. 14. 1. अष्टाक्षरं ह वा एकं गायत्र्यै पदम् 2, 3.
4. सैषा गायत्र्येतस्मिंस्तुरीये ...प्रतिष्ठिता
— एवमेषा गायत्र्यध्यात्मं प्रतिष्ठिता
— तद्यद्गयांस्तत्रे तस्माद्गायत्री
5. गायत्रीमेव सावित्रीमनुब्रूयात्
— हैव तद्गायत्र्या एकञ्चन पदं प्राति
7. गायत्र्यस्येकपदी द्विपदी
Mahânâr.13. 7. सावित्री गायत्री जगती
Mahânâr. 15. 1. गायत्री छन्दसां माता
— गायत्रीमावाहयामि
Nṛip. 2. 1. ब्रह्मा बसवो गायत्री गार्हपत्यः Nṛisut. 3; Sikhâ 1.
4. 2. अथ सावित्री गायत्री
— गायत्री वा इदं सर्वम्
5. 1. अष्टाक्षरा वै गायत्री
— गायत्र्या सम्मितं भवति
Śiras. 1. सावित्र्यहं गायत्र्यहम्
6. सावित्र्या गायत्री गायत्र्या लोका भवन्ति
7. गायत्र्याः षष्टिसहस्राणि जप्तानि भवन्ति Mahâ. 4.
Amṛita. 10. सव्याहृतिं सप्रणवां गायत्रीम्
Aruṇeya. 2. गायत्रीं च स्ववाचाग्नौ समारोपयेत्
Gopî. 5. ततो व्याहृतीस्ततो गायत्रीं गायत्र्या वेदाः
Gîtâ. 10. 35. गायत्री छन्दसामहम्

गायत्रीमन्त्र

Aśrama. 1. त्रिरात्रमक्षारलवणाशी गायत्रीमन्त्रे (?) स गायत्रः (one MS. has °मन्त्री)

गायत्रीविद्

Bṛih. 5. 14. 8. यन्नु हो तद्गायत्रीविदब्रूथाः

गारुड

Mukti. 1. 39. दत्तात्रेयं च गारुडम्
1. प्रश्नमुण्डकमाण्डूक्याथर्वशिरोथर्वशिखाबृहज्जाबालनृसिंहतापनीनारदपरिव्राजकसीताशरभमहानारायणरामरहस्यरामतापनीशाण्डिल्यपरमहंसपरिव्राजकान्नपूर्णासूर्यात्मपाशुपतपरब्रह्मत्रिपुरातपन-

देवीभावनाभस्मजाबालगणपतिमहावाक्यगोपालतपनकृष्णहयग्रीवदत्तात्रेयगारुडानाम्

गार्गी

Bṛih. 3. 6. 1. गार्गी वाचक्नवी (bis).
— कस्मिन्नु खल्वाप ओताश्च प्रोताश्चेति वायौ गार्गीति (similarly 9 times more).
— गार्गि मातिप्राक्षीः (bis).
3. 8. 1. पृच्छ गार्गीति 2, 5.
4. यदूर्ध्वं गार्गि दिवः 7.
8. एतद्वै तदक्षरं गार्गि
9. अक्षरस्य प्रशासने गार्गि (4 times).
10. एतदक्षरं गार्ग्यविदित्वा
11. एतदक्षरं गार्ग्यदृष्टं द्रष्टृ
— अक्षरे गार्ग्याकाश ओतः

गार्ग्य

Kaush. 4. 1. गार्ग्यो बालाकिः
Bṛih. 2. 1. 1. दृप्तबालाकिर्ह . . गार्ग्यः
2. स होवाच गार्ग्यः . . 3—13.
13. स ह तूष्णीमास गार्ग्यः
16. तदु ह न मेने गार्ग्यः
4. 6. 2. आग्निवेश्यो गार्ग्यात्
— गार्ग्यो गार्ग्यात्
— गार्ग्यो गौतमात्
Praśna. 1. 1. सौर्यायणी च गार्ग्यः
4. 1.
4. 2. यथा गार्ग्य मरीचयो ऽर्कस्य

गार्ग्यायण

Bṛih. 4. 6. 2. पाराशर्यायणो गार्ग्यायणात्
— गार्ग्यायण उद्दालकायनात्

गार्ग्यायणि

Kaush. 1. 1. चित्रो ह वै गार्ग्यायणिः (MSS. °निः)
— चित्रं गार्ग्यायणिम् (MSS. °निं)

गार्हपत्य

Chhâ. 2. 24. 3. जघनेन गार्हपत्यस्य
4. 11. 1. एनं गार्हपत्यो ऽनुशशास
4. 17. 4. भूः स्वाहेति गार्हपत्ये जुहुयात्
5. 18. 2. हृदयं गार्हपत्यः
Maitri. 6. 5. गार्हपत्यो दक्षिणाग्निराहवनीया इति मुखवत्येषा
34. पृथिवी गार्हपत्यः
Mahânâr. 22. 1. गार्हपत्यमृक् पृथिवी रथन्तरम्
Praśna. 4. 3. गार्हपत्यो ह वा एषो ऽपानः
— यद्गार्हपत्यात्प्रणीयते प्रणयनादाहवनीयः प्राणः
Nṛip. 2. 1. ब्रह्मा वसवो गायत्री गार्हपत्यः Nṛisut. 3; Śikhâ. 1.
Brahmav. 5. ऋग्वेदो गार्हपत्यश्च
Śiras. 1. गार्हपत्यो दक्षिणाग्निराहवनीयो ऽहम्
Garbha. 5. उदरे गार्हपत्यः
Prâṇâg. 1. एकां गार्हपत्ये (जुहोति)
2. गार्हपत्यो भूत्वा नाभ्यां तिष्ठति
Kaṭhaśru. 1. आहवनीये गार्हपत्ये
3. इत्येवं गार्हपत्यम्
Kâlâg. 2. प्रथमा रेखा सा गार्हपत्यः

गालव

Bṛih. 2. 6. 3. कुमारहारितो गालवात् 4. 6. 3.
— गालवो विदर्भीकौण्डिन्यात् 4. 6. 3.

गाह्

Gauḍa. 4. 95. तच्च लोको न गाहते

गिर्

Chhâ. 1. 3. 6. वाग्गीर्वाचो ह गिर इत्याचक्षते

Maitri. 6. 34. न शक्यते वर्णयितुं गिरा

Râmap. 62. लिख्य मन्त्यभितो गिरम्

Gîtâ. 10. 25. गिरामस्म्येकमक्षरम्

गिरि

Tait. 1. 10. 1. कीर्त्तिः पृष्ठं गिरेरिव

Muṇḍ. 2. 1. 9. अतः समुद्रा गिरयश्च सर्वे Mahânâr. 8. 5.

गिरिकुहर

Jâbâla. 6. *vide* स्थण्डिल

गिरित्र

Śwet. 3. 6. शिवां गिरित्र तां कुरु Nîla. 5 (कृणु)

गिरिश

Nîla. 6. त्वा गिरिशाच्छावदामसि

गिरिशन्त

Śwet. 3. 5. तया नः..गिरिशन्ताभिचाकशीहि

6. यामिषुं गिरिशन्त हस्ते बिभर्षि Nîla. 5 (4 MSS. have गिरिशन्तं)

Nîla. 8. तया नस्तन्वा..गिरिशन्ताभिचाकशत् (four MSS. have गिरिशं त्वा°)

गिरिष्ठा

Nṛip. 2. 4. मृगो न भीमः कुचरो गिरिष्ठाः

गी

Chhâ. 1. 3. 6. वाग्गीर्वाचो ह गिर इत्याचक्षते

Chhâ. 1. 3. 7. अन्तरिक्षं गीः

— वायुर्गीः

— यजुर्वेदो गीः

गीतवादित्र

Chhâ. 8. 2. 8. गीतवादित्रे समुत्तिष्ठतः

गीतवादित्रलोक

Chhâ. 8. 2. 8. गीतवादित्रलोकेन सम्पन्नो महीयते

गीतवादित्रलोककाम

Chhâ. 8. 2. 8. यदि गीतवादित्रलोककामो भवति

गीथा

Bṛih. 1. 3. 23. वागेव गीथोच्च गीथाचेति स उद्गीथः

गुडाकेश

Gîtâ. 1. 24. एवमुक्तः..गुडाकेशेन

2. 9. गुडाकेशः परन्तपः

10. 20. अहमात्मा गुडाकेश

11. 7. मम देहे गुडाकेश

गुण

Śwet. 5. 5. गुणांश्च सर्वान् विनियोजयेद्यः

8. बुद्धेर्गुणेनात्मगुणेन चैव

Maitri. 2. 4. गुणेष्विवोर्ध्वरेतसः

3. 2. एषो ऽभिभूतः प्राकृतैर्गुणैः

3. भूतात्मा..गुणैर्हन्यमानः

— एतानि गुणानि पुरुषेणेरितानि

6. 30. गुणः ..अध्यवसायात्मबन्धमुपागतः

Gauḍa. 2. 20. गुणा इति गुणविदः

Nṛisut. 3. गुणैरैक्यं सम्पाद्य

Yogat. 6. त्रयो ऽग्नयो गुणास्त्रीणि

Râmap. 15. रजःसत्त्वतमोगुणैः
Mukti. 2. 13. बिसच्छेदाद्गुणा इव
34. मैत्रादिभिर्गुणैर्युक्तम्
Gîtâ. 3. 5. प्रकृतिजैर्गुणैः
27. प्रकृतेः क्रियमाणानि गुणैः कर्माणि
28. गुणा गुणेषु वर्त्तन्ते
13. 19. विकारांश्च गुणांश्चैव
21. भुंक्ते प्रकृतिजान् गुणान्
23. य एवं वेत्ति..गुणैः सह
14. 5. गुणाः प्रकृतिसम्भवाः
19. नान्यं गुणेभ्यः कर्त्तारम्
— गुणेभ्यश्च परं वेत्ति
20. गुणानेतानतीत्य त्रीन्
21. कैर्लिंगैस्त्रीन्गुणानेतानतीतो भवति
— त्रीन्गुणानतिवर्त्तते
23. गुणैर्यो न विचाल्यते
— गुणा वर्त्तन्त इत्येव
26. स गुणान्समतीत्यैतान्
18. 40. प्रकृतिजैः..त्रिभिर्गुणैः
41. स्वभावप्रभवैर्गुणैः

गुणकर्मन्

Gîtâ. 3. 29. सज्जन्ते गुणकर्मसु

गुणकर्मविभाग

Gîtâ. 3. 28. तत्त्ववित्तु..गुणकर्मविभागयोः
4. 13. गुणकर्मविभागशः

गुणगह्वर

Chûl. 2. निर्गुणं गुणगह्वरे (so all the MSS.)

गुणतस्

Gîtâ. 18. 29. गुणतस्त्रिविधं शृणु

गुणप्रवृद्ध

Gîtâ. 15. 2. गुणप्रवृद्धा विषयप्रवालाः

गुणभिन्न

Nṛisut. 9. स्वयं गुणभिन्नाङ्कुरेष्वपि गुणभिन्ना (so all the MSS. but printed text गुणा°).

गुणभुज्

Maitri. 7. 1. भास्वरो गुणभुक्

गुणभेदतस्

Gîtâ. 18. 19. त्रिधैव गुणभेदतः

गुणभोक्तृ

Gîtâ. 13. 14. निर्गुणं गुणभोक्तृ च

गुणमय

Mukti. 2. 7. गुणमयेन पटेनात्मानमन्तर्धाय
Gîtâ. 7. 13. त्रिभिर्गुणमयैर्भावैः
14. दैवी ह्येषा गुणमयी

गुणर्द्ध

Nṛisut. 4. स्वस्तुतान् गुणर्द्धान् (Nârâyaṇa explains गुणाढ्यान्)

गुणवन्त्

Mukti. 1. गुणवन्तमकुटिलम्

गुणविद्

Gauḍa. 2. 20. गुणा इति गुणविदः

गुणसंख्यान

Gîtâ. 18. 19. प्रोच्यते गुणसंख्याने

गुणसङ्ग

Gîtâ. 13. 21. कारणं गुणसंगो ऽस्य

गुणसम्मूढ

Gîtâ. 3. 29. प्रकृतेर्गुणसम्मूढाः

गुणातीत

Nâda. 18. अतीन्द्रियं गुणातीतम्
Gîtâ. 14. 25. गुणातीतः स उच्यते

गुणान्त

Râmap. 81. गुणान्तः सगुणः स्वयम्

गुणान्वय

Śwet. 5. 7. गुणान्वयो यः फलकर्मकर्त्ता

गुणान्वित

Śwet. 6. 4. आरभ्य कर्माणि गुणान्वितानि

Gîtâ. 15. 10. भुञ्जानं वा गुणान्वितम्

गुणाभास

Śwet. 3. 17. सर्वेन्द्रियगुणाभासम् Gîtâ. 13. 14.

गुणिन्

Śwet. 6. 2. ज्ञः कालकालो गुणी 16.

गुणेश

Śwet. 6. 16. प्रधानक्षेत्रज्ञपतिर्गुणेशः

गुणौघ

Maitri. 3. 2. गुणौघैरुह्यमानः 6. 30.

गुद

Bṛih. 1. 1. 1. सिन्धवो गुदाः

Kshur. 7. गुदे शिश्ने त्रयस्त्रयः

Amṛita. 34. अपानस्तु पुनर्गुदे

Haṁsa. 1. गुदमवष्टभ्य

गुप्

Chhâ. 5. 10. 8. तस्माज्जुगुप्सेत

Bṛih. 3. 1. 9. कतिभिः . . यज्ञं . . देवताभिर्गोपायति

Tait. 1. 4. 1. श्रुतं मे गोपाय

Maitri. 7. 1. गभीरो गुप्तः

Mahânâr. 8. 2. एवमनृतादात्मानं जुगुप्सेत्

Śiras. 6. नव दिवो देवजनेन गुप्ताः

Aruṇeya. 4. सखा मा गोपाय

Mukti. 1. 51. गोपाय मा शेवधिष्टे ऽहमस्मि

1. गुरु

Gîtâ. 6. 22. न दुःखेन गुरुणापि विचाल्यते

2. गुरु

Chhâ. 5. 10. 9. गुरोस्तल्पमावसन्

8. 15. 1. गुरोः कर्मातिशेषेण

Śwet. 6. 23. यथा देवे तथा गुरौ

Muṇḍ.1. 2. 12. गुरुमेवाभिगच्छेत्

Nṛip. 5. 2. स गुरुर्भवति

— एतद्रक्षोघ्नं मृत्युतारकं गुरुणा लब्धम् (2 MSS. read गुरुतः)

Nyâsa. 2. अनुज्ञात उच्यते गुरुणाश्रमी

Kâṭhaśru. 3. तस्य सन्न्यासो गुरुभिरनुज्ञातस्य बान्धवैश्च

— तैजसानि गुरवे दद्यात्

Aśrama. 1. आप्रायणाद्गुरोरपरित्यागी

Mukti. 1. 24. गुरूपदिष्टमार्गेण

2. 31. गुरुशास्त्रप्रमाणैस्तु

Gîtâ. 2. 5. गुरूनहत्वा हि महानुभावान्

— हत्वार्थकामांस्तु गुरून्

11. 43. त्वमस्य पूज्यश्च गुरुर्गरीयान्

17. 14. देवद्विजगुरुप्राज्ञपूजनम्

गुरुकुल

Aśrama. 1. चतुर्विंशतिवर्षाणि गुरुकुलवासी

गुरुतल्पग

Mahânâr. 5. 11. भ्रूणहा गुरुतल्पगः

19. 1. ब्रह्महा गुरुतल्पगः

Gopî. 5. गोघ्नश्च गुरुतल्पगः

गुरुभक्त

Haṁsa. 1. शान्ताय दान्ताय गुरुभक्ताय

गुरुभक्ति

Mukti. 1. 48. गुरुभक्तिविहीनाय दातव्यं न कदाचन

गुरुमानार्थमानस

Tejo. 4. अगम्यगम्यकर्त्ता च गुरुमानार्थमानसः

गुरुशुश्रूषण

Nyâsa. 2. गुरुशुश्रूषणे रतः (4 MSS. have ॰णपरः)

गुर्वागम

Maitri. 6. 28. चतुर्जालं ब्रह्मकोशं प्रणुदेद्गुर्वागमेन

गुल्फ

Kshur. 6. द्वे तु गुल्फे तु कुर्वीत
Garbha. 3. गुल्फजठरकटिप्रदेशः

गुह्

Chhâ. 3. 5. 1. गुह्या एवादेशा मधुकृतः
2. एते गुह्या आदेशा एतद्ब्रह्माभ्यतपन्
Bṛih. 6. 4. 26. तद्गुह्यमेव नाम भवति
Kaṭha. 1. 29. यो ऽयं वरो गूढमनुप्रविष्टः
2. 12. तं दुर्दर्शं गूढमनुप्रविष्टम्
3. 17. य इमं परमं गुह्यं श्रावयेत्
5. 6. गुह्यं ब्रह्म सनातनम्
Śwet. 3. 7. यथानिकायं सर्वभूतेषु गूढम्
4. 15. विश्वाधिपः सर्वभूतेषु गूढः
16. ज्ञात्वा शिवं सर्वभूतेषु गूढम्
5. 1. विद्याविद्ये निहिते यत्र गूढे
6. तद्वेद गुह्योपनिषत्सु गूढम्
6. 11. एको देवः सर्वभूतेषु गूढः Brahma. 3.
22. वेदान्ते परमं गुह्यं पुराकल्पे प्रचोदितम्
Maitri. 6. 19. अचिन्त्यं गुह्यमुत्तमम्
28. अनन्तः परमो गुह्यः
34. गुह्यमेतत्सनातनम्
Mahânâr. 9. 12. घृतस्य नाम गुह्यं यदस्ति
10. 2. त्रिधाहितं पणिभिर्गुह्यमानम्
24. 1. एतद्वै . . देवानां गुह्यम्
Śiras. 1. गुह्यो ऽहमरण्यो ऽहम्
Tejo. 5. परं गुह्यमिदं स्थानम्
Haṁsa. 1. अनाख्येयमिदं गुह्यम्
Mukti. 1. 46. गुह्यमष्टोत्तरं शतम्
Gîtâ. 10. 38. मौनं चैवास्मि गुह्यानाम्
11. 1. परं गुह्यमध्यात्मसंज्ञितम्
18. 63. गुह्याद्गुह्यतरम्
68 य इदं परमं गुह्यम्
75. श्रुतवानेतद्गुह्यमहं परम्

गुहा

Tait. 2. 1. 1. निहितं गुहायां परमे व्योमन्
Kaṭha. 1. 14. विद्धि त्वमेनं निहितं गुहायाम्
2. 20. आत्मास्य जन्तोर्निहितं गुहायाम्
3. 1. गुहां प्रविष्टौ परमे परार्द्धे
4. 6. गुहां प्रविश्य तिष्ठन्तम्
7. गुहां प्रविश्य तिष्ठन्तीम्
Śwet. 2. 10. गुहानिवाताश्रयेण
3. 20. आत्मा गुहायां निहितो ऽस्य जन्तोः Mahânâr.8.3.
Maitri. 2. 6. एष पञ्चधात्मानं विभज्य निहितो गुहायाम्
6. 4. पुनः पञ्चधा ज्ञेयं निहितं गुहायाम्
Muṇḍ.2. 1. 10. एतद्यो वेद निहितं गुहायाम्
3. 1. 7. पश्यत्स्विहैव निहितं गुहायाम्
Mahânâr. 2. 4. अमृतं . . निहितं गुहासु
— त्रीणि पदा निहिता गुहासु

Mahânâr. 10. 5. परेण नाकं निहितं गुहा-
याम् Kaivalya 3.
15. 6. अन्तश्चरसि भूतेषु गुहाया-
म् Prâṇâg. 1.

Nyâsa. 2. गुहां प्रवेष्टुमिच्छामि

गुहाग्रन्थि

Muṇḍ. 3. 2. 9. गुहाग्रन्थिभ्यो विमुक्तो
ऽमृतो भवति

गुहाचर

Muṇḍ. 2. 2. 1. आविः सन्निहितं गुहाचरं
नाम महत्पदम्

गुहाशय

Muṇḍ. 2. 1. 8. गुहाशया निहिताः
Mahânâr. 8. 4.

Kaivalya. 23. गुहाशयं निष्कलमद्वितीय-
म्

गुहाहित

Kaṭha. 2. 12. गुहाहितं गह्वरेष्ठं पुराणम्

गुह्यतम

Maitri. 5. 1. नमो गुह्यतमाय च
6. 29. एतद्गुह्यतमं नापुत्राय .. की-
र्त्तयेत्

Gîtâ. 9. 1. इदं तु ते गुह्यतमं प्रवक्ष्या-
मि
15. 20. इति गुह्यतमं शास्त्रम्
18. 64. सर्वगुह्यतमं भूयः

गुह्यतर

Gîtâ. 18. 63. गुह्याद्गुह्यतरम्

गूढविज्ञान

Haṁsa. 2. सप्तमे गूढविज्ञानम्

गूढात्मन्

Kaṭha. 3. 12. एष सर्वेषु भूतेषु गूढात्मा
न प्रकाशते

गृध्

Îśâ. 1. मा गृधः कस्यस्विद्धनम्

गृध्र

Mahânâr. 9. 1. श्येनो गृध्राणाम् 17. 8

गृह

Bṛih. 1. 4. 16. यदस्य गृहेषु श्वापदा वयांसि
3. 3. 1. पतञ्चलस्य काप्यस्य गृहा-
नैम
3. 7. 1. पतञ्चलस्य काप्यस्य गृहेषु
6. 4. 24. एधमानः स्वे गृहे

Kaṭha. 1. 7. वैश्वानरः प्रविशत्यतिथिर्ब्रा-
ह्मणो गृहान्
8. यस्यानश्नन् वसति ब्राह्मणो
गृहे
9. अवात्सीर्गृहे मे ऽनश्नन्

Mahânâr. 22. 1. गृहाणां निष्कृतिः

Jâbâla. 4. ब्रह्मचर्यादेव प्रव्रजेद्गृहाद्वा
वनाद्वा

Kṛish. 19. भग्नभाण्डोदधिर्गृहे

Râmap. 41. वालिनो वेगतो गृहात्

Gîtâ 13. 9. पुत्रदारगृहादिषु

गृहगोधा

Gâruḍa. 2. गोधानां गृहगोधानाम्

गृहस्थ

Nṛip. 5. 10. उपनीतशतमेकमेकेन गृह-
स्थेन तत्समम्
— गृहस्थशतमेकम्

Aruṇeya. 2. गृहस्थो ब्रह्मचारी वानप्र-
स्थो वा

Kâlâg. 2. ब्रह्मचारी गृहस्थो वानप्र-
स्थो यतिर्वा

Aśrama. 2. गृहस्था अपि चतुर्विधाः

Vâsu. 2. गृहस्थो ललाटादिद्वादश-
स्थलेषु .. धारयेत्

गृहिन्

Jâbâla. 4. ब्रह्मचर्यं समाप्य गृही भवेत्
— गृही भूत्वा वनी भवेत्

गृह्या

Mahânâr. 19. 2. गृह्याभ्यः स्वाहा

1. गृ (निगरणे)

Chhâ. 4. 3. 6. महात्मनश्चतुरो देव एकः कः स जगार

2. गृ (शब्दे)

Mahânâr. 6. 5. अग्ने अत्रिवन्नमसा गृणानः
Gîtâ. 11. 21. केचिद्भीताः प्राञ्जलयो गृणन्ति

गेष्ण

Chhâ. 1. 6. 8. तस्यर्क् च साम च गेष्णौ
1. 7. 5. यावमुष्य गेष्णौ तौ गेष्णौ

गेह

Gîtâ. 6. 41. शुचीनां श्रीमतां गेहे

गेहिनी

Kṛish. 5. यशोदा मुक्तिगेहिनी

गै

Chhâ. 1. 3. 4. अप्राणन्ननपानन् साम गायति
1. 6. 1. तस्मादृच्यध्यूढं साम गीयते 2, 3, 4, 5; 1. 7. 1, 2, 3.
1. 7. 6. तद्य इमे वीणायां गायन्त्येतं ते गायन्ति
7. य एतदेवं विद्वान् साम गायत्युभौ स गायति
9. य एतदेवं विद्वान् साम गायति
1. 11. 7. आदित्यमुच्चैः सन्तं गायन्ति
3. 12. 1. वाग्वा इदं सर्वं भूतं गायति
Bṛih. 1. 3. 27. वाचि खल्वेष एतत्प्राणः प्रतिष्ठितो गीयते
Tait. 1. 8. 1. ओमिति सामानि गायन्ति
3. 10. 5. एतत्साम गायन्नास्ते
Brahmav. 14. तत्परं ब्रह्म गीयते
Chûl. 9. सप्तैवैते च गीयते
Râmap. 19. आत्मा रामेति गीयते
Gîtâ. 13. 4. ऋषिभिर्बहुधा गीतम्

गो

Ait. 2. 2. ताभ्यो गामानयत्
5. 3. अश्वा गावः पुरुषा हस्तिनः
Kaush. 2. 11. गवां त्वा हिंकारेणाभिहिंकरोमि
Chhâ. 2. 6. 1. गाव उद्गीथः 2. 18. 1.
4. 2. 1. षट् शतानि गवाम् 2.
3. सहस्रं गवाम् 4.
— हारेत्वा शूद्र तवैव सह गोभिरस्तु
4. 4. 5. चतुःशता गा निराकृत्य
4. 6. 1. स ह श्वोभूते गा अभिप्रस्थापयाञ्चकार 4. 7. 1; 4. 8. 1.
— गा उपरुध्य 4.7.1; 4.8.1.
Bṛih. 1. 4. 4. सा गौरभवत्
— ततो गावो ऽजायन्त
3. 1. 1. गवां सहस्रमवरुरोध
2. स एता गा उदजताम्
3. 4. 2. असौ गौरसावश्वः
6. 3. 6. माध्वीर्गावो भवन्तु नः
Mahânâr. 9. 10; 17. 7.
Tait. 1. 4. 2. वासांसि मम गावश्च
Śwet. 4. 22. मा नो गोषु . . रीरिषः
Mahânâr. 2. 9. मा नो हिंसीत् . . गामश्वम्
10. 2. गवि देवासो घृतमन्वविन्दन्
Nṛip. 3. 1. पाहि . . . गाम्
Chûl. 5. गौरनादवती सा तु
Śiras. 1. गौरहं गौर्य्यहम्
— गां गोभिः [तर्पयामि]

Brahmab. 19. गवामनेकवर्णानाम्
— लिङ्गिनस्तु गवां यथा
Krish. 9. गोप्यो गाव ऋचस्तस्य
Gîtâ. 5. 18. ब्राह्मणे गवि हस्तिनि
15. 13. गामाविश्य च

गोअश्व

Chhâ. 7. 24. 2. गोअश्वमिह महिमेत्याचक्षते
Bṛih. 6. 2. 7. गोअश्वानां दासीनाम्

गोकाम

Bṛih. 3. 1. 2. गोकामा एव वयं स्मः

गोकुल

Gopî. 5. गोकुले धर्मसङ्कुले

गोकुलवन

Krish. 10. गोकुलवनं वैकुण्ठम्

गोक्षीरस्फटिकप्रभ

Amṛita. 37. समानस्तस्य मध्ये तु गोक्षीरस्फटिकप्रभः

गोघ्न

Gopî. 5. गोघ्नश्च गुरुतल्पगः

गोचर

Katha. 3. 4. विषयांस्तेषु गोचरान्
Amṛita. 32. बाह्यप्राणः स गोचरः

गोजा

Katha. 5. 2. अब्जा गोजा ऋतजाः
Mahânâr. 9. 3; 17. 8.
Nṛip. 3. 1.

गोतम

Bṛih. 2. 2. 4. इमावेव गोतमभरद्वाजावयमेव गोतमः

गोधा

Gâruḍa. 2. गोधानां गृहगोधानाम्

गोधूम

Bṛih. 6. 3. 13. गोधूमाश्च मसूराश्च

गोनाय

Chhâ. 6. 8. 3. गोनायो ऽश्वनायः 5.

गोप

Nîla. 10. उत त्वा गोपा अदृशन्
Krish. 2. गोपाश्चः स्त्रीश्च नो कुरु
9. गोपगोपीसुरैः सह

गोपरूप

Krish. 11. गोपरूपो हरिः साक्षात्

गोपा

Chhâ. 4. 3. 6. भुवनस्य गोपाः Nṛip. 2. 4.
Śwet. 3. 2. संसृज्य विश्वा भुवनानि गोपाः
Mahânâr. 20. 14. विष्णुर्गोपा अदाभ्यः

गोपालतपन

Mukti. 1. 39. गोपालतपनं कृष्णम्
1. *vide* गारुड

गोपिका

Gopî. 1. गोपिका नाम संरक्षणी
(Nârâyaṇa gives this as variant; see गोपी)
5. गोपिकास्वरूपैः
— गोपिकाः श्रुतयो ऽभवन्

गोपी

Vâsu. 1. प्रतिदिनमालिप्तं गोपीभिः प्रक्षालनात्
Gopî. 1. गोपी का नाम । संरक्षणी
(so Nâr. and 3 MSS.)
2. गोप्यो नाम विष्णुपत्न्यः स्युः
— काश्च विष्णुपत्न्यो गोप्यो नाम

Gopî. 3. गोपीत्यम उच्यताम्
— गोपीत्यक्षरद्वयम्
5. चन्दनं चापि गोपीनाम्
— कृष्णगोपीरतोद्भूतम्
— कृष्णगोपीनां जलक्रीडासु
— कृष्णगोपीजलक्रीडाकुङ्कुमं
Krish. 9. गोपगोपीसुरैः सह
— गोप्यो गाव ऋचस्तस्य

गोपीचन्दन

Vâsu. 1. गोपीचन्दनमाख्यातम्
2. गोपीचन्दनं नमस्कृत्वोद्धृत्य
— गोपीचन्दन पापघ्न
3. गोपीचन्दनमालिप्य
— गोपीचन्दनधारणात्
Gopî. 5 (bis).
— गोपीचन्दनवारिभ्याम्
— यो गोपीचन्दनाभावे
4. एवं विधिना गोपीचन्दनं यो धारयेत्
Gopî. 1. गोपीचन्दनमृत्तिकाया निरुक्त्या
2. गोपीचन्दनसंसक्तमानुषाणाम्
3. य एवंविद्वान् गोपीचन्दनं धारयेत्
5. गोपीचन्दनपङ्केन
— गोपीचन्दनमायुष्यम्
— गोपीचन्दनदानस्य
— न शुद्धिर्गोपीचन्दनात्
— गोपीचन्दनमण्डनम्
— पापघ्नं गोपीचन्दनम्
— गोपीचन्दनमित्युक्तं द्वारवत्यां सुरेश्वरैः
— गोपीचन्दनखण्डं तु
— एतत्संभोगसंभूतं चन्दनं गोपीचन्दनम्

गोपीचन्दनलिप्ताङ्ग

Vâsu. 3. गोपीचन्दनलिप्ताङ्गो देहस्थानि च तस्य यः
Gopî. 5. गोपीचन्दनलिप्ताङ्गो यं यं पश्यति
— गोपीचन्दनलिप्ताङ्गो म्रियते यत्रकुत्रचित्
— गोपीचन्दनलिप्ताङ्गं पुरुषं य उपासते
— गोपीचन्दनलिप्ताङ्गः पुरुषो येन पूज्यते
— गोपीचन्दनलिप्ताङ्गः साक्षाद्विष्णुमयो भवेत्
— गोपीचन्दनलिप्ताङ्गो व्रतं यस्तु समाचरेत्
— गोपीचन्दनलिप्ताङ्गैर्जपदानादि यत्कृतम्

गोप्तृ

Kaush. 2. 1. चक्षुर्गोप्तृ
— यश्चक्षुर्गोप्तृ गोप्तृमान् भवति
Śwet. 4. 15. स एव काले भुवनस्य गोप्ता
6. 17. ज्ञः सर्वगो भुवनस्यास्य गोप्ता
Muṇḍ.1. 1. 1. विश्वस्य कर्ता भुवनस्य गोप्ता
Mahânâr. 5. 9. एष सर्वस्य भूतस्य भव्ये भुवनस्य गोप्ता
Śiras. 4. संसृज्य विश्वा भुवनानि गोप्ता
Krish. 21. गोप्तारं धर्ममात्मजम्

गोप्तृमन्त्

Kaush. 2. 1. यश्चक्षुर्गोप्तृ गोप्तृमान् भवति

गोमुख

Gîtâ. 1. 13. पणवानकगोमुखाः

गोरक्ष

Aśrama. 2. कृषिगोरक्षवाणिज्यम्

गोरक्ष्य

Gîtâ. 18. 44. कृषिगोरक्ष्यवाणिज्यम्

गोविन्द

Vâsu. 2. गोविन्द पुण्डरीकाक्ष
Gîtâ. 1. 32. किं नो राज्येन गोविन्द
2. 9. न योत्स्य इति गोविन्दम्

गोश्रुति

Chhâ. 5. 2. 3. गोश्रुतये वैयाघ्रपद्याय

गोस्तेय

Mahânâr. 19. 1. गोस्तेयं सुरापानम्

गौण

Gauḍa. 3. 14. भविष्यद्वृत्त्या गौणं तत्

गौतम

Kaush. 1. 1. गौतमस्य पुत्र
— ब्रह्मार्हो ऽसि गौतम
Chhâ. 4. 4. 3. हारिद्रुमतं गौतममेत्य
5. 3. 6. गौतमो राज्ञो ऽर्द्धमेयाय
— भगवन् गौतम . . वरं वृणीथाः
7. यथा मा त्वं गौतमावदः
5. 4. 1. असौ वाव लोको गौतमाग्निः (similarly four times more).
5. 17. 1. गौतम कं त्वमात्मानमुपास्से
Bṛih. 2. 6. 1. शाण्डिल्यः कौशिकाच्च गौतमाच्च 4. 6. 1.
2. गौतम आग्निवेश्यात् 4. 6. 2.
— आनभिम्लातो गौतमात्
— गौतमः सैतवप्राचीनयोग्याभ्याम्
— भारद्वाजो भारद्वाजाच्च गौतमाच्च
— गौतमो भारद्वाजात्
Bṛih. 2. 6. 3. माण्टिर्गौतमात् 4. 6. 3.
— गौतमो वात्स्यात् 4. 6. 3.
3. 7. 1. वेद वा अहं गौतम तत्सूत्रम्
2. वायुर्वै गौतम तत्सूत्रम्
4. 6. 2. गार्ग्यो गौतमात्
— गौतमः सैतवात्
3. गौतमो गौतमात्
6. 2. 4. स आजगाम गौतमः
— वरं भगवते गौतमाय दद्मः
6. दैवेषु वै गौतम तद्वरेषु
7. स वै गौतम तीर्थेनेच्छासै
8 तथा नस्त्वं गौतम मापराधाः
9. असौ वै लोको ऽग्निर्गौतम (similarly in 10-13).
Kaṭha. 1. 10. वीतमन्युर्गौतमो माभि
4. 15. एवं मुनेर्विजानत आत्मा भवति गौतम
5. 6. यथा च मरणं प्राप्य आत्मा भवति गौतम
Haṁsa. 1. गौतम उवाच
— शृणु गौतम तन्मम

गौतमीपुत्र

Bṛih. 6. 5. 1. कात्यायनीपुत्रो गौतमीपुत्रात्
— गौतमीपुत्रो भारद्वाजीपुत्रात् 2.
2. आत्रेयीपुत्रो गौतमीपुत्रात्

गौपवन

Bṛih. 2. 6. 1. पौतिमाष्यो गौपवनात् (bis); 4. 6. 1 (bis).
— गौपवनः पौतिमाष्यात् 4. 6. 1.
— गौपवनः कौशिकात् 4. 6. 1.

गौर

Mahânâr. 9. 13. चतुःशृंगो ऽवमीद्गौर एतत्

गौरी

Mahânâr. 3. 14. तन्नो गौरी प्रचोदयात्
Nṛip. 4. 3. यो वै नृसिंहः..या गौरी तस्मै वै नमोनमः (8)
Śiras. 1. गौरहं गौर्य्यहम्
Râmot. 5. यो वै श्रीरामः..या गौरी (24)

गौष्पत्य

Nâr. 4. विन्दते..गौष्पत्यम् (गौःपत्यं is a variant).
Gopî. 4. ततःप्राजापत्यं..गौष्पत्यं च

ग्रन्थ

Brahmab. 18. ग्रन्थमभ्यस्य मेधावी — त्यजेद्ग्रन्थमशेषतः
Tejo. 13. न मुक्तिग्रन्थसञ्चयम्

ग्रन्थविस्तर

Maitri. 6. 34. शेषान्ये ग्रन्थविस्तराः
Brahmab. 5. अतो ऽन्यो ग्रन्थविस्तरः

ग्रन्थि

Chhâ. 7. 26. 2. स्मृतिलम्भे सर्वग्रन्थीनां विप्रमोक्षः
Kaṭha. 6. 15. यदा सर्वे प्रभिद्यन्ते हृदयस्येह ग्रन्थयः
Muṇḍ. 2. 2. 8. भिद्यते हृदयग्रन्थिः
Mahânâr. 16. 2. प्राणानां ग्रन्थिरसि

ग्रस्

Nṛisut. 3. तुरीयेणानुचिन्तयन् ग्रसेत् — ओतानुज्ञात्रनुज्ञाविकल्परूपं चिन्तयन् ग्रसेत् (bis).
4. तानग्रसत् स्वयम्
Śiras. 3. वायव्यं वायव्येन ग्रसाति
Gîtâ. 11. 30. लेलिह्यसे ग्रसमानः

ग्रसिष्णु

Gîtâ. 13. 16. ग्रसिष्णु प्रभविष्णु च

ग्रह्

Ait. 2. 5. यस्यै कस्यै च देवतायै हविर्गृह्यते
3. 3. तद्वाचाजिघृक्षत्तन्नाशक्नोद्वाचा ग्रहीतुं स यद्धैनद्वाचाग्रहैष्यत् (similarly in 4–9).
10. तदपानेनाजिघृक्षत्तदावयत्
Kaush. 2. 11. नामास्य गृह्णाति
Bṛih. 2. 1. 17. तानि यदा गृह्णाति — तद्गृहीत एव प्राणो भवति गृहीता वाग्गृहीतं चक्षुर्गृहीतं श्रोत्रं गृहीतं मनः
18. जानपदान् गृहीत्वा .. प्राणान् गृहीत्वा
2. 4. 7. दुन्दुभेस्तु ग्रहणेन..शब्दो गृहीतः 4. 5. 8.
8. शंखस्य तु ग्रहणेन..शब्दो गृहीतः 4. 5. 9.
9. वीणायै तु ग्रहणेन..शब्दो गृहीतः 4. 5. 10.
3. 2. 2. सो ऽपानेनातिग्रहेण गृहीतः (similarly 7 times more).
3. 9. 26. अगृह्यो न हि गृह्यते 4. 2. 4; 4. 4.22; 4.5.15.
Kaṭha. 1. 16. सृङ्कां चेमामनेकरूपां गृहाण
Śwet. 1. 13. इन्धनयोनिगृह्यः
15. एवमात्मात्मनि गृह्यते ऽसौ Brahma. 3.
Maitri. 4. 2. पाप्मना गृहीत इव भ्राम्यमाणम्
6. 28. धृतिदण्डं धनुर्गृहीत्वा — प्रलोभदण्डं धनुर्गृहीत्वा
34. यजमानो हविर्गृहीत्वा — स्वयं तदन्तःकरणेन गृह्यते
Muṇḍ. 1. 1. 7. यथोर्णनाभिःसृजते गृह्णते च

Muṇḍ.2. 2. 3. धनुर्गृहीत्वौपनिषदं महास्त्रम्
3. 1. 8. न चक्षुषा गृह्यते नापि वाचा
Mahânâr.20. 7. उपयाम गृहीतो ऽसि 24. 1.
Gauḍa. 1. 15. अन्यथा गृह्णतः स्वप्नः
2. 9. बहिश्चेतोगृहीतम् 10.
4. 21. कथं पूर्वं न गृह्यते
35. गृहीतं चापि यत्किञ्चित्
67. तन्मतेनैव गृह्यते
Kshur. 11. मनसस्तु क्षुरं गृह्य
Śiras. 3. ग्राह्यमग्राह्येण . . ग्रसति
Prâṇâg. 2. सव्ये पाणावपो गृहीत्वा
Amṛita. 12. एवं वायुर्ग्रहीतव्यः 13.
Tejo. 7. स्वभावभावनाग्राह्यम्
14. तद्ग्राह्यं ब्रह्म तत्परम्
Piṇḍa. 1. कथं गृह्णन्त्यचेतसः
Parama. 3. हिरण्यं रसेन ग्राह्यम्
— न दृष्टं च न स्पृष्टं च न ग्राह्यं च
Gâruḍa. 3. अष्टौ ब्राह्मणान् ग्राहयित्वा
— शतं ब्राह्मणान् ग्राहयित्वा
— सहस्रं ब्राह्मणान् ग्राहयित्वा
Krish. 1. गृह्यन्ते नैव भूतले
3. गृह्यन्ते ऽवतारान्वयम्
Mukti. 1. 42. गृहीत्वाष्टोत्तरशतम्
2. 69. गृहाणामलवासनाः
Gîtâ. 2. 22. नवानि गृह्णाति नरो ऽपराणि
5. 9. प्रलपन्विसृजन् गृह्णन्
6. 35. वैराग्येण च गृह्यते
15. 8. गृहीत्वैतानि संयाति
16. 10. मोहाद्गृहीत्वासद्ग्राहान्

ग्रह

Ait. 3. 10. स एषो ऽन्नस्य ग्रहो यद्वायुः
Bṛih. 3. 2. 1. कति ग्रहाः कत्यतिग्रहाः
— अष्टौ ग्रहा अष्टावतिग्रहाः (bis) ; 9.
2. प्राणो वै ग्रहः
Bṛih. 3. 2. 3. वाग्वै ग्रहः (similarly 6 times more).
Maitri. 1. 4. *vide* आदि
6. 16 ditto.
7. 8. ditto.
Gauḍa. 3. 38. ग्रहो न तत्र नोत्सर्गः
4. 82. यस्य कस्य च धर्मस्य ग्रहेण भगवानसौ (MSS. read यस्य धर्मस्य ग्रहणं भगवानपि सो ऽश्नुते)
84. ग्रहैर्यासां सदा वृतः
Nṛip. 4. 3. यो वै नृसिंहः . . ये चाष्टौ ग्रहास्तस्मै वै नमोनमः (20)
5. 5. स सर्वान् ग्रहान् स्तंभयति
7. स ग्रहानाकर्षयति
Śiras. 2. यो वै रुद्रः . . ये चाष्टौ ग्रहाः
Râmap. 73. ग्रहमारणकर्मणि
Râmot. 5. यो वै श्रीरामः . . ये च नव ग्रहाः (30)

ग्रहण

Bṛih. 2. 4. 7. न बाह्याञ्छब्दाञ्छक्नुयाद्ग्रहणाय 8, 9 ; 4. 5. 8, 9, 10.
— दुन्दुभेस्तु ग्रहणेन 4. 5. 8.
8. शंखस्य तु ग्रहणेन 4. 5. 9.
9. वीणायै तु ग्रहणेन 4. 5. 10.
Gauḍa. 4. 37. ग्रहणाज्जागरितवत्
Śiras. 5. मुनयो ऽवाग्वदन्ति न तस्य ग्रहणम्

ग्रहणग्राहकाभास

Gauḍa. 4. 47. ग्रहणग्राहकाभासं विज्ञानस्पन्दितं यथा

ग्रहीतृ

Śwet. 3. 19. अपाणिपादो जवनो ग्रहीता

ग्राम

Kaush. 2. 1. यथा ग्रामं भिक्षित्वा 2. 2.

Chhâ. 4. 2. 4. अयं ग्रामो यस्मिन्नास्ते
5. 10. 3. य इमे ग्राम इष्टापूर्ते दत्त-मित्युपासते
6. 14. 2. स ग्रामाद्ग्रामं पृच्छन्
8. 6. 2. महापथ आतत उभौ ग्रामौ गच्छति
Praśna. 3. 4. एतान् ग्रामानेतान् ग्रामान-धितिष्ठस्वेति
Kaṭhaśru. 1. ग्रामे एकरात्रं..ग्रामे वा नगरे वापि वसेत्
Aruṇeya. 5. भिक्षार्थं ग्रामं प्रविशन्ति
Aśrama. 4. ग्रामैकरात्रवासिनः
Jâbâla. 4. ग्रामादग्निमाहृत्य

ग्रामणी

Bṛih. 4. 3. 37. उग्राः प्रत्येनसः सूतग्रामण्यः 38.

ग्रामबहिष्कृत

Aśrama. 3. अकृष्टपच्यौषधिवनस्पतिभि-र्ग्रामबहिष्कृताभिः

ग्राम्य

Bṛih. 6. 3. 13. दश ग्राम्याणि धान्यानि भ-वन्ति

ग्राम्यकाम

Nyâsa. 2. ग्राम्यकामान् विसृज्य च

ग्रावन्

Bṛih. 6. 4. 2. स एतं प्राञ्चं ग्रावाणमात्म-न एव समुदपारयत्

ग्रासांबुवृष्टि

Śwet. 5. 11. ग्रासांबुवृष्ट्या चात्मविवृ-द्धिजन्म

ग्राह्यग्राहकवत्

Gauḍa. 4. 72. ग्राह्यग्राहकवद्द्वयम्

ग्राह्याभाव

Gauḍa. 3. 32. ग्राह्याभावे तदग्रहम्

ग्रीवा

Kshur. 4. उरोमुखकटिग्रीवम्
Prâṇâg. 4. ग्रीवा धारापोता
Kaivalya. 4. समग्रीवशिरःशरीरः
Gîtâ. 6. 13. समं कायशिरोग्रीवम्

ग्रीष्म

Chhâ. 2. 5. 1. ग्रीष्मः प्रस्तावः 2. 16. 1.
Maitri. 6. 33. वसन्तो ग्रीष्मो वर्षाः शर-द्धेमन्तः
7. 2. ग्रीष्मो व्यानः सोमो रुद्रा दक्षिणत उद्यन्ति

ग्लानि

Gîtâ. 4. 7. ग्लानिर्भवति भारत

ग्लाव

Chhâ. 1. 12. 1. वको दाल्भ्यो ग्लावो वा मैत्रेयः 3.

घट

Gauḍa. 3. 3. घटादिवच्च संघातैः
4. घटादिषु प्रलीनेषु
Brahmab. 13. लीयमाने घटे यथा
— घटो लीयेत नाकाशम्
14. घटवद्विविधाकारम्
Yogat. 13. घटमध्ये यथा दीपम्

घटश्रोत्र

Râmap. 46 घटश्रोत्रसहस्राक्षजिह्वाम्

घटसम्भृत

Brahmab. 13. घटसम्भृतमाकाशम्

घटाकाश

Gauḍa. 3. 3. जीवैर्घटाकाशैरिव
4. घटाकाशादयो यथा
5. यथैकस्मिन् घटाकाशे
7. नाकाशस्य घटाकाशः

Mukti. 1. उपाधिविनिर्मुक्तघटाकाशवत् 2.

घटोपम

Brahmab. 13. तद्वज्जीवो घटोपमः

घण्टानाद

Haṁsa. 2. घण्टानादस्तृतीयः

घन

Maitri. 7. 1. अनवद्यो घनो गहनः
Mukti. 2. 62. घनाहंकारशालिनी

घनप्रज्ञ

Gauḍa. 1. 1. घनप्रज्ञस्तथा प्राज्ञः

घृणि

Mahânâr. 13. 1. घृणिः सूर्य आदित्यः
Nṛip. 4. 2. घृणिरिति द्वे अक्षरे

घृत

Bṛih. 1. 5. 2. कुमारं जातं घृतं वैवाग्रे प्रतिलेहयन्ति
6. 3. 1. तां त्वा घृतस्य धारया यजे
13. दधनि मधुनि घृत उपसिञ्चति
6. 4. 25. दधि मधु घृतं सन्नीय
Śwet. 4. 16. घृतात्परं मण्डमिवातिसूक्ष्मम्
Maitri. 6. 27. अस्यैतद्घृतम्
7. 11. घृतस्य चौष्ण्यमिव
Mahâṇâr. 9. 11. घृतं मिमिक्षिरे घृतमस्य योनिर्घृते श्रितो घृतम्वस्य धाम
12. घृतस्य नाम गुह्यं यदस्ति
13. वयं नाम प्रब्रवामा घृतस्य
10. 2. गवि देवासो घृतमन्वविन्दन्
Brahmab. 20. घृतमिव पयसि निगूढम्
Dhyâna. 7. पयोमध्ये यथा घृतम्
Vâsu. 3. क्षीरे घृतं यथा

घृतकौशिक

Bṛih. 2. 6. 3. कौशिकायनिर्घृतकौशिकात् 4. 6. 3.
— घृतकौशिकः पाराशर्यायणात् 4. 6. 3.

1. घोर

Mahânâr. 17. 3. अघोरेभ्योऽथ घोरेभ्यो घोर घोरतरेभ्यः
Parama. 3. स याति नरकान् घोरान्
Nâr. 3. सर्वेभ्यो घोरेभ्यो विमुक्तो भवति
Gîtâ. 3. 1. तत्किं कर्मणि घोरे
11. 49. दृष्ट्वा रूपं घोरमीदृङ्ममेदम्
17. 5. अशास्त्रविहितं घोरम्

2. घोर

Chhâ. 3. 17. 6. घोर आङ्गिरसः

घोरतर

Mahânâr. 17. 3. अघोरेभ्यो ऽथ घोरेभ्यो घोर घोरतरेभ्यः

घोरसन्न्यासिक

Aśrama. 2. यायावरा घोरसन्न्यासिकाश्च
— घोरसन्न्यासिका उद्धृतपरिपूताभिरद्भिः कार्यं कुर्वन्तः

घोष

Chhâ. 3. 19. 3. घोषा उलूलवो ऽनूदतिष्ठन्
— घोषा उलूलवो ऽनूत्तिष्ठन्ति
4. आभ्याशो ह यदेनं साधवो घोषा आ च गच्छेयुः
Bṛih. 5. 9. 1. तस्यैष घोषो भवति . . नैनं घोषं शृणोति Maitri. 2.6.
Gîtâ. 1. 19. स घोषो धार्तराष्ट्राणाम्

घोषवन्त्

Chhâ. 2. 22. 5. सर्वे स्वरा घोषवन्तो बलवन्तो वक्तव्याः

घोषिन्

Nâda. 9. घोषिणी प्रथमा मात्रा

घ्रा

Chhâ. 1. 2. 2. तस्मात्तेनोभयं जिघ्रति सुरभि च दुर्गन्धि च

8. 12. 4. यो वेदेदं जिघ्राणीति स आत्मा

Bṛih. 1. 3. 3. यत्कल्याणं जिघ्रति तदात्मने
— यदेवेदमप्रतिरूपं जिघ्रति

2. 4. 14. इतर इतरं जिघ्रति 4. 5. 15.
— केन कं जिघ्रेत् 4. 5. 15.

3. 2. 2. अपानेन हि गन्धान् जिघ्रति

4. 3. 24. यद्वै तन्न जिघ्रति जिघ्रन्वै तन्न जिघ्रति
— न तु . . ततोऽन्यद्विभक्तं यज्जिघ्रेत्

31. तत्रान्योऽन्यज्जिघ्रेत्

4. 4. 2. एकीभवति न जिघ्रति

Maitri. 6. 7. यत्र द्वैतीभूतं विज्ञानं तत्र . . जिघ्रति

Praśna. 4. 2. न जिघ्रति न रसयते
8. घ्राणं च घ्रातव्यं च

Gîtâ. 5. 8. स्पृशन् जिघ्रन्

घ्राण

[K]aush. 1. 7. केन गन्धानिति घ्राणेनेति (so MSS.)

3. 4. घ्राण एवास्मिन् सर्वे गन्धा अभिविसृज्यन्ते घ्राणेन सर्वान् गन्धानाप्नोति

Chhâ. 8. 12. 4. गन्धाय घ्राणम्

Praśna. 4. 8. घ्राणं च घ्रातव्यं च

Garbha. 1. नासिका घ्राणे

Jâbâla. 2. भ्रुवोर्घ्राणस्य च यः सन्धिः Râmot. 4.

Gîtâ. 15. 9. रसनं घ्राणमेव च

घ्राति

Bṛih. 4. 3. 24. न हि घ्रातुर्घ्रातेर्विपरिलोपः

घ्रातृ

Kaush. 3. 8. न गन्धं विजिज्ञासीत घ्रातारं विद्यात्

Bṛih. 4. 3. 24. न हि घ्रातुर्घ्रातेर्विपरिलोपः

Maitri. 6. 7. घ्राता द्रष्टा श्रोता स्पृशति च
11. घ्राता भवति द्रष्टा भवति

Praśna. 4. 9. एष हि . . घ्राता रसयिता

चक्र

Chhâ. 4. 16. 3. रथो वैकेन चक्रेण वर्त्तमानः
5. रथो वोभाभ्यां चक्राभ्यां वर्त्तमानः

Maitri. 2. 6. अनेन खल्वीरितः परिभ्रमतीदं शरीरं चक्रमिव मृत्यवेन

3. 3. एतानि गुणानि पुरुषेणेरितानि चक्रमिव मृत्यवेन

Nṛip. 5. 1. महाचक्रं नाम चक्रं नो ब्रूहि
— अष्टारमष्टपत्रं चक्रं भवति
— द्वादशारं द्वादशपत्रं चक्रम्
— षोडशारं षोडशपत्रं चक्रम्
— द्वात्रिंशदरं द्वात्रिंशत्पत्रं चक्रम्
2. तदेव चक्रं सुदर्शनं महाचक्रम्

Kṛish. 22. तच्चक्रं ब्रह्मरूपधृक्

Râmap. 93. शङ्खचक्रे गदाब्जे

Gîtâ. 3. 16. एवं प्रवर्त्तितं चक्रम्

चक्रक

Maitri. 6. 22. किंकिणी कांस्यं चक्रकम्

चक्रतीर्थ

Vâsu. 1. चक्रतीर्थान्तःस्थितम्

चक्ररूप

Vâsu. 3. अस्थीनि चक्ररूपाणि भवन्ति

चक्रवर्त्तिन्

Maitri. 1. 4. महाधनुर्धराश्चक्रवर्त्तिनः

चक्रसमायुक्त

Vâsu. 1. चक्रसमायुक्तं पीतवर्णम्

चक्रहस्त

Gîtâ. 11. 46. किरीटिनं गदिनं चक्रहस्तम्

चक्राकार

Gopî. 5. चक्राकारं सुलक्षणम्

चक्राङ्कित

Vâsu. 2. चक्राङ्कित नमस्तुभ्यम्

चक्रिन्

Gîtâ. 11. 17. किरीटिनं गदिनं चक्रिणं च

चक्ष्

Mukti. 1. 15. मुक्तिरेकेति चक्षिरे

चक्षुःश्रोत्र

Praśna. 3. 5. चक्षुःश्रोत्रे मुखनासिकाभ्यां प्राणः स्वयं प्रातिष्ठते

चक्षुपीडन

Swet. 2. 10. मनोनुकूले न तु चक्षुपीडने

चक्षुरपेत

Kaush. 3. 3. जीवति चक्षुरपेतो ऽन्धान् हि पश्यामः

चक्षुरायत्त

Maitri. 6. 6. चक्षुरायत्ता हि पुरुषस्य महती मात्रा

चक्षुर्मय

Brih. 4. 4. 5. चक्षुर्मयः श्रोत्रमयः

चक्षुष्पति

Tait. 1. 6. 2. वाक्पतिश्चक्षुष्पतिः

चक्षुष्य

Chhâ. 3. 13. 8. चक्षुष्यः श्रुतो भवति य एवं वेद

चक्षुस्

Ait. 1. 4. अक्षिभ्यां चक्षुश्चक्षुष आदित्यः

2. 4. आदित्यश्चक्षुर्भूत्वाक्षिणी प्राविशत्

3. 5. तच्चक्षुषाजिघृक्षत्तन्नाशक्नोच्चक्षुषा ग्रहीतुं स यद्धैनच्चक्षुषाग्रहैष्यत्

11. यदि चक्षुषा दृष्टं .. कोऽहमिति

Kaush. 1. 7. केन रूपाणीति चक्षुषेति

2. 1. चक्षुर्गोप्तृ

— यश्चक्षुर्गोप्तृ [वेद] गोप्तृमान् भवति

2. वाक् परस्ताच्चक्षुरारुंधते चक्षुः परस्ताच्छ्रोत्रमारुंधते

3. चक्षुर्नाम देवतावरोधिनी

4. चक्षुस्ते मयि जुहोमि

13. तस्य चक्षुरेव तेजो गच्छति

— एतद्वै ब्रह्म दीप्यते यच्चक्षुषा पश्यति

14. अथैनच्चक्षुः प्रविवेश

— तद्वाचा वदच्चक्षुषा पश्यत् (ter).

Kaush. 2. 15. चक्षुर्मे त्वयि दधानीति पिता चक्षुस्ते मयि दध इति पुत्रः
3. 2. चक्षुषा रूपं श्रोत्रेण शब्दम्
— चक्षुः पश्यत्सर्वे प्राणा अनुपश्यन्ति
3. चक्षुः सर्वैः रूपैः सहाप्येति (bis) ; 4. 20.
4. चक्षुरेवास्मिन्त्सर्वाणि रूपाण्यभिविसृज्यन्ते चक्षुषा सर्वाणि रूपाण्याप्नोति
5. चक्षुरेवास्या एकमंगमुदूल्हम्
6. प्रज्ञया चक्षुः समारुह्य चक्षुषा सर्वाणि रूपाण्याप्नोति
7. न हि प्रज्ञापेतं चक्षूरूपं किंचन प्रज्ञापयेत्

Kena. 1. चक्षुःश्रोत्रं क उ देवो युनक्ति
2. चक्षुषश्चक्षुः
3. न तत्र चक्षुर्गच्छति
6. यच्चक्षुषा न पश्यति येन चक्षूंषि पश्यति

Chhâ. 1. 2. 4. अथ ह चक्षुरुद्गीथमुपासांचक्रिरे
1. 7. 2. चक्षुरेवर्क्...चक्षुरेव सा
2. 7. 1. चक्षुरुद्गीथः 11. 1.
3. 13. 1. स प्राणस्तचक्षुः स आदित्यः
3. 18. 2. चक्षुः पादः
5. चक्षुरेव ब्रह्मणश्चतुर्थः पादः
4. 3. 3. प्राणं चक्षुः [अप्येति]
4. 8. 3. प्राणः कला चक्षुः कला
5. 1. 3. चक्षुर्वाव प्रतिष्ठा
8. पश्यन्तश्चक्षुषा 10, 11 ; Bṛih. 6. 1. 8, 10-12.
9. चक्षुर्होच्चक्राम . . प्रविवेश ह चक्षुः Bṛih. 6. 1. 9.
13. चक्षुरुवाच यदहं प्रतिष्ठास्मि
15. न वै वाचो न चक्षूंषि

Chhâ. 5. 7. 1. चक्षुरङ्गाराः Bṛih. 6. 2. 12.
5. 13. 2. चक्षुष्ट्वेतदात्मनः
5. 18. 2. चक्षुर्विश्वरूपः
5. 19. 1. चक्षुस्तृप्यति चक्षुषि तृप्यत्यादित्यस्तृप्यति
8. 12. 4. आकाशमनुविषण्णं चक्षुः
— दर्शनाय चक्षुः
5. मनो ऽस्य दैवं चक्षुः स वा एष एतेन दैवेन चक्षुषा

Bṛih. 1. 1. 1. सूर्यश्चक्षुः
1. 3. 4. चक्षुरूचुस्त्वं न उद्गायेति
— चक्षुरुदगायत्
— यश्चक्षुषि भोगस्तं देवेभ्य आगायत्
14. अथ चक्षुरत्यवहत्
1. 4. 7. पश्यंश्चक्षुः
17. चक्षुर्मानुषं वित्तं चक्षुषा हि तद्विन्दते
1. 5. 21. द्रक्ष्याम्यहमिति चक्षुः
— श्राम्यति चक्षुः
1. 6. 2. अथ रूपाणां चक्षुरित्येतदेषामुक्थम्
2. 1. 17. गृहीतं चक्षुः
2. 3. 4. सत एष रसो यच्चक्षुः
2. 4. 11. सर्वेषां रूपाणां चक्षुरेकायनम् 4. 5. 12.
3. 1. 4. अध्वर्युणर्त्विजा चक्षुषादित्येन चक्षुर्वै यज्ञस्याध्वर्युः
— चक्षुः सो ऽसावादित्यः
3. 2. 5. चक्षुर्वै ग्रहः . . चक्षुषा हि रूपाणि पश्यति
13. चक्षुरादित्यं [अप्येति]
3. 7. 18. यश्चक्षुषि तिष्ठंश्चक्षुषो ऽन्तरो यं चक्षुर्न वेद यस्य चक्षुः शरीरं यश्चक्षुरन्तरो यमयति

Bṛih. 3. 9. 12. चक्षुर्लोकः 15.
20. कस्मिन्नु चक्षुः प्रतिष्ठितमिति रूपेष्विति चक्षुषा हि रूपाणि पश्यति
4. 1. 4. चक्षुर्वै ब्रह्म (bis).
— चक्षुरेवायतनम्
— का सत्यता . . चक्षुरेव . . चक्षुषा वै &c.
— चक्षुर्वै . . परमं ब्रह्म नैनं चक्षुर्जहाति
4. 4. 2. चक्षुष्टो वा मूर्ध्नो वा
18. उत चक्षुषश्चक्षुः [ये विदुः]
5. 14. 4. चक्षुर्वै सत्यं चक्षुर्हि वै सत्यम्
6. 1. 3. चक्षुर्वै प्रतिष्ठा चक्षुषा हि समे च दुर्गे च प्रतितिष्ठति
9. अपश्यन्तश्चक्षुषा
14. यद्वा अहं प्रतिष्ठास्मि त्वं तत्प्रतिष्ठोऽसीति चक्षुः
6. 3. 2. चक्षुषे स्वाहा सम्पदे स्वाहा

Tait. 1. 7. 1. चक्षुः श्रोत्रं मनो वाक्त्वक्
3. 1. 1. अन्नं प्राणं चक्षुः श्रोत्रं मनो वाचमिति

Kaṭha. 5. 11. सूर्यो यथा सर्वलोकस्य चक्षुः
6. 9. न चक्षुषा पश्यति कश्चनैनम्
Swet. 4. 20; Mahânâr 1. 11.
12. प्राप्तुं शक्यो न चक्षुषा

Maitri. 6. 6. आदित्यश्चक्षुः
— चक्षुषा ह्ययं मात्राश्चरति
— सत्यं वै चक्षुः
31. वाक् श्रोत्रं चक्षुर्मनः प्राणः
7. 11. चक्षुष्यास्मिन् प्रतिष्ठिता

Muṇḍ. 2. 1. 4. चक्षुषी चन्द्रसूर्यौ
3. 1. 8. न चक्षुषा गृह्यते नापि वाचा

Mahânâr. 12. 3. बलं यशश्चक्षुः श्रोत्रम्
25. 1. चक्षुरध्वर्युः

Praśna. 2. 2. वाङ्मनश्चक्षुः श्रोत्रं च 4.
12. या श्रोत्रे या च चक्षुषि
4. 8. चक्षुश्च द्रष्टव्यं च

Nṛip. 5. 10. दिवीव चक्षुराततम्
Aruṇeya. 5; Vâsu. 4; Skanda. 15; Mukti. 2. 77.

Nṛisut. 2. चक्षुषो द्रष्टा . . चक्षुषः साक्षी

Siras. 5. सर्वं ह वा इदं भस्म मन एतानि चक्षूंषि
7. आचक्षुषः पंक्तिं पुनाति
Mahâ. 4.

Garbha. 1. चक्षुषी रूपे

Prâṇâg. 4. चक्षुषी आज्यभागौ

Nâda. 2. धर्मश्च दक्षिणं चक्षुः

Gâruḍa. 3. चक्षुषा मोक्षयति

Kâlâg. 1. आललाटादाचक्षुषश्च

Gopî. 5. यं यं पश्यति चक्षुषा

Mukti. 2. 22. चक्षुरादीन्द्रियं स्वतः

Gîtâ. 5. 27. चक्षुश्चैवान्तरे भ्रुवोः
11. 8. दिव्यं ददामि ते चक्षुः
15. 9. श्रोत्रं चक्षुः स्पर्शनं च

चञ्चल

Maitri. 3. 2. कलुषीकृतश्चास्थिरश्चञ्चलः 6. 30.

Gîtâ. 6. 26. मनश्चञ्चलमस्थिरम्
34. चञ्चलं हि मनः कृष्ण

चञ्चलत्व

Gîtâ. 6. 33. एतस्याहं न पश्यामि चञ्चलत्वात्

चण्डाल

Chhâ. 5. 24. 4. यद्यपि चण्डालायोच्छिष्टं प्रयच्छेत्

चण्डालयोनि

Chhâ. 5. 10. 7. सूकरयोनिं वा चण्डालयोनिं वा

चतुःशत

Chhâ. 4. 4. 5. कृशानामबलानां चतुःशता गा निराकृत्य

चतुःशिरस्

Śikhâ. 1. ओङ्कारश्चतुष्पादश्चतुःशिराः

चतुःशृङ्ग

Mahânâr. 9. 13. चतुःशृंगो ऽवमीद्गौर एतत्

चतुःसप्तात्मन्

Nṛisut. 3. चतुःसप्तात्मानं चतुरात्मानम् (ter).

चतुर्

Chhâ. 4. 3. 6. महात्मनश्चतुरो देव एकः कः स जगार
5. 10. 9. एते पतन्ति चत्वारः
Bṛih. 5. 8. 1. तस्याश्चत्वारः स्तनाः
6. 3. 13. चतुरौदुंबरो भवति
Tait. 1. 5. 3. एताश्चतस्रश्चतुर्धा चतस्रश्चतस्रो व्याहृतयः
Maitri. 6. 2. चतस्रो दिशश्चतस्र उपदिशः
7. 11. भेदाश्चैते ऽस्य चत्वारः
Mahânâr. 10. 1. चत्वारि शृंगा त्रयो अस्य पादाः
Gauḍa. 4. 84. कोट्यश्चतस्र एतास्तु
Nṛip. 1. 2. चत्वारो वेदाः साङ्गाः सशाखाश्चत्वारः पादा भवन्ति
2. 2. चत्वारः पादाश्चत्वार्यङ्गानि भवन्ति
4. 3. यो वै नृसिंहः..याश्चतस्रो ऽर्द्धमात्रास्तस्मै वै नमो नमः (12).
Kshur. 14. चतुरभ्यासयोगेन
Śikhâ. 1. पादाश्चत्वारो देवाश्चत्वारो वेदाश्चत्वारः
Brahma. 2. पुरुषस्य चत्वारि स्थानानि
Prâṇâg. 2. चत्वारो ऽग्नयः किन्नामधेयाः
Amrita. 29. चतुर्भिः पश्यते देवान्
Nyâsa. 1. चतुर्भिरनुवाकैः
Kaṭhaśru. 1. चतुर्षु वर्णेषु भैक्षचर्यं चरेत्
— चतुरो मासान् वार्षिकान् ..वसेत्
Sarvop. 1. चतुर्भिः करणैः 2.
Aśrama. 1. अथातश्चत्वार आश्रमाः
Râmap. 8. द्विचत्वारि षडष्टासाम्
Râmot. 5. यो वै श्रीरामः..याश्चतस्रो ऽर्द्धमात्राः (40)
Mukti. 1. 11. वेदाश्चत्वार ईरिताः
2. 65. अधीत्य चतुरो वेदान्
Gîtâ. 10. 6. चत्वारो मनवस्तथा

चतुरक्षर

Chhâ. 2. 10. 2. प्रतिहार इति चतुरक्षरम्
3. उपद्रव इति चतुरक्षरम्

चतुरशीतिधा

Maitri. 3. 3. चतुरशीतिधा परिणतम्

चतुराकृति

Prâṇâg. 2. दर्शनाभिर्नाम चतुराकृतिः

चतुरात्मन्

Nṛisut. 1. स्थूलभुक् चतुरात्मा
— सूक्ष्मभुक् चतुरात्मा
— चेतोमुखश्चतुरात्मा
— अथ चतुर्थश्चतुरात्मा
2. जागरितस्थानश्चतुरात्मा विश्वः
— स्वप्नस्थानश्चतुरात्मा तैजसः
— सुषुप्तस्थानश्चतुरात्मा प्राज्ञः
— स्वप्रकाशश्चतुरात्मा
3. तुरीयं चतुरात्मानमन्विष्य
— भवति च सर्वेषु पादेषु चतुरात्मा (4 times).

Nṛisut. 3. अमृतमयश्चतुरात्मा सर्वमयश्चतुरात्मा
— चतुःसप्तात्मानं चतुरात्मानम् (ter).
— सप्तात्मानं चतुरात्मानम् (5 times).

चतुर्जाल

Maitri. 3. 3. चतुर्जालं चतुर्दशविधम्
6. 28. चतुर्जालं ब्रह्मकोशं प्रणुदेत्
38. चतुर्जालं ब्रह्मकोशं भिन्दत्

चतुर्थ

Chhâ. 3. 9. 1. यच्चतुर्थममृतं तन्मरुत उपजीवन्ति सोमेन मुखेन
3. 18. 3. वागेव ब्रह्मणश्चतुर्थः पादः (similarly in 4, 5, 6).
5. 22. 1. अथ यां चतुर्थीं जुहुयात्
7. 1. 2. अध्येमि..आथर्वणं चतुर्थम्
4. नाम वै..आथर्वणश्चतुर्थः
7. 2. 1. वाग्वै..विज्ञापयति..आथर्वणं चतुर्थम्
7. 7. 1. विज्ञानेन वै..विजानाति ..आथर्वणं चतुर्थम्
Bṛih. 5. 14. 3. यद्वै चतुर्थं तत्तुरीयम्
Tait. 1. 5. 1. चतुर्थीं प्रवेदयते मह इति
Mâṇḍû. 7. शान्तं शिवमद्वैतं चतुर्थम् Nṛisut. 1 (शिवं शान्तं)
12. अमात्रश्चतुर्थः Nṛisut. 2.
Nṛip. 1. 2. तत्साम्नश्चतुर्थं पादं जानीयात् 4.
4. मृत्युं चतुर्थस्याद्यं साम जानीयात्
5. मृत्युं चतुर्थस्यार्द्धान्त्यं साम जानीयात्
7. म्यहं चतुर्थस्यान्त्यम्
2. 1. यावसाने ऽस्य चतुर्थ्यर्द्धमात्रा Nṛisut. 3 ; Śikhâ. 1.
Nṛip. 2. 1. सा साम्नश्चतुर्थः पादो भवति
2. चतुर्थं चतुर्थेन [युज्यते]
3. ज्वलन्तं चतुर्थं [स्थानं जानीयात्]
4. 1. शिवमद्वैतं चतुर्थं मन्यन्ते Râmot. 3.
Nṛisut. 1. अथ चतुर्थश्चतुरात्मा
3. चतुर्थोतानुज्ञात्रनुज्ञाविकल्परूपा
— सा चतुर्थः पादो भवति
Śikhâ. 1 चतुर्थी विद्युन्मती सर्ववर्णा
— चतुर्थ्यर्द्धमात्रा स्थूलह्रस्वदीर्घप्लुतः
— चतुर्थः शान्तात्मा प्लुतप्रयोगे
Garbha. 3. चतुर्थे गुल्फजठरकटिप्रदेशः
Nâda. 9. चतुर्थी वायुवेगिनी
Piṇḍa. 5. चतुर्थेन तु पिण्डेन
Haṁsa. 2. शङ्खनादश्चतुर्थः
— चतुर्थे कम्पते शिरः
Râmap. 19. तादात्मिका या चतुर्थी
Râmot. 2. अर्द्धमात्रश्चतुर्थाक्षरो भवति

चतुर्थक

Nâda. 13. गन्धर्वस्तु चतुर्थिकाम्

चतुर्थपाद

Nṛisut. 3. तया..अन्विष्य चतुर्थपादेन च

चतुर्थान्तार्द्ध

Nṛip. 1. 6. नमा चतुर्थान्तार्द्धस्याद्यम्

चतुर्दश

Mahâ. 1. प्राणाश्चतुर्दश आत्मा

चतुर्दशकरण

Sarvop. 1. मनआदिचतुर्दशकरणैः
— चतुर्दशकरणोपरमात्

चतुर्दशन्

Mahâ. 1. पुरुषाश्चतुर्दशाजायन्ते

चतुर्दशलोक

Gopi. 5. चतुर्दशलोकानसृजत

चतुर्दशवायु

Sarvop. 2. प्राणादिचतुर्दशवायुभेदाः

चतुर्दशविध

Maitri. 3. 3. चतुर्जालं चतुर्दशाविधम्
6. 10. अनेनैव चतुर्दशाविधस्य मार्गस्य व्याख्या कृता

चतुर्धा

Tait. 1. 5. 3. एताश्चतस्रश्चतुर्धा
Nṛisut. 3. अथानन्दामृतेनैनांश्चतुर्धा सम्पूज्य
— सम्पूज्योपहारैश्चतुर्धा
Śikhâ. 2. प्रणवश्चतुर्धावस्थितः
Mukti. 1. 17. चतुर्धा मुक्तिरीरिता

चतुर्भुज

Dhyâna. 11. चतुर्भुजं महावीरम्
Gîtâ. 11. 46. तेनैव रूपेण चतुर्भुजेन

चतुर्मात्र

Amṛita. 30. चतुर्मात्राणि वारुणः

चतुर्मुख

Mahânâr. 3. 18. चतुर्मुखाय विद्महे
Mahâ. 3. तत्र ब्रह्मा चतुर्मुखो ऽजायत

चतुर्वक्त्र

Dhyâna. 12. चतुर्वक्त्रं पितामहम्

चतुर्वर्ग

Gopî. 5. चतुर्वर्गफलप्रदम्

चतुर्विंशति

Chhâ. 3. 16. 1. तस्य यानि चतुर्विंशतिवर्षाणि
Aśrama. 1. अथवा चतुर्विंशतिवर्षाणि गुरुकुलवासी

चतुर्विंशतिवर्ष

Chhâ. 6. 1. 2. चतुर्विंशतिवर्षः..एयाय

चतुर्विंशतिसंख्याक

Chûl. 15. चतुर्विंशतिसंख्याकमव्यक्तम्

चतुर्विंशत्यक्षर

Chhâ. 3. 16. 1. चतुर्विंशत्यक्षरा गायत्री
Nṛip. 1. 3. चतुर्विंशत्यक्षरा महालक्ष्मीर्यजुः
4. 2. महालक्ष्मीर्यजुर्गायत्री चतुर्विंशदक्षरा

चतुर्विध

Aśrama. 1. ब्रह्मचारिणश्चतुर्विधा भवन्ति
2. गृहस्था अपि चतुर्विधा भवन्ति
3. वानप्रस्था अपि चतुर्विधा भवन्ति
4. परिव्राजका अपि चतुर्विधा भवन्ति
Mukti. 1. 25. चतुर्विधा तु या मुक्तिः
Gîtâ. 7. 16. चतुर्विधा भजन्ते माम्
15. 14. पचाम्यन्नं चतुर्विधम्

चतुर्विधाहारमय

Garbha. 1. चतुर्विधाहारमयं शरीरम्

चतुश्चत्वारिंशत्

Chhâ. 3. 16. 3. चतुश्चत्वारिंशद्वर्षाणि

चतुश्चत्वारिंशदक्षर

Chhâ. 3. 16. 3. चतुश्चत्वारिंशदक्षरा त्रिष्टुप्

चतुष्कपाल

Garbha. 5. चतुष्कपालं शिरः

चतुष्कल

Chhâ. 4. 5. 2. एष वै सोम्य चतुष्कलः पादो ब्रह्मणः 4. 6. 3; 4. 7. 3; 4. 8. 3.
3. य एतमेवं विद्वांश्चतुष्कलं पादं ब्रह्मणः . . उपास्ते 4. 6. 4; 4. 7. 4; 4. 8. 4.

चतुष्टय

Râmot. 5. अन्तःकरणचतुष्टयात्मा (12).
Mukti. 1. साधनचतुष्टयसम्पन्नाः

चतुष्पद्, चतुष्पद, चतुष्पाद

Chhâ. 3. 12. 5. सैषा चतुष्पदा षड्विधा गायत्री
3. 18. 2. तदेतच्चतुष्पाद्ब्रह्म
Bṛih. 2. 5. 18. पुरश्चक्रे चतुष्पदः
5. 14. 7. गायत्र्यस्येकपदी द्विपदी त्रिपदी चतुष्पदी
Śwet. 4. 13. य ईशे ऽस्य द्विपदश्चतुष्पदः
Mâṇḍû. 2. सो ऽयमात्मा चतुष्पात् Nṛip. 4. 1; Nṛisut. 1; Ramot. 3
Nṛisut. 2. अजयैनं चतुष्पादं मात्राभिरोङ्कारेण चैकीकुर्यात्
Śikhâ. 1. चतुष्पादे तदक्षरं परं ब्रह्म
— ओङ्कारश्चतुष्पादश्चतुःशिराः
Brahma. 2. तत्र चतुष्पादं ब्रह्म विभाति
Prâṇâg. 1. द्विपदे चतुष्पदे

चतूरूप

Nṛisut. 2. वैश्वानरश्चतूरूपो ऽकार एव चतूरूपो ह्ययमकारः
— हिरण्यगर्भश्चतूरूप उकार एव चतूरूपो ह्ययमुकारः
— ईश्वरश्चतूरूपो मकार एव चतूरूपो ह्ययं मकारः
Nṛisut. 2. चतूरूप ओङ्कार एव चतूरूपो ह्ययमोङ्कारः

चन

Kaush. 3. 1. तस्य मे तत्र न लोम चनामीयत
Bṛih. 1. 4. 10. तस्य ह न देवाश्चनाभूत्या ईशते
17. नेच्छंश्चनातो भूयो विन्देत्

चन्दन

Vâsu. 1. चन्दनं कुंकुमादिसहितम्
Gopî. 1. चन्दनं तुष्टिकारणं च
2. तासां चन्दनमाह्लादनम्
3. चन्दनं तु ततः पश्चात्
— चन्दनं तु त्रियक्षरम्
4. अस्य चन्दनस्य वैभवम्
5. चन्दनं चापि गोपीनाम्
— चन्दनैर्युतम्
— एतत्संभोगसंभूतं चन्दनम्
Râmap. 91. आराधयेद्राघवं चन्दनाद्यैः

चन्द्र

Chhâ. 4. 3. 1. यदा चन्द्रो ऽस्तमेति वायुमेवाप्येति
4. 7. 3. सूर्यः कला चन्द्रः कला
6. 4. 3. अपागाच्चन्द्राच्चन्द्रत्वम्
8. 13. 1. चन्द्र इव राहोर्मुखात्प्रमुच्य
Bṛih. 1. 3. 16. असौ चन्द्रः परेण मृत्युमतिक्रान्तो भाति
1. 5. 13. ज्योतीरूपमसौ चन्द्रः
— तावानसौ चन्द्रः
2. 1. 3. चन्द्रे पुरुष एतं . . ब्रह्मोपासे
2. 5. 7. चन्द्रः सर्वेषां मध्वस्य चन्द्रस्य सर्वाणि . . मधु
— चन्द्रे . . अमृतमयः पुरुषः
3. 1. 6. ब्रह्मणर्त्विजा मनसा चन्द्रेण
— यदिदं मनः सो ऽसौ चन्द्रः

Bṛih. 3. 2. 13. मनश्चन्द्रं [अप्येति]
6. 2. 16. पितृलोकाच्चन्द्रं ते चन्द्रं प्राप्यान्नं भवन्ति
Maitri. 6. 16. *vide* आदि
Muṇḍ. 2. 1. 4. चक्षुषी चन्द्रसूर्यौ
Dhyâna. 15. तत्रार्कचन्द्रवह्नीनाम्
16. चन्द्राग्निसूर्ययोः (sic).
Râmap. 24. चन्द्रश्चन्द्रिकया यथा
Râmot. 2. चन्द्राय नमो भद्राय नमः

चन्द्रतारक

Bṛih. 3. 7. 11. यश्चन्द्रतारके तिष्ठंश्चन्द्रतारकादन्तरो यं चन्द्रतारकं न वेद यस्य चन्द्रतारकं शरीरं यश्चन्द्रतारकमन्तरो यमयति
Kaṭha. 5. 15. न तत्र सूर्यो भाति न चन्द्रतारकम् Śwet. 6. 14; Muṇḍ. 2. 2. 10.

चन्द्रत्व

Chhâ. 6. 4. 3. अपागाच्चन्द्राच्चन्द्रत्वम्

चन्द्रमस्

Ait. 1. 4. हृदयान्मनो मनसश्चन्द्रमाः
2. 4. चन्द्रमा मनो भूत्वा हृदयं प्राविशत्
Kaush. 1. 2. चन्द्रमसमेव ते सर्वे गच्छंति
— स्वर्गस्य लोकस्य द्वारं यच्चन्द्रमाः
2. 8. पश्चाच्चन्द्रमसं दृश्यमानमुपतिष्ठेत
— यन्मे सुसीमं हृदयं दिवि चन्द्रमसि श्रितम्
9. पुरस्ताच्चन्द्रमसं दृश्यमानमुपतिष्ठेत
12. तस्य चन्द्रमसमेव तेजो गच्छति
— एतद्वै ब्रह्म दीप्यते यच्चन्द्रमा दृश्यते
Kaush. 4. 2. चन्द्रमस्यन्नम्
4. य एवैष चन्द्रमसि पुरुषस्तमेवाहमुपासे
Chhâ. 1. 6. 4. चन्द्रमाः साम . . चन्द्रमा अमः
1. 13. 1. चन्द्रमा अथकारः
2. 20. 1. चन्द्रमा निधनम्
3. 13. 2. तच्छ्रोत्रं स चन्द्रमाः
4. 12. 1. आपो दिशो नक्षत्राणि चन्द्रमा इति य एष चन्द्रमसि पुरुषो दृश्यते
4. 15. 5. आदित्याच्चन्द्रमसं चन्द्रमसो विद्युतम् 5. 10. 2.
5. 4. 1. चन्द्रमा अङ्गाराः Bṛih 6. 2. 11.
5. 10. 4. आकाशाच्चन्द्रमसम्
5. 20. 2. चन्द्रमास्तृप्यति चन्द्रमसि तृप्यति दिशस्तृप्यन्ति
— यत्किञ्च दिशश्च चन्द्रमाश्चाधितिष्ठन्ति
6. 4. 3. यच्चन्द्रमसो रोहितं रूपम्
Bṛih. 1. 3. 16. तद्यदा मृत्युमत्यमुच्यत स चन्द्रमा अभवत्
1. 5. 20. अद्भ्यश्चैनं चन्द्रमसश्च
22. भास्याम्यहमिति चन्द्रमाः
3. 9. 3. चन्द्रमाश्च नक्षत्राणि च
4. 3. 3. चन्द्रमा एवास्य ज्योतिः . चन्द्रमसैवायं ज्योतिषास्ते
4. चन्द्रमस्यस्तमिते 5, 6.
5. 10. 1. स चन्द्रमसमागच्छति
Taib. 1. 5. 2. मह इति चन्द्रमाश्चन्द्रमसा वाव सर्वाणि ज्योतींषि महीयन्ते
1. 7. 1. आदित्यश्चन्द्रमा नक्षत्राणि
Swet. 4. 2. तद्वायुस्तदु चन्द्रमाः
Maitri. 6. 5. अन्नमापश्चन्द्रमा इत्याप्यायनवत्येषा

Maitri. 7. 5. अंगिरसश्चन्द्रमा ऊर्ध्वाः
Mahânâr. 1. 7. तस्सूर्यस्ततु चन्द्रमाः
24. 1. द्युम्नोदास्त्वमसि चन्द्रमसः
25. 1. चन्द्रमसः सायुज्यं गच्छति
Praśna. 1. 5. रयिरेव चन्द्रमाः
Kaivalya. 8. स कालो ऽग्निः स चन्द्रमाः
Nṛip. 5. 10. यत्र न चन्द्रमास्तपति
Gîtâ. 15. 12. यच्चन्द्रमसि यच्चाग्नौ

चन्द्रलोक

Bṛih. 3. 6. 1. चन्द्रलोकेषु गार्गीति कस्मिन्नु खलु चन्द्रलोका ओताश्च प्रोताश्चेति

चन्द्रसङ्काश

Brahmav. 9. उकारश्चन्द्रसङ्काशः

चन्द्रिका

Râmap. 24. चन्द्रश्चन्द्रिकया यथा

चमर

Krish. 22. चमरो धर्मसंज्ञकः (see latter word).

चमस

Chhâ. 5. 2. 8. निर्णिज्य कंसं चमसं वा
Bṛih. 2. 2. 3. अर्वाग्बिलश्चमसः (ter).
6. 3. 1. औदुंबरे कंसे चमसे वा
13. औदुंबरश्चमसः
Nyâsa. 4. कुण्डिकां चमसं शिक्यम् Kaṭhaśru. 4.

चमू

Gîtâ. 1. 3. पश्यैतां.. महतीं चमूम्

चयन

Maitri. 1. 1. ब्रह्मयज्ञो वा एष यत्पूर्वेषां चयनम्

चर्

Kaush. 4. 15. पुरुषः सुप्तः स्वप्नया चरति
Chhâ. 8. 17. 3. यन्मैथुनं चरति
4. 4. 2. बह्वहं चरन्ती परिचारिणी 4.
5. 11. 6. येन हैवार्थेन पुरुषश्चरेत्
7. 11. 1. विशुद्धिराहादाश्चरन्ति
8. 10. 1. स्वप्ने महीयमानश्चरत्येष आत्मा
Bṛih. 1. 2. 1. सो ऽर्चन्नचरत्
1. 5. 23. तस्मादेकमेव व्रतं चरेत्
— यद्यु चरेत्समापिपयिषेत्
2. 1. 18. स यत्रैतत्स्वप्नया चरति
3. 5. 1. भिक्षाचर्यं चरन्ति 4. 4. 22.
4. 1. 1. किमर्थमचारीः
4. 3. 12. बहिः कुलायादमृतश्चरित्वा
15. सम्प्रसादे रत्वा चरित्वा
16. स्वप्ने रत्वा चरित्वा
17. बुद्धान्ते रत्वा चरित्वा
34. स्वप्नान्ते रत्वा चरित्वा
6. 4. 3. अधोपहासं चरति
4. अधोपहासं चरन्ति
Tait. 1. 11. 1. सत्यं वद धर्मं चर
Kaṭha. 2. 15. यदिच्छन्तो ब्रह्मचर्यं चरन्ति Gîtâ. 8. 11.
Maitri. 2. 7. प्रति शरीरेषु चरति
4. 6. ताभिः सहैवोपर्युपरि लोकेषु चरति
5. 2. भूतेषु चरति प्रविष्टः
6. 6. चक्षुषा ह्ययं मात्राश्चरति
— अक्षिण्यवस्थितो हि पुरुषः सर्वार्थेषु चरति
14. तावतीषु चरत्यसौ
7. 11. मारुतस्तूरसि चरन्
— त्रिष्वेकपाच्चरेद्ब्रह्म त्रिपाच्चरति चोत्तरे
Muṇḍ. 1. 2. 5. एतेषु यश्चरते भ्राजमानेषु
11. भैक्षचर्यां चरन्तः
2. 1. 8. सप्त इमे लोका येषु चरन्ति प्राणाः Mahânâr. 8. 4.

Muṇḍ. 2. 2. 6. स एषो ऽन्तश्चरते
Mahânâr. 1. 1. प्रजापतिश्चरति गर्भे अन्तः
15. 6. अन्तश्चरसि भूतेषु Prâṇâg. 1.
Praśna. 1. 15. ये ह तत्प्रजापतिव्रतं चरन्ति
2. 7. प्रजापतिश्चरसि गर्भे
8. ऋषीणां चरितं सत्यम्
2. त्वमन्तरिक्षे चरसि
3. 6. आसु व्यानश्चरति
Gauḍa. 4. 65. चरन् जागरिते जाग्रत्
Śiras. 4. साकं स एको भूतश्चरति प्रजानाम्
Brahmab. 21. चरेद्बुद्धिमतःपरम्
Nyâsa. 2. चरेत वनमार्गेण
3. अनिकेतश्चरेत् Kaṭhaśru. 4.
Kaṭhaśru. 1. चतुर्षु वर्णेषु भैक्षचर्यं चरेत्
Aruṇeya. 3. अष्टौ मासानेकाकी यतिश्चरेद् द्वावेव वा चरेत्
Aśrama. 1. वेदब्रह्मचर्यं चरेत्
4. स्वपुत्रगृहेषु भिक्षाचर्यं चरन्तः
— साधुवृत्तेषु ब्राह्मणकुलेषु भैक्षाचर्यं चरन्तः
— एकरात्रद्विरात्रकृच्छ्रचान्द्रायणादि चरन्तः
— यथोपपन्नचातुर्वर्ण्यभैक्षाचर्यं चरन्तः
Parama. 2. *vide* आच्छादन
Gîtâ. 2. 64. विषयानिन्द्रियैश्चरन्
67. इन्द्रियाणां हि चरताम्
71. पुमांश्चरति निःस्पृहः
3. 36. पापं चरति पूरुषः

चर

Śwet. 3. 13. स्थावरस्य चरस्य च
Gîtâ. 13. 15. अचरं चरमेव च

चरक

Bṛih. 3. 3. 1. मद्रेषु चरकाः पर्यव्रजाम

चरण

Maitri. 1. 2. शिरसास्य चरणावभिमृशमानः
Haṁsa. 2. रुद्राणी चरणौ

चराचर

Mahânâr. 1. 4. विवेश भूतानि चराचराणि
Râmap. 16. जगदेतच्चराचरम्
Gîtâ. 10. 39. भूतं चराचरम्
11. 43. पितासि लोकस्य चराचरस्य

चरितब्रह्मचर्य

Kaṭhaśru. 3. ब्रह्मचारी . . चरितब्रह्मचर्यः

चरित्र

Râmap. 4. धर्ममार्गं चरित्रेण

चरु

Kaṭhaśru. 3. प्रजापतये च प्राजापत्यं चरुम्

चर्मन्

Chhâ. 4. 17. 7. लोहेन दारु चर्मणा
5. 2. 8. चर्मणि वा स्थण्डिले वा
Tait. 1. 7. 1. चर्म मांसं स्नावास्थि मज्जा
Swet. 6. 20. यदा चर्मवदाकाशं वेष्टयिष्यन्ति
Maitri. 1. 3. अस्थिचर्मस्नायु . . संघाते
3. 4. चर्मणावनद्धम्
Aśrama. 3. चीरचर्मवल्कलपरिवृताः

चर्माधिषवण

Bṛih. 6. 4. 3. चर्माधिषवणे . . तौ मुष्कौ

चल्

Gauḍa. 3. 44. शमप्राप्तं न चालयेत्
4. 61. चित्तं चलति मायया (bis).

Amrita. 12. नैव गात्राणि चालयेत्
Mukti. 2. 7. अशुभाच्चालितं याति
49. प्राणस्पन्देन चाल्यते
Gîtâ. 6. 21. यत्र न . . चलति तत्त्वतः

चल

Gîtâ. 6. 35. मनो दुर्निग्रहं चलम्
17. 18. राजसं चलमध्रुवम्

चलत्व

Maitri. 3. 5. चलत्वं व्यग्रत्वं जिगीषा

चलस्थिरोभयाभाव

Gauḍa. 4. 83. चलस्थिरोभयाभाववैरावृणोत्येव बालिशः (MSS. read सै for वै).

चलाचलनिकेत

Gauḍa. 2. 37. चलाचलनिकेतश्च यतिः

चलितमानस

Gîtâ. 6. 37. योगाच्चलितमानसः

चलाभास

Gauḍa. 4. 45. जात्याभासं चलाभासम्

चाक्रायण

Chhâ. 1. 10. 1. उषस्तिर्ह चाक्रायणः
1. 11. 1. उषस्तिरस्मि चाक्रायणः
Bṛih. 3. 4. 1. उषस्तश्चाक्रायणः 2.

चाक्षुष

Kaush. 1. 3. प्रतिरूपा च चाक्षुषी
Chhâ. 8. 12. 4. स चाक्षुषः पुरुषः
Bṛih. 2. 5. 5. अयमध्यात्मं चाक्षुषः . . पुरुषः
4. 4. 1. यत्रैष चाक्षुषः पुरुषः पराङ् पर्यावर्त्तते
Kaṭha. 5. 11. न लिप्यते चाक्षुषैर्बाह्यदोषैः
Maitri. 7. 11. पुरुषश्चाक्षुषो यो ऽयम्
— चाक्षुषः स्वप्नचारी च
Praśna. 3. 8. चाक्षुषं प्राणमनुगृह्णानः

चाट

Maitri. 7. 8. *vide* रङ्गावतारिन्

चाणूरमल्ल

Kṛish. 15. द्वेषश्चाणूरमल्लो ऽयम्

चाण्डाल

Bṛih. 4. 3. 22. चाण्डालो ऽचाण्डालः
Brahma. 2. तत्र . . चाण्डालो न चाण्डालः

चातुर्मास्य

Mahânâr. 25. 1. ये अर्द्धमासाश्च मासाश्च ते चातुर्मास्यानि

चातुर्वर्ण्य

Aśrama. 4. यथोपपन्नचातुर्वर्ण्यभैक्षाचर्यं चरन्तः
Gîtâ. 4. 13. चातुर्वर्ण्यं मया सृष्टम्

चान्द्रमस

Praśna. 1. 9. चान्द्रमसमेव लोकमभिजयन्ते
Gîtâ. 8. 25. तत्र चान्द्रमसं ज्योतिः

चाप

Gîtâ. 1. 47. विसृज्य सशरं चापम्

चि

Kaṭha. 1. 18. य एवं विद्वांश्चिनुते नाचिकेतम्
2. 10. ततो मया नाचिकेतश्चितो ऽग्निः
Maitri. 1. 1. यजमानश्चित्वैतानग्नीन्
3. 4. शरीरं . . आस्थिभिश्चितम्
6. 34. तस्माद्ग्निः . . चेतव्यः (bis)
Muṇḍ. 1. 1. 8. तपसा चीयते ब्रह्म

चिकीर्षु

Gîtâ. 1. 23. युद्धे प्रियचिकीर्षवः
3. 25. चिकीर्षुर्लोकसंग्रहम्

चिच्छक्ति

Râmap. 15. कारणत्वेन चिच्छक्त्या

चिञ्चिणी

Hamsa. 2. चिञ्चिणीति द्वितीयम्

— प्रथमे चिञ्चिणी गात्रम्

चिणी

Hamsa. 2. चिणीति प्रथमम्

1. चित्

Kaush. 3. 3. उदक्रमीच्चित्तम्

Chhâ. 7. 5. 1. चित्तं वाव संकल्पाद्भूयः

— यदा वै चेतयते

2. तानि चित्ते प्रतिष्ठितानि

— चित्तं..एकायनं चित्तमात्मा चित्तं प्रतिष्ठा चित्तमुपास्व

3. यश्चित्तं ब्रह्मेत्युपास्ते चित्तान्वै स लोकान्..अभिसिध्यति

— यावच्चित्तस्य गतम्

— अस्ति भगवश्चित्ताद्भूय इति चित्ताद्वाव भूयो ऽस्ति

7. 6. 1. ध्यानं वाव चित्ताद्भूयः

7. 26. 1. आत्मतश्चित्तम्

Maitri. 6. 19. तत्र चित्तं निधायेत

20. चित्तस्य हि प्रसादेन हन्ति कर्म 34.

27. प्रणश्यति चित्तं तथाश्रयेण सह

34. तथा वृत्तिक्षयाच्चित्तम्

— चित्तमेव हि संसारम्

— समासक्तं यथा चित्तम्

Muṇḍ. 3. 1. 9. प्राणैश्चित्तं सर्वमोतं प्रजानाम्

Mahânâr. 23. 1. शान्त्या चित्तं चित्तेन स्मृतिः

Praśna. 4. 8. चित्तं च चेतयितव्यं च

Gauḍa. 2. 25. चित्तमिति चित्तविदः

3. 44. लये संबोधयेच्चित्तम्

45. निश्चलं निश्चरच्चित्तम्

46. यदा न लीयते चित्तम्

4. 26. चित्तं न संस्पृशत्यर्थम्

27. निमित्तं न सदा चित्तं संस्पृशति

28. तस्मान्न जायते चित्तम्

46. एवं न जायते चित्तम्

54. चित्तं वापि न धर्मजम्

61. चित्तं चलति मायया (bis).

62. अद्वयं च द्वयाभासं चित्तम्

66. जाग्रच्चित्तेक्षणीयास्ते

— जाग्रतश्चित्तमिष्यते

72. चित्तं निर्विषयं नित्यम्

76. तदा न जायते चित्तम्

77. अनिमित्तस्य चित्तस्य

Prâṇâg. 4. होता चित्तम्

Parama. 1. यच्चित्तं तत्सदा मय्येवावतिष्ठते

Mukti. 2. 7. लालयेच्चित्तबालकम्

24. चित्तस्योत्पत्तिपरमाम्

25. अतिचञ्चलं चित्तं सञ्जायते

27. द्वे बीजे चित्तवृक्षस्य 48.

29. चित्तं गच्छत्यचित्तताम्

54. प्रशान्तवृत्तिकं चित्तम्

Gîtâ. 6. 18. यदा विनियतं चित्तम्

20. यत्रोपरमते चित्तम्

12. 9. अथ चित्तं समाधातुम्

2. चित्

Kaivalya. 21. न चास्ति वेत्ता मम चित्सदाहम्

Nṛisut. 7. चिद्धीदं सर्वं प्रकाशते प्रकाशते चेति

— चिदानन्दावप्ययवचनेनैवानुभवन्

Nṛisut. 8. चिद्दीदं सर्वं निरात्मकमात्मसात्करोति
— चिदेव ह्यनुज्ञा (so 6 MSS.)

Nyâsa. 1. ओं चित्सखायम्

Skanda. 4. चिज्जडानां तु यो द्रष्टा

Râmap. 27. सर्वालंकृतया चिता

चिति

Maitri. 6. 33. सेयं प्रजापतेः प्रथमा चितिः
— इदमन्तरिक्षं प्रजापतेर्द्वितीया चितिः
— सैषा द्यौः प्रजापतेस्तृतीया चितिः

चित्तकाल

Gauḍa. 2. 14. चित्तकाला हि ये ऽन्तस्तु

चित्तज

Gauḍa. 4. 54. एवं न चित्तजा धर्माः

चित्तजय

Mukti. 2. 45. पुष्टाः सन्ति चित्तजये

चित्तदर्प

Mukti. 2. 41. प्रक्षीणाचित्तदर्पस्य

चित्तदृश्य

Gauḍa. 4. 28. चित्तदृश्यं न जायते
36. चित्तदृश्यमवस्तुकम्
77. चित्तदृश्यं हि तद्यतः

चित्तधर्म

Mukti. 2. पुरुषस्य . चित्तधर्मः

चित्तनाश

Mukti. 2. 32. द्विविधश्चित्तनाशो ऽस्ति
34. चित्तनाशाभिधानम्

चित्तबीज

Mukti. 2. 26. क्रियते चित्तबीजस्य

चित्तमध्यस्थ

Maitri. 6. 19. अचित्तं चित्तमध्यस्थम्

चित्तवन्त्

Chhâ. 7. 5. 2. यद्यल्पविच्चित्तवान् भवति

चित्तविद्

Gauḍâ. 2. 25. चित्तमिति चित्तविदः

चित्तवृत्ति

Tejo. 8. चित्तवृत्तिविनिर्मुक्तम्

चित्तात्मन्

Chhâ. 7. 5. 2. चित्तैकायनानि चित्तात्मानि

चित्तैकायन

Chhâ. 7. 5. 2. *vide* चित्तात्मन्

चित्प्रकाश

Vâsu. 3. चित्प्रकाशं निरञ्जनम्

1. चित्र

Mahânâr. 13. 2. विश्वं भूतं भव्यं भुवनं चित्रम्
16. 4. त्वया जुष्टश्चित्रं विन्दते वसु

Nṛisut. 9. सैषा चित्रा सुदृढा बह्वङ्कुरा

2. चित्र

Kaush. 1. 1. चित्रो ह वै गार्ग्यायणिः
-- चित्रं गार्ग्यायणिम्

चित्रतर

Maitri. 6. 17. अग्नौ वाधूमके यज्ज्योतिश्चित्रतरम्

चित्रभित्ति

Maitri. 4. 2. चित्रभित्तिरिव मिथ्यामनोरमम्

चित्ररथ

Gîtâ. 10. 26. गन्धर्वाणां चित्ररथः

चिदात्मक

Râmot. 3. रामचन्द्रश्चिदात्मकः सो ऽहम्

Mukti. 2. 55. बुद्धिशून्यं चिदात्मकम्

चिदात्मन्

Râmap. 6. नित्यानन्दे चिदात्मनि

चिदानन्द

Kaivalya. 6. चिदानन्दमरूपमद्भुतम्

Mukti. 2. 51. चिदानन्दं विचिन्तय

चिदेकरस

Nṛisut. 1. चिदेकरसो ह्ययमात्मा

— चिदेकरसो हि

चिद्घन

Nṛisut. 8. सद्घनोऽयं चिद्घनः

— अतश्चिद्घन एव

Gopî. 5. चिद्घनानन्दैकरूपम्

चिद्रूप

Nṛisut. 2. अनुज्ञैकरसो ह्ययमात्मा चिद्रूप एव

— अविकल्पो ह्ययमात्मा.. चिद्रूपः

9. एष आत्मा सिंहश्चिद्रूप एव

चिद्रूपत्व

Nṛisut. 2. तुरीयत्वाच्चिद्रूपत्वाद्वा

चिन्त्

Kaṭha. 2. 8. बहुधा चिन्त्यमानः

Śwet. 1. 2. कालः स्वभावो नियतिर्यदृच्छा भूतानि योनिः पुरुष इति चिन्त्यम्

6. 2. पृथ्व्याप्यतेजोनिलखानि चिन्त्यम्

Maitri. 4. 4. यः सुयुक्तो ऽजस्रं चिन्तयति

6. 7. यो ऽस्य भर्गाख्यस्तं चिन्तयामि

20. निरात्मकत्वादसंख्यो ऽयोनिश्चिन्त्यः

Gauḍa. 1. 24. न किञ्चिदपि चिन्तयेत Gîtâ. 6. 25.

Nṛisut. 3. ओतानुज्ञात्रनुज्ञाविकल्परूपं चिन्तयन् (bis).

Brahmav. 14. ध्रुवं हि चिन्तयेद्ब्रह्म

Garbha. 3. क्षराक्षरं मोक्षं चिन्तयति

Brahmab. 6. नैव चिन्त्यं न चाचिन्त्यमचिन्त्यं चिन्त्यमेव च

Amṛita. 5. चिन्तयेदात्मनो रश्मीन्

8. रुचिरं चैव चिन्तयेत्

31. अर्धमात्रं च चिन्तयेत्

— चिन्तयेदात्मनात्मानि

Dhyâna. 12. चिन्तयेत् कमलासनम्

15. उपर्युपरि चिन्तयेत्

Yogaśi. 3. ओङ्कारं तत्र चिन्तयेत्

Vâsu. 3. हृदये चिन्तयेद्धरिम् (some MSS have चिन्तयेत् for चिन्तयेत्)

Gîtâ. 9. 22. अनन्याश्चिन्तयन्तो माम्

10. 17. चिन्त्यो ऽसि भगवन्मया

चिन्ता

Maitri. 4. 4. विद्यया तपसा चिन्तया चोपलभ्यते ब्रह्म

Gauḍa. 3. 38. चिन्ता यत्र न विद्यते

Gîtâ. 16. 11. चिन्तामपरिमेयां च

चिन्मय

Nṛisut. 8. चिन्मयो ह्ययमोङ्कारश्चिन्मयमिदं सर्वम्

— चिन्मयो ह्ययमोङ्कारः (ter)

Râmap. 1. चिन्मये ऽस्मिन्महाविष्णौ

7. चिन्मयस्याद्वितीयस्य

49. चिन्मयः परमेश्वरः

चिन्मात्र

Kaivalya. 18. चिन्मात्रो ऽहं सदाशिवः

Nṛisut. 5. उत्कृष्टतमं चिन्मात्रम् (bis)

9. सदानन्दचिन्मात्रमात्मैव

Sarvop. 3. विज्ञानचिन्मात्रस्वभावः
Mukti. 2. 18. मयि चिन्मात्रविग्रहे
51. परिशिष्टं च चिन्मात्रम्
70. चिन्मात्रवासनः

चिर

Chhâ. 5. 3. 7. चिरं वसेत्याज्ञापयाञ्चकार
6. 14. 2. तावदेव चिरं यावन्न विमोक्ष्ये
Maitri. 7. 10. अतश्चिरं ध्यात्वामन्यत
Mukti. 2. 12. निषेव्यन्ते यद्येते चिरमप्यलम्

चिरजीविका

Kaṭhâ. 1. 24. वृणीष्व वित्तं चिरजीविकां च

चिरलोकलोक

Tait. 2. 8. 1. पितृणां चिरलोकलोकानाम् (bis)

चिराभ्यस्त

Mukti. 2. 10. समकालं चिराभ्यस्ताः
13. त्रिभिरेतैश्चिराभ्यस्तैः

चिराभ्यास

Mukti. 2. 14. चिराभ्यासयोगेन विना

चीर

Aśrama. 3. चीरचर्मवल्कलपरिवृताः

चीर्ण

Muṇḍ. 3. 2. 10. शिरोव्रतं विधिवद्यैस्तु चीर्णम्

चुद्

Gauḍa. 3. 15. सृष्टिर्या चोदितान्यथा

चूडा

Mukti. 1. 34. चूडानिर्वाणमण्डलम्

चूर्णहस्त

Kaush. 1. 4. शतं चूर्णहस्ताः

चूर्णित

Gîtâ. 11. 27. सन्दृश्यन्ते चूर्णितैरुत्तमाङ्गैः

चूल

Bṛh. 6. 3. 9. चूलाय भागवित्तये
10. चूलो भागवित्तिः

चूष्

Garbha. 5. अशितपीतलेह्यचोष्यं पचतीति

चेकितान

Gîtâ. 1. 5. धृष्टकेतुश्चेकितानः

चेतन

Kaṭha. 5. 13. नित्यो नित्यानां चेतनश्चेतनानां Śwet. 6. 13.
Maitri. 2. 5. चेतनेनेदं शरीरं चेतनवत् प्रतिष्ठापितम्
Brahma. 2. धारयेद्यः स चेतनः

चेतनवन्त्

Maitri. 2. 3. चेतनवत् प्रतिष्ठापितम्
4, 5, 6.
6. 5. बुद्धिर्मनोऽहङ्कारा इति चेतनवत्येषा

चेतना

Gîtâ. 10. 22. भूतानामस्मि चेतना
13. 6. संघातश्चेतना धृतिः

चेतस्

Maitri. 6. 34. समाधिनिर्धौतमलस्य चेतसः
Muṇḍ. 2. 2. 3. आयम्य तद्भावगतेन चेतसा
3. 1. 9. एषो ऽणुरात्मा चेतसा वेदितव्यः

Gauḍa. 1. 25. युञ्जीत प्रणवे चेतः
Garbha. 3. पञ्चात्मिका चेतसा बुद्धिर्गन्धरसादिज्ञाना (2 MSS. read तेजसा)
Mukti. 2. 18. चेतः शममायाति दीपवत्
46. चेतसो दीपमुत्सृज्य
47. हठाच्चेतसो जयम्
Gîtâ. 1. 38. लोभोपहतचेतसः
2. 7. धर्मसम्मूढचेताः
8. 8. चेतसानन्यगामिना
18. 57. चेतसा सर्वकर्माणि मयि सन्न्यस्य
72. एकाग्रेण चेतसा

चेतामात्र

Maitri. 2. 5. चेतामात्रः प्रतिपुरुषः क्षेत्रज्ञः 5. 2.
6. 17. एतस्मादाकाशादेष खल्विदं चेतामात्रं बोधयति

चेतृ

Śwet. 6. 11. साक्षी चेता केवलो निर्गुणश्च Brahma. 3.
Maitri. 6. 7. चेता मन्ता गन्तोत्स्रष्टा
10. पुरुषश्चेता प्रधानान्तःस्थः

चेतोंशु

Gauḍa. 1. 6. सर्वं जनयति प्राणश्चेतोंशून्पुरुषः पृथक्

चेतोमुख

Mâṇḍû. 5. आनन्दभुक् चेतोमुखः Nṛip. 4. 1; Nṛisut 1. (*vide* अज्ञानभुज); Râmot. 3.

चेल

Gîtâ. 6. 11. चेलाजिनकुशोत्तरम्

चेष्ट्

Bṛih. 6. 4. 19. स्थालीपाकावृताज्यं चेष्टित्वा
Mahânâr. 19. 2. यदेजति जगति यच्च चेष्टति
Gîtâ. 3. 33. सदृशं चेष्टते स्वस्याः प्रकृतेः

चेष्टा

Gîtâ. 18. 14. विविधाश्च पृथक् चेष्टाः

चैकितानेय

Bṛih. 1. 3. 24. ब्रह्मदत्तश्चैकितानेयः

चैकितायन

Chhâ. 1. 8. 1. चैकितायनो दाल्भ्यः
3. चैकितायनं दाल्भ्यम्

चैतन्य

Maitri. 6. 10 भोक्तृत्वाच्चैतन्यं प्रसिद्धं तस्य
38. स्वतन्त्रं चैतन्यं . . पश्यति
Brahma. 2. हृदि चैतन्ये तिष्ठति
Sarvop. 2. भावरहितं . . चैतन्यं. . तत्तुरीयं चैतन्यम्
— तत्र यत्प्रकाशते चैतन्यम्
3. उत्पत्तिविनाशरहितं चैतन्यम्
4. पूर्वं व्यापकं चैतन्यम्
— आनन्दो नाम सुखचैतन्यस्वरूपः

चैतन्यदीप्त

Nṛisut. 9. सैषा . . चैतन्यदीप्ता

चौर

Mahânâr. 19. 1. चौरस्यान्नं नवश्राद्धम्

च्यु

Muṇḍ. 1. 2. 9. क्षीणलोकाश्च्यवन्ते
Mahânâr. 7. 6. कर्णयोः श्रुतं मा च्योढ्वम्
21. 2. सत्येन न सुवर्गाल्लोकाच्च्यवन्ते
Gauḍa. 4. 10. च्यवन्ते तन्मनीषया
Gîtâ. 9. 24. अतश्च्यवन्ति ते

छत्त्व

Kṛish. 23. छत्त्वं तु खं च संविद्धि

छद्

Chhâ. 1. 4. 2. ते छन्दोभिरच्छादयन्यदेभिरच्छादयंस्तच्छन्दसां छन्दस्त्वम्

Bṛih. 1. 6. 3. एतदमृतं सत्येन छन्नम्
— ताभ्यामयं प्राणश्छन्नः

छन्दतस्

Kaṭha. 1. 25. सर्वान् कामांश्छन्दतः प्रार्थयस्व

छन्दस्

Chhâ. 1. 3. 10. येन छन्दसा स्तोष्यन् स्यात्तच्छन्द उपधावेत्
1. 4. 2. ते छन्दोभिरच्छादयन्यदेभिरच्छादयंस्तच्छन्दसां छन्दस्त्वम्

Bṛih. 1. 2. 5. ऋचो यजूंषि सामानि छन्दांसि

Tait. 1. 4. 1. यश्छन्दसामृषभः . . छन्दोभ्यो ऽध्यमृतात्संबभूव

Swet. 4. 9. छन्दांसि यज्ञाः क्रतवो व्रतानि

Muṇḍ. 1. 1. 5. निरुक्तं छन्दो ज्योतिषम्

Mahânâr. 7. 5. यश्छन्दसामृषभो विश्वरूपश्छन्दोभ्यश्छन्दांस्याविवेश
— भूर्भुवः सुवश्छन्द ओम्
14. 1. छन्दांस्यापः
15. 1. गायत्री छन्दसां माता
20. 9. छन्दोभिरिमाँल्लोकाननपजय्यमभ्यजयन्

Nṛip. 1. 1. परमा वा एषा छन्दसां यदनुष्टुप्
2. किं छन्दः क ऋषिरिति
5. 1. छन्दांसि वै पत्राणि

Śiras. 1. छन्दो ऽहं सत्यो ऽहम्

Mahâ. 2. सर्वाणि छन्दांसि तान्यङ्गेष्वाश्रितानि
3. गायत्रं छन्द ऋग्वेदः
— त्रैष्टुभं छन्दो यजुर्वेदः
— जागतं छन्दः सामवेदः
— आनुष्टुभं छन्दो ऽथर्ववेदः

Haṁsa. 2. अव्यक्तगायत्री छन्दः

Nâr. 1. नारायणात् . . सर्वाणि छन्दांसि

Vâsu. 2. तिस्रो व्याहृतयस्त्रीणि छन्दांसि

Gîtâ. 10. 35. गायत्रीछन्दसामहम्
13. 4. छन्दोभिर्विविधैः पृथक्
15. 1. छन्दांसि यस्य पर्णानि

छन्दस्त्व

Chhâ. 1. 4. 2. यदेभिरच्छादयंस्तच्छन्दसां छन्दस्त्वम्

छलय

Gîtâ. 10. 36. द्यूतं छलयतामस्मि

छान्दोग्य

Mukti. 1. 30. ऐतरेयं च छान्दोग्यम्
1. *vide* जाबालि

छाया

Kaush. 4. 2. छायायां द्वितीयः
12. छायायां पुरुषस्तमेवाहमुपासे

Kaṭha. 3. 1. छायातपौ ब्रह्मविदो वदन्ति
6. 5. छायातपयोरिव ब्रह्मलोके

Praśna. 3. 3. यथैषा पुरुषे छाया

Nṛip. 2. 4. यस्य छायामृतम्

Dhyâna. 10. छाया तस्यैव निष्कला

छायामय

Bṛih. 2. 1. 12. छायामयः पुरुष एतं . . ब्रह्मोपासे

Bṛih. 3. 9. 14. य एवायं छायामयः पुरुषः स एषः

छिद्

Kaush. 2. 11. मा छेत्था मा व्यथिष्ठाः
Bṛih. 2. 1. 11. नास्माद्गणश्छिद्यते
6. 4. 24. अस्योपसद्यां मा च्छैत्सीत् प्रजया च पशुभिश्च
Śwet. 4. 15. तमेवं ज्ञात्वा मृत्युपाशां-श्छिनत्ति
Maitri. 6. 38. अतः सम्मोहं छित्त्वा
Muṇḍ. 2. 2. 8. छिद्यन्ते सर्वसंशयाः
Kshur. 14. छिन्देदनभिशङ्कितः (5 MSS. read छिन्द्येत्)
18. छिद्यन्ते ध्यानयोगेन सुषुम्णे-का न छिद्यते (3 MSS. have भिद्यते at the end).
19. छिन्देन्नाडीशतं धीरः (4 MSS. have छिन्द्येत्)
22. पाशं छित्त्वा यथा हंसः
24. छित्त्वा तन्तुं न बध्यते 25.
Kaṭhaśru. 2. प्रजां विद्यां छिन्द्यात्
Gîtâ. 2. 23. नैनं छिन्दन्ति शस्त्राणि
4. 42. छित्त्वैनं संशयम्
6. 39. छेत्तुमर्हस्यशेषतः
15. 3. असंगशस्त्रेण दृढेन छित्त्वा

छिन्नद्वैध

Gîtâ. 5. 25. छिन्नद्वैधा यतात्मानः

छिन्नपाश

Kshur. 22. छिन्नपाशस्तथा जीवः

छिन्नसंशय

Dhyâna. 5. स योगी छिन्नसंशयः
Gîtâ. 18. 10. मेधावी छिन्नसंशयः

छिन्नाभ्र

Gîtâ. 6. 38. छिन्नाभ्रमिव नश्यति

छेत्तृ

Gîtâ. 6. 39. छेत्ता न ह्युपपद्यते

छेद

Mukti. 2. 13. विसच्छेदाद्गुणा इव

जक्ष्

Chhâ. 3. 17. 3. अथ यद्धसति यज्जक्षति
8. 12. 3. स तत्र पर्येति जक्षन् क्रीडन्
Bṛih. 4. 3. 13. जक्षदुतेवापि भयानि पश्यन्
6. 1. 14. न ह वा अस्यानन्नं जग्धं भवति

जग (?)

Kaush. 1. 3. पुष्पाण्यादायावयतो वै च जगानि

1. जगत् adj.

Iśâ. 1. यत्किञ्च जगत्यां जगत्
Mahânâr. 16. 7. हिरण्यवर्णा जगती
Śiras. 4. ईशानमस्य जगतः स्वर्दृशम्
Vâsu. 3. यच्च किञ्चिज्जगत्सर्वम्

2. जगत्, जगती

Chhâ. 3. 16. 5. अष्टाचत्वारिंशदक्षरा जगती
Iśâ. 1. ईशा वास्यमिदं सर्वं यत्किञ्च जगत्यां जगत्
Kaṭha. 2. 11. कामस्याप्तिं जगतः प्रतिष्ठाम्
6. 2. यदिदं किञ्च जगत्सर्वम्
Śwet. 3. 6. मा हिंसीः पुरुषं जगत्
4. 10. तस्यावयवभूतैस्तु व्याप्तं सर्वमिदं जगत्
6. 17. य ईशे अस्य जगतो नित्यमेव
Maitri. 6. 10. सुखदुःखमोहसंज्ञं .. इदं जगत्

Maitri. 7. 3. मरुतो जगती . . पश्चादुद्यन्ति

Mahânâr. 1. 4. यतः प्रसूता जगतः प्रसूती

2. 9. गामश्वं पुरुषं जगत्

11. 6. यच्च किञ्चिज्जगत्यस्मिन्

13. 7. सावित्री गायत्री जगती

16. 3. ईशः सर्वस्य जगतः

19. 2. यदेजति जगति

22. 1. धर्मो विश्वस्य जगतः प्रतिष्ठा

23. 1. सर्वैः सर्वमिदं जगत्

Praśna. 5. 3. तूर्णमेव जगत्यामभिसम्पद्यते

Nṛip. 2. 1. रुद्रादित्या जगत्याहवनीयः Nṛisut. 3.

5. 1. द्वादशाक्षरा वै जगती — जगत्या सम्मितं भवति

Nṛisut. 9. एषाविद्या जगत्सर्वम्

Śiras. 1. त्रिष्टुब्जगत्यनुष्टुप् चाहम्

6. येन रुद्रेण जगदूर्ध्वं धारितम्

Śikhâ. 1. विष्णुरादित्या जगत्याहवनीयः

Nîla. 6. यथा नः सर्वमिज्जगदयक्ष्मम्

Gopî. 2. जगत्सृष्टिस्थित्यन्तकारिण्यः

Kṛish. 12. मायया मोहितं जगत्

13. तस्य माया जगत्कथम्

Râmap. 16. जगदेतच्चराचरम्

24. अग्नीषोमात्मकं जगत्

30. स्तुतिं चक्रुश्च जगतः पतिम्

Gîtâ. 7. 5. ययेदं धार्यते जगत्

6. अहं कृत्स्नस्य जगतः

13. एभिः सर्वमिदं जगत्

8. 26. जगतः शाश्वते मते

9. 4. मया ततमिदं सर्वं जगत्

10. जगद्विपरिवर्त्तते

Gîtâ. 9. 17. पिताहमस्य जगतः

10. 42. विष्टभ्याहमिदं . . स्थितो जगत्

11. 7. इहैकस्थं जगत्कृत्स्नम्

13. तत्रैकस्थं जगत्कृत्स्नम्

30. तेजोभिरापूर्य जगत्समग्रम्

36. जगत्प्रहृष्यत्यनुरज्यते च

15. 12. जगद्भासयतेऽखिलम्

16. 18. जगदाहुरनीश्वरम्

9. क्षयाय जगतोऽहिताः

जगत्पति

Gîtâ. 10. 15. देवदेव जगत्पते

जगत्प्राण

Râmap. 18. जगत्प्राणायात्मनेऽस्मै

जगदाकारकारिन्

Râmot. 3. जगदाकारकारिणी (so MSS. ; but printed editions °नन्ददायिनी)

जगदाधारभूत

Râmap. 92. एवंभूतं जगदाधारभूतम्

जगद्धित

Nṛip. 2. 4. जगद्धितं वा एतद्रूपमक्षरं भवति

Śirâs. 3. जगद्धितं वा एतदक्षरम्

जगद्बीज

Kṛish. 25. अब्जकाण्डं जगद्बीजम्

जगद्योनि

Râmap. 26. प्रकृत्या परमेश्वर्या जगद्योन्या

जगन्निवास

Gîtâ. 11. 25. प्रसीद देवेश जगन्निवास 45.

37. अनन्त देवेश जगन्निवास

जग्धतृण

Katha. 1. 3. पीतोदका जग्धतृणाः

जघनार्द्ध

Brih. 1. 1. 1. निम्लोचन् जघनार्द्धः

जघनेन

Chhâ. 2. 24. 3. जघनेन गार्हपत्यस्य
7. जघनेनाग्नीध्रीयस्य
11. जघनेनाहवनीयस्य
Brih. 6. 3. 6. जघनेनाग्निं..संविशति
— जघनेनाग्निमासीनः

जघन्यगुणवृत्तिस्थ

Gitâ. 14. 18. जघन्यगुणवृत्तिस्था अधो गच्छन्ति तामसाः

जङ्गम

Ait. 5. 3. जङ्गमं च पतत्रि च यच्च स्थावरम्
Chûl. 17. यस्मिन् सर्वमिदं..स्थावरजङ्गमम्
Gâruḍa. 2. स्थावराणां जङ्गमानाम्
Vâsu. 3. जङ्गमस्थावरेषु च
Râmot. 5. यत्स्थावरजङ्गमात्मकम्
Gîtâ. 13. 26. सत्त्वं स्थावरजङ्गमम्

जंघा

Kshur. 6. जंघे चैव त्रयस्त्रयः

जट

Maitri. 7. 8. *vide* रङ्गावतारिन्

जटाधर

Aśrama. 3. बालखिल्या जटाधराः
Râmap. 25. पीतवासा जटाधरः

जटाभिरूप

Maitri. 6. 35. जटाभिरूपा इव कृष्णवर्त्मनः

जठर

Garbha. 3. गुल्फजठरकाटिप्रदेशः

जड

Nṛisut. 9. तदेतज्जडं मोहात्मकम्
Skanda. 3. व्यतिरिक्तं जडं सर्वम्
4. चिज्जडानां तु यो द्रष्टा

जडभरत

Jâbâla. 6. *vide* प्रभृति

जडवत्

Gauḍa. 2. 36. जडवल्लोकमाचरेत्

जन्

Ait. 3. 2. ताभ्यो ऽभितप्ताभ्यो मूर्त्तिरजायत या वै सा मूर्त्तिरजायतान्नं वै तत्
13. स जातो भूतान्यभिव्यैक्षत्
4. 1. अथैतज्जनयति तदस्य प्रथमं जन्म
4. इतः प्रयन्नेव पुनर्जायते
Chhâ. 2. 3. 1. मेघो जायते स प्रस्तावः 2. 15. 1.
2. 12. 1. धूमो जायते स प्रस्तावः
3. 1. 3. रसो ऽजायत 3. 2. 2; 3. 3. 2; 3. 4. 2; 3. 5. 2.
3. 13. 6. अस्य कुले वीरो जायते
3. 19. 3. यत्तदजायत सो ऽसावादित्यस्तं जायमानं &c.
5. 2. 3. जायेरन्नेवास्मिञ्छाखाः
5. 9. 1. गर्भो दश वा मासानन्तः शयित्वा..जायते
2. स जातो यावदायुषं जीवति
5. 10. 6. तिलमाषा इति जायन्ते
8. जायस्व म्रियस्वेति
6. 2. 1. तस्मादसतः सज्जायेत
— कथमसतः सज्जायेतेति
7. 12. 1. आकाशे जायते

Bṛih. 1. 2. 1. तस्यार्चत आपो ऽजायन्त
4. द्वितीयो म आत्मा जायेत
— तं जातमभिव्याददात्
1. 4. 3. ततो मनुष्या अजायन्त
4. कथं नु मात्मन एव जनयित्वा संभवति
— ततो गावो ऽजायन्त
— तत एकशफमजायत
— ततो ऽजावयो ऽजायन्त
1. 5. 1. सप्तान्नानि मेधया तपसाजनयत् 2.
2. मेधया हि तपसाजनयत्पिता
— कुमारं जातं घृतं वैवाग्रे प्रतिलेहयन्ति
— वत्सं जातमाहुरतृणाद इति
— इदमन्नं पुनः पुनर्जनयते
— इदमन्नं धिया धिया जनयते
12. ततः प्राणो ऽजायत
14. ततः प्रातर्जायते
2. 1. 8. अथो प्रतिरूपो ऽस्माज्जायते
3. 9. 22. तस्मादपि प्रतिरूपं जातमाहुः
28. जात एव न जायते को न्वेनं जनयेत्पुनः
4. 1. 6. तस्यां प्रतिरूपः पुत्रो जायते
4. 3. 8. अयं पुरुषो जायमानः
6. 2. 16. ततो योषाग्नी जायन्ते
6. 3. 7. जायेरञ्छाखाः प्ररोहेयुः पलाशानि 8—12.
6. 4. 14. पुत्रो मे शुक्लो जायेत
— ईश्वरौ जनयितवै 15—18.
15. पुत्रो मे कपिलः पिङ्गलो जायेत
16. पुत्रो मे श्यामो लोहिताक्षो जायेत
17. दुहिता मे पण्डिता जायेत
18. पुत्रो मे पण्डितः...जायेत

Bṛih. 6. 4. 24. जाते ऽग्निमुपसमाधाय
28. वीरमजीजनत्सा त्वम्
— य एवंविदो ब्राह्मणस्य पुत्रो जायते

Tait. 2. 2. 1. अन्नाद्भूतानि जायन्ते जातान्यन्नेन वर्द्धन्ते Maitri. 6. 12.
2. 7. 1. ततो वै सदजायत
3. 1. 1. यतो वा इमानि भूतानि जायन्ते येन जातानि जीवन्ति
3. 2. 1. अन्नात्..जायन्ते ऽन्नेन जातानि जीवन्ति
3. 3. 1. प्राणात्..जायन्ते प्राणेन जातानि जीवन्ति
3. 4. 1. मनसः..जायन्ते मनसा जातानि जीवन्ति
3. 5. 1. विज्ञानात्..जायन्ते विज्ञानेन जातानि जीवन्ति
3. 6. 1. आनन्दात्..जायन्त आनन्देन जातानि जीवन्ति

Kaṭha. 2. 18. न जायते म्रियते वा Gîtâ. 2. 20.
3. 8. यस्माद्भूयो न जायते
4. 6. यः पूर्वं तपसो जातमद्भ्यः पूर्वमजायत

Śwet. 1. 1. कुतः स्म जाता जीवाम केन
2. 16. पूर्वो हि जातः स उ गर्भे अन्तः स एव जातः स जनिष्यमाणः Śiras. 5.
3. 3. द्यावाभूमी जनयन्देव एकः Mahânâr. 2. 2 (°पृथिवी)
4. हिरण्यगर्भं जनयामास पूर्वम्
4. 3. त्वं जातो भवसि विश्वतोमुखः
4. यतो जातानि भुवनानि विश्वा

Śwet. 4. 12. हिरण्यगर्भं पश्यत जायमानम् Mahânâr. 10. 3.
5. 2. जायमानं च पश्येत्
Maitri. 6. 9. विश्वं त्वया धार्यते जायमानम् Prâṇâg. 2.
15. संवत्सरेणेह वै जाता विवर्धन्ते
37. आदित्याज्जायते वृष्टिः
7. 11. मन्त्रं जनयति स्वरम्
Muṇḍ.1. 1. 9. तस्मादेतद्ब्रह्म नामरूपमन्नं च जायते
2. 1. 3. एतस्माज्जायते प्राणः Kaivalya. 15.
2. 2. 6. बहुधा जायमानः
3. 2. 2. स कामभिर्जायते तत्र तत्र
Mahânâr. 1. 6. बहुधा जातं जायमानम् 13. 2.
2. 1. पूर्वो हि जातः स उ गर्भे अन्तः स विजायमानः स जनिष्यमाणः
5. 5. ऋतं च सत्यं चाभीद्धात्तपसो ऽध्यजायत ततो रात्र्यजायत
6. 1. जनयन्प्रजा भुवनस्य राजा
9. 2. बह्वीं प्रजां जनयन्तीं सरूपाम्
4. यस्मान्न जातः परो ऽन्यो ऽस्ति Nṛip. 2. 4.
10. 2. इन्द्र एकं सूर्य एकं जजान
Praśna. 3. 1. कुत एष प्राणो जायते
3. आत्मन एष प्राणो जायते
Kaivalya. 14. ततस्तु जातं सकलं विचित्रम्
19. मय्येव सकलं जातम्
Gauḍa. 1. 6. सर्वं जनयति प्राणः
3. 1. जाते ब्रह्मणि वर्त्तते
2. यथा न जायते किञ्चिज्जायमानं समन्ततः

Gauḍa. 3. 24. बहुधा मायया जायते
25. को न्वेनं जनयेत्
27. तत्त्वतो जायते यस्य जातं तस्य हि जायते
28. वन्ध्यापुत्रो न तत्त्वेन मायया वापि जायते
43. जातं नैव तु पश्यति
48. न कश्चिज्जायते जीवः 4. 71.
— एतत्तदुत्तमं सत्यं यत्र किञ्चिन्न जायते 4. 71.
4. 4. भूतं न जायते किञ्चिदभूतं नैव जायते
11. कारणं तस्य जायते
— जायमानं कथमजम्
12. जायमानाद्धि वै कार्यात्
13. अजाद्वै जायते यस्य
— जाताच्च जायमानस्य
21. जायमानाद्धि वै धर्मात्
22. स्वतो वा परतो वापि न किञ्चिद्वस्तु जायते
— सदसत्सदसद्वापि न किञ्चिद्वस्तु जायते
23. हेतुर्न जायते ऽनादेः
28. तस्मान्न जायते चित्तं चित्तदृश्यं न जायते
29. अजातं जायते यस्मात्
46. एवं न जायते चित्तम्
57. संवृत्या जायते सर्वम्
58. धर्मा य इति जायन्ते जायन्ते ते न तत्त्वतः
59. जायते तन्मयो ऽङ्कुरः
68. जायते म्रियते ऽपि च 69, 70.
74. संवृत्या जायते तु सः
75. निर्निमित्तो न जायते
76. तदा न जायते चित्तम्
97. अणुमात्रे ऽपि वैधर्म्ये जायमाने ऽविपश्चितः

Nṛip. 1. 1. अनुष्टुभो वा इमानि भूतानि जायन्ते अनुष्टुभा जातानि जीवन्ति
2. 4. यतो वीरः..जायते देवकामः
3. 1. आकाशादेव जायन्ते आकाशादेव जातानि जीवन्ति

Kshur. 1. न पुनर्जन्म योगयुक्तस्य जायते

Chûl. 18. व्यक्ततां भूयो जायन्ते

Garbha. 2. यथा देवदत्तस्य द्रव्यादिविषया जायन्ते
4. जातश्चाहं मृतश्चैव
— मृतश्चाहं पुनर्जातो जातश्चाहं पुनर्मृतः

Mahâ. 1. नास्य प्रजा नसंवत्सरा जायन्ते
2. त्र्यक्षः शूलपाणिः पुरुषोऽजायत
3. तत्र ब्रह्मा चतुर्मुखोऽजायत

Yogat. 3. यस्मिन् जाते भगे पूर्णे

Kaṭhaśru. 1. यथा मेदोवृद्धिर्न जायते

Piṇḍa. 6. हृत्कण्ठं तालु जायते

Haṁsa. 1. ब्रह्मविद्याप्रबोधो हि केनोपायेन जायते
2. नादो दशविधो जायते

Nâr. 1. नारायणात्प्राणो जायते
— नारायणाद्ब्रह्मा जायते
— नारायणाद्रुद्रो जायते नारायणात्प्रजापतिर्जायते
— नारायणादिन्द्रो जायते

Jâbâla. 4. यतो जातो अरोचथाः

Vâsu. 4. पापबुद्धिस्तस्य न जायते

Gopî. 4. पीतवर्णा मृदो जायन्ते लोकानुमहार्थम्

Râmap. 1. जाते दशरथे हरौ
17. जातान्याभ्यां भुवनानि द्विसप्त

Mukti. 1. 9. वेदा जाताः सुविस्तराः
13. सहस्रसंख्यया जाताः
2. *vide* समाधि
2. 2. ज्ञानं यथावन्नैव जायते

Gîtâ. 1. 29. रोमहर्षश्च जायते
41. जायते वर्णसंकरः
2. 27. जातस्य हि ध्रुवो मृत्युः
3. 26. न बुद्धिभेदं जनयेत्
10. 6. मद्भावा मानसा जाताः
14. 12. रजस्येतानि जायन्ते
13. तमस्येतानि जायन्ते
15. कर्मसंगिषु जायते
— मूढयोनिषु जायते

1. जन

Kaush. 4. 1. जनको जनक इति वा उ जना धावन्तीति Bṛih. 2. 1. 1 (omits उ)

Bṛih. 1. 3. 10. तस्माच्च जनमियात्
4. 4. 11. अविद्वांसोऽबुधो जनाः
17. यस्मिन्पञ्च पञ्च जनाः
6. 1. 5. आयतनं स्वानां भवत्यायतनं जनानाम् (bis).

Iśâ. 3. ये के चात्महनो जनाः

Tait. 1. 4. 3. यशो जनेऽसानि

Kaṭha. 1. 19. एतमग्निं तवैव प्रवक्ष्यन्ति जनासः
6. 17. सदा जनानां हृदये सन्निविष्टः Śwet. 3. 13; 4. 17.

Śwet. 2. 16. प्रत्यङ् जनास्तिष्ठति 3. 2; Śiras 5 (bis).

Gauḍa. 1. 29. स मुनिर्नेतरो जनः

Nîla. 2. जनासः पश्यतेमम्

Kṛish. 23. वदन्ति विबुधा जनाः

Râmap. 84. न देयं प्राकृते जने

Gîtâ. 3. 21. तत्तदेवेतरो जनः
7. 16. जनाः सुकृतिनोऽर्जुन
28. जनानां पुण्यकर्मणाम्

Gîtâ. 8. 17. अहोरात्रविदो जनाः
24. ब्रह्मविदो जनाः
9. 22. ये जनाः पर्युपासते
16. 7. जना न विदुरासुराः
17. 4. यजन्ते तामसा जनाः
5. तप्यन्ते ये तपो जनाः

2. जन

Chhâ. 5. 11. 1. जनः शार्कराक्ष्यः
5. 15. 1. अथ होवाच जनम्

जनक

Kaush. 4. 1. जनको जनक इति वा उ जना धावन्ति Bṛih. 2. 1. 1 (omits उ)
Bṛih. 3. 1. 1. जनको वैदेहः
4. 1. 1—7; 4. 2. 1; 4. 4. 7; 5. 14. 8; Jâbâla. 4.
— जनकस्य वैदेहस्य, 2.
4. 2. 4. अभयं वै जनक प्राप्तो ऽसि
4. 3. 1. जनकं ह वैदेहम्
— जनकश्च वैदेहः
Gîtâ. 3. 20. आस्थिता जनकादयः

जनकात्मजा

Râmap. 47. जनकात्मजामादाय

जनत्

Mahâ. 3. ओं जनदिति व्याहृत्या (Saṁkarânanda reads जन इति व्याहृत्या)

जननी

Śiras. 4. ईशानीभिर्जननीभिश्च शक्तिभिः
Yogat. 4. या भार्या जननी हि सा

जनपद

Chhâ. 5. 11. 5. न मे स्तेनो जनपदे
8. 1. 5. यं जनपदं यं क्षेत्रभागम्
Bṛih. 2. 1. 18. स्वे जनपदे यथाकामं परिवर्तेत

जनलोक

Nṛip. 5. 6. स जनलोकं जयति
Nâda. 4. जनलोकस्तु हृदये
Aruṇeya. 1. *vide* तपोलोक

जनस्

Mahânâr. 15. 2. ओं जनः
3. भूर्भुवःसुवर्महर्जनस्तपःसत्यम्

जनसंसद्

Gîtâ. 13. 10. अरतिर्जनसंसदि

जनाधिप

Gîtâ. 2. 12. न त्वं नेमे जनाधिपाः

जनार्दन

Gîtâ. 1. 36. का प्रीतिः स्याज्जनार्दन
39. प्रपश्यद्भिर्जनार्दन
44. मनुष्याणां जनार्दन
3. 1. मता बुद्धिर्जनार्दन
10. 18. विभूतिं च जनार्दन
11. 51. रूपं तव सौम्यं जनार्दन

जनितृ

Chhâ. 4. 3. 7. जनिता प्रजानाम्
Śwet. 6. 9. न चास्य कश्चिज्जनिता
Mahânâr. 2. 5. स नो बन्धुर्जनिता
Chûl. 5. जनित्री भूतभाविनी

जनिमन्

Ait. 4. 5. अवेदमहं देवानां जनिमानि विश्वा

जन्तु

Kaṭha. 2. 20. आत्मास्य जन्तोर्निहितो गुहायाम्
6. 8. यं ज्ञात्वा मुच्यते जन्तुः

Śwet. 3. 20. आत्मा गुहायां निहितो ऽस्य जन्तोः Mahânâr. 8. 3.
Maitri. 6. 34. समासक्तं यथा चित्तं जन्तोः
Garbha. 4. जन्तुभिश्च समन्वितः
Prâṇâg. 4. जन्तुर्मोक्षं च प्राप्नुयात्
Yogaśi. 8. अथ न ध्यापयेज्जन्तुः
Jâbâla. 1. अत्र हि जन्तोः प्राणेषूत्क्रममाणेषु Râmot. 1.
Nyâsa. 3. जन्तुसंरक्षणार्थम् Kaṭhaśru. 4.
Râmot. 4. देहि तज्जन्तोर्मुक्तिम्
Mukti. 1. 21. जन्तोर्दक्षिणकर्णे तु
2. 2. लोकवासनया जन्तोः
Gîtâ. 5. 15. तेन मुह्यन्ति जन्तवः

जन्मकर्मफल

Gîtâ. 2. 43. जन्मकर्मफलप्रदाम्

जन्मन्

Ait. 4. 1. तदस्य प्रथमं जन्म
3. कुमारं जन्मनो ऽग्रे ऽधिभावयति
— तदस्य द्वितीयं जन्म
4. तदस्य तृतीयं जन्म
Kaivalya. 22. न जन्म देहेन्द्रियबुद्धिरस्ति
Gauḍa. 3. 27. सतो हि मायया जन्म युज्यते न तु तत्त्वतः
28. असतो मायया जन्म तत्त्वतो नैव युज्यते
4. 15. तथा जन्म भवेत्तेषां पुत्राज्जन्म पितुर्यथा
58. जन्म मायोपमं तेषाम्
Śiras. 4. *vide* महाभय
Garbha. 4. जन्म जन्म पुनः पुनः
— न स्मरति जन्ममरणानि
Prâṇâg. 4. एकेन जन्मना जन्तुर्मोक्षं च प्राप्नुयात्
Yogat. 5. भ्रमन्तो यानि जन्मानि
Nâr. 5. जन्मसंसारबन्धनात् Atmapra 1.
Râmot. 2. *vide* महद्भय
Mukti. 2. 25. जन्मजरामरणकारणम्
Gîtâ 2. 27. ध्रुवं जन्म मृतस्य च
4. 4. अपरं भवतो जन्म परं जन्म विवस्वतः
5. बहूनि मे व्यतीतानि जन्मानि
9. जन्म कर्म च मे दिव्यम्
6. 42. लोके जन्म यदीदृशम्
7. 19. बहूनां जन्मनामन्ते
13. 8. जन्ममृत्युजराव्याधिदुःखदोषानुदर्शनम्
21. सदसद्योनिजन्मसु
14. 20. जन्ममृत्युजरादुःखैः
16. 20. मूढा जन्मनि जन्मनि

जन्मनिरोध

Śwet. 3. 21. जन्मनिरोधं प्रवदन्ति यस्य

जन्मबन्ध

Gîtâ. 2. 51. जन्मबन्धविनिर्मुक्ताः

जन्ममरण

Garbha. 4. तदा न स्मरति जन्ममरणानि
Gîtâ. 7. 29. जन्ममरणमोक्षाय

जन्ममृत्यु

Kaṭha. 1. 17. त्रिकर्मकृत्तरति जन्ममृत्यू
Śwet. 1. 11. जन्ममृत्युप्रहाणिः

जन्मविनाशिन्

Mukti. 2. 61. शुद्धा जन्मविनाशिनी

जन्महेतु

Mukti. 2. 61. मलिना जन्महेतुः स्यात्

जन्मान्तर

Yogaśi. 10. जन्मान्तरसहस्रेषु

Kaivalya. 14. जन्मान्तरकर्मयोगात्
Mukti. 2. 14. जन्मान्तरशताभ्यस्ता

जन्मान्तरित

Râmot. 4. स जन्मान्तरितान्दोषान्ना-
शयति

जप्

Kaush. 2. 8. एतास्तिस्र ऋचो जपित्वा
'11. अथास्य दक्षिणे कर्णे जपति
Chhâ. 5. 2. 6. जपत्यमो नामास्यमा हि
ते सर्वमिदम्
Bṛih. 1. 3. 28. यत्र प्रस्तुयात्तदेतानि जपेत्
6. 3. . 6. जघनेनाग्निमासीनो वंशं
जपति
6. 4. 9. जपेदङ्गादङ्गात्संभवसि
Kaivalya. 24. सर्वदा सकृद्वा जपेत्
Nṛip. 1. 7. तस्मादिदं साम मध्यगं ज-
पति
Śiras. 7. गायत्र्याः षष्टिसहस्राणि
जप्तानि भवन्ति Mahâ. 4.
— इतिहासपुराणानां रुद्राणां
शतसहस्राणि जप्तानि भ-
वन्ति Mahâ. 4.
— प्रणवानामयुतं जप्तं भवति
Mahâ. 3.
— अथर्वशिरः सकृज्जप्त्वैव
. . द्वितीयं जप्त्वा . . तृतीयं
जप्त्वा
Mahâ. 4. जाप्येनामृतत्वं च गच्छति
Prâṇâg. 2. हृदयमन्वालभ्य जपेत्
Amṛita. 17. जप्त्वा चैवाथ मण्डलम्
Nyâsa. 3. अध्यात्ममन्त्रान् जपन्
Kaṭhaśru. 4. अध्यात्ममन्त्रान् जपेत्
Jâbâla. 3. किं जप्येनामृतत्वं ब्रूहि
(4 MSS. read जाप्येन)
Râmap. 11. जप्तव्यो मन्त्रिणा
Râmot. 4. श्रीरामचन्द्रस्य मनुं जजाप
Mukti. 2. 21. न समाधानजाप्याभ्याम्

जप

Nṛip. 1. 5. मुमुक्षुर्भवति जपात्
Gopî. 5. जपदानादि यत्कृतम्
Râmap. 91. तस्मै जपादींश्च सम्यक् स-
मर्प्य
Râmot. 4. जपहोमार्चनादिभिः

जपकोटि

Haṁsa. 2. स एव जपकोट्यां नादम-
नुभवति (so MSS.)

जपयज्ञ

Gîtâ. 10. 25. यज्ञानां जपयज्ञो ऽस्मि

जबाला

Chhâ. 4. 4. 1. जबालां मातरमामन्त्रयाञ्चक्रे
2. जबाला तु नामाहमस्मि 4.

जमदग्नि

Bṛih. 2. 2. 4. इमावेव विश्वामित्रजमद-
ग्नी . . अयं जमदग्निः

जम्भ्

Nîla. 21. कल्माषपुच्छमोषधे जम्भय

जय

Chhâ. 2. 10. 6. आप्नोतीहादित्यस्य जयम्
— परो हास्यादित्यस्य जया-
ज्जयो भवति
Mukti. 2. 47. हठाच्चेतसो जयम्
Gîtâ. 2. 38. लाभालाभौ जयाजयौ
10. 36. जयो ऽस्मि व्यवसायो ऽस्मि

जयद्रथ

Gîtâ. 11. 34. द्रोणं च भीष्मं च जयद्रथं च

जयन्तक

Râmap. 54. ततो धृष्टिर्जयन्तकः

जरा

Chhâ. 8. 1. 4. यदेनज्जरा वाप्नोति
5. नास्य जरयैतज्जीर्यति

Chhâ. 8. 4. 1. न जरा न मृत्युर्न शोकः
Bṛih. 3. 5. 1. यः..जरां मृत्युमत्येति
4. 3. 36. यत्रायमणिमानं न्येति जरया
Kaṭha. 1. 12. न जरया बिभेति
Śwet. 2. 12. न तस्य रोगो न जरा न मृत्युः
Maitri. 1. 3. *vide* आद्य
3. 5. जरा शोकः..इति तामसानि
6. 10. कौमारं यौवनं जरा
Gîtâ. 2. 13.
Śiras. 4. *vide* महाभय
Râmot. 2. *vide* महद्भय
Mukti. 2. 25. जन्मजरामरणकारणम्
Gîtâ. 13. 8. जन्ममृत्युजराव्याधिदुःखदोषानुदर्शनम्
14. 20. जन्ममृत्युजरादुःखैः

जराप्रणुदन्

Prâṇâg. 2. शारीरो ऽग्निर्नाम जराप्रणुदा

जरामरण

Gauḍa. 4. 10. जरामरणनिर्मुक्ताः सर्वे धर्माः स्वभावतः
— जरामरणमिच्छन्तः
Śiras. 4. *vide* महाभय

जरामर्य

Mahânâr. 25. 1. एतद्वै जरामर्यमग्निहोत्रं सत्रम्

जरामृत्यु

Muṇḍ. 1. 2. 7. जरामृत्युं ते पुनरेवापियन्ति

जरायु

Chhâ. 3. 19. 2. यज्जरायु ते पर्वताः
Bṛih. 6. 4. 23. सहावैतु जरायुणा

जरितृ

Nṛip. 2. 4. मृडा जरित्रे सिंह स्तवानः

जल

Śwet. 2. 10. शब्दजलाश्रयादिभिः.
Śiras. 5. जलमिति भस्म
Vâsu. 2. इमं मे गङ्ग इति जलमादाय

जलक्रीडा

Gopî. 5. जलक्रीडासु संभृतम्
— कृष्णगोपीजलक्रीडाकुङ्कुमम्

जलचन्द्र

Brahmab. 12. दृश्यते जलचन्द्रवत्

जलतीर

Kaṭhaśru. 1. जलतीरे निकेतनं हि

जलपवित्र

Aśrama. 4. *vide* धारिन्
— *vide* यज्ञोपवीत
Jâbâla. 6. पात्रं जलपवित्रम्

जलाषभेषज (?)

Nîla. 3. एष एत्यवीरहा रुद्रो जलाषभेषजाः (4 MSS. have °जीः and one °जी. Nârâyaṇa explains जलास°)

जलौका

Brahma. 1. भूयस्तेनैव स्वप्नाय गच्छति जलौकावत्
— यथा जलौकाग्रमग्रं नयति

जव

Kena. 19. तदुपमेयाय सर्वजवेन 23.

जवन

Śwet. 3. 19. अपाणिपादो जवनो ग्रहीता

जवस्

Ait. 4. 5. श्येनो जवसा निरदीयम्

जवीयस्

Iśâ. 4. अनेजदेकं मनसो जवीयः

जागत

Chhâ.3. 16. 5. जागतं तृतीयसवनम्

Mahâ. 3. जागतं छन्दः सामवेदः

जागरण

Sarvop. 1. तदात्मनो जागरणम्

जागरितदेश

Bṛih. 4. 3. 14. अथो खल्वाहुर्जागरितदेश एवास्यैषः

जागरितवत्

Gauḍa. 4. 37. ग्रहणाज्जागरितवत्

जागरितस्थान

Mâṇḍû. 3. जागरितस्थानो बहिःप्रज्ञः Nṛip. 4. 1 ; Râmot. 3.

9. जागरितस्थानो वैश्वानरः

Nṛisut. 1. जागरितस्थानः स्थूलप्रज्ञः

2. जागरितस्थानश्चतुरात्मा

जागरितान्त

Kaṭha. 4. 4. स्वप्नान्तं जागरितान्तं च

जागृ

Kaush. 2. 5. जाग्रच्च स्वपंश्च सन्ततं जुहोति

Bṛih. 4. 3. 14. यानि ह्येव जाग्रत्पश्यति

20. यदेव जाग्रद्भयं पश्यति

6. 4. 4. सुप्तस्य वा जाग्रतो वा रेतः स्कन्दति

Kaṭha. 3. 14. उत्तिष्ठत जाग्रत

4. 8. जागृवद्भिर्हविष्मद्भिर्मनुष्येभिः

5. 8. य एष सुप्तेषु जागर्त्ति

Maitri. 6. 17. एष कृत्स्नक्षय एको जागर्त्ति

Mahânâr.18. 1. यत्स्वपन्तश्च जाग्रतश्चैनश्चकृम

— यत्सुषुप्तश्च जाग्रतश्चैनश्चकृम

Praśna. 4. 1. कान्यस्मिन् जाग्रति

3. प्राणाग्नय एवैतस्मिन् पुरे जाग्रति

Kaivalya. 12. स एव जाग्रत् परितृप्तिमेति

17. जाग्रत्स्वप्नसुषुप्त्यादिप्रपञ्चम्

Gauḍa. 2. 4. तथा जागरिते स्मृतम्

5. स्वप्नजागरिते स्थाने

3. 29. तथा जाग्रद्द्वयाभासं स्पन्दते मायया मनः

30. तथा जाग्रन्न संशयः 4. 62.

4. 37. सज्जागरितमिष्यते

39. असज्जागरिते दृष्ट्वा

41. विपर्यासाद्यथा जाग्रत्

61. तथा जाग्रद्द्वयाभासं चित्तं चलति मायया

65. चरन् जागरिते जाग्रत्

66. जाग्रतश्चित्तमिष्यते

— जाग्रच्चित्तेक्षणीयास्ते

Nṛip. 5. 10. तद्विप्रासः..जागृवांसः समिन्धते Aruṇeya. 5 ; Vâsu. 4 ; Skanda. 15 ; Mukti. 2. 78.

Nṛisut. 2. जाग्रत्यस्वप्नमसुषुप्तम्

Brahma. 1. स जाग्रदभिधीयते

— यत्र जाग्रति शुभाशुभमनिरुक्तमस्य देवस्य

2. जागरितं स्वप्नं सुषुप्तं तुरीयम्

— जागरिते ब्रह्मा

— सो ऽग्निर्जाग्रत्

3. जाग्रत् स्वप्ने तथा जीवो गच्छत्यागच्छते पुनः

— नेत्रस्थं जाग्रतं विद्यात्

Brahmab. 11. जाग्रत्स्वप्नसुषुप्तिषु

Sarvop. 1. जाग्रत्स्वप्नसुषुप्तं तुरीयं च कथम्

Gîtâ. 2. 69. तस्यां जागर्त्ति संयमी
— यस्यां जाग्रति भूतानि
6. 16. जाग्रतो नैव चार्जुन

जाग्रदवस्था

Haṁsa. 2. केसरे जाग्रदवस्था

जाग्रद्वृत्ति

Gauḍa. 2. 10. जाग्रद्वृत्तावपि

जाठर

Maitri. 6. 34. पवमानपावकशुचिसंघातो हि जाठरः

जातपुत्र

Kaush. 2. 8. इति नु जातपुत्रस्याथाजातपुत्रस्य

जातमात्र

Garbha. 4. जातमात्रस्तु वैष्णवेन वायुना संस्पृष्टः

जातरूप

Bṛih. 6. 4. 25. अनन्तर्हितेन जातरूपेण प्राशयति

Śiras. 5. विश्वं देवं जातरूपं वरेण्यम्

जातवेदस्

Kena. 16. जातवेद एतद्विजानीहि
17. जातवेदा वा अहमस्मीति

Bṛih. 6. 3 1. यावन्तो देवास्त्वयि जातवेदस्तिर्यञ्चः

Kaṭha. 4. 8. अरण्योर्निहितो जातवेदाः

Maitri. 6. 8. विश्वरूपं हरिणं जातवेदसम् Praśna. 1. 8.

Mahânâr 2. 8. उद्दीप्यस्व जातवेदः
9. मा नो हिंसीज्जातवेदः
6. 2. जातवेदसे सुनवाम सोमम्
5. विश्वानि नो दुर्गहा जातवेदः

जाति

Gauḍa. 3. 3. जातावेतन्निदर्शनम्
20. अजातस्यैव भावस्य जातिमिच्छन्ति
4. 3. भूतस्य जातिमिच्छन्ति
6. अजातस्यैव धर्मस्य जातिमिच्छन्ति
28. तस्य पश्यन्ति ये जातिम्
42. जातिस्तु देशिता बुद्धैः

जातिदोष

Gauḍa. 4. 43. जातिदोषा न सेत्स्यन्ति

जातिधर्म

Gîtâ. 1. 43. उत्साद्यन्ते जातिधर्माः

जातीपुष्प

Kshur. 19. जातीपुष्पसमायोगैः

जातु

Bṛih. 3. 8. 1. न वै जातु युष्माकमिमं कश्चिद्ब्रह्मोद्यं जेता 12.

Gîtâ. 2. 12. न त्वेवाहं जातु नासम्
3. 5. न हि कश्चित् . . जातु तिष्ठत्यकर्मकृत्
23. यदि ह्यहं न वर्त्तेयं जातु

जातूकर्ण्य

Bṛih. 2. 6. 3. पाराशर्यो जातूकर्ण्यात् 4. 6. 3.
— जातूकर्ण्य आसुरायणाच्च यास्काच्च 4. 6. 3.

जात्याभास

Gauḍa. 4. 45. जात्याभासं चलाभासम्

जानकि

Bṛih. 6. 3. 10. जानकय आयस्थूणाय
11. जानकिरायस्थूणः

जानकी

Râmot. 5. यो वै श्रीरामः..या जानकी (25)

जानकीदेहभूष

Râmap. 32. जानकीदेहभूषाय

जानपद

Bṛih. 2. 5. 71. महाराजो जानपदान् गृहीत्वा

जानश्रुति

Chhâ. 4. 1. 1. जानश्रुतिः पौत्रायणः 5; 4. 2. 1, 3.
2. जानश्रुतेः पौत्रायणस्य

जानु

Kaush. 2. 3. दक्षिणं जान्वाच्य
Kshur. 7. द्वे जानुनि तथोरुभ्याम्
Nâda. 3. भुवोलोकस्तु जानुनोः

जाबाल

Chhâ. 4. 4. 1. सत्यकामो जाबालः 2, 4; 5. 2. 3; Bṛih. 4. 1. 6; 6. 3. 12.
4. 10. 1. सत्यकामे जाबाले
Bṛih. 4. 1. 6. तथा तज्जाबालो ऽब्रवीत्
6. 3. 11. सत्यकामाय जाबालाय
Mukti. 1. 31. ब्रह्मकैवल्यजाबालश्वेताश्वः
1. *vide* मुक्तिका
— *vide* गारुड

जाबालदर्शन

Mukti. 1. *vide* जाबालि

जाबालायन

Bṛih. 4. 6. 2. उद्दालकायनो जाबालायनात्
— जाबालायनो माध्यन्दिनायनात्

जाबालि

Mukti. 1. 40. *vide* मुक्तिका
1. केनछान्दोग्यारुणिमैत्रायणीमैत्रेयीवज्रसूचिकयोगचूडामणिवासुदेवमहत्संन्यासाऽव्यक्तकुण्डिकासावित्रीरुद्राक्षजाबालदर्शनजाबालीनाम्

जाम्बवन्त्

Râmap. 54. जाम्बवन्तं च तैर्युक्तः

जायन्तीपुत्र

Bṛih. 6. 5. 2. आलंबीपुत्रो जायन्तीपुत्रात्
— जायन्तीपुत्रो माण्डूकायनीपुत्रात्

जाया

Kaush. 2. 10. अथ संवेश्यन् जायायै हृदयमभिमृशेत्
Chhâ. 1. 10. 1. आटिक्या सह जायया
5. स ह खादित्वातिशेषान् जायाया आजहार
7. तं जायोवाच हन्त ये त इम एव कुल्माषा इति
4. 2. 4. इयं जाया ऽयं ग्रामः
4. 10. 2. तं जायोवाच तप्तो ब्रह्मचारी
Bṛih. 1. 4. 17. जाया मे स्यात् (bis).
— वाग्जाया
2. 4. 5. न वा अरे जायायै कामाय जाया प्रिया भवत्यात्मनस्तु कामाय जाया प्रिया भवति 4. 5. 6.
6. 4. 12. यस्य जायायै जारः स्यात्
13. यस्य जायामार्त्तवं विन्देत्
19. अन्यामिच्छ प्रफर्व्यं सं जायां पत्या सह

Maitri. 7. 11. अस्य जायेयं सऽये चाक्षिण्यवस्थिता

Nyâsa. 2. यन्मन्युर्जायामावहत्
Kaṭhaśru. 4.

जार

Bṛih. 6. 4. 12. यस्य जायायै जारः स्यात्

जारत्कारव

Bṛih. 3. 2. 1. जारत्कारव आर्त्तभागः 13.

जारुज

Ait. 5. 3. अण्डजानि च जारुजानि च

जाल

Śwet. 5. 3. एकैकं जालं बहुधा विकुर्वन्

Maitri. 3. 2. जालेनेव खचरः 6. 30.

Brahma. 1. एकेन तन्तुना जालं विक्षिपति

जालक

Bṛih. 4. 2. 3. यदेतदन्तर्हृदये जालकमिव

जालवन्त्

Śwet. 3. 1. य एको जालवानीशते

जाह्नवी

Gîtâ. 10. 31. स्रोतसामस्मि जाह्नवी

जि

Kaush. 1. 7. तां जितिं जयति

Chhâ. 1. 9. 2. परोवरीयसो ह लोकान् जयति 2. 7. 2.

2. 10. 5. द्वाविंशेन परमादित्याज्जयति

4. 5. 3. प्रकाशवतो ह लोकाञ्जयति

4. 6. 4. अनन्तवतो ह लोकाञ्जयति

4. 7. 4. ज्योतिष्मतो ह लोकाञ्जयति

Chhâ. 4. 8. 4. आयतनवतो ह लोकाञ्जयति

8. 8. 5. अमुं लोकं जेष्यन्तो मन्यन्ते

Bṛih. 1. 5. 13. अन्तवन्तं स लोकं जयति — अनन्तं स लोकं जयति

15. यद्यपि सर्वज्यानिं जीयते

16. मनुष्यलोकः पुत्रेणैव जय्यो नान्येन कर्मणा

23. सायुज्यं सलोकतां जयति
5. 13. 1–4.

3. 1. 7. किं ताभिर्जयतीति 8, 10.

8. देवलोकमेव . . जयति . . पितृलोकमेव . . जयति . . मनुष्यलोकमेव . . जयति

3. 1. 9. अनन्तमेव स तेन लोकं जयति 3. 2. 12.

10. पृथिवीलोकमेव पुरोऽनुवाक्यया जयति

3. 8. 1. न वै जातु युष्माकमिमं कश्चिद्ब्रह्मोद्यं जेता 12.

5. 4. 1. जयतीमाँल्लोकान् जित इन्न्वसावसत्

5. 11. 1. परमं हैव लोकं जयति य एवं वेद (ter).

5. 14. 1. स यावदेषु त्रिषु लोकेषु तावद्ध जयति

2. स यावतीयं त्रयी विद्या तावद्ध जयति

3. स यावदिदं प्राणि तावद्ध जयति

6. 2. 16. ये यज्ञेन दानेन तपसा लोकाञ्जयन्ति

Mund. 3. 1. 6. सत्यमेव जयते नानृतम्

10. तं तं लोकं जयते तांश्च कामान्

Praśna. 5. 1. कतमं वाव स तेन लोकं जयति

Nṛip. 1. 3. स त्रीँल्लोकान् जयति
2. 1. तेन वै सर्वे मृत्युमजयन्
— स मृत्युं जयति
5. 6. स भूर्लोकं जयति
— स भुवर्लोकं जयति
— स स्वर्लोकं जयति
— स महर्लोकं जयति
— स जनलोकं जयति
— स तपोलोकं जयति
— स सत्यलोकं जयति
— स सर्वलोकं जयति

Sikhâ. 2. विष्णुः सर्वान् जयति

Gopî. 2. कृष्णाख्यं परं धामाजयन्

Mukti. 2. 5. जेतव्यो भवता कपे
42. जयेदादौ स्वकं मनः
43. न शक्यते मनो जेतुम्

Gîtâ. 2. 6. यद्वा जयेम यदि वा नो जयेयुः
37. जित्वा वा भोक्ष्यसे महीम्
5. 19. इहैव तैर्जितः सर्गः
6. 6. येनात्मैवात्मना जितः
10. 38. नीतिरस्मि जिगीषताम्
11. 33. जित्वा शत्रून् भुंक्ष्व राज्यम्
34. युध्यस्व जेतासि रणे सपत्नान्

जिगीषा

Maitri. 3. 5. जिगीषार्थोपार्जनम्

जिज्ञासु

Gîtâ. 6. 44. जिज्ञासुरपि योगस्य
7. 16. आर्त्तो जिज्ञासुरर्थार्थी

जितक्रोध

Tejo. 3. जिताहारो जितक्रोधः

जितलोक

Bṛih. 4. 3. 33. पितॄणां जितलोकानाम् (bis).

जितसङ्ग

Tejo. 3. जितसङ्गो जितेन्द्रियः

जितसङ्गदोष

Gîtâ. 15. 5. निर्मानमोहा जितसंगदोषाः

जितात्मन्

Gîtâ. 6. 7. जितात्मनः प्रशान्तस्य
18. 49. जितात्मा विगतस्पृहः

जिताहार

Tejo. 3. जिताहारो जितक्रोधः

जिति

Kaush. 1. 7. सा या ब्रह्मणो जितिर्या व्यष्टिस्तां जितिं जयति

जितेन्द्रिय

Tejo. 3. जितसङ्गो जितेन्द्रियः

Gopi. 5. मिताहारो जितेन्द्रियः

Gitâ. 5. 7. विजितात्मा जितेन्द्रियः

जित्वन्

Bṛih. 4. 1. 2. जित्वा शैलिनिः

जिष्णु

Kaush. 4. 7. एवमुपास्ते जिष्णुः..भवति Bṛih. 2. 1. 6.

जिह्म

Praśna. 1. 16. न येषु जिह्ममनृतं न माया च

जिह्वा

Kaush. 1. 7. केनान्नरसानिति जिह्वयेति
3. 5. जिह्वैवास्या एकमङ्गमुदूल्हम्

Kaush. 3. 6. प्रज्ञया जिह्वां समारुह्य जिह्वया सर्वानन्नरसानाप्नोति
7. न हि प्रज्ञापेता जिह्वान्नरसं कंचन प्रज्ञापयेत्
Chhâ. 5. 7. 1. जिह्वार्चिः
Bṛih. 2. 4. 11. सर्वेषां रसानां जिह्वैकायनम् 4. 5. 12.
3. 2. 4. जिह्वा वै ग्रहः
— जिह्वया हि रसान्विजानाति
Tait. 1. 3. 4. जिह्वा सन्धानम्
1. 4. 1. जिह्वा मे मधुमत्तमा
Muṇḍ. 1. 2. 4. लेलायमाना इति सप्त जिह्वाः
Mahânâr. 8. 4. सप्तार्चिषः समिधः सप्त जिह्वाः
9. 12. जिह्वा देवानाम्
11. 14. जिह्वा मे मधुवादिनी
Garbha. 1. जिह्वा रसने
5. द्वादश पला जिह्वा
Prâṇâg. 4. जिह्वेडा
Nyâsa. 5. सन्दश्य दशनैर्जिह्वाम्

जिह्वाग्रदेश

Maitri. 7. 11. जिह्वाग्रदेशे त्र्यणुकं च विद्धि

जिह्वावन्त्

Bṛih. 6. 5. 3. वाजश्रवा जिह्वावतो वाध्योगात्
— जिह्वावान् वाध्योगो ऽसिताद्वार्षगणात्

जीव्

Kaush. 2. 11. स जीव शरदः शतमिति (bis).
— शतं शरद आयुषो जीवस्व
3. 3. जीवति वागपेतो मूकान् हि पश्यामः (similarly five times more).

Chhâ. 1. 10. 4. न वा अ[illegible] मान-खादन्निति
1. 11. 9. अन्नमेव प्रतिहरमाणानि जीवन्ति
2. 11. 2. ज्योग् जीवति 12. 2; 13. 2; 14. 2; 15. 2; 16. 2; 17. 2; 18. 2; 19. 2; 20. 2; 4. 11. 2; 4. 12. 2; 4. 13. 2.
3. 16. 7. स ह षोडशं वर्षशतमजीवत्
5. 1. 8. कथमशकतर्त्ते मज्जीवितुमिति 9, 10, 11.
5. 9. 2. स जातो यावदायुषं जीवति
6. 11. 1. जीवन् स्रवेत् (ter)
7. 9. 2. यद्यु ह जीवेत्
Bṛih. 1. 5. 15. आत्मना चेज्जीवति
3. 9. 28. जीवतस्तत्प्रजायते
6. 1. 8. कथमशकत मदृते जीवितुम् 9—12.
— एवमजीविष्मेति 9—12.
13. न वै शक्ष्यामस्त्वदृते जीवितुमिति
6. 2. 13. स जीवति यावज्जीवति
Îśâ. 2. जिजीविषेच्छतं समाः
Tait. 2. 1. 1. अथो अन्नेनैव जीवन्ति Maitri. 6. 11 (अतो)
3. 1. 1. येन जातानि जीवन्ति
3. 2. 1. अन्नेन जातानि जीवन्ति
3. 3. 1. प्राणेन जातानि जीवन्ति
3. 4. 1. मनसा जातानि जीवन्ति
3. 5. 1. विज्ञानेन जातानि जीवन्ति
3. 6. 1. आनन्देन जातानि जीवन्ति
Kaṭha. 1. 23. स्वयं च जीव शरदो यावदिच्छसि
27. जीविष्यामो यावदीशिष्यसि त्वम

Katha. 5. 5. न प्राणेन नापानेन मर्त्यो जीवति कश्चन
— इतरेण तु जीवन्ति.
Śwet. 1. 1. कुतःस्म जाता जीवाम केन
Mahânâr. 4. 6. जीवामि शरदः शतम्
Nṛip. 1. 1. अनुष्टुभा जातानि जीवन्ति
3. 1. आकाशादेव जातानि जीवन्ति
Nîla. 7. तया नो मृड जीवसे
Râmot. 4. जीवन्तो मन्त्रसिद्धाः स्युः
Gîtâ. 2. 6. यानेव हत्वा न जिजीविषामः
3. 16. मोघं पार्थ स जीवति

जीव

Chhâ. 6. 3. 2. अनेन जीवेनात्मनानुप्रविश्य 3.
6. 11. 1. जीवेनात्मनानुप्रभूतः
2. यदेकां शाखां जीवो जहाति
3. न जीवो म्रियते
8. 3. 2. ये चास्येह जीवा ये च प्रेताः
Katha. 4. 5. आत्मानं जीवमन्तिकात्
Śwet. 5. 9. जीवः स विज्ञेयः
Maitri. 6. 19. प्राणसंज्ञको जीवः
Mahânâr. 1. 4. तोयेन जीवान्विससर्ज भूम्याम्
12. 3. किं तत्सत्यमन्नमायुरमृतो जीवो विश्वः
Kaivalya. 13. स्वप्ने स जीवः सुखदुःखभोक्ता
14. स एव जीवः स्वपिति
— यश्च जीवस्ततस्तु जातं सकलं विचित्रम्
Gauḍa. 1. 16. यदा जीवः प्रबुध्यते
2. 16. जीवं कल्पयते पूर्वम्
3. 3. जीवैर्घटाकाशैरिव
4. तद्वज्जीवा इहात्मनि

Gauḍa. 3. 5. तद्वज्जीवाः सुखादिभिः
6. तद्वज्जीवेषु निर्णयः
7. नैवात्मनः सदा जीवः
11. तेषामात्मा परो जीवः
13. जीवात्मनोरनन्यत्वम्
14. जीवात्मनोः पृथक्त्वम्
48. न कश्चिज्जायते जीवः
4. 71.
4. 63. जीवान्पश्यति यान् सदा
65.
68. यथा स्वप्नमयो जीवः
— तथा जीवा अमी सर्वे
69, 70.
69. यथा मायामयो जीवः
70. यथा निर्मितको जीवः
Nṛip. 4. 3. यो वै नृसिंहः . . यश्च जीवस्तस्मै वै नमोनमः (30)
Nṛisut. 9. जीवेशावाभासेन करोति (Nârâyaṇa and one MS. read अभासेन)
9. अभिमन्ता जीवः
— सर्वे जीवाः सर्वमयाः
Kshur. 22. छिन्नपाशस्तथा जीवः
Garbha. 3. सप्तमे जीवेन संयुक्तः
Brahma. 2. स पुरुषः स प्राणः स जीवः
3. जाग्रत् स्वप्ने तथा जीवो गच्छति
— आनन्दमेतज्जीवस्य
Brahmab. 13. तद्वज्जीवो घटोपमः
Sarvop. 1. कर्त्ता जीवः क्षेत्रज्ञः . . कथम्
2. उपहितत्वाज्जीव इत्युच्यते
Skanda. 6. जीवः शिवः शिवो जीवः
स जीवः केवलः शिवः
7. एवं बद्धस्तथा जीवः
— पाशबद्धस्तथा जीवः
10. स जीवः केवलः शिवः

जीवघन

Prasna. 5. 5. एतस्माज्जीवघनात्परात्परं पुरिशयं पुरुषमीक्षते

जीवज

Chhâ. 6. 3. 1. आण्डजं जीवजमुद्भिज्जम्

जीवत्व

Râmap. 14. जीवत्वेनेदमों यस्य

जीवन

Chhâ. 1. 9. 3. परोवरीयो हैभ्यस्तावद-स्मिँल्लोके जीवनं भविष्यति
4. परोवरीय एव हास्यास्मिँ-ल्लोके जीवनं भवति

Mahânâr. 2. 8. पशूंश्च मह्यमावह जीवनं च

Gîtâ. 7. 9. जीवनं सर्वभूतेषु

जीवन्मुक्त

Mukti. 1. 43. जीवन्मुक्ता भवन्ति ते
2. 33. जीवन्मुक्तः सरूपः स्यात्
35. जीवन्मुक्तस्य तन्मनः
— मनोनाशो जीवन्मुक्तस्य विद्यते
76. जीवन्मुक्तपदं त्यक्त्वा

जीवन्मुक्ति

Mukti. 2. केयं जीवन्मुक्तिः
— तन्निरोधनं जीवन्मुक्तिः
— जीवन्मुक्तिविदेहमुक्त्योः
— जीवन्मुक्त्यादिलाभः

जीवभूत

Gîtâ. 7. 5. जीवभूतां महाबाहो
15. 7. जीवभूतः सनातनः

जीवल

Prâṇâg. 1. जीवलां नघारिषाम्

जीवलोक

Gîtâ. 15. 7. ममैवांशो जीवलोके

जीववाचिन्

Râmap. 19. जीववाचि नमो नाम

जीवात्मन्

Râmot. 5. यो वै श्रीरामः..यो जी-वात्मा (7)

जीवापेत

Chhâ. 6. 11. 3. जीवापेतं वाव किलेदं म्रि-यते

जीवित

Bṛih. 2. 4. 2. यथैवोपकरणवतां जीवितं तथैव ते जीवितं स्यात्
4. 5. 3.

Kaṭha. 1. 26. सर्वं जीवितमल्पमेव
28. अतिदीर्घे जीविते को रमेत

Gîtâ. 1. 32. किं भोगैर्जीवितेन वा

जीवितुकाम

Gâruḍa. 1. भारद्वाजो जीवितुकामेभ्यः शिष्येभ्यः प्रायच्छत्

जुष्

Kaush. 2. 15. यशो ब्रह्मवर्चसं कीर्त्तिस्त्वा जुषतामिति

Śwet. 1. 6. जुष्टस्ततस्तेनामृतत्वमेति
2. 7. जुषेत ब्रह्म पूर्व्यम्
4. 5. अजो ह्येको जुषमाणोऽनुशे-ते Mahânâr. 9. 2.
7. जुष्टं यदा पश्यत्यन्यमीशम्
6. 21. ऋषिसंघजुष्टम्

Mahânâr 6. 3. कर्मफलेषु जुष्टाम्
15. 1. इदं ब्रह्म जुषस्व नः
16. 4. मेधा देवी जुषमाणा
— त्वया जुष्टा जुषमाणा दुरु-क्तान्
— त्वया जुष्ट ऋषिर्भवतु

Mahânâr.16. 4. त्वया जुष्टश्चित्रं विन्दते वसु सा नो जुषस्व द्रविणेन मेधे
6. सा मां मेधा..जुषताम् 7.
Gîtâ. 3. 26. जोषयेत्सर्वकर्माणि

जुहुराण

Bṛih. 5. 15. 1. युयोध्यस्मज्जुहुराणमेनः Iśâ. 18.

जुहू

Chhâ. 3. 15. 2. प्राची दिग् जुहूर्नाम

जूति

Ait. 5. 2. मनीषा जूतिः स्मृतिः संकल्पः

जृम्

Râmap. 68. हृं सृं भृं वृं लृं शृं जृं च

जृम्भण

Skanda. 2. अन्तःकरणजृंभणात्

जृ
४

Kaush. 1. 3. न वा अयं जरयिष्यति (?)
Chhâ. 3. 15. 1. अन्तरिक्षोदरः कोशो भूमिबुध्नो न जीर्यति
8. 1. 5. नास्य जरयैतज्जीर्यति
Kaṭha. 1. 26. सर्वेन्द्रियाणां जरयन्ति तेजः
28. जीर्यन्मर्त्यः क्वधःस्थः
Śwet. 4. 3. त्वं जीर्णो दण्डेन वञ्चसि
Mahânâr.24. 1. आसक्तिपूरितं जारयिष्ठाः
Gîtâ. 2. 22. वासांसि जीर्णानि यथा विहाय
— तथा शरीराणि विहाय जीर्णानि

जेतृ

Râmap. 26. प्रसन्नवदनो जेता

जैवलि

Chhâ. 1. 8. 1. प्रवाहणो जैवलिः 2, 8; 5. 3. 1.
Bṛih. 6. 2. 1. जैवलिं प्रवाहणम्
4. प्रवाहणस्य जैवलेः

ज्ञ

Śwet. 1. 9. ज्ञाज्ञौ द्वावजावीशनीशौ
6. 2. ज्ञः कालकालो गुणी 16.
17. ज्ञः सर्वगो भुवनस्यास्य गोप्ता
Praśna. 5. 6. न कम्पते ज्ञः
Nṛisut. 3. ज्ञो ऽमृतो हुतसंवित्कः
Sarvop. 2. तद्गतविशेषाविशेषज्ञः (MSS. have ज्ञानं for ज्ञः)
Mukti. 2. 39. ज्ञमनो नाशमभ्येति मनो ज्ञस्य हि शृंखला

ज्ञा

Chhâ. 2. 13. 1. ज्ञपयते स प्रस्तावः
5. 2. 9. समृद्धिं तत्र जानीयात्
6. 15. 1. जानासि मां जानासि मामिति 8. 6. 4.
— यावन्न वाङ्मनसि सम्पद्यते ..तावज्जानाति
2. अथ न जानाति
8. 6. 4. यावदस्माच्छरीरादनुत्क्रान्तो भवति तावज्जानाति
8. 12. 6. यस्तमात्मानमनुविद्य जानाति
Bṛih. 1. 5. 21. तानि ज्ञातुं दध्रिरे
3. 9. 20. हृदयेन हि रूपाणि जानाति
21. हृदयेन हि श्रद्धां जानाति
23. हृदयेन हि सत्यं जानाति
6. 2. 3. तथा नस्त्वं तात जानीथाः
Kaṭha. 2. 4. अविद्या या च विद्येति ज्ञाता Maitri. 7. 9.
10. जानाम्यहं शेवधिरित्यनित्यम्

Kaṭha. 2 16. एतद्ध्येवाक्षरं ज्ञात्वा Maitri. 6. 4.
17. एतदालंबनं ज्ञात्वा
21. कस्तं मदामदं देवं मदन्यो ज्ञातुमर्हति
6. 8. यं ज्ञात्वा मुच्यते जन्तुः
Śwet. 1. 8. ज्ञात्वा देवं मुच्यते सर्वपाशैः 2.15; 4.16; 5.13; 6.13.
11. ज्ञात्वा देवं सर्वपाशापहानिः
12. एतज्ज्ञेयं नित्यमेवात्मसंस्थम्
3. 7. ईशं तं ज्ञात्वा अमृता भवन्ति
4. 14. ज्ञात्वा शिवं शान्तिमत्यन्तमेति
15. तमेवं ज्ञात्वा मृत्युपाशांश्छिनत्ति
16. ज्ञात्वा शिवं सर्वभूतेषु गूढम्
6. 6. ज्ञात्वात्मस्थममृतम्
Maitri. 6. 4. पुनः पञ्चधा ज्ञेयम्
7. सर्वमात्मा जानीतेति
8. एष वा जिज्ञासितव्यः
7. 8. लोको न जानाति वेदविद्यान्तरं तु यत्
Muṇḍ.2. 2. 1. एतज्ज्ञानथ सदसद्वरेण्यम्
5. तमेवैकं जानथ आत्मानम्
Mahânâr. 24. 1. स भूतं स च भव्यं जिज्ञास
— ज्ञात्वा तमेव मनसा
Kaivalya. 9. ज्ञात्वा तं मृत्युमत्येति
17. तद्ब्रह्माहमिति ज्ञात्वा
Gauḍa. 1. 15. निद्रातत्त्वमजानतः
18. ज्ञाते द्वैतं न विद्यते
24. ओङ्कारं पादशो ज्ञात्वा
27. एवं हि प्रणवं ज्ञात्वा
3. 33. ब्रह्म ज्ञेयमजं नित्यम्
47. अजमजेन ज्ञेयेन सर्वज्ञम्
4. 88. ज्ञानं ज्ञेयं च विज्ञेयम्
89. ज्ञाने च त्रिविधे ज्ञेये

Gauḍa. 4. 90. हेयज्ञेयाप्यपाक्यानि
91. प्रकृत्याकाशवज्ज्ञेयाः
Nṛip. 1. 2. तत्साम्नः प्रथमं पादं जानीयात् 4.
— तत्साम्नो द्वितीयं पादं जानीयात् 4.
— तत्साम्नस्तृतीयं पादं जानीयात् 4.
— तत्साम्नश्चतुर्थं पादं जानीयात् 4.
— यो जानीते सोऽमृतत्वं च गच्छति 3 (bis), 4 (bis), 5 (bis), 6 (3 times), 7 (3 times); 2. 3 (3 times); 4. 1.
3. तस्मादिदं साङ्गं साम जानीयात् 5, 6, 7.
— द्वात्रिंशदक्षरं साम जानीयात्
प्रणवं यदि जानीयात् स्त्रीशूद्रः
4. मृत्युं चतुर्थस्याद्यं साम जानीयात्
5. नृकेसरिं . . परमं पदं साम जानीयात्
— मृत्युं चतुर्थस्याद्यन्त्यं साम जानीयात्
— इदं साम येन केनचिदाचार्यमुखेन यो जानीते
— यो जानीते स मुमुक्षुर्भवति
6. यो यजुर्वेदवाच्यस्तं साम जानीयात्
— नमा चतुर्थान्तार्द्धस्याद्यं साम जानीयात्
7. म्यहं चतुर्थस्यान्त्यं साम जानीयात्
— आत्मनि ब्रह्मण्यानुष्टुभं जानीयात्

Nrip. 2. 3. उग्रं प्रथमं स्थानं जानीयात्
— अहमित्येकादशं स्थानं जानीयात्
— सर्वमिदमानुष्टुभं जानीयात्
4. 1. प्रणवं सावित्रीं . . अङ्गानि जानीयात्

Nrisut. 5. तस्मादात्मानमेवैवं जानीयात् (bis).
— परमेव ब्रह्म मकारेण जानीयात्
6. आत्मानं ज्ञातुमैच्छन्
— आत्मानं नृसिंहानुष्टुभैव जानीयात्
— आत्मप्रकाशं शून्यं जानन्तः
9. अविषयज्ञानत्वाज्जानन्नेव ह्यत्र न विजानाति
— ज्ञातो वैष विज्ञातः
— ज्ञातो ऽज्ञातश्चेति होचुः
— ओतमोतेन जानीयादनुज्ञातारमान्तरम्

Brahmav. 9. तिस्रो मात्रास्तथा ज्ञेयाः
10. अर्द्धमात्रा तथा ज्ञेया

Śiras. 7. स सर्वैर्देवैर्ज्ञातो भवति
Mahâ. 4; Kâlâg. 2.

Garbha. 3. तदेकाक्षरं ज्ञात्वा

Brahma. 3. यं ज्ञात्वा मुच्यते बुधः

Brahmab. 8. तद्ब्रह्माहमिति ज्ञात्वा
9. ज्ञात्वा च परमं शिवम्
14. तद्ब्रह्म न च जानाति स जानाति च नित्यशः

Dhyâna. 6. तज्ज्ञेयं च निरञ्जनम्
Yogat. 14

Kaṭhaśru. 2. मे तद्वदतो ज्ञास्यथ

Sarvop. 3. ज्ञातृज्ञानज्ञेयानाम्

Haṁsa. 1. मतं ज्ञात्वा पिनाकिनः

Parama. 3. इदमन्तरं ज्ञात्वा स परमहंसः

Jâbâla. 3. एतेर्ह वा अमृतो भवति कथं जानीयाम् (so 4 MSS.)
4. तं जानन्नम आरोह

Vâsu. 3. भक्त्या जानाति वाथ यः

Râmot. 2. तदेवोपास्यमिति ज्ञेयम्
3. सा सीता भवति ज्ञेया

Mukti. 1. 5. त्वद्रूपं ज्ञातुमिच्छामि
2. 65. ब्रह्मतत्त्वं न जानाति
67. उभयोरन्तरं ज्ञात्वा

Gîtâ. 1. 38. कथं न ज्ञेयमस्माभिः
4. 15. एवं ज्ञात्वा कृतं कर्म
16. यज्ज्ञात्वा मोक्ष्यसे ऽशुभात्
9. 1.
32. एवं ज्ञात्वा विमोक्ष्यसे
35. यज्ज्ञात्वा न पुनर्मोहमेवं यास्यसि
5. 3. ज्ञेयः स नित्यसन्न्यासी
29. ज्ञात्वा मां शान्तिमृच्छति
7. 1. यथा ज्ञास्यसि तच्छृणु
2. यज्ज्ञात्वा नेह भूयो ऽन्यज्ज्ञातव्यमवशिष्यते
8. 2. ज्ञेयो ऽसि नियतात्मभिः
27. नैते सृती पार्थ जानन्
9. 13. ज्ञात्वा भूतादिमव्ययम्
11. 25. दिशो न जाने न लभे च शर्म
54. ज्ञातुं द्रष्टुं च तत्त्वेन
13. 12. ज्ञेयं यत्तत्प्रवक्ष्यामि यज्ज्ञात्वामृतमश्नुते
16. भूतभर्तृ च तज्ज्ञेयम्
17. ज्ञानं ज्ञेयं ज्ञानगम्यम्
18. ज्ञेयं चोक्तं समासतः
14. 1. यज्ज्ञात्वा मुनयः सर्वे
15. 19. जानाति पुरुषोत्तमम्
16. 24. ज्ञात्वा शास्त्रविधानोक्तम्
18. 18. ज्ञानं ज्ञेयं परिज्ञाता
55. ततो मां तत्त्वतो ज्ञात्वा

ज्ञाति

Kaush. 1. 4. तस्य प्रिया ज्ञातयः सुकृतमुपयन्ति

Chhâ. 6. 15. 1. पुरुषं . उपतापिनं ज्ञातयः पर्युपासते

8. 12. 3. रममाणः स्त्रीभिर्वा...ज्ञातिभिर्वा

ज्ञातृ

Chhâ. 8. 5. 1. ब्रह्मचर्येण ह्येव यो ज्ञाता तं विन्दते

Katha. 2. 7. आश्चर्यो ज्ञाता कुशलानुशिष्टः

Sarvop. 3. ज्ञातृज्ञानज्ञेयानामाविर्भावतिरोभावज्ञाता

ज्ञान

Tait. 2. 1. 1. सत्यं ज्ञानमनन्तं ब्रह्म

Katha. 3. 13. तद्यच्छेज्ज्ञान आत्मनि

— ज्ञानमात्मनि महति नियच्छेत्

6. 10. यदा पञ्चावतिष्ठन्ते ज्ञानानि Maitri. 6. 30.

Śwet. 5. 2. यस्तमग्रे ज्ञानैर्बिभर्त्ति

Maitri. 6. 34. एतज्ज्ञानं च मोक्षं च

Kaivalya. 11. ज्ञाननिर्मथनाभ्यासात्

24. अनेन ज्ञानमाप्नोति संसारार्णवनाशनम्

Gauḍa. 3. 33. अकल्पकमजं ज्ञानम्

38. आत्मसंस्थं तदा ज्ञानम्

4. 1. ज्ञानेनाकाशकल्पेन

88. ज्ञानं ज्ञेयं च विज्ञेयम्

89. ज्ञाने च त्रिविधे ज्ञेये

96. धर्मेषु ज्ञानमिष्यते

— यतो न क्रमते ज्ञानम्

99. क्रमते नहि बुद्धस्य ज्ञानम्

— सर्वे धर्मास्तथा ज्ञानम्

Nṛip. 1. 3. *vide* ऐश्वर्यवन्त्

Śiras. 4. भक्त्या ज्ञानेन भजति

Śikhâ. 2. सर्वज्ञानयोगध्यानानाम्

Garbha. 3. सर्वलक्षणज्ञानसम्पूर्णः

Brahma. 3. ज्ञानमेव परं तेषां पवित्रं ज्ञानमुत्तमम्

Brahmab. 5. एतज्ज्ञानं च ध्यानं च

18. ज्ञानविज्ञानतत्त्वतः

19. क्षीरवत्पश्यते ज्ञानम्

28. स्वयमुत्पद्यते ज्ञानम्

Sarvop. 2. भूतात्मज्ञानादृते

3. ज्ञातृज्ञानज्ञेयानाम्

— सत्यं ज्ञानमनन्तमानन्दं ब्रह्म

— ज्ञानमित्युत्पत्तिविनाशरहितं चैतन्यं ज्ञानमित्यभिधीयते

Parama. 2. परमात्मात्मनोरेकत्वज्ञानेन

3. ज्ञाने स्थिरस्थः

Jâbâla. 2. सो ऽविमुक्तं ज्ञानमाचष्टे यो वै तदेवं वेद Râmot. 4.

Vâsu. 3. इत्येतान्निश्चितं ज्ञानम्

4. सम्यग् ज्ञानं लब्ध्वा

Kṛish. 13. बलं ज्ञानं सुराणां वै तेषां ज्ञानं हृतं क्षणात्

Skanda. 11. अभेददर्शनं ज्ञानम्

Mukti. 1. 27. तथाप्यसिद्धं चेज्ज्ञानम्

— ज्ञानं लब्ध्वाचिरादेव

2. 2. ज्ञानं यथावन्नैव जायते

Gitâ. 3. 39. आवृतं ज्ञानमेतेन

40. ज्ञानमावृत्य देहिनम्

41. ज्ञानविज्ञाननाशनम्

4. 33. ज्ञाने परिसमाप्यते

34 उपदेक्ष्यन्ति ते ज्ञानम्

38. नहि ज्ञानेन सदृशम्

39. श्रद्धावाँल्लभते ज्ञानम्

— ज्ञानं लब्ध्वा परां शान्तिम्

5. 15. अज्ञानेनावृतं ज्ञानम्

Gîtâ. 5. 16. ज्ञानेन तु तदज्ञानम्
— तेषामादित्यवज्ज्ञानम्
6. 8. ज्ञानविज्ञानतृप्तात्मा
7. 2. ज्ञानं ते ऽहं सविज्ञानम्
9. 1. ज्ञानं विज्ञानसहितम्
10. 4. बुद्धिर्ज्ञानमसम्मोहः
38. ज्ञानं ज्ञानवतामहम्
42. किं ज्ञानेन तवार्जुन
12. 12. श्रेयो हि ज्ञानमभ्यासाज्ज्ञा-
नाद्ध्यानं विशिष्यते
13. 2. क्षेत्रक्षेत्रज्ञयोर्ज्ञानं यत्त-
ज्ज्ञानं मतं मम
11. एतज्ज्ञानमिति प्रोक्तम्
17. ज्ञानं ज्ञेयं ज्ञानगम्यम्
18. इति क्षेत्रं तथा ज्ञानम्
14. 1. ज्ञानानां ज्ञानमुत्तमम्
2. इदं ज्ञानमुपाश्रित्य
9. ज्ञानमावृत्य तु तमः
11. ज्ञानं यदा तदा विद्यात्
17. सत्त्वात्सञ्जायते ज्ञानम्
15. 15. मत्तः स्मृतिर्ज्ञानमपोहनं च
16. 1. ज्ञानयोगव्यवस्थितिः
18. 18. ज्ञानं ज्ञेयं परिज्ञाता
19. ज्ञानं कर्म च कर्त्ता च
20. तज्ज्ञानं विद्धि सात्त्विकम्
21. पृथक्त्वेन तु यज्ज्ञानम्
— तज्ज्ञानं विद्धि राजसम्
42. ज्ञानं विज्ञानमास्तिक्यम्
50. निष्ठा ज्ञानस्य या परा
63. इति ते ज्ञानमाख्यातम्

ज्ञानगम्य

Gîtâ. 13. 17. ज्ञानं ज्ञेयं ज्ञानगम्यम्

1. ज्ञानचक्षुस् adj.

Chûl. 16. पश्यन्तो ज्ञानचक्षुषः
Gîtâ. 15. 10. पश्यन्ति ज्ञानचक्षुषः

2. ज्ञानचक्षुस्

Gîtâ. 13. 34. ज्ञानचक्षुषा . . ये विदुः

ज्ञानतस्

Mukti. 1. 46. ज्ञानतो ऽज्ञानतो वापि

ज्ञानतपस्

Gîtâ. 4. 10. बहवो ज्ञानतपसा पूताः

ज्ञानतृप्त

Muṇḍ.3. 2. 5. सम्प्राप्यैनमृषयो ज्ञानतृप्ताः

ज्ञानदण्ड

Parama. 3. ज्ञानदण्डो धृतो येन

ज्ञानदीप

Gîtâ. 10. 11. ज्ञानदीपेन भास्वता

ज्ञानदीपित

Gîtâ. 4. 27. आत्मसंयमयोगाग्नौ . .
ज्ञानदीपिते

ज्ञाननिर्धूतकल्मष

Gîtâ. 5. 17. ज्ञाननिर्धूतकल्मषाः

ज्ञाननिष्ठ

Brahma. 3. ज्ञानशिखिनो ज्ञाननिष्ठाः

ज्ञाननेत्र

Brahmab. 21. ज्ञाननेत्रं समादाय

ज्ञानप्रसाद

Muṇḍ.3. 1. 8. ज्ञानप्रसादेन विशुद्धसत्त्वः

ज्ञानप्लव

Gîtâ. 4. 36. सर्वं ज्ञानप्लवेनैव

ज्ञानबलक्रिय

Śwet. 6. 8. स्वाभाविकी ज्ञानबलक्रिया
च

ज्ञानमय

Muṇḍ.1. 1. 9. यस्य ज्ञानमयं तपः Nyâsa.1.

Brahma. 3. यस्य ज्ञानमयी शिखा
— शिखा ज्ञानमयी यस्य
Râmap. 49. मुद्रां ज्ञानमयीं याम्ये

ज्ञानमात्र

Mukti. 1. कैवल्यमुक्तिर्ज्ञानमात्रेणोक्ता

ज्ञानमार्ग

Râmap. 4. ज्ञानमार्गं च नामतः

ज्ञानयज्ञ

Gîtâ. 4. 33. श्रेयान्द्रव्यमयाद्यज्ञाज्ज्ञानयज्ञः परन्तप
9. 15. ज्ञानयज्ञेन चाप्यन्ये
18. 70. ज्ञानयज्ञेन तेनाहमिष्टः

ज्ञानयज्ञोपवीतिन्

Brahma. 3. सूत्रमन्तर्गतं येषां ज्ञानयज्ञोपवीतिनाम्
— ज्ञानशिखिनो ज्ञाननिष्ठा ज्ञानयज्ञोपवीतिनः

ज्ञानयोग

Gîtâ. 3. 3. ज्ञानयोगेन सांख्यानाम्

ज्ञानवन्त्

Chhâ. 7. 7. 2. विज्ञानवतो वै स लोकान् ज्ञानवतो ऽभिसिध्यति
Nṛip. 3. 1. यदि प्लुता भवति ज्ञानवान् भवति
Gîtâ. 3. 33. सदृशं चेष्टते स्वस्याः प्रकृतेर्ज्ञानवानपि
7. 19. ज्ञानवान्मां प्रपद्यते
10. 38. ज्ञानं ज्ञानवतामहम्

ज्ञानवर्जित

Parama. 3. सर्वाशी ज्ञानवर्जितः

ज्ञानविग्रह

Skanda. 4. सो ऽच्युतो ज्ञानविग्रहः

ज्ञानवैराग्यद

Mukti. 1. 41. ज्ञानवैराग्यदं पुंसाम्

ज्ञानशक्ति

Kâlâg. 2. तृतीया रेखा सा...ज्ञानशक्तिः

ज्ञानशिखिन्

Brahma. 3. ज्ञानशिखिनो ज्ञाननिष्ठाः

ज्ञानसङ्ग

Gîtâ. 14. 6. ज्ञानसंगेन चानघ

ज्ञानसञ्छिन्नसंशय

Gîtâ. 4. 41. ज्ञानसञ्छिन्नसंशयम्

ज्ञानसन्तति

Mâṇḍû. 10. उत्कर्षति ह वै ज्ञानसन्ततिम् Nṛisut. 2.

ज्ञानाग्नि

Garbha. 5. ज्ञानाग्निर्दर्शनाग्निः कोष्ठाग्निः
— ज्ञानाग्निः शुभाशुभं च कर्म विन्दति
Gîtâ. 4. 19. ज्ञानाग्निदग्धकर्माणम्
37. ज्ञानाग्निः सर्वकर्माणि

ज्ञानात्मन्

Râmap. 89. ज्ञानात्मानं चार्चयेत्
Râmot. 5. यो वै श्रीरामः. . यो ज्ञानात्मा (46)

ज्ञानालोक

Gauḍa. 3. 35. तदेव निर्भयं ब्रह्म ज्ञानालोकं समन्ततः

ज्ञानावस्थितचेतस्

Gîtâ. 4. 23. गतसंगस्य युक्तस्य ज्ञानावस्थितचेतसः

ज्ञानासि

Gîtâ. 4. 42. हृत्स्थं ज्ञानासिनात्मनः

ज्ञानिन्

Parama. 3. स एव योगी च स एव ज्ञानी च

Gîtâ. 3. 39. ज्ञानिनो नित्यवैरिणा
4. 34. ज्ञानिनस्तत्त्वदर्शिनः
6 46. ज्ञानिभ्यो ऽपि मतो ऽधिकः
7. 16. ज्ञानी च भरतर्षभ
17. तेषां ज्ञानी नित्ययुक्तः
— प्रियो हि ज्ञानिनो ऽत्यर्थमहम्
18. ज्ञानी त्वात्मैव मे मतम्

ज्ञानोपसर्ग

Maitri. 7. 8. इदानीं ज्ञानोपसर्गा राजन्

ज्ञेयाभिन्न

Gauḍa. 3. 33. अकल्पकमजं ज्ञानं ज्ञेयाभिन्नं प्रचक्षते
4. 1. ज्ञानेन . . ज्ञेयाभिन्नेन

1. ज्या

Bṛih. 4. 3. 20. एनं घ्नन्तीव जिनन्तीव

2. ज्या

Nîla. 13. प्रमुञ्च धन्वनः . . ज्याम्

ज्यानि

Bṛih. 1. 5. 15. यद्यपि सर्वज्यानिं जीयते

ज्यायस्

Chhâ. 1. 9. 1. आकाशो ह्येवैभ्यो ज्यायान्
2. 21. 3. यानि पंचधा त्रीणि तेभ्यो न ज्यायः परमन्यदस्ति
3. 12. 6. ततो ज्यायांश्च पुरुषः
3. 14. 3. ज्यायान्पृथिव्या ज्यायानन्तरिक्षाज्ज्यायान्दिवो ज्यायानेभ्यो लोकेभ्यः

Śwet 3. 9. यस्मान्नाणीयो न ज्यायोस्ति कश्चित् Mahânâr. 10. 4.

Gîtâ. 3. 1. ज्यायसी चेत्कर्मणस्ते
8. कर्म ज्यायो ह्यकर्मणः

ज्यायस

Bṛih. 1. 3. 1. ज्यायसा असुराः

ज्येय

Kena. 34. अनन्ते स्वर्गे लोके ज्येये प्रतितिष्ठति

ज्येष्ठ

Chhâ. 3. 11. 4. ज्येष्ठाय पुत्राय पिता ब्रह्म प्रोवाच
5. ज्येष्ठाय पुत्राय पिता ब्रह्म प्रब्रूयात्
5. 1. 1. यो ह वै ज्येष्ठं च श्रेष्ठं च वेद ज्येष्ठश्च . . भवति प्राणो वाव ज्येष्ठः Bṛih. 6. 1. 1. (वै for वाव)
5. 2. 4. ज्येष्ठाय श्रेष्ठाय स्वाहा
6. ज्येष्ठः श्रेष्ठो राजाधिपतिः

Bṛih. 6. 1. 1. ज्येष्ठश्च श्रेष्ठश्च स्वानां भवति . . य एवं वेद
6. 3. 2. ज्येष्ठाय स्वाहा श्रेष्ठाय स्वाहा

Tait. 2. 2. 1. अन्नं हि भूतानां ज्येष्ठम् (bis)
2. 5. 1. विज्ञानं देवाः सर्वे ब्रह्म ज्येष्ठमुपासते

Maitri. 6. 13. अन्नं ज्येष्ठमन्नं भिषक्

Mahânâr. 7. 5. प्रोवाचोपनिषदिन्द्रो ज्येष्ठः
17. 2. ज्येष्ठाय नमः

Śiras. 1. ज्येष्ठोऽहं श्रेष्ठोऽहं वरिष्ठोऽहम्

ज्येष्ठपुत्र

Muṇḍ. 1. 1. 1. अथर्वाय ज्येष्ठपुत्राय

ज्यैष्ठ्य

Chhâ. 5. 2. 6. स मा ज्यैष्ठ्यं . . गमयतु

ज्योक्

Chhâ. 2. 11. 2. ज्योग् जीवति 12. 2; 13. 2; 14. 2; 15. 2; 16. 2; 17. 2; 18. 2; 19. 2; 20. 2; 4. 11. 2; 4. 12. 2; 4. 13. 2.

ज्योतिःस्वरूपिन्

Râmot. 5. परं ज्योतिःस्वरूपिणम्

ज्योतिर्मय

Muṇḍ. 3. 1 5. अन्तः शरीरे ज्योतिर्मयः
Râmap. 14. स्वभूर्ज्योतिर्मयः

ज्योतिर्वर्जित

Brahma. 2. ज्योतिर्वर्जितं न

ज्योतिष

Muṇḍ. 1. 1. 5. निरुक्तं छन्दो ज्योतिषम्

ज्योतिष्काम

Brahma. 1. ज्योतिष्कामो ज्योतिरानन्दयते

ज्योतिष्कृत्

Mahânâr. 20. 7. ज्योतिष्कृदसि सूर्य

ज्योतिष्टोम

Mukti. 2. यथा..ज्योतिष्टोमेन स्वर्गम्

ज्योतिष्मन्त्

Chhâ. 4. 7. 3. एष वै सोम्य चतुष्कलः पादो ब्रह्मणो ज्योतिष्मान्नाम
4. चतुष्कलं पादं ब्रह्मणो ज्योतिष्मानित्युपास्ते ज्योतिष्मानस्मिँल्लोके भवति ज्योतिष्मतो ह लोकाञ्जयति
Vâsu. 2. त्रयो ऽग्नयो ज्योतिष्मन्तः

ज्योतिस्

Ait. 5. 3. पृथिवी वायुराकाश आपो ज्योतींषीत्येतानि
Kaush. 4. 17. ज्योतिष आत्मेति वा अहमेतमुपासे
Chhâ. 3. 13. 7. यदतः परो दिवो ज्योतिर्दीप्यते
Chhâ. 3. 13. 7. यदिदमस्मिन्नन्तःपुरुषे ज्योतिः
3. 17. 7. उद्वयं तमसः परि ज्योतिष्पश्यन्तः..अगन्म ज्योतिरुत्तमम्
3. 18. 3. सोऽग्निना ज्योतिषा भाति च तपति च (similarly in 4, 5, 6).
4. 1. 2. समं दिवा ज्योतिराततम्
8. 3. 4. परं ज्योतिरुपसम्पद्य 8. 12. 2, 3. Maitri. 2. 2.
Bṛih. 1. 3. 28. तमसो मा ज्योतिर्गमय (bis). — मृत्युर्वै तमो ज्योतिरमृतम्
3. 9. 10. मनो ज्योतिः 11–17.
4. 3. 2. आदित्यैनैवायं ज्योतिषास्ते
3. चन्द्रमा एवास्य ज्योतिः ..चन्द्रमसैवायं ज्योतिषास्ते (similarly in 4, 5, 6).
9. स्वेन भासा स्वेन ज्योतिषा
4. 4. 16. ज्योतिषां ज्योतिः...उपासते
6 3. 4. अन्नमासि ज्योतिरसि
Tait. 1. 5. 2. सर्वाणि ज्योतींषि महीयन्ते
3. 8. 1. ज्योतिरन्नादमप्सु ज्योतिः प्रतिष्ठितं ज्योतिष्यापः
3. 10. 3. ज्योतिरिति नक्षत्रेषु
Kaṭha. 4. 13. ज्योतिरिवाधूमकः
Swet. 2. 1. अग्नेर्ज्योतिर्निचाय्य
3. बृहज्ज्योतिः करिष्यतः
3. 12. ईशानो ज्योतिरव्ययः
Maitri. 6. 3. यद्ब्रह्म तज्ज्योतिर्यज्ज्योतिः स आदित्यः
8. परायणं ज्योतिरेकं तपन्तम् Praśna. 1. 8.
17. अग्नौ चाधूमके यज्ज्योतिश्चित्रतरम्

Maitri 6. 27. यत्तस्य ज्योतिरिव सम्पश्यति
35. आपो ज्योती रसो ऽमृतं ब्रह्म Śiras. 6; Prâṇâg. 1; Mahânâr 13. 1; 15. 2, 3.

Muṇḍ. 2. 1. 3. खं वायुर्ज्योतिरापः पृथिवी Praśna. 6. 4; Kaivalya 15; Nâr. 1.
2. 2. 9. तच्छुभ्रं ज्योतिषां ज्योतिः

Mahânâr. 1. 1. शुक्रेण ज्योतींषि समनुप्रविष्टः
5. 10. आर्द्रं ज्वलति ज्योतिः.. ज्योतिर्ज्वलति
9. 4. त्रीणि ज्योतींषि सचते Nṛip. 2. 4.
11. 4. नारायणः परो ज्योतिः
14. 1. ज्योतींष्यापः
3. सत्ये ज्योतिषि जुहोमि
4. सूर्ये ज्योतिषि जुहोमि
20. 15. ज्योतिरहं विरजा विपाप्मा भूयासम् 16-21, 24, 25.
22. 1. सुवर्गस्य लोकस्य ज्योतिः

Praśna. 2. 9. सूर्यस्त्वं ज्योतिषां पतिः

Nṛisut. 6. सच्चिदानन्दघनं ज्योतिः (bis).
— देवा ज्योतिष उत्तितीर्षवः
— तज्ज्योतिरस्य सर्वस्य पुरतः सुविभातम्

Śiras. 3. अगन्म ज्योतिरविदाम देवान्

Brahma. 1. वेद एव परं ज्योतिः
— ज्योतिष्कामो ज्योतिरानन्दयते
2. हृदि प्राणश्च ज्योतिश्च

Nâda. 17. ज्योतिषामुदयो यतः

Nyâsa. 4. वायोर्ज्योतिर्ज्योतिष आपः

Atmapra. 1. यत्र ज्योतिरजस्रम्

Skanda. 5. स एव ज्योतिषां ज्योतिः

Râmap. 77. ज्योतिस्तीक्ष्णाग्निसंयुक्ता

Râmot. 3. परं ज्योतीरसो ऽहम्

Mukti. 2. 63. ज्योतिरान्तरम्

Gîtâ. 8. 24. अग्निर्ज्योतिरहः शुक्लः
25. तत्र चान्द्रमसं ज्योतिः
10. 21. ज्योतिषां रविरंशुमान्
13. 17. ज्योतिषामपि तज्ज्योतिः

ज्योतीरूप

Bṛih. 1. 5. 11. ज्योतीरूपमयमग्निः
12. ज्योतीरूपमसावादित्यः
13. ज्योतीरूपमसौ चन्द्रः

ज्वल्

Kaush. 2. 12. एतद्वै ब्रह्म दीप्यते यदग्निर्ज्वलत्यथैतन्म्रियते यन्न ज्वलति
3. 3. यथाग्नेर्ज्वलतः सर्वा दिशो विष्फुलिंगा विप्रतिष्ठेरन् 4. 20.

Chhâ. 2. 12. 1. ज्वलति स उद्गीथः
3. 13. 8. नदथुरिवाग्नेरिव ज्वलतः

Bṛih. 1. 5. 22. ज्वलिष्याम्येवाहमित्यग्निः
6. 3. 4. ज्वलदसि पूर्णमसि

Mahânâr. 5. 10. आर्द्रं ज्वलति ज्योतिरहमस्मि ज्योतिर्ज्वलति ब्रह्माहमस्मि
6. 3. तामग्निवर्णां तपसा ज्वलन्तीम्

Nṛip. 1. 4. ज्वलं द्वितीयस्याद्यम्
5. तं स द्वितीयस्यार्द्धान्त्यम्
2. 3. ज्वलन्तं चतुर्थं (स्थानं जानीयात्)
4. कस्मादुच्यते ज्वलन्तमिति
— स्वतेजसा ज्वलति ज्वालयति ज्वाल्यते ज्वालयते.. ज्वलन्

Nṛip. 2. 4. तस्मादुच्यते ज्वलन्तमिति

Nṛisut. 4. एष एव ज्वलन्

5. एष एव ज्वलन्नेष हि व्याप्ततमः

— एष एव ज्वलन्नेष ह्येवोत्कृष्टः

— एतदेव ज्वलन्नेताद्धि महाविभूति

6. ज्वलन्तमज्वलन्तं . . बुबुधिरे

Gîtâ. 11. 30. वदनैर्ज्वलद्भिः

ज्वलत्त्व

Nṛisut. 7. ज्वलत्त्वात् सर्वतो मुखत्वात्

ज्वलन

Gîtâ. 11. 29. यथा प्रदीप्तं ज्वलनं पतंगाः

ज्वलनाभास

Kṛish. 20. यस्यासौ ज्वलनाभासः

ज्वलितृ

Nṛip. 2. 4. ज्वलन् ज्वलिता

ज्वालिनी (=व)

Râmap. 76. दीर्घा ज्वालिनी च

झष

Gîtâ. 10. 31. झषाणां मकरश्चास्मि

ण्य

Chhâ.8. 5. 3. अरश्च ह वै ण्यश्चार्णवौ ब्रह्मलोके

4. अरं च ण्यं चार्णवौ ब्रह्मलोके

तक्षक

Gâruḍa. 2. यदि तक्षकदूतस्त्वं यदि वा तक्षकः स्वयम्

तज्जलान्

Chhâ 3. 14. 1. सर्वं खल्विदं ब्रह्म तज्जलान्

तट

Râmot. 4. गंगायां वा तटे पुनः

तड्

Brahma. 1. यष्ट्यादिना ताड्यमानः

तडिदाभमात्र

Nâr. 5. तस्मात्तडिदाभमात्रम् (So Nârâyaṇa; other MSS. तडिदाभास°); Atmapra 1.

तडिद्गर्भ

Śwet. 4. 4. तडिद्गर्भ ऋतवः समुद्राः

तण्डुल

Skanda. 6. तुषाभावे न तण्डुलः

ततम

Ait. 3. 13. स एतमेव पुरुषं ब्रह्म ततममपश्यत्

तत्क्रतु

Bṛih. 4. 4. 5. स यथाकामो भवति तत्क्रतुर्भवति

तत्त्व

Śwet. 6. 3. तत्त्वस्य तत्त्वेन समेत्य योगम्

Maitri. 6. 24. ध्यानमन्तः परे तत्त्वे . . निधीयते

Gauḍa. 2. 20. तत्त्वानीति च तद्विदः

30. एवं यो वेद तत्त्वेन

38. तत्त्वमाध्यात्मिकं दृष्ट्वा तत्त्वं दृष्ट्वा तु बाह्यतः

Gauḍa. 2. 38. तत्त्वादप्रच्युतो भवेत्
3. 28. वन्ध्यापुत्रो न तत्त्वेन मायया वापि जायते
Brahmab. 18. ज्ञानविज्ञानतत्त्वतः
Haṁsa. 1. पार्वत्या कथितं तत्त्वम्
Mukti. 2. 40. एकतत्त्वदृढाभ्यासात्
Gîtâ. 6. 21. यत्र न . . चलति तत्त्वतः
9. 24 न तु मामभिजानन्ति तत्त्वेन
11. 54. ज्ञातुं द्रष्टुं च तत्त्वेन
18. 1. सन्न्यासस्य . . तत्त्वमिच्छामि वेदितुम्

तत्त्वज्ञान

Gîtâ. 13. 11. तत्त्वज्ञानार्थदर्शनम्

तत्त्वतस्

Śwet. 6. 4. कर्मक्षये याति स तत्त्वतो ऽन्यः
Muṇḍ.1. 2. 13. प्रोवाच तां तत्त्वतो ब्रह्मविद्याम्
Gauḍa. 3. 19. तत्त्वतो भिद्यमाने हि
27. सतो हि मायया जन्म युज्यते न तु तत्त्वतः
— तत्त्वतो जायते यस्य
28. असतो मायया जन्म तत्त्वतो नैव युज्यते
4. 58. जायन्ते ते न तत्त्वतः
Râmap. 5. भुवि स्यादथ तत्त्वतः
45. न्यवेदयत तत्त्वतः
Râmot. 3. तत्त्वतः प्रवदान्ति ये
Mukti. 1. 5. त्वद्रूपं ज्ञातुमिच्छामि तत्त्वतः
7. वदामि शृणु तत्त्वतः
10. कृपया वद तत्त्वतः
29. शृणु वक्ष्यामि तत्त्वतः
Gîtâ. 4. 9. एवं यो वेत्ति तत्त्वतः
7. 3. कश्चिन्मां वेत्ति तत्त्वतः
10. 7. यो वेत्ति तत्त्वतः
18. 55. यावान् यश्चास्मि तत्त्वतः
— ततो मां तत्त्वतो ज्ञात्वा

तत्त्वदर्शिन्

Gîtâ. 2. 16. दृष्टो ऽन्तस्त्वनयोस्तत्त्वदर्शिभिः
4. 34. ज्ञानिनस्तत्त्वदर्शिनः

तत्त्वदर्शिवस्

Brahma. 2. योगवित्तत्त्वदर्शिवान्

तत्त्वब्रह्ममार्ग

Jâbâla. 6. तत्त्वब्रह्ममार्गे सम्यक् सम्पन्नः

तत्त्वभाव

Kaṭha. 6. 13. तत्त्वभावेन चोभयोः
— तत्त्वभावः प्रसीदति
Śwet. 1. 10. तस्याभिध्यानाद्योजनात्तत्त्वभावात्

तत्त्वमार्ग

Dhyâna. 2. तत्त्वमार्गे यथा दीपः (one MS. omits); Yogat. 2.

तत्त्वयुक्त

Tejo. 12. मुनीनां तत्त्वयुक्तं तु

तत्त्वयोगज्ञ

Kshur. 21. निःसङ्गस्तत्त्वयोगज्ञः

तत्त्वविद्

Maitri. 1. 2. त्वं तत्त्वविच्छुश्रुमो वयम्
Gauḍa. 2. 34. इति तत्त्वविदो विदुः
Gîtâ. 3. 28. तत्त्ववित्तु महाबाहो
5. 8. युक्तो मन्येत तत्त्ववित्

तत्त्वीभूत

Gauḍa. 2. 38. तत्त्वीभूतस्तदारामः

तत्पद

Mukti. 2. 30. भवानज्ञाततत्पदः

तत्पदार्थ

Sarvop. 4. स तत्पदार्थः परमात्मा
— तत्पदार्थादौपाधिकाद्विलक्षणः
— तत्पदार्थस्यात्मेत्युच्यते

तत्पर

Śwet. 1. 7. लीना ब्रह्मणि तत्परा योनिमुक्ताः

Yogat. 11. पुरुषोत्तमतत्परः

Gîtâ. 4. 39. तत्परः संयतेन्द्रियः

तत्परायण

Gîtâ. 5. 17. तन्निष्ठास्तत्परायणाः

तत्प्रजाति

Bṛih. 6. 1. 14. यद्वा अहं प्रजातिरस्मि त्वं तत्प्रजातिरसि

तत्प्रतिष्ठ

Bṛih. 6. 1. 14. यद्वा अहं प्रतिष्ठास्मि त्वं तत्प्रतिष्ठो ऽसि

तत्सम

Śwet. 6. 8. न तत्समश्चाभ्यधिकश्च

Gauḍa. 3. 34. सुषुप्ते ऽन्यो न तत्समः

तत्सम्पद्

Bṛih. 6. 1. 14. यद्वा अहं सम्पदस्मि त्वं तत्सम्पदसि

तत्स्थ

Maitri. 6. 10. भोक्ता पुरुषः...तत्स्थो भुंक्ता इति
16. एष तत्स्थः सविताख्यः

तथाविध

Gauḍa. 1. 20. स्यादुभयत्वं तथाविधम्

तथास्मृति

Gauḍa. 2. 16. यथाविद्यस्तथास्मृतिः

तदर्थीय

Gitâ. 17. 27. कर्म चैव तदर्थीयम्

तदहस्

Bṛih. 1. 5. 2. यदहरेव जुहोति तदहः पुनर्मृत्युमुपजयति

Jâbâla. 4. यदहरेव विरजेत्तदहरेव प्रव्रजेत्

तदात्मक

Maitri. 6. 35. सैकधामेतः स्यात् तदात्मकश्च

तदात्मन्

Gîtâ. 5. 17. तद्बुद्धयस्तदात्मानः

तदाराम

Gauḍa. 2. 38. तत्त्वीभूतस्तदारामः

तद्ग्रह

Gauḍa. 2. 29. तद्ग्रहः समुपैति तम्

तद्दृश्य

Gauḍa. 4. 64. तथा तद्दृश्यमेवेदम् 66.

तद्बुद्धि

Gîtâ. 5. 17. तद्बुद्धयस्तदात्मानः

तद्भक्त

Nâda. 19. तद्भक्तस्तन्मनासक्तः

तद्भाव

Maitri. 6. 27. अतस्तद्भावमचिरेणैति

तद्रूप

Chhâ. 5. 10. 6. यो रेतः सिञ्चति तद्रूप एव भवति

तद्वन

Kena. 31. तद्ध तद्वनं नाम तद्वनमित्युपासितव्यम्

तद्वसिष्ठ

Chhâ. 5. 1. 13. यदहं वसिष्ठास्मि त्वं तद्वसिष्ठो ऽसि Bṛih. 6. 1. 14 (यद्वा)

तद्विद्

Kaush. 1. 2. तद्विदे ऽहं प्रतितद्विदे ऽहम्

Bṛih. 3. 9. 28. परायणं तिष्ठमानस्य तद्विदः

Gauḍa. 2. 20. भूतानीति च तद्विदः
— तत्त्वानीति च तद्विदः
21. विषया इति च तद्विदः
— देवा इति च तद्विदः
22. यज्ञा इति च तद्विदः
— भोज्यमिति च तद्विदः
23. स्थूल इति च तद्विदः
— अमूर्त्त इति च तद्विदः
24. दिश इति च तद्विदः
— भुवनानीति च तद्विदः
25. बुद्धिरिति च तद्विदः
— धर्माधर्मौ च तद्विदः
27. आश्रमा इति तद्विदः
28. लय इति च तद्विदः

Gitâ. 13. 1. तं प्राहुः क्षेत्रज्ञमिति च तद्विदः

तद्विद्वंस्

Kaush. 2. 8. मन्ये ऽहं मां तद्विद्वांसम्

Chhâ. 3. 16. 7. तद्विद्वानाह महिदास ऐतरेयः
6. 4. 5. एतद्ध स्म वै तद्विद्वांस आहुः

Bṛih. 6. 1. 14. तद्विद्वांसः श्रोत्रियाः
6. 4. 4. तद्विद्वानुद्दालक आरुणिः
— तद्विद्वान्नाको मौद्गल्यः
— तद्विद्वान् कुमारहारितः

Brahmab. 16. तद्विद्वानक्षरं ध्यायेत्

तन्

Bṛih. 4. 4. 4. नवतरं कल्याणतरं रूपं तनुते

Tait. 2. 5. 1. विज्ञानं यज्ञं तनुते कर्माणि तनुते ऽपि च

Śwet. 2. 1. तत्त्वाय सविता धियः

Mahânâr. 22. 1. लोके साधुप्रजावांस्तन्तुं तन्वानः

Chûl. 4. तन्यते प्रेरिता पुनः

Gitâ. 2. 17. येन सर्वमिदं ततम् 8. 22; 18. 46.
9. 4. मया ततमिदं सर्वम्
11. 38. त्वया ततं विश्वमनन्तरूप

तनय

Śwet. 4. 22. मा नस्तोके तनये...रीरिषः

Mahânâr. 6 4. भवा तोकाय तनयाय शंयोः

1. तनु adj.

Mahânâr. 11. 12. नीवारशूकवत्तन्वी Vâsu 3

Kshur. 9. अतिसूक्ष्मां च तन्वीं च

Haṁsa. 2. तनु सूक्ष्म प्रचोदयात् (so 5 MSS.; two तन्नः सूक्ष्मः

2. तनु, तनू

Kaṭha. 2. 23. तस्यैष आत्मा विवृणुते तनूं स्वाम् Muṇḍ. 3. 2. 3.

Swet. 3. 5. या ते रुद्र शिवा तनूः... तया नस्तनुवा शन्तमया Nîla. 8 (तन्वा)
5. 14. ते जहुस्तनुम्

Maitri. 4. 6. ब्रह्मणो वावैता अग्र्यास्तनवः
— या वास्या अग्र्यास्तनवस्ता अभिध्यायेत्
5. 2. इत्यस्य प्रागुक्ता एतास्तनवः
6. 5. स्वनवत्येषास्य तनूर्या ओमिति
6. एषैवास्य प्रजापतेः स्थविष्ठा तनूः

Maitri. 6. 6. एषा वै प्रजापतेर्विश्वभृत्तनुः
13. विश्वभृद्वै नामैषा तनूर्भगवतो विष्णोः

Mahânâr. 6. 5. अविता तनूनाम्
7. स्वां चाग्ने तन्वं पिप्रयस्व

Praśna. 2. 12. या ते तनूर्वाचि प्रतिष्ठिता

Nṛip. 1. 1. स्थिरैरङ्गैस्तुष्टुवांसस्तनूभिः, 2. 4; Nṛisut. 1.

Garbha. 3. द्विधा तनूः स्यात्

Gîtâ. 7. 21. यो यो यां यां तनुं भक्तः
9, 11. मानुषीं तनुमाश्रितम्

तनूपमा

Mahânâr.11. 12. पीताभा स्यात्तनूपमा

तन्तु

Bṛih. 2. 1. 20. यथोर्णनाभिस्तन्तुनोच्चरेत्

Śwet. 6. 10. यस्तूर्णनाभ इव तन्तुभिः

Maitri. 6. 22. यथोर्णनाभिस्तन्तुनोर्ध्वमुत्क्रान्तः

Mahânâr. 2. 6. ऋतस्य तन्तुं विततं विवृत्य
22. 1. साधुप्रजावांस्तन्तुं तन्वानः

Kshur. 9. ऊर्णनाभीव तन्तुना
24. छित्त्वा तन्तुं न बध्यते (bis).

Brahma. 1. एकेन तन्तुना जालं विक्षिपति
3. ऊर्णनाभिर्यथा तन्तून्

Sarvop. 4. तन्तुकार्येषु तन्तुरिव

तन्तुकार्य

Sarvop. 4. तन्तुकार्येष तन्तुरिव

तन्तुनाभ

Śwet. 6. 10. यस्तन्तुनाभ इव तन्तुभिः (so Śaṁkarânanda ; but see ऊर्णनाभ)

तन्त्रीनाद

Haṁsa. 2. पञ्चमस्तन्त्रीनादः

तन्द्रा

Maitri. 3. 5. निद्रा तन्द्रा .. इति तामसानि

तन्द्रीराघवेत्रिन्

Maitri. 6. 28. तृष्णेर्ष्याकुण्डली तन्द्रीराघवेत्री

तन्निष्ठ

Maitri. 6. 1. तन्निष्ठा आवृत्तचक्षुः

Gîtâ. 5. 17. तन्निष्ठास्तत्परायणाः

तन्मनासक्त

Nâda. 19. तद्भक्तस्तन्मनासक्तः (so 5 MSS. and Nârâyaṇa).

तन्मनीषा

Gauḍa. 4. 10. च्यवन्ते तन्मनीषया

तन्मय

Śwet. 5. 6. ते तन्मया अमृता वै बभूवुः
6. 17. स तन्मयो ह्यमृत ईशसंस्थः

Maitri. 6. 34. यच्चित्तस्तन्मयो भवति

Muṇḍ. 2. 2. 4. शरवत्तन्मयो भवेत्
Dhyâna. 19.

Gauḍa. 4. 39. स्वप्ने पश्यति तन्मयः
59. जायते तन्मयो ऽङ्कुरः

Nṛisut. 1. तन्मयं हि तदेवेति

Brahma. 3. उपवीतं च तन्मयम्

Râmap. 17. सीतरामौ तन्मयौ

तन्मात्र

Prâṇâg. 4. तन्मात्राणि सदस्याः

तन्मुख

Gopî. 5. देवास्तन्मुखास्तानुपासते (so one MS.; but all the rest सन्मुखाः)

तन्यतु

Bṛih. 2. 5. 16. तन्यतुर्न वृष्टिम्

तप्

Chhâ. 1. 3. 1. य एवासौ तपति तमुद्गीथमुपासीत
2. 14. 2. तपन्तं न निन्देत्तद्व्रतम्
3. 18. 3. सोऽग्निना ज्योतिषा भाति च तपति च (similarly in 4, 5, 6.
— भाति च तपति च कीर्त्या यशसा ब्रह्मवर्चसेन य एवं वेद 4, 5, 6.
4. 10. 2. तप्तो ब्रह्मचारी कुशलमग्नीन् परिचचारीत्
4. तप्तो ब्रह्मचारी कुशलं नः परिचचारीत्
4. 17. 1. तप्यमानानां रसान् प्रावृहत् 2.
3. तप्यमानाया रसान् प्रावृहत्
6. 16. 1. परशुमस्मै तपत
— परशुं तप्तं प्रतिगृह्णाति 2.

Bṛih. 1. 2. 2. तस्य श्रान्तस्य तप्तस्य 6.
6. स तपोऽतप्यत Gopî 5.
7. एष वा अश्वमेधो य एष तपति
1. 3. 14. असावादित्यः परेण मृत्युमतिक्रान्तस्तपति
1. 5. 22. तप्स्याम्यहमित्यादित्यः
2. 3. 2. सत एष रसो य एष तपति
3. 8. 9. यजते तपस्तप्यते बहूनि वर्षसहस्राणि
4. 4. 22. नैनं कृताकृते तपतः
23. नैनं पाप्मा तपति सर्वं पाप्मानं तपति
5. 11. 1. एतद्वै परमं तपो यद्व्याहितस्तप्यते
5. 14. 3. परोरजा य एष तपति 6.
— एष रज उपर्युपरि तपति
— श्रिया यशसा तपति योऽस्या एतदेवं पदं वेद

Tait. 2. 6. 1. स तपोऽतप्यत स तपस्तप्त्वा 3. 1. 1; 3. 2. 1; 3. 3. 1; 3. 4. 1; 3. 5. 1; Praśna. 1. 4; Nṛip. 1. 1.
2. 9. 1. तं ह वाव न तपति किमहं साधु नाकरवं किमहं पापमकरवम्

Katha. 6. 3. भयादस्याग्निस्तपति भयात्तपति सूर्यः

Maitri. 6. 6. प्रजापतिस्तपस्तप्त्वा
8. य एष तपत्यग्निरिवाग्निना पिहितः
— ज्योतिरेकं तपन्तम् Praśna 1. 8.
12. तेनासौ तपति
17. अस्यैतद्भास्वरं रूपं यदमुष्मिन्नादित्ये तपति
7. 1. तपन्ति वर्षन्ति स्तुवन्ति 2—6.

Mahânâr. 1. 3. येनादित्यस्तपति तेजसा भ्राजसा च
12. 2. आदित्यो वा एष एतन्मण्डलं तपति
— सैषा त्रय्येव विद्या तपति
23. 1. याभिरादित्यस्तपति रश्मिभिः

Praśna. 2. 5. एषोऽग्निस्तपत्येष सूर्यः

Nṛip. 2. 4. तपन् वितपन् सन्तपन्
5. 10. यत्र सूर्यो न तपति
— यत्र न चन्द्रमास्तपति

Kathaśru. 1 यो नक्लेशः स तप्यते तपः

Gîtâ. 9. 19. तपाम्यहम्
11. 19. स्वतेजसा विश्वमिदं तपन्तम्
17. 5. तप्यन्ते ये तपो जनाः
17. श्रद्धया परया तप्तं तपः
28. तपस्तप्तं कृतं च यत्

तपःप्रभाव

Śwet. 6. 21 तपःप्रभावाद्देवप्रसादाच्च

तपस्

Kaush. 1. 2. तेन सत्येन तेन तपसा ऋ-
तुरस्मि

Kena. 33. तस्यै तपो दमः कर्मेति
प्रतिष्ठा

Chhâ. 2. 23. 2. तप एव द्वितीयः
3. 17. 4. अथ यत्तपो दानम्

Bṛih. 1. 2. 6. स तपो ऽतप्यत Gopî. 5.
1. 5. 1. मेधया तपसाजनयात्पिता
2.
3. 8. 10. तपस्तप्यते बहूनि वर्षसह-
स्राणि
4. 4. 22. यज्ञेन दानेन तपसा 6. 2. 16.
5. 11. 1. एतद्वै परमं तपः (ter).

Tait. 1. 9. 1. तपश्च स्वाध्यायप्रवचने च
— तप इति तपोनित्यः पौरु-
शिष्टिः
— स्वाध्यायप्रवचने एवेति ना-
को मौद्गल्यस्तद्धि तपः
2. 6. 1. स तपो ऽतप्यत स तपस्तप्त्वा
3. 1. 1; 3. 2. 1; 3. 3.
1; 3. 4. 1; 3. 5. 1; Pra-
śna. 1. 4; Nṛip. 1. 1.
3. 2. 1. तपसा ब्रह्म विजिज्ञासस्व
तपो ब्रह्मेति 3. 3. 1; 3.
4. 1; 3. 5. 1.

Kaṭha. 2. 15. तपांसि सर्वाणि च यद्वदन्ति
4. 6. यः पूर्वं तपसो जातम्

Swet. 1. 15. सत्येनैनं तपसा यो ऽनुप-
श्यति Brahma. 3.
16. आत्मविद्यातपोमूलम्
Brahma. 3.

Maitri. 1. 2. स तत्र परमं तप आस्थाय
4. 3. तपसा प्राप्यते सत्त्वम्
4. यस्तपसापहतपाप्मा
— विद्यया तपसा चिन्तयावो-
पलभ्यते ब्रह्म
6. 6. प्रजापतिस्तपस्तप्त्वा

Muṇḍ. 1. 1. 8. तपसा चीयते ब्रह्म
9. यस्य ज्ञानमयं तपः
Nyâsa. 1.
1. 2. 11. तपःश्रद्धे ये ह्युपवसन्त्यरण्ये
2. 1. 7. प्राणापानौ व्रीहियवौ तपश्च
10. कर्म तपो ब्रह्म परामृतम्
3. 1. 5. सत्येन लभ्यस्तपसा ह्येष
आत्मा
8. नान्यैर्देवैस्तपसा कर्मणा वा
3. 2. 4. तपसो वाप्यलिङ्गात्

Mahânâr. 5. 5. ऋतं च सत्यं चाभीद्धात्तप-
सो ऽध्यजायत
6. 3. तामग्निवर्णां तपसा ज्वल-
न्तीम्
8. 1. ऋतं तपः सत्यं तपः &c.
— ब्रह्मैतदुपास्यैतत्तपः
13. 1. अर्चयन्ति तपः सत्यम्
Śiras. 6.
15. 3. भूर्भुवः सुवर्महर्जनस्तपः स-
त्यम्
21. 2. तप इति तपो नानशनात्परं
यद्धि परं तपस्तद्दुर्धर्षं . . त-
स्मात्तपसि रमन्ते
— तानि वा एतान्यवराणि त-
पांसि न्यास एवात्यरेच-
यत्
22. 1. तपसा देवा देवतामग्र आ-
यंस्तपसऋषयः सुवरन्व-
विन्दंस्तपसा सपत्नान्प्रणु-
दामारातीः &c.
23. 1. बलेन तपस्तपसा श्रद्धा
24. 1. तपसोपरिष्टाज्ज्ञात्वा तम्
— तस्मान्न्यासमेषां तपसाम-
तिरिक्तमाहुः
25. 1. तपो ऽग्निः

Praśna. 1. 2. तपसा ब्रह्मचर्येण श्रद्धया
10; 5. 3.
15. येषां तपो ब्रह्मचर्यम्
6. 4. अन्नाद्वीर्यं तपो मन्त्राः

Siras. 5. शाश्वतेन वै पुराणेन..तपसा
6. एतद्धि परमं तपः
Mahâ. 2. बिभ्रत्..तपो वैराग्यम्
Nâda. 4. कण्ठदेशे तपस्ततः
Nyâsa. 5. संस्थाप्य हृदयं तपः
Kaṭhaśru. 1. यो नक्लेशः स तप्यते तपः
Gîtâ. 5. 29. भोक्तारं यज्ञतपसाम्
7. 9. तपश्चास्मि तपस्विषु
8. 28. वेदेषु यज्ञेषु तपःसु चैव
10. 5. तपो दानं यशो ऽयशः
11. 48. न च क्रियाभिर्न तपोभिरुग्रैः
53. नाहं वेदैर्न तपसा
16. 1. स्वाध्यायस्तप आर्जवम्
17. 5. तप्यन्ते ये तपो जनाः
7. यज्ञस्तपस्तथा दानम्
14. शारीरं तप उच्यते
15. वाङ्मयं तप उच्यते
16. तपो मानसमुच्यते
17. श्रद्धया परया तप्तं तपः
18. सत्कारमानपूजार्थं तपः
19. यत्पीडया क्रियते तपः
24. यज्ञदानतपःक्रियाः
25. यज्ञतपःक्रियाः
27. यज्ञे तपसि दाने च
28. तपस्तप्तं कृतं च यत्
18. 3. यज्ञदानतपःकर्म 5.
5. यज्ञो दानं तपश्चैव
42. शमो दमस्तपः शौचम्

तपस्य

Gîtâ. 9. 27. यत्तपस्यसि कौन्तेय

तपस्विन्

Maitri. 4. 3. आश्रमेष्वेवानवस्थस्तपस्वी त्युच्यते
Gîtâ. 6. 46. तपस्विभ्यो ऽधिको योगी
7. 9. तपश्चास्मि तपस्विषु

तपोनित्य

Tait. 1. 9. 1. तपोनित्यः पौरुशिष्टिः

तपोयज्ञ

Gîtâ. 4. 28. द्रव्ययज्ञास्तपोयज्ञाः

तपोलोक

Nṛip. 5. 6. स तपोलोकं जयति
Nâda. 16. एकादश्यां तपोलोकम्
Aruṇeya. 1. भूर्लोकभुवर्लोकस्वर्लोकमहर्लोकजनलोकतपोलोकम्

1. तमोर्वी (?) adj.

Maitri. 6. 26. यथा तमोर्वि सर्पिः..उज्ज्वलति

2. तमोर्वी

Maitri. 6. 26. अतस्तमोर्वीव सः

तमस्

Chhâ. 1. 3. 1. अपहन्ता ह वै भयस्य तमसो भवति
3. 17. 7. उद्वयं तमसः परि ज्योतिष्पश्यन्तः
7. 26. 2. तमसः पारं दर्शयति
Bṛih. 1. 3. 28. तमसो मा ज्योतिर्गमय (bis).
— मृत्युर्वै तमो ज्योतिरमृतम्
3. 7. 13. यस्तमसि तिष्ठंस्तमसो ऽन्तरो यं तमो न वेद यस्य तमः शरीरं यस्तमो ऽन्तरो यमयति
3. 9. 14. तम एव यस्यायतनम्
4. 4. 10. अन्धं तमः प्रविशन्ति..ततो भूय इव ते तमः Iśâ. 9. 12.
11. लोका अन्धेन तमसावृताः Iśâ. 3.
Śwet. 3. 8. आदित्यवर्णं तमसः परस्तात् Gîtâ. 8. 9.

Maitri. 2. 2. तमः प्रणुदत्येष आत्मा
5. 2. तमो वा इदमग्र आसीदेकम्
6. 24. तमोलक्षणं भित्त्वा तमः
— ब्रह्म तमसः परमपश्यत
28. रजस्तमोभ्यां विद्धस्य
30. अनेनास्य तमसः पारं गमिष्यति
Muṇḍ. 2. 2. 6. पाराय तमसः परस्तात्
Mahânâr. 1. 5. विश्वं पुराणं तमसः परस्तात्
Kaivalya. 7. समस्तसाक्षिं तमसः परस्तात्
Nṛisut. 2. तमसो द्रष्टा . . तमसः साक्षी
— यथा तमः सविता
—निरस्ताखिलाविद्यातमोमोहः
9. सुविस्पष्टस्तमसः परस्तात्
Chûl. 2. भिन्ने तमसि चैश्वरे
Śiras. 4. अव्यक्ते महति तमसि योतयति
6. उच्छ्वसिते तमो भवति तमस आपः
Nâda. 2. पादौ रजस्तमस्तस्य
Brahmab. 15. भिन्ने तमसि चैकत्वम्
Kâlâg. 2. तृतीया रेखा सा . . तमः
Jâbâla. 4. सत्त्वं रजस्तमः
Râmap. 15. रजःसत्त्वतमोगुणैः
88. रजः सत्त्वं तम इति Gîtâ. 14. 5.
Râmot. 3. निरस्ताविद्यातमोमोहः
Mukti. 2. 46. विचिन्वन्ति तमोऽज्ञनैः
Gîtâ. 10. 11. अज्ञानजं तमः
13. 17. तमसः परमुच्यते
14. 8. तमस्त्वज्ञानजं विद्धि
9. ज्ञानमावृत्य तु तमः
10. रजस्तमश्चाभिभूय
— रजः सत्त्वं तमश्चैव तमः सत्त्वं रजस्तथा
Gîtâ. 14. 13. तमस्येतानि जायन्ते
15. तथा प्रलीनस्तमसि
16. अज्ञानं तमसः फलम्
17. प्रमादमोहौ तमसो भवतः
17. 1. सत्त्वमाहो रजस्तमः
18. 32. मन्यते तमसावृता

तमोद्वार

Gîtâ. 16. 22. तमोद्वारैस्त्रिभिः

तमोभय

Chhâ. 1. 3. 1. उद्यंस्तमोभयमपहन्ति

तमोभिभूत

Kaivalya. 13. तमोभिभूतः सुखरूपमेति

तमोरूप

Nṛisut. 9. माया च तमोरूपानुभूतेः

तमोलक्षण

Maitri. 6. 24. तमोलक्षणं भित्त्वा तमः

तरणि

Mahânâr. 20. 7. तरणिर्विश्वदर्शतः

तरुत्र

Nṛip. 3. 1. स ई पाहि य ऋजीषी तरुत्रः

तर्क

Kaṭha. 2. 9. नैषा तर्केण मतिरापनेया
Maitri. 6. 18. धारणा तर्कसमाधिः
20. ब्रह्म तर्केण पश्यति
7. 8. वृथातर्कदृष्टान्तकुहकेन्द्रजालैः
Amṛita. 6. तर्कश्चैव समाधिश्च
16. आगमस्याविरोधेन ऊहनं तर्क उच्यते

तर्जनी

Vâsu. 2. यतिस्तर्जन्या . . धारयेत्

तत्कारीं

Gâruḍa. 2. ओं तत्कारीं मत्कारीम् (so 3 MSS.; two others तत्कारीं मत्कारीं; Weber तत्कारीं सत्का°)

तर्याभिघातिन्

Maitri. 7. 10. तर्याभिघातिनो ऽनृताभिशंसिनः

तलातल

Aruṇeya. 1. अतलपातालनितलवितलसुतलरसातलतलातलम्

तल्प

Chhâ. 5. 10. 9. गुरोस्तल्पमावसन्

तव्यस्

MaLânâr.13. 3. मीळ्हुष्टमाय तव्यसे

तस्कर

Maitri. 7. 8. प्राकाश्यभूता वै ते तस्कराः

तात

Chhâ. 4. 4. 2. नाहमेतद्वेद तात यद्गोत्रस्त्वमसि

Bṛih. 6. 2. 4. तथा नस्त्वं तात जानीथाः

Kaṭha. 1. 4. तात कस्मै मां दास्यसि

Gîtâ. 6. 40. दुर्गतिं तात गच्छति

तादात्मक

Râmap. 19. तादात्मिका या चतुर्थी

तादृग्रूप

Mukti. 2. 59. तादृग्रूपो हि पुरुषः

तादृश्

Chhâ. 5. 24. 1. अङ्गारानपोह्य भस्मनि जुहुयात्तादृक् तत्स्यात्

Kaṭha. 4. 15. तादृगेव भवति

तान्तान्त (=द)

Râmap. 78. तान्तान्तो धान्त इत्यथ

तापनी

Mukti. 1. 32. बृहज्जाबालतापनी

तापस

Bṛih. 4. 3. 22. तापसो ऽतापसः

Brahma. 2. तत्र . . तापसो न तापसः

Kṛish. 10. तापसास्तत्र ते द्रुमाः

तापिन्

Gauḍa. 4. 99. धर्मेषु तापिनः

तापिनी (=ब)

Râmap. 79. तापिनी दीर्घयुक्ता भूः (MSS. read ताप°)

तामस

Maitri. 3. 5. सम्मोहः . . असमत्वमिति तामसानि

5. 2. अस्य तामसो ऽंशो ऽसौ स . . यो ऽयं रुद्रः

Kṛish. 5. सत्त्वराजसतामसी

6. तामसी दैत्यपक्षे तु

Gîtâ. 7. 12. राजसास्तामसाश्च ये

14. 18. अधो गच्छन्ति तामसाः

17. 2. सात्त्विकी राजसी चैव तामसी चेति

4. यजन्ते तामसा जनाः

13. तामसं परिचक्षते

19. तत्तामसमुदाहृतम् 22; 18. 22, 25, 39.

18. 7. तामसः परिकीर्तितः

28. कर्ता तामस उच्यते

32. बुद्धिः सा पार्थ तामसी

35. धृतिः सा पार्थ तामसी

तामसप्रिय

Gîtâ. 17. 10. भोजनं तामसप्रियम्

ताम्र

Kshur. 8. कृष्णास्ताम्राविलोहिताः

Nîla. 9. असौ यस्ताम्रो अरुणः

तार

Śiras. 8 यो ऽनन्तस्तत्तारं यत्तारं तच्छुक्लम्
4. कस्मादुच्यते तारं . . तस्मादुच्यते तारम्
Râmap. 74. तारो नतिश्च
Mukti. 1. 16. तारोपदेशतः
19. मत्तारमाप्नुयात्
21. मत्तारं समुपादिशत्

तारक

Maitri. 6. 7. तारकोऽक्षिणि वैष भर्गाख्यः
Nṛip. 1. 7. देहान्ते देवः परं ब्रह्म तारकं व्याचष्टे
5. 2. तस्य मध्ये नाभ्यां तारकं भवति
Jâbâla. 1. रुद्रस्तारकं ब्रह्म व्याचष्टे Râmot. 1.
Râmot. 2. किं तारकं किं तरतीति
— तारकं दीर्घानलं बिन्दुपूर्वकम् &c.
— तारकत्वात्तारको भवति
— तदेव तारकं ब्रह्म त्वं विद्धि
— तस्मादुच्यते तारकमिति
— य एतत्तारकं ब्राह्मणो नित्यमधीते
5. यत्तारकं ब्रह्म (4)

तारकत्व

Râmot. 2. तारकत्वात्तारको भवति

तारणात्त

Śikhâ. 2. तारणात्तानि सर्वाणि

तारापति

Nṛip. 1. 4. य ओषधीनां प्रभवति तारापतिः सोमः

तारद्वय

Râmap. 58. मध्ये तारद्वयं लिखेत्

तारसार

Mukti. 1. 38. *vide* अग्निहोत्रक
1. *vide* मुक्तिका

तार्क्ष्य

Nṛip. 1. 1. स्वस्ति नस्तार्क्ष्यो ऽरिष्टनेमिः Nṛisut. 1.

ताल

Râmap. 40. सप्ततालान् विभिद्याशु

तालनाद

Haṁsa. 2. षष्ठस्तालनादः

तालमात्रा

Amṛita. 23. तालमात्रा तथा योगः

तालवृन्तकर

Râmap. 52. तदधस्तौ तालवृन्तकरौ

तालु, तालुका

Tait. 1. 6. 1. अन्तरेण तालुके य एष स्तन इवालंबते
Maitri. 6. 20. तालुरसनाग्रनिपीडनात्
Prâṇâg. 4. तालुः शंयोर्वाकः
Piṇḍa. 6. हृत्कण्ठं तालु जायते
Haṁsa. 2. पञ्चमे स्रवते तालु

ताल्वध्यग्र

Maitri. 6. 21. ताल्वध्यग्रं परिवर्त्य

ताल्वन्तर्विच्छिन्न

Maitri. 6. 21. ऊर्ध्वगा नाडी . . ताल्वन्तर्विच्छिन्ना

ति

Chhâ. 8. 3. 5. यत्ति तन्मर्त्यम्
Bṛih. 5. 5. 1. तीत्येकमक्षरम्

तिक्त

Garbha. 1. *vide* रस

तिग्मतेजस्

Maitri. 2. 3. तिग्मतेजसा ऊर्ध्वरेतस

तिज्

Gîtâ. 2. 14. तांस्तितिक्षस्व भारत

तित्तिरि

Mukti. 1. 30. ईशकेनकठप्रश्नमुण्डमाण्डूक्यतित्तिरिः

तितिक्षु

Bṛih. 4. 4. 23. तितिक्षुः समाहितो भूत्वा
Nṛisut. 6. तितिक्षवः समाहिताः

तिरश्चीन

Kaush. 1, 5. यजूंषि तिरश्चीनानि

तिरश्चीनवंश

Chhâ. 3. 1. 1. तस्य द्यौरेव तिरश्चीनवंशः

तिरस्

Mukti. 2. 74. पुरस्तिरश्चोर्ध्वमधश्च

तिरस्कृ

Kṛish. 11. कलिकालस्तिरस्कृतः (Nârâyaṇa explains अतिरस्कृतः also).

तिरो ऽस्

Bṛih. 1. 4. 4. हन्त तिरो ऽसानीति

तिरोधा

Kena. 24. तदभ्यद्रवत्तस्मात्तिरोदधे
Bṛih. 1. 3. 28. नात्र तिरोहितमिवास्ति

तिरोभाव

Chhâ. 7. 26. 1. आत्मत आविर्भावतिरोभावौ
Sarvop. 3. आविर्भावतिरोभावज्ञाता
— आविर्भावतिरोभावहीनः

तिर्यञ्च्

Kaush. 1. 5. शाक्वररैवते तिरश्ची
Chhâ. 7. 11. 1. तिरश्चीभिश्च विद्युद्भिराह्रादाश्चरन्ति
Bṛih. 6. 3. 1. यावन्तो देवास्त्वयि जातवेदस्तिर्यञ्चः
— या तिरश्ची निपद्यते
Śwet. 4. 19. नैनमूर्ध्वं न तिर्यञ्चं न मध्ये परिजग्रभत् Mahânâr. 1. 10.
5. 4. सर्वा दिश ऊर्ध्वमधश्च तिर्यक्
Maitri. 6. 17. तिर्यग्वावाङ् वोर्ध्वं वा
Siras. 4. तिर्यगूर्ध्वमधस्ताच्चास्यान्तो नोपलभ्यते
Amṛita. 22. तिर्यगूर्ध्वमधो दृष्टिं विनिवार्य
Kâlâg. 1. तिर्यक् तिस्रो रेखाः प्रकुर्वीत

तिल

Chhâ. 5. 10. 6. तिलमाषाः Bṛih. 6. 3. 13.
Śwet. 1. 15. तिलेषु तैलम् Brahma. 3.
Mahânâr. 19. 1. तिलाः कृष्णास्तिलाः श्वेतास्तिलाः सौम्या वशानुगाः
— तिलाः पुनन्तु मे पापम्
— तिलाः शान्तिं कुर्वन्तु (ter).
— तिलाः शमयन्तु
Dhyâna. 7. तिलमध्ये यथा तैलम् Yogat. 8.
9. तिलानां तु यथा तैलम्
Haṁsa. 1. तिलेषु तैलमिव
Vâsu. 3. तैलं तिलेषु
Mukti. 1. 9. तिलेषु तैलवत्

तिलमात्र

Gopî. 5. तिलमात्रप्रदानेन
— तिलमात्रं प्रदाय

तिलौदन

Bṛih. 6. 4. 17. तिलौदनं पाचयित्वा

तीक्ष्ण

Kshur. 12. मनोद्वारेण तीक्ष्णेन

तीक्ष्णशृङ्ग

Mahânâr. 3. 11. तीक्ष्णशृङ्गाय विद्महे

तीक्ष्णा (=प)

Râmap. 77. ज्योतिस्तीक्ष्णाग्निसंयुक्ता

तीर

Bṛih. 2. 2. 3. तस्यासत ऋषयः सप्त तीरे (bis).

तीर्थ

Chhâ. 8. 15. 1. अहिंसन्त्सर्वभूतान्यन्यत्र तीर्थेभ्यः

Bṛih. 6. 2. 7. स वै गौतम तीर्थेनेच्छासै

Mahânâr. 4. 11. तीर्थं मे देहि याचितः

Śiras. 4. तीर्थमेके व्रजन्ति तीर्थमेके

7. स सर्वेषु तीर्थेषु स्नातो भवति Mahâ. 4; Kâlâg. 2; Vâsu. 4.

Aśrama. 4. नगरे तीर्थेषु पञ्चरात्रं वसन्तः

Gopî. 5. न गङ्गया समं तीर्थम्

तीव्र

Mukti. 2. 58. भावितं तीव्रसंवेगात्

तुच्छ

Nṛisut. 9. मोहात्मकमनन्तं तुच्छम्

तुमुल

Gîtâ. 1. 13. स शब्दस्तुमुलो ऽभवत्

19. स घोषः . . तुमुलः

1. तुर

Chhâ. 5. 2. 7. तुरं भगस्य धीमहि

2. तुर

Bṛih. 6. 5. 4. यज्ञवचा राजस्तंबायनस्तुरात्कावषेयात्

Bṛih. 6. 5. 4. तुरः कावषेयः प्रजापतेः

तुरीय, तुर्य

Bṛih. 5. 14. 3. अस्या एतदेव तुरीयं दर्शतं पदम् 6.

— यद्वै चतुर्थं तत्तुरीयम्

4. सैषा गायत्र्येतस्मिंस्तुरीये दर्शते पदे . . प्रतिष्ठिता

7. नमस्ते तुरीयाय . . पदाय

Maitri. 7. 11. तेभ्यस्तुर्यं महत्तरम्

Gauḍa. 1. 10. देवस्तुर्यो विभुः स्मृतः

11. द्वौ तौ तुर्ये न सिध्यतः

12. तुर्यं तत्सर्वदृक् सदा

13. उभयोः प्राज्ञतुर्ययोः

— सा च तुर्ये न विद्यते

14. न निद्रां नैव च स्वप्नं तुर्ये पश्यन्ति

15. तुरीयं पदमश्नुते

Nṛisut. 1. ईश्वरग्रासस्तुरीयः

2. तुरीये ऽजाग्रतमस्वप्नमसुषुप्तम्

— तुरीय ईश्वरग्रासः स्वराट्

— मन्त्रराजेन तुरीयं विद्यात्

3. तया तुरीयं चतुरात्मानमन्विष्य

— तुरीयेणानुचिन्तयन्

4. नृसिंह एवैकल एष तुरीयः

8. अथ तुरीयेणोतश्च प्रोतश्च

Brahma. 2. जागरितं स्वप्नं सुषुप्तं तुरीयम्

— तुरीये परमक्षरम् (4 MSS. have तुरीयं)

3. तुरीयं मूर्ध्नि संस्थितम्

Sarvop. 1. जाग्रत्स्वप्नसुषुप्तं तुरीयं च कथम्

2. तदा तत्तुरीयं चैतन्यमित्युच्यते

Haṁsa. 2. पद्मत्यागे तुरीयम्

तुरीयत्व

Nṛisut. 2. तुरीयत्वाच्चिद्रूपत्वाद्वा

तुरीयातीत

Mukti. 1. 36. *vide* अक्षमालिका
1. *vide* मुक्तिका

तुरीयातुरीय

Nṛisut. 6. तुरीयातुरीयमात्मानम् (ter) (some MSS. read तुरीयतुरीयं)

तुरीयावसितत्व

Nṛisut. 1. तुरीयावसितत्वादेकैकस्य

तुरीयोङ्काराग्रविद्योत

Nṛisut. 4. परमं ब्रह्मोङ्कारं तुरीयोङ्काराग्रविद्योतम् (ter).

तुर्याख्य

Maitri. 6. 19. प्राणो वै तुर्याख्ये धारयेत् प्राणम्

तुर्यातीत

Haṁsa. 2. तुर्यातीतमुन्मननमजपोपसंहारमित्याभिधीयते

तुलसी

Vâsu. 3. तुलसीमूलमृत्तिकाम्

तुल्य

Kaṭha. 1. 22. नान्यो वरस्तुल्य एतस्य कश्चित्
24. एतत्तुल्यं यदि मन्यसे वरम्
Gauḍa. 1. 13. द्वैतस्याग्रहणं तुल्यम्
22. त्रिषु धामसु यत्तुल्यम्
Gopî. 5. न तत्तुल्यं भवेल्लोके
Gîtâ. 14. 25. मानापमानयोस्तुल्यस्तुल्यो मित्रारिपक्षयोः

तुल्यनिन्दात्मसंस्तुति

Gîtâ. 14. 24. तुल्यप्रियाप्रियो धीरस्तुल्यनिन्दात्मसंस्तुतिः

तुल्यनिन्दास्तुति

Gîtâ. 12. 19. तुल्यनिन्दास्तुतिर्मौनी

तुल्यप्रियाप्रिय

Gîtâ. 14. 24. तुल्यप्रियाप्रियो धीरः

तुल्यविक्रम

Amṛita. 29. पञ्चभिस्तुल्यविक्रमः

तुष्

Kaṭha. 1. 15. अथास्य मृत्युः पुनरेवाह तुष्टः
Nyâsa. 4. स्तूयमानो न तुष्येत
Kaṭhaśru. 4.
Gîtâ. 2. 55. आत्मन्येवात्मना तुष्टः
6. 20. पश्यन्नात्मनि तुष्यति
10. 9. तुष्यन्ति च रमन्ति च

तुष

Skanda. 6. तुषेण बद्धो व्रीहिः स्यात्तुषाभावे न तण्डुलः

तुष्टि

Gîtâ. 10. 5. अहिंसा समता तुष्टिः

तुष्टिकारण

Gopî. 1. चन्दनं तुष्टिकारणं च
— किं तुष्टिकारणं ब्रह्मानन्दकारणं (some MSS. have तुष्टिकरणं in both places).

तूर्णम्

Praśna. 5. 3. तूर्णमेव जगत्यामभिसम्पद्यते

तूष्णीम्

Kaush. 4. 19. तत उह बालाकिस्तूष्णीमास
Chhâ. 1. 10. 11. ते ह समारतास्तूष्णीमासांचक्रिरे

Bṛih. 2. 1. 13. स ह तूष्णीमास गार्ग्यः
Praśna. 6. 1. स तूष्णीं रथमारुह्य प्रवव्राज
Prâṇâg. 1. तूष्णीमेकामेकऋषौ जुहोति
Gitâ. 2. 9. तूष्णीं बभूव ह

तृण

Kaush. 2. 15. नवैस्तृणैरगारं संस्तीर्य
Kena. 19. तस्मै तृणं निदधौ 23.
Chhâ. 2. 22. 2. तृणोदकं पशुभ्यः (आगायानि)
6. 7. 5. तं तृणैरुपसमाधाय प्रज्वालयेत्
7. 2. 1. तृणवनस्पतीन् 7. 7. 1.
7. 8. 1. तृणवनस्पतयः 7. 10. 1; Maitri. 1. 4.
Bṛih. 4. 4. 3. यथा तृणजलायुका तृणस्यान्तं गत्वा
Maitri. 6. 26. तृणकाष्ठसंस्पर्शेन
Gâruḍa. 3. तृणेन मोक्षयति काष्ठेन मोक्षयति

तृणकूट

Jâbâla. 6. *vide* स्थण्डिल

तृणजलायुका

Bṛih. 4. 4. 3. यथा तृणजलायुका तृणस्यान्तं गत्वा

तृणोदक

Bṛih. 1. 4. 16. यत्पशुभ्यस्तृणोदकं विन्दति

तृतीय

Ait. 4. 4. तदस्य तृतीयं जन्म
Chhâ. 2. 23. 2. ब्रह्मचार्याचार्यकुलवासी तृतीयः
3. 8. 1. यत्तृतीयममृतं तदादित्या उपजीवन्ति
5. 10. 8. जायस्व म्रियस्वेत्येतत्तृतीयं स्थानम्
5. 21. 1. अथ यां तृतीयां जुहुयात्
Chhâ. 6. 11. 2. तृतीयां जहात्यथ सा शुष्यति
8. 5. 3. तृतीयस्यामितो दिवि
Bṛih. 1. 2. 3. आदित्यं तृतीयं वायुं तृतीयम्
3. 1. 7. शस्यैव तृतीया 10.
4. 3. 9. सन्ध्यं तृतीयं स्वप्नस्थानम्
5. 14. 6. तृतीयं पदमाप्नुयात्
Kaṭha. 1. 4. द्वितीयं तृतीयं तं होवाच
19. तृतीयं वरं नचिकेतो वृणीष्व
20. वराणामेष वरस्तृतीयः
Śwet. 1. 11. तस्याभिध्यानात्तृतीयं . . विश्वैश्वर्यम्
Maitri. 6. 33. सैषा द्यौः प्रजापतेस्तृतीया चितिः
Mahânâr. 2. 5. तृतीये धामन्नध्यैरयन्त
Mâṇḍû. 5. प्राज्ञस्तृतीयः पादः Nṛip. 4. 1; Ramot. 3
11. प्राज्ञो मकारस्तृतीया मात्रा
Nṛip. 1. 2. तस्मान्नस्तृतीयं पादं जानीयात् 4.
4. नृसिं तृतीयस्याद्यम्
5. हं भी तृतीयस्यार्द्धान्त्यम्
7. भद्रं तृतीयस्यान्त्यम्
2. 1. सा तृतीयः पादो भवति Nṛisut. 3.
— तृतीया द्यौः स मकारः Nṛisut. 3; Sikhâ. 1.
2. तृतीयं तृतीयेन (युज्यते)
3. महाविष्णुं तृतीयं (स्थानं जानीयात्)
Nṛisut. 1. प्राज्ञ ईश्वरस्तृतीयः पादः
3. तृतीया तृतीयस्य
Śiras. 5. या सा तृतीया मात्रा ईशानदेवत्या
7. तृतीयं जप्त्वैवमेवानुप्रविशति

Śikhâ. 1. तृतीया कृष्णा विष्णुमती
Nâda. 9. पतङ्गी च तृतीया स्यात्
13. विद्याधरस्तृतीयायाम्
Piṇḍa. 5. तृतीयेन तु पिण्डेन
Haṁsa. 2. घण्टानादस्तृतीयः
— तृतीये स्वेदनं याति
Kâlâg. 2. यास्य तृतीया रेखा
Râmap. 53. तृतीयं वायुसूनुं च
Râmot. 2. मकारस्तृतीयाक्षरो भवति

तृतीयसवन

Chhâ. 2. 24. 1. आदित्यानां च विश्वेषां च देवानां तृतीयसवनम्
11. पुरा तृतीयसवनस्योपाकरणात्
16. तस्मा आदित्याश्च विश्वे च देवास्तृतीयसवनं संप्रयच्छन्ति
3. 16. 4. इदं मे माध्यन्दिनं सवनं तृतीयसवनमनुसन्तनुत
5. यान्यष्टाचत्वारिंशद्वर्षाणि तत्तृतीयसवनम्
— जागतं तृतीयसवनम्
6. इदं मे तृतीयसवनमायुरनुसन्तनुत
Kâlâg. 2. तृतीया रेखा सा..तृतीयसवनम्

तृतीयान्तार्द्ध

Nṛip. 1. 6. षणं तृतीयान्तार्द्धस्याद्यम्

तृद्

Bṛih. 3. 9. 28. तस्मात्तदा तृणात्प्रैति रसः

तृप्

Ait. 3. 3. अभिव्याहृत्य हैवान्नमत्रप्स्यत् (similarly in 4-9).
Chhâ. 3. 6. 1. एतदेवामृतं दृष्ट्वा तृप्यन्ति 3. 7. 1; 3. 8. 1; 3. 9. 1; 3. 10. 1.
Chhâ. 3. 6. 3. एतदेवामृतं दृष्ट्वा तृप्यति 3. 7. 3; 3. 8. 3; 3. 9. 3; 3. 10. 3.
5. 19. 1. प्राणाय स्वाहेति प्राणस्तृप्यति (similarly 4 times more).
2. प्राणे तृप्यति चक्षुस्तृप्यति (similarly 19 times more).
— तृप्यति प्रजया पशुभिरन्नाद्येन तेजसा ब्रह्मवर्चसेन 5. 20. 2; 5. 21. 2; 5. 22. 2; 5. 23. 2.
Bṛih. 1. 3. 18. तेनैतास्तृप्यन्ति
6. 3. 1. ते मा तृप्ताः सर्वैः कामैस्तर्पयन्तु
Kaṭha. 1. 26. न वित्तेन तर्पणीयो मनुष्यः
Maitri. 6. 23. तृप्तं स्थिरमचलममृतम् 7.3.
Gauḍa. 1. 4. स्थूलं तर्पयते विश्वम्
Śiras. 1. तर्पयामि स्वेन तेजसा
Mukti. 2. 75. सदैव तृप्तो ऽहमितीह भावय
Gîtâ. 6. 8. ज्ञानविज्ञानतृप्तात्मा

तृप्ति

Chhâ. 5. 19. 2. तस्यानु तृप्तिं तृप्यति प्रजया 5. 20. 2; 5. 21. 2; 5. 22. 2; 5. 23. 2.
Tait. 3. 10. 2. तृप्तिरिति वृष्टौ
Gauḍa. 1. 4. त्रिधा तृप्तिं निबोधत
Gîtâ. 10. 18. तृप्तिर्हि शृण्वतो नास्ति मे ऽमृतम्

तृप्तिमन्त्

Chhâ. 7. 10. 2. अपो ब्रह्मेत्युपास्ते..तृप्तिमान् भवति

तृष्णा

Śiras. 5. यस्मिन् क्रोधं या च तृष्णां क्षमां च..हित्वा

तृष्णासङ्गसमुद्भव

Gîtâ. 14. 7. रजो रागात्मकं . . तृष्णासङ्गसमुद्भवम्

तृष्णेर्ष्याकुण्डलिन्

Maitri. 6. 28. सम्मोहमौली तृष्णेर्ष्याकुण्डली

तृह्

Kaush. 3. 1. दिवि प्रह्लादीयानतृणम्

तॄ

Chhâ. 7. 1. 3. तरति शोकमात्मवित्
— मा भगवाञ्छोकस्य पारं तारयतु
8. 4. 1. नैतं सेतुमहोरात्रे तरतः
2. एतं सेतुं तीर्त्वा (bis).
Bṛih. 4. 3. 22. तीर्णो हि तदा सर्वाञ्छोकान्
4. 4. 22. एतमु हैवैते न तरतः
— उभे उ हैवैष एते तरति
23. नैनं पाप्मा तरति सर्वं पाप्मानं तरति
Iśâ. 11. अविद्यया मृत्युं तीर्त्वा
Maitri. 7. 9.
14. विनाशेन मृत्युं तीर्त्वा
Kaṭha. 1. 12. उभे तीर्त्वाशनायापिपासे
17. तरति जन्ममृत्यू
3. 2. अभयं तितीर्षतां पारम्
Maitri. 6. 21. तीर्त्वा पारमपारेण पश्चाद्युञ्जीत
28. अन्तर्हृदयाकाशस्य पारं तीर्त्वा
Muṇḍ. 3. 2. 9. तरति शोकं तरति पाप्मानम्
Praśna. 6. 8. अविद्यायाः परं पारं तारयासि
Nṛip. 2. 1. सर्वे पाप्मानमतरन् संसारं चातरन्
Nṛip. 2. 1. स पाप्मानं तरति 3. 1; 5. 4; Râmot. 2.
— स संसारं तरति Râmot. 2.
3. 1. स मृत्युं तरति 5. 4; Râmot. 2.
5. 4. स भ्रूणहत्यां तरति Râmot. 2.
— स ब्रह्महत्यां तरति Râmot. 2.
— स वीरहत्यां तरति Râmot. 2.
— स सर्वहत्यां तरति Râmot. 2.
— स सर्वं तरति Râmot. 2.
Kshur. 22. संसारं तरते तदा
Siras. 4. गर्भजन्मव्याधिजरामरणसंसारमहाभयात्तारयति
Râmap. 43. ततस्ततार हनुमान्
Râmot. 2. किं तारकं किं तरतीति
Gîtâ. 7. 14. मायामेतां तरन्ति ते
18. 58. मत्प्रसादात्तरिष्यसि

तेजस्

Ait. 4. 1. सर्वेभ्योऽङ्गेभ्यस्तेजः संभृतम्
Kaush. 1. 6. तेजो भूतस्य भूतस्य
2. 6. तत्तेज इत्युपासीत
11. तेजो वै पुत्र नामासि (वेदो वै one MS.)
12. तस्यादित्यमेव तेजो गच्छति
— चंद्रमसमेव तेजो गच्छति
— विद्युतमेव तेजो गच्छति
— दिश एव तेजो गच्छति
13. तस्य चक्षुरेव तेजो गच्छति
— श्रोत्रं . . मनः . . प्राणमेव तेजो गच्छति
4. 2. अप्सु तेजः
10. तेजस आत्मेति वा . . एतमुपासे 18.

Kaush. 4. 10. एतमुपास्ते तेजस आत्मा भवति

Chhâ. 3. 1. 3. तेज इन्द्रियं वीर्यमन्नाद्यं रसो ऽजायत 3. 2. 2; 3. 3. 2; 3. 4. 2; 3. 5. 2.

3. 13. 1. तदेतत्तेजो ऽन्नाद्यमित्युपासीत

5. 19. 2. तृप्यति . . तेजसा ब्रह्मवर्चसेन

6. 2. 3. तत्तेजो ऽसृजत तत्तेज ऐक्षत बहु स्याम्

— तेजस एव तदध्यापो जायन्ते

6. 4. 1. तेजसस्तद्रूपम् 2, 3, 4, 6.

6. 5. 3. तेजो ऽशितं त्रेधा विधीयते

6. 6. 4. तेजसः सोम्याश्यमानस्य

6. 8. 4. तेजोमूलमन्विच्छ तेजसा . . सन्मूलमन्विच्छ 6.

5. तेज एव तत्पीतं नयते

— तत्तेज आचष्ट उदन्या

6. प्राणस्तेजसि तेजः परस्यां देवतायाम् 6. 15. 1, 2.

7. 2. 1. अपश्च तेजश्च 7. 7. 1.

7. 4. 2. समकल्पतामापश्च तेजश्च

7. 11. 1. तेजो वा अद्भ्यो भूयः

— तेज एव तत्पूर्वं दर्शयित्वाथापः सृजते तेज उपास्वेति (bis).

2. यस्तेजो ब्रह्मेत्युपास्ते

— अस्ति भगवस्तेजसो भूय इति तेजसो वाव भूयो ऽस्तीति

7. 12. 1. आकाशो वाव तेजसो भूयान्

7. 26. 1. आत्मतस्तेजः

8. 6. 3. तेजसा हि तदा सम्पन्नो भवति

Bṛih. 3. 7. 14. यस्तेजसि तिष्ठंस्तेजसो ऽन्तरो यं तेजो न वेद यस्य तेजः शरीरं यस्तेजो ऽन्तरो यमयति

4. 4. 7. अयमशरीरो ऽमृतः प्राणो ब्रह्मैव तेज एव

5. 15. 1. व्यूह रश्मीन् समूह तेजः Íśâ. 16.

6. 4. 5. पुनर्मामैत्विन्द्रियं पुनस्तेजः

6. मयि तेज इन्द्रियं यशः

Kaṭha. 1. 26. सर्वेन्द्रियाणां जरयन्ति तेजः

Śwet. 2. 12. पृथ्व्याप्यतेजोनिलखे 6. 2. (खानि)

Maitri. 1. 2. तेजसा निर्दहन्निव

6. 4. एतस्यैतत्तेजो यदसा आदित्यः

27. ब्रह्मणो वावैतत्तेजः . . यच्छरीरस्यौष्ण्यम्

— तेजश्चैवाग्निसूर्ययोः

35. नभसो ऽन्तर्गतस्य तेजसो ऽंशमात्रम् (4 times).

— द्विधर्मो ऽन्धं तेजसेन्धम्

36. तेजसः समृद्ध्यै

37. अपरिमितं तेजः 7. 11.

38. तेजोमध्ये स्थितं सत्त्वम्

7. 11. नभसः . . यत् परं तेजः

— तेजस्तत् . . उभयोस्तयोः

Mahânâr. 1. 3. येनादित्यस्तपति तेजसा

12. 3. आदित्यो वै तेज ओजो बलम्

Praśna. 2. 9. इन्द्रस्त्वं प्राण तेजसा

3. 9. तेजो ह वै उदानः

10. प्राणस्तेजसा युक्तः

4. 6. स यदा तेजसाभिभूतो भवति

8. तेजश्च तेजोमात्रा च

— तेजश्च विद्योतयितव्यं च

5. 5. स तेजसि सूर्ये सम्पन्नः

Nṛisut. 3. तेजसा शरीरत्रयं संव्याप्य
— तत्तेज आत्मचैतन्यरूपं बलमवष्टभ्य
Chûl. 1. द्विवर्त्तमानं तेजसैद्धम्
Śiras. 1. आपो ऽहं तेजो ऽहम्
— तर्पयामि स्वेन तेजसा
2. यो वै रुद्रः..यच्च तेजः
Garbha. 1. पृथिव्यापस्तेजोवायुराकाशम्
— का आपः किं तेजः
— यदुष्णं तत्तेजः
— तेजः प्रकाशने
Mahâ. 1. तेजो द्वादशम्
3. तासु तेजो हिरण्मयमण्डम्
Brahma. 2. बलमस्तु तेजः
Râmap. 23. तेजसा वह्निना समः
49. वामे तेजः प्रकाशनम्
88. अर्कविध्वग्नितेजांसि
Mukti. 1. 33. तेजो नादो ध्यानं विद्या
Gîtâ. 7. 9. तेजश्चास्मि विभावसौ
10. तेजस्तेजस्विनामहम् 10.36.
11. 30. तेजोभिरापूर्य जगत्समग्रम्
15. 12. यदादित्यगतं तेजः
— तत्तेजो विद्धि मामकम्
16. 3. तेजः क्षमा धृतिः शौचम्
18. 43. शौर्यं तेजो धृतिर्दाक्ष्यम्

तेजस्वन्त्

Chhâ. 7. 11. 2. तेजस्वतो लोकान्..अभिसिध्यति

तेजस्वितम

Kaush. 2. 6. यथैतत्..तेजस्वितमं..भवत्येवं हैव स..तेजस्वितमो भवति

तेजस्विन्

Chhâ. 2. 14. 2. तेजस्व्यन्नादो भवति 3. 13. 1.
Chhâ. 7. 11. 2. तेजस्वी वै स तेजस्वतो लोकान्..अभिसिध्यति
Bṛih. 2. 1. 4. तेजस्वीति..एतमुपास्ते
— एवमुपास्ते तेजस्वीह भवति तेजस्विनी हास्य प्रजा भवति
Tait. 2. 1. 1. तेजस्वि नावधीतमस्तु 3. 1. 1; Kaṭha. 6. 19.
Gîtâ. 7. 10. तेजस्तेजस्विनामहम् 10.36.

तेजोंशसम्भव

Gîtâ. 10. 41. तत्तदेवावगच्छ त्वं मम तेजोंशसम्भवम्

तेजोदा

Mahânâr. 24. 1. तेजोदास्त्वमस्यग्ने:

तेजोबिन्दु

Tejo. 1. तेजोबिन्दुः परं ध्यानम् (4 MSS., and Nârâyaṇa, read तेज°)
Mukti. 1. *vide* सरस्वतीरहस्य

तेजोमण्डल

Praśna. 4. 2. एतस्मिंस्तेजोमण्डल एकीभवन्ति

तेजोमय

Chhâ. 6. 5. 4. तेजोमयी वाक् 6. 6. 5; 6. 7. 6.
Bṛih. 2. 5. 1. तेजोमयो ऽमृतमयः पुरुषः (28 times)
4. 4. 5. तेजोमयो ऽतेजोमयः
Śwet. 2. 14. तेजोमयं भ्राजते तत्सुध्मातम्
Gîtâ. 11, 47. तेजोमयं विश्वमनन्तमाद्यम्

तेजोमात्रा

Bṛih. 4. 4. 1. स एतास्तेजोमात्राः समभ्याददानः
Praśna. 4. 8. तेजश्च तेजोमात्रा च

तेजोरस

Brih. 1. 2. 2. तेजोरसो निरवर्त्तताग्निः

तेजोराशि

Gîtâ. 11. 17. तेजोराशिं सर्वतो दीप्तिमन्तम्

तेजोवृष

Maitri. 6. 34. मद्गुर्हंसस्तेजोवृषः

तैजस

Brih. 2. 5. 8. तैजसस्तेजोमयो ऽमृतमयः पुरुषः

4. 4. 9. तेनैति ब्रह्मवित्पुण्यकृत्तैजसश्च

Mâṇḍû. 4. प्रविविक्तभुक् तैजसः Nrip. 4. 1; Râmot. 3.

10. स्वप्नस्थानस्तैजस उकारः

Gauḍa. 1. 1. ह्यन्तःप्रज्ञस्तु तैजसः

2. मनस्यन्तस्तु तैजसः

3. तैजसः प्रविविक्तभुक्

4. प्रविविक्तं तु तैजसम्

11. इष्येते विश्वतैजसौ

20. तैजसस्योत्वविज्ञाने

23. उकारश्चैव तैजसं (नयते)

Nrisut. 1. सूक्ष्मभुक् चतुरात्मा तैजसः

2. स्वप्नस्थानश्चतुरात्मा तैजसः

Kathaśru. 3. तैजसानि गुरवे दद्यात्

तैजसात्मक

Râmot. 3. शत्रुघ्नस्तैजसात्मकः

तैतिल

Kshur. 17. नाडीषु तैतिलम्

19. यथा वास्यन्ति तैतिलम् (in both cases, one MS. has वै for तै)

तैत्तिरीयक

Gauḍa. 3. 11. व्याख्यातास्तैत्तिरीयके

Mukti. 1. *vide* सरस्वतीरहस्य

तैल

Śwet. 1. 15. तिलेषु तैलं दधिनीव सर्पिः Brahma. 3.

Dhyâna. 7. तिलमध्ये यथा तैलम् Yogat. 8.

9. तिलानां तु यथा तैलम्

Haṁsa. 1. तिलेषु तैलमिव

Vâsu. 3. तैलं तिलेषु काष्ठेषु वह्निः

Mukti. 1. 9. तिलेषु तैलवद्वेदे वेदान्तः

तैलधार

Dhyâna. 18. तैलधारमिवाच्छिन्नम्

तोक

Śwet. 4. 22. मा नस्तोके.. रीरिषः

Mahânâr. 6. 4. भवा तोकाय तनयाय शंयोः

Kâlâg. 1. मा नस्तोकेति समुद्धृत्य

तोय

Mahânâr. 1. 4. तोयेन जीवान्विससर्ज भूम्याम्

Dhyâna. 21. तोयमाकर्षयेत् पुनः

Piṇḍa. 3. अहं वसति तोयेषु

Gîtâ. 9. 26. पत्रं पुष्पं फलं तोयम्

त्मन्

Maitri. 2. 6. सो त्मानमभिध्यात्वा

6. 7. आत्मनो त्मा नेतामृताख्यः

त्य

Kaush. 1. 6. यद्देवाश्च प्राणाश्च तत्त्यम्

Brih. 1. 3. 24. त्यस्य..मूर्धानं विपातयतात्

2. 3. 1. द्वे वाव ब्रह्मणो रूपे..सच्च त्यं च

3. एतदमृतमेतद्यदेतत्त्यम् 5.

— एतस्य त्यस्यैष रसः..त्यस्य ह्येष रसः 5.

3. 9. 9. स ब्रह्म त्यदित्याचक्षते

Tait. 2. 6. 1. सच्च त्यच्चाभवत्

त्यक्तजीवित

Gîtâ. 1. 9. मदर्थे त्यक्तजीविताः

त्यक्तसर्वपरिग्रह

Gîtâ. 4. 21. निराशीर्यतचित्तात्मा त्यक्तसर्वपरिग्रहः

त्यज्

Isâ. 1. तेन त्यक्तेन भुञ्जीथाः
Maitri. 1. 4. महतीं श्रियं त्यक्त्वा
Brahma. 1. यत्परं नापरं त्यजति
2. बहिःसूत्रं त्यजेद्बुधः
— बहिःसूत्रं त्यजेद्विद्वान्
Aruṇeya. 3.
Brahmab. 18. त्यजेद्ग्रन्थमशेषतः
Amṛita. 4. मात्रालिङ्गपदं त्यक्त्वा
Nyâsa. 2. त्यक्त्वा कामान् सन्न्यस्यति
— भोगांस्त्यजति सुस्थितान्
Piṇḍa. 2. हंसस्त्यक्त्वा गतो देहम्
Aruṇeya. 3. कामक्रोधलोभमोहदंभदर्पासूयाममत्वाहंकारानृतादीन्यपि त्यजेत्
4. सोपनयनादूर्ध्वमेतानि प्राग्वा त्यजेत्
5. मेखलां यज्ञोपवीतं च त्यक्त्वा
Kâlâg. 2. देहं त्यक्त्वा शिवसायुज्यमेति
Skanda. 11. त्यजेदज्ञाननिर्माल्यम्
Mukti. 2. 15. भोगेच्छां दूरतस्त्यक्त्वा
16. सम्यग्वासनया त्यक्तम्
32. शुभो ऽप्यसौ त्वया त्याज्यः
57. त्यक्तपूर्वापरविचारणम्
63. पुनर्जन्मांकुरं त्यक्त्वा
68. मोक्षार्थित्वमपि त्यज
69. त्यक्त्वा विषयवासनाः
Gîtâ. 1. 33. प्राणांस्त्यक्त्वा धनानि च
2. 3. हृदयदौर्बल्यं त्यक्त्वा
48. संगं त्यक्त्वा धनंजय
Gîtâ. 2. 51. फलं त्यक्त्वा मनीषिणः
4. 9. त्यक्त्वा देहं पुनर्जन्म नैति
20. त्यक्त्वा कर्मफलासंगम्
5. 10. संगं त्यक्त्वा करोति यः
11. संगं त्यक्त्वात्मशुद्धये
12. युक्तः कर्मफलं त्यक्त्वा
6. 24. त्यक्त्वा सर्वानशेषतः
8. 6. त्यजत्यन्ते कलेवरम्
13. यः प्रयाति त्यजन्देहम्
16. 21. तस्मादेतत्त्रयं त्यजेत्
18. 3. त्याज्यं दोषवदित्येके
— न त्याज्यमिति चापरे
5. न त्याज्यं कार्यमेव तत्
6. संगं त्यक्त्वा फलानि च
8. कायक्लेशभयात्त्यजेत्
9. संगं त्यक्त्वा फलं चैव
11. नहि . . शक्यं त्यक्तुं कर्माण्यशेषतः
48. सदोषमपि न त्यजेत्
51. शब्दादीन्विषयांस्त्यक्त्वा

त्याग

Mahânâr. 10. 5. त्यागेनैके अमृतत्वमानशुः
Kaivalya. 2.
Prâṇâg. 4. त्यागो दक्षिणा
Parama. 3. त्यागो रागे
Skanda. 12. स्नानं मनोमलत्यागः
Gîtâ. 12. 12. त्यागाच्छान्तिरनन्तरम्
16. 2. त्यागः शान्तिरपैशुनम्
18. 1. त्यागस्य च हृषीकेश
2. सर्वकर्मफलत्यागं प्राहुस्त्यागम्
4. निश्चयं शृणु मे तत्र त्यागे
—त्यागो हि . . त्रिविधः
8. स कृत्वा राजसं त्यागम्
9. स त्यागः सात्त्विको मतः

त्यागफल

Gîtâ. 18. 8. नैव त्यागफलं लभेत्

त्यागिन्

Aśrama. 4. त्रिदण्डकमण्डलुशिक्यपक्ष-जलपवित्रपात्रपादुकासन-शिखायज्ञोपवीतानां त्यागिनः

Gîtâ. 18. 10. त्यागी सत्त्वसमाविष्टः
11. यस्तु कर्मफलत्यागी स त्यागी

त्रपु

Chhâ. 4. 17. 7. रजतेन त्रपु त्रपुणा सीसम्

त्रय

Chhâ. 3. 17. 6. अन्तवेलायामेतत्त्रयं प्रतिपद्येत

Bṛih. 1. 6. 1. त्रयं वा इदं नाम रूपं कर्म
3. एतत्त्रयं सदेकमयमात्मात्मो एकः सन्नेतत्त्रयम्
5. 2. 1. त्रयाः प्राजापत्याः प्रजापतौ . . ब्रह्मचर्यमूषुः
3. एतत्त्रयं शिक्षेद्दमं दानं दयाम्

Kaṭha. 1. 18. त्रिणाचिकेतस्त्रयमेतद्विदित्वा

Śwet. 1. 7. तस्मिंस्त्रयं सुप्रतिष्ठाक्षरं च
9. त्रयं यदा विन्दते ब्रह्ममेतत्

Nṛisut. 1. त्रयमप्येतत् सुषुप्तं स्वप्नं मायामात्रम्
— त्रयमत्रापि सुषुप्तं स्वप्नं मायामात्रम्

Mukti. 2. 11. त्रयमेतत्समं यावत्
15. त्रयमेव समाश्रय

Gîtâ. 16. 21. तस्मादेतत्त्रयं त्यजेत्

त्रयस्त्रिंश

Bṛih. 3. 9. 2. इन्द्रश्चैव प्रजापतिश्च त्रयस्त्रिंशाविति

Maitri. 7. 5. त्रिणवत्रयस्त्रिंशौ . . ऊर्ध्वा उद्यन्ति

त्रयस्त्रिंशत्

Bṛih. 3. 9. 1. कत्येव देवाः . . त्रयस्त्रिंशदिति
2. महिमान एवैषामेते त्रयस्त्रिंशत्त्वेव देवा इति
— कतमे ते त्रयस्त्रिंशदिति

त्र्यक्षर

Yogat. 6. स्थिताः सर्वे त्र्यक्षरे

त्रयी

Jâbâla. 4. मोक्षमंत्रस्त्रय्येवं विदेत्

त्रयीधर्म

Gîtâ. 9. 21. एवं त्रयीधर्ममनुप्रपन्नाः

त्रयी विद्या

Kaush. 2. 6. स एष त्रय्यै विद्याया आत्मा

Chhâ. 1. 1. 9. तेनेयं त्रयी विद्या वर्त्तते
1. 4. 2. देवा वै मृत्योर्बिभ्यतस्त्रयीं विद्यां प्राविशन्
2. 21. 1. त्रयी विद्या हिंकारः
2. 23. 3. तेभ्यो ऽभितप्तेभ्यस्त्रयी विद्या संप्रास्त्रवत्
4. 17. 3. स एतां त्रयीं विद्यामभ्यतपत्
8. अस्यास्त्रय्या विद्याया वीर्येण

Bṛih. 5. 14. 2. स यावतीयं त्रयी विद्या तावद्ध जयति
6. यावतीयं त्रयी विद्या यस्तावत्प्रतिगृह्णीयात्

Mahânâr. 12. 2. सैषा त्रय्येव विद्या तपति
22. 1. अग्नयो वै त्रयी विद्या

त्रयोदश

Chhâ. 1. 13. 3. अनिरुक्तस्त्रयोदशस्तोभः

Mahâ. 1. अहङ्कारस्त्रयोदशः

त्रयोदशन्

Amṛita. 33. सहस्राणि त्रयोदश

त्रस्

Gauḍa. 4. 42. अजातेस्त्रसतां सदा
43. अजातेस्त्रसतां तेषाम्

त्राण

Chhâ. 8. 5. 2. सत आत्मनस्त्राणं विन्दते

त्राणन

Râmap. 12. मननात्त्राणनान्मन्त्रः

त्रातृ

Mahânâr. 20. 3. त्रातारमिन्द्रमवितारमिन्द्रम्

त्रि

Ait. 3. 12. तस्य त्रय आवसथास्त्रयः स्वप्नाः

Kaush. 2. 7. कौषीतकेस्त्रीण्युपासनानि भवन्ति

8. एतास्तिस्र ऋचो जपित्वा

Chhâ. 1. 8. 1. त्रयो होद्गीथे कुशला बभूवुः

2. 10. 3. त्रिभिस्त्रिभिः समं भवति

2. 21. 1. त्रय इमे लोकाः स प्रस्तावः

3. यानि पंचधा त्रीणि तेभ्यो न ज्यायः परमन्यदस्ति

2. 23. 1. त्रयो धर्मस्कन्धाः

4. 17. 2. स एतास्तिस्रो देवता अभ्यतपत्

6. 3. 1. त्रीण्येव बीजानि भवन्ति

2. इमास्तिस्रो देवताः 3, 4; 6. 4. 7; 6. 8. 6.

6. 4. 1. त्रीणि रूपाणीत्येव सत्यम् 2, 3, 4.

8. 3. 5. त्रीण्यक्षराणि सतीयमिति

Brih. 1. 3. 22. सम एभिस्त्रिभिर्लोकैः

1. 5. 1. त्रीण्यात्मने ऽकुरुत 3.

4. त्रयो लोका एत एव

5. त्रयो वेदा एत एव

16. अथ त्रयो वाव लोकाः

3. 1. 7. तिसृभिरिति कतमास्तास्तिस्र इति

8. तिस्र इति कतमास्तास्तिस्रः 10.

Brih. 3. 9. 1. त्रयश्च त्री च शता त्रयश्च त्री च सहस्रेति

— कत्येव देवाः . . त्रय इति

8. कतमे ते त्रयो देवा इतीम एव त्रयो लोकाः

5. 14. 1. स यावदेषु त्रिषु लोकेषु तावद्ध जयति

6. य इमांस्त्रीँल्लोकान् पूर्णान् प्रतिगृह्णीयात्

6. 4. 16. त्रीन् वेदाननुब्रुवीत

Tait. 1. 5. 1. एतास्तिस्रो व्याहृतयः

Katha. 1. 9. तिस्रो रात्रीर्यदवात्सीर्गृहे मे

— तस्मात्प्रति त्रीन् वरान् वृणीष्व

10. एतत्त्रयाणां प्रथमं वरं वृणे

17. त्रिभिरेत्य सन्धिम्

Śwet. 6. 3. एकेन द्वाभ्यां त्रिभिरष्टभिर्वा

Maitri. 6. 3. ओमिति तिस्रो मात्राः

10. तिसृष्ववस्थास्वन्तत्वं भवति

7. 11. त्रिष्वेकपाचरेद्ब्रह्म

Mahânâr. 2. 4. त्रीणि पदा निहिता गुहास्य

9. 4. त्रीणि ज्योतींषि सचते Nrip. 2. 4.

10. 1. चत्वारि शृङ्गा त्रयो अस्य पादाः

20. 14. त्रीणि पदा विचक्रमे

Praśna. 5. 6. तिस्रो मात्रा मृत्युमत्यः

Kaivalya. 18. त्रिषु धामसु यद्भोग्यम् Gauḍa. 1. 5 (ज्यं)

Gauḍa. 1. 22. त्रिषु धामसु यत्तुल्यम्

4. 27. अध्वसु त्रिषु

90. उपलम्भात्त्रिषु स्मृतः

Nrip. 1. 3. स त्रीँल्लोकान् जयति

2. 2. अष्टाक्षरास्त्रयः पादा भवन्ति

4. यस्योरुषु त्रिषु विक्रमणेष्वधि

4. 2. सूर्य इति त्रीण्यादित्य इति त्रीणि

Nṛisut. 3. विभक्तांस्त्रीनेवाविभक्तांस्त्रीनेव..सम्पूज्य
6. त्रयो देवा उदासते

Brahmav. 4. तत्र देवास्त्रयः प्रोक्ताः..त्रयो ऽग्नयः
— तिस्रो मात्रार्द्धमात्रा च
9. तिस्रो मात्रास्तथा ज्ञेयाः

Kshur. 6. जंघे चैव त्रयस्त्रयः
7. गुदे शिश्ने त्रयस्त्रयः

Śiras. 3. तिस्रो मात्राः परस्तु सः

Garbha. 5. त्रीणि स्थानानि भवन्ति
— अस्थीनि च ह वै त्रीणि शतानि षष्टिश्च

Prâṇâg. 1. या ओषधयः सोमराज्ञीरिति तिसृभिः
2. स्त्रियस्तिस्रः

Amṛita. 9. प्राणायामास्त्रयः प्रोक्ताः
28. त्रिभिर्मासैर्न संशयः

Tejo. 4. मुखानि त्रीणि विन्दन्ति

Yogat. 6. त्रयो लोकास्त्रयो वेदास्त्रयः सन्ध्यास्त्रयः सुराः
— त्रयो ऽग्नयो गुणास्त्रीणि
7. त्रयाणामक्षरे प्रान्ते

Kâlâg. 1. त्रिभिः..तिस्रो रेखाः प्रकुर्वीत

Jâbâla. 4. एतयैव त्रयो धातवः (one MS. has एत एव)

Vâsu. 2. ब्रह्मादयस्त्रयो मूर्त्तयः
— तिस्रो व्याहृतयस्त्रीणि छन्दांसि
— त्रयो वेदास्त्रयः स्वरास्त्रयो ऽग्नयो ज्योतिष्मन्तः
— त्रयः कालास्तिस्रो ऽवस्थास्त्रय आत्मानः
— पुण्ड्रास्त्रय ऊर्ध्वाः
4. त्रीणि पदेति मंत्रैः

Râmap. 16. शक्तयास्तिस्र एव च

Mukti. 2. 13. त्रिभिरेतैश्चिराभ्यस्तैः

Gîtâ. 3. 22. त्रिषु लोकेषु किञ्चन
7. 13. त्रिभिर्गुणमयैर्भावैः
14. 20. गुणानेतानतीत्य त्रीन्
21. कैर्लिङ्गैस्त्रीन्गुणानेतानतीतो भवति
— त्रीन्गुणानतिवर्त्तते
16. 22. तमोद्वारैस्त्रिभिः
18. 40. एभिः..त्रिभिर्गुणैः

त्रिंशत्पर्वाङ्गुल

Amṛita. 32. त्रिंशत्पर्वाङ्गुलः प्राणः

त्रिक

Maitri. 4. 4. अनेन त्रिकेण ब्रह्मोपास्ते

त्रिकपाल

Kaṭhaśru. 3. वैष्णवं त्रिकपालम्

त्रिकर्मकृत्

Kaṭha. 1. 17. त्रिकर्मकृत्तरति जन्ममृत्यू

त्रिकाल

Śwet. 6. 5. परस्त्रिकालादकलो ऽपि दृष्टः

Yogaśi. 8. यदि त्रिकालमावर्त्तेत्

त्रिकालातीत

Mâṇḍû. 1. यच्चान्यत्त्रिकालातीतं तदप्योङ्कार एव Nṛip. 4. 1; Nṛisut. 1; Râmot. 3.

त्रिकोणग

Râmap. 50. स्यात्त्रिकोणगं (°कं in Weber's edition.)

त्रिकोणरूप

Râmap. 29. एवं त्रिकोणरूपं स्यात्

त्रिगुण

Śwet. 5. 7. विश्वरूपस्त्रिगुणस्त्रिवर्त्मा

Maitri. 6. 10. तस्मात् त्रिगुणं भोज्यम्

Maitri. 6. 10. त्रिगुणभेदपरिणामत्वात्
— पुरुषो ह्यव्यक्तमुखेन त्रिगुणं भुंक्ता इति

Tejo. 6. त्र्यम्बकं त्रिगुणं स्थानम्

त्रिणव

Maitri. 7. 5. त्रिणवत्रयस्त्रिंशौ . . ऊर्ध्वा उद्यान्ति

त्रिणाचिकेत

Katha. 1. 17. त्रिणाचिकेतस्त्रिभिरेत्य सन्धिम्
18. त्रिणाचिकेतस्त्रयमेतद्विदित्वा
3. 1. पञ्चाग्नयो ये च त्रिणाचिकेताः

त्रिदण्ड

Nyâsa. 3. उत्तरासङ्गस्त्रिदण्डः

Aśrama. 4. *vide* धारिन्
— *vide* यज्ञोपवीत

Jâbâla. 6. त्रिदण्डं कमण्डलुं शिक्यम्

त्रिदण्डिन्

Gopî. 5. एकदण्डी त्रिदण्डी वा

त्रिदिव

Praśna. 2. 13. त्रिदिवे यत्प्रतिष्ठितम्

त्रिधा

Chhâ. 7. 26. 2. स एकधा भवति त्रिधा भवति

Maitri. 5. 2. स वा एकस्त्रिधा भूतः
6. 38. द्विस्त्रिधा

Mahânâr. 10. 1. त्रिधा बद्धो वृषभो रोरवीति
2. त्रिधा हितं पणिभिर्गुह्यमानम्

Gauḍa. 1. 1. एक एव त्रिधा स्थितः
2. त्रिधा देहे व्यवस्थितः
3. त्रिधा भोगं निबोधत
4. त्रिधा तृप्तिं निबोधत

Chûl. 15. त्रिधा तं पञ्चधा तथा

Siras. 3. द्विधा त्रिधा बद्धस्त्वम्
6. पृथिवी द्विधा त्रिधर्ता धारिता

Kâlâg. 1. त्रिधा चाललाटात्

Gitâ. 18. 19. त्रिधैव गुणभेदतः

त्रिधातु

Tejo. 6. त्रिधातु रूपवर्जितम् (so 2 MSS. of text, and Nârâyaṇa; others read त्रिधातुं)

त्रिधामन्

Tejo. 4. त्रिधामा हंस उच्यते

त्रिपद्, त्रिपाद्

Chhâ. 3. 12. 6. त्रिपादस्यामृतं दिवि

Bṛih. 5. 14. 7. गायत्र्यस्येकपदी द्विपदी त्रिपदी

Maitri. 6. 4. त्रिपदं त्र्यक्षरम्
— ऊर्ध्वमूलं त्रिपाद्ब्रह्म
7. 11. त्रिपाच्चरति चोत्तरे

त्रिपुण्ड्र

Kâlâg. 1. अधीहि भगवंस्त्रिपुण्ड्रविधिसतत्त्वम्
2. इति त्रिपुण्ड्रं भस्मना करोति

त्रिपुरा

Mukti. 1. 37. त्रिपुरा कठभावना
1. *vide* बह्वृच

त्रिपुरातपन

Mukti. 1. 37. त्रिपुरातपनं देवी
1. *vide* गारुड

त्रिब्रह्मन्

Dhyâna. 17. त्रिब्रह्म च त्रिरक्षरम्

त्रिमल

Garbha. 1. तत् सप्तधातु त्रिमलं द्वियोनिम्

त्रिमात्र

Praśna. 5. 5. त्रिमात्रेणैवोमित्येतेनैवाक्षरेण

Amṛita. 30. आग्नेयस्तु त्रिमात्राणि

Dhyâna. 17. त्रिमात्रं चार्द्धमात्रं च

Haṁsa. 1. त्रिमात्रो ऽहमित्येव सर्वदा ध्यायन्

त्रिमार्ग

Dhyâna. 17. त्रिस्थानं च त्रिमार्गं च

त्रिमार्गभेद

Śwet. 1. 4. त्रिमार्गभेदं द्विनिमित्तैकमोहम्

त्रिरक्षर

Dhyâna. 17. त्रिब्रह्म च त्रिरक्षरम्

त्रिरात्र

Bṛih. 6. 4. 13. त्रिरात्रान्त आप्लुत्य

त्रिरात्रम्

Aśrama. 1. उपनयनादूर्ध्वं त्रिरात्रम्

त्रिरूप

Nṛisut. 9. त्रिरूप ईश्वरवत्

त्रिरेखापुट

Râmap. 58. त्रिरेखापुटमालिख्य

त्रिलोचन

Kaivalya. 7. त्रिलोचनं नीलकण्ठं प्रशान्तम्

Dhyâna. 13. ललाटस्थं त्रिलोचनम्

त्रिवर्त्मन्

Śwet. 5. 7. विश्वरूपस्त्रिगुणस्त्रिवर्त्मा
(Nârâyaṇa reads त्रिवर्त्म)

त्रिवारम्

Vâsu. 2. त्रिवारमभिमंत्र्य

त्रिविध

Śwet. 1. 12. सर्वं प्रोक्तं त्रिविधं ब्रह्ममेतत्

Gauḍa. 3. 16. आश्रमास्त्रिविधाः
4. 89. ज्ञाने च त्रिविधे ज्ञेये

Kṛish. 5. माया सा त्रिविधा प्रोक्ता

Gîtâ. 16. 21. त्रिविधं नरकस्येदं द्वारम्
17. 2. त्रिविधा भवति श्रद्धा
7. त्रिविधो भवति प्रियः
17. तपस्तत्त्रिविधम्
23. निर्देशः..त्रिविधः स्मृतः
18. 4. त्यागो हि..त्रिविधः सम्प्रकीर्त्तितः
12. त्रिविधं कर्मणः फलम्
18. त्रिविधा कर्मचोदना
— त्रिविधः कर्मसंग्रहः
29. गुणतस्त्रिविधं शृणु
36. सुखं त्विदानीं त्रिविधम्

त्रिविष्टप

Nyâsa. 4. त्रिविष्टपमुपानहौ
Kaṭhaśru. 4.

त्रिवृत्

Chhâ. 6. 3. 3. तासां त्रिवृतं त्रिवृतमेकैकां करवाणि
4. तासां त्रिवृतं त्रिवृतमेकैकामकरोत्
— त्रिवृत्त्रिवृदेकैका भवति
6. 4. 7; 6. 8. 6.

Śwet. 1. 4. तमेकनेमिं त्रिवृतम्

Maitri. 7. 1. गायत्रं त्रिवृद्रथन्तरं..पुरस्तादुद्यन्ति

त्रिवृत्सूत्र

Brahma. 2. त्रिवृत्सूत्रं च यन्महत्

Aruṇeya. 3. त्रिवृत्सूत्रं त्यजेद्विद्वान्
(*vide* बहिःसूत्र)

त्रिशक्ति

Kâlâg. 1. त्र्यायुषैस्त्र्यंबकैस्त्रिशक्तिभिः

त्रिशंकु

Tait. 1. 10. 1. इति त्रिशङ्कोर्वेदानुवचनम्

त्रिशरीर

Nṛisut. 1. तस्मिन्निदं सर्वं त्रिशरीरमारोप्य
— एतं त्रिशरीरमात्मानं त्रिशरीरं परं ब्रह्मानुसन्दध्यात्

त्रिशिखी

Mukti. 1. 34. परिव्राट् त्रिशिखी सीता

त्रिशिखीब्राह्मण

Mukti. 1. *vide* मुक्तिका

त्रिशीर्षन्

Kaush. 3. 1. त्रिशीर्षाणं त्वाष्ट्रमहनम्

त्रिष्टुभ्

Chhâ. 3. 16. 3. चतुश्चत्वारिंशदक्षरा त्रिष्टुप्
Maitri. 7. 2. इन्द्रस्त्रिष्टुप् पञ्चदशः. . दक्षिणत उद्यान्ति
Nṛip. 2. 1. विष्णुरुद्रास्त्रिष्टुब्दक्षिणाभिः Nṛisut. 3.
Śiras. 1. त्रिष्टुब्जगत्यनुष्टुप् चाहम्
Sikhâ. 1. रुद्रो रुद्रास्त्रिष्टुब्दक्षिणाभिः

त्रिस्

Kaush. 2. 7. त्रिः प्रसिच्योदपात्रम्
11. त्रिरस्य मूर्धानमभिजिघ्रेत्
— त्रिरस्य मूर्धानमभिहिंकुर्यात्
Bṛih. 6. 4. 19. तेनैनां त्रिरभ्युक्षति
21. त्रिरेनामनुलोमामनुमार्ष्टि
25. वाग्वागिति त्रिः
Śwet. 2. 8. त्रिरुन्नतं स्थाप्य समं शरीरम्
Śikhâ. 1. ओमोमोमिति त्रिरुक्तः
Amṛita. 10. त्रिः पठेदायतप्राणः
Haṁsa. 1. स्वाधिष्ठानं त्रिः प्रदक्षिणीकृत्य
Aruṇeya. 4. सन्न्यस्तं मया सन्न्यस्तं मया सन्न्यस्तं मयेति त्रिःकृत्वा

त्रिसन्ध्यादि

Aruṇeya. 2. त्रिसन्ध्यादौ स्नानमाचरेत्

त्रिसुपर्ण

Mahânâr. 17. 6. त्रिसुपर्णमयाचितं ब्राह्मणाय दद्यात्
— ये ब्राह्मणास्त्रिसुपर्णं पठन्ति 7, 8.
7. य इमं त्रिसुपर्णमयाचितं ब्राह्मणाय दद्यात् 8.

त्रिसूत्र

Maitri. 6. 35. त्रिसूत्रमणुमव्ययम्
Chûl. 1. त्रिसूत्रं मणिमव्ययम्

त्रिस्थान

Dhyâna. 17. त्रिस्थानं च त्रिमार्गं च

त्रिस्थूण

Yogaśi. 4. त्रिस्थूणे पञ्चदैवते

त्रेता

Muṇḍ 1. 2. 1 तानि त्रेतायां बहुधा सन्तानि

त्रेधा

Chhâ. 6. 5. 1. अन्नमशितं त्रेधा विधीयते
2. आपः पीतास्त्रेधा विधीयन्ते
3. तेजोऽशितं त्रेधा विधीयते
Bṛih. 1. 2. 3. स त्रेधात्मानं व्यकुरुत Maitri. 6. 3.
— स एष प्राणस्त्रेधा विहितः
Maitri. 6. 37. अपरिमितं तेजस्तत् त्रेधाभिहितम्

Maitri. 7. 11. परं तेजस्त्रेधाभिहितम्
Kṛish. 6. माया त्रेधा ह्युदाहृता (Nârâyaṇa has त्रिधा)

त्रै

Chhâ. 3. 12. 1. वाग्वा इदं सर्वं भूतं गायति च त्रायते च
Bṛih. 5. 13. 4. त्रायते हैनं प्राणः क्षणितोः
5. 14. 4. एषा गयांस्तत्रे प्राणा वै गयास्तत्प्राणांस्तत्रे . . गयांस्तत्रे तस्माद्गायत्री नाम
— यस्मा अन्वाह तस्य प्राणांस्त्रायते
Śiras. 4. गर्भजन्मव्याधिजरामरणसंसारमहाभयात्तारयति त्रायते च
Gîtâ. 2. 40. त्रायते महतो भयात्

त्रैगुण्यविषय

Gîtâ. 2. 45. त्रैगुण्यविषया वेदाः

त्रैधातवी

Jâbâla. 4. त्रैधातवीमेव कुर्यात् (so Śaṁkarânanda and 3 MSS. of the text; but Nârâyaṇa reads त्रैधातवीयामेव with 3 other MSS. of text).

त्रैलोक्य

Râmot. 5. यो वै श्रीरामः यच्च त्रैलोक्यम् (26)
Gîtâ. 1. 35. अपि त्रैलोक्यराज्यस्य हेतोः

त्रैवणि

Bṛih. 2. 6. 3. आसुरायणस्त्रैवणेः 4.6.3.
— त्रैवणिरौपजन्धनेः 4. 6. 3.

त्रैविद्य adj.

Gîtâ. 9. 20. त्रैविद्या मां सोमपाः पूतपापाः

त्रैविध्य

Nṛisut. 9. तस्मादात्मन एव त्रैविध्यम्

त्रैष्टुभ

Chhâ. 3. 16. 3. त्रैष्टुभं माध्यन्दिनं सवनम्
Mahâ. 3. त्रैष्टुभं छन्दो यजुर्वेदः

त्र्यक्ष

Mahâ. 2. त्र्यक्षः शूलपाणिः पुरुषः (Śaṁkarânanda reads त्र्यक्षशूलपाणिपुरुषः)

त्र्यक्षर

Chhâ. 2. 10. 1. हिंकार इति त्र्यक्षरं प्रस्ताव इति त्र्यक्षरं तत्समम्
3. उद्गीथ इति त्र्यक्षरम्
— अक्षरमतिशिष्यते त्र्यक्षरं तत्समम्
4. निधनमिति त्र्यक्षरम्
Bṛih. 5. 3. 1. एतत् त्र्यक्षरं हृदयमिति
5. 5. 1. एतत् त्र्यक्षरं सत्यमिति
Maitri. 6. 4. त्रिपदं त्र्यक्षरम्
Brahmav. 4. त्र्यक्षरस्य शिवस्य च
Atmapra. 1. इति त्र्यक्षरं प्रणवं तदेतदोमिति
Gopî. 3. चन्दनं तु त्रियक्षरम्

त्र्यणुक

Maitri. 7. 11. जिह्वाग्रदेशे त्र्यणुकं च विद्धि

त्र्यम्बक

Tejo. 6. त्र्यम्बकं त्रिगुणं स्थानम्
Kâlâg. 1. त्र्यम्बकं यजामहे
— त्र्यायुषैस्त्र्यंबकैस्त्रिशक्तिभिः

त्र्यस्र

Râmap. 52. त्र्यस्रं पुनर्भवेत्

त्र्यहम्

Bṛih. 6. 4. 13. त्र्यहं कंसे न पिबेत्

त्र्यायुष

Kâlâg. 1. त्रिभिस्त्र्यायैषस्त्र्यंबकैस्त्रिशक्तिभिः

त्वच्

Ait. 1. 4. त्वङ्निरभिद्यत त्वचो लोमानि
2. 4. ओषधिवनस्पतयो लोमानि भूत्वा त्वचं प्राविशन्
3. 7. तत्त्वचाजिघृक्षत्तन्नाशक्नोत्त्वचा ग्रहीतुं स यद्धैनत्त्वचाग्रहैष्यत्
11. यदि त्वचा स्पृष्टं . . को ऽहम्
Chhâ 2. 19. 1. त्वक् प्रस्तावः
Bṛih. 2. 4. 11. सर्वेषां स्पर्शानां त्वगेकायनम् 4. 5. 12.
3. 2. 9. त्वग्वै ग्रहः . . त्वचा हि स्पर्शान् वेदयते
3. 7. 21. यस्त्वचि तिष्ठंस्त्वचो ऽन्तरो यं त्वङ् न वेद यस्य त्वक् शरीरं यस्त्वचमन्तरो यमयति
3. 9. 28. त्वगस्योत्पाटिका बहिः
— त्वच एवास्य रुधिरं प्रस्पन्दि त्वच उत्पटः
Tait. 1. 7. 1. चक्षुः श्रोत्रं मनो वाक्त्वक्
Praśna. 4. 8. त्वक् च स्पर्शयितव्यं च
5. 5. यथा पादोदरस्त्वचा विनिर्मुच्यते
Garbha. 1. त्वक् स्पर्शे
Nyâsa. 5. न त्वचं न स्पर्शयेत्
Piṇḍa. 4. मांसत्वक्शोणितोद्भवः
Râmap. 77. सप्रतिष्ठा ह्लादिनी त्वक्
Gîtâ. 1. 30. त्वक् चैव परिदह्यते

त्वंपदार्थ

Sarvop. 3. तदा त्वंपदार्थः प्रत्यगात्मेत्युच्यते
Sarvop. 4. त्वंपदार्थादौपाधिकात् विलक्षणः

त्वर्

Gîtâ. 11. 27. वक्त्राणि ते त्वरमाणा विशन्ति

त्वष्टृ

Bṛih. 6. 4. 21. त्वष्टा रूपाणि पिंशतु
Kaṭhaśru. 2. त्वं त्वष्टा त्वं प्रतिष्ठासि
— अहं त्वष्टाहं प्रतिष्ठास्मि

त्वादृश्

Kaṭha. 1. 22. वक्ता चास्य त्वादृगन्यो न लभ्यः
2. 9. त्वादृङ् नो भूयान्नचिकेतः प्रष्टा

त्वाष्ट्र

Kaush. 3. 1. त्रिशीर्षाणं त्वाष्ट्रमहनम्
Bṛih. 2. 5. 17. त्वाष्ट्रं यद्दस्त्रावपि कक्ष्यम्
2. 6. 3. अयास्य आङ्गिरस आभूतेस्त्वाष्ट्रात् 4. 6. 3.
— आभूतिस्त्वाष्ट्रो विश्वरूपात्त्वाष्ट्रात् 4. 6. 3.
— विश्वरूपस्त्वाष्ट्रो ऽश्विभ्याम् 4. 6. 3.

थम्

Chhâ. 1. 3. 6. अन्नं थमन्ने हीदं सर्वं स्थितम्
7. पृथिवी थं . . अग्निस्थं . . ऋग्वेदस्थम्

द

Bṛih. 5. 2. 1. तेभ्यो हैतदक्षरमुवाच द इति 2, 3.
3. एषा दैवी वागनुवदति स्तनयित्नुर्ददद इति
5. 3. 1. द इत्येकमक्षरम्

दंश्

Gâruḍa. 3. द्वादशवर्षं न तं दशन्ति सर्पाः
— यावज्जीवं न तं दशन्ति सर्पाः

दंश

Chhâ. 6. 9. 3. दंशो वा मशको वा 6. 10. 2.
Maitri. 1. 4. यथेमे दंशमशकादयः

दंष्ट्राकराल

Gîtâ. 11. 25. दंष्ट्राकरालानि च ते मुखानि
27. दंष्ट्राकरालानि भयानकानि

दंसस्

Bṛih. 2. 5. 16. दंस उग्रमाविष्कृणोमि

दक्ष

Râmap. 22. दक्षवामयोः स्तनयोः
Gîtâ. 12. 16. अनपेक्षः शुचिर्दक्षः

दक्षिण

Kaush. 2. 3. दक्षिणं जान्वाच्य
8. इति दक्षिणं बाहुमन्वावर्त्तते 9.
11. अथास्य दक्षिणे कर्णे जपति
13. यदि . . पर्वतावभिवर्त्तेयातां दक्षिणश्चोत्तरश्च
4. 2. दक्षिणे ऽक्षिणि वाचः
17. दक्षिणे ऽक्षिणि पुरुषस्तमेवाहमुपासे
Chhâ. 3. 2. 1. ये ऽस्य दक्षिणा रश्मयस्ता एवास्य दक्षिणा मधुनाड्यः
Chhâ. 3. 13. 2. दक्षिणः सुषिः स व्यानः
3. 15. 2. सहमाना नाम दक्षिणा
4. 5. 2. दक्षिणा दिक् कला
Bṛih. 1. 2. 3. दक्षिणा चोदीची च पार्श्वे
2. 3. 5. यो ऽयं दक्षिणे ऽक्षन्पुरुषः 4. 2. 2; 5. 5. 2, 4.
3. 9. 21. किंदेवतो ऽस्यां दक्षिणायां दिश्यसि
4. 2. 4. दक्षिणा दिग्दक्षिणे प्राणाः
6. 4. 25. अथास्य दक्षिणं कर्णमभिनिधाय
Tait. 2. 1. 1. अयं दक्षिणः पक्षः
2. 2. 1. व्यानो दक्षिणः पक्षः
2. 3. 1. ऋग्दक्षिणः पक्षः
2. 4. 1. ऋतं दक्षिणः पक्षः
2. 5. 1. मोदो दक्षिणः पक्षः
Swet. 4. 21. यत्ते दक्षिणं मुखम्
Maitri. 7. 11. यो ऽयं दक्षिणे ऽक्षिण्यवस्थितः
Mahânâr. 25. 1. दक्षिणा वाग्घोता
— यो दक्षिणे प्रमीयते
Praśna. 1. 6. यद्दक्षिणां . . प्रकाशयति
9. तस्मायने दक्षिणं चोत्तरं च
— दक्षिणं प्रतिपद्यन्ते
Kshur. 16. पिङ्गला दक्षिणेन तु
Śiras. 4. दक्षिणाः प्रत्यंञ्चः . . अभिव्रजन्त्येके
Nâda. 1. अकारो दक्षिणः पक्षः
2. धर्मश्च दक्षिणं चक्षुः
Râmap. 28. दक्षिणे लक्ष्मणेनाथ
50. उदग्दक्षिणयोः स्वस्यं
Râmot. 4. मुमूर्षोर्दक्षिणे कर्णे
Mukti. 1. 21. जन्तोर्दक्षिणकर्णे तु

दक्षिणतस्

Chhâ. 3. 7. 4. द्विस्तावद्दक्षिणत उदेता
3. 8. 4. यावदादित्यो दक्षिणत उदेता

Chhâ. 3. 9. 4. दक्षिणतो ऽस्तमेता 3. 10. 4.
7. 25. 1. स दक्षिणतः . . अहं दक्षिणतः
2. आत्मा दक्षिणतः
Bṛih. 3. 1. 9. ब्रह्मा यज्ञं दक्षिणतः . . गोपायति
Maitri. 6. 17. प्रागनन्तो दक्षिणतो ऽनन्तः
7. 2. दक्षिणत उद्यन्ति
Muṇḍ. 2. 2. 11. ब्रह्म दक्षिणतश्चोत्तरेण
Nṛip. 5. 2. रुद्रा दक्षिणतः
Śiras. 3. दक्षिणतः पादौ

दक्षिणहस्त

Prâṇâg. 4. दक्षिणहस्तः स्रुवः

1. दक्षिणा

Chhâ. 3. 17. 4. ता अस्य दक्षिणाः
Bṛih. 3. 9. 21. कस्मिन्नु यज्ञः प्रतिष्ठित इति दक्षिणायामिति कस्मिन्नु दक्षिणा प्रतिष्ठिता
— यदा श्रद्धत्ते ऽथ दक्षिणां ददाति श्रद्धायां दक्षिणा प्रतिष्ठिता
Kaṭha. 1. 2. दक्षिणासु नीयमानासु
Muṇḍ. 2. 1. 6. तस्मात् . . क्रतवो दक्षिणाश्च
Mahânâr. 22. 1. यज्ञानां वरूथं दक्षिणा
Nṛip. 5. 2. दक्षिणार्थं तावत् कल्पते
— यां काञ्चिद्दद्यात् सा दक्षिणा भवति
Prâṇâg. 3. शारीरयज्ञस्य . . का दक्षिणा
4. त्यागो दक्षिणा
Mukti. 1. 34. दक्षिणा शरभं स्कन्दम्

2. दक्षिणा adv.

Chhâ. 5. 10. 3. यान् षड् दक्षिणैति मासान्
Bṛih. 6. 2. 16. यान् षण्मासान् दक्षिणादित्य एति

दक्षिणाक्षिमुख

Gauḍa. 1. 2. दक्षिणाक्षिमुखे विश्वः

दक्षिणाग्नि

Chhâ. 4. 17. 5. दक्षिणाग्नौ जुहुयात्
Maitri. 6. 5. गार्हपत्यो दक्षिणाग्निराहवनीया इति मुखवत्येषा
34. अन्तरिक्षं दक्षिणाग्निः
Nṛip. 2. 1. विष्णुरुद्रास्त्रिष्टुब्दक्षिणाग्निः Nṛisut. 3.
Brahmav. 6. दक्षिणाग्निस्तथैव च
Śiras. 1. गार्हपत्यो दक्षिणाग्निराहवनीयो ऽहम्
Sikhâ. 1. रुद्रो रुद्रास्त्रिष्टुब्दक्षिणाग्निः
Garbha. 5. हृदि दक्षिणाग्निः
Prâṇâg. 1. एकां दक्षिणाग्नौ (जुहोति)
2. दक्षिणाग्निर्भूत्वा हृदये तिष्ठति
Kaṭhaśru. 3. इत्येवं दक्षिणाग्निम्
Kâlâg. 2. द्वितीया रेखा सा च दक्षिणाग्निः

दक्षिणाञ्च्

Śiras. 1. दक्षिणाञ्च उदञ्चो ऽहम्

दक्षिणामुख

Mahâ. 3. दक्षिणामुखो भूत्वा

दक्षिणामूर्त्ति

Mukti. 1. *vide* सरस्वतीरहस्य

दक्षिणावृत्

Kaush. 2. 15. अथ दक्षिणावृदुपनिष्क्रामति

दग्धेन्धन

Swet. 6. 19. दग्धेन्धनमिवानलम्

दण्ड

Śwet. 4. 3. त्वं जीर्णो दण्डेन वञ्चसि
Parama. 1. कौपीनं दण्डमाच्छादनं च . . परिग्रहेत्

Parama. 2. न दण्डं न कमण्डलुं न शिखाम्
Aruṇeya. 1. दण्डमाच्छादनं च कौपीनं च परिग्रहेत्
2. दण्डाँल्लोकांश्च विसृजेत्
4. वैणवं दण्डं . . परिग्रहेत्
5. पालाशं बैल्वमौदुंबरं दण्डम्
Gîtâ. 10. 38. दण्डो दमयतामस्मि

दत्तात्रेय

Jâbâla. 6. *vide* प्रभृति
Mukti. 1. 39. दत्तात्रेयं च गारुडम्
1. *vide* गारुड

ददापयितृ

Mahânâr. 20. 24. देहि देहि ददापयिता

दधि

Chhâ. 5. 2. 4. दधिमधुनोरुपमथ्य
6. 6. 1. दध्नः सोम्य मथ्यमानस्य
Bṛih. 6. 3. 13. तान् पिष्टान् दधनि . . उपसिञ्चति
6. 4. 25. दधि मधु घृतं सन्नीय
Śwet. 1. 15. दधिनीव सर्पिः Brahma. 3. (4 MSS. have दध°)

दध्यञ्च्

Bṛih. 2. 5. 16. दध्यङ्ङाथर्वणः 17, 18, 19.
17. आथर्वणाय . . दधीचे
2. 6. 3. अश्विनौ दधीच आथर्वणात् 4. 6. 3.
— दध्यङ्ङाथर्वणो ऽथर्वणो दैवात् 4. 6. 3.

दध्योदन

Bṛih. 6. 4. 15. दध्योदनं पाचयित्वा

दन्त

Garbha. 5. षोडश पार्श्वदन्तौष्ठपटलानि
Prâṇâg. 4. दन्तोष्ठौ सूक्तवाकः
Mukti. 2. 42. दन्तैर्दन्तान्विचूर्ण्य च

दन्तिन्

Mahânâr. 3. 4. तन्नो दन्ती प्रचोदयात्

दन्दशूक

Bṛih. 6. 2. 16. ते कीटाः पतङ्गा यदिदं दन्दशूकम्

दभ्र

Kena. 9. दभ्रमेवापि नूनं त्वं वेत्थ ब्रह्मणो रूपम्

दम्

Bṛih. 4. 4. 23. शान्तो दान्त उपरतः
5. 2. 1. दाम्यतेति न आत्थेति
3. ददद इति दाम्यत दत्त दयध्वमिति
Mahânâr. 22. 1. दमेन दान्ताः किल्विषमवधून्वन्ति
Nṛisut. 6. शान्ता दान्ता उपरताः
Haṁsa. 1. शान्ताय दान्ताय गुरुभक्ताय
Gîtâ. 10. 30. दण्डो दमयतामस्मि

दम

Kena. 33. तस्यै तपो दमः कर्मेति प्रतिष्ठा
Bṛih. 5. 2. 3. एतत्त्रयं शिक्षेद्दमं दानं दयामिति
Tait. 1. 9. 1. दमश्च स्वाध्यायप्रवचने च
Mahânâr. 21. 2. दम इति नियतं ब्रह्मचारिणस्तस्माद्दमे रमन्ते
22. 1. दमेन दान्ताः किल्विषमवधून्वन्ति &c.
25. 1. दमः शमयिता
Gaṇḍa. 4. 36. दमः प्रकृतिदान्तत्वात्
Krish. 17. सत्याक्रूरो दमोद्भवः
Gîtâ. 10. 4. क्षमा सत्यं दमः शमः

Gîtâ. 16. 1. दानं दमश्च यज्ञश्च
18. 42. शमो दमस्तपः शौचम्

दमाय

Tait. 1. 4. 2. दमायन्तु ब्रह्मचारिणः

दम्भ

Parama. 2. *vide* आदि
Aruṇeya. 3. ditto.
Gîtâ. 16. 4. दम्भो दर्पो ऽभिमानश्च
10. दम्भमानमदान्विताः
17. दम्भेनाविधिपूर्वकम्
17. 5. दम्भाहंकारसंयुक्ताः
12. दम्भार्थमपि चैव यत्
18. तपो दम्भेन चैव यत्

दय्

Bṛih. 5. 2. 3. दयध्वमिति न आत्थेति
— ददद इति दाम्यत दत्त दयध्वमिति

दया

Bṛih. 5. 2. 3. एतत्त्रयं शिक्षेद्दमं दानं दयामिति
Prâṇâg. 4. स्मृतिर्दया क्षान्तिरहिंसा पत्नीसंयाजाः
Kṛish. 16. दया सा रोहिणी माता
Gîtâ. 16. 2. दया भूतेष्वलोलत्वम्

दयासमुद्र

Mukti. 1. दयासमुद्रं सद्गुरुम्

दर्प

Tejo. 12. लोभं मोहं भयं दर्पम्
Parama. 2. *vide* आदि
Aruṇeya. 3. ditto.
Kṛish. 16. दर्पः कुवलयापीडः
Gîtâ. 16. 4. दम्भो दर्पो ऽभिमानश्च
18. अहंकारं बलं दर्पम् 18. 53.

दर्भ

Garbha. 5. शिरः कपालं केशा दर्भाः
Prâṇâg. 3. शारीरयज्ञस्य . . के दर्भाः
4. केशा दर्भाः

दर्वी

Bṛih. 3. 8. 9. दर्वी पितरो ऽन्वायत्ताः
Mukti. 2. 65. दर्वी पाकरसं यथा

दर्श

Kaṭhaśru. 3. यद्दर्शो तद्दर्शो

दर्शत

Bṛih. 5. 14. 3. अस्या एतदेव तुरीयं दर्शतं पदम् 6.
— दर्शतं पदमिति ददृश इव
4. सैषा गायत्र्येतस्मिंस्तुरीये दर्शते पदे . . प्रतिष्ठिता
7. नमस्ते तुरीयाय दर्शताय पदाय

दर्शन

Chhâ. 8. 3. 1. न तमिह दर्शनाय लभते
8. 12. 4. दर्शनाय चक्षुः
Bṛih. 2. 4. 5. आत्मनो वा अरे दर्शनेन
Gauḍa. 4. 25. इष्यते युक्तिदर्शनात्
33. भूतानां दर्शनं कुतः
34. न युक्तं दर्शनम्
36. अनस्य दर्शनात्
Garbha. 5. दर्शनाग्नी रूपाणां दर्शनं करोति
Skanda. 11. अभेददर्शनं ज्ञानम्
Mukti. 1. 38. रुद्राक्षगणदर्शनम्
2. 64. दर्शनादर्शने हित्वा
Gîtâ. 13. 11. तत्त्वज्ञानार्थदर्शनम्

दर्शनकांक्षिन्

Gîtâ. 11. 52. नित्यं दर्शनकांक्षिणः

दर्शनाग्नि

Garbha. 5. ज्ञानाग्निर्दर्शनाग्निः कोष्ठाग्निः
— दर्शनाग्नी रूपाणां दर्शनं करोति
Prâṇâg. 2. दर्शनाग्निर्नाम चतुराकृतिः

दर्शपूर्णमास

Brih. 1. 5. 2. अथो आहुर्दर्शपूर्णमासाविति
Mahânâr. 25. 1. ये अहोरात्रे ते दर्शपूर्णमासौ

दर्शित्व

Mukti. 2. शरीरनाशदर्शित्वात्

दल

Râmap. 67. दलेषु द्वादशाक्षरम्

दलसंस्थ

Maitri. 6. 2. अस्येमाश्चतस्रो दिशश्चतस्र उपदिशो दलसंस्थाः

दशन्

Kaush. 3. 8. ता वा एता दशैव भूतमात्रा अधिप्रज्ञं दश प्रज्ञामात्रा अधिभूतम्
Chhâ. 4. 3. 8. एते पञ्चान्ये पञ्चान्ये दश सन्तस्तत्कृतम्
— सर्वासु दिक्ष्वन्नमेव दश कृतम्
5. 9. 1. गर्भो दश वा मासानन्तः शयित्वा
7. 9. 1. यद्यपि दशरात्रीर्नाश्नीयात्
7. 26. 2. दश चैकं च
Brih. 2. 5. 19. युक्ता ह्यस्य हरयः शता दश
— अयं वै दश च सहस्राणि
3. 1. 1. दश दश पादा एकैकस्याः शृङ्गयोः
3. 9. 4. दशेमे पुरुषे प्राणाः
6. 3. 13. दश ग्राम्याणि धान्यानि भवन्ति
Gauda. 4. 63. दिक्षु वै दशसु स्थितान् 65.
Mahâ. 1. दशेन्द्रियाणि
Râmap. 8. दश द्वादश षोडश
56. दशभिस्त्वेभिरावृतः
Gîtâ. 13. 5. इन्द्रियाणि दशैकं च

दशन

Nyâsa. 5. सन्दश्य दशनैर्जिह्वाम्

दशनान्तर

Gîtâ. 11. 27. केचिद्विलग्ना दशनान्तरेषु

दशम

Brih. 6. 4. 22. दशमे मासि सूतवे
Nrip. 2. 3. नमामि दशमं (स्थानं जानीयात्)
Nâda. 11. ध्रुवेति दशमी मता
16. दशम्यां च ध्रुवं व्रजेत्
Pinda. 8. दशमेन तु पिण्डेन
Haṁsa. 2. दशमो मेघनादः
— नवमं परित्यज्य दशममेवाभ्यसेत्
— दशमं परमं ब्रह्म भवेत्
Gopî. 5. पुनात्यादशमं कुलम्

दशरथ

Râmap. 1. जाते दशरथे हरौ

दशविध

Garbha. 1. इष्टानिष्टानि . . दशविधा भवन्ति
Haṁsa. 2. नादो दशविधो जायते

दशसंख्यक

Mukti. 1. दशसंख्यकानामुपनिषदाम्

दशाङ्गुल

Śwet. 3. 14. अत्यतिष्ठद्दशाङ्गुलम्

दशास्यान्तक

Râmap. 32. दशास्यान्तकरूपिणे
33. भो दशास्यान्तक

दशोपनिषद्

Mukti. 1. 27. दशोपनिषदं पठ

दस्र

Bṛih. 2. 5. 17. त्वाष्ट्रं यद्दस्रावपि कक्ष्यम्

दह्

Kena. 18. इदं सर्वं दहेयम्
19. एतद्दहेति..न शशाक द-
ग्धुम्
Chhâ. 6. 7. 3. तेन ततो ऽपि न बहु दहेत्
5. तेन ततोऽपि बहु दहेत्
6. 16. 1. स दह्यते ऽथ हन्यते
2. स न दह्यते ऽथ मुच्यते
3. स यथा तत्र न दाह्येत
Kaivalya. 11. पाशं दहति पण्डितः
Nṛip. 3. 1. सर्वं पाप्मानं दहति
5. 10. यत्र नाग्निर्दहति
Nṛisut. 2. यथा दाह्यं दग्ध्वाग्निः
Kshur. 23. दीपो दग्ध्वा लयं व्रजेत्
— कर्माणि..दग्ध्वा लयं व्र-
जेत्
Garbha. 4. एकाकी तेन दह्ये ऽहम्
Amṛita. 7. यथा पर्वतधातूनां दह्यन्ते
धमनान्मलाः
— तथेन्द्रियकृता दोषा दह्यन्ते
8. प्राणायामैर्दहेद्दोषान्
Haṁsa. 2. दग्धे पुण्यपापे
Râmap. 44. पुरं दग्ध्वा तथा स्वयम्
Gîtâ. 2. 23. नैनं दहति पावकः
4. 19. ज्ञानाग्निदग्धकर्माणम्

दहर

Chhâ. 8. 1. 1. ब्रह्मपुरे दहरं पुण्डरीकं
वेश्म दहरो ऽस्मिन्नन्तरा-
काशः 2.
Mahânâr. 10. 7. दह्रं विपाप्मं वरं वेश्मभूतं
..तत्रापि दह्रं गगनम्
Kshur. 10. दहरं पुण्डरीकेति

दा (ददाति)

Kaush. 1. 1. यन्नः परे ददति
Kaush. 2. 1. नाहमतो दत्तमभीयाम् 2.
— एनमुपमंत्रयन्ते ददाम त
इति 2.
4. 1. सहस्रं दद्म इत्येतस्यां वाचि
Chhâ. 1. 10. 3. एतेषां मे देहीति
1. 11. 3. यावत्त्वेभ्यो धनं दद्यास्ता-
वन् मम दद्याः
2. 22. 5. इन्द्रे बलं ददानीति
3. 11. 6. यद्यप्यस्मा इमां...धनस्य
पूर्णां दद्यात्
4. 3. 5. तस्मा उ ह न ददतुः
6. यस्मै वा एतदन्नं तस्मा
एतन्न दत्तमिति
7. दत्तास्मै भिक्षामिति
8. तस्मा उ ह ददुः
5. 10. 3. दत्तमित्युपासते
5. 11. 5. यावदेकैकस्मा ऋत्विजे धनं
दास्यामि तावद्भगवद्भ्यो
दास्यामि
7. 15. 1. प्राणः प्राणं ददाति प्राणाय
ददाति
Bṛih. 1. 4. 16. यदेभ्यो ऽशनं ददाति
2. 1. 1. सहस्रमेतस्यां वाचि दद्मः
3. 8. 9. ददतो मनुष्याः प्रशंसान्ति
3. 9. 21. यदा ह्येव श्रद्धत्ते ऽथ दक्षि-
णां ददाति
4. 1. 2. हस्त्यृषभं सहस्रं ददामीति
4. 3. 1. तस्मै ह याज्ञवल्क्यो वरं द-
दौ..कामप्रश्नं वव्रे तं हा-
स्मै ददौ
14. सो ऽहं भगवते सहस्रं ददामि
15, 16, 33; 4. 4. 7.
4. 4. 23. सो ऽहं भगवते विदेहान्द-
दामि
5. 2. 2. दत्तेति न आत्थेति
3. ददद इति दाम्यत दत्त दय-
ध्वमिति

Bṛih. 5. 8. 1. ददत्यस्मै स्वाश्चान्ये च य एवं वेद
6. 2. 4. वरं भगवते गौतमाय दद्मः
6. 4. 7. सा चेदस्मै न दद्यात्..सा चेदस्मै नैव दद्यात्
8. सा चेदस्मै दद्यात्
Tait. 1. 11. 3. श्रद्धया देयमश्रद्धयादेयं श्रिया देयं ह्रिया देयं भिया देयं संविदा देयम्
3. 10. 6. यो मा ददाति स इदेव मा३वाः
Kaṭha. 1. 1. वाजश्रवसः सर्ववेदसं ददौ
3. तान् स गच्छति ता ददत्
4. कस्मै मां दास्यसीति. मृत्यवे त्वा ददामीति
16. वरं तवेहाद्य ददामि भूयः
Swet. 6. 22. नाप्रशान्ताय दातव्यम्
Maitri. 6. 8. सर्वभूतेभ्यो ऽभयं दत्त्वा
9. यच्च पापेन दत्तम्
29. अनन्यभक्ताय सर्वगुणसम्पन्नाय दद्यात्
Mahânâr. 4. 7. मृत्तिके देहि मे पुष्टिम्
11. तीर्थं मे देहि याचितः
16. 5. मेधां मे इन्द्रो ददातु
17. 6. त्रिसुपर्णमयाचितं ब्राह्मणाय दद्यात् 7, 8.
20. 11. महाँ इन्द्रः..शर्म यच्छतु
24. देहि देहि ददापयिता
23. 1. तस्मादन्नं ददन्त्सर्वाण्येतानि ददाति
Nṛip. 1. 4. यदि दातुमपेक्षते पुत्राय शुश्रूषवे दास्यति
7. स सर्वैश्वर्यं ददाति
2. 4. सर्वदा भद्रं ददाति
— यो मा ददाति स इदेव मावत्
5. 2. श्रद्धया यां काञ्चिद्दद्यात्

Nṛisut. 2. अस्य सर्वस्य स्वात्मानं ददाति
7. स्वात्मानमेषां ददाति
Śiras. 3. हुतमहुतं दत्तमदत्तम्
Kaṭhaśru. 1. सर्वस्वं दद्यात्
3. तैजसानि गुरवे दद्यात्
4. भिक्षाशी न दद्यात्
Piṇḍa. 1. मृतस्य दीयते पिण्डम्
Aśrama. 2. ददतो न प्रतिगृह्णन्तः
— ददतः प्रतिगृह्णन्तः
Gopî. 4. य एवं विद्वान् यतिहस्ते दद्यात्
Râmap. 33. देहि श्रियं च ते
34. त्वमैश्वर्यं दापय
43. आदाय मैथिलीमद्य ददते
84. न देयं प्राकृते जने
Râmot. 4. तद्दास्यामि परमेश्वर
— देहि तज्जन्तोर्मुक्तिम्
Mukti. 1. 47. राज्यं देयं धनं देयम्
— इदमष्टोत्तरशतं न देयम्
48. दातव्यं न कदाचन
50. सम्यक्परीक्ष्य दातव्यम्
52. सम्यक्परीक्ष्य दद्याः
Gîtâ. 3. 12. दास्यन्ते यज्ञभाविताः
— तैर्दत्तानप्रदायैभ्यः
9. 27. यज्जुहोषि ददासि यत्
10. 10. ददामि बुद्धियोगं तम्
11. 8. दिव्यं ददामि ते चक्षुः
16. 15. यक्ष्ये दास्यामि मोदिष्ये
17. 20. दातव्यमिति यद्दानं दीयते
21. दीयते च परिक्लिष्टम्
22. अपात्रेभ्यश्च दीयते
28. अश्रद्धया हुतं दत्तम्

दाक्ष्य

Gîtâ. 18. 43. शौर्यं तेजो धृतिर्दाक्ष्यम्

दातृ

Bṛih. 3. 9. 28. रातिर्दातुः परायणम्

Mahânâr. 22. 1. लोके दातारं सर्वभूतान्युपजीवन्ति

Praśna. 2. 11. वयमाद्यस्य दातारः

दान

Chhâ. 2. 23. 1. यज्ञो ऽध्ययनं दानमिति प्रथमः

3. 17. 4. अथ यत्तपोदानम्

Bṛih. 4. 4. 22. यज्ञेन दानेन तपसा 6. 2. 16.

5. 2. 3. एतत्त्रयं शिक्षेद्दमं दानं दयाम्

Mahânâr. 8. 1. दानं तपो यज्ञस्तपः

21. 2. दानमिति सर्वाणि भूतानि प्रशंसन्ति दानान्नातिदुष्करं तस्माद्दाने रमन्ते

22. 1. दानं . . दानेनारातीरपानुदन्त दानेन द्विषन्तो मित्रा भवन्ति दाने सर्वं प्रतिष्ठितं तस्माद्दानं परमं वदन्ति

Nyâsa. 4. स्नानं दानं तथा शौचम्
Kaṭhaśru. 4.

Gopî. 5. जपदानादि यत्कृतम्
— गोपीचन्दनदानस्य

Gitâ. 8. 28. दानेषु यत्पुण्यफलं प्रदिष्टम्

10. 5. तपो दानं यशो ऽयशः

11. 48. न वेदयज्ञाध्ययनैर्न दानैः

53. न दानेन न चेज्यया

16. 1. दानं दमश्च यज्ञश्च

17. 7. यज्ञस्तपस्तथा दानम्

20. यद्दानं दीयते ऽनुपकारिणे
— तद्दानं सात्त्विकं स्मृतम्

21. तद्दानं राजसं स्मृतम्

22. अदेशकाले यद्दानम्

24. यज्ञदानतपःक्रियाः

25. दानक्रियाश्च विविधाः

27. यज्ञे तपसि दाने च

18. 3. यज्ञदानतपःकर्म 5.

5. यज्ञो दानं तपश्चैव

43. दानमीश्वरभावश्च

दानव

Gitâ. 10. 14. न . . देवा न दानवाः

दामन्

Bṛih. 2. 2. 1. प्राणः स्थूणान्नं दाम

दायक

Mukti. 2. 54. परमानन्ददायकम् (MSS. read °दीपकं)

दार

Bṛih. 6. 4. 12. एवंविच्छ्रोत्रियस्य दारेण नोपहासमिच्छेत्

Maitri. 6. 28. पुत्रदारकुटुंबेषु सक्तस्य

Nyâsa. 2. दारमाहृत्य सदृशम्

Kaṭhaśru. 3. दारानाहृत्य पुत्रानुत्पाद्य

Gîtâ. 13. 9. पुत्रदारगृहादिषु

दारु

Chhâ. 4. 17. 7. लोहेन दारु चर्मणा

Bṛih. 3. 9. 28. अस्थीन्यन्तरतो दारूणि

दारुपात्र

Kaṭhaśru. 3. दारुपात्राण्यग्नौ जुहुयात्

Aruṇeya. 5. मृत्पात्रं वा अलाबुपात्रं दारुपात्रं वा

दारुभूत

Kaush. 2. 14. तद्धाप्राणत् शुष्कं दारुभूतं शिष्ये

दाल्भ्य

Chhâ. 1. 2. 13. बको दाल्भ्यः 1. 12. 1.

1. 8. 1. चैकितायनो दाल्भ्यः

3. चैकितायनं दाल्भ्यम्

6. अप्रतिष्ठितं वै किल ते दाल्भ्य साम

दासभार्य्य

Chhâ. 7. 24. 2. हस्तिहिरण्यं दासभार्य्यम्

दासी

Bṛih. 6. 2. 7. गोअश्वानां दासीनाम्

दासीनिष्क

Chhâ. 5. 13. 2. प्रवृत्तो ऽश्वतरीरथो दासीनिष्कः

दास्य

Bṛih. 4. 4. 23. विदेहान्ददामि मां चापि सह दास्याय

दिग्धविद्ध

Bṛih. 6. 4. 9. दिग्धविद्धामिव मादयेमाम्

दिन

Piṇḍa. 3. दिनमेकं तु वायुगः
Vâsu. 3. अस्थीनि चक्ररूपाणि भवन्त्येव दिने दिने

1. दिव्

Gîtâ. 10. 36. द्यूतं छलयतामस्मि

2. दिव्, द्यु

Ait. 1. 2. अदो ऽम्भः परेण दिवं द्यौः प्रतिष्ठा
Kaush. 2. 8. मे सुसीमं हृदयं दिवि चंन्द्रमसि श्रितम्
3. 1. दिवि प्रह्लादीयानतृणम्
Chhâ. 1. 3. 7. द्यौरेवोत्
1. 6. 3. द्यौरेवर्क्..द्यौरेव सा
2. 2. 1. द्यौर्निधनम्
2. द्यौर्हिंकारः
2. 17. 1. द्यौरुद्गीथः
3. 1. 1. तस्य द्यौरेव तिरश्चीनवंशः
3. 12. 6. त्रिपादस्यामृतं दिवि
3. 13. 7. यदतः परो दिवो ज्योतिर्दीप्यते
3. 14. 3. ज्यायान्दिवः
3. 15. 1. द्यौरस्योत्तरं बिलम्
5. दिवं प्रपद्ये
Chhâ. 3. 19. 2. यत्सुवर्णं सा द्यौः
4. 1. 2. समं दिवा ज्योतिराततम्
4. 6. 3. द्यौः कला
4. 13. 1. प्राण आकाशो द्यौर्विद्युत्
4. 17. 1. आदित्यं दिवः
5. 12. 1. दिवमेव भगवो राजन्
5. 19. 2. द्यौस्तृप्यति दिवि तृप्यत्यां यत्किञ्च द्यौश्चादित्यश्चाधितिष्ठतस्तत्तृप्यति
7. 2. 1. दिवं च पृथिवीं च 7. 7. 1.
7. 6. 1. ध्यायतीव द्यौः
7. 8. 1. बलेन द्यौः (तिष्ठति)
7. 10. 1. यद् द्यौर्यत्पर्वताः
8. 5. 3. तृतीयस्यामितो दिवि
Bṛih. 1. 1. 1. द्यौः पृष्ठम् 1. 2. 3.
1. 5. 12. मनसो द्यौः शरीरम्
— यावदेव मनस्तावती द्यौः
19. दिवश्चैनमादित्याच्च
2. 2. 2. द्यौरुत्तरया (वर्त्तन्या)
3. 7. 8. यो दिवि तिष्ठन्दिवो ऽन्तरो यं द्यौर्न वेद यस्य द्यौः शरीरं यो दिवमन्तरो यमयति
3. 8. 3. यदूर्ध्वं..दिवः 4, 6, 7.
3. 9. 3. आदित्यश्च द्यौश्च 7.
5. 14. 1. भूमिरन्तरिक्षं द्यौः
6. 3. 6. मधु द्यौरस्तु नः पिता Mahânâr. 9. 9; 17. 7.
6. 4. 20. द्यौरहं पृथिवी त्वम्
22. यथा द्यौरिन्द्रेण गर्भिणी
Tait. 1. 3. 1. द्यौरुत्तररूपम्
1. 7. 1. पृथिव्यन्तरिक्षं द्यौः
Śwet. 2. 3. युक्त्वाय..धिया दिवम्
3. 9. वृक्ष इव स्तब्धो दिवि तिष्ठत्येकः Mahânâr. 10. 4.
Maitri. 6. 2. स एषोऽग्निर्दिवि श्रितः सौरः
33. करैर्यजमानं दिवमुत्क्षिप्त्वा

Maitri. 6. 33. सैषा द्यौः प्रजापतेस्तृतीया
चितिः
34. द्यौराहवनीयः
Mund.2. 2. 5. यस्मिन्द्यौः पृथिवी चान्त-
रिक्षमोतम्
Mahânâr. 1. 3. येनावृतं खं च दिवं मही च
5. 7. दिवं च पृथिविं चान्तरिक्षम्
21. 2. यज्ञेन हि देवा दिवं गताः
23. 1.
22. 1. सत्येनादित्यो रोचते दिवि
23. 1. अन्तरिक्षं च द्यौश्च
Prasna. 1. 10. दिव आहुः परे अर्द्धे पुरी-
षिणम्
Nrip. 1. 2. वसुरुद्रादित्यैः सर्वैः सेवितं
दिवम्
2. 1. तृतीया द्यौः स मकारः
Nrisut. 3; Sikhâ. 1.
5. 10. दिवीव चक्षुराततम्
Aruneya. 5; Vâsu. 4; Skanda. 15; Mukti. 2. 77.
Brahmav. 7. सामवेदस्तथा द्यौश्च
Siras. 2. यो वै रुद्रः..या च द्यौः
6. नव दिवो देवजनेन गुप्ताः
Nîla. 1. अवरोहन्तं दिवितः
2. दिव उभो अवारुक्षत्
18. ये अन्तरिक्षे ये दिवि
19. ये चामी रोचने दिवि
Nyâsa. 1. अभ्युदय दिवं च लोकम्
Kâlâg. 2. तृतीया रेखा सा...द्यौः
Gîtâ. 9. 20. अश्नन्ति दिव्यान्दिवि देव-
भोगान्
11. 12. दिवि सूर्यसहस्रस्य
18. 40. दिवि देवेषु वा पुनः

दिवसकृत

Nâr. 5. दिवसकृतं पापं नाशयति

दिवा

Swet. 4. 18. यदातमस्तन्न दिवा न रात्रिः
Mahânâr. 18. 1. यद्दिवा च नक्तं चैनश्चकृम
20. 1. ये भूताः प्रचरन्ति दिवा
नक्तम्
Prasna. 1. 13. ये दिवा रत्या संयुज्यन्ते
Kathasru. 1. नास्य नक्तं न वा दिवा

दिवाकर

Mahânâr. 3. 8. दिवाकराय धीमहि
9. दिवाकराय विद्महे

दिविक्षित्

Chha. 2. 24. 14. नम आदित्येभ्यश्च..दिवि-
क्षिद्भ्यः
Maitri. 6. 35. नम आदित्याय दिविक्षिते

दिवे दिवे

Katha. 4. 8. दिवे दिव ईड्यः..अग्निः

दिव्य

Swet. 2. 5. आ ये धामानि दिव्यानि
तस्थुः
Mund.2. 1. 2. दिव्यो ह्यमूर्त्तः पुरुषः
2. 2. 7. दिव्ये ब्रह्मपुरे..आत्मा प्र-
तिष्ठितः
3. 1. 7. बृहच्च तद्दिव्यमचिन्त्यरूपम्
3. 2. 8. परात्परं पुरुषमुपैति दिव्यम्
Brahma. 1. दिव्ये ब्रह्मपुरे सम्प्रतिष्ठिताः
— दिव्ये ब्रह्मपुरे..यद्ब्रह्म वि-
भाति
Yogasi. 5. आदित्यमण्डलं दिव्यम्
Nyâsa. 1. तस्यैषाहुतिर्दिव्या
Gîtâ. 1. 14. दिव्यौ शंखौ प्रदध्मतुः
4. 9. जन्म कर्म च मे दिव्यम्
8. 8. परमं पुरुषं दिव्यम्
10. स तं परं पुरुषमुपैति दिव्यम्
9. 20. अश्नन्ति दिव्यान्दिवि देव-
भोगान्

Gîtâ. 10. 12. पुरुषं शाश्वतं दिव्यम्
16. दिव्या ह्यात्मविभूतयः 19.
40. नान्तो ऽस्ति मम दिव्यानां विभूतीनाम्
11. 5. नानाविधानि दिव्यानि
8. दिव्यं ददामि ते चक्षुः
15. उरगांश्च दिव्यान्

दिव्यगन्धानुलेपन

Gîtâ. 11. 11. दिव्यगन्धानुलेपनम्

दिव्यचक्षुस्

Haṁsa. 2. दिव्यचक्षुस्तथामलम्

दिव्यमन्त्र

Amṛita. 20. दिव्यमन्त्रेण बहुशः कुर्यादात्ममलच्युतिम्

दिव्यमाल्याम्बरधर

Gîtâ. 11. 11. दिव्यमाल्याम्बरधरम्

दिव्यानेकोद्यतायुध

Gîtâ. 11. 10. दिव्यानेकोद्यतायुधम्

1. दिश्

Chhâ. 5. 9. 2. तं प्रेतं दिष्टमितो ऽग्नय एव हरन्ति

Gauḍa. 4. 2. देशितस्तं नमाम्यहम्
42. जातिस्तु देशिता बुद्धैः

2. दिश्

Ait. 2. 4. दिशः श्रोत्रं भूत्वा कर्णौ प्राविशन्

Kaush. 2. 12. तस्या दिश एव तेजो गच्छति
3. 3. यथाग्नेर्ज्वलतः सर्वा दिशो विष्फुलिंगा विप्रतिष्ठेरन् 4. 20.

Chhâ. 1. 3. 11. यां दिशमभिष्टोष्यन् स्यात्तां दिशमुपधावेत्
2. 17. 1. दिशः प्रतिहारः

Chhâ. 2. 21. 4. सर्वा दिशो बलिमस्मै हरन्ति
3. 15. 1. दिशो ह्यस्य स्रक्तयः
2. तस्य प्राची दिग् जुहूर्नाम
— एतमेवं वायुं दिशां वत्सं वेद (bis).
3. 18. 2. दिशः पादः
6. स दिग्भिर्ज्योतिषा भाति
4. 3. 8. सर्वासु दिक्ष्वन्नमेव दश कृतम्
4. 5. 2. प्राची दिक् कला प्रतीची दिक् कला &c.
4. 12. 1. आपो दिशो नक्षत्राणि चन्द्रमाः
5. 6. 1. दिशोऽङ्गाराः Bṛih. 6. 2. 9.
5. 20. 2. दिशस्तृप्यन्ति दिक्षु तृप्यतीषु यत्किञ्च दिशश्च चन्द्रमाश्चाधितिष्ठन्ति तत्तृप्यति
6. 8. 2. दिशं दिशं पतित्वा (bis).
6. 14. 2. एतां दिशं गन्धारा एतां दिशं व्रज

Bṛih. 1. 1. 1. दिशः पार्श्वे
1. 2. 3. तस्य प्राची दिक् शिरः
— अस्य प्रतीची दिक् पुच्छम्
1. 3. 10. यत्रासां दिशामन्तः
15. ता दिशो ऽभवंस्ता इमा दिशः परेण मृत्युमतिक्रान्ताः
2. 1. 11. दिक्षु पुरुषं एतं .. ब्रह्मोपासे
2. 5. 6. दिशः सर्वेषां .. मध्वासां दिशां सर्वाणि .. मधु
— दिक्षु .. अमृतमयः पुरुषः
3. 2. 13. दिशः श्रोत्रं (अप्येति)
3. 7. 10. यो दिक्षु तिष्ठन्दिग्भ्यो ऽन्तरो यं दिशो न विदुर्यस्य दिशः शरीरं यो दिशो ऽन्तरो यमयति

Bṛih. 3. 8. 9. प्रतीच्यो ऽन्या यां यां च दिशम्
3. 9. 13. तस्य का देवतेति दिश इति
19. दिशो वेद..यद्दिशो वेत्थ
20. किंदेवतो ऽस्यां प्राच्यां दिश्यसि (similarly in 21—24.
4. 1. 3. वधाशङ्का भवति यां दिशमेति
5. कानन्तता..दिश एव
— यां कां च दिशं गच्छति ..अनन्ता हि दिशः
— दिशो वै सम्राट् श्रोत्रम्
4. 2. 4. तस्य प्राची दिक् प्राञ्चः प्राणाः
— दक्षिणा दिग्दक्षिणे प्राणाः
— प्रतीची दिक् प्रत्यञ्चः प्राणाः
— उदीची दिगुदञ्चः प्राणाः
— ऊर्ध्वा दिगूर्ध्वाः प्राणाः
— अवाची दिगवाञ्चः प्राणाः
— सर्वा दिशः सर्वे प्राणाः
6. 3. 6. दिशामेकपुण्डरीकमसि
6. 4. 22. वायुर्दिशां यथा गर्भः
Tait. 1. 7. 1. दिशो ऽवान्तरदिशः
Śwet. 5. 4. सर्वा दिश ऊर्ध्वमधश्च तिर्यक्
Maitri. 6. 2. चतस्रो दिशश्चतस्र उपदिशः
Muṇḍ.2. 1. 4. दिशः श्रोत्रे
Mahânâr. 2. 1. एष हि देवः प्र दिशो ऽनु सर्वाः
6. परि दिशः परि स्सुवः
7. परीत्य सर्वाः प्रदिशो दिशश्च
8. जीवनं च दिशो दिशः
23. 1. दिशश्चावान्तरदिशश्च

Praśna. 1. 6. आदित्य उदयन्यत्प्राचीं दिशं प्रविशति
Gauḍa. 2. 24. दिश इति च तद्विदः
4. 63 दिक्षु वै दशसु स्थितान् 65.
Śiras. 1. दिशश्चान्तरं प्राविशत्
— दिशश्च प्रतिदिशश्चाहम्
Nîla. 9. दिक्षु श्रिताः सहस्रशः
Kaṭhaśru. 1. प्राचीमुदीचीं वा दिशम्
Nâr. 2. दिशश्च नारायणः
Aśrama. 3. यां दिशमभिप्रेक्षन्ते
Râmap. 71. तस्य दिक्षु विदिक्षु च
87. तांस्तस्य दिक्ष्वर्चयेच्च
89. ज्ञानात्मानं चार्चयेत्तस्य दिक्षु
Gîtâ. 6. 13. दिशश्चानवलोकयन्
11. 20. व्याप्तं त्वयैकेन दिशश्च सर्वाः
25. दिशो न जाने न लभे च शर्म
36. दिशो द्रवन्ति

दिह्

Nyâsa. 5. अयं मूर्धानमस्य देह (=दिदेह Nârâyaṇa).

दीक्ष्

Chhâ. 5. 2. 4. अमावास्यायां दीक्षित्वा
Bṛih. 3. 9. 23. दीक्षितमाहुः सत्यं वद

दीक्षा

Chhâ. 3. 17. 1. ता अस्य दीक्षा
Bṛih. 3. 9. 23. स सोमः कस्मिन्प्रतिष्ठित इति दीक्षायामिति कस्मिन्नु दीक्षा प्रतिष्ठिता
— सत्ये ह्येव दीक्षा प्रतिष्ठिता
Muṇḍ.2. 1. 6. दीक्षा यज्ञाश्च सर्वे
Mahânâr. 25. 1. यावद्ध्रियते सा दीक्षा.
Garbha. 5. धृतिर्दीक्षा सन्तोषश्च
Nyâsa. 2. दीक्षामुपेयात् Kaṭhaśru. 4.

दीप्

Kaush. 2. 12. एतद्वै ब्रह्म दीप्यते(4 times); 13 (4 times).

Chhâ. 3. 13. 7. यदतः परो दिवो ज्योतिर्दीप्यते

Bṛih. 1. 3. 12. अग्निः परेण मृत्युमतिक्रान्तो दीप्यते

3. 1. 8. दीप्यत इव हि देवलोकः

Maitri. 6. 35. एतद्यदादित्यस्य मध्ये यजुर्दीप्यति

Mahânâr. 12. 2. य एष एतस्मिन्मण्डले ऽर्चिर्दीप्यते

Nṛip. 2. 4. दीप्तो दीपयन् दीप्यमानः

Gîtâ. 11. 24. नभःस्पृशं दीप्तमनेकवर्णम्

दीप

Maitri. 6. 30. दीपवद्यः स्थितो हृदि

36. यथा दीपस्य संस्थितिः

Kshur. 23. दीपो दग्ध्वा लयं व्रजेत्

Dhyâna. 2. तत्त्वमार्गे यथा दीपः

Yogat. 2.

Yogat. 13. घटमध्ये यथा दीपम्

Mukti. 2. 18. शममायाति दीपवत्

46. चेतसो दीपमुत्सृज्य

Gîtâ. 6. 19. यथा दीपो निवातस्थः

दीपप्रकाश

Vâsu. 2. तत्र दीपप्रकाशं स्वमात्मानं पश्यन्

दीपवत्प्रकाश

Atmapra. 1. तडिदाभमात्रं दीपवत्प्रकाशः (°प्रकाशं in one MS.)

दीपवर्त्ति

Yogaśi. 5. प्रज्वलेद्दीपवर्त्तिवत्

दीपशिखा

Yogaśi. 6. दीपशिखायां या मात्रा

दीपसङ्काश

Brahmav. 10. शिखा च दीपसङ्काशा

दीपोपम

Śwet. 2. 15. यदात्मतत्त्वेन..दीपोपमेन

दीप्तविशालनेत्र

Gîtâ. 11. 24. व्यात्ताननं दीप्तविशालनेत्रम्

दीप्तहुताशवक्त्र

Gîtâ. 11. 19. पश्यामि त्वां दीप्तहुताशवक्त्रम्

दीप्तानलार्कद्युति

Gîtâ. 11. 17. दीप्तानलार्कद्युतिमप्रमेयम्

दीप्तिमन्त्

Gîtâ. 11. 17. तेजोराशिं सर्वतो दीप्तिमन्तम्

दीर्घ

Nṛip. 3. 1. ह्रस्वा वा दीर्घा वा प्लुता वेति

— यदि दीर्घा भवति

Śikhâ. 1. स्थूलह्रस्वदीर्घप्लुतः

Piṇḍa. 7. दीर्घमायुः प्रजायते

दीर्घघण्टानिनाद

Dhyâna. 18. दीर्घघण्टानिनादवत्

दीर्घभाजिन्

Râmap. 61. दीर्घभाजि षडक्षेषु

दीर्घयुक्त

Râmap. 79. तापिनी दीर्घयुक्ता भूः

दीर्घयुत

Râmap. 78. दीर्घयुतो वायुः

दीर्घसूत्रिन्

Gîtâ. 18. 28. विषादी दीर्घसूत्री च

दीर्घा (=न)

Râmap. 75. दीर्घाक्रूरयुता
— अथो दीर्घा समानदा
76. युक्ता दीर्घा ज्वालिनी च

दीर्घानल (=रा)

Râmot. 2. दीर्घानलं बिन्दुपूर्वकं दीर्घानलं पुनः

1. दुःख adj.

Gîtâ. 5. 6. दुःखमाप्तुमयोगतः
18. 8. दुःखमित्येव यत्कर्म

2. दुःख

Bṛih. 4. 4. 14. इतरे दुःखमेवापियन्ति
Śwet. 3. 10.

Śwet. 6. 20. दुःखस्यान्तो भविष्यति

Gauḍa. 3. 43. दुःखं सर्वमनुस्मृत्य
4. 82. दुःखं विक्रियते सदा

Nṛip. 5. 10. यत्र न मृत्युः प्रविशति यत्र न दुःखम्

Śikhâ. 2. दुःखभयेभ्यः सन्तारयाति

Garbha. 4. यन्त्रेणापीड्यमानो महता दुःखेन

Nyâsa. 2. किंवा दुःखं समुद्दिश्य

Parama. 2. न सुखं न दुःखम्
— *vide* आदि
3. दुःखे नोद्वेगः

Mukti. 2. कर्तृत्वादिदुःखनिवृत्तिद्वारा

Gîtâ. 2. 56. दुःखेष्वनुद्विग्नमनाः
6. 22. न दुःखेन गुरुणापि
23. दुःखसंयोगवियोगम्
32. सुखं वा यदि वा दुःखम्
10. 4. सुखं दुःखं भवो ऽभावः
13. 6. इच्छा द्वेषः सुखं दुःखम्
8. जन्ममृत्युजराव्याधिदुःखदोषानुदर्शनम्
14. 16. रजसस्तु फलं दुःखम्
17. 9. दुःखशोकामयप्रदाः

दुःखक्षय

Gauḍa. 3. 40. दुःखक्षयः प्रबोधश्च

दुःखतर

Gîtâ. 2. 36. ततो दुःखतरं नु किम्

दुःखता

Chhâ. 7. 26. 2. न रोगं नोत दुःखताम्
Maitri. 7. 11.

दुःखबुद्धि

Sarvop. 2. अनिष्टविषये बुद्धिर्दुःखबुद्धिः

दुःखम्

Gîtâ. 12. 5. दुःखं देहवद्भिरवाप्यते

दुःखयोनि

Gîtâ. 5. 22. दुःखयोनय एव ते

दुःखहन्

Gîtâ. 6. 17. योगो भवति दुःखहा

दुःखान्त

Gîtâ. 18. 36. दुःखान्तं च निगच्छति

दुःखालय

Gîtâ. 8. 15. दुःखालयमशाश्वतम्

दुःशक्य

Maitri. 1. 2. दुःशक्यमेतत् प्रश्नम् (one MS. has अशक्यं मा पृच्छ प्रश्नं)

दुःष्वप्रिय

Mahânâr. 9. 6. परा दुःष्वप्रियं सुव 17. 7.

दुःसाध्य

Tejo. 2. दुःसाध्यं च दुराराध्यम्

दुःस्वप्न

Mahânâr. 19. 1. दुःस्वप्नं दुर्जनस्पर्शम्

दुःस्वप्ननाशिन्

Mahânâr. 4. 1. दूर्वा दुःस्वप्ननाशिनी

दुःस्वप्नहन्

Mahânâr.17. 6. दुःस्वप्नहन्दुरुष्वहा

दुग्धदोह

Kaṭha. 1. 3. दुग्धदोहा निरिन्द्रियाः

दुग्धसिन्धु

Krish. 18. दुग्धसिन्धोः समुत्पन्नः

दुग्धोदधि

Krish. 19. दुग्धोदधिः कृतस्तेन

1. दुन्दुभि

Brih. 2. 4. 7. यथा दुन्दुभेर्हन्यमानस्य .
दुन्दुभेस्तु ग्रहणेन 4. 5. 8.

5. 10. 1. यथा दुन्दुभेः खम्

2. दुन्दुभि

Râmap. 39. दुन्दुभेर्विग्रहं दर्शयामास

दुन्दुभ्याघात

Brih. 2. 4. 7. दुन्दुभेस्तु ग्रहणेन दुन्दु-
भ्याघातस्य वा 4. 5. 8.

दुरत्यय

Kaṭha. 3. 14. क्षुरस्य धारा निशिता दु-
रत्यया

Gîtâ. 7. 14. मम माया दुरत्यया

दुराचार

Mukti. 1. 18. दुराचाररतो वापि
48. दुराचाररताय वै

दुराधर्ष

Mahânâr. 4. 8. गन्धद्वारां दुराधर्षाम्
21. 2. तद्दुर्धर्षं तद्दुराधर्षम्
22. 1. दमो भूतानां दुराधर्षम्
— शमो भूतानां दुराधर्षम्

दुराराध्य

Tejo. 2. दुःसाध्यं च दुराराध्यम्

दुराश्रय

Tejo. 2. दुष्प्रेक्ष्यं च दुराश्रयम्

दुरासद

Gîtâ. 3. 43. कामरूपं दुरासदम्

दुरित

Mahânâr. 6. 2. नावेव सिन्धुं दुरितात्यग्निः
5. सिन्धुं न नावा दुरितात‍ि-
पर्षि
6. क्षामद्देवो अति दुरितात्य-
ग्निः

9. 7. विश्वानि . . दुरितानि परा-
सुव 17. 7.

14. 3. यत्किञ्च दुरितं मयि 4;
19. 1 (यत्किञ्चित्)

दुरुक्त

Mahânâr. 16. 4. जुषमाणा दुरुक्तान्

दुरुद्गीथ

Chhâ. 1. 5. 5. इति होतृषदनाद्धैवापि दुरु-
द्गीथमनुसमाहरति

दुरुष्वहन्

Mahânâr. 17. 6. दुःस्वप्नहन्दुरुष्वहा

दुरोणसद्

Kaṭha. 5. 2. वेदिषदतिथिर्दुरोणसत्
Mahânar. 9. 3; 17. 8;
Nṛip. 3. 1.

दुर्ग

Brih. 6. 1. 3. प्रतितिष्ठति समे प्रतितिष्ठति
दुर्गे (bis).
— चक्षुषा हि समे च दुर्गे च
प्रतितिष्ठति

Kaṭha. 3. 14. दुर्गं पथस्तत्कवयो वदन्ति
4. 14. यथोदकं दुर्गे वृष्टम्
Mahânâr. 6. 2. स नः पर्षदति दुर्गाणि विश्वा 6.
4. अग्ने त्वं पारया . . अति दुर्गाणि विश्वा

दुर्गति

Gîtâ. 6. 40. दुर्गतिं तात गच्छति

दुर्गन्ध

Maitri. 1. 3. दुर्गन्धे निःसारे ऽस्मिञ्छरीरे

दुर्गन्धिन्

Chhâ. 1. 2. 2. तस्मात्तेनोभयं जिघ्रति सुरभि च दुर्गन्धं च
9. नैवैतेन सुरभि न दुर्गन्धि विजानाति

दुर्गम

Râmap. 84. ईश्वरेणापि दुर्गमम्

दुर्गहन्

Mahânâr. 6. 4. दुर्गहा जातवेदः

दुर्गा

Mahânar. 3. 12. तन्नो दुर्गा प्रचोदयात्
6. 3. दुर्गां देवीं शरणमहं प्रपद्ये
Râmap. 87. विघ्नं दुर्गां क्षेत्रपालं च वाणीम्

दुर्जनस्पर्श

Mahânâr. 19. 1. दुःस्वप्नं दुर्जनस्पर्शम्

दुर्जय

Kṛish. 12. दुर्जया सा सुरैः सर्वैः

दुर्दर्श

Kaṭha. 2. 12. तं दुर्दर्शं गूढमनुप्रविष्टम्
Gauḍa. 3. 39. दुर्दर्शः सर्वयोगिभिः
4. 100. दुर्दर्शमतिगम्भीरम्

दुर्दृष्टि

Mukti. 2. 60. भ्रान्तं पश्यति दुर्दृष्टिः

दुर्धर्ष

Mahânâr. 21. 2. यद्धि परं तपस्तद्दुर्धर्षम्

दुर्निग्रह

Gîtâ. 6. 35. मनो दुर्निग्रहं चलम्

दुर्निरीक्ष्य

Gîtâ. 11. 17. पश्यामि त्वां दुर्निरीक्ष्यं समन्तात्

दुर्निवार्य

Maitri. 4. 2. दुर्निवार्यमस्य मृत्योरागमनम्

दुर्निष्प्रपतर

Chhâ. 5. 10. 6. अतो वै खलु दुर्निष्प्रपतरम्

दुर्बुद्धि

Gîtâ. 1. 23. धार्तराष्ट्रस्य दुर्बुद्धेः

दुर्बोध

Kṛish. 12. दुर्बोधं कुहकं तस्य

दुर्भिषज्य

Bṛih. 4. 3. 14. दुर्भिषज्यं हास्मै भवति

दुर्मति

Gîtâ. 18. 16. न स पश्यति दुर्मतिः

दुर्मित्रिय

Mahânâr. 4. 13. दुर्मित्रियास्तस्मै भूयासुः

दुर्मेधस्

Gîtâ. 18. 35. न विमुञ्चति दुर्मेधाः

दुर्योधन

Gîtâ. 1. 2. दृष्ट्वा तु . . दुर्योधनस्तदा

दुर्लक्ष्य

Tejo. 2. दुर्लक्ष्यं दुस्तरं ध्यानम्

दुर्लभ

Katha. 1. 25. ये ये कामा दुर्लभा मर्त्यलोके
Mukti. 1. 15. मुनिदुर्लभाम्

दुर्लभतर

Parama. 1. यो ऽयं परमहंसमार्गो लोकेषु दुर्लभतरः
Gîtâ. 6. 42. एतद्धि दुर्लभतरम्

दुर्वासस्

Jâbâla. 6. *vide* प्रभृति

दुर्विचिन्तित

Mahânâr. 4. 7. मनसा दुर्विचिन्तितम्

दुश्चरित

Katha. 2. 24. नाविरतो दुश्चरितात्
Mahânâr. 14. 2. यद्वा दुश्चरितं मम
Prâṇâg. 1.

दुष्

Chhâ. 8. 10. 1. नैवैषोऽस्य दोषेण दुष्यति 3.
Gîtâ. 1. 41. स्त्रीषु दुष्टासु वार्ष्णेय

दुष्कृत्

Gîtâ. 4. 8. विनाशाय च दुष्कृताम्

दुष्कृत

Kaush. 1. 4. तत्सुकृतदुष्कृते धुनुते वा तस्य प्रिया ज्ञातयः सुकृतमुपयन्त्यप्रिया दुष्कृतम्
Chhâ. 8. 4. 1. न सुकृतं न दुष्कृतम्
Maitri. 6. 9. पुनन्त्वन्नं मम दुष्कृतं च यदन्यत्
Mahânâr. 4. 6. यन्मया दुष्कृतं कृतम्
12. यन्मे मनसा वाचा कर्मणा वा दुष्कृतं कृतम् 19. 1.
Gîtâ. 2. 50. उभे सुकृतदुष्कृते

दुष्कृतिन्

Gîtâ. 7. 15. न मां दुष्कृतिनो मूढाः

दुष्टमतङ्गज

Mukti. 2. 44. मत्तो यथा दुष्टमतंगजः

दुष्टाश्व

Katha. 3. 5. दुष्टाश्वा इव सारथेः

दुष्टाश्वयुक्त

Swet. 2. 9. दुष्टाश्वयुक्तमिव वाहम्

दुष्पूर

Gîtâ. 3. 39. दुष्पूरेणानलेन च
16. 10. काममाश्रित्य दुष्पूरम्

दुष्प्राप

Gîtâ. 6. 36. दुष्प्राप इति मे मतिः

दुष्प्रेक्ष्य

Tejo. 2. दुष्प्रेक्ष्यं च दुराश्रयम्
8. दुष्प्रेक्ष्यमजमव्ययम्

दुस्तर

Tejo. 2. दुर्लक्ष्यं दुस्तरं ध्यानम्

दुह्

Chhâ. 1. 3. 7. दुग्धे ऽस्मै वाग्दोहम्
1. 13. 4; 2. 8. 3.

दुहितृ

Chhâ. 4. 2. 3. दुहितरं तदादाय प्रतिचक्रमे
Bṛih. 3. 3. 1. तस्यासीद्दुहिता गन्धर्वगृहीता
6. 4. 17. दुहिता मे पण्डिता जायेत

दूत

Kaush. 2. 1. प्राणस्य ब्रह्मणो मनो दूतम्
— मनो दूतं वेद दूतवान्भवति
3. दूतं वा प्रहिणुयात्
Gâruḍa. 2. यद्यनन्तकदूतस्त्वम्
— यदि वासुकिदूतस्त्वम्
— यदि तक्षकदूतस्त्वम्
— यदि कर्कोटकदूतस्त्वम्

Gâruḍa. 2. यदि शंखपुलिकदूतस्त्वम्
— यदि पद्मकदूतस्त्वम्
— यदि महापद्मकदूतस्त्वम्
— यद्येलापत्रकदूतस्त्वम्
— यदि महैलापत्रकदूतस्त्वम्
— यदि कालिकदूतस्त्वम्
— यदि कुलिकदूतस्त्वम्
(most MSS. omit).
— यदि कंबलाश्वतरदूतस्त्वम्

दूतवन्त्

Kaush. 2. 1. मनो दूतं वेद दूतवान्भवति

दूर्

Bṛih. 1. 3. 9. सा वा एषा देवता दूर्नाम

दूर

Bṛih. 1. 3. 9. दूरं ह्यस्या मृत्युर्दूरं ह वा अस्मान्मृत्युर्भवति य एवं वेद
Isâ. 5. तद्दूरे तद्वन्तिके
Kaṭha. 2. 4. दूरमेते विपरीते विषूची Maitri. 7. 9.
21. आसीनो दूरं व्रजति
Muṇḍ. 3. 1. 7. दूरात्सुदूरे तदिहान्तिके च
Mahânâr. 8. 2. दूराद्गन्धो वाति (bis).
Gitâ. 2. 49. दूरेण ह्यवरं कर्म

दूरतस्

Mukti. 2. 15. भोगेच्छां दूरतस्त्यक्त्वा

दूरस्थ

Gitâ. 13. 15. दूरस्थं चान्तिके च तत्

दूर्वा

Mahânâr. 4. 1. दूर्वा दुःस्वप्ननाशिनी
2. दूर्वा अमृतसम्भूताः
3. एवा नो दूर्वे प्रतनु

दूषिका

Maitri. 1. 3. *vide* संघात

दृढ

Chhâ. 1. 3. 5. दृढस्य धनुष आयमनम्
Gauḍa. 3. 17. द्वैतिनो निश्चिता दृढम्
Mukti. 2. 13. हृदयग्रन्थयो दृढाः
25. दृढाभ्यस्तपदार्थैकभावनात्
40. एकतत्त्वदृढाभ्यासात्
48. द्वितीयं दृढभावना
57. दृढभावनया
Gitâ. 6. 34. प्रमाथि बलवद्दृढम्
15. 3. असंगशस्त्रेण दृढेन छित्त्वा

दृढता

Mukti. 1. 28. तथापि दृढता नोचेत्

दृढनिश्चय

Gitâ. 12. 14. यतात्मा दृढनिश्चयः

दृढमति

Gitâ. 18. 64. इष्टोऽसि मे दृढमतिः

दृढव्रत

Gitâ. 7. 28. भजन्ते मां दृढव्रताः
9. 14. यतन्तश्च दृढव्रताः

दृढिष्ठ

Tait. 2. 8. 1. आशिष्ठो दृढिष्ठो बलिष्ठः

दृप्तबालाकि

Bṛih. 2. 1. 1. दृप्तबालाकिर्ह . . गार्ग्यः

1. दृश्

Ait. 3. 5. दृष्ट्वा हैवान्नमत्रप्स्यत्
11. यदि चक्षुषा दृष्टं . . कोऽहमिति
13. ब्रह्म ततममपश्यदिदमदर्शमिति
5. 1. येन वा रूपं पश्यति
Kaush. 2. 8. पश्चाचंद्रमसं दृश्यमानमुपतिष्ठेत
9. पुरस्ताचन्द्रमसं दृश्यमानमुपतिष्ठेत

Katah. 2. 12. एतद्वै ब्रह्म दीप्यते यदादित्यो दृश्यते ऽथैतन्म्रियते यन्न दृश्यते
— एतद्वै ब्रह्म दीप्यते यच्चन्द्रमा दृश्यते ऽथैतन्म्रियते यन्न दृश्यते
13. एतद्वै ब्रह्म दीप्यते यच्चक्षुषा पश्यत्यथैतन्म्रियते यन्न पश्यति
14. तद्वाचा वदच्चक्षुषा पश्यच्छिष्ये (ter.)
3. 2. चक्षुः पश्यत् सर्वे प्राणा अनुपश्यन्ति
3. जीवति वागपेतो मूकान् हि पश्यामः (similarly five times more.)
— यत्रैतत्पुरुषः सुप्तः स्वप्नं न कंचन पश्यति
— न शृणोति न पश्यति
4. 19. यदा सुप्तः स्वप्नं कंचन न पश्यति

Kena. 6. यच्चक्षुषा न पश्यति येन चक्षूंषि पश्यति

Chhâ. 1. 2. 4. तस्मात्तेनोभयं पश्यति दर्शनीयं चादर्शनीयं च
1. 6. 6. य एषो ऽन्तरादित्ये हिरण्मयः पुरुषो दृश्यते
1. 7. 5. य एषो ऽन्तरक्षिणि पुरुषो दृश्यते
2. 9. 7. ते पुरुषं दृष्ट्वा कक्षं श्वभ्रमित्युपद्रवन्ति
2. 24. 4. पश्येम त्वा वयम् 8, 12, 13.
3. 6. 1. एतदेवामृतं दृष्ट्वा तृप्यन्ति 3. 7. 1; 3. 8. 1; 3. 9. 1; 3. 10. 1.
3. एतदेवामृतं दृष्ट्वा तृप्यति 3. 7. 3; 3. 8. 3; 3. 9. 3; 3. 10. 3.

Chhâ. 3. 13. 8. एतद्दृष्टं च श्रुतं च
4. 3. 8. तयेदं सर्वं दृष्टं सर्वमस्येदं दृष्टम्
4. 11. 1. य एष आदित्ये पुरुषो दृश्यते
4. 12. 1. य एष चन्द्रमसि पुरुषो दृश्यते
4. 13. 1. य एष विद्युति पुरुषो दृश्यते
4. 15. 1. य एषो ऽक्षिणि पुरुषो दृश्यते 8. 7. 4.
5. 1. 7. शरीरं पापिष्ठतरमिव दृश्येत
8. पश्यन्तश्चक्षुषा 10, 11; Brih. 6. 1. 8, 10—12.
5. 2. 8. यदि स्त्रियं पश्येत्
9. स्त्रियं स्वप्नेषु पश्यति
5. 12. 1. तस्मात्तव सुतं प्रसुतमासुतं कुले दृश्यते
2. अत्स्यन्नं पश्यसि प्रियमत्त्यन्नं पश्यति प्रियम् 5. 13. 2; 5. 14. 2; 5. 15. 2; 5. 16. 2; 5. 17. 2.
5. 13. 1. तस्मात्तव बहु विश्वरूपं कुले दृश्यते
6. 12. 1. किमत्र पश्यसि (bis).
7. 11. 1. तेज एव तत्पूर्वं दर्शयित्वा (bis).
7. 15. 4. स वा एष एवं पश्यन् 7. 25. 2.
7. 24. 1. यत्र नान्यत्पश्यति.. स भूमा
— यत्रान्यत्पश्यति..तदल्पम्
7. 26. 1. एतस्यैवं पश्यतः
2. न पश्यो मृत्युं पश्यति.. सर्वं ह पश्यः पश्यति
— तमसः पारं दर्शयति

Chhâ. 8. 8. 1. किं पश्यथ इति . . आत्मानं पश्यावः
2. प्रजापतिरुवाच किं पश्यथ इति
8. 9. 1. अप्राप्यैव देवानेतद्भयं ददर्श
— नाहमत्र भोग्यं पश्यामि 2; 8. 10. 2, 4; 8. 11. 1, 2.
8. 12. 5. एतान् कामान् पश्यन् रमते
Brih. 1. 3. 4. यत्कल्याणं पश्यति तदात्मने
— यदेवेदमप्रतिरूपं पश्यति
25. यज्ञे स्वरवन्तं दिदृक्षन्ते
1. 4. 1. नान्यदात्मनो ऽपश्यत्
7. तन्न पश्यन्त्यकृत्स्नो हि सः
— पश्यंश्चक्षुः
10. तद्धैतत्पश्यन्नृषिर्वामदेवः
1. 5. 3. अन्यत्रमना अभूवं नादर्शम्
— मनसा ह्येव पश्यति Maitri. 6. 30.
21. द्रक्ष्याम्यहमिति चक्षुः
2. 4. 5. आत्मा वा अरे द्रष्टव्यः 4. 5. 6.
14. तदितर इतरं पश्यति 4. 5. 15.
— तत्केन कं पश्येत् 4. 5. 15.
2. 5. 16. तदेतदृषिः पश्यन्नवोचत् 17, 18, 19.
3. 2. 5. चक्षुषा हि रूपाणि पश्यति
3. 4. 2. न दृष्टेर्द्रष्टारं पश्येः
3. 9. 20. चक्षुषा हि रूपाणि पश्यति
4. 1. 4. चक्षुषा वै पश्यन्तमाहुरद्राक्षीरिति स आहाद्राक्षमिति
4. 3. 9. उभे स्थाने पश्यति
— पाप्मन आनन्दांश्च पश्यति
13. उतेवापि भयानि पश्यन्
14. आराममस्य पश्यन्ति न तं पश्यति कश्चन

Brih. 4. 3. 14. यानि ह्येव जाग्रत्पश्यति
15. दृष्ट्वैव पुण्यं च पापं च 16, 17, 34.
— स यत्तत्र किंचित्पश्यति 16.
19. न कञ्चन स्वप्नं पश्यति Mâṇḍû. 5; Nṛip. 4. 1; Nṛisut. 1; Râmot. 3.
20. यदेव जाग्रद्भयं पश्यति
23. यद्वै तन्न पश्यति पश्यन्वै तन्न पश्यति
— न तु . . ततो ऽन्यद्विभक्तं यत्पश्येत्
31. तत्रान्यो ऽन्यत्पश्येत्
4. 4. 2. एकीभवति न पश्यतीत्याहुः
19. य इह नानेव पश्यति Kaṭha. 4. 10, 11; Atmapra. 1.
23. आत्मन्येवात्मानं पश्यति सर्वमात्मानं पश्यति
4. 5. 6. आत्मनि खल्वरे दृष्टे श्रुते मते
5. 5. 2. शुद्धमेवैतन्मण्डलं पश्यति
5. 14. 3. दर्शतं पदमिति ददृश इव
4. अहमदर्शमहमश्रौषमिति य एव ब्रूयादहमदर्शमिति तस्मा एव श्रद्दध्याम
5. 15. 1. यत्ते रूपं कल्याणतमं तत्ते पश्यामि Iśâ. 16.
Kaṭha. 1. 11. त्वां ददृशिवान्मृत्युमुखात् प्रमुक्तम्
27. लप्स्यामहे वित्तमद्राक्ष्म चेत्त्वा
2. 11. स्तोममहदुरुगायं प्रतिष्ठां दृष्ट्वा
14. अन्यत्र भूताच्च भव्याच्च यत्तत्पश्यसि तद्वद
20. तमक्रतुः पश्यति वीतशोकः
3. 12. दृश्यते त्वग्र्यया बुद्ध्या

Katha. 4. 1. तस्मात्पराङ् पश्यति नान्तरात्मन्
14. एवं धर्मान् पृथक् पश्यन्
6. 9. न चक्षुषा पश्यति कश्चनैनम् Śwet. 4. 20; Mahânâr. 1. 11.

Śwet. 1. 3. अपश्यन्देवात्मशक्तिम्
13. वह्नेर्यथा योनिगतस्य मूर्त्तिर्न दृश्यते
14. देवं पश्येन्निगूढवत् Brahma. 3.
3. 19. पश्यत्यचक्षुः
20. तमक्रतुं पश्यति Mahânâr. 8. 3.
4. 7. जुष्टं यदा पश्यत्यन्यमीशम् Mund. 3. 1. 2.
12. हिरण्यगर्भं पश्यत जायमानम् Mahânâr. 10. 3.
5. 2. जायमानं च पश्येत्
8. आराग्रमात्रो ह्यवरो ऽपि दृष्टः
12. संयोगहेतुरपरो ऽपि दृष्टः
6. 5. अकलो ऽपि दृष्टः
8. न तत्समश्चाभ्यधिकश्च दृश्यते

Maitri. 1. 4. सर्वं चेदं क्षयिष्णु पश्यामः
— गन्धर्व . . ग्रहादीनां निरोधं पश्यामः
— असकृदिहावर्त्तनं दृश्यते
2. 6. ताः . . स्थाणुरिव तिष्ठमाना अपश्यत्
3. 2. आत्मस्थं प्रभुं . . नापश्यत्
6. 1. यः पश्यतीमां हिरण्यवस्थात्
7. यत्र द्वैतीभूतं विज्ञानं तत्र . . पश्यति
10. अत्र दृष्टं नाम प्रत्ययम्
16. यत्किञ्चित् शुभाशुभं दृश्यतेह लोके

Maitri. 6. 18. यदा पश्यन् पश्यति रुक्मवर्णम्
20. ब्रह्म तर्केण पश्यति
— यदात्मनात्मानं . . पश्यति तदात्मनात्मानं दृष्ट्वा निरात्मा भवति
24. ब्रह्म तमसः परमपश्यत् एनं दृष्ट्वामृतत्वं गच्छति
25. स्वप्न इव यः पश्यति
28. स्वे महिम्नि तिष्ठमानं दृष्ट्वा
35. द्विधर्मोऽन्धं तेजसेन्धं सर्वं पश्यन् पश्यति
38. स्वे महिम्नि तिष्ठमानं पश्यति
7. 10. सत्यमिवानृतं पश्यन्ति
11. न पश्यन् मृत्युं पश्यति
— सर्वं हि पश्यन् पश्यति

Mund. 1. 2. 1. मन्त्रेषु कर्माणि कवयो यान्यपश्यन्
2. 2. 8. तस्मिन्दृष्टे परावरे
3. 1. 3. यदा पश्यः पश्यते रुक्मवर्णं कर्त्तारम्
5. यं पश्यन्ति यतयः क्षीणदोषाः
7. पश्यत्स्विहैव निहितं गुहायाम्
8. ततस्तु तं पश्यते निष्कलम्

Mahânâr. 2. 3. वेनस्तत्पश्यन्
6. तदपश्यत्तदभवत्प्रजासु
11. 6. दृश्यते श्रूयते ऽपि वा Vâsu. 3.
23. 1. मानसेन मनसा साधु पश्यति

Praśna. 4. 1. कतर एष देवः स्वप्नान् पश्यति
2. तर्ह्येष पुरुषो न शृणोति न पश्यति
5. यद्दृष्टं दृष्टमनुपश्यति

Praśna. 4. 5. दृष्टं चादृष्टं च . . सर्वं पश्यति सर्वः पश्यति
6. अत्रैष देवः स्वप्नान्न पश्यति
8. चक्षुश्च द्रष्टव्यं च

Kaivalya. 21. पश्याम्यचक्षुः

Gauḍa. 1. 20. उत्कर्षो दृश्यते स्फुटम्
2. 2. गत्वा देशान्न पश्यति
9. दृष्टं वैतथ्यमेतयोः (सदसतोर्वैतथ्यं युक्तम् MSS.)
29. यं भावं दर्शयेद्यस्य तं भावं स तु पश्यति
31. स्वप्नमाये यथा दृष्टे
— तथा विश्वमिदं दृष्टम्
35. निर्विकल्पो ह्ययं दृष्टः
38. तत्त्वमाध्यात्मिकं दृष्ट्वा तत्त्वं दृष्ट्वा तु बाह्यतः
3. 43. जातं नैव तु पश्यति
4. 28. तस्य पश्यन्ति ये जातिं खे वै पश्यन्ति ते पदम्
35. प्रतिबुद्धो न पश्यति
39. असज्जागरिते दृष्ट्वा स्वप्ने पश्यति तन्मयः
— असत् स्वप्ने ऽपि दृष्ट्वा च प्रतिबुद्धो न पश्यति
41. धर्मास्तत्रैव पश्यति
63. जीवान् पश्यति यान् सदा 65.
84. येन दृष्टः स सर्वदृक्

Nṛip. 1. 1. भद्रं पश्येमाक्षभिर्यजत्राः 2. 4; Nṛisut. 1.
— एतं मन्त्रराजं . . आनुष्टुभमपश्यत्
2. 4. सर्वतः पश्यति
— यस्य रूपं दृष्ट्वा सर्वे . . भीत्या पलायन्ते
4. 8. स्वात्मानं दर्शयति (bis); Râmot. 5.

Nṛip. 4. 3. स देवं पश्यति Râmot. 5.
5. 10. विष्णोः परमं पदं सदा पश्यन्ति सूरयः Aruṇeya. 5; Vâsu. 4; Skanda. 15; Mukti. 2. 77..

Nṛisut. 2. यदि सर्वमिदं दर्शयति
3. इहेदं सर्वं दृष्ट्वा (2 MSS. read सृष्ट्वा)
4. नत्वा च बहुधा दृष्ट्वा
6. द्वितीयाद्वयमेव पश्यन्तः
— आत्मनैवात्मानं परमं ब्रह्म पश्यति
9. मूढैरात्मैव दृष्टा (Nârâyaṇa and 3 MSS. read द्रष्टा)
— अस्य सत्त्वमसत्त्वं च दर्शयति
9. माया . . क्षेत्राणि दर्शयित्वा
— पश्यतेहापि सन्मात्रमसदन्यत्
— ब्रूतैष दृष्टो ऽदृष्टो वेति दृष्टः
— यूयमेव दृष्टः
— दृश्यते चेन्नात्मज्ञाः
— कथं पश्यन्तीति होवाच
— तदेतदात्मानमोमित्यपश्यन्तः पश्यत
— तदेतत्पण्डिता एव पश्यन्ति
— सुविभातमद्वयं पश्यत
— किमेष दृष्टो ऽदृष्टो वेति दृष्टः
— पश्याम एव भगवन्न च वयं पश्यामः

Brahmav. 11. शिखाभा दृश्यते परा

Chûl. 1. सर्वः पश्यन् न पश्यति
2. अन्तः पश्यति सत्त्वस्थम्
3. असह्यः सोन्यथा द्रष्टुम्
8. पश्यन्त्यस्यां महात्मानम्
16. पश्यन्तो ज्ञानचक्षुषः
— तमेकमेव पश्यन्ति

Siras. 1. ते देवा रुद्रमपश्यन्
Garbha. 4. मातरो विविधा दृष्टाः
Nîla. 1. अपश्यं त्वावरोहन्तम्
— अपश्यमस्यन्तं रुद्रम्
2. जनासः पश्यतेमम्
10. अदृशन्नुत त्वोदहार्य्यः
— तस्मै दृष्टाय ते नमः
22. नीलगलमालः शिवः पश्य
Brahmab. 12. दृश्यते जलचन्द्रवत्
19. क्षीरवत्पश्यते ज्ञानम्
Amṛita. 14. अन्धवत् पश्य रूपाणि
— काष्ठवत् पश्यते देहम्
25. येनासौ पश्यते मार्गम्
29. चतुर्भिः पश्यते देवान्
Dhyâna. 2. दृश्यते पुरुषोत्तमः (one MS. omits); Yogat. 2.
20. एवं पश्येन्निगूढवत् (so 5 MSS. ; one has देवम्)
Yogaśi. 7. ततः पश्यति तत्परम्
10. तदा पश्यन्ति योगेन
Kaṭhaśru. 1. निष्क्रम्य पुत्रं दृष्ट्वा 2.
Ṣarvop. 2. अप्राप्तशरीरसंयोगमिव कुर्वाणो यदा दृश्यते
Haṁsa. 2. पश्यत्यनागारश्च
Parama. 2. स्ववपुः कुणपमिव दृश्यते
3. हिरण्यं रसेन दृष्टम्
— न दृष्टं च न स्पृष्टं च न ग्राह्यं च
Vâsu. 2. स्वमात्मानं पश्यन्
Gopî. 3. पञ्चत्वं न स पश्यति
5. यं यं पश्यति चक्षुषा
— तत ओङ्कारमपश्यत्
Skanda. 9. यथान्तरं न पश्यामि
Râmap. 39. विग्रहं दर्शयामास
44. सीतां दृष्ट्वा सुरान् हत्वा
46. तां दृष्ट्वा तदधीशेन
Râmot. 4. यो ऽविमुक्तं पश्यति

Mukti. 2. 60. भ्रान्तं पश्यति दुर्दृष्टिः
Gîtâ. 1. 2. दृष्ट्वा तु पाण्डवानीकम्
3. पश्यैतां . . महतीं चमूम्
20. अथ व्यवस्थितान्दृष्ट्वा
25. उवाच पार्थ पश्यैतान्
26. तत्रापश्यत्स्थितान्पार्थः
28. दृष्ट्वेमं स्वजनं कृष्ण
31. निमित्तानि च पश्यामि विपरीतानि
38. यद्यप्येते न पश्यन्ति
2. 16. उभयोरपि दृष्टो ऽन्तस्तु
29. आश्चर्यवत्पश्यति कश्चिदेनम्
59. परं दृष्ट्वा निवर्त्तते
69. सा निशा पश्यतो मुनेः
4. 18. कर्मण्यकर्म यः पश्येत्
35. द्रक्ष्यस्यात्मन्यथो मयि
5. 5. यः पश्यति स पश्यति 13. 24.
8. पश्यन् शृण्वन् स्पृशन् जिघ्रन्
6. 20. पश्यन्नात्मनि तुष्यति
30. यो मां पश्यति सर्वत्र सर्वं च मयि पश्यति
32. समं पश्यति यो ऽर्जुन
33. एतस्याहं न पश्यामि
9. 5. पश्य मे योगमैश्वरम् 11.8.
11. 3. द्रष्टुमिच्छामि ते रूपम्
4. मया द्रष्टुमिति प्रभो
— दर्शयात्मानमव्ययम्
5. पश्य मे पार्थ रूपाणि
6. पश्यादित्यान्वसून्
— पश्याश्चर्याणि भारत
7. पश्याद्य सचराचरम्
— यच्चान्यद्द्रष्टुमिच्छसि
8. न तु मां शक्यसे द्रष्टुम्
9. दर्शयामास पार्थाय

Gîtâ. 11. 13. अपश्यद्देवदेवस्य शरीरे
15. पश्यामि देवांस्तव देव देहे
16. पश्यामि त्वां सर्वतो ऽनन्तरूपम्
— नान्तं न मध्यं न पुनस्तवादिं पश्यामि
17. पश्यामि त्वां दुर्निरीक्ष्यं समन्तात्
19. पश्यामि त्वां दीप्तहुताशवक्त्रम्
20. दृष्ट्वाद्भुतं रूपमुग्रं तवेदम्
23. दृष्ट्वा लोकाः प्रव्यथितास्तथाहम्
24. दृष्ट्वा हि त्वां प्रव्यथितान्तरात्मा
25. दृष्ट्वैव कालानलसन्निभानि
45. अदृष्टपूर्वं हृषितो ऽस्मि दृष्ट्वा
— तदेव मे दर्शय देव रूपम्
46. इच्छामि त्वां द्रष्टुमहं तथैव
47. रूपं परं दर्शितमात्मयोगात्
48. एवंरूपः शक्य अहं नृलोके द्रष्टुम्
49. दृष्ट्वा रूपं घोरमीदृङ्ममेदम्
50. स्वकं रूपं दर्शयामास भूयः
51. दृष्ट्वेदं मानुषं रूपम्
52. सुदुर्दर्शमिदं रूपं दृष्टवानसि यन्मम
53. शक्य एवंविधो द्रष्टुं दृष्टवानसि मां यथा
54. ज्ञातुं द्रष्टुं च तत्त्वेन
13. 24. ध्यानेनात्मनि पश्यन्ति
28. समं पश्यन् हि सर्वत्र
29. यः पश्यति तथात्मानमकर्त्तारं स पश्यति
15. 10. पश्यन्ति ज्ञानचक्षुषः

Gîtâ. 15. 11. पश्यन्त्यात्मन्यवस्थितम्
— नैनं पश्यन्त्यचेतसः
18. 6. पश्यत्यकृतबुद्धित्वान्न स पश्यति दुर्मतिः

2. दृश्

Mukti. 2. 23. अक्षिदृग्द्रव्येषु

दृशि

Mukti. 2. 74. दृशिस्तु शुद्धो ऽहमविक्रियात्मकः

दृशिस्वरूप

Mukti. 2. 73. दृशिस्वरूपं गगनोपमं परम्

दृष्टपूर्व

Gîtâ. 11. 47. यन्मे त्वदन्येन न दृष्टपूर्वम्

दृष्टान्त

Maitri. 7. 8. वृथातर्कदृष्टान्तकुहकेन्द्रजालैः
Gauḍa. 4. 13. दृष्टान्तस्तस्य नास्ति वै
20. बीजाङ्कुराख्यो दृष्टान्तः
Brahmab. 9. हेतुदृष्टान्तवर्जितम्

दृष्टि

Ait. 5. 2. मेधा दृष्टिर्धृतिर्मतिः
Kaush. 3. 3. तस्यैषैव दृष्टिरेतद्विज्ञानम्
Chhâ. 3. 13. 7. तस्यैषा दृष्टिः
Bṛih. 3. 4. 2. नदृष्टेर्द्रष्टारं पश्येः
4. 3. 23. न हि द्रष्टुर्दृष्टेर्विपरिलोपः
5. 15. 1. तत्त्वं पूषन्नपावृणु सत्यधर्माय दृष्टये Iśâ. 15.
Śwet. 5. 11. संकल्पनस्पर्शनदृष्टिहोमैः
Gauḍa. 3. 16. हीनमध्यमोत्कृष्टदृष्टयः
Amṛita. 22. दृष्टिं विनिधार्य महामतिः
Nyâsa. 5. माषमात्रां तथा दृष्टिम्
Gîtâ. 16. 9. एतां दृष्टिमवष्टभ्य

1. देव adj.

Chhâ. 1. 12. 5. देवो वरुणः प्रजापतिः

Chhâ. 3. 17. 7. पश्यन्त उत्तरं देवं देवत्रा सूर्यम्
5. 2. 7. वयं देवस्य भोजनमित्याचामति
Brih. 6. 3. 6. भर्गो देवस्य धीमहि Maitri. 6. 7; Mahânâr. 15. 2.
6. 4. 19. देवाय सवित्रे सत्यप्रसवाय स्वाहा
21. गर्भं ते अश्विनौ देवावाधत्ताम्
Katha. 1. 17. ब्रह्मजज्ञं देवमीड्यं विदित्वा
Swet. 2. 2. देवस्य सवितुः सवे
4. मही देवस्य सवितुः परिष्टुतिः
Mund. 1. 2. 4. विश्वरुची च देवि
Mahânâr. 4. 1. सहस्रपरमा देवी
4. शिरसा धारिता देवि
6. 3. दुर्गां देवीं शरणमहं प्रपद्ये
9. 6. अद्या नो देव सवितः 17. 7.
7. विश्वानि देव सवितः 17. 7.
15. 1. आयातु वरदा देवी
5. उत्तमे शिखरे देवी
— गच्छ देवि यथासुखम्
16. 4. मेधा देवी जुषमाणा
— त्वया जुष्ट नृषिर्भवतु देवी
5. ददातु मेधां देवी सरस्वती
Gauḍa. 1. 10. देवस्तुर्यो विभुः स्मृतः
2. 12. कल्पयत्यात्मनात्मानमात्मा देवः
Śiras. 5. विश्वं देवं जातरूपं वरेण्यम्
Râmap. 37. देवीं सन्दृश्य

2. देव

Ait. 3. 14. परोक्षप्रिया इव हि देवाः Brih. 4. 2. 2.
Ait. 4. 5. अन्वेषामवेदमहं देवानां जनिमानि विश्वा
5. 3. एते सर्वे देवाः.. सर्वं तत्प्रज्ञानेत्रम्
Kaush. 1. 6. यदन्यद्देवेभ्यश्च प्राणेभ्यश्च तत्सदथ यद्देवाश्च प्राणाश्च तत्त्यम्
2. 14. स तद्गच्छति यत्रैते देवास्तत्प्राप्य यदमृता देवास्तदमृतो भवति
3. 3. प्राणेभ्यो देवा देवेभ्यो लोकाः 4. 20.
4. 20. सर्वेषां देवानां.. श्रैष्ठ्यं.. पर्यैत्
Kena. 1. चक्षुः श्रोत्रं क उ देवो युनक्ति
9. यदस्य देवेष्वथ नु मीमांस्यमेव ते
14. ब्रह्म ह देवेभ्यो विजिग्ये तस्य ह ब्रह्मणो विजये देवा अमहीयन्त
27. तस्माद्वा एते देवा अतितरामिवान्यान्देवान्
28. तस्माद्वा इन्द्रो ऽतितरामिवान्यान्देवान्
Chhâ. 1. 2. 1. देवासुरा ह वै यत्र संयेतिरे
— देवा उद्गीथमाजह्रुः
1. 4. 2. देवा वै मृत्योर्बिभ्यतः
2. 9. 5. तदस्य देवा अन्वायत्ताः
2. 22. 2. अमृतत्वं देवेभ्य आगायानि
3. 1. 1. असौ वा आदित्यो देवमधु
3. 6. 1. न वै देवा अश्नन्ति न पिबन्ति 3. 7. 1; 3. 8. 1; 3. 9. 1; 3. 10. 1.
3. 11. 2. देवास्तेनाहं सत्येन मा विराधिषि ब्रह्मणा
4. 3. 4. वायुरेव देवेषु प्राणः प्राणेषु

Chha. 4. 3. 6. महात्मनश्चतुरो देव एकः कः स जगार
7. आत्मा देवानां जनिता प्रजानाम्
5. 4. 2. तस्मिन्नग्नौ देवाः श्रद्धां जुह्वति Bṛih. 6. 2. 9.
5. 5. 2. ..देवाः सोमं राजानं जुह्वति Bṛih. 6. 2. 10.
5. 6. 2. ...देवा वर्षं जुह्वति
5. 7. 2. ...देवा अन्नं जुह्वति Bṛih. 6. 2. 12.
5. 8. 2. ...देवा रेतो जुह्वति Bṛih. 6. 2. 13.
5. 10. 4. तद्देवानामन्नं तं देवा भक्षयन्ति
7. 2. 1. देवांश्च मनुष्यांश्च 7. 7. 1.
7. 6. 1. ध्यायन्तीव देवमनुष्याः
7. 8. 1. बलेन देवमनुष्याः (तिष्ठन्ति)
7. 10. 1. यद्देवमनुष्याः
8. 7. 2. देवासुरा अनुबुबुधिरे
— इंद्रो हैव देवानामभिप्रवव्राज
8. 8. 4. देवा वासुरा वा
8. 9. 1. अप्राप्यैव देवानेतद्भयं ददर्श 8. 10. 1; 8. 11. 1.
8. 12. 6. ब्रह्मलोके..देवा आत्मानमुपासते
Bṛih. 1. 1. 2. हयो भूत्वा देवानवहत्
1. 3. 1. द्वया ह प्राजापत्या देवाश्चासुराश्च
— कानीयसा एव देवाः
— ते ह देवा ऊचुः..असुरान्..अत्ययाम
2. तं देवेभ्य आगायत् 3–7
7. ततो देवा अभवन्
18. ते देवा अब्रुवन्

Bṛih. 1. 4. 6. अमुं यजामुं यजेत्येकैकं देवम्
— एष उ ह्येव सर्वे देवाः
— श्रेयसो देवानसृजत
10. यो यो देवानां प्रत्यबुध्यत
— तस्य ह न देवाश्चनाभूत्या ईशते
— यथा पशुरेवं स देवानाम्
— एकैकः पुरुषो देवान् भुनक्ति
15. तदग्निनैव देवेषु ब्रह्माभवत्
— अग्नावेव देवेषु लोकमिच्छन्ते
16. तेन देवानां लोकः
1. 5. 1. द्वे देवानभाजयत् 2.
— स देवानपि गच्छति 2.
2. तस्माद्देवेभ्यो जुह्वति च प्र च जुह्वति
— देवेभ्यो ऽन्नाद्यं प्रयच्छति
6. देवाः पितरो मनुष्या एत एव वागेव देवाः
20. न ह वै देवान् पापं गच्छति
23. तं देवाश्चक्रिरे धर्मम्
2. 1. 20. सर्वे देवाः. व्युच्चरन्ति
2. 4. 5. न वा अरे देवानां कामाय देवाः प्रिया भवन्त्यात्मनस्तु कामाय देवाः प्रिया भवन्ति 4. 5. 6.
6. देवास्तं परादुर्यो ऽन्यत्रात्मनो देवान्वेद 4. 5. 7.
— इमे देवाः..इदं सर्वं यदयमात्मा 4. 5. 7.
2. 5. 15. आत्मनि..सर्वे देवाः
3. 8. 9. यजमानं देवाः..अन्वायत्ताः
3. 9. 1. कति देवा याज्ञवल्क्य (7 times).

Bṛih. 3. 9. 2. त्रयस्त्रिंशत्त्वेव देवा इति
8. कतमे ते त्रयो देवा इति
— एषु हीमे सर्वे देवा इति
— कतमौ तौ द्वौ देवाविति
9. कतम एको देव इति
26. अष्टौ देवा अष्टौ पुरुषाः
4. 1. 2. देवो भूत्वा देवानप्येति 3–7.
4. 3. 13. रूपाणि देवः कुरुते बहूनि
20. यत्र देव इव राजेव
22. देवा अदेवाः
4. 4. 15. यदैतमनुपश्यत्यात्मानं देवम्
16. तद्देवा ज्योतिषां ज्योतिः.. उपासते
5. 2. 1. देवा मनुष्या असुराः
— देवा ऊचुर्ब्रवीतु नो भवानिति
5. 5. 1. प्रजापतिर्देवांस्ते देवाः सत्यमेवोपासते
5. 8. 1. द्वौ स्तनौ देवा उपजीवन्ति
5. 15. 1. विश्वानि देव वयुनानि विद्वान् Iśâ. 18.
6. 2. 2. द्वे सृती अशृणवं पितॄणामहं देवानामुत
11. एतस्मिन्नग्नौ देवा वृष्टिं जुह्वति
14. देवाः पुरुषं जुह्वति
16. तांस्तत्र देवाः...भक्षयन्ति
6. 3. 1. यावन्तो देवाः..तिर्यञ्चः
Iśâ. 4. नैनद्देवा आप्नुवन्
Tait. 1. 4. 1. अमृतस्य देव धारणो भूयासम्
1. 5. 3. सर्वे ऽस्मै देवा बलिमावहन्ति
2. 3. 1. प्राणं देवा अनुप्राणन्ति
2. 5. 1. विज्ञानं देवाः सर्वे ब्रह्मज्येष्ठमुपासते
2. 8. 1. आजानजानां देवानाम् (bis).

Tait. 2. 8. 1. ये कर्मणा देवानपियन्ति
— ये शतं कर्मदेवानामानन्दाः स एको देवानामानन्दः
— ये शतं देवानामानन्दाः स एक इन्द्रस्यानन्दः
3. 10. 6. पूर्वं देवेभ्यो ऽमृतस्य ना३भायि Nṛip. 2. 4.
Kaṭha. 1. 21. देवैरत्रापि विचिकित्सितम् 22.
2. 12. अध्यात्मयोगाधिगमेन देवं मत्वा
21. कस्तं मदामदं देवं मदन्यो ज्ञातुमर्हति
4. 9. तं देवाः सर्वे ऽर्पिताः
Śwet. 1. 8. ज्ञात्वा देवं मुच्यते सर्वपाशैः 2. 15; 4. 16; 5. 13; 6. 13.
10. क्षरात्मानावीशते देवः
11. ज्ञात्वा देवं सर्वपाशापहानिः
14. देवं पश्येन्निगूढवत् Brahma. 3.
2. 3. युक्त्वाय मनसा देवान् सुवर्यतः
16. एषो ऽह देवः प्रदिशो ऽनु सर्वाः
17. यो देवो अग्नौ यो अप्सु ..तस्मै देवाय नमो नमः
3. 3. द्यावाभूमी जनयन्देव एकः Mahânâr. 2. 2 (°पृथिवी)
4. यो देवानां प्रभवश्चोद्भवश्च 4. 12.
4. 1. विश्वमादौ स देवः
8. यस्मिन्देवा अधि विश्वे निषेदुः Mahânâr. 1. 2; Nṛip. 4. 2; 5. 2.

Śwet. 4 11. ईशानं वरदं देवमीड्यम् Śiras. 5.
13. यो देवानामधिपः
— कस्मै देवाय हविषा विधेम Nṛip. 2. 4.
17. एष देवो विश्वकर्मा
5. 3. यस्मिन् क्षेत्रे संहरत्येष देवः
4. एवं स देवो भगवान् वरेण्यः
14. कलासर्गकरं देवं ये विदुः
6. 1. देवस्यैष महिमा तु लोके
5. देवं स्वचित्तस्थमुपास्य
7. विदाम देवं भुवनेशमीड्यम्
10. देव एकः समावृणोति
11. एको देवः सर्वभूतेषु गूढः Brahma. 3.
18. तं ह देवमात्मबुद्धिप्रकाशम्
20. तदा देवमविज्ञाय
23. यस्य देवे परा भक्तिर्यथा देवे तथा गुरौ
Maitri. 2. 6. एतयोरन्तरा देवौष्ण्यं प्रासुवत्
4. 4. अधिदैवत्वं देवेभ्यश्च (एता भवति)
6. 7. भर्गो देवस्य धीमहीति सविता वै देवः
10. यथाग्निर्वै देवानामन्नादः
23. यो ऽसौ परापरो देवा ओङ्कारः
32. तस्माद्वा . . सर्वे देवाः . . उच्चरन्ति
38. महो देवो भुवनान्याविवेश
7. 10. देवासुरा ह वै य आत्मकामाः
Muṇḍ.1. 1. 1. ब्रह्मा देवानां प्रथमः संबभूव
1. 2. 5. यत्र देवानां पतिरेको ऽधिवासः
2. 1. 7. तस्माच्च देवा बहुधा सम्प्रसूताः
Muṇḍ.3. 1. 8. नान्यैर्देवैस्तपसा कर्मणा वा
3. 2. 7. देवाश्च सर्वे प्रतिदेवतासु
Mahânâr. 2. 1. एष हि देवः प्रदिशो ऽनु सर्वाः
5. यत्र देवा अमृतमानशानाः
6. 6. क्षामद्देवो अतिदुरितात्यग्निः
7. 1. नमो देवेभ्यः 2, 3, 5.
9. 1. ब्रह्मा देवानाम् 17. 8.
12. जिह्वा देवानाम्
10. 1. महो देवो मर्त्यानाविवेश
2. गवि देवासो घृतमन्वविन्दन्
3. यो देवानां प्रथमं पुरस्तात्
— स नो देवः शुभया स्मृत्या संयुनक्ति
11. 1. सहस्रशीर्षं देवम् Mahâ. 3.
— विश्वं नारायणं देवम
13. 7. अदितिर्देवा गन्धर्वाः
15. 1. देवानां धाम नामासि
20. 6. देवो न सनिता
9. विष्णुमुखा वै देवाः
21. 2. यज्ञो हि देवानां यज्ञेन हि देवा दिवं गताः 23. 1.
22. 1. तपसा देवा देवतामग्र आयन्
24. 1. एतद्वै महोपनिषदं देवानां गुह्यम्
25. 1. देवानामेव महिमानं गत्वा
Praśna. 2. 1. कत्येव देवाः प्रजां विधारयन्ते
2. आकाशो ह वा एष देवः
5. वायुरेष पृथिवी रयिर्देवः
8. देवानामसि वह्नितमः
4. 1. कतर एष देवः स्वप्नान् पश्यति
2. तत्सर्वं परे देवे मनस्येकीभवति
5. अत्रैष देवः स्वप्ने महिमानमनुभवति

Praśna. 4. 6. अत्रैष देवः स्वप्नान्न पश्यति
11. विज्ञानात्मा सह देवैश्च सर्वैः
Gauḍa. 1. 9. देवस्यैष स्वभावो ऽयम्
2. 19. मायैषा तस्य देवस्य
21. देवा इति तद्विदः
Nṛip. 1. 1. भद्रं कर्णेभिः शृणुयाम देवाः 2. 4; Nṛisut. 1.
7. देहान्ते देवः परं ब्रह्म तारकं व्याचष्टे
2. 1. देवा ह वै मृत्योः . . अबिभयुः
4. देवा ह वै प्रजापतिमब्रुवन् 3. 1; 4. 1, 3; 5. 1, 3; Nṛisut. 1, 7, 9.
— स्वमहिम्ना . . सर्वान्देवानुद्गृह्णाति
— स्वमहिम्ना . . सर्वान्देवान् . . विरमति
— स्वमहिम्ना . . सर्वान्देवान् . . स्वतेजसा ज्वलति
— यस्य रूपं दृष्ट्वा सर्वे देवाः . . भीत्या पलायन्ते
— विश्व उपासते प्रशिषं यस्य देवाः
— यं सर्वे देवा नमान्ति
— इन्द्रो वरुणो मित्रो ऽर्यमा देवाः
4. 2. देवानां वेदानां निदानम्
3. कैर्मन्त्रैर्देवः स्तुतः प्रीतो भवति
— ओं यो वै नृसिंहो देवो भगवान् यश्च ब्रह्मा तस्मै वै नमो नमः (similarly, 31 times)
— एतैर्द्वात्रिंशन्मन्त्रैर्नित्यं देवं स्तुवध्वं ततो देवः प्रीतो भवाति

Nṛip. 4. 3. एतैर्मन्त्रैर्नित्यं देवं स्तौति स देवं पश्यति Râmot. 5.
5. 5. स सर्वान्देवान् स्तंभयति
7. स देवानाकर्षयति
Nṛisut. 5. आत्मैव नृसिंहो देवः (ter)
— नृसिंहे देवे परे ब्रह्मणि वर्त्तते
6. देवा इममात्मानं ज्ञातुमैच्छन्
— देवा ज्योतिष उत्तितीर्षवः
— देवाः पुत्रैषणायाः . . व्युत्थाय
— देवानां व्रतमाचरन्
— त्रयो देवा उदासते
9. ब्रूह्येव भगवन्निति ते देवा ऊचुः
— इति ह प्रजापतिर्देवाननुशशास
Brahmav. 4. तत्र देवास्त्रयः प्रोक्ताः
6. विष्णुश्च भगवान्देवः
7. ईश्वरः परमो देवः
Chûl. 6. एकस्तु पिबते देवः (so 4 MSS.)
19. एवं सहस्रशो देवं पर्यस्यन्तम्
Śiras. 1. देवा ह वै स्वर्गं लोकमायन्
— यो मां वेद स देवान् वेद
— ते देवा रुद्रमपृच्छन्
— ते देवा रुद्रमपश्यन्
— ते देवा रुद्रमध्यायन्
— ते देवा ऊर्ध्वबाहवो रुद्रं स्तुवन्ति
3. अगन्म ज्योतिरविदाम देवान्
4. यः सर्वान्देवानीशते
5. एको ह देवः प्रदिशो ऽनु सर्वाः

Śiras. 5. उत्तरेण येन देवा यान्ति
7. स सर्वैर्देवैर्ज्ञातो भवति
Mahâ. 4; Kâlâgni. 6.

Śikhâ. 1. देवाश्चत्वारो वेदाश्चत्वारः

Mahâ. 2. ऋषिं विश्वेश्वरं देवम् (1 MS. omits देवं and inserts कविं after ऋषिम्)

Brahma. 1. देवानामायुः स देवानां निधनमनिधनम्
— शुभाशुभमनिरुक्तमस्य देवस्य
2. तत्र..देवा न देवाः
— न तत्र देवा ऋषयः पितर ईशते

Amṛita. 29. चतुर्भिः पश्यते देवान्

Tejo. 12. न देवा न परं विदुः

Kaṭhaśru. 2. देवा ह वै समेत्य प्रजापतिमब्रुवन्
— देवानां सार्ष्टितां सालोक्यतां सायुज्यतां गच्छति

Nâr. 2. नित्यो देव एको नारायणः
— शुद्धो देव एको नारायणः

Kâlâg. 2. तेन सर्वे देवा ध्याता भवन्ति

Jâbâla. 1. कुरुक्षेत्रं देवानां देवयजनम् (ter); Râmot. 1 (ter).

Vâsu. 2. अतो देवा अवन्तु नः
4. सर्वैर्देवैः पूज्यो भवति

Gopî. 5. एवं ब्रह्मादयो देवाः

Kṛish. 7. या देवैरुपगीयते

Râmap. 11. नैवं विना देवः प्रसीदति
13. सोभयस्यास्य देवस्य
29. तं देवा ये समाययुः
34. अन्ति स्तुत्य देवाद्याः
90. देवमावाहयेच्च

Râmot. 5. देवासुरमनुष्यादिभावात्मा
— एतैः सप्तचत्वारिंशन्मन्त्रैर्नित्यं देवं स्तुवंस्ततो देवः प्रीतो भवति

Gîtâ. 3. 11. देवान्भावयतानेन ते देवा भावयन्तु वः
12. देवा दास्यन्ते यज्ञभाविताः
7. 23. देवान्देवयजो यान्ति
9. 25. यान्ति देवव्रता देवान्
10. 2. अहमादिर्हि देवानाम्
14. न..देवा न दानवाः
22. देवानामस्मि वासवः
11. 11. सर्वाश्चर्यमयं देवम्
14. प्रणम्य शिरसा देवम्
15. पश्यामि देवांस्तव देव देहे
44. अर्हसि देव सोढुम्
45. तदेव मे दर्शय देव रूपम्
52. देवा अप्यस्य रूपस्य
17. 4. यजन्ते सात्त्विका देवान्
14. देवद्विजगुरुप्राज्ञपूजनम्
18. 40. दिवि देवेषु वा पुनः

देवकाम

Chhâ. 1. 6. 8. तेषां चेष्टे देवकामानां च
1. 7. 8. तांश्चाप्नोति देवकामांश्च

Nṛip. 2. 4. यतो वीरः कर्मण्यः..जायते देवकामः

देवकी

Kṛish. 7. देवकी ब्रह्मविद्या सा

देवकीपुत्र

Chhâ. 3. 17. 6. कृष्णाय देवकीपुत्राय

Nâr. 5. ब्रह्मण्यो देवकीपुत्रः
Atmapra. 1.

देवकृत

Mahânâr. 18. 1. देवकृतस्यैनसो ऽवयजनमसि

देवकोश

Śiras. 6. देवकोशः समुब्जितः

देवगन्धर्व

Tait. 2. 8. 1. शतं मनुष्यगन्धर्वाणामानन्दाः स एको देवगन्धर्वाणामानन्दः

— शतं देवगन्धर्वाणामानन्दाः स एकः पितॄणां . . आनन्दः

देवगृह

Aśrama. 4. शून्यागारदेवगृहवासिनः

Jâbâla. 6. *vide* स्थण्डिल

देवजन

Śiras. 6. नव दिवो देवजनेन गुप्ताः

देवजात

Bṛih. 1. 4. 12. यान्येतानि देवजातानि गणश आख्यायन्ते

देवता

Ait. 2. 1. एता देवताः सृष्टा अस्मिन्महत्यर्णवे प्रापतन्

5. एतास्वेव वां देवतास्वाभजामि

— यस्यै कस्यै च देवतायै हविर्गृह्यते

Kaush. 2. 1. सर्वा देवता बलिं हरन्ति 2. 2.

3. वाङ्नामदेवतावरोधिनी (similarly 5 times more).

12. सर्वा देवता वायुमेव प्रविश्य

13. सर्वा देवताः प्राणमेव प्रविश्य

14. देवता अहंश्रेयसे विवदमानाः

— सर्वा देवताः प्राणे निःश्रेयसं विदित्वा

Chhâ. 1. 3. 9. यां देवतामभिष्टोष्यन् स्यात्तां देवतामुपधावेत्

1. 10. 9. या देवता प्रस्तावमन्वायत्ता तां चेदविद्वान् प्रस्तोष्यसि 1. 11. 4.

10. या देवतोद्गीथमन्वायत्ता तां चेदविद्वानुद्गास्यसि 1. 11. 6.

11. या देवता प्रतिहारमन्वायत्ता तां चेदविद्वान् प्रतिहरिष्यसि 1. 11 8.

1. 11. 4. कतमा सा देवतेति 6, 8.

5. सैषा देवता प्रस्तावमन्वायत्ता

7. सैषा देवतोद्गीथमन्वायत्ता

9. सैषा देवता प्रतिहारमन्वायत्ता

2. 20. 1. एतद्राजनं देवतासु प्रोतम् 2.

2. देवतानां सलोकतां सार्ष्टितां सायुज्यं गच्छति

4. 2. 2. अनु म एतां . . देवतां शाधि यां देवतामुपास्स इति

4. 17. 2. एतास्तिस्रो देवता अभ्यतपत्

8. आसां देवतानां . वीर्य्येण

6. 3. 2. सेयं देवतैक्षत

— इमास्तिस्रो देवताः 3, 4; 6. 4. 7; 6. 8. 6.

6. 4. 7. देवतानां समास इति तद्विदाञ्चक्रुः

6. 8. 6. तेजः परस्यां देवतायाम् 6. 15. 1, 2.

Bṛih. 1. 2. 7. पशून्देवताभ्यः प्रत्यौहत्

— एकैव देवता भवति मृत्युरेव

— एतासां देवतानामेको भवति

1. 3. 6. एता देवताः पाप्मभिरुपासृजन्

Brih 1 3 9. सा वा एषा देवता दूर्नाम
10. सा वा एषा देवतैतासां देवतानां पाप्मानं मृत्युमपहत्य 11.
16. एनमेषा देवता मृत्युमतिवहति
1 4. 10. यो ऽन्यां देवतामुपास्ते
1 5 14. एतस्या एव देवताया अपचित्यै
20. यथैषा देवतैवं सः
— यथैतां देवतां . . अवन्ति
22. अन्या देवता यथादेवतम्
— एवमेतासां देवतानां वायुः
— म्लोचन्ति ह्यन्या देवताः
— सैषानस्तमिता देवता
23. एतस्यै देवतायै सायुज्यं सलोकतां जयति
3. 1. 9. कतिभिः . . यज्ञं . . देवताभिर्गोपायति
3. 2. 10. का स्वित्सा देवता यस्या मृत्युरन्नम्
3. 6. 1. अनतिप्रश्न्यां वै देवतामतिपृच्छसि
3. 9. 10. वदैव शाकल्य तस्य का देवता 11—17.
5. 12. 1. एते ह त्वेव देवते एकधाभूयं भूत्वा
Tait. 1. 5. 1. अङ्गान्यन्या देवताः
Swet. 4. 15. यस्मिन्युक्ता ब्रह्मर्षयो देवताश्च
Mahânâr. 12, 3. एतासामेव देवतानां सायुज्यं . . आप्नोति
14. 1. सर्वा देवता आपः
22. 1. तपसा देवा देवतामग्र आयन्
Praśna. 3. 8. पृथिव्यां या देवता
Nrisut. 9 विराजं देवताः कोशांश्च सृष्ट्वा

Śiras. 3. हृदिस्था देवताः सर्वाः
. Brahma. 2.
Brahma. 1. देवता वेदयति
Prâṇâg. 4. सर्वा ह्यस्मिन्देवताः शरीरेऽधिसमाहिताः
Piṇḍa. 1. देवता ऋषयः सर्वे
Nâr. 1. नारायणात् . . सर्वा देवताः
Haṁsa. 2. परमहंसो देवता
Kâlâg. 2. तृतीया रेखा सा . . शिवो देवता
Jâbâla. 4. आपो वै सर्वा देवताः
— सर्वाभ्यो देवताभ्यो जुहोमि
Râmap. 8. रूपस्थानां देवतानाम्
13. देवता न प्रसीदति
Gîtâ. 4. 12. यजन्त इह देवताः

देवतादर्शन

Nṛip. 1. 5. तेनैव शरीरेण देवतादर्शनं करोति

देवताभिध्यान

Maitri. 6. 34. यजमानो हविर्गृहीत्वा देवताभिध्यानमिच्छति

देवतामय

Kaṭha. 4. 7. अदितिर्देवतामयी

देवत्रा

Chhâ. 3. 17. 7. पश्यन्त उत्तरं देवं देवत्रा सूर्यम्
Bṛih. 1. 4. 11. यान्येतानि देवत्रा क्षत्राणि

देवत्व

Bṛih. 4. 3. 33. ये कर्मणा देवत्वमभिसम्पद्यन्ते
Nâda. 14. ओषितः सह देवत्वम्

देवदत्त

Garbha. 2. यथा देवदत्तस्य द्रव्यादिविषया जायन्ते

Brahma. 1. देवदत्तो यष्ट्यादिना ताड्यमानो न याति
— देवदत्तः स्वप्ने आनन्दमभियाति

Gîtâ. 1. 15. देवदत्तं धनञ्जयः

देवदेव

Gîtâ. 10. 15. देवदेव जगत्पते
11. 13. अपश्यद्देवदेवस्य शरीरे

देवनिकाय

Maitri. 6. 30. तेन देवनिकायानां स्वधामानि प्रपद्यते

देवपथ

Chhâ. 4. 15. 6. एष देवपथो ब्रह्मपथः

देवपितृकार्य

Tait. 1. 11. 2. देवपितृकार्याभ्यां न प्रमदितव्यम्

देवप्रसाद

Śwet. 6. 21. तपःप्रभावाद्देवप्रसादाच्च

देवभोग

Gîtâ. 9. 20. अश्नन्ति दिव्यान्दिवि देवभोगान्

देवमधु

Chhâ. 3. 1. 1. असौ वा आदित्यो देवमधु

देवयज्

Gîtâ. 7. 23. देवान्देवयजो यान्ति

देवयजन

Jâbâla. 1. कुरुक्षेत्रं देवानां देवयजनम् (ter); Râmot. 1 (ter).

देवयान

Kaush. 1. 3. स एतं देवयानं पंथानमापद्य

Chhâ. 5. 3. 2. वेत्थ पथोर्देवयानस्य पितृयाणस्य च व्यावर्त्तना३ इति

Chhâ. 5. 10. 2. एष देवयानः पन्थाः

Bṛih. 6. 2. 2. वेत्थो देवयानस्य वा पथः प्रतिपदं . . यत्कृत्वा देवयानं वा पन्थानं प्रतिपद्यन्ते

Muṇḍ.3. 1. 6. सत्येन पन्था विततो देवयानः

Mahânâr. 22. 1. अग्नयो वै त्रयीविद्या देवयानः पन्थाः

देवरथाह्न्य

Bṛih. 3. 3. 2. द्वात्रिंशतं वै देवरथाह्न्यानि

देवरूप

Krish. 23. यावन्ति देवरूपाणि
24. नमन्ति देवरूपेभ्यः

देवर्षि

Gîtâ. 10. 13. देवर्षिर्नारदस्तथा
26. देवर्षीणां च नारदः

देवल

Gîtâ. 10. 13. असितो देवलो व्यासः

देवलोक

Bṛih. 1. 5. 16. मनुष्यलोकः पितृलोको देवलोकः
— विद्यया देवलोकः
— देवलोको वै लोकानां श्रेष्ठः

3. 1. 8. देवलोकमेव ताभिर्जयति दीप्यत इव हि देवलोकः

3. 6. 1. देवलोकेषु गार्गीति कस्मिन्नु खलु देवलोका ओताश्च प्रोताश्चेति

6. 2. 15. मासेभ्यो देवलोकं देवलोकादादित्यम्

देववर

Gîtâ. 11. 31. नमो ऽस्तु ते देववर प्रसीद

देवविद्

Bṛih. 3. 7. 1. स देववित्स वेदवित्

देवव्रत

Gîtâ. 9. 25. यान्ति देवव्रता देवान्

देवसुषि

Chhâ. 3. 13. 1. हृदयस्य पञ्च देवसुषयः

देवहित

Nrip. 1. 1. व्यशेम देवहितं यदायुः
2. 4 ; Nrisut. 1.

देवागार

Nyâsa. 4. देवागारेषु वाह्यतः
Kathaśru. 4. देवागारेषु वा स्वपेत्

देवात्मशक्ति

Śwet. 1. 3. अपश्यन्देवात्मशक्तिम्

देवालय

Skanda. 10. देहो देवालयः प्रोक्तः

देवी

Mukti. 1. 37. त्रिपुरातपनं देवी
1. *vide* गारुड

देवेन्द्रपद

Gopî. 5. देवेन्द्रपदमश्नुते

देवेश

Skanda. 14. नृसिंह देवेश तव प्रसादतः
Râmot. 4. क्षेत्रे ऽत्र तव देवेश
Gîtâ. 11. 25. प्रसीद देवेश जगन्निवास 45.
37. अनन्त देवेश जगन्निवास

देश

Chhâ. 8. 15. 1. शुचौ देशे स्वाध्यायमधीयानः
Maitri. 6. 30. शुचौ देशे शुचिः सत्त्वस्थः
Gauḍa. 2. 2. गत्वा देशान्न पश्यति
— तस्मिन्देशे न विद्यते 4. 34.
Kshur. 2. निःशब्दं देशमास्थाय
21. निःशब्दं देशमास्थितः
Nyâsa. 2. शुचौ देशे परिभ्रमन्
Sarvop. 3. नामदेशकालवस्तुनिमित्तेषु
4. देशकालनिमित्तेषु
Gîtâ. 6. 11. शुचौ देशे प्रतिष्ठाप्य
17. 20. देशे काले च पात्रे च

देशादिगन्तर

Praśna. 4. 5. देशदिगन्तरैश्च प्रत्यनुभूतं पुनः पुनः प्रत्यनुभवति

देशिक

Râmap. 86. रत्नासने देशिकं चार्चयित्वा
Mukti. 1. 42. वेदविद्याव्रतस्नातदेशिकस्य

देह

Katha. 5. 4. देहाद्विमुच्यमानस्य
Śwet. 1. 13. तद्वोभयं वै प्रणवेन देहे
Mahânâr. 11. 11. सन्तापयति स्वं देहम्
Kaivalya. 22. न जन्म देहेन्द्रियबुद्धिरस्ति
Gauḍa. 1. 2. त्रिधा देहे व्यवस्थितः
Amrita. 14. काष्ठवत् पश्यते देहम्
Nyâsa. 5. ऊर्ध्वं प्रपद्यते देहात्
Piṇḍa. 2. भिन्ने पञ्चात्मके देहे
— हंसस्त्यक्त्वा गतो देहम्
Sarvop. 1. अनात्मनो देहादीन्
Haṁsa. 1. सर्वेषु देहेषु व्याप्तो भवति
2. अदृश्यं नवमे देहम्
Kâlâg. 2. देहं त्यक्त्वा शिवसायुज्यमेति
Vâsu. 3. देहादिरहितं सूक्ष्मम्
Skanda. 10. देहो देवालयः प्रोक्तः
Gîtâ. 2. 13. देहिनो ऽस्मिन्यथा देहे
18. अन्तवन्त इमे देहाः
30. देहे सर्वस्य भारत
4. 9. त्यक्त्वा देहं पुनर्जन्म नैति
8. 2. देहे ऽस्मिन्मधुसूदन
4. देहे देहभृतां वर
13. यः प्रयाति त्यजन्देहम्
11. 7. मम देहे गुडाकेश

Gîtâ. 11. 15. पश्यामि देवांस्तव देव देहे
13. 22. देहे ऽस्मिन्पुरुषः परः
32. सर्वत्रावस्थितो देहे
14. 5. देहे देहिनमव्ययम्
11. सर्वद्वारेषु देहे ऽस्मिन्
15. 14. प्राणिनां देहमाश्रितः

देहत्याग

Jâbâla. 6. सन्न्यासेन देहत्यागं करोति

देहत्रय

Mukti. 1. देहत्रयभंगं प्राप्य

देहभृत्

Gîtâ. 8. 4. देहे देहभृतां वर
14. 14. प्रलयं याति देहभृत्
18. 11. न हि देहभृता शक्यम्

देहभेद

Śwet. 1. 11. देहभेदे विश्वैश्वर्यम्

देहमुक्तिग

Mukti. 2. 33. अरूपो देहमुक्तिगः

देहरक्षण

Skanda. 12. भैक्षमाचरेद्देहरक्षणे

देहवन्त्

Gîtâ. 12. 5. दुःखं देहवद्भिरवाप्यते

देहवासना

Mukti. 2. 2. देहवासनया ज्ञानं यथावन्नैव जायते

देहसमुद्भव

Gîtâ. 14. 20. गुणान्..देहसमुद्भवान्

देहस्थ

Vâsu. 3. देहस्थानि..अस्थीनि

देहान्त

Nrip. 1. 7. देहान्ते देवः परं ब्रह्म तारकं व्याचष्टे

देहान्तःकर्तृ

Sarvop. 2. सुखदुःखबुद्ध्याश्रयो देहान्तःकर्त्ता यदा

देहान्तर

Gîtâ. 2. 13. तथा देहान्तरप्राप्तिः

देहिन्

Kaṭha. 5. 4. शरीरस्थस्य देहिनः
7. शरीरत्वाय देहिनः
Śwet. 2. 14. आत्मतत्त्वं प्रसमीक्ष्य देही
3. 18. नवद्वारे पुरे देही Gîtâ. 5. 13.
5. 11. देही..रूपाण्यभिसंप्रपद्यते
12. बहूनि चैव रूपाणि देही स्वगुणैर्वृणोति
Maitri. 6. 28. नित्यमुक्तस्य देहिनः
— सुसमिद्धस्य देहिनः
Râmot. 3. सर्वदेहिनाम्
Gîtâ. 2. 13. देहिनो ऽस्मिन्यथा देहे
22. अन्यानि संयाति नवानि देही
30. देही नित्यमवध्यो ऽयम्
59. निराहारस्य देहिनः
3. 40. एतैर्विमोहयत्येषः..देहिनम्
14. 5. देहे देहिनमव्ययम्
7. तन्निबध्नाति..देहिनम्
20. देही देहसमुद्भवान्
17. 2. देहिनां सा स्वभावजा

दैत्य

Kṛish. 11. लोभक्रोधादयो दैत्याः
Gîtâ. 10. 30. प्रह्लादश्चास्मि दैत्यानाम्

दैत्यपक्ष

Kṛish. 6. तामसी दैत्यपक्षे तु

1. दैव adj.

Kaush. 2. 4. अथातो दैवः स्मरः
9. दैवीमावृतमावर्त्ते
12. अथातो दैवः परिमरः
Chhâ. 5. 1. 4. दैवाश्च मानुषाश्च
7. 1. 2. अध्येमि . . दैवम्
4. नाम वै . . दैवः
7. 2. 1. वाग्वै . . विज्ञापयति . . दैवम्
7. 7. 1. विज्ञानेन वै . . विजानाति . . दैवम्
8. 12. 5. मनो ऽस्य दैवं चक्षुः . . एतेन दैवेन चक्षुषा मनसा
Brih. 1. 4. 17. श्रोत्रं दैवं (वित्तं)
1. 5. 17. दैवाः प्राणा अमृता आविशन्ति
18. दैवी वागाविशति सा वै दैवी वाक्
19. दैवं मन आविशति तद्वै दैवं मनः
20. दैवः प्राण आविशति स वै दैवः प्राणः
4. 4. 4. गान्धर्वं वा दैवं वा
5. 2. 3. दैवी वागनुवदति स्तनयित्नुर्ददद इति
6. 2. 6. दैवेषु वै गौतम तद्वरेषु
Tait. 3. 10. 2. इति मानुषीः समाज्ञा अथ दैवीः
Mahânâr. 16. 6. दैवी मेधा मनुष्यजा
Gîtâ. 4. 25. दैवमेवापरे यज्ञम्
7. 14. दैवी ह्येषा गुणमयी
9. 13. दैवीं प्रकृतिमाश्रिताः
16. 3. सम्पदं दैवीमभिजातस्य
5. दैवी सम्पद्विमोक्षाय
— सम्पदं दैवीमभिजातो ऽसि
6. दैव आसुर एव च
— दैवो विस्तरशः प्रोक्तः

2. दैव

Gîtâ. 18. 14. दैवं चैवात्र पञ्चमम्

3. दैव

Brih. 2. 6. 3. दध्यङ्ङाथर्वणो ऽथर्वणो दैवात् 4. 6. 3.
— अथर्वा दैवो मृत्योः प्राध्वंसनात् 4. 6. 3.

दैवत

Śwet. 6. 7. तं दैवतानां परमं च दैवतम्
Nrip. 1. 2. किं दैवतं . . कानि दैवतानि
Kâlâg. 1. का रेखाः किं दैवतम्

दैवोदासि

Kaush. 3. 1. प्रतर्दनो ह वै दैवोदासिः

दोग्ध्री

Chûl. 7. सर्वसाधारणीं दोग्ध्रीम्

दोष

Chhâ. 8. 10. 1. नैवैषो ऽस्य दोषेण दुष्यति 3.
Maitri. 6. 18. ब्रह्मविदो दोषा नाश्नयन्ति
Gauḍa. 4. 43. दोषो ऽप्यल्पो भविष्यति
Amṛita. 7. दोषा दह्यन्ते प्राणनिग्रहात्।
8. प्राणायामैर्दहेद्दोषान्
Jâbâla. 2. सर्वानिन्द्रियकृतान्दोषान् वारयति Râmot. 4.
Râmot. 4. स जन्मान्तारितान्दोषान्नाशयति
Mukti. 2. 9. न दोषाय मरुत्सुत
Gîtâ. 1. 38. कुलक्षयकृतं दोषम् 29.
43. दोषैरेतैः कुलघ्नानाम्
2. 7. कार्पण्यदोषोपहतस्वभावः
13. 8. जन्ममृत्युजराव्याधिदुःखदोषानुदर्शनम्
18. 43. सर्वारम्भा हि दोषेण

दोषक्षय

Maitri. 6. 30. अध्यवसायस्य दोषक्षयात्

दोषवन्त्

Gîtâ. 18. 3. त्याज्यं दोषवत्..कर्म

दोषा

Chhâ. 6. 13. 1. यद्दोषा लवणमुदके ऽवाधाः

दोह

Chhâ. 1. 3. 7. दुग्धे ऽस्मै वाग्दोहं यो वाचो दोहः 1. 13. 4; 2. 8. 3.

दौर्बल्य

Gîtâ. 2. 3. क्षुद्रं हृदयदौर्बल्यम्

द्यावापृथिवी

Chhâ. 7. 4. 1. समक्लृपतां द्यावापृथिवी
8. 1. 3. उभे अस्मिन् द्यावापृथिवी
Bṛih. 3. 8. 3. यदन्तरा द्यावापृथिवी 4,6,7.
9. द्यावापृथिव्यौ विधृते तिष्ठतः
6. 4. 21. विजिहीथां द्यावापृथिवी इति
Mahânâr. 2. 2. द्यावापृथिवी जनयन्
6. परि द्यावापृथिवी यन्ति
5. 9. द्यावापृथिव्योर्हिरण्मयं संभृतं सुवः.. संशिशाधि
Mahâ. 1. नेमे द्यावापृथिवी
Gîtâ. 11. 20 द्यावापृथिव्योरिदमन्तरं हि

द्यावाभूमी

Śwet. 3. 3. द्यावाभूमी जनयन्

द्युत्

Maitri. 6. 20. यदा..द्योतमानं मनःक्षयात्पश्यति
Śiras. 4. अव्यक्ते महति तमसि द्योतयति (two MSS. have द्योतयते)

द्युम्नोदा

Mahânâr.24. 1. द्युम्नोदास्त्वमासि चन्द्रमसः

द्युलोक

Bṛih. 3. 1. 10. द्युलोकं शस्यया (जयति)

द्यौर्लोक

Jâbâla. 2. स एष द्यौर्लोकस्य परस्य च सन्धिर्भवति Râmot. 4.

द्रम्

Kaṭha. 2. 5. दन्द्रम्यमाणाः परियन्ति मूढाः Maitri. 7. 9.

द्रव

Garbha. 1. यद्द्रवं ता आपः

द्रविण

Kaush. 2. 11. इन्द्र श्रेष्ठानि द्रविणानि धेहि
Bṛih. 6. 4. 6. मयि तेज इन्द्रियं..द्रविणम्
Tait. 1. 10. 1. द्रविणं सुवर्चसम्
Mahânâr. 16. 4. सा नो जुषस्व द्रविणेन मेधे

द्रव्य

Kaṭha. 2. 10. आनित्यैर्द्रव्यैः प्राप्तवानस्मि नित्यम्
Gauḍa. 4. 53. द्रव्यं द्रव्यस्य हेतुः स्यात्
Kâlâg. 1. किं द्रव्यं किं स्थानं कति प्रमाणम्
— यद्द्रव्यं तदाग्नेयं भस्म
Vâsu. 1. द्रव्यमंत्रस्थानादिसहितम्
Mukti. 2. 23. अक्षिवृग्द्रव्येषु
Garbha. 2. यथा देवदत्तस्य द्रव्यादिविषया जायन्ते

द्रव्यत्व

Gauḍa. 4. 53. द्रव्यत्वमन्यभावो वा

द्रव्यत्वाभाव

Gauḍa. 4. 50. न निर्गता अलातात्ते द्रव्यत्वाभावयोगतः
52. न निर्गता विज्ञानात्ते द्रव्यत्वाभावयोगतः

द्रव्यमय

Gîtâ. 4. 33. श्रेयान्द्रव्यमयाद्यज्ञात्

द्रव्ययज्ञ

Gîtâ. 4. 28. द्रव्ययज्ञास्तपोयज्ञाः

द्रव्यादान

Haṁsa. 2. ईशाने द्रव्यादाने

द्रष्टृ

Kaush. 3. 8. न रूपं विजिज्ञासीत द्रष्टारं विद्यात्

Chhâ. 7. 8. 1. उपसीदन्द्रष्टा भवति

7. 9. 1. अन्नस्यायै द्रष्टा भवति

Bṛih. 3. 4 2. न दृष्टेर्द्रष्टारं पश्येः

3. 7. 23. अदृष्टो द्रष्टा

— नान्यो ऽतो ऽस्ति द्रष्टा

3. 8. 11. अदृष्टं द्रष्टृ

— नान्यदतो ऽस्ति द्रष्टृ

4. 3. 23. न हि द्रष्टुर्दृष्टेर्विपरिलोपः

32. सलिल एको द्रष्टाद्वैतो भवति

Maitri. 6. 7. घ्राता द्रष्टा श्रोता स्पृशति च

11. यदि खल्वभाति .. द्रष्टा भवति

Praśna. 4. 9. एष हि द्रष्टा स्प्रष्टा श्रोता

Nṛisut. 2. चक्षुषो द्रष्टा श्रोत्रस्य द्रष्टा

— वाचो द्रष्टा मनसो द्रष्टा

— बुद्धेर्द्रष्टा प्राणस्य द्रष्टा

— तमसो द्रष्टा सर्वस्य द्रष्टा

9. द्रष्टा द्रष्टुः साक्ष्यविक्रियः (Nârâyaṇa seems to read अद्रष्टुः)

Skanda. 4. चिज्जडानां तु यो द्रष्टा

Gîtâ. 14. 19. यदा द्रष्टानुपश्यति

द्राक्

Mukti. 2. 8. द्रागभ्यासवशात्

द्रु

Gîtâ. 11. 28. समुद्रमेवाभिमुखा द्रवन्ति

36. दिशो द्रवन्ति

द्रुतम्

Siras. 4. द्रुतमस्य रूपमुपलभ्यते

द्रुपद

Gîtâ. 1. 4. द्रुपदश्च महारथः

18. द्रुपदो द्रौपदेयाश्च

द्रुपदपुत्र

Gîtâ. 1. 3. व्यूढां द्रुपदपुत्रेण

द्रुम

Kṛish. 10. तापसास्तत्र ते द्रुमाः

द्रोण

Gîtâ. 1. 25. भीष्मद्रोणप्रमुखतः

2. 4. द्रोणं च मधुसूदन

11. 26. भीष्मो द्रोणः सूतपुत्रस्तथासौ

34. द्रोणं च भीष्मं च जयद्रथं च

द्रोणकलश

Prâṇâg. 3. शारीरयज्ञस्य...को द्रोणकलशः

4. मूर्द्धा द्रोणकलशः

द्रौपदेय

Gîtâ. 1. 6. सौभद्रो द्रौपदेयाश्च

18. द्रुपदो द्रौपदेयाश्च

द्वन्द्व

Kaush. 1. 4. सर्वाणि च द्वन्द्वानि

Maitri. 3. 1. द्वन्द्वैरभिभूयमानः 2.

Gîtâ. 10. 33. द्वन्द्वः सामासिकस्य च

15. 5. द्वन्द्वैर्विमुक्ताःसुखदुःखसंज्ञैः

द्वन्द्वातितिक्षा

Maitri. 6. 29. द्वन्द्वतितिक्षां ... योगाभ्यासादवाप्नोति

द्वन्द्वमोह

Gîtâ. 7. 27. द्वन्द्वमोहेन भारत

28. ते द्वन्द्वमोहनिर्मुक्ताः

द्वन्द्वातीत

Gîtâ. 4. 22. द्वन्द्वातीतो विमत्सरः

1. द्वय adj.

Brih. 1. 3. 1. द्वया ह प्राजापत्या देवाश्चा-
सुराश्च

2. द्वय

Gauḍa. 4. 72. ग्राह्यग्राहकवद्द्वयम्
75. द्वयं तत्र न विद्यते
87. द्वयं लौकिकमिष्यते

द्वयकाल

Gauḍa. 2. 14. द्वयकालाश्च ये बहिः

द्वयनाश

Gauḍa. 4. 24. अन्यथा द्वयनाशतः

द्वयाभाव

Gauḍa. 4. 75. द्वयाभावं स बुद्ध्वैव

द्वयाभास

Gauḍa. 3. 29. द्वयाभासं स्पन्दते मायया
मनः (bis).
30. अद्वयं च द्वयाभासम् (bis);
4. 62 (bis).
4. 61. यथा स्वप्ने द्वयाभासम्
— तथा जाग्रद्द्वयाभासम्

द्वात्रिंशत्

Chhâ. 8. 7. 3. द्वात्रिंशतं वर्षाणि ब्रह्मचर्य-
मूषतुः
8. 9. 3. अपराणि द्वात्रिंशतं वर्षाणि
(bis); 8. 10. 4 (bis).
Brih. 3. 3. 2. द्वात्रिंशतं वै देवरथाह्न्यानि
Nṛip. 2. 2. एवं द्वात्रिंशदक्षराणि सम्प-
द्यन्ते
4. 3. एतैर्द्वात्रिंशन्मन्त्रैर्नित्यं देवं
स्तुवध्वम्
5. 2. द्वात्रिंशत्सु पत्रेषु द्वात्रिंशद-
क्षरं मन्त्रराजं . . भवति

द्वात्रिंशत्पत्र

Nṛip. 5. 1. द्वात्रिंशदरं द्वात्रिंशत्पत्रं
चक्रं भवति

द्वात्रिंशत्संख्यक

Mukti. 1. द्वात्रिंशत्संख्यकानामुपनि-
षदाम्

द्वात्रिंशदक्षर

Nṛip. 1. 3. द्वात्रिंशदक्षरं साम जानी-
यात्
2. 2. द्वात्रिंशदक्षरानुष्टुब् भवति
5. 1. द्वात्रिंशदक्षरा वा अनुष्टुप्
2. द्वात्रिंशत्सु पत्रेषु द्वात्रिंशद-
क्षरं मन्त्रराजं . . भवति

द्वात्रिंशदर

Nṛip. 5. 1. द्वात्रिंशदरं द्वात्रिंशत्पत्रं
चक्रं भवति

द्वात्रिंशाख्योपनिषद्

Mukti. 1. 28. द्वात्रिंशाख्योपनिषदं सम-
भ्यस्य

द्वात्रिंशार

Râmap. 68. द्वात्रिंशारं महापद्मम्

द्वादश

Mahâ. 1. मन एकादशं तेजो द्वादशम्
Nâda. 11. ब्राह्मीति द्वादशी मता
16. द्वादश्यां ब्रह्म शाश्वतम्

द्वादशत्रयोदश

Kaush. 1. 2. द्वादशत्रयोदशोपमासो द्वा-
दशत्रयोदशेन पित्रासम्

द्वादशदल

Râmap. 65. तद्बहिर्द्वादशदलम्

द्वादशधा

Maitri. 5. 2. द्वादशधापरिमितधा

द्वादशन्

Chhâ. 4. 10. 1. द्वादशवर्षाण्यग्नीन् परिचचार
Bṛih. 3. 9. 2. द्वादशादित्याः
5. द्वादश वै मासाः संवत्सरस्य
Nṛip. 5. 2. द्वादशसु पत्रेषु द्वादशाक्षरं वासुदेवं भवति
Nṛisut. 3. ओङ्कारं सर्वेश्वरं द्वादशान्ते
Garbha. 5. द्वादश पला जिह्वा
Nâr. 1. नारायणाद्द्वादशादित्याः
2. द्वादशादित्याश्च नारायणः
Aśrama. 1. प्रतिवेदं द्वादश वा
Vâsu. 2. ललाटादिद्वादशस्थलेषु
— केशवादिद्वादशनामाभिः
Râmap. 8. दश द्वादश षोडश
70. द्वादशेनांश्च
Râmot. 5. यो वै श्रीरामः . . ये च द्वादशादित्याः (34).

द्वादशपत्र

Nṛip. 5. 1. द्वादशारं द्वादशपत्रं चक्रम्

द्वादशमात्र

Amṛita. 23. द्वादशमात्रो योगस्तु

द्वादशरात्र

Kaṭhaśru. 3. द्वादशरात्रं पयसाग्निहोत्रं जुहुयात्
— द्वादशरात्रं पयोभक्षः स्यात्
— द्वादशरात्रस्यान्ते ऽग्नये वैश्वानराय . . जुहुयात्

द्वादशवर्ष

Chhâ. 6. 1. 2. स ह द्वादशवर्ष उपेत्य
Gâruḍa. 3. द्वादशवर्षं न तं दशन्ति सर्पाः

द्वादशाकृति

Praśna. 1. 11. पञ्चपादं पितरं द्वादशाकृतिम्

द्वादशाक्षर

Nṛip. 5. 1. द्वादशाक्षरा वै जगती
2. द्वादशसु पत्रेषु द्वादशाक्षरं वासुदेवं भवति
Râmap. 65. विलिखेद्द्वादशाक्षरम्
67. दलेषु द्वादशाक्षरम्

द्वादशात्मक

Maitri. 6. 14. द्वादशात्मकं वत्सरम्

द्वादशार

Nṛip. 5. 1. द्वादशारं द्वादशपत्रं चक्रम्

द्वादशाह

Bṛih. 6. 3. 1. द्वादशाहमुपसद्व्रती भूत्वा

द्वार्, द्वार

Ait. 3. 12. एतया द्वारा प्रापद्यत सैषा विदृतिर्नाम द्वाः
Kaush. 1. 2. एतद्वै स्वर्गस्य लोकस्य द्वारं यच्चन्द्रमाः
Maitri. 6. 30. सौरं द्वारं भित्त्वा
Yogat. 12. एवं सर्वेषु द्वारेषु
Gîtâ. 16. 21. त्रिविधं नरकस्येदं द्वारम्

द्वारका

Vâsu. 1. द्वारकायां मया प्रतिष्ठितम्

द्वारकानिलय

Vâsu. 1. द्वारकानिलयाच्युत

द्वारगोप

Kaush. 1. 3. इन्द्रप्रजापती द्वारगोपौ 5.

द्वारप

Chhâ. 3. 13. 6. स्वर्गस्य लोकस्य द्वारपाः
— स्वर्गस्य लोकस्य द्वारपान् (bis).

द्वारपूजा

Râmap. 85. द्वारपूजां कृत्वा

द्वारवती

Gopî. 5. गोपीचन्दनमित्युक्तं द्वारवत्यां सुरेश्वरैः

द्वारविवर

Maitri. 6. 30. एषो ऽत्र द्वारविवरः

द्वारा, द्वारेण

Mund. 1. 2. 11. सूर्यद्वारेण ते विरजाः प्रयान्ति
Mukti. 2. कर्तृत्वादिदुःखनिवृत्तिद्वारा

द्वारोपेत

Râmap. 71. द्वारोपेतं च राश्यादिभूषितम्

द्वाविंश

Chhâ. 2. 10. 5. द्वाविंशेन परमादित्याज्जयति

द्वाविंशति

Chhâ. 2. 10. 4. तानि ह वा एतानि द्वाविंशतिरक्षराणि

द्वासप्तति

Bṛih. 2. 1. 19. हिता नाम नाड्यो द्वासप्ततिः सहस्राणि
Praśna. 3. 6. द्वासप्ततिर्द्वासप्ततिः प्रतिशाखानाडीसहस्राणि भवन्ति
Brahmav. 12. द्वासप्ततिसहस्राणि Kshur. 17.

द्वि

Chhâ. 3. 17. 6. तत्रैते द्वे ऋचौ भवतः
4. 3. 4. तौ वा एतौ द्वौ संवर्गौ
7. 3. 1. द्वे वामलके द्वे वा कोले द्वौ वाक्षौ
Bṛih. 1. 5. 1. द्वे देवानभाजयत् 2.
2. 3. 1. द्वे वाव ब्रह्मणो रूपे Maitri 6. 3, 15.
3. 8. 1. द्वौ प्रश्नौ प्रक्ष्यामि
Bṛih. 3. 8. 2. द्वौ बाणवन्तौ सपत्नातिव्याधिनौ
— त्वां द्वाभ्यां प्रश्नाभ्यामुपोदस्थाम्
3. 9. 1. कत्येव देवाः...द्वाविति
8. कतमौ तौ द्वौ देवौ
4. 3. 9. एतस्य पुरुषस्य द्वे एव स्थाने
4. 5. 1. याज्ञवल्क्यस्य द्वे भार्ये बभूवतुः
5. 5. 3. द्वौ बाहू द्वे एते अक्षरे..द्वे प्रतिष्ठे द्वे एते अक्षरे 4.
5. 8. 1. द्वौ स्तनौ देवा उपजीवन्ति
5. 14. 4. यदिदानीं द्वौ विवदमानावेयाताम्
6. 2. 2. द्वे सृती अशृणवं पितॄणामहं देवानामुत
6. 4. 15. द्वौ वेदावनुब्रुवीत
Śwet. 1. 9. ज्ञाज्ञौ द्वावजावीशनीशौ
4. 6. द्वा सुपर्णा सयुजा सखाया Mund. 3. 1. 1.
5. 1. द्वे अक्षरे ब्रह्मपुरे त्वनन्ते
6. 3. एकेन द्वाभ्यां त्रिभिरष्टभिः
Maitri. 6. 1. द्वौ वा एता अस्य पन्थानौ
9. द्वाभ्यामात्मानमभिध्यायेत्
22. द्वे वाव ब्रह्मणी अभिध्येये
— द्वे ब्रह्मणी वेदितव्ये
36. द्वे वाव खल्वेते ब्रह्मज्योतिषो रूपके
7. 11. सा तयोर्नाडी द्वयोरेका
Mund. 1. 1. 4. द्वे विद्ये वेदितव्ये Brahmab. 17.
Mahânâr. 10. 1. द्वे शीर्षे सप्त हस्तासो अस्य
Gâuḍa. 1. 11. द्वौ तौ तुर्ये न सिध्यतः
3. 12. द्वयोर्द्वयोर्मधुज्ञाने
Nṛip. 4. 2. घृणिरिति द्वे अक्षरे
Kshur. 6. द्वे तु गुल्फे तु कुर्वीत
7. द्वे जानुनि तथोरुभ्याम्

Garbha. 5. मेदप्रस्थौ द्वौ
Prâṇâg. 1. अन्नपत इति द्वाभ्यामनुमन्त्रयते
— द्वे आहवनीये (जुहोति)
Aruṇeya. 3. द्वावेव वा चरेत्
Nâr. 4. नम इति द्वे अक्षरे
Krish. 14. अष्टावष्टसहस्रे द्वे
Râmap. 8. द्वि चत्वारि षडष्टासाम्
Mukti. 2. 27. द्वे बीजे चित्तवृक्षस्य 48.
— क्षिप्रं द्वे अपि नश्यतः
Gîtâ. 15. 16. द्वाविमौ पुरुषौ लोके
16. 6. द्वौ भूतसर्गौ लोके ऽस्मिन्

द्विज

Maitri. 6. 18. नाभयन्ति मृगद्विजाः
Chûl. 16. तमेकमेव पश्यन्ति..द्विजाः
Śikhâ. 2. एतामधीत्य द्विजो गर्भवासान्मुच्यते
Mukti. 1. 22. द्विजो नित्यमनन्यधीः
24. मत्सायुज्यं द्विजः सम्यग्भजेत्
Gîtâ. 17. 14. देवद्विजगुरुप्राज्ञपूजनम्

द्विजोत्तम

Mukti. 1. 42. ये पठन्ति द्विजोत्तमाः
Gîtâ. 1. 7. तान्निबोध द्विजोत्तम

द्वितीय

Ait. 4. 3. तदस्य द्वितीयं जन्म
Kaush. 4. 2. छायायां द्वितीयः
12. द्वितीयो ऽनपग इति वा अहमेतमुपासे Bṛih. 2. 1. 11.
— एवमुपास्ते विन्दते द्वितीयात्
Chhâ. 2. 23. 2. तप एव द्वितीयः
3. 7. 1. यद्द्वितीयममृतं तद्रुद्रा उपजीवन्ति
5. 20. 1. यां द्वितीयां जुहुयात्
Chhâ. 6. 11. 2. द्वितीयां जहात्यथ सा शुष्यति
Bṛih. 1. 2. 4. द्वितीयो म आत्मा जायेत
1. 4. 2. द्वितीयाद्वै भयं भवति
3. स द्वितीयमैच्छत्
1. 5. 12. द्वितीयो वै सपत्नः
4. 3. 23. न तु तद्द्वितीयमस्ति ततो ऽन्यद्विभक्तम् 24–30.
5. 14. 6. अस्या एतद्द्वितीयं पदमाप्नुयात्
Katha. 1. 4. द्वितीयं तृतीयं तं होवाच
13. एतद् द्वितीयेन वृणे वरेण
19. यमवृणीथा द्वितीयेन वरेण
Śwet. 3. 2. एको हि रुद्रो न द्वितीयाय तस्थुः
Maitri. 6. 33. अन्तरिक्षं प्रजापतेर्द्वितीया चितिः
Mâṇḍû. 4. तैजसो द्वितीयः पादः Nṛip. 4. 1; Râmot. 3.
10. उकारो द्वितीया मात्रा
Nṛip. 1. 2. तस्यासो द्वितीयं पादं जानीयात् 4.
4. ज्वलं द्वितीयस्याद्यम्
5. तं स द्वितीयस्यार्द्धान्त्यम्
7. मुखं द्वितीयस्यान्त्यम्
2. 1. द्वितीयान्तरिक्षं स उकारः Nṛisut. 3; Śikhâ. 1.
— सा द्वितीयः पादो भवति Nṛisut. 3.
2. द्वितीयं द्वितीयेन
3. वीरं द्वितीयं स्थानम्
Nṛisut. 1. तैजसो हिरण्यगर्भो द्वितीयः पादः
3. द्वितीया द्वितीयस्य
6. द्वितीयाद्वयमेव पश्यन्तः
9. किमद्वयेन द्वितीयमेव न
Śiras. 5. एको रुद्रो न द्वितीयाय तस्थौ

Śiras. 5. या सा द्वितीया मात्रा वि-ष्णुदेवत्या
7. द्वितीयं जप्त्वा गणाधिपत्य-मवाप्नोति
Śikhâ. 1. द्वितीया शुभशुक्ला रौद्री
Nâda. 13. द्वितीयायां समुत्क्रान्तः
Yogaśi. 7. द्वितीयं सुषुम्णाद्वारम्
Piṇḍa. 4. द्वितीयेन तु पिण्डेन
Haṁsa. 2. चिञ्चिणीति द्वितीयम्
— द्वितीये गात्रभञ्जनम्
Nâr. 2. न द्वितीयो ऽस्ति कश्चित्
Kâlâg. 2. यास्य द्वितीया रेखा
Râmap. 53. द्वितीयं वासुदेवाद्यैः
Râmot. 2. उकारो द्वितीयाक्षरो भवति
Mukti. 2. 48. द्वितीयं दृढभावना

द्वितीयवन्त्

Kaush. 4. 12. एवमुपास्ते विन्दते द्वितीया-द्वितीयवान् हि भवति
Bṛih. 2. 1. 11. एवमुपास्ते द्वितीयवान् ह भवति

द्वितीयान्त

Râmap. 59. द्वितीयान्तं च तस्योर्ध्वम्

द्वितीयान्तार्द्ध

Nṛip. 1. 6. वैतो द्वितीयान्तार्द्धस्याद्यम्

द्विधर्मान्ध

Maitri. 6. 35. द्विधर्मोऽन्धं तेजसेन्धम् (!)

द्विधा

Maitri. 6. 1. द्विधा वा एष आत्मानं बि-भर्त्ति
7. 11. एका द्विधा सती
Śiras. 3. द्विधा त्रिधा बद्धस्त्वम्
6. पृथिवी द्विधा त्रिधर्ता धा-रिता
Garbha. 3. द्विधा तनुः स्यात् (one MS. has द्विविधा).

द्विनिमित्त

Śwet. 1. 4. द्विनिमित्तैकमोहम्

द्विपद्

Bṛih. 2. 5. 18. पुरश्चक्रे द्विपदः
5. 14. 7. गायत्र्यस्येकपदी द्विपदी
Śwet. 4. 13 य ईशे ऽस्य द्विपदश्चतुष्पदः
Gauḍa. 4. 1. तं वन्दे द्विपदां वरम्
Prâṇâg. 1. द्विपदे चतुष्पदे

द्विभुज

Râmap. 25. द्विभुजः कुण्डली
27. हेमाभया द्विभुजया
48. द्विभुजो रघुनन्दनः

द्विमात्र

Praśna. 5. 4. यदि द्विमात्रेण मनसि स-म्पद्यते
Amṛita. 30. द्विमात्रो मारुतस्तथा

द्वियोनि

Garbha. 1. तत् सप्तधातु त्रिमलं द्वि-योनिम् (°नि Naṛ.)

द्विरणु

Maitri. 7. 11. द्विरणुः कण्ठदेशे

द्विरात्र

Aśrama. 4. एकरात्रद्विरात्रकृच्छ्रचा-न्द्रायणादि चरन्तः

द्विवर्त्तमान

Chûl. 1. द्विवर्त्तमानं तेजसैद्धम्

द्विविध

Maitri. 6. 34. मनो हि द्विविधं प्रोक्तम् Brahmab. 1.
Mukti. 2. 1. पौरुषं द्विविधं स्मृतम्
3. द्विविधो वासनाव्यूहः
32. द्विविधश्चित्तनाशो ऽस्ति
61. वासना द्विविधा प्रोक्ता
Gîtâ. 3. 3. लोके ऽस्मिन्द्विविधा निष्ठा

1. द्विष्

Kaush. 2. 8. यो ऽस्मान्द्वेष्टि यं च वयं द्विष्मः 9; Mahânâr. 4. 13.
13. य एनं द्विषन्ति यांश्च स्वयं द्वेष्टि
Brih. 1. 3. 7. परास्य द्विषन् भ्रातृव्यो भवति य एवं वेद
2. 2. 1. सप्त ह द्विषतो भ्रातृव्यानवरुणद्धि
5. 14. 7. असावदो मा प्रापदिति यं द्विष्यात्
6. 4. 12. तं चेद्द्विष्यात्
Tait. 3. 10. 4. पर्येणं म्रियन्ते द्विषन्तः सपत्नाः
Mahânâr. 20. 11. हन्तु पाप्मानं यो ऽस्मान्द्वेष्टि
12. तस्मिन्सीदतु यो ऽस्मान्द्वेष्टि
22. 1. दानेन द्विषन्तो मित्रा भवन्ति
23. 1. यज्ञेन द्विषन्तो मित्रा भवन्ति
Parama. 3. न द्वेष्टि न प्रमोदश्च
Gîtâ. 2. 57. नाभिनन्दति न द्वेष्टि
5. 3. यो न द्वेष्टि न कांक्षति
6. 9. सुहृन्मित्रार्युदासीनमध्यस्थद्वेष्यबन्धुषु
9. 29. न मे द्वेष्यो ऽस्ति न प्रियः
12. 17. यो न हृष्यति न द्वेष्टि
14. 22. न द्वेष्टि सम्प्रवृत्तानि
16. 19. तानहं द्विषतः क्रूरान्
18. 10. न द्वेष्ट्यकुशलं कर्म

2. द्विष्

Mukti. 2. 41. निगृहीतेन्द्रियद्विषः

द्विष्टि

Maitri. 3. 5. हिंसा रतिर्द्विष्टिः
— अनिष्टेष्विन्द्रियार्थेषु द्विष्टिः

द्विस्

Maitri. 6. 38. द्विस्त्रिधा हि

द्विसप्तन्

Râmap. 17. जातान्याभ्यां भुवनानि द्विसप्त

द्विस्तावत्

Chhâ. 3. 7. 4. द्विस्तावद्दक्षिणत उदेता
3. 8. 4. द्विस्तावत्पश्चादुदेता
3. 9. 4. द्विस्तावदुत्तरत उदेता
3. 10. 4. द्विस्तावदूर्ध्वमुदेता
Brih. 3. 3. 2. पृथिवी द्विस्तावत्पर्येति
— द्विस्तावत्समुद्रः पर्येति

द्वेधा

Brih. 1. 4. 3. आत्मानं द्वेधापातयत्

द्वेष

Parama. 2. *vide* आदि
Krish. 15. द्वेषश्चाणूरमल्लो ऽयम्
Gîtâ. 2. 64. रागद्वेषवियुक्तैस्तु
3. 34. रागद्वेषौ व्यवस्थितौ
7. 27. इच्छाद्वेषसमुत्थेन
13. 6. इच्छा द्वेषः सुखं दुःखम्
18. 51. रागद्वेषौ व्युदस्य च

द्वैत

Brih. 2. 4. 14. यत्र हि द्वैतमिव भवति
4. 5. 15.
Gauḍa. 1. 13. द्वैतस्याग्रहणं तुल्यम्
17. मायामात्रमिदं द्वैतम्
18. ज्ञाते द्वैतं न विद्यते
29. द्वैतस्योपशमः शिवः
3. 18. द्वैतं तद्भेद उच्यते
— तेषामुभयथा द्वैतम्
31. मनोदृश्यमिदं द्वैतम्
— अमनीभावे द्वैतं नैवोपलभ्यते
Chûl. 15. अद्वैतं द्वैतमित्येतत्
Atmapra. 1. द्वैतादद्वैतमभयं भवति

द्वैतरहित

Nṛisut. 2. सर्वदा द्वैतरहितः Râmot. 3.

द्वैतवर्जित

Skanda. 13. एकान्ते द्वैतवर्जिते

द्वैतविद्

Maitri. 6. 35. यो हैवंवित्स सवित्स द्वैतवित्

द्वैतसिद्धि

Nṛisut. 9. न ह्यस्ति द्वैतसिद्धिः

द्वैतिन्

Gauḍa. 3. 17. द्वैतिनो निश्चिता दृढम्

द्वैतीभाव

Maitri. 7. 11. सत्यानृतोपभोगार्थो द्वैतीभावो महात्मनः

द्वैतीभूत

Maitri. 6. 7. यत्र द्वैतीभूतं विज्ञानम्

द्वैध्य

Garbha. 3. अन्योन्यवायुपरिपीडितशुक्रद्वैध्यात् (Nârâyaṇa and one MS. read द्वैविध्यात्)

द्व्यक्षर

Chhâ. 2. 10. 2. आदिरिति द्व्यक्षरम्

धन

Chhâ. 1. 11. 3. यावद्भ्यो धनं दद्यास्तावन्मम दद्याः

3. 11. 6. इमामद्भिः परिगृहीतां धनस्य पूर्णाम्

Chhâ. 5. 11. 5. यावदेकैकस्मा ऋत्विजे धन दास्यामि

5. 15. 1. बहुलो ऽसि प्रजया च धनेन च

Iśâ. 1. मा गृधः कस्यस्विद्धनम्

Tait. 1. 11. 1. आचार्याय प्रियं धनमाहृत्य

Mahânâr. 10. 5. न कर्मणा न प्रजया धनेन Kaivalya. 2.

Mukti. 1. 47. राज्यं देयं धनं देयम्

Gitâ. 1. 33. प्राणांस्त्यक्त्वा धनानि च

16. 13. मे भविष्यति पुनर्धनम्

17. धनमानमदान्विताः

धनञ्जय

Gîtâ. 1. 15. देवदत्तं धनञ्जयः

2. 48. सङ्गं त्यक्त्वा धनञ्जय

49. बुद्धियोगाद्धनञ्जय

4. 41. न . . निबध्नन्ति धनञ्जय

9. 9.

7. 7. नान्यत्किञ्चिदस्ति धनञ्जय

10. 37. पाण्डवानां धनञ्जयः

11. 14. हृष्टरोमा धनञ्जयः

12. 9. मामिच्छाप्तुं धनञ्जय

18. 29. पृथक्त्वेन धनञ्जय

72. कच्चिदज्ञानसम्मोहः प्रनष्टस्ते धनञ्जय

धनमात्रा

Chhâ. 1. 10. 6. लभेमहि धनमात्राम्

धनसनि

Chhâ. 1. 7. 6. एतं ते गायन्ति तस्मात्ते धनसनयः

धनुर्धर

Râmap. 25. धीरो धनुर्धरः

48. धनुर्धरः प्रसन्नात्मा

Gîtâ. 18. 78. यत्र पार्थो धनुर्धरः

धनुस्

Chhâ. 1. 3. 5. दृढस्य धनुष आयमनम्
Bṛih. 3. 8. 2. उज्ज्यं धनुरधिज्यं कृत्वा
Maitri. 6. 24. धनुः शरीरमोमित्येतच्छरः
28. धृतिदण्डं धनुर्गृहीत्वा
— प्रलोभदण्डं धनुर्गृहीत्वा
Muṇḍ. 2. 2. 3. धनुर्गृहीत्वौपनिषदं महास्त्रम्
4. प्रणवो धनुः शरो ह्यात्मा
Dhyâna. 19.
Nîla. 7. शिवं बभूव ते धनुः
14. अवतत्य धनुस्त्वं सहस्राक्ष
15. विज्यं धनुः शिखण्डिनः
17. हस्ते बभूव ते धनुः
Kṛish. 25. धनुः शार्ङ्गं स्वमाया तत्
Gîtâ. 1. 20. धनुरुद्यम्य पाण्डवः

धन्वन्

Nîla. 12. उभाभ्यामकरं नमः..तव धन्वने
13. प्रमुञ्च धन्वनः..ज्याम्
16. परि ते धन्वनो हेतिरस्मान् वृणक्तु

धमन

Amṛita. 7. दह्यन्ते धमनान्मलाः

धमनि

Chhâ. 3. 19. 2. या धमनयस्ता नद्यः

धरणी

Mahânâr. 4. 5. धरणी लोकधारिणी

धरित्री

Mahânâr. 4. 5. भूमिर्धेनुर्धरित्री च

धर्म

Kaush. 2. 1. एष धर्मो ऽयाचतः 2.
Chhâ. 2. 1. 4. एनं साधवो धर्मा आ च गच्छेयुः
2. 23. 1. त्रयो धर्मस्कन्धाः
Chhâ. 7. 2. 1. धर्मं चाधर्मं च 7. 7. 1.
— न धर्मो नाधर्मो व्यज्ञापयिष्यत्
Bṛih. 1. 4. 14. तच्छ्रेयोरूपमत्यसृजत धर्मम्
— क्षत्रस्य क्षत्रं यद्धर्मः
— धर्मात्परं नास्ति
— अबलीयान् बलीयांसमाशंसते धर्मेण
— यो वै स धर्मः सत्यं वै तत्
— सत्यं वदन्तमाहुर्धर्मं वदतीति धर्मं वा वदन्तं सत्यं वदतीति
1. 5. 23. तं देवाश्चक्रिरे धर्मम्
2. 5. 11. धर्मः सर्वेषां..मध्वस्य धर्मस्य सर्वाणि..मधु
— धर्मे अमृतमयः पुरुषः
Tait. 1. 11. 1. सत्यं वद धर्मं चर
— धर्मान्न प्रमदितव्यम्
Kaṭha. 1. 21. अणुरेष धर्मः
2. 14. अन्यत्र धर्मादन्यत्राधर्मात्
4. 14. एवं धर्मान्पृथक् पश्यन्
Maitri. 7. 9. वेदादिशास्त्रहिंसकधर्माभिध्यानमस्तु
Mahânâr. 19. 2. धर्माय स्वाहा
20. 14. इतो धर्माणि धारयन्
21. 2. धर्म इति धर्मेण सर्वमिदं परिगृहीतं धर्मान्नातिदुश्चरं तस्माद्धर्मे रमन्ते
22. 1. धर्मो विश्वस्य जगतः प्रतिष्ठा..धर्मेण पापमपनुदन्ति धर्मे सर्वं प्रतिष्ठितं तस्माद्धर्मं परमं वदन्ति
Gauḍa. 2. 25. धर्माधर्मौ च तद्विदः
3. 1. उपासनाश्रितो धर्मः
4. 1. धर्मान्...गगनोपमान्
6. अजातस्यैव धर्मस्य
— अजातो ह्यमृतो धर्मः

Gauḍa. 4. 8. स्वभावेनामृतो यस्य धर्मः
10. सर्वे धर्माः स्वभावतः
21. जायमानाद्धि वै धर्मात्
33. सर्वे धर्मा मृषा स्वप्ने
41. धर्मास्तत्रैव पश्यति
46. एवंधर्मा अजाः स्मृताः
53. द्रव्यत्वमन्यभावो वा धर्माणां नोपपद्यते
54. एवं न चित्तजा धर्माः
58. धर्मा य इति जायन्ते
59. तद्वद्धर्मेषु योजना
81. सकृद्विभातो ह्येष धर्मः
82. यस्य कस्य च धर्मस्य ग्रहेण
91. सर्वे धर्मा अनादयः
92. सर्वे धर्माः सुनिश्चिताः
93. सर्वे धर्माः समाभिन्नाः
96. अजेषु...धर्मेषु
98. अलब्धावरणाः सर्वे धर्माः
99. क्रमते न हि बुद्धस्य ज्ञानं धर्मेषु
— सर्वे धर्मास्तथा ज्ञानम्

Siras. 1. धर्मेण धर्मं तर्पयामि

Nâda. 2. धर्मेश्च दक्षिणं चक्षुः

Aśrama. 4. न तेषां धर्मो नाधर्मः

Kṛish. 21. गोप्तारं धर्ममात्मजम्

Gîtâ. 1. 40. धर्मे नष्टे कुलं कृत्स्नम्
2. 7. धर्मसम्मूढचेताः
40. स्वल्पमप्यस्य धर्मस्य
4. 7. यदा यदा हि धर्मस्य
8. धर्मसंस्थापनार्थाय
9 3. अश्रद्दधानाः..धर्मस्यास्य परन्तप
14. 27. शाश्वतस्य च धर्मस्य
18. 31. यया धर्ममधर्मं च
32. अधर्मं धर्ममिति या मन्यते
34. यया तु धर्मकामार्थान्

2. धर्म

Râmap. 56. *vide* अनिल

धर्मकाम

Tait. 1. 11. 4. अलूक्षा धर्मकामाः स्युः (bis).

धर्मक्षेत्र

Gîtâ. 1. 1. धर्मक्षेत्रे कुरुक्षेत्रे

धर्मज

Gauḍa.. 4. 54. चित्तं वापि न धर्मजम्

धर्मपाल

Râmap. 55. अकोपो धर्मपालश्च

धर्ममय

Bṛih. 4. 4. 5. धर्ममयो ऽधर्ममयः

धर्ममार्ग

Râmap. 4. धर्ममार्गं चरित्रेण

धर्मरति

Mahânâr. 4. 10. पद्मप्रभे पद्मसुन्दरि धर्मरतये स्वाहा (धर्मकृतये is a variant).

धर्मसङ्कुल

Gopi. 5. गोकुले धर्मसङ्कुले

धर्मसंज्ञक

Kṛish. 22. स परं धर्मसंज्ञकः (so Nârâyaṇa, with चमरो धर्मसंज्ञकः as variant).

धर्मस्कन्ध

Chhâ. 2. 23. 1. त्रयो धर्मस्कन्धाः

धर्मात्मन्

Gîtâ. 9. 31. क्षिप्रं भवति धर्मात्मा

धर्मादिक

Râmap. 83. अत्र धर्मादिकानापि
87. धर्मादिकांश्च

धर्मावह

Swet. 6. 6. धर्मावहं पापनुदं भगेशम्

धर्माविरुद्ध

Gitâ. 7. 11. धर्माविरुद्धो भूतेषु कामो ऽस्मि

धर्मिन्

Sarvop. 2. एतेषां पञ्चवर्गाणां धर्मी

धर्मिष्ठ

Mahânâr. 22. 1. लोके धर्मिष्ठं प्रजा उपसर्पन्ति

धर्म्य

Katha. 2. 13. प्रवृह्य धर्म्यम्
Gitâ. 2. 31. धर्म्याद्धि युद्धाच्छ्रेयः
33. अथ चेत्त्वमिमं धर्म्यं संग्रामं न करिष्यसि
9. 2. प्रत्यक्षावगमं धर्म्यम्
18. 70. अध्येष्यते च य इमं धर्म्यं संवादम्

धर्म्यामृत

Gitâ. 12. 20. ये तु धर्म्यामृतमिदम्

धा

Kaush. 1. 1. यस्मिन् मा धास्यसि
— मा लोके धास्यसि
2. 11. नामास्य दधाति
— इन्द्र श्रेष्ठानि द्रविणानि धेहि
15. वाचं मे त्वयि दधानीति पिता वाचं ते मयि दध इति पुत्रः (similarly 11 times more).
Brih. 1. 4. 11. क्षत्र एव तद्यशो दधाति
3. 3. 2. तान् वायुरात्मनि धित्वा
3. 9. 3. एतेषु हीदं वसु सर्वं हितम्
6. 4. 10. यामिच्छेन गर्भं दधीतेति
11. यामिच्छेद्दधीतेति
Brih. 6. 4. 20. रेतो दधावहै
21. धाता गर्भं दधातु ते
— गर्भं धेहि सिनीवालि गर्भं धेहि पृथुष्टुके
22. एवं गर्भं दधामि ते ऽसौ
25. भूस्ते दधामि भुवस्ते दधामि स्वस्ते दधामि भूर्भुवः स्वः सर्वं त्वयि दधामि
Isâ. 4. तस्मिन्नपो मातरिश्वा दधाति
Swet. 4. 1. वर्णाननेकान्..दधाति
6. 10. स नो दधातु ब्रह्माव्ययम्
Maitri. 6. 34. आत्मन्येव धत्ते
35. लोकमस्मै यजमानाय धेहि (ter).
— सर्वमस्मै यजमानाय धेहि
7. 7. सत्ये नभसि हिताय नमः
Mahânâr. 10. 2. त्रिधा हितं पणिभिर्गुह्यमानम्
20. 1. मयि पुष्टिं पुष्टिपतिर्दधातु
Gauḍa. 4. 2. सर्वसत्त्वसुखो हितः
Nṛip. 1. 1. स्वस्ति नो बृहस्पतिर्दधातु Nṛisut. 1.
Sikhâ. 2. धेयाश्चेति (धातव्या धारणीयाः पादादयः Nâr.)
Prâṇâg. 1. अन्नपते ऽन्नस्य नो धेहि.. ऊर्जं नो धेहि
Nyâsa. 1. सर्वश्रियं दधतु सुमनस्यमाना
3. भिक्षाशनं दध्यात्
Atmapra. 1. यस्मिँल्लोके स्वाहितं तस्मिन्मां धेहि
Krish. 2. अन्यो न विग्रहं धत्ते
Râmap. 17. ततो रामो मानवो मायया धात्
Gitâ. 7. 22. मयैव विहितान्हि तान्
14. 3. तस्मिन् गर्भं दधाम्यहम्
18. 64. ततो वक्ष्यामि ते हितम्

धातु

Chhâ. 6. 5. 1. यः स्थविष्ठो धातुः 2, 3.
Maitri. 2. 6. योऽयं स्थविष्ठो धातुरन्नस्य
Gauḍa. 4. 81. एष धर्मो धातुः स्वभावतः
Jâbâla. 4. एतयैव त्रयो धातवो यदुत सत्त्वं रजस्तमः

धातुकाम

Maitri. 6. 28. अवटैवावटकृद्धातुकामः संविशति

धातृ

Bṛih. 6. 4. 21. धाता गर्भं दधातु ते
Tait. 1. 4. 3. एवं मां ब्रह्मचारिणो धातरायन्तु सर्वतः
Kaṭha. 2. 20. धातुः प्रसादात् Śwet. 3. 20; Mahânâr. 8. 3.
Maitri. 6. 8. एष हि खल्वात्मा . . धाता
7. 2. धाता भास्करः
Mahânâr. 5. 7. सूर्याचन्द्रमसौ धाता यथापूर्वमकल्पयत्
Kaṭhaśru. 2. त्वं धाता त्वं विधाता
Râmap. 56. इन्द्रीशधात्रनन्ताश्च
70. द्वादशोनांश्च धातारम्
Gîtâ. 8. 9. सर्वस्य धातारमचिन्त्यरूपम्
9. 17. माता धाता पितामहः
10. 33. धाताहं विश्वतोमुखः

धाना

Chhâ. 6. 12. 1. अण्व्य इवेमा धाना भगवः

धानारुह

Bṛih. 3. 9. 28. धानारुह इव वै वृक्षः

धान्त (=न)

Râmap. 73. तान्तान्तो धान्त इत्यथ

धान्य

Bṛih. 6. 3. 13. दश ग्राम्याणि धान्यानि भवन्ति

धान्यार्थिन्

Brahmab. 18. पलालमिव धान्यार्थी

धामन्

Kaush. 3. 1. इन्द्रस्य प्रियं धामोपजगाम
Śwet. 2. 5. आ ये धामानि दिव्यानि तस्थुः
Maitri. 6. 38. सर्वापरं धाम 7. 3.
Mahânâr. 2. 5. धामानि वेद भुवनानि विश्वा — तृतीये धामान्यभ्यैरयन्त
9. 11. घृतम्वस्य धाम
15. 1. देवानां धाम नामासि
Kaivalya. 18. त्रिषु धामसु यद्भोग्यम् Gauḍa. 1. 5 (ज्यं)
Gauḍa. 1. 22. त्रिषु धामसु यत्तुल्यम्
Nṛip. 5. 10. एतत् परमं धाम मन्त्रराजाध्यायिकस्य
Parama. 2. तदेव मे परमं धाम
Gopî. 2. कृष्णाख्यं परं धामाजयन्
Mukti. 1. 27. मामकं धाम यास्यसि
Gîtâ. 8. 21. तद्धाम परमं मम 15. 6.
10. 12. परं ब्रह्म परं धाम
11. 38. वेत्तासि वेद्यं च परं च धाम

धारण, धारणा

Tait. 1. 4. 1. अमृतस्य देव धारणो भूयासम्
Maitri. 6. 18. ध्यानं धारणा तर्कः
20. अतः परास्य धारणा
Mahânâr. 7. 6. धारणं मे अस्तु
Kshur. 1. धारणां योगसिद्धये
13. धारणाभिर्निकृन्तयेत्
Garbha. 1. तत्र पृथिवी धारणे
Brahma. 2. धारणात्तस्य सूत्रस्य
Nâda. 8. धारणाभिर्निबोधत
Amṛita. 6. प्राणायामो ऽथ धारणा
8. धारणाभिश्च किल्बिषम्
15. धारणा परिकीर्तिता

Amṛita. 23. धारणा योजनं तथा
Vâsu. 2. धारणान्मुक्तिदो भव
3. गोपीचन्दनधारणात् Gopî. 5 (bis).

धारणमात्र

Gopî. 1. गोपीचन्दनमृत्तिकायाः . . धारणमात्रेण च

धारयितृ

Mahânâr. 7. 6. अनिराकरणं धारयिता भूयासम्

धारा

Bṛih. 3. 3. 2. यावती क्षुरस्य धारा
6. 3. 1. तां त्वा घृतस्य धारया यजे
Kaṭha. 3. 14. क्षुरस्य धारा निशिता दुरत्यया

धारापोतृ (?)

Prâṇâg. 3. शारीरयज्ञस्य . . का धारापोता (2 MSS. of the Dîpikâ explain this word by उपकरणविशेषः)
4. ग्रीवा धारापोता (see explanation given in printed Dîpikâ, with which one MS. agrees; the other omits it.)

धारिन्

Muṇḍ. 2. 1. 3. पृथिवी विश्वस्य धारिणी Kaivalya. 15; Nâr. 1.
Âśrama. 4. त्रिदण्डकमण्डलुशिक्यपक्षजलपवित्रपात्रपादुकासनशिखायज्ञोपवीतकौपीनकाषायवेषधारिणः
Mukti. 2. 48. निवृत्तिव्रतधारिणः

धार्तराष्ट्र

Gîtâ. 1. 19. स घोषो धार्तराष्ट्राणाम्
Gîtâ. 1. 20. धार्तराष्ट्रान् कपिध्वजः
23. धार्तराष्ट्रस्य दुर्बुद्धेः
36. निहत्य धार्तराष्ट्रान्
37. धार्तराष्ट्रान् स्वबान्धवान्
46. धार्तराष्ट्रा रणे हन्युः
2. 6. ते ऽवस्थिताः प्रमुखे धार्तराष्ट्राः

धार्म

Bṛih. 2. 5. 11. अयमध्यात्मं धार्मः . . पुरुषः

धार्मिक

Chhâ. 8. 15. 1. धार्मिकान् विदधत्

धाव्

Kaush. 1. 4. यथा रथेन धावयन्
4. 1. जनको जनक इति वा उ जना धावन्तीति Bṛih. 2. 1. 1 (वै for वा उ)
Bṛih. 4. 3. 19. अयं पुरुष एतस्मा अन्ताय धावति
Îśâ. 4. तद्धावतो ऽन्यानत्येति तिष्ठत्
Tait. 2. 8. 1. मृत्युर्धावति पञ्चमः Kaṭha. 6. 3; Nṛip. 2. 4.

धिक्

Chhâ. 7. 15. 2. धिक् त्वास्त्वित्येवैनमाहुः

धिष्ण्य

Bṛih. 6. 4. 5. धिष्ण्या यथास्थानं कल्पन्ताम्

1. धी

Chhâ. 5. 2. 7. तुरं भगस्य धीमहि
Bṛih. 6. 3. 6. भर्गो देवस्य धीमहि Maitri. 6. 7; Mahânâr. 15. 2.
Mahânâr. 3. 1. सहस्राक्षस्य महादेवस्य धीमहि
2. महादेवाय धीमहि 17. 4.
3. नन्दिकेश्वराय धीमहि
4. वक्रतुण्डाय धीमहि

Mahânâr. 3. 5. महासेनाय धीमहि
6. सप्तजिह्वाय धीमहि
7. लालेलाय धीमहि
8. दिवाकराय धीमहि
9. महाद्युतिकराय धीमहि
10. सहस्रकिरणाय धीमहि
11. वक्रपादाय धीमहि
12. कन्यकुमार्यै धीमहि
13. महादुर्गायै धीमहि
14. काममालिन्यै धीमहि
15. सुपर्णपक्षाय धीमहि
16. वासुदेवाय धीमहि
17. वज्रनखाय धीमहि Nṛip. 4. 2.
18. कमंडलुधराय धीमहि

2. धी

Kaush. 1. 7. केन धियो विज्ञातव्यं कामानिति प्रज्ञयैवेति
3. 5. तस्य धीः कामाः परस्तात्प्रतिविहिता भूतमात्रा
7. न हि प्रज्ञापेता धीः काचन सिध्येत्

Bṛih. 1. 5. 2. इदमन्नं धिया धिया जनयते
3. ह्रीर्धीर्भीरित्येतत्सर्वं मन एव Maitri. 6. 30.
6. 3. 6. धियो यो नः प्रचोदयात् Mahânâr. 15. 2.

Śwet. 2. 1. तत्त्वाय सविता धियः
3. युक्त्वाय...धिया दिवम्
4. युञ्जते मन उत युञ्जते धियः

Maitri. 6. 7. धियो यो नः प्रचोदयादिति बुद्धयो वै धियः
25. शुद्धितमया धिया

Mukti. 1. 3. धीविक्रियासहस्राणाम्

धीमन्त्

Maitri. 7. 1. श्रीमानजो धीमान्

Gauḍa. 3. 34. निर्विकल्पस्य धीमतः

Skanda. 13. इत्येवमाचरेद्धीमान्

Gitâ. 1. 3. तव शिष्येण धीमता
6. 42. कुले भवति धीमताम्

धीर

Kena. 2. धीराः प्रेत्यास्माल्लोकादमृता भवन्ति 13.

Bṛih. 4. 4. 8. तेन धीरा अपियन्ति.. स्वर्गम्
21. तमेव धीरो विज्ञाय
5. 13. 1. उद्धास्मादुक्थविद्धीरस्तिष्ठति

Iśâ. 10. इति शुश्रुम धीराणाम् 13.

Kaṭha. 2. 2. तौ सम्परीत्य विविनक्ति धीरः
— श्रेयो हि धीरोऽभि..वृणीते
11. धृत्या धीरः..अत्यस्राक्षीः
12. धीरो हर्षशोकौ जहाति
22. आत्मानं मत्वा धीरो न शोचति 4. 4.
4. 1. कश्चिद्धीरः प्रत्यगात्मानमैक्षत्
2. अथ धीरा अमृतत्वं विदित्वा
5. 12. तमात्मस्थं येऽनुपश्यन्ति धीराः 13; Śwet. 6. 12; Śiras. 5.
6. 6. इन्द्रियाणां पृथग्भावं.. मत्वा धीरो न शोचति

Muṇḍ. 1. 1. 6. यद्भूतयोनिं परिपश्यन्ति धीराः
2. 2. 7. तद्विज्ञानेन परिपश्यन्ति धीराः
3. 2. 1. शुक्रमेतदतिवर्त्तन्ति धीराः
5. सर्वगं सर्वतः प्राप्य धीराः

Mahânâr. 5. 12. रजोभूमिस्त्वमाँरोदयस्व प्रवदन्ति धीराः
Gauḍa. 1. 28. ओङ्कारं मत्वा धीरो न शोचति
4. 3. अभूतस्यापरे धीराः
Kshur. 19. छिन्देन्नाडीशतं धीरः
Brahma. 3. तमात्मानं ये ऽनुपश्यन्ति धीराः
Râmap. 25. धीरो धनुर्धरः
Gîtâ. 2. 13. धीरस्तत्र न मुह्यति
15. समदुःखसुखं धीरम्
14. 24. तुल्यप्रियाप्रियो धीरः

धीरधी

Mukti. 2. 23. तद्वत्कार्य्येषु धीरधीः

धू

Kaush. 1. 4. तत्सुकृतदुष्कृते धुनुते वा (some MSS. read धुनुवाते)
Chhâ. 8. 13. 1. धूत्वा शरीरम्

धूम

Chhâ. 2. 12. 1. धूमो जायते स प्रस्तावः
5. 4. 1. रश्मयो धूमः Bṛih. 6. 2. 9.
5. 5. 1. अभ्रं धूमः
5. 6. 1. आकाशो धूमः
5. 7. 1. प्राणो धूमः Bṛih. 6. 2. 12.
5. 8. 1. यदुपमन्त्रयते स धूमः
5. 10. 3. धूममभिसम्भवन्ति धूमाद्रात्रिम् Bṛih. 6. 2. 16.
5. धूमो भवति धूमो भूत्वाभ्रं भवति
Bṛih. 2. 4. 10. पृथग्धूमा विनिश्चरन्ति 4. 5. 11; Maitri. 6. 32 (omits नि)
6. 2. 10. अभ्राणि धूमः
11. अग्निर्धूमः
13. लोमानि धूमः
Bṛih. 6. 2. 14. धूमो धूमः
Śwet. 2. 10. नीहारधूमार्कानिलानलानाम्
Maitri. 6. 31. धूमार्च्चिर्विस्फुलिङ्गा इवाग्नेः
7. 11. एतद्धूमस्येव . . उत्क्रम्य
Mahânâr. 19. 2. धूमाय स्वाहा
Gauḍa. 3. 5. रजोधूमादिभिर्युते
Gîtâ. 3. 38. धूमेनाव्रियते वह्निः
8. 25. धूमो रात्रिस्तथा कृष्णः
18. 48. धूमेनाग्निरिवावृताः

धूमगन्ध

Kaush. 2. 3. अथ धूमगन्धं प्रजिघ्राय 4.

धूममार्ग

Gopî. 5. धूममार्गविस्तृतं हि वेदार्थम्

धूम्र

Garbha. 1. धूम्रः पीतः कपिलः पाण्डुरः

धूर्त्ति

Śiras. 3. किमु धूर्त्तिरमृतं मर्त्यं च

धृ

Chhâ. 4. 10. 3. स ह व्याधिना ऽनशितुं दध्रे
Bṛih. 1. 2. 5. तत्तदत्तुमध्रियत
6. शरीरं श्वयितुमध्रियत
1. 5. 21. वदिष्याम्येवाहमिति वाग्दध्रे — तानि ज्ञातुं दध्रिरे
22. ज्वलिष्याम्येवाहमित्यग्निर्दध्रे
23. यद्वा एते ऽमुर्हधियन्त
3. 1. 2. प्रष्टुं दध्रे होताश्वलः
3. 8. 5. अपरस्मै धारयस्वेति
4. 3. 19. संहत्य पक्षौ संलयायैव ध्रियते
Śwet. 2. 9. मनो धारयेताप्रमत्तः
Maitri. 6. 9. विश्वं त्वया धार्यते जायमानम् Prâṇâg. 2.

Maitri. 6. 19. प्राणो वै तुर्याख्ये धारयेत्प्राणम्
Mahânâr. 4. 4. शिरसा धारिता देवि
9. 13. धारयामा नमोभिः
20. 14. इतो धर्माणि धारयन्
25. 1. यावद्ध्रियते सा दीक्षा
Siras. 6. येन रुद्रेण जगदूर्ध्वं धारितं पृथिवी द्विधा त्रिधर्ता धारिता
Brahma. 2. तत्सूत्रमिति धारयेत्
— तत्सूत्रं धारयेद्योगी
— धारयेद्यः स चेतनः
Amṛita. 15. धारयित्वा तथात्मानम्
19. आकृष्य धारयेत्
Yogat. 12. शिरस्यात्मनि धारयेत्
Nyâsa. 3. पवित्रं धारयेज्जन्तुसंरक्षणार्थम्
Kaṭhaśru. 4. लवैकं धारयेज्जन्तुसंरक्षणार्थं वर्षावर्जम्
Parama. 3. ज्ञानदण्डो धृतो येन
— काष्ठदण्डो धृतो येन
Gâruḍa. 3. य इमां महाविद्याममात्रास्यायामधीयानो धारयेत्
Vâsu. 1. मङ्गल्यैर्ब्रह्मादिभिर्धारितम्
2. ललाटादिद्वादशस्थलेषु..धारयेत्
— ललाटकण्ठहृदयबाहुमूलेषु..धारयेत्
— शिराललाटहृदयेषु..धारयेत्
— ललाटे..एकमूर्ध्वपुण्ड्रं वा धारयेत्
3. मुमुक्षुर्धारयेन्नित्यम्
4. विधिना गोपीचन्दनं यो धारयेत्
Gopî. 1. य एतच्च धारयेत्
3. य एवंविद्वान् गोपीचन्दनं धारयेत्

Kṛish. 25. धृतं पाणौ स्वलीलया
Râmap. 49. धृत्वा व्याख्याननिरतः
50. शत्रुघ्नभरतौ धृतः
51. पश्चिमे लक्ष्मणं धृत्वा
93. शंखचक्रे गदाब्जे धृत्वा
Gîtâ. 5. 9. इन्द्रियाणीन्द्रियार्थेषु वर्त्तन्त इति धारयन्
6. 13. धारयन्नचलं स्थिरः
7. 5. ययेदं धार्यते जगत्
15. 13. धारयाम्यहमोजसा
18. 33. धृत्या यया धारयते
34. धृत्या धारयते ऽर्जुन

धृतच्छत्र

Râmap. 51. धृतच्छत्रं सचामरम्

धृतराष्ट्र

Gîtâ. 11. 26. अमी च त्वां धृतराष्ट्रस्य पुत्राः

धृति

Ait. 5. 2. मेधा दृष्टिर्धृतिर्मतिः
Bṛih. 1. 5. 3. धृतिरधृतिः..सर्वं मन एव Maitri. 6. 30.
Kaṭha. 2. 11. धृत्या धीरो नचिकेतो ऽत्यस्राक्षीः
Maitri. 6. 31. बुद्धिर्धृतिः स्मृतिः प्रज्ञानम्
Garbha. 5. धृतिर्दीक्षा सन्तोषश्च
Gîtâ. 10. 34. स्मृतिर्मेधा धृतिः क्षमा
11. 24. धृतिं न विन्दामि शमं च विष्णो
13. 6. संघातश्चेतना धृतिः
16. 3. तेजः क्षमा धृतिः शौचम्
18. 26. धृत्युत्साहसमन्वितः
33. धृत्या यया धारयते
— धृतिः सा पार्थ सात्त्विकी
34. यया..धृत्या धारयते
— धृतिः सा पार्थ राजसी
35. धृतिः सा पार्थ तामसी

Gîtâ. 18. 43. शौर्यं तेजो धृतिर्दाक्ष्यम्
51. धृत्यात्मानं नियम्य च

धृतिगृहीत

Gîtâ. 6. 25. बुद्ध्या धृतिगृहीतया

धृतिदण्ड

Maitri. 6. 28. धृतिदण्डं धनुर्गृहीत्वा

धृष्

Bṛih. 3. 1. 2. ते ह ब्राह्मणा न दधृषुः
3. 9. 27.

धृष्टकेतु

Gîtâ. 1. 5. धृष्टकेतुश्चेकितानः

धृष्टद्युम्न

Gîtâ. 1. 17. धृष्टद्युम्नो विराटश्च

1. धृष्टि

Râmap. 26. धृष्टचष्टकविभूषितः (some MSS. read दृष्टा° and others दृष्टच°)

2. धृष्टि

Ramâp. 54. ततो धृष्टिर्जयन्तकः
90. धृष्ट्यादिकैर्लोकपालैः

धृष्णु

Nîla. 12. अनातताय धृष्णवे

धे

Bṛih. 6. 4. 27. तमिह धातवे करिति

धेनु

Bṛih. 5. 8. 1. वाचं धेनुमुपासीत
Mahânâr. 4. 5. भूमिर्धेनुर्धरित्री च
Śiras. 4. अदुग्धा इव धेनवः
Gîtâ. 10. 28. धेनूनामास्मि कामधुक्

धैर्य्य

Kaṭha. 6. 17. तं स्वाच्छरीरात्प्रवृहेत्.. धैर्येण

धैवत

Garbha. 1. *vide* निषाद

ध्मा

Bṛih. 2. 4. 8. यथा शंखस्य ध्मायमानस्य 4. 5. 9.
Gîtâ. 1. 12. शंखं दध्मौ प्रतापवान्
15. पौण्ड्रं दध्मौ महाशंखम्
18. शंखान्दध्मुः पृथक्पृथक्

ध्यातृ

Mahânâr. 11. 5. नारायणः परो ध्याता
Śikhâ. 1. किं तद्ध्यानं को वा ध्याता
Tejo. 10. न ध्यानं न च वा ध्याता

ध्यान

Kaush. 3. 2. मनसा ध्यानम्
3. मनः सर्वैर्ध्यानैः सहाप्येति (bis); 4. 20.
4. मन एवास्मिन् सर्वाणि ध्यानान्यभिविसृज्यन्ते मनसा सर्वाणि ध्यानान्याप्नोति
6. प्रज्ञया मनः समारुह्य मनसा सर्वाणि ध्यानान्याप्नोति

Chhâ. 7. 6. 1. ध्यानं वाव चित्ताद्भूयः
— ध्यानमुपास्स्वेति
2. यो ध्यानं ब्रह्मेत्युपास्ते यावद् ध्यानस्य गतं तत्र &c.
— अस्ति भगवो ध्यानाद्भूय इति ध्यानाद्वाव भूयो ऽस्ति
7. 7. 1. विज्ञानं वाव ध्यानाद्भूयः
7. 26. 1. आत्मतो ध्यानम्

Śwet. 1. 14. ध्याननिर्मथनाभ्यासात्
Brahma 3; Dhyâna. 20.

Maitri. 6. 9. ध्यानं प्रयोगस्थं मनो विद्वद्भिष्टुतम्

Maitri. 6. 18. ध्यानं धारणा तर्कः

24. ध्यानमन्तः परे तत्त्वे . . निधीयते

Mahânâr. 11. 5. नारायणः परो ध्याता ध्यानम्

Kaivalya. 2. श्रद्धाभक्तिध्यानयोगात्

Nṛip. 1. 2. किं ध्यानं किं दैवतम्

Chûl. 7. ध्यानक्रियाभ्यां . . भुंक्ते

Śikhâ. 1. किमादौ प्रयुक्तं . . ध्यानं ध्यायितव्यं किं तद्ध्यानम्

— ओमित्येतदक्षरमादौ प्रयुक्तं ध्यानं ध्यायितव्यम्

2. सर्वकरणानि संप्रतिष्ठाप्य ध्यानात्

— सर्वज्ञानयोगध्यानानाम्

Brahma. 3. तेन सन्ध्या ध्यानमेव

Brahmab. 5. एतज्ज्ञानं च ध्यानं च (so MSS.).

Amṛita. 6. प्रत्याहारस्तथा ध्यानम्

Tejo. 1. तेजोबिन्दुः परं ध्यानम्

2. दुर्लक्ष्यं दुस्तरं ध्यानम्

10. न ध्यानं न च वा ध्याता

Parama. 3. न मन्त्रं न ध्यानं नोपासनं च

Skanda. 11. ध्यानं निर्विषयं मनः

Râmap. 5. यथा ध्यानेन वैराग्यम्

Mukti. 1. 3. स्वरूपध्याननिरतम्

33. तेजो नादो ध्यानं विद्या

50. तत्साधनमथो ध्यानम्

2. 53. ध्यानाभ्यासप्रकर्षतः

Gîtâ. 12. 12. ज्ञानाद्ध्यानं विशिष्यते

— ध्यानात्कर्मफलत्यागः

13. 24. ध्यानेनात्मनि पश्यन्ति

ध्यानबलयोग

Kshur. 13. तद्ध्यानबलयोगेन . . निःकृन्तयेत्

ध्यानबिन्दु

Mukti. 1. *vide* सरस्वतीरहस्य

ध्यानयोग

Śwet. 1. 3. ध्यानयोगानुगताः

Kshur. 18. छिद्यन्ते ध्यानयोगेन

Dhyâna. 3. भिद्यते ध्यानयोगेन

ध्यानयोगपर

Gîtâ. 18. 52. ध्यानयोगपरो नित्यम्

ध्यानसन्ध्या

Brahma. 3. निरोदका ध्यानसन्ध्या

ध्यानान्तःस्थ

Mahâ. 1. तस्य ध्यानान्तःस्थस्य 2, 3.

ध्यानापादांश

Chhâ. 7. 6. 1. ध्यानापादांशा इवैव ते भवन्ति (bis).

ध्यायिन्

Maitri. 6. 34. यो बुद्धचन्तस्थो ध्यायी

ध्यै

Ait. 3. 3. ध्यात्वा हैवान्नमत्रप्स्यत्

11. यदि मनसा ध्यातं . . कोऽहम्

Kaush. 2. 13. एतद्वै ब्रह्म दीप्यते यन्मनसा ध्यायत्यथैतन्म्रियते यन्न ध्यायति

14. तन्मनसा ध्यायाच्छिष्ये

3. 2. मनो ध्यायत् सर्वे प्राणा अनुध्यायन्ति

3. न वाचा वदति न ध्यायति

Chhâ. 1. 3. 12. आत्मानमन्तत उपसृत्य स्तुवीत कामं ध्यायन्

2. 22. 2. एतानि मनसा ध्यायन्नप्रमत्तः

5. 1. 8. ध्यायन्तो मनसा 9, 10.

7. 6. 1 ध्यायतीव पृथिवी ध्यायतीवान्तरिक्षं ध्यायतीव द्यौर्ध्यायन्तीवापः &c.

Bṛih. 4. 3. 7. ध्यायतीव लेलायतीव

Maitri. 6. 3. एतद्वा आदित्य ओमित्येवं ध्यायत
17. अनेनैव चेदं ध्यायते
38. अणोरप्यण्व्यं ध्यात्वा
7. 10. अतश्चिरं ध्यात्वामन्यत
Muṇḍ. 2. 2. 6. ओमित्येवं धायथ आत्मानम्
3. 1. 8. ततस्तु तं पश्यते निष्कलं ध्यायमानः
Kaivalya. 7. नीलकण्ठं प्रशान्तं ध्यात्वा
Chûl. 3. ध्येयमानः कुमारकः
4. ध्यायते ऽध्यासिता तेन
Śiras. 1. ते देवा रुद्रमध्यायन्
5. यस्तां ध्यायते नित्यम् (4 times).
Śikhâ. 1. किमादौ प्रयुक्तं ध्यानं ध्यायितव्यं . . कश्चिद्ध्येयः
— ओमित्येतदक्षरमादौ प्रयुक्तं ध्यानं ध्यायितव्यम्
2. ध्येयमीशानं प्रध्यायन्ति
— शिव एको ध्येयः शिवङ्करः
Mahâ. 2. सो ऽन्यत्कामो मनसा ध्यायेत 3 (or अध्यायत)
3. सो ऽध्यायत पूर्वामुखो भूत्वा (some MSS. ध्यायेत)
Prâṇâg. 2. एष एवात्मा ध्यायेत
Brahmab. 16. तद्विद्वानक्षरं ध्यायेत्
Amṛita. 15. मनः सङ्कल्पकं ध्यात्वा
21. पश्चाद् ध्यायेत पूर्वोक्तम्
Tejo. 10. न ध्येयो ध्येय एव च
Yogaśi. 1. यदा तु ध्यायते मन्त्रम्
3. ध्यायेत सततं प्राज्ञः
8. अथ न ध्यापयेज्जन्तुः
Kaṭhaśru. 1. आत्मानमेवं ध्यात्वा
4. अध्यात्ममस्य ध्यायतः
Haṁsa. 1. ब्रह्मरन्ध्रं ध्यायन्
— त्रिमात्रो ऽहमित्येव सर्वदा ध्यायन्
Haṁsa. 2. हृदये ऽष्टदले हंसात्मानं ध्यायेत्
Kâlâg. 2. तेन सर्वे देवा ध्याता भवन्ति
Atmapra. 1. विष्णुं ध्यायन्न सीदति
Vâsu. 2. मां पाहि शरणागतमिति मां ध्यात्वा
3. यो मां ध्यायते हरिमव्ययम्
— तत्र ध्यात्वामुयात्परम्
Gopî. 4. य एतद्रहस्यं सायं प्रातर्ध्यायेत्
Râmap. 69. ध्यायेदष्टवसून्
92. स यो ध्यायेन्मोक्षमाप्नोति सर्वः
Mukti. 1. 24. ध्यायन्मद्रूपमव्ययम्
Gîtâ. 2. 62. ध्यायतो विषयान्पुंसः
12. 6. मां ध्यायन्त उपासते

ध्रुव

Chhâ. 7. 4. 3. लोकान् ध्रुवान् ध्रुवः . . अभिसिध्यति 7. 5. 3.
7. 26. 2. सत्त्वशुद्धौ ध्रुवा स्मृतिः
Bṛih. 1. 5. 14. ध्रुवैवास्य षोडशी कला
3. 9. 24. किंदेवतो ऽस्यां ध्रुवायां दिश्यसि
4. 4. 20. एतदप्रमेयं ध्रुवं . . महान्ध्रुवः
Kaṭha. 2. 10. न ह्यध्रुवैः प्राप्यते हि ध्रुवं तत्
3. 15. अनाद्यनन्तं महतः परं ध्रुवम्
4. 2. ध्रुवमध्रुवेष्विह न प्रार्थयन्ते
Śwet. 2. 15. अजं ध्रुवं सर्वतत्त्वैर्विशुद्धम्
Maitri. 1. 4. ध्रुवस्य प्रचलनम्
6. 23. ध्रुवं विष्णुसंज्ञितम् 38; 7. 3.
Mahânâr. 19. 2. ध्रुवाय स्वाहा
Gauḍa. 4. 12. कारणं ते कथं ध्रुवम्
Brahmav. 14. ध्रुवं हि चिन्तयेद्ब्रह्म

Chhâ. 3. अष्टरूपामजां ध्रुवाम्
8. उदासीनं ध्रुवं हंसम्

Śiras. 6. मधु क्षरन्ति यद्ध्रुवम्

Nâda. 11. ध्रुवेति दशमी मता
16. दशम्यां च ध्रुवं व्रजेत्

Brahmab. 8. ब्रह्म सम्पद्यते ध्रुवम्

Dhyâna. 16. आत्मा सञ्चरते ध्रुवम्

Tejo. 8. शाश्वतं ध्रुवमच्युतम्

Gîtâ. 2. 27. जातस्य हि ध्रुवो मृत्युर्ध्रुवं जन्म मृतस्य च
12. 3. कूटस्थमचलं ध्रुवम्
18. 78. तत्र श्रीर्विजयो भूतिर्ध्रुवाणि

ध्रुवक्षिति

Mahânâr.19. 2. ध्रुवक्षितये स्वाहा

ध्रुवशील

Aruṇeya. 3. वर्षासु ध्रुवशीलः

ध्रुवस्थ

Śikhâ. 2. शिवमाकाशं मध्ये ध्रुवस्थम्

ध्रुवाग्नि

Brahmav. 2. ध्रुवाग्निः संप्रचक्षते

नकुल

Gîtâ. 1. 16. नकुलः सहदेवश्च

नक्त

Chhâ. 8. 4. 2. नक्तमहरेवाभिनिष्पद्यते

Bṛih. 6. 3. 6. मधु नक्तमुतोषसः Mahâ-nâr. 9. 9; 17. 7.

Mahânâr.18. 1. यद्दिवा च नक्तं चैनश्चकृम
20. 1. ये भूताः प्रचरन्ति दिवा नक्तम्

Kaṭhaśru. 1. नास्य नक्तं न वा दिवा

Parama. 3. नाहर्न नक्तम् (two MSS. have नाहं न त्वम्)

नक्लेश

Kaṭhaśru. 1. यो नक्लेशः स तप्यते तपः

नक्षत्र

Kaush. 2. 3. शुद्धपक्षे वा पुण्ये नक्षत्रे

Chhâ. 1. 6. 4. नक्षत्राण्येवर्क्..नक्षत्राण्येव सा
2. 20. 1. नक्षत्राणि प्रतिहारः
2. 21. 1. नक्षत्राणि वयांसि मरीचयः स प्रतिहारः
4. 12. 1. आपो दिशो नक्षत्राणि चन्द्रमाः
5. 4. 1. नक्षत्राणि विस्फुलिङ्गाः Bṛih. 6. 2. 11.
7. 12. 1. आकाशे वै..नक्षत्राणि
8. 1. 3. विद्युन्नक्षत्राणि

Bṛih. 1. 1. 1. नक्षत्राण्यस्थीनि
3. 9. 3. चन्द्रमाश्च नक्षत्राणि च
6. 3. 1. पुंसा नक्षत्रेण..जुहोति

Tait. 1. 7. 1. आदित्यश्चन्द्रमा नक्षत्राणि
3. 10. 3. ज्योतिरिति नक्षत्रेषु

Maitri. 7. 1. नक्षत्राणि..पुरस्ताद्युद्यन्ति

Nṛip. 5. 10. यत्र न नक्षत्राणि भान्ति

Mahâ. 1. न नक्षत्राणि न सूर्यः

Râmot. 5. यो वै श्रीरामः..यानि नक्षत्राणि (29)

Gîtâ. 10. 21. नक्षत्राणामहं शशी

नक्षत्रलोक

Bṛih. 3. 6. 1. नक्षत्रलोकेषु गार्गीति कस्मिन्नु खलु नक्षत्रलोका ओताश्च प्रोताश्चेति

नक्षत्रविद्या

Chhâ. 7. 1. 2. अध्येमि..नक्षत्रविद्याम्
4. नाम वै..नक्षत्रविद्या
7. 2. 1. वाग्वै..विज्ञापयति..नक्षत्रविद्याम्

Chhâ. 7. 7. 1. विज्ञानेन वै . . विजानाति . . नक्षत्रविद्याम्

नख

Kaush. 4. 20. अनुप्रविष्ट आलोमभ्य आनखेभ्यः

Chhâ. 8. 8. 1. आलोमभ्य आनखेभ्यः प्रतिरूपम्

Kathaśru. 3. केशश्मश्रुलोमनखानि

नखनिकृन्तन

Chhâ. 6. 1 5. एकेन नखनिकृन्तनेन सर्वं कार्ष्णायस विज्ञातम्

नखाग्र

Brih. 1. 4. 7. स एष इह प्रविष्ट आनखाग्रेभ्यः

नगर

Kathaśru. 1. नगरे पञ्चरात्रं चतुरो मासान् . . ग्रामे वा नगरे वापि वसेत्

Aśrama. 4. नगरे तीर्थेषु पञ्चरात्रं वसन्तः

Mukti. 1. 1. अयोध्यानगरे रम्ये

नघारिष

Prâṇâg. 1. जीवलां नघारिषाम्

नचिकेतस्

Katha. 1. 1. नचिकेता नाम पुत्र आस

14. स्वर्ग्यमग्निं नचिकेतः प्रजानन्

19. एष ते ऽग्निर्नचिकेतः

— तृतीयं वरं नचिकेतो वृणीष्व

21. अन्यं वरं नचिकेतो वृणीष्व

24. महाभूमौ नचिकेतस्त्वमेधि

25. नचिकेतो मरणं मानुप्राक्षीः

Katha. 1. 29. नान्यं तस्मान्नचिकेता वृणीते

2. 3. कामानभिध्यायन्नचिकेतो ऽत्यस्राक्षीः

4. विद्याभीप्सिनं नचिकेतसं मन्ये Maitri. 7. 9 (has प्सितं)

9. त्वादृङ् नो भूयान्नचिकेतः प्रष्टा

11. धृत्या धीरो नचिकेतो ऽत्यस्राक्षीः

13. विवृतं सद्म नचिकेतसं मन्ये

नचिरात्

Gîtâ. 12. 7. भवामि नचिरात्पार्थ

नचिरेण

Gîtâ. 5. 6. ब्रह्म नचिरेणाधिगच्छति

नञ्पूर्व

Râmap. 87. नञ्पूर्वास्तांस्तस्य दिक्ष्वर्चयेच्च

नट

Maitri. 4. 2. नट इव क्षणवेषम्

7. 8. *vide* रङ्गावतारिन्

नति

Râmap. 67. वर्मास्त्रनतिसंयुक्तम्

74. तारो नतिश्च

80. अन्ततो नतिः

नद्

Ait. 3. 3. एतदभिसृष्टं नदत् पराङत्यजिघांसत्

नदण्डधर

Aśrama. 4. परमहंसा नदण्डधराः

नदथु

Chhâ. 3. 13. 8. नदथुरिवाग्नेरिव ज्वलतः

नदी

Kaush. 1. 3. विजरा नदी
— अम्बया नद्यः
— विजरां वा अयं नदीं प्रापत्
4. स आगच्छति विजरां नदीम्
Chhâ. 3. 19. 2. या धमनयस्ता नद्यः
6. 10. 1. इमाः सोम्य नद्यः पुरस्तात्प्राच्यः स्यन्दन्ते
Bṛih. 3. 8. 9. प्राच्यो ऽन्या नद्यः स्यन्दन्ते
Maitri. 6. 22. नद्यः किङ्किणी कांस्यम्
Muṇḍ. 3. 2. 8. यथा नद्यः स्यन्दमानाः
Praśna. 6. 5. यथेमा नद्यः स्यन्दमानाः
Gîtá. 11. 28. यथा नदीनां बहवो ऽम्बुवेगाः

नदीपुलिन

Jâbâla. 6. *vide* स्थाण्डिल

नदीपुलिनशायिन्

Nyâsa. 4. नदीपुलिनशायी स्यात्
Kaṭhaśru. 4.

ननक्तु

Maitri. 1. 4. *vide* आदि

ननमस्कार

Parama. 3. आशाम्बरो ननमस्कारः

ननिन्दास्तुति

Parama. 3. नस्वधाकारो ननिन्दास्तुतिः (निन्दा is in one MS. only).

नन्द

Kṛish. 5. यो नन्दः परमानन्दः

नन्दनातीत

Tejo. 8. आनन्दं नन्दनातीतम

नन्दिकेश्वर

Mahânâr. 3. 3. नन्दिकेश्वराय धीमहि

नपर

Tejo. 11. नपरं परमात्परम्

नपुंसक

Kaush. 1. 7. केन नपुंसकानीति
Swet. 5. 10. नैव चायं नपुंसकः
Garbha. 3. उभयोर्बीजतुल्यत्वान्नपुंसकम्

नभःस्पृश्

Gîtâ. 11. 24. नभःस्पृशं दीप्तमनेकवर्णम्

नभस्

Bṛih. 1. 1. 1. नभो मांसानि
Maitri. 6. 27. आविः सन्नभसि निहितम्
35. नभसो ऽन्तर्गतस्य तेजसोंऽशमात्रम् (4 times).
7. 7. सत्ये नभसि हिताय नमः
11. नभसः खे ऽन्तर्भूतस्य (bis).
— नभसि प्रशाखयैवोत्क्रम्य
Gîtâ. 1. 19. नभश्च पृथिवीं चैव

नभ्य

Bṛih. 1. 5. 15. तदेतन्नभ्यं यदयमात्मा

नम्

Tait. 3. 10. 4. तन्नम इत्युपासीत नम्यन्ते ऽस्मै कामाः
Gauḍa. 4. 2. देशितस्तं नमाम्यहम्
Nṛip. 1. 6. नमा चतुर्थान्तार्द्धस्याद्यम्
7. म्यहं चतुर्थस्यान्त्यम्
2. 3. नमामि दशमं (स्थानं जानीयात्)
4. नमामि तमहं सर्वतोमुखम्
— कस्मादुच्यते नमामीति
— यं सर्वे देवा नमन्ति
— तस्मादुच्यते नमामीति
Nṛisut. 4. आत्मानं . . अनुष्टुभा नत्वा
— नृसिंहं नत्वा

Nrisut. 4. एष एव नमाम्येष एवाहम्
— नत्वा च बहुधा दृष्ट्वा
5. एष एव नमाम्येष हि ह्याप्र-
तमः
— एष एव नमाम्येष ह्येवोत्कृष्टः
— एतदेव नमाम्येतद्धि महा-
विभूति
6. नमास्यनमामि . . बुबुधिरे

Siras. 4. प्रणामयति नामयति च
Sikhâ. 2.

Krish. 24. नमन्ति देवरूपेभ्यः

Gîtâ. 11, 37. कस्माच्च तेन नमेरन्महा-
त्मन्

नमउक्ति

Brih. 5. 15. 1. भूयिष्ठां ते नमउक्तिं विधेम
Isâ. 18.

नमस्

Chhâ. 2. 24. 5. नमो ऽग्नये पृथिवीक्षिते
Maitri. 6. 35.
9. नमो वायवे ऽन्तरिक्षक्षिते
Maitri. 6. 35.
14. मम आदित्येभ्यश्च विश्वे-
भ्यश्च देवेभ्यः

Brih. 2. 6. 3. ब्रह्म स्वयंभु ब्रह्मणे नमः
4. 6. 3; 6. 5. 4.
3. 1. 1. नमः परमात्मने
2. नमो वयं ब्रह्मिष्ठाय कुर्मः
3. 8. 5. नमस्ते ऽस्तु याज्ञवल्क्य
4. 2. 1, 4.
5. 14. 7. नमस्ते तुरीयाय दर्शताय
पदाय

Tait. 1. 1. 1. नमो ब्रह्मणे नमस्ते वायो
1. 12. 1.
3. 10. 4. तन्नम इत्युपासीत

Katha. 1. 9. नमस्ते ऽस्तु ब्रह्मन्

Swet. 2. 5. युजे वां ब्रह्म पूर्व्यं नमोभिः

Swet. 17. तस्मै देवाय नमो नमः

Maitri. 4. 1. भगवन्नमस्ते ऽस्तु
5. 1. विश्वेश्वर नमस्तुभ्यम्
— नमः शान्तात्मने तुभ्यं नमो
गुह्यतमाय च
6. 35. नम आदित्याय दिविक्षिते
— नमो ब्रह्मणे सर्वक्षिते
38. ओं नमो ब्रह्मणे नमः
7. 7. तस्मै ते विश्वरूपाय . . नमः

Mund. 3. 2. 11. नमः परमऋषिभ्यः Prasna.
6. 8.

Mahânâr. 5. 1. नमो ऽग्नये ऽप्सुमते नम इ-
न्द्राय नमो वरुणाय &c.
6. 3. सुतरसिद्धतरसे नमः
5. अग्ने अत्रिवन्नमसा गृणानः
7. 1. नमो देवेभ्यः 2, 3, 5.
6. नमो ब्रह्मणे धारणं मे अस्तु
9. 13. वयं नाम . . धारयामा न-
मोभिः
12. 1. विश्वरूपाय वै नमः
13. 2. तस्मै रुद्राय नमो अस्तु
(bis); 3.
4. नमो हिरण्यबाहवे
— उमापतये नमो नमः
17. 1. सद्योजाताय वै नमः
— भवोद्भवाय नमः
2. वामदेवाय नमः &c.
3. नमस्ते अस्तु रुद्र रूपेभ्यः
19. 2. नमो रुद्राय पशुपतये
— भूतेभ्यो नमः

Nrip. 2. 2. ओं हृदयाय नमः
4. 3. ओं यो वै नृसिंहो देवो भ-
गवान् यश्च ब्रह्मा तस्मै वै
नमो नमः (similarly 31
times).

Nrisut. 9. नमस्ते भगवन् प्रसीद
— नमस्तुभ्यं वयं ते

Siras. 2. यो वै रुद्रः स भगवान्.. तस्मै वै नमो नमः (31 times).
3. तस्मै महाग्रासाय वै नमो नमः
6. तस्मै रुद्राय नमो अस्त्वग्नये
— तस्मै रुद्राय वै नमो नमः (bis).
— भूर्भुवः स्वरों नमः Prâṇâg. 1.

Nîla. 4. नमस्ते भवभामाय नमस्ते भवमन्यवे
— नमस्ते अस्तु बाहुभ्यामुतो त इषवे नमः
10. तस्मै दृष्टाय ते नमः
11. नमो ऽस्तु नीलशिखण्डाय
— तेभ्यो ऽहमकरं नमः
12. नमांसि त आयुधाय
— उभाभ्यामकरं नमः
18. नमो अस्तु सर्पेभ्यः
— तेभ्यः सर्पेभ्यो नमः 19, 20.
24. नमो भवाय नमः शर्वाय नमः कुमाराय शत्रवे
25. नमो नीलशिखण्डाय नमः सभाप्रपादिने
— तस्मै नीलशिखण्डाय नमः

Nâr. 4. नम इति पश्चात्
— नम इति द्वे अक्षरे
5. ओं नमो नारायणाय Atmapra. 1 (bis).

Atmapra. 1. ओं नमः प्रत्यगानन्दं ब्रह्म पुरुषम्

Vâsu. 2. चक्राङ्कित नमस्तुभ्यम्

Râmap. 18. जगत्प्राणायात्मने ऽस्मै नमः स्यान्नमस्त्वैक्यं प्रवदेत्
19. जीववाचि नमो नाम
30. नमो मायामयाय च
31. नमो वेदादिरूपाय ओंकाराय नमो नमः
65. तथों नमो भगवते वासुदेवाय

Râmot. 2. दीर्घानलं पुनर्माय नमश्चन्द्राय नमो भद्राय नमः
5. यो वै श्रीरामः..तस्मै वै नमो नमः (47 times).
— ओं नमो भगवते वासुदेवाय (44).

Gîtâ. 11. 31. नमो ऽस्तु ते देववर प्रसीद
39. नमो नमस्ते ऽस्तु सहस्रकृत्वः पुनश्च भूयो ऽपि नमो नमस्ते
40. नमः पुरस्तात्...नमो ऽस्तु ते सर्वत एव सर्व

नमस्कार

Bṛih. 3. 8. 12. यदस्मान्नमस्कारेण मुच्येध्वम्

नमस्कृ

Maitri. 1. 2. तस्मै नमस्कृत्वा 6. 29, 30; 7. 10.

Gauḍa. 4. 100. बुध्वा पदमनानात्वं नमस्कुर्मो यथाबलम् (MSS. have मनः कुर्मो)

Vâsu. 1. नमस्कृत्य भगवन्तम्
2. गोपीचन्दनं नमस्कृत्वा

Râmot. 5. एतया गदया नमस्करोति

Gîtâ. 9. 34. मद्याजी मां नमस्कुरु 18. 65.
11. 35. नमस्कृत्वा भूय एवाह कृष्णम्

1. नमस्य

Gîtâ. 9. 14. नमस्यन्तश्च मां भक्त्या
11. 36. सर्वे नमस्यन्ति च सिद्धसंघाः

2. नमस्य

Katha. 1. 9. अतिथिर्नमस्यः

नमामित्वं

Nrisut. 7. नमामित्वादहंन्त्वादिति

नर

Brih. 2. 5. 16. तद्वां नरा सनये दंस उग्रम्
Iśâ. 2. न कर्म लिप्यते नरे
Katha. 2. 8. न नरेणावरेण प्रोक्तः
3. 9. मनःप्रग्रहवान्नरः
Maitri. 7. 6. *vide* आदि
Mahâ. 1. स एकाकी नरः एवं
Gitâ. 2. 22. नवानि गृह्णाति नरो ऽपराणि
5. 23. स युक्तः स सुखी नरः
10. 27. नराणां च नराधिपम्
12. 19. भक्तिमान्मे प्रियो नरः
16. 22. एतैर्विमुक्तः . . नरः
17. 17. श्रद्धया परया तप्तं तपः . . नरैः
18. 15. यत्कर्म प्रारभते नरः
45. संसिद्धिं लभते नरः
71. शृणुयादपि यो नरः

नरक

Parama. 3. स याति नरकान् घोरान्
Gopî. 1. लोकस्य नरकात् . . संरक्षणी
Gitâ 1. 42. संकरो नरकायैव
44. नरके नियतं वासः
16. 16. पतन्ति नरके ऽशुचौ
21. त्रिविधं नरकस्येदं द्वारम्

नरपुङ्गव

Gitâ. 1. 5. शैब्यश्च नरपुंगवः

नरलोकवीर

Gitâ. 11. 28. तथा तवामी नरलोकवीराः

नराधम

Gitâ. 7. 15. न मां . . प्रपद्यन्ते नराधमाः
16. 19. तानहं . . नराधमान्

नराधिप

Gitâ. 10. 27. नराणां च नराधिपम्

नल

Râmap. 57. नलादिभिरलंकृतः (Weber has नीला°)

नव

Kaush. 2. 15. नवैस्तृणैरगारं संस्तीर्य
Gitâ. 2. 22. नवानि गृह्णाति नरो ऽपराणि — अन्यानि संयाति नवानि देही

नवकुल

Mahânâr. 3. 1. नवकुलाय विद्महे विषदन्ताय धीमहि । तन्नः सर्पः प्रचोदयात् (This Mantra occurs in one MS., but, not being recognized by Nârâyaṇa, is put in a footnote to my edition. It occurs also in one MS. of the Gâruḍa).

नवतर

Bṛih. 3. 9. 28. रोहति मूलान्नवतरः पुनः
4. 4. 4. अन्यं नवतरं कल्याणतरं रूपम् (bis).

नवद्वार

Swet. 3. 18. नवद्वारे पुरे देही Gitâ. 5. 13.
Yogaśi. 4. एकस्तंभे नवद्वारे
Yogat. 13. निषिद्धे तु नवद्वारे

नवधा

Chhâ. 7. 26. 2. पञ्चधा सप्तधा नवधा

नवन्

Śiras. 6. नव दिवो देवजनेन गुप्ता नवान्तरिक्षाणि नव भूम इमाः

Râmot. 5. यो वै श्रीरामः..ये च नव महाः (30)

नवम

Nṛip. 2. 3. मृत्युमृत्युं नवमं (स्थानं जानीयात्)

Garbha. 3. नवमे मासि सर्वलक्षणज्ञानसम्पूर्णः

Nâda. 11. नवमी महती नाम
16. नवम्यां च महर्लोकम्

Piṇḍa. 8. नवमेन तु पिण्डेन

Haṁsa. 2. नवमो भेरीनादः
— नवमं परित्यज्य दशममेवाभ्यसेत्
— अवश्यं नवमे देहम्

नवश्राद्ध

Mahânâr. 19. 1. चौरस्यान्नं नवश्राद्धम्

नवषट्कार

Parama. 3. नवषट्कारो यादृच्छिकः

नवांशक

Maitri. 6. 14. तत्रैकैकमात्मनो नवांशकं सञ्चारकविधम्

नवात्मक

Nṛisut. 4. सच्चिदानन्दपूर्णात्मसु नवात्मकं..संभाव्य

नवाधिकशत

Mukti. 1. 12. नवाधिकशतं शाखा यजुषः

नव्य

Mahânâr. 6. 4. अग्ने त्वं पारया नव्यः
7. सनाच्च होता नव्यश्च सत्सि

नश्

Chhâ. 8. 5. 3. एष ह्यात्मा न नश्यति
8. 9. 1. शरीरस्य नाशमन्वेष नश्यति 2.

Mahânâr. 20. 10. अलक्ष्मी मे नश्यत

Chûl. 18 नश्यन्ते व्यक्ततां भूयो जायन्ते

Nîla. 2. अनेशन्नस्येषवः

Nâr. 5. रात्रिकृतं पापं नाशयति
— दिवसकृतं पापं नाशयति

Gâruḍa. 2. हतं विषं नष्टं विषम्

Jâbâla. 2. सर्वानिन्द्रियकृतान्पापान्नाशयति Râmot. 4.

Gopî. 4. अहोरात्रकृतं पापं नाशयति
5. तेषां पापानि नश्यन्ति

Râmot. 4. स जन्मान्तरितान्दोषान्नाशयति

Mukti. 2. 13. निःशंकमेव नश्यन्ति
27. क्षिप्रं द्वे अपि नश्यतः

Gîtâ. 1. 40. धर्मे नष्टे कुलं कृत्स्नम्
3. 32. विद्धि नष्टानचेतसः
4. 2. योगो नष्टः परन्तप
5. 16. येषां नाशितमात्मनः
6. 38. छिन्नाभ्रमिव नश्यति
10. 11. नाशयाम्यात्मभावस्थः
18. 73. नष्टो मोहः स्मृतिर्लब्धा

नष्टात्मन्

Gîtâ. 16. 9. नष्टात्मानो ऽल्पबुद्धयः

नस्

Mahâ. 1. तस्य ध्यानान्तःस्थस्य यज्ञःस्तोममुच्यते (so Nârâyaṇa and some MSS.; others यज्ञस्तोमम्).

नसंवत्सर

Mahâ. 1. नास्य प्रजा नसंवत्सरा जा-

यन्ते (so Nârâyaṇa; but Śaṁkarânanda reads अस्य प्रधानसंवत्सरा जायन्ते)

नसम

Śikhâ 1. नसममित्यात्मज्योतिः

नस्वधाकार

Parama. 3. नस्वधाकारो ननिन्दास्तुतिः

1. नाक

Chhâ. 2. 10. 5. तन्नाकं तद्विशोकम्
Muṇḍ. 1. 2. 10. नाकस्य पृष्ठे Mahânâr. 1. 1.
Mahânâr. 5. 3. नाकस्य पृष्ठमारुह्य
10. 5. परेण नाकम् Kaivalya. 3.
22. 1. शमेन नाकं मुनयो ऽन्वविन्दन्

2. नाक

Bṛih. 6. 4. 4. नाको मौद्गल्यः Tait. 1. 9. 1.

नाग

Bṛih. 1. 3. 22. समो नागेन
Nṛip. 5. 7. स नागानाकर्षयति
Śiras. 6. नागा ये अन्तरिक्षे
Gâruḍa. 2. नागानां सर्पाणां वृश्चिकानाम्
Râmap. 86. कूर्मनागौ
Gîtâ. 10. 29. अनन्तश्चास्मि नागानाम्

नागेन्द्र

Mukti. 2. 47. ते निबध्नन्ति नागेन्द्रम्

नाचिकेत

Kaṭha. 1. 18. य एवं विद्वांश्चिनुते नाचिकेतम्
2. 10. ततो मया नाचिकेतश्चितो ऽग्निः
3. 2. नाचिकेतं शकेमहि
16. नाचिकेतमुपाख्यानम्
Kaṭha. 6. 18. मृत्युप्रोक्तां नाचिकेतो ऽथ लब्ध्वा विद्याम्

नाडिशत

Kshur. 15. एकोत्तरं नाडिशतम्

नाडिसञ्चय

Kshur. 15. समूहन्नाडिसञ्चयम्

नाडी

Kaush. 4. 19. हिता नाम पुरुषस्य नाड्यः
Chhâ. 8. 6. 1. या एता हृदयस्य नाड्यः
2. ता आसु नाडीषु सृप्ता आभ्यो नाडीभ्यः प्रतायन्ते
3. आसु तदा नाडीषु सृप्तो भवति
6. शतं चैका च हृदयस्य नाड्यः Kaṭha. 6. 16.
Bṛih. 2. 1. 19. हिता नाम नाड्यो द्वासप्ततिः सहस्राणि
4. 2. 3. यैषा हृदयादूर्ध्वा नाड्युच्चरति
— हिता नाम नाड्यो ऽन्तर्हृदये
4. 3. 20. हिता नाम नाड्यः
Maitri. 6. 21. ऊर्ध्वगा नाडी सुषुम्नाख्या
37. एषा नाड्यन्नबह्वम् (!)
7. 11. सा तयोर्नाडी द्वयोरेका
Muṇḍ. 2. 2. 5. संहता यत्र नाड्यः
Praśna. 3. 6. अत्रैतदेकशतं नाडीनाम्
Brahmav. 11. सा नाडी सूर्यसङ्काशा (one MS. reads सूत्रसंकाशा)
Kshur. 8. तत्र नाडी सुषुम्णा तु नाडीभिर्बहुभिर्वृता
9. शुक्लां नाडीं समाश्रयेत्
11. तां नाडीं पूरयन्यतः
17. नाडीषु तैतिलम्
20. सा नाडी तां विभात्रयेत्
Brahma. 1. प्राणदेवतास्ताः सर्वा नाड्यः

नाडीशत

Kshur. 19. छिन्देन्नाडीशतं धीरः

नाडीसूत्रगत

Garbha. 3. अशितपीतनाडीसूत्रगतेन

नातिनीच

Gîtâ. 6. 11. नात्युच्छ्रितं नातिनीचम्

नातिमानिता

Gîtâ. 16. 3. अद्रोहो नातिमानिता

नात्यर्थम्

Nyâsa. 4. नात्यर्थं .. शरीरमुपतापयेत् Kaṭhaśru. 4.

नात्युच्छ्रित

Gitâ. 6. 11. नात्युच्छ्रितं नातिनीचम्

नाद

Dhyâna. 4. नादं बिन्दोः परे स्थितम्

Yogat. 10. मकारे लभते नादम्

Haṁsa. 1. अथो नादमाधाराद्ब्रह्मरन्ध्रपर्यन्तम्

2. यदा हंसो नादे लीनो भवति

— स एव जपकोट्यां नादमनुभवति

— नादो दशविधो जायते

Râmap. 68. नादबिन्दुसमायुतम्

72. *vide* आदि

73. बिन्दुनादैः

Râmot. 2. नादः षष्ठाक्षरो भवति

Mukti. 1. 31. बिन्दुर्नादः शिरः शिखा

33. तेजो नादो ध्यानं विद्या

नादबिन्दु

Mukti. 1. *vide* बहूच्

नादान्त

Sikhâ. 2. विष्णुर्मनसि नादान्ते

नाना

Kaush. 3. 8. नो एतन्नाना

Chhâ 1. 1. 10. नाना तु विद्या चाविद्या च

Bṛih. 4. 4. 19. नेह नानास्ति किञ्चन Kaṭha. 4. 11.

— य इह नानेव पश्यति Kaṭha. 4. 10, 11; Atmapra. 1.

Gauḍa. 2. 34. नात्मभावेन नानेदम्

3. 24. नेह नानेति चाम्नायात्

नानात्यय

Chhâ. 4. 10. 3. बहव इमे ऽस्मिन्पुरुषे कामा नानात्ययाः

6. 9. 1. नानात्ययानां वृक्षाणां रसान्

नानात्व

Maitri. 3. 3. नानात्वमुपैति (bis).

— एतद्वै नानात्वस्य रूपम्

Gauḍa. 3. 13. नानात्वं निन्द्यते यच्च

4. 91. विद्यते नहि नानात्वं तेषां क्वचन किञ्चन

नानाभाव

Gitâ. 18. 21. नानाभावान्पृथग्विधान्

नानायोनिसहस्र

Garbha. 4. नानायोनिसहस्राणि मयोषितानि यानि वै

नानारस

Maitri. 6. 22. यथा सम्पन्ना मधुत्वं नानारसाः

नानारूप

Maitri. 3. 5. भूतात्मा तस्मान्नानारूपाण्याप्नोति

नानार्थ

Kaṭha. 2. 1. उभे नानार्थे पुरुषं सिनीतः

नानावर्णाकृति

Gîtâ. 11. 5. नानावर्णाकृतीनि च

नानाविध

Garbha. 4. पीता नानाविधाः स्तनाः

Gîtâ. 11. 5. नानाविधानि दिव्यानि

नानाशस्त्र

Gîtâ. 1. 9. नानाशस्त्रप्रहरणाः

नान्दन

Ait. 3. 12. सैषा विदृतिर्नाम द्वास्तदेतन्नान्दनम्

नाभि

Ait. 1. 4. नाभिर्निरभिद्यत नाभ्या अपानः

2. 4. मृत्युरपानो भूत्वा नाभिं प्राविशत्

Kaush. 3. 8. नाभावरा अर्पिताः

Chhâ. 7. 15. 1. यथा वा अरा नाभौ समर्पिताः

Tait. 3. 10. 6. पूर्वं देवेभ्यो ऽमृतस्य ना३भायि Nrip. 2. 4.

Maitri. 6. 6. स्वरित्यस्याः शिरो नाभिर्भुवः

Mahânâr. 1. 6. विश्वं बिभर्त्ति भुवनस्य नाभिः

9. 12. जिह्वा देवानाममृतस्य नाभिः

11. 8. नाभ्यामुपरि तिष्ठति

Nrip. 5. 1. मध्ये नाभिर्भवति नाभ्यां वा एते अराः प्रतिष्ठिताः

2. तस्य मध्ये नाभ्यां तारकं भवति

— ब्रह्मविष्णुमहेश्वरा नाभ्याम्

Nrisut. 3. अकारं ब्रह्माणं नाभौ

Brahma. 2. नाभिर्हृदयं कण्ठं मूर्द्धा

Prâṇâg. 2. गार्हपत्यो भूत्वा नाभ्यां तिष्ठति

नाभिदेश

Kshur. 7. नाभिदेशे समाश्रयेत्

Nâda. 3. नाभिदेशे महर्जगत्

Amṛita. 34. समानो नाभिदेशे तु

नाभिस्थान

Dhyâna. 11. नाभिस्थाने प्रतिष्ठितम्

नामतस्

Maitri. 6. 23. ओङ्कारो नाम नामतः

Râmap. 4. ज्ञानमार्गं च नामतः

नामधेय

Ait. 5. 2. एतानि प्रज्ञानस्य नामधेयानि भवन्ति

Chhâ. 6. 1. 4. वाचारंभणं विकारो नामधेयम् 5, 6; 6. 4. 1, 2, 3, 4.

Brih. 2. 3. 6. अथ नामधेयं सत्यस्य सत्यमिति

नामधेया

Nâda. 10. पञ्चमी नामधेया च

नामन्

Ait. 3. 12. सैषा विदृतिर्नाम द्वाः

14. तस्मादिदन्द्रो नामेदन्द्रो ह वै नाम

Kaush. 1. 7. केन मे पौंस्नानि नामान्याप्नोषि

2. 3. वाङ्नाम देवतावरोधिनी (similarly five times more).

11. नामास्य दधाति

— नामास्य गृह्णाति

— पुत्र ते नाम्ना मूर्धानमभिजिघ्रामि

3. 2. न हि कश्चन शक्नुयात्सक्त्वाचा नाम प्रज्ञापयितुम्

Kaush. 3. 3. तदेनं वाक् सर्वैर्नामभिः सहाप्येति (bis) ; 4. 20.
वागेवास्मिन् सर्वाणि नामान्यभिविसृज्यन्ते वाचा सर्वाणि नामान्याप्नोति
5. तस्यै नाम परस्तात्प्रतिविहिता भूतमात्रा
6. प्रज्ञया वाचं समारुह्य वाचा सर्वाणि नामान्याप्नोति
7. न हि प्रज्ञापेता वाङ्नाम किंचन प्रज्ञापयेत्
— नाहमेतन्नाम प्राज्ञासिषमिति
4. 19. हिता नाम पुरुषस्य नाड्यः
Kena. 31. तद्ध तद्वनं नाम
Chhâ. 1. 6. 7. तस्योदिति नाम
1. 7. 5. यन्नाम तन्नाम
3. 15. 2. प्राची दिग्जुहूर्नाम (similarly 3 times more).
4. 2. 5. रैक्वपर्णा नाम
4. 4. 2. जबाला तु नामाहमस्मि सत्यकामो नाम त्वमसि 4.
4. 5. 2. चतुष्कलः पादो ब्रह्मणः प्रकाशवान्नाम (similarly in 4. 6. 3; 4. 7. 3; 4. 8. 3.)
5. 2. 1. अनो ह वै नाम प्रत्यक्षम्
6. अमो नामासि
7. 1. 3. यद्वै किञ्चैतदध्यगीष्ठा नामैवैतत्
4. नाम वा ऋग्वेदः . . नामैवैतन्नामोपास्व
5. स यो नाम ब्रह्मेत्युपास्ते यावन्नाम्नो गतम् &c.
— अस्ति भगवो नाम्नो भूय इति नाम्नो वाव भूयोऽस्ति
7. 2. 1. वाग्वाव नाम्नो भूयसी
7. 3. 1. वाचं च नाम च मनोऽनुभवति

Chhâ. 7. 4. 1. तामु नाम्नीरयति नाम्नि मन्त्रा एकं भवन्ति 7. 5. 1.
7. 26. 1. आत्मतो नाम
8. 3. 4. ब्रह्मणो नाम सत्यमिति
Bṛih. 1. 3. 9. सा वा एषा देवता दूर्नाम
1. 4. 1. ततोऽहन्नामाभवत्
— अथान्यन्नाम प्रब्रूते यदस्य भवति
7. प्राणन्नेव प्राणो नाम भवति
1. 5. 17. पुत्रो मुञ्चति तस्मात्पुत्रो नाम
1. 6. 1. त्रयं वा इदं नाम रूपं कर्म
— तेषां नाम्नां वागित्येतदेषामुक्थम्
— अतो हि सर्वाणि नामान्युत्तिष्ठन्ति
— एतद्धि सर्वैर्नामभिः समम्
— तदेषां ब्रह्मैतद्धि सर्वाणि नामानि बिभर्ति
2. 1. 15. तमेतैर्नामभिरामन्त्रयाञ्चक्रे
17. अथ हैतत्पुरुषः स्वपिति नाम
19. हिता नाम नाड्यो द्वासप्ततिः सहस्राणि
2. 2. 4. अत्तिर्ह वै नामैतद्यदत्रिरिति
3. 2. 3. स नाम्नातिग्राहेण गृहीतो वाचा हि नामान्यभिवदति
12. किमेनं न जहातीति नामेत्यनन्तं वै नाम
4. 2. 2. इन्धो ह वै नामैषः
3. हिता नाम नाड्यः 4. 3. 20.
4. 4. 11. अनन्दा नाम ते लोकाः Katha. 1. 3.
5. 14. 4. गयांस्तत्रे तस्माद्गायत्री नाम
6. 4. 26. अथास्य नाम करोति... तद्गुह्यमेव नाम भवति

Katha. 1. 1. नचिकेता नाम पुत्रः
16. तवैव नाम्ना भवितायमग्निः
Śwet. 4. 19. यस्य नाम महद्यशः Mahânâr. 1. 10 (तस्य)
Maitri. 1. 2. बृहद्रथो वै नाम राजा
2. 1. मरुन्नाम्नेति विश्रुतो ऽसि
6. 23. ओङ्कारो नाम नामतः
Mahânâr. 9. 12. घृतस्य नाम गुह्यं यदस्ति
13. वयं नाम प्रब्रवामा घृतस्य
15. 1. देवानां धाम नामासि
Praśna. 6. 4. लोकेषु च नाम च
Nṛip. 5. 1. महाचक्रं नाम चक्रम्
Nṛisut. 7. तस्य ब्रह्मणो नाम ब्रह्मेति
Kshur. 12. तद्रूपं नाम कृन्तयेत्
Chûl. 6. पिबन्ते नामविषयम्
Garbha. 5. तत्र कोष्ठाग्निर्नाम Prâṇâg. 2.
Prâṇâg. 2. सूर्यो ऽग्निर्नाम
— दर्शनाग्निर्नाम
— शारीरो ऽग्निर्नाम
Nâda. 1. सप्तमी वैष्णवी नाम
— नवमी महती नाम
Dhyâna. 2. विष्णुर्नाम महायोगी Yogat. 1.
Sarvop. 3. नामदेशकालवस्तुनिमित्तेषु
Jâbâla. 3. एतान्येव ह वा अमृतस्य नामानि
6. तत्र परमहंसा नाम..स परमहंसो नाम
Vâsu. 2. केशवादिद्वादशनामाभिः
— कृष्णादिपञ्चनामाभिः
Gopî. 1. गोपी का नाम संरक्षणी
2. गोप्यो नाम विष्णुपत्न्यः स्युः
2. काश्च विष्णुपत्न्यो गोप्यो नाम
Râmap. 3. रामनाम भुवि ख्यातम्
19. जीववाचि नमो नाम
21. यथा नामी वाचकेन नाम्ना
Mukti. 1. 16. केचित्त्वन्नामभजनात्
18. मन्नामभजनात्कपे
2. 54. असम्प्रज्ञातनामायम्
69. मैत्र्यादिवासनानाम्नीः

नामयज्ञ

Gîtâ. 16. 17. यजन्ते नामयज्ञैस्ते

नामरूप

Chhâ. 6. 3. 2. नामरूपे व्याकरवाणि
3. नामरूपे व्याकरोत्
8. 14. 1. नामरूपयोर्निर्वहिता
Bṛih. 1. 4. 7. तन्नामरूपाभ्यां व्याक्रियत
— नामरूपाभ्यामेव व्याक्रियते
1. 6. 3. नामरूपे सत्यम्
Muṇḍ. 1. 1. 9. नामरूपमन्नं च जायते
3. 2. 8. यथा नद्यः..नामरूपे विहाय तथा विद्वान्नामरूपाद्विमुक्तः
Praśna. 6. 5. भिद्येते तासां नामरूपे (bis).

नामरूपात्मक

Nṛisut. 2. नामरूपात्मकं हीदं सर्वम्

नामिन्

Râmap. 21. यथा नामी वाचकेन नाम्ना

नायक

Gauḍa. 4. 98. बुद्ध्यन्त इति नायकाः
Gîtâ. 1. 7. नायका मम सैन्यस्य

नारद

Chhâ. 7. 1. 1. उपससाद सनत्कुमारं नारदः
Parama. 1. इति नारदो भगवन्तमुपगम्योवाच
Gâruḍa. 1. ब्रह्मा नारदाय नारदो बृहत्सेनाय
Vâsu. 1. नमस्कृत्य भगवन्तं नारदः

Krish. 26. सुदामा नारदो मुनिः
Gitâ. 10. 13. देवर्षिर्नारदस्तथा
26. देवर्षीणां च नारदः

नारदपरिव्राजक

Mukti. 1. *vide* गारुड

नारसिंह

Nrip. 1. 1. स एतं मन्त्रराजं नारसिंहमानुष्टुभमपश्यत्
2. 1. तेभ्य एतं मन्त्रराजं नारसिंहमानुष्टुभं प्रायच्छत्
— स एतं मन्त्रराजं नारसिंहमानुष्टुभं प्रतिगृह्णीयात्
3. 1. मन्त्रराजस्य नारसिंहस्य शक्तिं बीजं च नो ब्रूहि
— माया वा एषा नारसिंही
4. 1. मन्त्रराजस्य नारसिंहस्याङ्गमन्त्रान् नो ब्रूहि
5. 2. यदक्षरं नारसिंहमेकाक्षरं तद्भवति
— द्वात्रिंशत्सु पत्रेषु द्वात्रिंशदक्षरं मन्त्रराजं नारसिंहम्
3. मन्त्रराजस्य नारसिंहस्य फलं नो ब्रूहि
— य एतं मन्त्रराजं नारसिंहं ..नित्यमधीते 4—9.

Nrisut. 2. नारसिंहेनानुष्टुभा ..तुरीयं विद्यात्

Râmap. 72. नारसिंहं च वाराहम्

1. नारायण adj.

Nrip. 5. 2. अष्टसु पत्रेष्वष्टाक्षरं नारायणं भवति

2. नारायण

Maitri. 6. 8. एष हि खल्वात्मा ..नारायणः 7. 7.

Mahânâr. 3. 16. नारायणाय विद्महे
11. 1. विश्वं नारायणं देवम्
2. विश्वं नारायणं हरिम् Mahâ. 3.
3. नारायणं महाज्ञेयम्
4. नारायणः परो ज्योतिरात्मा नारायणः परः
— नारायणः परं ब्रह्मतत्त्वं नारायणः परः
5. नारायणः परो ध्याता ध्यानं नारायणः परः
6. सर्वं व्याप्य नारायणः स्थितः Vâsu. 3.

Garbha. 4. तत् प्रपद्ये नारायणम्

Mahâ. 1. एको ह वै नारायण आसीत्
2. पुनरेव नारायणः सोन्यत्कामः 3.

Nâr. 1. पुरुषो ह वै नारायणः
— नारायणात्प्राणो जायते
— नारायणाद्ब्रह्मा जायते
— नारायणाद्रुद्रो जायते
— नारायणात्प्रजापतिर्जायते
— नारायणादिन्द्रो जायते
— नारायणादष्टौ वसवो नारायणादेकादश रुद्राः
— नारायणाद्द्वादशादित्याः
— सर्वाणि च भूतानि नारायणादेव समुत्पद्यन्ते नारायणे प्रलीयन्ते
2. नित्यो देव एको नारायणः
— ब्रह्मा च नारायणः
— शिवश्च नारायणः शक्रश्च नारायणः
— द्वादशादित्याश्च नारायणः
— वसवो ऽश्विनौ च नारायणः
— सर्वे ऋषयो ऽपि नारायणः
— कालश्च नारायणो दिशश्च नारायणः

Nâr. 2. अधश्च नारायण ऊर्ध्वं च नारायणः
— मूर्त्तामूर्त्तं च नारायणः
— अन्तर्बहिश्च नारायणः
— नारायण एवेदं सर्वं यद्भूतं यच्च भाव्यम्
3. एतद्वै नारायणस्योपनिषदम्
— यो ह वै नारायणस्योपनिषदमधीते
4. नारायणायेत्युपरिष्टात्
— नारायणायेति पञ्चाक्षराणि
— तद्वै नारायणस्याष्टाक्षरं पदम्
— यो ह वै नारायणस्याष्टाक्षरं पदमध्येति
5. ओं नमो नारायणाय Atmapra. 1 (bis).
— सर्वभुतस्थमेकं नारायणम् Atmapra. 1.
— नारायणे सायुज्यमाप्नोति
Vâsu. 4. नारायणे मय्यचला भक्तिः
Skanda. 14. विरिञ्चिनारायणशंकरात्मक
Râmap. 64. तेषु नारायणाष्टार्णम्
Râmot. 5. नारायणमनामयम्
Mukti. 1. 31. गर्भो नारायणो हंसः
1. *vide* सरस्वतीरहस्य

नारायणात्मक

Râmap. 80. नारायणात्मकः कालः

नाराशंसी

Nṛip. 5. 9. स नाराशंसीरधीते

नारी

Gîtâ. 10. 34. कीर्त्तिः श्रीर्वाक् च नारीणाम्

नालमार्ग

Dhyâna. 22. कर्षयेन्नालमार्गेण

नाश

Chhâ. 8. 9. 1. शरीरस्य नाशमन्वेष नश्यति 2.
Kaivalya. 22. न पुण्यपापे मम नास्ति नाशः
Skanda. 2. अन्तःकरणनाशेन
7. कर्मनाशे सदाशिवः
Mukti. 2. 28. शरीरनाशदर्शित्वात्
33. अस्य नाशमिदानीं . . शृणु
39. मनसो ऽभ्युदयो नाशः
— शमनो नाशमभ्येति
Gîtâ. 2. 40. नेहाभिक्रमनाशो ऽस्ति
11. 29. विशन्ति नाशाय समृद्धवेगाः
— तथैव नाशाय विशन्ति लोकाः

नाशन

Gîtâ. 3. 41. ज्ञानविज्ञाननाशनम्
16. 21. त्रिविधं . . नाशनमात्मनः

नासाग्रदृष्टि

Yogaśi. 2. कुर्यान्नासाग्रदृष्टिं च

नासाभ्यन्तरचारिन्

Kshur. 5. प्राणान् सञ्चारयेद्योगी नासाभ्यन्तरचारिणः
Gîtâ. 5. 27. प्राणापानौ समौ कृत्वा नासाभ्यान्तरचारिणौ

नासिका

Ait. 1. 4. नासिके निरभिद्येतां नासिकाभ्यां प्राणः
2. 4. वायुः प्राणो भूत्वा नासिके प्राविशत्
Bṛih. 2. 4. 11. सर्वेषां गन्धानां नासिके एकायनम् 4. 5. 12.
Śwet. 2. 9. क्षीणे प्राणे नासिकयोच्छ्वसीत (2 MSS. read नासिकयोः श्वसीत)

Garbha. 1. नासिका घ्राणे
3. षष्ठ मुखनासिकाक्षिश्रोत्राणि
Prâṇâg. 4. नासिकोत्तरवेदिः
Dhyâna. 23. नासिकायां तु मूलतः
Nyâsa. 5. श्रवणे नासिके न गन्धाय
Praśna. 3. 5. मुखनासिकाभ्याम्

नासिकाग्र

Gîtâ. 6. 13. सम्प्रेक्ष्य नासिकाग्रं स्वम्

नासिकापुट

Amṛita. 19. नासिकापुटमङ्गुल्या पिधाय

नासिक्य

Chhâ. 1. 2. 2. ते ह नासिक्यं प्राणमुद्गीथमुपासांचक्रिरे

नासी

Jâbâla. 2. वरणायां नास्यां च मध्ये (one MS. वरणाया नास्याश्च); Râmot. 4.
— का च नासी (one MS. केन नासी); Râmot. 4.
— सर्वानिन्द्रियकृतान्पापान्नाशयतीति तेन नासी भवति Râmot. 4.

नास्तिक

Mukti. 1. 48. नास्तिकाय कृतघ्नाय

नास्तिक्य

Maitri. 3. 5. नास्तिक्यमज्ञानं...इति तामसानि

नि

Chhâ. 2. 8. 2. यन्नीति तन्निधनम्

निःशङ्क

Mukti. 2. 13. निःशंकमेव नश्यन्ति

निःशब्द

Maitri. 6. 23. निःशब्दः शून्यभूतस्तु
Kshur. 2. निःशब्दं देशमास्थाय
21. निःशब्दं देशमास्थितः
Dhyâna. 4. निःशब्दं परमं पदम्

निःश्रेयस

Kaush. 2. 14. प्राणे निःश्रेयसं विदित्वा (bis).
3. 2. अस्ति त्वेव प्राणानां निःश्रेयसम्

निःश्रेयसकर

Gîtâ. 5. 2. निःश्रेयसकरावुभौ

निःश्रेयसादान

Kaush. 2. 14. अथातो निःश्रेयसादानम्

निःश्वस्

Bṛih. 2. 4. 10. महतो भूतस्य निःश्वसितम् 4. 5. 11; Maitri. 6. 32.

निःष्ठा

Chhâ. 6. 9. 1. यथा मधु मधुकृतो निस्तिष्ठन्ति
7. 20. 1. यदा वै निस्तिष्ठत्यथ श्रद्दधाति..निस्तिष्ठन्नेव श्रद्दधाति
7. 21. 1. यदा वै करोत्यथ निस्तिष्ठति नाकृत्वा निस्तिष्ठति कृत्वैव निस्तिष्ठति

निःसङ्कल्प

Maitri. 6. 19. निःसङ्कल्पस्ततस्तिष्ठेत्
30. तस्मात्..निःसङ्कल्पः. तिष्ठेत्

निःसङ्ग

Gauḍa. 3. 45. निःसङ्गः प्रज्ञया भवेत्
4. 79. निःसङ्गं विनिवर्त्तते
Kshur. 21. निःसङ्गस्तत्त्वयोगज्ञः

निःसार

Maitri. 1. 3. निःसारे ऽस्मिञ्छरीरे

निःसृ

Katha. 6. 2. सर्वं प्राण एजति निःसृतम्

निःस्पृह

Gîtâ. 2. 71. पुमांश्चरति निःस्पृहः
6. 18. निःस्पृहः सर्वकामेभ्यः

निःस्वधाकार

Gauḍa. 2. 37. निस्तुतिर्निर्नमस्कारो निःस्वधाकार एव च

निकृत्

Kshur. 13. धारणाभिर्निकृन्तयेत्

निकृन्तन

Mukti. 1. 45. सर्वाघौघनिकृन्तनम्

निकेतन

Kaṭhaśru. 1. जलतीरे निकेतनं हि

निक्षिप्

Prâṇâg. 1. अन्नं भूमौ निक्षिप्य

निखिल

Śwet. 1. 3. यः कारणानि निखिलानि तानि . . अधितिष्ठति

निगद्

Kshur. 10. वेदान्तेषु निगद्यते

निगम्

Bṛih. 2. 1. 18. उतेवोच्चावचं निगच्छति
4. 3. 36. अणिमानं निगच्छति
Gîtâ. 9, 31. शश्वच्छान्तिं निगच्छति
18. 36. दुःखान्तं च निगच्छति

निगम

Kṛish. 8. निगमो वसुदेवः

निगुह्

Śwet. 1. 3. अपश्यन्देवात्मशक्तिं स्वगुणैर्निगूढाम्
14. देवं पश्येन्निगूढवत् Brahma. 3.
Kaivalya. 1. सदा सद्भिः सेव्यमानां निगूढाम्
Brahmab. 20. घृतमिव पयसि निगूढम्
Dhyâna. 20. एवं पश्येन्निगूढवत् (so 5 MSS.; one has देवं)

निगृहीतानिल

Maitri. 6. 21. परः पूर्वं प्रतिष्ठाप्य निगृहीतानिलम्

निगॄ

Maitri. 2. 6. यो ऽयं पीताशितमुद्गिरति निगिरति

निग्रह्

Gauḍa. 3. 34. निगृहीतस्य मनसः
35. निगृहीतं न लीयते
42. उपायेन निगृह्णीयात्
Mukti. 2. 41. निगृहीतेन्द्रियाद्विषः
Gîtâ. 2. 68. निगृहीतानि सर्वशः
9. 19. वर्षं निगृह्णाम्युत्सृजामि च

निग्रह

Gauḍa. 3. 41. मनसो निग्रहस्तद्वत्
Mukti. 2. 38. मनसः स्वस्य निग्रहे
Gîtâ. 3. 33. निग्रहः किं करिष्यति
6. 34. तस्याहं निग्रहं मन्ये

निग्रहायत्त

Gauḍa. 3. 40. मनसो निग्रहायत्तम् (MSS. read निग्रहो यत्तत्)

निचि

Bṛih. 4. 4. 18. ते निचिक्युर्ब्रह्म पुराणम्
Katha. 1. 17. देवमीड्यं विदित्वा निचाय्य

Katha. 3. 15. निचाय्य तन्मृत्युमुखात्प्रमुच्यते
Śwet. 2. 1. अग्नेर्ज्योतिर्निचाय्य
4. 11. वरदं देवमीड्यं निचाय्य
Siras. 5.

निज

Skanda. 2. न निजं निजवद्भाति
14. वेदात्मकं ब्रह्म निजं विजानते

नितप्

Chhâ. 7. 11. 1. निशोचति नितपति वर्षिष्यति वै

नितल

Aruṇeya. 1. *vide* तलातल

नित्य

Bṛih. 4. 4. 23. एष नित्यो महिमा ब्राह्मणस्य
Kaṭha. 2. 18. अजो नित्यः शाश्वतो ऽयं पुराणः Gîtâ. 2. 20.
3. 15. अरसं नित्यमगन्धवच्च Mukti. 2. 72.
5. 13. नित्यो नित्यानां चेतनश्चेतनानाम् Śwet. 6. 13.
Śwet. 1. 12. एतज्ज्ञेयं नित्यमेवात्मसंस्थम्
3. 21. ब्रह्मवादिनो हि प्रवदन्ति नित्यम्
4. 21. तेन मां पाहि नित्यम्
6. 2. येनावृतं नित्यमिदं हि सर्वम्
17. य ईशे अस्य जगतो नित्यं
Maitri. 7. 8. नित्यं शिल्पोपजीविनः
Muṇḍ.1. 1. 6. नित्यं विभुं सर्वगतम्
3. 1. 5. सम्यग्ज्ञानेन ब्रह्मचर्येण नित्यम्
Mahânâr. 11. 2. विश्वतः परमं नित्यम् Mahâ. 3.

Kaivalya. 16. सूक्ष्मात् सूक्ष्मतरं नित्यम्
Gauḍa. 1. 3. विश्वो हि स्थूलभुङ् नित्यम्
3. 33. ब्रह्म ज्ञेयमजं नित्यम्
4. 11. भिन्नं नित्यं कथं च तत्
59. नासौ नित्यो न चोच्छेदी
72. चित्तं निर्विषयं नित्यम्
82. सुखमाव्रियते नित्यम्
Nṛip. 4. 3. एतैर्द्वात्रिंशन्मन्त्रैर्नित्यं देवं स्तुवध्वम्
— य एतैर्मन्त्रैर्नित्यं देवं स्तौति Râmot. 5.
5. 3. य एतं मन्त्रराजं . . नित्यमधीते 4—9.
Nṛisut. 9. नित्यः शुद्धो बुद्धः
— किं तन्नित्यमात्मा (so 2 MSS.; but Nârâyaṇa किंतन्निरात्मकमात्मनः)
— नित्यं शुद्धं बुद्धं मुक्तम्
Śiras. 1. सो ऽहं नित्यानित्यः
3. हृदि त्वमसि यो नित्यम्
5. यस्त्वां ध्यायते नित्यम् (4 times)
Brahmab. 3. तस्मान्निर्विषयं नित्यम्
Amṛita. 25. अतः समभ्यसेन्नित्यम्
27. नित्यं योगी विवर्जयेत्
28. नित्यमभ्यस्यतः क्रमात्
Haṁsa. 2. शुद्धो बुद्धो नित्यः
Nâr. 2. नित्यो देव एको नारायणः
— नित्यो निष्कलंको निराख्यातः
Vâsu. 3. नित्यमेकाग्रभक्तिस्तु
— मुमुक्षुर्धारयेन्नित्यम्
Râmot. 2. य एतत्तारकं ब्राह्मणो नित्यमधीते
5. एतैः सप्तचत्वारिंशन्मन्त्रैर्नित्यं देवं स्तुवन्
Mukti. 1. 22. द्विजो नित्यमनन्यधीः
2. 72. मम रूपमीदृशं भजस्व नित्यम्

Gîtâ. 2. 18. नित्यस्य . . शरीरिणः
21. वेदाविनाशिनं नित्यम्
24. नित्यः सर्वगतः स्थाणुः
26. नित्यं वा मन्यसे मृतम्
30. देही नित्यमवध्यो ऽयम्
3. 15. नित्यं यज्ञे प्रतिष्ठितम्
31. ये मे मतमिदं नित्यम्
9. 6. यथाकाशस्थितो नित्यम्
10. 9. कथयन्तश्च मां नित्यम्
11. 52. नित्यं दर्शनकांक्षिणः
13. 9. नित्यं च समचित्तत्वम्
18. 52. ध्यानयोगपरो नित्यम्

नित्यजात

Gîtâ. 2. 26. अथ चैनं नित्यजातम्

नित्यतृप्त

Gîtâ. 4. 20. नित्यतृप्तो निराश्रयः

नित्यत्व

Sarvop. 2. नित्यत्वेन प्रतीयमानः
Gîtâ. 13. 11. अध्यात्मज्ञाननित्यत्वम्

नित्यानिवृत्त

Nṛisut. 9. नित्यनिवृत्तापि मूढैरात्मैव दृष्टा
Parama. 2. यो हेतुस्तेन नित्यानिवृत्तः

नित्यपुष्ट

Mahânâr. 4. 8. नित्यपुष्टां करीषिणीम्

नित्यपूतस्थ

Parama. 1. स एव नित्यपूतस्थ इति
2. तन्नित्यपूतस्थस्तस्य स्वयमेव स्थितिरिति
— यदा पदे नित्यपूतस्थः (so Nârâyaṇa, but no MS. of the text. *Vide* निरन्तरपूतस्थ)

नित्यप्रमुदित

Maitri. 7. 8. नित्यप्रमुदिता नित्यप्रवासिताः

नित्यप्रवासित

Maitri. 7. 8. See above.

नित्यमुक्त

Maitri. 6. 28. नित्यमुक्तस्य देहिनः (MS. reads नित्ययुक्तस्य)

नित्ययाचनक

Maitri. 7. 8. नित्यप्रवसिता नित्ययाचनकाः

नित्ययुक्त

Gauḍa. 1. 25. प्रणवे नित्ययुक्तस्य न भयम्
Gîtâ. 7. 17. तेषां ज्ञानी नित्ययुक्तः
8. 14. नित्ययुक्तस्य योगिनः
9. 14. नित्ययुक्ता उपासते 12. 2.

नित्यवैरिन्

Gîtâ. 3. 39. ज्ञानिनो नित्यवैरिणा

नित्यशस्

Kshur. 12. योगमाश्रित्य नित्यशः
Brahmab. 14. स जानाति च नित्यशः
Gîtâ. 8. 14. यो मां स्मरति नित्यशः

नित्यसत्त्वस्थ

Gîtâ. 2. 45. निर्द्वन्द्वो नित्यसत्त्वस्थः

नित्यसन्न्यासिन्

Gîtâ. 5. 3. ज्ञेयः स नित्यसन्न्यासिन्

नित्यानन्द

Nṛisut. 2. अव्यभिचारिणं नित्यानन्दम्
Râmap. 6. नित्यानन्दे चिदात्मनि
Mukti. 2. नित्यानन्दावाप्तिः

नित्याभियुक्त

Gîtâ. 9. 22. तेषां नित्याभियुक्तानाम्

निदर्शन

Gauḍa. 3. 3. जातावेतन्निदर्शनम्
4. 33. कायस्यान्तर्निदर्शनात्

Nṛip. 3. 1. तदेतदृषिणोक्तं निदर्शनम् (bis).

निदह्

Mahânâr. 6. 2. अरातीयतो निदहाति वेदः

निदाघ

Jâbâla. 6. *vide* प्रभृति.

निदान

Nṛip. 4. 2. नृसिंहगायत्री देवानां वेदानां निदानं भवति

निदानवन्त्

Nṛip. 4. 2. य एवं वेद स निदानवान् भवति

निदिध्यासन

Mukti. 1. श्रवणमनननिदिध्यासनानि

निद्रा

Maitri. 3. 5. निद्रा तन्द्रा..इति तामसानि
6. 25. निद्रेवान्तर्हितेन्द्रियः

Gauḍa. 1. 14. न निद्रां नैव च स्वप्नम्

Haṁsa. 2. आग्नेय्यां निद्रालस्यादयो भवन्ति

Râmap. 74. निद्रायाः स्मृतिः

Gîtâ. 14. 8. प्रमादालस्यनिद्राभिः
18. 39. निद्रालस्यप्रमादोत्थम्

निद्रातत्त्व

Gauḍa. 1. 15. निद्रातत्त्वमजानतः

निधन

Chhâ. 2. 2. 1. द्यौर्निधनम्
2. पृथिवी निधनम्
2. 3. 2. उद्गृह्णाति तन्निधनम् 2. 15. 1.
2. 4. 1. समुद्रो निधनम् 2. 17. 1.
2. 5. 1. हेमन्तो निधनम् 2. 16. 1.
2. 6. 1. पुरुषो निधनम् 2. 18. 1.
2. 7. 1. मनो निधनम्
2. 8. 2. यन्नीति तन्निधनम्
2. 9. 8. यत्प्रथमास्तमिते तन्निधनम्
2. 10. 4. निधनमिति त्र्यक्षरम्
2. 11. 1. प्राणो निधनम्
2. 12. 1. उपशाम्यति तन्निधनं संशाम्यति तन्निधनम्
2. 13. 1. कालं गच्छति तन्निधनं पारं गच्छति तन्निधनम्
2. 14. 1. अस्तं यन्निधनम्
2. 19. 1. मज्जा निधनम्
2. 20. 1. चन्द्रमा निधनम्
2. 21. 1. सर्पा गन्धर्वाः पितरस्तन्निधनम्

Bṛih. 6. 3. 4. निधनमसि संवर्गो ऽसि

Maitri. 6. 22. अशब्दे निधनमेति

Brahma. 1. स देवानां निधनमनिधनम्

Gîtâ. 3. 35. स्वधर्मे निधनं श्रेयः

निधनभाजिन्

Chhâ. 2. 9. 8. निधनभाजिनो ह्येतस्य साम्नः

निधा

Kena. 19. तस्मै तृणं निदधौ 23.

Chhâ. 1. 10. 5. तान् प्रतिगृह्य निदधौ
2. 9. 8. तस्मात्तन्निदधति
8. 3. 2. हिरण्यनिधिं निहितं .. न विन्देयुः

Bṛih. 2. 2. 3. यशो निहितं विश्वरूपम् (ter)
3. 2. 13. अप्सु लोहितं च रेतश्च निधीयते

Tait. 2. 1. 1. निहितं गुहायां परमे व्योमन्
Katha. 1. 14. विद्धि त्वमेनं निहितं गुहायाम्
2. 20. आत्मास्य जन्तोर्निहितो गुहायाम्
Katha. 4. 8. अरण्योर्निहितो जातवेदाः
Śwet. 3. 20. आत्मा गुहायां निहितोऽस्य जन्तोः Mahânâr. 8. 3.
5. 1. विद्याविद्ये निहिते यत्र गूढे
Maitri. 1. 2. विराज्ये पुत्रं निधापयित्वा
2. 6. एष पञ्चधात्मानं विभज्य निहितो गुहायाम्
4. 5. निहितमस्माभिरेतत्..मनासि
6. 4. पुनः पञ्चधाज्ञेयं निहितं गुहायाम्
7. यो ह वा अमुष्मिन्नादित्ये निहितः..एष भर्गाख्यः
19. तत्र चित्तं निधायेत
24. ध्यानमन्तः परे तत्त्वे लक्ष्येषु च निधीयते
27. आविः सन्नभसि निहितम्
— भूमावयस्पिण्डं निहितम्
Muṇḍ. 2. 1. 8. गुहाशया निहिताः Mahânâr. 8. 4.
10. एतद्यो वेद निहितं गुहायाम्
2. 2. 2. यस्मिन् लोका निहिता लोकिनश्च
3. 1. 7. पश्यत्स्विहैव निहितं गुहायाम्
3. 2. 1. यत्र विश्वं निहितं भाति शुभ्रम्
Mahânâr. 2. 4. अमृतं..निहितं गुहासु
— त्रीणि पदा निहिता गुहासु
10. 5. परेण नाकं निहितं गुहायाम् Kaivalya. 3.
Nila. 16. अस्मान्निधेहि तम्

निधान

Muṇḍ. 3. 1. 6. यत्र तत्सत्यस्य परमं निधानम्
Gîtâ. 9. 18. निधानं बीजमव्ययम्
11. 18. त्वमस्य विश्वस्य परं निधानम् 38.

निधि

Chhâ. 7. 1. 2. अध्येमि..निधिम्
4. नाम वै..निधिः
7. 2. 1. वाग्वै...विज्ञापयति..निधिम्
7. 7. 1. विज्ञानेन वै..विजानाति ..निधिम्

निध्यै

Bṛih. 2. 4. 4. व्याचक्षाणस्य तु मे निदिध्यासस्वेति 4. 5. 5.
5. आत्मा...निदिध्यासितव्यः 4. 5. 6.

निनद

Chhâ. 3. 13. 8. निनदमिव नदथुरिवाग्नेरिव ज्वलत उपशृणोति

निनाद

Brahmav. 13. कांस्यघण्टानिनादस्तु

निन्द्

Chhâ. 2. 14. 2. तपन्तं न निन्देत्तद्व्रतम्
2. 15. 2. वर्षन्तं न निन्देत्तद्व्रतम्
2. 16. 2. ऋतून्न निन्देत्तद्व्रतम्
2. 17. 2. लोकान्न निन्देत्तद्व्रतम्
2. 18. 2. पशून्न निन्देत्तद्व्रतम्
2. 20. 2 ब्राह्मणान्न निन्देत्तद्व्रतम्
Tait. 3. 7. 1. अन्नं न निन्द्यात्तद्व्रतम्
Gauḍa. 3. 13. नानात्वं निन्द्यते यच्च
Nyâsa. 4. निन्दितो न शपेत्परान् Kaṭhaśru. 4.
Gîtâ. 2. 36. निन्दन्तस्तव सामर्थ्यम्

निन्दा

Parama. 2. *vide* आदि

निपद्

Bṛih. 6. 3. 1. या तिरश्वी निपद्यते

निपीड्

Nṛisut. 4. वश्यां स्फुरन्तीमसतीं नि-पीड्य

निपीडन

Maitri. 6. 20. तालुरसनाग्रनिपीडनात्

निपॄ

Bṛih. 1. 4. 16. यत्पितृभ्यो निपृणाति

निबन्ध्

Maitri. 3. 2. निबध्नात्यात्मनात्मानम्
6. 30.
Mukti. 2. 47. ते निबध्नन्ति नागेन्द्रम्
Gîtâ. 4. 22. कृत्वापि न निबध्यते
41. आत्मवन्तं न कर्माणि नि-बध्नन्ति
5. 12. फले सक्तो निबध्यते
9. 9. न..निबध्नन्ति धनञ्जय
14. 5. निबध्नन्ति महाबाहो
7. तन्निबध्नाति कौन्तेय
8. तन्निबध्नाति भारत
18. 17. न हन्ति न निबध्यते
60. निबद्धः स्वेन कर्मणा

निबन्ध

Gîtâ. 16. 5. निबन्धायासुरी मता

निबुध्

Kaṭha. 1. 14. प्र ते ब्रवीमि तदु मे निबोध
3. 14. प्राप्य वरान्निबोधत
Gauḍa. 1. 3. त्रिधा भोगं निबोधत
4. त्रिधा तृप्तिं निबोधत
4. 5. अविवादं निबोधत
Nâda. 8. धारणाभिर्निबोधत
Gîtâ. 1. 7. तान्निबोध द्विजोत्तम
18. 13. कारणानि निबोध मे
50. यथा ब्रह्म तथाप्नोति नि-बोध मे

निभल्

Chhâ. 6. 12. 2. यं..अणिमानं न निभाल-यसे
6. 13. 2. सत्सोम्य न निभालयसे

निमज्ज्

Śwet. 4. 7. समाने वृक्षे पुरुषो निमग्नः
Muṇḍ. 3. 1. 2.

निमज्जन

Maitri. 1. 4. निमज्जनं पृथिव्याः

निमित्त

Śwet. 6. 5. संयोगनिमित्तहेतुः
Gauḍa. 4. 25. निमित्तस्यानिमित्तत्वम्
27. निमित्तं न सदा चित्तं सं-स्पृशति
Sarvop. 3. नामदेशकालवस्तुनिमित्तेषु
4. देशकालनिमित्तेषु
Gîtâ. 1. 31. निमित्तानि च पश्यामि

निमित्तता

Gauḍa. 4. 78. बुद्ध्वा निमित्ततां सत्याम्

निमित्तमात्र

Gîtâ. 11. 33. निमित्तमात्रं भव सव्यसा-चिन्

निमिष्

Kena. 29. एतद्विद्युतो व्यद्युतदा..न्य-मीमिषदा
Muṇḍ. 2. 2. 1. एजत्प्राणन्निमिषच्च यत्
Gîtâ. 5. 9. उन्मिषन्निमिषन्नपि

निमृज्

Bṛih. 6. 4. 5. अन्तरेण स्तनौ वा भ्रुवौ वा निमृंज्यात् (MS. निमृ-ज्यात्)

Tait. 1. 4. 3. नि भगाहं त्वयि मृजे

निमेष

Bṛih. 3. 8. 9. निमेषा मुहूर्त्ता अहोरात्राणि

Maitri. 6. 14. निमेषादिकालात्

Mahânâr. 1. 8. सर्वे निमेषा जज्ञिरे विद्युतः पुरुषादधि

निमुच्

Chhâ. 3. 11. 2. न निम्लोच नोदियाय कदाचन

3. न ह वा अस्मा उदेति न निम्लोचति

Bṛih. 1. 1. 1. निम्लोचन् जघनार्द्धः

नियतमानस

Gîtâ. 6. 15. योगी नियतमानसः

नियतव्रत

Chûl. 20. ब्राह्मणो नियतव्रतः

नियतात्मन्

Gîtâ. 8. 2. ज्ञेयो ऽसि नियतात्मभिः

नियताहार

Gîtâ. 4. 30. अपरे नियताहाराः

नियति

Śwet. 1. 2. कालः स्वभावो नियतिः

नियन्तृ

Maitri. 2. 6. रथः शरीरं मनो नियन्ता

6. 31. एतेषामिह को नियन्ता वा — आत्मा ह्येषां . . नियन्ता

Nṛisut. 9. नियन्तेश्वरः सर्वाहंमानी

Śiras. 5. रुद्रो हि . . इषं . . नियन्ता

नियम्

Katha. 3. 13. ज्ञानमात्मनि महति नियच्छेत्

Maitri. 6. 14. काले चास्तं नियच्छन्ति

19. यदा वै . . मनो नियम्य

Muṇḍ. 1. 2. 1. तान्याचरथ नियतं सत्यकामाः

Mahânâr. 21. 2. दम इति नियतं ब्रह्मचारिणः

Gauḍa. 2. 13. नियतांश्च बहिश्चित्तः

Brahma. 1. स नियच्छति मधुकरराजानं माक्षीकवत्

Amṛita. 23. कालतो नियतः स्मृतः

Mukti. 2. 46. हठान्नियमयन्ति ये

Gîtâ. 1. 44. नरके नियतं वासः

3. 7. नियम्यारभते ऽर्जुन

8. नियतं कुरु कर्म त्वम्

41. नियम्य भरतर्षभ

6. 26. ततस्ततो नियम्यैतत्

7. 20. प्रकृत्या नियताः स्वया

18. 7. नियतस्य तु . . कर्मणः

9. यत्कर्म नियतं क्रियते

23. नियतं संगरहितम्

51. धृत्यात्मानं नियम्य च

नियम

Gîtâ. 7. 20. तं तं नियममास्थाय

नियुज्

Gîtâ. 3. 1. मां नियोजयसि केशव

36. बलादिव नियोजितः

18. 59. प्रकृतिस्त्वां नियोक्ष्यति

निरग्नि

Gîtâ. 6. 1. न निरग्निर्न चाक्रियः

निरञ्जन

Swet. 6. 19. निरवद्यं निरञ्जनम्

Muṇḍ. 3. 1. 3. निरञ्जनः परमं साम्यमुपैति

Nṛip. 1. 2. ब्रह्मस्वरूपं निरञ्जनम्

Nṛisut. 9. सत्यो मुक्तो निरञ्जनः

Brahmab. 8. निर्विकल्पं निरञ्जनम्

Dhyâna. 6. तज्ज्ञेयं च निरञ्जनम् Yogat. 14.

Haṁsa. 2. निरञ्जनाय निराभासाय
— निरञ्जनः शान्तः प्रकाशितः

Nâr. 2. निर्विकल्पो निरञ्जनः

Vâsu. 3. चित्प्रकाशं निरञ्जनम्

निरध्यवसाय

Maitri. 6. 30. तस्मान्निरध्यवसायः . . तिष्ठेत्

निरन्तरपूतस्थ

Parama. 2. यदा पदे निरन्तरपूतस्थः (4 MSS. have निरन्तरः Nârâyaṇa, however, reads नित्यपूतस्थः)

निरपेक्ष

Nṛisut. 9. आत्मा हि स्वमहिमस्थो निरपेक्षः

Kshur. 21. निरपेक्षः शनैः शनैः

निरभिमान

Maitri. 6. 30. निरभिमानस्तिष्ठेत्

निरम्

Râmap. 49. व्याख्याननिरतः

Mukti. 1. 3. स्वरूपध्याननिरतम्

Gîtâ. 18. 45. स्वकर्मनिरतः

निरय

Maitri. 3. 4. संवृक्षुपेतं निरये

निरवद्य

Swet. 6. 19. निरवद्यं निरञ्जनम

निरविद्य

Nṛisut. 9. निरविद्यो बाह्यान्तरवीक्षणात् (4 MSS. read निरवद्यः)

निरस्

Nṛisut. 2. निरस्ताखिलाविद्यातमोमोहो ऽहमेवेति

Brahmab. 4. निरस्तविषयाङ्गम्

Râmot. 3. निरस्ताविद्यातमोमोहो ऽहमेव

निरहङ्कार

Nṛisut. 6. निरहङ्कारा निरागाः

Tejo. 3. निर्द्वन्द्वो निरहङ्कारः

Gîtâ. 2. 71. निर्ममो निरहङ्कारः 12. 13.

निराकृ

Chhâ. 4. 4. 5. चतुःशता गा निराकृत्य

निराकृतित्व

Maitri. 3. 5. निराकृतित्वमुद्धतत्वं . . इति तामसानि

निराख्या

Nâr. 2. नित्यो निष्कलंको निराख्यातः

निराग

Nṛisut. 6. निरहङ्कारा निरागाः (निरागाराः is a variant)

Mukti. 2. 23. निरागमेव पतति

निरात्मक

Nṛisut. 7. न हीदं सर्वं निरात्मकमात्मैवेदं सर्वम्
8. चिद्धीदं सर्वं निरात्मकमात्मसात्करोति
9. न ह्येतन्निरात्मकमपि न

Amṛita. 11. शून्यं कृत्वा निरात्मकम्

निरात्मकत्व

Maitri. 6. 20. निरात्मकत्वादसंख्यो ऽयोनिः
21. ततो निरात्मकत्वमेति
— निरात्मकत्वान्न सुखदुःखभाग्भवति

निरात्मन्

Maitri. 2. 4. अप्राणो निरात्मा 6. 28; 7. 4.
6. 20. तदात्मनात्मानं दृष्ट्वा निरात्मा भवति

निराधार

Tejo. 6. निराधारं निराश्रयम्

निराधि

Mukti. 2. 32. त्याज्यो वासनौघो निराधिना

निराभास

Hamsa. 2. निरञ्जनाय निराभासाय

निरालम्ब

Mukti. 1. 33. सर्वसारं निरालम्बम्
1. *vide* मुक्तिका

निराश

Maitri. 6. 30. तत्फलछिन्नपाशो निराशः

निराशिस्

Tejo. 3. निराशीरपरिग्रहः Gîtâ. 6. 10.
Gîtâ. 3. 30. निराशीर्निर्ममो भूत्वा
4. 21. निराशीर्यतचित्तात्मा

निराश्रय

Maitri. 6. 19. तच्च लिङ्गं निराश्रयम्
Amṛita. 13. वायुं कृत्वा निराश्रयम्
Tejo. 5. अव्यक्तं ब्रह्म निराश्रयम्
6. निराधारं निराश्रयम्
Gîtâ. 4. 20. नित्यतृप्तो निराश्रयः

निराहार

Gîtâ. 2. 59. निराहारस्य देहिनः

निरिन्द्रिय

Bṛih. 6. 4. 4. निरिन्द्रिया विसुकृतः
12. निरिन्द्रियो विसुकृत्
Katha. 1. 3. दुग्धदोहा निरिन्द्रियाः
Nṛisut. 7. अशरीरो निरिन्द्रियो ऽप्राणः (ter)

निरिन्धन

Maitri. 6. 34. यथा निरिन्धनो वह्निः

निरीक्ष्

Maitri. 6. 21. महिमानं निरीक्षेत
Gîtâ. 1. 22. यावदेतान्निरीक्षे ऽहम्

निरुक्त

Chhâ. 2. 22. 1. निरुक्तः सोमस्य
8. 3. 3. तस्यैतदेव निरुक्तं हृद्ययमिति
Tait. 2. 6. 1. निरुक्तं चानिरुक्तं च
Muṇḍ 1. 1. 5. निरुक्तं छन्दो ज्योतिषम्

निरुक्ति

Gopi. 1. गोपीचन्दनमृत्तिकाया निरुक्त्या

निरुध्

Maitri. 6. 34. तावन्मनो निरोद्धव्यम्
Kaivalya. 5. सकलेन्द्रियाणि निरुध्य
Kshur. 3. मनो हृदि निरुध्य च Gîtâ. 8. 12.
4. सर्वद्वारान् निरुध्य च (one MS. reads सर्वद्वाराणि रुध्य च)
Brahmab. 5. तावदेव निरोद्धव्यम्
Hamsa. 1. विशुद्धौ प्राणान्निरुध्य
Gîtâ. 6. 20. निरुद्धं योगसेवया

निरुपद्रव

Yogat. 15. निर्वाते निर्जने निरुपद्रवे

निरुपाख्य

Maitri. 6. 7. निर्वचनमनौपम्यं निरुपाख्यम्

निरूप्

Sarvop. 4. विकारहेतौ निरूप्यमाणे ऽसती

निरूह्

Bṛih. 3. 9. 26. यस्तान्पुरुषान्निरूह्य

Nṛisut. 7. स एतत् सर्वं निरूह्य

निरोदक

Brahma. 3. निरोदका ध्यानसन्ध्या

निरोध

Chhâ. 8. 6. 5. निरोधो ऽविदुषाम्

Maitri. 1. 4. निरोधं पश्यामः

Praśna. 1. 10. इत्येष निरोधः

Gauḍa. 2. 32. न निरोधो न चोत्पत्तिः Brahmab. 10.

निरोधन

Maitri. 6. 20. वाङ्मनःप्राणनिरोधनात्

Mukti. 2. तन्निरोधनं जीवन्मुक्तिः

2. 45. प्राणस्पन्दनिरोधनम्

निर्ऋति

Mahânâr. 2. 8. अपघ्नन्निर्ऋतिं मम

निर्गम्

Maitri. 1. 2. अरण्यं निर्जगाम

Gauḍa. 4. 50. न निर्गता अलातात्ते

52. न निर्गता विज्ञानात्ते

Râmap. 41. वाली तदा निर्जगाम

निर्गुण

Swet. 6. 11. साक्षी चेता केवलो निर्गुणश्च Brahma. 3.

Maitri. 6. 10. अस्य निर्गुणो भोक्ता

7. 1. निर्गुणः शुद्धो भास्वरः

Chûl. 2. निर्गुणं गुणगह्वरे

14. पुरुषं निर्गुणं सांख्यम्

Gîtâ. 13. 14. निर्गुणं गुणभोक्तृ च

निर्गुणत्व

Gîtâ. 13. 31. अनादित्वान्निर्गुणत्वात्

निर्ग्रन्थ

Jâbâla. 6. *vide* निर्द्वन्द्व

निर्जन

Yogat. 15. निर्वाते निर्जने निरुपद्रवे

निर्झर

Jâbâla. 6. *vide* स्थण्डिल

निर्णय

Gauḍa. 3. 6. तद्वज्जीवेषु निर्णयः

Haṁsa. 1. हंसपरमहंसनिर्णयम्

निर्णिज्

Chhâ. 5. 2. 8. निर्णिज्य कंसं चमसं वा

निर्णी

Mukti. 2. 31. गुरुशास्त्रप्रमाणैस्तु निर्णीतं तावदाचर

निर्दह्

Maitri. 1. 2. तेजसा निर्दहन्निव

निर्दिश्

Amṛita. 21. क्रमशो मन्त्र निर्दिशेत् (so MSS.; मन्त्र=मन्त्रं Nârâyaṇa).

निर्दी

Ait. 4. 5. श्येनो जवसा निरदीयम्

निर्देश

Râmap. 58. निर्देशस्तस्य चाधुना

Gîtâ. 17. 23. ओं तत्सदिति निर्देशो ब्रह्मणः

निर्दोष

Gîtâ. 5. 19. निर्दोषं हि समं ब्रह्म

निर्द्वन्द्व

Tejo. 3. निर्द्वन्द्वो निरहङ्कारः

Jâbâla. 6. यथाजातरूपधरो निर्द्वन्द्वः (so best MSS.; others have निर्ग्रन्थः)

Gîtâ. 2. 45. निर्द्वन्द्वो नित्यसत्त्वस्थः
5. 3. निर्द्वन्द्वो हि महाबाहो

निर्धाव्

Maitri. 6. 34. समाधिनिर्धौतमलस्य चे-तसः

निर्धू

Mukti. 1. 21. निर्धूताशेषपापौघः

निर्नमस्कार

Gauḍa. 2. 37. निस्तुतिर्निर्नमस्कारः

निर्निमित्त

Gauḍa. 4. 75. निर्निमित्तो न जायते

निर्भय

Gauḍa. 1. 25. प्रणवो ब्रह्म निर्भयम्
3. 35. तदेव निर्भयं ब्रह्म

निर्भिद्

Ait. 1. 4. मुखं निरभिद्यत यथाण्डम्
— नासिके निरभिद्येताम्
— अक्षिणी निरभिद्येताम्
— कर्णौ निरभिद्येताम्
— त्वङ् निरभिद्यत
— हृदयं निराभिद्यत
— नाभिर्निरभिद्यत
— शिश्नं निरभिद्यत

Chhâ. 3. 19. 1. तत्संवत्सरस्य मात्रामशयत तन्निरभिद्यत

निर्मथन

Śwet. 1. 14. ध्याननिर्मथनाभ्यासात् Brahma. 3; Dhyâna. 20.

Kaivalya. 11. ज्ञाननिर्मथनाभ्यासात्

निर्मन्थ्

Bṛih. 6. 4. 22. हिरण्मयी अरणी याभ्यां निर्मन्थतामश्विनौ

निर्मम

Jâbâla. 6. अनिकेतवास्यप्रयत्नो नि-र्ममः

Gîtâ. 2. 71. निर्ममो निरहंकारः 12. 13.
3. 30. निराशीर्निर्ममो भूत्वा
18. 53. निर्ममः शान्तो ब्रह्मभूयाय कल्पते

निर्ममत्व

Maitri. 2. 7. अग्राह्यत्वान्निर्ममत्वाच्च

निर्मल

Brahmab. 21. निष्कलं निर्मलं शान्तम्

Mukti. 2. 75. अतीव निर्मलः

Gîtâ. 14. 16. सात्त्विकं निर्मलं फलम्

निर्मलत्व

Gîtâ. 14. 6. तत्र सत्त्वं निर्मलत्वात्प्रका-शकम्

निर्मा

Bṛih. 3. 9. 22. हृदयादिव निर्मितः
4. 3. 9. स्वयं विहत्य स्वयं निर्माय

Kaṭha. 5. 8. कामं कामं . .निर्मिमाणः

निर्मानमोह

Gîtâ. 15. 5. निर्मानमोहा जितसंगदोषाः

निर्माल्य

Skanda. 11. त्यजेदज्ञाननिर्माल्यम्

निर्मितक

Gauḍa. 4. 70. यथा निर्मितको जीवः

निर्मुच्

Maitri. 6. 7. कार्यकारणकर्मनिर्मुक्तम्

Mahânâr. 5. 3. निर्मुक्तो मुक्तकिल्विषः

Gauḍa. 4. 10. जरामरणनिर्मुक्ताः

Gîtâ. 7. 28. ते द्वन्द्वमोहनिर्मुक्ताः

निर्मूलनपर

Jâbâla. 6. अशुभकर्मनिर्मूलनपरः

निर्योगक्षेम

Gîtâ. 2. 45. निर्योगक्षेम आत्मवान्

निर्वचन

Maitri. 6. 7. निर्वचनमनौपम्यं निरुपाख्यम्

निर्वप्

Nyâsa. 1. ब्राह्मेष्टिं निर्वपेत्
2. तासामहोरात्रेण निर्वपेत्

निर्वहितृ

Chhâ. 8. 14. 1. आकाशो वै नाम नामरूपयोर्निर्वहिता

निर्वाण

Yogat. 13. निर्वाणं कुंभकं विदुः
Mukti. 1. 34. चूडानिर्वाणमण्डलम्
1. *vide* बह्वृच

निर्वाणकाल

Kshur. 23. यथा निर्वाणकाले तु

निर्वाणपरम

Gîtâ. 6. 15. शान्तिं निर्वाणपरमाम्

निर्वाणानुशासन

Aruṇeya. 5. एवं निर्वाणानुशासनं वेदानुशासनम् (four MSS. have तन्निर्वाणमनुशासनं); Skanda. 16.

निर्वात

Yogat. 15. निर्वाते निर्जने निरुपद्रवे

निर्वासन

Mukti. 2. 21. यस्य निर्वासनं मनः

निर्वासनीभाव

Mukti. 2. 17. मनो निर्वासनीभावमाचर

निर्विकल्प

Gauḍa. 2. 35. निर्विकल्पो ह्ययं दृष्टः
3. 34. निर्विकल्पस्य धीमतः
Brahmab. 8. निर्विकल्पं निरञ्जनम्
9. निर्विकल्पमनन्तं च
Tejo. 6. निश्चलं निर्विकल्पं च
Nâr. 2. निर्विकल्पो निरञ्जनः

निर्विकार

Gitâ. 18. 26. सिद्ध्यसिद्ध्योर्निर्विकारः

निर्विकारिन्

Mukti. 1. 3. साक्षिणं निर्विकारिणम्

निर्विघ्न

Nṛisut. 3. शुद्धः संविष्टो निर्विघ्नः

निर्विण्णचेतस्

Gîtâ. 6. 23. योक्तव्यो योगो निर्विण्णचेतसा

निर्विद्

Bṛih. 3. 5. 1. पाण्डित्यं निर्विद्य
— बाल्यं च पाण्डित्यं च निर्विद्य
— अमौनं च मौनं च निर्विद्य
Nṛip. 1. 1. सतो बन्धुमसति निरविन्दन्

निर्विशङ्क

Kshur. 22. निर्विशङ्कः खमुत्क्रमेत्

निर्विषय

Maitri. 6. 34. मोक्षे निर्विषयं स्मृतम्
Gauḍa. 4. 72. चित्तं निर्विषयं नित्यम्
Brahmab. 2. मुक्तं निर्विषयं स्मृतम्
3. अतो निर्विषयस्यास्य मनसः

Brahmab. 3. तस्मान्निर्विषयं नित्यम्
Skanda. 11. ध्यानं निर्विषयं मनः

निर्वृत्

Chhâ. 3. 19. 1. तदाण्डं निरवर्त्तत
Bṛih. 1. 2. 2. तेजोरसो निरवर्त्तताग्निः
Maitri. 6. 30. सद्ब्रह्मणि . . निर्वृत्तो ऽन्यः
Kaṭhaśru. 1. कार्यं निर्वर्त्तयन्नुदपात्रे
Aśrama. 3. पञ्चमहायज्ञक्रियां निर्वर्त्तयन्तः (4 times).

निर्वृतत्व

Maitri. 6. 22. एतत् सायुज्यत्वं निर्वृतत्वम्

निर्वेद

Muṇḍ. 1. 2. 12. ब्राह्मणो निर्वेदमायात्
Gitâ. 2. 52. तदा गन्तासि निर्वेदम्

निर्वैर

Gîtâ. 11. 55. निर्वैरः सर्वभूतेषु

निर्व्रीडत्व

Maitri. 3. 5. मूढत्वं निर्व्रीडत्वं . . इति तामसानि

निर्हा

Bṛih. 6. 4. 23. तमिन्द्र निर्जहि गर्भेण

निलयन

Tait. 2. 6. 1. निलयनं चानिलयनं च

निवप्

Nṛip. 2. 4. अन्यं ते ऽस्मन्निवपन्तु सेनाः

निवस्

Gîtâ. 12. 8. निवसिष्यसि मय्येव

निवात

Śwet. 2. 10. गुहानिवाताश्रयेण
Maitri. 6. 22. निवाते वदति

निवातस्थ

Gîtâ. 6. 19. यथा दीपो निवातस्थः

निवास

Gîtâ. 9. 18. निवासः शरणं सुहृत्

1. निविद्

Râmap. 44. न्यवेदयत तत्त्वतः

2. निविद्

Bṛih. 3. 9. 1. एतयैव निविदा प्रतिपेदे यावन्तो वैश्वदेवस्य निविद्युच्यन्ते

निविश्

Maitri. 6. 19. बहिः . . इन्द्रियार्थांश्च निवेशयित्वा
34. चेतसो निवेशितस्यात्मनि
Mahânâr. 15. 8. प्राणे निविष्टो ऽमृतं जुहोमि 9.
— अपाने निविष्टः &c., 9.
— व्याने निविष्टः &c., 9.
— उदाने निविष्टः &c., 9.
— समाने निविष्टः &c., 9.
16. 1. श्रद्धायां प्राणे निविश्यामृतं हुतम्
— अपाने निविश्य &c.
— व्याने निविश्य &c.
— उदाने निविश्य &c.
— समाने निविश्य &c.
Mahâ. 1. तं पुरुषं पुरुषो निवेश्य
Gîtâ. 12. 8. मयि बुद्धिं निवेशय

निवृत्

Kena. 19. स तत एव निववृते 23.
Chhâ. 5. 10. 5. एतमध्वानं पुनर्निवर्त्तन्ते
8. 4. 1. सर्वे पाप्मानो ऽतो निवर्त्तन्ते
Tait. 2. 4. 1. यतो वाचो निवर्त्तन्ते 2. 9. 1; Brahma. 3.
Maitri. 4. 3. यमाख्या न निवर्त्तते
Gauḍa. 1. 17. प्रपञ्चो यदि विद्येत निवर्त्तेत न संशयः
3. 43. कामभोगान्निवर्त्तयेत्

Gauḍa. 4. 80. निवृत्तस्याप्रवृत्तस्य
Nṛip. 5. 10. यत्र गत्वा न निवर्त्तन्ते योगिनः
Nyâsa. 5. भूयस्ते न निवर्त्तन्ते (4 MSS. have निवर्त्तनं)
Mukti. 1. 28. द्वात्रिंशाख्योपनिषदं समभ्यस्य निवर्त्तय
Gîtâ. 1. 39. पापादस्मान्निवर्त्तितुम्
2. 59. परं दृष्ट्वा निवर्त्तते
8. 21. यं प्राप्य न निवर्त्तन्ते
25. योगी प्राप्य निवर्त्तते
9. 3. अप्राप्य मां निवर्त्तन्ते
14. 22. न निवृत्तानि कांक्षति
15. 4. यस्मिन् गता न निवर्त्तन्ति भूयः
6. यद्गत्वा न निवर्त्तन्ते

निवृत्ति

Swet. 1. 10. विश्वमायानिवृत्तिः
Gauḍa. 1. 10. निवृत्तेः सर्वदुःखानाम्
Sarvop. 1. तन्निवृत्तिर्मोक्षः
Râmap. 35. स्वनिवृत्त्यर्थमाददे
Mukti. 2. कर्तृत्वादिदुःखनिवृत्तिद्वारा
2. 48. निवृत्तिव्रतधारिणः
Gîtâ. 16. 7. प्रवृत्तिं च निवृत्तिं च 18. 30.

निश्

Mukti. 2. 40. तावन्निशीव वेतालाः

निशा

Chhâ. 4. 1. 2. हंसा निशायामतिपेतुः
Gîtâ. 2. 69. या निशा सर्वभूतानाम्
— सा निशा पश्यतो मुनेः

निशाकर

Maitri. 5. 1. त्वमिन्द्रस्त्वं निशाकरः

निशि

Kaṭha. 3. 14. क्षुरस्य धारा निशिता दुरत्यया
Muṇḍ. 2. 2. 3. शरं ह्युपासानिशितम्

निशुच्

Chhâ. 7. 11. 1. निशोचति नितपति वार्षिष्यति वै

निशॄ

Nîla. 11. निशीर्य शल्यानां मुखा (2 MSS. have विशीर्य)

निश्चय

Gîtâ. 6. 23. स निश्चयेन योक्तव्यो योगः
18. 4. निश्चयं शृणु मे तत्र

निश्चर

Maitri. 6. 32. पृथग्धूमा निश्चरन्ति
Gauḍa. 3. 45. निश्चलं निश्चरच्चित्तम्
Gîtâ. 6. 26. यतो यतो निश्चरति

निश्चल

Gauḍa. 3. 22. कथं स्थास्यति निश्चलः
4. 8.
45. निश्चलं निश्चरच्चित्तम्
4. 80. निश्चला हि तदा स्थितिः
Tejo. 6. निश्चलं निर्विकल्पं च
Yogat. 10. अर्द्धमात्रा तु निश्चला
Gîtâ. 2. 53. यदा स्थास्यति निश्चला

निश्चि

Gauḍa. 1. 14. न..पश्यन्ति निश्चिताः
22. त्रिषु धामसु यत्तुल्यं सामान्यं वेत्ति निश्चितः
2. 18. निश्चितायां यथा रज्वाम्
3. 17. द्वैतिनो निश्चिता दृढम्
23. निश्चितं युक्तियुक्तं च
Yogat. 15. निश्चितं चात्मभूतानामरिष्टं योगसेवया
Vâsu. 3. इत्येतान्निश्चितं ज्ञानम्
Gîtâ. 2. 7. निश्चितं ब्रूहि तन्मे
3. 2. तदेकं वद निश्चित्य
16. 11. एतावदिति निश्चिताः
18. 6. निश्चितं मतमुत्तमम्

निश्वस्

Bṛih. 2. 4. 10. अस्यैवैतानि सर्वाणि निश्वसितानि 4. 5. 11.

Yogat. 13. उच्छ्वसन्निश्वसंस्तथा

निश्वास

Praśna. 4. 4. उच्छ्वासनिश्वासौ

Amṛita. 33. लक्षश्चैको ऽपि निश्वासः

निश्वासभूत

Mukti. 1. 9. निश्वासभूता मे विष्णोः

निषङ्गति

Nîla. 15. शिवो अस्य निषङ्गतिः

निषञ्ज्

Bṛih. 4. 4. 6. मनो यत्र निषक्तमस्य

निषद्

Swet. 4. 8. यस्मिन्देवा अधि विश्वे निषेदुः Mahânâr 1. 2; Nṛip. 4. 2; 5. 2.

निषाद

Garbha. 1. षड्जऋषभगान्धारमध्यमपञ्चमधैवतनिषादाः

निषिच्

Kaush. 1. 2. पुंसा कर्त्रा मातरि मा निषिंच

Bṛih. 6. 3. 7. य एनं शुष्के स्थाणौ निषिञ्चेत् 8—12.

निषिध्

Yogat. 13. निषिद्धे तु नवद्वारे

15. निषिद्धे तु न निर्वाते

निषेव्

Jâbâla. 1. तस्मादविमुक्तमेव निषेवेत Râmot. 1.

Mukti. 2. 12. एकैकशो निषेव्यन्ते

निष्क

Chhâ. 4. 2. 1. निष्कमश्वतरीरथं तदादाय

2. अयं निष्कोऽयमश्वतरीरथः 4.

3. निष्कमश्वतरीरथं दुहितरं तदादाय

निष्कल

Śwet. 6. 19. निष्कलं निष्क्रियं शान्तम्

Muṇḍ. 2. 2. 9. विरजं ब्रह्म निष्कलम्

3. 1. 8. ततस्तु तं पश्यते निष्कलं ध्यायमानः

Kaivalya. 23. गुहाशयं निष्कलमद्वितीयम्

Brahma. 1. विरजं निष्कलं . . ब्रह्म

Nâda. 17. व्यापकं निष्कलं शिवम्

Brahmab. 8. तदेव निष्कलं ब्रह्म

21. निष्कलं निर्मलं शान्तम्

Dhyâna. 10. छाया तस्यैव निष्कला — सकले निष्कले भावे

13. निष्कलं पापनाशनम्

Râmap. 7. निष्कलस्याशरीरिणः

निष्कलंक

Nâr. 2. नित्यो निष्कलंको निराख्यातः (some MSS. read निष्कलः)

निष्काम

Bṛih. 4. 4. 6. अकामो निष्काम आप्तकामः Nṛisut. 5 (ter)

Maitri. 6. 30. विगतभयो निष्कामः

Nṛip. 5. 10. तदेतन्निष्कामस्य भवति

Brahma. 1. यथा कुमारो निष्काम आनन्दमुपयाति

निष्कामत्व

Maitri. 6. 30. परमं वै शेवधेरिव परस्योद्धरणं यन्निष्कामत्वम्

निष्कृत्

Kaṭhaśru. 1. सशिखान् केशान्निष्कृत्य 2. 3.

निष्कृति

Mahânâr.22. 1. अग्निहोत्रं सायं प्रातर्गृहाणां निष्कृतिः

निष्क्रम्

Bṛih. 4. 4. 2. तेन प्रद्योतेनैष आत्मा निष्क्रामति

Maitri. 3. 4. अथ मूत्रद्वारेण निष्क्रान्तम्

Nyâsa. 2. अग्निवर्णं निष्क्रामति

Kaṭhaśru. 1. निष्क्रम्य पुत्रं दृष्ट्वा 2.

निष्क्रिय

Swet. 6. 12. एको वशी निष्क्रियाणां बहूनाम्

19. निष्कलं निष्क्रियं शान्तम्

Brahma. 3. एको मनीषी निष्क्रियाणां बहूनाम् (4 MSS. have निष्क्रियायां)

निष्टक्ष्

Mahânâr 10. 2. वेनादेकं स्वधया निष्टतक्षुः

निष्टि

Mahânâr.11. 8. अधो निष्ट्या वितस्त्यां तु

1. निष्ठा

Bṛih. 6. 4. 9. तस्यामर्थं निष्ठाय 10, 11, 21.

2. निष्ठा

Chhâ. 7. 20. 1. निष्ठा त्वेव विजिज्ञासितव्येति निष्ठां भगवो विजिज्ञासे

Tejo 9. तन्निष्ठा तत्परायणम्

Gîtâ. 3. 3. लोकेऽस्मिन्द्विविधा निष्ठा

17. 1. तेषां निष्ठा तु का कृष्ण

18. 50. निष्ठा ज्ञानस्य या परा

निष्ठीव्

Chhâ. 2. 12. 2. न प्रत्यङ्ङग्निमाचामेन्न निष्ठीवेत्तद्व्रतम्

निष्णात

Maitri. 6. 22. शब्दब्रह्मणि निष्णातः Brahmab. 17.

निष्पद्

Gauḍa. 3. 46. निष्पन्नं ब्रह्म तत्तदा

निष्परिग्रह

Nṛisut. 6. निरागा निष्परिग्रहाः

Jâbâla. 6. निर्द्वन्द्वो निष्परिग्रहः

निष्पीड्

Yogat. 3. निष्पीड्य च पयोधरान्

निस्तुति

Gauḍa. 2. 37. निस्तुतिर्निर्नमस्कारः

निस्त्रैगुण्य

Gîtâ. 2. 45. निस्त्रैगुण्यो भवार्जुन

निस्पन्द

Gauḍa. 4. 49. न ततोऽन्यत्र निस्पन्दात् 51.

निस्पृह

Maitri. 2. 7. निस्पृहः प्रेक्षकवदवस्थितः

Parama. 3. सुखे निस्पृहः (MSS. नस्पृहः or न स्पृहा)

निहन्

Bṛih. 4. 4. 3. एवमेवायमात्मेदं शरीरं निहत्य 4.

Maitri. 6. 28. तं ब्रह्मद्वारपारं निहत्याद्यम्

Râmap. 42. निहत्य राघवः

Gîtâ. 1. 36. निहत्य धार्तराष्ट्रान्

11. 33. मयैवैते निहताः पूर्वमेव

निहव

Chhâ. 1. 13. 2. निहव एकारः

निहितार्थ

Swet. 4. 1. वर्णाननेकान् निहितार्थो दधाति (Nârâyaṇa reads निहितार्थान् and gives the above as a variant).

निह्नु

Maitri. 4. 6. ता अभिध्यायेदर्चयेन्निह्नुयाच्च

Gauḍa. 3. 26. स एष नेति नेतीति व्याख्यातं निह्नुते यतः

1. नी (प्रापणे)

Kaush. 3. 8. तं यमधो निनीषते

Chhâ. 1. 8. 5. न स्वर्गं लोकमति नयेदिति

7. न प्रतिष्ठां लोकमति नयेदिति

4. 15. 3. एष हि सर्वाणि वामानि नयति

6. 8. 3. आप एव तदशितं नयन्ते

5. तेज एव तत्पीतं नयते

8. 6. 4. अबलिमानं नीतो भवति

Bṛih. 5. 15. 1. अग्ने नय सुपथा राये Iśâ 18

Kaṭha. 1. 2. दक्षिणासु नीयमानासु

2. 5. अन्धेनैव नीयमाना यथान्धाः Maitri 7. 9; Muṇḍ 1. 2. 8.

Muṇḍ 1. 2. 5. तं नयन्त्येताः सूर्यस्य रश्मयः

Praśna. 3. 5. हुतमन्नं समं नयति

7. पुण्येन पुण्यं लोकं नयति

10. यथासङ्कल्पितं लोकं नयति

4. 4. एतावाहुती समं नयतीति स समानः

Gauḍa. 1. 23. अकारो नयते विश्वम्

Brahma. 1. यथा जलौकाममयं नयत्यात्मानं नयति

Amṛita. 8. किल्विषं च क्षयं नीत्वा

Dhyâna. 22. भ्रुवोर्मध्ये नयेत्क्षयम्

Gîtâ. 6. 26. आत्मन्येव वशं नयेत्

2. नी (√इ)

Kaush. 2. 10. मा त्वं पुत्र्यमघं निः

Bṛih. 4. 3. 36. यत्रायमणिमानं न्येति

4. 4. 1. सम्मोहमिव न्येति

नीति

Gîtâ. 10. 38. नीतिरस्मि जिगीषताम्

नीर

Kaṭhaśru. 1. नीरैः सर्वत्रावस्थितैः

नील

Kaush. 3. 1. नास्य पापं चकृषो मुखान्नीलं वेतीति

Chhâ. 1. 6. 5. यन्नीलं परःकृष्णम् 6; 1. 7. 4 (bis).

8. 6. 1. शुक्लस्य नीलस्य पीतस्य — एष शुक्ल एष नील एष पीतः

Bṛih. 4. 3. 20. शुक्लस्य नीलस्य पिङ्गलस्य

4. 4. 9. तस्मिञ्छुक्लमुत नीलमाहुः

Swet. 4. 4. नीलः पतङ्गो हरितो लोहिताक्षः

Maitri. 6. 30. कद्रुनीलाः

नीलकण्ठ

Kaivalya. 7. त्रिलोचनं नीलकण्ठं प्रशान्तम्

नीलगलमाल

Nîla. 22. नीलगलमालः शिवः (so Calc. edition, but *vide* नीलागलसाला)

नीलग्रीव

Nîla. 1. नीलग्रीवं शिखाण्डिनम्

2. नीलग्रीवं विलोहितम् 10.

21. सः स्वजनान्नीलग्रीवः

नीलतोयद

Mahânâr. 11. 12. नीलतोयदमध्यस्था विद्युल्लेखेव Vâsu. 3.

नीलमुख्य

Râmap. 91. वसिष्ठाद्यैर्मुनिभिर्नीलमुख्यैः

नीललोहित

Nṛip. 1. 6. शङ्करं नीललोहितम्

नीलशिखण्ड

Nîla. 10. नमो ऽस्तु नीलशिखण्डाय
22. सर्वेण नीलशिखण्डेन
23. सर्व नीलशिखण्ड वीर
25. नमो नीलशिखण्डाय
— नीलशिखण्डाय नमः

नीलागलसाला

Nîla. 22. नीलागलसाला शिवः (so 2 MSS. and Nârâyaṇa. The MS. of the Dîpikâ is torn here, but this is what remains: नीलागलसाला शिव इति। " अलसालासि पूर्वा शिलाजालास्युत्तरा नीलागलसाला" .. मृक् । अस्यामृचि (AV. 6. 16. 4) ओषधीप्रकरणादत्रापि च ओषधे अरुन्धतीति वचनान्नीलागलसाला ओषधी शिवः शिवस .. Four other MSS. read नीलागलसालः, नीलागलस्साला, नीलागलसालाः and नीलागलशीलाः)

नीवार

Aśrama. 3. तदाहतोदुंबरबदरनीवारश्यामाकैः

नीवारशूक

Mahânâr. 11. 12. नीवारशूकवत्तन्वी Vâsu. 3.

नीहार

Chhâ. 3. 19. 2. यदुल्वं स मेघो नीहारः
Swet. 2. 11. नीहारधूमार्कानिलानलानाम्

नृ

Nṛip. 2. 4. ना वीर्यतमः श्रेष्ठतमः
Nṛisut. 4. एष उ एव नृ एष हि सर्वत्र सर्वदा सर्वात्मा
Gopî. 5. मण्डनात्पावनं नृणाम्
Gîtâ. 7. 8. शब्दः खे पौरुषं नृषु

नृकेसरि

Nṛip. 1. 5. क्षीरोदार्णवशायिनं नृकेसरिम्

नृकेसरिविग्रह

Nṛip. 1. 6. पुरुषं नृकेसरिविग्रहम्

नृचक्षस्

Mahânâr. 9. 5. सवितारं नृचक्षसम्

नृत्यगीत

Kaṭha. 1. 26. तवैव वाहास्तव नृत्यगीते

नृपोत्तम

Râmap. 33. रघुवीर नृपोत्तम

नृलोक

Gîtâ. 11. 48. एवंरूपः शक्य अहं नृलोके द्रष्टुम्

नृषद्

Kaṭha. 5. 2. नृषद्वरसदृतसत् Mahânâr. 9. 3; 17. 8; Nṛip. 3. 1.

नृसिंह

Mahânâr. 3. 17. नृसिंहाय विद्महे Nṛip. 4. 2.

Nrip. 1. 4. नृसिं तृतीयस्याद्यम्
5. हं भी तृतीयस्यार्द्धान्त्यम्
2. 3. नृसिंहं षष्ठं (जानीयात्)
4. कस्मादुच्यते नृसिंहमिति
— तस्मान्नृसिंह आसीत्परमेश्वरः
— तस्मादुच्यते नृसिंहमिति
4. 3. यो वै नृसिंहो देवो भगवान् &c. (32 times).

Nrisut. 2. एष वीरो नृसिंह एव
4. नृसिंहं नत्वा (2 MSS. read नारसिंहं)
— नृसिंह एवैकलः
— एष एव नृसिंहः
— नृसिंहः स्वयमुद्बभौ
5. आत्मन्येव नृसिंहे . . वर्त्तते (bis).
— एष एव नृसिंह एष हि व्याप्रतमः
— आत्मैव नृसिंहो देवः (ter).
— एष एव नृसिंह एष ह्येवोत्कृष्टः
— एतदेव नृसिंहमेतद्धि महाविभूति
6. नृसिंहमनृसिंहं . . बुबुधिरे

Skanda. 14. नृसिंह देवेश तव प्रसादतः

Râmap. 73. यो नृसिंहः समाख्यातः

नृसिंहगायत्री

Nrip. 4. 1. यजुर्लक्ष्मीं नृसिंहगायत्रीमित्यङ्गानि जानीयात्
2. एषा ह वै नृसिंहगायत्री देवानां वेदानां निदानम्

नृसिंहतापनी

Mukti. 1. *vide* गारुड

नृसिंहत्व

Nrisut. 7. नृसिंहत्वाद्भीषणत्वात्

नृसिंहानुष्टुभ्

Nrisut. 6. नृसिंहानुष्टुभैव बुबुधिरे
— नृसिंहानुष्टुभैव जानीयात्
— नृसिंहानुष्टुभान्विष्य

नेति नेति

Brih. 2. 3. 6. अथात आदेशो नेति नेति
3. 9. 26. स एष नेति नेत्यात्मा 4. 2. 4 ; 4. 4. 22 ; 4. 5. 15.

नेतृ

Maitri. 6. 7. आत्मनो त्मा नेतामृताख्यः

नेत्र

Haṁsa. 2. बिन्दुस्तु नेत्रम्

नेत्रस्थ

Brahma. 3. नेत्रस्थं जाग्रतं विद्यात्

नेद्

Brih. 1. 3. 10. नेत्पाप्मानं मृत्युमन्ववायानि
1. 5. 23. नेन्मा पाप्मा मृत्युराप्नुवत्

नेदिष्ठ

Kena. 27. ते ह्येनन्नेदिष्ठं पस्पर्शुः
28. स ह्येनन्नेदिष्ठं पस्पर्श

नेमि

Kaush. 3. 8. तद्यथा रथस्यारेषु नेमिरर्पितः

नैकरूप

Maitri. 6. 30. ये नैकरूपाः . . रश्मयः

नैध्रुवि

Brih. 6. 5. 3. शिल्पः कश्यपः कश्यपान्नैध्रुवेः
— कश्यपो नैध्रुविर्वाचः

नैमिषीय

Chhâ. 1. 2. 13. स ह नैमिषीयानामुद्गाता बभूव

नैरन्तर्य

Sarvop. 2. भावरहितं नैरन्तर्यं चैतन्यं यदा

Mukti. 1. नैरन्तर्येण कृत्वा

नैरात्म्यवाद

Maitri. 7. 8. नैरात्म्यवादकुहकैः

नैर्ऋत्य

Haṁsa. 2. नैर्ऋत्ये पापे मनीषा

नैष्कर्म्य

Mukti. 2. 20. नैष्कर्म्येण न तस्यार्थः
Gîtâ. 3. 4. नैष्कर्म्यं पुरुषो ऽश्नुते
18. 49. नैष्कर्म्यसिद्धिं परमाम्

नैष्कारुण्य

Maitri. 3. 5. मात्सर्यं नैष्कारुण्यं...इति तामसानि

नैष्कृतिक

Gîtâ. 18. 28. शठो नैष्कृतिको ऽलसः

नैष्ठिक

Aśrama. 1. आप्रायणाद्गुरोरपरित्यागी नैष्ठिको बृहन्

Gîtâ. 5. 12. शान्तिमाप्नोति नैष्ठिकीम्

नौ

Bṛih. 4. 2. 1. रथं वा नावं वा समाददीत
Mahânâr. 6. 2. नावेव सिन्धुं दुरितात्यग्निः
5. सिन्धुर्न नावा दुरितातिपर्षि
Gîtâ. 2. 67. वायुर्नावमिवाम्भसि

नौधस

Kaush. 1. 5. श्यैतनौधसे चापरौ पादौ

न्यग्रोधफल

Chhâ.6. 12. 1. न्यग्रोधफलमत आहर

न्यस्

Râmap. 22. बीजशक्ती न्यसेत्

न्यायपूर्वक

Gauḍa. 2. 3. श्रूयते न्यायपूर्वकम्

न्याय्य

Gîtâ. 18. 15. न्याय्यं वा विपरीतं वा

न्यास

Mahânâr. 21. 2. न्यास इति ब्रह्मा
— एतान्यवराणि तपांसि न्यास एवात्यरेचयत्
23. 1. न्यास इत्याहुर्मनीषिणो ब्रह्माणम्
24. 1. तस्मान्न्यासमेषां तपसामतिरिक्तमाहुः

Nṛip. 2. 2. अक्षराणां न्यासमुपदिशन्ति ब्रह्मवादिनः

Gîtâ. 18. 2. काम्यानां कर्मणां न्यासम्

न्यून

Bṛih. 6. 4. 24. यद्वा न्यूनमिहाकरम्
Gopî. 5. न्यूनं संपूर्णतां याति

न्ये

Bṛih. 4. 4. 1. स यत्रायमात्माबल्यं न्येत्य

पक्वकषाय

Mukti. 2. 31. ततः पक्वकषायेन नूनं विज्ञानवस्तुना

पक्ष

Bṛih. 4. 3. 19. संहत्य पक्षौ संलयायैव ध्रियते

Tait. 2. 1. 1. अयं दक्षिणः पक्षो ऽयमुत्तरः पक्षः
2. 2. 1. व्यानो दक्षिणः पक्षो ऽपान उत्तरः पक्षः

Tait. 2. 3. 1. ऋग्दक्षिणः पक्षः सामोत्तरः पक्षः
2. 4. 1. ऋतं दक्षिणः पक्षः सत्यमुत्तरः पक्षः
2. 5. 1. मोदो दक्षिणः पक्षः प्रमोद उत्तरः पक्षः
Nâda. 1. अकारो दक्षिणः पक्षः
Haṁsa. 2. अग्नीषोमौ पक्षौ
Âśrama. 4. *vide* धारिन्
— *vide* यज्ञोपवीत

पक्षपात

Brahmab. 6. पक्षपातविनिर्भुक्तम्

पक्षस्

Maitri. 6. 33. शिरःपक्षसीपुच्छपृष्ठवान् (ter)

पक्षिन्

Kaush. 2. 9. तेन मुखेन पक्षिणो ऽत्ति
Bṛih. 2. 5. 18. पुरः स पक्षी भूत्वा
Gîtâ. 10. 30. वैनतेयश्च पक्षिणाम्

पङ्क

Gopî. 5. गोपीचन्दनपङ्केन

पङ्कज

Dhyâna. 22. कूपभूतं तु पङ्कजम्

पंक्ति

Maitri. 7. 5. पंक्तिस्त्रिणवत्रयस्त्रिंशौ . . ऊर्ध्वा उद्यन्ति
Mahânâr. 17. 6. आसहस्रात्पंक्तिं पुनन्ति 7, 8.
Śiras. 7. आचक्षुषः पंक्तिं पुनाति Mahâ. 4.

पङ्गु

Maitri. 4. 2. सदसत्फलमयैः पाशैः पङ्गुरिव बद्धम्

पच्

Bṛih. 5. 9. 1. येनेदमन्नं पच्यते Maitri 2. 6.
6. 4. 14. क्षीरौदनं पाचयित्वा
15. दध्योदनं पाचयित्वा
16. उदौदनं पाचयित्वा
17. तिलौदनं पाचयित्वा
18. मांसौदनं पाचयित्वा
Katha. 1. 6. सस्यमिव मर्त्यः पच्यते
Swet. 5. 5. यश्च स्वभावं पचति
Maitri. 6. 12. अन्नेनाभिषिक्ताः पचन्ते प्राणाः
15. कालः पचति भूतानि महात्मनि
— यस्मिंस्तु पच्यते कालः
17. उदरस्थो ऽथवा यः त्यन्नम्
Gauḍa. 4. 90. हेयज्ञेयाप्यपाक्यानि
Garbha. 5. कोष्ठाग्निर्नामाशितपीतलेह्यचोष्यं पचतीति
Gîtâ. 3. 13. ये पचन्त्यात्मकारणात्
15. 14. पचाम्यन्नं चतुर्विधम्

पच्छस्.

Chhâ. 5. 2. 7. एतयर्चा पच्छ आचामति

पञ्चतन्मात्र

Maitri. 3. 2. पञ्चतन्मात्रा भूतशब्देनोच्यन्ते
Mahâ. 1. पञ्चतन्मात्राणि पञ्चमहाभूतानि

पञ्चत्व

Gopî. 3. पञ्चत्वं न स पश्यति

पञ्चदश

Kaush. 1. 2. पञ्चदशात् प्रसूतात्
Maitri. 7. 2. त्रिष्टुप् पञ्चदशो बृहत् . . दक्षिणत उद्यन्ति
Mahâ. 1. पञ्चदशी बुद्धिः

पञ्चदशन्

Chhâ. 6. 7. 1. पञ्चदशाहानि माशीः
2. स ह पञ्चदशाहानि नाश
1. 5. 14. रात्रय एव पञ्चदश कलाः
15. वित्तमेव पञ्चदश कलाः
ṇḍ. 3. 2. 7. गताः कलाः पञ्चदश प्रतिष्ठाः

पञ्चदुःखौघ

ṅvet. 1. 5. पञ्चदुःखौघवेगाम्

पञ्चदैवत

ṅaśi. 4. त्रिस्थूणे पञ्चदैवते

पञ्चदैवत्य

ṅkhâ. 2. पञ्चधा पञ्चदैवत्यः प्रणवः परिपठ्यते

पञ्चधा

ṅhâ. 2. 21. 3. यानि पञ्चधा त्रीणि तेभ्यो न ज्यायः परमन्यदस्ति
7. 26. 2. पञ्चधा सप्तधा नवधा
Maitri. 2. 6. पञ्चधात्मानं विभज्य (bis).
6. 4. पुनः पञ्चधा ज्ञेयम्
M ṇḍ.3. 1. 9. यस्मिन् प्राणः पञ्चधा संविवेश
Mahânâr. 23. 1. स वा एष पुरुषः पञ्चधा पञ्चात्मा
Praśna. 2. 3. पञ्चधात्मानं प्रविभज्य
3. 12. विभुत्वं चैव पञ्चधा
Chûl. 15. त्रिधा तं पञ्चधा तथा
Sikhâ. 2. पञ्चधा पञ्चदैवत्यः प्रणवः
Piṇḍa. 2. गते पञ्चसु पञ्चधा
Râmap. 10. ब्रह्मण्येवं हि पञ्चधा

पञ्चन्

Chhâ. 3. 13. 1. हृदयस्य पञ्च देवसुषयः
6. एते पञ्च ब्रह्मपुरुषाः
— पञ्चब्रह्मपुरुषान् (bis).
Chhâ 4. 3. 8. एते पञ्चान्ये पञ्चान्ये दश
5. 3. 5. पञ्च . . प्रभानप्राक्षीत् Bṛih. 6. 2. 3.
5. 10. 10. य एतानेवं पञ्चाग्नीन् वेद
8. 11. 3. अपराणि पञ्च वर्षाणि (bis).
Bṛih. 4. 4. 17. यस्मिन्पञ्च पञ्च जनाः
Tait. 1. 3. 1. पञ्चस्वधिकरणेषु
Kaṭha. 6. 10. यदा पञ्चावतिष्ठन्ते ज्ञानानि Maitri. 6. 30.
Maitri. 2. 6. पञ्चभी रश्मिभिर्विषयानत्ति 6. 31.
6. 9. पञ्चभिरभिजुहोति
10. इन्द्रियार्थान् पञ्च स्वादूनि भवन्ति
Mahânâr. 13. 6. कृणुष्व पाज इति पञ्च
Nṛip. 2. 2. तस्य हि पञ्चाङ्गानि भवन्ति
Garbha. 1. पञ्चात्मकं पञ्चसु वर्त्तमानम्
5. पञ्च मज्जाशतानि
Amṛita. 5. शब्दादिविषयाः पञ्च
29. पञ्चभिस्तुल्यविक्रमः
35. अथ वर्णास्तु पञ्चानाम्
Piṇḍa. 2. गते पञ्चसु पञ्चधा
Nâr. 4. नारायणायेति पञ्चाक्षराणि
Sarvop. 2. एते पञ्च वर्गाः
— एतेषां पञ्चवर्गाणाम्
Vâsu. 2. कृष्णादिपञ्चनामभिः
Gitâ. 13. 5. पञ्च चेन्द्रियगोचराः
18. 13. पञ्चेमानि . . कारणानि
15. पञ्चैते तस्य हेतवः

पञ्चपर्व

Śwet. 1. 5. पञ्चपर्वामधीमः

पञ्चपाद

Praśna. 1. 11. पञ्चपादं पितरं द्वादशाकृतिम्

पञ्चप्राण

Śwet. 1. 5. पञ्चप्राणोर्मिम्

पञ्चबुद्ध्यादि

Swet. 1. 5. पञ्चबुद्ध्यादिमूलाम्

पञ्चब्रह्मन्

Mukti. 1. 38. *vide* अग्निहोत्रक
1. *vide* सरस्वतीरहस्य

पञ्चब्रह्ममन्त्र

Kâlâg. 2. सद्यादिपञ्चब्रह्ममंत्रैः परिगृह्य

पञ्चभूत

Gopî. 4. पञ्चभूतेषु गन्धवतीयं पृथिव्यासीत्

पञ्चम

Kaush. 2. 9. त्वयि पञ्चमं मुखं तेन मुखेन सर्वाणि भूतान्यत्सि

Chhâ. 3. 10. 1. यत्पञ्चमममृतं तत्साध्या उपजीवन्ति ब्रह्मणा मुखेन

5. 3. 3. वेत्थ यथा पञ्चम्यामाहुतावापः पुरुषवचसो भवन्ति

5. 9. 1. इति तु पञ्चम्यामाहुतावापः पुरुषवचसो भवन्तीति

5. 10. 9. एते पतन्ति चत्वारः पञ्चमश्चाचरंस्तैः

5. 23. 1. अथ यां पञ्चमीं जुहुयात्

7. 1. 2. इतिहासपुराणं पञ्चमम् 7. 2. 1; 7. 7. 1.

4. इतिहासपुराणः पञ्चमः

Tait. 2. 8. 1 मृत्युर्धावति पञ्चमः Kaṭha. 6. 3; Nṛip. 2. 4.

Nṛip. 2. 2. सप्रणवं सर्वं पञ्चमं भवति — पञ्चमं पञ्चमेन (युज्यते)

3. सर्वतोमुखं पञ्चमं (स्थानं जानीयात्)

Garbha. 1. *vide* निषाद

Garbha. 3. पञ्चमे पृष्ठवंशः

Nâda. 10. पञ्चमी नामधेया च

14. पञ्चम्यामथ मात्रायाम्

Piṇḍa. 6. पञ्चमेन तु पिण्डेन

Haṁsa. 2. पञ्चमस्तन्त्रीनादः

— पञ्चमे स्रवते तालु

Râmot. 2. बिन्दुः पञ्चमाक्षरो भवा

Gitâ. 18. 14. दैवं चैवात्र पञ्चमम्

पञ्चमहापातक

Nâr. 5. पञ्चमहापातकोपपातकेभ्यः प्रमुच्यते

पञ्चमहाभूत

Ait. 5. 3. इमानि च पञ्चमहाभूतानि

Maitri. 3. 2. पञ्चमहाभूतानि भूतशब्देनोच्यन्ते

Nṛip. 4. 3. यो वै नृसिंहः . . यानि पञ्च महाभूतानि (21)

Mahâ 1. पञ्चतन्मात्राणि पञ्चमहाभूतानि

Râmot. 5. यो वै श्रीरामः . . यानि पञ्चमहाभूतानि (17)

पञ्चमहायज्ञ

Aśrama. 3. पञ्चमहायज्ञक्रियां निर्वर्तयन्तः (4 times).

पञ्चमात्र

Amṛita. 30. पार्थिवः पञ्चमात्राणि

पञ्चमुख

Kaush. 2. 9. पञ्चमुखो ऽसि प्रजापतिः

पञ्चयोनि

Śwet. 1. 5. पञ्चयोन्युग्रवक्राम्

पञ्चरात्र

Kaṭhaśru. 1. नगरे पञ्चरात्रं . . वसेत्

Aśrama. 4. नगरे तीर्थेषु पञ्चरात्रं वसन्तः

पञ्चवायु

Maitri. 6. 9. पञ्चवायुः समाश्रितः
Prâṇâg. 2. पञ्चवायुभिरावृतः

पञ्चविंशक

Gauḍa, 2. 26. पञ्चविंशक इत्येके
Mahâ. 1. स एष पञ्चविंशकः पुरुषः (Śaṁkarânanda explains स एकः पञ्चविंशतिः पुरुषः)

पञ्चविध

Chhâ. 2. 2. 1. पंञ्चविधं सामोपासीत 2. 3. 1; 2. 4. 1; 2. 5. 1; 2. 6. 1.
3. पञ्चविधं सामोपास्ते 2. 3. 2; 2. 4. 2; 2. 5. 2; 2. 6. 2.
2. 7. 1. पञ्चविधं परोवरीयः सामोपासीत
2. पञ्चविधं परोवरीयः सामोपास्ते
— इति तु पञ्चविधस्य

पञ्चशत

Kaush. 1. 4. पञ्चशतान्यप्सरसाम्

पञ्चस्रोतस्

Swet. 1. 5. पञ्चस्रोतोम्बुम्

पञ्चाक्षर

Râmap. 64. अन्ते पञ्चाक्षरानेवम्

1. पञ्चाग्नि adj.

Kaṭha. 3. 1. पञ्चाग्नयो ये च त्रिणाचिकेताः

2. पञ्चाग्नि

Chhâ. 5. 10. 10. य एतानेवं पञ्चाग्नीन् वेद
Nṛip. 4. 3. यो वै नृसिंहः. . ये पञ्चाग्नयस्तस्मै वै नमो नमः (14)
Râmot. 5. यो वै श्रीरामः. . यै पञ्चमयः (19)

पञ्चात्मक

Śwet. 2. 12. पञ्चात्मके योगगुणे प्रवृत्ते
Garbha. 1. पञ्चात्मकं पञ्चसु वर्त्तमानम्
— पञ्चात्मकं कस्मात्
— अस्मिन् पञ्चात्मके शरीरे
3. पञ्चात्मकाः समर्थः
— पञ्चात्मिका चेतसा बुद्धिर्गन्धरसादिज्ञाना
Piṇḍa. 2. भिन्ने पञ्चात्मके देहे

पञ्चात्मन्

Mâhânâr. 23. 1. स वा एष पुरुषः पञ्चधा पञ्चात्मा

पञ्चाल

Chhâ. 5. 3. 1. पञ्चालानां समितिमेयाय
Bṛih. 6. 2. 1. पञ्चालानां परिषदमाजगाम

पञ्चावर्त्त

Śwet. 1. 5. पञ्चावर्त्तां...अधीमः

पञ्चाशत्

Mukti. 1. 13. पञ्चाशद्भेदतो हरे

पञ्चाशद्भेद

Śwet. 1. 5. पञ्चाशद्भेदां...अधीमः

पञ्चेष्टक

Maitri. 6. 33. पञ्चेष्टको वा एषो ऽग्निः संवत्सरः

पट

Maitri. 2. 7. गुणमयेन पटेनात्मानमन्तर्धाय

पटल

Garbha. 5. षोडश पार्श्वदन्तौष्ठपटलानि

पठ्

Maitri. 6. 9. मन्त्रं पठति

Mahânâr. 17. 6. ये ब्राह्मणास्त्रिसुपर्णं पठान्ति 7. 8.

Chûl. 10. पठन्ते भार्गवा ह्येतत्

11. पठ्यते भृगुविस्तरे

Prâṇâg. 4. इदं वा ब्रह्म यः पठेत्

Amṛita. 10. त्रिः पठेदायतप्राणः

Dhyâna. 1. तच्छ्रुत्वा च पठित्वा च (one MS. omits); Yogat. 1.

Râmap. 94. ये ते पठन्त्यमला यान्ति मोक्षम्

Mukti. 1. 14. तासामेकामृचं यस्तु पठते

27. दशोपनिषदं पठ

29. अष्टोत्तरशतं पठ

42. ये पठन्ति द्विजोत्तमाः

46. पठतां बन्धमोचकम्

50. यः पठेच्छृणुयाद्वापि

पड्वीश

Chhâ. 5. 1. 12. यथा सुहयः पड्वीशशङ्कून् संखिदेत्

Bṛih. 6. 1. 13. यथा महासुहयः पड्वीशशङ्कून् संबृहेत्

पणव

Gîtâ. 1. 13. पणवानकगोमुखाः

पणि

Mahânâr. 10. 2. त्रिधाहितं पणिभिर्गुह्यमानम्

पण्डित

Chhâ. 6. 14. 2. पण्डितो मेधावी

Bṛih. 6. 4. 17. दुहिता मे पण्डिता जायेत

18. पुत्रो मे पण्डितः..जायेत

Kaivalya. 11. पाशं दहति पण्डितः

Nṛisut. 9. तदेतत्पण्डिता एव पश्यन्ति

Gîtâ. 2. 11. नानुशोचन्ति पण्डिताः

4. 19. तमाहुः पण्डितं बुधाः

5. 4. बालाः प्रवदन्ति न पण्डिताः

18. पण्डिताः समदर्शिनः

पण्डितम्मन्यमान

Kaṭha. 2. 5. स्वयन्धीराः पण्डितम्मन्यमानाः Maitri. 7. 9; Muṇḍ. 1. 2. 8.

पत्

Kena. 1. केनेषितं पतति प्रेषितं मनः

Chhâ. 5. 10. 9. एते पतन्ति चत्वारः

6. 8. 2. दिशं दिशं पतित्वा (bis).

Bṛih. 1. 4. 3. आत्मानं द्वेधापातयत्

4. 3. 20. गर्त्तमिव पतति

Maitri. 7. 8. राजकर्मणि पतितादयः

Mahânâr. 8. 2. कर्ते पतिष्यामि

Gauḍa. 4. 46. न पतन्ति विपर्यये

Mahâ. 3. ललाटात्स्वेदो ऽपतत्

Mukti. 2. 23. निरागमेव पतति

Gîtâ. 1. 42. पतन्ति पितरो ह्येषाम्

16. 16. पतन्ति नरके ऽशुचौ

पतङ्ग

Kaush. 1. 2. कीटो वा पतङ्गो वा Chhâ. 6. 9. 3; 6. 10, 2.

Chhâ. 7. 2. 1. आकीटपतङ्गपिपीलकम् 7. 7. 1; 7. 8. 1; 7. 10. 1.

Bṛih. 6. 1. 14. आकृमिभ्य आकीटपतङ्गेभ्यः

6. 2. 16. ते कीटाः पतङ्गा यदिदं दन्दशूकम्

Śwet. 4. 4. नीलः पतङ्गो हरितो लोहिताक्षः

Gîtâ. 11. 29. यथा प्रदीप्तं ज्वलनं पतङ्गाः

पतङ्गी

Nâda. 9. पतङ्गी च तृतीया स्यात्

पतञ्चल

Bṛih. 3. 3. 1. पतञ्चलस्य काप्यस्य 3. 7. 1.
3. 7. 1. पतञ्चलं काप्यम् (ter). — पतञ्चलः काप्यः (bis).

पतत्र

Śwet. 3. 3. सं बाहुभ्यां धमति सं पतत्रैः Mahânâr. 2. 2.

पतत्रिन्

Ait. 5. 3. जंगमं च पतत्रि च यच्च स्थावरम्

पति

Chhâ. 1. 2. 11. वागधि बृहती तस्या एष पतिः
Bṛih. 1. 3. 20. वाग्वै बृहती तस्या एष पतिः
21. वाग्वै ब्रह्म तस्या एष पतिः
1. 4. 3. पतिश्च पत्नी चाभवताम्
2. 4. 5. न वा अरे पत्युः कामाय पतिः प्रियो भवति 4. 5. 6.
6. 4. 19. अन्यामिच्छ प्रफर्व्यं सं जायां पत्या सह
Swet. 5. 3. भूयः सृष्ट्वा पतयस्तथेशः
6. 7. पतिं पतीनां परमं परस्तात्
9. न तस्य कश्चित् पतिरस्ति लोके
16. प्रधानक्षेत्रज्ञपतिः
Muṇḍ. 1. 2. 5. यत्र देवानां पतिरेको ऽधिवासः
Mahânâr. 11. 3. पतिं विश्वस्यात्मेश्वरम्
Praśna. 2. 9. सूर्यस्त्वं ज्योतिषां पतिः
Nâda. 15. पशूनां च पतिं तथा
Râmap. 30. स्तुतिं चक्रुश्च जगतः पतिम्

पतितान्न

Mahânâr. 19. 1. कुष्टान्नं पतितान्नं भुक्त्वा

पत्तन

Râmap. 40. सरामस्तस्य पत्तनं जगाम

पत्नी

Bṛih. 1. 4. 3. पतिश्च पत्नी चाभवताम्
4. 2. 3. एषास्य पत्नी विराट्
Mahânâr. 25. 1. श्रद्धा पत्नी
Prâṇâg. 3. शारीरयज्ञस्य . . का पत्नी
4. बुद्धिः पत्नी

पत्नीसंयाज

Prâṇâg. 3. शारीरयज्ञस्य . . के पत्नीसंयाजाः
4. स्मृतिर्दया क्षान्तिरहिंसा पत्नीसंयाजाः

पत्र

Bṛih. 3. 3. 2. यावद्वा मक्षिकायाः पत्रम्
Nṛip. 5. 1. पत्रैर्वा एतत्सर्वतः परिक्रामति छन्दांसि वै पत्राणि
2. षट्सु पत्रेषु षडक्षरं सुदर्शनं भवति
— अष्टसु पत्रेषु . . नारायणं भवति
— द्वादशसु पत्रेषु . . वासुदेवं भवति
— षोडशसु पत्रेषु . . षोडशकला भवन्ति
— द्वात्रिंशत्सु पत्रेषु . . मन्त्रराजं . भवति
Râmap. 69. तेषु पत्रेषु यत्नतः
Gîtâ. 9. 26. पत्रं पुष्पं फलं तोयम्

पथस्

Kaṭha. 3. 14. दुर्गं पथस्तत्कवयो वदन्ति (पंथःशब्दः सान्तो नपुंसकः Dîpikâ).

1. पथिन्

Kaush. 1. 3. देवयानं पंथानमापद्य
Chhâ. 5. 3. 2. वेत्थ पथोर्देवयानस्य पितृयाणस्य च व्यावर्त्तना३ इति
5. 10. 2. एष देवयानः पन्थाः
8. एतयोः पथोर्न कतरेणचन
Bṛih. 4. 3. 10. न पन्थानो भवन्त्यथ.. पथः सृजते
4. 4. 8. अणुः पन्था विततः पुराणः
9. एष पन्था ब्रह्मणा हानुवित्तः Jâbâla. 5.
6. 2. 2. वेत्थो देवयानस्य वा पथः प्रतिपदं..यत्कृत्वा देवयानं वा पन्थानं प्रतिपद्यन्ते
16. य एतौ पन्थानौ न विदुः
Śwet. 3. 8. नान्यः पन्था विद्यते ऽयनाय 6. 15.
Maitri. 6. 1. द्वौ वा एता अस्य पन्थानौ
29. ब्रह्मणः पन्थानमारूढाः
Muṇḍ. 1. 2. 1. एष वः पन्थाः स्वकृतस्य लोके
3. 1. 6. सत्येन पन्था विततो देवयानः
Mahânâr. 22. 1. अग्नयो वै त्रयी विद्या देवयानः पन्थाः
Kaivalya. 9. नान्यः पन्था विमुक्तये
Siras. 5. अयं पन्था विहितः
Mukti. 2. 6. योजनीया शुभे पथि
Gîtâ. 6. 38. विमूढो ब्रह्मणः पथि

2. पथिन्

Bṛih. 2. 6. 3. वत्सनपाद्बाभ्रवः पथः सौभरात् 4. 6. 3.
— पन्थाः सौभरो ऽयास्यादाङ्गिरसात् 4. 6. 3.

पथ्या

Swet. 2. 5. वि श्लोक एतु पथ्येव सूरेः

1. पद्

Bṛih. 1. 4. 7. एतत्पदनीयमस्य सर्वस्य यदयमात्मा
5. 14. 7. अपदसि न हि पद्यसे

2. पद्

Muṇḍ 2. 1. 4. अस्य पद्भ्यां पृथिवी
Mahânâr. 14. 3. यदह्ना पापमकार्षं..पद्भ्याम्
4. यद्रात्र्या पापमकार्षं..पद्भ्याम्

पद

Bṛih. 1. 4. 7. यथा ह वै पदेनानुविन्देत्
5. 14. 1. अष्टाक्षरं ह वा एकं गायत्र्यै पदम्
— तावद्ध जयति यो ऽस्या एतदेवं पदं वेद 2, 3.
3. अस्या एतदेव तुरीयं दर्शतं पदम् 6.
— दर्शतं पदमिति ददृश इव
— यशसा तपति यो ऽस्या एतदेवं पदं वेद
4. सैषा गायत्र्येतस्मिंस्तुरीये दर्शते पदे..प्रतिष्ठिता
5. न हैव तद्गायत्र्या एकञ्चन पदं प्रति
6. प्रथमं पदमाप्नुयात्
— द्वितीयं पदमाप्नुयात्
— तृतीयं पदमाप्नुयात्
— तुरीयं दर्शतं पदं..नैव केनचनाप्यम्
7. नमस्ते तुरीयाय दर्शताय पदाय

Katha. 2. 15. सर्वे वेदा यत्पदमामनन्ति ..तत्ते पदं संग्रहेण ब्रवीमि
3. 7. न स तत्पदमाप्नोति
8. स तु तत्पदमाप्नोति
9. तद्विष्णोः परमं पदम् Maitri. 6. 26.

Maitri. 4. 2. न स्मरेत् परमं पदम्
6. 34. तदा तत् परमं पदम् Brahmab. 4.
— पदव्योमानुस्मरणम्

Muṇḍ.2. 2. 1. आविः सन्निहितं गुहाचरं नाम महत्पदम्

Mahânâr. 2. 4. त्रीणि पदा निहिता गुहासु
4. 4. रक्षस्व मां पदे पदे
20. 14. त्रीणि पदा विचक्रमे

Gauḍa. 1. 15. तुरीयं पदमश्नुते
4. 28. खे वै पश्यन्ति ते पदम्
78. अभयं पदमश्नुते
85. ब्राह्मण्यं पदमद्वयम्
100. बुद्ध्वा पदमनानात्वम्

Nṛip. 1. 3. सावित्रस्याष्टाक्षरं पदम् 4. 2.
5. नृकेसरिं..परमं पदं साम जानीयात्
5. 10. तद्विष्णोः परमं पदं सदा पश्यन्ति..विष्णोर्यत् परमं पदम् Aruṇeya. 5; Vâsu. 4; Skanda. 15; Mukti. 2. 77.

Nṛisut. 4. भृङ्गप्रोतान् पदान् स्पृष्ट्वा

Śiras. 5. स गच्छेद्ब्राह्मं पदम्
— स गच्छेद्वैष्णवं पदम्
— स गच्छेदैशानं पदम्

Brahma. 2. सूत्रं नाम परं पदम्

Nâda. 15. सप्तम्यां वैष्णवं पदम्

Amṛita. 2. ब्रह्मलोकपदान्वेषी
4. पदं सूक्ष्मं च गच्छति

Dhyâna. 4. निःशब्दं परमं पदम्

Tejo. 5. विष्णोस्तत् परमं पदम्

Yogaśi. 8. स गच्छेत् परमं पदम्

Yogat. 7. लब्धं तत् परमं पदम्

Nyâsa. 2. परं पदमनामयम्
5. अथ शैवं पदं यत्र

Parama. 2. यदा पदे निरन्तरपूतस्थः (the MSS. read पदापदे)

Nâr. 3. विष्णवाख्यं पदमव्ययम्
4. एतद्वै नारायणस्याष्टाक्षरं पदम्
— यो ह वै नारायणस्याष्टाक्षरं पदमध्येति

Vâsu. 3. ऊर्ध्वं पदमवाप्नोति
4. त्रीणि पदेति मन्त्रैः

Gopî. 3. अक्षयं पदमाप्नोति

Râmap. 94. तथा पदं परमं यान्ति ते च

Mukti. 2. 4. मामकं पदमाप्नुहि
11. यावन्न पदसम्प्राप्तिः
21. नास्त्युत्तमं पदम्
76. जीवन्मुक्तपदं त्यक्त्वा

Gîtâ. 2. 51. पदं गच्छन्त्यनामयम्
8. 11. तत्ते पदं संग्रहेण प्रवक्ष्ये
15. 4. ततः पदं तत्परिमार्गितव्यम्
5. गच्छन्त्यमूढाः पदमव्ययं तत्

पदक्रम

Chûl. 10. मंत्रोपनिषदं ब्रह्म पदक्रमसमन्वितम्

पदविद्

Bṛih. 4. 4. 23. तस्यैव स्यात्पदवित्

1. पदवी

Mahânâr. 9. 1. पदवीः कवीनाम् 17. 8.

2. पदवी

Mukti. 1. 15. स मत्सायुज्यपदवीं प्राप्नोति

पदार्थ

Mukti. 2. 25. दृढाभ्यस्तपदार्थैकभावनात्
57. यदादानं पदार्थस्य

पद्म

Dhyâna. 16. पद्मस्योत्थापनं कृत्वा
Yogat. 9. हृदि स्थाने स्थितं पद्मं तच्च पद्ममधोमुखम्
10. अकारे शोचितं पद्मम्
Râmap. 85. पद्माद्यासनस्थः

पद्मक

Amṛita. 18. पद्मकं स्वस्तिकं वापि
Yogaśi. 2. आसनं पद्मकं बध्वा
Gâruḍa. 2. यदि पद्मकदूतस्त्वं यदि वा पद्मकः स्वयम्

पद्मकोश

Mahânâr. 11. 7. पद्मकोशप्रतीकाशम् Mahâ. 3; Brahma. 3.

पद्मत्याग

Haṁsa. 2. पद्मत्यागे तुरीयम्

पद्मनामक

Śiras. 5. स गच्छेत्पद्मनामकम् (so 2 MSS. of the text and Nârâyaṇa; others read पदमनामकम्)

पद्मपत्त्र

Yogat. 14. पद्मपत्त्रमिवाच्छिन्नम्
Gîtâ. 5. 10. पद्मपत्त्रमिवाम्भसा

पद्मप्रभा

Mahânâr. 4. 10. पद्मप्रभे पद्मसुन्दरि धर्मरतये स्वाहा

पद्मसुन्दरी

Mahânâr. 4. 10. पद्मप्रभे पद्मसुन्दरि

पद्मसूत्रनिभ

Brahmav. 11. पद्मसूत्रनिभा सूक्ष्मा

पद्मिनी

Mukti. 2. 41. पद्मिन्य इव हेमन्ते

पयस्

Kaush. 2. 8. सं ते पयांसि समु यन्तु वाजाः
Bṛih. 1. 5. 2. तत्पयः पयो ह्येवाग्रे मनुष्याश्च पशवश्चोपजीवन्ति
— पयसि हीदं सर्वं प्रतिष्ठितम्
— संवत्सरं पयसा जुह्वत्
Mahânâr. 16. 7. पयसा पिन्वमाना..मेधा
Brahmab. 20. घृतमिव पयसि निगूढम्
Dhyâna. 7. पयोमध्ये यथा घृतम्
Yogat. 8. पयोमध्ये ऽस्ति सर्पिवत्
Kaṭhaśru. 3. पयसाग्निहोत्रं जुहुयात्

पयोधर

Yogat. 3. निष्पीड्य च पयोधरान्

पयोभक्ष

Kaṭhaśru. 3. द्वादशरात्रं पयोभक्षः स्यात्

1. पर

Kaush. 1. 1. यज्ञः परे ददति
Chhâ. 2. 10. 6. परो हास्यादित्यस्य जयाज्जयो भवति
2. 21. 3. यानि पंचधा त्रीणि तेभ्यो न ज्यायः परमन्यदस्ति
4. 1. 3. तमु ह परः प्रत्युवाच 4.2.3
6. 8. 6. तेजः परस्यां देवतायाम् 6. 15. 1, 2.
8. 3. 4. परं ज्योतिरुपसम्पद्य 8. 12. 2, 3; Maitri. 2. 2.
Bṛih. 1. 4. 11. तस्मात् क्षत्त्रात्परं नास्ति
14. तस्माद्धर्मात्परं नास्ति
2. 3. 6. न ह्येतस्मादिति नेत्यन्यत्परमस्ति

Brih. 3. 7. 1. अयं च लोकः परश्च लोकः 2; 4. 1. 2; 4. 5. 11.
— इमं च लोकं परं च लोकम्
4. 4. 20. विजरः पर आकाशात्
6. 2. 15. पराः परावतो वसन्ति
6. 4. 12. उत ह्येवंवित्परो भवति
Tait. 2. 1. 1. ब्रह्मविदाप्नोति परम्
Katha. 2. 6. अयं लोको नास्ति परः
16. एतदेवाक्षरं परम् Maitri. 6. 4.
17. एतदालंबनं परम्
3. 2. अक्षरं ब्रह्म यत्परम्
10. इन्द्रियेभ्यः परा ह्यर्था अर्थेभ्यश्च परं मनः
— मनसश्च परा बुद्धिर्बुद्धेरात्मा महान् परः
11. महतः परमव्यक्तमव्यक्तात्पुरुषः परः
— पुरुषान्न परं किञ्चित्सा काष्ठा सा परा गतिः
15. अनाद्यनन्तं महतः परम्
6. 7. इन्द्रियेभ्यः परं मनः
8. अव्यक्तात्परः पुरुषः
Śwet. 1. 16. तद्ब्रह्मोपनिषत्परम् (Śaṁkarânanda explains पदं); Brahma. 3.
3. 7. ततः परं ब्रह्म परं बृहन्तम्
9. यस्मात्परं नापरमस्ति किञ्चित् Mahânâr. 10. 4.
4. 16. घृतात्परं मण्डमिवातिसूक्ष्मम्
6. 5. परस्त्रिकालादकलो ऽपि दृष्टः
6. स वृक्षकालाकृतिभिः परः
8. परास्य शक्तिर्विविधैव श्रूयते
19. अमृतस्य परं सेतुम्
23. यस्य देवे परा भक्तिः

Maitri. 1. 4. किमेतैर्वा परे ऽन्ये (bis).
3. 1. अन्यो वा परः को ऽयमात्माख्यः
4. 6. परस्यामृतस्याशरीरस्य 6. 27.
5. 2. तत्परे स्यात् तत्परेणेरितम्
6. 5. एतद्वै सत्यकाम परं चापरं च ब्रह्म Praśna. 5. 2.
11. परं वा एतदात्मनो रूपं यदन्नम्
18. परे ऽव्यये सर्वमेकीकरोति
20. अतः परास्य धारणा
— मोक्षलक्षणमित्येतत्परं रहस्यम्
22. अन्यथा परे शब्दवादिनः
— परे ऽशब्दे ऽव्यक्ते ब्रह्मणि
— शब्दब्रह्म परं च यत् Brahmab. 17.
— परं ब्रह्माधिगच्छति Brahmab. 17.
24. ध्यानमन्तः परे तत्त्वे . . निधीयते
30. परेष्वात्मवद्विगतभयः
— परमं वै शेवधेरिव परस्योद्धरणम्
— तेन यान्ति परां गतिम्
7. 11. नभसः . . यत् परं तेजः
— शुभः शुभ्रात् परश्च यः
Muṇḍ. 1. 1. 4. द्वे विद्ये वेदितव्ये . . परा चैवापरा च
5. परा यया तदक्षरमधिगम्यते
2. 1. 2. अक्षरात्परतः परः
2. 2. 9. हिरण्मये परे कोशे
3. 2. 7. परे ऽव्यये सर्व एकीभवन्ति
8. परात्परं पुरुषमुपैति
Mahânâr. 1. 5. अतःपरं नान्यदणीयसं हि परात्परम्

Mahânâr. 9. 4. यस्मान्न जातः परो ऽन्यो ऽस्ति Nṛip. 2. 4.
10. 8. यः परः स महेश्वरः
11. 4. नारायणः परं ब्रह्मतत्त्वं नारायणः परः
— नारायणः परो ज्योतिरात्मा नारायणः परः
5. नारायणः परो ध्याता ध्यानं नारायणः परः
— परादपि परश्चासु तस्माद्यस्तु परात्परः
12. 1. ऋतं सत्यं परं ब्रह्म Nṛip. 1. 6.
21. 2. सत्यं परं परं सत्यम्
— तपो नानशनात्परं यद्धि परं तपस्तद्दुर्धर्षम्
— ब्रह्मा हि परः परोहि ब्रह्मा

Praśna. 1. 1. परं ब्रह्मान्वेषमाणाः
11. दिव आहुः परे अर्द्धे पुरीषिणम्
— अथेमे अन्य उ परे (so Śaṁkara; but see उपर which accords with the Ṛigveda).
4. 2. परे देवे मनस्येकीभवति
7. सर्व पर आत्मनि सम्प्रतिष्ठते
9. स परे ऽक्षरे आत्मनि सम्प्रतिष्ठते
10. परमेवाक्षरं प्रतिपद्यते
5. 5. ओमित्येतेनैवाक्षरेण परं पुरुषमभिध्यायीत
— परात्परं पुरिशयं पुरुषमीक्षते
7. शान्तमजरममृतमभयं परं चेति
6. 7. एतावदेवाहमेतत्परं ब्रह्म वेद नातः परमस्ति

Praśna. 6. 8. अविद्यायाः परं पारं तारयसि

Kaivalya. 1. परात्परं पुरुषं याति विद्वान्
16. यत् परं ब्रह्म सर्वात्मा

Gauḍa. 1. 26. प्रणवश्च परः स्मृतः
3. 11. तेषामात्मा परो जीवः
12. परं ब्रह्म प्रकाशितम्
4. 85. किमतः परमीहते

Nṛip. 1. 6. तस्मादिदं साम सच्चिदानन्दमयं परं ब्रह्म
7. परं ब्रह्म तारकं व्याचष्टे

Nṛisut. 1. त्रिशरीरं परं ब्रह्मानुसन्दध्यात्
2. इममात्मानं परं ब्रह्मानुसन्दध्यात्
5. आत्मन्येव नृसिंहे देवे परे ब्रह्मणि
— परमेव ब्रह्म मकारेण जानीयात्
— परमेव ब्रह्म भवति य एवं वेद
6. एवंवित्. . परमेव ब्रह्म भवति
— परे ब्रह्मणि पर्यवसितः
7. एनं मकारार्थेन परेण ब्रह्मणैकीकुर्यात्
— भृङ्गमेनं परे भृङ्गे. . योजयेत्
9. स वा एष आत्मा पर एव
— परः प्रत्यगेकरसः
— विदिताविदितात्परः (bis).

Brahmav. 11. शिखाभा दृश्यते परा
14. तत्परं ब्रह्म गीयते

Kshur. 17. सुषुम्णा तु परे लीना

Śiras. 3. परमपरं परायणं च त्वम्
— तिस्रो मात्राः परस्तु सः
— यद्वैश्रुतं तत्परं ब्रह्म यत्परं ब्रह्म स एकः

Śiras. 4. कस्मादुच्यते परं ब्रह्म
— यस्मात्परमपरं परायणं च
— तस्मादुच्यते परं ब्रह्म
5. परमपरं परायणं चेति
6. तस्मादन्यं न परं किंचनास्ति
— न तस्मात्पूर्वं न परं तदस्ति

Śikhâ. 1. चतुष्पादेतदक्षरं परं ब्रह्म

Brahma. 1. वेद एव परं ज्योतिः
— आत्मानं नयति परं सन्धय
— यत्परं नापरं त्यजति
— परं ब्रह्मधाम क्षेत्रज्ञमुपैति
2. तुरीये परमक्षरम्
— यत्परं ब्रह्म विभाति
— एकमेव परं ब्रह्म विभाति
— यदक्षरं परं ब्रह्म तत्सूत्रम्
— सूत्रं नाम परं पदम्
3. ज्ञानमेव परं तेषाम्

Nâda. 17. सदोदितं परं ब्रह्म

Brahmab. 7. अस्वरं भावयेत्परम्
16. शब्दाक्षरं परं ब्रह्म
21. चरेद्ब्रह्मितः परम्

Amrita. 26. ऊर्ध्वद्वारमतः परम्

Dhyâna. 4. बीजाक्षरात्परं बिन्दुं नादं बिन्दोः परे स्थितम्
5. तस्य शब्दस्य यत्परम्
— तत्परं विन्दयेद्यस्तु

Tejo. 1. तेजोबिन्दुः परं ध्यानम्
— स्थूलं सूक्ष्मं परं च यत्
5. परं गुह्यमिदं स्थानम्
11. नपरं परमात्परम्
12. न देवा न परं विदुः
14. तद्ब्राह्मं ब्रह्म तत्परम्

Yogaśi. 7. ततः पश्यति तत्परम्
10. संसारच्छेदनं परम्

Nyâsa. 2. परं पदमनामयम्
5. परात्परमवस्थिताः

Sarvop. 4. परं ब्रह्मेत्युच्यते

Haṁsa. 2. परा वाचा तथाष्टमे

Nâr. 5. कारणरूपमकारं परं ब्रह्म Atmapra. 1.

Jâbâla. 2. स एष द्यौर्लोकस्य परस्य च सन्धिर्भवति Râmot. 4.

Vâsu. 3. भावयेन्मां परं हरिम्
— परं ब्रह्म भवाम्यहम्
— तत्र ध्यात्वाप्नुयात्परम्

Gopî. 2. कृष्णाख्यं परं धाम
— परं ब्रह्मैव विष्णुः
5. परब्रह्मानन्दैकरूपम्
— श्रीकृष्णाख्यं परं ब्रह्म

Skanda. 1. शिवोऽस्मि किमतः परम्
3. अजोऽस्मि किमतः परम्
5. स एव हि परं ब्रह्म

Râmap. 6. परं ब्रह्माभिधीयते

Râmot. 3. यत्परं ब्रह्म रामचन्द्रः
— ओं तद्रामभद्रः परं ज्योतीरसोऽहम्
5. परं ज्योतिः स्वरूपिणम् (one MS. पर)
— यो वै श्रीरामः . . यः परं ब्रह्म

Mukti. 2. 73. दृशिस्वरूपं गगनोपमं परम्

Gîtâ. 1. 28. कृपया परयाविष्टः
2. 59. परं दृष्ट्वा निवर्त्तते
3. 11. श्रेयः परमवाप्स्यथ
19. परमाप्नोति पूरुषः
42. इन्द्रियाणि पराण्याहुरिन्द्रियेभ्यः परं मनः
— मनसस्तु परा बुद्धिः
43. एवं बुद्धेः परं बुद्ध्वा
4. 39. ज्ञानं लब्ध्वा परां शान्तिम्
40. नायं लोकोऽस्ति न परः
5. 16 प्रकाशयति तत्परम्
6. 45. ततो याति परां गतिम् 13. 28 ; 16. 22.
7. 5. प्रकृतिं विद्धि मे पराम्

Gîtâ. 7. 13. मामेभ्यः परमव्ययम्
24. परं भावमजानन्तः 9. 11.
8. 10. स तं परं पुरुषमुपैति दिव्यम्
20. परस्तस्मात्तु भावो ऽन्यः
22. पुरुषः स परः पार्थ
28. योगी परं स्थानमुपैति चाद्यम्
9. 32. ते ऽपि यान्ति परां गतिम्
10. 12. परं ब्रह्म परं धाम
11. 1. परं गुह्यमध्यात्मसंज्ञितम्
18. त्वमस्य विश्वस्य परं निधानम् 38.
37. त्वमक्षरं सदसत्तत्परं यत्
38. वेत्तासि वेद्यं च परं च धाम
12. 2. श्रद्धया परयोपेताः
13. 12. अनादिमत्परं ब्रह्म
22. देहे ऽस्मिन्पुरुषः परः
34. ये विदुर्यान्ति ते परम्
14. 1. परं भूयः प्रवक्ष्यामि
— परां सिद्धिमितो गताः
16. 23. न सुखं न परां गतिम्
17. 17. श्रद्धया परया तप्तं तपः
19. परस्योत्सादनार्थम्
18. 50. निष्ठा ज्ञानस्य या परा
54. मद्भक्तिं लभते पराम्
62. तत्प्रसादात्परां शान्तिम्
68. भक्तिं मयि परां कृत्वा
75 श्रुतवानेतद्गुह्यमहं परम्

2. पर

Nyâsa. 4. निन्दितो न शपेत् परान् Kaṭhaśru. 4.

परःकृष्ण

Chhâ. 1. 6. 5. यन्नीलं परःकृष्णम् 6; 1. 7. 4 (bis).
3. 4. 3. एतदादित्यस्य परःकृष्णं रूपम्

परतन्त्र

Gauḍa. 4. 24. परतन्त्रास्तिता मता
73. परतन्त्राभिसंवृत्त्या
74. परतन्त्राभिनिष्पत्त्या

परतर

Nâda. 17. ततः परतरं शुद्धम्
Gîtâ. 7. 7. मत्तः परतरं नान्यत्

परतस्

Gauḍa. 4. 22. स्वतो वा परतो वापि
Gîtâ. 3. 42. यो बुद्धेः परतस्तु सः

परदारवर्जिन्

Aśrama. 1. सदा परदारवर्जी

परधर्म

Gîtâ. 3. 35. परधर्मात्स्वनुष्ठितात् 18. 47.
— परधर्मो भयावहः

परन्तप

Mukti. 1. 13. शाखाः साग्नः परन्तप
Gîtâ. 2. 3. उत्तिष्ठ परन्तप
9. गुडाकेशः परन्तपः
4. 2. योगो नष्टः परन्तप
5. न त्वं वेत्थ परन्तप
33. ज्ञानयज्ञः परन्तप
7. 27. सम्मोहं . . यान्ति परन्तप
9. 3. धर्मस्यास्य परन्तप
10. 40. नान्तो ऽस्ति . . परन्तप
11. 54. प्रवेष्टुं च परन्तप
18. 41. शूद्राणां च परन्तप

परब्रह्मन्

Mukti. 1. 37. परब्रह्मावधूतकम्
1. *vide* गारुड

परम्

Chhâ. 2. 10. 5. द्वाविंशेन परमादित्याज्जयति

Swet. 1. 12. नातः परं वेदितव्यं हि किञ्चित्
3. 7. ततः परं ब्रह्म परं बृहन्तम्
Maitri. 6. 24. ब्रह्म तमसः परमपश्यत् (printed text has पर्यं)
38. अतः परमाकाशम्
Muṇḍ. 2. 2. 1. परं विज्ञानाद्यद्वरिष्ठं प्रजानाम्
Kṛish. 22. स परं धर्मसंज्ञकः (so Nârâyaṇa ; see last word).
Gîtâ. 2. 12. सर्वे वयमतः परम्
6. 7. परमात्मा समाहितः
13. 17. तमसः परमुच्यते
14. 19. गुणेभ्यश्च परं वेत्ति

परम

Chhâ. 1. 1. 3. परमः परार्ध्यो ऽष्टमो यदुद्गीथः
Bṛih. 4. 1. 2. वाग्वै..परमं ब्रह्म
3. प्राणो वै..परमं ब्रह्म
4. चक्षुर्वै..परमं ब्रह्म
5. श्रोत्रं वै..परमं ब्रह्म
6. मनो वै..परमं ब्रह्म
7. हृदयं वै..परमं ब्रह्म
4. 3. 20. सो ऽस्य परमो लोकः
32. एषास्य परमा गतिरेषास्य परमा सम्पदेषो ऽस्य परमो लोक एषो ऽस्य परम आनन्दः
33. स मनुष्याणां परम आनन्दः
— एष एव परम आनन्दः
5. 11. 1. एतद्वै परमं तपः (ter).
— परमं हैव लोकं जयति य एवं वेद (ter).
6. 4. 28. परमां वत काष्ठां प्रापत्
Tait. 2. 1. 1. निहितं गुहायां परमे व्योमन्
Tait. 3. 6. 1. सैषा भार्गवी वारुणी विद्या परमे व्योमन् प्रतिष्ठिता
Kaṭha. 3. 1. गुहां प्रविष्टौ परमे परार्धे
3. 9. तद्विष्णोः परमं पदम् Maitri. 6. 26.
17. य इमं परमं गुह्यं श्रावयेत्
5. 14. अनिर्देश्यं परमं सुखम्
6. 10. तामाहुः परमां गतिम् Maitri. 6. 30.
Śwet. 1. 7. उद्गीतमेतत्परमं तु ब्रह्म
4. 8. ऋचो अक्षरे परमे व्योमन् Nrip. 4. 2 ; 5. 2.
6. 7. तमीश्वराणां परमं..परमं च दैवतं..परमं परस्तात्
21. अत्याश्रमिभ्यः परमं पवित्रं प्रोवाच
22. वेदान्ते परमं गुह्यं पुराकल्पे प्रचोदितम्
Maitri. 1. 2. स तत्र परमं तप आस्थाय
4. 2. न स्मरेत् परमं पदम्
6. 28. अनन्तः परमो गुह्यः
30. परमं वै शेवधेरिव परस्योद्धरणं यन्निष्कामत्वम्
34. तदा तत् परमं पदम् Brahmab. 4.
35. विद्युदिवाभ्रार्चिषः परमे व्योमन्
Muṇḍ. 3. 1. 3. निरञ्जनः परमं साम्यमुपैति
6. यत्र तत्सत्यस्य परमं निधानम्
3. 2. 1. स वेदैतत्परमं ब्रह्मधाम
9. यो ह वै तत्परमं ब्रह्म वेद
Mahânâr. 1. 2. तदक्षरे परमे व्योमन्
3. तदक्षरे परमे प्रजाः
6. तदेव ब्रह्म परमं कवीनाम्
4. 7. गच्छामि परमां गतिम्
6. 6. परमात्स्वधस्थात्
11. 1. अक्षरं परमं प्रभुम्
2. बिभ्रतः परमं नित्यम् Mahâ. 3.

Mahânâr. 11. 13. सोक्षरः परमः स्वराट् Kaivalya. 8 ; Mahâ. 3 ; Nṛip. 1. 4.
22. 1. किं भगवन्त परमं वदन्ति
— सत्यं परमं वदन्ति
— तपः परमं वदन्ति
— दमः परमं वदन्ति
— शमः परमं वदन्ति
— दानं परमं वदन्ति
— धर्मं परमं वदन्ति
— प्रजननं परमं वदन्ति
— अग्नीन्परमं वदन्ति
— अग्निहोत्रं परमं वदन्ति
23. 1. यज्ञं परमं वदन्ति
— मानसं परमं वदन्ति

Kaivalya. 10. ब्रह्म परमं याति

Nṛip. 1. 1. परमा वा एषा छन्दसां यदनुष्टुप्
5. नृकेसरिं . . परमं पदं साम जानीयात्
5. 10. एतत्परमं धाम मन्त्रराजाध्यायिकस्य
— तद्विष्णोः परमं पदं सदा पश्यन्ति . . विष्णोर्यत् परमं पदम् Aruṇeya. 5 ; Vâsu. 4 ; Skanda. 15 ; Mukti. 2. 77.

Nṛisut. 4. परमं ब्रह्मोङ्कारम् (ter).
— परमात्मानं परमं ब्रह्म
6. प्रणवमेव परमं ब्रह्म
— परमं ब्रह्म पश्यति
7. उकारेण परमं सिंहमन्विष्य
— स परम आनन्दः
— मकारेण परमं ब्रह्मान्विच्छेत्
— अकारेण परमं ब्रह्मान्विष्य

Brahmav. 7. ईश्वरः परमो देवः

Śiras. 6. एतद्धि परमं तपः

Brahma. 2. यज्ञोपवीतं परमं पवित्रम्
3. इदं यज्ञोपवीतं तु परमम्

Nâda. 7. परमा चार्द्धमात्रा च

Brahmab. 9. ज्ञात्वा च परमं शिवम्

Amṛita. 4. परमं ब्रह्मविद्यायाः

Dhyâna. 1. निःशब्दं परमं पदम्

Tejo. 5. विष्णोस्तत् परमं पदम्
9. तद्व्योम परमं स्थितम्
11. सर्वं च परमं शून्यं न परं परमात्परम्

Yogaśi. 8. स गच्छेत् परमं पदम्

Yogat. 7. लब्धं तत् परमं पदम्

Nyâsa. 5. ये प्राप्य परमां गतिम्

Haṁsa. 2. दशमं परमं ब्रह्म भवेत्

Nâr. 3. प्रयाति परमं पारम्

Parama. 2. तदेव मे परमं धाम

Râmap. 84. इदं रहस्यं परमम्
94. तथा पदं परमं यान्ति ते च

Mukti. 2. 24. उत्पत्तिपरमां वासनाम्
30. परमोपशमप्रदा

Gîtâ. 6. 32. स योगी परमो मतः
8. 3. अक्षरं ब्रह्म परमम्
8. परमं पुरुषं दिव्यम्
15. संसिद्धिं परमां गताः
21. तमाहुः परमां गतिम्
— तद्धाम परमं मम 15. 6.
10. 1. शृणु मे परमं वचः 18. 64.
12. पवित्रं परमं भवान्
11. 9. परमं रूपमैश्वरम्
18. त्वमक्षरं परमं वेदितव्यम्
16. 11. कामोपभोगपरमाः
18. 49. नैष्कर्म्यसिद्धिं परमाम्
68. य इदं परमं गुह्यम्

परमऋषि, ॰र्षि

Muṇḍ. 3. 2. 11. नमः परमऋषिभ्यः Praśna. 6. 8.

Mukti. 1. 17. अन्ये..परमर्षयः

परमता

Bṛih. 1. 4. 11. यद्यपि राजा परमतां गच्छति

5. 12. 1. एकधाभूयं भूत्वा परमतां गच्छतः

— एकधाभूयं भूत्वा परमतां गच्छति

Maitri. 6. 38. अतः परमतां गच्छति

परमपुरुष

Râmot. 5. यो वै श्रीरामः..यः परमपुरुषः (41)

परमव्योम्निक

Nṛip. 1. 2. ब्रह्मस्वरूपं निरञ्जनं परमव्योम्निकम्

परमस्थिति

Parama. 2. अद्वैते परमस्थितिः

परमहंस

Haṁsa. 1. हंसपरमहंसनिर्णयम्

2. परमहंसो देवता

— परमहंसो भानुकोटिप्रतीकाशः

Parama. 1. योगिनां परमहंसानाम्

— यो ऽयं परमहंसमार्गः

2. न दण्डं न कमण्डलुं ..नाच्छादनं चेति परमहंसः

3. इदमन्तरं ज्ञात्वा स परमहंसः

Aruṇeya. 5. परमहंसपरिव्राजकानाम्

Aśrama. 4. कुटीचरा बहूदका हंसाः परमहंसाश्च

— परमहंसा नदण्डधराः

Jâbâla. 6. तत्र परमहंसा नाम

— स परमहंसो नाम

Vâsu. 2. परमहंसो ललाटे. धारयेत्

Mukti. 1. *vide* मुक्तिका

परमहंसपरिव्राजक

Mukti. 1. *vide* गारुड

परमात्मन्

Bṛih. 3. 1. 1. नमः परमात्मने

Maitri. 6. 9. प्राणो ऽग्निः परमात्मा Prâṇâg. 2.

17. अनूह्य एष परमात्मा

Mahânâr. 11. 13. परमात्मा व्यवस्थितः Mahâ. 3; Vâsu. 3.

Nṛisut. 4. परमात्मानं परमं ब्रह्म संभाव्य

9. आत्मा परमात्मैव

— असुखदुःखो ऽव्ययः परमात्मा

Sikhâ. 2. परमात्मनि स्थाप्य

Brahma. 3. आत्मानं सन्धत्ते परमात्मनि

Sarvop. 1. प्रत्यगात्मा परमात्मा..कथम्

4. स तत्पदार्थः परमात्मा परं ब्रह्मेत्युच्यते

Haṁsa. 1. स वै ब्रह्म परमात्मेत्युच्यते

Parama. 2. परमात्मात्मनोरेकत्वज्ञानेन

Kâlâg. 2. तृतीया रेखा सा..परमात्मा

Râmap. 89. परमात्मानमन्तः

Râmot. 5. यो वै श्रीरामः..यः परमात्मा (45)

Mukti. 1. 4. राम त्वं परमात्मासि

Gîtâ. 13. 22. परमात्मेति चाप्युक्तः

31. परमात्मायमव्ययः

15. 17. परमात्मेत्युदाहृतः

परमात्मरूप

Kaivalya. 23. एवं विदित्वा परमात्मरूपम्

24. प्रयाति शुद्धं परमात्मरूपम्

परमानन्द

Nṛip. 5. 10. सदानन्दं परमानन्दम्
Nâda. 20. परमानन्दमश्नुते
Kṛish. 5. यो नन्दः परमानन्दः
Râmot. 5. अद्वैतपरमानन्दात्मा (1)
Mukti. 2. 54. परमानन्ददायकम् (MSS. read °दीपकं)

परमार्थ

Gauḍa. 3. 18. अद्वैतं परमार्थो हि
4. 73. परमार्थेन नास्त्यसौ
74. परमार्थेन नाप्यजः
Mukti. 2. 1. परमार्थाय शान्तितम्

परमार्थतस्

Gauḍa. 1. 17. अद्वैतं परमार्थतः
4. 73. नास्ति परमार्थतः

परमार्थता

Gauḍa. 2. 32. इत्येषा परमार्थता
Brahmab. 10.

परमालय

Maitri. 6. 27. आनन्दं परमालयम्

परमुक्तिप्रदायक

Garbha. 4. अशुभक्षयकारकं परमुक्तिप्रदायकम् (ter).

परमेश्वर, °री

Maitri. 7. 7. एष परमेश्वर एष भूताधिपतिः (cf. Bṛih. 4. 4. 22).
Kaivalya. 7. उमासहायं परमेश्वरम्
Nṛip. 2. 4. तस्मान्नृसिंह आसीत् परमेश्वरः
Nṛisut. 4. सिंहो ऽसौ परमेश्वरः
8. तस्मात् परमेश्वर एव (4 times).
Skanda. 5. स एव परमेश्वरः
Râmap. 26. प्रकृत्या परमेश्वर्या
49. चिन्मयः परमेश्वरः
Râmot. 4. तद्धास्यामि परमेश्वर
5. तुष्टाव परमेश्वरम्
Gîtâ. 11. 3. आत्मानं परमेश्वर
13. 27. तिष्ठन्तं परमेश्वरम्

परमेष्ठिन्

Bṛih. 2. 6. 3. सनगः परमेष्ठिनः परमेष्ठी ब्रह्मणः 4. 6. 3.
Mahânâr. 19. 2. परमेष्ठिने स्वाहा
23. 1. य एष आदित्ये पुरुषः स एव परमेष्ठी ब्रह्मात्मा
Kaivalya. 1. भगवन्तं परमेष्ठिनं परिसमेत्य
Yogaśi. 3. हत्कृत्वा परमेष्ठिनम्
6. सा मात्रा परमेष्ठिनः
9. प्रसन्नं परमेष्ठिनम्

परमेष्वास

Gîtâ. 1. 17. काश्यश्च परमेष्वासः

परम्पराप्राप्त

Gîtâ. 4. 2. एवं परम्पराप्राप्तम्

परलोकस्थान

Bṛih. 4. 3. 9. इदं च परलोकस्थानं च (bis).
— यथाक्रमो ऽयं परलोकस्थाने भवति

परशु

Kaush. 2. 11. अश्मा भव परशुर्भव
Chhâ. 6. 16. 1. परशुमस्मै तपत
— परशुं तप्तं प्रतिगृह्णाति 2.

परश्वन्

Kaush. 1. 2. परश्वा वा शार्दूलो वा

परस्

Chhâ. 3. 13. 7. यदतः परो दिवो ज्योतिर्दीप्यते
Maitri. 4. 4. स ब्रह्मणः पर एता भवति
6. 21. परः. . प्रतिष्ठाप्य

परस्तात्

Kaush. 2. 2. वाक्परस्ताच्चक्षुरारुन्धते (similarly 3 times more).
3. 5. परस्तात्प्रतिविहिता भूतमात्रा (so, 9 times more).
Chhâ. 2. 24. 6. परस्तादायुषः 10, 15.
Bṛih. 1. 2. 4. एतावतः कालस्य परस्तात्
7. संवत्सरस्य परस्तात्
Śwet. 3. 8. आदित्यवर्णं तमसः परस्तात् Gîtâ. 8. 9.
6. 7. पतिं पतीनां परमं परस्तात्
Muṇḍ 2. 2. 6. पाराय तमसः परस्तात्
Mahânâr. 1. 5. विश्वं पुराणं तमसः परस्तात्
Kaivalya. 7. समस्तसाक्षिं तमसः परस्तात्
Nṛisut. 9. सुविस्पष्टस्तमसः परस्तात्

परस्परम्

Gauḍa. 3. 17. परस्परं विरुध्यन्ते
4. 3. विवदन्तः परस्परम्
Garbha. 2. परस्परं सौम्यगुणत्वात्षड्विधो रसः
Gîtâ. 3. 11. परस्परं भावयन्तः
10. 9. बोधयन्तः परस्परम्

पराकाश

Bṛih. 6. 4. 12. आशापराकाशौ त आददे

पराञ्च्

Ait. 3. 3. तदेतदभिसृष्टं नदत् पराङ्त्यजिघांसत्
Chhâ. 1. 6. 8. स एष ये चामुष्मात्परांचो लोकास्तेषां चेष्टे
1. 7. 7. स एष ये चामुष्मात्पराञ्चो लोकास्तांश्चाप्नोति
Bṛih. 4. 4. 1. यत्रैष चाक्षुषः पुरुषः पराङ् पर्यावर्त्तते
Kaṭha. 4. 1. पराञ्चि खानि व्यतृणत्.. तस्मात्पराङ् पश्यति नान्तरात्मन्
2. पराचः कामाननुयन्ति बालाः

परादा

Bṛih. 2. 4. 6. ब्रह्म तं परादाद्यो ऽन्यत्रात्मनो ब्रह्म वेद (similarly 5 times more); 4. 5. 7 (similarly six times more).

परान्तकाल

Muṇḍ.3. 2. 6. परान्तकाले परामृताः Mahânâr. 10. 6; Kaivalya. 4.

परापर

Maitri. 6. 23. यो ऽसौ परापरो देवा ओङ्कारो नाम नामतः
Gauḍa. 2. 27. परापरमथापरे
Brahma. 1. परापरं ब्रह्मात्मा

पराभू

Chhâ. 8. 8. 4. देवा वासुरा वा ते पराभविष्यन्ति
Bṛih. 1. 3. 7. अभवन् परासुराः..परास्य द्विषन् भ्रातृव्यो भवति य एवं वेद

परामृत

Muṇḍ.2. 1. 10. पुरुष एवेदं विश्वं..परामृतम्
3. 2. 6. परान्तकाले परामृताः Mahânâr. 10. 6; Kaivalya. 4.

परायण

Chhâ. 1. 9. 1. आकाशः परायणम् Nṛip. 3. 1.

Bṛih. 3. 9. 10. सर्वस्यात्मनः परायणम् (16 times).
28. रातेर्दातुः परायणम्

Maitri. 6. 8. परायणं ज्योतिरेकं तपन्तम् Praśna. 1. 8.

Mahânâr.11. 3. विश्वात्मानं परायणम्

Praśna. 1. 10. एतदमृतमभयमेतत्परायणम्

Śiras. 3. परमपरं परायणं च त्वम्
4. यस्मात्परमपरं परायणं च
5. परमपरं परायणं चेति

Tejo. 9. तन्निष्ठा तत्परायणम्

Nyâsa. 5. तद्ब्रह्म तत्परायणम्

Gîtâ. 4. 29. प्राणायामपरायणाः
16. 12. कामक्रोधपरायणाः

परार्द्ध

Katha. 3. 1. गुहां प्रविष्टौ परमे परार्द्धे

परार्द्ध्य

Chhâ. 1. 1. 3. परमः परार्द्ध्यो ऽष्टमो यदुद्गीथः

परावत्

Bṛih. 6. 2. 15. ब्रह्मलोकेषु पराः परावतो वसन्ति

परावप्

Nîla. 13. याश्च ते हस्त इषवः परा ता भगवो वप

परावर

Muṇḍ. 1. 1. 2. भारद्वाजो ऽङ्गिरसे परावरां (प्राह)
2. 2. 8. तस्मिन्दृष्टे परावरे

परासु

Mahânâr. 9. 6. परा दुःष्वप्रियं सुव 17. 7.
7. दुरितानि परासुव 17. 7.

परिकृत्

Brahmav. 6. उकारः परिकीर्त्तितः
7. मकारः परिकीर्त्तितः

Amṛita. 15. धारणा परिकीर्त्तिता
16. समाधिः परिकीर्त्तितः

Gîtâ. 18. 7. तामसः परिकीर्त्तितः
27. राजसः परिकीर्त्तितः

परिक्रम्

Nṛip. 5. 1. पत्रैर्वा एतत् सर्वतः परिक्रामति

परिक्लिष्ट

Gîtâ. 17. 21. दीयते च परिक्लिष्टम्

परिख्या

Chhâ. 8. 7. 4. यो ऽयं भगवो ऽप्सु परिख्यायते . . कतम एषः
— एष उ एवैषु सर्वेष्वेतेषु परिख्यायते

परिग्रभ्

Śwet. 4. 19. नैनमूर्ध्वं न तिर्यञ्चं न मध्ये परिजग्रभत् Mahânâr. 1. 10.

परिग्रस्

Nṛisut. 6. तान् हासुरः पाप्मा परिजग्रास (2 MSS. read ऽग्राह)
— एनमासुरं पाप्मानं परिग्रसामः

परिग्रह्

Kaush. 2. 11. अथैनं परिगृह्णाति येन प्रजापतिः प्रजाः पर्यगृह्णात्तदरिष्टचै तेन त्वा परिगृह्णाम्यसौ
3. 3. प्राण एव प्रज्ञात्मेदं शरीरं परिगृह्योत्थापयति (bis).

Chhâ. 3. 11. 6. इमामद्भिः परिगृहीताम्

Bṛih. 5. 5. 1. एतदनृतमुभयतः सत्येन परिगृहीतम्
6. 1. 14. नानन्नं परिगृहीतम्

Mahâna. 21. 2. धर्मेण सर्वमिदं परिगृहीतम्
Parama. 1. कौपीनं दण्डमाच्छादनं च ...परिग्रहेत्
3. हाटकादीनां नैव परिग्रहेत्
Aruṇeya. 1. दण्डमाच्छादनं कौपीनं च परिग्रहेत्
4. वैणवं दण्डं कौपीनं परिग्रहेत्
Kâlâg. 1. सत्यादिपञ्चब्रह्ममंत्रैः परिगृह्य

परिग्रह

Maitri. 3. 5. परिग्रहावलम्बः
6. 10. स्वादुपरिग्रहः
Gîtâ. 18. 53. कामं क्रोधं परिग्रहम्

परिघ

Chhâ. 2. 24. 6. अपजहि परिघम् 10.
15. अपहत परिघम्

परिचक्ष्

Tait. 3. 8. 1. अन्नं न परिचक्षीत तद्व्रतम्
Gauḍa. 3. 47. अजमजेन ज्ञेयेन सर्वज्ञं परिचक्षते
Gîtâ. 17. 13. तामसं परिचक्षते
17. सात्त्विकं परिचक्षते

परिचर्

Chhâ. 4. 10. 1. द्वादशवर्षाण्यग्नीन् परिचचार
2. तप्तो ब्रह्मचारी कुशलमग्नीन्परिचचारीत् (so MSS.).
4. तप्तो ब्रह्मचारी कुशलं नः परिचचारीत् (so MSS.).
7. 8. 1. परिचरन्नुपसत्ता भवति
8. 8. 4. आत्मा परिचर्य्यः..आत्मानं परिचरन्
Bṛih. 6. 2. 1. आजगाम जैवलिं प्रवाहणं परिचारयमाणम्

Kaṭha. 1. 25. आभिर्मत्प्रत्ताभिः परिचारयस्व

परिचरितृ

Chhâ. 7. 8. 1. उत्तिष्ठन् परिचरिता भवति

परिचर्यात्मक

Gîtâ. 18. 44. परिचर्यात्मकं कर्म

परिचारिन्

Chhâ. 4. 4. 2. बह्वहं चरन्ती परिचारिणी यौवने त्वामलभे 4.

परिचिन्त्

Gîtâ. 10. 17. त्वां सदा परिचिन्तयन्

परिजन

Garbha. 4. यन्मया परिजनस्यार्थे कृतं कर्म शुभाशुभम्

परिज्ञातृ

Gîtâ. 18. 18. ज्ञानं ज्ञेयं परिज्ञाता

परिणम्

Śwet. 5. 5. प्राच्यांश्च सर्वान् परिणामयेद्यः
Maitri. 3. 3. चतुरशीतिधा परिणतम्

परिणाम

Gîtâ. 18. 37. परिणामेऽमृतोपमम्
38. परिणामे विषमिव

परिणामत्व

Maitri. 6. 10. त्रिगुणभेदपरिणामत्वात्
— परिणामत्वात्सदन्नत्वम्

परिणिविश्

Bṛih. 1. 3. 18. तं समन्तं परिण्यविशन्त

परितृप्ति

Kaivalya. 12. स एव जाग्रत् परितृप्तिमेति

परित्यज्

Śiras. 4. सर्वान् भावान् परित्यज्य

Śikhâ. 2. सर्वमन्यत्परित्यज्यैताम-धीत्य

Haṁsa. 2. नवमं परित्यज्य दशममेवाभ्यसेत्

Parama. 2. सर्वान् कामान् परित्यज्य

Jâbâla. 6. एतत् सर्वं भूः स्वाहेत्यप्सु परित्यज्य

Mukti. 2. 70. ता अप्यतः परित्यज्य
71. तामप्यथ परित्यज्य

Gîtâ. 18. 66. सर्वधर्मान्परित्यज्य

परित्याग

Maitri. 6. 25. सर्वभावपरित्यागः

Gîtâ. 18. 7. मोहात्तस्य परित्यागः

परित्राण

Gîtâ. 4. 8. परित्राणाय साधूनाम्

परिदह्

Gîtâ. 1. 30. त्वक् चैव परिदह्यते

परिदा

Chhâ. 2. 22. 5. प्रजापतेरात्मानं परिददानीति

परिदीप्

Gauḍa. 4. 19. अजातिः परिदीपिता

परिदीपक

Gauḍa. 4. 21. अजातेः परिदीपकम्

परिदृश्

Chhâ. 1. 4. 3. तानु तत्र मृत्युर्यथा मत्स्यमुदके परिपश्येदेवं पर्य्यपश्यत्

3. 17. 7. उद्वयं तमसः परि ज्योतिः पश्यन्तः

Bṛih. 6. 4. 6. यद्युदक आत्मानं परिपश्येत्

Kaṭha. 6. 5. यथाप्सु परीव ददृशे तथा गन्धर्वलोके

Muṇḍ. 1. 1. 6. यद्भूतयोनिं परिपश्यन्ति धीराः

2. 2. 7. तद्विज्ञानेन परिपश्यन्ति धीराः

परिदेवना

Gîtâ. 2. 28. तत्र का परिदेवना

परिद्रष्टृ

Praśna. 6. 5. एवमेवास्य परिद्रष्टुरिमाः षोडशकलाः

परिधा

Chhâ. 5 2. 2. पुरस्ताच्चोपरिष्टाच्चाद्भिः परिदधति

Maitri. 6. 9. अग्निः पुरस्तात्परिदधाति
— अग्निर्भूय एवोपरिष्टात्परिदधाति

परिधान

Bṛih. 6. 2. 7. प्रावाराणां परिधानस्य

परिधानीया

Chhâ 4. 16. 2. पुरा परिधानीयायाः
4. न पुरा परिधानीयायाः

परिपठ्

Śikhâ. 2. पञ्चधा पञ्चदैवत्यः प्रणवः परिपठ्यते

परिपत्

Chhâ. 2. 9. 4. तस्मात्तान्यन्तरिक्षे ऽनारम्बणान्यात्मानमादाय परिपतन्ति

Mahânâr. 2. 9. श्रिया मा परिपातय

परिपन्थिन्

Gîta. 3. 34. तौ ह्यस्य परिपन्थिनौ

परिपीड्

Garbha. 3. *vide* पीड्य

परिपू

Aśrama. 2. उद्धृतपरिभूताभिरद्भिः कार्यं कुर्वन्तः

परिपूर्णता

Mukti. 1. उपाधिविनिर्मुक्तघटाकाशवत्परिपूर्णता

परिपॄ

Maitri. 3. 4. अन्यैश्चामयैर्बहुभिः परिपूर्णम्
5. एतैः परिपूर्ण एतैराभिभूतः
4. 4. यैः परिपूर्णो ऽभिभूतः

Nṛisut. 9. स्वाव्यतिरिक्तानि परिपूर्णानि क्षेत्राणि दर्शयित्वा
— सत्यं सूक्ष्मं परिपूर्णमद्वयम्

परिप्रश्न

Gîtâ. 4. 34. परिप्रश्नेन सेवया

परिप्रवच्

Chhâ. 4. 10. 2. मा त्वाग्नयः परिप्रवोचन्

परिभवासह

Nṛisut. 2. सर्वसंहारसमर्थः परिभवासहः

परिभुज्

Nîla. 17. तया त्वं विश्वतो अस्मानयक्ष्मया परिभुज

परिभू

Iśâ. 8. परिभूः स्वयंभूः

परिभ्रम्

Maitri. 2. 6. अनेन खल्वीरितः परिभ्रमतीदं शरीरम्
3. 1. द्वन्द्वैरभिभूयमानः परिभ्रमति 2 (bis).

Nyâsa. 2. शुचौ देशे परिभ्रमन् (two MSS. and Nâr. have परिभ्रमः)

परिमर

Kaush. 2. 12. अथातो दैवः परिमरः

Tait. 3. 10. 4. तद्ब्रह्मणः परिमर इत्युपासीत

परिमार्ग्

Gîtâ. 15. 4. ततः पदं तत्परिमार्गितव्यम्

परिमुच्

Maitri. 6. 34. एवमन्तर्गतं यस्य मनः स परिमुच्यते

Muṇd. 3. 2. 6. परामृताः परिमुच्यन्ति सर्वे Mahânâr. 10. 6; Kaivalya. 4.

परिमुह्

Śwet. 6. 1. कालं तथान्ये परिमुह्यमानाः

परिमृ

Kaush. 2. 13. त एवैनं परिम्रियन्ते

Tait. 3. 10. 4. पर्येणं म्रियन्ते द्विषन्तः सपत्नाः परि ये ऽप्रिया भ्रातृव्याः

परिमोषिन्

Bṛih. 3. 9. 26. अस्य परिमोषिणो ऽस्थीन्यपजह्रुः

परिरक्षितृ

Praśna. 2. 9. रुद्रो ऽसि परिरक्षिता

परिलिप्

Bṛih. 6. 3. 1. परिसमूह्य परिलिप्य

परिवत्सर

Mahânâr. 25. 1. ये संवत्सराश्च परिवत्सराश्च ते ऽहर्गणाः

परिवस्

Gîtâ. 17. 10. पूतिपर्युषितं च यत्

परिविष्

Chhâ. 4. 3. 5. परिविष्यमाणौ ब्रह्मचारी बिभिक्षे

परिवृ

Prâṇâg. 2. सहस्ररश्मिभिः परिवृतः
Aśrama. 3. चीरचर्मवल्कलपरिवृताः

परिवृज्

Nila. 16. परि ते धन्वनो हेतिरस्मान् वृणक्तु

परिवृत्

Bṛih. 2. 1. 18. स्वे जनपदे . . परिवर्त्तेत
— स्वे शरीरे . . परिवर्त्तते
4. 4. 16. यस्मादर्वाक् संवत्सरो ऽहोभिः परिवर्त्तते
Śwet. 6. 6. यस्मात्प्रपञ्चः परिवर्त्तते ऽयम्
Maitri. 6. 21. ताल्वध्ययं परिवर्त्य
Nṛisut. 6. उन्मत्ता इव परिवर्त्तमानाः
Prâṇâg. 2. स्वे शरीरे यज्ञं परिवर्त्तयामि

परिवेष्टितृ

Śwet. 3. 7. विश्वस्यैकं परिवेष्टितारम् 4. 14, 16 ; 5. 13.

परिवेष्टृ

Kaush. 2. 1. वाक् परिवेष्ट्री
— यो वाचं परिवेष्ट्रीं (वेद)

परिवेष्ट्रीमन्त्

Kaush. 2. 1. यो वाचं परिवेष्ट्रीं परिवेष्ट्रीमान्भवति

परिव्यथ्

Praśna. 6. 6. यथा मा वो मृत्युः परिव्यथाः

परिव्रज्

Kaush. 2. 15. पुत्रस्यैश्वर्ये पिता वसेत् परि वा व्रजेत्
Bṛih. 3. 3. 1. मद्रेषु चरकाः पर्यव्रजाम

परिव्रश्च्

Chhâ. 8. 9. 1. परिवृक्णे परिवृक्णः 2.

परिव्राज्

Jâbâla. 5. अत्र परिव्राड् विवर्णवासाः
Mukti. 1. 34. परिव्राट् त्रिशिखी सीता

परिव्राज

Mukti. 1. 36. *vide* अक्षमालिका

परिव्राजक

Aruṇeya. 5. परमहंसपरिव्राजकानाम्
Aśrama. 4. परिव्राजका अपि चतुर्विधाः

परिव्राजिन्

Jâbâla. 5. अयं विधिः परिव्राजिनाम् (so MSS. and Saṁkara).

परिशिष्

Chhâ. 6. 7. 3. अङ्गारः खद्योतमात्रः परिशिष्टः
5. अङ्गारं खद्योतमात्रं परिशिष्टम्
Kaṭha. 4. 3. किमत्र परिशिष्यते 5. 4.
Mukti. 2. 51. परिशिष्टं च चिन्मात्रम्

परिशुध्

Chûl. 16. पश्यन्ति परिशुद्धं विभुम्
Yogaśi. 7. परिशुद्धं विसर्पति

परिशुष्

Praśna. 6. 1. समूलो वा एष परिशुष्यति
Gîtâ. 1. 29. मुखं च परिशुष्यति

परिषद्

Bṛih. 6. 2. 1. पञ्चालानां परिषदमाजगाम

परिष्कृ

Chhâ. 8. 8. 2. साध्वलङ्कृतौ सुवसनौ परिष्कृतौ 3.
8. 9. 1. परिष्कृते परिष्कृतः 2.

परिष्टुति

Swet. 2. 4. मही देवस्य सवितुः परिष्टुतिः

परिष्वञ्ज्

Śwet. 4. 6. समानं वृक्षं परिषस्वजाते Muṇḍ. 3. 1. 1.

परिसमाप्

Nrisut. 6. आत्मप्रकाशं शून्यं जानन्तस्तत्रैव परिसमाप्ताः

Gîtâ. 4. 33. ज्ञाने परिसमाप्यते

परिसमूह्

Kaush. 2. 3. परिसमूह्य परिस्तीर्य

Bṛih. 6. 3. 1. परिसमूह्य परिलिप्य

परिसमे

Kaivalya. 1. भगवन्तं परमेष्ठिनं परिसमेत्य

परिस्तॄ

Kaush. 2. 3. परिसमूह्य परिस्तीर्य्य

Bṛih. 6. 3. 1. परिस्तीर्यावृताज्यं संस्कृत्य

परिस्था

Maitri. 7. 8. वैदिकेषु परिस्थातुमिच्छन्ति

परिहृ

Chhâ. 2. 13. 2. न कांचन परिहरेत्तद्व्रतम्

2. 22. 5. मृत्योरात्मानं परिहराणि

परी

Kaush. 4. 20. स्वाराज्यमाधिपत्यं पर्यैत् — स्वाराज्यमाधिपत्यं पर्यैति य एवं वेद

Chhâ. 3. 6. 4. तावदाधिपत्यं स्वाराज्यं पर्येता 3. 7. 4; 3. 8. 4; 3. 9. 4; 3. 10. 4.

8. 12. 3. स तत्र पर्यैति जक्षन् क्रीडन्

Bṛih. 3. 3. 2. तं समन्तं पृथिवी . . पर्यैति तां समन्तं पृथिवीं . . समुद्रः पर्यैति

Iśâ. 8. स पर्यगाच्छुक्रमकायम्

Kaṭha. 2. 5. दन्द्रम्यमाणाः परियन्ति मूढाः Maitri. 7. 9.

Muṇḍ. 1. 2. 8. जङ्घन्यमानाः परि[illegible]न्ति मूढाः

Mahânâr. 2. 6. परि द्यावापृथिवी [illegible]त
7. परीत्य लोकान् परीत्य भूतानि परीत्य सर्वाः प्रदिशः

परीक्ष्

Muṇḍ. 1. 2. 12. परीक्ष्य लोकान् कर्मचितान्

Mukti. 1. 49. सम्यक्परीक्ष्य दातव्यम्
52. सम्यक्परीक्ष्य दद्याः

परीष्

Chhâ. 1 11. 2. भगवन्तं वा अहमेभिः सर्वैरार्त्विज्यैः पर्य्यैशिषम् (one MS. has पर्यैषिषम्)

परुष्णी

Mahânâr. 5. 4. इमं मे गंगे यमुने . . स्तोमं सचता परुष्णिया

परुस्

Mahânâr. 4. 3. काण्डात्काण्डात्प्ररोहन्ती परुषः परुषः परि

परे

Kaṭhaśru. 3. सो ऽरण्यं परेत्य
— मा त्वं मामवहाय परागाः
— नाहं त्वामवहाय परागाम्

परेण

Ait. 1. 2. अदो ऽम्भः परेण दिवम्

Bṛih. 1. 3. 12. परेण मृत्युमतिक्रान्तः 13. 16.

Mahânâr. 10. 5. परेण नाकं निहितं गुहायाम् Kaivalya. 3.

परोक्ष

Ait. 3. 14. इदन्द्रं सन्तमिन्द्रमित्याचक्षते परोक्षेण

Bṛih. 4. 2. 2. इन्धं सन्तमिन्द्र इत्याचक्षते परोक्षेण

परोक्षप्रिय

Ait. 3. 14. परोक्षप्रिया इव हि देवाः Bṛih. 4. 2. 2.

परोरजस्

Bṛih. 5. 14. 3. परोरजा य एष तपति 6.
— एष परोरजा इति सर्वमु ह्येवैष रज उपर्युपरि तपति
4. गायत्र्येतस्मिंस्तुरीये दर्शते पदे परोरजसि प्रतिष्ठिता
7. नमस्ते तुरीयाय दर्शताय पदाय परोरजसे

परोवरीयस्

Chhâ. 1. 9. 2. स एष परोवरीयानुद्गीथः
— परोवरीयो हास्य भवति परोवरीयसो ह लोकान् जयति य एतदेवं विद्वान् परोवरीयांसमुद्गीथमुपास्ते
3. परोवरीयो हैभ्यस्तावदस्मिँल्लोके जीवनं भविष्यति
— परोवरीय एव हास्यास्मिँल्लोके जीवनं भवति

2. 7. 1. प्राणेषु पंचविधं परोवरीयः सामोपासीत.. परोवरीयांसि वा एतानि
2. परोवरीयो हास्य भवति परोवरीयसो ह लोकान् जयति य एतदेवं विद्वान् प्राणेषु पंचविधं परोवरीयः सामोपास्ते

पर्जन्य

Chhâ. 2. 15. 1. एतद्वैरूपं पर्जन्ये प्रोतम्
2. स य एवमेतद्वैरूपं पर्जन्ये प्रोतं वेद

3. 13. 4. तन्मनः स पर्जन्यः

5. 5. 1. पर्जन्यो वाव..अग्निः Bṛih. 6. 2. 10 (वै)

5. 22. 2. पर्जन्यस्तृप्यति पर्जन्ये तृप्यति ।विद्युत्तृप्यति
— यत्किञ्च विद्युच्च पर्जन्यश्चाधितिष्ठतः

Bṛih. 1. 4. 11. पर्जन्यो यमो मृत्युरीशानः

2. 2. 2. या अक्षन्नापस्ताभिः पर्जन्यः

Muṇḍ. 2. 1. 5. सोमात् पर्जन्यः

Mahânâr. 23. 1. ताभिः पर्जन्यो वर्षति पर्जन्येनौषधिवनस्पतयः प्रजायन्ते

Praśna. 2. 5. एष पर्जन्यो मघवानेषः

Gîtâ. 3. 14. पर्जन्यादन्नसम्भवः
— यज्ञाद्भवति पर्जन्यः

पर्ण

Chhâ. 2. 23. 4. यथा शंकुना सर्वाणि पर्णानि सन्तृण्णानि

Bṛih. 3. 9. 28. तस्य लोमानि पर्णानि

Aśrama. 3. शीर्णपर्णफलभोजिनः

Gîtâ. 15. 1. छन्दांसि यस्य पर्णानि

पर्यंक

Kaush. 1. 3. अमितौजाः पर्यङ्कः
5. अमितौजसं पर्यङ्कम्

पर्यन्त

Sarvop. 3. ब्रह्मादिपिपीलिकापर्यन्तम् (so MSS.)

Haṁsa. 1. आधाराद्ब्रह्मरन्ध्रपर्यन्तम्

Mukti. 1. 43. प्रारब्धक्षयपर्यन्तम्

पर्यवसो

Nṛisut. 6. ओङ्कारे परे ब्रह्मणि पर्यवसितो भवेत्

पर्यवस्था

Gîtâ. 2. 65. बुद्धिः पर्यवतिष्ठते

पर्यवे

Bṛih. 6. 2. 16. तेषां यदा तत्पर्यवैति

पर्यवेक्ष्

Kaush. 1. 4. यथा रथेन धावयन् रथचक्रे पर्यवेक्षेतैवमहोरात्रे पर्यवेक्षेत

पर्यस्

Chûl. 19. एवं सहस्रशो देवं पर्यस्यन्तम्

पर्याप्

Gîtâ. 1. 10. पर्याप्तं त्विदमेतेषां बलम्

पर्याप्तकाम

Muṇḍ. 3. 2. 2. पर्याप्तकामस्य कृतात्मनस्तु

पर्यावृत्

Chhâ. 1. 5. 2. रश्मींस्त्वं पर्यावर्त्तयात्

Bṛih. 4. 4. 1. यत्रैष चाक्षुषः पुरुषः पराङ् पर्यावर्त्तते

पर्युक्ष्

Kaush. 2. 3. परिसमूह्य परिस्तीर्य पर्युक्ष्य

पर्युपास्

Chhâ. 5. 24. 5. यथेह क्षुधिता बाला मातरं पर्युपासते

6. 15. 1. पुरुषं . . उपतापिनं ज्ञातयः पर्युपासते

Gîtâ. 4. 25. योगिनः पर्युपासते

9. 22. ये जनाः पर्युपासते

12. 1. भक्तास्त्वां पर्युपासते

3. अव्यक्तं पर्युपासते

20. यथोक्तं पर्युपासते

पर्ये

Chhâ. 5. 1. 8. संवत्सरं प्रोष्य पर्येत्योवाच 9, 10, 11.

पर्वत

Kaush. 2. 13. यदि ह वा एवंविद्वांसमुभौ पर्वतावभिप्रवर्तेयात म्

Chhâ. 3. 19. 2. यज्जरायु ते पर्वताः

7. 6. 1. ध्यायन्तीव पर्वताः

7. 8. 1. बलेन पर्वताः (तिष्ठन्ति)

7. 10. 1. यद्द्यौर्यत्पर्वताः

Bṛih. 1. 1. 1. यकृच्च क्लोमानश्च पर्वताः

3. 8. 9. नद्यः स्यन्दन्ते श्वेतेभ्यः पर्वतेभ्यः

Kaṭha. 4. 14. पर्वतेषु विधावति

Maitri. 6. 18. यथा पर्वतमादीप्तम्

पर्वतधातु

Amṛita. 7. यथा पर्वतधातूनां दह्यन्ते धमनान्मलाः

पर्वतमूर्धन्

Mahânâr. 15. 5. भूम्यां पर्वतमूर्धनि

पर्वन्

Kaush. 2. 3. एतेषामेकस्मिन् पर्वणि 4.

Bṛih. 1. 1. 1. मासाश्चार्द्धमासाश्च पर्वाणि

पर्शु

Bṛih. 1. 1. 1. अवान्तरदिशः पर्शवः

पल

Garbha. 5. हृदयं पलान्यष्टौ

— द्वादश पला जिह्वा

(2 MSS. have पलानि)

पललपिण्ड

Nṛip. 2. 4. स्नेहो यथा पललपिण्डमोतं प्रोतमनुप्राप्तं व्यतिषक्तः

Śiras. 4. यथा स्नेहेन पललपिण्डमिव

पलाय्, पल्यय्

Bṛih. 4. 3. 2. पल्ययते कर्म कुरुते 3–6.
Nṛip. 2. 4. सर्वाणि भूतानि भीत्या पलायन्ते

पलाल

Brah ab. 18. पलालमिव धान्यार्थी

पलाश

Chhâ. 5. 2. 3. प्ररोहेयुः पलाशानि
Bṛih. 6. 3. 7–12.

पलित *adj.*

Chûl. 11. स्कंभो ऽथ पलितस्तथा (so 4 MSS. and Nârâyaṇa; the latter says अथशब्दो विरोधे पलितो वृद्धः । वृद्धः कुमारश्चेति विरुद्धं । one MS. with Calcutta text, reads अप्यपलितः)

पल्लव

Mukti. 2. 36. *vide* शालिन्

पवन

Maitri. 6. 7. पवनात्पावनः
Mukti. 2. 76. विशल्यदेहमुक्तत्वं पवनो ऽस्पन्दतामिव
Gîtâ. 10. 31. पवनः पवतामस्मि

पवननन्दन

Mukti. 1. 45. मयोपदिष्टं . . तुभ्यं पवननन्दन

पवनात्मज

Mukti. 2. 72. मम रूपमीदृशं भजस्व . . पवनात्मज

पवमान

Bṛih. 1. 3. 28. अथातः पवमानानामेवाभ्यारोहः
Maitri. 6. 34. तत एव पवमानपावकशुचयः
— पवमानपावकशुचिसंघातो हि जाठरः

पवित्र *adj. & n.*

Śwet. 6. 21. अत्याश्रमिभ्यः परमं पवित्रं प्रोवाच
Maitri. 6. 9. वसोः पवित्रमसि: सवितुश्च रश्मयः पुनन्त्वन्नम्
Mahânâr. 6. 1. पवित्रे अधि सानो अव्ये
9. 1. सोमः पवित्रमत्येति रेभन् 17. 8.
23. 1. मानसं वै प्राजापत्यं पवित्रम्
Śiras. 1. पुष्करमहं पवित्रमहम्
Brahma. 2. यज्ञोपवीतं परमं पवित्रम्
3. पवित्रं ज्ञानमुत्तमम्
Nyâsa. 3. पवित्रं धारयेत्
4. पवित्रं स्नानशाटीं च
Kaṭhaśru. 4.
Aruṇeya. 2. पवित्रं विसृजेत्
Gitâ. 4. 38. पवित्रमिह विद्यते
9. 2. पवित्रमिदमुत्तमम्
17. वेद्यं पवित्रमोंकारः
10. 12. पवित्रं परमं भवान्

पशव्य

Chhâ. 2. 22. 1. विनर्दि साम्नो वृणे पशव्यम्

पशु

Kaush. 2. 8. मास्माकं प्राणेन प्रजया पशुभिराप्याययिष्ठाः
— तस्य . . पशुभिराप्याययस्व
9. मास्माकं प्राणेन प्रजया पशुभिरपक्षेष्ठाः
— तस्य . . . पशुभिरपक्षीयस्व
4. 8. पूर्यते प्रजया पशुभिः
16. प्रजायते प्रजया पशुभिः
Bṛih. 6. 1. 6 (bis).

Chhâ. 2. 6. 1. पशुषु पंचविधं सामोपासीत
2. भवन्ति हास्य पशवः पशुमान् भवति य एतदेवं विद्वान् पशुषु पंचविधं सामोपास्ते
2. 9. 2. तदस्य पशवो ऽन्वायत्ताः
2. 11. 2. महान् प्रजया पशुभिर्भवति 12. 2; 13. 2; 14. 2; 15. 2; 16. 2; 17. 2; 18. 2; 19. 2; 20. 2.
2. 15. 2. विरूपांश्च सुरूपांश्च पशूनवरुन्धे
2. 16. 2. विराजति प्रजया पशुभिर्ब्रह्मवर्चसेन
2. 18. 1. एता रेवत्यः पशुषु प्रोताः 2.
2. पशून्न निन्देत्तद्व्रतम्
2. 22. 2. तृणोदकं पशुभ्यः
5. 17. 1. प्रतिष्ठितो ऽसि प्रजया च पशुभिश्च
5. 19. 2. तृप्यति प्रजया पशुभिः 5. 20. 2; 5. 21. 2; 5. 22. 2; 5. 23. 2.
7. 2. 1. पशूंश्च वयांसि च 7. 7. 1.
7. 3. 1. पुत्रांश्च पशूंश्चेच्छेय
7. 8. 1. बलेन पशवश्च वयांसि च
7. 10. 1. यत्पशवश्च वयांसि च
7. 13. 1. स्मरेण वै पुत्रान् विजानाति स्मरेण पशून्
7. 14. 1. पुत्रांश्च पशूंश्चेच्छते
Bṛih. 1. 2. 5. यज्ञान् प्रजाः पशून्
7. पशून्देवताभ्यः प्रत्यौहत्
1. 4. 10. यथा पशुरेवं स देवानाम्
— बहवः पशवो मनुष्यं भुञ्ज्युः
— एकस्मिन्नेव पशावादीयमाने
16. यत्पशुभ्यस्तृणोदकं विन्दति तेन पशूनाम्
17. पांक्तः पशुः

Bṛih. 1. 5. 1 पशुभ्य एकं प्रायच्छत् 2.
2. पयो ह्यग्रे मनुष्याश्च पशवश्चोपजीवन्ति
2. 1. 5. पूर्यते प्रजया पशुभिः
3. 9. 6. कतमो यज्ञ इति पशव इति
4. 1. 1. पशूनिच्छन्नण्वन्तानिति
4. 5. 6. न वा अरे पशूनां कामाय पशवः प्रिया भवन्त्यात्मनस्तु कामाय पशवः प्रिया भवन्ति
6. 4. 24 अस्योपसद्यां मा च्छैत्सीत् प्रजया च पशुभिश्च
Tait. 1. 3. 4. सन्धीयते प्रजया पशुभिः
1. 4. 2. श्रियमावह लोमशां पशुभिः सह
2. 3. 1. प्राणं देवा अनुप्राणन्ति मनुष्याः पशवश्च ये
3. 6. 1. महान् भवति प्रजया पशुभिः 3. 7. 1; 3. 8. 1; 3. 9. 1.
3. 10. 3. यश इति पशुषु
Kaṭha. 1. 23. वृणीष्व बहून् पशून्
Maitri. 6. 10. यस्माद्बीजसम्भवा हि पशवः
13. अन्नं पशूनां प्राणः
Muṇḍ. 2. 1. 7. साध्या मनुष्याः पशवो वयांसि
Mahânâr. 1. 4. येन ओषधीभिः पुरुषान्पशूंश्च
2. 8. पशूंश्च मह्यमावह
14. 1. पशव आपः
25. 1. मन्युः पशुः
Nṛip. 1. 4. प्राणा वा इन्द्रियाणि पशवः
Siras. 5. ऊर्जेन पशवो ऽनुनामयन्तं मृत्युपाशान्
Garbha. 5. लाभादयः पशवः
Brahma. 2. तत्र . . पशवो न पशवः
Prâṇâg. 3. शारीरयज्ञस्य . . कः पशुः
4. कामः पशुः
Nâda. 15. पशूनां च पतिं तथा

पशुपति

Mahânâr.19. 2. नमो रुद्राय पशुपतये स्वाहा
Nṛip. 1. 6. उमापतिं पशुपतिम्

पशुपाश

Siras. 5. पशुपाशविमोक्षणम् (some MSS.omit पशु)
— पशुपाशविमोक्षणाय

पशुबन्ध

Mahânâr. 25. 1. य ऋतवस्ते पशुबन्धाः

पशुमन्त्

Chhâ. 2. 6. 2. पशुमान् भवति 2. 18. 2.

पश्चात्

Kaush. 2. 8. पश्चाच्चंद्रमसं दृश्यमानमुपतिष्ठेत
Chhâ. 3. 6. 4. यावदादित्यः पुरस्तादुदेता पश्चादस्तमेता 3. 7. 4.
3. 8. 4. द्विस्तावत्पश्चादुदेता
3. 9. 4. यावदादित्यः पश्चादुदेता
4. 6. 1. पश्चादग्नेः प्राङुपोपविवेश 4. 7. 1 ; 4. 8. 1.
5. 2. 8. पश्चादग्नेः संविशति
6. 10. 1. पश्चात्प्रतीच्यः
7. 25. 1. स पश्चात्..अहं पश्चात्
2. आत्मा पश्चात्
Bṛih. 1. 1. 2. रात्रिरेनं पश्चान्महिमान्वजायत
2. 1. 10. यन्तं पश्चाच्छब्दो ऽनूदेति
Maitri. 6. 21. अपारेण पश्चाद्युञ्जीत
7. 3. आदित्याः पश्चादुद्यन्ति
Muṇḍ.2. 2. 11. ब्रह्म पश्चाद्ब्रह्म दक्षिणतः
Nṛip. 5. 2. आदित्याः पश्चात् (आसते)
Amṛita. 21. पश्चाद् ध्यायेत पूर्वोक्तम्
Nâr. 4. नम इति पश्चात्
Gopî. 3. चन्दनं तु ततः पश्चात्

पश्चिम

Râmap. 51. पश्चिमे लक्ष्मणं धृत्वा

पश्चिमामुख

Mahâ. 3. पश्चिमामुखो भूत्वा

पश्य

Chhâ. 7. 26. 2. न पश्यो मृत्युं पश्यति.. सर्वं ह पश्यः पश्यति
Muṇḍ.3. 1. 3. यदा पश्यः पश्यति रुक्मवर्णम्

1. पा (पाने)

Chhâ. 1. 2. 9 तेन यदश्नाति यत्पिबति
1. 10. 3. उच्छिष्टं वै मे पीतं स्यात्
1. 12. 5. ओं पिबाम
3. 6. 1. न वै देवा अश्नन्ति न पिबन्ति 3. 7. 1 ; 3. 8. 1 ; 3. 9. 1; 3. 10. 1.
3. 17. 1. यदशिशिषति यत्पिबति
2. यदश्नाति यत्पिबति
5. 2. 7. तुरं भगस्य धीमहीति सर्वं पिबति
5. 10. 9. सुरां पिबंश्च
6. 5. 2. आपः पीतास्त्रेधा विधीयन्ते
6. 6. 3. अपां सोम्य पीयमानानाम्
6. 7. 1. काममपः पिबापोमयः प्राणो न पिबतो विच्छेत्स्यते
6. 8. 5. यत्रैतत्पुरुषः पिपासति नाम तेज एव तत्पीतं नयते
6. 11. 1. पेपीयमानो मोदमानः
Bṛih. 4. 1. 2. इष्टं हुतमाशितं पायितम् 4. 5. 11.
6. 4. 13. त्र्यहं कंसे न पिबेदहतवासाः
Kaṭha. 3. 1. ऋतं पिबन्तौ सुकृतस्य लोके
Mahânâr. 20. 2. सोमं पिब वृत्रहन्
25. 1. यत्पिबति तदस्य सोमपानम्
Chûl. 6. पिबन्ते नाम विषयम्
— एकस्तु पिबते देवः
Siras. 3. अपाम सोमममृता अभूम

Garbha. 3. मात्राशितपीतनाडीसूत्रगतेन
4. पीता नानाविधाः स्तनाः
5. अशितपीतलेह्यचोष्यं पत्रतीति
Prâṇâg. 2. अशितपीतलीढखादितानि
Yogat. 3. यः स्तन्यं पूर्वं पीत्वापि
Kaṭhaśru. 3. भस्ममुष्टिं पिबेदित्येके
Skanda. 12. ब्रह्मामृतं पिबेत्

2. पा (रक्षणे)

Śwet. 4. 21. रुद्र यत्ते दक्षिणं मुखं तेन मां पाहि नित्यम्
Mahânâr. 7. 4. पाहि नो अग्न एनसे..पाहि नो विश्ववेदसे..यज्ञं पाहि विभावसो..सर्वं पाहि शतक्रतो
Nṛip. 3. 1. स ईं पाहि य ऋजीषी तरुत्रः
Vâsu. 2. मां पाहि शरणागतम् (some MSS. read रक्ष मां)

पाकरस

Mukti. 2. 65. दर्वी पाकरसं यथा

पांक्त

Bṛih. 1. 4. 17. स एष पांक्तो यज्ञः पांक्तः पशुः पांक्तः पुरुषः पांक्तमिदं सर्वम्
Tait. 1. 7. 1. पांक्तं वा इदं सर्वं पांक्तेनैव पांक्तं स्पृणोति

पाजस्

Mahânâr. 13. 6. कृणुष्व पाज इति पञ्च

पाजस्य

Bṛih. 1. 1. 1. पृथिवी पाजस्यम्

पाञ्चजन्य

Gîtâ. 1. 15. पाञ्चजन्यं हृषीकेशः

पाणि

Kaush. 2. 15. पाणिनान्तर्धाय
4. 19. तं ह पाणावभिपद्य प्रवव्राज
Bṛih. 2. 1. 15. तं पाणावादायोत्तस्थौ — तं पाणिनापेषं बोधयाञ्चकार
4. 3. 5. यत्र स्वः पाणिर्न विनिर्ज्ञायते
5. 12. 1. स ह स्माह पाणिना मा प्रातृद
6. 3. 6. अन्तत आचम्य पाणी प्रक्षाल्य
6. 4. 7. यष्टचा वा पाणिना वोपहत्य
19. प्रक्षाल्य पाणी
Mahânâr. 5. 2. पाणिना ह्यवमर्शतु
Prâṇâg. 2. सव्ये पाणावपो गृहीत्वा
Yogat. 12. कूर्मवत् पाणिपादाभ्याम्
Nyâsa. 5. पाणी आस्थाय संश्रयेत्
Kṛish. 25. धृतं पाणौ स्वलीलया
Mukti. 1. उपहारपाणयः

पाणिपात्र

Kaṭhaśru. 1. पाणिपात्रेणाशनं कुर्यात्
Aruṇeya. 5. उदरपात्रं पाणिपात्रं वा

पाण्ड[ण्डु]रवासस्

Kaush. 4. 3. बृहत्पाण्डुरवासा अतिष्ठाः
19. बृहत्पाण्डरवासः सोम राजन् Bṛih. 2. 1. 15 (बृहन्)
Bṛih. 2. 1. 3. बृहन्पाण्डरवासाः सोमो राजा

पाण्डव

Gîtâ. 1. 1. मामकाः पाण्डवाश्चैव
14. माधवः पाण्डवश्चैव
20. धनुरुद्यम्य पाण्डवः
4. 35. एवं यास्यसि पाण्डव
6. 2. योगं तं विद्धि पाण्डव
10. 37. पाण्डवानां धनञ्जयः
11. 13. अपश्यत्..पाण्डवस्तदा
55. स मामेति पाण्डव
14. 22. मोहमेव च पाण्डव
16. 5. मा शुचः..पाण्डव

पाण्डवानीक

Gîtâ. 1. 2. दृष्ट्वा तु पाण्डवानीकम्

पाण्डित्य

Bṛih. 3. 5. 1. पाण्डित्यं निर्विद्य
— बाल्यं च पाण्डित्यं च निर्विद्य

पाण्डुपुत्र

Gîtâ. 1. 3. पश्यैतां पाण्डुपुत्राणां .. चमूम्

पाण्डुर

Garbha. 2. धूम्रः पीतः कपिलः पाण्डुरः

पाण्ड्वाविक

Bṛih. 2. 3. 6. यथा पाण्ड्वाविकम्

पातक

Gîtâ. 1. 38. मित्रद्रोहे च पातकम्

पाताल

Aruṇeya. 1. *vide* तलातल

पात्र

Bṛih. 5. 15. 1. हिरण्मयेन पात्रेण सत्यस्यापिहितं मुखम् Iśâ. 15; Maitri. 6. 35.

Nyâsa. 4. भिक्षादि वैदलं पात्रम्

Kaṭhaśru. 1. सर्वैः पात्रैः समारोप्य

Aruṇeya. 2. पात्रं विसृजेत्

Aśrama 4. *vide* धारिन्
— *vide* यज्ञोपवीत

Jâbâla. 6. पात्रं जलपवित्रम्

Gîtâ. 17. 20. देशे काले च पात्रे च

पाद

Kaush. 1. 5. बृहद्रथन्तरे सामनी पूर्वौ पादौ श्यैतनौधसे चापरौ पादौ
— तस्य भूतं च भविष्यच्च पूर्वौ पादौ
- पादेनैवाम आरोहति

Kaush. 1. 7. केनेत्या इति पादाभ्यामिति
3. 5. पादावेवास्या एकमङ्गमुदूल्हम्
6. प्रज्ञया पादौ समारुह्य पादाभ्यां सर्वा इत्या आप्नोति
7. न हि प्रज्ञापेतौ पादाविस्यां कांचन प्रज्ञापयेयाताम्

Chhâ. 3. 12. 6. पादो ऽस्य सर्वा भूतानि
3. 18. 2. वाक् पादः प्राणः पादश्चक्षुः पादः श्रोत्रं पादः
— अग्निः पादो वायुः पाद आदित्यः पादो दिशः पादः
3. वागेव ब्रह्मणश्चतुर्थः पादः (similarly in 4, 5, 6).
4. 5. 2. ब्रह्मणश्च ते पादं ब्रवाणि .. चतुष्कलः पादो ब्रह्मणः 4. 6. 3; 4. 7. 3; 4. 8. 3.
3. य एतमेवं विद्वांश्चतुष्कलं पादं ब्रह्मणः .. उपास्ते 4. 6. 4; 4. 7. 4; 4. 8. 4.
4. 6. 1. अग्निष्टे पादं वक्ता
4. 7. 1. हंसस्ते पादं वक्ता
4. 8. 1. मद्गुष्टे पादं वक्ता
5. 17. 2. पादौ त्वेतावात्मन इति होवाच पादौ ते व्यम्लास्येतां यन्मां नागमिष्यः
5. 18. 2. पृथिव्येव पादौ

Bṛih. 2. 4. 11. सर्वेषामध्वनां पादावेकायनम् 4. 5. 12.
3. 1. 1. दश दश पादा एकैकस्याः शृङ्गयोः

Tait. 3. 10. 2. गतिरिति पादयोः

Maitri. 6. 6. नाभिर्भुवो भूः पादाः

Mahânâr. 10. 1. चत्वारि शृंगा त्रयो अस्य पादाः

Praśna. 4. 8. पादौ च गन्तव्यं च

Mâṇḍû. 3. वैश्वानरः प्रथमः पादः Nṛip. 4. 1; Nrisut 1; Râmot 3.

Mândû. 4. तैजसो द्वितीयः पादः Nrip. 4. 1; Râmot. 3.
5. प्राज्ञस्तृतीयः पादः Nrip. 4. 1; Râmot 3.
8. पादा मात्रा मात्राश्च पादाः
Gauḍa. 1. 24. पादा मात्रा न संशयः
2. 21. पादा इति पादविदः
Nṛip. 1. 2. तत्साम्नः प्रथमं पादं जानीयात् 4 (similarly 3 times more in each place).
— चत्वारः पादा भवन्ति
2. 1. सा प्रथमः पादो भवति Nṛisut 3 (bis).
— सा द्वितीयः पादो भवति Nṛisut.3.
— सा तृतीयः पादो भवति Nṛisut.3.
— सा साम्नश्चतुर्थः पादो भवति
2. अष्टाक्षरः प्रथमः पादो भवत्यष्टाक्षरास्त्रयः पादा भवन्ति
— चत्वारः पादाः. . भवन्ति
Nṛisut. 1. तैजसो हिरण्यगर्भो द्वितीयः पादः
— प्राज्ञ ईश्वरस्तृतीयः पादः
3. भवति च सर्वेषु पादेषु चतुरात्मा (4 times).
— सा चतुर्थः पादो भवति
Kshur. 12. पादस्योपरि मर्मृज्य
Śiras. 3. दक्षिणतः पादौ
Śikhâ. 1. ओमित्येतदक्षरस्य पादाश्चत्वारः
Nâda. 2. पादौ रजस्तमस्तस्य
3. भूर्लोकः पादयोस्तस्य
Yogaśi. 2. हस्तौ पादौ च संयुतौ
Yogat. 12. कूर्मवत् पाणिपादाभ्याम्

पादतल

Mahânâr. 11. 11. आपादतलमस्तकम्

पादप्रदेश

Garbha. 3. मासत्रयेण पादप्रदेशः

पादविद्

Gauḍa. 2. 21. पादा इति पादविदः

पादशस्

Gauḍa. 1. 24. ओङ्कारं पादशो विद्यात्
— ओङ्कारं पादशो ज्ञात्वा

पादुका

Aśrama. 4. *vide* धारिन्
— *vide* यज्ञोपवीत

पादोदर

Praśna. 5. 5. यथा पादोदरस्त्वचा विनिर्मुच्यते

पान

Bṛih. 4. 3. 37. अन्नैः पानैरावसथैः
Kaivalya. 12. स्त्रियन्नपानादिविचित्रभोगैः

पानवन्त्

Chhâ. 7. 9. 2. अन्नवतो वै स लोकान् पानवतो ऽभिसिध्यति

पाप *adj. & n.*

Kaush. 2. 7. यदहोरात्राभ्यां पापमकरोत्
— यदहोरात्राभ्यां पापं करोति
3. 1. नास्य पापं चक्रुषो मुखान्नीलं वेतीति
Chhâ. 1. 2. 8. य एवंविदि पापं कामयते
4. 14. 3. एवमेवंविदि पापं कर्म न श्लिष्यते
8. 13. 1. अश्व इव रोमाणि विधूय पापम्
Bṛih. 1. 5. 20. न ह वै देवान् पापं गच्छति
3. 2. 13. पुण्यो वै पुण्येन कर्मणा भवति पापः पापेनेति
4. 3. 15. दृष्ट्वैव पुण्यं च पापं च 16, 17, 34.

Bṛih. 4. 3. 22. अनन्वागतं पापेन
4. 4. 5. पापकारी पापो भवति पुण्यः पुण्येन कर्मणा भवति पापः पापेन
22. अतः पापमकरवामिति
5. 14. 8. एवंविद्यद्यपि बह्विव पापं कुरुते

Tait. 2. 9. 1. किमहं पापमकरवम्

Maitri. 6. 9. यच्च पापेन दत्तम्

Mahânâr. 4. 1. सर्वं हरतु मे पापम्
2. शतं मे घ्नन्ति पापानि
6. मृत्तिके हर मे पापम्
— त्वया हतेन पापेन 7.
11. पापेभ्यश्च प्रतिग्रहः
5. 11. तस्मात्पापात्प्रमुच्यते
14. 3. मन्युकृतेभ्यः पापेभ्यो रक्षन्तां 4.
— यदह्ना पापमकार्षम्
4. यद्रात्र्यां पापमकार्षम्
19. 1. तिलाः पुनन्तु मे पापम्
22. 1. धर्मेण पापमपनुदन्ति

Praśna. 3. 7. पुण्येन पुण्यं लोकं नयति पापेन पापम्

Dhyâna. 3 यदि शैलसमं पापम्

Nâr. 5. रात्रिकृतं पापं नाशयति .. दिवसकृतं पापं नाशयति

Haṁsa. 2. नैर्ऋत्ये पापे मनीषा

Jâbâla. 2. सर्वानिन्द्रियकृतान्पापान्नाशयति(or सर्वाणीन्द्रियकृतपापानि); Râmot. 4.

Gopî. 4. अहोरात्रकृतं पापं नाशयति
5. तेषां पापानि नश्यन्ति

Râmot. 4. ब्रह्महत्यादिपापेभ्यः

Mukti. 1. 21. निर्धूताशेषपापौघः

Gîtâ. 1. 36. पापमेवाश्रयेदस्मान्
39. पापादस्मान्निवर्तितुम्

Gîtâ. 1. 45. अहो बत महत्पापम्
2. 33. पापमवाप्स्यसि
38. नैवं पापमवाप्स्यासि
3. 13. भुंजते ते त्वघं पापाः
36. पापं चरति पूरुषः
4. 36. अपि चेदसि पापेभ्यः
5. 10. लिप्यते न स पापेन
15. नादत्ते कस्यचित्पापम्
6. 9. साधुष्वपि च पापेषु
7. 28. येषां त्वन्तर्गतं पापम्

पापक

Bṛih. 4. 4. 23. तं विदित्वा न लिप्यते कर्मणा पापकेन

पापकारिन्

Bṛih. 4. 4. 5. पापकारी पापो भवति

पापकाशिन्

Śwet. 3. 5. अघोरा पापकाशिनी Nîla. 8.

पापकृत्तम

Gîtâ. 4. 36. सर्वेभ्यः पापकृत्तमः

पापकृत्या

Chhâ. 4. 11. 2. अपहते पापकृत्याम् 4. 12. 2; 4. 13. 2.

पापकोटिशत

Nâda. 6. न बध्यते कर्मचारी पापकोटिशतैरपि

पापघ्न

Vâsu. 2. गोपीचन्दन पापघ्न

Gopî. 5. पापघ्नं गोपीचन्दनम्

पापनाशन

Dhyâna. 13. निष्कलं पापनाशनम्

पापनुद्

Śwet. 6. 6. धर्मावहं पापनुदं भगेशम्

पापबुद्धि

Vâsu. 4. पापबुद्धिस्तस्य न जायते

पापयोनि

Gîtâ. 9. 32. ये ऽपि स्युः पापयोनयः

पापसंहरण

Gopî. 2. पापसंहरणाच्छुद्धान्तःकरणानाम्

पापिष्ठतर

Chhâ. 5. 1. 7. शरीरं पापिष्ठतरमिव दृश्यते

पापीयस्

Chhâ. 4. 16. 3. स इष्ट्वा पापीयान् भवति
Bṛih. 1. 4. 11. स पापीयान् भवति
6. 1. 7. यस्मिन्व उत्क्रान्त इदं शरीरं पापीयो मन्यते

पाप्मन्

Kaush. 2. 7. वर्गो ऽसि पाप्मानं मे वृङ्धि
— उद्वर्गो ऽसि पाप्मानं म उद्वृङ्धि
— संवर्गो ऽसि पाप्मानं मे संवृङ्धि
4. 20. सर्वान् पाप्मनो ऽपहत्य
Kena. 34. अपहत्य पाप्मानम्
Chhâ. 1. 2. 2. तं हासुराः पाप्मना विविधुः (similarly 3, 4, 5, 6).
— पाप्मना ह्येष विद्धः (similarly 3, 4, 5, 6.
1. 6. 7. स एष सर्वेभ्यः पाप्मभ्य उदित उदेति ह वै सर्वेभ्यः पाप्मभ्यो य एवं वेद
5. 10. 10. न सह तैराचरन् पाप्मना लिप्यते
5. 24. 3. एवं हास्य सर्वे पाप्मानः प्रदूयन्ते
8. 4. 1. सर्वे पाप्मानो ऽतो निवर्त्तन्ते
Chhâ. 8. 6. 3. तं न कश्चन पाप्मा स्पृशति
Bṛih. 1. 3. 2. तमभिद्रुत्य पाप्मनाविध्यन् स यः स पाप्मा..स एव स पाप्मा 3–6.
6. एता देवताः पाप्मभिरुपासृजन्नेवमेनाः पाप्मनाविध्यन्
7. तमभिद्रुत्य पाप्मनाविव्यत्सन्
10. देवतानां पाप्मानं मृत्युमपहत्य 11.
— तदासां पाप्मनो विन्यदधात्
— नेत्पाप्मानं मृत्युमन्ववायानि
1. 4. 1. सर्वान् पाप्मन औषत्
1. 5. 2. न स पाप्मनो व्यावर्त्तते
23. नेन्मा पाप्मा मृत्युराप्नुवत्
4. 3. 8. पाप्मभिः संसृज्यते..पाप्मनो विजहाति
9. पाप्मन आनन्दांश्च पश्यति
4. 4. 23. नैनं पाप्मा तरति सर्वं पाप्मानं तरति नैनं पाप्मा तपति सर्वं पाप्मानं तपति
5. 5. 3. हन्ति पाप्मानं जहाति च 4
5. 7. 1. विद्धत्येनं पाप्मनः
Tait. 2. 5. 1. शरीरे पाप्मनो हित्वा
Maitri. 4. 2. पाप्मना गृहीत इव भ्राम्यमाणम्
Muṇḍ.3. 2. 9. तरति शोकं तरति पाप्मानम्
Mahânâr. 20. 11. हन्तु पाप्मानं यो ऽस्मान्द्वेष्टि
Praśna. 5. 5. एवं ह वै स पाप्मना विनिर्मुक्तः
Nṛip. 2. 1. देवा ह वै..पाप्मभ्यः..अबिभयुः
— तेन..सर्वे पाप्मानमतरन्
— यः..पाप्मभ्यः..बिभीयात्

Nṛip. 2. 1. स पाप्मानं तरति
3. 1; 5. 4; Râmot. 2.
3. 1. सर्वं पाप्मानं दहति
Nṛisut. 6. तान् हासुरः पाप्मा परिजग्रास
— एनमासुरं पाप्मानं परिमृसामः
— तेभ्यो हासावासुरः पाप्मा ..ज्योतिरभवत्
— तस्य हासुरः पाप्मा ..ज्योतिर्भवति
Gîtâ. 3. 41. पाप्मानं प्रजहि ह्येनम्

पामन्

Chhâ. 4. 1. 8. पामानं कषमाणमुपोपविवेश

पायु

Bṛih. 2. 4. 11. सर्वेषां विसर्गाणां पायुरेकायनम् 4. 5. 12.
Tait. 3. 10. 2. विमुक्तिरिति पायौ
Praśna. 4. 8. पायुश्च विसर्जयितव्यं च

पायूपस्थ

Praśna. 3. 5. पायूपस्थे ऽपानम्

पार

Chhâ. 2. 13. 1. पारं गच्छति तन्निधनम्
7. 1. 3. शोकस्य पारं तारयतु
7. 26. 2. तमसः पारं दर्शयति
Kaṭha. 2. 11. क्रतोरनन्त्यमभयस्य पारम्
3. 2. अभयं तितीर्षतां पारम्
9. सो ऽध्वनः पारमाप्नोति
Maitri. 6. 21. तीर्त्वा पारमपारेण पश्चायुञ्जीत
28. अन्तर्हृदयाकाशस्य पारं तीर्त्वा
30. अनेनास्य तमसः पारं गमिष्यति
Muṇḍ. 2. 2. 6. पाराय तमसः परस्तात्
Praśna. 6. 8. यो ऽस्माकमविद्यायाः परं पारं तारयसि
Nâr. 3. प्रयाति परमं पारम्

पारतत्त्व

Râmap. 89. कलापारतत्त्वे

पारमार्थिक

Mukti. 1. 18. पारमार्थिकरूपिणी
2. 56. असौ समाधिः पारमार्थिकः

पाराशरीपुत्र

Bṛih. 6. 5. 1. भारद्वाजीपुत्रः पाराशरीपुत्रात् 2.
— पाराशरीपुत्र औपस्वतीपुत्रात्
— औपस्वतीपुत्रः पाराशरीपुत्रात्
— पाराशरीपुत्रः कात्यायनीपुत्रात्
2. पाराशरीपुत्रो वात्सीपुत्रात्
— वात्सीपुत्रः पाराशरीपुत्रात्
— पाराशरीपुत्रो वार्कारुणीपुत्रात्

पाराशर्य

Bṛih. 2. 6. 2. सैतवप्राचीनयोग्यौ पाराशर्यात्
— पाराशर्यो भारद्वाजात्
— भारद्वाजः पाराशर्यात्
— पाराशर्यो वैजवापायनात्
3. पाराशर्यायणः पाराशर्यात्
4. 6. 3.
— पाराशर्यो जातूकर्ण्यात्
4. 6. 3.

पाराशर्यायण

Bṛih. 2. 6. 3. घृतकौशिकः पाराशर्यायणात् 4. 6. 3.
— पाराशर्यायणः पाराशर्यात्
4. 6. 3.

Bṛih. 4. 6. 2. सैतवः पाराशर्यायणात्
— पाराशर्यायणो गार्ग्यायणात्

पारिक्षित

Bṛih. 3. 3. 1. क्व पारिक्षिता अभवन् (ter).

पारुष्य

Gitâ. 16. 4. क्रोधः पारुष्यमेव च

पार्थ

Gitâ. 1. 25. उवाच पार्थ पश्यैतान्
26. तत्रापश्यत्स्थितान्पार्थः
2. 3. क्लैब्यं मास्म गमः पार्थ
21. कथं स पुरुषः पार्थ
32. सुखिनः क्षत्रियाः पार्थ
39. बुद्ध्या युक्तो यया पार्थ
42. वेदवादरताः पार्थ
55. सर्वान्पार्थ मनोगतान्
72. एषा ब्राह्मी स्थितिः पार्थ
3. 16. मोघं पार्थ स जीवति
22. न मे पार्थास्ति कर्त्तव्यम्
23. मनुष्याः पार्थ सर्वशः 4. 11
4. 33. सर्वं कर्माखिलं पार्थ
6. 40. पार्थ नैवेह नामुत्र
7. 1. मय्यासक्तमनाः पार्थ
10. विद्धि पार्थ सनातनम्
8. 8. याति पार्थानुचिन्तयन्
14. तस्याहं सुलभः पार्थ
19. रात्र्यागमे ऽवशः पार्थ
22. पुरुषः स परः पार्थ
27. नैते सृती पार्थ जानन्
9. 13. महात्मानस्तु मां पार्थ
32. मां हि पार्थ व्यपाश्रित्य
10. 24. मां विद्धि पार्थ बृहस्पतिम्
11. 5. पश्य मे पार्थ रूपाणि
9. दर्शयामास पार्थाय
12. 7. भवामि नचिरात्पार्थ
16. 4. अज्ञानं च . . पार्थ

Gitâ. 16. 6. आसुरं पार्थ मे शृणु
17. 26. सच्छब्दः पार्थ युज्यते
28. असदित्युच्यते पार्थ
18. 6. इति मे पार्थ निश्चितं मतम्
30. बुद्धिः सा पार्थ सात्त्विकी
31. बुद्धिः सा पार्थ राजसी
32. बुद्धिः सा पार्थ तामसी
33. धृतिः सा पार्थ सात्त्विकी
34. धृतिः सा पार्थ राजसी
35. धृतिः सा पार्थ तामसी
72. कच्चिदेतच्छ्रुतं पार्थ
74. पार्थस्य च महात्मनः
78. यत्र पार्थो धनुर्धरः

पार्थिव

Bṛih. 6. 3. 6. मधुमत्पार्थिवं रजः
Mahânâr. 9. 9 ; 17. 7.

Amṛita. 30. पार्थिवः पञ्चमात्राणि

पार्वती

Haṁsa. 1. पार्वत्या कथितं तत्त्वम्

पार्श्व

Bṛih. 1. 1. 1. दिशः पार्श्वे
1. 2. 3. दक्षिणा चोदीची च पार्श्वे

Nṛip. 5. 2. सूर्याचन्द्रमसौ पार्श्वयोः (आसाते)

Garbha. 5. षोडश पार्श्वदन्तौष्ठपटलानि

Haṁsa. 2. अग्निश्चोभे पार्श्वे भवतः
— शिष्टोभयपार्श्वे भवतः

Râmap. 60. कुरुद्वयं च तत्पार्श्वे

पार्श्वार्चन

Râmap. 85. पार्श्वार्चनं मध्यपद्मार्चनं च

पार्ष्णि

Chûl. 13. पार्ष्णिः सलिल एव च (पार्ष्णिः पादपृष्ठं तत्तुल्यः संहारे लोकमर्दनात् Nârâyaṇa).

पालाश

Aruṇeya. 5. पालाशं बैल्वमौदुंबरं दण्डम्

पावक

Maitri. 6. 34. तत एव पवमानपावकशुचयः
— पवमानपावकशुचिसंघातो हि जाठरः
Muṇḍ.2. 1. 1. यथा सुदीप्तात् पावकाद्विस्फुलिङ्गाः
Mahânâr. 3. 6. पावकाय विद्महे
Gîtâ. 2. 23. नैनं दहति पावकः
10. 23. वसूनां पावकश्चास्मि
15. 6. न शशांको न पावकः

पावन

Maitri. 6. 7. पवनात्पावनः
Gopî. 5. मण्डनात्पावनं नृणाम्
— पावनं पीतवर्णकम्
Gîtâ. 18. 5. पावनानि मनीषिणाम्

पावनि

Mukti. 2. 33. त्वं पावने शृणु सादरम्

पाश

Kaṭha. 4. 2. ते मृत्योर्यन्ति विततस्य पाशम्
Maitri. 4. 2. सदसत्फलमयैः पाशैः पङ्गुरिव बद्धम्
Mahânâr.20. 13. उन्मुक्तो वरुणस्य पाशः
Kaivalya. 11. पाशं दहति पण्डितः
Kshur. 22. पाशं छित्त्वा यथा हंसः

पाशबद्ध

Skanda. 7. पाशबद्धस्तथा जीवः

पाशमुक्त

Skanda. 7. पाशमुक्तः सदाशिवः

पाशुपत

Śiras. 5. यस्माद्व्रतमिदं पाशुपतम्
— तदेतत् पाशुपतं पशुपाशविमोक्षणाय
Mukti. 1. 37. सावित्र्यात्मा पाशुपतम्
1. *vide* गारुड

पाषाण

Dhyâna. 7. पाषाणेष्विव काञ्चनं Yogat. 8.
Râmot. 4. पाषाणप्रतिमादिषु

पिङ्गल

Kaush. 4. 19. पिङ्गलस्याणिम्ना तिष्ठन्ति
Chhâ. 8. 6. 1. ताः पिङ्गलस्याणिम्नस्तिष्ठन्ति
— असौ वा आदित्यः पिङ्गलः
Brih. 4. 3. 20. शुक्लस्य नीलस्य पिङ्गलस्य
4. 4. 9. पिङ्गलं हरितं लोहितं च
6. 4. 15. पुत्रो मे कपिलः पिङ्गलो जायेत

पिङ्गला

Kshur. 16. पिङ्गला दक्षिणेन तु

पिण्ड

Maitri. 7. 11. लोहितस्यात्र पिण्डः
Garbha. 3. अर्द्धमासाभ्यन्तरे पिण्डम्
Piṇḍa. 1. मृतस्य दीयते पिण्डम्
4. प्रथमेन तु पिण्डेन (and so with each number up to दशमेन)
9. पिण्डे पिण्डे शरीरस्य
Gîtâ. 1. 42. लुप्तपिण्डोदकक्रियाः

पिण्डदान

Piṇḍa. 9. पिण्डे पिण्डे शरीरस्य पिण्डदानेन संभवः

पिण्डीकरण

Garbha. 1. आपः पिण्डीकरणे

पितापुत्रीय

Kaush. 2. 15. अथातः पितापुत्रीयं संप्रदानम्

पितामह

Bṛih. 6. 2. 8. मापराधास्तव च पितामहाः
Kaivalya. 2. तस्मै स होवाच पितामहश्च
Dhyâna. 12. चतुर्वक्त्रं पितामहम्
Gîtâ. 1. 12. कुरुवृद्धः पितामहः
26. पितॄनथ पितामहान्
34. तथैव च पितामहाः
9. 17. माता धाता पितामहः

पितृ

Kaush. 1. 1. पितरमासाद्य पप्रच्छ
2. द्वादशत्रयोदशेन पित्रासम्
2. 15. पिता पुत्रं प्रेष्यन्नाह्वयति
— अहतेन वाससा सम्प्रच्छन्नः पिता शेते
— वाचं मे त्वयि दधानीति पिता वाचं ते मयि दध इति पुत्रः (similarly 11 times more).
— तं पितानुमंत्रयते
— स यद्यगदः स्यात्पुत्रस्यैश्वर्ये पिता वसेत्
Chhâ. 2. 9. 8. तदस्य पितरो ऽन्वायत्ताः
2. 21. 1. सर्पा गन्धर्वाः पितरस्तन्निधनम्
2. 22. 2. स्वधां पितृभ्यः
3. 11. 4. पिता ब्रह्म प्रोवाच
5. पिता ब्रह्म प्रब्रूयात्
5. 1. 7. प्राणाः प्रजापतिं पितरमेत्योचुः
5. 3. 1. कुमारानु त्वाशिषत्पिता
4. आयस्तः पितुरर्द्धमेयाय
6. 1. 1. तं ह पितोवाच 3.
7. 15. 1. प्राणो ह पिता

Chhâ. 7. 15. 2. स यदि पितरं वा..किञ्चिद्भृशमिव प्रत्याह
8. 2. 1. पितरः समुत्तिष्ठन्ति
Bṛih. 1. 4. 16. यत्पितृभ्यो निपृणाति..तेन पितॄणाम्
1. 5 1. मेधया तपसाजनयत्पिता 2.
6. देवाः पितरो मनुष्या एत एव
— मनः पितरः
7. पिता माता प्रजैत एव मन एव पिता
3. 8. 9. दर्वी पितरो ऽन्वायत्ताः
4. 1. 2. पिता मे ऽमन्यत नाननुशिष्य हरेतेति 3—7.
4. 3. 22. पिता ऽपिता भवति
33. पितॄणां जितलोकानाम् (bis).
5. 2. 1. प्रजापतौ पितरि ब्रह्मचर्यमूषुः
5. 8. 1. स्वधाकारं पितरः (उपजीवन्ति)
5. 12. 1. तद्ध स्माह प्रातृदः पितरम्
6. 2. 1. अनुशिष्टो न्वसि पित्रा
2. द्वे सृती अशृणवं पितॄणामहं देवानामुत मर्त्यानाम्
— यदन्तरा पितरं मातरं च
3. स आजगाम पितरम्
6. 3. 6. मधु द्यौरस्तु नः पिता Mahânâr. 9. 9; 17. 7.
Tait. 1. 3. 3. पितोत्तररूपम्
2. 8. 1. पितॄणां चिरलोकलोकानाम् (bis).
3. 1. 1. वरुणं पितरमुपससार 3. 2. 1; 3. 3. 1; 3. 4. 1; 3. 5. 1.
Kaṭha. 1. 4. स होवाच पितर तात
Mahânâr. 2. 4. यस्तद्वेद स पितुः पितासत्
13. 7. मनुष्याः पितरो ऽसुराः
22. 1. प्रजापतिं पितरमुपससार

Mahânâr. 22. 1. पितॄणामनृणो भवति
25. 1. पितॄणामेव महिमानं गत्वा
Prasna. 1. 11. पञ्चपादं पितरं द्वादशाकृतिम्
2. 8. पितॄणां प्रथमा स्वधा
11. पिता त्वं मातरिश्वनः
6. 8. त्वं हि नः पिता यो ऽस्माकमविद्यायाः परं पारं तारयसि
Gauḍa. 4. 15. पुत्राज्जन्म पितुर्यथा
Chûl. 20. पितॄणां चोपतिष्ठते
Siras. 5. येन देवा यान्ति येन पितरः
Garbha. 3. पितू रेतोतिरेकात्पुरुषः
4. पितरः सुहृदस्तथा
Brahma. 2. तत्र . . पिता न पिता
— न तत्र देवा ऋषयः पितर ईशते
Nîla. 22. भवेन मरुतां पिता (= पित्रा Nârâyaṇa).
Yogat. 4. यः पिता स पुनः पुत्रो य पुत्रः स पुनः पिता
Nyâsa. 1. पितृभ्यः श्राद्धतर्पणं कृत्वा
Kaṭhaśru. 1. मातरं पितरं . . अनुमोदयित्वा
Aruṇeya. 4. पितरं पुत्रमभ्युपवीतम्
Gitâ. 1. 26. पितॄनथ पितामहान्
34. आचार्याः पितरः पुत्राः
42. पतन्ति पितरो ह्येषाम्
9. 17. पिताहमस्य जगतः
25. पितॄन्यान्ति पितृव्रताः
10. 29. पितॄणामर्यमा चास्मि
11. 43. पितासि लोकस्य चराचरस्य
44. पितेव पुत्रस्य सखेव सख्युः
14. 4. अहं बीजप्रदः पिता

पितृकृत

Mahânâr. 18 1. पितृकृतस्यैनसो ऽवयजनमसि

पितृदेव

Tait. 1. 11. 2. पितृदेवो भव

पितृमन्त्

Bṛih. 4. 1. 2. यथा . . पितृमान् . . ब्रूयात् 3—7.

पितृमेधिक

Nyâsa. 1. एतान् पितृमेधिकान्

पितृयाण

Chhâ. 5. 3. 2. वेत्थ पथोर्देवयानस्य पितृयाणस्य च व्यावर्त्तना३ इति
Bṛih. 6. 2. 2. वेत्थो देवयानस्य वा पथः प्रतिपदं पितृयाणस्य वा यत्कृत्वा देवयानं वा पन्थानं प्रतिपद्यन्ते पितृयाणं वा
Praśna. 1. 9. एष ह वै रयिर्यः पितृयाणः

पितृलोक

Chhâ. 5. 10. 4. मासेभ्यः पितृलोकं पितृलोकादाकाशम्
8. 2. 1. पितृलोकेन सम्पन्नो महीयते
Bṛih. 1. 5. 16. मनुष्यलोकः पितृलोको देवलोकः
— कर्मणा पितृलोकः
3. 1. 8. पितृलोकमेव ताभिर्जयत्यतीव हि पितृलोकः
6. 2. 16. मासेभ्यः पितृलोकं पितृलोकाच्चन्द्रम्
Kaṭha. 6. 5. यथा स्वप्ने तथा पितृलोके

पितृलोककाम

Chhâ. 8. 2. 1. यदि पितृलोककामो भवति

पितृवध

Kaush. 3. 1. न मातृवधेन न पितृवधेन

पितृव्रत

Gîtâ. 9. 25. पितॄन्यान्ति पितृव्रताः

पितृहन्

Chhâ. 7. 15. 2. पितृहा वै त्वमसि
3. नैवैनं ब्रूयुः पितृहासीति

पित्त

Maitri. 1. 3. *vide* संघात
3. 4. *vide* वसा
Garbha. 2. अग्निस्थाने पित्तम्
5. पित्तप्रस्थम्

पित्तस्थान

Garbha. 2. पित्तस्थाने वायुः

पित्र्य

Chhâ. 7. 1. 2. अध्येमि . . पित्र्यम्
4. नाम वै . . पित्र्यः
7. 2. 1. वाग्वै . . विज्ञापयति . . पित्र्यम्
7. 7. 1. विज्ञानेन वै . . विजानाति . . पित्र्यम्
Bṛih. 4. 4. 4. पित्र्यं वा गान्धर्वं वा

पित्र्यावन्त्

Kaush. 1. 2. पञ्चदशात् प्रसुतात् पित्र्यावतः

पिनाकिन्

Nṛip. 1. 6. पिनाकिनं ह्यमितद्युतिम्
Hamsa. 1. मतं ज्ञात्वा पिनाकिनः

पिन्व्

Mahânâr.16. 7. ऊर्जस्वती पयसा पिन्वमाना . . मेधा

पिपासा

Maitri. 1. 3. *vide* आद्य
3. 5. क्षुत्पिपासा . . इति तामसानि

पिपीलक, ॰लिका

Chhâ. 7. 2. 1. आकीटपतङ्गपिपीलकम्
7. 7. 1 ; 7. 8. 1 ; 7. 10. 1.
Bṛih. 1. 4. 4. आपिपीलिकाभ्यः 16.
Sarvop. 3. ब्रह्मादिपिपीलिकापर्यन्तम्

पिप्पल

Bṛih. 4. 3. 36. यथाम्रं वोदुंबरं वा पिप्पलं वा
Śwet. 4. 6. तयोरन्यः पिप्पलं स्वाद्वत्ति
Muṇḍ. 3. 1. 1.

पिप्पलाद

Praśna. 1. 1. भगवन्तं पिप्पलादमुपसन्नाः
Sikhâ. 1. पिप्पलादो ऽङ्गिराः सनत्कुमारश्च
Brahma. 1. अङ्गिरसं भगवन्तं पिप्पलादम्

पिप्पलाशन

Chûl. 8. सुपर्णं पिप्पलाशनम्

पिश्

Bṛih. 6. 4. 21. त्वष्टा रूपाणि पिंशतु

पिशाच

Maitri. 1. 4. *vide* आदि
7. 8. ditto.
Prâṇâg. 1. रुद्रैः प्रजग्धं यदि वा पिशाचैः

पिशुन

Chhâ. 7. 6. 1. अल्पाः कलहिनः पिशुनाः

पिष्

Bṛih. 6. 3. 13. तान् पिष्टान् दधनि मधुनि घृत उपसिञ्चति

पीठ

Râmap. 85. पीठाधरोर्ध्वम्
87. पीठस्यांघ्रिष्वेषु

पीड्

Garbha. 4. अवाङ्मुखः पीडितो ऽहम्
(one MS. has अवाङ्मुख-
पीड्यमानः)

पीडा

Gîtâ. 17. 19. यत्पीडया क्रियते तपः

पीत

Kaush. 4. 19. शुक्लस्य कृष्णस्य पीतस्य
Chhâ. 8. 6. 1. शुक्लस्य नीलस्य पीतस्य
— एष शुक्ल एष नील एष पीतः
Kshur. 8. अगुरक्ताश्च पीताश्च
Garbha. 2. धूम्रः पीतः कपिलः पाण्डुरः
Vâsu. 3. पीता भास्वत्यणूपमा

पीतवर्ण, °क

Vâsu. 1. चक्रसमायुक्तं पीतवर्णम्
Gopî. 4. पीतवर्णा मृदो जायन्ते
5. पावनं पीतवर्णकम्

पीतवासस्

Râmap. 25. पीतवासा जटाधरः

पीता (=ष)

Râmap. 80. पीता रतिस्तथा लान्तः

पीताभ

Mahânâr. 11. 12. पीताभा स्यात्तनूपमा

पीताशित

Maitri. 2. 6. यो ऽयं पीताशितमुद्गिरति
निगिरतीति

पीतोदक

Kaṭha. 1. 3. पीतोदका जग्धतृणाः

पुंस्

Kaush. 1. 2. मा पुंसि कर्त्तर्येरयध्वं पुंसा
कर्त्रा मातरि मा निषिञ्च
Bṛih. 6. 3. 1. पुंसा नक्षत्रेण मन्थं सन्नीय
जुहोति
Bṛih. 6. 4. 20. पुंसे पुत्राय वित्तये
Śwet. 4. 3. त्वं स्त्री त्वं पुमानसि
5. 10. नैव स्त्री न पुमानेषः
Muṇḍ. 2. 1. 5. पुमान् रेतः सिञ्चति योषि-
तायाम्
Siras. 1. पुमानपुमान् स्त्रियश्चाहम्
Nâr. 3. मनःप्रग्रहवान्पुमान्
Râmap. 8. पुंस्त्र्यंगात्रादिकल्पना
Mukti. 1. 41. ज्ञानवैराग्यदं पुंसाम्
2. 66. न विरज्येत यः पुमान्
Gîtâ. 2. 62. ध्यायतो विषयान्पुंसः
71. पुमांश्चरति निःस्पृहः

पुच्छ

Bṛih. 1. 2. 3. अस्य प्रतीची दिक् पुच्छम्
Tait. 2. 1. 1. इदं पुच्छं प्रतिष्ठा
2. 2. 1. पृथिवी पुच्छं प्रतिष्ठा
2. 3. 1. अथर्वाङ्गिरसः पुच्छं प्रतिष्ठा
2. 4. 1. महः पुच्छं प्रतिष्ठा
2. 5. 1. ब्रह्म पुच्छं प्रतिष्ठा
Maitri. 6. 33. शिरःपक्षसीपुच्छपृष्ठवान्
(ter).
Nâda. 1. मकारस्तस्य पुच्छं वै

पुण्डरीक

Chhâ. 1. 6. 7. तस्य यथा कप्यासं पुण्ड-
रीकमेवमक्षिणी
8. 1. 1. दहरं पुण्डरीकं वेश्म 2.
Bṛih. 2. 3. 6. पुरुषस्य रूपं . . यथा पुण्ड-
रीकम्
Mahânâr. 10. 7. यत्पुण्डरीकं पुरमध्यसंस्थ-
म्
Kshur. 10. दहरं पुण्डरीकेति (3 MSS.
have तु for ति)
Nâr. 5. तदिदं पुरं पुण्डरीकम्
(some MSS. read पुण्ड-
रीकाक्षम्)
Atmapra. 1. यदिदं पुरं ब्रह्मपुरमिदं पु-
ण्डरीकं वेश्म

पुण्डरीकाक्ष

Atmapra. 1. ब्रह्मण्यः पुण्डरीकाक्षः
Vâsu. 2. गोविन्द पुण्डरीकाक्ष

पुण्ड्र

Vâsu. 2. पुण्ड्राख्यय ऊर्ध्वाः

पुण्ड्रस्थ

Vâsu. 3. पूर्वमभ्यस्य पुण्ड्रस्थम्

पुण्य *adj. & sub.*

Ait. 4. 4. सो ऽस्यायमात्मा पुण्येभ्यः कर्मभ्यः प्रतिधीयते
Kaush. 2. 3. शुद्धपक्षे वा पुण्ये नक्षत्रे
Bṛih. 1. 4. 15. महत्पुण्यं कर्म करोति
1. 5. 20. पुण्यमेवामुं गच्छति
3. 2. 13. पुण्यो वै पुण्येन कर्मणा भवति
4. 3. 15. दृष्ट्वैव पुण्यं च पापं च 16, 17, 34.
22. अनन्वागतं पुण्येन
4. 4. 5. पुण्यः पुण्येन कर्मणा भवति
Maitri. 6. 4. एतदेवाक्षरं पुण्यम्
Muṇḍ 1. 2. 6. एष वः पुण्यः सुकृतो ब्रह्मलोकः
Mahânâr. 8. 2. पुण्यस्य कर्मणो दूराद्गन्धो वाति
Praśna. 3. 7. पुण्येन पुण्यं लोकं नयति
Yogaśi. 9. पुण्यमेतत् समासाद्य
Haṁsa. 2. पूर्वदले पुण्ये मतिः
Nâr. 5. सर्ववेदपारायणं पुण्यं लभते (some MSS. omit पुण्यं)
Vâsu. 1. मदङ्गलेपनं पुण्यम्
Gopî. 5. ततः कोटिगुणं पुण्यम्
— तेषां पुण्यमवाप्नोति
— विष्णुरूपमिदं पुण्यम्
Gîtâ. 7. 9. पुण्यो गन्धः पृथिव्याम्
9. 20. ते पुण्यमासाद्य सुरेन्द्रलोकम्
Gîtâ. 9. 21. क्षीणे पुण्ये मर्त्यलोकं विशन्ति
33. किं पुनर्ब्राह्मणाः पुण्याः
18. 76. संवादं . . । कृष्णार्जुनयोः पुण्यम्

पुण्यकर्मन्

Gîtâ. 7. 28. जनानां पुण्यकर्मणाम्
18. 71. लोकान्प्राप्नुयात्पुण्यकर्मणाम्

पुण्यकृत्

Bṛih. 4. 4. 9. तेनैति ब्रह्मवित्पुण्यकृत्तैजसः
Mahânâr. 5. 9. एष पुण्यकृतां लोकान् . संशिशाधि

पुण्यकृत

Gîtâ. 6. 41. प्राप्य पुण्यकृताँल्लोकान्

पुण्यजित

Chhâ 8. 1. 6. पुण्यजितो लोकः क्षीयते

पुण्यपाप

Maitri. 6. 18. विद्वान् पुण्यपापे विहाय
Muṇḍ. 3. 1. 3. विद्वान् पुण्यपापे विधूय
Kaivalya. 22. न पुण्यपापे मम नास्ति नाशः
Haṁsa. 2. दग्धे पुण्यपापे

पुण्यपापकर्मन्

Sarvop. 2. पुण्यपापकर्मानुसारी

पुण्यफल

Gîtâ. 8. 28. दानेषु यत्पुण्यफलं प्रदिष्टम्

पुण्यलोक

Chhâ. 2. 23. 2. सर्वे एते पुण्यलोका भवन्ति
5. 10. 10. पुण्यलोको भवति य एवं वेद
Maitri. 6. 36. पुण्यलोकविजित्यर्थाय

पुण्यादि

Sarvop. 2. मन आदिश्च प्राणादिश्च सत्त्वादिश्चेच्छादिश्च पुण्यादिश्च

पुण्याह

Bṛih. 6. 3. 1. आपूर्यमाणपक्षस्य पुण्याहे

पुत्र

Kaush. 1. 1. स ह पुत्रं श्वेतकेतुं प्रजिघाय
— गौतमस्य पुत्र
2. 11. पुत्रस्य मूर्धानमभिजिघ्रेत्
— आत्मा वै पुत्र नामासि
— तेजो वै पुत्र नामासि
— पुत्र ते नाम्ना मूर्धानमभिजिघ्रामि
15. पिता पुत्रं प्रेष्यन्नाह्वयति
— एत्य पुत्र उपरिष्टादभिनिपद्यते
— वाचं मे त्वयि दधानीति पिता वाचं ते मयि दध इति पुत्रः (similarly 11 times more).
— स यद्यगदः स्यात्पुत्रस्यैश्वर्ये पिता वसेत्

Chhā. 1. 5. 2. कौषीतकिः पुत्रमुवाच 4.
3. 1. 1. मरीचयः पुत्राः
3. 11. 4. ज्येष्ठाय पुत्राय पिता ब्रह्म प्रोवाच
5. ज्येष्ठाय पुत्राय पिता ब्रह्म प्रब्रूयात्
6. 8. 1. श्वेतकेतुं पुत्रमुवाच
7. 3. 1. पुत्रांश्च पशूंश्चेच्छेय
7. 13. 1. स्मरेण वै पुत्रान्विजानाति
7. 14. 1. पुत्रांश्च पशूंश्चेच्छते

Bṛih. 1. 4. 8. तदेतत्प्रेयः पुत्रात्
1. 5. 16. मनुष्यलोकः पुत्रेणैव जय्यः
17. पुत्रमाह त्वं ब्रह्म
— स पुत्रः प्रत्याहाहं ब्रह्म
— पुत्रमनुशिष्टं लोक्यमाहुः
— एभिरेव प्राणैः सह पुत्रमाविशति

Bṛih. 1. 5. 17. एनं सर्वस्मात्पुत्रो मुञ्चति तस्मात्पुत्रो नाम
— स पुत्रेणैवास्मिँल्लोके प्रतितिष्ठति
2. 4. 5. न वा अरे पुत्राणां कामाय पुत्राः प्रिया भवन्त्यात्मनस्तु कामाय पुत्राः प्रिया भवन्ति 4. 5. 6.
4. 1. 6. तस्यां प्रतिरूपः पुत्रो जायते
6. 4. 14. पुत्रो मे शुक्लो जायेत
15. पुत्रो मे कपिलः पिङ्गलो जायेत
16. पुत्रो मे श्यामो लोहिताक्षो जायेत
18. पुत्रो मे पण्डितः . . जायेत
20. पुंसे पुत्राय वित्तये
28. य एवंविदो ब्राह्मणस्य पुत्रो जायते

Kaṭha. 1. 1. नचिकेता नाम पुत्रः

Swet. 2. 5. शृण्वन्तु विश्वे अमृतस्य पुत्राः

Maitri. 1. 2. विराज्ये पुत्रं निधापयित्वा
6. 28. पुत्रदारकुटुंबेषु सक्तस्य
29 ब्रह्मणः पन्थानमारूढाः पुत्राः प्रजापतेः

Praśna. 2. 13. मातेव पुत्रान् रक्षस्व

Gauḍa. 4. 15. पुत्राज्जन्म पितुर्यथा

Nṛip. 1. 4. पुत्राय शुश्रूषवे दास्यत्यन्यस्मै शिष्याय च

Yogat. 4. यः पिता स पुनः पुत्रो यः पुत्रः स पुनः पिता

Kaṭhaśru. 1. भार्यां पुत्रान् . . अनुमोदयित्वा
— निष्क्रम्य पुत्रं दृष्ट्वा 2.
2. अथ पुत्रो वदति
3. दारानाहृत्य पुत्रानुत्पाद्य

Aruṇeya. 1. पुत्रान् भ्रातॄन् बन्ध्वादीन्
4. पितरं पुत्रमभ्युपवीतम्

Parama. 1. स्वपुत्रमित्रकलत्रबन्ध्वादीन्
Mukti. 2. यथा पुत्रकामेष्टिना पुत्रम्
Gîtâ. 1. 26. पुत्रान्पौत्रान् सखींस्तथा
34. आचार्याः पितरः पुत्राः
11. 26. धृतराष्ट्रस्य पुत्राः
44. पितेव पुत्रस्य सखेव सख्युः
13. 9. पुत्रदारगृहादिषु

पुत्रकामेष्टि

Mukti. 2. यथा पुत्रकामेष्टिना पुत्रम्

पुत्रद

Râmap. 83. अपुत्रिणां पुत्रदं च

पुत्रपशु

Brih. 6. 4. 12. पुत्रपशूंस्त आददे
Katha. 1. 8. पुत्रपशूंश्च सर्वान्

पुत्रपौत्र

Katha. 1. 23. शतायुषः पुत्रपौत्रान् वृणीष्व

पुत्रमय

Brih. 3. 9. 17. य एवायं पुत्रमयः पुरुषः स एषः

पुत्ररोद

Chhâ. 3. 15. 2. न पुत्ररोदं रोदिति
— मा पुत्ररोदं रुदम्

पुत्रैषणा

Brih. 3. 5. 1. पुत्रैषणायाश्च .. व्युत्थाय 4. 4. 22; Nrisut. 6.
— या ह्येव पुत्रैषणा सा वित्तैषणा 4. 4. 22.

पुत्र्य

Kaush. 2. 8. माहं पुत्र्यमघं रुदमिति (MSS. पौत्रम्)
10. मा त्वं पुत्र्यमघं निगाः (one MS. पौत्रम्)

पुनर्

Ait. 4. 4. स इतः प्रयन्नेव पुनर्जायते
Kaush. 2. 12. तस्मादेव पुनरुदीरते 13.
Chhâ. 4. 2. 3. पुनरेव .. सहस्रं गवां .. आदाय
5. 3. 2. वेत्थ यथा पुनरावर्त्तन्ते
5. 10. 5. एतमध्वानं पुनर्निवर्त्तन्ते
7. 26. 2. पुनश्चैकादश स्मृतः
8. 9. 1. स समित्पाणिः पुनरेयाय 8. 10. 3; 8. 11. 2.
2. किमिच्छन् पुनरागमः 8. 10. 3; 8. 11. 2.
8. 15. 1. न च पुनरावर्त्तते Vâsu. 4.
Brih. 1. 2. 7. सा पुनरेकैव देवता भवति
1. 5. 2. स हीदमन्नं पुनः पुनर्जनयते
3. 9. 28. रोहति मूलान्नवतरः पुनः
— न पुनराभवेत्
— को न्वेनं जनयेत्पुनः
4. 3. 11. शुक्रमादाय पुनरेति स्थानम्
15. पुनः प्रतिन्यायं प्रतियोन्याद्रवति 16, 17, 34, 36.
4. 4. 6. तस्माल्लोकात्पुनरैति
6. 2. 2. वेत्थो यथेमं लोकं पुनरापद्यन्ता ३
— बहुभिः पुनः पुनः प्रयाद्भिः
16. ते पुनः पुरुषाग्नौ हूयन्ते
6. 4. 5. पुनर्मामैत्विन्द्रियं पुनस्तेजः पुनर्भगः पुनरग्निः
Tait. 3. 2. 1. पुनरेव वरुणं पितरमुपससार 3. 3. 1; 3. 4. 1, 3. 5. 1.
Katha. 1. 6. सस्यमिवाजायते पुनः
15. अथास्य मृत्युः पुनरेवाह तुष्टः
2. 6. पुनः पुनर्वशमापद्यते मे
Śwet. 6. 22. नापुत्रायाशिष्याय वा पुन

Maitri. 6. 4. पुनः पञ्चधा ज्ञेयम्
9. अन्नत्वं न पुनरुपैति
26. प्राणादयो वै पुनरेव तस्मा-
दभ्युच्चरन्तीह 31.
7. 1. पुनर्विशन्त्यन्तर् 2—6.
Mund.1. 2. 7. जरामृत्युं पुनरेवापि यन्ति
Mahânâr. 4. 12. तन्मे पुनन्तु पुनः पुनः
Praśna. 1. 9. त एव पुनरावर्त्तन्ते
10. एतस्मान्न पुनरावर्त्तन्ते
2. 1. कः पुनरेषां वरिष्ठः
4. 2. पुनः पुनरुदयतः
5. प्रत्यनुभूतं पुनः पुनः प्रत्यनु-
भवति
5. 4. सोमलोके विभूतिमनुभूय
पुनरावर्त्तते
5. यः पुनरेतं त्रिमात्रेणैवोमि-
त्येतेनैवाक्षरेण..अभिध्या-
यीत
Kaivalya. 14. पुनश्च जन्मान्तरकर्मयोगात्
Gauda. 1. 23. मकारश्च पुनः प्राज्ञं (नयते)
3. 44. विक्षिप्तं शमयेत् पुनः
46. न च विक्षिप्यते पुनः
4. 19. क्रमकोपो ऽथवा पुनः
83. अस्ति नास्त्यस्ति नास्तीति
नास्ति नास्तीति वा पुनः
Nrisut. 7. पुनः पुनरहन्त्वाच्च
Chûl. 4. तन्यते प्रेरिता पुनः
19. पर्यस्यन्तं पुनः पुनः
Garbha. 4. जन्म जन्म पुनः पुनः
— पुनर्जातः..पुनर्मृतः
Mahâ. 2. पुनरेव नारायणः सोऽन्यत्का-
मः 3.
Brahma. 3. स्वप्ने..गच्छत्यागच्छते पु-
नः
Prâṇâg. 2. पुनरादाय पुनरुपस्पृशेत्
Brahmab. 11. भिद्यमानं पुनः पुनः
Amṛita. 1. अभ्यस्य च पुनः पुनः
34. अपानश्च पुनर्मुखे

Dhyâna. 21. तोयमाकर्षयेत् पुनः
Yogaśi. 6. योगाभ्यासेन वै पुनः
Yogat. 4. या माता सा पुनर्भार्या
— यः पिता स पुनः पुत्रो यः
पुत्रः स पुनः पिता
Kaṭhaśru. 4. न पुनरावर्त्तयेत्
Kâlâg. 2. न स पुनरावर्त्तते Atmapra.
1.
Jâbâla. 4. अथ पुनरव्रती वा व्रती वा
Râmap. 28. सधनुष्पाणिना पुनः
52. त्र्यस्रं पुनर्भवेत्
64. पुनरष्टदलं लिखेत्
Râmot. 2. दीर्घानलं पुनः
4. गंगायां वा तटे पुनः
5. पुनरेतया गदया नमस्क-
रोति
Mukti. 2. 11. यावन्नाभ्यस्तं च पुनः पुनः
23. अक्षिदृग्द्रव्येषु यथा पुनः
34. यदा ते विद्यते पुनः
Gîtâ. 4. 35. यज्ज्ञात्वा न पुनर्मोहम्
5. 1. पुनर्योगं च शंससि
8. 26. अन्ययावर्त्तते पुनः
9. 7. कल्पक्षये पुनस्तानि
8. विसृजामि पुनः पुनः
33. किं पुनर्ब्राह्मणाः पुण्याः
11. 16. न पुनस्तवादिं पश्यामि
39. पुनश्च भूयो ऽपि नमो न-
मस्ते
49. प्रीतमनाः पुनस्त्वम्
50. भूत्वा पुनः सौम्यवपुर्म-
हात्मा
16. 13. मे भविष्यति पुनर्धनम
17. 21. फलमुद्दिश्य वा पुनः
18. 24. साहंकारेण वा पुनः
40. दिवि देवेषु वा पुनः
77. हृष्यामि च पुनः पुनः

पुनरावर्त्तिन्

Gîtâ. 8. 16. पुनरावर्त्तिनो ऽर्जुन

पुनरावृत्ति

Bṛih. 6. 2. 15. तेषां न पुनरावृत्तिः
Mukti. 1. 20. पुनरावृत्तिरहितां मुक्तिम्

पुनरुत्पादन

Chhâ. 3. 17. 5. सोष्यत्यसोष्टेति पुनरुत्पादनमेवास्य

पुनर्जन्मकर

Mukti. 2. 62. पुनर्जन्मकरी प्रोक्ता

पुनर्जन्मन्

Kshur. 1. यां प्राप्य न पुनर्जन्म
20. पुनर्जन्मविवर्जिताः
Brahmab. 11. पुनर्जन्म न विद्यते
Gîtâ. 4. 9. त्यक्त्वा देहं पुनर्जन्म नैति
8. 15. मामुपेत्य पुनर्जन्म
16. पुनर्जन्म न विद्यते

पुनर्जन्माङ्कुर

Mukti. 2. 63. पुनर्जन्मांकुरं त्यक्त्वा

पुनर्भव

Praśna. 3. 9. तस्मादुपशान्ततेजाः पुनर्भवम्
Kâlâg. 1. तत्समाचरेन्मुमुक्षुर्न पुनर्भवाय

पुनर्मृत्यु

Bṛih. 1. 2. 7. अप पुनर्मृत्युं जयति 1. 5. 2; 3. 2. 10; 3. 3. 2.
1. 5. 2. तदहः पुनर्मृत्युमपजयति

पुर्, पुर

Ait. 4. 5. शतं मा पुर आयसीररक्षन्
Chhâ. 8. 5. 3. अपराजिता पूर्ब्रह्मणः
Bṛih. 2. 5. 18. पुरश्चक्रे द्विपदः पुरश्चक्रे चतुष्पदः
Bṛih. 2. 15. 18. पुरः पुरुष आविशत्
— अयं पुरुषः सर्वासु पूर्षु पुरिशयः
Katha. 5. 1. पुरमेकादशद्वारम्
Śwet. 3. 18. नवद्वारे पुरे देही Gîtâ. 5. 13.
Mahânâr. 6. 4. पृथ पृथ्वी बहुला न उर्वी
Praśna. 4. 3. प्राणाग्नय एवैतस्मिन् पुरे जाग्रति
Nâr. 5. तदिदं पुरं पुण्डरीकम्
Atmapra. 1. यदिदं पुरं ब्रह्मपुरम्
Râmap. 44. पुरं दग्ध्वा तथा स्वयम्

पुरःसर

Swet. 2. 11. एतानि रूपाणि पुरःसराणि
Mukti. 1. 41. तत्तच्छान्तिपुरःसरम्

पुरतस्

Katha. 1. 18. मृत्युपाशान् पुरतः प्रणोद्य
Nṛisut. 2. अस्मात्सर्वस्मात्पुरतः सुविभातम्
5. पुरतो ऽस्मात्सर्वस्मात्सुविभातम् 9.
6. सर्वस्य पुरतः सुविभातम्
8. अयं ह्यस्मात्सर्वस्मात्पुरतः सुविभातः
9. आत्मा पुरतो हि सिद्धः

पुरत्रय

Kaivalya. 14. प्रबुद्धः पुरत्रये क्रीडति
15. यस्मिन् लयं याति पुरत्रयं च

पुरमध्यसंस्थ

Mahânâr. 10. 7. यत्पुण्डरीकं पुरमध्यसंस्थम् .

पुरयाचक

Maitri. 7. 8. पुरयाचका अयाज्ययाजकाः

पुरस्

Brih. 1. 3. 18. पुर एता भवति
2. 5. 18. पुरः स पक्षी भूत्वा
Mahânâr. 20. 5. वृषेन्द्रः पुर एतु नः
Mukti. 2. 74. पुरस्तिरश्चोर्ध्वमधश्च

पुरस्कृ

Maitri. 7. 8. अर्थं पुरस्कृत्य

पुरस्ताज्ज्योतिस्

Siras. 1. बलिश्च पुरस्ताज्ज्योतिरित्यहमेव सर्वे

पुरस्तात्

Kaush. 2. 1. ये पुरस्तात्प्रत्याचक्षीरन् 2.
9. पुरस्ताचन्द्रमसं दृश्यमानमुपतिष्ठेत
Chhâ. 3. 6. 4. यावदादित्यः पुरस्तादुदेता 3. 7. 4.
3. 8. 4. पुरस्तादस्तमेता 3. 9. 4.
5. 2. 2. पुरस्ताच्चोपरिष्टाच्चाद्भिः परिदधति
6. 8. 6. तदुक्तं पुरस्तादेव
6. 10. 1. पुरस्तात्प्राच्यः स्यन्दन्ते
7. 25. 1. स पुरस्तात् .अहं पुरस्तात्
2. आत्मा पुरस्तात्
Brih. 1. 1. 2. अश्वं पुरस्तान्महिमान्वजायत
Kaṭha. 1. 11. यथा पुरस्ताद्भविता प्रतीतः
Maitri. 1. 2. एतद्वृत्तं पुरस्तात्
6. 9. आद्भिः पुरस्तात्परिदधाति
7. 1. पुरस्तादुद्यन्ति
8. वाटचे पुरस्तादुक्ते ऽपि
Muṇḍ. 2. 2. 11. ब्रह्मैवेदममृतं पुरस्तात्
Mahânâr. 10. 3. यो देवानां प्रथमं पुरस्तात्
Nṛip. 2. 4. एकः पुरस्ताद्य इदं बभूव
5. 2. तस्य पुरस्ताद्वसव आसते
Nṛisut. 9. सदेव पुरस्तात्
— सत्यं हीत्थं पुरस्तात्
Nṛisut. 9. एतौ हि पुरस्तात्सुविभातमव्यवहार्यमद्वयम्
Śiras. 3. सोमसूर्यः पुरस्तात्
Brahma. 2. यत्सहजं पुरस्तात्
Gîtâ. 11. 40. नमः पुरस्तादथ पृष्ठतस्ते

पुरा

Kaush. 4. 13. न पुरा कालात् सम्मोहमेति
14. न पुरा कालात् प्रैति
Chhâ. 2. 9. 2. तस्य यत्पुरोदयात् स हिंकारः
2. 24. 3. पुरा प्रातरनुवाकस्योपाकरणात्
7. पुरा माध्यन्दिनस्य सवनस्योपाकरणात्
11. पुरा तृतीयसवनस्योपाकरणात्
4. 16. 2. पुरा परिधानीयायाः
4. न पुरा परिधानीयायाः
5. 3. 7. इयं न प्राक् त्वत्तः पुरा विद्या ब्राह्मणान् गच्छति
Bṛih. 1. 2. 4. न ह पुरा ततः संवत्सर आस
2. 1. 10. नैनं पुरा कालात्प्राणो जहाति
12. नैनं पुरा कालान्मृत्युरागच्छति
6. 2. 3. नो भवान् पुरानुशिष्टानवोचत्
Kaṭha. 1. 21. देवैरत्रापि विचिकित्सितं पुरा
Muṇḍ. 1. 1. 2. तां पुरोवाचाङ्गिरे
3. 2. 11. एतत् सत्यमृषिरङ्गिराः पुरोवाच
Chûl. 4. तेनैवाधिष्ठिता पुरा
Kṛish. 7. अप्यजेन साजिता पुरा
Gîtâ. 3. 3. पुरा प्रोक्ता मयानघ
10. पुरोवाच प्रजापतिः
17. 23. यज्ञाश्च विहिताः पुरा

पुराकल्प

Śwet. 6. 22. पुराकल्पे प्रचोदितम्

पुराकृत

Maitri. 4. 2. महानदीपूर्मय इवानिवर्त्त-
कमस्य यत्पुराकृतम्

1. पुराण *adj.*

Bṛih. 4. 4. 8. अणुः पन्था विततः पुराणः
18. ते निचिक्युर्ब्रह्म पुराणम्
5. 1. 1. खं पुराणं वायुरं खम्
Kaṭha. 2. 12. गुहाहितं गह्वरेष्ठं पुराणम्
18. शाश्वतो ऽयं पुराणः Gîtâ.
2. 20.
Śwet. 3. 21. वेदाहमेतमजरं पुराणम्
4. 18. प्रज्ञा च तस्मात्प्रसृता पुराणी
Mahânâr. 1. 5. विश्वं पुराणं तमसः पर-
स्तात्
Siras. 5. शाश्वतं वै पुराणमिषम्
— शाश्वतेन वै पुराणेम . . ऊ-
र्जेन
Gîtâ. 8. 9. कविं पुराणमनुशासितारम्
11. 38. त्वमादिदेवः पुरुषः पुराणः
15. 4. यतः प्रवृत्तिः प्रसृता पुराणी

2. पुराण

Bṛih. 2. 4. 10. इतिहासः पुराणम् 4. 1. 2;
4. 5. 11; Maitri. 6. 32,
33.
Nṛip. 5. 9. स पुराणान्यधीते

पुरातन

Kaivalya. 20. पुरातनो ऽहं पुरुषो ऽहमीशः
Gîtâ. 4. 3. योगः प्रोक्तः पुरातनः

पुरिशय

Bṛih. 2. 5. 18. अयं पुरुषः सर्वासु पूर्षु
पुरिशयः
Praśna. 5. 5. परात्परं पुरिशयं पुरुषमी-
क्षते

पुरी

Râmap. 45. पुरीं लंकां समाययौ

पुरीतत्

Kaush. 4. 19. हृदयात्पुरीततमभिप्रतन्व-
न्ति
Bṛih. 2. 1. 19. हृदयात्पुरीततमभिप्रतिष्ठन्ते
— पुरीतति शेते

पुरीष

Chhâ. 6. 5. 1. तस्य यः स्थविष्ठो धातुस्तत्
पुरीषं भवति

पुरीषिन्

Praśna. 1. 11. दिव आहुः परे अर्द्धे पुरी-
षिणम्

पुरुजित्

Gîtâ. 1. 5. पुरुजित्कुन्तिभोजश्च

पुरुरूप

Bṛih. 2. 5. 19. इन्द्रो मायाभिः पुरुरूपः

पुरुष

Ait. 1. 3. अद्भ्य एव पुरुषं समुद्धृत्य
2. 3. ताभ्यः पुरुषमानयत्ता अब्रु-
वन् सुकृतं बतेति पुरुषो
वाव सुकृतम्
3. 13. एतमेव पुरुषं ब्रह्म ततममप-
श्यत्
4. 1. पुरुषे ह वा अयमादितो
गर्भो भवति
5. 3. अश्वा गावः पुरुषा हस्तिनः
Kaush. 1. 2. पुरुषो वान्यो वा
2. 5. यावद्वै पुरुषो भाषते
— यावद्वै पुरुषः प्राणिति
3. 3. यत्रैतत्पुरुषः सुप्तः स्वप्नं न
कंचन पश्यति
— यत्रैतत्पुरुष आर्त्तो मरिष्यन्
4. 3. य एवैष आदित्ये पुरुषस्त-
मेवाहमुपासे

Kaush. 4. 4. य एवैष चन्द्रमसि पुरुषः
5. य एवैष विद्युति पुरुषः
6. य एवैष स्तनयित्नौ पुरुषः
7. य एवैष वायौ पुरुषः
8. य एवैष आकाशे पुरुषः
9. य एवैषो ऽग्नौ पुरुषः
10. य एवैषो ऽप्सु पुरुषः
11. य एवैष आदर्शे पुरुषः
12. य एवैष छायायां पुरुषः
13. य एवैष प्रतिश्रुत्कायां पुरुषः
14. य एवैष शब्दे पुरुषः
15. य एवैतत्पुरुषः सुप्तः स्वप्नया चरति
16. य एवैष शरीरे पुरुषः
17. य एवैष दक्षिणे ऽक्षिणि पुरुषः
18. य एवैष सव्ये ऽक्षिणि पुरुषः
19. यो वै बालाक एतेषां पुरुषाणां कर्त्ता
— तौ ह सुप्तं पुरुषमाजग्मतुः
— क्वैष एतद्बालाके पुरुषो ऽशयिष्ट
— यत्रैष एतद्बालाके पुरुषो ऽशयिष्ट
— हिता नाम पुरुषस्य नाड्यः

Chhâ. 1. 1. 2. ओषधीनां पुरुषो रसः पुरुषस्य वाग्रसः
1. 6. 6. य एषो ऽन्तरादित्ये हिरण्मयः पुरुषो दृश्यते
1. 7. 5. य एषो ऽन्तरक्षिणि पुरुषो दृश्यते सैवर्क्
2. 6. 1. पुरुषो निधनम् 2. 18. 1.
2. 9. 7. ते पुरुषं दृष्ट्वा कक्षं श्वभ्रमित्युपद्रवन्ति
3. 12. 3. इयं वाव सा यदिदमस्मिन् पुरुषे शरीरम्

Chhâ. 3. 12. 4. यद्वैतत्पुरुषे शरीरमिदं वाव तद्यदिदमस्मिन्नन्तः पुरुषे हृदयम्
6. तावानस्य महिमा ततो ज्यायांश्च पुरुषः
7. यो ऽयं बहिर्द्धा पुरुषादाकाशः
8. अयं वाव स यो ऽयमन्तःपुरुष आकाशः
3. 13. 7. इदं वाव तद्यदिदमस्मिन्नन्तःपुरुषे ज्योतिः
3. 14. 1. अथ खलु क्रतुमयः पुरुषो यथाक्रतुरस्मिँल्लोके पुरुषो भवति
3. 16. 1. पुरुषो वाव यज्ञः
4. 10. 3. बहव इमे ऽस्मिन्पुरुषे कामा नानात्ययाः
4. 11. 1. य एष आदित्ये पुरुषो दृश्यते
4. 12. 1. य एष चन्द्रमसि पुरुषो दृश्यते
4. 13. 1. य एष विद्युति पुरुषो दृश्यते
4. 15. 1. य एषो ऽक्षिणि पुरुषो दृश्यते 8. 7. 4.
5. तत् पुरुषो ऽमानवः 5. 10. 2.
5. 7. 1. पुरुषो वाव .. अग्निः
5. 11. 6. येन हैवार्थेन पुरुषश्चरेत्
6. 2. 3. यत्र क्व च शोचति स्वेदते वा पुरुषः
6. 4. 7. तिस्रो देवताः पुरुषं प्राप्य 6. 8. 6.
6. 7. 1. षोडशकलः सोम्य पुरुषः
6. 8. 1. यत्रैतत्पुरुषः स्वपिति
3. यत्रैतत्पुरुषो ऽशिशिषति
5. यत्रैतत्पुरुषः पिपासति
6. पुरुषस्य प्रयतो वाङ्मनसि सम्पद्यते

Chhâ. 6. 14. 1. पुरुषं गन्धारेभ्यो ऽभिनद्धाक्षमानीय
2. आचार्यवान् पुरुषो वेद
6. 15. 1. पुरुषं . . उपतापिनं ज्ञातयः पर्युपासते
6. 16. 1. पुरुषं . . हस्तगृहीतमानयन्ति
8. 12. 3. स उत्तमः पुरुषः
4. स चाक्षुषः पुरुषः
Brih. 1. 4. 1. पूर्वः . . पाप्मन औषत्तस्मात्पुरुषः
10. एकैकः पुरुषो देवान् भुनक्ति
17 पांक्तः पुरुषः
1. 5. 2. पुरुषो वा अक्षितिः
15. योऽ यमेवंवित्पुरुषः
2. 1. 2. आदित्ये पुरुष एतं . . ब्रह्मोपासे
3. चन्द्रे पुरुष एतं . . ब्रह्मोपासे
4. विद्युति पुरुष एतं . . ब्रह्मोपासे
5. आकाशे पुरुष एतं . . ब्रह्मोपासे
6. वायौ पुरुष एतं . . ब्रह्मोपासे
7. अग्नौ पुरुष एतं . . ब्रह्मोपासे
8. अप्सु पुरुष एतं . . ब्रह्मोपासे
9. आदर्शे पुरुष एतं . . ब्रह्मोपासे
11. दिक्षु पुरुष एतं . . ब्रह्मोपासे
12. छायामयः पुरुष एतं . ब्रह्मोपासे
13. आत्मनि पुरुष एतं . . ब्रह्मोपासे
15. तौ ह पुरुषं सुप्तमाजग्मतुः
16. य एष विज्ञानमयः पुरुषः 17.
17. अथ हैतत्पुरुषः स्वपिति नाम

Brih. 2. 3. 3. य एष एतस्मिन्मण्डले पुरुषः 5. 5. 2, 3.
5. यो ऽयं दक्षिणे ऽक्षन्पुरुषः 4. 2. 2; 5. 5. 2, 4.
6. तस्य हैतस्य पुरुषस्य रूपम्
2. 5. 1. तेजोमयो ऽमृतमयः पुरुषः (28 times).
18. पुरः पुरुष आविशत्
— अयं पुरुषः सर्वासु पूर्षु पुरिशयः
3. 2. 11. यत्रायं पुरुषो म्रियते 12.
13. पुरुषस्य मृतस्याग्निं वागप्येति
— क्वायं तदा पुरुषो भवतीति
3. 7. 2. पुरुषं प्रेतमाहुर्व्यस्रंसिषतास्याङ्गानीति
3. 9. 4. दशेमे पुरुषे प्राणाः
10. यो वै तं पुरुषं विद्यात् . . वेद वा अहं तं पुरुषम् 11— 17.
— शारीरः पुरुषः स एषः
11. काममयः पुरुषः स एषः
12. आदित्ये पुरुषः स एषः
13. प्रातिश्रुत्कः पुरुषः स एषः
14. छायामयः पुरुषः स एषः
15. आदर्शे पुरुषः स एषः
16. अप्सु पुरुषः स एषः
17. पुत्रमयः पुरुषः स एषः
26. अष्टौ देवा अष्टौ पुरुषाः
— यस्तान्पुरुषान्निरुह्य प्रत्यूह्यात्यक्रामत्तं त्वौपनिषदं पुरुषं पृच्छामि
28. यथा वृक्षः . . तथैव पुरुषः
4. 3. 2. किं ज्योतिरयं पुरुषः 3—6.
7. हृद्यन्तर्ज्योतिः पुरुषः
8. अयं पुरुषो जायमानः
9. एतस्य पुरुषस्य द्वे एव स्थाने

Bṛih. 4. 3. 9. अत्रायं पुरुषः स्वयंज्योतिर्भवति 14.
11. हिरण्मयः पुरुष एकहंसः 12
15. असङ्गो ह्ययं पुरुषः 16.
18. अयं पुरुष एतावुभावन्तावनुसञ्चरति
19. अयं पुरुष एतस्मा अन्ताय धावति
21. एवमेवायं पुरुषः प्राज्ञेनात्मना सम्परिष्वक्तः
36. अयं पुरुष एभ्यो ऽङ्गेभ्यः सम्प्रमुच्य
4. 4. 1. यत्रैष चाक्षुषः पुरुषः पराङ्पर्यावर्त्तते
5. काममय एवायं पुरुष इति
5. 6. 1. मनोमयो ऽयं पुरुषो भाः सत्यः
5. 9. 1. अयमग्निर्वैश्वानरो यो ऽयमन्तः पुरुषे Maitri. 2. 6.
5. 10. 1. यदा वै पुरुषो ऽस्माल्लोकात्प्रैति
5. 15. 1. यो ऽसावसौ पुरुषः सो ऽहमस्मि Iśâ. 16.
6. 2. 12. पुरुषो वा अग्निर्गौतम
13. तस्या आहुत्यै पुरुषः संभवति
14. अग्नौ देवाः पुरुषं जुह्वति तस्या आहुत्यै पुरुषो भास्वरवर्णः संभवति
15. पुरुषो मानस एत्य
6. 3. 1. घ्नन्ति पुरुषस्य कामान्
6. 4. 1. फलानां पुरुषः पुरुषस्य रेतः
Tait. 1. 6. 1. तस्मिन्नयं पुरुषो मनोमयः
2. 1. 1. अन्नात्पुरुषः स वा एष पुरुषो ऽन्नरसमयः
2. 8. 1. स यश्चायं पुरुषे यश्चासावादित्ये स एकः 3. 10. 4.

Katha. 1. 8. एतद्वृङ्क्ते पुरुषस्याल्पमेधसः
2. 1. उभे नानार्थे पुरुषं सिनीतः
3. 11. अव्यक्तात्पुरुषः परः पुरुषान्न परं किञ्चित्
4. 12. अंगुष्ठमात्रः पुरुषः 13; 6. 17; Śwet. 3. 13; Mahânâr 16. 3.
5. 8. कामं कामं पुरुषो निर्मिमाणः
6. 8. अव्यक्तात्परः पुरुषः
Śwet. 1. 2. भूतानि योनिः पुरुष इति चिन्त्यम्
3. 6. मा हिंसीः पुरुषं जगत्
8. वेदाहमेतं पुरुषं महान्तम्
9. तेनेदं पूर्णं पुरुषेण सर्वम् Mahânâr. 10. 4.
12. महान् प्रभुर्वै पुरुषः
14. सहस्रशीर्षा पुरुषः
15. पुरुष एव इदं सर्वम्
19. तमाहुरग्र्यं पुरुषम्
4. 7. समाने वृक्षे पुरुषो निमग्नः Muṇd. 3. 1. 2.
Maitri. 2. 6. यदौष्ण्यं स पुरुषो ऽथ यः पुरुषः सो ऽग्निर्वैश्वानरः
3. 3. एतानि गुणानि पुरुषेगेरितानि
— नाभिभूयत्यसौ पुरुषः
4. 6. अथ कृत्स्नक्षय एकत्वमेति पुरुषस्य
6. 1. य एषो ऽन्तरादित्ये हिरण्मयः पुरुषः Mahânâr. 12. 2.
6. चक्षुरायत्ता हि पुरुषस्य महती मात्रा
— अक्षिण्यवस्थितो हि पुरुषः सर्वार्थेषु चरति
10. पुरुषश्चेता प्रधानान्तःस्थः
— भोक्ता पुरुषो ऽन्तःस्थः
— तस्माद्भोक्ता पुरुषः

Maitri. 6. 10. पुरुषो ह्यव्यक्तमुखेन त्रिगुणं भुंक्ता इति
18. यदा पश्यन् पश्यति.. पुरुषम्
30. स हि सर्वकाममयः पुरुषः
— अतः पुरुषो ऽध्यवसायसङ्कल्पाभिमानलिङ्गः
35. यो ऽसा आदित्ये पुरुषः सो ऽसा अहम्
— तच्छुक्लं पुरुषमलिङ्गम्
7. 11. पुरुषश्चाक्षुषो यो ऽयम्

Muṇḍ.1. 1. 7. यथा सतः पुरुषात्केशलोमानि
1. 2. 11. यत्रामृतः स पुरुषो ह्यव्ययात्मा
13. येनाक्षरं पुरुषं वेद सत्यम्
2. 1. 2. दिव्यो ह्यमूर्त्तः पुरुषः
5. बह्वीः प्रजाः पुरुषात् सम्प्रसूताः
10. पुरुष एवेदं विश्वम्
3. 1. 3. यदा पश्यः पश्यते.. पुरुषम्
3. 2. 1. उपासते पुरुषं ये ह्यकामाः
8. परात्परं पुरुषमुपैति दिव्यम्

Mahânâr. 1. 4. यत ओषधीभिः पुरुषान्पशूंश्च
8. सर्वे निमेषा जज्ञिरे विद्युतः पुरुषादधि
2. 9. मा नो हिंसीज्ज्ञातवेदो गामश्वं पुरुषं जगत्
3. 1. तत्पुरुषस्य विद्महे
2. तत्पुरुषाय विद्महे 3, 4, 15; 17. 4.
11. 2. विश्वमेवेदं पुरुषस्तद्विश्वमुपजीवति Mahâ. 3 (पुरुषम्)
12. 1. पुरुषं कृष्णपिंगलम्

Mahânâr. 12. 2. य एष एतस्मिन्मण्डले अर्चिषि पुरुषः
3. य एष पुरुष एष भूतानामधिपतिः
13. 2. पुरुषो वै रुद्रस्तन्महः
20. 24. उत्तिष्ठ पुरुष
23. 1. य एष आदित्ये पुरुषः स परमेष्ठी ब्रह्मात्मा
- स वा एष पुरुषः पञ्चधा पञ्चात्मा

Praśna. 3. 3. यथैषा पुरुषे छाया
8. सैषा पुरुषस्यापानमवष्टभ्य
4. 1. एतस्मिन्पुरुषे कानि स्वपन्ति
2. तर्ह्येष पुरुषो न शृणोति न पश्यति
9 एष हि.. विज्ञानात्मा पुरुषः
5. 5. ओमित्येतेनैवाक्षरेण परं पुरुषमभिध्यायीत
— परात्परं पुरिशयं पुरुषमीक्षते
6. 1. षोडशकलं.. पुरुषं वेत्थ
— तं त्वा पृच्छामि क्वासौ पुरुष इति
2. इहैवान्तःशरीरे.. स पुरुषः
5. पुरुषं प्राप्यास्तं गच्छन्ति
— पुरुष इत्येवं प्रोच्यते
6. तं वेद्यं पुरुषं वेद

Kaivalya. 1. परात्परं पुरुषं याति
20. पुरातनो ऽहं पुरुषो ऽहमीशः

Gauḍa. 1. 6. चेतोंऽशून् पुरुषः पृथक्

Nṛip. 1. 1. यत् पुरुषो मनसाभिगच्छति
4. अन्तरादित्ये हिरण्मयः पुरुषः
6 पुरुषं नृकेसरिविग्रहम्
4. 3. यो वै नृसिंहः.. यश्च पुरुषस्तस्मै वै नमो नमः (4)

Nṛip. 5. 1. षोडशकलो वै पुरुषः पुरुष एवेदं सर्वं पुरुषेण सम्मितं भवति
Chûl. 12. आत्मा पुरुष एव च
— श्यावश्च पुरुषस्तथा (Nârâyaṇa seems to read सासुरस्तथा for he says असुरैर्बाणादिभिः सहितः सासुरः)
14. पुरुषं निर्गुणं सांख्यम्
Śiras. 3. सूक्ष्मः पुरुषः सर्वम्
— प्राजापत्यं सौम्यं सूक्ष्मं पुरुषम्
Garbha. 3. पितू रेतोतिरेकात् पुरुषः
Mahâ. 1. तस्मिन्पुरुषाश्चतुर्दशाजायन्ते
— स एष पञ्चविंशकः पुरुषस्तं पुरुषं पुरुषो निवेश्य
2. त्र्यक्षः शूलपाणिः पुरुषो ऽजायत
3. पुरुषः परमात्मा व्यवस्थितः
Brahma. 1. पुरुषः प्राणो हिंसा
2. अस्य पुरुषस्य चत्वारि स्थानानि
स पुरुषः स प्राणः स जीवः
Prâṇâg. 2. महानवो ऽयं पुरुषः
Nîla. 5. मा हिंसीत् पुरुषान्मम
Dhyâna. 9. पुरुषस्य शरीरे तु
Nyâsa. 2. सह तेनैव पुरुषः
Nâr. 1. पुरुषो ह वै नारायणः
5. प्रत्यगानन्दं ब्रह्म पुरुषम् Atmapra. 1.
Gopî. 5. गोपीचन्दनलिप्ताङ्गः पुरुषं य उपासते
— गोपीचन्दनलिप्ताङ्गः पुरुषो येन पूज्यते
Mukti. 1. मुमुक्षवः पुरुषाः
2. पुरुषस्य . . चित्तधर्मः
Mukti. 2. तत्पुरुषप्रयत्नसाध्यम्
— *vide* समाधि
2. 59. तादृग्रूपो हि पुरुषः
Gîtâ. 2. 15. यं हि न व्यथयन्त्येते पुरुषम्
21. कथं स पुरुषः पार्थ
60. पुरुषस्य विपश्चितः
3. 4. नैष्कर्म्यं पुरुषो ऽश्नुते
8. 4. पुरुषश्चाधिदैवतम्
8. परमं पुरुषं दिव्यम्
10. स तं परं पुरुषमुपैति दिव्यम्
22. पुरुषः स परः पार्थ
9. 3. अश्रद्दधानाः पुरुषाः
10 12. पुरुषं शाश्वतं दिव्यम्
11. 18. सनातनस्त्वं पुरुषो मतो मे
38. त्वमादिदेवः पुरुषः पुराणः
13. 19. प्रकृतिं पुरुषं चैव
20. पुरुषः सुखदुःखानां भोक्तृत्वे हेतुः
21. पुरुषः प्रकृतिस्थो हि
22. देहे ऽस्मिन्पुरुषः परः
23. य एवं वेत्ति पुरुषम्
15. 4. तमेव चाद्यं पुरुषं प्रपद्ये
16. द्वाविमौ पुरुषौ लोके
17. उत्तमः पुरुषस्त्वन्यः
17. 3. श्रद्धामयो ऽयं पुरुषः

पुरुषदेवत्य

Śikhâ. 1. चतुर्थी विद्युन्मती . . पुरुषदेवत्या

पुरुषनाय

Chhâ. 6. 8. 3. अश्वनायः पुरुषनायः 5.

पुरुषयुग

Śiras. 7. आसप्तमात्पुरुषयुगात्पुनाति Mahâ. 4.

पुरुषरूप

Bṛih. 4. 2. 3. वामे ऽक्षिणि पुरुषरूपम्

पुरुषर्षभ

Gîtâ. 2. 15. यं हि न व्यथयन्त्येते . . पुरुषर्षभ

पुरुषवचस्

Chhâ. 5. 3. 3. वेत्थ यथा पञ्चम्यामाहुतावापः पुरुषवचसो भवन्ति
5. 9. 1. इति तु पञ्चम्यामाहुतावापः पुरुषवचसो भवन्ति

पुरुषवाच्

Bṛih. 6. 2. 2. वेत्थो यतिथ्यामाहुत्यां हुतायामापः पुरुषवाचो भूत्वा समुत्थाय वदन्ती ३

पुरुषविद्

Maitri. 6. 33. पुरुषविदः प्रजापतेः (ter).

पुरुषविध

Bṛih. 1. 4. 1. आत्मैवेदमग्र आसीत्पुरुषविधः
Tait. 2. 2. 1. स वा एष पुरुषविध एव तस्य पुरुषविधतामन्वयं पुरुषविधः 2. 3. 1; 2. 4. 1; 2. 5. 1.

पुरुषविधता

Tait. 2. 2. 1. तस्य पुरुषविधतामन्वयं पुरुषविधः 2. 3. 1; 2. 4. 1; 2. 5. 1.

पुरुषव्याघ्र

Gîtâ. 18. 4. त्यागो हि पुरुषव्याघ्र

पुरुषशरीर

Prâṇâg. 1. अस्मिन्नेव पुरुषशरीरे

पुरुषसंज्ञ

Maitri. 2. 5. अमाह्यो ऽदृश्यः पुरुषसंज्ञः

पुरुषाग्नि

Bṛih. 6. 2. 16. ते पुनः पुरुषाग्नौ हूयन्ते

पुरुषायण

Praśna. 6. 5. एवमेवास्य परिद्रष्टुरिमाः षोडशकलाः पुरुषायणाः

पुरुषायतन

Kshur. 10. पुरुषायतनं महत्

पुरुषार्थ

Chûl. 4. स्तूयते पुरुषार्थं च

पुरुषोत्तम

Dhyâna. 2. यथा दीपो दृश्यते पुरुषोत्तमः (one MS. omits); Yogat. 2.
Yogat. 11. पुरुषोत्तमतत्परः
Gopî. 5. पुरुषोत्तमरूपेण
Gîtâ. 8. 1. किं कर्म पुरुषोत्तम
10. 15 वेत्थ त्वं पुरुषोत्तम
11. 3. रूपमैश्वरं पुरुषोत्तम
15. 18. प्रथितः पुरुषोत्तमः
19. जानाति पुरुषोत्तमम्

पुरुहूत

Mahânâr. 20. 3. ह्वयामि शक्रं पुरुहूतमिन्द्रम्

पुरोडाश

Maitri. 6. 36. *vide* आदि

पुरोधस्

Gîtâ. 10. 24. पुरोधसां च मुख्यं माम्

पुरोऽनुवाक्या

Bṛih. 3. 1. 7. पुरोऽनुवाक्या च याज्या च शस्यैव तृतीया 10.
10. प्राण एव पुरोऽनुवाक्या — पृथिवीलोकमेव पुरोऽनुवाक्यया जयति

पुरोवात

Chhâ. 2. 3. 1. पुरोवातो हिंकारः

पुष्

Brih. 1. 4. 13. इयं हीदं सर्वं पुष्यति
6. 4. 24. अस्मिन् सहस्रं पुष्यासम्
27. येन विश्वा पुष्यासि वार्याणि
Piṇḍa. 7. वाचं पुष्यति वीर्यवान्
Râmap. 27. पुष्टः कोशलजात्मजः
Mukti. 2. 45. एतास्ता युक्तयः पुष्टाः
Gîtâ. 15. 13. पुष्णामि चौषधीः सर्वाः

पुष्कर

Maitri. 3. 2. बिन्दुरिव पुष्करा इति
6. 2. कः पुष्करः किम्मयो वेति — इदं वाव तत्पुष्करं यो ऽयमाकाशः
Siras. 1. पुष्करमहं पवित्रमहम्
Brahma. 1. खगः कर्कटकः पुष्करः
Brahmab. 15. तावत्तिष्ठति पुष्करे

पुष्करपर्ण

Nrip. 1. 1. स प्रजापतिरेकः पुष्करपर्णे समभवत्

पुष्करपलाश

Chhâ. 4. 14. 3. यथा पुष्करपलाश आपो न श्लिष्यन्ते

पुष्करस्रज

Brih. 6. 4. 21 गर्भं ते अश्विनौ देवावाधत्तां पुष्करस्रजौ
Mahânâr. 16. 5. मेधां मे अश्विनावुभावाधत्तां पुष्करस्रजौ

पुष्करिणी

Brih. 4. 3. 10. न तत्र . . पुष्करिण्यः . . भवन्त्यथ . . पुष्करिण्यः . . सृजते
6. 4. 23. यथा वायुः पुष्करिणीं समिङ्गयति

पुष्कल

Sarvop. 1. मनआदिश्चतुर्दशकरणैः पुष्कलैः
Gîtâ. 11. 21. स्तुवन्ति त्वां स्तुतिभिः पुष्कलाभिः

पुष्टि

Mahânâr. 4. 7. मृत्तिके देहि मे पुष्टिम्
19. 1. श्रीश्च पुष्टिश्चानृण्यम्
20. 1. मयि पुष्टिं पुष्टिपतिर्दधातु
Siras. 3. शान्तिस्त्वं पुष्टिस्त्वम्

पुष्टिकाम

Mahânâr. 20. 1. तेभ्यो बलिं पुष्टिकामो हरामि

पुष्टिपति

Mahânâr. 20. 1. मयि पुष्टिं पुष्टिपतिर्दधातु

पुष्टिमन्त्

Chhâ. 5. 16. 1. तस्मात्त्वं रयिमान् पुष्टिमानसि

पुष्प

Kaush. 1. 3. पुष्पाण्यादाय
Chhâ. 3. 1. 2. ऋग्वेद एव पुष्पम्
3. 2. 1. यजुर्वेद एव पुष्पम्
3. 3. 1. सामवेद एव पुष्पम्
3. 4. 1. इतिहासपुराणं पुष्पम्
3. 5. 1. ब्रह्मैव पुष्पम्
Brih. 6. 4. 1. ओषधीनां पुष्पाणि पुष्पाणां फलानि
Dhyâna. 7. पुष्पमध्ये यथा गन्धम् Yogat. 8.
9. पुष्पे गन्धमिवार्पितम्
Asrama. 3. पुष्पफलमुत्सृजन्तः
Vâsu. 3. यथा गन्धः पुष्पेषु
Gîtâ. 9. 26. पत्रं पुष्पं फलं तोयम्

पुष्पित

Gîtâ. 2. 42. यामिमां पुष्पितां वाचम्

पुष्पिन्

Prâṇâg. 1. अपुष्पा याश्च पुष्पिणीः

पू

Chhâ. 4. 16. 1. एष ह वै यज्ञो यो ऽयं पवत एष ह यन्निदं सर्वं पुनाति
— यदेष यन्निदं सर्वं पुनाति तस्मादेष एव यज्ञः
5. 10. 10. शुद्धः पूतः पुण्यलोको भवति
Bṛih. 1. 3. 13. वायुः परेण मृत्युमतिक्रान्तः पवते
3. 9. 8. कतमो ऽध्यर्द्ध इति यो ऽयं पवत इति
9. यदयमेक इवैव पवते ऽथ कथमध्यर्द्धः
5. 14. 8. शुद्धः पूतो ऽजरो ऽमृतः सम्भवति
Tait. 2. 8. 1. भीषास्माद्वातः पवते Nṛip. 2. 4.
Maitri. 2. 4. शुद्धः पूतः शून्यः 6. 28, 31.
6. 9. उच्छिष्टोपहतमित्यनेन तत्पावयेत्
— पुनन्त्वन्नं मम दुष्कृतं च यदन्यत्
7. 4. अन्तःशुद्धः पूतः शून्यः
6. शुद्धः पूतो भान्तः क्षान्तः
Muṇḍ 2. 1. 6. सोमो यत्र पवते यत्र सूर्यः
Mahânâr. 4. 12. तन्मे इन्द्रो वरुणो बृहस्पतिः सविता च पुनन्तु
5. 8. इमास्तदापो वरुणः पुनातु
12. पुनन्तु ऋषयः पुनन्तु वसवः पुनातु वरुणः पुनात्वघमर्षणः
14. 2. आपः पुनन्तु पृथिवीं पृथिवी पूता पुनातु मां पुनन्तु ब्रह्मणस्पतिर्ब्रह्मपूता पुनातु माम् Prâṇâg. 1.
— सर्वं पुनन्तु मामापः Prâṇâg. 1.
Mahânâr. 17. 6. आसहस्रात्पंक्तिं पुनन्ति 7. 8.
19. 1. तिलाः पुनन्तु मे पापम्
Kaivalya. 24. सुरापानात्पूतो भवति
— ब्रह्महत्यायाः पूतो भवति
— सुवर्णस्तेयात्पूतो भवति
— कृत्याकृत्यात्पूतो भवति
Śiras. 6. मस्तिष्कादूर्ध्वः प्रैरयत्पवमानः
7. आचक्षुषः पंक्तिं पुनाति Mahâ. 4.
— आसप्तमात्पुरुषयुगात्पुनाति Mahâ. 4.
— शुचिः पूतः कर्मण्यो भवति
Nyâsa. 4. अद्भिः पूताभिराचरेत् Kaṭhaśru. 4.
Kâlâg. 2. समस्तमहापातकोपपातकेभ्यः पूतो भवति
Atmapra. 1. तस्मिन्मां धेहि पवमान
Vâsu. 4. सर्वमहापातकेभ्यः पूतो भवति
Gopî. 5. तं तं पूतं विजानीयात्
— पुनात्यादशमं कुलम्
Gîtâ. 4. 10. बहवो ज्ञानतपसा पूताः
10. 31. पवनः पवतामस्मि

पूज्

Vâsu. 4. सर्वैर्देवैः पूज्यो भवति
Gopî. 5. गोपीचन्दनलिप्ताङ्गः पुरुषो येन पूज्यते
— विष्णुपूजितभूतित्वात्
Skanda. 11. सोहम्भावेन पूजयेत्
Râmap. 17. सीतारामौ . . पूज्यौ
38. पूजितावीरपुत्रेण
57. वह्निस्तदायुधैः पूज्यः
90. अंगव्यूहानिलजाद्यैश्च पूज्य
91. मुख्योपहारैर्विविधैश्च पूज्य
Gîtâ. 11. 43. त्वमस्य पूज्यश्च गुरुर्गरीयान्

पूजन

Râmap. 5. ऐश्वर्यं यस्य पूजनात्
Gîtâ. 17. 14. देवद्विजगुरुप्राज्ञपूजनम्

पूजा

Râmap. 13. विना यन्त्रेण चेत्पूजा
Gîtâ. 17. 18. सत्कारमानपूजार्थम्

पूजार्ह

Gîtâ. 2. 4. पूजार्हावरिसूदन

पूतपाप

Gîtâ. 9. 20. त्रैविद्या मां सोमपाः पूतपापाः

पूति

Gîtâ. 17. 10. पूतिपर्युषितं च यत्

पूय्

Bṛih. 5. 12. 1 पूयति वा अन्नमृते प्राणात्

पूरक

Amrita 9. रेचकपूरककुम्भकाः
12. पूरकस्येति लक्षणम्
Dhyâna 11 पूरकेण विचिन्तयेत्

पूरुष

Bṛih. 4. 4. 12. अयमस्मीति पूरुषः
Gîtâ. 3. 19. परमाप्नोति पूरुषः
36. पापं चरति पूरुषः

पूर्णानन्द

Parama 3. पूर्णानन्दैकरूपरसबोधः (MSS.)
Râmot. 5. पूर्णानन्दैकविज्ञानम्

पूर्त्त

Śwet 2. 7 न हि ते पूर्त्तमक्षिपत् (so Nârâyaṇa and Saṁkarânanda).

पूर्व

Kaush. 1. 5. बृहद्रथन्तरे सामनी पूर्वौ पादौ
Kaush. 1. 5. तस्य भूतं च भविष्यच्च पूर्वौ पादौ
2. 5. एतत् पूर्वे विद्वांसो ऽग्निहोत्रं न जुहवांचक्रुः
8. न ह्यस्मात् पूर्वाः प्रजाः प्रैति
10. न ह्यस्याः पूर्वाः प्रजाः प्रैति
Kena. 3. इति शुश्रुम पूर्वेषाम्
Chhâ. 6. 4. 5. पूर्वे महाशाला महाश्रोत्रियाः
7. 11. 1. तेज एव तत्पूर्वं दर्शयित्वा (bis).
Bṛih. 1. 1. 2. तस्य पूर्वः समुद्रे योनिः
1. 4. 1. स यत्पूर्वो ऽस्मात्सर्वस्मात् — यो ऽस्मात्पूर्वो बुभूषति
4. 3. 1. तं सम्राडेव पूर्वः पप्रच्छ
18. पूर्वं च परं च
4. 4. 22. पूर्वे विद्वांसः प्रजां न कामयन्ते
6. 2. 7. वाचा ह स्म वै पूर्व उपयन्ति
8. इयं विद्येतः पूर्वं न कस्मिंश्चन ब्राह्मण उवास
Iśâ. 4. नैनद्देवा आप्नुवन् पूर्वमर्षत्
Tait. 2. 3. 1. तस्यैष एव शारीर आत्मा यः पूर्वस्य 2. 4. 1 ; 2. 5. 1 ; 2. 6. 1.
3. 10. 6. पूर्वं देवेभ्यो ऽमृतस्य ना ३ भायि Nṛip. 2. 4.
Kaṭha. 1. 6. अनुपश्य यथा पूर्वे
1. 6. यः पूर्वं तपसो जातमद्भ्यः पूर्वमजायत
Śwet. 2. 16. पूर्वो हि जातः स उ गर्भे अन्तः Mahânâr. 2. 1 ; Śiras. 5.
3. 4. हिरण्यगर्भं जनयामास पूर्वम्
5. 6. ये पूर्वं देवा ऋषयश्च तद्विदुः
6. 5. देवं स्वचित्तस्थमुपास्य पूर्वम्

Śvet. 6. 18. यो ब्रह्माणं विदधाति पूर्वम्
Maitri. 1. 1. ब्रह्मयज्ञो वा एष यत्पूर्वेषां चयनम्
6. 21. परः पूर्वं प्रतिष्ठाप्य
Gauḍa. 2. 16. जीवं कल्पयते पूर्वम्
4. 21. कथं पूर्वं न गृह्यते
Nṛip. 2. 1. प्रणवस्य या पूर्वा मात्रा Nṛisut. 3 (bis).
Siras. 6. न तस्मात्पूर्वं न परं तदस्ति
Śikhâ. 1. पूर्वास्य मात्रा पृथिव्यकारः
Yogat. 3. यः स्तन्यं पूर्वं पीत्वापि
Kaṭhaśru. 3. अग्निसंस्थितानि पूर्वाणि दारुपात्राणि
Sarvop. 4. पूर्वं व्यापकं चैतन्यम्
Vâsu. 3. पूर्वमभ्यस्य पुण्ड्रस्थम्
Mukti. 2. 69. मानसीर्वासनाः पूर्वम्
Gîtâ. 4. 15. पूर्वैरपि मुमुक्षुभिः
— पूर्वैः पूर्वतरं कृतम्
10. 6. महर्षयः सप्त पूर्वे

पूर्वजन्मार्जित

Nyâsa. 5. पूर्वजन्मार्जितात्मनः

पूर्वजाति

Garbha. 3. पूर्वजातीःस्मरति (so MSS.)

पूर्वतर

Gîtâ. 4. 15. पूर्वैः पूर्वतरं कृतम्

पूर्वदल

Haṁsa. 2. पूर्वदले पुण्ये मतिः

पूर्वनिष्पन्न

Gauḍa. 4. 18. कतरत्पूर्वनिष्पन्नम्

पूर्वपक्ष

Kaush. 1. 2. तेषां प्राणैः पूर्वपक्ष आप्यायते
Bṛih. 3. 1. 5. पूर्वपक्षापरपक्षाभ्याम् (bis).
— पूर्वपक्षापरपक्षयोः

पूर्वप्रज्ञा

Bṛih. 4. 4. 2. तं विद्याकर्मणी समन्वारभेते पूर्वप्रज्ञा च

पूर्वरूप

Tait. 1. 3. 1. पृथिवी पूर्वरूपम्
2. अग्निः पूर्वरूपम्
— आचार्यः पूर्वरूपम्
3. माता पूर्वरूपम्
4. अधरा हनुः पूर्वरूपम्

पूर्ववत्

Kaṭhaśru. 1. तान् सर्वांश्च पूर्ववद्वृणीत्वा
Jâbâla. 4. पूर्ववदग्निमाघ्रापयेत्
Kṛish. 19. पूर्ववच्च महोदधौ

पूर्वापर

Gauḍa. 4. 21. पूर्वापरापरिज्ञानमजातेः परिदीपकम्
Mukti. 2. 57. त्यक्तपूर्वापरविचारणम्

पूर्वाभ्यास

Gîtâ. 6. 44. पूर्वाभ्यासेन तेनैव

पूर्वामुख

Mahâ. 3. सो ऽध्यायत पूर्वामुखो भूत्वा

पूर्वार्द्ध

Bṛih 1. 1. 1. उद्यन्नु पूर्वार्द्धः

पूर्वाह्ण

Chhâ. 5. 11. 7. समित्पाणयः पूर्वाह्णे प्रतिचक्रमिरे

पूर्वोक्त

Amṛita. 21. पश्चाद् ध्यायेत पूर्वोक्तम्

पूर्वोत्तर

Mukti. 1. 41. पूर्वोत्तरेषु विहितः (?)

पूर्व्य

Swet. 2. 5. युजे वां ब्रह्म पूर्व्यं नमोभिः
7. जुषेत ब्रह्म पूर्व्यम्

पूषन्

Bṛih. 1. 4. 13. शौद्रं वर्णमसृजत पूषणमियं वै पूषा
5. 15. 1. तत्त्वं पूषन्नपावृणु Isâ. 15; Maitri. 6. 35.
— पूषन्नेकर्षे . . व्यूह रश्मीन् Isâ. 16.

Nṛip. 1. 1. स्वस्ति नः पूषा विश्ववेदाः Nṛisut. 1.

पृतनाजित्

Mahânâr. 6. 6. पृतनाजितं सहमानम्

पृथक्

Chhâ. 5. 11. 5. पृथगर्हाणि कारयाञ्चकार
5 14. 1. तस्मात्त्वां पृथग्बलय आयन्ति पृथग्रथश्रेणयो ऽनुयन्ति
5. 18. 1. पृथगिवेममात्मानं वैश्वानरं विद्वांसः

Bṛih. 2. 4. 10. पृथग्धूमा विनिश्चरन्ति 4. 5. 11; Maitri. 6. 23 (omits वि)

Katha. 4 14. एवं धर्मान् पृथक् पश्यन्
6. 6. पृथगुत्पद्यमानानाम्

Swet. 1. 6. पृथगात्मानं प्रेरितारं च मत्वा

Praśna. 3. 4. इतरान् प्राणान् पृथक् पृथगेव सन्निधत्ते

Gauḍa. 1. 6. चेतोंशून् पुरुषः पृथक्
2. 30. पृथगेवेति लक्षितः
34. न पृथङ्नापृथक्किञ्चित् (MSS. न पृथक्त्वात्पृथ०)
4. 26. नार्थाभासस्ततः पृथक्
36. पृथगन्यस्य दर्शनात्
4. 64. न विद्यन्ते ततः पृथक् 66.
78. हेतुं पृथगनाप्नुवन्

Parama. 3. न पृथङ्नापृथक्

Mukti. 1. पृथक् शान्तिमनुब्रूहि

Gîtâ. 1. 18. शंखान्दध्मुः पृथक् पृथक्
5. 4. सांख्ययोगौ पृथक्
18. 1. त्यागस्य च . . पृथक्
14. विविधाश्च पृथक् चेष्टा

पृथक्त्व

Maitri. 6, 14. प्रमेयो ऽपि प्रमाणतां पृथक्त्वादुपैति

Gauḍa. 3. 14. जीवात्मनोः पृथक्त्वं यत्

Gîtâ. 9. 15. एकत्वेन पृथक्त्वेन
18. 21. पृथक्त्वेन तु यज्ज्ञानम्
29. पृथक्त्वेन धनञ्जय

पृथग्भाव

Katha. 6. 6. इन्द्रियाणां पृथग्भाव. मत्वा

Gîtâ. 13. 30. यदा भूतपृथग्भावम्

पृथग्लक्षण

Maitri. 6. 22. तं पृथग्लक्षणमतीत्य

पृथग्वर्त्मन्

Chhâ. 5. 14. 1. एष वै पृथग्वर्त्मात्मा
5. 18. 2. प्राणः पृथग्वर्त्मात्मा

पृथग्वाद

Gauḍa. 4. 94. भेदनिम्नाः पृथग्वादाः

पृथग्विध

Gauḍa. 2. 16. ततो भावान्पृथग्विधान्

Gîtâ. 10. 5. मत्त एव पृथग्विधाः
18. 14. करणं च पृथग्विधम्
21. नानाभावान्पृथग्विधान्

पृथिवी

Ait. 1. 2. पृथिवी मरः
5. 3. पृथिवी वायुराकाश आपो ज्योतींषि

Kaush. 3. 1. अतृणम्..पृथिव्यां कालकांजान्

Kena. 18. इदं सर्वं दहेयं यदिदं पृथिव्यामिति

22. इदं सर्वमाददीयं यदिदं पृथिव्यामिति

Chhâ. 1. 1. 2. एषां भूतानां पृथिवी रसः पृथिव्या आपः Bṛih. 6.4.1.

1. 3. 7. पृथिवी थम्

2. 2. 1. पृथिवी हिंकारः 2. 17. 1.

2. पृथिवी निधनम्

3. 12. 2. या वै सा गायत्रीयं वाव सा येयं पृथिवी

3. या वै सा पृथिवीयं वाव सा यदिदमस्मिन्पुरुषे शरीरम्

3. 14. 3. ज्यायान् पृथिव्याः

3. 15. 5. पृथिवीं प्रपद्ये

3. 19. 2. यद्रजतं सेयं पृथिवी

4. 6. 3. पृथिवी कलान्तरिक्षं कला

4. 11. 1. पृथिव्यग्निरन्नमादित्यः

4. 17. 1. अग्निं पृथिव्याः

5. 6. 1. पृथिवी वाव..अग्निः

5. 17. 1. पृथिवीमेव भगवो राजन्

5. 18. 2. पृथिव्येव पादौ

5. 21. 2. पृथिवी तृप्यति पृथिव्यां तृप्यन्त्यां यत्किञ्च पृथिवी चाग्निश्चाधितिष्ठतस्तत्तृप्यति

7. 2. 1. दिवं च पृथिवीं च 7. 7. 1.

7. 6. 1. ध्यायतीव पृथिवी

7. 8. 1. बलेन वै पृथिवी तिष्ठति

7. 10. 1. येयं पृथिवी यदन्तरिक्षम्

Bṛih. 1. 1. 1. पृथिवी पाजस्यम्

1. 2. 2. सा पृथिव्यभवत्

1. 5. 11. तस्यै वाचः पृथिवी शरीरम्

— यावत्येव वाक्तावती पृथिवी

18. पृथिव्यै चैनमग्नेश्च

2. 2. 2. अधरयैनं वर्त्तन्या पृथिव्यन्वायत्ता

Bṛih. 2. 4. 2. सर्वा पृथिवी वित्तेन पूर्णा 4. 5. 3.

2. 5. 1. पृथिवी सर्वेषां भूतानां मध्वस्यै पृथिव्यै सर्वाणि भूतानि मधु

— पृथिव्यां तेजोमयः..पुरुषः

3. 2. 13. पृथिवीं शरीरं (अप्येति)

3. 3. 2. तं समन्तं पृथिवीं..पर्येति तां समन्तं पृथिवीं..समुद्रः पर्येति

3. 7. 3. यः पृथिव्यां तिष्ठन्पृथिव्या अन्तरो यं पृथिवी न वेद यस्य पृथिवी शरीरं यः पृथिवीमन्तरो यमयति

3. 8. 3. यदवाक् पृथिव्याः 4, 6, 7.

3. 9. 3. अग्निश्च पृथिवी च वायुश्च 7.

10. पृथिव्येव यस्यायतनम्

6. 2. 11. पृथिव्येव समित्

16. वृष्टेः पृथिवीं ते पृथिवीं प्राप्यान्नं भवन्ति

6. 4. 5. यन्मे ऽद्य रेतः पृथिवीमस्कान्त्सीत्

20. द्यौरहं पृथिवी त्वम्

22. यथाग्निगर्भा पृथिवी

Tait. 1. 3. 1. पृथिवी पूर्वरूपम्

1. 7. 1. पृथिव्यन्तरिक्षं द्यौः

2. 1. 1. अद्भ्यः पृथिवी पृथिव्या ओषधयः

2. 2. 1. याः काश्च पृथिवीं श्रिताः

— पृथिवी पुच्छं प्रतिष्ठा

2. 8. 1. तस्येयं पृथिवी वित्तस्य पूर्णा

3. 9. 1. पृथिवी वा अन्नं..पृथिव्यामाकाशः..आकाशे पृथिवी

Swet. 2. 1. पृथिव्या अध्याभरत्

12. पृथ्व्याप्यतेजोऽनिलखे 6. 2 (खानि)

Maitri. 1. 4. निमज्जनं पृथिव्याः
5. 1. त्वं यमस्त्वं पृथिवी
6. 4. पृथिवी गार्हपत्यः
Muṇḍ. 1. 1. 7. यथा पृथिव्यामोषधयः सम्भवन्ति
2. 1. 3. पृथिवी विश्वस्य धारिणी Kaivalya. 15 ; Nâr. 1.
4. अस्य पद्भ्यां पृथिवी
5. ओषधयः पृथिव्याम्
2. 2. 5. यस्मिन्द्यौः पृथिवी चान्तरिक्षमोतम्
Mahânâr. 5. 7. दिवं च पृथिवीं चान्तरिक्षम्
8. यत्पृथिव्यां रजः स्वमान्तरिक्षे
7. 1. पृथिव्यै स्वाहा 2.
3. भूरग्नये च पृथिव्यै च
14. 2. आपः पुनन्तु पृथिवीं पृथिवी पूता पुनातु माम् Prâṇâg. 1.
22. 1. गार्हपत्यमृक् पृथिवी रथन्तरम्
23. 1. येन सर्वमिदं प्रोतं पृथिवी चान्तरिक्षं च
Praśna. 2. 2. वायुरग्निरापः पृथिवी
5. वायुरेष पृथिवी रयिर्देवः
3. 8. पृथिव्यां या देवता
4. 8. पृथिवी च पृथिवीमात्रा च
6. 4. खं वायुर्ज्योतिरापः पृथिवी Kaivalya. 15.
Gauḍa. 3. 12. पृथिव्यामुदरे चैव
Nṛip. 2. 1. प्रणवस्य या पूर्वा मात्रा पृथिव्यकारः Nṛisut. 3.
Brahmav. 5. पृथिवी ब्रह्म एव च
Siras. 2. यो वै रुद्रः. . या च पृथिवी
6. पृथिवी द्विधा त्रिधर्ता धारिता
Sikhâ. 1. पूर्वास्य मात्रा पृथिव्यकारः

Garbha. 1. पृथिव्यापस्तेजोवायुराकाशम्
— का पृथिवी का आपः
— तत्र यत्कठिनं सा पृथिवी
— तत्र पृथिवी धारणे
Nîla. 1. दिवितः पृथिवीमवः
18. ये केच पृथिवीमनु
Nyâsa. 2. पृथिव्यां नाश्रुपातकाः
4. अद्भ्यः पृथिवी पृथिव्या इत्येषां भूतानाम्
Gopî. 4. पञ्चभूतेषु गन्धवतीयं पृथिव्यासीत्
— पृथिव्याश्च त्रैभवाद्वर्णभेदाः
Râmap. 86. पृथिव्यब्जे स्वासनाधः प्रकल्प्य
Gîtâ. 1. 19. नभश्च पृथिवीं चैव
7. 9. पुण्यो गन्धः पृथिव्याम्
18. 40. न तदस्ति पृथिव्याम्

पृथिवीक्षित्

Chhâ. 2. 24. 5. नमो ऽग्नये पृथिवीक्षिते Maitri. 6. 35.

पृथिवीपति

Gîtâ. 1. 18. सर्वशः पृथिवीपते

पृथिवीमय

Bṛih. 4. 4. 5. पृथिवीमय आपोमयः

पृथिवीमात्रा

Praśna. 4. 8. पृथिवी च पृथिवीमात्रा च

पृथिवीलोक

Bṛih. 3. 1. 10. पृथिवीलोकमेव पुरोऽनुवाक्यया जयति

पृथिवीश्रित

Maitri. 6. 11. याः काश्चित् पृथिवीश्रिताः (*cf.* Tait. 2. 2. 1).

पृथु

Mahânâr. 6. 1. पृथ्वी पृथ्वी बहुला न उर्वी

Garbha. 1. आकाशमवकाशप्रदाने पृथुस्तु (so one MS. and Dîpikâ).

पृथुष्टुक

Bṛih. 6. 4. 21. गर्भं धेहि पृथुष्टुके

पृषदाज्य

Bṛih. 6. 4. 24. कंसे पृषदाज्यं सन्नीय पृषदाज्यस्योपघातं जुहोति

पृष्ठ

Chhâ. 3. 13. 7. विश्वतः पृष्ठेषु सर्वतःपृष्ठेषु
Bṛih. 1. 1. 1. द्यौः पृष्ठम् 1. 2. 3.
Tait. 1. 10. 1. कीर्त्तिः पृष्ठं गिरेरिव
Maitri. 6. 33. शिरःपक्षसीपुच्छपृष्ठवान् (ter).
Muṇḍ. 1. 2. 10. नाकस्य पृष्ठे Mahânâr. 1. 1.
Mahânâr. 5. 3. नाकस्य पृष्ठमारुह्य

पृष्ठतस्

Bṛih. 1. 5. 3. पृष्ठत उपस्पृष्टो मनसा विजानाति
Gîtâ. 11. 40. नमः पुरस्तादथ पृष्ठतस्ते

पृष्ठवंश

Garbha. 3. पञ्चमे पृष्ठवंशः (all the MSS. have पृष्टिवंशः)

पॄ

Kaush. 4. 2. आकाशे पूर्णम्
8. पूर्णमप्रवृत्ति ब्रह्मेति वा अहमेतमुपासे..एतमेवमुपास्ते पूर्यते प्रजया
Chhâ. 3. 11. 6. धनस्य पूर्णाम्
3. 12. 9. तदेतत्पूर्णमप्रवर्त्ति पूर्णामप्रवर्त्तिनीं श्रियं लभते य एवं वेद
Bṛih. 1. 4. 3. तस्मादयमाकाशः स्त्रिया पूर्यत
Bṛih. 2. 1. 5. पूर्णमप्रवर्त्तीति..एतमुपासे — एवमुपास्ते पूर्यते प्रजया
2. 4. 2. सर्वा पृथिवी वित्तेन पूर्णा 4. 5. 3.
4. 3. 20. शुक्लस्य नीलस्य पिङ्गलस्य हरितस्य लोहितस्य पूर्णाः
5. 1. 1. पूर्णमदः पूर्णमिदं पूर्णात्पूर्णमुदच्यते &c., Mukti. 1.
5. 14. 6. य इमांस्त्रींलोकान्पूर्णान्प्रतिगृह्णीयात्
6. 3. 4. ज्वलदसि पूर्णमसि
6. 4. 19. उदपात्रं पूरयित्वा
Tait. 2. 2. 1. तेनैष पूर्णः 2. 3. 1; 2. 4. 1; 2. 5. 1.
2. 8. 1. तस्येयं पृथिवी वित्तस्य पूर्णा
Śwet. 3. 9. तेनेदं पूर्णं पुरुषेण सर्वम् Mahânâr. 10. 4.
Maitri. 1. 1. स पूर्णःखलु..संपद्यते यज्ञः
6. 26. पूरयतीमाँल्लोकान्
Nṛip. 5. 10. यतीनां तु शतं पूर्णम्
Kshur. 4. पूरयेत्सर्वमात्मानम्
11. तां नाडीं पूरयन्यतः
Yogat. 3. यस्मिन् जाते भगे पूर्णे (so all MSS.).
12. वायुः पूरत पूरत (so Nârâyaṇa; but 4 MSS. read पूरतपूरतः one पूरकपूरकः and one पूरतः पूरतः)
Mukti. 1. 36. अव्यक्तैकाक्षरं पूर्णा
1. पूर्णमद इति शान्तिः
2. 52. तावत्पूर्णा समावस्थाम्

पेशस्

Bṛih. 4. 4. 4. पेशसो मात्रामुपादाय

पेशस्कारिन्

Bṛih. 4. 4. 4. यथा पेशस्कारी पेशसो मात्रामुपादाय

पैङ्गल

Mukti. 1. 35. शाण्डिल्यं पैङ्गलं भिक्षुम्
1. *vide* मुक्तिका

पैंग्य

Kaush. 2. 2. प्राणो ब्रह्मेति ह स्माह पैंग्यः
Bṛih. 6. 3. 8. मधुकाय पैंग्याय
9. मधुकः पैंग्यः

पैप्पलाद

Garbha. 5. पैप्पलादं मोक्षशास्त्रम्

पौंस्न

Kaush. 7. केन मे पौंस्नानि नामान्याप्नोषि (MSS. read पौंस्यानि)

पौण्ड्र

Gîtâ. 1. 15. पौण्ड्रं दध्मौ महाशंखम्

पौतिमाषीपुत्र

Bṛih. 6. 5. 1. पौतिमाषीपुत्रः कात्यायनीपुत्रात्

पौतिमाष्य

Bṛih. 2. 6. 1. पौतिमाष्यो गौपवनात् (bis); 4. 6. 1 (bis).
— गौपवनः पौतिमाष्यात् 4. 6. 1.

पौत्र

Gîtâ. 1. 26. पुत्रान्पौत्रान् सखींस्तथा
34. मातुलाः श्वशुराः पौत्राः

पौत्रायण

Chhâ. 4. 1. 1. जानश्रुतिः पौत्रायणः 5; 4. 2. 1, 3.
2. जानश्रुतेः पौत्रायणस्य

पौरुशिष्टि

Tait. 1. 9. 1. तपोनित्यः पौरुशिष्टिः

पौरुष

Kaush. 3. 1. इन्द्रस्य प्रियं धामोपजगाम युद्धेन पौरुषेण च
Mukti. 2. 1. पौरुषं द्विविधं स्मृतम्
6. पौरुषेण प्रयत्नेन 7.
15. पौरुषेण विवेकिना
Gîtâ. 7. 8. शब्दः खे पौरुषं नृषु
18. 25. अनवेक्ष्य च पौरुषम्

पौर्णमास

Kaush. 2. 3. पौर्णमास्यां वामावास्यायां वा
9. पौर्णमास्यां पुरस्ताच्चन्द्रमसं . . उपतिष्ठेत
Chhâ. 5. 2. 4. पौर्णमास्यां रात्रौ
Aśrama. 3. कार्त्तिक्यां पौर्णमास्याम्

पौर्णमास्य

Kaṭhaśru. 3. यत्पौर्णमास्ये तत्पौर्णमास्ये

पौर्वदैहिक

Gîtâ. 6. 43. लभते पौर्वदैहिकम्

पौलुषि

Chhâ. 5. 11. 1. सत्ययज्ञः पौलुषिः
5. 13. 1. सत्ययज्ञं पौलुषिम्

पौलोम

Kaush. 3. 1. अतृणमहमन्तरिक्षे पौलोमान्

पौल्कस

Bṛih. 4. 3. 22. पौल्कसोऽपौल्कसः
Brahma. 2. तत्र . . पौल्कसो न पौल्कसः
Parama. 3. स पौल्कसो भवेत्

प्यायन

Maitri. 6. 7. अथापो प्यायनात्

प्र

Chhâ. 2. 8. 1. वस्मेति स प्रस्तावः

प्रकटित

Mukti. 2. 24. भावसंवित्प्रकाटिताम्

प्रकटीकृ

Râmap. 2. विप्रद्भिः प्रकटीकृतः

प्रकर्ष

Mukti. 2. 53. ध्यानाभ्यासप्रकर्षतः

प्रकाश्

Katha. 3. 12. गूढात्मा न प्रकाशते
Swet. 5. 4. सर्वा दिशः..प्रकाशयन्
6. 23. तस्यैते कथिता ह्यर्थाः प्रकाशन्ते
Praśna. 1. 6. यत्सर्वं प्रकाशयति
2. 1. कतर एतत् प्रकाशयन्ते
2. ते प्रकाश्याभिवदन्ति
Kaivalya. 17. जाग्रत्स्वप्नसुषुप्त्यादिप्रपञ्चं यत् प्रकाशते
Gauḍa. 2. 3. स्वप्न आहुः प्रकाशितम्
3. 12. परं ब्रह्म प्रकाशितम्
— यथाकाशः प्रकाशितः
26. अजं प्रकाशते
Nṛisut. 2. एष चात्मानं प्रकाशयति
7. प्रकाशते प्रकाशते चेति
Sarvop. 2. तत्र यत् प्रकाशते चैतन्यम्
3. यदा प्रकाशत आत्मा
Haṁsa. 2. निरञ्जनः शान्तः प्रकाशितः (so MSS.).
Gîtâ. 5. 16. प्रकाशयति तत्परम्
13. 33. यथा प्रकाशयत्येकः कृत्स्नं लोकमिमं रविः
— क्षेत्रं क्षेत्री तथा कृत्स्नं प्रकाशयति भारत

1. प्रकाश *adj.*

Gîtâ. 7. 25. नाहं प्रकाशः सर्वस्य

2. प्रकाश

Maitri. 7. 11. एतत् समीरणे प्रकाशप्रक्षेपकौष्ण्यस्थानीयम्
Gîtâ. 14. 11. प्रकाश उपजायते
22. प्रकाशं च प्रवृत्तिं च

प्रकाशक

Gîtâ. 14. 6. प्रकाशकमनामयम्

प्रकाशन

Garbha. 1. तेजः प्रकाशने
Râmap. 49. वामे तेजः प्रकाशनम्

प्रकाशवन्त्

Chhâ. 4. 5. 2. चतुष्कलः पादो ब्रह्मणः प्रकाशवान्नाम
3. चतुष्कलं पादं ब्रह्मणः प्रकाशवानित्युपास्ते प्रकाशवानस्मिँल्लोके भवति प्रकाशवतो लोकाञ्जयति
7. 12. 2. स लोकान् प्रकाशवतः.. अभिसिध्यति

प्रकीर्त्ति

Gîtâ. 11. 36. तव प्रकीर्त्त्या जगत्प्रहृष्यति

प्रकृ

Kâlâg. 1. तिर्यक् तिस्रो रेखाः प्रकुर्वीत

प्रकृति

Śwet. 4. 10. मायां तु प्रकृतिं विद्यात्
Maitri. 6. 10. भोक्ता पुरुषो भोज्या प्रकृतिः
Gauḍa. 3. 21. प्रकृतेरन्यथाभावो न कथञ्चिद्भविष्यति 4. 7, 29.
4. 9. प्रकृतिः सेति विज्ञेया स्वभावं न जहाति या
29. अजातिः प्रकृतिस्ततः
91. प्रकृत्याकाशवज्ज्ञेयाः
92. आदिबुद्धाः प्रकृत्यैव
93. प्रकृत्यैव सुनिर्वृताः

Nṛip. 4. 3. यो वै नृसिंहः . . या प्रकृतिस्तस्मै वै नमो नमः (9).
Garbha. 3. अष्टौ प्रकृतयः षोडश विकाराः
Gopî. 2. प्रकृतिमहदहमाद्याः
Râmap. 25. प्रकृत्या सहितः श्यामः
26. प्रकृत्या परमेश्वर्या
Râmot. 3. प्रणवत्वात्प्रकृतिः
5. यो वै श्रीरामः . . या प्रकृतिः (38)
Gîtâ. 3. 27. प्रकृतेः क्रियमाणानि गुणैः
29. प्रकृतेर्गुणसम्मूढाः
33. सदृशं चेष्टते स्वस्याः प्रकृतेः
— प्रकृतिं यान्ति भूतानि
4. 6. प्रकृतिं स्वामधिष्ठाय
7. 4. भिन्ना प्रकृतिरष्टधा
5. प्रकृतिं विद्धि मे पराम्
20. प्रकृत्या नियताः स्वया
9. 7. प्रकृतिं यान्ति मामिकाम्
8. प्रकृतिं स्वामवष्टभ्य
— अवशं प्रकृतेर्वशात्
10. मयाध्यक्षेण प्रकृतिः
12. प्रकृतिं मोहिनीं श्रिताः
13. दैवीं प्रकृतिमाश्रिताः
11. 51. सचेताः प्रकृतिं गतः
13. 19. प्रकृतिं पुरुषं चैव
20. हेतुः प्रकृतिरुच्यते
23. य एवं वेत्ति पुरुषं प्रकृतिं च
29. प्रकृत्यैव तु कर्माणि क्रियमाणानि
18. 59. प्रकृतिस्त्वां नियोक्ष्यति

प्रकृतिज

Gîtâ. 3. 5. प्रकृतिजैर्गुणैः
13. 21. भुंक्ते प्रकृतिजान् गुणान्
18. 40. सत्त्वं प्रकृतिजैर्मुक्तम्

प्रकृतिदान्त

Gauḍa. 4. 86. दमः प्रकृतिदान्तत्वात्

प्रकृतिनिर्मल

Gauḍa. 4. 98. अलब्धावरणाः सर्वे धर्माः प्रकृतिनिर्मलाः

प्रकृतिभेद

Maitri. 6. 30. प्रकृतिभेदवशात्

प्रकृतिमय

Maitri. 2. 6. प्रकृतिमयोऽस्य प्रतोदः

प्रकृतिलीन

Mahânâr. 10. 8. तस्य प्रकृतिलीनस्य यः परः स महेश्वरः

प्रकृतिसम्भव

Gîtâ. 13. 19. विद्धि प्रकृतिसम्भवान्
14. 5. गुणाः प्रकृतिसम्भवाः

प्रकृतिस्थ

Gîtâ. 13. 21. पुरुषः प्रकृतिस्थो हि
15. 7. इन्द्रियाणि प्रकृतिस्थानि कर्षति

प्रकॄत्

Gauḍa. 1. 5. भोक्ता यश्च प्रकीर्त्तितः
3. 14. प्रागुत्पत्तेः प्रकीर्त्तितम्
4. 88. सदा बुद्धैः प्रकीर्त्तितम्
Amṛita. 36. प्राणो वायुः प्रकीर्त्तितः
Mukti. 2. 57. वासना सा प्रकीर्त्तिता

प्रक्लृप्

Maitri. 6. 12. अन्नकामेनेदं प्रकल्पितं ब्रह्मणा
Râmap. 86. स्वासनाधः प्रकल्प्य

प्रक्षल्

Bṛih. 6. 3. 6. पाणी प्रक्षाल्य
6. 4. 19. प्रक्षाल्य पाणी

प्रक्षालन

Vâsu. 1. प्रतिदिनमालिप्तं गोपीभिः प्रक्षालनात्

प्रक्षि

Mukti. 2. 41. प्रक्षीणचित्तदर्पस्य

प्रक्षेपक

Maitri. 7. 11. एतत् समीरणे प्रकाशप्रक्षेपकौष्ण्यस्थानीयम्
— अप्सु प्रक्षेपको लवणस्येव

प्रग्रह

Kaṭha. 3. 3. मनः प्रग्रहमेव च

प्रघ्रा

Kaush. 2. 3. धूमगन्धं प्राजिघ्राय 4.

प्रचक्ष्

Gauḍa. 3. 33. ज्ञेयाभिन्नं प्रचक्षते

प्रचर्

Maitri. 6. 31. किमात्मकानि वा एतानीन्द्रियाणि प्रचरन्ति

Mahânâr. 20. 1. ये भूताः प्रचरन्ति

Praśna. 4. 2. ताः पुनः पुनरुदयतः प्रचरन्ति

Gauḍa. 4. 63. स्वप्नदृक् प्रचरन् स्वप्ने

प्रचलन

Maitri. 1. 4. ध्रुवस्य प्रचलनम्

प्रचार

Gauḍa. 3. 34. प्रचारः स तु विज्ञेयः

प्रचुद्

Bṛih. 6. 3. 6. धियो यो नः प्रचोदयात्
Mahânâr. 15. 2.

Śwet. 6. 22. वेदान्ते परमं गुह्यं . . प्रचोदितम्

Maitri. 6. 7. धियो यो नः प्रचोदयादिति बुद्धयो वै धियस्ता यो ऽस्माकं प्रचोदयात्

Mahânâr. 3. 1. तन्नो रुद्रः प्रचोदयात् 17. 4.
3. तन्नो वृषभः प्रचोदयात् 11.

Mahânâr. 3. 4. तन्नो दन्ती प्रचोदयात्
5. तन्नः षष्ठः प्रचोदयात्
6. तन्नो वैश्वानरः प्रचोदयात्
7. तन्नो अग्निः प्रचोदयात्
8. तन्नः सूर्यः प्रचोदयात्
9. तन्न आदित्यः प्रचोदयात्
10. तन्नो भानुः प्रचोदयात्
12. तन्नो दुर्गा प्रचोदयात्
13. तन्नो भगवती प्रचोदयात्
14. तन्नो गौरी प्रचोदयात्
15. तन्नो गरुडः प्रचोदयात्
16. तन्नो विष्णुः प्रचोदयात्
17. तन्नः सिंहः प्रचोदयात्
Nṛip. 4. 2.
18. तन्नो ब्रह्मा प्रचोदयात्
4. 9. तन्नो महालक्ष्मीः प्रचोदयात्
Nṛip. 4. 2.

Haṁsa. 2. तनु सूक्ष्म प्रचोदयात् (so 5 MSS.; two have तन्नः सूक्ष्मः and one तनुसूक्ष्माय)

प्रचेतस्

Mahânâr. 13. 3. कद्रुद्राय प्रेचतसे

प्रचोदयितृ

Maitri. 2. 3. प्रचोदयिता वा अस्य
4. प्रचोदयिता वैषो ऽप्यस्य 5, 6.
— प्रचोदयिता वैषो ऽस्य कथम् 5.

प्रछ्

Kaush. 1. 1. तं हाभ्यागतं पप्रच्छ
— हन्ताचार्यं पृच्छानीति स ह पितरमासाद्य पप्रच्छेतीति माप्राक्षीत्
2. तमागतं पृच्छति को ऽसीति
5. तं ब्रह्मा पृच्छति को ऽसीति

Chhâ. 1. 8. 3. हन्त त्वा पृच्छानीति पृच्छेति
4. 4. 4. अपृच्छं मातरम्
5. 3. 5. पञ्च . . प्रश्नानप्राक्षीत्
Bṛih. 6. 2. 3.
5. 11. 3. प्रक्ष्यन्ति मामिमे महाशालाः
6. 1. 3. उत तमादेशमप्राक्ष्यः
6. 7. 4. यत्किञ्च पप्रच्छ सर्वं ह प्रतिपेदे
6. 14. 2. स ग्रामाद्ग्रामं पृच्छन्
Bṛih. 3. 1. 2. एनं पप्रच्छ त्वं . . ब्रह्मिष्ठोऽसीरे इति
— प्रष्टुं दध्रे होताश्वलः
3. 2. 1. जारत्कारव आर्तभागः पप्रच्छ
3. 3. 1. भुज्युर्लाह्यानिः पप्रच्छ
— तमपृच्छाम को ऽसीति 3. 7. 1.
— यदा लोकानामन्तानपृच्छाम
— स त्वा पृच्छामि याज्ञवल्क्य
3. 4. 1. उषस्तश्चाक्रायणः पप्रच्छ
3. 5. 1. कहोलः कौषीतकेयः पप्रच्छ
3. 6. 1. गार्गी वाचक्नवी पप्रच्छ
3. 7. 1. उद्दालक आरुणिः पप्रच्छ
3. 8. 1. द्वौ प्रश्नौ प्रक्ष्यामि
— पृच्छ गार्गीति 2, 5.
3. 9. 1. विदग्धः शाकल्यः पप्रच्छ
26. तं त्वौपनिषदं पुरुषं पृच्छामि
27. यो वः कामयते स मा पृच्छतु सर्वे वा मा पृच्छत यो वः कामयते तं वः पृच्छामि सर्वान्वा वः पृच्छामीति
28. तान्हैतैः श्लोकैः पप्रच्छ
4. 3. 1. तं सम्राडेव पूर्वः पप्रच्छ

Muṇḍ. 1. 1. 3. अङ्गिरसं विधिवदुपसन्नः पप्रच्छ
Praśna. 1. 2. यथाकामं प्रश्नान् पृच्छथ
3. कबन्धी कात्यायन उपेत्य पप्रच्छ
2. 1. भार्गवो वैदर्भिः पप्रच्छ
3. 1. कौसल्यश्चाश्वलायनः पप्रच्छ
2. अतिप्रश्नान् पृच्छसि
4. 1. सौर्यायणी च गार्ग्यः पप्रच्छ
5. 1. शैब्यः सत्यकामः पप्रच्छ
6. 1. सुकेशा भारद्वाजः पप्रच्छ
— मामुपेत्यैतं प्रश्नमपृच्छत
— तं त्वा पृच्छामि क्वासौ पुरुष इति
Nṛisut. 8. एवं नैवामिति पृष्ट ओमित्येवाह
9. न भेतव्यं पृच्छेतेति
Śiras. 1. ते रुद्रमपृच्छन् को भवान्
— ते देवा रुद्रमपृच्छन्
Sikhâ. 1. अथर्वाणं भगवन्तं पप्रच्छ
Brahma. 1. आङ्गिरसं भगवन्तं पिप्पलादं पप्रच्छ
Kâlâg. 1. कालाग्निरुद्रं भगवन्तं सनत्कुमारः पप्रच्छ
Jâbâla. 2. अथ हैनमत्रिः पप्रच्छ 5; Râmot. 4.
5. पृच्छामि त्वा याज्ञवल्क्य
Vâsu. 1. सर्वेश्वरं वासुदेवं पप्रच्छ
Râmot. 2. अथ हैनं भरद्वाजः पप्रच्छ
Mukti. 1. 4. स्तुवन्पप्रच्छ मारुतिः
7. साधु पृष्टं महाबाहो
— श्रीरामचन्द्रं मारुतिः पप्रच्छ
Gitâ. 2. 7. पृच्छामि त्वां धर्मसम्मूढचेताः

प्रच्छद्

Kaush. 2. 15. वसनान्तेन वा प्रच्छाद्य

प्रजक्ष्

Prâṇâg. 1. हृद्रैः प्रजग्धं यदि वा पिशाचैः

प्रजन्

Kaush. 1. 2. तानपरपक्षेण प्रजनयति
4. 16. प्रजायते प्रजया पशुभिः Brih. 6. 1. 6 (bis).
Chhâ. 2. 13. 2. मिथुनान्मिथुनात्प्रजायते
6. 2. 3. तदैक्षत बहु स्यां प्रजायेय
— तत्तेज ऐक्षत बहु स्यां प्रजायेय
4. आप ऐक्षन्त बह्व्यः स्याम प्रजायेमहीति
Brih. 1. 4. 17. जाया मे स्यादथ प्रजायेय (bis).
3. 9. 28. जीवतस्तत्प्रजायते
6. 1. 8. प्रजायमाना रेतसा 9–11.
Tait. 2. 2. 1. अन्नाद्वै प्रजाः प्रजायन्ते Maitri. 6. 11
2. 6. 1. सो ऽकामयत बहु स्यां प्रजायेय
Maitri. 6. 15. संवत्सरात्..इमाः प्रजाः प्रजायन्ते
Muṇḍ. 2. 1. 1. प्रजायन्ते तत्र चैवापियन्ति
Mahânâr. 21. 2. तस्माद्भूयिष्ठाः प्रजायन्ते
23. 1. पर्जन्येनौषधिवनस्पतयः प्रजायन्ते
Praśna. 1. 3. कुतो ह वा इमाः प्रजाः प्रजायन्ते
14. तस्मादिमाः प्रजाः प्रजायन्ते
Nṛip. 1. 7. विश्वमेनाननु प्रजायते
Garbha. 3. द्विधा तनूः स्याद्युग्माः प्रजायन्ते
Nâda. 12. सार्वभौमः प्रजायते
Piṇḍa. 5. अस्थिमज्जा प्रजायते
7. दीर्घमायुः प्रजायते

प्रजन

Tait. 1. 9. 1. प्रजनश्च स्वाध्यायप्रवचने च
Gîtâ. 10. 28. प्रजनश्चास्मि कन्दर्पः

प्रजनन

Tait. 1. 3 3. प्रजननं सन्धानम्
Mahânâr. 21 2. प्रजननमिति भूयांसः
— तस्माद्भूयिष्ठाः प्रजनने रमन्ते
22. 1. प्रजननं वै प्रतिष्ठा..तस्मात्प्रजननं परमं वदन्ति

प्रजननकर्मन्

Prâṇâg. 2. हिमांशुप्रभाभिः प्रजननकर्मा

प्रजा

Kaush. 2 8. न ह्यस्मात् पूर्वाः प्रजाः प्रैति
— मास्माकं प्राणेन प्रजया पशुभिराप्याययिष्ठाः
— तस्य..प्रजया..आप्यायस्व
9. मास्माकं प्राणेन प्रजया पशुभिरपक्षेष्ठाः
— तस्य..प्रजया.. अपक्षीयस्व
10. न ह्यस्याः पूर्वाः प्रजाः प्रैति
11. येन प्रजापतिः प्रजाः पर्यगृह्णात्
4. 8. एतमेवमुपास्ते पूर्यते प्रजया
11. एतमेवमुपास्ते प्रतिरूपो हैवास्य प्रजायामाजायते नाप्रतिरूपः
16. एतमेवमुपास्ते प्रजायते प्रजया
Chhâ. 1. 3. 1. उद्यन्वा एष प्रजाभ्य उद्गायति
1. 9. 3. यावत्त एनं प्रजायामुत्तमं लोके भविष्यति

Chhâ. 2. 11. 2. महान् प्रजया पशुभिर्भवति 12. 2; 13. 2; 14. 2; 15. 2; 16. 2; 17. 2; 18. 2; 19. 2; 20. 2.
2. 16. 2. विराजति प्रजया
3. 11. 4. मनुः प्रजाभ्यः (उवाच) 8. 15. 1.
4. 1. 4. यत्किञ्च प्रजाः साधु कुर्वन्ति
4. 3. 7. जनिता प्रजानाम्
5. 3. 2. वेत्थ यदितो ऽधि प्रजाः प्रयन्तीति
5. 15. 1. तस्मात्त्वं बहुलोसि प्रजया
5. 17. 1. तस्मात्त्वं प्रतिष्ठितो ऽसि प्रजया
5. 19. 2. तृप्यति प्रजया पशुभिः 5. 20. 2; 5. 21. 2; 5. 22. 2; 5. 23. 2.
6. 8. 4. सर्वाः प्रजाः सदायतनाः सत्प्रतिष्ठाः 6.
6. 9. 2. इमाः सर्वाः प्रजाः सति सम्पद्य
6. 10. 2. इमाः सर्वाः प्रजाः सत आगम्य
8. 1. 5. यथा ह्येवेह प्रजा अन्वाविशन्ति
8. 3. 2. इमाः सर्वाः प्रजा अहरहर्गच्छन्त्यः
Bṛih. 1. 2. 5. यज्ञान् प्रजाः पशून्
1. 4. 16. यत्प्रजामिच्छते
17. प्राणः प्रजा 1. 5. 7.
1. 5. 7. पिता माता प्रजैत एव
20. इमाः प्रजाः शोचन्ति
2. 1. 4. तेजस्विनी हास्य प्रजा भवति
5. एवमुपास्ते पूर्यते प्रजया.. नास्यास्माल्लोकात्प्रजोद्वर्तते
7. विषासहिर्हास्य प्रजा भवति
9. रोचिष्णुर्हास्य प्रजा भवति

Bṛih. 2. 1. 13. आत्मन्विनी हास्य प्रजा भवति
4. 4. 22. प्रजां न कामयन्ते किं प्रजया करिष्यामः
6. 1. 6. प्रजायते ह प्रजया पशुभिः (bis).
6. 2. 2. वेत्थ यथेमाः प्रजाः प्रयत्यो विप्रतिपद्यन्ता ३ इति
6. 4. 24. अस्योपसद्यां मा च्छैत्सीत् प्रजया च पशुभिश्च
Tait. 1. 3. 3. प्रजा सन्धिः
4. सन्धीयते प्रजया पशुभिः
1. 9. 1. प्रजा च स्वाध्यायप्रवचने च
2. 2. 1. अन्नाद्वै प्रजाः प्रजायन्ते Maitri. 6. 11.
3. 6. 1. महान् भवति प्रजया पशुभिः 3. 7. 1; 3. 8. 1; 3. 9. 1.
Śwet. 4. 5. बह्वीः प्रजाः सृजमानां सरूपाः
Maitri. 2. 6. बह्वीः प्रजा असृजत
6. 7. ग इति गच्छन्त्यस्मिन्नागच्छन्त्यस्मादिमाः प्रजाः
8. प्राणः प्रजानामुदयत्येष सूर्यः Praśna. 1. 8.
9. प्रजास्तत्र यत्र विश्वामृतो ऽसि
15. संवत्सरात्.. इमाः प्रजाः प्रजायन्ते
16. सिन्धुराजः प्रजानाम्
37. तेनेमे प्राणाः प्राणेभ्यः प्रजाः — वृष्टेरन्नं ततः प्रजाः
7. 7. अस्मिन्नोता इमाः प्रजाः
Mund. 2. 1. 5. बह्वीः प्रजाः पुरुषात् सम्प्रसूताः
2. 2. 1. परं विज्ञानाद्यद्वरिष्ठं प्रजानाम्

Muṇḍ.3. 1. 9. प्राणैश्चित्तं सर्वमोतं प्रजानाम्

Mahânâr. 1. 3. तदक्षरे परमे प्रजाः

2. 3. स ओतः प्रोतश्च विभुः प्रजासु

6. तदपश्यत्तदभवत्प्रजासु

6. 1. जनयन्प्रजा भुवनस्य राजा

9. 2. वह्नीं प्रजां जनयन्तीम्

4. प्रजापतिः प्रजया संविदानः Nṛip. 2. 4.

10. 5. न कर्मणा न प्रजया Kaivalya. 2.

19. 1. श्रद्धा प्रजा च मेधा च (bis).

22. 1. लोके धर्मिष्ठं प्रजा उपसर्पन्ति

23. 1. मानसा ऋषयः प्रजा असृजन्त

Praśna. 1. 3. कुतो ह वा इमाः प्रजाः प्रजायन्ते

4. एतौ मे बहुधा प्रजाः करिष्यतः

14. तस्मादिमा प्रजाः प्रजायन्ते

2. 1. कत्येव देवाः प्रजां विधारयन्ते

7. तुभ्यं प्राणः प्रजास्त्विमा बलिं हरन्ति

10. इमाः प्राण ते प्रजा आनन्दरूपास्तिष्ठन्ति

3. 11. न हास्य प्रजा हीयते

Śiras. 4. साकं स एको भूतश्चरति प्रजानाम्

6. तदा संहार्यते प्रजा

Mahâ. 1. नास्य प्रजा नसंवत्सरा जायन्ते (Śaṁkarânanda reads अस्य प्रधानसंवत्सरा जायन्ते)

Brahma. 2. सं विभोः प्रजा विज्ञायेरन्

Kaṭhaśru. 2 प्रजां विद्यां छिन्द्यात्

Nâr. 1. प्रजाः सृजेयेति

Gîtâ. 3. 10. सहयज्ञाः प्रजाः सृष्ट्वा

24. उपहन्यामिमाः प्रजाः

10. 6. येषां लोक इमाः प्रजाः

प्रजाकाम

Praśna 1. 4. प्रजाकामो वै प्रजापतिः

9. ऋषयः प्रजाकामाः

प्रजातन्तु

Tait. 1. 11. 1. प्रजातन्तुं मा व्यवच्छेत्सीः

प्रजाति

Kaush. 1. 7. केनानन्दं रतिं प्रजातिमिति

2. 15. आनन्दं रतिं प्रजातिं मे त्वयि दधानीति पितानन्दं रतिं प्रजातिं ते मयि दध इति पुत्रः

3. 5. तस्यानन्दो रतिः प्रजातिः परस्तात् प्रतिविहिता भूतमात्रा

6. प्रज्ञयोपस्थं समारुह्योपस्थेनानन्दं रतिं प्रजातिमाप्नोति

7. न हि प्रज्ञापेत उपस्थ आनन्दं न रतिं न प्रजातिं कांचन प्रज्ञापयेत्

— नाहमेतमानन्दं न रतिं न प्रजातिं प्राज्ञासिषम्

8. न प्रजातिं विजिज्ञासीत . . प्रजातेर्विज्ञातारं विद्यात्

Bṛih. 6. 1. 6. यो ह वै प्रजातिं वेद . . रेतो वै प्रजातिः

14. यद्वा अहं प्रजातिरस्मि त्वं तत्प्रजातिरसीति रेतः

6. 3. 2. मनसे स्वाहा प्रजात्यै स्वाहा

Tait. 1. 9. 1. प्रजातिश्च स्वाध्यायप्रवचने च

3. 10. 3. प्रजातिरमृतमानन्द इत्युपस्थे

प्रजापति

Ait. 5. 3. एष प्रजापतिरेते सर्वे देवाः

Kaush. 1. 3. इंद्रप्रजापती द्वारगोपौ 5.

2. 9. पंचमुखो ऽसि प्रजापतिः

10. यत्ते सुसीमे हृदये श्रितमन्तः प्रजापतौ

11. येन प्रजापतिः प्रजाः पर्यगृह्णात्

4. 2. शरीरे प्रजापतिः

16. प्रजापतिरिति वा अहमेतमुपासे

Chhā. 1. 12. 5. देवो वरुणः प्रजापतिः सविता

1. 13. 2. प्रजापतिर्हिंकारः

2. 22. 1. अनिरुक्तः प्रजापतेः

3. सर्व ऊष्माणः प्रजापतेरात्मानः

4. प्रजापतिं शरणं प्रपन्नो ऽभूवम्

5. प्रजापतेरात्मानं परिददानीति

2. 23. 3. प्रजापतिर्लोकानभ्यतपत् 4. 17. 1.

3. 11. 4. एतद्ब्रह्मा प्रजापतय उवाच प्रजापतिर्मनवे 8. 15. 1.

5. 1. 7. प्राणाः प्रजापतिं पितरमेत्योचुः

8. 7. 1. इति ह प्रजापतिरुवाच 8. 12. 6.

2. प्रजापतिसकाशमाजग्मतुः

3. तौ ह प्रजापतिरुवाच 4; 8. 8. 1, 2.

8. 8. 4. तौ हान्वीक्ष्य प्रजापतिरुवाच

8. 9. 2. तं ह प्रजापतिरुवाच 8. 10. 3; 8. 11. 2.

8. 11. 3. प्रजापतौ ब्रह्मचर्य्यमुवास

8. 14. 1. प्रजापतेः सभां वेश्म प्रपद्ये

Brih. 1. 5. 14. संवत्सरः प्रजापतिः 15

21. प्रजापतिर्ह कर्माणि ससृजे

3. 9. 2. इन्द्रश्चैव प्रजापतिश्च

6. कतमः प्रजापतिरिति . . यज्ञः प्रजापतिरिति

17. तस्य का देवतेति प्रजापतिरिति

5. 2. 1. प्रजापतौ पितरि ब्रह्मचर्यमूषुः

5. 3. 1. एष प्रजापतिर्यद्धृदयम्

5. 5. 1. ब्रह्म प्रजापतिं प्रजापतिर्देवान् (असृजत)

6. 3. 3. प्रजापतये स्वाहा

6. 4. 2. प्रजापतिरीक्षाञ्चक्रे हन्तास्मै प्रतिष्ठां कल्पयानि

21. आसिञ्चतु प्रजापतिः

6. 5. 4. तुरः कावषेयः प्रजापतेः प्रजापतिर्ब्रह्मणः

Tait. 2. 8. 1. शतं बृहस्पतेरानन्दाः स एकः प्रजापतेरानन्दः

— शतं प्रजापतेरानन्दाः स एको ब्रह्मण आनन्दः

Swet. 4. 2. तदापस्तत्प्रजापतिः

Maitri. 2. 3. क्रतुं प्रजापतिमब्रुवन्

5. प्रजापतिर्विश्वाख्यः

6. प्रजापतिर्वा एको ऽग्रे ऽतिष्ठत्

5. 1. त्वं रुद्रस्त्वं प्रजापतिः

2. प्रजापतिर्विश्वेत्यस्य प्रागुक्ता एतास्तनवः

6. 6. स सत्यं प्रजापतिस्तपस्तप्त्वा

— एषैवास्य प्रजापतेः स्थविष्ठा तनुः

— अनेन हि प्रजापतिः . . उपासितो भवति

— एषा वै प्रजापतेर्विश्वभृत्तनूः

8. प्रजापतिर्विश्वसृक् हिरण्यगर्भः 7. 7.

Maitri. 6. 15. तस्मात् संवत्सरो वै प्रजापतिः
16. यज्ञो विष्णुः प्रजापतिः
29. ब्रह्मणः पन्थानमारूढाः पुत्राः प्रजापतेः
33. पुरुषविदः . . प्रजापतेः (ter).
Mahânâr. 1. 1. प्रजापतिश्चरति गर्भे अन्तः
7. तदापः स प्रजापतिः
2. 7. प्रजापतिः प्रथमजा ऋतस्य
9. 4. प्रजापतिः प्रजया संविदानः Nṛip. 2. 4.
12. 3. कतमः स्वयम्भूः प्रजापतिः संवत्सर इति 23. 1.
15. 6. त्वं रुद्रस्त्वं ब्रह्मा त्वं प्रजापतिः
22. 1. प्रजापतिं पितरमुपससार
Praśna. 1. 4. प्रजाकामो वै प्रजापतिः
9. संवत्सरो वै प्रजापतिः
12. मासो वै प्रजापतिः
13. अहोरात्रो वै प्रजापतिः
14. अन्नं वै प्रजापतिः
2. 7. प्रजापतिश्चरसि गर्भे
Nṛip. 1. 1. स प्रजापतिरेकः पुष्करपर्णे समभवत्
4. स होवाच प्रजापतिः 3. 1; 4. 1; 5. 1, 3.
7. तस्मादिदं सामाङ्गं प्रजापतिः
2. 1. ते प्रजापतिमुपाधावन्
4. देवा ह वै प्रजापतिमब्रुवन् 3. 1; 4. 1, 3; 5. 1, 3; Nṛisut. 1, 7, 9.
4. 3. इति तान् प्रजापतिरब्रवीत्
Nṛisut. 9. इति ह प्रजापतिर्देवाननुशशास
Chûl. 13. प्रजापतिर्विराट् चैव
Brahma. 2. प्रजापतेर्यत्सहजं पुरस्तात्
Nyâsa. 1. ब्रह्मणे ऽथर्वणे प्रजापतये
Kaṭhaśru. 2. देवा ह वै समेत्य प्रजापतिमब्रुवन्
3. प्रजापतये च प्राजापत्यं चरुम्
Aruṇeya. 1. आरुणिः प्रजापतेर्लोकं जगाम
— तं होवाच प्रजापतिः
Nâr. 1. नारायणात्प्रजापतिर्जायते
Gopî. 5. प्रजापतिर्वायुर्भूत्वा
Gîtâ. 3. 10. पुरोवाच प्रजापतिः
11. 39. प्रजापतिस्त्वं प्रपितामहश्च

प्रजापतिलोक

Kaush. 1. 3. प्रजापतिलोकं [आगच्छति]
Bṛih. 3. 6. 1. प्रजापतिलोकेषु गार्गीति कस्मिन्नु खलु प्रजापतिलोका ओताश्च प्रोताश्चेति
4. 3. 33. एकः प्रजापतिलोक आनन्दः — शतं प्रजापतिलोक आनन्दाः

प्रजापतिव्रत

Praśna. 1. 15. ये तत्प्रजापतिव्रतं चरन्ति

प्रजावत्

Mahânâr. 9. 6. प्रजावत्सावीः सौभगम् 17. 7.
17. 6. यस्ते सोम प्रजावत्

प्रजीव्

Chhâ. 3. 16. 7. प्र ह षोडशवर्षशतं जीवति य एवं वेद

प्रज्ञ

Ait. 5. 4. स एतेन प्रज्ञेनात्मनास्माल्लोकादुत्क्रम्य Atmapra. 1.
Mâṇḍû. 7. न प्रज्ञं नाप्रज्ञं Nṛip. 4. 1; Nṛisut. 1; Râmot. 3.

प्रज्ञता

Bṛih. 4. 1. 2. का प्रज्ञता . . वागेव

प्रज्ञप्ति

Gauḍa. 4. 24. प्रज्ञप्तेः सनिमित्तत्वम् 25.

1. प्रज्ञा

Ait. 2. 1. एनमब्रुवन्नायतनं नः प्रजानीहि

Kaush. 3. 2. न हि कश्चन शक्नुयात् सकृद्वाचा नाम प्रज्ञापयितुम्

— एकैकमेतानि सर्वाणि प्रज्ञापयन्ति

7. न हि प्रज्ञापेता वाङ्नाम किंचन प्रज्ञापयेत् (similarly, 9 times more).

— नाहमेतन्नाम प्राज्ञासिषम् (similarly, nine times more).

— न हि प्रज्ञापेता धीः काचन सिध्येन्न प्रज्ञातव्यं प्रज्ञायेत

Bṛih. 4. 1. 2. वाचा वै . . बन्धुः प्रज्ञायते

— सर्वाणि च भूतानि वाचैव . . प्रज्ञायन्ते

Kaṭha. 1. 14. स्वर्ग्यमग्निं नचिकेतः प्रजानन्

28. जीर्यन्मर्त्यः क्वधःस्थः प्रजानन्

Gîtâ. 11. 31. न हि प्रजानामि तव प्रवृत्तिम्

18. 31. अयथावत्प्रजानाति

2. प्रज्ञा

Ait. 5. 3. प्रज्ञा प्रतिष्ठा Atmapra. 1

Kaush. 1. 5. सा प्रज्ञा प्रज्ञया हि विपश्यति

7. केन धियो विज्ञातव्यं कामानिति प्रज्ञयैवेति ब्रूयात्

2. 3. प्रज्ञा नाम देवतावरोधिनी

4. प्रज्ञां ते मयि जुहोमि

15. प्रज्ञां मे त्वयि दधानीति पिता प्रज्ञां ते मयि दध इति पुत्रः

3. 2. आप्नोति प्रज्ञया सत्यं संकल्पम्

Kaush. 3. 3. यो वै प्राणः सा प्रज्ञा या वा प्रज्ञा स प्राणः (bis).

4. यथास्यै प्रज्ञायै सर्वाणि भूतान्येकं भवन्ति

6. प्रज्ञया वाचं समारुह्य वाचा सर्वाणि नामान्याप्नोति (similarly 9 times more).

Bṛih. 4. 1. 2. प्रज्ञेत्येनदुपासीत

4. 4. 21. प्रज्ञां कुर्वीत ब्राह्मणः

Śwet. 4. 18. प्रज्ञा च तस्मात्प्रसृता पुराणी

Praśna. 2. 13. श्रीश्च प्रज्ञां विधेहि नः

Gauḍa. 3. 45. निःसङ्गः प्रज्ञया भवेत्

Brahma. 3. यदात्मा प्रज्ञयात्मानं सन्धत्ते

Gîtâ. 2. 57. तस्य प्रज्ञा प्रतिष्ठिता 58, 61, 68.

67. तदस्य हरति प्रज्ञाम्

प्रज्ञात्मन्

Kaush. 2. 14. प्राणमेव प्रज्ञात्मानमभिसंभूय (bis).

3. 2. प्रज्ञात्मानं मामायुरमृतमित्युपास्व

3. अथ खलु प्राण एव प्रज्ञात्मा (bis).

8. स एष प्राण एव प्रज्ञात्मा 4. 20.

4. 20. एवमेवैष प्रज्ञात्मेदं शरीरमात्मानमनुप्रविष्टः

— एवमेवैष प्रज्ञात्मैतैरात्मभिर्भुङ्क्ते

प्रज्ञान

Ait. 5. 2. संज्ञानमाज्ञानं विज्ञानं प्रज्ञानम्

— एतानि प्रज्ञानस्य नामधेयानि भवंति

Ait. 5. 3. सर्वं तत् प्रज्ञानेत्रं प्रज्ञाने प्रतिष्ठितम्
— प्रज्ञानं ब्रह्म Atmapra. 1.
Kaṭha. 2. 24. प्रज्ञानेनैनमाप्नुयात्
Maitri. 6. 31. बुद्धिर्धृतिः स्मृतिः प्रज्ञानम्

प्रज्ञानघन

Bṛih. 4. 5. 13. आत्मा . . कृत्स्नः प्रज्ञानघन एव
Mâṇḍû. 5. प्रज्ञानघन एवानन्दमयः Nṛip. 4. 1; Nṛisut. 1; Râmot. 3.
7. न प्रज्ञानघनं न प्रज्ञं नाप्रज्ञम्
Nṛip. 4. 1. न प्रज्ञं नाप्रज्ञं न प्रज्ञानघनम् Nṛisut. 1; Râmot. 3.
Nṛisut. 8. अनुज्ञैकरसो ह्ययमात्मा प्रज्ञानघन एव

प्रज्ञानेत्र

Ait. 5. 3. सर्वं तत् प्रज्ञानेत्रं प्रज्ञाने प्रतिष्ठितं प्रज्ञानेत्रो लोकः
Atmapra. 1. सर्वं तत्प्रज्ञानेत्रं प्रज्ञानेत्रे प्रतिष्ठितं प्रज्ञानेत्रो लोकः

प्रज्ञापेत

Kaush. 3. 7. न हि प्रज्ञापेता वाङ्नाम किंचन प्रज्ञापयेत् (similarly 9 times more).

प्रज्ञामात्रा

Kaush. 3. 8. दश प्रज्ञामात्रा अधिभूतम्
— यद्धि भूतमात्रा न स्युर्न प्रज्ञामात्राः स्युः
— एवमेवैता भूतमात्राः प्रज्ञामात्रास्वर्पिताः प्रज्ञामात्राः प्राणे अर्पिताः

प्रज्ञावाद

Gîtâ. 2. 11. प्रज्ञावादांश्च भाषसे

प्रज्वल्

Chhâ. 6. 7. 5. तं तृणैरुपसमाधाय प्रज्वालयेत्
6. सान्नेनोपसमाहिता प्राज्वालीत्
Yogaśi. 5. प्रज्वलेद्दीपवर्त्तिवत्

प्रणख

Chhâ. 1. 6. 6. आप्रणखात्सर्व एव सुवर्णः

प्रणम्

Kaivalya. 5. भक्त्या स्वगुरुं प्रणम्य
Siras. 4. ब्रह्म ब्राह्मणेभ्यः प्रणामयति
Śikhâ. 2. प्रणवः . . प्राणान् प्रणामयति
Mukti. 1. 5. प्रणमामि मुहुर्मुहुः
Gîtâ. 11. 14. प्रणम्य शिरसा देवम्
35. सगद्गदं भीतभीतः प्रणम्य
44. तस्मात्प्रणम्य प्रणिधाय कायम्

प्रणय

Gîtâ. 11 41. मया प्रमादात्प्रणयेन वापि

प्रणयन

Praśna. 4. 3. यद्गार्हपत्यात्प्रणीयते प्रणयनादाहवनीयः प्राणः

प्रणव

Chhâ. 1. 5. 1. य उद्गीथः स प्रणवो यः प्रणवः स उद्गीथः 5; Maitri. 6. 4.
— असौ वा आदित्य उद्गीथ एष प्रणवः Maitri. 6. 4.
Śwet. 1. 13. तद्वोभयं प्रणवेन देहे
14. प्रणवं चोत्तरारणिम् Kaivalya. 11. Brahma. 3; Dhyâna. 20.
Muṇḍ. 2. 2. 4. प्रणवो धनुः शरो ह्यात्मा Dhyâna. 19.
Gauḍa. 1. 25. युञ्जीत प्रणवे चेतः प्रणवो ब्रह्म निर्भयम्

Gauḍa. 1. 25. प्रणवे नित्ययुक्तस्य न भयम्
26. प्रणवो ह्यपरं ब्रह्म प्रणवश्च परः स्मृतः
— अनपरः प्रणवो ऽव्ययः
27. सर्वस्य प्रणवो ह्यादिः
— एवं हि प्रणवं ज्ञात्वा
28. प्रणवं हीश्वरं विद्यात्
Nṛip. 1. 3. तं प्रणवं तत्साम्नो ऽङ्गं वेद
— प्रणवं..स्त्रीशूद्राय नेच्छन्ति
— प्रणवं यदि जानीयात् स्त्रीशूद्रः
2. 1. तस्य ह वै प्रणवस्य या पूर्वा मात्रा Nṛisut. 3 (bis).
4. 1. प्रणवं सावित्रीं..अङ्गानि जानीयात्
5. 9. स प्रणवमधीते
Nṛisut. 3. अग्निरूपं प्रणवं सन्दध्यात्
— आनन्दामृतरूपं प्रणवम्
4. प्रणवेन सञ्चिन्त्य
6. प्रणवेनैव तस्मिन्नवस्थिताः
— प्रणवमेव परमं ब्रह्म
Brahmav. 10. प्रणवस्योपरि स्थिता
Kshur. 3. प्रणवेन शनैः शनैः
Śiras. 3. य ओङ्कारः स प्रणवो यः प्रणवः स सर्वव्यापी
4. कस्मादुच्यते प्रणवः
— तस्मादुच्यते प्रणवः
7. प्रणवानामयुतं जप्तं भवति Mahâ. 4.
Śikhâ. 2. प्रणवः सर्वान्प्राणान् प्रणामयति
— प्रणवश्चतुर्द्धावस्थितः
— पञ्चधा पञ्चदैवत्यः प्रणवः परिपठ्यते
Dhyâna. 18. अवाग्जं प्रणवस्याग्रम्
Atmapra. 1. इत्यक्षरं प्रणवं तदेतदोमिति
Vâsu. 2. यतिः..प्रणवेन धारयेत्
Vâsu. 2. प्रणवेनैकमूर्ध्वपुण्ड्रं वा धारयेत्
4. प्रणवेनोद्धूलनं कुर्यात्
Râmap. 60. तत्सर्वं प्रणवाभ्यां च
Gîtâ. 7. 8. प्रणवः सर्ववेदेषु

प्रणवत्व

Râmot. 3. प्रणवत्वात्प्रकृतिः

प्रणवमय

Vâsu. 2. एते सर्वे प्रणवमयोर्ध्वपुण्ड्रत्रयात्मकाः

प्रणवस्वरूप

Nâr. 5. प्रत्यगानन्दं ब्रह्म पुरुषं प्रणवस्वरूपम् Atmapra. 1.

प्रणवाख्य

Maitri. 6. 4. उद्गीथं प्रणवाख्यं प्रणेतारम्
25. प्रणवाख्यं प्रणेतारं भारूपम् 7. 5.
— प्रणवाख्यः प्रणेता भारूपः

प्रणवादिक

Nṛip. 1. 3. सर्वे वेदाः प्रणवादिकाः

प्रणश्

Maitri. 6. 27. प्रणश्यति चित्तं तथाश्रयेण सह
Gâruḍa. 2. नष्टं विषं प्रनष्टं विषम् (most MSS. omit two last words).
Gîtâ. 1. 40. कुलक्षये प्रणश्यन्ति
2. 63. बुद्धिनाशात्प्रणश्यति
6. 30. तस्याहं न प्रणश्यामि स च मे न प्रणश्यति
9. 31. न मे भक्तः प्रणश्यति
18. 72. कच्चिदज्ञानसम्मोहः प्रनष्टस्ते

प्रणिधा

Gîtâ. 11. 44. तस्मात्प्रणम्य प्रणिधाय कायम्

प्रणिपात

Gîtâ. 4. 34. तद्विद्धि प्रणिपातेन

प्रणी

Kena. 8. येन प्राणः प्रणीयते
Praśna. 4. 3. यद्गार्हपत्यात्प्रणीयते प्रणयनादाहवनीयः प्राणः

प्रणु

Chhâ. 1. 4. 5. स य एतदेवं विद्वानक्षरं प्रणौति

प्रणुद्

Kaṭha. 1. 18. मृत्युपाशान् पुरतः प्रणोद्य
Maitri. 2. 2. तमः प्रणुदत्येष आत्मा
6. 28. चतुर्जालं ब्रह्मकोशं प्रणुदेद्गुर्वागमेन
Mahânâr. 22. 1. तपसा सपत्नान् प्रणुदामारातीः

प्रणुदन्

Prâṇâg. 2. जराप्रणुदा

प्रणेतृ

Maitri. 6. 4. उद्गीथं प्रणवाख्यं प्रणेतारम्
25. प्रणवाख्यं प्रणेतारम् 7. 5. — प्रणवाख्यः प्रणेता

प्रतन्

Chhâ. 8. 6. 2. आदित्यात्प्रतायन्ते.. नाडीभ्यः प्रतायन्ते
Mahânâr. 4. 3. एवा नो दूर्वे प्रतनु सहस्रेण शतेन च
Mahâ. 3. ता इमाः प्रतता आपः

प्रतप्

Gîtâ 11. 30. भासस्तवोग्राः प्रतपन्ति विष्णो

प्रतर्दन

Kaush. 3. 1. प्रतर्दनो ह वै दैवोदासिः
Kaush. 3. 1. प्रतर्दन वरं वृणीष्वेति — स होवाच प्रतर्दनः (bis).

प्रताप

Maitri. 6. 38. प्रदीपप्रतापवत्

प्रतापवन्त्

Maitri. 6. 5. प्राणोऽग्निः सूर्या इति प्रतापवत्येषा
Gîtâ. 1. 12. शंखं दध्मौ प्रतापवान्

प्रति

Chhâ. 2. 8. 2. यत्प्रतीति स प्रतिहारः
2. 9. 1. मां प्रति मां प्रतीति
Bṛih. 5. 14. 5. न हैव तद्गायत्र्या एकञ्चन पदं प्रति

प्रतिकॢप्

Bṛih. 4. 3. 37. यथा राजानमायान्त..प्रतिकल्पन्ते ..एवमेवंविदं ..प्रतिकल्पन्ते

प्रतिक्रम्

Kaush. 1. 1. स ह समित्पाणिः..प्रतिचक्रमे
4. 19. बालाकिः समित्पाणिःप्रतिचक्रमे
Chhâ. 4. 2. 1. अश्वतरीरथं तदादाय प्रतिचक्रमे
3. अश्वतरीरथं दुहितरं तदादाय प्रतिचक्रमे
5. 11. 7. समित्पाणयः पूर्वाह्णे प्रतिचक्रमिरे

प्रतिगर

Tait. 1. 8. 1. ओमित्यध्वर्युः प्रतिगरं प्रतिगृणाति

प्रतिगॄ

Tait. 1. 8. 1. See preceding quotation.

प्रतिग्रह्

Chhâ. 1. 10. 5. तान् प्रतिगृह्य निदधौ
6. 16. 1. परशुं तप्तं प्रतिगृह्णाति 2.
Bṛih. 4. 1. 3. अप्रतिगृह्यस्य प्रतिगृह्णाति
5. 14. 5. यदि ह वा अप्येवंविद्बह्विव प्रतिगृह्णाति
6. य इमांस्त्रीँल्लोकान्पूर्णान्प्रतिगृह्णीयात्
— यावतीयं त्रयी विद्या यस्तावत्प्रतिगृह्णीयात्
— यावदिदं प्राणि यस्तावत्प्रतिगृह्णीयात्
— कुत उ एतावत्प्रतिगृह्णीयात्
Nṛip. 2. 1. एतं मन्त्रराजं . . प्रतिगृह्णीयात्
Kaṭhaśru. 1. वल्कलं वा प्रतिगृह्य नान्यत् प्रतिगृह्णीयात्
Aśrama. 2. ददतो न प्रतिगृह्णन्तः
— ददतः प्रतिगृह्णन्तः

प्रतिग्रह

Mahânâr. 4. 11. पापेभ्यश्च प्रतिग्रहः
5. 2. यच्च उग्रात्प्रतिग्रहात्
14. 2. असतां च प्रतिग्रहम्
Prâṇâg. 1.
Siras. 2. यो वै रुद्रः . . ये चाष्टौ प्रतिग्रहाः

प्रतिचक्षण

Bṛih. 2. 5. 19. तदस्य रूपं प्रतिचक्षणाय

प्रतिजन्

Praśna. 2. 7. त्वमेव प्रतिजायसे

प्रतिज्ञा

Chhâ. 4. 1. 8. अहं ह्यरा ३ इति ह प्रतिजज्ञे
4. 9. 2. अन्ये मनुष्येभ्य इति ह प्रतिजज्ञे
4. 14. 3. इदमिति ह प्रतिजज्ञे
Bṛih. 6. 2. 5. प्रतिज्ञातो म एष वरः
Gîtâ. 9. 31. कौन्तेय प्रतिजानीहि
18. 65. सत्यं ते प्रतिजाने

प्रतितद्विद्

Kaush. 1. 2. तद्विदे ऽहं प्रतितद्विदे ऽहम्

प्रतिदह्

Chhâ. 2. 22. 4. स त्वा प्रतिधक्ष्यति

प्रतिदिनम्

Vâsu. 1. ममाङ्गं प्रतिदिनमालिप्तम्

प्रतिदिवसम्

Aśrama. 2. प्रतिदिवसमाहृतोञ्छवृत्तिमुपयुञ्जानाः

प्रतिदिश्

Siras. 1. दिशश्च प्रतिदिशश्चाहम्

प्रतिदृश्

Kaṭha. 1. 6. प्रतिपश्य तथापरे

प्रतिदेवता

Muṇḍ. 3. 2. 7. देवाश्च सर्वे प्रतिदेवतासु

प्रतिधा

Ait. 4. 4. अस्यायमात्मा पुण्येभ्यः कर्मभ्यः प्रतिधीयते

प्रतिन्यायम्

Bṛih. 4. 3. 15. प्रतिन्यायं प्रतियोन्याद्रवति 16, 17, 34, 36.

1. प्रतिपद्

Chhâ. 3. 13. 6. प्रतिपद्यते स्वर्गं लोकम्
3. 17. 6. अन्तवेलायामेतत्त्रयं प्रतिपद्येत
4. 15. 6. एतेन प्रतिपद्यमाना इमं मानवमावर्त्तं नावर्त्तन्ते
5. 11. 3. तेभ्यो न सर्वमिव प्रतिपत्स्ये
6. 7. 4. यत्किञ्च पप्रच्छ सर्वं ह प्रतिपेदे

Bṛih. 1. 4. 10. ऋषिर्वामदेवः प्रतिपेदे
3. 9. 1. स हैतयैव निविदा प्रतिपेदे
4. 3. 14. यमेष न प्रतिपद्यते
6. 2. 2. यत्कृत्वा देवयानं वा पन्थानं प्रतिपद्यन्ते
Muṇḍ. 1. 2. 2. आज्यभागावन्तरेणाहुतीः प्रतिपादयेत्
Praśna. 1. 9. दक्षिणं प्रतिपद्यन्ते
4. 10. परमेवाक्षरं प्रतिपद्यते
Gîtâ. 14. 14. लोकानमलान्प्रतिपद्यते

2. प्रतिपद्

Bṛih. 6. 2. 2. वेत्थो देवयानस्य वा पथः प्रतिपदम्

प्रतिपाल्

Chhâ. 1. 12. 3. तद्ध बको दाल्भ्यो ग्लावो वा मैत्रेयः प्रतिपालयांचकार

प्रतिपिष्

Chhâ. 2. 22. 4. स त्वा प्रतिपेक्ष्यति

प्रतिपुरुष

Maitri. 2. 5. चेतामात्रः प्रतिपुरुषः क्षेत्रज्ञः 5. 2.

प्रतिपूर्ण

Chhâ. 4. 10. 3. व्याधिभिः प्रतिपूर्णो ऽस्मि

प्रतिप्रति

Bṛih. 1. 3. 18. य उ हैवंविदं स्वेषु प्रतिप्रतिर्बुभूषति

प्रतिप्रस्थातृ

Prâṇâg. 3. शारीरयज्ञस्य . . कः प्रतिप्रस्थाता
4. अपानः प्रतिप्रस्थाता

प्रतिबुध्

Kaush. 3. 3. स यदा प्रतिबुध्यते 4. 20.
Bṛih. 1. 4. 10. तद्यो यो देवानां प्रत्यबुध्यत
4. 4. 13. यस्यानुवित्तः प्रतिबुद्ध आत्मा
Gauḍa. 2. 2. प्रतिबुद्धश्च वै सर्वः 4. 34.
4. 35. प्रतिबुद्धो न पश्यति 39.
Brahma. 2. प्रतिबुद्धः सर्वविदिति

प्रतिबोध

Kena. 12. प्रतिबोधविदितं मतम्

प्रतिबोधन

Maitri. 2. 6. एतासां प्रतिबोधनायाभ्यन्तरं विविशामि

प्रतिब्रू

Kaush. 1. 1. कथं प्रतिब्रवाणि
2. तं यः प्रत्याह तमतिसृजते ऽथ यो न प्रत्याह
— तं प्रतिब्रूयात् 5.
Chhâ. 4. 4. 4. अपृच्छं मातरं सा मा प्रत्यब्रवीत्
7. 15. 2. किञ्चिद् भृशमिव प्रत्याह
Bṛih. 1. 5. 17. स पुत्रः प्रत्याहाहं ब्रह्म
Maitri. 6. 31. प्रत्याहात्मात्मकानीति

प्रतिभा

Chhâ. 6. 7. 2. न वै मा प्रतिभान्ति भोः
Kaṭha. 2. 6. न साम्परायः प्रतिभाति बालम्

प्रतिमन्

Chhâ. 4. 3. 7. शौनकः कापेयः प्रतिमन्वानः प्रत्येयाय

प्रतिमा

Śwet. 4. 19. न तस्य प्रतिमा अस्ति
Râmot. 4. पाषाणप्रतिमादिषु

प्रतिमात्रा

Nṛisut. 2. मात्रामात्राः प्रतिमात्राः कुर्यात्

प्रतिमुच्

Brahma. 2. आयुष्यमग्र्यं प्रतिमुञ्च

प्रतिमुद्

Maitri. 4. 6. तस्यैव लोके प्रतिमोदतीह यो यस्यानुषक्तः

प्रतियुध्

Gîtâ. 2. 4. इषुभिः प्रतियोत्स्यामि

प्रतियोनि

Brih. 4. 3. 15. प्रतिन्यायं प्रतियोन्याद्रवति 16, 17, 34, 36.

प्रतिरूप

Kaush. 1. 3. प्रतिरूपा च चाक्षुषी
4. 2. आदर्शे प्रतिरूपः
11. प्रतिरूप इति . . एतमुपासे Bṛih. 2. 1. 8.
— एवमुपास्ते प्रतिरूपो हैवास्य प्रजायामाजायते नाप्रतिरूपः

Chhâ. 8. 8. 1. आलोमभ्य आनखेभ्यः प्रतिरूपम्

Bṛih. 2. 1. 8. एवमुपास्ते प्रतिरूपं हैवैनमुपगच्छति नाप्रतिरूपमथो प्रतिरूपो ऽस्माज्जायते
2. 5. 19. रूपं रूपं प्रतिरूपो बभूव Katha. 5. 9, 10.
3. 9. 22. प्रतिरूपं जातमाहुर्हृदयादिव सृप्तः
4. 1. 6. तस्यां प्रतिरूपः पुत्रो जायते

Katha. 5. 9. रूपं रूपं प्रतिरूपो वहिश्च 10.

प्रतिलिह्

Bṛih. 1. 5. 2. घृतं वैवाग्रे प्रतिलेहयन्ति

प्रतिलोम

Bṛih. 2. 1. 15. प्रतिलोमं वै तद्यद्ब्राह्मणः क्षत्रियमुपेयात्

Bṛih. 6. 4. 12. प्रतिलोमं शरबर्हिस्तीर्त्वा — शरभृष्टीः प्रतिलोमाः

प्रतिलोमरूप

Kaush. 4. 19. प्रतिलोमरूपमेव तन्मन्ये यत्क्षत्रियो ब्राह्मणमुपनयत

प्रतिवच्

Chhâ. 2. 22. 3. स त्वा प्रतिवक्ष्यति
4. 1. 3. तमु ह परः प्रत्युवाच 4. 2. 3
5. 11. 7. प्रातर्वः प्रतिवक्तास्मि

Sikhâ. 1. एभ्यो ऽथर्वा प्रत्युवाच

Râmot. 4. तं प्रत्युवाच स्वयमेव याज्ञवल्क्यः

प्रतिवद्

Katha. 1. 15. तत्प्रत्यवदद्यथोक्तम्

प्रतिविधा

Kaush. 3. 5. परस्तात्प्रतिविहिता भूतमात्रा (10 times).

प्रतिविधि

Maitri. 4. 3. अयं . . अस्य प्रतिविधिर्भूतात्मनः

प्रतिवेदम्

Aśrama. 1. प्रतिवेदं द्वादश वा

प्रतिवेश

Tait. 1. 4. 3. प्रतिवेशो ऽसि प्र मा भाहि

प्रतिशाखानाडी

Praśna. 3. 6. द्वासप्ततिर्द्वासप्ततिः प्रतिशाखानाडीसहस्राणि

प्रतिश्रु

Chhâ. 4. 5. 1. भगव इति ह प्रतिशुश्राव 4. 6. 2; 4. 7. 2; 4. 8. 2; 4. 9. 1; 4. 14. 2.
7. 12. 1 आकाशेन प्रतिशृणोति

Bṛih. 6. 2. 1. भो इति प्रतिशुश्राव

प्रतिश्रुत्का

Kaush. 4. 2. प्रतिश्रुत्कायामसुः
13. प्रतिश्रुत्कायां पुरुषस्तमेवाहमुपासे

प्रतिषिच्

Prâṇâg. 2. तमद्भिः प्रतिषिञ्चामि

प्रतिषिध्

Gauḍa. 3. 25. संभवः प्रतिषिध्यते
— कारणं प्रतिषिध्यते

1. प्रतिष्ठा

Ait. 2. 1. यस्मिन् प्रतिष्ठिता अन्नमदाम
5. 3. सर्वं तत्प्रज्ञानेत्रं प्रज्ञाने प्रतिष्ठितम्

Kena. 34. अनन्ते स्वर्गे लोके ज्येये प्रतितिष्ठति

Chhâ. 3. 12. 2. अस्यां हीदं सर्वं भूतं प्रतिष्ठितम्
3. अस्मिन्हीमे प्राणाः प्रतिष्ठिताः 4.

4. 16. 5. रथो वोभाभ्यां चक्राभ्यां वर्त्तमानः प्रतितिष्ठत्येवमस्य यज्ञः प्रतितिष्ठति, यज्ञं प्रतितिष्ठन्तम् &c.

5. 1. 3. प्रतिष्ठां वेद प्रति ह तिष्ठति

5. 17. 1. तस्मात्त्वं प्रतिष्ठितो ऽसि प्रजया

7. 4. 2. सङ्कल्पे प्रतिष्ठितानि
3. लोकान्. . प्रतिष्ठितान्प्रतिष्ठितः. . अभिसिध्यति
7. 5. 3.

7. 5. 2. चित्ते प्रतिष्ठितानि

7. 24. 1. स भगवः कस्मिन्प्रतिष्ठितः
2. अन्यो ह्यन्यस्मिन्प्रतिष्ठितः

Brih. 1. 2. 3. स एषो ऽप्सु प्रतिष्ठितो यत्र क्व चैति तदेव प्रतितिष्ठति

Brih. 1. 3. 17. इह प्रतितिष्ठति
27. साम्नो यः प्रतिष्ठां वेद प्रति ह तिष्ठति
वाचि हि खल्वेष एतत्प्राणः प्रतिष्ठितो गीयते.

1. 5. 1. तस्मिन्सर्वं प्रतिष्ठितम् 2.
2. पयसि हीदं सर्वं प्रतिष्ठितम्
17. पुत्रेणैवास्मिँल्लोके प्रतितिष्ठति

3. 9. 20. स आदित्यः कस्मिन्प्रतिष्ठित इति चक्षुषीति कस्मिन्नु चक्षुः प्रतिष्ठितमिति (similarly, in 21—24).
26. कस्मिन्नु त्वं चात्मा च प्रतिष्ठितौ
— कस्मिन्नु प्राणः प्रतिष्ठितः &c.

4. 1. 7. हृदये ह्येव सर्वाणि भूतानि प्रतिष्ठितानि

4. 2. 3. हिता नाम नाड्यो ऽन्तर्हृदये प्रतिष्ठिताः

4. 4. 17. आकाशश्च प्रतिष्ठितः

5. 5. 2. तावेतावन्योन्यस्मिन्प्रतिष्ठितौ रश्मिभिरेषो ऽस्मिन्प्रतिष्ठितः

5. 14. 4. सैषा गायत्र्येतस्मिंस्तुरीये दर्शते पदे . . प्रतिष्ठिता
— तद्वै तत्सत्ये प्रतिष्ठितम्
— तद्वै तत्सत्यं बले प्रतिष्ठितं प्राणो वै बलं तत्प्राणे प्रतिष्ठितम्
— एवमेषा गायत्र्यध्यात्मं प्रतिष्ठिता

6. 1. 3. प्रतितिष्ठति समे प्रतितिष्ठति दुर्गे (bis).
— चक्षुषा हि समे च दुर्गे च प्रतितिष्ठति

Tait. 1. 6. 1. भुरित्यग्नौ प्रतितिष्ठति

Tait. 3. 6. 1. सैषा भार्गवी वारुणी विद्या परमे व्योमन् प्रतिष्ठिता स य एवं वेद प्रतितिष्ठति
3. 7. 1. प्राणे शरीरं प्रतिष्ठितं शरीरे प्राणः प्रतिष्ठितः
— तदेतदन्नमन्ने प्रतिष्ठितं स य एतदन्नमन्ने प्रतिष्ठितं वेद प्रतितिष्ठति 3. 8. 1; 3. 9. 1.
3. 8. 1. अप्सु ज्योतिः प्रतिष्ठितं ज्योतिष्यापः प्रतिष्ठिताः
3. 9. 1. पृथिव्यामाकाशः प्रतिष्ठित आकाशे पृथिवी प्रतिष्ठिता
Maitri. 2. 3. चेतनवत्प्रतिष्ठापितं 4, 5, 6.
6. 21. प्रतिष्ठाप्य निगृहीतानिलम्
34. हृद्यादित्ये प्रतिष्ठितः
7. 11. चक्षुष्यस्मिन्प्रतिष्ठिता
Muṇḍ.2. 2. 7. एष व्योम्न्यात्मा प्रतिष्ठितः
—प्राणशरीरनेता प्रतिष्ठितो ऽन्ने
Mahânâr. 4. 7. त्वयि सर्वं प्रतिष्ठितम्
10. 8. यो वेदादौ स्वरः प्रोक्तो वेदान्ते च प्रतिष्ठितः
11. 9. तस्मिन्सर्वं प्रतिष्ठितम्
13. 5. प्रतिष्ठिताः प्रत्येवास्याहुतयस्तिष्ठन्ति
22. 1. सत्ये सर्वं प्रतिष्ठितम्
— तपसि सर्वं प्रतिष्ठितम्
— दमे सर्वं प्रतिष्ठितम्
— शमे सर्वं प्रतिष्ठितम्
— दाने सर्वं प्रतिष्ठितम्
— धर्मे सर्वं प्रतिष्ठितम्
23. 1. यज्ञे सर्वं प्रतिष्ठितम्
— मानसे सर्वं प्रतिष्ठितम्
Praśna. 1. 15. येषु सत्यं प्रतिष्ठितम्
2. 6. प्राणे सर्वं प्रतिष्ठितम्
7. यः प्राणैः प्रतितिष्ठसि
12. या ते तनूर्वाचि प्रतिष्ठिता
13. त्रिदिवे यत्प्रतिष्ठितम्
Praśna. 6. 3. कस्मिन् वा प्रतिष्ठिते प्रतिष्ठास्यामि
6. कला यस्मिन् प्रतिष्ठिताः
Kaivalya. 19. मयि सर्वं प्रतिष्ठितम्
Nṛip. 5. 1. नाभ्यां वा एते अराः प्रतिष्ठिताः
Siras. 3. हृदि प्राणाः प्रतिष्ठिताः Brahma. 2.
Prâṇâg. 2. अयं पुरुषो यो ऽङ्गुष्ठाग्रे प्रतिष्ठितः
Nîla. 2. प्रत्यष्ठाद्भूम्यामधि
Nâda. 8. कलात्रयानना वापि तासां मात्रा प्रतिष्ठिता
Amṛita. 32. यत्र प्राणः प्रतिष्ठितः
Dhyâna. 11. नाभिस्थाने प्रतिष्ठितम्
Jâbâla. 2. सो ऽविमुक्ते प्रतिष्ठितः Râmot. 4.
— सो ऽविमुक्तः कस्मिन् प्रतिष्ठितः Ramot. 4.
— वरणायां नास्यां च मध्ये प्रतिष्ठितः Ramot. 4.
Atmapra. 1. सर्वं तत्प्रज्ञानेत्रं प्रज्ञानेत्रे प्रतिष्ठितम्
Vâsu. 1. द्वारकायां मया प्रतिष्ठितम्
Gîtâ. 2. 57. तस्य प्रज्ञा प्रतिष्ठिता 58, 61, 68.
3. 15. नित्यं यज्ञे प्रतिष्ठितम्
6. 11. शुचौ देशे प्रतिष्ठाप्य

2. प्रतिष्ठा

Ait. 1. 2. द्यौः प्रतिष्ठा
5. 3. प्रज्ञा प्रतिष्ठा प्रज्ञानं ब्रह्म Atmapra. 1.
Kena. 33. तस्यै तपो दमः कर्मेति प्रतिष्ठा
Chhâ. 1. 8. 7. न प्रतिष्ठां लोकमति नयेत्
— प्रतिष्ठां वयं लोकं सामाभिसंस्थापयामः

Chhâ. 5. 1. 3. प्रतिष्ठां वेद प्रति ह तिष्ठति
..चक्षुर्वात्र प्रतिष्ठा
13. यदहं प्रतिष्ठास्मि त्वं तत्प्रतिष्ठासीति
5. 2. 5. प्रतिष्ठायै स्वाहा
5. 17. 1. एष वै प्रतिष्ठात्मा
7. 5. 2. चित्तं प्रतिष्ठा

Brih. 1. 1. 1. अहोरात्राणि प्रतिष्ठाः
1. 3. 27. साम्नो यः प्रतिष्ठां वेद..
तस्य वै वागेव प्रतिष्ठा
4. 1. 2. अब्रवीत्तु ते तस्यायतनं प्रतिष्ठां..आकाशः प्रतिष्ठा
3—7.
7. हृदयं वै..सर्वेषां भूतानां प्रतिष्ठा
5. 5. 3. स्वरिति प्रतिष्ठा द्वे प्रतिष्ठे 4
6. 1. 3. यो ह वै प्रतिष्ठां वेद..
चक्षुर्वै प्रतिष्ठा
14. यद्वा अहं प्रतिष्ठास्मि त्वं तत्प्रतिष्ठोऽसि
6. 3. 2. धात्रे स्वाहा प्रतिष्ठायै स्वाहा
6. 4. 2. अस्मै प्रतिष्ठां कल्पयानि

Tait. 2. 1. 1. इदं पुच्छं प्रतिष्ठा
2. 2. 1. पृथिवी पुच्छं प्रतिष्ठा
2. 3. 1. अथर्वाङ्गिरसः पुच्छं प्रतिष्ठा
2. 4. 1. महः पुच्छं प्रतिष्ठा
2. 5. 1. ब्रह्म पुच्छं प्रतिष्ठा
2. 7. 1. एतस्मिन्नदृश्ये..अभयं प्रतिष्ठां विन्दते
3. 10. 3. तत्प्रतिष्ठेत्युपासीत

Katha. 1. 14. अनन्तलोकाप्तिमथो प्रतिष्ठां विद्धि
2. 11. कामस्याप्तिं जगतः प्रतिष्ठां
..स्तोममहदुरुगायं प्रतिष्ठां दृष्ट्वा

Mund. 1. 1. 1. ब्रह्मविद्यां सर्वविद्याप्रतिष्ठाम्
3. 2. गताः कलाःपञ्चदश प्रतिष्ठाः

Mahânâr. 22. 1. सत्यं वाचः प्रतिष्ठा
— धर्मो विश्वस्य जगतः प्रतिष्ठा
— प्रजननं वै प्रतिष्ठा

Kaṭhaśru. 2. त्वं त्वष्टा त्वं प्रतिष्ठासि
— अहं त्वष्टाहं प्रतिष्ठास्मि

Gîtâ. 14. 27. ब्रह्मणो हि प्रतिष्ठाहम्

प्रतिष्ठावन्त्

Tait. 3. 10. 3. तत्प्रतिष्ठेत्युपासीत प्रतिष्ठावान् भवति

प्रतिष्ठासंस्ताव

Chhâ. 1. 8. 7. प्रतिष्ठासंस्तावं हि साम

प्रतिष्ठिति

Mahânâr. 13. 5. प्रतिष्ठिताः प्रत्येत्रास्याहुतयस्तिष्ठन्त्ययो प्रतिष्ठित्यै

प्रतिसृप्

Chhâ. 5. 2. 6. प्रतिसृप्याञ्जलौ मन्थमाधाय

प्रतिस्त्री

Chhâ. 2. 13. 1. प्रतिस्त्री सह शेते स प्रतिहारः

प्रतिहर्तृ

Chhâ. 1. 10. 11. एवमेव प्रतिहर्तारमुवाच
— प्रतिहर्तर्या देवता प्रतिहारमन्वायत्ता 1. 11. 8.
1. 11. 8. अथ हैनं प्रतिहर्तोपससाद

प्रतिहार

Chhâ. 1. 10. 11. देवता प्रतिहारमन्वायत्ता
1. 11. 8, 9.
2. 2. 1. आदित्यः प्रतिहारः
2. अग्निः प्रतिहारः
2. 3. 1. विद्योतते स्तनयति स प्रतिहारः 2. 15. 1.
2. 4. 1. या प्रतीच्यः स प्रतिहारः
2. 5. 1. शरत्प्रतिहारः 2. 16. 1.
2. 6. 1. अभ्राः प्रतिहारः 2. 18. 1.
2. 7. 1. श्रोत्रं प्रतिहारः 2. 11. 1.

Chhâ. 2. 8. 1. यत्प्रतीति स प्रतिहारः
2. 9. 6. यदूर्ध्वं मध्यन्दिनात्प्रागपराह्णात्स प्रतिहारः
2. 10. 2. प्रतिहार इति चतुरक्षरम्
2. 12. 1. अङ्गारा भवन्ति स प्रतिहारः
2. 13. 1. प्रतिस्त्री सह शेते स प्रतिहारः
2. 14. 1. अपराह्णः प्रतिहारः
2. 17. 1. दिशः प्रतिहारः
2. 19. 1. अस्थि प्रतिहारः
2. 20. 1. नक्षत्राणि प्रतिहारः
2. 21. 1. नक्षत्राणि वयांसि मरीचयः स प्रतिहारः

प्रतिहारभाजिन्

Chhâ. 2. 9. 6. प्रतिहारभाजिनो ह्येतस्य साम्नः

प्रतिहृ

Chhâ. 1. 10. 11. तां चेदविद्वान् प्रतिहरिष्यसि 1. 11. 8.
1. 11. 9. इमानि भूतान्यन्नमेव प्रतिहरमाणानि जीवन्ति
— तां चेदविद्वान् प्रत्यहरिष्यः
2. 9. 6. तस्मात्ते प्रतिहता नावपद्यन्ते

प्रती

Kaush. 1. 4. तं पञ्चशतान्यप्सरसां प्रतियन्ति

Bṛih. 6. 2. 4. तत्र प्रतीत्य ब्रह्मचर्यं वत्स्यावः

Kaṭha. 1. 10. माभिवदेत् प्रतीतः
11. यथा पुरस्ताद्भविता प्रतीतः

Sarvop. 2. नित्यत्वेन प्रतीयमानः

प्रतीक

Bṛih. 1. 5. 1. सो ऽन्नमत्ति प्रतीकेन 2.
2. मुखं प्रतीकम्
6. 2. 3. इति ह प्रतीकान्युदाजहार

प्रतीकाश

Mahânâr. 11. 7. पद्मकोशप्रतीकाशम्
Mahâ. 3; Brahma 3.

Haṁsa. 2. परमहंसो भानुकोटिप्रतीकाशः

प्रतीक्षा

Kaṭha. 1. 8. आशाप्रतीक्षे सङ्गतं सूनृतां च

प्रतीर्

Bṛih. 2. 5. 17. दधीचे ऽश्व्यं शिरः प्रत्यैरयतम्

प्रतीष्

Nṛip. 1. 1. हृदि प्रतीष्य कतयो मनीषा (one MS. has प्रतीर्ष्या and another प्रतीक्ष्य)

प्रतॄ

Śwet. 2. 8. ब्रह्मोडुपेन प्रतरेत . . स्रोतांसि

Prâṇâg. 1. प्र प्रदातारं तारिषः

प्रतोद

Maitri. 2. 6. प्रकृतिमयो ऽस्य प्रतोदः

प्रत्न

Chhâ. 3. 17. 7. आदित्प्रत्नस्य रेतसः

Mahânâr. 6. 7. प्रत्नो हि कमीड्यो अध्वरेषु

प्रत्यक्ष

Chhâ. 5. 2. 1. अनो ह वै नाम प्रत्यक्षम्.

Tait. 1. 1. 1. त्वमेव प्रत्यक्षं ब्रह्मासि त्वामेव प्रत्यक्षं ब्रह्म वदिष्यामि 1. 12. 1 (अवादिषम्)

प्रत्यक्षद्विष्

Bṛih. 4. 2. 2. परोक्षप्रिया इव हि देवाः प्रत्यक्षद्विषः

प्रत्यक्षरम्

Nrip. 2. 2. तस्मात् प्रत्यक्षरमुभयत ओ-
ङ्कारो भवति

प्रत्यक्षावगम

Gîtâ 9. 2. प्रत्यक्षावगमं धर्म्यम्

प्रत्यगात्मन्

Kaṭha. 4. 1. कश्चिद्धीरः प्रत्यगात्मानमै-
क्षत्

Sarvop. 1. प्रत्यगात्मा परमात्मा . . क-
थम्

3. तदा त्वंपदार्थः प्रत्यगात्मे-
त्युच्यते

प्रत्यगानन्द

Nâr. 5. प्रत्यगानन्दं ब्रह्म पुरुषं प्र-
णवस्वरूपम् Atmapra. 1.

प्रत्यगेकरस

Nṛisut. 9. परः प्रत्यगेकरसः

प्रत्यङ्मुख

Mahânâr. 2. 1. प्रत्यङ्मुखस्तिष्ठति सर्वतोमुखः

प्रत्यञ्च्

Chhâ. 2. 4. 1. याः प्रतीच्यः स प्रतिहारः

2. 12. 2. न प्रत्यङ्ङग्निमाचामेन्न नि-
ष्ठीवेत्तद्व्रतम्

3. 3. 1. ये ऽस्य प्रत्यञ्चो रश्मयस्ता
एवास्य प्रतीच्यो मधुनाड्यः

3. 13. 3. प्रत्यङ् सुषिः सो ऽपानः

3. 15. 2. राज्ञी नाम प्रतीची

4. 5. 2. प्रतीची दिक् कला

6. 10. 1. पश्चात्प्रतीच्यः

Bṛih. 1. 2. 3. अस्य प्रतीची दिक् पुच्छम्

3. 8. 9. प्रतीच्यो ऽन्या यां यां च
दिशम्

3. 9. 22. किंदेवतो ऽस्यां प्रतीच्यां
दिश्यसि

Bṛih. 4. 2. 4. प्रतीचीं दिक् प्रत्यञ्चः प्राणाः

Kaṭha. 5. 3. अपानं प्रत्यगस्यति

Śwet. 2. 16. प्रत्यङ् जनास्तिष्ठति 3. 2;
Śiras. 5 (bis).

Maitri. 6. 17. प्रतीच्यनन्तः

Praśna. 1. 6. यत्प्रतीचीं . . प्रकाशयति

Śiras. 1. प्राञ्चः प्रत्यञ्चो ऽहम्

4. दक्षिणाः प्रत्यञ्चः . . अभि-
व्रजन्त्येके

प्रत्यनीक

Gîtâ. 11. 32. ये ऽवस्थिताः प्रत्यनीकेषु
योधाः

प्रत्यनुभू

Praśna. 4. 5. देशदिगन्तरैश्च प्रत्यनुभूतं
पुनः पुनः प्रत्यनुभवति

प्रत्यय

Maitri. 6. 10. अत्र दृष्टं नाम प्रत्ययम्

Râmap. 39. प्रत्ययार्थं च

प्रत्यरा

Śwet. 1. 4. विंशतिप्रत्यराभिः

प्रत्यवसृप्

Bṛih. 2. 1. 19. ताभिः प्रत्यवसृप्य पुरीतति
शेते

प्रत्यवाय

Gîtâ. 2. 40. प्रत्यवायो न विद्यते

प्रत्यस्

Kaush. 2. 8. हरिततृणे वा प्रत्यस्यति

Bṛih. 4. 4. 7. वल्मीके मृता प्रत्यस्ता श-
यीत

प्रत्याख्या

Bṛih. 6. 2. 8. को हि त्वेवं ब्रुवन्तमर्हति
प्रत्याख्यातुमिति

प्रत्याचक्ष्

Kaush. 2. 1. ये पुरस्तात् प्रत्याचक्षीरन् 2

Tait. 3. 10. 1. न कञ्चन वसतौ प्रत्याचक्षीत

प्रत्याजन्

Kaush. 1. 2. तेषु तेषु स्थानेषु प्रत्याजायते

प्रत्याधान

Bṛih. 2. 2. 1. तस्येदमेवाधानमिदं प्रत्याधानम्

प्रत्यायन

Chhâ. 3. 19. 3. प्रत्यायनं प्रति घोषा उलूलवो ऽनूत्तिष्ठन्ति

प्रत्याश्रु

Bṛih. 6. 3. 4. श्रावितमसि प्रत्याश्रावितमसि

प्रत्यास्वर

Chhâ. 1. 3. 2. स्वर इतीममाचक्षते स्वर इति प्रत्यास्वर इत्यमुम्

प्रत्याहार

Maitri. 6. 18. प्राणायामः प्रत्याहारः
Amṛita. 5. प्रत्याहारः स उच्यते
6. प्रत्याहारस्तथा ध्यानम्

प्रत्युत्थायिन्

Bṛih. 6. 2. 16. लोकान् प्रत्युत्थायिनः

प्रत्युपकार

Gîtâ. 17. 21. यत्तु प्रत्युपकारार्थम्

प्रत्यूह्

Chhâ. 8. 3. 2. अनृतेन हि प्रत्यूढाः
Bṛih. 1. 2. 7. पशून्देवताभ्यः प्रत्यौहत्
3. 9. 26. यस्तान्पुरुषान्निरुह्य प्रत्यूह्य
Nṛisut. 7. स एतत् सर्वं . . प्रत्यूह्य

प्रत्ये

Chhâ. 4. 1. 7. नाविदमिति प्रत्येयाय
8. अविदमिति प्रत्येयाय

Chhâ. 4. 3. 7. शौनकः कापेयः प्रतिमन्वानः प्रत्येयाय
Bṛih. 5. 5. 2. नैनमेते रश्मयः प्रत्यायन्ति
Kaṭhaśru. 2. एतच्चैतच्चानवेक्षमाणाः प्रत्यायन्ति

प्रत्येनस्

Bṛih. 4. 3. 37. उग्राः प्रत्येनसः सूतग्रामण्यः 38.

प्रथ्

Gîtâ. 15. 18. अतो ऽस्मि लोके वेदे च प्रथितः पुरुषोत्तमः

प्रथम

Ait. 4. 1. तदस्य प्रथमं जन्म
Kena. 1. केन प्राणः प्रथमः प्रैति युक्तः
27. एनत्प्रथमो विदांचकार 28.
Chhâ. 2. 9. 3. यत्प्रथमोदिते स प्रस्तावः
8. यत्प्रथमास्तमिते तन्निधनम्
2. 23. 1. यज्ञो ऽध्ययनं दानमिति प्रथमः
3. 6. 1. यत्प्रथमममृतं तद्वसव उपजीवन्ति
5. 19. 1. यद्भक्तं प्रथममागच्छेत्
— स यां प्रथमामाहुतिं जुहुयात्
Bṛih. 1. 3. 12. वाचमेव प्रथमामत्यवहत्
5. 5. 1. प्रथमोत्तमे अक्षरे सत्यम्
5. 14. 6. अस्या एतत्प्रथमं पदमाप्नुयात्
Kaṭha. 1. 5. बहूनामेमि प्रथमः
10. एतत् त्रयाणां प्रथमं वरं वृणे
Śwet. 2. 1. युञ्जानः प्रथमं मनः
13. योगप्रवृत्तिं प्रथमां वदन्ति
Maitri. 6. 33. सेयं प्रजापतेः प्रथमा चितिः
Muṇḍ. 1. 1. 1. ब्रह्मा देवानां प्रथमः संबभूव
Mahânâr. 6. 1. अक्रान्त्समुद्रः प्रथमे विधर्मन्

Mahânâr.10. 3. यो देवानां प्रथमं पुरस्तात्
Praśna. 2. 8. पितॄणां प्रथमा स्वधा
Mâṇḍû. 3. वैश्वानरः प्रथमः पादः Nṛip. 4. 1; Nṛisut 1; Râmot. 3.
9. वैश्वानरो ऽकारः प्रथमा मात्रा
Nṛip. 1. 1. रेतः प्रथमं यदासीत्
— अनुष्टुप् प्रथमा भवति
2. तत्साम्नः प्रथमं पादं जानीयात्
4. उग्रं प्रथमस्याद्यम्
5. वीरं प्रथमस्यार्द्धान्त्यम्
7. विष्णुं प्रथमस्यान्त्यम्
2. 1. सा प्रथमः पादो भवति Nṛisut 3 (bis).
2. अष्टाक्षरः प्रथमः पादो भवति
— प्रथमं प्रथमेन युज्यते
3. उग्रं प्रथमं स्थानं जानीयात्
Chûl. 7. भुंक्ते ऽसौ प्रथमं प्रभुः
Śiras. 1. अहमेकः प्रथममासीत्
5. या सा प्रथमा मात्रा
Śikhâ. 1. प्रथमा रक्ता ब्राह्मी ब्रह्मदेवत्या
Nâda. 6. आग्नेयी प्रथमा मात्रा
9. घोषिणी प्रथमा मात्रा
12. प्रथमायां तु मात्रायाम्
Piṇḍa. 4. प्रथमेन तु पिण्डेन
Haṁsa. 2. चिणीति प्रथमम्
— प्रथमे चिञ्चिणी गात्रम्
Kâlâg. 2. यास्य प्रथमा रेखा
Râmot. 2. अकारः प्रथमाक्षरः

प्रथमज, °जा

Bṛih. 5. 4. 1. य एवमेतं..प्रथमजं वेद
Tait. 3. 10. 6. अहमस्मि प्रथमजाः Nṛip. 2. 4.
Mahânâr. 2. 7. प्रजापतिः प्रथमजाः

प्रथमान्तार्द्ध

Nṛip. 1. 6. महा प्रथमान्तार्द्धस्याद्यम्

प्रद

Haṁsa. 1. भुक्तिमुक्तिफलप्रदम् Gopî. 5.
Gopî. 5. चतुर्वर्गफलप्रदम्
Mukti. 2. 30. परमोपशमप्रदा
Gîtâ. 2. 43. जन्मकर्मफलप्रदाम्
17. 9. दुःखशोकामयप्रदाः

प्रदक्षिणम्

Kaṭhasru. 2. प्रदक्षिणमावृत्य

प्रदक्षिणीकृ

Haṁsa. 1. स्वाधिष्ठानं त्रिः प्रदक्षिणीकृत्य

प्रदह्

Chhâ. 4. 1. 2. तत्त्वा मा प्रधाक्षीः

प्रदा

Kaush. 3. 1. अरुन्मुखान् यतीन् सालावृकेभ्यः प्रायच्छम्
Chhâ. 1. 10. 3. तानस्मै प्रददौ
5. 24. 4. यद्यपि चण्डालायोच्छिष्टं प्रयच्छेत्
Bṛih. 1. 5. 1. पशुभ्य एकं प्रायच्छत् 2.
2. देवेभ्यो ऽन्नाद्यं प्रयच्छति
3. 3. 2. तानिन्द्रः..वायवे प्रायच्छत्
6. 4. 19. प्राश्येतरस्याः प्रयच्छति
27. एनं मात्रे प्रदाय स्तनं प्रयच्छति
Kaṭha. 1. 25. आभिर्मत्प्रत्ताभिः परिचारयस्व
Maitri. 6. 33. अन्तरिक्षमुत्क्षिप्त्वा वायवे प्रायच्छत्
— दिवमुत्क्षिप्त्वेन्द्राय प्रायच्छत्

Maitri. 6. 33. आत्मविदुत्क्षिप्य ब्रह्मणे प्रायच्छत्

Nrip. 2. 1. तेभ्य एतं मन्त्रराजं..प्रायच्छत्

Gâruḍa. 1. भारद्वाजो जीवितुकामेभ्यः शिष्येभ्यः प्रायच्छत्

Gopî. 5. तिलमात्रं प्रदाय

Mukti. 2. 12. तच्च सिद्धिं प्रयच्छन्ति

प्रदातृ

Prâṇâg. 1. प्र प्रदातारं तारिषः

प्रदान

Prâṇâg. 1. प्राणाय प्रदानाय स्वाहा (so MSS ; printed text has प्रधानाय)

Gopî. 5. तिलमात्रप्रदानेन

प्रदिश्

Śwet. 2. 16. एषो ऽह देवः प्रदिशो ऽनु सर्वाः

Mahânâr. 2. 7. परीत्य सर्वाः प्रदिशो दिशश्च

Siras. 5. एको ह देवः प्रदिशो ऽनु सर्वाः

Gîtâ. 8. 28. दानेषु यत्पुण्यफलं प्रदिष्टम्

प्रदिह्

Gîtâ. 2. 5. रुधिरप्रदिग्धान्

प्रदीप्

Gîtâ. 11. 29. यथा प्रदीप्तं ज्वलनं पतंगा विशन्ति

प्रदीप

Maitri. 6. 38. प्रदीपप्रतापवत्

प्रदु

Chhâ. 5. 24. 3. यथेषीकातूलमग्नौ प्रोतं प्रदूयेतैवं हास्य सर्वे पाप्मानः प्रदूयन्ते

प्रदुष्

Gîtâ. 1. 41. प्रदुष्यन्ति कुलस्त्रियः

प्रदुह्

Mahânâr. 1. 9. स आपः प्रदुघे उभे इमे अन्तरिक्षमथो सुवः

प्रदृश्

Śwet. 2. 15. दीपोपमेनेह युक्तः प्रपश्येत्

Nâda. 5. मन्त्र एव प्रदर्शितः

Gîtâ. 1. 39. प्रपश्यद्भिर्जनार्दन

2. 8. न हि प्रपश्यामि

11. 49. तदेव मे रूपमिदं प्रपश्य

प्रदेश

Gauḍa. 4. 33. संवृते ऽस्मिन् प्रदेशे वै

Garbha. 3. गुल्फजठरकटिप्रदेशः

प्रद्युत्

Bṛih. 4. 4. 2. एतस्य हृदयस्याग्रं प्रद्योतते

प्रद्योत

Bṛih. 4. 4. 2. तेन प्रद्योतेनैष आत्मा निष्क्रामति

प्रद्राणक

Chhâ. 1. 10. 1. इभ्यग्रामे प्रद्राणक उवास

प्रद्रु

Bṛih. 6. 2. 3. अनादृत्य वसतिं कुमारः प्रदुद्राव

प्रद्विष्

Gîtâ. 16. 18. प्रद्विषन्तो ऽभ्यसूयकाः

प्रधान

Śwet. 1. 10. क्षरं प्रधानममृताक्षरं हरः

6. 16. प्रधानक्षेत्रज्ञपतिः

Maitri 6. 10. पुरुषश्चेता प्रधानान्तःस्थः — भूतात्मा ह्यन्नमस्य कर्त्ता प्रधानः

Maitri. 6. 10. अनेनैव प्रधानस्य भोज्यत्वं व्याख्यातम्
— प्रधानस्य व्यक्ततां गतस्य

प्रधानज

Swet. 6. 10. तन्तुभिः प्रधानजैः

प्रधि

Brih. 1. 5. 15. प्रधिर्वित्तम्
— प्रधिनागादित्येवाहुः

प्रध्मा

Chhâ. 6. 14. 2. प्राङ्वोदङ्वाधराङ्वा प्रध्मायीत

Gîtâ. 1. 14. दिव्यौ शंखौ प्रदध्मतुः

प्रध्यै

Śikhâ. 2. ध्येयमीशानं प्रध्यायन्ति

प्रध्वंस्

Chhâ. 8. 1. 4. यदैनज्जरा वाप्नोति प्रध्वंसते वा

प्रध्वंसन

Brih. 2. 6. 3. मृत्युः प्राध्वंसनः प्रध्वंसनात् 4. 6. 3.
— प्रध्वंसन एकऋषेः

प्रध्वंसिन्

Maitri. 1. 4. तृणवनस्पतयोद्भूतप्रध्वंसिनः

प्रपञ्च

Swet. 6. 6. यस्मात्प्रपञ्चः परिवर्त्तते ऽयम्

Kaivalya. 17. जाग्रत्स्वप्नसुषुप्त्यादिप्रपञ्चम्

Gauḍa. 1. 17. प्रपञ्चो यदि विद्येत

प्रपञ्चोपशम

Mâṇḍû. 7. एकात्मप्रत्ययसारं प्रपञ्चोपशमम् Nṛip. 4. 1; Nṛisut. 1; Râmot. 3.
12. प्रपञ्चोपशमः शिवो ऽद्वैतः Nṛisut. 2.

Gauḍa. 2. 35. प्रपञ्चोपशमो ऽद्वयः

प्रपत्

Ait. 2. 1. एता देवताः सृष्टा अस्मिन्महत्यर्णवे प्रापतन्

Maitri. 6. 12. अहरहः प्रपतन्त्यन्नमभिजिघृक्षमाणानि

प्रपतन

Maitri. 1. 4. शिखरिणां प्रपतनम्

प्रपद्

Ait. 3. 11. स ईक्षत कतरेण प्रपद्यै
12. एतया द्वारा प्रापद्यत

Chhâ. 2. 22. 3. इन्द्रं शरणं प्रपन्नोऽभूवम्
4. प्रजापतिं शरणं प्रपन्नो ऽभूवं .. मृत्युं शरणं प्रपन्नो ऽभूवम्

3. 15. 3. अरिष्टं कोशं प्रपद्ये ऽमुना ऽमुना ऽमुना (similarly, 4 times more).
4. स यदवोचं प्राणं प्रपद्य इति प्राणो वा इदं सर्वं भूतं यदिदं किञ्च तमेव तत्प्रापत्सि
5. यदवोचं भूः प्रपद्य इति पृथिवीं प्रपद्ये ऽन्तरिक्षं प्रपद्ये दिवं प्रपद्य इत्येव तदवोचं (similarly in 6, 7).

8. 13. 1. श्यामाच्छबलं प्रपद्ये शबलाच्छ्यामं प्रपद्ये

8. 14. 1. प्रजापतेः सभां वेश्म प्रपद्ये

Tait. 1. 4. 3. प्र मा भाहि प्र मा पद्यस्व

Kaṭha. 5. 7. योनिमन्ये प्रपद्यन्ते शरीरत्वाय

Śwet. 4. 21. अजात इत्येवं कश्चिद्भीरुः प्रपद्ये (so 3 MSS.)
6. 18. मुमुक्षुर्वै शरणमहं प्रपद्ये

Maitri. 6. 30. तेन देवनिकायानां स्वधामानि प्रपद्यते

Mahânâr. 4. 11. हिरण्यशृङ्गं वरुणं प्रपद्ये
6. 3. दुर्गां देवीं शरणमहं प्रपद्ये
17. 1. सद्योजातं प्रपद्यामि
Gauḍa. 4. 35. प्रबुद्धो न प्रपद्यते
56. संसारं न प्रपद्यते
Nrip. 3. 1. तामिहायुषे शरणं प्रपद्ये
Kshur. 20. तद्भाविताः प्रपद्यन्ते
Garbha. 4. तत् प्रपद्ये महेश्वरम्
— तत् प्रपद्ये नारायणम्
Nyâsa. 2. वानप्रस्थं प्रपद्यते
4. ब्रह्म प्रपद्यते ऽजरममरम-
क्षरमव्ययं प्रपद्यते
5. ऊर्ध्वं प्रपद्यते देहात्
Gîtâ. 2. 7. शाधि मां त्वां प्रपन्नम्
4. 11. ये यथा मां प्रपद्यन्ते
7. 14. मामेव ये प्रपद्यन्ते
15. न मां . . प्रपद्यन्ते नराधमाः
19. ज्ञानवान्मां प्रपद्यते
20. प्रपद्यन्ते ऽन्यदेवताः
15. 4. तमेव चाद्यं पुरुषं प्रपद्ये

प्रपदन

Chhâ. 8. 6. 5. विदुषां प्रपदनम्

प्रपितामह

Gîtâ. 11. 39. प्रजापतिस्त्वं प्रपितामहश्च

प्रपीड्

Śwet. 2. 9. प्राणान् प्रपीड्य

प्रफर्वी

Bṛih. 6. 4. 19. अन्यामिच्छ प्रफर्व्यम्
(Roer and my MS. read
प्रपूर्व्यां)

प्रबन्ध्

Chhâ. 6. 8. 2. यथा शकुनिः सूत्रेण प्रबद्धः

प्रबुध्

Kaivalya. 14. प्रबुद्धः पुरत्रये क्रीडति
Gauḍa. 1. 16. यदा जीवः प्रबुध्यते
4. 35. प्रबुद्धो न प्रपद्यते
Nṛisut. 7. स यदा प्रबुध्यते तदैतत् स-
र्वमस्मादेवोत्तिष्ठति

प्रबोध

Gauḍa. 3. 40. दुःखक्षयः प्रबोधश्च
Haṁsa. 1. ब्रह्मविद्याप्रबोधः

प्रब्रू

Chhâ. 3. 11. 5. ज्येष्ठाय पुत्राय पिता ब्रह्म
प्रब्रूयात्
4. 10. 2. मा त्वाग्नयः परिप्रवोचन्
प्रब्रूह्यस्मै
4. हन्तास्मै प्रब्रवामेति
6. 14. 2. तस्य यथाभिनहनं प्रमुच्य
प्रब्रूयात्
8. 8. 1. यदात्मनो न विजानीथस्त-
न्मे प्रब्रूतमिति
Bṛih. 1. 4. 1. अथान्यन्नाम प्रब्रूते
Kaṭha. 1. 13. प्रब्रूहि तं श्रद्दधानाय मह्यम्
14. प्र ते ब्रवीमि तदु मे निबोध
Muṇḍ. 1. 1. 1. अथर्वाय ज्येष्ठपुत्राय प्राह
2. भारद्वाजाय सत्यवाहाय
प्राह
Mahânâr. 9. 13. वयं नाम प्रब्रवामा घृतस्य
Gauḍa. 2. 27. लोकान् लोकविदः प्राहुः
Râmot. 4. श्रीरामः प्राह शंकरम्
Gîtâ. 4. 1. विवस्वान्मनवे प्राह
6. 2. यं सन्न्यासमिति प्राहुः
13. 1. एतद्यो वेत्ति तं प्राहुः क्षेत्रज्ञम्
15. 1. अश्वत्थं प्राहुरव्ययम्
18. 2. प्राहुस्त्यागं विचक्षणाः
3. इत्येके . . प्राहुर्मनीषिणः

प्रभव

Śwet. 3. 4. यो देवानां प्रभवश्चोद्भवश्च
4. 12.
Kaṭha. 6. 11. योगो हि प्रभवाप्ययौ

Mâṇḍû. 6. प्रभवाप्ययौ हि भूतानां Nrip. 4. 1; Nrisut 1; Râmot. 3.
Gauḍa. 1. 6. प्रभवः सर्वभावानाम्
Gîtâ. 7. 6. प्रभवः प्रलयस्तथा
9. 18. प्रभवः प्रलयः स्थानम्
10. 2. न मे विदुः सुरगणाः प्रभवम्
8. अहं सर्वस्य प्रभवः

प्रभविष्णु

Gîtâ. 13. 16. ग्रसिष्णु प्रभविष्णु च

1. प्रभा

Tait. 1. 4. 3. प्र मा भाहि प्र मा पद्यस्व
Gauḍa. 4. 81. प्रभातं भवति स्वयम्

2. प्रभा

Gîtâ. 7. 8. प्रभास्मि शशिसूर्ययोः

प्रभाव

Kshur. 19. प्रभावादिहजन्मनि

प्रभाशून्य

Mukti. 2. 55. प्रभाशून्यं मनःशून्यम्

प्रभाष्

Gîtâ. 2. 54. स्थितधीः किं प्रभाषेत

प्रभाहीन

Râmap. 4. प्रभाहीनांस्तथा कृत्वा

प्रभिद्

Kaṭha. 6. 15. यदा सर्वे प्रभिद्यन्ते हृदयस्येह ग्रन्थयः

प्रभु

Chhâ. 7. 6. 1. ये प्रभवो ध्यानापादांशा इवैव ते भवन्ति
Śwet. 3. 12. महान् प्रभुर्वै पुरुषः
17. सर्वस्य प्रभुमीशानम्
Maitri. 3. 2. आत्मस्थं प्रभुं..नापश्यत्
5. 1. विश्वक्रीडारतिप्रभुः
6. 16. सर्वः कश्चित् प्रभुः साक्षी
Mahânâr. 11. 1. अक्षरं परमं प्रभुम्
16. 3. प्रभुः प्रीणाति विश्वभुक्
Kaivalya. 7. उमासहायं परमेश्वरं प्रभुम्
Gauḍa. 1. 8. इच्छामात्रं प्रभोः सृष्टिः
10. ईशानः प्रभुरव्ययः
2. 13. एवं कल्पयते प्रभुः
Nṛisut. 2. परिभवासहः प्रभुः
Chûl. 7. भुंक्ते ऽसौ प्रथमं प्रभुः (one MS. has विभुः)
Nâda. 20. विमलः केवलः प्रभुः
Gîtâ. 5. 14. लोकस्य सृजति प्रभुः
9. 18. गतिर्भर्त्ता प्रभुः साक्षी
24. भोक्ता च प्रभुरेव च
11. 4. मन्यसे यदि..प्रभो
14. 21. अतीतो भवति प्रभो

प्रभुविमित

Chhâ. 8. 5. 3. प्रभुविमितं हिरण्मयम्

1. प्रभू

Muṇḍ. 2. 1. 1. सहस्रशः प्रभवन्ते सरूपाः
8. सप्त प्राणाः प्रभवन्ति Mahânâr. 8. 4.
Praśna. 6. 2. यस्मिन्नेताः षोडशकलाः प्रभवन्ति
Nṛip. 1. 4. य ओषधीनां प्रभवति तारापतिः सोमः
Gîtâ. 8. 18. प्रभवन्त्यहरागमे
19. प्रभवत्यहरागमे
16. 9. प्रभवन्त्युग्रकर्माणः

प्रभू

Bṛih. 6. 3. 4. विभूरसि प्रभूरसि

प्रभृति

Maitri. 1. 4. मरुत्तभरतप्रभृतयः
Jâbâla. 6. संवर्त्तकारुणिश्वेतकेतुदुर्वासऋभुनिदाघजडभरतदत्तात्रेयरैवतकप्रभृतयः

प्रमद्

Tait. 1. 11. 1. स्वाध्यायान्मा प्रमदः
— सत्यान्न प्रमदितव्यम्
— धर्मान्न प्रमदितव्यम्
— कुशलान्न प्रमदितव्यम्
— भूत्यै न प्रमदितव्यम्
— स्वाध्यायप्रवचनाभ्यां न प्रमदितव्यम्
2. देवपितृकार्याभ्यां न प्रमदितव्यम्
2. 5. 1. तस्माचेन्न प्रमाद्यति
Katha. 2. 6. प्रमाद्यन्तं वित्तमोहेन मूढम्

प्रमा

Maitri. 6. 14. अनेनैव प्रमीयते हि कालः
— न विना प्रमाणेन प्रमेयस्योपलब्धिः
— प्रमेयो ऽपि प्रमाणतां पृथक्त्वादुपैति

प्रमाण

Maitri. 6. 14. सौक्ष्म्यत्वादेतत्प्रमाणम्
— न विना प्रमाणेन प्रमेयस्योपलब्धिः
Nrisut. 9. प्रमाणैरेतैरवगतः
Sarvop. 4. प्रमाणाप्रमाणसाधारणा
Kālāg. 1. किं द्रव्यं किं स्थानं कति प्रमाणम्
— अथ सनत्कुमार प्रमाणमस्य
Mukti. 2. किं वा तत्र प्रमाणम्
— अष्टोत्तरशतोपनिषदः प्रमाणम्
2. 31. गुरुशास्त्रप्रमाणैस्तु
Gītā. 3. 21. स यत्प्रमाणं कुरुते
16. 24. तस्माच्छास्त्रं प्रमाणं ते

प्रमाणता

Maitri. 6. 14. प्रमेयो ऽपि प्रमाणतां पृथक्त्वादुपैति

प्रमाथिन्

Gītā. 2. 60. इन्द्रियाणि प्रमाथीनि
6. 34. प्रमाथि बलवद्दृढम्

प्रमाद

Maitri. 3. 5. प्रमादो जरा . . इति तामसानि
Muṇḍ. 3. 2. 4. न च प्रमादात्तपसो वाप्यलिङ्गात्
Yogaśi. 8. आलस्याच्च प्रमादतः
Gītā. 11. 41. मया प्रमादात्प्रणयेन वापि
14. 8. प्रमादालस्यनिद्राभिः
9. तमः प्रमादे सञ्जयत्युत
13. प्रमादो मोह एव च
17. प्रमादमोहौ तमसो भवतः
18. 39. निद्रालस्यप्रमादोत्थम्

प्रमायुक

Bṛih. 1. 4. 8. न हास्य प्रियं प्रमायुकं भवति

प्रमित

Kaush. 1. 3. विभुप्रमितम्

प्रमी

Mahānār. 25. 1. य एवं विद्वानुदगयने प्रमीयते
— यो दक्षिणे प्रमीयते

प्रमुखे

Gītā. 2. 6. ते ऽवस्थिताः प्रमुखे

प्रमुखतस्

Gītā. 1. 25. भीष्मद्रोणप्रमुखतः

प्रमुच्

Chhā. 6. 14. 2. अभिनहनं प्रमुच्य
8. 13. 1. चन्द्र इव राहोर्मुखात्प्रमुच्य
Bṛih. 4. 3. 36. यथाम्रं . . बन्धनात्प्रमुच्यते
4. 4. 7. यदा सर्वे प्रमुच्यन्ते कामाः
Kaṭha 6. 14.

Katha. 1. 11. त्वां ददृशिवान्मृत्युमुखा-
त्प्रमुक्तम्
3. 15. निचाय्य तन्मृत्युमुखात्प्र-
मुच्यते
Mahânâr. 5. 11. तस्मात्पापात्प्रमुच्यते
Kaivalya. 17. सर्वबन्धैः प्रमुच्यते
Garbha. 4. यदि योन्याः प्रमुच्येहम्
(ter).
Nîla. 13. प्रमुञ्च धन्वनः..ज्याम्
Dhyâna. 1. सर्वपापैःप्रमुच्यते (one MS. omits); Yogat. 1; Gîtâ. 10. 3.
Nâr. 5. पञ्चमहापातकोपपातकेभ्यः
प्रमुच्यते
Gîtâ. 5. 3. सुखं बन्धात्प्रमुच्यते

प्रमुद्

Brih. 4. 3. 10. न तत्र..प्रमुदो भवन्त्यथ
..प्रमुदः सृजते

प्रमुह्

Mund. 1. 2. 10. नान्यच्छ्रेयो वेदयन्ते प्रमूढाः

प्रमोद

Tait. 2. 5. 1. प्रमोद उत्तरः पक्षः
Katha. 1. 28. अभिध्यायन् वर्णरतिप्रमो-
दान्
Parama. 3. न द्वेष्टि न प्रमोदश्च

प्रयतात्मन्

Gîtâ. 9. 26. अश्नामि प्रयतात्मनः

प्रयत्न

Maitri. 6. 34. तत्प्रयत्नेन शोधयेत्
Mukti. 2. तत्पुरुषप्रयत्नसाध्यम्
— *vide* समाधि
2. 6. पौरुषेण प्रयत्नेन 7.
15. तस्मात्सौम्य प्रयत्नेन
63. अन्वेष्टव्यं प्रयत्नेन..ज्यो-
तिरान्तरम्
Gîtâ. 6. 45. प्रयत्नाद्यतमानस्तु

प्रयत्नतस्

Gauda. 3. 45. एकीकुर्यात् प्रयत्नतः

प्रयम्

Kaush. 2. 11. अस्मै प्रयन्धि मघवन्नृजी-
षिन्
Katha. 3. 17. प्रयतः श्राद्धकाले वा

प्रया

Brih. 4. 3. 38. यथा राजानं प्रयियासन्तम्
Maitri. 1. 4. अस्माल्लोकादमुं लोकं प्र-
याताः
3. 2. अभिभूतत्वात् सम्मूढत्वं प्र-
यातः
— व्यग्रश्चाभिमानित्वं प्रयातः
6. 30.
5. 2. तत्परेणेरितं विषमत्वं प्र-
याति
— तद्रजः खल्वीरितं विषम-
त्वं प्रयाति
6. 14. कालाद्वृद्धिं प्रयान्ति च
7. 10. ब्रह्मणोऽन्तिकं प्रयाताः
Mund. 1. 2. 11. सूर्यद्वारेण ते विरजाः प्र-
यान्ति
Kaivalya. 24. प्रयाति शुद्धं परमात्मरूपम्
Nâr. 3. प्रयाति परमं पारम्
Gîtâ. 8. 5. यः प्रयाति स मद्भावं याति
13. यः प्रयाति त्यजन्देहम्
23. प्रयाता यान्ति
24. तत्र प्रयाता गच्छन्ति ब्रह्म

प्रयाज

Prâṇâg. 3. शारीरयज्ञस्य..के प्रयाजाः
4. महाभूतानि प्रयाजाः

प्रयाणकाल

Gîtâ. 7. 30. प्रयाणकालेऽपि च
8. 2. प्रयाणकाले च कथम्
10. प्रयाणकाले मनसाचलेन

प्रयुज्

Swet. 2. 10. गुहानिवाताश्रयेण प्रयोजयेत्

Praśna. 5. 6. प्रयुक्ता अन्योन्यसक्ताः

— क्रियासु . . सम्यक् प्रयुक्तासु

Sikhâ. 1. किमादौ प्रयुक्तं ध्यानं ध्यायितव्यम्

— ओमित्येतदक्षरमादौ प्रयुक्तं ध्यानं ध्यायितव्यम्

2. ईशा वा सर्वमिदं प्रयुक्तम्

Gîtâ. 3. 36. अथ केन प्रयुक्तो ऽयम्

17. 26. सदित्येतत्प्रयुज्यते

प्रयोग

Garbha. 3. ऋतुकाले प्रयोगात्

प्रयोगकल्प

Maitri. 6. 18. तथा तत्प्रयोगकल्पः

प्रयोगस्थ

Maitri. 6. 9. ध्यानं प्रयोगस्थं मनो विद्वद्भिष्टुतम्

प्रयोग्य

Chhâ. 8. 12. 3. यथा प्रयोग्य आचरणे युक्तः

प्रयोजन

Mukti. 2. सिद्ध्या वा किं प्रयोजनम्

— नित्यानन्दावाप्तिः प्रयोजनं भवति

प्ररुह्

Chhâ. 5. 2. 3. प्ररोहेयुः पलाशानि Brih. 6. 3. 7–12.

Brih. 3. 9. 28. कस्मान्मूलात्प्ररोहति (bis).

Mahânâr. 4. 3. काण्डात्काण्डात्प्ररोहन्ती

प्रलप्

Gîtâ. 5. 9. प्रलपन्विसृजन् गृह्णन्

प्रलय

Gîtâ. 7. 6. प्रभवः प्रलयस्तथा

9. 18. प्रभवः प्रलयः स्थानम्

14. 2. प्रलये न व्यथन्ति च

14. प्रलयं याति देहभृत्

15. रजसि प्रलयं गत्वा

प्रलयान्त

Gîtâ. 16. 11. चिन्तां . . प्रलयान्तामुपाश्रिताः

प्रली

Gauda. 3. 4. घटादिषु प्रलीनेषु

Chûl. 17. यस्मिन् भावाः प्रलीयन्ते

Nâr. 1. नारायणे प्रलीयन्ते

Gîtâ. 8. 18. रात्र्यागमे प्रलीयन्ते

19. भूत्वा भूत्वा प्रलीयते

14. 15. तथा प्रलीनस्तमसि

प्रलूता (?)

Garuda. 2. लूतानां प्रलूतानाम् (so 7 MSS. and Weber)

प्रलोभदण्ड

Maitri. 6. 28. प्रलोभदण्डं धनुर्गृहीत्वा

प्रवच्

Chhâ. 3. 11. 4. ज्येष्ठाय पुत्राय पिता ब्रह्म प्रोवाच

8. 8. 4. एतामुपनिषदं प्रोवाच

Brih. 2. 5. 16. अश्वस्य शीर्ष्णा प्र यदीमुवाच

17. स वां मधु प्रावोचत्

Tait. 1. 8. 1. ओमिति ब्राह्मणः प्रवक्ष्यन्नाह

3. 1. 1. तस्मा एतत्प्रोवाचान्नं प्राणं चक्षुः श्रोत्रं मनो वाचमिति

Katha. 1. 19. एतमग्निं तवैव प्रवक्ष्यन्ति

2. 8. न नरेणावरेण प्रोक्त एष सुविज्ञेयः

Katha. 2. 9. प्रोक्तान्येनैव सुज्ञानाय
5. 6. हन्त त इदं प्रवक्ष्यामि
Śwet. 1. 12. सर्वं प्रोक्तं त्रिविधं ब्रह्मेतत्
6. 21. प्रोवाच सम्यगृषिसंघजुष्टम्
Maitri. 6. 34. मनो हि द्विविधं प्रोक्तम्
Brahmab. 1.
Muṇḍ. 1. 2. 13. प्रोवाच तां तत्त्वतो ब्रह्मविद्याम्
Mahânâr. 2. 4. प्र तद्वोचे अमृतं नु विद्वान्
7. 5. प्रोवाचोपनिषदिन्द्रः
10. 8. यो वेदादौ स्वरः प्रोक्तः
22. 1. किं भगवन्तः परमं वदन्तीति तस्मै प्रोवाच
Praśna. 6. 5. समुद्र इत्येवं प्रोच्यते
— पुरुष इत्येवं प्रोच्यते
Nṛip. 4. 2. अथ सावित्री गायत्री या यजुषा प्रोक्ता
Brahmav. 1. ब्रह्मविद्यां प्रवक्ष्यामि
Gâruḍa. 1.
4. तत्र देवास्त्रयः प्रोक्ताः
Kshur. 13. इन्द्रवज्र इति प्रोक्तः (3 MSS. have प्रोक्तं)
Amṛita. 9. प्राणायामास्त्रयः प्रोक्ताः
Dhyâna. 1. योगतत्त्वं प्रवक्ष्यामि (one MS. omits); Yogat. 1.
Yogaśi. 1. योगशिखां प्रवक्ष्यामि
Kṛish. 3. प्रोवाच भगवान् स्वयम्
5. माया सा त्रिविधा प्रोक्ता
6. प्रोक्ता सात्त्वी च रुद्रस्य
Skanda. 10. देहो देवालयः प्रोक्तः
Râmap. 58. एवमुद्देशतः प्रोक्तम्
(3 MSS. have प्रोक्तः)
Mukti. 2. 61. वासना द्विविधा प्रोक्ता
62. पुनर्जन्मकरी प्रोक्ता
Gîtâ. 3. 3. पुरा प्रोक्ता मयानघ
4. 1. प्रोक्तवानहमव्ययम्
3. योगः प्रोक्तः पुरातनः

Gîtâ. 4. 4. त्वमादौ प्रोक्तवानिति
16. तत्ते कर्म प्रवक्ष्यामि
6. 33. यो ऽयं योगस्त्वया प्रोक्तः
8. 1. अधिभूतं च किं प्रोक्तम्
11. तत्ते पदं संग्रहेण प्रवक्ष्ये
9. 1. प्रवक्ष्याम्यनसूयवे
10. 40. एष तूद्देशतः प्रोक्तः
13. 11. एतज्ज्ञानमिति प्रोक्तम्
12. ज्ञेयं यत्तत्प्रवक्ष्यामि
14. 1. परं भूयः प्रवक्ष्यामि
16. 6. दैवो विस्तरशः प्रोक्तः
17. 18. तदिह प्रोक्तं राजसम्
18. 13. सांख्ये कृतान्ते प्रोक्तानि
19. प्रोच्यते गुणसंख्याने
29. प्रोच्यमानमशेषेण
37. तत्सुखं सात्त्विकं प्रोक्तम्

प्रवचन

Tait. 1. 3. 3. प्रवचनं सन्धानम्
1. 9. 1. स्वाध्यायप्रवचने
(13 times)
1. 11. 1. स्वाध्यायप्रवचनाभ्यां न प्रमदितव्यम्
Kaṭha. 2. 23. नायमात्मा प्रवचनेन लभ्यः
Muṇḍ. 3. 2. 3.

प्रवता

Tait. 1. 4. 3. यथापः प्रवता यन्ति

प्रवद्

Śwet. 3. 21. जन्मनिरोधं प्रवदन्ति यस्य ब्रह्मवादिनो हि प्रवदन्ति नित्यम्
Muṇḍ. 1. 1. 2. अथर्वणे यां प्रवदेत
Mahânâr. 5. 12. रजोभूमिस्त्वमाँरोदयस्व प्रवदन्ति धीराः
Nṛip. 2. 4. प्र नूनं ब्रह्मणस्पतिर्मन्त्रं वदत्युक्थम
Râmap. 13. नमस्त्वैकगं प्रवदेत्
Râmot. 3. नक्त्तनः प्रवदन्ति ये

Gîtâ. 2. 42. प्रवदन्त्यविपश्चितः
5. 4. बालाः प्रवदन्ति न पण्डिताः
10. 32. वादः प्रवदतामहम्

प्रवर्ग्य

Mahânâr. 25. 1. यत्संञ्चरत्युपविशत्युत्ति-
ष्ठते च स प्रवर्ग्यः

प्रवर्त्तक

Śwet. 3. 12. सत्त्वस्यैष प्रवर्त्तकः

प्रवस्

Kaush. 2. 11. अथ प्रोष्यायन् पुत्रस्य मू-
र्धानमभिजिघ्रेत्

Chhâ. 4. 4. 5. स ह वर्षगणं प्रोवास
4. 10. 2. तस्मै हाप्रोच्यैव प्रवासा-
ञ्चक्रे
5. 1. 8. संवत्सरं प्रोष्य 9, 10, 11; Brih. 6. 1. 8—12.

प्रवाह

Mukti. 2. 53. ब्रह्माकारमनोवृत्तिप्रवाहः

प्रवाहण

Chhâ. 1. 8. 1. प्रवाहणो जैवलिः 2, 8; 5. 3. 1.

Brih. 6. 2. 1. जैवलिं प्रवाहणम्
4. प्रवाहणस्य जैवलेः

प्रविद्

Tait. 1. 5. 1. चतुर्थीं माहाचमस्यः प्रवे-
दयते मह इति

Muṇḍ. 1. 2. 9. यत्कर्मिणो न प्रवेदयन्ति
रागात्

प्रविभज्

Praśna. 2. 3. पञ्चधात्मानं प्रविभज्य
3. 1. आत्मानं वा प्रविभज्य क-
थं प्रातिष्ठते

Gîtâ. 11. 13. प्रविभक्तमनेकधा
18. 41. कर्माणि प्रविभक्तानि

प्रविली

Muṇḍ. 3. 2. 2. इहैव सर्वे प्रविलीयन्ति का-
माः

Mukti. 2. 17. वासना प्रविलीयते

Gîtâ. 4. 23. समग्रं प्रविलीयते

प्रविविक्तभुज्

Mâṇḍu. 4. प्रविविक्तभुक्तैजसः Nṛip. 4. 1; Râmot. 3.

Gauḍa. 1. 3. तैजसः प्रविविक्तभुक् 4.

प्रविविक्ताहारतर

Bṛih. 4. 2. 3. तस्मादेष प्रविविक्ताहारतर
इवैव भवति

प्रविविच्

Gauḍa. 1. 4. प्रविविक्तं तु तैजसम्

प्रविश्

Ait. 2. 3. यथायतनं प्रविशतेति
4. अग्निर्वाग्भूत्वा मुखं प्रावि-
शत् (similarly, 7 times more).

Kaush. 1. 5. तं ब्रह्मगंधः प्रविशति
— तं ब्रह्मरसः प्रविशति
— तं ब्रह्मतेजः प्रविशति
— तं ब्रह्मयशः प्रविशति
2. 12. एताः सर्वा देवता वायुमेव
प्रविश्य
13. एताः सर्वा देवता प्राणमेव
प्रविश्य
14. अथैनद्वाक् प्रविवेश (similarly, 4 times more).

Chhâ. 1. 4. 2. देवा वै मृत्योर्बिभ्यतस्त्रयीं
विद्यां प्राविशन्
3. स्वरमेव प्राविशन्
4. तत्प्रविश्य देवा अमृता अ-
भया अभवन्
5. य एतदेवं विद्वान्..स्वर-
ममृतमभयं प्रविशति त-
त्प्रविश्य..अमृतो भवति
5. 1. 8. प्रविवेश ह वाक् Brih. 6. 1. 8.

Chhâ. 5. 1. 9. प्रविवेश ह चक्षुः Bṛih. 6. 1. 9.
10. प्रविवेश ह श्रोत्रम् Bṛih. 6. 1. 10.
11. प्रविवेश ह मनः Bṛih. 6. 1. 11.
Bṛih. 1. 4. 7. स एष इह प्रविष्ट आनखाग्रेभ्यः
4. 4. 10. अन्धं तमः प्रविशन्ति Iśâ. 9, 12.
13. अस्मिन्सन्देवे गहने प्रविष्टः
6. 1. 12. प्रविवेश ह रेतः
Tait. 1. 4. 3. तं त्वा भग प्रविशानि . . स मा भग प्रविश
Kaṭha. 1. 7. वैश्वानरः प्रविशत्यतिथिः
3. 1. गुहां प्रविष्टौ परमे परार्द्धे
4. 6. गुहां प्रविश्य तिष्ठन्तम्
7. गुहां प्रविश्य तिष्ठन्तीम्
5. 9. अग्निर्यथैको भुवनं प्रविष्टः
10. वायुर्यथैको भुवनं प्रविष्टः
Maitri. 2. 6. अभ्यन्तरं प्राविशत्
5. 2. भूतेषु चरति प्रविष्टः
6. 10. यद्वन्न . . कामिन्यः प्रविष्टाः स्पृशतीन्द्रियार्थांस्तद्वद्यो न स्पृशाति प्रविष्टान्
Prasna. 1. 6. आदित्य उदयन्यत्प्राचीं दिशं प्रविशति
Gauḍa. 4. 49. नालातं प्रविशन्ति ते
51. न विज्ञानं प्रविशन्ति ते
54. एवं हेतुफलाजातिं प्रविशन्ति मनीषिणः
Nṛip. 5. 10. यत्र न मृत्युः प्रविशति यत्र न दुःखम्
Nṛisut. 7. तदेतत् सर्वमस्मिन् प्रविशाति
9. भूतानि . . सृष्ट्वा प्रविश्य
Siras. 1. सो ऽन्तरादन्तरं प्राविशद्दिशश्चान्तरं प्राविशन्

Nyâsa. 2. गुहां प्रवेष्टुमिच्छामि
Aruṇeya. 5. यतयो हि भिक्षार्थं ग्रामं प्रविशन्ति
Gîtâ. 2. 70. समुद्रमापः प्रविशन्ति यद्वत्
— तद्वत्कामा यं प्रविशन्ति सर्वे
11. 54. प्रवेष्टुं च परन्तप

प्रवृ

Maitri. 6. 7. स वा एवं प्रवरणीय आत्मकामेन

प्रवृत्

Chhâ. 5. 13. 2. प्रवृत्तोऽश्वतरीरथो दासीनिष्कः
Śwet. 2. 12. पञ्चात्मके योगगुणे प्रवृत्ते
Maitri. 6. 28. सम्यग्योगः प्रवर्त्तते
Gauḍa. 4. 78. सदृशे तत्प्रवर्त्तते
Aruṇeya. 4. मत्तः सर्वं प्रवर्त्तते Gîtâ. 10. 8.
Mukti. 2. 22. प्रवर्त्तते बहिः स्वार्थे वासनामात्रकारणम्
28. वासना न प्रवर्त्तते
Gîtâ. 1. 20. प्रवृत्ते शस्त्रसम्पाते
3. 16. एवं प्रवर्त्तितं चक्रम्
5. 14. स्वभावस्तु प्रवर्त्तते
11. 32. लोकान्समाहर्त्तुमिह प्रवृत्तः
16. 10. प्रवर्त्तन्ते ऽशुचिव्रताः
17. 24. प्रवर्त्तन्ते विधानोक्ताः

प्रवृत्ति

Gîtâ. 11. 31. नहि प्रजानामि तव प्रवृत्तिम्
14. 12. लोभः प्रवृत्तिरारम्भः कर्मणाम्
22. प्रकाशं च प्रवृत्तिं च
15. 4. यतः प्रवृत्तिः प्रसृता पुराणी
16. 7. प्रवृत्तिं च निवृत्तिं च 18. 30.
18. 46. यतः प्रवृत्तिर्भूतानाम्

प्रवृध्

Gîtâ. 11. 32. कालोऽस्मि लोकक्षयकृत्प्रवृद्धः
14. 14. यदा सत्त्वे प्रवृद्धे तु

प्रवृष्

Chhâ. 5. 10. 6. मेघो भूत्वा प्रवर्षति

प्रवृह्

Chhâ. 4. 17. 1. रसान् प्रावृहत् 2, 3.
Kaṭha. 2. 13. प्रवृह्य धर्म्यम्
6. 17. तं स्वाच्छरीरात्प्रवृहेत्

प्रवे

Kaush. 2. 6. तस्मिन् यजुर्भयं प्रवयति
Chhâ. 2. 11. 1. एतद्गायत्रं प्राणेषु प्रोतम् 2.
2. 12. 1. एतद्रथन्तरमग्नौ प्रोतम् 2.
2. 13. 1. एतद्वामदेव्यं मिथुने प्रोतम् 2.
2. 14. 1. एतद्बृहदादित्ये प्रोतम् 2.
2. 15. 1. एतद्वैरूपं पर्जन्ये प्रोतम् 2.
2. 16. 1. एतद्वैराजमृतुषु प्रोतम् 2.
2. 17. 1. एताः शक्कर्यो लोकेषु प्रोताः 2.
2. 18. 1. एता रेवत्यः पशुषु प्रोताः 2.
2. 19. 1. एतद्यज्ञायज्ञीयमङ्गेषु प्रोतम् 2.
2. 20. 1. एतद्राजनं देवतासु प्रोतम् 2.
2. 21. 1. एतत्साम सर्वस्मिन् प्रोतम् 2.
5. 24. 3. यथेषीकातूलमग्नौ प्रोतम्
Bṛih. 3. 6. 1. यदिदं सर्वमप्स्वोतं च प्रोतं च कस्मिन्नु खल्वाप ओताश्च प्रोताश्च
— कस्मिन्नु खलु वायुरोतश्च प्रोतश्च (similarly, nine times more).
3. 8. 3. कस्मिंस्तदोतं च प्रोतं चेति 6.
4. आकाश एव तदोतं च प्रोतं च 7.
Bṛih. 3. 8. 7. कस्मिन्नु खल्वाकाश ओतश्च प्रोतश्च
11. एतस्मिन्नु खल्वक्षरे .. आकाश ओतश्च प्रोतश्चेति
Maitri. 6. 3. एताभिः सर्वमिदमोतं प्रोतम्
Mahânâr. 2. 3. स ओतः प्रोतश्च विभुः प्रजासु
23. 1. येन सर्वमिदं प्रोतम्
Nṛip. 2. 4. स्नेहो यथा पललपिण्डमोतं प्रोतमनुप्राप्तं व्यतिषक्तः
Nṛisut. 8. ओतश्च प्रोतश्च ह्ययमात्मा सिंहः
— ओतश्च प्रोतश्चैष ओङ्कारः
Chûl. 17. यस्मिन् सर्वमिदं प्रोतम्
Śiras. 4. शान्तरूपमोतप्रोतमनुप्राप्तः
6. यस्मिन्निदं सर्वमोतप्रोतम् Brahma. 2.
Brahma. 2. तेन सर्वमिदं प्रोतम्
Gîtâ. 7. 7. मयि सर्वमिदं प्रोतम्

प्रवेश

Kaṭhaśru. 3. अपां प्रवेशमग्निप्रवेशम्
Jâbâla. 5. अपां प्रवेशे वा अग्निप्रवेशे वा

प्रव्यथ्

Gîtâ. 11. 20. लोकत्रयं प्रव्यथितं महात्मन्
23. लोकाः प्रव्यथितास्तथाहम्
45. भयेन च प्रव्यथितं मनो मे

प्रव्यथितान्तरात्मन्

Gîtâ. 11. 24. दृष्ट्वा हि त्वां प्रव्यथितान्तरात्मा

प्रव्रज्

Kaush. 4. 19. तं ह पाणावभिपद्य प्रवव्राज
Chhâ. 8. 8. 3. शान्तहृदयौ प्रवव्रजतुः
8. 9. 2. शान्तहृदयः प्राव्राजीः 8. 10. 3; 8. 11. 2.

Chhâ. 8. 10. 1. शान्तहृदयः प्रवव्राज
8. 11. 1.

Bṛih. 4. 4. 22. एतमेव प्रव्राजिनो लोकमिच्छन्तः प्रव्रजन्ति

4. 5. 2. प्रव्रजिष्यन्वा अरे ऽहम्

Maitri. 7. 8. चाटजटनटभटप्रव्रजितरङ्गावतारिणः

Praśna. 6. 1. स तूष्णीं रथमारुह्य प्रवव्राज

Kaṭhaśru. 1. प्राचीमुदीचीं वा दिशं प्रव्रजेत्

Jâbâla. 4. वनी भूत्वा प्रव्रजेत्
— यदि वेतरथा ब्रह्मचर्यादेव प्रव्रजेत्
— यदहरेव विरजेत्तदहरेव प्रव्रजेत्

प्रव्रज्याज्य

Maitri. 6. 28. प्रव्रज्याज्यं . . धनुर्गृहीत्वा

प्रव्राजिन्

Bṛih. 4. 4. 22. एतमेव प्रव्राजिनो लोकमिच्छन्तः प्रव्रजन्ति

प्रशंस्

Bṛih. 1. 5. 16. तस्माद्विद्यां प्रशंसन्ति

3. 2. 13. यत्प्रशशंसतुः कर्म हैव तत्प्रशशंसतुः

3. 3. 2. स वायुमेव प्रशशंस

3. 8. 9. ददतो मनुष्याः प्रशंसन्ति

Mahânâr. 21. 2. दानमिति सर्वाणि भूतानि प्रशंसन्ति

Gauḍa. 3. 13. जीवात्मनोरनन्यत्वमभेदेन प्रशस्यते

Gîtâ. 17. 26. प्रशस्ते कर्मणि तथा

प्रशंसा

Bṛih. 1. 5. 2. स ऊर्जमुपजीवतीति प्रशंसा

प्रशंसाकाम

Chhâ. 2. 9. 3. तस्मात्ते प्रस्तुतिकामाः प्रशंसाकामाः

प्रशम्

Muṇḍ. 3. 2. 5. कृतात्मानो वीतरागाः प्रशान्ताः

Kaivalya. 6. शिवं प्रशान्तममृतं ब्रह्म
7. त्रिलोचनं नीलकण्ठं प्रशान्तम्

Amṛita. 14. प्रशान्तस्येति लक्षणम्

Gîtâ. 6. 7. जितात्मनः प्रशान्तस्य

प्रशाखा

Maitri. 7. 11. प्रशाखयैवोत्क्रम्य

प्रशान्तचित्त

Muṇḍ. 1. 2. 13. प्रशान्तचित्ताय शमान्विताय

प्रशान्तमनस्

Gîtâ. 6. 27. प्रशान्तमनसं ह्येनम्

प्रशान्तवृत्तिक

Mukti. 2. 54. प्रशान्तवृत्तिकं चित्तम्

प्रशान्तात्मन्

Gîtâ. 6. 14. प्रशान्तात्मा विगतभीः

प्रशास्

Bṛih. 5. 6. 1. सर्वमिदं प्रशास्ति यदिदं किञ्च

प्रशासन

Chhâ. 5. 3. 7. क्षत्रस्यैव प्रशासनमभूत्

Bṛih. 3. 8. 9. एतस्य वा अक्षरस्य प्रशासने (5 times).

प्रशिस्

Nṛip. 2. 4. विश्व उपासते प्रशिषं यस्य देवाः

प्रश्न

Chhâ. 5. 3. 5. पञ्च . . प्रश्नानप्राक्षीत्
Bṛih. 6. 2. 3.

Bṛih. 3. 8. 1. द्वौ प्रश्नौ प्रक्ष्यामि

Tait. 2. 6. 1. अथातो ऽनु प्रश्नाः
Maitri. 1. 2. दुःशक्यमेतत् प्रश्नम् (one MS. has अशक्यं मा पृच्छ प्रश्नं)
4. 5. अथोत्तरं प्रश्नमनुब्रूहि
Praśna. 1. 2. यथाकामं प्रश्नान् पृच्छथ
6. 1. मामुपेत्यैतं प्रश्नमपृच्छत
Mukti. 1. 30. *vide* तित्तिरि
1. *vide* गारुड

प्रश्वस्

Tait. 1. 11 3. तेषां त्वयासनेन प्रश्वसितव्यम्

प्रष्टृ

Kaṭha. 2. 9. त्वादृङ् नो भूयात्..प्रष्टा

प्रसङ्ग

Gîtâ. 18. 34. प्रसंगेन फलाकांक्षी

प्रसञ्ज्

Chhâ. 4. 1. 2. तन्मा प्रसाङ्क्षीः
Gauḍa. 4. 13. न व्यवस्था प्रसज्यते
Gîtâ. 16. 16. प्रसक्ताः कामभोगेषु

प्रसद्

Kaṭha. 6. 13. तत्त्वभावः प्रसीदति
Nṛisut. 4. आत्मानं..अनुष्टुभा नत्वा प्रसाद्य
9. नमस्ते भगवन् प्रसीद
Yogaśi. 9. प्रसन्नं परमेष्ठिनम्
Râmap. 11. नैवं विना देवः प्रसीदति
13. देवता न प्रसीदति
85. पद्मासनस्थः प्रसन्नः
Râmot. 4. ततः प्रसन्नो भगवान्
Gîtâ. 2. 10. प्रसन्न इव भारत
11. 25. प्रसीद देवेश जगन्निवास 45.
31. नमो ऽस्तु ते देववर प्रसीद
44. प्रसादये त्वामहमीशमीड्यम्
Gîtâ. 11. 47. मया प्रसन्नेन..रूपं परं दर्शितम्

प्रसन्नचेतस्

Gîtâ. 2. 65. प्रसन्नचेतसो ह्याशु बुद्धिः पर्यवतिष्ठते

प्रसन्नवदन

Râmap. 26. प्रसन्नवदनो जेता

प्रसन्नात्मन्

Maitri. 6. 20. प्रसन्नात्मात्मनि स्थित्वा 34.
Râmap. 48. धनुर्धरः प्रसन्नात्मा
Gîtâ. 18. 54. ब्रह्मभूतः प्रसन्नात्मा

प्रसभम्

Gîtâ. 2. 60. हरन्ति प्रसभं मनः
11. 41. सखेति मत्वा प्रसभं यदुक्तम्

प्रसमीक्ष्

Śwet. 2. 14. आत्मतत्त्वं प्रसमीक्ष्य देही

प्रसव

Śwet. 2. 7. सवित्रा प्रसवेन जुषेत ब्रह्म पूर्व्यम्
Gauḍa. 1. 7. विभूतिं प्रसवं त्वन्ये मन्यन्ते

प्रसवितृ

Nṛip. 2. 4. सविता प्रसविता

प्रसाद

Kaṭha. 2. 20. धातुः प्रसादात् Śwet. 3. 20 ; Mahânâr. 8. 3.
Maitri. 6. 20. चित्तस्य हि प्रसादेन 34.
Brahmav. 2. प्रसादान्तःसमुत्थस्य विष्णोः
Gopî. 5. तत्प्रसादात्सर्वदैव चतुर्वर्गफलप्रदम्
Skanda. 14. नृसिंह देवेश तव प्रसादतः
Gîtâ. 2. 64. प्रसादमधिगच्छति
65. प्रसादे सर्वदुःखानां हानिः

Gîtâ. 18. 37. आत्मबुद्धिप्रसादजम्
56. मत्प्रसादादवाप्नोति
58. मत्प्रसादात्तरिष्यसि
62. तत्प्रसादात्परां शान्तिम्
73. स्मृतिर्लब्धा त्वत्प्रसादान्मयाच्युत
75. व्यासप्रसादाच्छ्रुतवान्

प्रसिच्

Kaush. 2. 7. त्रिः प्रसिच्योदपात्रम्

प्रसिध्

Maitri. 6. 10. भोक्तृत्वाच्चैतन्यं प्रसिद्धं तस्य
Gauda. 2. 5. प्रसिद्धेनैव हेतुना
4. 17. न ते हेतुः प्रसिद्ध्यति
Gîtâ. 3. 8. न प्रसिध्येदकर्मणः

प्रसु

Chhâ. 5. 12. 1. नव सुतं प्रसुतमासुतं कुले दृश्यते
Brih. 2. 1. 3. अहरहर्ह सुतः प्रसुतो भवति

1. प्रसू (प्रसवे)

Kaush. 1. 2. पञ्चदशात्प्रसूतात्पित्र्यावतः
Śwet. 5. 2. ऋषिं प्रसूतं कपिलं यस्तमग्रे
Mahânâr. 1. 4. यतः प्रसूता जगतः प्रसूती
Maitri. 2. 6. एतयोरन्तरा देवौष्ण्यं प्रासुवत्
Gîtâ. 3. 10. अनेन प्रसविष्यध्वम्

2. प्रसू (प्रेरणे)

Tait. 1. 8. 1. ओमिति ब्रह्मा प्रसौति
Śwet. 2. 3. सविता प्रसुवाति तान्

प्रसूति

Maitri. 2. 6. एतेषामन्तरा प्रसूतिरेवोदानस्य
6. 10. यावन्न प्रसूतिः
Mahânâr. 1. 4. यतः प्रसूता जगतः प्रसूती

Gauda. 1. 8. कालात्प्रसूतिं भूतानाम्

प्रसृ

Śwet. 4. 18. प्रज्ञा च तस्मात्प्रसृता पुराणी
Muṇḍ. 2. 2. 11. अधश्चोर्ध्वं च प्रसृतम्
Gîtâ. 15. 2. अधश्चोर्ध्वं प्रसृतास्तस्य शाखाः
4. यतः प्रवृत्तिः प्रसृता पुराणी

प्रसृज्

Katha. 1. 10. त्वत्प्रसृष्टं माभिवदेत् प्रतीतः
11. यथा पुरस्ताद्भविता प्रतीतः . . मत्प्रसृष्टः

प्रस्कन्द्

Praśna. 1. 13. प्राणं वा एते प्रस्कन्दन्ति ये दिवा रत्या संयुज्यन्ते

प्रस्तब्ध

Brih. 6. 3. 4. प्रस्तब्धमसि

प्रस्ताव

Chhâ. 1. 10. 9. या देवता प्रस्तावमन्वायत्ता तां चेदविद्वान् प्रस्तोष्यसि 1. 11. 4.
2. 2. 1. अग्निः प्रस्तावः
2. आदित्यः प्रस्तावः
2. 3. 1. मेघो जायते स प्रस्तावः 2. 15. 1.
2. 4. 1. यद्वर्षति स प्रस्तावः
2. 5. 1. ग्रीष्मः प्रस्तावः 2. 16. 1.
2. 6. 1. अजयः प्रस्तावः 2. 18. 1.
2. 7. 1. वाक् प्रस्तावः 2. 11. 1.
2. 8. 1. यत्प्रेति स प्रस्तावः
2. 9. 3. यत्प्रथमोदिते स प्रस्तावः
2. 10. 1. प्रस्ताव इति त्र्यक्षरम्
2. 12. 1. धूमो जायते स प्रस्तावः
2. 13. 1. ज्ञपयते स प्रस्तावः
2. 14. 1. उदितः प्रस्तावः

Chhâ. 2. 17. 1. अन्तरिक्षं प्रस्तावः
2. 19. 1. त्वक् प्रस्तावः
2. 20. 1. वायुः प्रस्तावः
2. 21. 1. त्रय इमे लोकाः स प्रस्तावः

प्रस्तावभाजिन्

Chhâ. 2. 9. 3. प्रस्तावभाजिनो ह्येतस्य साम्नः

प्रस्तु

Chhâ. 1. 10. 9. तां चेदविद्वान् प्रस्तोष्यसि 1. 11. 4.
1. 11. 5. तां चेदविद्वान् प्रास्तोष्यः
Brih. 1. 3. 28. प्रस्तोता साम प्रस्तौति स यत्र प्रस्तुयात्
Maitri. 6. 5. ओमित्युक्तेनैताः प्रस्तुताः
Nrip. 2. 4. प्र तद्विष्णुः स्तवते वीर्येण

प्रस्तुतिकाम

Chhâ. 2. 9. 3. तस्मात्ते प्रस्तुतिकामाः

प्रस्तोतृ

Chhâ. 1. 10. 8. स ह प्रस्तोतारमुवाच
9. प्रस्तोतर्या देवता प्रस्तावमन्वायत्ता तां चेदविद्वान् प्रस्तोष्यसि 1. 11. 4.
1. 11. 4. अथ हैनं प्रस्तोतोपससाद
Brih. 1. 3. 28. प्रस्तोता साम प्रस्तौति
Prânâg. 3. शारीरयज्ञस्य . . कः प्रस्तोता
4. व्यानः प्रस्तोता

प्रस्थ

Garbha. 5. पित्तप्रस्थं . . मेदप्रस्थौ द्वौ

प्रस्था

Praśna. 2. 4. तस्मिंश्च प्रतिष्ठमाने सर्व एव प्रातिष्ठन्ते
तस्मिंश्च प्रतिष्ठमाने सर्वा एव प्रातिष्ठन्ते

प्रस्यन्दिन्

Brih. 3. 9. 28. त्वच एवास्य रुधिरं प्रस्यन्दि

प्रस्वप्

Brih. 4. 3. 9. स यत्र प्रस्वपिति
— स्वेन ज्योतिषा प्रस्वपिति

प्रहरण

Gîtâ. 1. 9. नानाशस्त्रप्रहरणाः

प्रहा

Gîtâ. 2. 39. कर्मबन्धं प्रहास्यसि
55. प्रजहाति यदा कामान्
3. 41. पाप्मानं प्रजहि ह्येनम्

प्रहाणि

Swet. 1. 11. जन्ममृत्युप्रहाणिः

प्रहि

Kaush. 1. 1. स ह पुत्रं श्वेतकेतुं प्रजिघाय
2. 3. दूतं वा प्रहिणुयात्
Swet. 6. 18. यो वै वेदांश्च प्रहिणोति तस्मै

प्रहु

Brih. 1. 5. 2. हुतं च प्रहुतं च
— देवेभ्यो जुहति च प्र च जुहति

प्रहृ

Râmap. 17. स्थितानि च प्रहृतान्येव तेषु

प्रहृष्

Gîtâ. 5. 20. न प्रहृष्येत्प्रियं प्राप्य
11. 36. जगत्प्रहृष्यत्यनुरज्यते च

प्रह्लाद

Gîtâ. 10. 30. प्रह्लादश्चास्मि दैत्यानाम्

प्रह्लादीय

Kaush. 3. 1. दिवि प्रह्लादीयानतृणमहम्

प्राकाश्यभूत

Maitri. 7. 8. प्राकाश्यभूता वै ते तस्कराः

प्राकृत

Maitri. 3. 2. एषो ऽभिभूतः प्राकृतैर्गुणैः
6. 10. प्राकृतमन्नं भुंक्ता इति
— प्राकृतमन्नं . . महदाद्यं विशेषान्तम्

Gauḍa. 4. 86. शरः प्राकृत उच्यते

Râmap. 15. प्राकृतश्च महाद्रुमः
84. न देयं प्राकृते जने

Gitâ. 18. 28. अयुक्तः प्राकृतः स्तब्धः

प्राक्तन

Mukti. 2. 5. प्राक्तनस्तदसौ यत्नाज्जेतव्यः

प्राक्शिरस्

Bṛih. 6. 3. 6. जघनेनाग्निं प्राक्शिराः संविशति

प्रागुक्त

Maitri. 5. 2. इत्यस्य प्रागुक्ता एतास्तनवः

Râmap. 82. प्रागुक्तमृषिसेवितम्

प्राग्गुण

Râmap. 18. नमस्त्वैक्यं प्रवदेत्प्राग्गुणेन

प्राचीनयोगीपुत्र

Bṛih. 6. 5. 2. कार्शकेयीपुत्रः प्राचीनयोगीपुत्रात्
— प्राचीनयोगीपुत्रः साञ्जीवीपुत्रात्

प्राचीनयोग्य

Chhâ. 5. 13. 1. प्राचीनयोग्य कं त्वमात्मानमुपास्से

Tait. 1. 6. 2. इति प्राचीनयोग्योपास्स्व

Bṛih. 2. 6. 2. गौतमः सैतवप्राचीनयोग्याभ्याम्
— सैतवप्राचीनयोग्यौ पाराशर्यात्

प्राचीनशाल

Chhâ. 5. 11. 1. प्राचीनशाल औपमन्यव

प्राचीनातान

Kaush. 1. 5. ऋचश्च सामानि च प्राचीनातानानि (so MSS).

प्राच्य

Śwet. 5. 5. प्राच्यांश्च सर्वान् परिणामयेद्यः

Praśna. 1. 6. तेन प्राच्यान् प्राणान् रश्मिषु सन्निधत्ते

प्राच्यादिदिश्

Maitri. 6. 17. न ह्यस्य प्राच्यादिदिशः कल्पन्ते

प्राजापत्य

Chhâ. 1. 2. 1. उभये प्राजापत्याः
2. 9. 5. तस्मात्ते सत्तमाः प्राजापत्यानाम्

Bṛih. 1. 2. 7. प्राजापत्यमालभन्ते
1. 3. 1. द्वया ह प्राजापत्याः
4. 4. 4. प्राजापत्यं वा ब्राह्मं वा
5. 2. 1. त्रयाः प्राजापत्याः . . ब्रह्मचर्यमूषुः
5. 15. 1. पूषन्नेकर्षे यम सूर्य प्राजापत्य Iśâ. 16.

Maitri. 6. 36. प्राजापत्यमासहस्रसंवत्सरान्तक्रतुना

Mahânâr. 22. 1. प्राजापत्यो शरुणिः सुपर्णेयः
23. 1. मानसं वै प्राजापत्यं पवित्रम्

Śiras. 3. प्राजापत्यं सौम्यं सूक्ष्मं पुरुषम्

Garbha. 2. वायुतो हृदयं प्राजापत्यात् क्रमात्

Kaṭhaśru. 3. प्रजापतये च प्राजापत्यं चरुम्

Nâr. 4. विन्दते प्राजापत्यम्

Aśrama. 1. गायत्रो ब्राह्मणः प्राजापत्यो बृहन्

Âśrama. 1. सदा परदारवर्जी प्राजापत्यः
— अथवा . . अष्टाचत्वारिंशद्वर्षवासी च प्राजापत्यः
Jâbâla. 4. तद्धैके प्राजापत्यामेवेष्टिं कुर्वन्ति
Gopî. 4. ततः प्राजापत्यं रायस्पोषं गौष्पत्यं च

प्राज्ञ

Bṛih. 4. 3. 21. एवमेवायं पुरुषः प्राज्ञेनात्मना सम्परिष्वक्तः
35. शारीर आत्मा प्राज्ञेनात्मनान्वारूढः
Kaṭha. 3. 13. यच्छेद्वाङ्मनसी प्राज्ञः
Maitri. 7. 6. यः प्राज्ञो विधरणः
Mâṇḍû. 5. आनन्दभुक् चेतोमुखः प्राज्ञः Nṛip. 4. 1 (3 MSS. read अज्ञानभुक् *q. v.*); Râmot. 3.
11. प्राज्ञो मकारः
Gauḍa. 1. 1. घनप्रज्ञस्तथा प्राज्ञः
3. आनन्दभुक्तथा प्राज्ञः
4. आनन्दस्तु तथा प्राज्ञम्
11. प्राज्ञः कारणबद्धस्तु
12. न सत्यं नापि चानृतं प्राज्ञः किञ्चन संवेत्ति
13. उभयोः प्राज्ञतुर्ययोः
— बीजनिद्रायुतः प्राज्ञः
14. प्राज्ञस्त्वस्वप्ननिद्रया
21. मकारभावे प्राज्ञस्य
23. मकारश्च पुनः प्राज्ञं (नयते)
Nṛisut. 1. आनन्दभुक् चेतोमुखश्चतुरात्मा प्राज्ञः (Nârâyaṇa reads अज्ञानभुक्)
2. सुषुप्तस्थानश्चतुरात्मा प्राज्ञः
9. तथाहि प्राज्ञैः सैषाविद्या जगत्सर्वं (3 MSS. read प्राज्ञे)
Yogaśi. 3. ध्यायेत सततं प्राज्ञः
Gîtâ. 17. 14. देवद्विजगुरुप्राज्ञपूजनम्

प्राज्ञात्मक

Râmot. 3. प्राज्ञात्मकस्तु भरतः (some MSS. प्र°)

प्राञ्च्

Chhâ. 2. 4. 1. याः प्राच्यः स्यन्दन्ते स उद्गीथः
2. 9. 6. प्रागपराह्णात्स प्रतिहारः
7. प्रागस्तमयात्स उपद्रवः
3. 1. 2. तस्य ये प्राञ्चो रश्मयस्ता एवास्य प्राच्यो मधुनाड्यः
3. 13. 1. प्राङ् सुषिः स प्राणः
3. 15. 2. तस्य प्राची दिग्जुहूर्नाम
4. 5. 2. प्राची दिक् कला
4. 6. 1. पश्चादग्नेः प्राङुपोपविवेश 4. 7. 1; 4. 8. 1.
5. 3. 7. इयं न प्राक्त्वत्तः पुरा विद्या ब्राह्मणान् गच्छति
6. 10. 1. पुरस्तात्प्राच्यः स्यन्दन्ते
6. 14. 1. प्राङ् वा उदङ् वाधराङ् वा प्रध्मायीत
Bṛih. 1. 2. 3. तस्य प्राची दिक् शिरः
3. 8. 9. प्राच्यो ऽन्या नद्यः स्यन्दन्ते
3. 9. 20. किंदेवतो ऽस्यां प्राच्यां दिश्यसि
4. 2. 4. तस्य प्राची दिक् प्राञ्चः प्राणाः
6. 4. 2. स एतं प्राञ्चं ग्रावाणमात्मन एव समुदपारयत्
Kaṭha. 6. 4. प्राक् शरीरस्य विस्रसः
Maitri. 6. 15. यः प्रागादित्यात् सो ऽकालः
17. प्रागनन्तो दक्षिणतो ऽनन्तः
Praśna. 1. 6. आदित्य उदयन्यत्प्राचीं दिशं प्रविशति
Gauḍa. 3. 1. प्रागुत्पत्तेरजं सर्वम्
14. प्रागुत्पत्तेः प्रकीर्तितम्

Śiras. 1. प्राञ्चः प्रत्यञ्चो ऽहम्
4. उदञ्चः प्राञ्चो ऽभिव्रजन्त्येके
Kathaśru. 1. प्राचीमुदीचीं वा दिशम्
Aruṇeya. 4. उपनयनादूर्ध्वं . . प्राग्वा
Gîtâ. 5. 23. प्राक् शरीरविमोक्षणात्

प्राञ्जलि

Gîtâ. 11. 21. केचिद्भीताः प्राञ्जलयो गृणन्ति

प्राण्

Kaush. 2. 5. न तावत् प्राणितुं शक्नोति
— यावद्धि पुरुषः प्राणिति
3. 2. प्राणं प्राणन्तं सर्वे प्राणा अनुप्राणन्ति
Kena. 8. यत्प्राणेन न प्राणिति
Chhâ. 1. 3. 3. यद्वै प्राणिति स प्राणः
5. 1. 8. प्राणन्तः प्राणेन 9, 10, 11; Bṛih. 6. 1. 8—12.
Bṛih. 1. 4. 7. प्राणन्नेव प्राणो नाम भवति
1. 5. 1. यच्च प्राणिति यच्च न 2.
23. प्राण्याच्चैवापान्याच्च
3. 4. 1. यः प्राणेन प्राणिति स त आत्मा सर्वान्तरः
Tait. 2. 7. 1. को ह्येवान्यात्कः प्राण्यात्
Muṇḍ. 2. 2. 1. एजत्प्राणन्निमिषच्च यत्

प्राण

Ait. 1. 4. नासिकाभ्यां प्राणः प्राणाद्वायुः
2. 4. वायुः प्राणो भूत्वा नासिके प्राविशत्
3. 4. यत्प्राणेनाजिघृक्षत्तन्नाशक्नोत्प्राणेन ग्रहीतुं स यद्धैनत्प्राणेनाग्रहैष्यत्
11. यदि प्राणेनाभिप्राणितं . . को ऽहम्
Kaush. 1. 2. तेषां प्राणैः पूर्वपक्ष आप्यायते

Kaush. 1. 5. स आगच्छत्यमितौजसं पर्यङ्कं स प्राणः
6. यदन्यद्देवेभ्यश्च प्राणेभ्यश्च तत् सदथ यद्देवाश्च प्राणाश्च तत्त्यम्
7. प्राणेनेति ब्रूयात्
2. 1. प्राणो ब्रह्मेति ह स्माह कौषीतकिः
— एतस्य प्राणस्य ब्रह्मणो मनो दूतम्
— एतस्मै प्राणाय ब्रह्मणे . . देवताः . . बलिं हरन्ति 2.
2. प्राणो ब्रह्मेति ह स्माह पैङ्ग्यः
— एतस्य प्राणस्य . . वाक् परस्ताच्चक्षुरारुन्धते
— मनः परस्तात्प्राण आरुन्धते
3. प्राणो नाम देवतावरोधिनी
4. प्राणं ते मयि जुहोमि
5. प्राणं तदा वाचि जुहोति
— वाचं तदा प्राणे जुहोति
8. मास्माकं प्राणेन प्रजया पशुभिराप्याययिष्ठाः
— तस्य प्राणेन प्रजया पशुभिराप्यायस्व
9. मास्माकं प्राणेन प्रजया पशुभिरपक्षेष्ठाः
— तस्य प्राणेन . . अपक्षीयस्व
12. आदित्यमेव तेजो गच्छति वायुं प्राणः (similarly, 3 times more).
13. तस्य चक्षुरेव तेजो गच्छति प्राणं प्राणः (similarly, twice more).
— तस्य प्राणमेव तेजो गच्छति प्राणं प्राणस्ता वा एताः सर्वा देवताः प्राणमेव प्रविश्य प्राणे मृत्वा न मृच्छन्ते

Kaush. 2. 14. अथैनत्प्राणः प्रविवेश
— प्राणे निःश्रेयसं विदित्वा प्राणमेव प्रज्ञात्मानमभिसंभूय (bis).
15. प्राणं मे त्वयि दधानीति पिता प्राणं ते मयि दध इति पुत्रः
— प्राणान्मे त्वयि दधानीति
3. 2. स होवाच प्राणो ऽस्मि
— आयुः प्राणः प्राणो वा आयुर्यावद्ध्यस्मिञ्छरीरे प्राणो वसति तावदायुः
— प्राणेन. . अमृतत्वमाप्नोति
— एकभूयं वै प्राणा गच्छन्ति
— एकभूयं वै प्राणा भूत्वा
— वाचं वदन्तीं सर्वे प्राणा अनुवदन्ति (similarly, 4 times more).
— अस्ति त्वेव प्राणानां निःश्रेयसमिति
3. अथ खलु प्राण एव प्रज्ञात्मा (bis).
— सैषा प्राणे सर्वाप्तिर्यो वै प्राणः सा प्रज्ञा या वा प्रज्ञा स प्राणः (bis).
— अथास्मिन् प्राण एवैकधा भवति (bis) ; 4. 20.
— आत्मनः प्राणा यथायतनं विप्रतिष्ठन्ते प्राणेभ्यो देवाः 4. 20.
5. प्राण एवास्या एकमङ्गमुदूल्हम्
6. प्रज्ञया प्राणं समारुह्य प्राणेन सर्वान् गन्धानाप्नोति
7. नहि प्रज्ञापेतः प्राणो गन्धं कंचन प्रज्ञापयेत्
8. प्रज्ञामात्राः प्राणे ऽर्पिताः स एष प्राणः प्रज्ञात्मा
4. 20. स एष प्राण एव प्रज्ञात्मा

Kena. 1. केन प्राणः प्रथमः प्रैति युक्तः
2. स उ प्राणस्य प्राणः
8. यत्प्राणेन न प्राणिति येन प्राणः प्रणीयते

Chhâ 1. 1. 5. वागेवर्क् प्राणः साम
— एतन्मिथुनं यद्वाक् च प्राणश्च
1. 2. 2. ते ह नासिक्यं प्राणमुद्गीथमुपासांचक्रिरे
7. य एवायं मुख्यः प्राणः 1. 5. 3.
9. तेनेतरान्प्राणानवति
1. 3. 3. यद्वै प्राणिति स प्राणः
— प्राणापानयोः सन्धिः स व्यानः
6. प्राण एवोत्प्राणेन ह्युत्तिष्ठति
1. 5. 4. प्राणांस्त्वं भूमानमभिगायतात्
1. 7. 1. प्राणः साम...प्राणो ऽमः
1. 8. 4. स्वरस्य का गतिरिति प्राण इति होवाच प्राणस्य का गतिः
1. 11. 5. प्राण इति होवाच सर्वाणि ह वा इमानि भूतानि प्राणमेवाभिविशन्ति प्राणमभ्युज्जिहते
1. 13. 2. प्राणः स्वरः
2. 7. 1. प्राणेषु पंचविधं परोवरीयः सामोपासीत
2. प्राणेषु पंचविधं परोवरीयः सामोपास्ते
2. 11. 1. प्राणो निधनमेतद्गायत्रं प्राणेषु प्रोतम्
3. 12. 3. अस्मिन्हीमे प्राणाः प्रतिष्ठिताः 3. 12. 4.
3. 13. 1. प्राङ् सुषिः स प्राणः
3. 15. 3. प्राणं प्रपद्ये ऽमुना ऽमुना ऽमुना
4. यदवोचं प्राणं प्रपद्य इति प्राणो वा इदं सर्वं भूतम्

Chhâ. 3. 16. 1. प्राणा वाव वसवः
2. माहं प्राणानां वसूनां मध्ये यज्ञो विलोप्सीय
3. प्राणा वाव रुद्राः
4. माहं प्राणानां रुद्राणां मध्ये यज्ञो विलोप्सीय
5. प्राणा वावादित्याः
6. माहं प्राणानामादित्यानां मध्ये यज्ञो विलोप्सीय

3. 18. 2. प्राणः पादः
4. प्राण एव ब्रह्मणश्चतुर्थः पादः

4. 3. 3. प्राणो वाव संवर्गः
— प्राणमेव वागप्येति प्राणं चक्षुः प्राणं श्रोत्रं प्राणं मनः
— प्राणो ह्येवैतान् सर्वान् संवृङ्क्ते
4. तौ वा एतौ द्वौ संवर्गौ वायुरेव देवेषु प्राणः प्राणेषु

4. 8. 3. प्राणः कला चक्षुः कला

4. 10. 5. प्राणो ब्रह्म
— विजानाम्यहं यत्प्राणो ब्रह्म
— प्राणं च हास्मै तदाकाशं चोचुः

4. 13. 1. प्राण आकाशो द्यौर्विद्युत्

5. 1. 1. प्राणो वाव ज्येष्ठश्च श्रेष्ठश्च Bṛih. 6. 1. 1 (वै for वाव)
6. प्राणा अहंश्रेयसि व्यूदिरे
7. प्राणाः प्रजापतिं पितरमेत्योचुः
8. प्राणन्तः प्राणेन 9, 10, 11; Bṛih. 6. 1. 8–12.
12. प्राण उच्चिक्रमिष्यन्. . इतरान् प्राणान् समखिदत्
15. प्राणा इत्येवाचक्षते प्राणो ह्येवैतानि सर्वाणि भवति

5. 7. 1. प्राणो धूमः Bṛih. 6. 2. 12.

Chhâ. 5. 14. 2. प्राणस्त्वेष आत्मनः
— प्राणस्त उदक्रमिष्यद्यन्मां नागमिष्यः

5. 18. 2. प्राणः पृथग्वर्त्मात्मा

5. 19. 1. तां जुहुयात्प्राणाय स्वाहेति प्राणस्तृप्यति
2. प्राणे तृप्यति चक्षुस्तृप्यति

6. 5. 2. यो ऽणिष्ठः स प्राणः
4. आपोमयः प्राणः 6. 6. 5; 6. 7. 6.

6. 6. 3. स प्राणो भवति

6. 7. 1. आपोमयः प्राणो न पिबतो विच्छेत्स्यते

6. 8. 2. प्राणमेवोपश्रयते
6. मनः प्राणे प्राणस्तेजसि 6. 15. 1, 2;

7. 4. 2. अन्नस्य संक्लृप्त्यै प्राणाः सङ्कल्पन्ते प्राणानां संक्लृप्त्यै मन्त्राः सङ्कल्पन्ते

7. 10. 1. व्याधीयन्ते प्राणाः
— आनन्दिनः प्राणाः

7. 15. 1. प्राणो वा आशाया भूयान्
— प्राणे सर्वं समर्पितं प्राणः प्राणेन याति प्राणः प्राणं ददाति प्राणाय ददाति प्राणो ह पिता प्राणो माता &c.
4. प्राणो ह्येवैतानि सर्वाणि भवति

7. 26. 1. आत्मतः प्राणः

8. 12. 3. शरीरे प्राणो युक्तः

Bṛih. 1. 1. 1. वातः प्राणः

1. 2. 3. स एष प्राणस्त्रेधा विहितः
6. प्राणा वै यशो वीर्यं तत्प्राणेषूत्क्रान्तेषु

1. 3. 3. प्राणमूचुस्त्वं न उद्गायेति
— प्राण उद्गायत्यः प्राणे भोगस्तं देवेभ्य आगायत्
7. आसन्यं प्राणमूचुः

Brih. 1. 3. 7. तेभ्य एष प्राण उदगायत्
13. अथ प्राणमत्यवहन्
19. प्राणो वा अङ्गानां रसः
— यस्मात्कस्माच्चाङ्गात्प्राण उत्क्रामति
23. प्राणो वा उत्प्राणेन ह्रीदं सर्वमुत्तब्धम्
24. स प्राणेन चोदगायत्
27. वाचि . . प्राणः प्रतिष्ठितः
1. 4. 7. प्राणन्नेव प्राणो नाम भवति
17. प्राणः प्रजा 1. 5. 7.
1. 5. 3. मनो वाचं प्राणं तान्यात्मने ऽकुरुत
— प्राणो ऽपानः . . एतत्सर्वं प्राण एव
4. प्राणो ऽसौ लोकः
5. प्राणः सामवेदः
6. प्राणो मनुष्याः
10. यत्किञ्चाविज्ञातं प्राणस्य तद्रूपं प्राणो ह्यविज्ञातः प्राण एनं तद्भूत्वावति
12. ततः प्राणो ऽजायत
13. प्राणस्यापः शरीरम्
— यावानेव प्राणस्तावत्य आपः
14. प्राणभृतः प्राणं न विच्छिन्द्यात्
17. प्राणैः सह पुत्रमाविशति
— एनमेते दैवाः प्राणा अमृता आविशन्ति
20. दैवः प्राण आविशति स वै दैवः प्राणः
21. यो ऽयं मध्यमः प्राणः
— तस्मादेत एतेनाख्यायन्ते प्राणाः
22. यथैषां प्राणानां मध्यमः प्राणः

Brih. 1. 5. 23. प्राणाद्वा एष उदेति प्राणे ऽस्तमेति
1. 6. 3. प्राणो वा अमृतम्
— ताभ्यामयं प्राणश्छन्नः
2. 1. 10. नैनं पुरा कालात्प्राणो जहाति
17. प्राणानां विज्ञानेन विज्ञानमादाय
— तद्गृहीत एव प्राणो भवति
18. प्राणान् गृहीत्वा स्वे शरीरे . . परिवर्त्तते
20. सर्वे प्राणाः . . व्युच्चरन्ति
— प्राणा वै सत्यम् 2. 3. 6.
2. 2. 1. अयं वाव शिशुर्यो ऽयं मध्यमः प्राणः
— प्राणाः स्थूणा
3. प्राणा वै यशः . . प्राणानेतदाह
— प्राणा वा ऋषयः प्राणानेतदाह
2. 3. 4. इदमेव मूर्त्तं यदन्यत्प्राणात्
5. अथामूर्त्तं प्राणः
2. 5. 4. अयमध्यात्मं प्राणः
15. आत्मनि . . सर्वे प्राणाः
3. 1. 5. उद्गात्रर्त्विजा वायुना प्राणेन प्राणो वै यज्ञस्योद्गाता तद्यो ऽयं प्राणः स वायुः
10. प्राण एव पुरोऽनुवाक्या
3. 2. 2. प्राणो वै ग्रहः
11. उदस्मात्प्राणाः क्रामन्त्याहो नेति
13. वातं प्राणः (अप्येति)
3. 4. 1. यः प्राणेन प्राणिति स त आत्मा सर्वान्तरः
3. 7. 16. यः प्राणे तिष्ठन् प्राणादन्तरो यं प्राणो न वेद यस्य प्राणः शरीरं यः प्राणमन्तरो यमयति

Brih. 3. 9. 4. दशेमे पुरुषे प्राणाः
8. अन्नं चैव प्राणश्चेति
9. कतम एको देव इति प्राण इति
26. कस्मिन्नु त्वं चात्मा च.. प्राण इति कस्मिन्नु प्राणः
4. 1. 3. प्राणो वै ब्रह्मेति (bis).
— प्राण एवायतनम्
— का प्रियता..प्राण एव.. प्राणस्य वै..कामाय &c.
— प्राणो वै..परमं ब्रह्म नैनं प्राणो जहाति
4. 2. 4. तस्य प्राची दिक् प्राञ्चः प्राणाः (similarly, 6 times more).
4. 3. 7. प्राणेषु हृद्यन्तर्ज्योतिः पुरुषः
12. प्राणेन रक्षन्नवरं कुलायम्
36. आद्रवति प्राणायैव
37. अन्तकाले सर्वे प्राणा अभिसमायन्ति
4. 4. 1. एनमेते प्राणा अभिसमायन्ति
2. तमुत्क्रामन्तं प्राणो ऽनुत्क्रामति प्राणमनूत्क्रामन्तं सर्वे प्राणा अनूत्क्रामन्ति
6. न तस्य प्राणा उत्क्रामन्ति Nrisut. 5 (ter).
7. अयमशरीरो ऽमृतः प्राणः
18. प्राणस्य प्राणं (ये विदुः)
22. विज्ञानमयः प्राणेषु
5. 5. 2. प्राणैरयममुष्मिन् (प्रतिष्ठितः)
5. 8. 1. तस्याः प्राण ऋषभो मनो वत्सः
5. 12. 1. पूयति वा अन्नमृते प्राणात्
— प्राणो ब्रह्मेत्येक आहुस्तन्न तथा शुष्यति वै प्राण ऋते ऽन्नात्

Brih. 5. 12. 1. प्राणो वै रं प्राणे हीमानि सर्वाणि भूतानि रमन्ते
5. 13. 1. प्राणो वा उक्थं प्राणो हीदं सर्वमुत्थापयति
2. प्राणो वै यजुः प्राणे हीमानि सर्वाणि भूतानि युज्यन्ते
3. प्राणो वै साम प्राणे हीमानि सर्वाणि भूतानि सम्यञ्चि
4. प्राणो वै क्षत्रं प्राणो हि वै क्षत्रं त्रायते हैनं प्राणः क्षणितोः
5. 14. 3. प्राणो ऽपानो व्यान इत्यष्टावक्षराणि
4. प्राणो वै बलं तत्प्राणे प्रतिष्ठितम्
— प्राणा वै गयास्तत्प्राणांस्तत्रे
— यस्मा अन्वाह तस्य प्राणांस्त्रायते
6. 1. 7. ते हेमे प्राणा अहंश्रेयसे विवदमाना ब्रह्म जग्मुः
13. अथ ह प्राण उत्क्रमिष्यन्
— एवमिमान् प्राणान् संववर्ह
6. 3. 2. प्राणाय स्वाहा वसिष्ठायै स्वाहा
6. 4. 24. मयि प्राणांस्त्वयि मनसा जुहोमि

Tait. 1. 5. 3. भूरिति वै प्राणः
— सर्वे प्राणा महीयन्ते
1. 7. 1. प्राणो ऽपानो व्यान उदानः समानः
2. 2. 1. तस्य प्राण एव शिरः
2. 3. 1. प्राणं देवा अनुप्राणन्ति
— प्राणो हि भूतानामायुः (bis).
— ये प्राणं ब्रह्मोपासते
3. 1. 1. अन्नं प्राणं चक्षुः श्रोत्रं मनो वाचमिति

Tait. 3. 3. 1. प्राणं ब्रह्मेति व्यजानात्प्राणाद्धि..भूतानि जायन्ते प्राणेन जातानि जीवन्ति प्राणं प्रयन्ति

3. 7. 1. प्राणो वा अन्नं..प्राणे शरीरं प्रतिष्ठितं शरीरे प्राणः

Katha. 4. 7. या प्राणेन संभवत्यदितिः

5. 3. ऊर्ध्वं प्राणमुन्नयति

5. न प्राणेन नापानेन मर्त्यो जीवति कश्चन

6. 2. प्राण एजति निःसृतम्

Śwet. 2. 9. प्राणान् प्रपीड्येह संयुक्तचेष्टः क्षीणे प्राणे &c.

Maitri. 2. 6. प्राणोऽपानः समान उदानो व्यानः

— य ऊर्ध्वमुत्क्रामत्येष वाव स प्राणः

4. 5. कालो यः प्राणः

6. 1. अयं यः प्राणो यश्चासा आदित्यः

— अन्तरात्मा प्राणः

2. अर्वाग्विचरत एतौ प्राणादित्यौ

5. प्राणोऽग्निः सूर्या इति प्रतापवत्येषा

— प्राणोऽपानो व्याना इति प्राणवत्येषा

8. एष हि खल्वात्मा..प्राणः 7. 7.

— प्राणः प्रजानामुदयत्येष सूर्यः Praśna. 1. 8.

9. प्राणाय स्वाहा..इति पञ्चभिरभिजुहोति

— प्राणोऽग्निर्विश्वोऽसीति च

— प्राणोऽग्निः परमात्मा Prâṇâg. 2.

11. अन्नमयो ह्ययं प्राणः

— प्राणांश्चोत्सृजति

Maitri. 6. 12. अन्नेनाभिषिक्ताः [illegible] प्राणाः

13. प्राणो वा अन्नस्य रसो मनः प्राणस्य

— अन्नं पशूनां प्राणः

19. यदा वै..विद्वान्..प्राणः

— प्राणो वै तुर्याख्ये धारयेत् प्राणम्

20. वाङ्मनःप्राणनिरोधनात्

21. *vide* युज्

25. एवं प्राणमथोङ्कारं..युनक्ति

— एकत्वं प्राणमनसोः

26. इमान् प्राणान्..उद्धृत्य

— प्राणसंस्पर्शेनोज्ज्वलति.

31. वाक् श्रोत्रं चक्षुर्मनः प्राणः

32. तस्माद्वा..सर्वे प्राणाः..उच्चरन्ति

33. प्राणो वै वायुः प्राणोऽग्निः

— प्राणोऽपानो व्यानः समान उदानः

35. यस्य हि सोमः प्राणा वा अप्ययङ्कुराः

37. तत् त्रेधाभिहितमग्ना आदित्ये प्राणे 7. 11.

— तेनेमे प्राणाः प्राणेभ्यः प्रजाः

Mund. 1. 1. 8. अन्नात्प्राणो मनः सत्यम्

2. 1. 3. एतस्माज्जायते प्राणः Kaivalya. 15.

4. वायुः प्राणः

8. सप्त प्राणाः प्रभवन्ति..येषु चरन्ति प्राणाः Mahânâr. 8. 4.

2. 2. 2. स प्राणस्तदु वाङ्मनः

5. मनः सह प्राणैश्च सर्वैः

3. 1. 4. प्राणो ह्येष यः सर्वभूतैर्विभाति

Mund.3. 1. 9. यस्मिन् प्राणः पञ्चधा संविवेश
— प्राणैश्चित्तं सर्वमोतं प्रजानाम्
Mahânâr.12. 3. आकाशः प्राणो लोकपालकः
14. 1. प्राणो वा आपः (most MSS. have प्राणाः)
15. 8. प्राणे निविष्टो ऽमृतं जुहोमि9.
— प्राणाय स्वाहा
16. 1. श्रद्धायां प्राणे निविश्यामृतं हुतं प्राणमन्नेनाप्यायस्व
2. प्राणानां ग्रन्थिरसि
17. 6. यांस्ते सोम प्राणांस्ताञ्जुहोमि
23. 1. अन्नेन प्राणाः प्राणैर्बलम्
— अन्नात्प्राणा भवन्ति भूतानां प्राणैर्मनः
24. 1. प्राणे त्वमसि सन्धाता
25. 1. प्राण उद्गाता
Praśna. 1. 4. मिथुनमुत्पादयते रयिं च प्राणं च
5. आदित्यो ह वै प्राणः
6. प्राच्यान् प्राणान् रश्मिषु सन्निधत्ते
— सर्वान् प्राणान् रश्मिषु सन्निधत्ते
7. विश्वरूपः प्राणो ऽग्निरुदयते
10. एतद्वै प्राणानामायतनम्
12. कृष्णपक्ष एव रयिः शुक्लः प्राणः
13. अहरेव प्राणो रात्रिरेव रयिः
— प्राणं वा एते प्रस्कन्दन्ति ये दिवा रत्या संयुज्यन्ते
2. 3. तान् वरिष्ठः प्राण उवाच
4. ते प्रीताः प्राणं स्तुन्वन्ति
6. प्राणे सर्वं प्रतिष्ठितम्

Praśna. 2. 7. तुभ्यं प्राणः प्रजास्त्विमा बलिं हरन्ति यः प्राणैः प्रतितिष्ठसि
9. इन्द्रस्त्वं प्राण तेजसा
10. प्राण ते प्रजा आनन्दरूपाः
11. व्रात्यस्त्वं प्राण एक ऋषिः
13. प्राणस्येदं वशे सर्वम्
3. 1. कुत एष प्राणो जायते
3. आत्मन एष प्राणो जायते
4. एवमेवैष प्राण इतरान् प्राणान् पृथक् पृथगेव सन्निधत्ते
5. चक्षुःश्रोत्रे मुखनासिकाभ्यां प्राणः स्वयं प्रातिष्ठते
8. आदित्यो ह वै बाह्यः प्राण उदयत्येष ह्येनं चाक्षुषं प्राणमनुगृह्णानः
10. यच्चित्तस्तेनैष प्राणमायाति
— प्राणः .. यथासङ्कल्पितं लोकं नयति
11. य एवंविद्वान् प्राणं वेद
12. अध्यात्मं चैव प्राणस्य विज्ञाय
4. 3. यद्गार्हपत्यात्प्रणीयते प्रणयनादाहवनीयः प्राणः
4. प्राणश्च विधारयितव्यं च
11. प्राणा भूतानि सम्प्रातिष्ठन्ति यत्र
6. 4. स प्राणमसृजत प्राणाच्छ्रद्धाम्
Kaivalya. 8. स एव विष्णुः स प्राणः
Gauḍa. 1. 6. सर्वं जनयति प्राणः
2. 20. प्राण इति प्राणविदः
Nṛip. 1. 4. प्राणा वा इन्द्रियाणि पशवः
4. 3. यो वै नृसिंहः .. यश्च प्राणस्तस्मै वै नमो नमः (27)
Nṛisut. 2. प्राणस्य द्रष्टा .. प्राणस्य साक्षी

Kshur. 5. प्राणान् सञ्चारयेद्योगी
— भूत्वा तत्र गतः प्राणः
9. ततः सञ्चारयेत्प्राणान्

Chûl. 12. कालः प्राणश्च भगवान्

Śiras. 3. हृदि प्राणाः प्रतिष्ठिताः Brahma. 2.
4. प्राणानूर्ध्वमुत्क्रामयति
— सर्वान् प्राणान् संभक्ष्य
6. तत्प्राणो अभिरक्षति शिरः

Śikhâ. 1. सर्वान् प्राणान् . . उत्क्रामयति
2. सर्वान् प्राणान् प्रणामयति

Garbha. 3. मात्रा . . प्राण आप्यायते

Mahâ. 1. प्राणाश्चतुदर्शी आत्मा

Brahma. 1. प्राणो ह्येष आत्मा
— तथैवैष प्राणो यदा याति
— पुरुषः प्राणो हिंसा
2. स पुरुषः स प्राणः स जीवः
— हृदि प्राणश्च ज्योतिश्च

Prâṇâg. 1. अमृतं प्राणे जुहोमि
— प्राणाय प्रदानाय स्वाहा
4. प्राणो ब्राह्मणाच्छंसी

Nâda. 12. यदि प्राणैर्वियुज्यते 14.

Amṛita. 25. प्राणस्तेन हि गच्छति
32. त्रिंशत्पर्वाङ्गुलः प्राणो यत्र प्राणः प्रतिष्ठितः
— एष प्राण इति ख्यातः
34. प्राण आद्यो हृदि स्थाने
36. प्राणो वायुः प्रकीर्त्तितः

Kaṭhaśru. 1. प्राणापानव्यानोदानसमानान्

Haṁsa. 1. विशुद्धौ प्राणान्निरुध्य

Nâr. 1. नारायणात्प्राणो जायते

Jâbâla. 1. अत्र हि जन्तोः प्राणेषूत्क्रममाणेषु (प्राणैरुत्क्रममाणस्य is a variant.); Râmot. 1.
4. अग्निर्ह वै प्राण[illegible]तया करोति
— एष वा अग्नेर्योनिर्यः प्राणः प्राणं गच्छ स्वाहा

Râmap. 80. प्राणो ऽम्भो विद्यया युतम्

Râmot. 5. यो वै श्रीरामः . . यश्च प्राणः (11).

Mukti. 2. 51. प्राणो यावन्नाभ्युदितः
52. बहिरस्तंगते प्राणे

Gîtâ. 1. 33. प्राणांस्त्यक्त्वा धनानि च
4. 29. अपाने जुह्वति प्राणं प्राणे ऽपानं तथापरे
30. प्राणान्प्राणेषु जुह्वति
8. 10. भ्रुवोर्मध्ये प्राणमावेश्य सम्यक्
12. मूर्ध्न्याधायात्मनः प्राणम्
18. 33. मनःप्राणेन्द्रियक्रियाः

प्राणकर्मन्

Maitri. 6. 10. एवं सर्वाणीन्द्रियकर्माणि प्राणकर्माणि

Gîtâ. 4. 27. प्राणकर्माणि चापरे

प्राणदेवता

Brahma. 1. प्राणदेवतास्ताः सर्वा नाड्यः

प्राणनिग्रह

Amṛita. 7. दोषा दह्यन्ते प्राणनिग्रहात्

प्राणपरिस्पन्द

Mukti. 2. 48. एकं प्राणपरिस्पन्दः

प्राणबन्धन

Chhâ. 6. 8. 2. प्राणबन्धनं हि मनः

प्राणभृत्

Bṛih. 1. 5. 14. सर्वमिदं प्राणभृदनुप्रविश्य
— एतां रात्रिं प्राणभृतः प्राणं न विच्छिन्द्यात्
3. 1. 7. यत्किञ्चेदं प्राणभृदिति

प्राणमय

Brih. 1. 5. 3. वाङ्मयो मनोमयः प्राणमयः
4. 4. 5. विज्ञानमयो मनोमयः प्राणमयः
Tait. 2. 2. 1. अन्योऽन्तर आत्मा प्राणमयः
2. 3. 1. एतस्मात्प्राणमयादन्यो ऽन्तर आत्मा मनोमयः
2. 8. 1. एतं प्राणमयमात्मानमुपसंक्रामति 3. 10. 5 (उपसंक्रम्य)
Sarvop. 1. अयमन्नमयः प्राणमयः.. कथम्
2. तदा प्राणमयः कोश इत्युच्यते

प्राणवन्त्

Maitri. 6. 5. प्राणो ऽपानो व्यान इति प्राणवत्येषा
13. प्राणवान्..भवति यो हैवं वेद

प्राणविद्

Gauḍa. 2. 20. प्राण इति प्राणविदः

प्राणशरीर

Chhâ. 3. 14. 2. मनोमयः प्राणशरीरः Maitri. 2. 6.

प्राणशरीरनेतृ

Muṇḍ.2. 2. 7. मनोमयः प्राणशरीरनेता

प्राणसंशित

Chhâ.3. 17. 6. प्राणसंशितमसि

प्राणसञ्चारिन्

Maitri. 6. 21. ऊर्ध्वगा नाडी ..प्राणसञ्चारिणी

प्राणसंज्ञक

Maitri. 6. 19. अप्राणादिह यस्मात्सम्भूतः प्राणसंज्ञको जीवः

प्राणसन्धारण

Kaṭhaśru. 1. प्राणसन्धारणार्थं Jâbâla.6.

प्राणसमृद्ध

Maitri. 6. 11. प्राणसमृद्धो भूत्वा मन्ता भवति

प्राणस्पन्द,ˆन्दन

Mukti. 2. 26. वासनावशतः प्राणस्पन्दः
27. प्राणस्पन्दनवासने
45. प्राणस्पन्दनिरोधनम्
49. प्राणस्पन्देन चाल्यते

प्राणाख्य

Maitri. 1. 1. कः सो ऽभिध्येयो ऽयं यः प्राणाख्यः

प्राणाग्नि

Praśna. 4. 3. प्राणाग्नय एवैतस्मिन् पुरे जाग्रति

प्राणाग्निहोत्र

Mukti. 1. *vide* सरस्वतीरहस्य

प्राणादि

Maitri. 6. 26. प्राणादयो वै पुनरेव तस्मादभ्युच्चरन्तीह 31.
Gauḍa. 2. 19. प्राणादिभिरनन्तैश्च भावैः
Amṛita. 35. अथ वर्णास्तु पञ्चानां प्राणादीनाम्
Śarvop. 2. प्राणादिचतुर्दशवायुभेदाः — मनआदिश्च प्राणादिश्च

प्राणाधिप

Śwet. 5. 7. प्राणाधिपः सञ्चरति स्वकर्मभिः

प्राणापान

Bṛih. 6. 4. 12. प्राणापानौ त आददे
Tait. 3. 10. 2. योगक्षेम इति प्राणापानयोः
Muṇḍ.2. 1. 7. प्राणापानौ व्रीहियवौ तपश्च

Nyâsa. 4. तदभ्यासेन प्राणापानौ संयम्य

Gîtâ. 4. 29. प्राणापानगती रुद्ध्वा

5. 27. प्राणापानौ समौ कृत्वा

15. 14. प्राणापानसमायुक्तः

प्राणायाम

Maitri. 6. 18. प्राणायामः प्रत्याहारः

Kshur. 24. प्राणायामसुतीक्ष्णेन

Amṛita. 6. प्राणायामो ऽथ धारणा

8. प्राणायामैर्दहेद्दोषान्

9. प्राणायामास्त्रयः प्रोक्ताः

10. प्राणायामः स उच्यते

Gîtâ. 4. 29. प्राणायामपरायणाः

प्राणाय्य

Chhâ. 3. 11. 5. प्राणाय्याय वान्तेवासिने

प्राणाराम

Tait. 1. 6. 2. सत्यात्म प्राणारामं मन आनन्दम्

प्राणिन्

Ait. 5. 3. यत्किंचेदं प्राणि

Chhâ. 2. 11. 2. स य एवमेतद्गायत्रं प्राणेषु प्रोतं वेद प्राणी भवति

Bṛih. 5. 14. 3. स यावदिदं प्राणि तावद्ध जयति

6. यावदिदं प्राणि यस्तावत्प्रतिगृह्णीयात्

Sarvop. 3. सर्वप्राणिबुद्धिषु

— सर्वप्राणिबुद्धिस्थः

Gîtâ. 15. 14. प्राणिनां देहमाश्रितः

प्रातःसवन

Chhâ. 2. 24. 1. वसूनां प्रातःसवनम्

6. तस्मै वसवः प्रातःसवनं संप्रयच्छन्ति

3. 16. 1. यानि चतुर्विंशतिवर्षाणि तत्प्रातःसवनम्

Chhâ. 3. 16. 1. गायत्रं प्रातःसवनम्

2. इदं मे प्रातःसवनं माध्यन्दिनं सवनमनुसन्तनुत

Kâlâg. 2. प्रथमा रेखा सा . . प्रातःसवनम्

प्रातर्

Chhâ. 1. 10. 6. स ह प्रातः संजिहान उवाच 5. 11. 5.

1. 12. 3. इहैव मा प्रातरुपसमीयात

5. 3. 6. स ह प्रातः सभाग उदेयाय

5. 11. 7. प्रातर्वः प्रतिवक्तास्मि

6. 13. 1. मा प्रातरुपसीदथाः

Bṛih. 1. 5. 14. ततः प्रातर्जायते

6. 3. 6. प्रातरादित्यमुपतिष्ठते

Mahânâr. 22. 1. अग्निहोत्रं सायं प्रातः . . स्विष्टं सुहुतम्

25. 1. यत्सायं प्रातरत्ति तत्समिधो यत्सायंप्रातर्मध्यन्दिनं च तानि सवनानि

Nyâsa. 1. अमावास्यायां प्रातरेवान्ते

Kaṭhaśru. 3. यत् प्रातः सो ऽयं प्रातः

Nâr. 5. प्रातरधीयानः

Aśrama. 3. उदुंबराः प्रातरुत्थाय

Gopi. 4. य एतद्रहस्यं सायं प्रातर्ध्यायेत्

प्रातरनुवाक

Chhâ. 2. 24. 3. पुरा प्रातरनुवाकस्योपाकरणात्

4. 16. 2. उपाकृते प्रातरनुवाके 4.

प्रातर्दन

Kaush. 2. 5. अथातः संयमनं प्रातर्दनम्

प्रातिश्रुत्क

Bṛih. 2. 5. 6. अयमध्यात्मं श्रौत्रः प्रातिश्रुत्कः . . पुरुषः

3. 9. 13. य एवायं श्रौत्रः प्रातिश्रुत्कः पुरुषः स एषः

प्रातृद

Bṛih. 5. 12. 1. तद्ध स्माह प्रातृदः पितरम्
— स ह स्माह पाणिना मा प्रातृद

प्रादुर्भू

Kena. 15. तेभ्यो ह प्रादुर्बभूव

Chhâ. 1. 12. 2. तस्मै श्वा श्वेतः प्रादुर्बभूव

प्रादेश

Maitri. 6. 38. शरीरप्रादेशाङ्गुष्ठमात्रम्

प्रादेशमात्र

Chhâ. 5. 18. 1. प्रादेशमात्रमभिविमानमात्मानम्

प्रादेशशरीरमात्र

Maitri. 6. 38. अङ्गुष्ठप्रादेशशरीरमात्रम्

प्रादेशिनी

Prâṇâg. 1. प्रादेशिन्या समाने

प्राधान्यतस्

Gîtâ. 10. 19. प्राधान्यतः कुरुश्रेष्ठ

प्राध्वंसन

Bṛih. 2. 6. 3. अथर्वा दैवो मृत्योः प्राध्वंसनात् 4. 6. 3.
— मृत्युः प्राध्वंसनः प्रध्वंसनात् 4. 6. 3.

प्रान्त

Yogat. 7. त्रयाणामक्षरे प्रान्ते

प्राप्

Kaush. 1. 3. विजरां वा अयं नदीं प्रापत्
2. 14. तत्प्राप्य यदमृता देवाः

Chhâ. 4. 5. 1. प्राप्ताः सोम्य सहस्रं स्मः प्रापय न आचार्यकुलम्
4. 9. 1. प्राप हाचार्यकुलम्
3. आचार्याद्धैव विद्या विदिता साधिष्ठं प्रापयति

Chhâ. 5. 3. 6. तस्मै ह प्राप्तावार्हीश्चकार
5. 11. 5. तेभ्यो ह प्राप्तेभ्यः पृथगर्हाणि कारयाञ्चकार
6. 4. 7. तिस्रो देवताः पुरुषं प्राप्य 6. 8. 6.
7. 6. 1. य इह मनुष्याणां महत्तां प्राप्नुवन्ति

Bṛih. 1. 4. 17. यावदेतेषामेकैकं न प्राप्नोति
4. 2. 4. अभयं वै जनक प्राप्तो ऽसि
4. 4. 6. प्राप्यान्तं कर्मणस्तस्य
5. 13. 4. प्र क्षत्रमत्रमाप्नोति
5. 14. 7. असावदो मा प्रापदिति
— अहमदः प्रापमिति वा
6. 2. 16. ते चन्द्रं प्राप्यान्नं भवन्ति
— ते पृथिवीं प्राप्यान्नं भवन्ति
6. 3. 1. स यः कामयेत महत्प्राप्नुयाम्
6. 4. 28. परमां वत काष्ठां प्रापत्

Tait. 3. 10. 1. यया कया च विधया बह्वन्नं प्राप्नुयात्

Kaṭha. 2. 10. न ह्यध्रुवैः प्राप्यते हि ध्रुवं तत्
— अनित्यैर्द्रव्यैः प्राप्तवानस्मि नित्यम्
3. 14. प्राप्य वरान्निबोधत
5. 6. यथा च मरणं प्राप्य आत्मा भवति
6. 12. नैव वाचा न मनसा प्राप्तुं शक्यः

Śwet. 2. 12. प्राप्तस्य योगाग्निमयं शरीरम्

Maitri. 2. 6. यो ऽयं स्थविष्ठो धातुरन्नस्यापाने प्रापयति
4. 3. तपसा प्राप्यते सत्त्वं . . मनसः प्राप्यते ह्यात्मा

Muṇḍ 3. 2. 5. ते सर्वगं सर्वतः प्राप्य धीराः

Mahânâr. 17. 6. ते सोमं प्राप्नुवन्ति 7, 8.

Praśna. 6. 5. समुद्रं प्राप्यास्तं गच्छन्ति
— पुरुषं प्राप्यास्तं गच्छन्ति

Gauḍa. 2. 3. वैतथ्यं तेन वै प्राप्तम्
4. 85. प्राप्य सर्वज्ञतां कृत्स्नाम्
Kshur. 1. यां प्राप्य न पुनर्जन्म
Prâṇâg. 4. मोक्षं च प्राप्नुयात्
Yogat. 7. तेन सर्वमिदं प्राप्तम्
Nyâsa. 5. ये प्राप्य परमां गतिम्
Sarvop. 2. प्राप्तशरीरसंबन्धवियोगम्
Râmap. 83. प्राप्नुवन्ति क्षणात्सम्यक्
Râmot. 4. मुक्ता मां प्राप्नुवन्ति ते
Mukti. 1. 15. मत्सायुज्यपदवीं प्राप्नोति
20. मुक्तिं प्राप्नोति मानवः
1. देहत्रयभंगं प्राप्य
Gîtâ. 2. 37. हतो वा प्राप्स्यसि स्वर्गम्
57. तत्तत्प्राप्य शुभाशुभम्
72. नैनां प्राप्य विमुह्यति
5. 5. यत्सांख्यैः प्राप्यते स्थानम्
20. न प्रहृष्येत्प्रियं प्राप्य नोद्विजेत्प्राप्य चाप्रियम्
6. 41. प्राप्य पुण्यकृतांल्लोकान्
8. 21. यं प्राप्य न निवर्त्तन्ते
25. योगी प्राप्य निवर्त्तते
9. 33. इमं प्राप्य भजस्व माम्
12. 4. ते प्राप्नुवन्ति मामेव
16. 13. इमं प्राप्स्ये मनोरथम्
18. 50. सिद्धिं प्राप्तो यथा ब्रह्म.. आप्नोति
62. स्थानं प्राप्स्यसि शाश्वतम्
71. लोकान्प्राप्नुयात्पुण्यकर्मणाम्

प्राप्ति

Nṛisut. 5. अतो नान्यत्र प्राप्तिः
Gopî. 2. ब्रह्मज्ञानप्राप्तिः
Gitâ. 2. 13. तथा देहान्तरप्राप्तिः

प्रायण

Mahânâr. 22. 1. अग्निहोत्रं..यज्ञक्रतूनां प्रायणम्

Aśrama. 1. आप्रायणाद्गुरोरपरित्यागी (2 MSS. have आप्रयाणात्)

प्रायणान्त

Praśna. 5. 1. स यः..प्रायणान्तमोङ्कारमभिध्यायीत

प्रायश्चित्तीय

Prâṇâg. 2. प्रायश्चित्तीयस्त्वधस्तात्

प्रारभ्

Mukti. 1. 43. प्रारब्धक्षयपर्यन्तम्
— प्रारब्धे तु क्षयं गते
1. प्रारब्धक्षयात् 2.
Gîtâ. 18. 15. यत्कर्म प्रारभते नरः

प्रार्थ्

Katha. 1. 25. सर्वान् कामांश्छन्दतः प्रार्थयस्व
4. 2. ध्रुवमध्रुवेष्विह न प्रार्थयन्ते
Aśrama. 2. आत्मानं प्रार्थयन्ते (4 times); 3 (4 times); 4 (ter).
Vâsu. 2. धारणान्मुक्तिदो भवेति प्रार्थयन्
Gîtâ. 9. 20. स्वर्गतिं प्रार्थयन्ते

प्रावरण

Bṛih. 4. 2. 3. अथैनयोरेतत्प्रावरणम्

प्रावार

Bṛih. 6. 2. 7. प्रावाराणां परिधानस्य

1. प्राश्

Bṛih. 6. 4. 19. उद्धृत्य प्राश्नाति प्राशयेतरस्याः प्रयच्छति
25. अनन्तर्हितेन जातरूपेण प्राशयति
Kathaśrn. 1. औषधवत् प्राश्नीयात्
3. स यः सायं प्राश्नीयात्

Jâbâla. 4. उद्धृत्य प्राश्नीयात् साज्यं हविरनामयम्
5. प्राश्याचम्यायं विधिः परिव्राजिनाम्

2. प्राश्

Nîla. 24. इमामस्य प्राशं जहि

प्राश्नीपुत्र

Bṛih. 6. 5. 2. साञ्जीवीपुत्रः प्राश्नीपुत्रादासुरिवासिनः
— प्राश्नीपुत्र आसुरायणात्

प्रास्

Bṛih. 2. 4. 12. सैन्धवखिल्य उदके प्रास्तः
Maitri. 6. 37. अग्नौ प्रास्ताहुतिः सम्यक्

प्रास्था

Praśna. 2. 4. तस्मिंश्च प्रतिष्ठमाने सर्व एव प्रातिष्ठन्ते
— तस्मिंश्च प्रतिष्ठमाने सर्वा एव प्रातिष्ठन्ते
3. 1. आत्मानं वा प्रविभज्य कथं प्रातिष्ठते
5. मुखनासिकाभ्यां प्राणः स्वयं प्रातिष्ठते

प्रिय

Kaush. 1. 3. प्रिया च मानसी
4. तस्य प्रिया ज्ञातयः सुकृतमुपयन्ति
2. 4. यस्य प्रियो बुभूषेत्
— प्रियो हैव भवति
3. 1. इन्द्रस्य प्रियं धामोपजगाम

Chhâ. 5. 12. 2. अत्स्यन्नं पश्यसि प्रियमत्त्यन्नं पश्यति प्रियम् 5. 13. 2; 5. 14. 2; 5. 15. 2; 5. 16. 2; 5. 17. 2.

Bṛih. 1. 4. 8. अन्यमात्मनः प्रियं ब्रुवाणं ब्रूयात् प्रियं रोत्स्यतीति
— आत्मानमेव प्रियमुपासीत

Bṛih. 1. 4. 8. आत्मानमेव प्रियमुपास्ते न हास्य प्रियं प्रमायुकम्
10. एषां तन्न प्रियं यन्मनुष्या विदुः
2. 4. 4. प्रिया बतारे नः सती प्रियं भाषसे
5. न वा अरे पत्युः कामाय पतिः प्रियो भवत्यात्मनस्तु कामाय पतिः प्रियो भवति (similarly, nine times more); 4. 5. 6 (similarly, 11 times more).
4. 1. 3. प्रियमित्येनदुपासीत
4. 3. 21. यथा प्रियया स्त्रिया सम्परिष्वक्तः
4. 5. 5. प्रिया वै खलु नो भवती सती प्रियमवृधत्

Tait. 1. 11. 1. आचार्याय प्रियं धनमाहृत्य
2. 5. 1. तस्य प्रियमेव शिरः

Kaṭha. 2. 3. स त्वं प्रियान् . . अत्यस्राक्षीः

Muṇḍ. 1. 2. 6. प्रियां वाचमभिवदन्त्यः

Mahânâr. 2. 7. प्रियमिन्द्रस्य काम्यम्

Kṛish. 26. वृन्दा भक्तिः प्रिया बुद्धिः

Mukti. 2. 54. समाधिर्योगिनां प्रियः

Gîtâ. 1. 23. प्रियचिकीर्षवः
5. 20. न प्रहृष्येत्प्रियं प्राप्य
7. 17. प्रियो हि ज्ञानिनोऽत्यर्थमहं स च मम प्रियः
9. 29. न मे द्वेष्योऽस्ति न प्रियः
11. 44. प्रियः प्रियायार्हसि देव सोढुम्
12. 14. यो मद्भक्तः स मे प्रियः 16.
15. स च मे प्रियः
17. भक्तिमान्यः स मे प्रियः
19. भक्तिमान्मे प्रियो नरः
20. भक्तास्तेऽतीव मे प्रियाः
17. 7. त्रिविधो भवति प्रियः
18. 65. प्रियोऽसि मे

प्रियकृत्तम

Gîtâ. 18. 69. कश्चिन्मे प्रियकृत्तमः

प्रियङ्गु

Bṛih. 6. 3. 13. अणुप्रियङ्गवः

प्रियतम

Nṛisut. 2. अस्मात् सर्वस्मात् प्रियतम आनन्दघनं ह्नि

प्रियतर

Gîtâ. 18. 69. अन्यः प्रियतरो भुवि

प्रियता

Bṛih. 4. 1. 3. का प्रियता..प्राण एव

प्रियरूप

Katha. 2. 3. प्रियरूपांश्च कामान्..अत्यस्राक्षीः

प्रियहित

Gîtâ. 17. 15. सत्यं प्रियहितं च यत्

प्रियाप्रिय

Chhâ. 8. 12. 1. आत्तो वै सशरीरः प्रियाप्रियाभ्यां न वै सशरीरस्य सतः प्रियाप्रिययोरपहतिरस्ति

— अशरीरं वाव सन्तं न प्रियाप्रिये स्पृशतः

प्री

Katha. 1. 16. तमब्रवीत्प्रीयमाणः

Maitri. 6. 9. स प्रीतः प्रीणातु विश्वम्

Mahânâr. 6. 7. स्वां चामे तन्वं पिप्रयस्व

16. 3. प्रभुः प्रीणाति विश्वभुक्

Praśna. 2. 4. ते प्रीताः प्राणं स्तुन्वन्ति

Nṛip. 4. 3. कैर्मन्त्रैर्देवः स्तुतः प्रीतो भवति

— ततो देवः प्रीतो भवति

Râmot. 5. कैर्मन्त्रैः स्तुतः श्रीरामः प्रीतो भवति

Gîtâ. 10. 1. यत्ते ऽहं प्रीयमाणाय

प्रीतमनस्

Gîtâ. 11. 49. व्यपेतभीः प्रीतमनाः पुनस्त्वम्

प्रीति

Râmap. 77. क्ष्वेलः प्रीतिश्च सामरा

Gîtâ. 1. 36. का प्रीतिः स्याज्जनार्दन

17. 8. *vide* विवर्धन

प्रीतिकर

Vâsu. 1. मम प्रीतिकरं..विष्णुचन्दनम्

प्रीतिपूर्वक

Gîtâ. 10. 10. भजतां प्रीतिपूर्वकम्

प्रे

Ait. 4. 4. आत्मा कृतकृत्यो वयोगतः प्रैति स इतः प्रयन्नेव पुनर्जायते

Kaush. 1. 2. ये वै के चास्माल्लोकात् प्रयन्ति

2. 8. न ह्यस्मात् पूर्वाः प्रजाः प्रैति

10. न ह्यस्याः पूर्वाः प्रजाः प्रैति

15. पिता पुत्रं प्रेष्यन्नाह्वयति

— यद्यु वै प्रेयात्तथैवैनं समापयेयुः

4. 14. न पुरा कालात् प्रैति

Kena. 1. केन प्राणः प्रथमः प्रैति युक्तः

2. प्रेत्यास्माल्लोकादमृता भवन्ति 13.

Chhâ. 2. 4. 2. न हाप्सु प्रैत्यप्सुवान् भवति

3. 14. 1. तथेतः प्रेत्य भवति

4. एतमितः प्रेत्याभिसंभवितास्मि

3. 16. 7. यो ऽहमनेन न प्रेष्याभि

5. 3. 2. वेत्थ यदितो ऽधि प्रजाः प्रयन्तीति

Chhâ. 5. 9. 2. तं प्रेतं दिष्टमितो ऽग्नय एव हरन्ति

6. 8. 6. पुरुषस्य प्रयतो वाङ्मनसि सम्पद्यते

8. 3. 1. यो यो ह्यस्येतः प्रैति

2. ये चास्येह जीवा ये च प्रेताः

8. 8. 5. प्रेतस्य शरीरं भिक्षया . . सं-स्कुर्वन्ति

Bṛih. 1. 4. 15. स्वं लोकमदृष्ट्वा प्रैति

1. 5. 17. यदा प्रैष्यन्मन्यते

— यदैवंविदस्माल्लोकात्प्रैति

2. 4. 12. न प्रेत्य संज्ञास्ति 13; 4. 5. 13.

3. 7. 2. पुरुषं प्रेतमाहुर्व्यस्रंसिषता-स्याङ्गानीति

3. 8. 10. अक्षरं गार्ग्यविदित्वास्मा-ल्लोकात्प्रैति स कृपणः

— अक्षरं गार्गि विदित्वास्मा-ल्लोकात्प्रैति स ब्राह्मणः

3. 9. 28. तस्मात्तदा तृण्णात्प्रैति रसः

4. 4. 11. तांस्ते प्रेत्याभिगच्छन्ति Îśâ. 3.

5. 10. 1. यदा वै पुरुषो ऽस्माल्लोकात् प्रैति

5. 11. 1. एतद्वै परमं तपो यं प्रेतम-रण्यं हरन्ति

— एतद्वै परमं तपो यं प्रेतम-ग्नावभ्यादधति

6. 2. 2. वेत्थ यथेमाः प्रजाः प्रयत्यो विप्रतिपद्यन्ता३ इति

— बहुभिः पुनः पुनः प्रयद्भिः

4. प्रेहि तु तत्र प्रतीत्य ब्रह्मच-र्यं वत्स्यावः

6. 4. 4. अस्माल्लोकात्प्रयन्ति

12. अस्माल्लोकात्प्रैति

Tait. 1. 4. 2. प्र मा यन्तु ब्रह्मचारिणः

Tait. 2. 6. 1. उताविद्वानमुं लोकं प्रेत्य कश्चन गच्छती३ आहो वि-द्वानमुं लोकं प्रेत्य कश्चित्स-मश्नुता३उ

2. 8. 1. अस्माल्लोकात्प्रेत्यैतमन्नम-यमात्मानमुपसंक्रामति 3. 10. 5 (उपसंक्रम्य)

3. 1. 1. यत्प्रयन्त्यभिसंविशन्ति

3. 2. 1. अन्नं प्रयन्त्यभिसंविशन्ति

3. 3. 1. प्राणं प्रयन्त्यभिसंविशन्ति

3. 4. 1. मनः प्रयन्त्यभिसंविशन्ति

3. 5. 1. विज्ञानं प्रयन्त्यभिसंविशन्ति

3. 6. 1. आनन्दं प्रयन्त्यभिसंविश-न्ति

Kaṭha. 1. 20. येयं प्रेते विचिकित्सा म-नुष्ये

Nṛip. 1. 1. अनुष्टुभं प्रयन्त्यभिसंवि-शन्ति

— वाचैव प्रयन्ति वाचैवोद्य-न्ति

3. 1. आकाशं प्रयन्त्यभिसंवि-शन्ति

Nyâsa. 1. प्रेतस्य मन्त्रैः संस्कारोप-तिष्ठते

Gîtâ. 17. 4. प्रेतान् भूतगणांश्चान्ये

28. न च तत्प्रेत्य नो इह

18. 12. भवत्यत्यागिनां प्रेत्य

प्रेक्ष्

Gauḍa. 2. 8. तानयं प्रेक्षते गत्वा

प्रेक्षक

Maitri. 2. 7. निस्पृहः प्रेक्षकवदवस्थितः

प्रेत्यसंभव

Bṛih. 3. 9. 28. वृक्षो ऽञ्जसा प्रेत्यसंभवः

प्रेयस्

Bṛih. 1. 4. 8. एतत्प्रेयः पुत्रात्प्रेयो वित्ता-त्प्रेयो ऽन्यस्मात्

Kaṭha. 2. 1. अन्यच्छ्रेयो ऽन्यदुतैव प्रेयः
— हीयते ऽर्थाद्य उ प्रेयो वृणीते
2. श्रेयश्च प्रेयश्च मनुष्यमेतः
— श्रेयो हि धीरो ऽभि प्रेयसो वृणीते प्रेयो मन्दः . . वृणीते

प्रेर्

Maitri. 7. 11. स प्रेरयति मारुतम्
Chûl. 4. तन्यते प्रेरिता पुनः
Siras. 6. मस्तिष्कादूर्ध्वः प्रैरयत्पवमानो ऽधि शीर्षतः

प्रेरितृ

Swet. 1. 6. पृथगात्मानं प्रेरितारं च मत्वा
12. भोक्ता भोग्यं प्रेरितारं च मत्वा

प्रेष्

Kena. 1. केनेषितं पतति प्रेषितं मनः

प्रेष्ठ

Kaṭha. 2. 9. प्रोक्तान्येनैव सुज्ञानाय प्रेष्ठ
Mahânâr. 20. 1. वितुदस्य प्रेष्ठाः

प्रोक्ष्

Bṛih. 1. 2. 7. सर्वदेवत्यं प्रोक्षितं प्राजापत्यमालभन्ते

प्लव

Muṇḍ. 1. 2. 7. प्लवा ह्येते अदृढा यज्ञरूपाः

प्लवन

Piṇḍa. 8. भावानां प्लवनं तथा

प्लुत

Nṛip. 3. 1. ह्रस्वा वा दीर्घा वा प्लुता वेति
— यदि प्लुता भवति
Śikhâ. 1. स्थूलह्रस्वदीर्घप्लुतः

प्लुतप्रयोग

Sikhâ. 1. चतुर्थः शान्तात्मा प्लुतप्रयोगे

प्लुषि

Bṛih. 1. 3. 22. समः प्लुषिणा समो मशकेन

फट्

Nṛip. 2. 2. ओमस्त्राय फट्

फणिन्

Râmap. 71. फणिसंयुतम्

फल

Chhâ. 6. 12. 1. न्यग्रोधफलमत आहर
Bṛih. 6. 3. 1. सर्वौषधं फलानीति संभृत्य
6. 4. 1. पुष्पाणां फलानि फलानां पुरुषः
Maitri. 7. 9. रतिमात्रं फलमस्याः
Kaivalya. 24. एवं विदित्वैनं कैवल्यं फलमश्नुते
Gauḍa. 4. 14. हेतोरादिः फलं येषामादिर्हेतुः फलस्य च 15.
— हेतोः फलस्य चानादिः
16. संभवे हेतुफलयोः
17. फलादुत्पाद्यमानः सन्
— फलमुत्पादयिष्यति
18. यदि हेतोः फलात्सिद्धिः
23. फलं चापि स्वभावतः
76. हेत्वभावे फलं कुतः
Nṛip. 5. 3. मन्त्रराजस्य . . फलं नो ब्रूहि
Śikhâ. 2. क्रतुशतस्यापि फलमवाप्नोति
Nyâsa. 2. विहितानोत्तरः फलैः (4 MSS. have °त्तरफलैः)
Haṁsa. 1. भुक्तिमुक्तिफलप्रदम्
Gopî. 5.
Kâlâg. 1. काः शक्तयः किं फलमिति च

Âśrama. 3. पुष्पफलमुत्सृजन्तः
— शीर्णपर्णफलभोजिनः
Gopî. 5. नाश्वमेधकृतः फलम्
— चतुर्वर्गफलप्रदम्
— काञ्चनाद्रिसमं फलम्
Mukti 2. 36. *vide* शालिन्
Gîtâ. 2. 47. मा फलेषु कदाचन
51. फलं त्यक्त्वा मनीषिणः
5. 4. उभयोर्विन्दते फलम्
12. फले सक्तो निबध्यते
7. 23. अन्तवत्तु फलं तेषाम्
9. 26. पत्रं पुष्पं फलं तोयम्
14. 16. सात्त्विकं निर्मलं फलम्
— रजसस्तु फलं दुःखमज्ञानं तमसः फलम्
17. 12. अभिसन्धाय तु फलम्
21. फलमुद्दिश्य वा पुनः
25. तदित्यनभिसन्धाय फलम्
18. 6. संगं त्यक्त्वा फलानि च
9. संगं त्यक्त्वा फलं चैव
12. त्रिविधं कर्मणः फलम्

फलकर्मकर्त्तृ

Śwet. 5. 7. गुणान्वयो यः फलकर्मकर्त्ता

फलछिन्नपाश

Maitri. 6. 30. तत्फलछिन्नपाशो निराशः

फलद

Râmap. 20. फलदश्चैव सर्वेषां साधकानाम्
Mukti. 2. 10. भवन्ति फलदा मताः

फलभोगिन्

Garbha. 4. गतास्ते फलभोगिनः

फलविशुद्धाङ्गिन्

Nyâsa. 2. तस्मात् फलविशुद्धाङ्गी

फलसिद्धि

Gauḍa. 4. 18. फलसिद्धिश्च हेतुतः

फलहस्त

Kaush. 1. 4. शतं फलहस्ताः

फलहेतु

Gîtâ. 2. 49. कृपणाः फलहेतवः

फलाकांक्षिन्

Gîtâ. 18. 34. प्रसंगेन फलाकाङ्क्षी

फलिन्

Prâṇâg. 1. याः फलिनीर्या अफलाः

फेन

Śiras. 6. मथ्यमानं फेनो भवति फेनादण्डं भवति

फेनप

Aśrama. 3. वैखानसा उदुंबरा बालखिल्याः फेनपाश्च
— फेनपा उन्मत्तकाः शीर्णपर्णफलभोजिनः

बक

Kṛish. 15. गर्वो रक्षः खगो बकः

बडवा

Bṛih. 1. 4. 4. बडवेतराभवत्

बदर

Aśrama. 3. तदाहृतोदुंबरबदरनीवारश्यामाकैः

बधिर

Kaush. 3. 3. जीवति श्रोत्रापेतो बधिरान् हि पश्यामः

Chhâ. 5. 1. 10. यथा बधिरा अशृण्वन्तः
Brih. 6. 1. 10.
Nrisut. 6. अन्धा बधिरा मुग्धाः

बन्ध्

Maitri. 4. 2. सदसत्फलमयैः पाशैः पङ्गुरिव बद्धम्
6. 30. अध्यवसायसङ्कल्पाभिमानलिङ्गो बद्धः (bis).
Mahânâr. 10. 1. त्रिधा बद्धो वृषभो रोरवीति
Gauḍa. 2. 32. न बद्धो न च साधकः
Nrip. 5. 2. रक्षोघ्नं..कण्ठे बाहौ वा शिखायां वा बध्नीयात्सः
Kshur. 24. छित्त्वा तन्तुं न बध्यते (bis).
Śiras. 3. द्विधा त्रिधा बद्धस्त्वम्
Prâṇâg. 1. मा ते बध्नाम्योषधिम्
Nâda. 6. न बध्यते कर्मचारी
Amṛita. 18. बध्वा योगासनं सम्यक्
Yogaśi. 2. आसनं पद्मकं बध्वा
Skanda. 6. तुषेण बद्धो व्रीहिः स्यात्
Mukti. 2. 16. मनो बद्धं विदुर्बुधाः
Gîtâ. 4. 14. कर्मभिर्न स बध्यते
14. 6. सुखसंगेन बध्नाति
16. 12. आशापाशशतैर्बद्धाः

बन्ध

Śwet. 6. 16. संसारमोक्षस्थितिबन्धहेतुः
Maitri. 6. 30. अध्यवसायात्मबन्धमुपागतः
34. मन एव..कारणं बन्धमोक्षयोः Brahmab. 2.
— बन्धाय विषयासङ्गि
Brahmab. 2. बन्धाय विषयासक्तम्
10. न बन्धो न च शासनम्
Sarvop. 1. कथं बन्धः कथं मोक्षः
— सो ऽभिमान आत्मनो बन्धः
Mukti. 2. क्लेशरूपत्वाद्बन्धो भवति
2. 68. बन्धो हि वासनाबन्धः
Gîtâ. 5. 3. सुखं बन्धात्प्रमुच्यते
18. 30. बन्धं मोक्षं च या वेत्ति

बन्धन

Chhâ. 6. 8. 2. बन्धनमेवोपश्रयते
Bṛih. 4. 3. 36. यथाम्रं..बन्धनात्प्रमुच्यते
Maitri. 6. 34. को न मुच्येत बन्धनात्
Nâr. 5. जन्मसंसारबन्धनात्
Atmapra. 1.

बन्धनस्थ

Maitri. 4. 2. बन्धनस्थस्येवास्वातन्त्र्यम्

बन्धमोचक

Mukti. 1. 46. पठतां बन्धमोचकम्

बन्धु

Bṛih. 1. 1. 2. समुद्र एवास्य बन्धुः
4. 1. 2. वाचा वै सम्राड् बन्धुः प्रज्ञायते
Mahânâr. 2. 5. स नो बन्धुर्जनिता
Nṛip. 1. 1. सतो बन्धुमसति निरात्रिन्दन्
Kaṭhasru. 1. बन्धूननुमोदयित्वा
Aruṇeya. 1. पुत्रान् भ्रातॄन् बन्ध्वादीन्
Parama. 1. स्वपुत्रमित्रकलत्रबन्ध्वादीन्
Gîtâ. 1. 27. सर्वान्बन्धूनवस्थितान्
6. 5. आत्मैव ह्यात्मनो बन्धुः
6. बन्धुरात्मात्मनस्तस्य
9. सुहृन्मित्रार्युदासीनमध्यस्थद्वेष्यबन्धुषु

बन्धुवर्ग

Maitri. 1. 4. मिषतो बन्धुवर्गस्य

बभस

Chhâ. 4. 3. 7. हिरण्यदंष्ट्रो बभसः

बभ्रु

Nîla. 9. उत बभ्रुर्विलोहितः
22. बभ्रुश्च बभ्रुकर्णश्च

Nîla. 23. विरूपाक्षेण बभ्रुणा (so 5 MSS.)

बभ्रुकर्ण

Nîla. 22. बभ्रुश्च बभ्रुकर्णश्च

बर्कु

Bṛih. 4. 1. 4. बर्कुर्वार्ष्णः

बर्हिस्

Chhâ. 5. 18. 2. लोमानि बर्हिः Bṛih. 6. 4. 3; Mahânâr. 25. 1.

बल्

Mukti. 2. 40. बलन्ति हृदि वासनाः

1. बल *adj.*

Kṛish. 13. बलं ज्ञानं सुराणां वै

2. बल

Chhâ. 2. 22. 5. इन्द्रे बलं ददानीति
7. 8. 1. बलं वाव विज्ञानाद्भूयः
— बलेन वै पृथिवी तिष्ठति बलेनान्तरिक्षं बलेन द्यौः &c
— बलेन लोकस्तिष्ठति बलमुपास्स्वेति
2. स यो बलं ब्रह्मेत्युपास्ते यावद्बलस्य गतम्
— अस्ति भगवो बलाद्भूय इति बलाद्वाव भूयो ऽस्तीति
7. 9. 1. अन्नं वाव बलाद्भूयो ऽस्ति
7. 26. 1. आत्मतो बलम्
Bṛih. 5. 14. 4. तद्वै तत्सत्यं बले प्रतिष्ठितं प्राणो वै बलम्
— तस्मादाहुर्बलं सत्यादोगीयः
Tait. 1. 2. 1. वर्णः स्वरः। मात्रा बलम्
3. 10. 2. बलमिति विद्युति
Mahânâr. 12. 3. आदित्यो वै तेज ओजो बलम्
15. 1. ओजो ऽसि सहो ऽसि बलमसि
23. 1. प्राणैर्बलं बलेन तपः
Nṛisut. 3. तत्तेज आत्मचैतन्यरूपं बलमवष्टभ्य
Brahma. 2. बलमस्तु तेजः
Gopî. 5. बलारोग्यविवर्द्धनम्
Gîtâ. 1. 10. बलं भीष्माभिरक्षितम्
— बलं भीमाभिरक्षितम्
3. 36. बलादिव नियोजितः
7. 11. बलं बलवतां चाहम्
16. 18. अहंकारं बलं दर्पम् 18. 53.
17. 5. कामरागबलान्विताः
8. *vide* विवर्द्धन

बलदा

Nṛip. 2. 4. य आत्मदा बलदाः

बलप्रमथन

Mahânâr. 17. 2. बलप्रमथनाय नमः

बलवन्त्

Chhâ. 2. 22. 1. श्लक्ष्णं बलवदिन्द्रस्य
5. सर्वे स्वरा घोषवन्तो बलवन्तो वक्तव्याः
7. 8. 1. शतं विज्ञानवतामेको बलवानाकम्पयते
Gîtâ. 6. 34. प्रमाथि बलवद्दृढम्
7. 11. बलं बलवतां चाहम्
16. 14. सिद्धो ऽहं बलवान् सुखी

बलविकरण

Mahânâr. 17. 2. बलविकरणाय नमः

बलहीन

Muṇḍ. 3. 2. 4. नायमात्मा बलहीनेन लभ्यः

बलि

Kaush. 2. 1. सर्वा देवताः..बलिं हरन्ति 2. 2.
— सर्वाणि भूतानि..बलिं हरन्ति 2. 2.
Chhâ. 2. 21. 4. सर्वा दिशो बलिमस्मै हरन्ति
5. 14. 1. तस्मात्त्वां पृथग्बलय आयन्ति

Bṛih. 6. 1. 13. तस्यो मे बलिं कुरुतेति
Tait. 1. 5. 3. सर्वे ऽस्मै देवा बलिमावहन्ति
Mahânâr.20. 1. ये भूताः प्रचरन्ति . . बलिमिच्छन्तः . . तेभ्यो बलिं . . हरामि
Praśna. 2. 7. तुभ्यं प्राणः प्रजास्त्विमा बलिं हरन्ति
Śiras. 1. बलिश्च पुरस्ताज्ज्योतिरित्यहमेव सर्वे

बलिन्

Chhâ. 7. 8. 1. स यदा बली भवति

बलिष्ठ

Tait. 2. 8. 1. आशिष्ठो दृढिष्ठो बलिष्ठः

बलीयंस्

Bṛih. 1. 4. 14. अबलीयान् बलीयांसमाशंसते धर्मेण

बहिःप्रज्ञ

Mâṇḍû. 3. जागरितस्थानो बहिःप्रज्ञः Nṛip. 4. 1; Râmot. 3.
7. नान्तःप्रज्ञं न बहिःप्रज्ञम् Râmot. 3.
Gauḍa. 1. 1. बहिःप्रज्ञो विभुर्विश्वः
Nṛip. 4. 1. न बहिःप्रज्ञं नान्तःप्रज्ञम्

बहिःसूत्र

Brahma. 2. बहिःसूत्रं त्यजेद्बुधः
— बहिःसूत्रं त्यजेद्विद्वान् Aruneya. 3 (2 MSS. have त्रिवृत्सूत्रम्)

बहिरात्मक

Maitri. 6. 1. बहिरात्मक्या गत्यान्तरात्मनो ऽनुमीयते गतिः

बहिरात्मन्

Maitri. 6. 1. असौ वा आदित्यो बहिरात्मा
— अन्तरात्मक्या गत्या बहिरात्मनो ऽनुमीयते गतिः

बहिर्धा

Chhâ. 3. 2. 7. बहिर्धा पुरुषाद्दाकाशः (bis).

बहिर्माया

Nṛip. 5. 1. बहिर्मायया वेष्टितं भवति (ter).

बहिर्वेष्टित

Nṛip. 5. 1. तस्मान्मायया बहिर्वेष्टितं भवति (bis).

बहिश्चित्त

Gauḍa. 2. 13. नियतांश्च बहिश्चित्तः (MSS. read बहिश्चित्तम्)

बहिश्चेतस्

Gauḍa. 2. 9. बहिश्चेतोगृहीतं सत् 10. (MSS. in both cases read बहिश्चेतसा गृहीतं हि सत्)

बहिष्ठ

Mukti. 2. 52. बहिष्ठं कुम्भकं विदुः

बहिष्पवमान

Chhâ. 1. 12. 4. बहिष्पवमानेन स्तोष्यमाणाः

बहिस्

Bṛih. 3. 9. 28. त्वगस्योत्पाटिका बहिः
4. 3. 12. बहिः कुलायादमृतश्चरित्वा
Kaṭha. 5. 9. रूपं रूपं प्रतिरूपो बहिश्च 10.
Śwet. 3. 18. हंसो लेलायते बहिः
Maitri. 5. 2. असा आत्मान्तर्बहिश्च
6. 1. द्वौ . . अस्य पन्थाना' अन्तर्बहिश्च
8. बहिः कृत्वेन्द्रियार्थान्
19. यदा वै बहिर्विद्वान् . . इन्द्रियार्थांश्च . . निवेशयित्वा
Mahânâr.11. 6. अन्तर्बहिश्च तत्सर्वं व्याप्य Vâsu. 3.

Gauḍa. 2. 14. द्वयकालाश्च ये बहिः
15. स्फुटा एव च ये बहिः
Nṛip. 5. 1. मायया बहिर्वेष्टितं भवति (bis).
Nâr. 2. अन्तर्बहिश्च नारायणः
Râmap. 65. तद्बहिर्द्वादशदलम्
66. तद्बहिः षोडशदलम्
68. लिखेत्सम्यक्ततो बहिः
70. वषट्कारं च तद्बहिः
Râmot. 5. यो ब्रह्माण्डस्यान्तर्बहिर्व्याप्नोति विराट् (36).
Mukti. 2. 22. प्रवर्त्तते बहिः स्वार्थे वासनामात्रकारणम्
52. बहिरस्तं गते प्राणे
Gîtâ. 5. 27. स्पर्शान्कृत्वा बहिर्बाह्यान्
13. 15. बहिरन्तश्च भूतानाम्

बहु

Kaush. 3. 1. बह्वीः सन्धा अतिक्रम्य
Kena. 25. स्त्रियमाजगाम बहुशोभमानाम्
Chhâ 1. 5. 2. बहवो वै ते भविष्यन्ति
4. बहवो मे भविष्यन्तीति
4. 4. 2. बह्वहं चरन्ती परिचारिणी 4.
4. 10. 3. बहव इमे ऽस्मिन्पुरुषे कामा नानात्ययाः
5. 13. 1. तव बहु विश्वरूपं कुले दृश्यते
6. 2. 3. बहु स्यां प्रजायेय (bis); Tait. 2. 6. 1.
4. बह्व्यः स्याम प्रजायेमहि
6. 7. 3. तेन ततो ऽपि न बहु दहेत्
5. तेन ततो ऽपि बहु दहेत्
7. 10. 1 अन्नं बहु भविष्यति
7. 13. 1. यद्यपि बहव आसीरन्
Bṛih. 1. 4. 10. बहवः पशवो मनुष्यं भुञ्ज्युः
— एकस्मिन् . . आदीयमाने ऽप्रियं भवति किमु बहुषु
Bṛih. 2. 5. 19. बहूनि चानन्तानि च
3. 8. 10. बहूनि वर्षसहस्राणि
12. तदेव बहु मन्येध्वम्
4. 3. 13. रूपाणि देवः कुरुते बहूनि
4. 4. 21. नानुध्यायाद्बहूञ्छब्दान्
5. 14. 5. यदि ह वा अप्येवंविद्बह्विव प्रतिगृह्णाति
8. यदि ह वा अपि बह्विवाग्नावभ्यादधाति
— एवंविद्यद्यपि बह्विव पापं कुरुते
6. 2. 2. बहुभिः पुनः पुनः प्रयज्ञैः
7. बहोरनन्तस्यापर्यन्तस्य
6. 4. 4. बहवो मर्या ब्राह्मणायनाः
— बहु वा इदं . . रेतः स्कन्दति
Tait. 3. 9. 1. अन्नं बहु कुर्वीत तद्व्रतम्
3. 10. 1. यया कया च विधया बह्वन्नं प्राप्नुयात्
Kaṭha. 1. 5. बहूनामेमि प्रथमो बहूनामेमि मध्यमः
23. वृणीष्व बहून् पशून्
2. 3. यस्यां मज्जन्ति बहवो मनुष्याः
4. न त्वा कामा बहवो ऽलोलुपन्त Maitri. 7. 9 (लोलुपन्ते)
7. श्रवणायापि बहुभिर्यो न लभ्यः शृण्वन्तो ऽपि बहवो यन्न विद्युः
23. न मेधया न बहुना श्रुतेन Muṇḍ. 3. 2. 3.
5. 13. एको बहूनां यो विदधाति कामान् Śwet. 6. 13.
Śwet. 4. 5. बह्वीः प्रजाः सृजमानां सरूपाः
5. 12. बहूनि चैव रूपाणि
6. 12. एको वशी निष्क्रियाणां बहूनाम्

Maitri. 2. 6. सो ऽत्मानमभिध्यात्वा बह्वीः प्रजा असृजत
3. 4. अन्यैश्चाश्रमैर्बहुभिः परिपूर्णम्
Muṇḍ.2. 1. 5. बह्वीः प्रजाः पुरुषात् सम्प्रसूताः
Mahânâr. 9. 2. बह्वीं प्रजां जनयन्तीं सरूपाम्
Kshur. 8. नाडीभिर्बहुभिर्वृता
Brahma. 3. एको मनीषी निष्क्रियाणां बहूनाम्
Prâṇâg. 1. बह्वीः शतविचक्षणाः
Dhyâna. 3. विस्तीर्णं योजनान्बहून्
Gopî. 5. बहुनात्र किमुक्तेन
Râmap. 83. बहुना किमनेन वै
Mukti. 2. 63. बहुशास्त्रकथाकन्थारोमन्थेन
Gîtâ. 1. 9. अन्ये तु बहवः शूराः
2. 36. अवाच्यवादांश्च बहून्
4. 5. बहूनि मे व्यतीतानि जन्मानि
10. बहवो ज्ञानतपसा पूताः
7. 19. बहूनां जन्मनामन्ते
10. 42. अथवा बहुनैतेन
11. 6. बहून्यदृष्टपूर्वाणि
28. यथा नदीनां बहवो ऽम्बुवेगाः

बहुदंष्ट्राकराल

Gîtâ. 11. 23. बहूदरं बहुदंष्ट्राकरालम्

बहुदक्षिण

Bṛih. 3. 1. 1. बहुदक्षिणेन यज्ञेनेजे

बहुदायिन्

Chhâ. 4. 1. 1. बहुदायी बहुपाक्य आस

बहुधा

Chhâ. 4. 3. 6. बहुधा वसन्तम्
Kaṭha. 2. 8. बहुधा चिन्त्यमानः
5. 12. एकं रूपं बहुधा यः करोति
Śwet. 4. 1. य एको ऽवर्णो बहुधा शक्तियोगात्
5. 3. एकैकं जालं बहुधा विकुर्वन्
6. 12. एकं बीजं बहुधा यः करोति
Maitri. 5. 1. बहुधा संस्थितिस्त्वयि
Muṇḍ.1. 2. 1. त्रेतायां बहुधा सन्ततानि
9. अविद्यायां बहुधा वर्त्तमानाः
2. 1. 7. तस्माच्च देवा बहुधा सम्प्रसूताः
2. 2. 6. बहुधा जायमानः
Mahânâr. 1. 6. बहुधा जातं जायमानम् 13. 2.
Praśna. 1. 4. एतौ मे बहुधा प्रजाः करिष्यतः
Gauḍa. 3. 24. बहुधा मायया जायते
Nṛisut. 4. नत्वा च बहुधा दृष्ट्वा
Brahma. 3. एकं सन्तं बहुधा यः करोति
Prâṇâg. 1. यदन्नमद्मि बहुधा विराद्धम्
Brahmab. 12. एकधा बहुधा चैव
Gîtâ. 9. 15. बहुधा विश्वतोमुखम्
13. 4. ऋषिभिर्बहुधा गीतम्

बहुपाक्य

Chhâ. 4. 1. 1. बहुदायी बहुपाक्य आस

बहुपुत्रिन्

Mahânâr. 19. 1. ब्रह्मण्यं बहुपुत्रिणम्

बहुबाहूरुपाद

Gîtâ. 11. 23. रूपं महत्ते..बहुबाहूरुपादम्

बहुभयावस्थ

Maitri. 4. 2. यमविषयस्थस्येव बहुभयावस्थम्

बहुमत

Gîtâ. 2. 35. येषां च त्वं बहुमतः

बहुल

Chhâ. 5. 15. 1. एष वै बहुल आत्मा .... तस्मात्त्वं बहुलोसि प्रजया च धनेन च

5. 18. 2. सन्देहो बहुलः

Mahânâr. 6. 4. पृथ्व पृथ्वी बहुला न उर्वी

बहुलायास

Gîtâ. 18. 24. क्रियते बहुलायासम्

बहुवक्त्रनेत्र

Gîtâ. 11. 23. रूपं महत्ते बहुवक्त्रनेत्रम्

बहुविद्

Chhâ. 7. 5. 2. यद्यपि बहुविदचित्तो भवति

बहुविध

Gîtâ. 4. 32. एवं बहुविधा यज्ञाः

बहुशस्

Amṛita. 20. दिव्यमन्त्रेण बहुशः कुर्यादात्ममलच्युतिम्

बहुशाख

Gîtâ. 2. 41. बहुशाखा ह्यनन्ताश्च

बहूदक

Aśrama. 4. कुटीचरा बहूदका हंसाः परमहंसाश्च

— बहूदकाः . . साधुवृत्तेषु ब्राह्मणकुलेषु भैक्षाचर्यं चरन्तः

बहूदर

Gîtâ. 11. 23. बहूदरं बहुदंष्ट्राकरालम्

बह्वङ्कुर

Nṛisut. 9. सैषा चित्रा सुदृढा बह्वङ्कुरा

बह्वृच

Chûl. 9. बह्वृचाः शास्त्रकोविदाः

Mukti. 1. ऐतरेयकौषीतकीनादबिंद्वात्मप्रबोधनिर्वाणमुद्गलाक्षमालिकात्रिपुरासौभाग्यबह्वृचानाम्

बाण

Praśna. 2. 2. वयमेतद्बाणमवष्टभ्य विधारयामः

3. एतद्बाणमवष्टभ्य विधारयामि

बाणवन्त्

Bṛih. 3. 8. 2. द्वौ बाणवन्तौ

Nîla. 15. विशल्यो बाणवाँ उत

बाधक

Parama. 3. न बाधक इति चेत्तद्बाधको ऽस्त्येव

बान्धव

Kaṭhaśru. 3. तस्य सन्न्यासो गुरुभिरनुज्ञातस्य बान्धवैश्च

बाभ्रव

Bṛih. 2. 6. 3. विदर्भीकौण्डिन्यो वत्सनपातो बाभ्रवात् 4. 6. 3.

— वत्सनपाद्बाभ्रवः पथः सौभरात् 4. 6. 3.

बाल

Kaush. 3. 3. जीवति मनोऽपेतो बालान् हि पश्यामः

Chhâ. 5. 1. 11. यथा बाला अमनसः

5. 24. 5. यथेह क्षुधिता बाला मातरं पर्युपासते

Kaṭha. 2. 6. न साम्परायः प्रतिभाति बालम्

4. 2. पराचःकामाननुयन्ति बालाः

Muṇḍ.1. 2. 9. वयं कृतार्था इत्यभिमन्यन्ति बालाः

Gauḍa. 3. 8. यथा भवति बालानाम्

Nṛip. 5. 2. एतन्महाचक्रं बालो वा यु-
वा वा वेद

Gîtâ. 5. 4. बालाः प्रवदन्ति न पण्डिताः

बालक

Kṛish. 19. क्रीडते बालको भूत्वा

Mukti. 2. 7. लालयेच्चित्तबालकम्

बालखिल्य

Aśrama. 3. वैखानसा उदुंबरा बालखि-
ल्याः फेनपाश्च (2 MSS.
have बालि°)
— बालखिल्या जटाधराः
(one MS. has बालि°)

बालाकि

Kaush. 4. 1. गार्ग्यो बालाकिः
3. स होवाच बालाकिः (16
times).
19. बालाकिस्तूष्णीमास
— एतावन्नु बालाका३ इति
— एतावदित्युवाच बालाकिः
— यो वै बालाक एतेषां..
कर्त्ता
— बालाकिः समित्पाणिः प्रति-
चक्रमे
— क्वैष एतद्बालाके पुरुषो
ऽशयिष्ट
— बालाकिर्न विजज्ञे
— यत्रैष एतद्बालाके पुरुषो
ऽशयिष्ट

बालाग्र

Śwet. 5. 9. बालाग्रशतभागस्य

Dhyâna. 6. बालाग्रशतसाहस्रार्द्धम्

बालाग्रमात्र

Siras. 5. बालाग्रमात्रं हृदयस्य मध्ये

बालिश

Gauḍa. 4. 83. आवृणोत्येव बालिशः

बाल्य

Bṛih. 3. 5. 1. बाल्येन तिष्ठासेत्
— बाल्यं च पाण्डित्यं च नि-
र्विद्य

बाहु

Kaush. 2. 8. दक्षिणं बाहुमन्वावर्त्तते 9.

Bṛih. 5. 5. 3. भुव इति बाहू द्वौ बाहू. 4

Swet. 3. 3. सं बाहुभ्यां धमति Mahâ-
nâr. 2. 2.

Nṛip. 5. 2. कण्ठे बाहौ वा.. बध्नीयात्

Nila. 4. नमस्ते अस्तु बाहुभ्याम्
12. उभाभ्यां..बाहुभ्याम्

Nyâsa. 3. ऊर्ध्वको बाहुर्विमुक्तमार्गः
(*vide* ऊर्ध्वगोपायु)

Haṁsa. 2. बाहू कालश्च

बाहुच्छिन्न

Kaush. 3. 3. जीवति बाहुच्छिन्नः.. इत्ये-
वं हि पश्यामः

बाहुमूल

Vâsu. 2. ललाटकण्ठहृदयबाहुमूलेषु

बाहुल्य *adj.*

Parama. 1. न तु बाहुल्यो ऽपि (बाहु-
ल्यमस्यास्तीति बाहुल्यः
Nârâyaṇa)

बाह्य

Bṛih. 2. 4. 7. न बाह्याञ्छब्दाञ्छक्नुयाद्ग्रह-
णाय 8, 9; 4. 5. 8—10.
4. 3. 21. न बाह्यं किञ्चन वेद नान्त-
रम् (bis).

Katha. 5. 11. न लिप्यते लोकदुःखेन बाह्यः

Muṇḍ.2. 1. 2. स बाह्याभ्यन्तरः

Praśna. 3. 1. कथं बाह्यमभिधत्ते
8. आदित्यो ह वै बाह्यः प्राणः
5. 6. क्रियासु बाह्याभ्यन्तरमध्य-
मासु

Gauḍa 2. 16. बाह्यानाध्यात्मिकांश्चैव
Nṛisut. 9. बाह्यान्तरवीक्षणात्
Dhyâna. 9. बाह्याभ्यन्तरे स्थितः
Gîtâ. 5. 27. स्पर्शान्कृत्वा बहिर्बाह्यान्

बाह्यतस्

Iśâ. 5. तदु सर्वस्यास्य बाह्यतः
Gauḍa. 2. 38. तत्त्वं दृष्ट्वा तु बाह्यतः
Nyâsa. 4. देवागारेषु बाह्यतः

बाह्यदोष

Kaṭha. 5. 11. न लिप्यते चाक्षुषैर्बाह्यदोषैः

बाह्यप्राण

Amṛita. 32. बाह्यप्राणः सगोचरः

बाह्यस्पर्श

Gîtâ. 5. 21. बाह्यस्पर्शेष्वसक्तात्मा

बिन्दु

Maitri. 3. 2. अमृतो ऽस्यात्मा बिन्दुरिव पुष्करा इति (so MS; printed text has अद्बिन्दुरिव)
6. 35. ये बिन्दव इवाभ्युच्चरन्ति
Dhyâna. 4. बीजाक्षरात्परं बिन्दुं नादं बिन्दोः परे स्थितम् (four MSS. read बिन्दु in first instance).
Haṁsa. 2. बिन्दुस्तु नेत्रम्
Kṛish. 23. बिन्दुवत्सर्वमूर्द्धनि
Râmap. 68. नादबिन्दुसमायुतम्
73. बिन्दुनादैः
Râmot. 2. बिन्दुः पञ्चमाक्षरो भवति
Mukti. 1. 31. बिन्दुर्नादः शिरः शिखा

बिन्दुपूर्वक

Râmot. 2. दीर्घानलं बिन्दुपूर्वकम्

बिम्ब

Śvet. 2. 14. यथैव बिंबं मृदयोपलिप्तम्

बिल

Chhâ. 3. 15. 1. द्यौरस्योत्तरं बिलम्

बिस

Mukti. 2. 13. बिसच्छेदात्तुणा इव

बिसतन्तु

Mukti. 2. 47. ते निबध्नन्ति नागेन्द्रं.. बिसतन्तुभिः

बीज

Ait. 5. 3. बीजानीतराणि चेतराणि च
Chhâ. 6. 3. 1. त्रीण्येव बीजानि भवन्ति
Śwet. 6. 12. एकं बीजं बहुधा यः करोति
Maitri. 6. 10. तस्माद्बीजं भोज्यम्
— नहि बीजस्य स्वादुपरिग्रहः
31. यथैवेह बीजस्याङ्कुरा वा
Gauḍa. 4. 59. यथा मायामयाद्बीजात्
Nṛip. 3. 1. शक्तिं बीजं च नो ब्रूहि
— आकाशं बीजं विद्यात्
Nṛisut. 2. स्थूलसूक्ष्मबीजसाक्षिभिः (ter); 3 (4 times).
Dhyâna. 16. तस्याहुर्बीजमाहत्य
Haṁsa. 2. हमिति बीजं स इति शक्तिः
Râmap. 22. बीजशक्ती न्यसेत्
59. तन्मध्ये बीजमालिख्य
60. लिखेद्बीजान्तरे रमाम्
61. लिखेद्बीजं हृदादिभिः
73. बीजं च सौकरम्
Mukti. 2. 26. बीजांकुरक्रमः
— द्वे बीजे चित्तवृक्षस्य 48.
63. स्थितिः सम्भृष्टबीजवत्
Gîtâ. 7. 10. बीजं मां सर्वभूतानाम्
9. 18. निधानं बीजमव्ययम्
10. 39. यच्चापि सर्वभूतानां बीजम्

बीजतुल्यत्व

Garbha. 3. उभयोर्बीजतुल्यत्वान्नपुंसकम्

बीजत्व

Nṛisut. 2. बीजत्वात् साक्षित्वाच्च (ter).

बीजनिद्रायुत

Gauḍa. 1. 13. बीजनिद्रायुतः प्राज्ञः

बीजप्रद

Gîtâ. 14. 4. अहं बीजप्रदः पिता

बीजसम्भव

Maitri. 6. 10. यस्माद्बीजसम्भवाः पशवः

बीजाक्षर

Dhyâna. 4. बीजाक्षरात्परं बिन्दुम्

बीजांकुराख्य

Gauḍa. 4. 20. बीजाङ्कुराख्यो दृष्टान्तः

बीजादिक

Râmap. 87. बीजादिकांश्चाग्निदेशादिकांश्च

बीजाद्य

Râmap. 88. वृत्तत्रयं बीजाद्यं क्रमाद्भावयेत्

बुडिल

Chhâ. 5. 11. 1. बुडिल आश्वतराश्विः
5. 16. 1. बुडिलमाश्वतराश्विम्
Bṛih. 5. 14. 8.

बुद्धान्त

Bṛih. 4. 3. 16. आद्रवति बुद्धान्तायैव 34
17. बुद्धान्ते रत्वा चरित्वा
18. स्वप्नान्तं च बुद्धान्तं च

बुद्धि

Kaṭha. 3. 3. बुद्धिं तु सारथिं विद्धि
10. मनसस्तु परा बुद्धिर्बुद्धेरात्मा महान् परः
12. दृश्यते त्वग्र्यया बुद्ध्या
6. 10. बुद्धिश्च न विचेष्टते
Maitri. 6. 30.

Śwet. 3. 4. स नो बुद्ध्या शुभया संयुनक्तु 4. 1, 12.
5. 8. बुद्धेर्गुणेनात्मगुणेन चैव

Maitri. 6. 5. बुद्धिर्मनो ऽहङ्कारा इति चेतनवत्येषा
7. धियो यो नः प्रचोदयादिति बुद्धयो वै धियः
10. तत्र बुद्ध्यादीनि स्वादूनि भवन्ति
31. बुद्धिर्धृतिः स्मृतिः प्रज्ञानम्

Praśna. 4. 8. बुद्धिश्च बोद्धव्यं च

Kaivalya. 22. न जन्म देहेन्द्रियबुद्धिरस्ति

Gauḍa 2. 25. बुद्धिरिति च तद्विदः

Nṛisut. 2. बुद्धेर्द्रष्टा...बुद्धेः साक्षी

Śiras. 5. बुद्ध्या सञ्चितं स्थापयित्वा तु रुद्रे (bis).

Garbha. 1. बुद्ध्या बुद्ध्यति
3. बुद्धिर्गन्धरसादिज्ञाना

Mahâ. 1. पञ्चदशी बुद्धिः

Prâṇâg. 4. बुद्धिः पत्नी

Sarvop. 2. इष्टविषये बुद्धिः सुखबुद्धिः
— अनिष्टविषये बुद्धिर्दुःखबुद्धिः
3. सर्वप्राणिबुद्धिषु

Haṁsa. 2. वायव्ये गमनादौ बुद्धिः

Kṛish. 26. वृन्दा भक्तिः प्रिया बुद्धिः

Mukti. 2. 71. मनोबुद्धिसमन्विताम्

Gîtâ. 2. 39. एषा ते ऽभिहिता सांख्ये बुद्धिः
— बुद्ध्या युक्तो यया पार्थ
41. व्यवसायात्मिका बुद्धिः 44.
— बुद्धयो ऽव्यवसायिनाम्
49. बुद्धौ शरणमन्विच्छ
52. बुद्धिर्व्यतितरिष्यति
53. समाधावचला बुद्धिः
65. बुद्धिः पर्यवतिष्ठते
66. नास्ति बुद्धिरयुक्तस्य

Gîtâ. 3. 1. मता बुद्धिर्जनार्दन
2. बुद्धिं मोहयसीव मे
40. इन्द्रियाणि मनो बुद्धिः
42. मनसस्तु परा बुद्धिर्यो बुद्धेः परतस्तु सः
43. एवं बुद्धेः परं बुद्ध्वा
5. 11. कायेन मनसा बुद्ध्या
6. 25. बुद्ध्या धृतिगृहीतया
7. 4. खं मनो बुद्धिरेव च
10. बुद्धिर्बुद्धिमतामस्मि
10. 4. बुद्धिर्ज्ञानमसम्मोहः
12. 8. मयि बुद्धिं निवेशय
13. 5. बुद्धिरव्यक्तमेव च
18. 17. बुद्धिर्यस्य न लिप्यते
29. बुद्धेर्भेदं धृतेश्चैव
30. बुद्धिः सा पार्थ सात्त्विकी
31. बुद्धिः सा पार्थ राजसी
32. बुद्धिः सा पार्थ तामसी
51. बुद्ध्या विशुद्धया युक्तः

बुद्धिग्राह्य

Gîtâ. 6. 21. बुद्धिग्राह्यमतीन्द्रियम्

बुद्धिनाश

Gîtâ. 2. 63. स्मृतिभ्रंशाद्बुद्धिनाशो बुद्धिनाशात्प्रणश्यति

बुद्धिनिर्मल

Kshur. 11. सुतीक्ष्णं बुद्धिनिर्मलम् (2 MSS. have ब्रह्मनिर्मलम्)

बुद्धिभेद

Gîtâ. 3. 26. न बुद्धिभेदं जनयेत्

बुद्धिमन्त्

Amṛita. 15. संक्षिप्यात्मनि बुद्धिमान्
Gîtâ. 4. 18. स बुद्धिमान्मनुष्येषु
7. 10. बुद्धिर्बुद्धिमतामस्मि
15. 20. एतद्बुद्ध्वा बुद्धिमान् स्यात्

बुद्धियुक्त

Gîtâ. 2. 50. बुद्धियुक्तो जहातीह
51. कर्मजं बुद्धियुक्ता हि

बुद्धियोग

Gîtâ. 2. 49. बुद्धियोगाद्धनञ्जय
10. 10. ददामि बुद्धियोगं तम्
18. 57. बुद्धियोगमुपाश्रित्य

बुद्धिवृद्धिमन्त्

Râmap. 60. वेष्टयेद्बुद्धिवृद्धिमान् (Weber has शुद्धबुद्धि°)

बुद्धिशून्य

Mukti. 2. 55. बुद्धिशून्यं चिदात्मकम्

बुद्धिसंयोग

Gîtâ. 6. 43. तत्र तं बुद्धिसंयोगम्

बुद्धिस्थ

Sarvop. 3. सर्वप्राणिबुद्धिस्थः

बुद्धीन्द्रिय

Maitri. 2. 6. बुद्धीन्द्रियाणि यानीमान्येतान्यस्य रश्मयः
Garbha. 5. बुद्धीन्द्रियाणि यज्ञपात्राणि
Prâṇâg. 4.

बुद्ध्यन्तस्थ

Maitri 6. 34. यो बुद्ध्यन्तस्थो ध्यायी

बुद्बुद

Chûl. 17. बुद्बुदाः सागरे यथा
18. जायन्ते बुद्बुदा इव
Garbha. 3. सप्तरात्रोषितं बुद्बुदम्

बुध्

Bṛih. 2. 1. 15. तं पाणिना पेषं बोधयाञ्चकार
4. 3. 14. तं नायतं बोधयेत्
Kaṭha. 6. 4. इह चेदशकद्बोद्धुम्

Śwet. 1. 8. अनीशश्चात्मा बुध्यते भोक्तृभावात् [M. M. proposes to read बध्यते].

Maitri. 6. 17. एतस्मादाकाशादेष खल्विदं चेतामात्रं बोधयति

Praśna. 4. 8. बुद्धिश्च बोद्धव्यं च

Gauḍa. 1. 16. अजमनिद्रमस्वप्नमद्वैतं बुध्यते तदा

2. 11. क एतान् बुध्यते भेदान्

12. स एव बुध्यते भेदान्

4. 19. एवं हि सवर्था बुद्धैः

42. जातिस्तु देशिता बुद्धैः

75. द्वयाभावं स बुद्ध्वैव

78. बुद्ध्वा निमित्ततां सत्याम्

79. वस्त्वभावं स बुद्ध्वैव

80. विषयः स हि बुद्धानाम्

88. सदा बुद्धैः प्रकीर्त्तितम्

98. आदौ बुद्धास्तथा मुक्ता बुध्यन्त इति नायकाः

99. क्रमते न हि बुद्धस्य ज्ञानम्

— नैतद्बुद्धेन भाषितम्

100. बुद्ध्वा पदमनानात्वम्

Nṛisut. 6. नृसिंहानुष्टुभैत्र बुबुधिरे

9. नित्यः शुद्धो बुद्धः

— अत एव शुद्धः. . बुद्धः

— नित्यं शुद्धं बुद्धं मुक्तम्

Garbha. 1. बुद्ध्या बुद्ध्यति

Yogaśi. 9. लब्धयोगेन बोद्धव्यम्

Haṁsa. 2. शुद्धो बुद्धो नित्यः

Gîtâ. 3. 43. एवं बुद्धेः परं बुद्ध्वा

4. 17. कर्मणो ह्यपि बोद्धव्यं बोद्धव्यं च विकर्मणः

— अकर्मणश्च बोद्धव्यम्

10. 9. बोधयन्तः परस्परम्

15. 20. एतद्बुद्ध्वा बुद्धिमान् स्यात्

बुध

Chûl. 19. कारणैर्व्यञ्जयेद्बुधः

Brahma. 2. बहिःसूत्रं त्यजेद्बुधः

3. यं ज्ञात्वा मुच्यते बुधः

Nâda. 7. वारुणीं तां विदुर्बुधाः

Mukti. 2. 16. मनोबद्धं विदुर्बुधाः

62. पुनर्जन्मकरी प्रोक्ता. . बुधैः

Gîtâ. 4. 19. तमाहुः पण्डितं बुधाः

5. 22. न तेषु रमते बुधः

10. 8. बुधा भावसमन्विताः

बृह्

Śiras. 4. बृहद्बृहत्या बृंहयाति

Śikhâ. 2. ब्रह्माबृहत् सर्वकरणानि सम्प्रतिष्ठाप्य ध्यानात्

बृहज्जाबाल

Mukti. 1 32. बृहज्जाबालतापनी

1. *vide* गारुड

1. बृहत्

Kaush. 4. 2. आदित्ये बृहत्

3. बृहत्पाण्डुरवासा अतिष्ठाः

19. बृहत्पाण्डरवासः सोमराजन्निति

Chhâ. 1. 2. 11. वाग्घि बृहती तस्या एष पतिः

2. 14. 1. एतद्बृहदादित्ये प्रोतम्

2. स य एवमेतद्बृहदादित्ये प्रोतं वेद

Bṛih. 1. 3. 20. वाग्वै बृहती तस्या एष पतिः

2. 1. 3. बृहन्पाण्डरवासाः सोमो राजा

15. बृहन्पाण्डरवासः सोमराजन्निति

Kaṭha. 5. 2. अद्रिजा ऋतं बृहत् Mahânâr. 9. 3; 17. 8; Nṛip. 3. 1.

Śwet. 1. 6. सर्वाजीवे सर्वसंस्थे बृहन्ते

2. 3. बृहज्ज्योतिः करिष्यतः

4. विप्रा विप्रस्य बृहतो विपश्चितः

Swet. 3. 7. ततः परं ब्रह्म परं बृहन्तम्
Mund.3. 1. 7. बृहच्च तद्दिव्यमचिन्त्यरूपम्
Mahânâr. 16. 4. बृहद्वदेम विदथे सुवीराः
Śiras. 4. बृहद्बृहत्या बृंहयति
Aśrama. 1. गायत्रो ब्राह्मणः प्राजापत्यो बृहन्निति
— आप्रायणाद्गुरोरपरित्यागी नैष्ठिको बृहन्निति

2. बृहत्

Kaush. 1. 5. बृहद्रथन्तरे (bis).
Maitri. 7. 2. पञ्चदशो बृहत्..दक्षिणत उद्यन्ति
Mahânâr.22. 1. आहवनीयः साम सुवर्गो लोको बृहत्

बृहत्त्व

Nṛisut. 9. तद्वा एतद्ब्रह्माद्वयं बृहत्त्वात्

बृहत्सामन्

Chûl. 9. रथन्तरे बृहत्सान्नि
Gitâ. 10. 35. बृहत्साम तथा साम्नाम्

बृहत्सेन

Gâruḍa. 1. नारदो बृहत्सेनाय बृहत्सेन इन्द्राय

बृहत्सोम

Mahânâr. 6. 1. बृहत्सोमो वावृधे सुवान इन्दुः

बृहदारण्यक

Mukti. 1. 30. बृहदारण्यकं तथा
1. vide मुक्तिका

बृहद्रथ

Maitri. 1. 2. बृहद्रथो वै नाम राजा
2. 1. महाराज बृहद्रथ

बृहस्पति

Chhâ. 1. 2. 11. तेन तं ह बृहस्पतिरुद्गीथमुपासांचक्रे एतमु एव बृहस्पतिं मन्यन्ते
Chhâ. 2. 22. 1. क्रौञ्चं बृहस्पतेः
Bṛih. 1. 3. 20. एष उ एव बृहस्पतिः
— तस्मादु बृहस्पतिः
Tait. 1. 1. 1. शं न इन्द्रो बृहस्पतिः 1. 12. 1.
2. 8. 1. शतमिन्द्रस्यानन्दाः स एको बृहस्पतेरानन्दः
— शतं बृहस्पतेरानन्दाः स एकः प्रजापतेरानन्दः
Maitri. 7. 9. बृहस्पतिर्वै शुक्रो भूत्वा
Mahânâr. 4. 12. तन्मं .. बृहस्पतिः सविता च पुनन्तु
19. 2. बृहस्पतये स्वाहा
Nṛip. 1. 1. स्वस्ति नो बृहस्पतिर्दधातु Nṛisut. 1.
Jâbâla. 1. बृहस्पतिरुवाच याज्ञवल्क्यम् Ramot. 1.
Gitâ. 10. 24. मां विद्धि पार्थ बृहस्पतिम्

बृहस्पतिप्रसूत

Prâṇâg. 1. बृहस्पतिप्रसूतास्ताः (bis)

बैल्व

Aruṇeya. 5. पालाशं बैल्वमौदुंबरं दण्डम्

बोद्धृ

Chhâ. 7. 8. 1. उपसीदन्..बोद्धा भवति
7. 9. 1. अन्नस्यायै..बोद्धा भवति
Prasna. 4. 9. एष हि..मन्ता बोद्धा कर्ता

बोध

Parama. 3. पूर्णानन्दैकरूपरसबोधः

बोधस्वरूप

Atmapra. 1. कारणरूपं बोधस्वरूपं विज्ञानघनम्

बोधिन्

Mahânâr. 6. 5. अस्माकं बोध्यविता तनूनाम्

ब्रह्म

Śwet. 1. 9. त्रयं यदा विन्दते ब्रह्ममेतत् (ब्रह्ममिति मकारान्तम् Com; but Nârâyaṇa reads ब्रह्म ह्येतत् here and in verse 12.)
12. सर्वं प्रोक्तं त्रिविधं ब्रह्ममेतत्

ब्रह्मकर्मन्

Gîtâ. 18. 42. ब्रह्मकर्म स्वभावजम्

ब्रह्मकर्मसमाधि

Gîtâ. 4. 24. ब्रह्मैव तेन गन्तव्यं ब्रह्मकर्मसमाधिना

ब्रह्मकुलदर्प

Tejo. 13. न ब्रह्मकुलदर्पं च (5MSS: read पर्वं for दर्पं)

ब्रह्मकोश

Maitri. 6. 28. चतुर्जालं ब्रह्मकोशं प्रणुदेत्
38. चतुर्जालं ब्रह्मकोशं भिन्दत्

ब्रह्मगन्ध

Kaush. 1. 5. तं ब्रह्मगन्धः प्रविशति

ब्रह्मगवी

Bṛih. 3. 7. 1. ब्रह्मगवीरुदजसे

ब्रह्मचक्र

Śwet. 1. 6. तस्मिन् हंसो भ्राम्यते ब्रह्मचक्रे
6. 1. येनेदं भ्राम्यते ब्रह्मचक्रम्

ब्रह्मचर्य

Chhâ. 4. 4. 1. ब्रह्मचर्यं भवति विवत्स्यामि
3. ब्रह्मचर्यं भगवति वत्स्यामि
4. 10. 1. सत्यकामे जाबाले ब्रह्मचर्यमुवास
6. 1. 1. श्वेतकेतो वस ब्रह्मचर्यम्

Chhâ. 8. 4. 3. ब्रह्मलोकं ब्रह्मचर्येणानुविन्दन्ति
8 5. 1. यद्यज्ञ इत्याचक्षते ब्रह्मचर्यमेव तद्ब्रह्मचर्येण ह्येव .. तं विन्दते (similarly 5 times more in this section)
4. य एवैतावरं च ण्यं चार्णवौ .. ब्रह्मचर्येणानुविन्दन्ति
8. 7. 3. द्वात्रिंशतं वर्षाणि ब्रह्मचर्यमूषतुः
8. 11. 3. एकशतं ह वै वर्षाणि .. ब्रह्मचर्य्यमुवास
Bṛih. 5. 2. 1. प्रजापतौ पितरि ब्रह्मचर्यमूषुः
— उषित्वा ब्रह्मचर्यं देवा ऊचुः
6. 2. 4. तत्र प्रतीत्य ब्रह्मचर्यं वत्स्यावः
Kaṭha. 2. 15. यदिच्छन्तो ब्रह्मचर्यं चरन्ति Gîtâ. 8. 11.
Muṇḍ. 2. 1. 7. श्रद्धा सत्यं ब्रह्मचर्यं विधिश्च
3. 1. 5. सम्यग्ज्ञानेन ब्रह्मचर्येण नित्यम्
Praśna. 1. 2. तपसा ब्रह्मचर्येण श्रद्धया 10 ; 5. 3.
13. ब्रह्मचर्यमेव तद्यद्रात्रौ रत्या संयुज्यन्ते
15. तेषामेवैष ब्रह्मलोको येषां तपो ब्रह्मचर्यम्
Mahâ. 2. बिभ्रच्छ्रियं सत्यं ब्रह्मचर्यम्
Aruṇeya. 4. ब्रह्मचर्यमहिंसां चापरिग्रहं च सत्यं च
Jâbâla. 4. ब्रह्मचर्यं समाप्य गृही भवेत्
— यदि वेतरथा ब्रह्मचर्यादेव प्रव्रजेत्
Mukti. 1. 52. ब्रह्मचर्योपपन्नम्
Gîtâ. 17. 14. ब्रह्मचर्यमहिंसा च

ब्रह्मचर्याश्रम

Nyâsa. 2. ब्रह्मचर्याश्रमे खिन्नः

ब्रह्मचारिन्

Chhâ. 2. 23. 2. ब्रह्मचार्याचार्यकुलवासी
4. 3. 5. ब्रह्मचारी बिभिक्षे
7. वयं ब्रह्मचारिणेदमुपास्महे
4. 10. 2. तप्तो ब्रह्मचारी कुशलमग्नीन् परिचचारीत्
3. ब्रह्मचारिन्नशान
4. तप्तो ब्रह्मचारी कुशलं नः परिचचारीत्
Brih. 3. 1. 2. स्वमेव ब्रह्मचारिणमुवाच
Tait. 1. 4. 2. आ मा यन्तु ब्रह्मचारिणः
— वि मा यन्तु ब्रह्मचारिणः
— प्र मा यन्तु ब्रह्मचारिणः
— दमायन्तु ब्रह्मचारिणः
— शमायन्तु ब्रह्मचारिणः
3. एवं मां ब्रह्मचारिणो धातरायन्तु सर्वतः
Maitri. 5. 2. अस्य तामसो ऽंशो ऽसौ स ब्रह्मचारिणो यो ऽयं रुद्रः (similarly twice more.)
Mahânâr. 21. 2. दम इति नियतं ब्रह्मचारिणः
22. 1. दमेन ब्रह्मचारिणः सुवरगच्छन्
Chûl. 11. ब्रह्मचारी च व्रात्यश्च
Kathaśru. 3. ब्रह्मचारी वेदमधीत्य
Hamsa. 1. ब्रह्मचारिणे शान्ताय दान्ताय
Aruṇeya. 2. गृहस्थो ब्रह्मचारी वानप्रस्थो वा
— कुटीचरो ब्रह्मचारी
5. ब्रह्मचारिणां मृत्पात्रं वालाबुपात्रं दारुपात्रं वा
Kâlâg. 2. ब्रह्मचारी गृहस्थो वानप्रस्थो यतिर्वा
Aśrama. 1. तत्र ब्रह्मचारिणश्चतुर्विधा भवन्ति
Jâbâla. 3. अथ हैनं ब्रह्मचारिण ऊचुः
Vâsu. 2. ब्रह्मचारी वानप्रस्थो वा

ब्रह्मचारिव्रत

Gîtâ. 6. 14. ब्रह्मचारिव्रते स्थितः

ब्रह्मजज्ञ

Kaṭha. 1. 17. ब्रह्मजज्ञं देवमीड्यं विदित्वा

ब्रह्मजज्ञान

Nyâsa. 1. ब्रह्मजज्ञानमिति

ब्रह्मज्ञान

Gopî. 2. ब्रह्मज्ञानप्राप्तिः

ब्रह्मज्योतिस्

Maitri. 6. 36. द्वे वाव खल्वेते ब्रह्मज्योतिषो रूपके

ब्रह्मणस्पति

Brih. 1. 3. 21. एष उ एव ब्रह्मणस्पतिः
— तस्माद् ब्रह्मणस्पतिः
Mahânâr. 14. 2. पुनन्तु ब्रह्मणस्पतिः Prâṇâg. 1.
Nrip. 2. 4. प्र नूनं ब्रह्मणस्पतिर्मन्त्रं वदत्युक्थम्

ब्रह्मण्य

Mahânâr. 19. 1. ब्रह्मण्यं बहुपुत्रिणम्
Nâr. 5. ब्रह्मण्यो देवकीपुत्रो ब्रह्मण्यो मधुसूदनः
Atmapra. 1. ब्रह्मण्यो देवकीपुत्रो ब्रह्मण्यो गरुडध्वजः
— ब्रह्मण्यः पुण्डरीकाक्षो ब्रह्मण्यो मधुसूदनः

ब्रह्मतत्त्व

Mahânâr. 11. 4. नारायणः परं ब्रह्मतत्त्वम्
Śwet. 2. 15. यदात्मतत्त्वेन तु ब्रह्मतत्त्वं ..प्रपश्येत्

Mukti. 2. 65. ब्रह्मतत्त्वं न जानाति

ब्रह्मतेजस्

Kaush. 1. 5. तं ब्रह्मतेजः प्रविशति

ब्रह्मत्व

Nâr. 3. ब्रह्मत्वं च गत्वामृतत्वं च गच्छति

1. ब्रह्मदत्त *adj.*

Mahânâr. 4. 5. तेन या ब्रह्मदत्तासि

2. ब्रह्मदत्त

Bṛih. 1. 3. 24. ब्रह्मदत्तश्चैकितानेयः

ब्रह्मदेवत्य

Siras. 5. या सा प्रथमा मात्रा ब्रह्मदेवत्या (one MS. has दै)

Sikhâ. 1. प्रथमा रक्ता ब्राह्मी ब्रह्मदेवत्या

ब्रह्मद्वार

Maitri. 4. 4. ब्रह्मद्वारमिदमित्येवैतदाह

ब्रह्मद्वारपार

Maitri. 6. 28. तं ब्रह्मद्वारपारं निहत्यायम्

ब्रह्मधामन्

Muṇḍ. 3. 2. 1. स वेदैतत्परमं ब्रह्मधाम

4. तस्यैष आत्मा विशते ब्रह्मधाम

Brahma. 1. परं ब्रह्मधाम क्षेत्रज्ञमुपैति

ब्रह्मधी

Maitri. 7. 11. अजस्रं ब्रह्मधीयालम्बं वा

ब्रह्मन्

Ait. 3. 13. एतमेव पुरुषं ब्रह्म ततमम-पश्यत्

5. 3. एष ब्रह्मैष इन्द्रः

— प्रज्ञानं ब्रह्म Atmapra. 1.

Kaush. 1. 3. तं ब्रह्माहाभिधावत मम यशसा

Kaush. 1. 4. ब्रह्म विद्वान् ब्रह्माभिप्रैति

— ब्रह्म विद्वान् ब्रह्मैवाभिप्रैति

5. तस्मिन् ब्रह्मास्ते

— तं ब्रह्मा पृच्छति कोसीति

7. स ब्रह्मेति विज्ञेयः

— सा या ब्रह्मणो जितिर्या व्यष्टिः

2. 1. प्राणो ब्रह्मेति ह स्माह कौषीतकिः

— एतस्य प्राणस्य ब्रह्मणो मनो दूतम्

— एतस्मै प्राणाय ब्रह्मणे . . देवताः . . बलिं हरंति 2. 2

2. प्राणो ब्रह्मेति ह स्माह पैंग्यः

— एतस्य प्राणस्य ब्रह्मणो वाक् परस्ताच्चक्षुरारुन्धते.

6. उक्थं ब्रह्मेति ह स्माह शुष्कभृंगारः

12. एतद्वै ब्रह्म दीप्यते (4 times), 13 (4 times).

4. 1. ब्रह्म ते ब्रवाणीति Bṛih. 2. 1. 1.

8. पूर्णमप्रवृत्ति ब्रह्मेति वा अहमेतमुपासे

19. मृषा वै खलु मा संवादयिष्ठा ब्रह्म ते ब्रवाणीति

Kena. 4. तदेव ब्रह्म त्वं विद्धि 5—8.

9. दभ्रमेवापि नूनं त्वं वेत्थ ब्रह्मणो रूपम्

14. ब्रह्म ह देवेभ्यो विजिग्ये तस्य ह ब्रह्मणो विजये देवा अमहीयन्त

26. सा ब्रह्मेति होवाच ब्रह्मणो वा एतद्विजये महीयध्वमिति ततो हैव विदांचकार ब्रह्मेति

27. एनत् प्रथमो विदाञ्चकार ब्रह्मेति 28.

Chhâ. 1. 7. 5. अन्तरक्षिणि पुरुषो दृश्यते ..तद्ब्रह्म
3. 5. 1. ब्रह्मैव पुष्पम्
2. ते वा एते गुह्या आदेशा एतद्ब्रह्माभ्यतपन्
3. 10. 1. यत्पंचमममृतं तत्साध्या उपजीवन्ति ब्रह्मणा मुखेन
3. 10. 3. साध्यानामेवैको भूत्वा ब्रह्मणैव मुखेन
3. 11. 2. मा विराधिषि ब्रह्मणा
4. एतद्ब्रह्मा प्रजापतय उवाच 8. 15. 1.
— ज्येष्ठाय पुत्राय पिता ब्रह्म प्रोवाच
5. ज्येष्ठाय पुत्राय पिता ब्रह्म प्रब्रूयात्
3. 12. 7. तद्वैतद्ब्रह्मेतीदं वाव तद्यो ऽयं बहिर्धा पुरुषादाकाशः
3. 14. 1. सर्वं खल्विदं ब्रह्म
4. एष म आत्मान्तर्हृदय एतद्ब्रह्म
3. 18. 1. मनो ब्रह्मेत्युपासीत
— आकाशो ब्रह्म
2. तदेतच्चतुष्पाद्ब्रह्म
3. वागेव ब्रह्मणश्चतुर्थः पादः
4. प्राण एव ब्रह्मणश्चतुर्थः पादः
5. चक्षुरेव ब्रह्मणश्चतुर्थः पादः
6. श्रोत्रमेव ब्रह्मणश्चतुर्थः पादः
3. 19. 1. आदित्यो ब्रह्मेत्यादेशः
4. आदित्यं ब्रह्मेत्युपास्ते
4. 5. 2. ब्रह्मणश्च ते पादं ब्रवाणि .. चतुष्कलः पादो ब्रह्मणः 4. 6. 3; 4. 7. 3; 4. 8. 3.
3. य एतमेवं विद्वांश्चतुष्कलं पादं ब्रह्मणः .. उपास्ते 4. 6. 4; 4. 7. 4; 4. 8. 4.
4. 10. 5. प्राणो ब्रह्म कं ब्रह्म खं ब्रह्मेति स होवाच विजानाम्यहं यत्प्राणो ब्रह्म

Chhâ. 4. 15. 1. एतदमृतमभयमेतद्ब्रह्म 8. 3. 4; 8. 7. 4; 8. 8. 3; 8. 10. 1; 8. 11. 1; Maitri. 2. 2; Nṛisut. 8 (four times).
6. स एतान् ब्रह्म गमयति 5. 10. 2.
4. 16. 2. मनसा संस्करोति ब्रह्मा
— ब्रह्मा व्यववदति 4.
4. 17. 8. यत्रैवंविद्ब्रह्मा भवति 9.
9. एवंविदं ह वा एषा ब्रह्माणमनु गाथा
10. मानवो ब्रह्मा
— एवंविद्ध वै ब्रह्मा यज्ञं ... अभिरक्षति तस्मादेवविदमेव ब्रह्माणं कुर्वीत
5. 11. 1. को न आत्मा किं ब्रह्मेति
7. 1. 5. यो नाम ब्रह्मेत्युपास्ते (bis).
7. 2. 2. यो वाचं ब्रह्मेत्युपास्ते (and similarly in each section down to the 14th)
7. 3. 1. मनो हि ब्रह्म
8. 3. 4. एतस्य ब्रह्मणो नाम सत्यमिति
8. 5. 3. अपराजिता पूर्ब्रह्मणः
8. 14. 1. ते यदन्तरा तद्ब्रह्म
Bṛih. 1. 3. 21. वाग्वै ब्रह्म तस्या एष पतिः
1. 4. 6. सैषा ब्रह्मणो ऽतिसृष्टिः
9. किमु तद्ब्रह्मावेत्
10. ब्रह्म वा इदमग्र आसीत् 11; Maitri. 6. 17 (ह.वा)
— अहं ब्रह्मास्मीति (bis).
11. सैषा क्षत्रस्य योनिर्यद्ब्रह्म
— ब्रह्मैवान्तत उपनिश्रयति
15. तदेतद्ब्रह्म क्षत्रं विट् शूद्रः
— अग्निनैव देवेषु ब्रह्माभवत्
— एताभ्यां हि रूपाभ्यां ब्रह्माभवत्

Bṛih. 1. 5. 17. पुत्रमाह त्वं ब्रह्म
— स पुत्रः प्रत्याहाहं ब्रह्म
— यद्वै किञ्चानूक्तं तस्य सर्वस्य ब्रह्मेत्येकता
1. 6. 1. एतदेषां ब्रह्मैतद्धि सर्वाणि ..बिभर्त्ति 2, 3.
2. 1. 2. आदित्ये पुरुष एतमेवाहं ब्रह्मोपासे (similarly, in 3—13).
15. ब्रह्म मे वक्ष्यतीति
2. 2. 3. वागष्टमी ब्रह्मणा संविदाना (bis).
— वाग्घ्यष्टमी ब्रह्मणा संवित्ते
2. 3. 1. द्वे वाव ब्रह्मणो रूपे Maitri. 6. 3. 15.
2. 4. 5. न वा अरे ब्रह्मणः कामाय ब्रह्म प्रियं भवत्यात्मनस्तु कामाय ब्रह्म प्रियं भवति 4. 5. 6.
6. ब्रह्म तं परादाद्यो ऽन्यत्रात्मनो ब्रह्म वेद 4. 5. 7.
— इदं ब्रह्म..इदं सर्वं यदयमात्मा 4. 5. 7.
2. 5. 1. इदममृतमिदं ब्रह्मेदं सर्वं (14 times).
19. तदेतद्ब्रह्मापूर्वमनपरम्
— अयमात्मा ब्रह्म सर्वानुभूः
2. 6. 3. परमेष्ठी ब्रह्मणः 4. 6. 3.
— ब्रह्म स्वयंभु ब्रह्मणे नमः 4. 6. 3 ; 6. 5. 4.
3. 1. 6. ब्रह्मणर्त्विजा मनसा चन्द्रेण मनो वै यज्ञस्य ब्रह्मा
— सो ऽसौ चन्द्रः स ब्रह्मा
9. ब्रह्मा यज्ञं..गोपायति
3. 4. 1. यत्साक्षादपरोक्षाद्ब्रह्म 2 ; 3. 5. 1.
3. 9. 9. स ब्रह्म त्यदित्याचक्षते
19. किं ब्रह्म विद्वानिति

Bṛih. 3. 9. 28. विज्ञानमानन्दं ब्रह्म
4. 1. 2. वाग्वै ब्रह्मेति..वाग्वै.. परमं ब्रह्म
3. प्राणो वै ब्रह्मेति..प्राणो वै सम्राट् परमं ब्रह्म (similarly, 4—7).
4. 3. 37. इदं ब्रह्मायाति
4. 4. 5. स वा अयमात्मा ब्रह्म
6. ब्रह्मैव सन् ब्रह्माप्येति Nṛisut 5 (ter).
7. अत्र ब्रह्म समश्नुते Kaṭha. 6. 14.
— अयमशरीरो ऽमृतः प्राणो ब्रह्मैव
9. एष पन्था ब्रह्मणा हानुवित्तः Jâbâla. 5.
17. विद्वान्ब्रह्मामृतो ऽमृतम्
18. ते निचिक्युर्ब्रह्म पुराणम्
25. महानज आत्मा..अभयो ब्रह्म
— अभयं वै ब्रह्माभयं हि वै ब्रह्म भवति य एवं वेद Nrisut. 8 (4 times).
5. 1. 1. ओं खं ब्रह्म
5. 3. 1. एतद्ब्रह्मैतत्सर्वम्
5. 4. 1. महद्यक्षं प्रथमजं वेद सत्यं ब्रह्मेति सत्यं ह्येव ब्रह्म
5. 5. 1. आपः सत्यमसृजन्त सत्यं ब्रह्म ब्रह्म प्रजापतिम्
5. 7. 1. विद्युद्ब्रह्मेत्याहुः .. य एवं वेद विद्युद्ब्रह्मेति विद्युद्ध्येव ब्रह्म
5. 12. 1. अन्नं ब्रह्मेत्येक आहुस्तन्न तथा
— प्राणो ब्रह्मेत्येक आहुस्तन्न तथा
6. 1. 6. प्राणा अहंश्रेयसे विवदमाना ब्रह्म जग्मुः
6. 3. 3. ब्रह्मणे स्वाहा..क्षत्राय स्वाहा

Bṛih. 6. 5. 4. प्रजापतिर्ब्रह्मणः
Tait. 1. 1. 1. नमो ब्रह्मणे . . त्वमेव प्रत्यक्षं ब्रह्मासि त्वामेव प्रत्यक्षं ब्रह्म वदिष्यामि 1. 12. 1 (अवादिषं)
1. 4. 1. ब्रह्मणः कोशो ऽसि
1. 5. 1. मह इति तद्ब्रह्म
3. मह इति ब्रह्म ब्रह्मणा वाव सर्वे वेदा महीयन्ते
— ता यो वेद स वेद ब्रह्म
1. 6. 2. मह इति ब्रह्मणि (प्रतितिष्ठति)
— आकाशशरीरं ब्रह्म
1. 8. 1. ओमिति ब्रह्म
— ओमिति ब्रह्मा प्रसौति
— ब्रह्मोपाप्नुवानिति ब्रह्मैवोपाप्नोति
2. 1. 1. सत्यं ज्ञानमनन्तं ब्रह्म यो वेद . . सो ऽश्नुते सर्वान् कामान् सह ब्रह्मणा विपश्चिता
2. 2. 1. ये ऽन्नं ब्रह्मोपासते
2. 3. 1. ये प्राणं ब्रह्मोपासते
2. 4. 1. आनन्दं ब्रह्मणो विद्वान् 2. 9. 1.
2. 5. 1. विज्ञानं देवाः सर्वे ब्रह्म ज्येष्ठमुपासते
— विज्ञानं ब्रह्म चेद्वेद
— ब्रह्म पुच्छं प्रतिष्ठा
2. 6. 1. असन्नेव स भवत्यसद्ब्रह्मेति वेद चेत् । अस्ति ब्रह्मेति चेद्वेद
2. 8. 1. शतं प्रजापतेरानन्दाः स एको ब्रह्मण आनन्दः
3. 1. 1. अधीहि भगवो ब्रह्मेति 3. 2. 1; 3. 3. 1; 3. 4. 1; 3. 5. 1.
— तद्विजिज्ञासस्व तद्ब्रह्मेति

Tait. 3. 2. 1. अन्नं ब्रह्मेति व्यजानात्
— तपसा ब्रह्म विजिज्ञासस्व तपो ब्रह्मेति 3. 3. 1; 3. 4. 1; 3. 5. 1.
3. 3. 1. प्राणो ब्रह्मेति व्यजानात्
3. 4. 1. मनो ब्रह्मेति व्यजानात्
3. 5. 1. विज्ञानं ब्रह्मेति व्यजानात्
3. 6. 1. आनन्दो ब्रह्मेति व्यजानात्
3. 10. 4. तद्ब्रह्मेत्युपासीत ब्रह्मवान्भवति
— तद्ब्रह्मणः परिमर इत्युपासीत
Kaṭha. 1. 9. अवात्सीर्गृहे मे ऽनश्नन् ब्रह्मन् . . नमस्ते ऽस्तु ब्रह्मन्
2. 16. एतद्ध्येवाक्षरं ब्रह्म
25. यस्य ब्रह्म च क्षत्रं च उभे भवत ओदनम्
3. 2. अक्षरं ब्रह्म यत्परम्
5. 6. गुह्यं ब्रह्म सनातनम्
8. तदेव शुक्रं तद्ब्रह्म तदेवामृतम् 6. 1.
Śwet. 1. 1. किं कारणं ब्रह्म
7. उद्गीतमेतत्परमं तु ब्रह्म
— लीना ब्रह्मणि तत्पराः
16. तद्ब्रह्मोपनिषत्परं Brahma. 3.
2. 5. युजे वां ब्रह्म पूर्व्यं नमोभिः
7. जुषेत ब्रह्म पूर्व्यम्
11. ब्रह्मण्यभिव्यक्तिकराणि
3. 7. ततः परं ब्रह्म परं बृहन्तम्
4. 2. तदेव शुक्रं तद्ब्रह्म तदापः
5. 6. तद्ब्रह्मा वेदते ब्रह्मयोनिम् (Nârâyaṇa reads तद्ब्रह्म विन्दते)
6. 10. स नो दधातु ब्रह्माव्ययम्
18. यो ब्रह्माणं विदधाति पूर्वम्
21. ब्रह्म ह श्वेताश्वतरो ऽथ विद्वान्

Maitri. 4. 4. अस्ति ब्रह्मेति ब्रह्मविद्याविदब्रवीत्
— ओं ब्रह्मणो महिमा
— विद्यया तपसा चिन्तया चोपलभ्यते ब्रह्म
— स ब्रह्मणः पर एता भवति
— अनेन त्रिकेण ब्रह्मोपास्ते
5. ब्रह्मा रुद्रो विष्णुः
6. ब्रह्मणो वावैता अग्र्यास्तनवः
6. ब्रह्म खल्विदं वाव सर्वम्
5. 1. त्वं ब्रह्मा त्वं च वै विष्णुः
2. अस्य राजसो ऽंशो ऽसौ ..ब्रह्मा
6. 3. यदमूर्त्तं तत्सत्यं तद्ब्रह्म यद्ब्रह्म तज्ज्योतिः
4. ऊर्ध्वमूलं त्रिपाद्ब्रह्म
— एको ऽश्वत्थनामैतद्ब्रह्म
5. ब्रह्मा रुद्रो विष्णुरित्यधिपतिवत्येषा
— एतद्वै सत्यकाम परं चापरं च ब्रह्म Praśna. 5. 2.
12. अन्नकामेनेदं प्रकल्पितं ब्रह्मणा
14. यः कालं ब्रह्मेत्युपासीत
16. तस्मादादित्यात्मा ब्रह्म
— आदित्यो ब्रह्मेत्येके
18. यदा पश्यन् पश्यति..ब्रह्म योनिम्
20. ब्रह्म तर्केण पश्यति
22. द्वे वाव ब्रह्मणी अभिध्येये शब्दश्चाशब्दश्च
— परे ऽशब्दे ऽव्यक्ते ब्रह्मण्यस्तंगताः
— द्वे ब्रह्मणी वेदितव्ये शब्दब्रह्म परं च यत्
— शब्दब्रह्मणि निष्णातः परं ब्रह्माधिगच्छति Brahma. 17.

Maitri. 6. 24. आदित्यवर्णमूर्जस्वन्तं ब्रह्म
— तद्ब्रह्म चामृतं शुक्रम्
26. यदुज्ज्वलत्येतद्ब्रह्मणो रूपम्
27. ब्रह्मणो वावैतत्तेजः
29. ब्रह्मणः पन्थानमारूढाः
33. अथात्मविदुत्क्षिप्य ब्रह्मणे प्रायच्छत्
34. यद्येवं ब्रह्मणि स्यात्
— ब्रह्मणः पदव्योमानुस्मरणं विरुद्धम्
35. नमो ब्रह्मणे सर्वक्षिते
— एतद्ब्रह्मैतदमृतमेतद्भर्गः (bis)
— आपो ज्योती रसोऽमृतं ब्रह्म Siras. 6; Prâṇâg. 1; Mahânâr. 13. 1; 15. 2, 3.
38. तद्ब्रह्माभिष्टूयमानम्
7. 10. देवासुराः.. ब्रह्मणोऽन्तिकं प्रयाताः
11. त्रिष्वेकपाच्चरेद्ब्रह्म
Muṇḍ. 1. 1. 1. ब्रह्मा देवानां प्रथमः संबभूव
2. अथर्वणे यां प्रवदेत ब्रह्मा
8. तपसा चीयते ब्रह्म
9. तस्मादेतद्ब्रह्म..जायते
2. 1. 10. कर्म तपो ब्रह्म परामृतम्
2. 2. 2. तदेतदक्षरं ब्रह्म
4. ब्रह्म तल्लक्ष्यमुच्यते Dhyâna. 19.
9. विरजं ब्रह्म निष्कलम्
11. ब्रह्मैवेदममृतं पुरस्ताद्ब्रह्म पश्चाद्ब्रह्म दक्षिणतः
— ब्रह्मैवेदं विश्वमिदं वरिष्ठम्
3. 2. 9. ब्रह्म वेद ब्रह्मैव भवति
Mahânâr. 1. 6. तदेव ब्रह्म परमं कवीनाम्
7. तदेव शुक्रममृतं तद्ब्रह्म
3. 18. तन्नो ब्रह्मा प्रचोदयात्
5. 10. ज्योतिर्ज्वलति ब्रह्माहमस्मि यो ऽहमस्मि ब्रह्माहमस्मि

Mahânâr. 7. 6. नमो ब्रह्मणे धारणं मे अस्तु
8. 1. ब्रह्मैतदुपास्यैतत्तपः
9. 1. ब्रह्मा देवानाम् 17. 8.
13. उप ब्रह्मा शृणवच्छस्यमानम्
11. 13. स ब्रह्मा स शिवः सेन्द्रः Kaivalya. 8.
12. 1. ऋतं सत्यं परं ब्रह्म Nṛip. 1. 6.
3. ब्रह्मणः सायुज्यं..आप्नोति
13. 1. तद्ब्रह्म तदाप आपो ज्योतिः 15. 3.
15. 1. अक्षरं ब्रह्म सम्मितम्
— ब्रह्म जुषस्व नः
4. ओं तद्ब्रह्म
6. त्वं ब्रह्मा त्वं प्रजापतिः
10. ब्रह्मणि स आत्मामृतत्वाय 16. 1.
16. 4. त्वया जुष्ट ऋषिर्भवतु. या ब्रह्मा
17. 5. ब्रह्माधिपतिर्ब्रह्मणो ऽधिपतिर्ब्रह्मा शिवो मे अस्तु
6. ब्रह्म मेतु मां..ब्रह्म मे ऽव
7. ब्रह्ममेधया..ब्रह्म मे ऽव
8. ब्रह्ममेधवा..ब्रह्म मे ऽव
21. 2. न्यास इति ब्रह्मा ब्रह्मा हि परः परो हि ब्रह्मा
23. 1. न्यास इत्याहुर्मनीषिणो ब्रह्माणम्
— ब्रह्मा विश्वः कतमः
— स एव परमेष्ठी ब्रह्मात्मा
24. 1. ब्रह्मन् त्वमसि विश्वसृक्
— ब्रह्मणे त्वा महसे
— ब्रह्मणो महिमानमाप्नोति तस्माद्ब्रह्मणो महिमानम्
25. 1. मनो ब्रह्मा Garbha. 5.
Praśna. 1. 1. परं ब्रह्मान्वेषमाणाः
2. 6. यज्ञः क्षत्रं ब्रह्म च
4. 4. अहरहर्ब्रह्म गमयति

Praśna. 6. 7. एतावदेवाहमेतत्परं ब्रह्म वेद
Kaivalya. 6. शिवं प्रशान्तं..ब्रह्म योनिम्
10. ब्रह्म परमं याति
16. यत् परं ब्रह्म सर्वात्मा
17. तद्ब्रह्माहमिति ज्ञात्वा
19. तद्ब्रह्माद्वयमस्म्यहम्
Mâṇḍû. 2. सर्वं ह्येतद्ब्रह्मायमात्मा ब्रह्म Nṛip. 4. 1; Nṛisut. 1; Râmot. 3.
Gauḍa. 1. 25. प्रणवो ब्रह्म निर्भयम्
26. प्रणवो ह्यपरं ब्रह्म
3. 1. जाते ब्रह्मणि वर्त्तते
12. परं ब्रह्म प्रकाशितम्
33. ब्रह्म ज्ञेयमजं नित्यम्
35. तदेव निर्भयं ब्रह्म
46. निष्पन्नं ब्रह्म तत्तदा
Nṛip. 1. 4. स ब्रह्मा स शिवः स हरिः
6. ब्रह्मणो ऽधिपतिः
— तस्मादिदं साम सच्चिदानन्दमयं परं ब्रह्म
7. ब्रह्मणः सायुज्यं सलोकतां यन्ति
— आत्मनि ब्रह्मण्यानुष्टुभं जानीयात्
— परं ब्रह्म तारकं व्याचष्टे
2. 1. ब्रह्मा वसवो गायत्री गार्हपत्यः Nṛisut. 3; Śikhâ. 1.
4. 3. यो वै नृसिंहः..यश्च ब्रह्मा तस्मै वै नमो नमः (1)
5. 2. ब्रह्माविष्णुमहेश्वरा नाभ्याम्
Nṛisut. 1. आत्मानमोमिति ब्रह्मणैकीकृत्य ब्रह्म चात्मना ओमित्येकीकृत्य
— त्रिशरीरं परं ब्रह्मानुसन्दध्यात्
2. अमृतमभयं ब्रह्मैव

Nṛisut. 2. इममात्मानं परं ब्रह्मानुसन्दध्यात्
3. अकारं ब्रह्माणं नाभौ
— ब्रह्माणमेव . . सम्पूज्य
4. परमं ब्रह्मोङ्कारम् (ter).
— परमं ब्रह्म संभाव्य
— आत्मानं . . ब्रह्मणैकीकुर्यात्
Râmot. 3.
— योगारूढो ब्रह्मण्येवानुष्टुभं सन्दध्यात्
5. नृसिंहे ब्रह्मणि वर्त्तते (bis).
— ब्रह्म भवति य एवं वेद (bis).
— नृसिंहे देवे परे ब्रह्मणि वर्त्तते . . तस्मादयं . . ब्रह्मैव
— एतदेव ब्रह्मापि सर्वज्ञम्
— परमेव ब्रह्म मकारेण जानीयात्
— परमेव ब्रह्म भवति य एवं वेद
6. एवंवित् स्वप्रकाशं परमेव ब्रह्म भवति
— प्रणवमेव परमं ब्रह्म
— ओङ्कारे परे ब्रह्मणि पर्यवसितः
— आत्मनैवात्मानं परमं ब्रह्म पश्यति
7. ब्रह्मैवेदं सर्वं सच्चिदानन्दरूपम्
— तस्य ब्रह्मणो नाम ब्रह्मेति
— मकारेण परमं ब्रह्मान्विच्छेत्
— मकारेण ब्रह्मणा सन्दध्यात्
— ब्रह्म ह वा इदं सर्वम्
— सततं ह्येतद्ब्रह्म
— अकारेण परमं ब्रह्मान्विष्य
— एनं मकारार्थेन परेण ब्रह्मणैकीकुर्यात्
9. ब्रह्मविष्णुशिवरूपिणी

Nṛisut. 9. सिद्धं हि ब्रह्म
— विष्णुरीशानो ब्रह्मा
— तब्रा एतद्ब्रह्माद्वयं बृहत्त्वात्
— आत्मा ब्रह्मैव ब्रह्मात्मैव

Brahmav. 1. ब्रह्मविष्णुमहेश्वरात्
3. ओमित्येकाक्षरं ब्रह्म
Amrit. 20 ; Gîtâ. 8. 13.
5. पृथिवी ब्रह्म एव च
14. तत्परं ब्रह्म गीयते
— ध्रुवं हि चिन्तयेद्ब्रह्म

Chûl. 10. मंत्रोपनिषदं ब्रह्म
17. यस्मिन् सर्वमिदं प्रोतं ब्रह्म स्थावरजङ्गमम्
21. ब्रह्म ब्रह्मविधानं तु

Siras. 1. ब्रह्मा ब्रह्माहम्
— ब्रह्म ब्राह्मणैश्च (तर्पयामि)
2. यो वै रुद्रः . . यश्च ब्रह्मा
3. यद्ब्रह्युतं तत्परं ब्रह्म यत्परं ब्रह्म स एकः
4. ब्रह्म ब्राह्मणेभ्यः प्रणामयति
— कस्मादुच्यते परं ब्रह्म
— तस्मादुच्यते परं ब्रह्म
5. यस्माद्व्रतमिदं पाशुपतं . . तस्माद्ब्रह्म
6. अण्डाद्ब्रह्मा भवति ब्रह्मणो वायुः

Sikhâ. 1. चतुष्पादेतदक्षरं परं ब्रह्म
2. ब्रह्म बृहत् सर्वकरणानि सम्प्रतिष्ठाप्य
— ब्रह्मविष्णुरुद्रेन्द्राः सम्प्रसूयन्ते
— ब्रह्मा विष्णुश्च रुद्रश्च

Mahâ. 1. नारायण आसीन्न ब्रह्मा
3 तत्र ब्रह्मा चतुर्मुखो ऽजायत
— स ब्रह्मा स ईशानः

Brahma. 1. विरजं निष्कलं शुभ्रमक्षरं यद्ब्रह्म
— परापरं ब्रह्मात्मा
2. चतुष्पादं ब्रह्म विभाति

Brahma. 2. जागरिते ब्रह्मा
— यत्परं ब्रह्म विभाति
— एकमेव परं ब्रह्म विभाति
— यदक्षरं परं ब्रह्म तत्सूत्रम्

Prâṇâg. 1. त्वं यज्ञस्त्वं ब्रह्मा त्वं रुद्रः
2. विश्वं तु त्वाहुतयः सर्वा यत्र ब्रह्मा
4. इदं वा ब्रह्म यः पठेत्

Nâda. 16. द्वादश्यां ब्रह्म शाश्वतम्
17. सदोदितं परं ब्रह्म

Brahmab. 6. ब्रह्म सम्पद्यते तदा
8. तदेव निष्कलं ब्रह्म
— तद्ब्रह्माहमिति ज्ञात्वा ब्रह्म सम्पद्यते ध्रुवम्
16. शब्दाक्षरं परं ब्रह्म
21. तद्ब्रह्माहमिति स्मृतम्

Dhyâna. 8. ब्रह्मविद्ब्रह्मणि स्थितः Gîtâ. 5. 20.
12. ब्रह्माणं रक्तगौराङ्गम्

Tejo. 5. अव्यक्तं ब्रह्म निराश्रयम्
9. तद्ब्रह्माणं तदध्यात्मम्
14. तद्ग्राह्यं ब्रह्म तत्परम्

Nyâsa. 1. यद्ब्रह्माभ्युदय दिवं च लोकम्
— ब्रह्मणे ऽथर्वणे . . इति हुत्वा
4. ब्रह्म प्रपद्यते
5. तद्ब्रह्म तत्परायणम्

Kaṭhaśru. 1. त्वं ब्रह्मा त्वं यज्ञस्त्वं सर्वम्
2. त्वं ब्रह्मा त्वं यज्ञस्त्वं वषट्कारः
— अहं ब्रह्माहं यज्ञो ऽहं वषट्कारः

Piṇḍa. 1. ब्रह्माणमिदमब्रुवन्

Sarvop. 3. ब्रह्मादिपिपीलिकापर्यन्तम् (so MSS.)
— सत्यं ज्ञानमनन्तमानन्दं ब्रह्म
4. तत्पदार्थः परमात्मा परं ब्रह्मेत्युच्यते

Haṁsa. 1. स वै ब्रह्म परमात्मेत्युच्यते
2. दशमं परमं ब्रह्म भवेत्

Parama. 3. तद्ब्रह्माहमस्मि (MSS. omit अस्मि)

Aruṇeya. 3. खल्वहं ब्रह्म सूत्रम्
— ब्रह्म सूत्रमहमेव विद्वान्

Nâr. 1. नारायणाद्ब्रह्मा जायते
2. ब्रह्मा च नारायणः
5. प्रत्यगानन्दं ब्रह्म पुरुषम् Atmapra. 1.
— कारणरूपमकारं परं ब्रह्म Atmapra. 1.

Gâruḍa 1. ब्रह्मा नारदाय . . प्रायच्छत्
3. इत्याह भगवान् ब्रह्मा

Jâbâla. 1. रुद्रस्तारकं ब्रह्म व्याचष्टे Râmot. 1.
4. तद्ब्रह्मैतदुपासितव्यम्

Vâsu. 1. मद्भक्तैर्ब्रह्मादिभिर्धारितम्
2. ब्रह्मैवाहमस्मीति भावयन्
3. मद्रूपमद्वयं ब्रह्म
— परं ब्रह्म भवाम्यहम्

Gopî. 2. परं ब्रह्मैव विष्णुः
4. मायाशबलितं ब्रह्मासीत्
— महदाद्या ब्रह्मणो महामायासंमिलितात्
— मायासहितब्रह्मसंभोगवशात्
5. सगुणं ब्रह्म चिद्घनानन्दैकरूपम्
— परब्रह्मानन्दैकरूपम्
— श्रीकृष्णाख्यं परं ब्रह्म

Krish. 6. भक्ते ब्रह्मणि राजसी
14. कृष्णो ब्रह्मैव शाश्वतम्
22. तच्चक्रं ब्रह्म रूपधृक्

Skanda. 5. स एव हि परं ब्रह्म तद्ब्रह्माहं न संशयः
14. वेदात्मकं ब्रह्म निजं विजानते

Râmap. 6. परं ब्रह्माभिधीयते

Râmap. 7. ब्रह्मणो रूपकल्पना
10. ब्रह्मण्येवं हि पञ्चधा
Râmot. 2. तदेव तारकं ब्रह्म त्वं विद्धि
3. परं ब्रह्म रामचन्द्रश्चिदात्मकः सो ऽहम्
4. त्वत्तो वा ब्रह्मणो वापि
5. श्रीरामेणैवं शिक्षितो ब्रह्मा
— मनसा संस्मरन् ब्रह्मा
— यः परं ब्रह्म (4 MSS. omit).
— यत्तारकं ब्रह्म (4).
— यो ब्रह्मा विष्णुरीश्वरः
Mukti. 1. 31. ब्रह्मकैवल्यजाबालश्वेताश्वः
1. *vide* सरस्वतीरहस्य
2. 64. ब्रह्म न ब्रह्मवित्स्वयम्
Gîtâ. 3. 15. ब्रह्माक्षरसमुद्भवम्
— तस्मात्सर्वगतं ब्रह्म
4. 24. ब्रह्मार्पणं ब्रह्म हविर्ब्रह्माग्नौ ब्रह्मणा हुतम्
— ब्रह्मैव तेन गन्तव्यम्
31. यान्ति ब्रह्म सनातनम्
32. वितता ब्रह्मणो मुखे
5. 6. ब्रह्म नचिरेणाधिगच्छति
10. ब्रह्मण्याधाय कर्माणि
19. निर्दोषं हि समं ब्रह्म तस्माद्ब्रह्मणि ते स्थिताः
6. 38. विमूढो ब्रह्मणः पथि
7. 29. ते ब्रह्म तद्विदुः कृत्स्नम्
8. 1. किं तद्ब्रह्म किमध्यात्मम्
3. अक्षरं ब्रह्म परमम्
17. अहर्यं ब्रह्मणो विदुः
24. तत्र प्रयाता गच्छन्ति ब्रह्म
10. 12. परं ब्रह्म परं धाम
11. 15. ब्रह्माणमीशं कमलासनस्थम्
37. गरीयसे ब्रह्मणो ऽप्यादिकर्त्रे
13. 12. अनादिमत्परं ब्रह्म
30. ब्रह्म सम्पद्यते तदा
14. 3. मम योनिर्महद्ब्रह्म
4. तासां ब्रह्म महद्योनिः

Gîtâ. 14. 27. ब्रह्मणो हि प्रतिष्ठाहम्
17. 23. ओं तत्सदिति निर्देशो ब्रह्मणः
18. 50. यथा ब्रह्म तथाप्नोति निबोध मे

ब्रह्मनाल

Mukti. 1. 19. काश्यां तु ब्रह्मनाले ऽस्मिन्

ब्रह्मनिर्वाण

Gîtâ. 2. 72. ब्रह्मनिर्वाणमृच्छति
5. 24. स योगी ब्रह्मनिर्वाणम्
25. लभन्ते ब्रह्मनिर्वाणम्
26. अभितो ब्रह्मनिर्वाणम्

ब्रह्मनिष्ठ

Muṇḍ. 1. 2. 12. श्रोत्रियं ब्रह्मनिष्ठम्
3. 2. 10. श्रोत्रिया ब्रह्मनिष्ठाः
Praśna. 1. 1. ते हैते ब्रह्मपरा ब्रह्मनिष्ठाः

ब्रह्मनीड

Maitri. 6. 15. संवत्सरो वै . . ब्रह्मनीडम्

ब्रह्मपथ

Chhâ. 4. 15. 6. एष देवपथो ब्रह्मपथः
Maitri. 6. 30. एषो ऽत्र ब्रह्मपथः

ब्रह्मपदवी

Maitri. 6. 30. एषात्र ब्रह्मपदवी

ब्रह्मपर

Śwet. 5. 1. *vide* ब्रह्मपुर
Praśna. 1. 1. ते हैते ब्रह्मपरा ब्रह्मनिष्ठाः

ब्रह्मपुर

Chhâ. 8. 1. 1. अस्मिन् ब्रह्मपुरे दहरं पुण्डरीकं वेश्म 2.
4. ब्रह्मपुरे सर्वं समाहितम्
5. एतत्सत्यं ब्रह्मपुरम्
Śwet. 5. 1. द्वे अक्षरे ब्रह्मपुरे त्वनन्ते (so Nârâyaṇa; the other MSS. have ब्रह्मपरे)

und.2. 2. 7. दिव्ये ब्रह्मपुरे . . आत्मा प्रतिष्ठितः

Brahma. 1. दिव्ये ब्रह्मपुरे सम्प्रतिष्ठिताः
— दिव्ये ब्रह्मपुरे . . यद्ब्रह्म विभाति

Atmapra. 1. यदिदं पुरं ब्रह्मपुरमिदं पुण्डरीकं वेश्म

ब्रह्मपुरुष

Chhâ. 3. 13. 6. एते पञ्च ब्रह्मपुरुषाः
— एतान् पञ्च ब्रह्मपुरुषान् (bis).

ब्रह्मपूत

Mahânâr.14. 2. ब्रह्मपूता पुनातु माम् Prâṇâg. 1.

Nṛip. 5. 3. स ब्रह्मपूतो भवति

ब्रह्मप्राप्त

Kaṭha. 6. 18. ब्रह्मप्राप्तो विरजो ऽभूत्

ब्रह्मबन्धु

Chhâ. 6. 1. 1. ब्रह्मबन्धुरिव भवति

ब्रह्मभाव

Nâda. 20. तेनैव ब्रह्मभावेन परमानन्दमश्नुते

ब्रह्मभावमय

Brahma. 2. ब्रह्मभावमयं सूत्रम्

ब्रह्मभुवन

Gitâ. 8. 16. आब्रह्मभुवनाल्लोकाः

ब्रह्मभूत

Gîtâ. 5. 24. ब्रह्मभूतो ऽधिगच्छति
6. 27. ब्रह्मभूतमकल्मषम्
18. 54. ब्रह्मभूतः प्रसन्नात्मा

ब्रह्मभूय

Jâbâla. 5. ब्रह्मभूयाय भवति

Gîtâ. 14. 26. ब्रह्मभूयाय कल्पते
18. 53.

ब्रह्ममय

Kaush. 1. 7. ब्रह्ममयो महानिति

Nṛip. 5. 2. ब्रह्ममयममृतमयं भवति

ब्रह्ममुख

Mukti. 1. ब्रह्ममुखाद्वेदान्तश्रवणादि कृत्वा

ब्रह्ममेधा

Mahânâr.17. 7. ब्रह्ममेधया मधुमेधया ब्रह्म मे ऽव
8. ब्रह्ममेधवा मधुमेधवा ब्रह्म मे ऽव (मेधवा छान्दसो यास्थाने वाशब्दः स एवार्थः Nârâyaṇa).

ब्रह्मयज्ञ

Maitri. 1. 1. ब्रह्मयज्ञो वा एष यत्पूर्वेषां चयनम्

ब्रह्मयशस्

Kaush. 1. 5. तं ब्रह्मयशः प्रविशति

ब्रह्मयोगयुक्तात्मन्

Gîtâ. 5. 21. स ब्रह्मयोगयुक्तात्मा

ब्रह्मयोनि

Śwet. 5. 6. तद्ब्रह्मा वेदते ब्रह्मयोनिम्

Muṇḍ.3. 1. 3. यदा पश्यः पश्यते . . पुरुषं ब्रह्मयोनिम्

Mahânâr. 23. 1. विज्ञानादानन्दो ब्रह्मयोनिः

Nṛip. 3. 1. तां विद्यां ब्रह्मयोनिं सरूपाम्

ब्रह्मरन्ध्र

Haṁsa. 1. ब्रह्मरन्ध्रं ध्यायन्
— आधाराद्ब्रह्मरन्ध्रपर्यन्तम्

Vâsu. 3. ब्रह्मरन्ध्रे भ्रुवोर्मध्ये

ब्रह्मरस

Kaush. 1. 5. तं ब्रह्मरसः प्रविशति

ब्रह्मरूप

Kṛish. 15. ब्रह्मरूपा ऋचः स्त्रियः

ब्रह्मरूपिन्

Kshur. 17. विरजा ब्रह्मरूपिणी

ब्रह्मर्षि

Śwet. 4. 15. यस्मिन्युक्ता ब्रह्मर्षयः

ब्रह्मलोक

Kaush. 1. 3. स ब्रह्मलोकं [आगच्छति]
— एतस्य ब्रह्मलोकस्यारो ह्रदः
Chhâ. 8. 3. 2. एतं ब्रह्मलोकं न विन्दन्ति
8. 4. 1. अपहतपाप्मा ह्येष ब्रह्मलोकः
2. सकृद्विभातो ह्येष ब्रह्मलोकः
3. ये..ब्रह्मलोकं ब्रह्मचर्येणानुविन्दन्ति तेषामेवैष ब्रह्मलोकः
8. 5. 3. अरश्च ह वै ण्यश्चार्णवौ ब्रह्मलोके
4. य एवैतावरं च ण्यं चार्णवौ ब्रह्मलोके ब्रह्मचर्येणानुविन्दन्ति तेषामेवैष ब्रह्मलोकः
8. 12. 6. ब्रह्मलोके तं..देवा आत्मानमुपासते
8. 13. 1. अकृतं..ब्रह्मलोकमभिसंभवामि
8. 15. 1. ब्रह्मलोकमभिसम्पद्यते
Bṛih. 3. 6. 1. ब्रह्मलोकेषु गार्गीति कस्मिन्नु खलु ब्रह्मलोका ओताश्च प्रोताश्चेति
4. 3. 32. एष ब्रह्मलोकः सम्राडिति 33 ; 4. 4. 23.
33. स एको ब्रह्मलोक आनन्दः
6. 2. 15. ब्रह्मलोकान् गमयति तेषु ब्रह्मलोकेषु..वसन्ति
Kaṭha. 2. 17. ब्रह्मलोके महीयते 3. 16. Gopî. 1.
Kaṭha. 6. 5. छायातपयोरिव ब्रह्मलोके
Maitri. 6. 30. ब्रह्मलोकमतिक्रम्य
Muṇḍ. 1. 2. 6. एष वः पुण्यः सुकृतो ब्रह्मलोकः
3. 2. 6. ते ब्रह्मलोकेषु परान्तकाले Mahânâr. 10. 6 ; Kaivalya. 4.
Praśna. 1. 15. तेषामेवैष ब्रह्मलोकः
16. तेषामसौ विरजो ब्रह्मलोकः
5. 5. स सामभिरुन्नीयते ब्रह्मलोकम्
Gopî. 5. सर्वान्वेदान्..ब्रह्मलोके स्थापयामास
Amṛita. 2. ब्रह्मलोकपदान्वेषी

ब्रह्मलोकग

Gopî. 5. श्रुतयो ब्रह्मलोकगाः

ब्रह्मलोकस्थ

Mukti. 1. अत एव ब्रह्मलोकस्था अपि

ब्रह्मवन्त्

Tait. 3. 10. 4. तद्ब्रह्मेत्युपासीत ब्रह्मवान् भवति

ब्रह्मवर

Gopî. 5. इति ब्रह्मवरं लब्ध्वा

ब्रह्मवर्चस

Kaush. 2. 15. यशो ब्रह्मवर्चसं कीर्त्तिस्त्वा जुषतामिति
4. 8. पूर्यते प्रजया पशुभिर्ब्रह्मवर्चसेन
16. प्रजायते प्रजया..ब्रह्मवर्चसेन
Chhâ. 2. 16. 2. विराजति प्रजया पशुभिर्ब्रह्मवर्चसेन
3. 13. 3. ब्रह्मवर्चसमन्नाद्यमित्युपासीत

Chhâ. 3. 18. 3. भाति च तपति च..ब्रह्मवर्चसेन य एवं वेद 4, 5, 6.
5. 12. 2. भवत्यस्य ब्रह्मवर्चसं कुले 5. 13. 2; 5. 14. 2; 5. 15. 2; 5. 16. 2; 5. 17. 2.
5. 19. 2. तृप्यति प्रजया..ब्रह्मवर्चसेन 5. 20. 2; 5. 21. 2 5. 22. 2; 5. 23. 2.
Bṛih. 6. 4. 28. श्रिया यशसा ब्रह्मवर्चसेन
Tait. 1. 3. 1. सह नौ ब्रह्मवर्चसम्
4. सन्धीयते..ब्रह्मवर्चसेन
3. 6. 1. महान् भवति प्रजया पशुभिर्ब्रह्मवर्चसेन 3. 7. 1; 3. 8. 1; 3. 9. 1.

ब्रह्मवर्चसिन्

Chhâ. 2. 12. 2. ब्रह्मवर्चस्यन्नादो भवति 3. 13. 3.

ब्रह्मवादिन्

Chhâ. 2. 24. 1. ब्रह्मवादिनो वदन्ति Śwet. 1. 1; Kaṭhaśru. 1.
Bṛih. 4. 5. 1. मैत्रेयी ब्रह्मवादिनी बभूव
Swet. 3. 21. ब्रह्मवादिनो हि प्रवदन्ति नित्यम्
Maitri. 6. 7. इत्याहुर्ब्रह्मवादिनः (ter).
— एष भर्गो इति रुद्रो ब्रह्मवादिनः
Nṛip. 2. 2. अक्षराणां न्यासमुपदिशन्ति ब्रह्मवादिनः
3. 1. मीमांसन्ते ब्रह्मवादिनः
Brahmav. 3. यदुक्तं ब्रह्मवादिभिः
5. व्याख्यातं ब्रह्मवादिभिः
Râmot. 3. इति वदन्ति ब्रह्मवादिनः
Gîtâ. 17. 24. सततं ब्रह्मवादिनाम्

ब्रह्मविद्

Chhâ. 4. 9. 2. ब्रह्मविदिव वै सोम्य भासि
4. 14. 2. ब्रह्मविद इव सोम्य ते मुखं भाति
Bṛih. 3. 7. 1. स ब्रह्मवित्स लोकवित्
4. 4. 8. तेन धीरा अपि यन्ति ब्रह्मविदः
9. तेनैति ब्रह्मवित्पुण्यकृत्
Tait. 2. 1. 1. ब्रह्मविदाप्नोति परम्
Kaṭha. 3. 1. छायातपौ ब्रह्मविदो वदन्ति
Śwet. 1. 1. अधिष्ठिताः केन..ब्रह्मविदः
Maitri. 6. 18. ब्रह्मविदो दोषा नाश्रयन्ति
Muṇḍ. 1. 1. 4. यद्ब्रह्मविदो वदन्ति
3. 1. 4. एष ब्रह्मविदां वरिष्ठः
Brahma. 3. इति ब्रह्मविदो विदुः
Dhyâna. 8. ब्रह्मविद्ब्रह्मणि स्थितः Gîtâ. 5. 20.
Jâbâla. 2. एतद्वै सन्धिं सन्ध्यां ब्रह्मविद उपासते Râmot. 4.
5. तेनैति सन्न्यासी ब्रह्मवित्
Mukti. 2. 64. ब्रह्म न ब्रह्मवित्स्वयम्
Gîtâ. 8. 24. ब्रह्मविदो जनाः

ब्रह्मविद्या

Chhâ. 7. 1. 2 अध्येमि..ब्रह्मविद्याम्
4. नाम वै..ब्रह्मविद्या
7. 2. 1. वाग्वै..विज्ञापयति..ब्रह्मविद्याम्
7. 7. 1. विज्ञानेन वै..विजानाति..ब्रह्मविद्याम्
Bṛih. 1. 4. 9. ब्रह्मविद्यया सर्वं भविष्यन्तः
Maitri. 2. 3. इयं ब्रह्मविद्या सर्वोपनिषद्विद्या वा
6. 29 अनया ब्रह्मविद्यया..ब्रह्मणः पन्थानमारूढाः
Muṇḍ. 1. 1. 1. ब्रह्मविद्यां सर्वविद्याप्रतिष्ठाम्
2. तां पुरोवाचाङ्गिरे ब्रह्मविद्याम्
1. 2. 13. प्रोवाच तां तत्त्वतो ब्रह्मविद्याम्
3. 2. 10. तेषामेवैतां ब्रह्मविद्यां वदेत

Kaivalya. 1. अधीहि भगवन् ब्रह्मविद्याम्

Brahmav. 1. ब्रह्मविद्यां प्रवक्ष्यामि Gâruḍa. 1.

2. रहस्यं ब्रह्मविद्यायाम्

Brahma. 1. तस्मै स होवाच ब्रह्मविद्यां वरिष्ठाम्

Amṛita. 1. परमं ब्रह्मविद्यायाः

Haṁsa. 1. ब्रह्मविद्याप्रबोधो हि केनोपायेन जायते

Krish. 7. देवकी ब्रह्मविद्या सा

Mukti. 1. *vide* सरस्वतीरहस्य

ब्रह्मविद्याविद्

Maitri. 4. 4. अस्ति ब्रह्मेति ब्रह्मविद्याविदब्रवीत्

ब्रह्मविद्वस्

Kaush. 1. 4. ब्रह्मविद्वान् ब्रह्माभिप्रैति — ब्रह्मविद्वान् ब्रह्मैवाभिप्रैति

ब्रह्मविधान

Chûl. 21. ब्रह्म ब्रह्मविधानं तु

ब्रह्मविषय

Maitri. 6. 35. एतच्छुक्रमेतदमृतमेतद्ब्रह्मविषयम्

ब्रह्मशायिन्

Chûl. 21. लीनास्या ब्रह्मशायिने

ब्रह्मशाला

Maitri. 6. 28. एवं ब्रह्मशालां विशेत्

ब्रह्मसंसद्

Kaṭha. 3. 17. य इमं परमं गुह्यं श्रावयेद्ब्रह्मसंसदि

ब्रह्मसंस्थ

Chhâ. 2. 23. 2. ब्रह्मसंस्थोऽमृतत्वमेति

ब्रह्मसंस्पर्श

Gîtâ. 6. 28. सुखेन ब्रह्मसंस्पर्शम्

ब्रह्मसदन

Jâbâla. 1. सर्वेषां भूतानां ब्रह्मसदनम् (ter). ; Râmot. 1 (ter).

ब्रह्मसलोकता

Mahânâr. 5. 3. गच्छेद्ब्रह्मसलोकताम्

ब्रह्मसूत्रपद

Gîtâ. 13. 4. ब्रह्मसूत्रपदैश्चैव

ब्रह्मस्वरूप

Nṛip. 1. 2. ब्रह्मस्वरूपं निरञ्जनम्

ब्रह्महत्या

Mahânâr. 17. 6. ब्रह्महत्यां वा एते घ्नन्ति

Kaivalya. 24. ब्रह्महत्यायाः पूतो भवति

Nṛip. 5. 4. स ब्रह्महत्यां तरति Râmot. 2.

Râmot. 4. ब्रह्महत्यादिपापेभ्यः

ब्रह्महन्

Chhâ. 5. 10. 9. गुरोस्तल्पमावसन् ब्रह्महा च

Mahânâr. 19. 1. ब्रह्महा गुरुतल्पगः

Parama. 3. स ब्रह्महा भवेत्

ब्रह्महन्तृ

Gopî. 5. ब्रह्महन्ता कृतघ्नश्च

ब्रह्माकार

Mukti. 2. 53. ब्रह्माकारमनोवृत्तिप्रवाहः

ब्रह्माण्ड

Parama. 1. अयं ब्रह्माण्डं च हित्वा

Aruṇeya. 1. ब्रह्माण्डं च विसृजेत्

Râmot. 5. यो ब्रह्माण्डस्यान्तर्बहिर्व्याप्नोति

ब्रह्मात्मन्

Haṁsa. 2. ब्रह्मात्मसन्निधौ

ब्रह्मादि

Vâsu. 2. ब्रह्मादयस्त्रयो मूर्तयः

Gopî. 5. एवं ब्रह्मादयो देवाः
Râmap. 11. ब्रह्मादीनां वाचको ऽयम्

ब्रह्मादिवन्दित

Nṛip. 5. 10. ब्रह्मादिवन्दितं योगिध्येयम्

ब्रह्माद्य

Chûl. 16. ब्रह्माद्यं स्थावरान्तं च

ब्रह्माधिपति

Mahânâr.17. 5. ब्रह्माधिपतिर्ब्रह्मणो ऽधिपतिः
Nṛip. 1. 6.

ब्रह्मानन्द

Gopî. 1. ब्रह्मानन्दकारणम्
2. एष ब्रह्मानन्दरूपः
— ब्रह्मानन्दैकरूपम्
Râmot. 3. ब्रह्मानन्दैकविग्रहः
5. ब्रह्मानन्दामृतम् (3)

ब्रह्मानन्दकर

Mukti. 1. 25. ब्रह्मानन्दकरी शिवा

ब्रह्मामृत

Skanda. 12. ब्रह्मामृतं पिबेत्

ब्रह्माग्नि

Gîtâ. 4. 24. ब्रह्माग्नौ ब्रह्मणा हुतम्
25. ब्रह्माग्नावपरे यज्ञम्

ब्रह्मार्ह

Kaush. 1. 1. ब्रह्मार्होसि गौतम

ब्रह्मालङ्कार

Kaush. 1. 4. तं ब्रह्मालङ्कारेणालङ्कुर्वन्ति
— स ब्रह्मालङ्कारेणालङ्कृतः

ब्रह्मिष्ठ

Bṛih. 3. 1. 2. यो वो ब्रह्मिष्ठः
— कथं नो ब्रह्मिष्ठो ब्रुवीत
— याज्ञवल्क्य ब्रह्मिष्ठो ऽसी३ इति
— नमो वयं ब्रह्मिष्ठाय कुर्मः

Praśna. 3. 2. ब्रह्मिष्ठो ऽसीति तस्मात्ते ऽहं ब्रवीमि
Kaṭhaśru. 2. सो ऽब्रवीद्ब्रह्मिष्ठेभ्यः
— ततो वै ते ब्रह्मिष्ठा न वदन्तो न वदन्तः

ब्रह्मैक

Śiras. 3. विश्वरूपो ऽसि ब्रह्मैकस्त्वम्

ब्रह्मैकता

Maitri. 6. 35. एषा वै ब्रह्मैकता

ब्रह्मोडुप

Śwet. 2. 8. ब्रह्मोडुपेन प्रतरेत . . स्रोतांसि

ब्रह्मोद्भव

Gîtâ. 3. 15. कर्म ब्रह्मोद्भवं विद्धि

ब्रह्मोद्य

Bṛih. 3. 8. 1. न वै जातु युष्माकमिमं कश्चिद्ब्रह्मोद्यं जेता 12.

ब्रह्मोपनिषद्

Chhâ.3. 11. 3. य एतामेवं ब्रह्मोपनिषदं वेद

ब्राह्म

Kena. 32. ब्राह्मीं वाव त उपनिषदमब्रूम
Bṛih. 4. 4. 4. प्राजापत्यं वा ब्राह्मं वा
Śiras. 5. स गच्छेद्ब्राह्मं पदम्
Śikhâ. 1. प्रथमा रक्ता ब्राह्मी ब्रह्मदेवत्या
Nâda. 11. ब्राह्मीति द्वादशी मता
Nyâsa. 2. ब्राह्मीमिष्टिं यजेत्
Gîtâ. 2. 72. एषा ब्राह्मी स्थितिः

1. ब्राह्मण *adj.*

Aśrama. 1. गायत्रो ब्राह्मणः प्राजापत्यो बृहन्निति
— यावद्ग्रहणान्तं वा वेदस्य स ब्राह्मणः

Āśrama. 1. अथवा चतुर्विंशतिवर्षाणि गुरुकुलवासी स ब्राह्मणः (two MSS. read ब्राह्मः)

2. ब्राह्मण

Kaush. 2. 9. ब्राह्मणस्त एकं मुखम्
4. 19. प्रतिलोमरूपमेव तन्मन्ये यत् क्षत्रियो ब्राह्मणमुपनयेत
Chhā. 1. 8. 2. ब्राह्मणयोर्वदतोर्वाचं श्रोष्यामि
2. 20. 2. ब्राह्मणान्न निन्देत्तद्व्रतम्
4. 1. 7. यत्रारे ब्राह्मणस्यान्वेषणा तदेनमृच्छेति
5. 3. 7. इयं न प्राक् त्वत्तः पुरा विद्या ब्राह्मणान् गच्छति
7. 15. 1. प्राणो ब्राह्मणः
2. ब्राह्मणं वा किञ्चिद्भृशमिव प्रत्याह
8. 14. 1. यशो ऽहं भवामि ब्राह्मणानाम्
Bṛih. 1. 4. 11. ब्राह्मणः क्षत्रियमधस्तादुपास्ते राजसूये
15 ब्राह्मणो मनुष्येषु (अभवत्)
— ब्राह्मणे मनुष्येषु (लोकमिच्छन्ते)
2. 1. 15. प्रतिलोमं वै तद्यद् ब्राह्मणः क्षत्रियमुपेयात्
3. 1. 1. कुरुपञ्चालानां ब्राह्मणाः
— कः स्विदेषां ब्राह्मणानामनूचानतमः
2. ब्राह्मणा भगवन्तः 3. 8. 1, 12 ; 3. 9. 27.
— ते ह ब्राह्मणा न दधृषुः 3. 9. 27.
— ते ह ब्राह्मणाश्चुक्रुधुः
3. 5. 1. ब्राह्मणाः पुत्रैषणायाश्च .. व्युत्थाय भिक्षाचर्यं चरन्ति
Bṛih. 3. 5. 1. ब्राह्मणः पाण्डित्यं निर्विद्य
— अमौनं च मौनं च निर्विद्याथ ब्राह्मणः
— स ब्राह्मणः केन स्याद्येन स्यात्तेनेदृश एव
3. 8. 8. तदक्षरं .. ब्राह्मणा अभिवदन्ति
10. एतदक्षरं विदित्वास्माल्लोकात्प्रैति स ब्राह्मणः
3. 9. 18. त्वां स्विदिमे ब्राह्मणा अङ्गारावक्षयणक्रता३ इति
19. कुरुपञ्चालानां ब्राह्मणानत्यवादीः
4. 4. 21. प्रज्ञां कुर्वीत ब्राह्मणः
22. तमेतं वेदानुवचनेन ब्राह्मणा विविदिषन्ति
23. एष नित्यो महिमा ब्राह्मणस्य
— अविचिकित्सो ब्राह्मणो भवति
5. 1. 1. वेदो ऽयं ब्राह्मणा विदुः
6. 2. 8. इयं विद्येतः पूर्वं न कस्मिंश्चन ब्राह्मण उवास
6. 4. 12. यमेवंविद्वान् ब्राह्मणः शपति
28. य एवंविदो ब्राह्मणस्य पुत्रो जायते
Tait. 1. 8. 1. ओमिति ब्राह्मणः प्रवक्ष्यन्नाह
1. 11. 3. येकेचास्मच्छ्रेयांसो ब्राह्मणाः
4. ये तत्र ब्राह्मणाः सम्मर्शिनः
Kaṭha. 1. 7. वैश्वानरः प्रविशत्यतिथिर्ब्राह्मणो गृहान्
8. यस्यानश्नन् वसति ब्राह्मणो गृहे
Maitri. 7. 10. ब्राह्मणो नावेदिकमधीयीत
Muṇḍ. 1. 2. 12. ब्राह्मणो निर्वेदमायात्

Mahânâr. 15. 5. ब्राह्मणेभ्यो ह्यनुज्ञाता गच्छ देवि
17. 6. त्रिसुपर्णमयाचितं ब्राह्मणाय दद्यात्
— ये ब्राह्मणास्त्रिसुपर्णं पठन्ति 7, 8.
7. य इमं त्रिसुपर्णमयाचितं ब्राह्मणाय दद्यात् 8.
25. 1. एतौ वै सूर्याचन्द्रमसोर्महिमानौ ब्राह्मणो विद्वानभिजयति तस्माद्ब्राह्मणो महिमानमाप्नोति
Chûl. 20. ब्राह्मणो नियतव्रतः
Śiras. 1. ब्रह्म ब्राह्मणैश्च ..ब्राह्मणान् ब्राह्मण्येन..तर्पयामि
4. ब्रह्म ब्राह्मणेभ्यः प्रणामयति
7. य इदमथर्वशिरो ब्राह्मणो ऽधीते
Mahâ. 4. य इमां महोपनिषदं ब्राह्मणो ऽधीते
Gâruḍa. 3. अष्टौ ब्राह्मणान् ग्राहयित्वा
— शतं ब्राह्मणान् ग्राहयित्वा
— सहस्रं ब्राह्मणान् ग्राहयित्वा
Jâbâla. 5. अयज्ञोपवीती कथं ब्राह्मणः
Vâsu. 3. ब्राह्मणानां तु सर्वेषाम्
Râmot. 2. य एतत्तारकं ब्राह्मणो नित्यमधीते
Mukti. 1. 15. विद्या ह वै ब्राह्मणमाजगाम
Gîtâ. 2. 46. ब्राह्मणस्य विजानतः
5. 18. ब्राह्मणे गवि हस्तिनि
9. 33. किं पुनर्ब्राह्मणाः पुण्याः
17. 23. ब्राह्मणास्तेन वेदाश्च
18. 41. ब्राह्मणक्षत्रियविशाम्

ब्राह्मणकुल

Áśrama. 4. साधुवृत्तेषु ब्राह्मणकुलेषु

ब्राह्मणयोनि

Chhâ. 5. 10. 7. ब्राह्मणयोनिं वा क्षत्रिययोनिं वा वैश्ययोनिं वा

ब्राह्मणहन्

Chhâ. 7. 15. 2. ब्राह्मणहा वै त्वमसि
3. न ब्राह्मणहासीति

ब्राह्मणाच्छंसिन्

Prâṇâg. 3. शारीरयज्ञस्य..को ब्राह्मणाच्छंसी
4. प्राणो ब्राह्मणाच्छंसी

ब्राह्मणादि

Chûl. 21. ये विदुर्ब्राह्मणादयः
Brahma. 3. कर्मण्यधिकृताः..ब्राह्मणादयः

ब्राह्मणायन

Bṛih. 6. 4. 4. बहवो मर्या ब्राह्मणायनाः ..अस्माल्लोकात्प्रयन्ति

ब्राह्मण्य

Gauḍa. 4. 85. ब्राह्मण्यं पदमद्वयम्
Śiras. 1. ब्राह्मणान् ब्राह्मण्येन..तर्पयामि
Brahma. 3. ब्राह्मण्यं सकलं तस्य

ब्राह्मेष्टि

Nyâsa. 1. ब्राह्मेष्टिं निर्वपेत्

ब्रू

Ait. 2. 1. ता एनमब्रुवन्नायतनं नः प्रजानीहि
2. ता अब्रुवन्न वै नो ऽयमलमिति
3. ता अब्रुवन् सुकृतं बत
— ता अब्रवीद्यथायतनं प्रविशत
5. अशनायापिपासे अब्रूताम् ..स ते अब्रवीत्
Kaush. 1. 3. तं ब्रह्माहाभिधावत मम यशसा
6. तमाह को ऽहमस्मीति सत्यमिति ब्रूयात्
— इदं सर्वमसीत्येवैनं तदाह

Kaush. 1. 7. तमाह केन मे पौंस्नानि नामान्याप्नोषीति प्राणेनेति ब्रूयात्
— प्रज्ञयैवेति ब्रूयात्तमाह आपो वै खलु मे
2. 1. प्राणो ब्रह्मेति ह स्माह कौषीतकिः
2. प्राणो ब्रह्मेति ह स्माह पैंग्यः
3. अर्थं ब्रूयाद्धूतं वा प्रहिणुयात्
6. उक्थं ब्रह्मेति ह स्माह शुष्कभृंगारः
15. यद्युवा उपाभिगदः स्यात् समासेनैव ब्रूयात्
3. 2. तद्धैक आहुरेकभूयं वै प्राणा गच्छन्ति
3. तमाहुरुदक्रमीच्चित्तम्
7. अन्यत्र मे मनो ऽभूदित्याह (7 times; नौ..आहतुः bis).
4. 1. ब्रह्म ते ब्रवाणीति 19; Bṛih. 2. 1. 1.

Kena. 5. येनाहुर्मनो मतम्
16. ते ऽग्निमब्रुवन् जातवेद एतद्विजानीहि
17. अग्निर्वा अहमस्मीत्यब्रवीत्
20. वायुमब्रुवन् वायवेतद्विजानीहि
21. वायुर्वा अहमस्मीत्यब्रवीत्
24. इन्द्रमब्रुवन्मघवन्नेतद्विजानीहि
32. उपनिषदं भो ब्रूहि..ब्राह्मीं वाव त उपनिषदमब्रूमेति

Chhâ. 1. 1. 8. यद्धि किंचानुजानात्योमित्येव तदाह
1. 7. 8. तस्मादु हैवंविदुद्गाता ब्रूयात्
1. 8. 6. यस्त्वेतर्हि ब्रूयान्मूर्धा ते विपतिष्यतीति 8.
2. 1. 2. तदुताप्याहुः साम्नैनमुपागादिति

Chhâ. 2. 1. 2. तदाहुरसाम्नैनमुपागात्
— असाधुनैनमुपागादित्येव तदाहुः
3. अथोताप्याहुः साम नो बतेति
— यत्साधु भवति साधु बतेत्येव तदाहुः
— असाधु बतेत्येव तदाहुः
2. 22. 3. स त्वा प्रतिवक्ष्यतीति ब्रूयात्
4. स त्वा प्रतिपेक्ष्यतीति ब्रूयात्..स त्वा प्रतिधक्ष्यतीत्येनं ब्रूयात्
3. 14. 4. इति ह स्माह शाण्डिल्यः
3. 16. 2. स ब्रूयात्प्राणा वसवः
4. स ब्रूयात्प्राणा रुद्राः
6. स ब्रूयात्प्राणा आदित्याः
7. एतद्ध स्म वै तद्विद्वानाह महिदास ऐतरेयः
3. 17. 5. तस्मादाहुः सोष्यत्यसोष्टेति
4. 1. 3. स युग्वानामिव रैक्कमात्थ 5.
4. 3. 7. महान्तमस्य महिमानमाहुः
4. 4. 2. सत्यकाम एव जाबालो ब्रवीथाः
4. 5. 2. ब्रह्मणश्च ते पादं ब्रवाणीति ब्रवीतु मे भगवान् 4. 6. 3; 4. 7. 3; 4. 8. 3.
4. 9. 2. भगवांस्त्वेव मे कामे ब्रूयात्
4. 14. 3. ब्रवीतु मे भगवानिति
5. 2. 3. यद्यप्येनच्छुष्काय स्थाणवे ब्रूयात्
5. 3. 4. कथं सो ऽनुशिष्टो ब्रवीत
— मा भगवानब्रवीदनु त्वाशिषामिति
6. कुमारस्यान्ते वाचमभाषथास्तामेव मे ब्रूहीति Bṛih. 6. 2. 5.
5. 11. 6. तमेव नो ब्रूहीति

Chhā. 6. 1. 7. भगवांस्त्वेवमेतद्ब्रवीतु
6. 2. 1. एक आहुरसदेवेदमग्र आसीत्
6. 4. 5. तद्विद्वांस आहुः
6. 7. 2. किं ब्रवीमि भोः
7. 1. 5. तन्मे भगवान् ब्रवीतु (and in each section to the 14th).
7. 5. 2. नायमस्तीत्येवैनमाहुः
7. 11. 1. तदाहुर्निशोचति नितपति
— तस्मादाहुर्विद्योतते स्तनयति
7. 15. 2. धिक् त्वास्त्वित्येवैनमाहुः
3. नैवैनं ब्रूयुः पितृहासीति
4. तं चेद्ब्रूयुरतिवाद्यसीत्यतिवाद्यस्मीति ब्रूयात्
7. 24. 2. नाहमेवं ब्रवीमीति
8. 1. 2. तं चेद्ब्रूयुः 4.
3. ब्रूयाद्यावान्वा अयमाकाशः
5. स ब्रूयान्नास्य जरया
8. 6. 4. तमभित आसीना आहुः
8. 8. 5 अयजमानमाहुरासुरो वतेति
8. 11. 3. तदाहुरेकशतं ह वै वर्षाणि . . ब्रह्मचर्य्यमुवास

Bṛih. 1. 3. 18. ते देवा अब्रुवन्
27. अन्न इत्यु हैक आहुः
28. अमृतं मा कुर्वित्येवैतदाह (bis).
1. 4. 3. इति ह स्माह याज्ञवल्क्यः
6. यदिदमाहुरमुं यजामुं यज
8. योऽन्यमात्मनः प्रियं ब्रुवाणं ब्रूयात्
9. तदाहुर्यद्ब्रह्मविद्यया &c.
14. सत्यं वदन्तमाहुर्धर्मं वदतीति
1. 5. 2. अथो आहुर्दर्शपूर्णमासाविति
— वत्सं जातमाहुरतृणाद इति

Bṛih. 1. 5. 2. तथादिदमाहुः संवत्सरम् &c.
15. प्रधिनागादित्येवाहुः
17. पुत्रमाह त्वं ब्रह्म त्वं यज्ञः
— पुत्रमनुशिष्टं लोक्यमाहुः
2. 2. 3. प्राणानेतदाह (bis).
2. 4. 3. यदेव भगवान्वेद तदेव मे ब्रूहि
12. न प्रेत्य संज्ञास्तीत्यरे ब्रवीमि 4. 5. 13.
13. न वा अरे ऽहं मोहं ब्रवीमि 4. 5. 14.
3. 1. 2. कथं नो ब्रह्मिष्ठो ब्रुवीत
3. 3. 1. सो ऽब्रवीत्भुधन्वाङ्गिरसः
— एनमब्रूम क्व परिक्षिता अभवन्
3. 7. 1. सो ऽब्रवीत्कबन्ध आथर्वण इति
— सो ऽब्रवीत्पतञ्चलं काप्यं (ter).
— सो ऽब्रवीत्पतञ्चलः काप्यः (bis).
— यो वा इदं कश्चिद्ब्रूयाद्वेद वेदेति यथा वेत्थ तथा ब्रूहीति
2. पुरुषं प्रेतमाहुर्व्यस्रंसिषतास्याङ्गानीति
— अन्तर्यामिणं ब्रूहीति
3. 8. 2. तौ मे ब्रूहीति
3. 9. 9. तदाहुर्यदयमेक इवैव पवते ऽथ कथमध्यर्द्ध इति
10. सर्वस्यात्मनः परायणं यमात्थ 11–17.
22. तस्मादपि प्रतिरूपं जातमाहुः
23. तस्मादपि दीक्षितमाहुः सत्यं वदेति
4. 1. 2. यत्ते कश्चिदब्रवीत्तच्छृणवाम 3—7.

Bṛih. 4. 1. 2. अब्रवीन्मे जित्वा शैलिनिः similarly, in 3—7.
— यथा मातृमान्पितृमानाचार्यवान् ब्रूयात्तथा..अब्रवीत् 3—7.
— अब्रवीत्तु ते तस्यायतनं प्रतिष्ठां न मे ऽब्रवीदिति 3—7.
— स वै नो ब्रूहि 3—7.
4. चक्षुषा वै पश्यन्तमाहुरद्राक्षीरिति स आहाद्राक्षमिति
4. 2. 1. ब्रवीतु भगवानिति
4. 3. 14. तं नायतं बोधयेदित्याहुः
— अथो खल्वाहुर्जागरितदेश एवास्यैषः
— अत ऊर्ध्वं विमोक्षाय ब्रूहि 15, 16, 33.
4. 4. 1. एकीभवति न पश्यतीत्याहुः (similarly, 7 times more).
5. अथो खल्वाहुः काममय एवायं पुरुष इति
9. तस्मिञ्छुक्लमुत नीलमाहुः
5. 1. 1. इति ह स्माह कौरव्यायणीपुत्रः
5. 2. 1. ब्रवीतु नो भवानिति 2, 3.
— दाम्यतेति न आत्थेति
2. दत्तेति न आत्थेति
3. दयध्वमिति न आत्थेति
5. 7. 1. विद्युद्ब्रह्मेत्याहुः
5. 12. 1. अन्नं ब्रह्मेत्येक आहुस्तन्न तथा
— प्राणो ब्रह्मेत्येक आहुस्तन्न तथा
— तद्ध स्माह प्रातृदः पितरम्
— स ह स्माह पाणिना मा प्रातृद
5. 14. 4. य एव ब्रूयादहमदर्शमिति

Bṛih. 5. 14. 4. तस्मादाहुर्बलं सत्यादोगीयः
8. यन्नु हो तद्गायत्रीविदब्रूथाः
6. 2. 6. मानुषाणां ब्रूहीति
8. को हि त्वैवं ब्रुवन्तमर्हति प्रत्याख्यातुमिति
6. 3. 12. एतं नापुत्राय वानन्तेवासिने वा ब्रूयात्
6. 4. 4. तद्विद्वानुद्दालक आरुणिराह
— तद्विद्वान्नाको मौद्गल्य आह
— तद्विद्वान् कुमारहारित आह
28. एतमाहुरतिपिता वताभूः
Iśâ. 10. अन्यदेवाहुर्विद्ययान्यदेवाहुरविद्यया
13. अन्यदेवाहुः संभवादन्यदाहुरसंभवात्
Tait. 1. 8. 1. ओमिति ब्राह्मणः प्रवक्ष्यन्नाह
Kaṭha. 1. 15. मृत्युः पुनरेवाह तुष्टः
16. तमब्रवीत्प्रीयमाणः
22. त्वं च मृत्यो यन्न सुविज्ञेयमात्थ
29. यत्साम्पराये महति ब्रूहि नस्तत्
2. 15. तत्ते पदं सङ्ग्रहेण ब्रवीमि
3. 4. इन्द्रियाणि हयानाहुः
— भोक्तेत्याहुर्मनीषिणः
6. 10. तामाहुः परमां गतिम् Maitri. 6. 30.
12. अस्तीति ब्रुवतः
Śwet. 3. 19. तमाहुरग्र्यं पुरुषम्
Maitri. 1. 2. वरं वृणीष्वेति राजानमब्रवीत्
— स त्वं नो ब्रूहीति 7. 10.
2. 1. शाकायन्यः सुप्रीतस्त्वब्रवीद्राजानम्
2. इत्याह भगवान्मैत्रिः
— इत्येवं ह्याह 4. 3; 6. 1 (bis), 3, 4, 5, 6, 7, 11, 12, 14, 15, 16, 17, 18, 19, 20, 22, 25, 26, 27, 28, 37; 7. 8, 9.

Maitri. 2. 3. क्रतुं प्रजापतिमब्रुवन्
— यद्भगवन् वेत्सि तदस्माकं ब्रूहि
4. 4. अस्ति ब्रह्मेति ब्रह्मविद्याविदब्रवीत्
— इत्येवैतदाह यस्तपसापहतपाप्मा
— इत्येवैतदाह यः सुयुक्तो ऽजस्रं चिन्तयति
5. श्रेयः कतमो यः सो ऽस्माकं ब्रूहि
6. 7. इत्याहुर्ब्रह्मवादिनः (ter).
30. अत्रैका आहुः
31. को नियन्ता वेत्याह
7. 8. शमयाम इत्येवं ब्रुवाणाः
11. विनिर्गतं मातृकमेवमाहुः

Mahânâr. 1. 6. तदेवर्त्तं तदु सत्यमाहुः
21. 2. अग्नय इत्याहुः
— अग्निहोत्रमित्याहुः
23. 1. न्यास इत्याहुर्मनीषिणो ब्रह्माणम्
24. 1. न्यासमेषां तपसामतिरिक्तमाहुः

Praśna. 1. 11. दिव आहुः परे अर्द्धे पुरीषिणम्
— सप्तचक्रे षडर आहुरर्पितम्
3. 2. वरिष्ठो ऽसीति तस्मात्ते ऽहं ब्रवीमि
6. 1. तमहं कुमारमब्रुवं नाहमिमं वेद

Gauḍa. 2. 1. वैतथ्यं . सर्वभूतानां स्वप्न आहुः
3. वैतथ्यं तेन वै प्राप्तं स्वप्न आहुः प्रकाशितम्
5. एकमाहुर्मनीषिणः
26. एकत्रिंशक इत्याहुः

Nṛip. 2. 4. देवा ह वै प्रजापतिमब्रुवन्
3. 1; 4. 1, 3; 5. 1, 3; Nṛisut. 1. 7, 9.

Nṛip. 3. 1. शक्तिं बीजं च नो ब्रूहि
— यामिंद्रसेनेत्युत आहुः
4. 1. अङ्गमन्त्रान्नो ब्रूहि
3. कैर्मन्त्रैर्देवः स्तुतः प्रीतो भवति . . तन्नो ब्रूहि
— इति तान् प्रजापतिरब्रवीत्
5. 1. महाचक्रं नाम चक्रं नो ब्रूहि
3. मन्त्रराजस्य . . फलं नो ब्रूहि

Nṛisut. 7. किमिदमेवमित्यु इत्येवाहाविचिकित्सन्
8. एवं नैवामिति पृष्ट ओमित्येवाह
9. ब्रूतैष दृष्टो ऽदृष्टो वेति
— ब्रूह्येव भगवन्निति ते देवा ऊचुः
— आह ओमित्यनुजानीध्वम्
— ब्रूतैनमिति ज्ञातो ऽज्ञातश्च
— ब्रूतैवेनमात्मासिद्धमिति होवाच

Śiras. 1. सो ऽब्रवीदहमेकः प्रथममासीत्
5. रुद्रमेकत्वमाहुः (bis).
7. इत्याह भगवान्

Mahâ. 1. तदाहुरेको ह वै नारायणः
4. इत्याह भगवान् हिरण्यगर्भः

Brahma. 1. एवं सुषुप्तो ब्रूते
2. सूचनात्सूत्रमित्याहुः

Dhyâna. 16. तस्याहुर्बीजमाहत्य

Kaṭhaśru. 2. देवा ह वै समेत्य प्रजापतिमब्रुवन्
— सो ऽब्रवीद्वरिष्ठेभ्यः

Piṇḍa. 1. ब्रह्माणमिदमब्रुवन्

Parama. 1. तं भगवानाह

Gâruḍa. 3. इत्याह भगवान् ब्रह्मा

Kâlâg. 2. इत्याह भगवान् कालाग्निरुद्रः

Jâbâla. 3. किं जप्येनामृतत्वं ब्रूहि
4. प्राणं गच्छ स्वाहेत्येवमेवै-
तदाह

Vâsu. 1. ऊर्ध्वपुण्ड्रविधिं . . मे ब्रूही-
ति

Gopî. 5. एवं मुनिरब्रवीत्
— एवं मुनयो ऽब्रुवन्

Râmap. 42. सुग्रीवस्त्वाह

Râmot. 5. तन्नो ब्रूहि भगवन्

Mukti. 1. 51. मा मा ब्रूयाद्वीर्यवती तथा
स्याम्

Gîtâ. 1. 2. राजा वचनमब्रवीत्
7. संज्ञार्थं तान्ब्रवीमि ते
21. इदमाह महीपते
28. विषीदन्निदमब्रवीत्
2. 7. निश्चितं ब्रूहि तन्मे
3. 42. इन्द्रियाणि पराण्याहुः
4. 1. मनुरिक्ष्वाकवे ऽब्रवीत्
19. तमाहुः पण्डितं बुधाः
5. 1. तन्मे ब्रूहि सुनिश्चितम्
8. 21. तमाहुः परमां गतिम्
10. 13. आहुस्त्वामृषयः सर्वे
— स्वयं चैव ब्रवीषि मे
11. 3. एवमेतद्यथात्थ त्वम्
35. नमस्कृत्वा भूय एवाह कृ-
ष्णम्
14. 16. कर्मणः सुकृतस्याहुः
16. 8. जगदाहुरनीश्वरम्

भ

Maitri. 6. 7. भ इति भासयतीमाँल्लोकान्

भक्ति

Śwet. 6. 23. यस्य देवे परा भक्तिः

Kaivalya. 2. श्रद्धाभक्तिध्यानयोगात्
5. भक्त्या स्वगुरुं प्रणम्य

Vâsu. 3. भक्त्या जानाति वाथ यः
— मद्भक्त्या सिध्यति स्वयम्
4. मय्यचला भक्तिश्चास्य व-
र्धते

Krish. 26. वृन्दा भक्तिः प्रिया बुद्धिः

Râmot. 4. क्षेत्रे ऽस्मिन्योऽर्चयेद्भक्त्या

Mukti. 1. 4. भक्त्या शुश्रूषया . . स्तुवन्
14. यस्तु पठते भक्तितो मयि
48. मद्भक्तिविमुखाय

Gîtâ. 8. 10. भक्त्या युक्तो योगबलेन चैव
22. भक्त्या लभ्यस्त्वनन्यया
9. 14. नमस्यन्तश्च मां भक्त्या
26. यो मे भक्त्या प्रयच्छति
29. ये भजन्ति तु मां भक्त्या
11. 54. भक्त्या त्वनन्यया
13. 10. भक्तिरव्यभिचारिणी
18. 54. मद्भक्तिं लभते पराम्
55. भक्त्या मामभिजानाति
68. भक्तिं मयि परां कृत्वा

भक्तिमन्त्

Gîtâ. 12. 17. भक्तिमान्यः स मे प्रियः
19. भक्तिमान्मे प्रियो नरः

भक्तियोग

Mukti. 1. 16. भक्तियोगेन चापरे

Gîtâ. 14. 26. भक्तियोगेन सेवते

भक्त्युपहृत

Gîtâ. 9. 26. तदहं भक्त्युपहृतम्

भक्तृ

Śiras. 4. भक्ता ज्ञानेन भजति

भक्ष्

Chhâ. 5. 10. 4. तं देवा भक्षयन्ति

Bṛih. 1. 3. 24. राजानं भक्षयन्नुवाच
6. 2. 16. तांस्तत्र देवाः . . भक्षयन्ति

भग

Chhâ. 5. 2. 7. तुरं भगस्य धीमहि

Bṛih. 6. 4. 5. पुनर्मामैत्विन्द्रियं पुनस्तेजः पुनर्भगः

Tait. 1. 4. 3. तं त्वा भग प्रविशानि
— स मा भग प्रविश
— नि भगाहं त्वयि मृजे

Yogat. 3. यस्मिन् जाते भगे पूर्णे तस्मिन्नेव भगे रमेत्

भगवत्

Chhâ.1. 8. 3. भगवन्तावग्रे वदताम्
7. हन्ताहमेतद् भगवत्तो वेदानि 8.

1. 11. 1. भगवन्तं वा अहं विविदिषाणि
2. भगवन्तं वा अहमेभिः सर्वैरार्त्विज्यैः पर्यैशिषम्
— भगवतो वा अहमवित्त्यान्यानवृषि
3. भगवांस्त्वेव मे सर्वैरार्त्विज्यैरिति
4. मा भगवानवोचत् 6, 8.

1. 12. 2. अन्नं नो भगवानागायतु

4. 1. 8. त्वं नु भगवः सयुग्वा रैक्वः

4. 2. 2. अनु म एतां भगवो देवतां शाधि
4. अन्वेव मा भगवः शाधीति

4. 4. 3. ब्रह्मचर्यं भगवति वत्स्याम्युपेयां भगवन्तमिति

4. 5. 1. भगव इति प्रतिशुश्राव 4. 6. 2; 4. 7. 2; 4. 8. 2; 4. 14. 2.
2. ब्रवीतु मेभगवान् 4. 6. 3; 4. 7. 3; 4. 8. 3; 4. 14. 3.

4. 9. 2. भगवांस्त्वेव मे कामे ब्रूयात्

5. 1. 7. भगवन् को नः श्रेष्ठः
12. भगवन्नेधि त्वन्नः श्रेष्ठः

5. 3. 1. अनु हि भगव इति
2. न भगव इति 3.

Chhâ. 5. 3. 4. भगवानब्रवीदनु त्वाशिषमिति
6. भगवन् गौतम वित्तस्य वरं वृणीथाः

5. 11. 2. भगवन्तो ऽयमारुणिः
4. भगवन्तो ऽयं कैकेयः
5. यक्ष्यमाणो वै भगवन्तः.. वसन्तु भगवन्तः

5. 12. 1. दिवमेव भगवो राजन् (similarly, five times more).

6. 1. 4. कथं नु भगवः स आदेशः
7. न वै नूनं भगवन्तस्त एतदवेदिषुः
— भगवांस्त्वेवमेतद्ब्रवीतु

6. 5. 4. भूय एव मा भगवान् विज्ञापयतु 6. 6. 5; 6. 8. 7; 6. 9. 4; 6. 10. 3; 6. 11. 3; 6. 12. 3; 6. 13. 3; 6. 14. 3; 6. 15. 3; Nṛisut. 7 (नो)

6. 12. 1. इदं भगवः.. भिन्नं भगवः ..इमा धाना भगवः.. न किञ्चन भगवः

7. 1. 1. अधीहि भगवः
2. ऋग्वेदं भगवो ऽध्येमि
3. सो ऽहं भगवो मन्त्रवित्
— सो ऽहं भगवः शोचामि तं मा भगवान्.. तारयतु
5. अस्ति भगवो.. भूय इति ..तन्मे भगवान् ब्रवीतु (so in each Section to the 14th).

7. 16. 1. सो ऽहं भगवः सत्येनातिवदानीति
— सत्यं भगवो विजिज्ञासे (similarly in each Section to the 23rd).

7. 24. 1. स भगवः कस्मिन् प्रतिष्ठितः

Chhâ. 7. 26. 2. भगवान् सनत्कुमारः
8. 7. 3. इति भगवतो वचो वेदयन्ते
4. यो ऽयं भगवो ऽप्सु परिख्यायते
8. 8. 1. भगव आत्मानं पश्यावः
3. आवां भगवः साध्वलङ्कृतौ
8. 9. 2. यथैव खल्वयं भगवः
8. 10. 3. यद्यपीदं भगवः शरीरम्
Brih. 2. 4. 2. यन्नु म इयं भगोः सर्वा पृथिवी 4. 5. 3.
3. यदेव भगवान्वेद तन्मे ब्रूहीति
2. 4. 13. अत्रैव मा भगवानमूमुहत्
3. 1. 2. ब्राह्मणा भगवन्तः 3. 8. 1, 12; 3. 9. 27.
3. 7. 1. नाहं तद्भगवन्वेदेति
— नाहं तं भगवन्वेदेति
4. 2. 1. नाहं तद्भगवन्वेद यत्र गमिष्यामि . . ब्रवीतु भगवान्
4. यो नो भगवन्नभयं वेदयसे
4. 3. 14. सो ऽहं भगवते सहस्रं ददामि 15, 16, 33; 4. 4. 7.
4. 4. 23. सो ऽहं भगवते विदेहान्ददामि
4. 5. 4. यदेव भगवान्वेत्थ तदेव मे विब्रूहि
14. अत्रैव मा भगवान्मोहान्तमापीपिपत्
6. 1. 13. मा भगव उत्क्रमीः
6. 2. 4. वरं भगवते गौतमाय दद्मः
Tait. 3. 1. 1. अधीहि भगवो ब्रह्मेति 3. 2. 1; 3. 3. 1; 3. 4. 1; 3. 5. 1.
Swet. 3. 11. सर्वव्यापी स भगवान्
5. 4. एवं स देवो भगवान् वरेण्यः
Maitri. 1. 2. आत्मविद्भगवाञ्छाकायन्यः
— भगवन्नाहमात्मवित्
3. भगवन् . . निःसारे ऽस्मिञ्छरीरे किं कामोपभोगैः

Maitri. 1. 4. भगवंस्त्वं नो गतिः
2. 1. भगवाञ्छाकायन्यः सुप्रीतः
— यः कतमो भगवा इति
2. इत्याह भगवान्मैत्रिः
3. भगवता मैत्रिणाख्याता
— भगवन् शकटमिवाचेतनमिदं शरीरम्
— यद्भगवन् वेत्सि तदस्माकं ब्रूहि
4. भगवन् कथमनेनेदृशेनानिष्टेन
3. 1. भगवन् यद्येवं . . सूचयसि
2. आत्मस्थं प्रभुं भगवन्तं . . नापश्यत्
4. 1. भगवन्नमस्ते ऽस्तु
5. भगवन्नभिवाद्यासि
6. 13. विश्वभृद्वै नामैषा तनूर्भगवतो विष्णोः
30. भगवानसावादित्यः
7. 10. भगवन् वयमात्मकामाः
Muṇḍ. 1. 1. 3. कस्मिन्नु भगवो विज्ञाते
Mahânâr. 3. 13. तन्नो भगवती प्रचोदयात्
22. 1. किं भगवन्तः परमं वदन्ति
Praśna. 1. 1. भगवन्तं पिप्पलादमुपसन्नाः
3. भगवन् कुतो ह वा इमाः प्रजाः प्रजायन्ते
2. 1. भगवन् कत्येव देवाः प्रजां विधारयन्ते
3. 1. भगवन् कुत एष प्राणो जायते
4. 1. भगवन्नेतस्मिन्पुरुषे कानि स्वपन्ति
5. 1. स यो ह वै तद् भगवन्मनुष्येषु प्रायणान्तमोङ्कारमभिध्यायीत
6. 1. भगवन् हिरण्यनाभः . . एतं प्रश्नमपृच्छत

Kaivalya. 1. भगवन्तं परमेष्ठिनं परिसमेत्य
— अधीहि भगवन् ब्रह्मविद्याम्
Gaṇḍa. 4. 82. यस्य कस्य च धर्मस्य ग्रहेण भगवानसौ (MSS. read यस्य धर्मस्य ग्रहणं भगवानपि सोऽश्नुते)
84. भगवानाभिरस्पृष्टः
Nṛip. 3. 1. शक्तिं . . ब्रूहि भगवः
4. 1. अङ्गमन्त्रान्नो ब्रूहि भगवः
3. तन्नो ब्रूहि भगवः
— ओं यो वै नृसिंहो देवो भगवान् यश्च ब्रह्मा तस्मै वै नमो नमः (similarly, 31 times).
5. 1 महाचक्रं नाम चक्रं नो ब्रूहि भगवः
3. मन्त्रराजस्य . . फलं नो ब्रूहिं भगवः
Nṛisut. 9. इममेव नो भगवन्नोङ्कारमात्मानमुपदिश
— ब्रूह्येव भगवन्निति ते देवा ऊचुः
— पश्याम एव भगवन्
— नमस्ते भगवन् प्रसीद
Brahmav. 6. विष्णुश्च भगवान्देवः
Chûl. 7. ध्यानाक्रियाभ्यां भगवान् भुंक्ते
12. कालः प्राणश्च भगवान्
Śiras. 2. यो वै रुद्रः स भगवान् . . तस्मै वै नमो नमः (31 times).
3. य ईशानः स भगवान् महेश्वरः
4. कस्मादुच्यते भगवान् महेश्वरः . . तस्मादुच्यते भगवान् महेश्वरः
6. व्यापको हि भगवान् रुद्रः

Siras. 7. इत्याह भगवान्
Sikhâ. 1. अथर्वाणं भगवन्तं पप्रच्छ
Mahâ. 4. इत्याह भगवान् हिरण्यगर्भः
Brahma. 1. अङ्गिरसं भगवन्तं पिप्पलादम्
Nîla. 13. पगा ता भगवो वप
Haṁsa. 1. भगवन् सर्वधर्मज्ञ
Parama. 1. इति नारदो भगवन्तमुपगम्योवाच तं भगवानाह
Aruṇeya. 1. केन भगवन् कर्माणि . . विसृजामि
Gâruḍa. 3. इत्याह भगवान् ब्रह्मा
Kâlâg. 1. कालाग्निरुद्रं भगवन्तम्
— अधीहि भगवंस्त्रिपुण्ड्रविधिसतत्त्वम्
— तं होवाच भगवान्
2. इत्याह भगवान् कालाग्निरुद्रः
Jâbâla. 4. भगवन् सन्न्यासमनुब्रूहि
— एवमेवैतद्भगवन्निति वै याज्ञवल्क्यः 5.
Vâsu. 1. नमस्कृत्य भगवन्तम्
— श्रीभगवन्नूर्ध्वपुण्ड्रविधिं . मे ब्रूहीति
— तं होवाच भगवान्वासुदेवः
Kṛish. 1. भगवन्तं सनातनम्
3. प्रोवाच भगवान् स्वयम्
10. वंशस्तु भगवान् रुद्रः
Râmap. 65. ओं नमो भगवते वासुदेवाय
Râmot. 4. ततः प्रसन्नो भगवान्
5. तन्नो ब्रूहि भगवन्निति
— यो वै श्रीरामः स भगवान् (47 times).
— य ओं नमो भगवते वासुदेवाय महाविष्णुः (44)
Gitâ. 10. 14. न हि ते भगवन्व्यक्तिं विदुः
17. चिन्त्यो ऽसि भगवन्मया

भगवद्दृश

Chhâ. 4. 9. 3. श्रुतं ह्येव मे भगवद्दृशेभ्यः 7. 1. 3.

भगवल्लोक

Atmapra. 1. वैकुण्ठं भगवल्लोकं गमिष्यति

भगेश

Śwet. 6. 6. धर्मावहं पापनुदं भगेशम्

भग्नभाण्डोदधि

Kṛish. 19. भग्नभाण्डोदधिर्गृहे

भङ्ग

Mukti. 1. देहत्रयभंगं प्राप्य

भज्

Chhâ. 5. 19. 1. यद्भक्तं प्रथममागच्छेत्
Bṛih. 1. 5. 1. द्वे देवानभाजयत् 2.
Kaṭha. 1. 13. स्वर्गलोका अमृतत्वं भजन्ते
Mahânâr. 17. 1. भवे भवे नातिभवे भजस्व माम्
20. 10. श्री मे भजत
Śiras. 4. ऋषिभिर्नान्यैर्भक्तैः
— भक्ता ज्ञानेन भजति
Vâsu. 1. मद्भक्तैर्ब्रह्मादिभिर्धारितम्
Gopî. 5. तत्र भवत्यः.. कृष्णं भजिष्यथ
Kṛish. 6. भक्ते ब्रह्मणि राजसी
Râmap. 38. पूजितावीरपुत्रेण भक्तेन
94. तद्भक्ता ये लब्धकामांश्च भुक्त्वा
Mukti. 1. 21. मत्सारूप्यं भजत्ययम्
23. मत्सामीप्यं भजत्ययम्
24. मत्सायुज्यं..भजेत्
49. मद्भक्ताय सुशीलाय
2. 72. मम रूपमीदृशं भजस्व
Gîtâ. 4. 3. भक्तो ऽसि मे सखा चेति
11. तांस्तथैव भजाम्यहम्
6. 31. सर्वभूतस्थितं यो मां भजति
47. श्रद्धावान्भजते यो माम्
7. 16. चतुर्विधा भजन्ते माम्
21. यो यो यां यां तनुं भक्तः
28. भजन्ते मां दृढव्रताः
9. 13. भजन्त्यनन्यमनसः
23. ये ऽप्यन्यदेवता भक्ता यजन्ते
29. ये भजन्ति तु मां भक्त्या
30. भजते मामनन्यभाक्
31. न मे भक्तः प्रणश्यति
33. भक्ता राजर्षयस्तथा
— लोकमिमं प्राप्य भजस्व मां
34. मन्मना भव मद्भक्तः
10. 8. इति मत्वा भजन्ते माम्
10. भजतां प्रीतिपूर्वकम्
12. 1. भक्तास्त्वां पर्युपासते
20. भक्तास्ते ऽतीव मे प्रियाः

भजन

Mukti. 1. 16. केचित्त्वन्नामभजनात्
18. मन्नामभजनात्कपे

भञ्ज्

Brahmab. 14. तद्भंगं न च जानाति
Kṛish. 19. भग्नभाण्डोदधिर्गृहे

भट

Maitri. 7. 8. *vide* रङ्गावतारिन्

1. भद्र

Mahânâr. 9. 7. यद्भद्रं तन्न आसुव 17. 7.
16. 4. विश्वाची भद्रा सुमनस्यमाना
Nṛip. 1. 1. भद्रं कर्णेभिः शृणुयाम देवा भद्रं पश्येमाक्षभिर्यजत्राः 2. 4; Nṛisut. 1.
7. भद्रं तृतीयस्यान्त्यम्
2. 3. भद्रमष्टमं (स्थानं जानीयात्)

Nṛip. 2. 4. कस्मादुच्यते भद्रमिति
— यः स्वयं भद्रो भूत्वा सर्वदा भद्रं ददाति
— तस्मादुच्यते भद्रमिति
Nṛisut. 4. एष एव भद्रः
5. एष एव भद्र एष हि व्याप्ततमः
— एष एव भद्र एष ह्येवोत्कृष्टः
— एतदेव भद्रमेतद्धि महाविभूति
6. भद्रमभद्रं . . बुबुधिरे
Râmap. 32. भद्राय रघुवीराय (3 MSS. have रुद्राय for भ०)
Râmot. 2. चन्द्राय नमो भद्राय नमः
Mukti. 1. भद्रं कर्णेभिरिति शान्तिः

2. भद्र

Kaush. 1. 5. भद्रयज्ञायज्ञीये शीर्षण्ये

भद्रत्व

Nṛisut. 7. भद्रत्वान्मृत्युमृत्युत्वात्

भद्रासन

Amṛita. 18. भद्रासनमथापि वा

भय

Chhâ. 1. 3. 1. अपहन्ता ह वै भयस्य तमसो भवति
8. 9. 1. अप्राप्यैव देवानेतद्भयं ददर्श 8. 10. 1; 8. 11. 1.
Bṛih. 1. 4. 2. तत एवास्य भयं वीयाय
— द्वितीयाद्वै भयं भवति
4. 3. 13. उतेवापि भयानि पश्यन्
20. यदेव जाग्रद्भयं पश्यति
Tait. 2. 7. 1. एतस्मिन्नुदरमन्तरं कुरुते ऽथ तस्य भयं भवति
— तत्त्वेव भयं विदुषो मन्वानस्य
Kaṭha. 1. 12. स्वर्गे लोके न भयं किञ्चनास्ति
Kaṭha. 6. 2. महद्भयं वज्रमुद्यतम्
3. भयादस्याग्निस्तपति भयात्तपति सूर्यः। भयादिन्द्रश्च . . धावति
Maitri. 1. 3. *vide* आद्य
3. 5. सम्मोहो भयं . . इति तामसानि
7. 1. भास्वरो गुणभुग् भयः
Gauḍa. 1. 25. न भयं विद्यते क्वचित्
Nṛisut. 6. द्वितीयाद्भयमेव पश्यन्तः
Śikhâ. 2. दुःखभयेभ्यः सन्तारयति
Amṛita. 27. भयं क्रोधमथालस्यम्
Tejo. 12. लोभं मोहं भयं दर्पम्
14. न भयं सुखदुःखं च
Nyâsa. 2. भयं किमनुपश्यति
— गर्भवासभयाद्भीतः
Gopî. 1. मृत्योर्भयाच्च संरक्षगी
Gîtâ. 2. 34. भयाद्रणादुपरतम्
40. त्रायते महतो भयात्
10. 4. भयमभयमेव च
11. 45. भयेन च प्रव्यथितं मनो मे
12. 15. हर्षामर्षभयोद्वेगैः
18. 8. कायक्लेशभयात्
30. कार्याकार्ये भयाभये
35. यया स्वप्नं भयं शोकम्

भयदर्शिन्

Gauḍa. 3. 39. अभये भयदर्शिनः

भयानक

Gîtâ. 11. 27. दंष्ट्राकरालानि भयानकानि

भयावह

Śwet. 2. 8. स्रोतांसि सर्वाणि भयावहानि
Gîtâ. 3. 35. परधर्मो भयावहः

भरगत्व

Maitri. 6. 7. तस्माद्भरगत्वाद्भर्गः

भरत

Maitri. 1. 4. मरुत्तभरतप्रभृतयः
Râmap. 50. शत्रुघ्नभरतौ
51. भरताधस्तु सुग्रीवम्
53. सुग्रीवं भरतं तथा
Râmot. 3. प्राज्ञात्मकस्तु भरतः
Mukti. 1. 1. सीताभरतसौमित्रिशत्रुघ्नाद्यैः

भरतर्षभ

Gîtâ. 3. 41. नियम्य भरतर्षभ
7. 11. कामोऽस्मि भरतर्षभ
16 ज्ञानी च भरतर्षभ
8. 23. वक्ष्यामि भरतर्षभ
13. 26. तद्विद्धि भरतर्षभ
14. 12. विवृद्धे भरतर्षभ
18. 36. शृणु मे भरतर्षभ

भरतश्रेष्ठ

Gîtâ. 17. 12. इज्यते भरतश्रेष्ठ

भरतसत्तम

Gîtâ. 18. 4. निश्चयं शृणु . . भरतसत्तम

भरद्वाज

Bṛih. 2. 2. 4. इमामेव गोतमभरद्वाजावयमेव गोतमो ऽयं भरद्वाजः
Râmot. 1. भरद्वाजः पप्रच्छ याज्ञवल्क्यम्
5. भरद्वाजो याज्ञवल्क्यमुवाच

भर्गस्

Bṛih. 6. 3. 6. भर्गो देवस्य धीमहि
Maitri. 6. 7.
Maitri. 6. 7. अथ भर्गो इति . . भाभिर्गतिरस्य हीति भर्गो भर्जयतीति वैष भर्गो इति रुद्रः
— भरगत्वाद्भर्गः
34. तत्सवितुर्वरेण्यं भर्गः
Mahânâr. 15. 2.
Maitri. 6. 35. एतद्ब्रह्मैतदमृतमेतद्भर्गः
(bis).

भर्गाख्य

Maitri. 6. 7. सविता वै देवस्ततो यो ऽस्य भर्गाख्यस्तं चिन्तयामि
— यो ह वा अमुष्मिन्नादित्ये निहितस्तारकोऽक्षिणि वैष भर्गाख्यः

भर्तृ

Bṛih. 1. 3. 18. भर्ता स्वानां श्रेष्ठः पुर एता भवति
Gîtâ. 9. 18. गतिर्भर्ता प्रभुः साक्षी
13. 22. भर्ता भोक्ता महेश्वरः

भल्लाक्ष

Chhâ. 4. 1. 2. हो होयि भल्लाक्ष भल्लाक्ष
(one MS. has भल्लाक्षि)

1. भव

Mahânâr. 17. 1. भवे भवे नातिभवे
Mukti. 2. 28. भवभावनवर्जनात्
Gîtâ. 10. 4. सुखं दुःखं भवो ऽभावः
11. 2. भवाप्ययौ हि भूतानाम्

2. भव

Maitri. 6. 8. शम्भुर्भवो रुद्रः 7. 7.
Chûl. 12. शर्वो भवश्च रुद्रश्च
Nîla. 22. भवेन मरुतां पिता
24. नमो भवाय नमः शर्वाय

भवत्

Chhâ. 4. 4. 1. ब्रह्मचर्यं भवति विवत्स्यामि
Bṛih. 4. 5. 5. प्रिया वै खलु नो भवती सती
— हन्त तर्हि भवत्येतद्व्याख्यास्यामि
5. 2. 1. ब्रवीतु नो भवान् 2, 3.
6. 2. 3. इति वाव किल नो भवान् पुरानुशिष्टानवोचत्

Bṛih. 6. 2. 4. भवानेव गच्छत्विति
7. मा नो भवान् बहोः..अ-
भ्यवदान्यो भूत्
— उपैम्यहं भवन्तमिति
Śiras. 1. ते रुद्रमपृच्छन् को भवान्
Gopî. 5. तत्र भवत्यः..कृष्णं भजि-
ष्यथ
Mukti. 2. 5. जेतव्यो भवता कपे
30. भवानज्ञाततत्पदः
Gîtâ. 1. 7. भवान्भीष्मश्च कर्णश्च
11. भवन्तः सर्व एव हि
4. 4. अपरं भवतो जन्म
10. 12. पवित्रं परमं भवान्
11. 31. को भवानुग्ररूपः
— विज्ञातुमिच्छामि भवन्तमा-
द्यम्

भवबन्धन

Mukti. 1. 6. मुच्येयं भवबन्धनात्

भवभाव

Nîla. 4. नमस्ते भवभावाय (most MSS. °भामाय; one has °भवाय)

भवभूत

Śwet. 6. 5. तं विश्वरूपं भवभूतमीड्यम्

भवमन्यु

Nîla. 4. नमस्ते भवमन्यवे

भवारि

Râmap. 92. गदारिशंखाब्जधरं भवारिम्

भविष्य

Gîtâ. 7. 26. भविष्याणि च भूतानि

भविष्यद्वृत्ति

Gauḍa. 3. 14. भविष्यद्वृत्त्या गौणं तत्

भवोद्भव

Mahânâr. 17. 1. भवोद्भवाय नमः

भस्मन्

Chhâ. 5. 24. 1. यथाङ्गारानपोह्य भस्मनि
जुहुयात्
Śiras. 5. अग्निरिति भस्म वायुरिति
भस्म etc.
— सर्वं ह वा इदं भस्म
— व्रतमिदं पाशुपतं यद्भस्म-
नाङ्गानि संस्पृशेत्
Kâlâg. 1. यद्भव्यं तदाग्नेयं भस्म
— अग्निरिति भस्मेत्यनेन चा-
भिमंत्र्य
2. त्रिपुण्ड्रं भस्मना करोति
Gâruḍa. 3. भस्मना मोक्षयति
Vâsu. 4. अग्नेर्भस्मासि
Mukti. 1. 38. हृदयं कुण्डली भस्म
1. *vide* गारुड

भस्ममुष्टि

Kaṭhaśru. 3. अरणिदेशाद्भस्ममुष्टिं पिबे-
दित्येके

भस्मसात्कृ

Gîtâ. 4. 37. भस्मसात्कुरुते ऽर्जुन
— भस्मसात्कुरुते तथा

भस्मान्त

Bṛih. 5. 15. 1. अथेदं भस्मान्तं शरीरम्
Iśâ. 17.

1. भा

Chhâ. 3. 18. 3. सो ऽग्निना ज्योतिषा भाति
च तपति च (similarly in
4, 5, 6.
— भाति च तपति च कीर्त्या
यशसा ब्रह्मवर्चसेन य एवं
वेद 4, 5, 6.
4. 9. 2. ब्रह्मविदिव वै सोम्य भासि
4. 14. 2. ब्रह्मविद इव सोम्य ते मुखं
भाति
4. 15. 4. एष हि सर्वेषु लोकेषु भाति

Bṛih. 1. 3. 16. असौ चन्द्रः परेण मृत्युमतिक्रान्तो भाति
1. 5. 22. भास्याम्यहमिति चन्द्रमाः
Kaṭha. 5. 14. किमु भाति विभाति वा
15. न तत्र सूर्यो भाति . . नेमा विद्युतो भान्ति . . तमेव भान्तमनुभाति सर्वम् Śwet. 6. 14; Muṇḍ. 2. 2. 10.
Maitri. 6. 16. यो ऽमुष्मिन् भाति मण्डले
Muṇḍ.3. 2. 1. यत्र विश्वं निहितं भाति शुभ्रम्
Nṛip. 5. 10. यत्र न नक्षत्राणि भान्ति
Râmap. 24. उत्पन्नं सीतया भाति
Skanda. 2. न निजं निजवद्भाति

2. भा

Kaush. 1. 6. संभूतो भायै (भार्यायै is a variant).
Maitri. 6. 7. भाभिर्गतिरस्य हीति भर्गः

भाःसत्य

Bṛih. 5. 6. 1. मनोमयो ऽयं पुरुषो भाःसत्यः

भाग

Śwet. 5. 9. शतधा कल्पितस्य च भागः
Mahânâr. 19. 2. नान्यो भागो यत्नान्मे
Dhyâna. 6. तस्य भागस्य भागशः
— तस्य भागस्य भागार्द्धम्

भागधेय

Bṛih. 6. 3. 1. तेभ्यो ऽहं भागधेयं जुहोमि

भागवत

Mukti. 1. 2. अन्यैर्भागवतैश्चापि

भागवित्ति

Bṛih. 6. 3. 9. चूलाय भागवित्तये
10. चूलो भागवित्तिः

भागशस्

Dhyâna. 6. तस्य भागस्य भागशः

भागार्द्ध

Dhyâna. 6. तस्य भागस्य भागार्द्धम्

भागिन्

Ait. 2. 5. एतासु भागिन्यौ करोमि
— भागिन्यावेवास्यामशनायापिपासे भवतः

भाण्

Bṛih. 1. 2. 4. स भाणकरोत् सैव वागभवत्

भाण्ड

Kṛish. 19. भग्नभाण्डोदधिर्गृहे

भानवीय

Maitri. 6. 31. भानवीयाश्च मरीचयः

भानु

Maitri. 6. 35. एतद्भानुरर्णवः
Mahânâr. 3. 10. तन्नो भानुः प्रचोदयात्
Haṁsa. 2. भानुकोटिप्रतीकाशः

भानुमण्डल

Nâda. 7. भानुमण्डलसङ्काशा भवेन्मात्रा तथोत्तरा

भान्त

Maitri. 7. 6. भान्तः क्षान्तः शान्तः

भामनी

Chhâ. 4. 15. 4. एष उ एव भामनीः

भामित

Śwet. 4. 22. वीरान् मा नो रुद्र भामितो वधीः (2 MSS. read भामिनो)

भारत

Nâda. 12. स राजा भारते वर्षे
Gîtâ. 1. 24. एवमुक्तः . . गुडाकेशेन भारत

Gîtâ. 2. 10. प्रसन्न इव भारत
14. तांस्तितिक्षस्व भारत
18. तस्माद्युध्यस्व भारत
28. व्यक्तमध्यानि भारत
30. देहे सर्वस्य भारत
3. 25. यथा कुर्वन्ति भारत
4. 7. ग्लानिर्भवति भारत
42. उत्तिष्ठ भारत
7. 27. द्वन्द्वमोहेन भारत
11. 6. पश्याश्चर्याणि भारत
12. 2. सर्वक्षेत्रेषु भारत
13. 33. कृत्स्नं प्रकाशयति भारत
14. 3. ततो भवति भारत
8. तन्निबध्नाति भारत
9. रजः कर्मणि भारत
10. सत्त्वं भवति भारत
15. 19. सर्वभावेन भारत 18. 62.
20. कृतकृत्यश्च भारत
16. 3. भवन्ति . . भारत
17. 3. श्रद्धा भवति भारत

भारद्वाज

Bṛih. 2. 6. 2. पाराशर्यो भारद्वाजात्
— भारद्वाजो भारद्वाजाच्च गौतमाच्च
— गौतमो भारद्वाजात्
— भारद्वाजः पाराशर्यात्
3. आसुरिर्भारद्वाजात् 4. 6. 3.
— भारद्वाज आत्रेयात् 4. 6. 3.
4. 1. 5. गर्दभीविपीतो भारद्वाजः
— भारद्वाजो ऽब्रवीत्
Muṇḍ. 1. 1. 2. स भारद्वाजाय सत्यवाहाय प्राह भारद्वाजो ऽङ्गिरसे
Praśna. 1. 1. सुकेशा च भारद्वाजः 6. 1.
6. 1. षोडशकलं भारद्वाज पुरुषं वेत्थ
Gâruḍa. 1. इन्द्रो भारद्वाजाय भारद्वाजो जीवितुकामेभ्यः शिष्येभ्यः

भारद्वाजीपुत्र

Bṛih. 6. 5. 1. गौतमीपुत्रो भारद्वाजीपुत्रात् 2.
— भारद्वाजीपुत्रः पाराशरीपुत्रात् 2.

भारूप

Chhâ. 3. 14. 2. भारूपः सत्यसंकल्पः Maitri. 2. 6.
Maitri. 6. 4. भारूपं विगतनिद्रं विरजम् 25; 7. 5.
25. भारूपो विगतनिद्रो विजरः

1. भार्गव *adj.*

Tait. 3. 6. 1. सैषा भार्गवी वारुणी विद्या
Chûl. 10. पठन्ते भार्गवा ह्येतत्

2. भार्गव

Praśna. 1. 1. भार्गवो वैदर्भिः 2. 1.

भार्या

Bṛih. 3. 7. 1. तस्यासीद्भार्या गन्धर्वगृहीता
4. 5. 1. याज्ञवल्क्यस्य द्वे भार्ये बभूवतुः
Yogat. 4. या माता सा पुनर्भार्या या भार्या जननी हि सा
Nyâsa. 2. लोकाद्भार्यया सहितः
Kaṭhaśru. 1. भार्यां पुत्रान् . . अनुमोदयित्वा

भालुकीपुत्र

Bṛih. 6. 5. 2. राथीतरीपुत्रो भालुकीपुत्रात्
— भालुकीपुत्रः क्रौञ्चिकीपुत्राभ्याम्

भाल्लवय

Chhâ. 5. 11. 1. इन्द्रद्युम्नो भाल्लवयः
5. 14. 1. इन्द्रद्युम्नं भाल्लवयम्

भाव

Śwet. 6. 4. भावांश्च सर्वान् विनियोज-
येद्यः

Muṇḍ 2. 1. 1. तथाक्षरा द्विविधाः सोम्य
भावाः

Gauḍa. 2. 13. विकरोत्यपरान् भावान्
16. ततो भावान् पृथग्विधान्
17. सर्पधारादिभिर्भावैः
19. प्राणादिभिरनन्तैश्च भावैरेतै-
र्विकल्पितः
29. यं भावं दर्शयेद्यस्य तं भावं
स तु पश्यति
33. भावैरसद्भिरेवायम्
— भावा अप्यद्वयेनैव
3. 20. अजातस्यैव भावस्य
— अजातो ह्यमृतो भावः
22. स्वभावेनामृतो यस्य भावः

Kshur. 20. एवं शुभाशुभैर्भावैः

Chúl. 18. यस्मिन् भावाः प्रलीयन्ते

Śiras. 3. भावं भावेन . . ग्रसति
4. सर्वान् भावान् परित्यज्य

Brahmab. 7. अस्वरेण हि भावेन भावो
नाभाव इष्यते

Dhyâna. 10. सकले निष्कले भावे

Tejo. 14. एतद्भावविनिर्मुक्तम्

Piṇḍa. 8. भावानां स्रवनं तथा

Râmot. 5. देवासुरमनुष्यादिभावात्मा
(9)

Mukti. 1. 23. मयि सर्वात्मके भावः
2. 4. अथ चेदशुभो भावः
24. भावसंवित्प्रकटिताम्

Gîtâ. 2. 16. नासतो विद्यते भावः
7. 12. ये चैव सात्त्विका भावाः
13. त्रिभिर्गुणमयैर्भावैः
15. आसुरं भावमाश्रिताः
24. परं भावमजानन्तः 9. 11.
8. 4. अधिभूतं क्षरो भावः

Gîtâ. 8. 5. यः प्रयाति स मद्भावं याति
6. यं यं वापि स्मरन्भावम्
— सदा तद्भावभावितः
20. परस्तस्मात्तु भावो ऽन्यः
10. 5. भवन्ति भावा भूतानाम्
17. केषु केषु च भावेषु
18. 17. यस्य नाहङ्कृतो भावः
20. सर्वभूतेषु येनैकं भावम्

भावगत

Muṇḍ.2. 2. 3. आयम्य तद्भावगतेन चेत-
सा

भावग्राह्य

Śwet. 5. 14. भावग्राह्यमनीडाख्यम्

भावन

Mukti. 2. 25. दृढाभ्यस्तपदार्थैकभावनात्
28. भवभावनवर्जनात्

भावना

Tejo. 7. स्वभावभावनाग्राह्यम्

Mukti. 1. 37. त्रिपुराकठभावना
1. *vide* गारुड
2. 48. द्वितीयं दृढभावना
57. दृढभावनया

Gîtâ. 2. 66. न चायुक्तस्य भावना

भावनात्रयनाशन

Mukti. 1. 40. एवमष्टोत्तरशतं भावनात्रय-
नाशनम्

भावयितृ

Ait. 4. 3. सा भावयित्री भावयितव्या
भवति

भावरहित

Sarvop. 2. भावसाक्षि स्वयं भावरहि-
तम्

भावसंशुद्धि

Gîtâ. 17. 16. भावसंशुद्धिरिति

भावसमन्वित

Gîtâ. 10. 8. बुधा भावसमन्विताः

भावसाक्षिन्

Sarvop. 2. भावसाक्षि स्वयं भावरहितम्

भावाभावकर

Śwet. 5. 14. भावाभावकरं शिवम्

भाष्

Kaush. 2. 5. यावद्वै पुरुषो भाषते — न तावच्छाषितुं शक्नोति

Chhâ. 5. 3. 6. यामेव कुमारस्यान्ते वाचमभाषथाः Bṛih. 6. 2. 5.

Bṛih. 2. 4. 4. प्रिया वतारे नः सती प्रियं भाषसे

Gauḍa. 4. 99. नैतद्बुद्धेन भाषितम्

Gîtâ. 2. 11. प्रज्ञावादांश्च भाषसे

11. 14. कृताञ्जलिरभाषत

भाषा

Gîtâ. 2. 54. स्थितप्रज्ञस्य का भाषा

भाषितृ

Bṛih. 6. 4. 18. शुश्रूषितां वाचं भाषिता

1. भास्

Maitri. 6. 7. भ इति भासयतीमाँल्लोकान्

Sarvop. 2. तद्गतविशेषाविशेषज्ञो यदा भासते

Râmap. 14. स्वेनैव भासते

Gîtâ. 15. 6. न तद्भासयते सूर्यः

12. जगद्भासयते ऽखिलम्

2. भास्

Chhâ. 1. 6. 5. यदेतदादित्यस्य शुक्लं भाः 6.

1. 7. 4. यदेतदक्ष्णः शुक्लं भाः (bis).

Bṛih. 4. 3. 9. स्वेन भासा स्वेन ज्योतिषा

Kaṭha. 5. 15. तस्य भासा सर्वमिदं विभाति Śwet. 6. 14; Muṇḍ. 2. 2. 10.

Gîtâ. 11. 12. यदि भाः सदृशी सा स्याद्भासस्तस्य महात्मनः

30. भासस्तवोग्राः प्रतपन्ति विष्णो

भास्कर

Maitri. 7. 2. धाता भास्करः

Mahânâr. 3. 8. भास्कराय विद्महे

भास्वन्त्

Chhâ. 7. 11. 2. तेजस्वतो लोकान् भास्वतो ऽपहततमस्कानभिसिध्यति

Maitri. 6. 5. अग्निर्वायुरादित्या इति भास्वत्येषा

Nṛip. 2. 1. विराडेक ऋषिर्भास्वती Nṛisut. 3.

Śikhâ. 1. रुचिरा भास्वती स्वभा

Vâsu. 3. पीता भास्वत्यणूपमा

Gîtâ. 10. 11. ज्ञानदीपेन भास्वता

भास्वर

Maitri. 6. 17. अस्यैतद्भास्वरं रूपम्

7. 1. निर्गुणः शुद्धो भास्वरः

Mahânâr. 11. 12. विद्युल्लेखेव भास्वरा Vâsu. 3.

भास्वरवर्ण

Bṛih. 6. 2. 14. तस्या आहुत्यै पुरुषो भास्वरवर्णः संभवति

भिक्ष्

Kaush. 2. 1. यथा ग्रामं भिक्षित्वा 2. 2.

Chhâ. 1. 10. 2. इभ्यं कुल्माषान् खादन्तं बिभिक्षे

4. 3. 5. ब्रह्मचारी बिभिक्षे

Jâbâla. 5. शुचिरद्रोही भिक्षाणः (so Saṁkarânanda, but see भैक्षाण)

भिक्षा

Chhâ. 4. 3. 7. दत्तास्मै भिक्षामिति
8. 8. 5. प्रेतस्य शरीरं भिक्षया.. संस्कुर्वन्ति
Nyâsa. 4. भिक्षादिवैदलं पात्रम्
Aruṇeya. 5. भिक्षार्थं ग्रामं प्रविशन्ति

भिक्षाचर्य

Bṛih. 3. 5. 1. भिक्षाचर्यं चरन्ति 4. 4. 22.
Aśrama. 4. स्वपुत्रगृहेषु भिक्षाचर्यं चरन्तः

भिक्षाशन

Nyâsa. 3. भिक्षाशनं दध्यात्

भिक्षाशिन्

Kaṭhaśru. 4. भिक्षाशी न दद्यात्

भिक्षु

Parama. 3. यावृच्छिको भवेद्भिक्षुः
— अनिकेतस्थितिरेव स भिक्षुः
— यस्माद्भिक्षुः.. ब्रह्महा भवेत्
— यस्माद्भिक्षुः.. पौल्कसो भवेत्
— यस्माद्भिक्षुः.. आत्महा भवेत्
— यस्माद्भिक्षुर्हिरण्यं यो न दृष्टं च
Mukti. 1. 35. शाण्डिल्यं पैङ्गलं भिक्षुं (?)
1. *vide* मुक्तिका

भिद्

Chhâ. 6. 12. 1. भिन्धीति भिन्नं भगवः
— एकां भिन्धीति भिन्ना भगवः
Bṛih. 4. 2. 3. यथा केशः सहस्रधा भिन्नः 4. 3. 20.
Maitri. 2. 6. खानीमानि भित्त्वोदितः
6. 24. तमोलक्षणं भित्त्वा तमः
— अथाविद्धं भित्त्वा
Maitri. 6. 30. सौरं द्वारं भित्त्वा
— यो भित्त्वा सूर्यमण्डलम्
38. लोभजालं भिनत्ति
— चतुर्जालं ब्रह्मकोशं भिन्दत्
— सौरसौम्याग्नेयसात्त्विकानि मण्डलानि भित्त्वा
Muṇḍ. 2. 2. 8. भिद्यते हृदयग्रन्थिः
Praśna. 6. 5. भिद्येते तासां नामरूपे (bis)
Gauḍa. 2. 4. संवृतत्वेन भिद्यते
3. 6. रूपकार्यसमाख्याश्च भिद्यन्ते
19. मायया भिद्यते ह्येतत्
— तत्त्वतो भिद्यमाने हि
4. 11. भिन्नं नित्यं कथं च तत्
Nṛisut. 8. शतधा सहस्रधा भिन्नः
Brahmav. 11. सूर्यं भित्त्वा तदापरम्
12. सूर्यं भित्त्वा तु मूर्धनि
Kshur. 11. तद्भित्त्वा कण्ठमायाति
Chûl. 2. भिन्ने तमसि चैश्वरे
Brahmab. 14. भिद्यमानं पुनः पुनः
15. भिन्ने तमसि चैकत्वम्
Amṛita. 38. यस्यैष मण्डलं भित्त्वा
Dhyâna. 3. भिद्यते ध्यानयोगेन
Yogaśi. 6. भिन्दन्ति योगिनः सूर्यम्
7. कपालसम्पुटं भित्त्वा
Yogat. 10. उकारेणैव भिद्यते
Nyâsa. 5. भित्त्वा मूर्धानमव्ययम्
Piṇḍa. 2. भिन्ने पञ्चात्मके देहे
Kṛish. 27. तस्मान्न भिन्ना एतास्ता आभिर्भिन्नो न वै विभुः
Gîtâ. 7. 4. भिन्ना प्रकृतिरष्टधा

भिदा

Nṛisut. 2. नैव तत्र काचन भिदास्ति 8.
8. नात्र काचन भिदास्ति
— अत्र भिदामिव मन्यमानः

भिषज्

Maitri. 6. 13. अन्नं भिषक् स्मृतम्

1. भी

Chhâ. 1. 4. 2. देवा वै मृत्योर्बिभ्यतः
Bṛih. 1. 4. 2. सो ऽबिभेत्तस्मादेकाकी बिभेति
— कस्मान्नु बिभेमीति
— कस्माद्ध्यभेष्यत्
4. 3. 33. याज्ञवल्क्यो बिभयांचकार
Tait. 2. 4. 1. आनन्दं ब्रह्मणो विद्वान्न बिभेति कदाचन 2. 9. 1 (कुतश्चन)
Kaṭha. 1. 12. न जरया बिभेति
Mahânâr. 20. 4. यत इन्द्र भयामहे ततो नो अभयं कृधि
Gauḍa. 3. 39. योगिनो बिभ्यति ह्यस्मात्
Nṛip. 2. 1. देवा ह वै मृत्योः पाप्मभ्यः संसाराच्चाबिभयुः
— तस्माद्यो मृत्योः पाप्मभ्यः संसाराच्च बिभीयात्
4. स्वयं यतः कुतश्चिन्न बिभेति
Nṛisut. 9. न भेतव्यं पृच्छेतेति
Nyâsa. 2. गर्भवासभयाद्भीतः
Gîtâ. 11. 21. केचिद्भीताः प्राञ्जलयो गृणन्ति
36. रक्षांसि भीतानि
50. आश्वासयामास च भीतमेनम्

2. भी

Bṛih. 1. 5. 3. ह्रीर्धीर्भीरित्येतत्सर्वं मन एव Maitri. 6. 30.
Tait. 1. 11. 3. ह्रिया देयं भिया देयम्

भीतभीत

Gîtâ. 11. 35. सगद्गदं भीतभीतः प्रणम्य

भीति

Nṛip. 2. 4. सर्वाणि भूतानि भीत्या पलायन्ते

1. भीम

Nṛip. 2. 4. मृगं न भीममुपहत्नुमुग्रम् (a variant is नभीमं=अभयंकरम्)
— मृगो न भीमः कुचरो गिरिष्ठाः

2. भीम

Gîtâ. 1. 4. भीमार्जुनसमा युधि
10. बलं भीमाभिरक्षितम्

भीमकर्मन्

Gîtâ. 1. 15. भीमकर्मा वृकोदरः

भीरु

Śwet. 4. 21. अजात इत्येवं कश्चिद्भीरुः प्रपद्ये

भीषण

Nṛip. 1. 5. हं भी तृतीयस्यार्द्धान्त्यम्
6. षणं तृतीयान्तार्द्धस्याद्यम्
2. 3. भीषणं सप्तमं (स्थानं जानीयात्)
4. कस्मादुच्यते भीषणमिति
— तस्मादुच्यते भीषणमिति
Nṛisut. 4. एष एव भीषणः
5. एष एव भीषण एष हि व्याप्ततमः
— एष एव भीषण एष ह्येवोत्कृष्टः
— एतदेव भीषणमेतद्धि महाविभूति
6. भीषणमभीषणं . . बुबुधिरे

भीषणत्व

Nṛisut. 7. नृसिंहत्वाद्भीषणत्वात्

भीषा

Tait. 2. 8. 1. भीषास्माद्वातः पवते भीषोदेति सूर्यः &c.; Nṛip. 2. 4.

भीष्म

Gîtâ. 1. 8. भवान्भीष्मश्च कर्णश्च
10. बलं भीष्माभिरक्षितम्
11. भीष्ममेवाभिरक्षन्तु
25. भीष्मद्रोणप्रमुखतः
2. 4. कथं भीष्ममहं संख्ये
11. 26. भीष्मो द्रोणः सूतपुत्रः
34. द्रोणं च भीष्मं च जयद्रथं च

भुक्तभोग

Śwet. 4. 5. जहात्येनां भुक्तभोगामजोऽन्यः Mahânâr. 9. 2.

भुक्ति

Haṁsa. 1. भुक्तिमुक्तिफलप्रदम् Gopî. 5.

भुज्

Kaush. 4. 20. तद्यथा श्रेष्ठी स्वैर्भुंक्ते यथा वा स्वाः श्रेष्ठिनं भुंजन्त्येवमेवैष प्रज्ञात्मैतैरात्मभिर्भुंक्त एवमेवैत आत्मान एतमात्मानं भुंजन्ति
Chhâ. 8. 9. 1. नाहमत्र भोग्यं पश्यामीति 2; 8. 10. 2, 4; 8. 11. 1, 2.
Bṛih. 1. 4. 10. पशवो मनुष्यं भुञ्ज्युरेवं.. पुरुषो देवान् भुनक्ति
15. एनमविदितो न भुनक्ति
1. 5. 17. एतन्मा सर्वं सन्नयमितोऽभुनजत्
Isâ 1. तेन त्यक्तेन भुञ्जीथाः
Tait. 2. 1. 1. सह नौ भुनक्तु 3. 1. 1; Kaṭha 6. 19.
Swet. 1. 12. भोक्ता भोग्यं प्रेरितारं च
Maitri. 6. 10. प्राकृतमन्नं भुंक्ता इति
— तस्मात्त्रिगुणं भोज्यम्
— तस्माद्बीजं भोज्यम्
— भोक्ता पुरुषो भोज्या प्रकृतिः
Maitri. 6. 10. पुरुषो ह्यव्यक्तमुखेन त्रिगुणं भुंक्ता इति
Mahânâr. 4. 11. यन्मया भुक्तमसाधूनाम्
19. 1. गणान्नं गणिकान्नं.. भुक्त्वा
Kaivalya. 18. त्रिषु धामसु यद्भोग्यम् (ज्यं in one MS.); Gauḍa. 1. 5 (ज्यं)
Gauḍa. 1. 5. स भुञ्जानो न लिप्यते
2. 22. भोज्यमिति च तद्विदः
Chûl. 7. भुंक्ते ऽसौ प्रथमं प्रभुः
Garbha. 4. आहारा विविधा भुक्ताः
Râmap. 94. लब्धकामांश्च भुक्त्वा
Gîtâ. 2. 5. श्रेयो भोक्तुं भैक्ष्यम्
— भुञ्जीय भोगान् रुधिरप्रदिग्धान्
37. जित्वा वा भोक्ष्यसे महीम्
3. 12. यो भुंक्ते स्तेन एव सः
13. भुंजते ते त्वघं पापाः
9. 21. ते तं भुक्त्वा स्वर्गलोकं विशालम्
11. 33. भुंक्ष्व राज्यं समृद्धम्
13. 21. भुंक्ते प्रकृतिजान् गुणान्
15. 10. भुञ्जानं वा गुणान्वितम्

भुज्यु

Bṛih. 3. 3. 1. भुज्युर्लाह्यायनिः 2.

भुवन

Chhâ. 4. 3. 6. भुवनस्य गोपाः Nṛip. 2. 4.
Tait. 3. 10. 6. अहं विश्वं भुवनमभ्यभवाम् Nṛip. 2. 4.
Kaṭha. 5. 9. अग्निर्यथैको भुवनं प्रविष्टः
10. वायुर्यथैको भुवनं प्रविष्टः
Swet. 2. 17. यो विश्वं भुवनमाविवेश
3. 2. संसृज्य विश्वा भुवनानि Siras. 5.
4. 4. यतो जातानि भुवनानि विश्वा
15. स एव काले भुवनस्य गोप्ता

Swet. 6. 15. एको हंसो भुवनस्यास्य मध्ये
17. ज्ञः सर्वगो भुवनस्यास्य गोप्ता
Maitri. 6. 38. महो देवो भुवनान्याविवेश
Muṇḍ.1. 1. 1. विश्वस्य कर्त्ता भुवनस्य गोप्ता
Mahânâr. 1. 1. अम्भस्यपारे भुवनस्य मध्ये
6. विश्वं बिभर्त्ति भुवनस्य नाभिः
2. 3. विश्वा भुवनानि विद्वान्
5. धामानि वेद भुवनानि विश्वा
5. 9. एष सर्वस्य भूतस्य भव्ये भुवनस्य गोप्ता
6. 1. जनयन्प्रजा भुवनस्य राजा
9. 4. य आविवेश भुवनानि विश्वा Nṛip. 2. 4.
13. 2. भूतं भव्यं भुवनम्
Gauḍa. 2. 24. भुवनानीति च तद्विदः
Nṛip. 2. 4. यमप्येति भुवनं साम्पराये
— क्षियन्ति भुवनानि विश्वा
Śiras. 6. इमा विश्वा भुवनानि चाक्लृपे (bis).
Râmap. 17. जातान्याभ्यां भुवनानि द्विसप्त

भुवनेश

Śwet. 6. 7. विदाम देवं भुवनेशमीड्यम्

भुवर्लक्ष्मी

Mahânâr. 4. 9. भूर्लक्ष्मीर्भुवर्लक्ष्मीः सुवः कालकर्णी Nṛip. 4. 2.

भुवर्लोक

Nṛip. 5. 6. स भुवर्लोकं जयति
Aruṇeya. 1. *vide* तपोलोक

भुवस्

Chhâ. 2. 23. 3. भूर्भुवः स्वरिति
3. 15. 3. भुवः प्रपद्येऽमुनाऽमुनाऽमुना
6. यदवोचं भुवः प्रपद्ये
4. 17. 3. भुव इति यजुर्भ्यः
Chhâ. 4. 17. 5. भुवः स्वाहेति दक्षिणाग्नौ जुहुयात्
Bṛih. 5. 5. 3. भुव इति बाहू 4.
6. 3. 3. भुवः स्वाहा . . भूर्भुवः स्वः स्वाहा 6.
6. 4. 25. भुवस्ते दधामि
— भूर्भुवः स्वः सर्वं त्वयि दधामि
Tait. 1. 5. 1. भूर्भुवः सुवरिति . . व्याहृतयः
— भुव इत्यन्तरिक्षम्
2. भुव इति वायुः
— भुव इति सामानि
3. भुव इत्यपानः
1. 6. 1. भुव इति वायौ
Maitri. 6. 5. भूर्भुवः स्वरिति लोकवत्येषा
6. अनुव्याहरन्भूर्भुवः स्वरिति
— नाभिर्भुवो भूः पादाः
— तस्माद्भूर्भुवः स्वरित्युपासीत
35. भूर्भुवः स्वरोम् Mahânâr. 13. 1; 15. 2, 3; Śiras. 6; Prâṇâg. 1.
Mahânâr. 7. 1. भुवो वायवे
— भूर्भुवः सुवश्चन्द्रमसे
— भूर्भुवः सुवरग्निरोम्
2. भुवोऽन्नं वायवे
— भूर्भुवः सुवरन्नं चन्द्रमसे
— भूर्भुवः सुवरन्नमोम्
3. भुवो वायवे चान्तरिक्षाय च
— भूर्भुवः सुवश्चन्द्रमसे च नक्षत्रेभ्यश्च
— भूर्भुवः सुवर्महरोम्
5. भूर्भुवः सुवश्छन्द ओम्
8. 1. भूर्भुवः सुवर्ब्रह्म
14. 1. भूर्भुवः सुवराप ओम्
15. 3. ओं भूर्भुवः सुवर्महः
Śiras. 2. यो वै रुद्रः . . यच्च भुवः
3. भूस्ते आदिर्मध्यं भुवः

Mahâ. 3. भुव इति व्याहृतिः
Râmot. 5. भूर्भुवः स्वः (47 times).

भुवोलोक

Nâda. 3. भुवोलोकस्तु जानुनोः

1. भू

Ait. 2. 4. अग्निर्वाग्भूत्वा मुखं प्राविशत् (similarly, 7 times more).
5. भागिन्यावेवास्यां . . भवतः
3. 13. स जातो भूतान्यभिव्यैक्षत्
4. 1. पुरुषे ह वा अयमादितो गर्भो भवति
2. आत्मानमत्र गतं भावयति
3. सा भावयित्री भावयितव्या भवति
— आत्मानमेव तद् भावयति
5. 2. एतानि प्रज्ञानस्य नामधेयानि भवन्ति

Kaush. 1. 2. तमिह वृष्टिर्भूत्वा वर्षति
5. तस्य भूतं च भविष्यच्च पूर्वौ पादौ
6. तेजो भूतस्य भूतस्यात्मा भूतस्य भूतस्य .
2. 1. मनो दूतं वेद दूतवान् भवति
— गोप्तृमान् भवति
— संश्रावयितृमान् भवति
— परिवेष्ट्रीमान् भवति
— एष धर्मो ऽयाचतो भवति 2.
— सर्वाणि भूतान्ययाचमानायैव बलिं हरन्ति 2. 2.
4. यस्य प्रियो बुभूषेत्
— प्रियो हैव भवति
5. ताः कर्ममय्यो हि भवन्ति
6. सर्वाणि हास्मै भूतानि श्रैष्ठ्यायाभ्यर्च्यन्ते . . युज्यन्ते . . सन्नमन्ते

Kaush. 2. 6. यथैतत् . . तेजस्वितममिति शक्रेषु भवत्येवं स सर्वेषु भूतेषु . . भवति
— एष उ एवैतदिन्द्रस्यात्मा भवति
7. त्रीण्युपासनानि भवन्ति
9. तेन मुखेन सर्वाणि भूतान्यत्सि
11. अश्मा भव परशुर्भव हिरण्यमस्तृतं भव
14. तदमृतो भवति य एवं वेद
15 यथा समापयितव्यो भवति
3. 2. एकभूयं वै प्राणा भूत्वा
3. अथास्मिन् प्राण एवैकधा भवति (bis); 4. 20.
4. यथास्यै प्रज्ञायै सर्वाणि भूतान्येकं भवन्ति
7. अन्यत्र मे मनोऽभूदित्याह (7 times ; and नौ . . आहतुः bis).
8. न साधुना कर्मणा भूयान् भवति
4. 3. सर्वेषां भूतानां मूर्द्धा भवति
4. अन्नस्यात्मा भवति
5. सत्यस्यात्मा भवति
6. शब्दस्यात्मा भवति
7. जिष्णुर्ह वा अपराजयिष्णुरन्यतस्त्यजायी भवति
9. विषासहिर्ह वा अन्येषु भवति
10. तेजस आत्मा भवति
12. द्वितीयवान् हि भवति
17. एतेषां सर्वेषामात्मा भवति 18.
19. क्वैतदभूत् . . यत्रैतदभूत्
— तासु तदा भवति यदा सुप्तः स्वप्नं न कंचन पश्यति
20. सर्वेषां च भूतानां श्रैष्ठ्यं . . पर्यैत्

Kaush. 4. 20. सर्वेषां भूतानां श्रैष्ठ्यं..पर्येति

Kena. 2. प्रेत्यास्माल्लोकादमृता भवन्ति 13.

13. भूतेषु भूतेषु विचिन्त्य धीराः

31. अभि हैनं सर्वाणि भूतानि संवाञ्छन्ति

Chhâ.1. 1. 2. एषां भूतानां पृथिवी रसः

4. इति त्रिवृट्टं भवति

7. आपयिता ह वै कामानां भवति

8. समर्द्धयिता ह वै कामानां भवति

10. तदेव वीर्यवत्तरं भवति

— एतस्याक्षरस्योपव्याख्यानं भवति

1. 2. 13. स ह नैमिषीयानामुद्गाता बभूव

14. आगाता ह वै कामानां भवति

1. 3. 1. अपहन्ता ह वै भयस्य तमसो भवति य एवं वेद

7. अन्नवानन्नादो भवति 1. 13. 4; 2. 8. 3; Tait. 3. 6. 1; 3. 7. 1; 3. 8. 1; 3. 9. 1.

1. 4. 4. देवा अमृता अभया अभवन्

5. यदमृता देवास्तदमृतो भवति

1. 5. 2. बहवो वै ते भविष्यन्ति

4. बहवो मे भविष्यन्तीति

1. 8. 1. त्रयो होद्गीथे कुशला बभूवुः

1. 9. 1. इमानि भूतान्याकाशादेव समुत्पद्यन्ते

2. परोवरीयो हास्य भवति 2. 7. 2.

3. परोवरीयः..जीवनं भविष्यति

4. परोवरीय एव..जीवनं भवति

Chhâ. 1. 10. 5. साम एव सुभिक्षा बभूव

1. 11. 5. सर्वाणि ह वा इमानि भूतानि प्राणमेवाभिसंविशन्ति

7. सर्वाणि ह वा इमानि भूतान्यादित्यमुच्चैः सन्तं गायन्ति

9. सर्वाणि ह वा इमानि भूतान्यन्नमेव प्रतिहरमाणानि जीवन्ति

2. 1. 3. यत्साधु भवति साधु वतेति

— यदसाधु भवत्यसाधु वतेति

2. 4. 2. अप्सुमान् भवति

2. 5. 2. ऋतुमान् भवति

2. 6. 2. भवन्ति हास्य पशवः पशुमान् भवति

2. 9. 2. तस्मिन्निमानि सर्वाणि भूतान्यन्वायत्तानि

2. 10. 3. त्रिभिस्त्रिभिः समं भवति

4. निधनमिति त्र्यक्षरं तत् सममेव भवति

6. परो हास्यादित्यस्य जयाज्जयो भवति

2. 11. 2. प्राणी भवति

— महान्प्रजया पशुभिर्भवति महान् कीर्त्या 12. 2; 13. 2; 14. 2; 15. 2; 16. 2; 17. 2; 18. 2; 19. 2; 20. 2.

2. 12. 1. अंगारा भवन्ति स प्रतिहारः

2. ब्रह्मवर्चस्यन्नादो भवति 3. 13. 3.

2. 13. 2. मिथुनी भवति

2. 14. 2. तेजस्व्यन्नादो भवति 3. 13. 1.

2. 17. 2. लोकी भवति 4. 11. 2, 4. 12. 2; 4. 13. 2.

2. 18. 2. पशुमान् भवति

Chhâ. 2. 19. 2. अंगी भवति
2. 21. 2. सर्व ह भवति
2. 22. 3. इन्द्रं शरणं प्रपन्नो ऽभूवम्
4. प्रजापतिं शरणं प्रपन्नो ऽभूवं
.. मृत्युं शरणं प्रपन्नो
ऽभूवम्
2. 23. 2. सर्व एते पुण्यलोका भवन्ति
3. 6. 3. वसूनामेवैको भूत्वा (similarly, 4 times more).
3. 11. 3. सकृद्दिवा हैवास्मै भवति
Kathaśru. 1.
3. 12. 1. गायत्री वा इदं सर्वं भूतं ..
वाग्वा इदं सर्वं भूतं गायति
2. अस्यां हीदं सर्वं भूतं प्रतिष्ठितम्
6. पादो ऽस्य सर्वा भूतानि
3. 13. 2. श्रीमान्यशस्वी भवति
4. कीर्त्तिमान् व्युष्टिमान् भवति
5. ओजस्वी महस्वान् भवति
8. चक्षुष्यः श्रुतो भवति
3. 14. 1. यथाक्रतुरस्मिँल्लोके पुरुषो
भवति तथेतः प्रेत्य भवति
3. 15. 4. प्राणो वा इदं सर्वं भूतम्
3. 16. 2. अगदो ह भवति 4, 6.
3. 17. 6. अपिपास एव स बभूव
— तत्रैते द्वे ऋचौ भवतः
3. 18. 1. इत्युभयमादिष्टं भवति 2.
3. 19. 1. ते आण्डकपाले रजतं च
सुवर्णं चाभवताम्
3. सर्वाणि च भूतानि सर्वे च
कामाः (bis).
4. 3. 8. सर्वमस्येदं दृष्टं भवत्यन्नादो
भवति य एवं वेद
4. 5. 3. प्रकाशवानस्मिँल्लोके भवति
4. 6. 4. अनन्तवानस्मिँल्लोके भवति
4. 7. 4. ज्योतिष्मानस्मिँल्लोके भवति

Chhâ. 4. 8. 4. आयतनवानस्मिँल्लोके भवति
4. 16. 3. स इष्ट्वा पापीयान् भवति
5. स इष्ट्वा श्रेयान् भवति
4. 17. 8. यत्रैवंविद्ब्रह्मा भवति 9.
5. 1. 1. ज्येष्ठश्च श्रेष्ठश्च भवति Bṛih. 6. 1. 1.
2. वसिष्ठो ह स्वानां भवति
Bṛih. 6. 1. 2 (bis, omitting ह)
5. आयतनं ह स्वानां भवति
Bṛih. 6. 1. 5 (bis, omitting ह)
15. प्राणो ह्येवैतानि सर्वाणि भवति 7. 15 .4
5. 2. 1. किं मे ऽन्नं भविष्यतीति
— न ह वा एवंविदि किञ्चनानन्नं भवति
2. किं मे वासो भविष्यति
— लम्भुको ह वासो भवत्यनग्नो भवति
5. 3. 3. पञ्चम्यामाहुतावापः पुरुषवचसो भवन्ति 5. 9. 1.
7. क्षत्रस्यैव प्रशासनमभूत्
5. 9. 2. यतः संभूतो भवति
5. 10. 5. वायुर्भूत्वा धूमो भवति धूमो भूत्वाभ्रं भवति
6. अभ्रं भूत्वा मेघो भवति
— यो रेतः सिञ्चति तद्भूय एव भवति
8. असकृदावर्त्तीनि भूतानि
भवन्ति
10. पुण्यलोको भवति य एवं
वेद
5. 12. 2. भवत्यस्य ब्रह्मवर्चसं कुले
5. 13. 2; 5. 14. 2; 5. 15. 2; 5. 16. 2; 5.17. 2.
5. 13. 2. अन्धो ऽभविष्यो यन्मां नागमिष्यः

Chhâ. 5. 18. 1. सर्वेषु भूतेषु . . अन्नमत्ति
5. 24. 2. तस्य . . सर्वेषु भूतेषु . . हुतं भवति
5. एवं सर्वाणि भूतान्यग्निहोत्रमुपासते
6. 1. 1. ब्रह्मबन्धुरिव भवति
3. येनाश्रुतं श्रुतं भवति
4. कथं नु भगवः स आदेशो भवतीति
6. एवं सोम्य स आदेशो भवतीति
6. 2. 4. तदेव भूयिष्ठमन्नं भवति
6. 3. 1. एषां भूतानां त्रीण्येव बीजानि भवन्ति
4. त्रिवृत्त्रिवृदेकैका भवति 6. 4. 7; 6. 8. 6.
6. 4. 6. यदु रोहितमिवाभूत् . . यदु शुक्लमिवाभूत् . . यदु कृष्णमिवाभूत्
7. यद्वविज्ञातमेवाभूत्
6. 5. 1. स्थविष्ठो धातुस्तत् पुरीषं भवति
2. . . तन्मूत्रं भवति
3. . . तदस्थि भवति
6. 6. 1. तत्सर्पिर्भवति
2. तन्मनो भवति
3. स प्राणो भवति
4. सा वाग् भवति
6. 7. 6. एका कलातिशिष्टाभूत्
6. 8. 1. सता सोम्य तदा सम्पन्नो भवति
— स्वमपीतो भवति
3. नेदममूलं भविष्यति 5.
6. तदुक्तं पुरस्तादेव भवति
6. 9. 2. यद्यद्भवन्ति तदा भवन्ति 6. 10. 2.
6. 10. 1. समुद्र एव भवन्ति

Chhâ. 6. 16 1. स यदि तस्य कर्त्ता भवति
2. यदि तस्याकर्त्ता भवति
7. 1. 5. तत्रास्य यथाकामचारो भवति (so in each section down to the 14th).
7. 2. 1. यद्वै वाङ्नाभविष्यत्
7. 4. 1. नाम्नि मन्त्रा एकं भवन्ति 7. 5. 1.
7. 5. 2. यद्यपि बहुविदचित्तो भवति
— यद्यल्पविच्चित्तवान् भवति
7. 6. 1. ध्यानापादांशा इवैव ते भवन्ति
7. 8. 1. यदा बली भवत्यथोत्थाता भवत्युत्तिष्ठन् परिचरिता भवति &c.
7. 9. 1. अद्रष्टाश्रोतामन्ताबोद्धाकर्त्ताविज्ञाता भवति
— द्रष्टा भवति श्रोता भवति मन्ता भवति &c.
7. 10. 1. यदा सुवृष्टिर्न भवति . . अन्नं कनीयो भविष्यति
— यदा सुवृष्टिर्भवत्यानन्दिनः प्राणा भवन्त्यन्नं बहु भवति
2. तृप्तिमान् भवति
7. 14. 2. अमोघा हास्याशिषो भवन्ति
7. 15. 4. अतिवादी भवति
7. 25. 2. स स्वराड् भवति
— सर्वेषु लोकेषु कामचारो भवति 8. 1. 6; 8. 4. 3; 8. 5. 4.
— अन्यराजानस्ते क्षय्यलोका भवन्ति
— सर्वेषु लोकेष्वकामचारो भवति 8. 1. 6.
7. 26. 2. स एकधा भवति त्रिधा भवति

Chhâ. 8. 1. 4. सर्वाणि च भूतानि
5. यं यमन्तमभिकामा भवन्ति
8. 2. 1. यदि पितृलोककामो भवति (similarly, eight times more in this section).
10. यं यमन्तमभिकामो भवति
8. 4. 2. अनन्धो भवति..अविद्धो भवति..अनुपतापी भवति
8. 6. 3. नाडीषु सृप्तो भवति
— तेजसा हि तदा सम्पन्नो भवति
4. अबलिमानं नीतो भवति
— यावदस्माच्छरीरादनुत्क्रान्तो भवति
6. विश्वङ्ङन्या उत्क्रमणे भवन्ति Katha. 6. 16.
8. 8. 2. साध्वलङ्कृतौ सुवसनौ परिष्कृतौ भूत्वा (bis).
4. यतर एतदुपनिषदो भविष्यन्ति देवा वासुरा वा
8. 9. 1. शरीरे साध्वलङ्कृते साध्वलङ्कृतो भवति..एवमेवायमस्मिन्नन्धे ऽन्धो भवति 2.
8. 10. 1. यद्यपीदं शरीरमन्धं भवत्यनन्धः स भवति 3.
2. अप्रियवेत्तेव भवति 4.
8. 11. 1. नो एवेमानि भूतानि (जानाति) 2.
— विनाशमेवापीतो भवति 2.
8. 14. 1. यशो ऽहं भवामि ब्राह्मणानाम्
8. 15. 1. अहिंसन्त्सर्वभूतानि
Bṛih. 1. 1. 2. हयो भूत्वा देवानवहत्
1. 2. 1. अर्चते वै मे कमभूत्
— क ह वा अस्मै भवति
2. सा पृथिव्यभवत्

Bṛih. 1. 2. 4. स संवत्सरो ऽभवत्
— सैव वागभवत्
5. सर्वस्यैतस्यात्ता भवति सर्वमस्यान्नं भवति
7. तन्मेध्यमभूत्
— एकैव देवता भवति मृत्युरेव
— मृत्युरस्यात्मा भवति
— एतासां देवतानामेको भवति
1. 3. 7. ततो देवा अभवन्..भवत्यात्मना..य एवं वेद
8. क नु सो ऽभूद्यो न इत्थमसक्त
9. दूरं ह वा अस्मान्मृत्युर्भवति
12. यदा मृत्युमत्यमुच्यत सो ऽग्निरभवत् (similarly, in 13–16.).
18. पुर एता भवति
— एवंविदं स्वेषु प्रतिप्रतिर्बुभूषति न हैवालं भार्य्येभ्यो भवति
— अलं भार्य्येभ्यो भवति
— य एवैतमनु भवति
25. भवति हास्य स्वम्
26. भवति हास्य सुवर्णम्
1. 4. 1. ततो ऽहन्नामाभवत्
— अथान्यन्नाम प्रब्रूते यदस्य भवति
— यो ऽस्मात्पूर्वो बुभूषति
2. द्वितीयाद्वै भयं भवति
3. पतिश्च पत्नी चाभवताम्
4. सा गौरभवत्
— वडवेतराभवत्
— अजेतराभवत्
5. ततः सृष्टिरभवत्सृष्ट्यां..एतस्यां भवति य एवं वेद
6. अतिसृष्ट्यां हास्यैतस्यां भवति य एवं वेद

Brih. 1. 4. 7. प्राणन्नेव प्राणो नाम भवति
— अकृत्स्नो ह्येषो ऽत एकैकेन भवति
— अत्र ह्येते सर्वे एकं भवन्ति
8. न हास्य प्रियं प्रमायुकं भवति
9. ब्रह्मविद्यया सर्वं भविष्यन्तः
— यस्मात्तत्सर्वमभवत्
10. तस्मात्तत्सर्वमभवत्
— यो यो देवानां प्रत्यबुध्यत स एव तदभवत्
— स इदं सर्वं भवति
— अहं मनुरभवं सूर्य्यश्चेति
— आत्मा ह्येषां स भवति
— अप्रियं भवति
11. स पापीयान् भवति
14. एतद्ध्वैतदुभयं भवति
15. अग्निनैव देवेषु ब्रह्माभवत्
— एताभ्यां हि रूपाभ्यां ब्रह्माभवत्
16. अयं वा आत्मा सर्वेषां भूतानां लोकः
— सर्वाणि भूतान्यरिष्टिमिच्छन्ति

1. 5. 3. अन्यत्रमना अभूवम् (bis).
8. वागेनं तद्भूत्वावति
9. मन एनं तद्भूत्वावति
10. प्राण एनं तद्भूत्वावति
12. नास्य सपत्नो भवति
17. किञ्चिदक्ष्णयाकृतं भवति
18. यया यद्यदेव वदति तत्तद्भवति
19. येनानन्व्येव भवति
20. सर्वेषां भूतानामात्मा भवति
— सर्वाणि भूतान्यवन्ति (bis)
— अमैवासां तद्भवति
21. मृत्युः श्रमो भूत्वोपयेमे
— एतस्यैव सर्वे रूपमभवन्

Brih. 1. 5. 21. यस्मिन् कुले भवति
23. अथैष श्लोको भवति

2. 1. 2. सर्वेषां भूतानां मूर्द्धा राजा भवति
3. अहरहर्ह सुतः प्रसुतो भवति
4. तेजस्वी ह भवति तेजस्विनी हास्य प्रजा भवति
6. जिष्णुर्हापराजिष्णुर्भवति
7. विषासहिर्ह भवति विषासहिर्हास्य प्रजा भवति
9. रोचिष्णुर्ह भवति रोचिष्णुर्हास्य प्रजा भवति
11. द्वितीयवान् ह भवति
13. आत्मन्वीह भवत्यात्मन्विनी हास्य प्रजा भवति
14. एतावन्नू ३ इत्येतावद्धीति नैतावता विदितं भवति
16. यत्रैष एतत्सुप्तो ऽभूत् . . क्वैष तदाभूत्
17. यत्रैष एतत्सुप्तो ऽभूत्
— तद्गृहीत एव प्राणो भवति
18. उतेव महाराजो भवति
19. अथ यदा सुषुप्तो भवति
20. सर्वाणि भूतानि व्युच्चरन्ति

2. 2. 3. तदेष श्लोको भवति 4. 4. 6, 7.
4. सर्वस्यात्ता भवति सर्वमस्यान्नं भवति य एवं वेद

2. 3. 6. सकृद्विद्युत्तेव ह वा अस्य श्रीर्भवति य एवं वेद

2. 4. 5. न वा अरे पत्युः कामाय पतिः प्रियो भवत्यात्मनस्तु कामाय पतिः प्रियो भवति (similarly, nine times more); 4. 5. 6 (similarly 11 times more).
— न वा अरे भूतानां कामाय 4. 5. 6.

Bṛih. 2. 4. 6. भूतानि तं परादुर्यो ऽन्यत्रात्मनो भूतानि वेद 4. 5. 7.
6. इमानि भूतानीदं सर्वं यदयमात्मा 4. 5. 7.
10. अस्य महतो भूतस्य निःश्वसितम् 4. 5. 11; Maitri. 6. 32.
12. एवं वा अर इदं महद्भूतम्
— एतेभ्यो भूतेभ्यः समुत्थाय 4. 5. 13.
14. यत्र हि द्वैतमिव भवति 4. 5. 15.
— यत्र वा अस्य सर्वमात्मैवाभूत् 4. 5. 15.
2. 5. 1. सर्वेषां भूतानां मधु . . सर्वाणि भूतानि मधु (14 times).
15. सर्वेषां भूतानामधिपतिः सर्वेषां भूतानां राजा
— आत्मनि सर्वाणि भूतानि
18. पुरः स पक्षी भूत्वा
19. रूपं रूपं प्रतिरूपो बभूव Kaṭha. 5. 9, 10.
3. 1. 1. ब्राह्मणा अभिसमेता बभूवुः
— जनकस्य वैदेहस्य विजिज्ञासा बभूव
— शृङ्गयोराबद्धा बभूवुः
2. होताश्वलो बभूव
3. 2. 13. क्वायं तदा पुरुषो भवति
— पुण्यो वै पुण्येन कर्मणा भवति
3. 3. 1. क्व पारिक्षिता अभवन् (ter).
2. इन्द्रः सुपर्णो भूत्वा
— यत्राश्वमेधयाजिनो ऽभवन्
3. 4. 2. एवमेवैतद् व्यपदिष्टं भवति
3. 5. 1. उभे ह्येते एषणे एव भवतः 4. 4. 22.

Bṛih. 3. 7. 1. सर्वाणि च भूतानि सन्दृब्धानि भवन्ति 2.
— सर्वाणि च भूतानि . . यमयति
2. अस्याङ्गानि . . सूत्रेण सन्दृब्धानि भवन्ति
15. यः सर्वेषु भूतेषु तिष्ठन् &c.
3. 8. 3. यद्भूतं च भवच्च भविष्यच्च 4, 6, 7.
10. अन्तवदेवास्य तद्भवति
3. 9. 20. हृदये रूपाणि प्रतिष्ठितानि भवन्ति
21. हृदये श्रद्धा प्रतिष्ठिता भवति
22. हृदये रेतः प्रतिष्ठितं भवति
23. हृदये सत्यं प्रतिष्ठितं भवति
4. 1. 2. सर्वाणि च भूतानि वाचैव . . प्रज्ञायन्ते
— सर्वाण्येनं भूतान्यभिक्षरन्ति देवो भूत्वा देवानप्येति 3—7.
3. यथाशङ्का भवति यां दिशमेति
4. स आहाद्राक्षमिति तत्सत्यं भवति
7. हृदयं वै सर्वेषां भूतानामायतनं . . भूतानां प्रतिष्ठा हृदये ह्येव सर्वाणि भूतानि प्रतिष्ठितानि भवन्ति
4. 2. 3. हिता नाम नाड्यो ऽन्तर्हृदये प्रतिष्ठिता भवन्ति
— एष प्रविविक्ताहारतर इवैव भवति
4. 3. 3. चन्द्रमा एवास्य ज्योतिर्भवति
4. अग्निरेवास्य ज्योतिर्भवति
5. वागेवास्य ज्योतिर्भवति
6. आत्मैवास्य ज्योतिर्भवति

Bṛih. 4. 3. 7. स्वप्नो भूत्वेमं लोकमतिक्रामति
9. द्वे एव स्थाने भवतः
— यथाक्रमोऽयं परलोकस्थाने भवति
— अयं पुरुषः स्वयंज्योतिर्भवति 14.
10. न पन्थानो भवन्ति . . न . . प्रमुदो भवन्ति . . न तत्र . . स्रवन्त्यो भवन्ति
11. तदेते श्लोका भवन्ति 4. 4. 8; Râmot. 3 (अथ)
14. दुर्भिषज्यं हास्मै भवति
15. अनन्वागतस्तेन भवति 16.
22. पितापिता भवति
— स्तेनो ऽस्तेनो भवति
— तीर्णो हि तदा सर्वाञ्छोकान् हृदयस्य भवति
32. सलिल एको द्रष्टाद्वैतो भवति
— अन्यानि भूतानि मात्रामुपजीवन्ति
33. राद्धः समृद्धो भवति
35. यत्रैतदूर्ध्वोच्छ्वासी भवति 38.
37. एवंविदं सर्वाणि भूतानि प्रतिकल्पन्ते
4. 4. 1. तथारूपज्ञो भवति
2. सविज्ञानो भवति
4. ब्राह्मं वान्येषां वा भूतानाम्
5. यथाकारी यथाचारी तथा भवति
— साधुकारी साधुर्भवति
— पापकारी पापो भवति
— पुण्यः पुण्येन कर्मणा भवति
— यथाकामो भवति तत्क्रतुर्भवति यत्क्रतुर्भवति तत्कर्म कुरुते

Bṛih. 4. 4. 7. अथ मर्त्यो ऽमृतो भवति Kaṭha. 6. 14, 15.
14. य एतद्विदुरमृतास्ते भवन्ति Kaṭha. 6. 2, 9; Swet. 3. 1, 10, 13; 4. 17, 20.
22. एतमेव विदित्वा मुनिर्भवति
23. तितिक्षुः समाहितो भूत्वा
— अविचिकित्सो ब्राह्मणो भवति
25. अभयं हि वै ब्रह्म भवति य एवं वेद Nṛisut. 8 (four times).
4. 5. 1. याज्ञवल्क्यस्य द्वे भार्ये बभूवतुः
— मैत्रेयी ब्रह्मवादिनी बभूव
5. 5. 1. सत्यभूयमेव भवति
2. स यदोत्क्रमिष्यन् भवति 5. 9. 1; Maitri. 2. 6.
5. 9. 1. तस्यैष घोषो भवति Maitri. 2. 6.
5. 12. 1. एकधाभूयं भूत्वा (bis).
— अन्ने . . सर्वाणि भूतानि विष्टानि
— प्राणे . . सर्वाणि भूतानि रमन्ते
— सर्वाणि ह वा अस्मिन्भूतानि विशन्ति सर्वाणि भूतानि रमन्ते य एवं वेद
5. 14. 8. कथं हस्ती भूतो वहसि
6. 1. 1. ज्येष्ठश्च श्रेष्ठश्च स्वानां भवत्यपि च येषां बुभूषति
2. वसिष्ठः स्वानां भवत्यपि च येषां बुभूषति
14. न ह वा अस्यानन्नं जग्धं भवति
6. 2. 2. आपः पुरुषवाचो भूत्वा
7. मा नो भवान् . . अभ्यवदान्यो भूत्
14. तस्याग्निरेवाग्निर्भवति

Bṛih. 6. 2. 16. ते चन्द्रं प्राप्यान्नं भवन्ति
— ते पृथिवीं प्राप्यान्नं भवन्ति
6. 3. 1. उपसद्वती भूत्वा
3. भूताय स्वाहा . . भविष्यते स्वाहा
6. माध्वीर्गावो भवन्तु नः Mahânâr. 9. 10; 17. 7.
— अहमेवेदं सर्वं भूयासम्
— अहं मनुष्याणामेकपुण्डरीकं भूयासम्
13. चतुरौदुंबरो भवति
— दश ग्राम्याणि धान्यानि भवन्ति
6. 4. 1. एषां वै भूतानां पृथिवी रसः
3. यावान् . . लोको भवति तावानस्य लोको भवति
7. इत्ययशा एव भवति
8. इति यशस्विनावेव भवतः
10. इत्यरेता एव भवति
11. इति गर्भिण्येव भवति
12. उत ह्येवंवित्परो भवति
26. तद्ब्रह्मैव नाम भवति
28. वीरवती भव
— अतिपिता वताभूरतिपितामहो वताभूः

Îśâ. 6. यस्तु सर्वाणि भूतान्यात्मन्येवानुपश्यति सर्वभूतेषु चात्मानम्
7. यस्मिन् सर्वाणि भूतान्यात्मैवाभूत्

Tait. 1. 1. 1. शं नो भवत्वर्यमा 1. 12. 1.
1. 4. 1. अमृतस्य देव धारणो भूयासम्
1. 6. 2. एतत्ततो भवति
1. 11. 2. मातृदेवो भव पितृदेवो भवाचार्यदेवो भवातिथिदेवो भव

Tait. 2. 1. 1. तदप्येष श्लोको भवति 2. 2. 1; 2. 3. 1; 2. 4. 1; 2. 5. 1; 2. 6. 1; 2. 7. 1; 2. 8. 1.
2. 2. 1. अन्नं हि भूतानां ज्येष्ठम् (bis).
— अन्नाद्भूतानि जायन्ते Maitri. 6. 12.
— अद्यते ऽत्ति च भूतानि Maitri. 6. 12.
2. 3. 1. प्राणो हि भूतानामायुः
2. 6. 1. असन्नेव स भवत्यसद्ब्रह्मेति वेद चेत्
— सच्च त्यच्चाभवत्
— सत्यं चानृतं च सत्यमभवत्
2. 7. 1. रसं ह्येवायं लब्ध्वानन्दी भवति
— अथ सो ऽभयं गतो भवति
— अथ तस्य भयं भवति
2. 8. 1. सैषानन्दस्य मीमांसा भवति
3. 1. 1. यतो वा इमानि भूतानि जायन्ते
3. 2. 1. अन्नात् . . भूतानि जायन्ते
3. 3. 1. प्राणात् . . भूतानि जायन्ते
3. 4. 1. मनसः . . भूतानि जायन्ते
3. 5. 1. विज्ञानात् . . भूतानि जायन्ते
3. 6. 1. आनन्दात् . . भूतानि जायन्ते
— महान् भवति प्रजया पशुभिः 3. 7. 1; 3. 8. 1; 3. 9. 1.
3. 10. 3. तत्प्रतिष्ठेत्युपासीत प्रतिष्ठावान् भवति
— तन्मह इत्युपासीत महान् भवति
— तन्मन इत्युपासीत मानवान् भवति

Tait. 3. 10. 4. तद्ब्रह्मेत्युपासीत ब्रह्मवान्भवति

Katha. 1. 11. यथा पुरस्ताद्भविता प्रतीतः
16. तवैव नाम्ना भवितायमग्निः
2. 1. श्रेय आददानस्य साधु भवति
9. त्वादृङ् नो भूयात्..प्रष्टा
14. अन्यत्र भूताच्च भव्याच्च
18. नायं कुतश्चिन्न बभूव कश्चित्
25. यस्य ब्रह्म च क्षत्रं च उभे भवत ओदनम्
3. 5. यस्त्वविज्ञानवान् भवति 7.
6. यस्तु विज्ञानवान् भवति 8.
12. एष सर्वेषु भूतेषु गूढात्मा
4. 6. गुहां प्रविश्य तिष्ठन्तं यो भूतेभिर्व्यपश्यत
7. या भूतेभिर्व्यजायत
15. यथोदकं शुद्धे शुद्धमासिक्तं तादृगेव भवति
— एवं मुनेर्विजानत आत्मा भवति
5. 6. यथा च मरणं प्राप्य आत्मा भवति
6. 11. अप्रमत्तस्तदा भवति
18. ब्रह्मप्राप्तो विरजो ऽभूत्

Śwet. 1. 2. भूतानि योनिः पुरुष इति चिन्त्यम्
2. 14. कृतार्थो भवते वीतशोकः
3. 7. ईशं तं ज्ञात्वा अमृता भवन्ति
15. यद्भूतं यच्च भव्यम् Kaivalya 9.
4. 3. त्वं जातो भवसि विश्वतो मुखः
9. भूतं भव्यं यच्च वेदा वदन्ति
5. 6. ते तन्मया अमृता वै बभूवुः
6. 20. दुःखस्यान्तो भविष्यति

Maitri. 1. 4. *vide* आदि
4. 3. अनेनोर्ध्वभाग्भवति
— न स्वधर्मातिक्रमेणाश्रमी भवति
4. स ब्रह्मणः पर एता भवति
5. 2. स वा एकस्त्रिधा भूतः
— उद्भूतत्वाद्भूतं भूतेषु चरति
— स भूतानामधिपतिर्बभूव
6. 3. स वा एष ओमित्येतदात्माभवत्
5. भूतं भव्यं भविष्यदिति कालवत्येषा
— प्रस्तुता अर्चिता अर्पिता भवन्ति
6. अनेन हि प्रजापतिः... उपासितो भवति
7. र इति रञ्जयतीमानि भूतानि
9. आचान्तो भूत्वात्मेज्यानः
10. अनेनैव..व्याख्या कृता भवति
— तस्याप्येवं..अन्नत्वं भवति
— एवं प्रधानस्य .. उपलब्धिर्भवति
— बुद्ध्यादीनि स्वादुनि भवन्ति
— इन्द्रियार्थान् पञ्च स्वादुनि भवन्ति
11. न यद्यभात्यमन्ता.. भवति
— यदि खल्वभाति प्राणसमृद्धो भूत्वा मन्ता भवति &c
12. सर्वाणि..भूतान्यहरहः प्रपतन्ति
13. अन्नवान्..आनन्दवांश्च भवति यो हैवं वेद
— यावन्तीह वै भूतान्यन्नमदन्ति
14. कालात् स्रवन्ति भूतानि
15. कालः पचति भूतानि

Maitri. 6. 20. तदात्मनात्मानं दृष्ट्वा निरात्मा भवति
21. निरात्मकत्वान्न सुखदुःखभाग्भवति
25. सो ऽपि प्रणवाख्यः प्रणेता भारूपः. . भवति
28. भूतेन्द्रियार्थानतिक्रम्य
— इमानि खलु भूतानि हन्ति
32. तस्माद्वा. . सर्वाणि च भूतान्युच्चरन्ति
— अस्यैवैतानि विश्वा भूतानि
33. आनन्दी मोदी भवति
34. अत्रेमे श्लोका भवन्ति
— यच्चित्तस्तन्मयो भवति
— चेतसः. . यत् सुखं भवेत्
35. आदित्यस्य मध्ये उदित्वा मयूखे भवतः
37. तेनान्नं भवत्यन्नाद्भूतानामुत्पत्तिः
7. 8. *vide* आदि
9. बृहस्पतिर्वै शुक्रो भूत्वा
Mund.1. 1. 3. सर्वमिदं विज्ञातं भवति
2. 1. 9. येनैव भूतैस्तिष्ठते ह्यन्तरात्मा Mahânâr. 8. 5.
2. 2. 4. शरवत्तन्मयो भवेत् Dhyâna. 19.
3. 1. 4. विजानन् विद्वान् भवते नातिवादी
3. 2. 9. ब्रह्म वेद ब्रह्मैव भवति
— नास्याब्रह्मवित्कुले भवति Mâṇḍû. 10.
— गुहाग्रन्थिभ्यो विमुक्तो ऽमृतो भवति
Mahânâr. 1. 2. तदेव भूतं तदु भव्यमानमिदम्
4. विवेश भूतानि चराचराणि
11. य एनं विदुरमृतास्ते भवन्ति
2. 3. यत्र विश्वं भवत्येकनीडम्

Mahânâr. 2. 6. तदपश्यत्तदभवत्प्रजासु
7. परीत्य लोकान्परीत्य भूतानि
4. 13. दुर्मित्रियास्तस्मै भूयासुः
5. 9. एष सर्वस्य भूतस्य भव्ये भुवनस्य गोप्ता
6. 4. भवा तोकाय तनयाय
7. 6. अनिराकरणं धारयिता भूयासम्
12. 3. एष भूतानामधिपतिः
13. 2. विश्वं भूतं भव्यं भुवनम्
5. यस्य वैकंकत्यग्निहोत्रहवणी भवति
14. 1. विश्वा भूतान्यापः
15. 6. अन्तश्चरसि भूतेषु Prâṇâg. 1.
16. 4. त्वया जुष्ट ऋषिर्भवतु
20. 1. ये भूताः प्रचरन्ति
15. ज्योतिरहं विरजा विपाप्मा भूयासम् 16–21, 24, 25.
21. 2. दानमिति सर्वाणि भूतानि प्रशंसन्ति
22. 1. दमो भूतानां दुराधर्षम्
— शमो भूतानां दुराधर्षम्
— दानेन द्विषन्तो मित्रा भवन्ति
— पितृणामनृणो भवति
23 1. यज्ञेन द्विषन्तो मित्रा भवन्ति
— ओषधिवनस्पतिभिरन्नं भवति
— अन्नात्प्राणा भवन्ति भूतानाम्
24. 1. स भूतं स च भव्यं जिज्ञास
Praśna. 2. 4. ते ऽश्रद्दधाना बभूवुः
10. कामायान्नं भविष्यति
3. 5. तस्मादेताः सप्तार्चिषो भवन्ति

Prasna. 3. 6. ह्रासप्ततिः प्रतिशाखानाडीसहस्राणि भवन्ति
11. न हास्य प्रजा हीयते ऽमृतो भवति
4. 1. कस्यैतत्सुखं भवति
— कस्मिन्नु सर्वे सम्प्रतिष्ठिता भवन्ति
6. स यदा तेजसाभिभूतो भवति
— तदैतस्मिञ्छरीरे एतत्सुखं भवति
10. स सर्वज्ञः सर्वो भवति
11. प्राणा भूतानि सम्प्रतिष्ठान्ति यत्र
5. 5. तदेतौ श्लोकौ भवतः Nṛisut. 4.
6. 3. कस्मिन्नहमुत्क्रान्त उत्क्रान्तो भविष्यामि
5. अकलो ऽमृतो भवति

Kaivalya. 18. भोक्ता भोगश्च यद्भवेत्
24. सो ऽग्निपूतो भवति Nṛip. 5. 3; Siras. 7; Mahâ. 4.
— सुरापानात् पूतो भवति
— ब्रह्महत्यायाः पूतो भवति
— सुवर्णस्तेयात्पूतो भवति
— कृत्याकृत्यात्पूतो भवति
— अविमुक्तमाश्रितो भवत्यत्याश्रमी

Mâṇḍû. 1. भूतं भवद्भविष्यदिति सर्वमोङ्कार एव Nṛip. 4. 1; Nṛisut. 1; Râmot. 3 (भव्यं)
6. प्रभवाप्ययौ हि भूतानाम् Nṛip. 4. 1; Nṛisut. 1; Râmot. 3.
9. आदिश्च भवति य एवं वेद Nṛisut. 2.
10. समानश्च भवति .. य एवं वेद Nṛisut. 2.

Mâṇḍû. 11. अपीतिश्च भवति य एवं वेद Nṛisut. 2.

Gauḍa. 1. 8. कालात्प्रसूतिं भूतानाम्
2. 20. भूतानीति च तद्विदः
29. तं चावति स भूत्वासौ
37. यतिर्यादृच्छिको भवेत्
38. तत्त्वादप्रच्युतो भवेत्
3. 8. यथा भवति बालानाम्
— तथा भवत्यबुद्धानाम्
21. न भवत्यमृतं मर्त्यम् 4. 7.
— प्रकृतेरन्यथाभावो न कथञ्चिद्भविष्यति 4. 7, 29.
23. तद्भवति नेतरत्
41. मनसो निग्रहस्तद्भवेत्
45. निःसङ्गः प्रज्ञया भवेत्
4. 3. भूतस्य जातिमिच्छन्ति
4. भूतं न जायते किञ्चित्
15. तथा जन्म भवेत्तेषाम्
27. अनिमित्तो विपर्यासः कथं तस्य भविष्यति
30. अनन्तता चादिमतो मोक्षस्य न भविष्यति
33. भूतानां दर्शनं कुतः
38. न च भूतादभूतस्य संभवो ऽस्ति
43. दोषो ऽप्यल्पो भविष्यति
68. भवन्ति न भवन्ति च 69, 70.
81. प्रभातं भवति स्वयम्
89. सर्वज्ञता हि सर्वत्र भवतीह महाधियः
92. यस्यैवं भवति क्षान्तिः
95. भविष्यन्ति सुनिश्चिताः

Nṛip. 1. 1. उपैनं तदुपनमति यत्कामो भवति
— अनुष्टुभो वा इमानि भूतानि जायन्ते
— तस्यैषा भवत्यनुष्टुप् प्रथमा भवत्यनुष्टुबुत्तमा भवति

Nṛip. 1. 2. चत्वारः पादा भवन्ति
3. आयुर्यशःकीर्त्तिज्ञानैश्वर्य-
वान् भवति
4. इदं सर्वं विश्वानि भूतानि
5. मुमुक्षुर्भवति जपात्
— कलौ नान्येषां भवति
— यो जानीते स मुमुक्षुर्भवति
6. तमेवं विद्वानमृत इह भवति
7. महाविष्णुर्भवति
2. 1. सा प्रथमः पादो भवति
Nṛisut. 3 (bis).
— सा द्वितीयः पादो भवति
Nṛisut. 3.
— सा तृतीयः पादो भवति
Nṛisut. 3.
— सा साम्नश्चतुर्थः पादो भवति
2. अष्टाक्षरः प्रथमः पादो भव-
त्यष्टाक्षरास्त्रयः पादा भ-
वन्ति
— द्वात्रिंशदक्षरानुष्टुब् भवति
— तस्य हि पञ्चाङ्गानि भवन्ति
— चत्वार्यङ्गानि भवन्ति
— सप्रणवं सर्वं पञ्चमं भवति
— तस्माद्यतिषक्तान्यङ्गानि
भवन्ति
— तस्मात्त्र्यक्षरमुभयत ओ-
ङ्कारो भवति
3. एकादशपदानुष्टुब् भवति
4. सर्वाणि भूतान्युद्गृह्णाति
— सर्वाणि भूतानि विरमति
— सर्वाणि भूतानि स्वतेजसा
ज्वलति
— एकः पुरस्ताद्य इदं बभूव
यतो बभूव भुवनस्य गोपाः
— सर्वेषां भूतानां ना वीर्यतमः
— एतद्रूपमक्षरं भवति
— सर्वाणि भूतानि भीत्या प-
लायन्ते

Nṛip. 2. 4. स्वयं भद्रो भूत्वा
3. 1. यदि ह्रस्वा भवति . . यदि
दीर्घा भवति . . यदि प्लुता
भवति ज्ञानवान् भवति
— सर्वेषां . . भूतानामाकाशः
परायणम्
— सर्वाणि . . भूतान्याकाशा-
देव जायन्ते
4. 2. महालक्ष्मीः . . चतुर्विंशदक्ष-
रा भवति
— नृसिंहगायत्री देवानां . . नि-
दानं भवति
— य एवं वेद स निदानवान्
भवति
3. कैर्मन्त्रैर्देवः स्तुतः प्रीतो भ-
वति
— ततो देवः प्रीतो भवति (2
MSS. read स्तुतो देवः)
5. 1. तस्मात् षडरं भवति षट्पत्रं
भवति
— ऋतुभिः सम्मितं भवति
— मध्ये नाभिर्भवति
— नाभ्यां वा एते अराः प्रति-
ष्ठिता भवन्ति
— मायया वा एतत् सर्वं वेष्टितं
भवति
— मायया बहिर्वेष्टितं भवति
(bis).
— अष्टारमष्टपत्रं चक्रं भवति
— गायत्र्या सम्मितं भवति
— द्वादशारं द्वादशपत्रं चक्रं
भवति
— जगत्या सम्मितं भवति
— बहिर्मायया वेष्टितं भवति
(ter).
— षोडशारं षोडशपत्रं चक्रं
भवति
— पुरुषेण सम्मितं भवति

Nṛip. 5. 1. द्वात्रिंशदरं द्वात्रिंशत्पत्रं च-क्रं भवति
— अनुष्टुभा सम्मितं भवति
— अरैर्वा एतत् सुबद्धं भवति (some MSS. read सुद-र्शनं भवति)
2. तस्य मध्ये नाभ्यां तारकं भवति
— यदक्षरं नारसिंहमेकाक्षरं तद्भवति
— षट्सु पत्रेषु षडक्षरं सुदर्श-नं भवति (similarly, 4 times more).
— एतन्महाचक्रं . . अमृतमयं भवति
— एतन्महाचक्रं बालो वा युवा वा वेद स महान् भव-ति स गुरुर्भवति . . उपदेष्टा भवति
— यां काञ्चिद्दद्यात्सा दक्षि-णा भवति
3. स वायुपूतो भवति Śiras. 7; Mahâ. 4.
— स आदित्यपूतो भवति
— स सोमपूतो भवति Śiras. 7; Mahâ. 4.
— स सत्यपूतो भवति Śiras. 7; Mahâ. 4.
— स लोकपूतो भवति
— स ब्रह्मपूतो भवति
— स विष्णुपूतो भवति
— स रुद्रपूतो भवति
— स वेदपूतो भवति (2 MSS. read देवपूतः)
— स सर्वपूतो भवति Śiras. 7; Mahâ. 4.
10. तदेतन्निष्कामस्य भवति

Nṛisut. 3. भवति च सर्वेषु पादेषु च-तुरात्मा (4 times).

Nṛisut. 3. सा चतुर्थः पादो भवति
5. ब्रह्म भवति य एवं वेद (bis).
— परमेव ब्रह्म भवति य एवं वेद
6. ज्योतिरभवत् . . ज्योतिर्भ-वति
— आनन्दघनं शून्यमभवत्
— एवंवित् . . परमेव ब्रह्म भ-वति
— परे ब्रह्मणि पर्यवसितो भवेत्
7. स स्वराड् भवति य एवं वेद (ter).
— तस्यादिरयमकारः स एव भवति
— तस्यान्त्यो ऽयं मकारः स एव भवति
— अविनमाम्यत्यहं भूत्वा
8. एकमेव तद्भवति (4 times).
9. माया चाविद्या च स्वयमेव भवति
— भूतानीन्द्रियाणि . . सृष्ट्वा

Kshur. 5. भूत्वा तत्र गतः प्राणः
20. तद्भाविताः प्रपद्यन्ते

Śiras. 1. वर्त्तामि च भविष्यामि च
3. अपाम सोमममृता अभूम
4. सूक्ष्मो भूत्वा शरीराण्यधि-तिष्ठति
— साकं स एको भूतश्चरति प्रजानाम्
5. तेषां शान्तिर्भवति नेतरे-षाम्
6. न भूतं नोत भव्यं यदासीत्
— स एवेदमावरीवर्त्ति भूतम्
— उच्छ्वसिते तमो भवति
— मथ्यमानं फेनो भवति
— फेनादण्डं भवत्यण्डाद्ब्रह्म भवति

Śiras. 6. गायत्र्या लोका भवन्ति
7. अश्रोत्रियः श्रोत्रियो भवति Mahâ. 4.
— अनुपनीत उपनीतो भवति Mahâ. 4.
— स सूर्य्यपूतो भवति Mahâ. 4.
— स सर्वैर्देवैर्ज्ञातो भवति Mahâ. 4; Kâlâg. 2.
— स सर्वैर्वेदैरनुध्यातो भवति Mahâ. 4.
— स सर्वेषु तीर्थेषु स्नातो भवति Mahâ. 4; Kâlâg. 2; Vâsu. 4.
— तेन सर्वैः क्रतुभिरिष्टं भवति Mahâ. 4.
— गायत्र्याः षष्टिसहस्राणि जप्तानि भवन्ति Mahâ. 4.
— रुद्राणां शतसहस्राणि जप्तानि भवन्ति Mahâ. 4.
— प्रणवानामयुतं जप्तं भवति Mahâ. 4.
— शुचिः पूतः कर्मण्यो भवति

Garbha. 1. इष्टानिष्टानि दशविधा भवन्ति
3. एकरात्रोषितं कललं भवति
— अन्धाः खञ्जाः कुब्जा वामनका भवन्ति
— नवमे मासि सर्वलक्षणज्ञानसम्पूर्णो भवति
5. त्रीणि स्थानानि भवन्ति

Mahâ. 3. पूर्वामुखो भूत्वा
— पश्चिमामुखो भूत्वा
— उत्तरामुखो भूत्वा
— दक्षिणामुखो भूत्वा

Brahma. 1. सम्प्रतिष्ठिता भवन्ति कथम्
— कस्यैष महिमा बभूव

Brahma. 1. यो ह्येष महिमा बभूव क एषः
— आत्मनो महिमा बभूव
2. पुरुषस्य चत्वारि स्थानानि भवन्ति
— नोच्छिष्टो नाशुचिर्भवेत्

Prâṇâg. 1. संसारविमुक्तिर्भवति
2. अभयं सर्वभूतेभ्यो न भवेदहं कदाचन (so all the MSS.)
— सर्वेषामेव सूनुर्भवति
— एकऋषिर्भूत्वा
— आहवनीयो भूत्वा
— दक्षिणाग्निर्भूत्वा
— गार्हपत्यो भूत्वा
4. भूतान्यनुयाजाः

Nîla. 7. शिवं बभूव ते धनुः
10. उत त्वा विश्वा भूतानि
— हस्ते बभूव ते धनुः

Nâda. 7. भानुमण्डलसङ्काशा भवेत्
11. एकादशी भवेन्मौनी
13. भवेद्यक्षो महात्मवान्
18. मनो लीनं यदा भवेत्

Brahmab. 7. अस्वरं भावयेत्परम्
12. भूते भूते व्यवस्थितः
20. भूते भूते च वसति विज्ञानम्
22. यद्भूतेषु वसत्यधि

Dhyâna. 8. एवं सर्वाणि भूतानि मणिसूत्रमिवात्मनि

Nyâsa. 3. विमुक्तमार्गो भवति
4. पृथिव्या इत्येषां भूतानाम्

Kaṭhaśru. 1. स सन्न्यस्तो भवति
— कथं सन्न्यस्तो भवति
— यद्यपुत्रो भवति
— यद्यशक्तो भवति
2. स स्वर्ग्यो भवति
4. विमुक्तमार्गो भवेत्

Piṇḍa. 3. अहमाकाशगो भूत्वा

Sarvop. 2. पुण्यपापकर्मानुसारी भूत्वा
3. स्वरूपलाभहेतुर्भूत्वा

Hamsa. 2. एकविंशतिसहस्राणि षट् शतान्यधिकानि भवन्ति
— हृदयाद्यङ्गन्यासकरन्यासौ भवतः
— अग्निश्चोभे पार्श्वे भवतः
— पश्यत्यनागारश्च शिष्टोभयपार्श्वे भवतः
— तस्याष्टधा वृत्तिर्भवति
— आग्नेय्यां निद्रालस्यादयो भवन्ति
— यदा हंसो नादे लीनो भवति
— दशमं परमं ब्रह्म भवेत्

Parama. 1. यद्येको ऽपि भवति
3. यादृच्छिको भवेद्भिक्षुः
— स ब्रह्महा भवेत्
— स पौल्कसो भवेत्
— स आत्महा भवेत्
— कृतकृत्यो भवति

Nâr. 1. सर्वाणि च भूतानि नारायणादेव समुत्पद्यन्ते
2. नारायण एवेदं सर्वं यद्भूतं यच्च भाव्यम्
— य एवं वेद स विष्णुरेव भवति
3. अघेभ्यो विमुक्तो भवति
— घोरेभ्यो विमुक्तो भवति

Kâlâg. 2. समस्तमहापातकोपपातकेभ्यः पूतो भवति
— तेन सर्वे देवा ध्याता भवन्ति
— स सततं रुद्रजापी भवति
— यस्त्वेतदधीते सोप्येवमेव भवति

Aśrama. 1. चत्वार आश्रमाः षोडशभेदा भवन्ति
— ब्रह्मचारिणश्चतुर्विधा भवन्ति

Aśrama. 2. गृहस्था अपि चतुर्विधा भवन्ति
3. वानप्रस्था अपि चतुर्विधा भवन्ति
4. परिव्राजका अपि चतुर्विधा भवन्ति

Jâbâla. 1. सर्वेषां भूतानां ब्रह्मसदनम् (ter). Râmot. 1 (ter).
— अमृतीभूत्वा मोक्षी भवति Râmot. 1.
— तेन वरणा भवतीति Râmot. 4.
2. तेन नासी भवतीति Râmot. 4.
— कतमं चास्य स्थानं भवति Râmot. 4.
— द्यौर्लोकस्य परस्य च सन्धिर्भवति Râmot. 4.
3. एतैर्ह वा अमृतो भवति (4 MSS. add कथं जानीयां)
4. ब्रह्मचर्यं समाप्य गृही भवेत्
— गृही भूत्वा वनी भवेत्
— वनी भूत्वा प्रव्रजेत्
5. ब्रह्मभूयाय भवति
6. लाभालाभौ समौ भूत्वा

Atmapra. 1. द्वैताद्द्वैतमभयं भवति

Vâsu. 1. मुक्तिसाधनं भवति
2. धारणान्मुक्तिदो भव
— ब्रह्मैवाहमस्मीति भावयन्
3. स्वमात्मानं भावयेत्
— भूतेष्वहमवस्थितः
— भूतेषु तथात्मावस्थितोस्म्यहम्
— परं ब्रह्म भवाम्यहम्
— अस्थीनि चक्ररूपाणि भवन्त्येव दिने दिने
4. सर्वमहापातकेभ्यः पूतो भवति

Vâsu. 4. सर्वैर्यज्ञैर्याजी भवति
— सर्वैर्देवैः पूज्यो भवति

Gopî. 5. राजभिः सत्कृतो भवेत्
— अभिव्याप्यायतो भूत्वा
— साक्षाद्विष्णुमयो भवेत्
— न तत्तुल्यं भवेल्लोके
— प्रजापतिर्वायुर्भूत्वा
— गोपिकाः श्रुतयो ऽभवन्

Krish. 12. यष्टिरूपो ऽभवद्विधिः
14. शेषनागो ऽभवद्रामः
19. क्रीडते बालको भूत्वा

Skanda. 13. वसेदेकान्तिको भूत्वा

Râmap. 21. अभिमुखो भवेत्
28. तदा कोणत्रयं भवेत्
52. त्र्यस्रं पुनर्भवेत्
88. क्रमाद्भावयेच्च

Râmot. 2. अकारः प्रथमाक्षरो भवति
— उकारो द्वितीयाक्षरो भवति
— मकारस्तृतीयाक्षरो भवति
— अर्द्धमात्रश्चतुर्थाक्षरो भवति
— बिन्दुः पञ्चमाक्षरो भवति
— नादः षष्ठाक्षरो भवति
— तारकत्वात्तारको भवति
— सो ऽविमुक्तमाश्रितो भवति
— स महान् भवति
3. सा सीता भवति ज्ञेया
— य एवं वेद स मुख्यो भवति
4. स मुक्तो भविता शिव
5. कैर्मन्त्रैः स्तुतः श्रीरामः प्रीतो भवति
— यो वै श्रीरामः . . यश्च भूतं भव्यं भविष्यत् (35)

Mukti. 1. 6. येन मुक्तो भवाम्यहम्
22. सदाचाररतो भूत्वा
25. मदुपासनया भवेत्
43. जीवन्मुक्ता भवन्ति ते

Mukti. 2. क्लेशरूपत्वाद्वन्धो भवति
— नित्यानन्दावाप्तिः प्रयोजनं भवति
— तत्पुरुषप्रयत्नसाध्यं भवति
— जीवन्मुक्त्यादिलाभो भवति
— अत्र श्लोका भवन्ति
2. 10. भवन्ति फलदा मताः
11. तावन्न फलसम्प्राप्तिर्भवति
36. वैदेहमुक्तिगो भवेत्
55. मुनिभावितः
58. भावितं तीव्रसंवेगात्
— भवत्याशु . . विगतेतरवासनः
70. अन्तःशान्तः समस्नेहो भव चिन्मात्रवासनः
71. शेषस्थिरसमाधानो मयि त्वं भव
74. सुपूर्णभूमाहमितीह भावय
75. सदैव तृप्तो ऽहमितीह भावय

Gitâ. 1. 13. स शब्दस्तुमुलो ऽभवत्
44. नरके नियतं वासो भवति
46. तन्मे क्षेमतरं भवेत्
2. 9. तूष्णीं बभूव ह
12. नचैव न भविष्यामः
20. नायं भूत्वा भविता वा न भूयः
28. अव्यक्तादीनि भूतानि
34. अकीर्त्तिं चापि भूतानि कथयिष्यन्ति
35. येषां च त्वं बहुमतो भूत्वा
45. निस्त्रैगुण्यो भवार्जुन
47. मा कर्मफलहेतुर्भूः
48. सिद्ध्यसिद्ध्योः समो भूत्वा
63. क्रोधाद्भवति सम्मोहः
69. यस्यां जाग्रति भूतानि

Gîtâ. 3. 11. देवान्भावयतानेन ते देवा भावयन्तु वः
— परस्परं भावयन्तः
14. अन्नाद्भवन्ति भूतानि
— यज्ञाद्भवति पर्जन्यः
30. निराशीर्निर्ममो भूत्वा
33. प्रकृतिं यान्ति भूतानि
4. 6. भूतानामीश्वरो ऽपि सन्
7. ग्लानिर्भवति भारत
12. सिद्धिर्भवति कर्मजा
35. येन भूतान्यशेषेण
6. 2. योगी भवति कश्चन
17. योगो भवति दुःखहा
42. कुले भवति धीमताम्
46. तस्माद्योगी भवार्जुन
7. 11. धर्माविरुद्धो भूतेषु कामः
23. तद्भवत्यल्पमेधसाम्
26. भविष्याणि च भूतानि
8. 6. सदा तद्भावभावितः
19. भूत्वा भूत्वा प्रलीयते
20. भूतेषु सर्वेषु नश्यत्सु
22. यस्यान्तःस्थानि भूतानि
27. योगयुक्तो भवार्जुन
9. 5. न च मत्स्थानि भूतानि
25. भूतानि यान्ति भूतेज्याः
31. क्षिप्रं भवति धर्मात्मा
34. मन्मना भव मद्भक्तः 18. 65.
10. 5. भवन्ति भावा भूतानाम्
20. भूतानामन्त एव च
22. भूतानामस्मि चेतना
34. उद्भवश्च भविष्यताम्
39. भूतं चराचरम्
11. 2. भवाप्ययौ हि भूतानाम्
12. भवेद्युगपदुत्थिता
32. ऋते ऽपि त्वां न भविष्यन्ति सर्वे

Gîtâ. 11. 33. निमित्तमात्रं भव सव्यसाचिन्
46. तेनैव रूपेण . . भव
50. भूत्वा पुनः सौम्यवपुर्महात्मा
12. 7. भवामि नचिरात्पार्थ
10. मत्कर्मपरमो भव
13. 15. बहिरन्तश्च भूतानाम्
16. अविभक्तं च भूतेषु
27. समं सर्वेषु भूतेषु
30. यदा भूतपृथग्भावम्
14. 3. सम्भवः सर्वभूतानां ततो भवति
17. प्रमादमोहौ तमसो भवतः
21. अतीतो भवति प्रभो
15. 13. भूतानि धारयाम्यहमोजसा
— सोमो भूत्वा रसात्मकः
14. अहं वैश्वानरो भूत्वा
16. क्षरः सर्वाणि भूतानि
16. 2. दया भूतेष्वलोलत्वम्
3. भवन्ति सम्पदं दैवीमभिजातस्य
13. मे भविष्यति पुनर्धनम्
17. 2. त्रिविधा भवति श्रद्धा
3. सत्त्वानुरूपा . . श्रद्धा भवति
7. त्रिविधो भवति प्रियः
18. 12. भवत्यत्यागिनां प्रेत्य
21. वेत्ति सर्वेषु भूतेषु
46. यतः प्रवृत्तिर्भूतानाम्
54. समः सर्वेषु भूतेषु
57. मच्चित्तः सततं भव
69. भविता न च मे तस्मादन्यः प्रियतरः

2. भू

Muṇḍ. 2. 2. 7. यस्यैष महिमा भुवि
Râmap. 5. भुवि स्यादथ तत्त्वतः
79. दीर्घयुक्ता भुः

Gîtâ. 18. 69. अन्यः प्रियतरो भुवि

भूगृह

Râmap. 70. भूगृहं वचशूलाढ्यम्

भूतगण

Maitri. 3. 3. चतुरशीतिधा परिणतं भूतगणम्

Gîtâ. 17. 4. प्रेतान् भूतगणांश्चान्ये

भूतग्राम

Gîtâ. 8. 19. भूतग्रामः स एवायम्
9. 8. भूतग्राममिदं कृत्स्नम्
17. 6. शरीरस्थं भूतग्रामम्

भूततस्

Gauḍa. 3. 23. भूततोऽभूततो वापि

भूतदर्शन

Gauḍa. 4. 25. इष्यते भूतदर्शनात्

भूतपाल

Bṛih. 4. 4. 22. एष भूतपालः Maitri. 7. 7.

भूतप्रकृति

Gîtâ. 13. 34. भूतप्रकृतिमोक्षं च

भूतभर्तृ

Gîtâ. 13. 16. भूतभर्तृ च तज्ज्ञेयम्

भूतभव्य

Bṛih. 4. 4. 15. ईशानं भूतभव्यस्य Kaṭha. 4. 5.

Kaṭha. 4. 12. ईशानो भूतभव्यस्य 13.

भूतभावन

Gîtâ. 9. 5. ममात्मा भूतभावनः
10. 15. भूतभावन भूतेश

भूतभाविन्

Chûl. 5. जनित्री भूतभाविनी

भूतभावोद्भवकर

Gîtâ. 8. 3. भूतभावोद्भवकरो विसर्गः

भूतभृत्

Gîtâ. 9. 5. भूतभृन्न च भूतस्थः

भूतमहेश्वर

Gîtâ. 9. 11. परं भावं..मम भूतमहेश्वरम्

भूतमात्रा

Kaush. 3. 5. परस्तात्प्रतिविहिता भूतमात्रा (10 times).
8. ता वा एता दशैव भूतमात्रा अधिप्रज्ञम्
— यद्धि भूतमात्रा न स्युर्न प्रज्ञामात्राः स्युर्यद्वा प्रज्ञामात्रा न स्युर्न भूतमात्राः स्युः
— एवमेवैता भूतमात्राः प्रज्ञामात्रास्वर्पिताः

भूतयोनि

Muṇḍ.1. 1. 6. यद्भूतयोनिं परिपश्यन्ति धीराः

Kaivalya. 7. मुनिर्गच्छति भूतयोनिम्

भूतल

Krish. 1. गृह्यन्ते नैव भूतले

भूतवत्

Gauḍa. 4. 41. अचिन्त्यान् भूतवत्स्पृशेत्

भूतविद्

Bṛih. 3. 7. 1. स भूतवित्स आत्मवित्

भूतविद्या

Chhâ. 7. 1. 2. अध्येमि..भूतविद्याम्
4. नाम वै..भूतविद्या
7. 2. 1. वाग्वै..विज्ञापयति..भूतविद्याम्

Chhâ. 7. 7. 1. विज्ञानेन वै..विजानाति ..भूतविद्याम्

भूतविशेषसंघ

Gîtâ. 11. 15. सर्वांस्तथा भूतविशेषसंघान्

भूतशब्द

Maitri. 3. 2. भूतशब्देनोच्यन्ते (bis).

भूतसम्मोहन

Chûl. 2. भूतसम्मोहने काले

भूतसर्ग

Gitâ. 16. 6. द्वौ भूतसर्गौ लोके ऽस्मिन्

भूतस्थ

Gîtâ. 9. 5. भूतभृन्न च भूतस्थः

भूतात्मन्

Maitri. 3. 2. यो ह..शरीर इत्युक्तं स भूतात्मेत्युक्तम्
3. यः कर्त्ता सो ऽयं वै भूतात्मा
— असौ भूतात्मान्तःपुरुषेणाभिभूतः
— अभिभूयत्वयं भूतात्मा
5. भूतात्मा तस्मान्नानारूपाण्याप्नोति
4. 1. अस्य को विधिर्भूतात्मनः
2. येषां सक्तस्तु भूतात्मा
3. अयं..अस्य प्रतिविधिर्भूतात्मनः
6. 10. तस्यायं भूतात्मा ह्यन्नम्
— सोमसंज्ञो ऽयं भूतात्मा

Brahmab. 12. एक एव हि भूतात्मा

Sarvop. 2. भूतात्मज्ञानावृते

भूतात्माख्य

Maitri. 3. 2. अस्ति खल्वन्यो ऽपरो भूतात्माख्यः

भूतादि

Gîtâ. 9. 13. ज्ञात्वा भूतादिमव्ययम्

भूतादिक

Râmap. 85. भूतादिकं शोधयेत्

भूताधिपति

Bṛih. 4. 4. 22. एष भूताधिपतिरेष भूतपालः Maitri. 7. 7.

भूति

Tait. 1. 11. 1. भूत्यै न प्रमदितव्यम्

Gîtâ. 18. 78. तत्र श्रीर्विजयो भूतिर्ध्रुवाणि

भूतिकाम

Muṇḍ.3. 1. 10. तस्मादात्मज्ञमर्चयेद्भूतिकामः

भूतेश

Gîtâ. 10. 15. भूतभावन भूतेश

भूपति

Kṛish. 17. कलिः स कंसभूपतिः

भूतित्व

Gopî. 5. विष्णुपूजितभूतित्वात्

भूतेज्य

Gîtâ. 9. 25. भूतानि यान्ति भूतेज्याः

भूमन्

Chhâ. 1. 5. 4. प्राणांस्त्वं भूमानमभिगायतात्
7. 23. 1. यो वै भूमा तत् सुखं नाल्पे सुखमस्ति भूमैव सुखं भूमा त्वेव विजिज्ञासितव्य इति भूमानं भगवो विजिज्ञासे
7. 24. 1. यत्र नान्यत्पश्यति नान्यच्छृणोति नान्यद्विजानाति स भूमा

Chhâ. 7. 24. 1. यो वै भूमा तदमृतम्
Mukti. 2. 74. सुपूर्णभूमाहमितीह भावय

भूमि

Bṛih. 5. 14. 1. भूमिरन्तरिक्षं द्यौरित्यष्टाक्षराणि
Kaṭha. 1. 23. भूमेर्महदायतनं वृणीष्व
Swet. 3. 14. स भूमिं विश्वतो वृत्वा
Maitri. 6. 4. आकाशवाय्वग्न्युदकभूम्यादयः
27. भूमावयस्पिण्डं निहितम्
Mahânâr. 1. 4. तोयेन जीवान्विससर्ज भूम्याम्
4. 5. भूमिर्धेनुर्धरित्री च
5. 12. रजोभूमिस्त्वमारोदयस्व
15. 5. भूम्यां पर्वतमूर्धनि
Kaivalya. 23. न भूमिरापो न च वह्निरस्ति
Nṛip. 5. 2. सप्तद्वीपवती भूमिः
Śiras. 6. नवान्तरिक्षाणि नव भूम इमाः (भूमयः has lost its last syllable; one MS. has भूव)
Prâṇâg. 1. अन्नं भूमौ निक्षिप्य
Nila. 2. प्रत्यष्ठाद्भूम्यामधि
Aruṇeya. 2. भूमावप्सु वा विसृजेत्
5. आसनशयनादिकं भूमौ
Kṛish. 27. भूमावुत्तारितं सर्वम्
Râmap. 37. विचेरतुस्तदा भूमौ
Gitâ. 2. 8. अवाप्य भूमावसपत्नमृद्धम्
7. 4. भूमिरापोऽनलो वायुः

भूमित्व

Maitri. 6. 27. अग्निरेणैति भूमित्वम्

भूमिबुध्न

Chhâ. 3. 15. 1. अन्तरिक्षोदरः कोशो भूमिबुध्नः

भूमिभाग

Amṛita. 17. भूमिभागे समे रम्ये

भूयस्

Kaush. 3. 8. न साधुना कर्मणा भूयान् Bṛih. 4. 4. 22.
Chhâ. 3. 11. 6. एतदेव ततो भूय इति
6. 5. 4. भूय एव मा भगवान् विज्ञापयतु 6. 6. 5; 6. 8. 7; 6. 9. 4; 6. 10. 3; 6. 11. 3; 6. 12. 3; 6. 13. 3; 6. 14. 3; 6. 15. 3; Nṛisut. 7 (नो)
7. 1. 5. अस्ति भगवो नाम्नो भूय इति नाम्नो वाव भूयोऽस्ति (similarly in each Section down to the 14th)
7. 2. 1. वाग्वाव नाम्नो भूयसी (similarly in each down to 14th.)
8. 9. 3. एतं त्वेव ते भूयोऽनुव्याख्यास्यामि 8. 10. 4; 8. 11. 3.
Bṛih. 1. 2. 6. भूयसा यज्ञेन भूयो यजेय
1. 4. 17. नेच्छंश्चनातो भूयो विन्देत्
4. 4. 10. ततो भूय इव ते तमः (प्रविशन्ति) Iśâ. 9, 12.
Kaṭha. 1. 16. वरं तवेहाद्य ददामि भूयः
3. 8. यस्माद्भूयो न जायते
Śwet. 1. 10. तस्याभिध्यानात्..भूयः
13. स भूय एवेन्धनयोनिगृह्यः
5. 3. भूयः सृष्ट्वा पतयस्तथेशः
6. 3. विनिवृत्य भूयः
Maitri. 6. 9. अद्भिर्भूय एवोपरिष्टात्परिदधाति
Mahânâr. 21. 2. प्रजननमिति भूयांसः
24. 1. भूयो न मृत्युमुपयाहि
Praśna. 1. 2. भूय एव तपसा..संवत्सरं संवत्स्यथ
Chûl. 18. नश्यन्ते व्यक्ततां भूयो जायन्ते

Brahma. 1. भूयस्तेनैव स्वभाय गच्छति
Amṛita. 38. न स भूयो ऽभिजायते Gîtâ. 13. 23.
Nyâsa. 5. भूयस्ते न निवर्त्तन्ते
Gîtâ. 2. 20. नायं भूत्वा भविता वा न भूयः
6. 43. यतते च ततो भूयः
7. 2. यज्ज्ञात्वा नेह भूयो ऽन्यत्
10. 1. भूय एव महाबाहो
18. भूयः कथय
11. 35. नमस्कृत्वा भूय एवाह कृष्णम्
39. पुनश्च भूयो ऽपि नमो नमस्ते
50. स्वकं रूपं दर्शयामास भूयः
14. 1. परं भूयः प्रवक्ष्यामि
15. 4. यस्मिन् गता न निवर्त्तन्ति भूयः
18. 64. सर्वगुह्यतमं भूयः शृणु

भूयिष्ठ

Chhâ. 6. 2. 4. यत्र . . वर्षति तदेव भूयिष्ठमन्नं भवति
Bṛih. 5. 15. 1. भूयिष्ठां ते नमउक्तिं विधेम Iśâ. 18.
Mahânâr. 21. 2. तस्माद्भूयिष्ठाः प्रजायन्ते तस्माद्भूयिष्ठाः प्रजनने रमन्ते

भूयोजन्मन्

Mukti. 2. 35. भूयोजन्मविनिर्मुक्तम्

भूर्

Chhâ. 2. 23. 3. भूर्भुवः स्वरिति
3. 15. 3. भूः प्रपद्ये ऽमुनामुनामुना
5. यदवोचं भूः प्रपद्य इति
4. 17. 3. भूरित्यृग्भ्यः
4. भूः स्वाहा Bṛih. 6. 3. 3, 6.

Bṛih. 5. 5. 3. तस्य भूरिति शिरः 4.
6. 3. 3. भूर्भुवः स्वः स्वाहा 6.
6. 4. 25. भूस्ते दधामि
— भूर्भुवः स्वः सर्वं त्वयि दधामि
Tait. 1. 5. 1. भूर्भुवः सुवरिति . . व्याहृतयः
— भूरिति वा अयं लोकः
2. भूरिति वा अग्निः
— भूरिति वा ऋचः
3. भूरिति वै प्राणः
1. 6. 1. भूरित्यग्नौ प्रतितिष्ठति
Maitri. 6. 5. भूर्भुवः स्वरिति लोकवत्येषा
6. अनुव्याहरन्भूर्भुवः स्वरिति
— नाभिर्भुवो भूः पादाः
— एतस्माद्भूर्भुवः स्वरित्युपासीत
35. भूर्भुवः स्वरोम् Mahânâr. 13. 1; 15. 2; Śiras. 6; Prâṇâg. 1.
Mahânâr. 7. 1. ओं भूरग्नये
— भूर्भुवः सुवश्चन्द्रमसे
— भूर्भुवः सुवरग्निरोम्
2. भूरन्नमग्नये
— भूर्भुवः सुवरन्नं चन्द्रमसे
— भूर्भुवः सुवरन्नमोम्
3. भूरग्नये च पृथिव्यै च
— भूर्भुवः सुवश्चन्द्रमसे च
— भूर्भुवः सुवर्महरोम्
5. भूर्भुवः सुवश्छन्द ओम्
8. 1. भूर्भुवः सुवर्ब्रह्म
14. 1. भूर्भुवः सुवराप ओम्
15. 3. ओं भूर्भुवः सुवर्महः
Śiras. 2. यो वै रुद्रः . . यच्च भूः
3. भूस्ते आदिर्मध्यं भुवस्ते
Mahâ. 3. भूरिति व्याहृतिः
Kaṭhaśru. 3. भूः स्वाहेत्यप्सु जुहुयात्

Jâbâla. 6. एतत्सर्वं भूः स्वाहेत्यप्सु परित्यज्य
Râmot. 5. भूर्भुवः स्वः (47 times).

भूरि

Tait. 1. 4. 1. कर्णाभ्यां भूरि विश्रुवम्

भूरिद्युम्न

Maitri. 1. 4. *vide* आदि

भूर्लक्ष्मी

Mahânâr. 4. 9. भूर्लक्ष्मीर्भुवर्लक्ष्मीः सुवः कालकर्णी Nṛip. 4. 2.

भूर्लोक

Nṛip. 5. 6. स भूर्लोकं जयति
Nâda. 3. भूर्लोकः पादयोस्तस्य
Aruṇeya. 1. *vide* तपोलोक
Kâlâg. 2. प्रथमा रेखा सा . . भूर्लोकः

भूष्

Râmap. 71. राश्यादिभूषितम्

भृ

Ait. 4. 1. आत्मन्येवात्मानं बिभर्त्ति
3. तं स्त्री गर्भं बिभर्त्ति
Bṛih. 1. 2. 4. तमेतावन्तं कालमबिभः
1. 3. 18. न हैवालं भार्य्येभ्यो भवति — यो वै तमनु भार्य्यान्बुभूर्षति स हैवालं भार्य्येभ्यो भवति
1. 6. 1. एतदेषां ब्रह्मैतद्धि सर्वाणि नामानि बिभर्त्ति (similarly in 2, 3.)
Śwet. 1. 8. व्यक्ताव्यक्तं भरते विश्वमीशः
3. 6. यामिषुं . . हस्ते बिभर्ष्यस्तवे Nîla. 5.
5. 2. यस्तमग्रे ज्ञानैर्बिभर्त्ति
Maitri. 6. 1. द्विधा वा एष आत्मानं बिभर्त्ति
Mahânâr. 1. 6. विश्वं बिभर्त्ति भुवनस्य नाभिः
Mahâ. 2. बिभ्रच्छ्रियं सत्यं ब्रह्मचर्यम्
Gîtâ. 15. 17. बिभर्त्त्यव्यय ईश्वरः

भृगु

Tait. 3. 1. 1. भृगुर्वै वारुणिः
Gîtâ. 10. 25. महर्षीणां भृगुरहम्

भृगुविस्तर

Chûl. 11. पठ्यते भृगुविस्तरे

भृगूत्तम

Chûl. 10. अथर्वाणो भृगूत्तमाः

भृज्

Maitri. 6. 7. भर्जयतीति वैष भर्गः

भृम्

Râmap. 68. हं सं भृं वृं लं शृं जृं च

भृश

Chhâ. 7. 15. 2. किञ्चिद्भृशमिव प्रत्याह

भृशम्

Mukti. 2. 9. सन्दिग्धायामपि भृशम्

भेक

Maitri. 1. 4. अन्धोदपानस्थो भेक इवाहम्
6. 22. भेकविःकृन्धिका

भेद

Maitri. 6. 10. त्रिगुणभेदपरिणामत्वात्
7. 11. भेदाश्चैते ऽस्य चत्वारः
Gauḍa. 2. 1. अन्तःस्थानात्तु भेदानाम् 4.
5. भेदानां हि समत्वेन
11. उभयोरपि वैतथ्यं भेदानाम् — क एतान्बुध्यते भेदान्

Gauḍa. 2. 12. स एव बुध्यते भेदान्
3. 6. आकाशस्य न भेदोऽस्ति
15. नास्ति भेदः कथञ्चन
18. द्वैतं तद्भेद उच्यते
4. 94. भेदे विचरतां सदा
Dhyâna. 3. नान्यो भेदः कदाचन
Sarvop. 2. प्राणादिचतुर्दशवायुभेदाः
3. कूटस्थाद्युपहितभेदानाम्
Parama. 2. तयोर्भेद एक एव विभ्रमः
Skanda. 10. यथान्तरं (?) न भेदाः स्युः
Mukti. 1. 13. पञ्चाशद्भेदतो हरे
Gîtâ. 17. 7. तेषां भेदमिमं शृणु
18. 29. बुद्धेर्भेदं धृतेश्चैव

भेदनिम्न

Gauḍa. 4. 94. भेदनिम्नाः पृथग्वादाः

भेरी

Gîtâ. 1. 13. ततः शंखाश्च भेर्यश्च

भेरीनाद

Haṁsa. 2. नवमो भेरीनादः

भेषजकृत

Chhâ. 4. 17. 8. भेषजकृतो ह वा एष यज्ञः

भैक्ष

Jâbâla. 6. भैक्षमाचरन्नुदरपात्रेण
Skanda. 12. भैक्षमाचरेद्देहरक्षणे

भैक्षचर्य, °र्या.

Muṇḍ.1. 2. 11. शान्ता विद्वांसो भैक्षचर्यां चरन्तः
Kaṭhaśru. 1. चतुर्षु वर्णेषु भैक्षचर्यं चरेत्

भैक्षाचर्य (!)

Aśrama. 4. भैक्षाचर्यं चरन्तः (so MSS.)

भैक्षाण

Jâbâla. 5. शुचिरद्रोही भैक्षाणः (So 2 good MSS. and Nârâyaṇa. The latter says भैक्षेण अनिति प्राणिति जीवति भैक्षाणः। यद्वा शानजन्तः "अनित्यमागमशासनमिति" कामयानशब्दवन्मुगभावः स्वार्थिकोऽण्। The reading explained by Śaṁkarânanda is भिक्षाणः)

भैक्ष्य

Gîtâ. 2. 5. श्रेयो भोक्तुं भैक्ष्यम्

भोक्तृ

Kaṭha. 3. 4. आत्मेन्द्रियमनोयुक्तं भोक्तेत्याहुर्मनीषिणः
Śwet. 1. 9. भोक्तृभोगार्थयुक्ता
12. भोक्ता भोग्यं प्रेरितारं च
Maitri. 6. 10. पुरुषश्चेता . . स एव भोक्ता
— भोक्ता पुरुषोऽन्तःस्थः
— तस्माद्भोक्ता पुरुषः
— अस्य निर्गुणो भोक्ता
16. होता भोक्ता हविर्मन्त्रः
Kaivalya. 18. भोक्ता भोगश्च यद्भवेत्
Gauḍa. 1. 5. भोक्ता यश्च प्रकीर्त्तितः
2. 22. भोक्तेति च भोक्तृविदः
Gîtâ. 5. 29. भोक्तारं यज्ञतपसाम्
9. 24. भोक्ता च प्रभुरेव च
13. 22. भर्त्ता भोक्ता महेश्वरः

भोक्तृत्व

Maitri. 6. 10. भोक्तृत्वाच्चैतन्यं प्रसिद्धं तस्य
Mukti. 2. कर्त्तृत्वभोक्तृत्वसुखदुःखादिलक्षणः
Gîtâ. 13. 20. सुखदुःखानां भोक्तृत्वे हेतुः

भोक्तृभाव

Śwet. 1. 8. अनीशश्चात्मा बुध्यते भोक्तृभावात्

भोक्तृविद्

Gauḍa. 2. 22. भोक्तेति च भोक्तृविदः

भोग

Bṛih. 1. 3. 2. यो वाचि भोगस्तं देवेभ्य आगायत् (similarly in 3—7).
4. 3. 33. सर्वैर्मानुष्यकैर्भोगैः सम्पन्नतमः

Kaivalya. 12. स्त्रियन्नपानादिविचित्रभोगैः
18. भोक्ता भोगश्च यद्भवेत्

Gauḍa. 1. 3. त्रिधा भोगं निबोधत
9. भोगार्थं सृष्टिरित्यन्ये

Nyâsa. 2. भोगांस्त्यजति सुस्थितान्

Mukti. 2. 41. क्षीयन्ते भोगवासनाः

Gîtâ. 1. 32. किं भोगैर्जीवितेन वा
33. राज्यं भोगाः सुखानि च
2. 5. भुञ्जीय भोगान् रुधिरप्रदिग्धान्
3. 11. इष्टान्भोगान्हि वः
5. 22. ये हि संस्पर्शजा भोगाः

भोगायमान

Śiras. 6. भोगायमानो यदा शयते रुद्रः

भोगार्थ

Śwet. 1. 9. भोक्तृभोगार्थयुक्ता

भोगिन्

Gîtâ. 16. 14. ईश्वरो ऽहमहं भोगी

भोगेच्छा

Mukti. 2. 15. भोगेच्छां दूरतस्त्यक्त्वा

भोगैश्वर्यगति

Gîtâ. 2. 43. भोगैश्वर्यगतिं प्रति

भोगैश्वर्यप्रसक्त

Gîtâ. 2. 44. भोगैश्वर्यप्रसक्तानाम्

भोजन

Chhâ. 5. 2. 7. वयं देवस्य भोजनमित्याचामति

Gîtâ. 11. 42. विहारशय्यासनभोजनेषु
17. 10. भोजनं तामसप्रियम्

भोजिन्

Aśrama. 3. शीर्णपर्णफलभोजिनः

भोज्यत्व

Maitri. 6. 10. अनेनैव प्रधानस्य भोज्यत्वं व्याख्यातम्

भ्रम्

Bṛih. 6. 3. 4. भ्रमदसि ज्वलदसि

Śwet. 1. 6. तस्मिन् हंसो भ्राम्यते ब्रह्मचक्रे
6. 1. येनेदं भ्राम्यते ब्रह्मचक्रम्

Maitri. 4. 2. पाप्मना गृहीत इव भ्राम्यमाणम्
7. 8. मिथ्यादृष्टान्तहेतुभिर्भ्राम्यन्

Yogat. 5. भ्रमन्तो यानि जन्मानि

Mukti. 2. 60. भ्रान्तं पश्यति दुर्दृष्टिः

Gîtâ. 1. 30. भ्रमतीव च मे मनः
18. 61. भ्रामयन् सर्वभूतानि

भ्रमर

Mukti. 1. 24. भ्रमरकीटवत्

भ्राज्

Śwet. 2. 14. तेजोमयं भ्राजते तत्सुध्मातम्
5. 4. सर्वा दिशः..प्रकाशयन् भ्राजते

Muṇḍ.1. 2. 5. एतेषु यश्चरते भ्राजमानेषु

भ्राजस्

Mahânâr. 1. 3. येनादित्यस्तपति तेजसा भ्राजसा च
15. 1. बलमासि भ्राजो ऽसि

भ्राजस्वन्त्

Mahânâr. 20. 8. सूर्य्याय त्वा भ्राजस्वते (bis).

भ्रातृ

Chhâ. 7. 15. 1. प्राणो भ्राता
2. स यदि . . भ्रातरं वा . . किञ्चिद्भृशं प्रत्याह
8. 2. 3. भ्रातरः समुत्तिष्ठन्ति
Aruṇeya. 1. पुत्रान् भ्रातॄन् . . विसृजेत्
Gîtâ. 1. 26. आचार्यान्मातुलान्भ्रातॄन्

भ्रातृलोक

Chhâ. 8. 2. 3. भ्रातृलोकेन सम्पन्नो महीयते

भ्रातृलोककाम

Chhâ. 8. 2. 3. यदि भ्रातृलोककामो भवति

भ्रातृव्य

Bṛih. 1. 3. 7. परास्य द्विषन् भ्रातृव्यो भवति
2. 2. 1. सप्त द्विषतो भ्रातृव्यानवरुणद्धि
Tait. 3. 10. 4. पर्य्येणं म्रियन्ते द्विषन्तः सपत्नाः परि ये ऽप्रिया भ्रातृव्याः

भ्रातृहन्

Chhâ. 7. 15. 2. भ्रातृहा वै त्वमसि
3. न भ्रातृहासीति

भ्रू

Bṛih. 6. 4. 5. अन्तरेण स्तनौ वा भ्रुवौ वा निमृंज्यात्
Nâda. 4. भ्रुवोर्ललाटमध्ये तु
Dhyâna. 22. भ्रुवोर्मध्ये नयेल्लयम्
23. भ्रुवोर्मध्ये ललाटस्तु
Yogat. 14. भ्रुवोर्ललाटमध्यस्थम्
Nyâsa 5. दृष्टिं श्रोत्रे स्थाप्य तथा भ्रुवि (3 MSS. have भुवि)
Kâlâg. 1. भ्रुवोर्मध्यतः
Jâbâla. 2. भ्रुवोर्घ्राणस्य च यः सन्धिः Râmot. 4.
Vâsu. 3. ब्रह्मरन्ध्रे भ्रुवोर्मध्ये
Gîtâ. 5. 27. चक्षुश्चैवान्तरे भ्रुवोः
8. 10. भ्रुवोर्मध्ये प्राणमावेश्य सम्यक्

भ्रूणहत्या

Kaush. 3. 1. न स्तेयेन न भ्रूणहत्यया
Mahânâr. 17. 7. भ्रूणहत्यां वा एते घ्नन्ति
19. 1. भ्रूणहत्यां तिलाः शमयन्तु
Nṛip. 5. 4. स भ्रूणहत्यां तरति Râmot. 2.

भ्रूणहन्

Bṛih. 4. 3. 22. भ्रूणहाभ्रूणहा
Mahânâr. 5. 11. भ्रूणहा गुरुतल्पगः

भ्रूमध्य

Nṛisut. 3. मकारं रुद्रं भ्रूमध्ये

मकर

Gîtâ. 10. 31. झषाणां मकरश्चास्मि

मकार

Mâṇḍû. 8. अकार उकारो मकारः Nâr. 5; Atmapra. 1.
11. मकारस्तृतीया मात्रा
Gauḍa. 1. 23. मकारश्च पुनः प्राज्ञम्
Nṛip. 2. 1. तृतीया द्यौः स मकारः Nṛisut. 3; Sikhâ. 1.
Nṛisut. 2. ईश्वरश्चतूरूपो मकार एव चतूरूपो ह्ययं मकारः
3. मकारं रुद्रं भ्रूमध्ये
5. मकारो महाविभूत्यर्थः
— परमेव ब्रह्म मकारेण जानीयात्
7. तस्यान्त्यो ऽयं मकारः

Nṛisut. 7. मकारेण परमं ब्रह्मान्विच्छत्
— आत्मानमन्विष्य मकारेण ब्रह्मणा सन्दध्यात्
— मकारेण मनआद्यवितारं ..अन्विच्छेत्

Brahmav. 7. मकारः परिकीर्त्तितः
9. मकारश्चाग्निसङ्काशः

Śikhâ. 1. सा लुप्तमकारः

Nâda. 1. मकारस्तस्य पुच्छं वै

Amṛita. 4. अस्वरेण मकारेण

Yogat. 10. मकारे लभते नादम्

Kâlâg. 2. तृतीया रेखा सा .. मकारः

Vâsu. 2. अकारोकारमकाराः

Râmot. 2. मकारस्तृतीयाक्षरो भवति
3. मकाराक्षरसम्भवः

मकारभाव

Gauḍa. 1. 21. मकारभावे प्राज्ञस्य

मकाररूप

Nṛisut. 2. स्थूलसूक्ष्मबीजसाक्षिभिर्मकाररूपैः

मकारार्थ

Nṛisut. 7. सिंहमाकृष्य .. मकारार्थेनानेनात्मनैकीकुर्यात्
(another reading is मकारार्धेनार्थेनानेनात्मनै॰)
— एनं मकारार्थेन परेण ब्रह्मणैकीकुर्यात्

मक्षिका

Bṛih. 3. 3. 2. यावद्वा मक्षिकायाः पत्त्रम्

Praśna. 2. 4. यथा मक्षिका मधुकरराजानमुत्क्रामन्तं सर्वा एवोत्क्रामन्ते

मघ

Maitri. 7. 1. योगीश्वरः सर्वज्ञो मघः

मघवन्, मघवन्त्

Kaush. 2. 11. अस्मै प्रयन्धि मघवन्नृजीषिन्

Kena. 24. मघवन्नेतद्विजानीहि

Chhâ. 8. 9. 2. मघवन्यच्छान्तहृदयः प्राव्राजीः 8. 10. 3; 8. 11. 2.
3. एवमेवैष मघवन्निति होवाच 8. 10. 4; 8. 11. 3.

8. 11. 3. मघवान्.. ब्रह्मचर्यमुवास

8. 12. 1. मघवन्मर्त्यं वा इदं शरीरम्

Mahânâr. 20. 3. स्वस्ति नो मघवाधातु
4. मघवञ्छग्धि
11. स्वस्ति नो मघवा करोतु

Praśna. 2. 5. एष पर्जन्यो मघवानेषः

मघाद्य

Maitri. 6. 14. मघाद्यं श्रविष्ठार्द्धमाग्नेयम्

मच्चित्त

Gitâ. 6. 14. मनः संयम्य मच्चित्तः
10. 9. मच्चित्ता मद्गतप्राणाः
18. 57. मच्चित्तः सततं भव
58. मच्चित्तःसर्वदुर्गाणि .. तरिष्यसि

मज्ज्

Kaush. 1. 4. तामित्वा सम्प्रतिविदो मज्जन्ति

Kaṭha. 2. 3. यस्यां मज्जन्ति बहवो मनुष्याः

मज्जन्, मज्जस्, मज्जा

Chhâ. 2. 19. 1. मज्जा निधनम्
2. संवत्सरं मज्ज्ञो नाश्नीयात्तद्व्रतं मज्ज्ञो नाश्नीयादिति वा

6. 5. 3. यो मध्यमः स मज्जा

Bṛih. 3. 9. 28. मज्जा मज्जोपमा कृता

Tait. 1. 7. 1. चर्म मांसं स्नावास्थि मज्जा

Maitri. 1. 3. *vide* संघात

Maitri. 3. 4. *vide* वसा

Garbha. 2. अस्थिभ्यो मज्जा मज्जातः शुक्रम्

5. पञ्च मज्जाशतानि

Piṇḍa. 5. अस्थिमज्जा प्रजायते

मज्जोपम

Bṛih. 3. 9. 28. मज्जा मज्जोपमा कृता

मटची

Chhâ. 1. 10. 1. मटचीहतेषु कुरुषु

मणि

Chûl. 1. त्रिसूत्रं मणिमव्ययम्

मणिकर्णी

Râmot. 4. मणिकर्ण्यां वा मत्क्षेत्रे वा

मणिगण

Brahma. 2. सूत्रे मणिगणा इव Gîtâ. 7. 7.

मणिगणसूत्र

Sarvop. 3. मणिगणसूत्रमिव सर्वक्षेत्रेष्वनुस्यूतत्वेन

मणिपुष्पक

Gîtâ. 1. 16. सुघोषमणिपुष्पकौ

मणिपूरक

Haṁsa. 1. मणिपूरकं च गत्वा

मणिसूत्र

Dhyâna. 8. एवं सर्वाणि भूतानि मणिसूत्रमिवात्मनि

मण्ड

Śwet. 4. 16. घृतात्परं मण्डमिवातिसूक्ष्मम्

मण्डन

Gopî. 5. गोपीचन्दनमण्डनम्

— मण्डनात्पावनं नृणाम्

मण्डल

Bṛih. 2. 3. 3. य एष एतस्मिन्मण्डले पुरुषः 5. 5. 2, 3.

5. 5. 2. शुद्धमेवैतन्मडलं पश्यति

Maitri. 6. 16. यो ऽमुष्मिन् भाति मण्डले

38. सौरसौम्याग्नेयसावित्रकानि मण्डलानि

Mahânâr. 12. 2. आदित्यो वा एष एतन्मण्डलं तपति

— तदृचा मण्डलम्

— य एष एतस्मिन्मण्डले अर्चिषि पुरुषः

— स यजुषा मण्डलम्

— य एष एतस्मिन्मण्डले शर्चेर्दीप्यते

— स साम्ना मण्डलम्

Amṛita. 17. जप्त्वा चैवाथ मण्डलम्

26. सुषिरं मण्डलं विदुः

38. यस्यैष मण्डलं भित्त्वा

Râmap. 71. एवं मण्डलमालिख्य

Mukti. 1. 34. चूडानिर्वाणमण्डलम्

मण्डलब्राह्मण

Mukti. 1. *vide* मुक्तिका

मति

Ait. 5. 2. मेधादृष्टिर्धृतिर्मतिः

Chhâ. 7. 18. 1. मतिस्त्वेव विजिज्ञासितव्येति मतिं भगवो विजिज्ञासे

Bṛih. 2. 4. 5. आत्मनो वा अरे . . मत्या

3. 4. 2. न मतेर्मन्तारं मन्वीथाः

4. 3. 28. न हि मन्तुर्मतेर्विपरिलोपः

Kaṭha. 2. 9. नैषा तर्केण मतिरापनेया

Piṇḍa. 5. मतिस्तस्याभिजायते

Haṁsa. 2. पूर्वदले पुण्ये मतिः

— याम्ये क्रूरे मतिः

Gîtâ. 6. 36. दुष्प्राप इति मे मतिः

Gîtâ. 18. 70. ज्ञानयज्ञेन . . इष्टः स्यामिति मे मतिः
78. तत्र श्रीर्विजयो भूतिर्ध्रुवा नीतिर्मतिर्मम

मतिमन्त्

Yogaśi. 4. मतिमानुपलक्षयेत्

मत्कर्मकृत्

Gîtâ. 11. 55. मत्कर्मकृन्मत्परमः

मत्कर्मपरम

Gîtâ. 12. 10. मत्कर्मपरमो भव

मत्पर

Gîtâ. 2. 61. युक्त आसीत मत्परः 6. 14.
12. 6. कर्माणि मयि सन्न्यस्य मत्पराः
18. 57. सर्वकर्माणि मयि सन्न्यस्य मत्परः

मत्परम

Gîtâ. 11. 55. मत्कर्मकृन्मत्परमः
12. 20. श्रद्दधाना मत्परमाः

मत्परायण

Gîtâ. 9. 34. युक्त्वैवमात्मानं मत्परायणः

मत्संस्थ

Gîtâ. 6. 15. मत्संस्थामधिगच्छति

मत्सर

Parama. 2. *vide* आदि
Kṛish. 15. मत्सरो मुष्टिको ऽजयः

मत्स्थ

Gîtâ. 9. 4. मत्स्थानि सर्वभूतानि
5. न च मत्स्थानि भूतानि
6. तथा सर्वाणि भूतानि मत्स्थानीत्युपधारय

मत्स्य

Kaush. 1. 2. मत्स्यो वा शकुनिर्वा
Chhâ. 1. 4. 3. यथा मत्स्यमुदके परिपश्येत्
Râmot. 5. मत्स्यकूर्माद्यवताराः (10).

मथ्

Chhâ. 6. 6. 1. दध्नः सोम्य मथ्यमानस्य
Siras. 6. अप्स्वङ्गुल्या मथिते मथितम्
— मथ्यमानं फेनो भवति
Brahmab. 20. सततं मन्थयितव्यम्

मथुरा

Gopî. 5. मथुरायां वसुदेवसद्मन्याविर्भविष्यति

मद्

Bṛih. 6. 4. 9. दिग्धविद्धामिव मादयेमाम्
Mahânâr. 9. 11. अनुष्वधमावह मादयस्व
Mukti. 2. 44. मत्तो यथा दुष्टमतंगजः

मद

Parama. 2. *vide* आदि
Mukti. 2. 60. मदवशादिव
Gîtâ. 16. 10. दम्भमानमदान्विताः
17. धनमानमदान्विताः
18. 35. विषादं मदमेव च

मदामद

Kaṭha. 2. 21. कस्तं मदामदं देवं मदन्यो ज्ञातुमर्हति

मदाश्रय

Gîtâ. 7. 1. योगं युञ्जन्मदाश्रयः

मदिरोन्मत्त

Maitri. 4. 2. मदिरोन्मत्त इव मोहमदिरोन्मत्तम्

मद्गत

Gîtâ. 6. 47. मद्गतेनान्तरात्मना

मद्गतप्राण

Gîtâ. 10. 9. मच्चित्ता मद्गतप्राणाः

मद्गु

Chhâ. 4. 8. 1. मद्गुष्टे पादं वक्तेति
2. तं मद्गुरुपनिपत्याभ्युवाद

Maitri. 6. 34. मद्गुर्हंसस्तेजोवृषः

मद्भक्त

Gîtâ. 7. 23. मद्भक्ता यान्ति मामपि
9. 34. मन्मना भव मद्भक्तः
18. 65.
11. 55. मद्भक्तः संगवर्जितः
12. 14. यो मद्भक्तः स मे प्रियः
16.
13. 18. मद्भक्त एतद्विज्ञाय
18. 68. मद्भक्तेष्वभिधास्यति

1. मद्भाव

Gîtâ. 10. 6. मद्भावा मानसा जाताः

2. मद्भाव

Gîtâ. 4. 10. मद्भावमागताः
13. 18. मद्भावायोपपद्यते
14. 19. मद्भावं सो ऽधिगच्छति

मद्यप

Chhâ. 5. 11. 5. न कदर्यो न मद्यपः

मद्याजिन्

Gîtâ. 9. 25. यान्ति मद्याजिनो ऽपि माम्
34. मद्याजी मां नमस्कुरु
18. 65.

मद्र

Bṛih. 3. 3. 1. मद्रेषु चरकाः पर्यव्रजाम
3. 7. 1. मद्रेष्ववसाम

मद्रूप

Vâsu. 3. मद्रूपमव्ययं ब्रह्म

मद्व्यपाश्रय

Gîtâ. 18. 56. कुर्वाणो मद्व्यपाश्रयः

मधु

Chhâ. 5. 2. 4. दधिमधुनोरुपमथ्य
6. 9. 1. यथा मधु मधुकृतो निस्तिष्ठन्ति

Bṛih. 2. 5. 1. सर्वेषां भूतानां मधु.. सर्वाणि भूतानि मधु (14 times).
16. इदं वै तन्मधु (4 times).
— यन्मध्वाथर्वणो वां..प्रयदीमुवाच
17. स वां मधु प्रावोचत्
6. 3. 6. मधु वाता ऋतायते मधु क्षरन्ति सिन्धवः Mahânâr. 9. 8; 17. 7.
— मधु नक्तमुतोषसः Mahânâr. 9. 9; 17. 7.
— मधु द्यौरस्तु नः पिता Mahânâr. 9. 9; 17. 7.
13. दधनि मधुनि घृत उपसिञ्चति
6. 4. 25. दधि मधु घृतं सन्नीय

Mahânâr. 13. 1. मधु क्षरन्ति तद्ब्रह्म 15. 3.
17. 6. मधु मेतु मां (bis).

Śiras. 6. मधु क्षरन्ति यद्ध्रुवम्

मधुक

Bṛih. 6. 3. 8. मधुकाय पैंग्याय
9. मधुकः पैंग्यः

मधुकरराजन्

Praśna. 2. 4. यथा मक्षिका मधुकरराजानमुत्क्रामन्तं सर्वा एवोत्क्रामन्ते

Brahma. 1. स नियच्छति मधुकरराजानं माक्षीकवत्

मधुकृत्

Chhâ. 3. 1. 2. ऋच एव मधुकृतः
3. 2. 1. यजूंष्येव मधुकृतः
3. 3. 1. सामान्येव मधुकृतः
3. 4. 1. अथर्वाङ्गिरस एव मधुकृतः
3. 5. 1. गुह्या एवादेशा मधुकृतः
6. 9. 1. यथा मधु मधुकृतो निस्तिष्ठन्ति

मधुज्ञान

Gauḍa. 3. 12. द्वयोर्द्वयोर्मधुज्ञाने परं ब्रह्म प्रकाशितम्

मधुत्व

Maitri. 6. 22. यथा सम्पन्ना मधुत्वं नानारसाः

मधुनाडी

Chhâ. 3. 1. 2. प्राच्यो मधुनाड्यः
3. 2. 1. दक्षिणा मधुनाड्यः
3. 3. 1. प्रतीच्यो मधुनाड्यः
3. 4. 1. उदीच्यो मधुनाड्यः
3. 5. 1. ऊर्द्ध्वा मधुनाड्यः

मधुमन्त्

Bṛih. 6. 3. 6. मधुमत्पार्थिवं रजः Mahânâr. 9. 9; 17. 7.
— मधुमान्नो वनस्पतिर्मधुमाँ अस्तु सूर्यः Mahânâr. 9. 10; 17. 7.
— सर्वां च सावित्रीमन्वाह सर्वाश्च मधुमतीः

Mahânâr. 9. 12. समुद्रादूर्मिर्मधुमाँ उदारत्

मधुमत्तम

Tait. 1. 4. 1. जिह्वा मे मधुमत्तमा

मधुमेधा

Mahânâr. 17. 7. ब्रह्ममेधया मधुमेधया ब्रह्म मे ऽव मधुमेधया
8. ब्रह्ममेधवा मधुमेधवा ब्रह्म मे ऽव मधुमेधवा (मेधवा छान्दसो यास्थाने वाशब्दः स एवार्थः Nârâyaṇa).

मधुर

Garbha. 1. *vide* रस

मधुवादिन्

Mahânâr. 11. 14. जिह्वा मे मधुवादिनी

मधुसूदन

Nâr. 5. ब्रह्मण्यो मधुसूदनः Atmapra. 1.

Gîtâ. 1. 35. घ्नतो ऽपि मधुसूदन
2. 1. उवाच मधुसूदनः
4. द्रोणं च मधुसूदन
6. 33. साम्येन मधुसूदन
8. 2. देहे ऽस्मिन्मधुसूदन

मध्य

Kaush. 2. 7. एतयैवावृता मध्ये सन्तम्

Chhâ. 3. 5. 3. एतदादित्यस्य मध्ये क्षोभत इव
3. 11. 1. एकल एव मध्ये स्थाता
3. 16. 2. प्राणानां वसूनां मध्ये
4. प्राणानां रुद्राणां मध्ये
6. प्राणानामादित्यानां मध्ये
6. 11. 1. यो मध्ये ऽभ्याहन्यात्
6. 13. 2. मध्यादाचामेति

Kaṭha. 4. 12. मध्य आत्मनि तिष्ठति
5. 3. मध्ये वामनमासीनं.. उपासते

Śwet. 4. 14. सूक्ष्मातिसूक्ष्मं कलिलस्य मध्ये

Śwet. 4. 19. न मध्ये परिजग्रभत्
Mahânâr. 1. 10.
5. 13. अनाद्यनन्तं कलिलस्य मध्ये
6. 15. एको हंसो भुवनस्यास्य मध्ये
Maitri. 6. 35. एतद्यदादित्यस्य मध्ये (4 times).
38. रविमध्ये . . सोममध्ये . . तेजोमध्ये . . सत्त्वमध्ये
Mahânâr. 1. 1. अम्भस्यपारे भुवनस्य मध्ये
11. 10. तस्य मध्ये महानग्निः
11. तस्य मध्ये वह्निशिखा
Mahâ. 3 ; Vâsu. 3.
13. तस्याः शिखाया मध्ये
Vâsu. 3.
Praśna. 3. 5. मध्ये तु समानः
Kaivalya. 5. मध्ये विशदं विशोकम्
Gauḍa. 1. 27. मध्यमन्तस्तथैव च
Nṛip. 5. 1. मध्ये नाभिर्भवति
2. मध्ये नाभ्यां तारकं भवति
Brahmav. 8. तस्य मध्ये व्यवस्थितः
Kshur. 14. ऊरोर्मध्ये तु संस्थाप्य
15. तासां मध्ये वराः स्मृताः
16. तयोर्मध्ये वरं स्थानम्
Śiras. 3. भूस्ते आदिर्मध्यं भुवस्ते
5. बालाग्रमात्रं हृदयस्य मध्ये
Śikhâ. 2. शिवमाकाशं मध्ये ध्रुवस्थम्
Mahâ. 3. तस्य मध्ये महानर्चिः (so MSS.; cf. Mahânâr. 11. 10.
— तस्यै शिखायै मध्ये
Brahma. 2. तेषां मध्ये यत्परं ब्रह्म
Nâda. 4. भ्रुवोर्ललाटमध्ये तु
Amṛita. 36. अपानस्तस्य मध्ये तु
37. समानस्तस्य मध्ये तु
Dhyâna. 7. पुष्पमध्ये यथा गन्धं पयोमध्ये यथा घृतम्
— तिलमध्ये यथा तैलम्
Yogat. 1.
Dhyâna. 22. भ्रुवोर्मध्ये नयेल्लयम्
23. भ्रुवोर्मध्ये ललाटस्तु
Yogat. 8. पुष्पमध्ये यथा गन्धं पयोमध्ये ऽस्ति सर्पिवत्
9. तस्य मध्ये स्थितं मनः
13. घटमध्ये यथा दीपम्
Nyâsa. 5. वृषणापानयोर्मध्ये
Haṁsa. 2. मध्ये वैराग्यम्
Atmapra. 1. य आत्मा हेमपुण्डरीकमध्ये
— हृत्पद्ममध्ये सर्वं तत् प्रज्ञानेत्रम्
Jâbâla. 2. वरणायां नास्यां च मध्ये
Râmot. 4.
Vâsu. 3. हृदयस्योर्ध्वपुण्ड्रमध्ये हृदयकमलमध्ये वा
— मध्याद्यन्तविवर्जितम्
— ब्रह्मरन्ध्रे भ्रुवोर्मध्ये
Râmap. 22. कीलो मध्ये ऽविनाभाव्यः
58. मध्ये तारद्वयं लिखेत्
59. तन्मध्ये बीजमालिख्य
88. मध्ये क्रमादर्कविध्वग्नितेजांसि
Mukti. 1. 44. सर्वोपनिषदां मध्ये
Gîtâ. 1. 21. सेनयोरुभयोर्मध्ये
24 ; 2. 10.
8. 10. भ्रुवोर्मध्ये प्राणमावेश्य सम्यक्
10. 20. अहमादिश्च मध्यं च
32. मध्यं चैवाहमर्जुन
11. 16. नान्तं न मध्यं न पुनस्तवादिं पश्यामि
14. 18. मध्ये तिष्ठन्ति राजसाः

मध्यग, °गत

Yogaśi. 4. तस्य मध्यगतो वह्निः
Mukti. 1. 1. रत्नमण्डपमध्यगे

मध्यतस्

Bṛih. 5. 5. 1. प्रथमोत्तमे अक्षरे सत्यं मध्यतो ऽनृतम्
6. 4. 3. चर्माधिषवणे समिद्धो मध्यतस्तौ मुष्कौ
Tait. 3. 10. 1. एतद्वै मध्यतो ऽन्नं राद्धं मध्यतो ऽस्मा अन्नं राध्यते
Kâlâg. 1. भ्रुवोर्मध्यतः

मध्यन्दिन

Chhâ. 2. 9. 5. यत् सम्प्रति मध्यन्दिने स उद्गीथः
6. यदूर्ध्वं मध्यन्दिनात्प्रागपराह्णात्स प्रतिहारः
2. 14. 1. मध्यन्दिन उद्गीथः
Mahânâr. 25. 1. यत्सायं प्रातर्मध्यन्दिनं च तानि सवनानि
Nâr. 5. मध्यन्दिनमादित्याभिमुखो ऽधीयानः

मध्यपद्मार्चन

Râmap. 85. पार्श्वार्चनं मध्यपद्मार्चनं च

मध्यपूर्ण

Mukti. 2. 56. मध्यपूर्णं शिवात्मकम्

मध्यम

Chhâ. 6. 5. 1. यो मध्यमस्तन्मांसम्
2. यो मध्यमस्तल्लोहितम्
3. यो मध्यमः स मज्जा
Bṛih. 1. 5. 21. यो ऽयं मध्यमः प्राणः
22. यथैषां प्राणानां मध्यमः प्राणः
2. 2. 1. अयं वाव शिशुर्यो ऽयं मध्यमः प्राणः
Kaṭha. 1. 5. बहूनामेमि मध्यमः
Praśna. 5. 6. क्रियासु बाह्याभ्यन्तरमध्यमासु
Gauḍa. 3. 16. *vide* दृष्टि
Gauḍa. 4. 76. उत्तमाधममध्यमान्
Garbha. 1. *vide* निषाद

मध्यमिका

Prâṇâg. 1. मध्यमिकया व्याने

मध्यस्थ

Mahânâr 11. 12. नीलतोयदमध्यस्था विद्युल्लेखा Vâsu. 3.
Gîtâ. 6. 9. सुहृन्मित्रार्युदासीनमध्यस्थद्वेष्यबन्धुषु

मध्वद

Kaṭha. 4. 5. य इमं मध्वदं वेद आत्मानम्

मन्

Kaush. 2. 8. मन्ये ऽहं मां तद्विद्वांसम्
3. 1. यं त्वं मनुष्याय हिततमं मन्यसे
— एतदेवाहं मनुष्याय हिततमं मन्ये
4. 19. प्रतिलोमरूपमेव तन्मन्ये यत्क्षत्रियो ब्राह्मणमुपनयेत
Kena. 5. यन्मनसा न मनुते येनाहुर्मनो मतम्
9. यदि मन्यसे सुवेदेति
— मन्ये विदितम्
— देवेष्वथ नु मीमांस्यमेव ते (one MS. has अप्यनुमीमांस्यमेव)
10. नाहं मन्ये सुवेदेति
11. यस्यामतं तस्य मतं मतं यस्य न वेद सः
12. प्रतिबोधविदितं मतम्
Chhâ. 1. 2. 10. एतमु एवांगिरसं मन्यन्ते
11. एतमु एव बृहस्पतिं मन्यन्ते

Chh. 1. 2. 12. एतमु एवायास्यं मन्यन्ते
6. 1. 3. येन..अमतं मतम्
7. 13. 1. न मन्वीरन्न विजानीरन् .. अथ मन्वीरन्नथ विजानीरन्
7. 15. 4. एवं मन्वान एवं विजानन् 7. 25. 2.
7. 18. 1. यदा वै मनुते ऽथ विजानाति नामत्वा विजानाति मत्वैव विजानाति
7. 19. 1. यदा वै श्रद्दधात्यथ मनुते नाश्रद्दधन्मनुते श्रद्दधदेव मनुते
7. 26. 1. एवं मन्वानस्यैवं विजानतः
8. 5. 2. आत्मानमनुविद्य मनुते
8. 8. 5. अमुं लोकं जेष्यन्तो मन्यन्ते
8. 12. 5. यो वेदेदं मन्वानीति स आत्मा

Bṛih. 1. 2. 7. तमनवरुध्यैवामन्यत
1. 4. 7. मन्वानो मनः
9. ब्रह्मविद्यया सर्वं भविष्यन्तो मनुष्या मन्यन्ते
16. एतद्विदितं मीमांसितम्
17. अकृत्स्न एव तावन्मन्यते
1. 5. 17. यदा प्रैष्यन्मन्यते
2. 1. 16. तदु ह न मेने गार्ग्यः
2. 4. 5. आत्मा वा अरे..मन्तव्यः 4. 5. 6.
14. इतर इतरं मनुते 4. 5. 15.
— केन कं मन्वीत 4. 5. 15.
3. 4. 2. न मतेर्मन्तारं मन्वीथाः
3. 8. 12. तदेव बहु मन्येध्वम्
3. 9. 25. यत्रैतदन्यत्रास्मन्मन्यासै
26. तं ह न मेने शाकल्यः
— अस्थीन्यपजह्रुरन्यन्मन्यमानाः

Bṛih. 4. 1. 2. पिता मे ऽमन्यत नाननुशिष्य हरेतेति 3—7.
4. 3. 1. स मेने न वदिष्ये
20. तदत्राविद्यया मन्यते
— अहमेवेदं सर्वमस्मीति मन्यते
28. यद्वै तन्न मनुते मन्वानो वै तन्न मनुते..न तु तद्द्वितीयमस्ति..यन्मन्वीत
31. अन्यो ऽन्यन्मन्वीत
4. 4. 2. एकीभवति न मनुते
17. तमेव मन्य आत्मानम्
4. 5. 6. आत्मनि खल्वरे दृष्टे श्रुते मते
6. 1. 7. यस्मिन्व उत्क्रान्त इदं शरीरं पापीयो मन्यते
एतमेव तदनमनग्नं कुर्वन्तो मन्यन्ते

Tait. 2. 7. 1. तत्त्वेव भयं विदुषो मन्वानस्य

Kaṭha. 1. 2. कुमारं..श्रद्धाविवेश सो ऽमन्यत
24. एतत्तुल्यं यदि मन्यसे वरम्
2. 4. विद्याभीप्सिनं नचिकेतसं मन्ये Maitri. 7. 9 (प्सितम्)
12. अध्यात्मयोगाधिगमेन देवं मत्वा
13. विवृतं सद्म नचिकेतसं मन्ये
19. हन्ता चेन्मन्यते हन्तुं हतश्चेन्मन्यते हतम्
22. महान्तं विभुमात्मानं मत्वा 4. 4.
5. 14. तदेतदिति मन्यन्ते ऽनिर्देश्यं परमं सुखम्
6. 6. इन्द्रियाणां पृथग्भावं..मत्वा

Kaṭha. 6. 11. तां योगमिति मन्यन्ते
Swet. 1. 6. पृथगात्मानं. मत्वा
12. भोक्ता भोग्यं प्रेरितारं च मत्वा
Maitri. 1. 2. अशाश्वतं मन्यमानः शरीरम्
2. 6. सो ऽमन्यत..अभ्यन्तरं विविशामि
— अमन्यतार्थानभानीति
3. 2. अहं सो ममेदमित्येवं मन्यमानः 6. 30.
6. 36. आस्यमाहवनीयमिति मत्वा
7. 10. अतश्चिरं ध्यात्वामन्यत
Muṇḍ 1. 2. 10. इष्टापूर्त्तं मन्यमाना वरिष्ठम्
3. 2. 2. कामान् यः कामयते मन्यमानः
Praśna. 4. 8. मनश्च मन्तव्यं च
Mâṇḍû. 7. शान्तं शिवमद्वैतं चतुर्थं मन्यन्ते Nṛisut. 1 (शिवं शान्तम्)
Gauḍa. 1. 7. मन्यन्ते सृष्टिचिन्तकाः
8. मन्यन्ते कालचिन्तकाः
28. सर्वव्यापिनमोङ्कारं मत्वा
4. 24. परतन्त्रास्तिता मता
67. तन्मतेनैव गृह्यते
Nṛip. 3. 1. मीमांसन्ते ब्रह्मवादिनः
4. 1. शिवमद्वैतं चतुर्थं मन्यन्ते Râmot. 3.
Nṛisut. 8. अत्र भिदामिव मन्यमानः
Nâda. 11. ध्रुवेति दशमी मता
— ब्राह्मीति द्वादशी मता
Brahmab. 11. एक एवात्मा मन्तव्यः
Haṁsa. 1. मतं ज्ञात्वा पिनाकिनः
Parama. 1. स एव वेदपुरुष इति विदुषो मन्यन्ते
Jâbâla. 1. यत्र क्वचनं गच्छति तदेव मन्येत Râmot. 1.
Mukti. 1. 14. एकैकोपानिषन्मता

Mukti. 2. 10. भवन्ति फलदा मताः
29. यदा न मनुते मनः
37. संकल्प एव तन्मन्ये
Gîtâ. 2. 19. यश्चैनं मन्यते हतम्
26. नित्यं वा मन्यसे मृतम्
35. मंस्यन्ते त्वां महारथाः
3. 1. मता बुद्धिर्जनार्दन
27. कर्त्ताहमिति मन्यते
28. इति मत्वा न सज्जते
31. ये मे मतमिदं नित्यम्
32. नानुतिष्ठन्ति मे मतम्
5. 8. युक्तो मन्येत तत्त्ववित्
6. 22. मन्यते नाधिकं ततः
32. स योगी परमो मतः
34. तस्याहं निग्रहं मन्ये
46. ज्ञानिभ्यो ऽपि मतो ऽधिकः
47. स मे युक्ततमो मतः
7. 18. ज्ञानी त्वात्मैव मे मतम्
24. मन्यन्ते मामबुद्धयः
8. 26. जगतः शाश्वते मते
9. 30. साधुरेव स मन्तव्यः
10. 8. इति मत्वा भजन्ते माम्
14. सर्वमेतदृतं मन्ये
11. 4. मन्यसे यदि तच्छक्यम्
18. सनातनस्त्वं पुरुषो मतो मे
41. सखेति मत्वा प्रसभं यदुक्तम्
12. 2. ते मे युक्ततमा मताः
13. 2. तज्ज्ञानं मतं मम
16. 5. निबन्धायासुरी मता
18. 6. निश्चितं मतमुत्तमम्
9. स त्यागः सात्त्विको मतः
32. मन्यते तमसावृता
59. न योत्स्य इति मन्यसे

मनआदि

Nṛisut. 7. मनआद्यवितारं मनआदिसाक्षिणमन्विच्छेत्

Sarvop. 1. मनआदिचतुर्दशकरणैः
2. मनआदिभिश्चतुर्भिः करणैः
— मनआदिश्च प्राणादिश्च.. पञ्च वर्गाः

मनआनन्द

Tait. 1. 6. 2. सत्यात्मप्राणारामं मनआनन्दम्

मनःक्षय

Maitri. 6. 20. यदात्मनात्मानं ..मनःक्षयात् पश्यति

मनःपूति

Maitri. 6. 9. मनःपूतिमुच्छिष्टोपहतमित्यनेन तत्पावयेत

मनःप्रग्रहवन्त्

Katha. 3. 9. मनःप्रग्रहवान्नरः
Nâr. 3. मनःप्रग्रहवान्पुमान्

मनःप्रसाद

Gitâ. 17. 16. मनःप्रसादः सौम्यत्वम्

मनःशान्तिपद

Maitri. 6. 34. इह मनःशान्तिपदमनुसरति

मनःशून्य

Mukti. 2. 55. प्रभाशून्यं मनःशून्यम्

मनःषष्ठ

Gitâ. 15 7. मनःषष्ठानीन्द्रियाणि

मनन

Râmap. 12. मननात्त्राणनान्मन्त्रः
Mukti. 1. श्रवणमनननिदिध्यासनानि

मनस्

Ait. 1. 4. हृदयान्मनो मनसश्चन्द्रमाः
2. 4. चन्द्रमा मनो भूत्वा हृदयं प्राविशत्

Ait. 3. 8. तन्मनसाजिघृक्षत् &c,
11. यदि मनसा ध्यातं..अथ को ऽहम्
5. 2. यदेतद्धृदयं मनश्चैतत्

Kaush. 1. 4. तं मनसात्येति
— तां मनसैवात्येति
7. केन नपुंसकानीति मनसेति
2. 1. एतस्य प्राणस्य ब्रह्मणो मनो दूतम्
2. श्रोत्रं परस्तान्मन आरुंधते मनः परस्तात् प्राण आरुंधते
3. मनो नाम देवतावरोधिनी
4. मनस्ते मयि जुहोमि
13. तस्य मन एव तेजो गच्छति
— एतद्वै ब्रह्म दीप्यते यन्मनसा ध्यायति
14.. अथैतन्मनः प्रविवेश.. तन्मनसा ध्यायच्छिश्ये
15. मनो मे त्वयि दधानीति पिता मनस्ते मयि दध इति पुत्रः
3. 2. मनसा ध्यातं (प्रज्ञापयितु)
— मनो ध्यायत् सर्वे प्राणा अनुध्यायन्ति
3. मनः सर्वैर्ध्यानैः सहाप्नोति (bis); 4. 20.
4. मन एवास्मिन् सर्वाणि ध्यानान्यभिविसृज्यन्ते मनसा सर्वाणि ध्यानान्याप्नोति
5. मन एवास्या एकमङ्गमुदूढम्
6. प्रज्ञया मनः समारुह्य मनसा सर्वाणि ध्यानान्याप्नोति
7. अन्यत्र मे मनोऽभूदित्याह (7 times; नौ मनः bis).

Kaush. 3. 8. न मनो विजिज्ञासीत मन्तारं विद्यात्

Kena. 1. केनेषितं पतति प्रेषितं मनः
2. मनसो मनः
3. न वाग्गच्छति नो मनः
5. यन्मनसा न मनुते येनाहुर्मनो मतम्
30. यदेतद्गच्छतीव च मनः

Chhâ. 1. 2. 6. अथ ह मन उद्गीथमुपासांचक्रिरे
1. 7. 3. मनः साम . . मनो ऽमः
2. 7. 1. मनो निधनम्
2. 11. 1. मनो हिंकारः
2. 22. 2. एतानि मनसा ध्यायन्नप्रमत्तः स्तुवीत
3. 13. 4. तन्मनः स पर्जन्यः
3. 18. 1. मनो ब्रह्मेत्युपासीत
4. 3. 3. प्राणं मनः (अप्येति)
4. 8. 3. श्रोत्रं कला मनः कला
4. 16. 1. तस्य वाक् च मनश्च वर्त्तनी
2. तयोरन्यतरां मनसा संस्करोति ब्रह्मा
5. 1. 5. मनो ह वा आयतनम् Brih. 6. 1. 5.
8. ध्यायन्तो मनसा 9, 10.
11. मनो होच्चक्राम . . प्रविवेश ह मनः Brih. 6. 1. 11.
15. न श्रोत्राणि न मनांसि
5. 18. 2. मनो ऽन्वाहार्यपचनः
5. 22. 2. मनस्तृप्यति मनसि तृप्यति पर्जन्यस्तृप्यति
6. 5. 1. यो ऽणिष्ठस्तन्मनः
4. अन्नमयं हि सोम्य मनः 6. 6. 5 ; 6. 7. 6.
6. 6. 2. तन्मनो भवति
6. 8. 2. तन्मनो दिशं दिशं पतित्वा
— प्राणबन्धनं हि सोम्य मनः

Chha. 6. 8. 6. वाङ्मनसि सम्पद्यते मनः प्राणे 6. 15. 1, 2.
7. 3. 1. मनो वाव वाचो भूयः
— वाचं च नाम च मनो ऽनुभवति
— यदा मनसा मनस्यति
— मनो ह्यात्मा मनो हि लोको मनो हि ब्रह्म मन उपास्व
2. यो मनो ब्रह्मेत्युपास्ते यावन्मनसो गतम् &c.
— अस्ति भगवो मनसो भूय इति मनसो वाव भूयो ऽस्ति
7. 4. 1. सङ्कल्पो वाव मनसो भूयान्
7. 26. 1. आत्मतो मनः
8. 6. 5. यावत् क्षिप्येन्मनस्तावदादित्यं गच्छति
8. 12. 5. मनो ऽस्य दैवं चक्षुः . . एतेन दैवेन चक्षुषा मनसा . . पश्यन् रमते

Brih. 1. 2. 1. तन्मनो ऽकुरुत
4. स मनसा वाचं मिथुनं समभवत्
6. तस्य शरीर एव मन आसीत्
1. 3. 6. मन ऊचुस्त्वन्न उद्गायेति
— मन उदगायद्यो मनसि भोगस्तं देवेभ्य आगायत्
16. अथ मनो ऽत्यवहत्
1. 4. 7. मन्वानो मनः
17. मन एवास्यात्मा
1. 5. 3. मनो वाचं प्राणं तान्यात्मने ऽकुरुत
— मनसा ह्येव पश्यति मनसा शृणोति Maitri. 6. 30.

Bṛih. 1. 5. 3. ह्रीर्धीर्भीरित्येतत्सर्वं मन एव Maitri. 6. 30.
— पृष्ठत उपस्पृष्टो मनसा विजानाति
4. मनो ऽन्तरिक्षलोकः
5. मनो यजुर्वेदः
6. मनः पितरः
7. मन एव पिता
9. यत्किञ्च विजिज्ञास्यं मनसस्तद्रूपं मनो हि विजिज्ञास्यं मन एनं तद्भूत्वावति
12. मनसो द्यौः शरीरम्
— यावदेव मनस्तावती द्यौः
19. दैवं मन आविशति तद्वै दैवं मनः
2. 1. 17. गृहीतं मनः
2. 4. 11. सर्वेषां सङ्कल्पानां मन एकायनम् 4. 5. 12.
3. 1. 6. ब्रह्मणर्त्विजा मनसा चन्द्रेण मनो वै यज्ञस्य ब्रह्मा
— इदं मनः सो ऽसौ चन्द्रः
9. मन एवेत्यनन्तं वै मनः
3. 2. 7. मनो वै ग्रहः..मनसा हि कामान्कामयते
13. मनश्चन्द्रं (अप्येति)
3. 7. 20. यो मनसि तिष्ठन्मनसो ऽन्तरो यं मनो न वेद यस्य मनः शरीरं यो मनो ऽन्तरो यमयति
3. 9. 10. मनो ज्योतिः 11—17.
4. 1. 6. मनो वै ब्रह्म (bis).
— मन एवायतनम्
— कानन्दता..मन एव
— मनसा वै..स्त्रियमभिहार्यते
— मनो वै..परमं ब्रह्म
— नैनं मनो जहाति

Bṛih. 4. 4. 6. मनो यत्र निषक्तमस्य
18. मनसो ये मनो विदुः
4. 4. 19. मनसैवानुद्रष्टव्यम्
5. 8. 1. तस्याः प्राण ऋषभो मनो वत्सः
6. 1. 8. विद्वांसो मनसा 9. 10, 12.
11. यथा मुग्धा अविद्वांसो मनसा
14. त्वं तदायतनमसीति मनः
6. 3. 2. मनसे स्वाहा प्रजात्यै स्वाहा
6. 4. 24. मयि प्राणांस्त्वयि मनसा जुहोमि
Isâ. 4. अनेजदेकं मनसो जवीयः
Tait. 1. 7. 1. चक्षुः श्रोत्रं मनो वाक्त्वक्
2. 4. 1. यतो वाचो निवर्त्तन्ते अप्राप्य मनसा सह 2. 9. 1; Brahma. 3.
3. 1. 1. अन्नं प्राणं चक्षुः श्रोत्रं मनो वाचमिति
3. 4. 1. मनो ब्रह्मेति व्यजानान्मनसो ह्येव..भूतानि जायन्ते मनसा जातानि जीवन्ति मनः प्रयन्ति
3. 10. 3. तन्मन इत्युपासीत
Kaṭha. 3. 3. मनः प्रग्रहमेव च
4. आत्मेन्द्रियमनोयुक्तम्
5. अयुक्तेन मनसा सदा
6. युक्तेन मनसा सदा
10. अर्थेभ्यश्च परं मनः
— मनसस्तु परा बुद्धिः
13. यच्छेद्वाङ्मनसी प्राज्ञः
4. 11. मनसैवेदमाप्तव्यम्
6. 7. इन्द्रियेभ्यः परं मनो मनसः सत्त्वमुत्तमम्
9. हृदा मनीषा मनसाभिकॢप्तः Śwet. 3. 13; 4. 17, 20 (2 MSS.); Mahânâr. 1. 11.

Kaṭha. 6. 10. यदा पञ्चावतिष्ठन्ते ज्ञानानि मनसा सह Maitri. 6. 30.

12. नैव वाचा न मनसा

Śwet. 2. 1. युञ्जानः प्रथमं मनः

2. युक्तेन मनसा वयम्

3. युक्त्वाय मनसा देवान्

4. युञ्जते मन उत युञ्जते धियः

6. तत्र सञ्जायते मनः

8. हृदीन्द्रियाणि मनसा सन्निवेश्य

9. मनो धारयेताप्रमत्तः

Maitri. 2. 6. रथः शरीरं मनो नियन्ता

4. 3. सत्त्वात् सम्प्राप्यते मनो मनसः प्राप्यते ह्यात्मा

5. निहितमस्माभिरेतत्.. मनसि

6. 5. बुद्धिर्मनोऽहङ्कारा इति चेतनवत्येषा

9. ध्यानं प्रयोगस्थं मनो विद्वद्भिष्टुतम्

13. मनः प्राणस्य विज्ञानं मनसः

19. यदा वै.. विद्वान् मनो नियम्य

20. वाङ्मनःप्राणनिरोधनात्

21. *vide* युज्

24. शिखास्य मनः

25. एकत्वं प्राणमनसोः

31. वाक् श्रोत्रं चक्षुर्मनः प्राणः

34. स्वयोना उपशान्तस्य मनसः

— मनोहि द्विविधं प्रोक्तम् Brahmab. 1.

— लयविक्षेपरहितं मनः

— तावन्मनो निरोद्धव्यम्

34. एवमन्तर्गतं यस्य मनः

— मन एव..कारणं बन्धमोक्षयोः Brahmab. 2.

Maitri. 7. 11. मनः कायाग्निमाहन्ति

Muṇḍ. 1. 1. 8. अन्नात्प्राणो मनः सत्यम्

2. 1. 3. मनः सर्वेन्द्रियाणि च Kaivalya. 15; Nâr. 1.

2. 2. 2. स प्राणस्तदु वाङ्मनः

5. मनः सह प्राणैश्च सर्वैः

3. 1. 10. यं यं लोकं मनसा संविभाति

Mahânâr. 4. 7. मनसा दुर्विचिन्तितम्

12 यन्मे मनसा..दुष्कृतं कृतम् 19. 1.

12. 3. मनो मन्युर्मनुर्मृत्युः

14. 3. यदह्ना पापमकार्षं मनसा

4. यद्रात्र्या पापमकार्षं मनसा

16. 6. गन्धर्वेषु च यन्मनः

23. 1. मानसेन मनसा साधु पश्यति

— मनीषया मनो मनसा शान्तिः

— प्राणैर्मनो मनसश्च विज्ञानम्

24. 1. ज्ञात्वा तमेवं मनसा हृदा च

25. 1. मनो ब्रह्म Garbha. 5.

Praśna. 2. 2. वाङ्मनश्चक्षुःश्रोत्रं च 4.

12. या च मनसि सन्तता

3. 9. इन्द्रियैर्मनसि सम्पद्यमानैः

4. 2. परे देवे मनस्येकीभवति

4. मनो ह वाव यजमानः

8. मनश्च मन्तव्यं च

5. 4. यदि द्विमात्रेण मनसि सम्पद्यते

6. 4. इन्द्रियं मनो ऽन्नम्

Gauḍa. 1. 2. मनस्यन्तस्तु तैजसः

2. 25. मन इति मनोविदः

3. 29. द्वयाभासं स्पन्दते मायया मनः (bis).

30. अद्वयं च द्वयाभासं मनः

31. मनसो ह्यमनीभावे

Gauḍa. 3. 34. निगृहीतस्य मनसः
40. मनसो निग्रहायत्तम्
41. मनसो निग्रहस्तद्वत्
Nrip. 1. 1. तस्यान्तर्मनसि कामः समवर्त्तत
— यत् पुरुषो मनसाभिगच्छति
— अधि मनसो रेतः प्रथमं यदासीत्
Nṛisut. 2. मनसो द्रष्टा . . मनसः साक्षी
4. मनसा ब्रह्मणैकीकुर्यात्
Râmot. 3.
Kshur. 3. मनो हृदि निरुध्य च
Gîtâ. 8. 12.
11. मनसस्तु क्षुरं गृह्य
Siras. 5. सर्वं ह वा इदं भस्म मन एतानि चक्षूंषि
6. प्राणो अभिरक्षति . . अन्नमथो मनः
Sikhâ. 2. विष्णुर्मनसि नादान्ते
Garbha. 1. मनसा सङ्कल्पयति
Mahâ. 1. दशेन्द्रियाणि मन एकादशम्
2. सोन्यत्कामो मनसा ध्यायते 3.
— बिभ्रत् . . मन ऐश्वर्यम्
Prânâg. 4. मनो रथः
Nâda. 18. मनो लीनं यदा भवेत्
Brahmab. 3. मनसो मुक्तिरिष्यते
— निर्विषयं . . मनः कार्यम्
4. सन्निरुद्धं मनो हृदि
20. मनसा मन्थानभूतेन
Amṛita. 5. मनश्चैवातिचञ्चलम्
15. मनः सङ्कल्पकं ध्यात्वा
31. मनसा चिन्तयेदात्मनात्मनि
Yogasi. 3. मनः सर्वत्र संयम्य
Yogat. 9. तस्य मध्ये स्थितं मनः
Nyâsa. 4. विद्याया मनसि संयोगो मनसाकाशः

Gâruḍa. 3. मनसा मोक्षयति
Haṁsa. 2. तस्मान्मनो हंसो विचार्यते
— तस्मिन्मनो विलीयते
— मनसि सङ्कल्पविकल्पे
Parama. 2. न गन्धं न च मनो ऽपि
Nâr. 2. मनःप्रग्रहवान्पुमान्
Jâbâla. 5. मनसा वाचा वा सन्न्यसेत्
Skanda. 11. ध्यानं निर्विषयं मनः
12. स्नानं मनोमलत्यागः
Râmot. 5. मनसा संस्मरन् ब्रह्म
Mukti. 1. वाङ्मे मनसीति शान्तिः
2. 16. मनोबद्धं विदुर्बुधाः
17. मनो निर्वासनीभावमाचर
21. यस्य निर्वासनं मनः
29. यदा न मनुते मनः
35. जीवन्मुक्तस्य तन्मनः
37. मनो मूलमिदं स्थितम्
38. मनसः स्वस्य निग्रहे
39. मनसो ऽभ्युदयो नाशः
— शमनो नाशमभ्येति मनो ज्ञस्य हि शृंखला
40. यावन्न विजितं मनः
42. जयेदादौ स्वकं मनः
43. न शक्यते मनो जेतुम्
71. मनोबुद्धिसमन्विताम्
Gîtâ. 1. 30. भ्रमतीव च मे मनः
60. हरन्ति प्रसभं मनः
2. 67. यन्मनो ऽनुविधीयते
3. 6. य आस्ते मनसा स्मरन्
7. यस्त्विन्द्रियाणि मनसा नियम्य
40. इन्द्रियाणि मनो बुद्धिः
42. इन्द्रियेभ्यः परं मनः मनसस्तु परा बुद्धिः
5. 11. कायेन मनसा बुद्ध्या
13. सर्वकर्माणि मनसा सन्न्यस्य
19. येषां साम्ये स्थितं मनः

Gîtâ. 6. 12. तत्रैकाग्रं मनः कृत्वा
14. मनः संयम्य मच्चित्तः
24. मनसैवेन्द्रियग्रामम्
25. आत्मसंस्थं मनः कृत्वा
26. मनश्चञ्चलमस्थिरम्
34. चञ्चलं हि मनः कृष्ण
35. मनो दुर्निग्रहं चलम्
7. 4. खं मनो बुद्धिरेव च
8. 10. प्रयाणकाले मनसाचलेन
10. 22. इन्द्रियाणां मनश्चास्मि
11. 45. भयेन च प्रव्यथितं मनो मे
12. 2. मय्यावेश्य मनः
8. मय्येव मन आधत्स्व
15. 9. अधिष्ठाय मनश्चायम्
17. 11. यष्टव्यमेवेति मनः समाधाय
18. 15. शरीरवाङ्मनोभिः
33. मनःप्राणेन्द्रियक्रियाः

मनसस्पति

Tait. 1. 6. 2. आप्नोति मनसस्पतिम्

मनसिज

Râmap. 3. राहुर्मनसिजं यथा

मनस्य

Chhâ. 7. 3. 1. स यदा मनसा मनस्यति
7. 4. 1. यदा वै सङ्कल्पयतेऽथ मनस्यति
7. 5. 1. अथ सङ्कल्पयते ऽथ मनस्यति

मनस्वन्त्

Maitri. 6. 13. मनस्वान्..भवति यो हैवं वेद

मनीष्, मनीषा

Ait. 5. 2. मनीषा जूतिः स्मृतिः सङ्कल्पः
Katha. 6. 9. हृदा मनीषा मनसाभिक्लृप्तः Śwet. 3. 13; 4. 17, 20 (2 MSS); Mahânâr 1.11.
Mahânâr. 23. 1. मेधया मनीषा मनीषया मनः
Nṛip. 1. 1. हृदि प्रतीष्य कवयो मनीषा
Haṁsa. 2. नैर्ऋत्ये पापे मनीषा

मनीषिन्

Iśâ. 8. कविर्मनीषी परिभूः
Katha. 3. 4. भोक्तेत्याहुर्मनीषिणः
Mahânâr. 23. 1. न्यास इत्याहुर्मनीषिणो ब्रह्माणम्
Gauḍa. 2. 1. वैतथ्यं सर्वभूतानां स्वप्न आहुर्मनीषिणः
5. एकमाहुर्मनीषिणः
4. 54. एवं हेतुफलाजातिं प्रविशन्ति मनीषिणः
Brahma. 3. एको मनीषी निष्क्रियाणां बहूनाम्
Tejo. 2. मुनीनां च मनीषिणाम्
Gîtâ. 2. 51. फलं त्यक्त्वा मनीषिणः
18. 3. इत्येके..प्राहुर्मनीषिणः
5. पावनानि मनीषिणाम्

1. मनु

Chhâ. 3. 11. 4. प्रजापतिर्मनवे मनुः प्रजाभ्यः 8. 15. 1.
Brih. 1. 4. 10. अहं मनुरभवं सूर्यश्च
Nṛip. 4. 3. यो वै नृसिंहः..यश्च मनुस्तस्मै वै नमो नमः (23)
Gîtâ. 4. 1. विवस्वान्मनवे प्राह मनुरिक्ष्वाकवे ऽब्रवीत्
10. 6. चत्वारो मनवस्तथा

2. मनु

Mahânâr. 12. 3. आदित्यो वै..मनो मन्युर्मनुः
Râmot. 4. श्रीरामचन्द्रस्य मनुं जजाप

मनुष्य

Kaush. 3. 1. यं त्वं मनुष्याय हिततमं मन्यसे

Kaush. 3. 1. एतदेवाहं मनुष्याय हिततमं मन्ये
Chhâ. 2. 9. 3. तदस्य मनुष्या अन्वायत्ताः
2. 22. 2. आशां मनुष्येभ्यः (आगायानि)
4. 9. 2. अन्ये मनुष्येभ्य इति प्रतिजज्ञे
7. 2. 1. देवांश्च मनुष्यांश्च 7. 7. 1.
7. 6. 1. ध्यायन्तीव देवमनुष्यास्तस्माद्य इह मनुष्याणां महतां प्राप्नुवन्ति
7. 8. 1. बलेन देवमनुष्याः(तिष्ठन्ति)
7. 10. 1. यद्देवमनुष्याः
Bṛih. 1. 1. 2. अश्वो मनुष्यान् (अवहत्)
1. 4. 3. ततो मनुष्या अजायन्त
9. ब्रह्मविद्यया सर्वं भविष्यन्तो मनुष्या मन्यन्ते
10. तथर्षीणां तथा मनुष्याणाम्
— बहवः पशवो मनुष्यं भुञ्ज्युः
— यदेतन्मनुष्या विद्युः
15. ब्राह्मणो मनुष्येषु (अभवत्)
— लोकमिच्छन्ते ब्राह्मणे मनुष्येषु
16. यन्मनुष्यान्वासयते . . तेन मनुष्याणाम्
1. 5. 2. पयो ह्यग्रे मनुष्याश्च पशवश्चोपजीवन्ति
6. देवाः पितरो मनुष्या एत एव
— प्राणो मनुष्याः
3. 8. 9. ददतो मनुष्याः प्रशंसन्ति
4. 3. 33. स यो मनुष्याणां राद्धः समृद्धः . . स मनुष्याणां परम आनन्दः
— ये शतं मनुष्याणामानन्दाः
5. 2. 1. देवा मनुष्या असुराः
2. अथ हैनं मनुष्या ऊचुर्ब्रवीतु नो भवानिति

Bṛih. 5. 8. 1. हन्तकारं मनुष्याः (उपजीवन्ति)
6. 3. 6. अहं मनुष्याणामेकपुण्डरीकं भूयासम्
Tait. 2. 3. 1. प्राणं देवा अनुप्राणन्ति मनुष्याः पशवश्च ये
Kaṭha. 1. 20. येयं प्रेते विचिकित्सा मनुष्ये
25. न हीदृशा लम्भनीया मनुष्यैः
27. न वित्तेन तर्पणीयो मनुष्यः
2. 2. श्रेयश्च प्रेयश्च मनुष्यमेतः
3. यस्यां मज्जन्ति बहवो मनुष्याः
4. 8. जागृवद्भिर्हविष्मद्भिर्मनुष्येभिः
Maitri. 6. 34. मन एव मनुष्याणां कारणं बन्धमोक्षयोः Brahmab. 2.
Muṇḍ. 2. 1. 7. साध्या मनुष्याः पशवो वयांसि
Mahânâr. 13. 7. मनुष्याः पितरोऽसुराः
Praśna. 5. 1. स यो ह . . मनुष्येषु प्रायणान्तमोङ्कारमभिध्यायीत
Nṛip. 5. 7. स मनुष्यानाकर्षयति
Râmot. 5. देवासुरमनुष्यादिभावात्मा
Gîtâ. 1. 44. उत्सन्नकुलधर्माणां मनुष्याणाम्
3. 23. मनुष्याः पार्थ सर्वशः 4. 11.
4. 18. स बुद्धिमान्मनुष्येषु
7. 3. मनुष्याणां सहस्रेषु
18. 69. न च तस्मान्मनुष्येषु

मनुष्यकाम

Chhâ. 1. 7. 6. तेषां चेष्टे मनुष्यकामानां च
8. तांश्चाप्नोति मनुष्यकामांश्च

मनुष्यकृत

Mahânâr. 18. 1. मनुष्यकृतस्यैनसोऽवयजनमसि

मनुष्यगन्धर्व

Tait. 2. 8. 1. ते ये शतं मानुषा आनन्दाः स एको मनुष्यगन्धर्वाणामानन्दः
— ते ये शतं मनुष्यगन्धर्वाणामानन्दाः स एको देवगन्धर्वाणामानन्दः

मनुष्यज

Mahânâr.16. 6. दैवी मेधा मनुष्यजा

मनुष्यलोक

Bṛih. 1. 5. 16. मनुष्यलोकः पितृलोको देवलोकः
— मनुष्यलोकः पुत्रेणैव जय्यः
3. 1. 8. मनुष्यलोकमेव ताभिर्जयत्यध इव हि मनुष्यलोकः

Praśna. 3. 7. उभाभ्यामेव मनुष्यलोकं (नयति)
5. 3. तमृचो मनुष्यलोकमुपनयन्ते

Gîtâ. 15. 2. कर्मानुबन्धीनि मनुष्यलोके

मनोकृत

Praśna. 3. 3. मनोकृतेनायात्यस्मिञ्छरीरे

मनोगत

Parama. 3. सर्वे कामा मनोगता व्यावर्त्तन्ते (सर्वान् कामानात्मनो गतान् व्यावर्त्तैरन् MSS.)

Gîtâ. 2. 55. सर्वान्पार्थ मनोगतान्

मनोजवा

Muṇḍ.1. 2. 4. काली कराली च मनोजवा च

मनोदृश्य

Gauḍa. 3. 31. मनोदृश्यमिदं द्वैतम्

मनोद्वार

Kshur. 12. मनोद्वारेण तीक्ष्णेन

मनोनाश

Mukti. 2. 10. वासनाक्षयविज्ञानमनोनाशाः
35. सरूपो ऽसौ मनोनाशः
36. अरूपस्तु मनोनाशः
39. मनोनाशो महोदयः

मनोनुकूल

Śwet. 2. 10. मनोनुकूले न तु चक्षुपीडने

मनोन्मन

Mahânâr. 17. 2. मनोन्मनाय नमः

मनोपेत

Kaush. 3 3. जीवति मनोपेतो बालान्हि पश्यामः

मनोमय

Chhâ. 3. 14. 2. मनोमयः प्राणशरीरः Maitri. 2. 6.

Bṛih. 1. 5. 3. वाङ्मयो मनोमयः प्राणमयः
4. 4. 5. विज्ञानमयो मनोमयः प्राणमयः
5. 6. 1. मनोमयो ऽयं पुरुषो भाः सत्यः

Tait. 1. 6 1. तस्मिन्नयं पुरुषो मनोमयः
2. 3. 1. अन्यो ऽन्तर आत्मा मनोमयः
2. 4. 1. एतस्मान्मनोमयादन्योऽन्तर आत्मा विज्ञानमयः
2. 8. 1. एतं मनोमयमात्मानमुपसंक्रामति 3. 10. 5 (उपसंक्रम्य)

Muṇḍ.2. 2. 7. मनोमयः प्राणशरीरनेता

Amṛita. 17. कृत्वा मनोमयीं रक्षाम्

Sarvop. 1. मनोमयो विज्ञानमय आनन्दमयः कथम्

Sarvop. 2. तदा मनोमयः कोश इत्यु-
च्यते

मनोरथ

Gîtâ. 16. 13. इमं प्राप्स्ये मनोरथम्

मनोविद्

Gauḍa. 2. 25. मन इति मनोविदः

मनोवृत्ति

Mukti. 2. 53. ब्रह्माकारमनोवृत्तिप्रवाहः

मन्तृ

Kaush. 3. 8. न मनो विजिज्ञासीत मन्ता-
रं विद्यात्

Chhâ. 7. 8. 1. उपसीदन्..मन्ता भवति

7. 9. 1. अन्नस्याये..मन्ता भवति

Bṛih. 3. 4. 2. न मतेर्मन्तारं मन्वीथाः

3. 7. 23. अमतो मन्ता

— नान्यो ऽतो ऽस्ति मन्ता

3. 8. 11. अमतं मन्तृ

— नान्यदतो ऽस्ति मन्तृ

4. 3. 28. न हि मन्तुर्मतेर्विपरिलोपः

Maitri. 6. 7. चेता मन्ता गन्तोत्स्रष्टा

11. यदि खल्वभाति..मन्ता
भवति

Praśna. 4. 9. एष हि..मन्ता बोद्धा कर्त्ता

मन्त्र्

Bṛih. 3. 2. 13. तौ होत्क्रम्य मन्त्रयाञ्चक्राते

मन्त्र

Chhâ. 7. 3. 1. मन्त्रानधीयीय

7. 4. 1. नाम्नि मन्त्रा एकं भवन्ति
मन्त्रेषु कर्माणि 7. 5. 1.

2. प्राणानां संकॢप्त्यै मन्त्राः सं-
कल्पन्ते मन्त्राणां संकॢप्त्यै
कर्माणि संकल्पन्ते

7. 14. 1. आशेद्धो वै स्मरो मन्त्रा-
नधीते

Chhâ. 7. 26. 1. आत्मतो मन्त्राः

Maitri. 6. 9. मन्त्रं पठति

16. होता भोक्ता हविर्मन्त्रः

36. *vide* आदि

Muṇḍ. 1. 2. 1. मन्त्रेषु कर्माणि..अपश्यन्

Praśna. 6. 4. अन्नाद्वीर्यं तपो मन्त्राः

Nṛip. 2 1. सार्थवर्णैर्मन्त्रैरथर्ववेदः
Nṛisut. 3; Śikhâ. 1.

4. प्र नूनं ब्रह्मणस्पतिर्मन्त्रं
वदत्युक्थम्

4. 3. कैर्मन्त्रैर्देवः स्तुतः प्रीतो भ-
वति

— एतैर्द्वात्रिंशन्मन्त्रैर्नित्यं देवं
स्तुवध्वम्

— य एतैर्मन्त्रैर्नित्यं देवं स्तौति

Nṛip. 5. 2. सर्वेषां मन्त्राणामुपदेष्टा भ-
वति

Nâda. 5. मन्त्र एव प्रदर्शितः

Amṛita. 21. क्रमशो मन्त्र निर्दिशेत्
(so MSS; मन्त्र=भन्त्रम्
Nârâyaṇa).

Yogaśi. 1. यदा तु ध्यायते मन्त्रम्

Nyâsa. 1. प्रेतस्य मन्त्रैः संस्कारोपति-
ष्ठते

Parama 3. न मन्त्रं न ध्यानं नोपासनं
च

Aruṇeya. 4. इत्यनेन मन्त्रेण कृत्वा

Kâlâg. 1. के मन्त्राः काः शक्तयः

Jâbâla. 4. अनेन मन्त्रेणाभिमाजिघ्रेत्

Vâsu. 1. द्रव्यमन्त्रस्थानादिसहितम्

4. अग्नेर्भस्मासीदं विष्णुस्त्रीणि
पदेति मन्त्रैः

Râmap. 11. मन्त्रो ऽन्वर्थादिसंज्ञकः

12. अर्थं मन्त्रो वदत्ययम्

— मननात्त्राणनान्मन्त्रः

20. मन्त्रो ऽयं वाचकः

23. सर्वेषामेव मन्त्राणाम्

Râmap. 29. तथैव तस्य मन्त्रांश्च
67. मन्त्रान्मन्त्री समालिखेत्

Râmot. 4. मन्त्रेणानेन मां शिव
— उपदेक्ष्यसि मन्मन्त्रम्
5. कैर्मन्त्रैः स्तुतः..प्रीतो भवति
— एतैः सप्तचत्वारिंशन्मन्त्रैः
— य एतैर्मन्त्रैर्नित्यं देवं स्तौति

Mukti. 2. 12. मन्त्राः संकीलिता इव

Gîtâ. 9. 16. मन्त्रो ऽहमहमेवाज्यम्

मन्त्रद्वय

Râmap. 72. लिखेन्मन्त्रद्वयं तथा

मन्त्रराज

Nṛip. 1. 1. स एतं मन्त्रराजं नारसिंहमानुष्टुभमपश्यत्
2. 1. मन्त्रराजं..प्रायच्छत्
— मन्त्रराजं..प्रतिगृह्णीयात्
3. 1. मन्त्रराजस्य..शक्तिं..ब्रूहि
4. 1. मन्त्रराजस्य..अङ्गमन्त्रान्नो ब्रूहि
5. 2. द्वात्रिंशदक्षरं मन्त्रराजम्
3. मन्त्रराजस्य..फलं नो ब्रूहि
— य एतं मन्त्रराजं..नित्यमधीते 4–9.

Nṛisut. 2. मन्त्रराजेन तुरीयं विद्यात्

मन्त्रराजजापक

Nṛip. 5. 10. एकेन मन्त्रराजजापकेन तत्समम्

मन्त्रराजाध्यायिक

Nṛip. 5. 10. तद्वा एतत्परमं धाम मन्त्रराजाध्यायिकस्य

मन्त्रराजार्ण

Râmap. 69. विलिखेन्मन्त्रराजार्णान्

मन्त्रविद्

Chhâ. 7. 1. 3. मन्त्रविदेवास्मि नात्मवित्

मन्त्रसंयुक्त

Chûl. 13. मन्त्रसंयुक्तैरथर्वविहितैः

मन्त्रसिद्ध

Râmot. 4. जीवन्तो मन्त्रसिद्धाः स्युः

मन्त्रहीन

Gîtâ. 17. 13. मन्त्रहीनमदक्षिणम्

मन्त्रार्थ

Maitri. 6. 34. मन्त्रार्थं विचिनोति

मन्त्रिका

Mukti. 1. 32. सुबालक्षुरिमन्त्रिका
1. *vide* मुक्तिका

मन्त्रिन्

Râmap.- 11. जप्तव्यो मन्त्रिणा
62. लिख्य मन्त्र्यभितो गिरम्
67. मन्त्रान्मन्त्री समालिखेत्

मन्त्रोपनिषद्

Chûl. 10. मन्त्रोपनिषदं ब्रह्म (उपनिषद्शब्दो ऽकारान्तो नपुंसकमस्ति Nârâyaṇa).

मन्त्रोपासक

Nâr. 5. ओं नमो नारायणायेति मन्त्रोपासकः Atmapra. 1 (one MS. has, मन्त्रोपासनं and another मन्त्रोपायनं followed by गमयिष्यति)

मन्थ

Chhâ. 5. 2. 4. सर्वौषधस्य मन्थम्
— मन्थे सम्पातमवनयेत्
5 (4 times).

Chhâ. 5. 2. 6. अञ्जलौ मन्थमाधाय

Bṛih. 6. 3. 1. मन्थं सन्नीय जुहोति

2. मन्थे संस्रवमवनयति (20 times).

मन्थन

Chhâ. 1. 3. 5. अग्नेर्मन्थनम्

मन्थानभूत

Brahmab. 20. मनसा मन्थानभूतेन

मन्द

Kaṭha. 2. 2. प्रेयो मन्दो योगक्षेमाद्वृणीते

Gîtâ. 3. 29. तानकृत्स्नविदो मन्दान्

मन्द्र

Maitri. 7. 11. मन्द्रं जनयति स्वरम्

मन्मनस्

Gîtâ. 9. 34. मन्मना भव मद्भक्तः 18. 65.

मन्मय

Gîtâ. 4. 10. वीतरागभयक्रोधा मन्मयाः

मन्यु

Mahânâr. 12. 3. आदित्यो वै . . मनो मन्युः

14. 3. मन्युश्च मन्युपतयश्च . . रक्षन्ताम् 4.

18. 3. मन्युरकार्षीन्नाहं करोमि मन्युः करोति मन्युः कर्त्ता मन्युः कारयिता एतत्ते मन्यो मन्यवे स्वाहा

25. 1. मन्युः पशुः

Nyâsa. 3. यन्मन्युर्जायामावहत् Kaṭhaśru. 4.

मन्युकृत

Mahânâr. 14. 3. मन्युपतयश्च मन्युकृतेभ्यः पापेभ्यो रक्षन्ताम् 4.

मन्युपति

Mahânâr. 14. 3. मन्युपतयश्च . . रक्षन्ताम् 4.

मन्वन्तर

Râmot. 4. मन्वन्तरसहस्रैस्तु

मन्वीश

Śwet. 3. 13. हृदा मन्वीशो मनसाभिक्लृप्तः (this has very slight authority; *vide* मनीष्)

ममत्व

Aruṇeya. 3. *vide* आदि

मयूख

Maitri. 6. 26. सूर्यान्मयूखाश्च तथैव 31.

35. आदित्यस्य मध्ये उदित्वा मयूखे भवतः

मयोभू

Bṛih. 6. 4. 27. यो मयोभूर्यो रत्नधाः

मर

Ait. 1. 2. अंभो मरीचीर्मरमापः — पृथिवी मरः

मरण

Chhâ. 3. 17. 5. तन्मरणमेवास्यावभृथः

Kaṭha. 1. 25. मरणं मानुप्राक्षीः

5. 6. यथा च मरणं प्राप्य आत्मा भवति

Mahânâr. 25. 1. यन्मरणं तदवभृथः

Gauḍa. 3. 9. मरणे संभवे चैव

Prâṇâg. 4. अवभृथं मरणात् (one MS. has मरणं)

Śiras. 4. *vide* महाभय

Râmap. 2. राक्षसा येन मरणं यान्ति

Râmot. 2. *vide* महद्भय

Mukti. 1. 20. यत्र कुत्रापि वा काश्यां मरणे

2. 25. जन्मजरामरणकारणम्

Gîtâ. 2. 34. मरणादतिरिच्यते

1. मरीचि

Ait. 1. 2. अंभो मरीचीर्मरमापः
— अन्तरिक्षं मरीचयः

Chhâ. 2. 21. 1. नक्षत्राणि वयांसि मरीचयः स प्रतिहारः

3. 1. 1. मरीचयः पुत्राः

Maitri. 6. 31. भानवीयाश्च मरीचयः

Praśna. 4. 2. यथा . . मरीचयो ऽर्कस्यास्तं गच्छतः

2. मरीचि

Gîtâ. 10. 21. मरीचिर्मरुतामस्मि

मरुत्

Chhâ. 3. 9. 1. तन्मरुत उपजीवन्ति सोमेन मुखेन

3. मरुतामेवैको भूत्वा

4. मरुतामेव तावदाधिपत्यं स्वाराज्यं पर्येता

Bṛih. 1. 4. 12. विश्वेदेवा मरुत इति

Mahânâr. 20. 2. मरुद्भिः सोमं पिब वृत्रहन्

Maitri. 2. 1. मरुन्नाम्नेति विश्रुतो ऽसि

6. 30. तस्मै नमस्कृत्वा . . मरुदुत्तरायणं गतः

7. 3. मरुतः . . पश्चादुद्यन्ति

Nṛip. 2. 1. संवर्त्तको ऽग्निर्मरुतो विराट्
Nṛisut. 3 ; Sikhâ. 1.

Nîla. 22. भवेन मरुतां पिता

Gîtâ. 10. 21. मरीचिर्मरुतामस्मि

11. 6. अश्विनौ मरुतस्तथा

22. मरुतश्चोष्मपाश्च

मरुतात्मज

Mukti. 1. 12. शाखा यजुषो मरुतात्मज

मरुत्त

Maitri. 1. 4. मरुत्तभरतप्रभृतयः

मरुत्सुत

Mukti. 2. 9. न दोषाय मरुत्सुत

मरुद्वृधा

Mahânâr. 5. 4. मरुद्वृधे वितस्तया . . शृणुह्या

मर्त्कारी

Gâruḍa. 2. ओं तर्त्कारीं मर्त्कारीम् (so 3 MSS.; two others तत्कारीं मत्कारीं ; Weber तर्त्कारीं सत्का)

मर्त्य

Chhâ. 4. 3. 6. तं . . नाभिपश्यन्ति मर्त्याः

7. 24. 1. यदल्पं तन्मर्त्यम्

8. 3. 5. यत्ति तन्मर्त्यम्

8. 12. 1. मर्त्यं वा इदं शरीरमात्तं मृत्युना

Bṛih. 1. 4. 6. मर्त्यः सन्नमृतानसृजत

2. 3. 1. द्वे वाव ब्रह्मणो रूपे . . मर्त्यं चामूर्तं च

2. एतन्मर्त्यमेतत् स्थितमेतत्सत्

— एतस्य मर्त्यस्यैतस्य स्थितस्यैतस्य सत एष रसः 4.

3. 9. 4. यदास्माच्छरीरान्मर्त्यादुत्क्रामन्ति

28. मर्त्यः स्विन्मृत्युना वृक्णः (bis).

4. 4. 7. अथ मर्त्यो ऽमृतो भवति
Kaṭha. 6. 14, 15.

6. 2. 2. द्वे सृती अशृणवं पितृणामहं देवानामुत मर्त्यानाम्

Kaṭha. 1. 6. सस्यमिव मर्त्यः पच्यते

26. मर्त्यस्य . . सर्वेन्द्रियाणां जरयन्ति तेजः

28. जीर्यन्मर्त्यः क्वधःस्थः

2. 13. एतच्छ्रुत्वा संपरिगृह्य मर्त्यः

5. 5. न प्राणेन नापानेन मर्त्यो जीवति कश्चन

Maitri. 4. 2. मर्त्ये ऽनर्था इवास्थिताः
Mahânâr.10. 1. महो देवो मर्त्यॉं आविवेश
Gauḍa. 3. 21. न भवत्यमृतं मर्त्यं न मर्त्यममृतं तथा 4. 7.
Śiras. 3. किमु धूर्त्तिरमृतं मर्त्यं च (one MS. has मर्त्यस्य with Rig-veda).
Gîtâ. 10. 3. असम्मूढः स मर्त्येषु

मर्त्त्यता

Gauḍa. 3. 19. मर्त्त्यताममृतं व्रजेत्
20. मर्त्त्यतां कथमेष्यति 4. 6.
22. स्वभावेनामृतो यस्य भावो गच्छति मर्त्त्यताम्
4. 8. स्वभावेनामृतो यस्य धर्मो गच्छति मर्त्त्यताम्

मर्त्यरूप

Râmap. 3. राक्षसान्मर्त्यरूपेण

मर्त्यलोक

Kaṭha. 1. 25. ये ये कामा दुर्लभा मर्त्यलोके
Gîtâ. 9. 21. क्षीणे पुण्ये मर्त्यलोकं विशन्ति

मर्मजंघानुकीर्त्तन

Kshur. 13. इन्द्रवज्र इति प्रोक्तो मर्मजंघानुकीर्त्तनम्

मर्मन्

Garbha. 5. सप्तोत्तरं मर्मशतम्

मर्मप्राणविमोचन

Kshur. 14. ऊरोर्मध्ये तु संस्थाप्य मर्मप्राणविमोचनम्

मर्य

Bṛih. 6. 4. 4. बहवो मर्या ब्राह्मणायनाः ..प्रयन्ति

मल

Maitri. 6. 34. समाधिनिर्धौतमलस्य चेतसः
Gauḍa. 3. 8. गगनं मलिनं मलैः..आत्मापि मलिनो मलैः
Amṛita. 7. दह्यन्ते धमनान्मलाः
Skanda. 12. स्नानं मनोमलत्यागः
Gîtâ. 3. 38. यथादर्शो मलेन च

मलिन

Gauḍa. 3. 8. गगनं मलिनं मलैः..आत्मापि मलिनो मलैः
Mukti. 2. 61. शुद्धा च मलिना तथा — मलिना जन्महेतुः स्यात्
62. पुनर्जन्मकरी प्रोक्ता मलिना वासना

मलोद्वासस्

Bṛih. 6. 4. 6. श्रीर्ह वा एषा स्त्रीणां यन्मलोद्वासास्तस्मान्मलोद्वाससं..अभिक्रम्योपमन्त्रयेत

मशक

Chhâ. 6 9. 3. दंशो वा मशको वा 6. 10. 2.
Bṛih. 1. 3. 22. समो मशकेन
Maitri. 1. 4. यथेमे दंशमशकादयः

मसूर

Bṛih. 6. 3. 13. गोधूमाश्च मसूराश्च

मस्तक

Mahânâr.11. 11. आपादतलमस्तकम्

मस्तिष्क

Śiras. 6. मस्तिष्कादूर्ध्वः प्रेरयत्पवमानः

मह्

Chhâ. 8. 8. 4. आत्मैवेह महय्यः

Chhâ. 8. 8. 4. आत्मानमेवेह महयन्
Śiras. 4. महति महीयते

मह *adj.*

Śwet. 2. 4. मही देवस्य सवितुः परिष्टुतिः
Maitri. 6. 38. महो देवो भुवनान्याविवेश
Mahânâr. 10. 1. महो देवो मर्त्यां आविवेश

महत्

Ait. 2. 1. महत्यर्णवे प्रापतन्
Kaush. 1. 7. ब्रह्ममयो महानिति
Kena. 13. न चेदिहावेदीन्महती विनष्टिः
Chhâ. 2. 11. 2. महान् प्रजया पशुभिर्भवति महान् कीर्त्या 12. 2; 13. 2; 14. 2; 15. 2; 16. 2; 17. 2; 18. 2; 19. 2; 20. 2.
4. 3. 7. महान्तमस्य महिमानमाहुः
5. 2. 4. यदि महज्जिगमिषेत्
6. 7. 3. यथा सोम्य महतो ऽभ्याहितस्य 5.
6. 11. 1. महतो वृक्षस्य यो मूले ऽभ्याहन्यात्
Bṛih. 1. 4. 15. महत्पुण्यं कर्म करोति
2. 4. 10. अस्य महतो भूतस्य निःश्वसितम् 4. 5. 11; Maitri. 6. 32.
12. एवं वा अर इदं महद्भूतम्
4. 2. 1. यथा वै .. महान्तमध्वानमेष्यन्
4. 4. 14. न चेदवेदिर्महती विनाष्टिः [a MS. in Poona College reads न चेदवेदीः &c.]
20. अज आत्मा महान् ध्रुवः
22. स वा एष महानजः 24, 25.
5. 4. 1. महद्यक्षं प्रथमजं वेद
6. 3. 1. स यः कामयेत महत्प्राप्नुयाम्

Tait. 3. 6. 1. महान् भवति प्रजया पशुभिर्ब्रह्मवर्चसेन महान् कीर्त्या 3. 7. 1; 3. 8. 1; 3. 9. 1.
3. 10. 3. तन्मह इत्युपासीत महान् भवति
Kaṭha. 1. 23. भूमेर्महदायतनं वृणीष्व
29. यत्साम्पराये महति ब्रूहि नस्तत्
2. 20. महतो महीयान् Śwet. 3. 20; Mahânâr. 1. 1; 8. 3.
22. महान्तं विभुमात्मानं मत्वा 4. 4.
3. 10. बुद्धेरात्मा महान् परः
11. महतः परमव्यक्तम्
13. ज्ञानमात्मनि महति नियच्छेत्
15. अनाद्यनन्तं महतः परम्
6. 2. महद्भयं वज्रमुद्यतम्
7. सत्त्वादधि महानात्मा महतो ऽव्यक्तमुत्तमम्
Śwet. 3. 8. वेदाहमेतं पुरुषं महान्तम्
12. महान् प्रभुर्वै पुरुषः
19. तमाहुरग्र्यं पुरुषं महान्तम्
Maitri. 1. 4. महतीं श्रियं त्यक्त्वा
6. 6. चक्षुरायत्ता हि पुरुषस्य महती मात्रा
Muṇḍ. 2. 2. 1. आविः सन्निहितं गुहाचरं नाम महत्पदम्
Mahânâr. 1. 5. यन्महतो महान्तम्
11. 8. विश्वस्यायतनं महत् Kaivalya. 16; Brahma. 3; Dhyâna. 23.
10. तस्य मध्ये महानग्निः
20. 11. महाँ इन्द्रो वज्रबाहुः
Kaivalya. 20. तद्वन्महानहम्
Nṛip. 3. 1. महतीं श्रियमश्नुते 4. 2.
— महतीं श्रियमाप्नुयात्

Nṛip. 5. 2. एतन्महाचक्रं..वेद स महान् भवति

Nṛisut. 4. एष एव महान्

5. एष एव महानेष हि व्याप्ततमः

— एष एव महानेष ह्येवोत्कृष्टः

— एतदेव महदेताद्धि महाविभूति

6. महान्तममहान्तं .. बुबुधिरे

Kshur. 10. पुरुषायतनं महत्

Śiras. 4. अव्यक्ते महति तमसि द्योतयति

Garbha. 4. यन्त्रेणापीड्यमानो महता दुःखेन

Mahâ. 3. तस्य मध्ये महानर्चिः (so MSS; cf Mahânâr. 11)

Brahma. 2. त्रिवृत् सूत्रं च यन्महत्

Prâṇâg. 2. महानवो ऽयं पुरुषः

Nâda. 11. नवमी महती नाम

Gopî. 2. प्रकृतिमहदहमाद्याः

Râmot. 2. स महान् भवति

Mukti. 1. 35. महच्छारीरकं शिखा

1. *vide* जाबालि

Gîtâ. 1. 3. पश्यैतां..महतीं चमूम्

14. महति स्यन्दने स्थितौ

45. अहो बत महत्पापम्

2. 40. त्रायते महतो भयात्

4. 2. स कालेनेह महता

9. 6. वायुः सर्वत्रगो महान्

11. 23. रूपं महत्ते बहुवक्त्रनेत्रम्

14. 3. मम योनिर्महद्ब्रह्म

4. तासां ब्रह्म महद्योनिः

18. 77. विस्मयो मे महान् राजन्

महता

Chhâ. 7. 6. 1. य इह मनुष्याणां महतां प्राप्नुवन्ति

महत्तर

Maitri. 7. 11. तेभ्यस्तुर्यं महत्तरम्

महत्त्व

Nṛisut. 7. महत्त्वान्महत्त्वात्

— उग्रत्वाद्वीरत्वान्महत्त्वात् (bis).

महदाद्य

Maitri. 6. 10. महदाद्यं विशेषान्तम्

Gopî. 4. महदाद्या ब्रह्मणो महामायासंमिलितात्

महद्भय

Râmot. 2. गर्भजन्मजरामरणसंसारमहद्भयात्

महद्यशस्

Śwet. 4. 19. यस्य नाम महद्यशः

Mahânâr. 1. 10 (तस्य)

महर्

Mahânâr. 15. 2. ओं महः

3. भूर्भुवः सुवर्महर्जनस्तपः सत्यम्

Śiras. 2. यो वै रुद्रः..यच्च महः (some MSS. omit).

महर्जगत्

Nâda. 3. नाभिदेशे महर्जगत्

महर्त्विज्

Prâṇâg. 4. वेदा महर्त्विजः

महर्लोक

Nṛip. 5. 6. स महर्लोकं जयति

Nâda. 16. नवम्यां च महर्लोकम्

Aruṇeya. 1. *vide* तपोलोक

महर्षि

Śwet. 3. 4. विश्वाधिको रुद्रो महर्षिः

4. 12; Mahânâr. 10. 3.

Gîtâ. 10. 2. न मे विदुः सुरगणाः प्रभवं न महर्षयः
— महर्षीणां च सर्वशः
6. महर्षयः सप्त पूर्वे
25. महर्षीणां भृगुरहम्
11. 22. महर्षिसिद्धसंघाः

महस्

Chhâ. 3. 13. 5. एतदोजश्च महश्चेत्युपासीत
Tait. 1. 5. 1. चतुर्थीं माहाचमस्यः प्रवेदयते मह इति तद्ब्रह्म
2. मह इत्यादित्यः
— मह इति चन्द्रमाः
3. मह इति ब्रह्म
— मह इत्यन्नम्
1. 6. 2. मह इति ब्रह्मणि (प्रतितिष्ठति)
2. 4. 1. महः पुच्छं प्रतिष्ठा
3. 10. 3. तन्मह इत्युपासीत महान् भवति
Mahânâr. 13. 2. पुरुषो वै रुद्रस्तन्महः
24. 1. उपयामगृहीतो ऽसि ब्रह्मणे त्वा महसे

महस्त्व

Nṛisut. 7. महस्त्वान्महस्त्वात्

महस्वन्त्

Chhâ. 3. 13. 5. ओजस्वी महस्वान् भवति
Mahânâr.24. 1. श्रद्धासत्यो महस्वान्

महाकपि

Mukti. 2. 17. आचराशु महाकपे

महाकारण

Nṛisut. 3. महासूक्ष्मं महाकारणे च संहृत्य

महाग्रास

Siras. 3. तस्मै महाग्रासाय वै नमो नमः

महाचक्र

Nṛip. 5. 1. महाचक्रं नाम चक्रं नो ब्रूहि
— षडरं वा एतत् सुदर्शनं महाचक्रम्
2. तदेव चक्रं सुदर्शनं महाचक्रम्
— तद्वा एतन्महाचक्रं सार्वकामिकं मोक्षद्वारम्
— एतन्महाचक्रं बालो वा युवा वा वेद स महान् भवति

महाचित्त्व

Nṛisut. 7. महासत्त्वान्महाचित्त्वान्महानन्दत्वात्

महाचैतन्य

Nṛisut. 2. ततो ऽविक्रियो महाचैतन्यः

महाज्ञान

Gauḍa. 4. 95. ते हि लोके महाज्ञानाः

महाज्ञेय

Mahânâr.11. 3. नारायणं महाज्ञेयम्

महातपस्

Dhyâna. 2. महामायो महातपाः (one MS. omits); Yogat. 2.

महात्मन्

Chhâ. 4. 3. 6. महात्मनश्चतुरो देव एकः कः स जगार
Kaṭha. 1. 16. तमब्रवीत्प्रीयमाणो महात्मा
Śwet. 4. 17. एष देवो विश्वकर्मा महात्मा
5. 3. सर्वाधिपत्यं कुरुते महात्मा
6. 23. तस्यैते कथिता ह्यर्थाः प्रकाशन्ते महात्मनः
Maitri. 6. 15. कालः पचति भूतानि सर्वाण्येव महात्मनि

Maitri. 7. 11. द्वैतीभावो महात्मनः
Chûl. 8. पश्यन्त्यस्यां महात्मानम्
Gîtâ. 7. 19. स महात्मा सुदुर्लभः
8. 15. नाप्नुवन्ति महात्मानः
9. 13. महात्मानस्तु मां पार्थ
11. 12. भासस्तस्य महात्मनः
20. लोकत्रयं प्रव्यथितं महात्मन्
37. कस्माच्च ते न नमेरन्महात्मन्
50. भूत्वा पुनः सौम्यवपुर्महात्मा
18. 74. पार्थस्य च महात्मनः

महात्मवन्त्

Nâda. 13. भवेद्यक्षो महात्मवान्

महादुर्गा

Mahânâr. 3. 13. महादुर्गायै धीमहि

महादेव

Mahânâr. 3. 1. सहस्राक्षस्य महादेवस्य धीमहि
2. महादेवाय धीमहि 17. 4.
Skanda. 1. अच्युतो ऽस्मि महादेव
4. स एव हि महादेवः
Râmot. 5. यो वै श्रीरामः. . यश्च महादेवः (43).

महादेवत्व

Nṛisut. 7. महादेवत्वान्महेश्वरत्वात्

महाद्युतिकर

Mahânâr. 3. 9. महाद्युतिकराय धीमहि

महाद्रुम

Râmap. 15. प्राकृतश्च महाद्रुमः

महाधनुर्धर

Maitri. 1. 4. महाधनुर्धराश्चक्रवर्त्तिनः

महाधी

Ganda. 4. 89. सर्वज्ञता हि सर्वत्र भवतीह महाधियः

महानदी

Maitri. 4. 2. महानदीषूर्मय इवानिवर्तकमस्य यत्पुराकृतम्

महानन्द

Nṛisut. 8. एतदद्वयं स्वप्रकाशं महानन्दमात्मैव

महानन्दत्व

Nṛisut. 7. महासत्त्वान्महाचित्त्वान्महानन्दत्वात्

महानारायण

Mukti. 1. 34. महानारायणाद्वयम्
1. *vide* गारुड

महानुभाव

Gîtâ. 2. 5. गुरूनहत्वा हि महानुभावान्

महान्धकार

Maitri. 4. 2. महान्धकारमिव रागान्धम्

महान्यग्रोध

Chhâ. 6. 12. 2. अणिम्न एव महान्यग्रोधस्तिष्ठति

महापथ

Chhâ. 8. 6. 2. महापथ आतत उभौ ग्रामौ गच्छति

महापद्म

Râmap. 68. द्वात्रिंशारं महापद्मम्

महापद्मक

Gâruḍa. 3. यदि महापद्मकदूतस्त्वं यदि वा महापद्मकः स्वयम्

महापातक

Kâlâg. 2. समस्तमहापातकोपपातकेभ्यः

Vâsu. 4. सर्वमहापातकेभ्यः

महापाप्मन्

Gîtâ. 3. 37. महाशनो महापाप्मा

महापीठ

Nrisut. 3. महापीठे सपरिवारं तं.. सन्दध्यात्

महापुरुष

Parama. 1. स एव वेदपुरुषः..महापुरुषः

महाप्रभुत्व

Nṛisut. 7. महानन्दत्वान्महाप्रभुत्वाच्च

महाप्रस्थान

Kaṭhaśru. 3. महाप्रस्थानं वृद्धाश्रमं वा गच्छेत्

Jâbâla. 5. वीराध्वाने वा .. महाप्रस्थाने वा

महाबाहु

Mukti. 1. 7. साधु पृष्टं महाबाहो

Gîtâ. 1. 18. सौभद्रश्च महाबाहुः
2. 26. तथापि त्वं महाबाहो
68. तस्माद्यस्य महाबाहो
3. 28. तत्त्ववित्तु महाबाहो
43. जहि शत्रुं महाबाहो
5. 3. निर्द्वन्द्वो हि महाबाहो
6. 35. असंशयं महाबाहो
38. अप्रतिष्ठो महाबाहो
7. 5. जीवभूतां महाबाहो
10. 1. भूय एव महाबाहो
11. 23. रूपं महत्ते..महाबाहो
14. 5. निबध्नन्ति महाबाहो

Gîtâ. 18. 1. सन्न्यासस्य महाबाहो तत्त्वम्
13. महाबाहो..निबोध मे

महाब्राह्मण

Bṛih. 2. 1. 18. महाराजो भवत्युतेव महाब्राह्मणः
19. महाराजो वा महाब्राह्मणो वा

महाभय

Śiras. 4. गर्भजन्मव्याधिजरामरणसंसारमहाभयात्तारयति

महाभूत

Prâṇâg. 4. महाभूतानि प्रयाजाः

Gîtâ. 13. 5. महाभूतान्यहंकारः

महाभूमि

Kaṭha. 1. 24. महाभूमौ नचिकेतस्त्वमेधि

महामति

Amṛita. 22. दृष्टिं विनिधार्य महामतिः

महामत्स्य

Bṛih. 4. 3. 18. यथा महामत्स्य उभे कूले ऽनुसञ्चरति

महामनस्

Chhâ. 2. 11. 2. महामनाः स्यात्तद्व्रतम्
6. 1. 2. महामना अनूचानमानी 3.

महामाय

Nṛisut. 5. महामायं महाविभूति

Dhyâna. 2. महामायो महातपाः
Yogat. 2 (in both places Nârâyaṇa reads महाकायः, but would omit the passage altogether from Dhyânabindu.

Gopî. 2. प्रकृतिमयदहमाया महामायाः

महामाया

Gopî. 4. ब्रह्मणो महामायासम्मिलितात्

महामुनि

Gauḍa. 1. 22. वन्यथैष महामुनिः

महायोगिन्

Dhyâna. 2. विष्णुर्नाम महायोगी (one MS. omits); Yogat. 2.

महायोगेश्वर

Gîtâ. 11. 9. महायोगेश्वरो हरिः

महारथ

Gîtâ. 1. 4. द्रुपदश्च महारथः
6. सर्वे एव महारथाः
17. शिखण्डी च महारथः
2. 35. मंस्यन्ते त्वां महारथाः

महाराज

Bṛih. 2. 1. 18. उतेव महाराजो भवति
— यथा महाराजो जानपदान् गृहीत्वा
19. यथा कुमारो वा महाराजो वा

Maitri. 2. 1. महाराज बृहद्रथ

महारौरव

Parama. 3. स याति नरकान् घोरान् महारौरवमेव च (MSS.)

महार्णव

Maitri. 1. 4. अन्यानां शोषणं महार्णवानाम्

महालक्ष्मी

Mahânâr. 4. 9. तन्नो महालक्ष्मीः प्रचोदयात् Nṛip. 4. 2.

Nṛip. 1. 3. चतुर्विंशत्यक्षरा महालक्ष्मीर्यजुः
4. 2. एषा ह वै महालक्ष्मीर्यजुर्गायत्री
— य एतां महालक्ष्मीं याजुर्षीं वेद

महावाक्य

Mukti. 1. 38. *vide* अग्निहोत्रक
1. *vide* गारुड

महाविद्या

Gâruḍa. 3. य इमां महाविद्याममावास्यायां शृणुयात्
— य इमां महाविद्याममावास्यायामधीयानो धारयेत्

महाविभूति

Nṛisut. 5. महामायं महाविभूति
— एतदेवोममेतद्धि महाविभूति (so with each word of the Mantra.)
— चिन्मात्रं महाविभूतिम्

महाविभूत्यर्थ

Nṛisut. 5. मकारो महाविभूत्यर्थः

महाविष्णु

Nṛip. 1. 6. महा प्रथमान्तार्द्धस्याद्यम्
7. विष्णुं प्रथमस्यान्त्यम्
— स कृतपुरश्चरणो ऽपि महाविष्णुर्भवति
2. 3. महाविष्णुं तृतीयं (स्थानं जानीयात्)
4. कस्मादुच्यते महाविष्णुमिति
— तस्मादुच्यते महाविष्णुमिति

Râmap. 1. चिन्मये ऽस्मिन्महाविष्णौ

Râmot. 5. विश्वंधरं महाविष्णुम्
— यो वै श्रीरामः.. महाविष्णुः (44).

महावीर

Dhyâna. 11. चतुर्भुजं महावीरम्

महावृष

Chhâ. 4. 2. 5. ते हैते रैक्कपर्णा नाम म-
हावृषेषु

महाव्याधि

Kṛish. 17. अघासुरो महाव्याधिः

महाशंख

Gîtâ. 1. 15. पौण्ड्रं दध्मौ महाशंखम्

महाशन

Gîtâ. 3. 37. महाशनो महापाप्मा

महाशाल

Chhâ. 5. 11. 1. एते महाशाला महाश्रो-
त्रियाः
3. इमे महाशाला महाश्रो-
त्रियाः
6. 4. 5. पूर्वे महाशाला महाश्रो-
त्रियाः

Muṇḍ. 1. 1. 3. शौनको ह वै महाशालः
Brahma. 1.

महाशूलिनी

Mahânâr. 3. 13. महाशूलिन्यै विद्महे

महाश्रोत्रिय

Chhâ. 5. 11. 1. एते महाशाला महाश्रो-
त्रियाः
3. इमे महाशाला महाश्रो-
त्रियाः
6. 4. 5. पूर्वे महाशाला महाश्रो-
त्रियाः

महासंहिता

Tait. 1. 3. 1 ता महासंहिता इत्याचक्षते
4. इतीमा महासंहिताः
4. य एवमेता महासंहिता
व्याख्याता वेद

महासत्त्व

Nṛisut. 7. महासत्त्वान्महाचित्त्वान्म-
हानन्दत्वात्

महासुहय

Bṛih. 6. 1. 13. यथा महासुहयः सैन्धवः

महासूक्ष्म

Nṛisut. 3. महास्थूलं महासूक्ष्मे महा-
सूक्ष्मं महाकारणे च सं-
हृत्य

महासेन

Mahânâr. 3. 5. महासेनाय धीमहि

महास्त्र

Muṇḍ. 2. 2. 3. धनुर्गृहीत्वौपनिषदं महास्त्रम्

महास्थूल

Nṛisut. 3. महास्थूलं महासूक्ष्मे . . सं-
हृत्य

महाहरि

Skanda. 4. स एव हि महाहरिः

महि

Bṛih. 6. 3. 5. आमंस्यामंहि ते महि

महिदास

Chhâ. 3. 16. 7. महिदास ऐतरेयः (so the
MSS.; but printed text
reads मही०)

महिमन्

Kena. 14. अस्माकमेवायं महिमेति

Chhâ. 1. 1. 9. एतस्यैवाक्षरस्य . . महिम्ना
रसेन
3. 12. 6. तावानस्य महिमा
4. 3. 7. महान्तमस्य महिमानमाहुः

Chhâ. 7. 24. 1. स्वे महिम्नि यदि वा न महिम्नि
2. गोअश्वमिह महिमेत्याचक्षते
Bṛih. 1. 1. 2. अश्वं पुरस्तान्महिमान्वजायत
— एनं पश्चान्महिमान्वजायत
— एतौ वा अश्वं महिमानावभितः
3. 9. 2. महिमान एवैषामेते
4. 4. 23. एष नित्यो महिमा ब्राह्मणस्य
Kaṭha. 2. 20. पश्यति . . महिमानमात्मनः
Śwet. 3. 20. पश्यति . . महिमानमीशम् Mahânâr. 8. 3.
4. 7. अस्य महिमानमिति वीतशोकः Muṇḍ. 3. 1. 2.
6. 1. देवस्यैष महिमा तु लोके
Maitri. 2. 3. कस्यैष खल्वीदृशो महिमा
4. स्वे महिम्नि तिष्ठति 6. 28.
3. 1. यद्येवमस्यात्मनो महिमानं सूचयसि
4. 4. ओं ब्रह्मणो महिमा
6. 21. इन्द्रियाणि संयोज्य महिमानं निरीक्षेत (so MS.)
28. स्वे महिम्नि तिष्ठमानं दृष्ट्वा
38. स्वे महिम्नि तिष्ठमानं पश्यति
Muṇḍ. 2. 2. 7. यस्यैष महिमा भुवि
Mahânâr. 24. 1. य एवं वेद ब्रह्मणो महिमानमाप्नोति तस्माद्ब्रह्मणो महिमानम्
25. 1. देवानामेव महिमानं गत्वा
— पितॄणामेव महिमानं गत्वा
— सूर्याचन्द्रमसोर्महिमानौ ब्राह्मणो विद्वानभिजयति तस्माद्ब्राह्मणो महिमानमाप्नोति
Praśna. 4. 5. महिमानमनुभवति 5. 3.
Nṛisut. 7. स्वे महिम्नि सदा समासते
Brahma. 1. कस्यैष महिमा बभूव
— यो ह्येष महिमा बभूव क एषः
— आत्मनो महिमा बभूव
Gîtâ. 11. 41. अजानता महिमानं तवेमम्

महिष

Mahânâr. 9. 1. महिषो मृगाणाम् 17. 8.

मही

Mahânâr. 1. 3. येनावृतं खं च दिवं मही च (so Nârâyaṇâ ; other MSS. read महीं च)
13. 7. मेदिनी पृथिवी महती मही
Gîtâ. 1. 35. किंनु महीकृते
2. 37. जित्वा वा भोक्ष्यसे महीम्

महीक्षित्

Gîtâ. 1. 25. सर्वेषां च महीक्षिताम्

महीतल

Kṛish. 8. सो ऽवतीर्णो महीतले

महीपति

Gîtâ. 1. 21. इदमाह महीपते

महीभृत्

Râmap. 4. राज्यार्हाणां महीभृताम्

महीय्

Kena. 14. ब्रह्मणो विजये देवा अमहीयन्त
26. ब्रह्मणो वा एतद्विजये महीयध्वम्.
Chhâ 8. 2. 1. पितृलोकेन सम्पन्नो महीयते (similarly, 9 times more).
8. 10. 1. स्वप्ने महीयमानश्चरत्येष आत्मा
Tait. 1. 5. 2. सर्वे लोका महीयन्ते

Taitt. 1. 5. 2. सर्वाणि ज्योतींषि महीयन्ते
3. सर्वे वेदा महीयन्ते
— सर्वे प्राणा महीयन्ते
Katha. 2. 17. ब्रह्मलोके महीयते 3. 16; Gopî. 1.
Śiras. 4. महति महीयते
Nâda. 14. सोमलोके महीयते
Gopî. 5. विष्णुलोके महीयते

महीयंस्

Katha. 2. 20. महतो महीयान् Swet. 3. 20; Mahânâr. 1. 1; 8. 3.

महीस्थित

Râmap. 1. राजते यो महीस्थितः

महेश्वर

Śwet. 4. 10. मायिनं तु महेश्वरम्
6. 7. तमीश्वराणां परमं महेश्वरम्
Mahânâr. 10. 8. तस्य प्रकृतिलीनस्य यः परः स महेश्वरः
Nrip. 4. 3. यो वै नृसिंहः..यश्च महेश्वरस्तस्मै वै नमो नमः (3)
5. 2. ब्रह्मविष्णुमहेश्वरा नाभ्याम्
Brahmav. 1. ब्रह्मविष्णुमहेश्वरात्
Śiras. 3. य ईशानः स भगवान् महेश्वरः
4. कस्मादुच्यते भगवान् महेश्वरः..तस्मादुच्यते भगवान् महेश्वरः
Garbha. 4. तत् प्रपद्ये महेश्वरम्
Kâlâg. 2. प्रथमा रेखा सा..महेश्वरः
Krish. 20. खड्गरूपो महेश्वरः
Râmot. 5. यो वै श्रीरामः..यश्च महेश्वरः (42).
Mukti. 1. 20. स महेश्वरः
Gitâ. 5. 29. सर्वलोकमहेश्वरम्
10. 3. वेत्ति लोकमहेश्वरम्
Gitâ. 13. 22. भर्त्ता भोक्ता महेश्वरः

महेश्वरत्व

Nrisut. 7. महादेवत्वान्महेश्वरत्वात्

महेष्वास

Râmap. 33. रामभद्र महेष्वास
Gitâ. 1. 4. अत्र शूरा महेष्वासाः

महैलापत्रक

Gâruda. 3. यदि महैलापत्रकदूतस्त्वं यदि वा महैलापत्रकः स्वयम्

महोदधि

Krish. 19. पूर्ववच्च महोदधौ

महोदय

Mukti. 2. 39. मनोनाशो महोदयः

महोपनिषद्

Mahânâr. 24. 1. एतद्वै महोपनिषदं देवानां गुह्यम्
Nrip. 1. 7. य एवं वेदेति महोपनिषत् 4. 3; 5. 10.
— य एतां महोपनिषदं वेद
Mahâ. 1. अथातो महोपनिषदमेव
4. य इमां महोपनिषदं ब्राह्मणोऽधीते (य इदं 2 MSS.)

महोरगदष्ट

Maitri. 4. 2. महोरगदष्ट इव विषयदष्टम्

मा

Chhâ. 4. 1. 1. सर्वत आवसथान् मापयाञ्चक्रे

मांस

Chhâ. 2. 19. 1. मांसमुद्ग्रीथः
6. 5. 1. यो मध्यमस्तन्मांसम्
Brih. 1. 1. 1. नभो मांसानि
3. 9. 28. मांसान्यस्य शकराणि

Tait. 1. 7. 1. चर्म मांसं स्नावास्थि मज्जा
Maitri. 1. 3. *vide* संघात
3. 4. मांसेनानुलिप्तम्
Garbha. 2. शोणितान्मांसं मांसान्मेदः
Piṇḍa. 4. मांसत्वक्शोणितोद्भवः

मांसौदन

Bṛih. 6. 4. 18. मांसौदनं पाचयित्वा

मांस्पृष्ट

Bṛih. 4. 4. 8. अणुः पन्था विततः पुराणो मांस्पृष्टः

माक्षीक, °का

Brahma. 1. स नियच्छति मधुकरराजानं माक्षीकवत्
— यथा माक्षीकैकेन तन्तुना जालं विक्षिपति (4 MSS. have माक्षिकेन)

माण्टि

Bṛih. 2. 6. 3. आत्रेयो माण्टेः 4. 6. 3.
— माण्टिर्गौतमात् 4. 6. 3.

माण्डव्य

Bṛih. 6. 5. 4. माण्डूकायनिर्माण्डव्यात्
— माण्डव्यः कौत्सात्

माण्डूकायनि

Bṛih. 6. 5. 4. साञ्जीवीपुत्रो माण्डूकायनेः
— माण्डूकायनिर्माण्डव्यात्

माण्डूकायनीपुत्र

Bṛih. 6. 5. 2. जायन्तीपुत्रो माण्डूकायनीपुत्रात्
— माण्डूकायनीपुत्रो माण्डूकीपुत्रात्

माण्डूकीपुत्र

Bṛih. 6. 5. 2. माण्डूकायनीपुत्रो माण्डूकीपुत्रात्

Bṛih. 6. 5. 2. माण्डूकीपुत्रः शाण्डिलीपुत्रात्

माण्डूक्य

Mukti. 1. 26. माण्डूक्यमेकमेवालम्
30. *vide* तित्तिरि
1. *vide* गारुड

मातरिश्वन्

Kena. 21. मातरिश्वा वा अहमस्मीति
Iśâ. 4. तस्मिन्नपो मातरिश्वा दधाति
Praśna. 2. 11. पिता त्वं मातरिश्वनः

मातुल

Gîtâ. 1. 26. आचार्यान्मातुलान्भ्रातॄन्
34. मातुलाः श्वशुराः पौत्राः

मातृ

Kaush. 1. 2. पुंसा कर्त्रा मातरि मा निषिञ्च
Chhâ. 4. 4. 1. जबालां मातरमामन्त्रयाञ्चक्रे
4. अपृच्छं मातरम्
5. 24. 5. यथेह क्षुधिता बाला मातरं पर्युपासते
7. 15. 1. प्राणो माता
2. स यदि . . मातरं वा . . किञ्चिद्भृशमिव प्रत्याह
8. 2. 2. मातरः समुत्तिष्ठन्ति
Bṛih. 1. 5. 7. पिता माता प्रजैत एव . . वाङ्माता
4. 3. 22. मातामाता
6. 2. 2. यदन्तरा पितरं मातरं च
6. 4. 27. एनं मात्रे प्रदाय स्तनं प्रयच्छति
28. अथास्य मातरमभिमन्त्रयते
Tait. 1. 3. 3. माता पूर्वरूपम्
Mahânâr. 13. 7. सर्वभूतानां माता मेदिनी

Mahânâr. 15. 1. गायत्री छन्दसां माता
Praśna. 2. 13. मातेव पुत्रान् रक्षस्व
Garbha. 3. मातू रेतोतिरेकात्स्त्री
— मात्रा . . प्राण आप्यायते
4. मातरो विविधा दृष्टाः
Brahma. 2. तत्र . . माता न माता
Yogat. 4. या माता सा पुनर्भार्या
Kaṭhaśru. 1. मातरं पितरं . . अनुमोदयित्वा
Kṛish. 16. दया सा रोहिणी माता
20. रज्जुर्मातादितिस्तथा
Gîtâ. 9. 17. माता धाता पितामहः

मातृक

Maitri. 7. 11. विनिर्गतं मातृकमेवमाहुः

मातृकाद्य

Nṛip. 5. 2. षोडशाद्य पत्रेषु मातृकाद्याः सबिन्दुकाः षोडशकला भवन्ति

मातृदेव

Tait. 1. 11. 2. मातृदेवो भव

मातृमन्त्

Bṛih. 4. 1. 2. यथा मातृमान् . . ब्रूयात् 3—7.

मातृलोक

Chhâ. 8. 2. 2. मातृलोकेन सम्पन्नो महीयते

मातृलोककाम

Chhâ. 8. 2. 2. यदि मातृलोककामो भवति

मातृवध

Kaush. 3. 1. न मातृवधेन न पितृवधेन

मातृहन्

Chhâ. 7. 15. 2. मातृहा वै त्वमसि
3. न मातृहासीति

मात्र

Mukti. 2. 22. वासनामात्रकारणम्

मात्रा

Chhâ. 2. 24. 16. एष ह वै यज्ञस्य मात्रां वेद य एवं वेद
3. 19. 1. तत्संवत्सरस्य मात्रामशयत
Bṛih. 4. 3. 9. अस्य लोकस्य सर्वावतो मात्रामपादाय
32. अन्यानि भूतानि मात्रामुपजीवन्ति
4. 4. 4. पेशसो मात्रामुपादाय
Tait. 1. 2. 1. वर्णः स्वरः। मात्रा बलम्
Maitri. 6. 3. ओमिति तिस्रो मात्राः
6. चक्षुरायत्ता हि पुरुषस्य महती मात्रा चक्षुषा ह्ययं मात्राश्चरति
Praśna. 5. 6. तिस्रो मात्रा मृत्युमत्यः
Mâṇḍû. 8. पादा मात्रा मात्राश्च पादाः
9. अकारः प्रथमा मात्रा
10. उकारो द्वितीया मात्रा
11. मकारस्तृतीया मात्रा
Gauḍa. 1. 19. मात्रासम्प्रतिपत्तौ 20, 21.
24. पादा मात्रा न संशयः
Nṛip. 2. 1. प्रणवस्य या पूर्वा मात्रा Nṛisut. 3 (bis).
Nṛisut. 2. मात्राभिरोङ्कारेण चैकीकुर्यात्
— मात्रामात्राः प्रतिमात्राः कुर्यात्
3. मात्रामात्राः प्रतिमात्राः कृत्वा
— मात्राभिरोतानुज्ञात्रनुज्ञाविकल्परूपं चिन्तयन्
Brahmav. 4. तिस्रो मात्रार्द्धमात्रा च
9. तिस्रो मात्रास्तथा ज्ञेयाः

Śiras. 3. तिस्रो मात्राः परस्तु सः
5. या सा प्रथमा मात्रा ब्रह्मदेवत्या
— या सा द्वितीया मात्रा विष्णुदेवत्या
— या सा तृतीया मात्रेशानदेवत्या
— या सार्धचतुर्थी मात्रा सर्वदेवत्या

Śikhâ. 1. पूर्वास्य मात्रा पृथिव्यकारः
Nâda. 6. आग्नेयी प्रथमा मात्रा
7. भवेन्मात्रा तथोत्तरा
8. तासां मात्रा प्रतिष्ठिता
9. घोषिणी प्रथमा मात्रा
12. प्रथमायां तु मात्रायाम्
14. पञ्चम्यामथ मात्रायाम्
Amṛita. 21. स्थूलातिस्थूलमात्रायाम्
Yogaśi. 6. दीपशिखायां या मात्रा सा मात्रा परमेष्ठिनः

मात्राद्वादशयोग

Kshur. 3. मात्राद्वादशयोगेन प्रणवेन

मात्राधार

Kshur. 24. मात्राधारेण योगवित्

मात्रालिङ्गपद

Amṛita. 4. मात्रालिङ्गपदं त्यक्त्वा

मात्रास्पर्श

Gîtâ. 2. 14. मात्रास्पर्शास्तु कौन्तेय

मात्सर्य

Maitri. 3. 5. मात्सर्यं नैष्कारुण्यं..इति तामसानि

माधव

Gîtâ. 1. 14. माधवः पाण्डवश्चैव
37. सुखिनः स्याम माधव

माध्यन्दिन

Chhâ. 2. 24. 1. रुद्राणां माध्यन्दिनं सवनम्
7. पुरा माध्यन्दिनस्य सवनस्योपाकरणात्
10. तस्मै रुद्रा माध्यन्दिनं सवनं संप्रयच्छन्ति
3. 16. 2. इदं मे प्रातःसवनं माध्यन्दिनं सवनमनुसन्तनुत
3. चतुश्चत्वारिंशद्वर्षाणि तन्माध्यन्दिनं सवनम्
— त्रैष्टुभं माध्यन्दिनं सवनम्
4. इदं मे माध्यन्दिनं सवनं तृतीयसवनमनुसन्तनुत

Kâlâg. 2. द्वितीया रेखा सा..माध्यन्दिनं सवनम्

माध्यन्दिनायन

Bṛih. 4. 6. 2. जाबालायनो माध्यन्दिनायनात्
— माध्यन्दिनायनः सौकरायणात्

माध्व

Bṛih. 6. 3. 6. माध्वीर्नः सन्त्वोषधीः Mahânâr. 9. 8; 17. 7.
— माध्वीर्गावो भवन्तु नः Mahânâr. 9. 10; 17. 7.

मान

Kaush. 1. 1. यो न मानमुपागाः
Tejo. 14. तथा मानापमानयोः Gîtâ. 6. 7; 12. 18.
Parama. 2. न मानापमानं च
Gîtâ. 14. 25. मानापमानयोस्तुल्यः
16. 10. दम्भमानमदान्विताः
17. धनमानमदान्विताः
17. 18. सत्कारमानपूजार्थम्

मानत्व

Nṛisut. 7. मानत्वान्मुक्तत्वात्

मानव

Chhâ. 4. 15. 6. इमं मानवमावर्त्तं नावर्त्तन्ते
4. 17. 10. मानवो ब्रह्मा
Swet. 6. 20. यदा चर्मवदाकाशं वेष्टयिष्यन्ति मानवाः
Râmap. 17. ततो रामो मानवो माययाधात्
Mukti. 1. 20. मुक्तिं प्राप्नोति मानवः
Gîtâ. 3. 17. आत्मतृप्तश्च मानवः
31. अनुतिष्ठन्ति मानवाः
18. 46. सिद्धिं विन्दति मानवः

मानवन्त्

Tait. 3. 10. 3. तन्मन इत्युपासीत मानवान् भवति

1. मानस *adj.*

Bṛih. 2. 5. 7. अयमध्यात्मं मानसः .. पुरुषः
6. 2. 15. पुरुषो मानस एत्य
Mahânâr. 23. 1. मानसेन मनसा साधु पश्यति मानसा ऋषयः प्रजा असृजन्त
Mukti. 2. 69. मानसीर्वासनाः पूर्वम्
Gîtâ. 10. 6. मद्भावा मानसा जाताः
17. 16. तत्तपो मानसमुच्यते

2. मानस

Maitri. 6. 24. मानसे च विलीने तु
Mahânâr. 21. 2. मानसमिति विद्वांसस्तस्माद्विद्वांस एव मानसे रमन्ते
23. 1. मानसं वै प्राजापत्यं पवित्रम्
— मानसे सर्वं प्रतिष्ठितं तस्मान्मानसं परमं वदन्ति
Gîtâ. 1. 47. शोकसंविग्नमानसः

मानसामान्य

Gauḍa. 1. 21. मानसामान्यमुत्कटम्

मानसी

Kaush. 1. 3. प्रिया च मानसी

मानिन्

Kaṭha. 2. 6. अयं लोको नास्ति पर इति मानी

1. मानुष *adj.*

Chhâ. 5. 1. 4. सं हास्मै कामाः पद्यन्ते दैवाश्च मानुषाश्च
5. 3. 6. मानुषस्य .. वित्तस्य वरं वृणीथाः
— तवैव राजन् मानुषं वित्तम्
Bṛih. 1. 4. 17. चक्षुर्मानुषं वित्तम्
2. 5. 13. अयमध्यात्मं मानुषः .. पुरुषः
6. 2. 6. मानुषाणां ब्रूहीति
Tait. 1. 9. 1. मानुषं च स्वाध्यायप्रवचने च
2. 8. 1. स एको मानुष आनन्दः
— ते ये शतं मानुषा आनन्दाः
3. 10. 2. इति मानुषीः समाज्ञाः
Gîtâ. 4. 12. क्षिप्रं हि मानुषे लोके
9. 11. मानुषीं तनुमाश्रितम्
11. 51. दृष्ट्वेदं मानुषं रूपम्

2. मानुष

Bṛih. 2. 5. 13. मानुषं सर्वेषां भूतानां मध्वस्य मानुषस्य सर्वाणि भूतानि मधु
— यश्चायमस्मिन्मानुषे .. पुरुषः
Gopî. 2. गोपीचन्दनसंसक्तमानुषाणाम्

मानुष्यक

Bṛih. 4. 3. 33. सर्वैर्मानुष्यकैर्भोगैः सम्पन्नतमः

मामक

Mukti. 1. 27. मामकं धाम यास्यसि
44. वैदेहीं मामकीं मुक्तिम्
2. 4. मामकं पदमाप्नुहि
Gîtâ. 1. 1. मामकाः पाण्डवाश्चैव
9. 7. प्रकृतिं यान्ति मामिकाम्
15. 12. तत्तेजो विद्धि मामकम्

माया

Bṛih. 2. 5. 19. इन्द्रो मायाभिः पुरुरूपः
Śwet. 1. 10. विश्वमायानिवृत्तिः
4. 9. तस्मिंश्चान्यो मायया सन्निरुद्धः
10. मायां तु प्रकृतिं विद्यात्
Praśna. 1. 16. न येषु जिह्ममनृतं न माया च
Gauḍa. 2. 19. मायैषा तस्य देवस्य
31. स्वप्नमाये यथा दृष्टे
3. 19. मायया भिद्यते ह्येतत्
24. इन्द्रो मायाभिरित्यपि
— मायया जायते तु सः
27. सतो हि मायया जन्म युज्यते न तु तत्त्वतः
28. असतो मायया जन्म तत्त्वतो नैव युज्यते
— वन्ध्यापुत्रो न तत्त्वेन मायया वापि जायते
29. स्पन्दते मायया मनः (bis).
4. 58. सा च माया न विद्यते
61. चित्तं चलति मायया (bis).
Nṛip. 3. 1. माया वा एषा नारसिंही
— मायामेतां शक्तिं विद्यात्
— य एतां मायां शक्तिं वेद
5. 1. मायया वा एतत् सर्वं वेष्टितम्
— नात्मानं माया स्पृशति
— मायया बहिर्वेष्टितम् (bis).
— क्षेत्रं क्षेत्रं वा मायैषा सम्पद्यते
Nṛisut. 9. मायया ह्यन्यदिव
— माया च तमोरूपानुभूतेः
— एवमेवैषा माया..क्षेत्राणि दर्शयित्वा
— माया चाविद्या च स्वयमेव भवति
— मूढ इव व्यवहरन्नास्ते माययैव
— मायया नासंवित्तिः स्वप्रकाशे
Chûl. 3. विकारजननीं मायाम्
Sarvop. 1. आत्मा माया चेति कथम्
4. सा मायेत्युच्यते
Gopî. 4. मायासहितब्रह्मसंभोगवशात्
Krish. 5. माया सा त्रिविधा प्रोक्ता
6. माया त्रेधा ह्युदाहृता
7. अजय्या वैष्णवी माया
12. मायया मोहितं जगत्
13. तस्य माया जगत्कथम्
Râmap. 17. ततो रामो मानवो मायया-धात्
61. कोणपार्श्वे रमामाये
89. मायाविद्ये ये
Gîtâ. 7. 14. मम माया दुरत्यया
— मायामेतां तरन्ति ते
15. माययापहृतज्ञानाः
18. 61. भ्रामयन् सर्वभूतानि.. मायया

मायापरिमोहित

Kaivalya. 12. स एवं मायापरिमोहितात्मा

मायामय

Maitri. 4. 2. इन्द्रजालमिव मायामयम्
Gauḍa. 4. 59. यथा मायामयाद्बीजात्
69. यथा मायामयो जीवः
Râmap. 29. नमो मायामयाय च

मायामात्र

Gauḍa. 1. 17 मायामात्रमिदं द्वैतम्

Nṛisut. 1. त्र्यमप्येतत् सुषुप्तं स्वप्नं मायामात्रम्

— त्र्यमत्रापि सुषुप्तं स्वप्नं मायामात्रम्

5. इदं सर्वं यदयमात्मा मायामात्रम्

मायाविग्रहधारण

Kṛish. 11. हरिः साक्षान्मायाविग्रहधारणः

मायाशबलित

Gopî. 4. मायाशबलितं ब्रह्मासीत्

मायाहस्तिन्

Gauḍa. 4. 44. मायाहस्ती यथोच्यते

मायिन्

Śwet. 4. 9. अस्मान्मायी सृजते विश्वमेतत्

10. मायिनं तु महेश्वरम्

मायोपम

Gauḍa. 4. 58. जन्म मायोपमं तेषाम्

मारण

Râmap. 73. ग्रहमारणकर्मणि

मारुत

Maitri. 7. 11. स प्रेरयति मारुतम्

— मारुतस्तूरसि चरन्

Amṛita. 19. एकेन मारुतमाकृष्य

30. द्विमात्रो मारुतस्तथा

38. मारुतो याति मूर्धनि

Gîtâ. 2. 23 न शोषयति मारुतः

मारुति

Mukti. 1. 4. स्तुवन्पप्रच्छ मारुतिः

49. हितपुत्राव मारुते

Mukti. 1. श्रीरामचन्द्रं मारुतिः पप्रच्छ

2. 24. अनुरूपां च मारुते

63. अन्वेष्टव्यं प्रयत्नेन मारुते

71. शेषस्थिरसमाधानो मयि त्वं भव मारुते

मार्ग

Maitri. 6. 10. चतुर्दशविधस्य मार्गस्य

Amṛita. 25. येनासौ पश्यते मार्गम्

Parama. 1. योगिनां परमहंसानां को ऽयं मार्गः

— यो ऽयं परमहंसमार्गः

Mukti. 1. 24. गुरूपदिष्टमार्गेण

2. 5. शुभाशुभाभ्यां मार्गाभ्याम्

मार्गशीर्ष

Gîtâ. 10. 35. मासानां मार्गशीर्षो ऽहम्

मार्दव

Gîtâ. 16. 2. मार्दवं ह्रीरचापलम्

मालामनु

Râmap. 63. तेषु मालामनोर्वर्णान्

मालामन्त्र

Râmap. 74. मालामन्त्रो ऽधुनेरितः

माल्यहस्त

Kaush. 1. 4. शतं माल्यहस्ताः

माष

Chhâ. 5. 10. 6. तिलमाषाः Bṛih. 6. 3. 13.

माषमात्र

Nyâsa. 5. माषमात्रीं तथा दृष्टिम्

मास्, मास

Kaush. 2. 8. मासि मास्यमावास्यायां वृत्तायाम्

Chhâ. 4. 15. 5. यान् षड्डुदङ्ङेति मासांस्तान्मासेभ्यः संवत्सरम् 5. 10. 1.

Chha. 5. 9. 1. दश वा मासानन्तः शयित्वा
5. 10. 3. अपरपक्षाद्यान् षड् दक्षिणेति मासांस्तान्
4. मासेभ्यः पितृलोकम्
Brih. 1. 1. 1. मासाश्चार्द्धमासाश्च पर्वाणि
3. 8. 9. अर्द्धमासा मासा ऋतवः Mahânâr. 1. 9.
3. 9. 5. द्वादश वै मासाः संवत्सरस्य
6. 2. 15. आपूर्यमाणपक्षाद्यान् षण्मासानुदङ्ङादित्य एति मासेभ्यो देवलोकम्
16. अपक्षीयमाणपक्षाद्यान् षण्मासान्दक्षिणादित्य एति मासेभ्यः पितृलोकम्
6. 4. 22. दशमे मासि सूतवे
Tait. 1. 4. 3. यथा मासा अहर्जरं (यन्ति)
Maitri. 6. 28. षड्भिर्मासैस्तु युक्तस्य
Mahânâr.25. 1. ये अर्द्धमासाश्च मासाश्च
Praśna. 1. 12. मासो वै प्रजापतिः
Garbha. 3. मासाभ्यन्तरे काठिनम्
— नवमे मासि सर्वलक्षणज्ञानसम्पूर्णो भवति
Amrita. 28. त्रिभिर्मासैर्न संशयः
29. षष्ठे मासि न संशयः
Kathaśru. 1. चतुरो मासान् वार्षिकान्
Aruneya. 3. अष्टौ मासानेकाकी यतिश्चरेत् (the prevailing reading of MSS. is मासु or मास्सु)
Aśrama. 3. शेषानष्टौ मासान्
Gîtâ. 8. 24. षण्मासा उत्तरायणम्
25. षण्मासा दक्षिणायनम्
10. 35. मासानां मार्गशीर्षो ऽहम्

मासत्रय

Garbha. 3. मासत्रयेण पादप्रदेशः

मासद्वय

Garbha. 3. मासद्वयेन शिरः

माहाचमस्य

Tait. 1. 5. 1. एतां चतुर्थीं माहाचमस्यः प्रवेदयते मह इति

माहात्म्य

Gità. 11. 2. माहात्म्यमपि चाव्ययम्

माहारजन

Brih. 2. 3. 6. यथा माहारजनं वासः

माहित्थि

Brih. 6. 5. 4. कौत्सो माहित्थेः
— माहित्थिर्वामकक्षायणात्

मि

Mâṇḍû. 11. मिनोति ह वा इदं सर्वम् Nrisut. 2.

मिताहार

Gopî. 5. मिताहारो जितेन्द्रियः

मिति

Mâṇḍû. 11. मितेरपीतेर्वा Nrisut. 2.

1. मित्र

Mahânâr.22. 1. दानेन द्विषन्तो मित्रा भवन्ति
23. 1. यज्ञेन द्विषन्तो मित्रा भवन्ति
Gauda. 4. 35. मित्राद्यैः सह सम्मन्त्र्य
Parama. 1. स्वपुत्रमित्रकलत्रबन्ध्वादीन्
Krish. 17. शमो मित्रं सुदामा यः
Gîtâ. 6. 9. सुहृन्मित्रार्युदासीनमध्यस्थद्वेष्यबन्धुषु
12. 18. समः शत्रौ च मित्रे च

2. मित्र

Tait. 1. 1. 1. शं नो मित्रः शं वरुणः 1. 12. 1.

Mahânâr.12. 3. आदित्यो वै..मित्रः
Nrip. 2. 4. इन्द्रो वरुणो मित्रोऽर्यमा

मित्रद्रोह

Gîtâ. 1. 38. मित्रद्रोहे च पातकम्

मित्रानुग्रहण

Maitri. 3. 5. मित्रानुग्रहणं परिग्रहावलंबः

मित्रारिपक्ष

Gîtâ. 14. 25. तुल्यो मित्रारिपक्षयोः

मित्रावरुण

Maitri. 7. 5. मित्रावरुणौ..ऊर्ध्वा उद्यन्ति

मिथुन

Chhâ. 1. 1. 5. तद्वा एतन्मिथुनं यद्वाक् च प्राणश्चर्क् च साम च
6. तदेतन्मिथुनमोमित्येतदस्मिन्नक्षरे संसृज्यते
— यदा वै मिथुनौ समागच्छतः
2. 13. 1. एतद्वामदेव्यं मिथुने प्रोतम्
2. स य एवमेतद्वामदेव्यं मिथुने प्रोतं वेद मिथुनीभवति मिथुनान्मिथुनात्प्रजायते
Bṛih. 1. 2. 4. स मनसा वाचं मिथुनं समभवत्
1. 4. 4. एवमेव यदिदं किञ्च मिथुनमापिपीलिकाभ्यः .. असृजत
1. 5. 12. तौ मिथुनं समैताम्
Praśna. 1. 4. स मिथुनमुत्पादयते
15. ते मिथुनमुत्पादयन्ते

मिथुनीभू

Chhâ.2. 13. 2. स य एवमेतद्वामदेव्यं मिथुने प्रोतं वेद मिथुनीभवति

मिथ्या

Gauḍa 2. 7. मिथ्यैव खलु ते स्मृताः
4. 32.
Mukti. 2. 14. मिथ्या संसारवासना
Gîtâ. 18. 59. मिथ्यैष व्यवसायस्ते

मिथ्याचार

Gîtâ. 3. 6. मिथ्याचारः स उच्यते

मिथ्याज्ञान

Parama. 2. संशयविपरीतमिथ्याज्ञानानां यो हेतुः

मिथ्यादर्शन

Maitri. 4. 2. स्वप्न इव मिथ्यादर्शनम्

मिथ्यादृष्टान्तहेतु

Maitri. 7. 8. मिथ्यादृष्टान्तहेतुभिर्भ्राम्यन्

मिथ्यामनोरम

Maitri. 4. 2. चित्रभित्तिरिव मिथ्यामनोरमम्

मिश्र

Ait. 5. 3. इमानि च क्षुद्रमिश्राणीव
Bṛih. 1. 5. 2. मिश्रं ह्येतत्
Gîtâ. 18. 12. अनिष्टमिष्टं मिश्रं च

मिष्

Ait. 1. 1. नान्यत्किञ्चन मिषत्
Maitri. 1. 4. मिषतो बन्धुवर्गस्य
Mahânâr. 5. 6. विश्वस्य मिषतो वशी

मिह्

Bṛih. 1. 1. 1. यन्मेहति तद्वर्षति
Mahânâr. 9. 11. घृतं मिमिक्षे (Nârâyaṇa derives this from a root मिक्ष्)

1. मी (गतौ)

Mahânâr. 17. 6. ब्रह्म मेतु मां मधु मेतु मां..मधु मेतु माम्

2. मी (हिंसायां)

Kaush. 3. 1. तस्य मे तत्र न लोम चना-
मीयत स यो मां वेद न ह
वै तस्य केनचन कर्मणा
लोको मीयते

मीढुष्टम

Nîla. 17. या ते हेतिर्मीढुष्टम

मीमांसा

Chhâ. 5. 11. 1. महाश्रोत्रियाः समेत्य मी-
मांसां चक्रुः

Brih. 1. 5. 21. अथातो व्रतमीमांसा

Tait. 2. 8. 1. सैषानन्दस्य मीमांसा भवति

मीळ्हुष्टम

Mahânâr. 13. 3. मीळ्हुष्टमाय तव्यसे

मुक्तकिल्विष

Mahânâr. 5. 3. निर्मुक्तो मुक्तकिल्विषः

मुक्तत्व

Nrisut. 7. मानत्वान्मुक्तत्वात्

मुक्तसङ्ग

Gîtâ. 3. 9. मुक्तसंगः समाचर

18. 26. मुक्तसंगो ऽनहंवादिन्

मुक्ति

Brih. 3. 1. 3. सा मुक्तिः सातिमुक्तिः
4, 5, 6.

Brahmab. 3. निर्विषयस्यास्य मनसो मु-
क्तिरिष्यते

10. न मुमुक्षा न मुक्तिश्चेत्

Hamsa. 1. भुक्तिमुक्तिफलप्रदम्
Gopî. 5.

Skanda. 13. स एवं मुक्तिमाप्नुयात्

Râmot. 4. देहि तज्जन्तोर्मुक्तिम्

— सर्वेषां मुक्तिसिद्धये

Tejo. 13. न मुक्तिग्रन्थसञ्चयम्
(most MSS. मुक्त for
मुक्ति)

Vâsu. 1. मुक्तिसाधनं भवति

Krish. 5. यशोदा मुक्तिगेहिनी

Mukti. 1. 5. त्वद्रूपं ज्ञातुमिच्छामि . . मु-
क्तये

15. मुक्तिरेकेति चक्षिरे

17. चतुर्धा मुक्तिरीरिता

18. कैवल्यमुक्तिरेकैव

19. सालोक्यमुक्तिमाप्नोति

20. मुक्तिं प्राप्नोति मानवः

22. सैव सालोक्यसारूप्यमुक्तिः

23. सैव सालोक्यसारूप्यसामी-
प्यमुक्तिः

25. सैव सायुज्यमुक्तिः स्यात्

— चतुर्विधा तु या मुक्तिः

26. इयं कैवल्यमुक्तिस्तु

29. विदेहमुक्ताविच्छा चेत्

44. वैदेहीं मामकीं मुक्तिं
यान्ति

1. विदेहमुक्तिः सैव कैवल्य-
मुक्तिः

— कैवल्यमुक्तिर्ज्ञानमात्रेणो-
क्ता

मुक्तिका

Mukti. 1. 40. कलिजाबालिसौभाग्यरह-
स्यऋक्त्रमुक्तिका

1. ईशावास्यबृहदारण्यकजा-
बालहंसपरमहंससुबालम-
न्त्रिकानिरालम्बत्रिशिखी-
ब्राह्मणमण्डलब्राह्मणाद्वय-
तारकपैंगलभिक्षुतुरीयाती-
ताध्यात्मतारसारयाज्ञव-
ल्क्यशाट्यायनीमुक्तिका-
नाम्

मुक्तिद

Vâsu. 2. धारणान्मुक्तिदो भव

मुख

Ait. 1. 4. मुखं निरभिद्यत.. मुखाद्वाक्
2. 4. अग्निर्वाग्भूत्वा मुखं प्राविशत्
Kaush. 2. 9. ब्राह्मणस्त एकं मुखं तेन मुखेन राज्ञो ऽसि तेन मुखेन मामन्नादं कुरु (similarly 3 times more).
— त्वयि पञ्चमं मुखं तेन मुखेन &c.
3. 1. नास्य पापं चक्षुषो मुखान्नीलं वेतीति
Chhâ. 3. 6. 1. तद्वसव उपजीवन्त्यग्निना मुखेन (similarly 4 times more).
3. वसूनामेवैको भूत्वाग्निनैव मुखेन (similarly 4 times more).
4. 2. 5. तस्या ह मुखमुपोद्गृह्णन्
— अनेनैव मुखेनालापयिष्यथा इति
4. 14. 2. ब्रह्मविद इव सोम्य ते मुखं भाति
8. 13. 1. चन्द्र इव राहोर्मुखात्प्रमुच्य
Brih. 1. 4. 6. मुखाच्च योनेः.. अग्निमसृजत
1. 5. 2. सोऽन्नमत्ति प्रतीकेनेति मुखं प्रतीकं मुखेनेत्येतत्
5. 14. 8. मुखं ह्यस्याः सम्राण्न विदाञ्चकार.. तस्या अग्निरेव मुखम्
5. 15. 1. हिरण्मयेन पात्रेण सत्यस्यापिहितं मुखम् Isâ. 15; Maitri. 6. 35.
6. 4. 9. मुखेन मुखं सन्धाय 10, 11, 21.
Swet. 4. 21. रुद्र यत्ते दक्षिणं मुखम्
Mahânâr. 25. 1. यन्मुखं तदाहवनीयः
Kshur. 4. उरोमुखकटिग्रीवम्
Garbha. 3. षष्ठे मुखनासिकाक्षिश्रोत्राणि
5. मुखे आहवनीयः
— मुखेऽन्तर्वेदिः (so MSS.)
Prâṇâg. 2. आहवनीयो भूत्वा मुखे तिष्ठति
Nîla. 14. निशीर्य शल्यानां मुखा
Tejo. 4. मुखानि त्रीणि विन्दन्ति
Piṇḍa. 6. हस्ताङ्गुल्यः शिरो मुखम्
Haṁsa. 2. मुखे रुद्रः (so MSS.)
Praśna. 3. 5. मुखनासिकाभ्याम्
Mukti. 1. 42. वेदविद्याव्रतस्नातदेशिकस्य मुखात्
Gîtâ. 1. 29. मुखं च परिशुष्यति
4. 32. वितता ब्रह्मणो मुखे
11. 25. दंष्ट्राकरालानि च ते मुखानि

मुखतस्

Tait. 3. 10. 1. एतद्वै मुखतोऽन्नं राद्धं मुखतो ऽस्मा अन्नं राध्यते

मुखवन्त्

Maitri. 6. 5. गार्हपत्यो दक्षिणाग्निराहवनीया इति मुखवत्येषा

मुख्य

Chhâ. 1. 2. 7. य एवायं मुख्यः प्राणः 1. 5. 3.
Parama. 1. तच्च न मुख्योस्ति को मुख्य इति चेदयं मुख्यः
Râmot. 3. य एवं वेद स मुख्यो भवति (one MS. has मुक्तो)
Gîtâ. 10. 24. पुरोधसां च मुख्यम्

मुख्यत्व

Gauḍa. 3. 14. मुख्यत्वं हि न युज्यते

मुख्यद्वार

Nṛip. 1. 5. तस्मादिदमेव मुख्यद्वारं कलौ (so most MSS.; some read मोक्षद्वारम्)

मुख्योपहार

Râmap. 91. मुख्योपहारैर्विविधैश्च पूज्य

मुच्

Chhâ. 6. 16. 2. स न दह्यते ऽथ मुच्यते
Bṛih. 1. 5. 17. सर्वस्मात्पुत्रो मुञ्चति
3. 8. 12. यदस्मान्नमस्कारेण मुच्येध्वम्
Kaṭha. 6. 8. यं ज्ञात्वा मुच्यते जन्तुः
Śwet. 1. 8. ज्ञात्वा देवं मुच्यते सर्वपाशैः 2. 15; 4. 16; 5. 13; 6. 13.
Maitri. 4. 4. यैः परिपूर्णो ऽभिभूतः . . तैर्वैव मुक्तः
6. 30. अतस्तद्विपरीतो मुक्तः (bis.)
34. को न मुच्येत बन्धनात्
Gauḍa. 2. 32. न मुमुक्षुर्न वै मुक्तः
4. 98. आदौ बुद्धास्तथा मुक्ताः
Nṛip. 1. 5. तेनैव संसारान्मुच्यते मोचयति मुमुक्षुर्भवति
Nṛisut. 9. सत्यो मुक्तो निरञ्जनः
— नित्यं शुद्धं बुद्धं मुक्तम्
Kshur. 25. यदा कामात् स मुच्यते (not in 5 MSS.)
Śikhâ. 2. एतामधीत्य द्विजो गर्भवासान्मुच्यते
Brahma. 3. यं ज्ञात्वा मुच्यते बुधः
Prâṇâg. 1. नो मुञ्चन्त्वंहसः (bis).
Nâda. 19. शनैर्मुञ्चेत् कलेवरम्
Brahmab. 1. मुक्तं निर्विषयं स्मृतम् (so MSS.)
Nâr. 5. यमुक्त्वा मुच्यते योगी
Atmpra. 1. यमिष्ट्वा मुच्यते योगी
Vâsu. 3. स मुक्तो नात्र संशयः
Râmot. 4. मुक्ताः सन्तु न चान्यथा
— मुक्ता मां प्राप्नुवन्ति ते
— स मुक्तो भविता शिव
6. मुच्येयं भवबन्धनात्
— येन मुक्तो भवाम्यहम्
Mukti. 2. 16. मुक्तमित्यभिधीयते
20. मुक्त एवोत्तमाशयः
Gîtâ. 3. 13. मुच्यन्ते सर्वकिल्बिषैः
31. मुच्यन्ते ते ऽपि कर्मभिः
5. 28. यः सदा मुक्त एव सः
8. 5. मुक्त्वा कलेवरम्
12. 15. हर्षामर्षभयोद्वेगैर्मुक्तः
18. 40. सत्त्वं प्रकृतिजैर्मुक्तम्
71. सो ऽपि मुक्तो ऽशुभात् (so Thomson's text, but others शुभान् &c.)

मुञ्ज

Kaṭha. 6. 17. प्रवृहेन्मुञ्जादिवेषीकाम्

मुण्ड

Aśrama. 4. परमहंसा नदण्डधरा मुण्डाः
Jâbâla. 5. मुण्डो ऽपरिग्रहः शुचिः
Mukti. 1. 30. *vide* तित्तिरि

मुण्डक

Mukti. 1. *vide* गारुड

1. मुद्

Chhâ. 6. 11. 1. मोदमानस्तिष्ठति
Bṛih. 4. 3. 13. उतेव स्त्रीभिः सह मोदमानः
Kaṭha. 1. 12. शोकातिगो मोदते स्वर्गलोके 18.
2. 13. अणुमेतमाप्य स मोदते मोदनीयं हि लब्ध्वा
Kṛish. 4. मोदितास्ते सुराः सर्वे (some MSS. have मोहिताः)
Râmap. 40. मोदते राघवस्तदा
Gîtâ. 16. 15. यक्ष्ये दास्यामि मोदिष्ये

2. मुद्

Bṛih. 4. 3. 10. न तत्र . . मुदः . . मुदः प्रमुदः सृजते

मुद्गल

Mukti. 1. 35. वासुदेवं च मुद्गलम्
1. *vide* बह्वृच

मुद्रा

Râmap. 49. मुद्रां ज्ञानमयीं याम्ये

मुनि

Bṛih. 3. 5. 1. बाल्यं च पाण्डित्यं च निर्विद्याथ मुनिः
4. 4. 22. एतमेव विदित्वा मुनिर्भवति
Kaṭha. 4. 15. एवं मुनेर्विजानत आत्मा भवति
Mahânâr. 21. 2. शम इत्यरण्ये मुनयः
22. 1. शमेन नाकं मुनयो ऽन्वविन्दन्
Kaivalya. 7. मुनिर्गच्छति भूतयोनिम्
Gauḍa. 1. 29. स मुनिर्नेतरो जनः
2. 35. मुनिभिर्वेदपारगैः
Śiras. 5. मुनयोऽवाग्वदन्ति न तस्य ग्रहणम्
Tejo. 2. मुनीनां च मनीषिणाम्
12. मुनीनां तत्त्वयुक्तं तु
Gopî. 5. एवं मुनिरब्रवीत्
(some MSS. read मनुः)
— एवं मुनयो ऽब्रुवन्
Krish. 26. सुदामा नारदो मुनिः
Ramap. 57. वसिष्ठवामदेवादिमुनिभिः
91. वसिष्ठाद्यैर्मुनिभिः
Mukti. 1. 2. सनकाद्यैर्मुनिगणैः
15. मुनिदुर्लभाम्
2. 24. मुनयो विदुः
55. समाधिर्मुनिभावितः
Gîtâ. 2. 56. स्थितधीर्मुनिरुच्यते
69. सा निशा पश्यतो मुनेः
5. 6. योगयुक्तो मुनिः
28. मुनिर्मोक्षपरायणः
6. 3. आरुरुक्षोर्मुनेर्योगम्
10. 26. सिद्धानां कपिलो मुनिः
37. मुनीनामप्यहं व्यासः
14. 1. यज्ज्ञात्वा मुनयः सर्वे

मुनिश्रेष्ठ

Mukti. 1. 15. राम केचिन्मुनिश्रेष्ठाः

मुमुक्षा

Brahmab. 10. न मुमुक्षा न मुक्तिश्चेत्

मुमुक्षु

Śwet. 6. 18. मुमुक्षुर्वै शरणमहं प्रपद्ये
Gauḍa. 2. 32. न मुमुक्षुर्न वै मुक्तः
Nṛip. 1. 5. तेनैव संसारान्मुच्यते मोचयति मुमुक्षुर्भवति
— यो जानीते स मुमुक्षुर्भवति
2. 4. मुमुक्षवो ब्रह्मवादिनश्च
Brahmab. 3. निर्विषयं . . मनः कार्यं मुमुक्षुणा
Kâlâg. 1. तत्समाचरेन्मुमुक्षुर्न पुनर्भवाय
Vâsu. 3. मुमुक्षुर्धारयेन्नित्यम्
Mukti. 1. 26. मुमुक्षूणां विमुक्तये
1. मुमुक्षवः पुरुषाः
Gîtâ. 4. 15. पूर्वैरपि मुमुक्षुभिः

मुमूर्षु

Râmot. 4. मुमूर्षोर्दक्षिणे कर्णे

मुष्क

Bṛih. 6. 4. 3. चर्माधिषवणे . . तौ मुष्कौ

मुष्टि

Chhâ. 7. 3. 1. द्वे वाक्षौ मुष्टिरनुभवति

मुष्टिक

Kṛish. 15. मत्सरो मुष्टिको ऽजयः

मुह्

Bṛih. 2. 4. 12. अत्रैव मा भगवानमूमुहत्
6. 1. 11. यथा मुग्धा आविद्वांसो मनसा

Kaṭha. 2. 5. दन्द्रम्यमाणाः परियन्ति मूढाः Maitri. 7. 9.
6. वित्तमोहेन मूढम्

Śwet. 4. 7. अनीशया शोचति मुह्यमानः Muṇḍ. 3. 1. 2.

Maitri. 7. 10. तदिमे मूढा उपजीवन्ति

Muṇḍ. 1. 2. 7. एतच्छ्रेयो ये ऽभिनन्दन्ति मूढाः
8. जङ्घन्यमानाः परियन्ति मूढाः

Nṛisut. 6. अन्धा बधिरा मुग्धाः
9. मूढैरात्मैव दृष्टा
— अमूढो मूढ इव व्यवहरन्नास्ते

Krish. 11. मायया मोहितं जगत्

Mukti. 1. 48. शास्त्रगर्तेषु मुह्यते

Gîtâ. 2. 13. धीरस्तत्र न मुह्यति
3. 2. बुद्धिं मोहयसीव मे
4. 16. कवयो ऽप्यत्र मोहिताः
5. 15. तेन मुह्यन्ति जन्तवः
7. 13. मोहितं नाभिजानाति माम्
15. न मां दुष्कृतिनो मूढाः
25. मूढो ऽयं नाभिजानाति लोकः
8. 27. योगी मुह्यति कश्चन
9. 11. अवजानन्ति मां मूढाः
16. 20. मूढा जन्मनि जन्मनि

मुहुस्

Mukti. 1. 5. प्रणमामि मुहुर्मुहुः

Gîtâ. 18. 76. हृष्यामि च मुहुर्मुहुः

मुहूर्त्त

Kaush. 1. 3. मुहूर्त्ता येष्टिहाः
4. स आगच्छति मुहूर्त्तान् येष्टिहान्

Bṛih. 3. 8. 9. निमेषा मुहूर्त्ता अहोरात्राणि

Mahânâr. 1. 8. कला मुहूर्त्ताः काष्ठाश्च

Âtmapra. 1. आत्मप्रबोधोपनिषदं मुहूर्त्तमुपासित्वा

मूक

Kaush. 3. 3. जीवति वागपेतो मूकान् हि पश्यामः

Nṛisut. 6. मुग्धाः क्लीबा मूकाः

मूढग्राह

Gîtâ. 17. 19. मूढग्राहेणात्मनः

मूढत्व

Maitri. 3. 5. मूढत्वं निर्व्रीडत्वं . . इति तामसानि

मूढयोनि

Gîtâ. 14. 15. मूढयोनिषु जायते

मूत्र

Chhâ. 6. 5. 2. स्थविष्ठो धातुस्तन्मूत्रं भवति

मूत्रद्वार

Maitri. 3. 4. अथ मूत्रद्वारेण निष्क्रान्तम्

मूत्रपुरीष

Śwet. 2. 13. मूत्रपुरीषमल्पम्

Garbha. 5. अनियतं मूत्रपुरीषमाहारपरिमाणात्

मूर्छ्

Ait. 1. 3. अद्भ्य एव पुरुषं समुद्धृत्यामूर्च्छयत्

Chhâ. 7. 10. 1. आप एवेमा मूर्त्ताः (bis).

Bṛih. 2. 3. 1. द्वे वाव ब्रह्मणो रूपे मूर्त्तं चैवामूर्त्तं च Maitri. 6. 3.
2. एतन्मूर्त्तं यदन्यद्वायोश्चान्तरिक्षात्
— तस्यैतस्य मूर्त्तस्य . . एष रसो य एष तपति

Bṛih. 2. 3. 4. इदमेव मूर्त्तं यदन्यत्प्राणात्
— एतस्य मूर्त्तस्य..एष रसो यच्चक्षुः
Maitri. 6. 3. यन्मूर्त्तं तदसत्यम्
Praśna. 1. 5. रयिर्वा एतत्सर्वं यन्मूर्त्तं चामूर्त्तं च
Gauḍa. 2. 23. मूर्त्त इति मूर्त्तविदः
Nâr. 2. मूर्त्तामूर्त्तं च नारायणः

मूर्त्तविद्

Gauḍa. 2. 23. मूर्त्त इति मूर्त्तविदः

मूर्त्ति

Ait. 3. 2. ताभ्यो ऽभितप्ताभ्यो मूर्त्तिरजायत या वै सा मूर्त्तिरजायतान्नं वै तत्
Śwet. 1. 13. वह्नेर्यथा योनिगतस्य मूर्त्तिर्न दृश्यते
Maitri. 6. 14. कालो मूर्त्तिरमूर्त्तिमान्
Mahânâr. 15. 6. विश्वमूर्त्तिषु
Praśna. 1. 5. तस्मान्मूर्त्तिरेव रयिः
Vâsu. 2. ब्रह्मादयस्त्रयो मूर्त्तयः
Râmap. 16. रेफारूढा मूर्त्तयः स्युः
Gîtâ. 14. 4. मूर्त्तयः सम्भवन्ति याः

मूर्धन्

Kaush. 2. 11. पुत्रस्य मूर्द्धानमभिजिघ्रेत्
— पुत्र ते नाम्ना मूर्द्धानमभिजिघ्रामीति त्रिरस्य मूर्द्धानमभिजिघ्रेत्
— त्रिरस्य मूर्द्धानमभिहिंकुर्यात्
4. 3. सर्वेषां भूतानां मूर्द्धा भवति
Chhâ. 1. 8. 6. यस्त्वेतर्हि ब्रूयान्मूर्द्धा ते विपतिष्यतीति मूर्द्धा ते विपतेत् 8.
1. 10. 9. मूर्द्धा ते विपतिष्यति 10, 11; 1. 11. 4, 6, 8; Bṛih. 3. 7. 1; 3. 9. 26.
1. 11. 5. मूर्द्धा ते व्यपतिष्यत् 7, 9.
Chhâ. 5. 12. 2. मूर्द्धात्वेष आत्मन इति होवाच मूर्द्धा ते व्यपतिष्यद्यन्मां नागमिष्यः
5. 18. 2. मूर्द्धैव सुतेजाः
8. 6. 6. तासां मूर्द्धानमभिनिःसृतैका Kaṭha. 6. 16.
Bṛih. 1. 3. 24. त्यस्य राजा मूर्द्धानं विपातयतात्
2. 1. 2. सर्वेषां भूतानां मूर्द्धा राजा (bis).
3. 6. 1. मा ते मूर्द्धा व्यपप्तत्
3. 9. 26. तस्य ह मूर्द्धा विपपात
4. 4. 2. चक्षुषो वा मूर्ध्नो वा
Maitri. 6. 21. तीर्त्वा पारमपारेण पश्चाद्युञ्जीत मूर्द्धनि
23. मूर्द्ध्नि स्थाने ततो ऽभ्यसेत्
Muṇḍ. 2. 1. 4. अग्निर्मूर्द्धा
Brahmav. 12. सूर्यं भित्त्वा तु मूर्द्धनि
Śiras. 6. मूर्द्धानमस्य संसीव्य
Brahma. 2. नाभिर्हृदयं कण्ठं मूर्द्धा
3. तुरीयं मूर्द्ध्नि संस्थितम्
Prâṇâg. 2. एकऋषिर्भूत्वा मूर्द्धनि तिष्ठति
4. मूर्द्धा द्रोणकलशः
Amṛita. 38. मारुतो याति मूर्द्धनि
Nyâsa. 5. भित्त्वा मूर्द्धानमव्ययम्
— अयं मूर्द्धानमस्य देह
Gîtâ. 8. 12. मूर्ध्न्याधायात्मनः प्राणम्

मूल

Chhâ. 6. 8. 4. तस्य क्व मूलं स्यादन्यत्रान्नात्
— मूलमन्विच्छ 6.
6. तस्य क्व मूलं स्यादन्यत्राद्भ्यः
6. 11. 1. वृक्षस्य यो मूले ऽभ्याहन्यात्
Bṛih. 3. 9. 28. वृक्षो वृक्णो रोहति मूलात्
— मर्त्यः..कस्मान्मूलात्प्ररोहति (bis).

Śvet. 1. 5. पञ्चबुद्ध्यादिमूलाम्
16. आत्मविद्यातपोमूलम्
Brahma. 3.
Śiras. 5. क्षमां हित्वा हेतुजालस्य मूलम् (bis).
Dhyâna. 23. नासिकायां तु मूलतः
Vâsu. 3. तुलसीमूलमृत्तिकाम्
Mukti. 2. 37. मनो मूलमिदं स्थितम्
Gîtâ. 15. 2. अधश्च मूलान्यनुसन्ततानि

मूलप्रकृति

Râmot. 3. मूलप्रकृतिसंज्ञिता

मूलाग्नि

Nṛisut. 3. मूलाग्नावग्निरूपं प्रणवं सन्दध्यात्

मूषक

Gâruḍa. 2. गृहगोधानां मूषकाणाम्

मृ

Kaush. 2. 12. अथैतन्म्रियते यन्न ज्वलति
— अथैतन्म्रियते यन्न दृश्यते (bis).
— अथैतन्म्रियते यन्न विद्योतते
— वायौ मृत्वा न मृच्छन्ते
13. अथैतन्म्रियते यन्न वदति
— अथैतन्म्रियते यन्न पश्यति
— अथैतन्म्रियते यन्न शृणोति
— अथैतन्म्रियते यन्न ध्यायति
— प्राणे मृत्वा न मृच्छन्ते
3. 3. यत्रैतत्पुरुष आर्त्तो मरिष्यन्
Chhâ. 5. 10. 8. जायस्व म्रियस्वेति
6. 11. 3. जीवापेतं वाव किलेदं म्रियते न जीवो म्रियते
Bṛih. 1. 5. 21. अनुशुष्य हैवान्ततो म्रियते
3. 2. 11. यत्रायं पुरुषो म्रियते 12.
— आध्मातो मृतः शेते
13. यत्रास्य पुरुषस्य मृतस्याग्निं वागप्येति

Bṛih. 4. 3. 8. स उत्क्रामन् म्रियमाणः
4. 4. 7. यथा हि निर्ल्वयनी वल्मीके मृता
6. 2. 13. यदा म्रियते ऽथैनममये हरन्ति
Kaṭha. 2. 17. न जायते म्रियते वा विपश्चित् Gîtâ. 2. 20 (कदाचित्)
Gauḍa. 4. 68. जायते म्रियते ऽपि च 69, 70.
Nṛip. 1. 3. स मृतो ऽधो गच्छति
— आचार्यस्तेनैव मृतो ऽधो गच्छति
7. यत्रकुत्रापि म्रियेत
2. 4. मृत्युमपमृत्युं च मारयति
Garbha. 4. जातश्चाहं मृतश्चैव
— मृतश्चाहं पुनर्जातो जातश्चाहं पुनर्मृतः
Prâṇâg. 4. वाराणस्यां मृतो वापि
Amṛita. 38. यत्र यत्र म्रियेद्वापि
Nyâsa. 1. अथाहिताग्निर्म्रियेत
Piṇḍa. 1. मृतस्य दीयते पिण्डम्
Gopî. 4. मृतो मोक्षमश्नुते
5. म्रियते यत्रकुत्रचित्
Râmot. 4. गंगायां वा तटे पुनर्म्रियते
— यत्रकुत्रापि वा मृताः
Mukti. 1. 19. मृतो मत्तारमाप्नुयात्
Gîtâ. 2. 26. नित्यं वा मन्यसे मृतम्
27. ध्रुवं जन्म मृतस्य च

मृग

Mahânâr. 9. 1. महिषो मृगाणाम् 17. 8.
Maitri. 6. 18. नाश्रयन्ति मृगद्विजाः
Nṛip. 2. 4. मृगं न भीममुपहन्तुमुग्रम्
— मृगो न भीमः कुचरो गिरिष्ठाः
Gîtâ. 10. 30. मृगाणां च मृगेन्द्रः

मृगेन्द्र

Gîtâ. 10. 30. मृगाणां च मृगेन्द्रः

मृच्छ्

Kaush. 2. 12. वायौ मृत्वा न मृच्छन्ते
13. प्राणे मृत्वा न मृच्छन्ते

मृज्

Kshur. 12. पादस्योपरि मर्मृज्य (Pâ. 7. 4. 65).

मृड्

Nṛip. 2. 4. मृडा जरित्रे सिंह स्तवानः
Nîla. 7. तया नो मृड जीवसे

मृतसूतक

Maitri. 6. 9. मृतसूतकाद्वा

मृत्तिका

Chhâ. 6. 1. 4. मृत्तिकेत्येवं सत्यम्
Mahânâr. 4. 6. मृत्तिके हर मे पापम्
7. मृत्तिके देहि मे पुष्टिम्
Vâsu. 3. तुलसीमूलमृत्तिकाम्
Gopî. 1. गोपीचन्दनमृत्तिकाया निरुक्त्या

मृत्पात्र

Aruṇeya. 5. मृत्पात्रं वा अलाबुपात्रं दारुपात्रं वा

मृत्पिण्ड

Chhâ. 6. 1. 4. एकेन मृत्पिण्डेन सर्वं मृन्मयं विज्ञातम्

मृत्यव

Maitri. 2. 6. अनेन खल्वीरितः परिभ्रमतीदं शरीरं चक्रमिव मृत्यवेन
3. 3. एतानि गुणानि पुरुषेणेरितानि चक्रमिव मृत्यवेन

1. मृत्यु

Ait. 1. 4. नाभ्या अपानो ऽपानान्मृत्युः
Ait. 2. 4. मृत्युरपानो भूत्वा नाभिं प्राविशत्
Kaush. 4. 2. शब्दे मृत्युः
14. मृत्युरिति वा अहमेतमुपासे Bṛih. 2. 1. 12.
Chhâ. 1. 4. 1. देवा वै मृत्योर्बिभ्यतः
3. तानु तत्र मृत्युः. . पर्यपश्यत्
2. 22. 3. सर्वे स्पर्शा मृत्योरात्मानः
4. मृत्युं शरणं प्रपन्नो ऽभूवम्
5. मृत्योरात्मानं परिहराणीति
7. 26. 2. न पश्यो मृत्युं पश्यति
8. 4. 1. न जरा न मृत्युर्न शोकः
8. 12. 1. शरीरमात्तं मृत्युना
Bṛih. 1. 2. 1. मृत्युनैवेदमावृतमासीदशनायया
— अशनाया हि मृत्युः
7. एकैव देवता भवति मृत्युरेव
— नैनं मृत्युराप्नोति मृत्युरस्यात्मा भवति
1. 3. 9. दूरं ह्यस्या मृत्युर्दूरं ह वा अस्मान्मृत्युर्भवति
10. पाप्मानं मृत्युमपहत्य 11.
— नेत्पाप्मानं मृत्युमन्ववायानि
11. एना मृत्युमत्यवहत्
12. यदा मृत्युमत्यमुच्यत 13—16.
— परेण मृत्युमतिक्रान्तः 13—16.
16. एनमेषा देवता मृत्युमतिवहति
28. मृत्योर्माामृतं गमय (ter).
— मृत्युर्वा असत्
— मृत्युर्वै तमः
1. 4. 11. पर्जन्यो यमो मृत्युरीशानः
1. 5. 21. मृत्युः श्रमो भूत्वोपयेमे
— तान्याप्त्वा मृत्युरवारुन्धत
23. नेन्मा पाप्मा मृत्युराप्नुवत्

Bṛih. 2. 1. 12. नैनं पुरा कालान्मृत्युरागच्छति
3. 1. 3. सर्वं मृत्युनाप्तं सर्वं मृत्युनाभिपन्नं केन यजमानो मृत्योराप्तिमतिमुच्यते
3. 2. 10. इदं सर्वं मृत्योरन्नं कास्वित्सा देवता यस्या मृत्युरन्नम्
— अग्निर्वै मृत्युः
3. 5. 1. मृत्युं जरामत्येति
3. 9. 14. तस्य का देवतेति मृत्युरिति
28. मर्त्यः स्विन्मृत्युना वृक्णः (bis).
4. 3. 7. अतिक्रामति मृत्यो रूपाणि
4. 4. 19. मृत्योः स मृत्युमाप्नोति Kaṭha. 4. 10; Atmapra. 1.
Iśâ. 11. अविद्यया मृत्युं तीर्त्वा Maitri. 7. 9.
14. विनाशेन मृत्युं तीर्त्वा
Tait. 2. 8. 1. मृत्युर्धावति पञ्चमः Kaṭha. 6. 3; Nṛip. 2. 4.
Kaṭha. 1. 4. मृत्यवे त्वां ददामीति
10. वीतमन्युर्गौतमो माभि मृत्यो
13. त्वमग्निं स्वर्ग्यमध्येषि मृत्यो
15. मृत्युः पुनरेवाह तुष्टः
22. त्वं च मृत्यो यन्न सुविज्ञेयमात्थ
29. यस्मिन्निदं विचिकित्सन्ति मृत्यो
2. 25. मृत्युर्यस्योपसेचनम्
4. 2. ते मृत्योर्यन्ति विततस्य पाशम्
11. मृत्योः स मृत्युं गच्छति
Śwet. 2. 12. न तस्य रोगो न जरा न मृत्युः
3. 8. तमेव विदित्वातिमृत्युमेति 6. 15.
aitri. 1. 3. *vide* आप

Maitri. 4. 2. दुर्निवार्यमस्य मृत्योरागमनम्
7. 11. न पश्यन् मृत्युं पश्यति
Mahânâr. 5. 9. एष मृत्यो हिरण्मयः
12. 3. मन्युर्मनुर्मृत्युः
24. 1. भूयो न मृत्युमुपयाहि
Praśna. 6. 6. यथा मा वो मृत्युः परिव्यथाः
Kaivalya. 9. ज्ञात्वा तं मृत्युमत्येति
Nṛip. 2. 1. देवा ह वै मृत्योः . . अबिभयुः
— तेन वै सर्वे मृत्युमजयन्
— तस्माद्यो मृत्योः . . बिभीयात्
— स मृत्युं जयति
4. मृत्युमपमृत्युं च मारयति
3. 1. स मृत्युं तरति 5. 4; Râmot. 2.
4. 3. यो वै नृसिंहः . . यश्च मृत्युस्तस्मै वै नमो नमः (24)
5. 10. यत्र न मृत्युः प्रविशति यत्र न दुःखम्
Nṛisut. 8. मृत्योर्मृत्युमाप्नोति
Śiras. 2. यो वै रुद्रः . . यश्च मृत्युः
Haṁsa. 1. तं विदित्वा न मृत्युमेति
Gopî. 1. मृत्योर्भयाच्च संरक्षणी
Râmot. 5. यो वै श्रीरामः . . यश्च मृत्युः (15).
Gîtâ. 2. 27. जातस्य हि ध्रुवो मृत्युः
9. 3. मृत्युसंसारवर्त्मनि
19. अमृतं चैव मृत्युश्च
10. 34. मृत्युः सर्वहरश्चाहम्
12. 7. मृत्युसंसारसागरात्
13. 8. जन्ममृत्युजराव्याधिदुःखदोषानुदर्शनम्
25. ते ऽपि चातितरन्त्येव मृत्युम्
14. 20. जन्ममृत्युजरादुःखैः

2. मृत्यु

Bṛih. 2. 6. 3. अथर्वा दैवो मृत्योः प्राध्वंसनात् 4. 6. 3.
— मृत्युः प्राध्वंसनः प्रध्वंसनात् 4. 6. 3.

मृत्युतारक

Nṛip. 5. 2. एतद्रक्षोघ्नं मृत्युतारकम्

मृत्युपाश

Kaṭha. 1. 18. मृत्युपाशान् पुरतः प्रणोद्य
Śwet. 4. 15. तमेवं ज्ञात्वा मृत्युपाशांश्छिनत्ति
Śiras. 5. पशवो ऽनुनामयन्तं मृत्युपाशान्

मृत्युप्रोक्त

Kaṭha. 3. 16. मृत्युप्रोक्तं सनातनम्
6. 18. मृत्युप्रोक्तां . . विद्याम्

मृत्युमन्त्

Praśna. 5. 6. तिस्रो मात्रा मृत्युमत्यः प्रयुक्ता अन्योन्यसक्ताः

मृत्युमुख

Kaṭha. 1. 11. त्वां ददृशिवान्मृत्युमुखात् प्रमुक्तम्
3. 15. निचाय्य तन्मृत्युमुखात्प्रमुच्यते

मृत्युमृत्यु

Nṛip. 1. 4. मृत्युं चतुर्थस्याद्यं साम जानीयात्
5. मृत्युं चतुर्थस्यार्द्धान्त्यं साम जानीयात्
2. 3. मृत्युमृत्युं नवमं (स्थानं जानीयात्)
4. कस्मादुच्यते मृत्युमृत्युमिति
— यस्य छायामृतं यो मृत्युमृत्युः

Nṛip. 2. 4. तस्मादुच्यते मृत्युमृत्युमिति
Nṛisut. 4. एष एव मृत्युमृत्युः
5. एष एव मृत्युमृत्युरेष हि व्याप्ततमः
— एष एव मृत्युमृत्युरेष ह्येवोत्कृष्टः
— एतदेव मृत्युमृत्युरेतद्धि महाविभूति
6. मृत्युमृत्युममृत्युमृत्युं . . बुबुधिरे

मृत्युमृत्युत्व

Nṛisut. 7. भद्रत्वान्मृत्युमृत्युत्वात्

मृत्युरूपिणी (=श)

Râmap. 77. ससूक्ष्मा मृत्युरूपिणी

1. मृद्

Vâsu. 2. विष्णोर्नुकमिति मर्दयेत्

2. मृद् , मृदा

Śwet. 2. 14. यथैव बिंबं मृदयोपलिप्तम्
Maitri. 6. 27. मृद्वत्संस्थमयस्पिण्डम्
Gauḍa. 3. 15. मृल्लोहविस्फुलिङ्गाद्यैः
Sarvop. 4. मृद्विकारेषु मृदिव
Gopî. 4. पीतवर्णा मृदो जायन्ते

मृदङ्गनाद

Haṁsa. 2. अष्टमो मृदङ्गनादः

मृदितकषाय

Chhâ. 7. 26. 2. तस्मै मृदितकषायाय तमसः पारं दर्शयति

मृदु

Chhâ. 2. 22. 1. मृदु श्लक्ष्णं वायोः
Râmap. 86. मृदुश्लक्ष्णसतूलिकायाम्

मृदुप्रभ

Maitri. 6. 30. ये नैकरूपास्त्वधस्ताद्रश्मयो ऽस्य मृदुप्रभाः

मृदुलोहित

Maitri. 6. 30. कपिला मृदुलोहिताः

मृद्विकार

Sarvop. 4. मृद्विकारेषु मृदिव

मृध्

Mahânâr. 20. 2. अप मृधो नुदस्व

मृन्मय

Chhâ. 6. 1. 4. सर्वं मृन्मयं विज्ञातम्
Kaṭhaśru. 3. मृन्मयान्यप्सु जुहुयात्

मृषा

Kaush. 4. 19. मृषा वै खलु मा संवादयिष्ठा ब्रह्म ते ब्रवाणीति
Gauḍa. 4. 33. सर्वे धर्मा मृषा स्वप्ने

मेखला

Aruṇeya. 5. अजिनं मेखलां यज्ञोपवीतं च त्यक्त्वा

मेघ

Chhâ. 2. 3. 1. मेघो जायते स प्रस्तावः 2. 15. 1.
2. 4. 1. मेघो यत् संप्लवते स हिंकारः
3. 19. 2. यदुल्वं स मेघो नीहारः
5. 10. 6. अभ्रं भूत्वा मेघो भवति मेघो भूत्वा प्रवर्षति

मेघघोष

Krish. 18. मेघघोषस्तु स स्मृतः

मेघनाद

Hamsa. 2. दशमो मेघनादः

मेदस्, मेद

Maitri. 3. 4. *vide* वसा
Garbha. 2. मांसान्मेदो मेदसः स्नावा
5. मेदप्रस्थौ द्वौ
Râmap. 74. मेदश्च कामिका

मेदिनी

Mahânâr. 13. 7. सर्वभूतानां माता मेदिनी

मेदोवृद्धि

Kaṭhaśru. 1. यथा मेदोवृद्धिर्न जायते

मेधा

Ait. 5. 2. मेधा दृष्टिर्धृतिर्मतिः
Bṛih. 1. 5. 1. मेधया तपसाजनयत्पिता 2
Tait. 1. 4. 1. स मेन्द्रो मेधया स्पृणोतु
— ब्रह्मणः कोशो ऽसि मेधया- पिहितः
Kaṭha. 2. 23. न मेधया न बहुना श्रुतेन Muṇḍ. 3. 2. 3.
Mahânâr. 2. 7. सनिं मेधामयासिषम्
16. 4. मेधा देवी जुषमाणा
— सा नो जुषस्व द्रविणेन मेधे
5. मेधां मे इन्द्रो ददातु मेधां देवी सरस्वती मेधां मे अश्विनावुभावाधत्ताम्
6. अप्सरासु च या मेधा.. दैवी मेधा मनुष्यजा सा मां मेधा सुरभिर्जुषताम्
7. आ मां मेधा..जगम्या
— सा मां मेधा सुप्रतीका जुषताम्
19. 1. श्रद्धा प्रजा च मेधा च (bis)
23. 1. श्रद्धया मेधा मेधया मनीषा
Râmap. 75. मेधामरविभूषिता
76. मेधया युक्ता दीर्घा
Gîtâ. 10. 34. स्मृतिर्मेधा धृतिः क्षमा

मेधाविन्

Chhâ 6. 14. 2. पण्डितो मेधावी
Bṛih. 4. 3. 33. मेधावी राजा
Kaṭha. 3. 16. उक्त्वा श्रुत्वा च मेधावी
Brahmab. 18. ग्रन्थमभ्यस्य मेधावी
Amṛita. 1. शास्त्राण्यधीत्य मेधावी

Mukti. 1. 52. मेधाविनं ब्रह्मचर्योपपन्नम्
Gîtâ. 18. 10. मेधावी छिन्नसंशयः

मेध्य

Bṛih. 1. 1. 1. अश्वस्य मेध्यस्य (bis).
1. 2. 7. मेध्यं म इदं स्यात्
— तन्मेध्यमभूत्

मेरु

Gîtâ. 10. 23. मेरुः शिखरिणामहम्

मेष

Bṛih. 1. 4. 4. अविरितरा मेष इतरः

मैत्र

Mukti. 2. 34. मैत्रादिभिर्गुणैर्युक्तम्
Gîtâ. 12. 13. मैत्रः करुण एव च

मैत्रायणी

Mukti. 1. 32. मैत्रायणी कौषीतकी
1. *vide* जाबालि

मैत्रावरुण

Bṛih. 6. 4. 28. इलासि मैत्रावरुणी
Prâṇâg. 3. शारीरयज्ञस्य..को मैत्रावरुणः
4. समानो मैत्रावरुणः

मैत्रि

Maitri. 2. 2. इत्याह भगवान्मैत्रिः
3. भगवता मैत्रिणाख्याता

मैत्री

Mukti. 2. 69. मैत्र्यादिवासनानाम्नीः

मैत्रेय

Chhâ. 1. 12. 1. वको दाल्भ्यो ग्लावो वा मैत्रेयः 3.

मैत्रेयी

Bṛih. 2. 4. 1. मैत्रेयीति होवाच याज्ञवल्क्यः 4. 5. 2.
Bṛih. 2. 4. 2. सा होवाच मैत्रेयी 3, 13; 4. 5. 3, 4, 14.
5. मैत्रेय्यात्मनो वा अरे दर्शनेन
4. 5. 1. मैत्रेयी च कात्यायनी च
— मैत्रेयी ब्रह्मवादिनी बभूव
6. मैत्रेय्यात्मनि खल्वरे दृष्टे
15. उक्तानुशासनासि मैत्रेयि
Mukti. 1. 32. कालाग्निरुद्रमैत्रेयी
1. *vide* जाबालि

मैथिली

Râmap. 43. आदाय मैथिलीमद्य

मैथुन

Chhâ. 3. 17. 3. यन्मैथुनं चरति
Kaṭha. 4. 3. मैथुनानेतेनैव विजानाति
Maitri. 3. 4. शरीरमिदं मैथुनादेवोद्भूतम्

मोक्ष्

Gâruḍa. 3. तृणेन मोक्षयति काष्ठेन मोक्षयति
— चक्षुषा मोक्षयति
— भस्मना मोक्षयति
— मनसा मोक्षयति
Aśrama. 4. आत्मानं मोक्षयन्ते
Râmot. 4. मोक्षयिष्यामि मा शुचः Gîtâ. 18. 66.
Gîtâ. 4. 16. यज्ज्ञात्वा मोक्ष्यसे ऽशुभात् 9. 1.
9. 28. मोक्ष्यसे कर्मबन्धनैः

मोक्ष

Śwet. 6. 16. संसारमोक्षस्थितिबन्धहेतुः
Maitri. 6. 30. अध्यवसायस्य दोषक्षयाद्धि मोक्षः
34. एतज्ज्ञानं च मोक्षं च
— मन एव..कारणं बन्धमोक्षयोः Brahmab. 2

Maitri. 6. 30. मोक्षे निर्विषयं स्मृतम् (so MS.)
Gauḍa. 4. 30. अनन्तता चादिमतो मोक्षस्य न भविष्यति
Garbha. 3. क्षराक्षरं मोक्षं चिन्तयति
Prâṇâg. 4. मोक्षं च प्राप्नुयात्
Sarvop. 1. कथं बन्धः कथं मोक्षः — तन्निवृत्तिर्मोक्षः
Gopî. 4. मृतो मोक्षमश्नुते
5. स वै मोक्षं समश्नुते
Râmap. 92. मोक्षमाप्नोति सर्वः
94. अमला यान्ति मोक्षम्
Mukti. 2. 68. मोक्षः स्याद्वासनाक्षयः
Gîtâ. 7. 29. जन्ममरणमोक्षाय
13. 34. भूतप्रकृतिमोक्षम्
18. 30. बन्धं मोक्षं च या वेत्ति

मोक्षकर

Râmap. 82. सेवकानां मोक्षकरम्

मोक्षकांक्षिन्

Gîtâ. 17. 25. क्रियन्ते मोक्षकांक्षिभिः

मोक्षद

Gopî. 5. कामदं मोक्षदं चैव

मोक्षद्वार

Nṛip. 1. 5. *vide* मुख्यद्वार
5. 1. सार्वकामिकं मोक्षद्वारम् 2.

मोक्षद्वारबिल

Amṛita. 26. मोक्षद्वारबिलं चैव सुषिरं मण्डलं विदुः

मोक्षपरायण

Gîtâ. 5. 28. मुनिर्मोक्षपरायणः

मोक्षमन्त्र

Jâbâla. 4. मोक्षमन्त्रस्त्रय्येवं विदेत्

मोक्षलक्षण

Maitri. 6. 20. मोक्षलक्षणमित्येतत्परं रहस्यम्
30. निरध्यवसायः . . तिष्ठेदेतन्मोक्षलक्षणम्

मोक्षशास्त्र

Garbha. 5. पैप्पलादं मोक्षशास्त्रम्

मोक्षार्थित्व

Mukti. 2. 68. मोक्षार्थित्वमपि त्यज

मोक्षिन्

Jâbâla. 1. अमृतीभूत्वा मोक्षी भवति Râmot. 1.

मोघकर्मन्

Gîtâ. 9. 12. मोघाशा मोघकर्माणः

मोघज्ञान

Gîtâ. 9. 12. मोघज्ञाना विचेतसः

मोघम्

Gîtâ. 3. 16. मोघं पार्थ स जीवति

मोघाश

Gîtâ. 9. 12. मोघाशा मोघकर्माणः

मोद

Tait. 2. 5. 1. मोदो दक्षिणः पक्षः

मोदिन्

Maitri. 6. 33. तत्रानन्दी मोदी भवति

मोह

Brih. 2. 4. 13. न वा अरे ऽहं मोहं ब्रवीमि 4. 5. 14.
3. 5. 1. मोहं जरां मृत्युमत्येति
Isâ. 7. को मोहः कः शोक एकत्वमनुपश्यतः
Maitri. 1. 3. *vide* आद्य
6. 10. सुखदुःखमोहसंज्ञं . . इदं जगत्

Praśna. 2. 3. मा मोहमापथय
Nṛisut. 2. निरस्ताखिलाविद्यातमोमोहः
Tejo. 12. लोभं मोहं भयं दर्पम्
Parama. 2. *vide* आदि
Aruṇeya. 3. *vide* आदि
Atmapra. 1. शोकमोहविनिर्मुक्तम्
Râmot. 3. निरस्ताविद्यातमोमोहः
Gîtâ. 4. 35. यज्ज्ञात्वा न पुनर्मोहमेवं यास्यसि
11. 1. मोहो ऽयं विगतो मम
14. 13. प्रमादो मोह एव च
17. प्रमादमोहौ तमसो भवतः
22. मोहमेव च पाण्डव
16. 10. मोहाद्गृहीत्वासद्ग्राहान्
18. 7. मोहात्तस्य परित्यागः
25. मोहादारभ्यते कर्म
60. कर्तुं नेच्छसि यन्मोहात्
73. नष्टो मोहः स्मृतिर्लब्धा

मोहकलिल

Gîtâ. 2. 52. यदा ते मोहकलिलम्

मोहजाल

Maitri. 7. 8. मोहजालस्यैष वै योनिः
Gîtâ. 16. 16. मोहजालसमावृताः

मोहन

Gîtâ. 14. 8. मोहनं सर्वदेहिनाम्
18. 39. सुखं मोहनमात्मनः

मोहमदिरोन्मत्त

Maitri. 4. 2. मदिरोन्मत्त इव मोहमदिरोन्मत्तम्

मोहात्मक

Nṛisut. 9. तदेतज्जडं मोहात्मकम्

मोहान्त

Bṛih. 4. 5. 13. अत्रैव मा भगवान्मोहान्तमापीपिपत्

मोहिन्

Gîtâ. 9. 12. प्रकृतिं मोहिनीं श्रिताः

मौद्गल्य

Bṛih. 6. 4. 4. नाको मौद्गल्यः Tait. 1. 9. 1.

मौन

Chhâ. 8. 5. 2. यन्मौनमित्याचक्षते
Bṛih. 3. 5. 1. अमौनं च मौनं च निर्विद्य
Mukti. 2. 21. सन्त्यक्तवासनान्मौनादृते
Gîtâ. 10. 38. मौनं चैवास्मि गुह्यानाम्
17. 16. मौनमात्मविनिग्रहः

मौनिन्

Gîtâ. 12. 19. तुल्यनिन्दास्तुतिर्मौनी

मौनी

Nâda. 11. एकादशी भवेन्मौनी

म्लुच्

Bṛih. 1. 5. 22. म्लोचन्ति ह्यन्या देवता न वायुः

यकृत्

Bṛih. 1. 1. 1. यकृच्च क्लोमानश्च पर्वताः

यक्ष

Kena. 15. तन्न व्यजानन्त किमिदं यक्षमिति
16. विजानीहि किमेतद्यक्षमिति 20, 24.
19. नैतदशकं विज्ञातुं यदेतद्यक्षम् 23.
25. तां होवाच किमेतद्यक्षमिति
Bṛih. 5. 4. 1. महद्यक्षं प्रथमजं वेद
Maitri. 1. 4. *vide* आदि
7. 6. ditto.
8. ditto.

Nṛip. 1. 2. यक्षगन्धर्वाप्सरोगणैः
5. 7. स यक्षानाकर्षयति
Nâda. 13. भवेद्यक्षो महात्मवान्
Gîtâ. 10. 23. वित्तेशो यक्षरक्षसाम्
11. 22. गन्धर्वयक्षासुरसिद्धसंघाः
17. 4. यक्षरक्षांसि राजसाः

यच्चित्त

Maitri. 6. 34. यच्चित्तस्तन्मयो भवति
Praśna. 3. 10. यच्चित्तस्तेनैष प्राणमायाति

यच्छब्द

Dhyâna. 5. अनाहतं च यच्छब्दम्

यच्छ्रद्ध

Gîtâ. 17. 3. यो यच्छ्रद्धः स एव सः

यज्

Kaushh. 1. 1. चित्रो ह वै गार्ग्यायणिर्यक्ष्यमाणः
— श्वेतकेतुं प्रजिघाय याजयेति
Chhâ. 1. 10. 6. राजासौ यक्ष्यते
1. 11. 1. अथ हैनं यजमान उवाच
3. तथेति ह यजमान उवाच
2. 22. 2. स्वर्गं लोकं यजमानाय
2. 24. 2. क्व तर्हि यजमानस्य लोकः
5. लोकं मे यजमानाय विंदैष वै यजमानस्य लोकः 9, 14.
6. एतास्म्यत्र यजमानः परस्तादायुषः 10, 15.
4. 16. 3. यज्ञं रिष्यन्तं यजमानोऽनुरिष्यति स इष्ट्वा पापीयान् भवति
5. यज्ञं प्रतितिष्ठन्तं यजमानोऽनुप्रतितिष्ठति स इष्ट्वा श्रेयान् भवति
4. 17. 10. यज्ञं यजमानं . . अभिरक्षति
5. 11. 5. यक्ष्यमाणो वै भगवन्तोऽहमस्मि

Chhâ. 8. 5. 1. यदिष्टमित्याचक्षते ब्रह्मचर्यमेव तत् . . इष्ट्वात्मानमनुविन्दते
Bṛih. 1. 2. 6. भूयसा यज्ञेन भूयो यजेय
1. 3. 28. आत्मने वा यजमानाय वा
1. 4. 6. अमुं यजामुं यजेति
16. यज्जुहोति यद्यजते तेन देवानां लोकः
3. 1. 1. बहुदक्षिणेन यज्ञेनेजे
3. केन यजमानः . . आप्तिमतिमुच्यते 4, 5.
6. केनाक्रमेण यजमानः स्वर्गं लोकमाक्रमते
3. 8. 9. यजमानं देवाः . . अन्वायत्ताः
10. अस्मिँल्लोके जुहोति यजते
4. 1. 2. इष्टं हुतमाशितं पायितम् 4. 5. 11.
3. अयाज्यं याजयति
6. 3. 1. तां त्वा घृतस्य धारया यजे
6. 4. 2. वाजपेयेन यजमानस्य
Kaṭha. 3. 2. यः सेतुरीजानानाम्
Maitri. 1. 1. यजमानश्चित्वैतानग्नीन्
6. 9. आत्मन्नेव यजति
33. कर्यैर्यजमानमन्तरिक्षमुत्क्षिप्त्वा
— कर्यैर्यजमानं दिवमुत्क्षिप्त्वा
— कर्यैर्यजमानस्यात्मविदेऽवदानं करोति
34. तस्मादग्निर्यष्टव्यः (bis).
— यजमानो हविर्गृहीत्वा
— सोऽस्मिन्नग्नौ यजामहे
35. लोकमस्मै यजमानाय धेहि (ter).
— सर्वमस्मै यजमानाय धेहि
— तास्मिन्नेव यजमानाः सैन्धव इव व्लीयन्ते
36. मन्त्र . . स्थालीपाकादिभिर्यष्टव्यमन्तर्वेद्याम्

Maṇḍ 1. 2. 6. सूर्यस्य रश्मिभिर्यजमानं वहन्ति
2. 1. 6. संवत्सरश्च यजमानश्च
Mahânâr. 25. 1. आत्मा यजमानः
Garbha. 5; Prâṇâg. 4.
Praśna. 4. 4. मनो ह वाव यजमानः
— स एनं यजमानमहरहर्ब्रह्म गमयति
Nṛip. 5. 8. सोऽग्निष्टोमेन यजते
— स उक्थ्येन यजते
— स षोडशिना यजते
— स वाजपेयेन यजते
— सोऽतिरात्रेण यजते
— सोऽप्तोर्यामेण यजते
— स सर्वैः क्रतुभिर्यजते
Chûl. 7. इज्यमानां सुयज्वभिः
Śiras. 7. तेन सर्वैः क्रतुभिरिष्टं भवति
Mahâ. 4.
Prâṇâg. 3. शारीरयज्ञस्य..को यजमानः
Nyâsa. 2. ब्राह्मीनिष्टिं यजेत्
Kaṭhaśru. 1. यजमानस्याङ्गानृत्विजः समारोप्य
3. इष्ट्वा च शक्तितो यज्ञैः
Kâlâg. 1. त्र्यंबकं यजामहे
Atmapra. 1. यमिष्ट्वा मुच्यते योगी
Aśrama. 2. शतसंवत्सराभिः क्रियाभिर्यजन्तः (4 times).
— शालीनवृत्तयो यजन्तो न याजयन्तः
— यायावरा यजन्तो याजयन्तः
Gîtâ. 4. 12. यजन्त इह देवताः
9. 15. यजन्तो मामुपासते
20. यज्ञैरिष्ट्वा स्वर्गतिं प्रार्थयन्ते
23. यजन्ते श्रद्धयान्विताः 17.1.
— यजन्त्यविधिपूर्वकम्

Gîtâ. 16. 15. यक्ष्ये दास्यामि मोदिष्ये
17. यजन्ते नामयज्ञैस्ते
17. 4. यजन्ते सात्त्विका देवान्
— यजन्ते तामसा जनाः
11. यज्ञो विधिदृष्टो य इज्यते
— यष्टव्यमेवेति मनः समाधाय
12. इज्यते भरतश्रेष्ठ
18. 70. ज्ञानयज्ञेन तेनाहमिष्टः स्याम्

यजत्र

Nṛip. 1. 1. भद्रं पश्येमाक्षभिर्यजत्राः
2. 4; Nṛisut. 1.

यजुर्गायत्री

Nṛip. 4. 2. एषा ह वै महालक्ष्मीर्यजुर्गायत्री

यजुर्मय

Kaush. 2. 6. तस्मिन् यजुर्मयं प्रवयति यजुर्मय ऋङ्मयम्
Nṛip. 5. 2. ऋङ्मयं यजुर्मयं साममयम्

यजुर्लक्ष्मी

Nṛip. 1. 3. सावित्रीं प्रणवं यजुर्लक्ष्मीं स्त्रीशूद्राय नेच्छन्ति
4. 1. प्रणवं सावित्रीं यजुर्लक्ष्मीं ..अङ्गानि जानीयात्

यजुर्वेद

Chhâ. 1. 3. 7. यजुर्वेदो गीः
3. 2. 1. यजुर्वेद एव पुष्पम्
2. एतानि यजूंष्येतं यजुर्वेदमभ्यतपन्
3. 15. 7. यजुर्वेदं प्रपद्ये
7. 1. 2. अध्येमि यजुर्वेदम्
4. नाम वै..यजुर्वेदः
7. 2. 1. वाग्वै..विज्ञापयाति यजुर्वेदम्

Chhâ. 7. 7. 1. विज्ञानेन..विजानाति यजुर्वेदम्
Brih. 1. 5. 5. मनो यजुर्वेदः
2. 4. 10. ऋग्वेदो यजुर्वेदः सामवेदः 4. 1. 2; 4. 5. 11; Maitri. 6. 32; Mund. 1. 1. 5.
Nrip. 2. 1. स यजुर्भिर्यजुर्वेदः Nrisut. 3; Sikhâ. 1.
Brahmav. 6. यजुर्वेदो ऽन्तरिक्षं च
Mahâ. 3. त्रैष्टुभं छन्दो यजुर्वेदः
Kâlâg. 2. द्वितीया रेखा सा.. यजुर्वेदः

यजुर्वेदवाच्य

Nrip. 1. 6. यो यजुर्वेदवाच्यस्तं साम जानीयात्

यजुस्

Kaush. 1. 5. यजूंषि तिरश्चीनानि
2. 6. तद्यजुरित्युपासीत
Chhâ. 1. 4. 3. तानु तत्र मृत्युः.. पर्यपश्यदृचि साम्नि यजुषि । ते नु विदित्वोर्ध्वा ऋचः साम्नो यजुषः
4. एवं सामैवं यजुः
1. 7. 5. अक्षिणि पुरुषो दृश्यते .. तद्यजुः
3. 2. 1. यजूंष्येव मधुकृतः
2. एतानि यजूंष्येतं यजुर्वेदमभ्यतपन्
4. 17. 2. वायोर्यजूंषि
3. भुव इति यजुर्भ्यः
5. यदि यजुष्टो रिष्येत् .. यजुषामेव तद्रसेन यजुषां वीर्येण यजुषां यज्ञस्य विरिष्टं सन्दधाति
6. 7. 2. ऋचः सोम्य यजूंषि सामानीति
Brih. 1. 2. 5. ऋचो यजूंषि सामानि 5. 14. 2; Prasna. 2. 6.
Brih. 5. 13. 2. प्राणो वै यजुः.. यजुषः सायुज्यं सलोकतां जयति य एवं वेद
6. 5. 3. आदित्यानीमानि शुक्लानि यजूंषि
Tait. 1. 5. 2. भुवरिति यजूंषि
2. 3. 1. तस्य यजुरेव शिरः
Maitri. 6. 5. ऋग्यजुः सामेति विज्ञानवत्येषा
33. ऋग्यजुःसामाथर्वाङ्गिरसः Mahâ. 2; Siras. 4 (सं)
35. एतद्यदादित्यस्य मध्ये यजुर्दीप्यति
Mund. 2. 1. 6. तस्मादृचः साम यजूंषि
Mahânâr. 12. 2. तानि यजूंषि स यजुषां मण्डलं स यजुषां लोकः
14. 1. यजूंष्यापः
22. 1. अन्वाहार्यपचनो यजुरन्तरिक्षं वामदेव्यम्
Prasna. 5. 4. अन्तरिक्षं यजुर्भिरुन्नीयते
7. यजुर्भिरन्तरिक्षं (अन्वेति)
Nrip. 1. 2. ऋग्यजुःसामाथर्वाणः
3. चतुर्विंशत्यक्षरा महालक्ष्मीर्यजुः
— सावित्रीं लक्ष्मीं यजुः प्रणवं यदि जानीयात् स्त्रीशूद्रः
2. 1. स यजुर्भिर्यजुर्वेदः Nrisut. 3; Sikhâ. 1.
4. 2. अथ सावित्री गायत्री या यजुषा प्रोक्ता
— एतस्य..न यजुषा..अर्थो ऽस्ति यः सावित्रीं वेद
5. 9. स यजूंष्यधीते
Siras. 1. ऋगहं यजुरहम्
Mukti. 1. 12. नवाधिकशतं शाखा यजुषः
Gitâ. 9. 17. ऋक् साम यजुरेव च

यजूदर

Kaush. 1. 7. यजूदरः सामशिरा असौ

यज्ञ

Chhâ. 1. 10. 7. तान् खादित्वामुं यज्ञं विततमैर्याय
2. 23. 1. त्रयो धर्मस्कन्धा यज्ञो ऽध्ययनं दानमिति प्रथमः
2. 24. 16. एष ह वै यज्ञस्य मात्रां वेद य एवं वेद
3. 16. 1. पुरुषो वाव यज्ञः
2. माहं प्राणानां वसूनां मध्ये यज्ञो विलोप्सीय (similarly in 4, 6.)
4. 16. 1. एष ह वै यज्ञो यो ऽयं पवते
— यदेष यन्निदं सर्वं पुनाति तस्मादेष एव यज्ञः
3. एवमस्य यज्ञो रिष्यति यज्ञं रिष्यन्तं यजमानो ऽनुरिष्यति
5. एवमस्य यज्ञः प्रतितिष्ठति यज्ञं प्रतितिष्ठन्तं यजमानो ऽनुप्रतितिष्ठति
4. 17. 4. यज्ञस्य विरिष्टं सन्दधाति 5, 6, 8.
8. भेषजकृतो ह वा एष यज्ञः
9. एष ह वा उदक्प्रवणो यज्ञः
10. एवंविद्ध वै ब्रह्मा यज्ञं . . अभिरक्षति
8. 5. 1. यद्यज्ञ इत्याचक्षते ब्रह्मचर्यमेव

Bṛih. 1. 2. 5. यज्ञान् प्रजाः पशून्
6. भूयसा यज्ञेन भूयो यजेय
1. 3. 1. असुरान्यज्ञ उद्गीथेनात्ययाम
25. यज्ञे स्वरवन्तं दिदृक्षन्ते
1. 4. 17. स एष पाङ्क्तो यज्ञः

Bṛih. 1. 5. 17. त्वं ब्रह्म त्वं यज्ञस्त्वं लोकः
— अहं ब्रह्माहं यज्ञो ऽहं लोकः
— ये वै के च यज्ञास्तेषां सर्वेषां यज्ञ इत्येकता
3. 1. 1. बहुदक्षिणेन यज्ञेनेजे
3. वाग्वै यज्ञस्य होता
4. चक्षुर्वै यज्ञस्याध्वर्युः
5. प्राणो वै यज्ञस्योद्गाता
6. मनो वै यज्ञस्य ब्रह्मा
7. कतिभिः . . ऋग्भिः . . अस्मिन्यज्ञे करिष्यति
8. कति . . अस्मिन्यज्ञे आहुतीर्होष्यति
9. ब्रह्मा यज्ञं . . गोपायति
10. कति . . अस्मिन्यज्ञे स्तोत्रियाः स्तोष्यति
3. 7. 1. यज्ञमधीयानाः
3. 9. 6. यज्ञः प्रजापतिरिति
— कतमो यज्ञ इति पशव इति
21. यमः कस्मिन्प्रतिष्ठित इति यज्ञ इति कस्मिन्नु यज्ञः प्रतिष्ठितः
4. 4. 22. यज्ञेन दानेन तपसा 6. 2. 16.

Tait. 2. 5. 1. विज्ञानं यज्ञं तनुते

Swet. 4. 9. छन्दांसि यज्ञाः क्रतवो व्रतानि

Maitri. 1. 1. अविकलः संपद्यते यज्ञः
6. 16. यज्ञो विष्णुः प्रजापतिः
34. आविष्कृतमेतेनास्य य

Muṇḍ. 2. 1. 6. दीक्षा यज्ञाश्च सर्वे

Mahânâr. 7. 4. यज्ञं पाहि विभावसो
8. 1. दानं तपो यज्ञस्तपः
9. 13. अस्मिन्यज्ञे धारयामा मोभिः
15. 6. त्वं यज्ञस्त्वं विष्णुः

Mahânâr. 20. 12. शरीरं यज्ञः शमलं कुसीदम्
21. 2. यज्ञ इति यज्ञो हि देवानां यज्ञेन हि देवा दिवं गतास्तस्माद्यज्ञे रमन्ते
22. 1. यज्ञानां वरूथं दक्षिणा
— यज्ञक्रतूनां प्रायणम्
23. 1. यज्ञ इति यज्ञो हि देवानां यज्ञेन हि देवा दिवं गता यज्ञेनासुरानपानुदन्त यज्ञेन द्विषन्तो मित्रा भवन्ति यज्ञे सर्वं प्रतिष्ठितं तस्माद्यज्ञं परमं वदन्ति
25. 1. तस्यैवंविदुषो यज्ञस्यात्मा यजमानः

Praśna. 2. 6. यज्ञः क्षत्रं ब्रह्म च

Gauḍa. 2. 22. यज्ञा इति च तद्विदः

Brahma. 2. तत्र . . यज्ञा न यज्ञाः
3. स यज्ञः स च यज्ञवित्

Prâṇâg. 1. त्वं यज्ञस्त्वं ब्रह्मा त्वं रुद्रः
2. स्वे शरीरे यज्ञं परिवर्त्तयामि

Nyâsa. 1. यज्ञयज्ञं गच्छ

Kaṭhaśru. 1. त्वं ब्रह्मा त्वं यज्ञस्त्वं सर्वम्
2. त्वं ब्रह्मा त्वं यज्ञस्त्वं वषट्कारः
— अहं ब्रह्माहं यज्ञः
3. इष्ट्वा च शक्तितो यज्ञैः

Vâsu. 4. सर्वैर्यज्ञैर्याजी भवति

Gîtâ. 3. 14. यज्ञाद्भवति पर्जन्यो यज्ञः कर्मसमुद्भवः
15. नित्यं यज्ञे प्रतिष्ठितम्
4. 23. यज्ञायाचरतः कर्म
25. दैवमेवापरे यज्ञम्
— ब्रह्माग्नावपरे यज्ञं यज्ञेनैवोपजुह्वति

Gîtâ. 4. 32. एवं बहुविधा यज्ञाः
33. श्रेयान्द्रव्यमयाद्यज्ञात्
5. 29. भोक्तारं यज्ञतपसाम्
8. 28. वेदेषु यज्ञेषु तपःसु चैव
9. 16. अहं क्रतुरहं यज्ञः
20. यज्ञैरिष्ट्वा स्वर्गतिं प्रार्थयन्ते
10. 25. यज्ञानां जपयज्ञो ऽस्मि
11. 48. न वेदयज्ञाध्ययनैः
16. 1. दानं दमश्च यज्ञश्च
17. 7. यज्ञस्तपस्तथा दानम्
11. यज्ञो विधिदृष्टो य इज्यते
12. तं यज्ञं विद्धि तामसम्
13. श्रद्धाविरहितं यज्ञम्
23. यज्ञाश्च विहिताः पुरा
24. यज्ञदानतपःक्रियाः
25. यज्ञतपःक्रियाः
27. यज्ञे तपसि दाने च
18. 3. यज्ञदानतपःकर्म 5.
5. यज्ञो दानं तपश्चैव

यज्ञक्षयितकल्मष

Gîtâ. 4. 30. यज्ञक्षयितकल्मषाः

यज्ञपरिवृताहुति

Prâṇâg. 2. अथ यज्ञपरिवृताहुतीर्होमयति

यज्ञपात्र

Garbha. 5. बुद्धीन्द्रियाणि यज्ञपात्राणि Prâṇâg. 4.

Prâṇâg. 3. शारीरयज्ञस्य . . कानि यज्ञपात्राणि

यज्ञभावित

Gîtâ. 3. 12. दास्यन्ते यज्ञभाविताः

यज्ञरूप

Muṇḍ.1 2. 7. प्लवा ह्येते अदृढा यज्ञरूपाः

यज्ञवचस्

Bṛih. 6. 5. 4. कुभिर्यज्ञवचसो राजस्तंबायनात्
— यज्ञवचा राजस्तंबायनस्तुरात्कावषेयात्

यज्ञविद्

Brahma. 3. स यज्ञः स च यज्ञवित्
Gîtâ. 4. 30. सर्वे ऽप्येते यज्ञविदः

यज्ञशिष्टामृतभुज्

Gîtâ. 4. 31. यज्ञशिष्टामृतभुजः

यज्ञशिष्टाशिन्

Gîtâ. 3. 13. यज्ञशिष्टाशिनः सन्तः

यज्ञस्तोम

Mahâ. 1. तस्य ध्यानान्तःस्थस्य यज्ञस्तोमम् (so Saṁkarânanda; but Nârâyaṇa explains यज्ञःस्तोमम्

यज्ञायज्ञीय

Kaush. 1. 5. भद्रयज्ञायज्ञीये शीर्षण्ये
Chhâ. 2. 19. 1. एतद्यज्ञायज्ञीयमङ्गेषु प्रोतम्

यज्ञार्थ

Gîtâ. 3. 9. यज्ञार्थात्कर्मणो ऽन्यत्र

यज्ञोपवीत

Kaush. 2. 7. यज्ञोपवीतं कृत्वा
Brahma. 2. यज्ञोपवीतं परमं पवित्रम्
— शुभ्रं यज्ञोपवीतम्
3. इदं यज्ञोपवीतं तु परमम्
Kaṭhaśru. 1. विसृज्य यज्ञोपवीतम् 2, 3.
— किमस्य यज्ञोपवीतम्
— इदमेवास्य तद्यज्ञोपवीतं यदात्मध्यानम्
4. यज्ञोपवीतं वेदांश्च सर्वं तद्वर्जयेद्यतिः
Parama. 1. शिखायज्ञोपवीतं च
2. न शिखां न यज्ञोपवीतम्
— तदेव शिखा च तदेव यज्ञोपवीतं च
Aruṇeya. 1. शिखां यज्ञोपवीतं च . . विसृजेत्
5. अजिनं मेखलां यज्ञोपवीतं च त्यक्त्वा
Aśrama. 4. *vide* धारिन्
— त्रिदण्डकमण्डलुशिक्यपक्षजलपवित्रपात्रपादुकासनशिखायज्ञोपवीतानां त्यागिनः
Jâbâla. 5. इदमेवास्य तद्यज्ञोपवीतं य आत्मा
6. शिखां यज्ञोपवीतं च

यज्ञोपवीतधारिन्

Aśrama. 4. शिखावर्जिता यज्ञोपवीतधारिणः

यज्ञोपवीतिन्

Brahma. 3. ते च यज्ञोपवीतिनः
— स विद्वान् यज्ञोपवीती स्य

यत्

Muṇḍ. 3. 2. 4. एतैरुपायैर्यतते यस्तु विद्वान्
Gîtâ. 2. 60. यततो ह्यपि कौन्तेय
6. 36. वश्यात्मना तु यतता
43. यतते च ततो भूयः
45. प्रयत्नाद्यतमानस्तु
7. 3. कश्चिद्यतति सिद्धये
— यततामपि सिद्धानाम्
29. मामाश्रित्य यतन्ति ये
9. 14. यतन्तश्च दृढव्रताः
15. 11. यतन्तो योगिनश्च
— यतन्तो ऽप्यकृतात्मानः

यतचित्त

Gîtâ. 6. 19. योगिनो यतचित्तस्य

यतचित्तात्मन्

Gîtâ. 4. 21. निराशीर्यतचित्तात्मा
6. 10. एकाकी यतचित्तात्मा

यतचित्तेन्द्रियक्रिय

Gîtâ. 6. 12. यतचित्तेन्द्रियक्रियः

यतचेतस्

Gîtâ. 5. 26. यतीनां यतचेतसाम्

यतर

Chhâ. 8. 8. 4. यतर एतदुपनिषदो भविष्यन्ति देवा वासुरा वा

यतवाक्कायमानस

Gîtâ. 18. 52. यतवाक्कायमानसः

यतवाच्

Maitri. 6. 9. अवशिष्टं यतवागभाति

यतात्मन्

Gîtâ. 5. 25. छिन्नद्वैधा यतात्मानः
12. 14. यतात्मा दृढनिश्चयः

यतात्मवन्त्

Gîtâ. 12. 11. सर्वकर्मफलत्यागं ततः कुरु यतात्मवान्

यति

Kaush. 3. 1. यतीन् सालावृकेभ्यः प्रायच्छम्

Muṇḍ. 3. 1. 5. यं पश्यन्ति यतयः क्षीणदोषाः
3. 2. 6. यतयः शुद्धसत्त्वाः Mahânâr. 10. 6; Kaivalya. 3.

Mahânâr. 10. 5. यद्यतयो विशन्ति Kaivalya. 3.
Gaṇḍa. 2. यतिर्यो वृश्चिको भवेत्

Nṛip. 5. 10. वानप्रस्थशतमेकमेकेन यतिना तत्समम्
— यतीनां तु शतं पूर्णं रुद्रजापकेन तत्समम्

Nyasa. 3. सर्वं तद्वर्जयेद्यतिः Kaṭhaśru. 4.

Parama. 3. स यतिः कथ्यते (MSS.)

Aruṇeya. 3. अष्टौ मासानेकाकी यतिश्चरेत्
5. यतयो हि भिक्षार्थं ग्रामं प्रविशन्ति

Kâlâg. 2. ब्रह्मचारी गृहस्थो वानप्रस्थो यतिर्वा

Vâsu. 2. यतिस्त्वर्जन्या . . धारयेत्
3. यतिरूर्ध्वचतुष्कवान्

Gopî. 4. य एवंविद्वान् यतिहस्ते दद्यात्

Gîtâ. 4. 28. यतयः संशितव्रताः
5. 26. यतीनां यतचेतसाम्
8. 11. विशन्ति यद्यतयो वीतरागाः

यतिथ

Bṛih. 6. 2. 2. यतिथ्यामाहुत्यां हुतायाम्

यतेन्द्रियमनोबुद्धि

Gîtâ. 5. 28. यतेन्द्रियमनोबुद्धिः

यत्काम

Chhâ. 1. 3. 12. यत्कामः स्तुवीत

Nṛip. 1. 1. उपैनं तदुपनमति यत्कामो भवति

यत्क्रतु

Bṛih. 4. 4. 5. स यत्क्रतुर्भवति तत्कर्म कुरुते

यत्न

Mahânâr. 19. 2. नान्यो भागो यत्नान्मे

Aruṇeya. 4. यत्नेन हे रक्षतो

Mukti. 2. 5. प्राक्तनस्तदसौ यत्नाज्जेतव्यः

यत्नतस्

Râmap. 69. तेषु पत्रेषु यत्नतः

यत्परायण

Brahma. 3. इदं यज्ञोपवीतं..यत्परायणम्

यत्प्रभाव

Gîtâ. 13. 3. स च यो यत्प्रभावश्च

यत्रकामम्

Bṛih. 4. 3. 12. स ईयतेऽमृतो यत्रकामम्

यथाकर्म

Kaush. 1. 2. प्रत्याजायते यथाकर्म

Bṛih. 1. 5. 21. एवमन्यानि कर्माणि यथाकर्म

Kaṭha. 5. 7. यथाकर्म यथाश्रुतम्

यथाकाम

Bṛih. 4. 4. 5. स यथाकामो भवति

यथाकामम्

Bṛih. 2. 1. 18. स्वे जनपदे यथाकामं परिवर्त्तेत
— स्वे शरीरे यथाकामं परिवर्त्तते

Praśna. 1. 2. यथाकामं प्रश्नान् पृच्छथ

यथाकामचार

Chhâ. 7. 1. 5. तत्रास्य यथाकामचारो भवति (so each section down to 14)

यथाकारिन्

Bṛih. 4. 4. 5. यथाकारी यथाचारी तथा भवति

यथाकालम्

Muṇḍ.1. 2. 5. यथाकालं चाहुतयो ह्याददायन्

यथाक्रतु

Chhâ. 3. 14. 1. यथाक्रतुरस्मिँल्लोके पुरुषो भवति

यथाक्रम

Bṛih. 4. 3. 9. यथाक्रमोऽयं परलोकस्थाने भवति

Maitri. 6. 26. प्राणादयः.. तस्मादभ्युच्चरन्तीह यथाक्रमेण 31.

यथाचारिन्

Bṛih. 4. 4. 5. यथाकारी यथाचारी तथा भवति

यथाजातरूपधर

Jâbâla. 6. यथाजातरूपधरो निर्द्वन्द्वः

यथादेवतम्

Bṛih. 1. 5. 22. अन्या देवता यथादेवतम्

यथानिकायम्

Śwet. 3. 7. यथानिकायं सर्वभूतेषु गूढम्

यथानुशासनम्

Chhâ.8. 1. 5. यथा ह्येवेह प्रजा अन्वाविशन्ति यथानुशासनम्

यथापूर्वम्

Mahânâr. 5. 7. सूर्याचन्द्रमसौ धाता यथापूर्वमकल्पयत्

यथाबलम्

Gauḍa. 4. 100. नमस्कुर्मो यथाबलम्

यथाभागम्

Gîtâ. 1. 11. यथाभागमवस्थिताः

यथायतनम्

Ait. 2. 3. यथायतनं प्रविशतेति

Kaush. 3. 3. प्राणा यथायतनं विप्रतिष्ठन्ते 4. 20.

यथालाभम्

Kaṭhaśru. 1. यथालाभमभीयात्

यथावत्

Maitri. 4. 5. यथावदुक्तम्
6. 30. यथावदुपचारी

Mukti. 2. 2. यथावन्नैव जायते
50. यथावदुपदिश्यते

Gîtâ. 18. 19. यथावच्छृणु तान्यपि

यथाविद्य

Gauḍa. 2. 16. यथाविद्यस्तथास्मृतिः

यथाविद्यम्

Kaush. 1. 2. प्रत्याजायते यथाकर्म यथाविद्यम्

यथाविधानम्

Chhâ. 8. 15. 1. वेदमधीत्य यथाविधानम्

यथाश्रुतम्

Kaṭha. 5. 7. यथाकर्म यथाश्रुतम्

यथासङ्कल्पित

Praśna. 3. 10. यथासङ्कल्पितं लोकं नयति (2 MSS. read यथाकल्पितम्)

यथासुखम्

Mahânâr. 15. 5. गच्छ देवि यथासुखम्

यथास्थानम्

Bṛih. 6. 4. 5. धिष्ण्या यथास्थानं कल्पन्ताम्

यथेतम्

Chhâ. 5. 10. 5. यथेतमाकाशमाकाशाद्वायुम्

Bṛih. 6. 3. 6. यथेतमेत्य

यथोक्त

Kaṭha. 1. 15. तत्प्रत्यवदद्यथोक्तम्

Gîtâ. 12. 20. यथोक्तं पर्युपासते

यथोक्तकाल

Jâbâla. 6. यथोक्तकाले . . भैक्षमाचरन्नुदरपात्रेण

यथोपपन्न

Aśrama. 4. यथोपपन्नचातुर्वर्ण्यभैक्षात्रयँ चरन्तः

यदहस्

Bṛih. 1. 5. 2. यदहरेव जुहोति तदहः पुनर्मृत्युमुपजयति

Jâbâla. 4. यदहरेव विरजेत्तदहरेव प्रव्रजेत्

यदृच्छा

Śwet. 1. 2. यदृच्छा भूतानि योनिः

Gîtâ. 2. 32. यदृच्छया चोपपन्नम्

यदृच्छालाभसन्तुष्ट

Gîtâ. 4. 22. यदृच्छालाभसन्तुष्टो द्वन्द्वातीतो विमत्सरः

यद्गोत्र

Chhâ. 4. 4. 2. नाहमेतद्वेद तात यद्गोत्रस्त्वमसि
— एतन्न वेद यद्गोत्रस्त्वमसि 4.
4. नाहमेतद्वेद भो यद्गोत्रो ऽहमास्मि

यद्विकारिन्

Gîtâ. 13. 3. यद्विकारि यतश्च यत्

यन्त्र

Garbha. 4. यन्त्रेणापीड्यमानो महता दुःखेन

Râmap. 13. विग्रहो यन्त्रकल्पना
— विना यन्त्रेण चेत्पूजा
82. इदं सर्वात्मकं यन्त्रम
84. एवं यन्त्रं समाख्यातम

यन्त्रारूढ

Gîtâ. 18. 61. भ्रामयन् सर्वभूतानि यन्त्रारूढानि मायया

1. यम्

Kaush. 4. 15. सर्वं हास्मा इदं श्रैष्ठ्याय यम्यते

Chhâ. 8. 3. 5. यद्यं तेनोभे यच्छति यदनेनोभे यच्छति तस्माद्यम्

Bṛih. 3. 7. 1. यो ऽन्तरो यमयति
3. यः पृथिवीमन्तरो यमयति (similarly in 4–23).

Kaṭha. 3. 13. यच्छेद्वाङ्मनसी प्राज्ञस्तद्यच्छेज्ज्ञान आत्मनि — तद्यच्छेच्छान्त आत्मनि

Kshur. 11. तां नाडीं पूरयन्यतः (instead of यतः 2 MSS. have यतिः 2 others दिवि, and a fifth शनैः)

2. यम्

Chhâ. 8. 3. 5. यद्यं तेनोभे यच्छति यदनेनोभे यच्छति तस्माद्यम्

Bṛih. 5. 3. 1. यमित्येकमक्षरम् 5. 5. 1.

यम

Kaush. 4. 2. स्वप्ने यमः
15. यमो राजेति वा अहमेतमुपासे

Bṛih. 1. 4. 11. पर्जन्यो यमो मृत्युरीशानः
3. 9. 21. स यमः कस्मिन्प्रतिष्ठितः
5. 15. 1. पूषन्नेकर्षे यम सूर्य Îśâ. 16.

Kaṭha. 1. 5. किं स्विद्यमस्य कर्त्तव्यम्

Maitri. 5. 1. त्वमग्निस्त्वं यमस्त्वं पृथिवी

Nṛip. 4. 3. यो वै नृसिंहः..यश्च यमस्तस्मै वै नमो नमः (25)

Śiras. 2. यो वै रुद्रः..यश्च यमः

Râmot. 5. यो वै श्रीरामः..यश्च यमः (13)

Gîtâ. 10. 29. यमः संयमतामहम्
11. 39. वायुर्यमो ऽग्निर्वरुणः शशांकः

यमदेवत

Bṛih. 3. 9. 21. किंदेवतो ऽस्यां दक्षिणायां दिश्यसीति यमदेवत इति

यमराज्य

Maitri. 6. 36. यमराज्यमग्निष्टोमेनाभिजयति

यमविषयस्थ

Maitri. 4. 2. यमविषयस्थस्येव बहुभयावस्थम्

यमुना

Mahânâr. 4. इमं मे गंगे यमुने..स्तोमं सचता

ययाति

Maitri. 1. 4. *vide* आदि

यव

Chhâ. 3. 14. 3. अणीयान् व्रीहेर्वा यवाद्वा
5. 10. 6. त इह व्रीहियवाः..इति जायन्ते

Bṛih. 5. 6. 1. यथा व्रीहिर्वा यवो वा
6. 3. 13. व्रीहियवास्तिलमाषाः

Muṇḍ. 2. 1. 7. प्राणापानौ व्रीहियवौ तपश्च

यवमात्र

Nyâsa. 5. यवमात्रे विनिर्गताम्

यशस्

Kaush. 1. 3. तं ब्रह्माहाभिधावत मम यशसा
2. 6. तद्यश इत्युपासीत
15. यशो ब्रह्मवर्चसं कीर्त्तिस्त्वा जुषतामिति

Kaush. 4. 8. पूर्यते प्रजया पशुभिर्यशसा
16. प्रजायते प्रजया पशुभिर्यशसा
Chhâ. 3. 1. 3. तस्याभितप्तस्य यशस्तेज इन्द्रियं वीर्यमन्नाद्यं रसो ऽजायत 3. 2. 2; 3. 3. 2; 3. 4. 2; 3. 5. 2.
3. 13. 2. एतच्छ्रीश्च यशश्चेत्युपासीत
3. 18. 3. भाति च तपति च कीर्त्या यशसा..य एवं वेद 4, 5, 6.
8. 14. 1. यशो ऽहं भवामि ब्राह्मणानां यशो राज्ञां यशो विशां यशो ऽहमनुप्रापत्सि स हाहं यशसां यशः
Bṛih. 1. 2. 6. श्रान्तस्य तप्तस्य यशो वीर्यमुदक्रामत्
— प्राणा वै यशो वीर्यम्
1. 4. 11. क्षत्र एव तद्यशो दधाति
2. 2. 3. तस्मिन्यशो निहितं विश्वरूपम् (bis).
— प्राणा वै यशो निहितम्
5. 14. 3. श्रिया यशसा तपति
6. 4. 6. मयि तेज इन्द्रियं यशः
7. इन्द्रियेण ते यशसा यश आददे
8. इन्द्रियेण ते यशसा यश आदधामि
28. श्रिया यशसा ब्रह्मवर्चसेन
Tait. 1. 3. 1. सह नौ यशः
1. 4. 3. यशो जने ऽसानि
3. 10. 3. यश इति पशुषु
Maitri. 6. 35. ते अर्चिषो वै यशस आश्रयवशात्
Mahânâr. 12. 3. आदित्यो वै..बलं यशः
Nṛip. 1. 3. *vide* ऐश्वर्यवन्त्
Gîtâ. 10. 5. तपो दानं यशो ऽयशः
11. 33. तस्मात्त्वमुत्तिष्ठ यशो लभस्व

यशस्वितम

Kaush. 2. 6. यथैतत्.. यशस्वितमं .. भवत्येवं..हैव स यशस्वितमः..भवति

यशस्विन्

Chhâ. 3. 13. 2. श्रीमान् यशस्वी भवति
Bṛih. 6. 4. 6. मलोद्वाससं यशस्विनीमभिक्रम्योपमन्त्रयेत
8. इति यशस्विनावेव भवतः

यशोदा

Kṛish. 5. यशोदा मुक्तिगेहिनी

यष्टि

Kaush. 4. 19. तत उ हैनं यष्ट्या विचिक्षेप
Bṛih. 6. 4. 7. काममेनां यष्ट्या वा पाणिना वोपहत्य
Brahma. 1. यष्ट्यादिना ताड्यमानः (all the MSS. omit ना)

यष्टिका

Kṛish. 9. यष्टिका कमलासनः

यष्टिरूप

Kṛish. 12. यष्टिरूपो ऽभवद्विधिः

1. या

Chhâ. 7. 15. 1. प्राणः प्राणेन याति
Bṛih. 4. 3. 35. उत्सर्जद्यायात् .. उत्सर्जन्याति
Kaṭha. 2. 21. शयानो याति सर्वतः
Śwet. 6. 4. कर्मक्षये याति स तत्त्वतो ऽन्यः
Maitri. 6. 30. तेन यान्ति परां गतिम्
34. यदा यात्यमनीभावम्
Mahânâr. 2. 7. सनिं मेधामयासिषम् (or °शिषं)

Kaivalya. 1. परात्परं पुरुषं याति
10. ब्रह्म परमं याति नान्येन हेतुना
15. यस्मिँल्लयं याति पुरत्रयं च
19. मयि सर्वं लयं याति
Gauḍa. 3. 32. अमनस्तां तदा याति
Chûl. 17. तस्मिन्नेव लयं यान्ति
18. लीनास्या व्यक्ततां ययुः
21. ते लयं यान्ति तत्रैव
Śiras. 5. उत्तरेण येन देवा यान्ति
Brahma. 1. यदा याति संसृष्टमाकृष्य
— यथा खं श्येनमाश्रित्य याति स्वमालयम्
— यष्ट्यादिना ताड्यमानो न यति (छान्दसो ह्रस्वः Nâr.)
Brahmab. 4. यदा यात्युन्मनीभावम्
Amṛita. 38. मारुतो याति मूर्धनि
Haṁsa. 2. तृतीये खेदनं याति
Parama. 3. स याति नरकान् घोरान्
Gopî. 5. न्यूनं सम्पूर्णतां याति
Râmap. 2. राक्षसा येन मरणं यान्ति
94. तथा पदं परमं यान्ति ते च
— अमला यान्ति मोक्षम्
Mukti. 1. 27. मामकं धाम यास्यसि
44. वैदेहीं मामकीं मुक्तिं यान्ति
2. 7. अशुभाच्चालितं याति
8. द्रागभ्यासवशाद्याति
Gitâ. 2. 35. यास्यसि लाघवम्
3. 33. प्रकृतिं यान्ति भूतानि
4. 31. यान्ति ब्रह्म सनातनम्
35. न पुनर्मोहमेवं यास्यसि
6. 45. ततो याति परां गतिम्
13. 28 ; 16. 22.
7. 23. देवान्देवयजो यान्ति मद्भक्ता यान्ति मामपि
27. सम्मोहं सर्गे यान्ति परन्तप

Gitâ. 8. 5. स मद्भावं याति
8. परमं पुरुषं . . याति
13. स याति परमां गतिम्
23. प्रयाता यान्ति
26. एकया यात्यनावृत्तिम्
9. 7. प्रकृतिं यान्ति मामिकाम्
25. यान्ति देवव्रता देवान्पितृन्यान्ति पितृव्रताः
— भूतानि यान्ति भूतेज्या यान्ति मद्याजिनो ऽपि माम्
32. ते ऽपि यान्ति परां गतिम्
13. 34. ये विदुर्यान्ति ते परम्
14. 14. प्रलयं याति देहभृत्
16. 20. ततो यान्त्यधमां गतिम्

2. या

Chhâ. 1. 13. 2. अन्नं या

याग

Parama. 1. यागस्वाध्यायं च (so MSS.)
Aruṇeya. 1. यागं च सूत्रं च स्वाध्यायं च . . विसृजेत्

याच्

Kaush. 2. 1. तस्योपनिषन्न याचेदिति 2.
Mahânâr. 4. 11. तीर्थे मे देहि याचितः
Mukti. 1. 47. याचतः कामपूरणम्

याजिन्

Vâsu. 4. सर्वैर्यज्ञैर्याजी भवति
Gîtâ. 9. 25. यान्ति मद्याजिनो ऽपि माम्
34. मद्याजी मां नमस्कुरु

याजुष

Nṛip. 4. 2. य एतां महालक्ष्मीं याजुषीं वेद

याज्ञवल्क्य

Bṛih. 1. 4. 3. इति ह स्माह याज्ञवल्क्यः

Bṛih. 2. 4. 2. मैत्रेयीति होवाच याज्ञवल्क्यः 4. 5. 2.
— नेति होवाच याज्ञवल्क्यः 3. 2. 11 ; 4. 5. 3.
4. स होवाच याज्ञवल्क्यः 13 ; 4. 1. 2—7 ; 4. 5. 5.
12. इत्यरे ब्रवीमीति होवाच याज्ञवल्क्यः 4. 5. 13.
3. 1. 2. याज्ञवल्क्यः स्वमेव ब्रह्मचारिणमुवाच
— याज्ञवल्क्य ब्रह्मिष्ठो ऽसी३
3. याज्ञवल्क्येति होवाच 4–10 ; 3. 2. 1, 10–13 ; 3. 4. 1 ; 3. 5. 1 ; 3. 6. 1 ; 3. 7. 1.
3. 3. 1. स त्वा पृच्छामि याज्ञवल्क्य
3. 4. 1. कतमो याज्ञवल्क्य सर्वान्तरः (bis) ; 3. 5. 1.
3. 7. 1. तच्चेत्त्वं याज्ञवल्क्य सूत्रमविद्वान्
2. एवमेवैतद्याज्ञवल्क्य 3. 9. 20—23 ; 4. 3. 2–5, 15 ; Jâbâla. 1 ; Râmot., 1.
3. 8. 2. अहं वै त्वा याज्ञवल्क्य.. उपोदस्थाम्
3. यदूर्ध्वं याज्ञवल्क्य दिवः 6
5. नमस्ते ऽस्तु याज्ञवल्क्य 4. 2. 1.
3. 9. 1. कति देवा याज्ञवल्क्य (7 times).
10. याज्ञवल्क्य वेद वा अहं तं पुरुषम् 11—17.
18. शाकल्येति होवाच याज्ञवल्क्यः
19. याज्ञवल्क्येति होवाच शाकल्यः
25. अहल्लिकेति होवाच याज्ञवल्क्यः
4. 1. 1. याज्ञवल्क्य आवव्राज

Bṛih. 4. 1. 1. याज्ञवल्क्य किमर्थमचारीः
2. स वै नो ब्रूहि याज्ञवल्क्य 3—7.
— का प्रज्ञता याज्ञवल्क्य
4. 2. 4. अभयं.. प्राप्तो ऽसीति होवाच याज्ञवल्क्यः
— अभयं त्वा गच्छताद्याज्ञवल्क्य
4. 3. 1. जनकं.. याज्ञवल्क्यो जगाम
—जनकश्च वैदेहो याज्ञवल्क्यश्च
— तस्मै ह याज्ञवल्क्यो वरं ददौ
2. याज्ञवल्क्य किंज्योतिरयं पुरुषः
3. अस्तमित आदित्ये याज्ञवल्क्य 4–6.
32. इति हैनमनुशशास याज्ञवल्क्यः
33. एष ब्रह्मलोकः.. इति होवाच याज्ञवल्क्यः 4. 4. 23.
— अत्र ह याज्ञवल्क्यो बिभयाञ्चकार
4. 5. 1. याज्ञवल्क्यस्य ह भार्ये बभूवतुः
— याज्ञवल्क्यो ऽन्यद्वृत्तमुपाकरिष्यन्
15. इति होक्त्वा याज्ञवल्क्यो विजहार
6. 3. 7. वाजसनेयाय याज्ञवल्क्याय
8. वाजसनेयो याज्ञवल्क्यः
6. 5. 3. आसुरिर्याज्ञवल्क्यात्
— यांज्ञवल्क्य उद्दालकात्
Jâbâla. 1. बृहस्पतिरुवाच याज्ञवल्क्यम् Râmot. 1.
2. अत्रिः पप्रच्छ याज्ञवल्क्यम 5 ; Râmot. 4.

Jâbâla. 2. स होवाच याज्ञवल्क्यः 3, 4, 5 ; Râmot. 2, 4, 5.
4. जनको वैदेहो याज्ञवल्क्यमुपसमेत्य
— एवमेवैतद्भगवान्निति वै याज्ञवल्क्यः (or ॰ल्क्य) 5.
5. पृच्छामि त्वा याज्ञवल्क्य

Râmot. 2. भरद्वाजः पप्रच्छ याज्ञवल्क्यम्
4. तं प्रत्युवाच स्वयमेव याज्ञवल्क्यः
5. भरद्वाजो याज्ञवल्क्यमुवाच

Mukti. 1. 39. याज्ञवल्क्यं वराहकम्
1. *vide* मुक्तिका

याज्ञिक

Bṛih. 3. 7. 1. सो ऽब्रवीत्पतञ्चलं काप्यं याज्ञिकांश्च (ter).

याज्या

Bṛih. 3. 1. 7. पुरोनुवाक्या च याज्या च 10.
10. अपानो याज्या
— अन्तरिक्षलोकं याज्यया (जयति)

यातयाम

Gîtâ. 17. 10. यातयामं गतरसम्

यातुधान

Nîla. 20. या इषवो यातुधानानाम्

याथातथ्यतस्

Iśâ. 8. याथातथ्यतो ऽर्थान् व्यदधात्

यादव

Gîtâ. 11. 41. हे कृष्ण हे यादव हे सखेति

यादस्

Gîtâ. 10. 29. वरुणो यादसामहम्

यादृच्छिक

Gauḍa. 2. 37. यतिर्यादृच्छिको भवेत्

Parama. 3. यादृच्छिको भवेद्भिक्षुः (most MSS. omit the first word).

यादृश्

Gîtâ. 13. 3. तत्क्षेत्रं यच्च यादृक् च

यान

Chhâ. 8. 12. 3. रममाणः स्त्रीभिर्वा यानैर्वा

याम्य

Haṁsa. 2. याम्ये क्रूरे मतिः

Râmap. 49. मुद्रां ज्ञानमयीं याम्ये

यायावर

Áśrama. 2. यायावरा घोरसंन्यासिकाश्च
— यायावरा यजन्तो याजयन्तः

यावज्जीवम्

Gâruḍa. 3. यावज्जीवं न तं दशन्ति सर्पाः

यावत्सम्पातम्

Chhâ. 5. 10. 5. तस्मिन्यावत्सम्पातमुषित्वा

यावदायुषम्

Chhâ. 5. 9. 2. स जातो यावदायुषं जीवति
8. 15. 1. एवं वर्त्तयन्यावदायुषम्

यावद्ग्रहणान्तम्

Áśrama. 1. यावद्ग्रहणान्तं वा वेदस्य

यास्क

Bṛih. 2. 6. 3. जातूकर्ण्य आसुरायणाच्च यास्काच्च 4. 6. 3.

1. यु (मिश्रणे)

Gauḍa. 3. 5. रजोधूमादिभिर्युते

Gopî. 5. कृष्णगोपीजलक्रीडाकुंकुमं चन्दनैर्युतम्

Râmap. 9. हस्ताः शंखादिभिर्युताः
72. कूटरेफानुग्रहेन्दुनादश-
त्त्यादिभिर्युतः
73. अन्त्यार्घीशयुतः
75. अक्रूरयुता
80. अम्भो विद्यया युतम्

2. यु (अमिश्रणे)

Brih. 5. 15. 1. युयोध्यस्मज्जुहुराणमेनः
Iśâ. 18.

युक्तग्रावन्

Nrip. 2. 4. यतो वीरः कर्मण्यः सुदक्षो
युक्तग्रावा

युक्तचेतस्

Gîtâ. 7. 30. मां ते विदुर्युक्तचेतसः

युक्तचेष्ट

Gîtâ. 6. 17. युक्तचेष्टस्य कर्मसु

युक्ततम

Gîtâ. 6. 47. स मे युक्ततमो मतः
12. 2. ते मे युक्ततमा मताः

युक्तस्वभावबोध

Gîtâ. 6. 17. युक्तस्वभावबोधस्य

युक्तात्मन्

Muṇḍ.3. 2. 5. युक्तात्मानः सर्वमेवाविश-
न्ति

Gîtâ. 7. 18. आस्थितः स हि युक्तात्मा

युक्ताहारविहार

Gîtâ. 6. 17. युक्ताहारविहारस्य

युक्ति

Gauḍa. 4. 25. इष्यते युक्तिदर्शनात्
Mukti. 2. 43. विना युक्तिमनिन्दिताम्
45. एतास्ता युक्तयः पुष्टाः
46. सतीषु युक्तिष्वेतासु

युक्तियुत्त

Gauḍa. 3. 23. निश्चितं युक्तियुक्तं च

युग

Gîtâ. 4. 8. सम्भवामि युगे युगे

युगपद्

Gauḍa. 4. 16. युगपत्संभवे यस्मात्
Gîtâ. 11. 12. भवेद्युगपदुत्थिता

युगसहस्रान्त

Gîtâ. 8. 17. रात्रिं युगसहस्रान्ताम्

युग्म

Garbha. 3. द्विधा तनूः स्याद्युग्मा प्रजा-
यन्ते

युज्

Kaush. 2. 6. सर्वाणि हास्मै भूतानि श्रै-
ष्ठ्याय युज्यन्ते

Kena. 1. केन प्राणः प्रथमः प्रैति युक्तः
— चक्षुः श्रोत्रं क उ देवो युनक्ति

Chhâ. 8. 12. 3. यथा प्रयोग्य आचरणे युक्त
एवमेवायमस्मिञ्छरीरे
प्राणो युक्तः

Brih. 2. 5. 19. युक्ता ह्यस्य हरयः
5. 13. 2. प्राणे हीमानि सर्वाणि भू-
तानि युज्यन्ते युज्यन्ते
हास्मै सर्वाणि भूतानि श्रै-
ष्ठ्याय

Tait. 1. 11. 4. ये तत्र ब्राह्मणाः .. युक्ता
आयुक्ताः (bis)

Kaṭha. 3. 4. आत्मेन्द्रियमनोयुक्तम्
6. युक्तेन मनसा सदा

Śwet. 1. 9. भोक्तृभोगार्थयुक्ता
2. 1. युञ्जानः प्रथमं मनः
2. युक्तेन मनसा वयम्
3. युक्त्वाय मनसा देवान्
4. युञ्जते मन उत युञ्जते धि-
यः

Śwet. 2. 5. युजे वां ब्रह्म पूर्व्यं नमोभिः
15. दीपोपमेनेह युक्तः
4. 15. यस्मिन्युक्ता ब्रह्मर्षयः
5. 10. यद्यच्छरीरमादत्ते तेन तेन स युज्यते (so MSS.)
Maitri. 6. 3. आत्मानं युञ्जीतेति
21. तया प्राणोङ्कारमनोयुक्त-योर्ध्वमुत्क्रमेत्
— अपारेण पश्चाद्युञ्जीत मूर्द्धनि
25. यस्मात् सर्वमनेकधा युनक्ति युञ्जते वा
28. षड्भिर्मासैस्तु युक्तस्य
Mahânâr. 24. 1. ओमित्यात्मानं युञ्जीत
Praśna. 3. 10. प्राणस्तेजसा युक्तः
Gauda. 1. 25. युञ्जीत प्रणवे चेतः
2. 10. युक्तं वैतथ्यमेतयोः (MSS. read सदसतोर्वैतथ्यं दृष्टं)
36. अद्वैते योजयेत् स्मृतिम्
3. 14. मुख्यत्वं हि न युज्यते
27. सतो हि मायया जन्म युज्यते न तु तत्त्वतः
28. असतो मायया जन्म तत्त्वतो नैव युज्यते
4. 20. न हि साध्यसमो हेतुः सिद्धौ साध्यस्य युज्यते
34. न युक्तं दर्शनम्
Nṛip. 2. 2. प्रथमं प्रथमेन युज्यते
Nṛisut. 6. सिंहं भृङ्गेषु योजयेत्
7. भृङ्गेणानेन योजयेत्
— तमनेनापि योजयेत्
Brahmav. 13. ओंकारस्तु तथा योज्यः
Amṛita. 3. शून्यभावेन युञ्जीयात्
Râmap. 46. घटश्रोत्रसहस्राक्षजिह्वां युक्तम्
54. जाम्बवन्तं च तैर्युक्तः (MSS. युक्तं)
76. मेधया युक्ता दीर्घा
Râmap. 80. लान्तो योन्या युक्तः
Mukti. 2. 4. त्वां योजयति संकटः
6. योजनीया शुभे पथि
16. तस्माद्वासनया युक्तम्
34. मैत्रादिभिर्गुणैर्युक्तम्
Gîtâ. 1. 14. ततः श्वेतैर्हयैर्युक्ते
2. 38. ततो युद्धाय युज्यस्व
39. बुद्ध्या युक्तो यया पार्थ
50. तस्माद्योगाय युज्यस्व
61. युक्त आसीत मत्परः 6. 14.
3. 26. युक्तः समाचरन्
4. 18. स युक्तः कृत्स्नकर्मकृत्
23. गतसंगस्य युक्तस्य
5. 8. युक्तो मन्येत तत्त्ववित्
12. युक्तः कर्मफलं त्यक्त्वा
23. स युक्तः स सुखी नरः
6. 8. युक्त इत्युच्यते योगी
10. योगी युञ्जीत सततमात्मानम्
12. युञ्ज्याद्योगमात्मविशुद्धये
14. युक्त आसीत मत्परः
15. युञ्जन्नेवं सदात्मानम् 28.
18. युक्त इत्युच्यते तदा
19. युञ्जतो योगमात्मनः
23. स निश्चयेन योक्तव्यो योगः
7. 1. योगं युञ्जन्मदाश्रयः
22. स तया श्रद्धया युक्तः
8. 8. अभ्यासयोगयुक्तेन
10. भक्त्या युक्तो योगबलेन चैव
9. 34. युक्त्वैवमात्मानं मत्परायणः
10. 7. सो ऽविकम्पेन योगेन युज्यते
17. 17. अफलाकांक्षिभिर्युक्तैः
26. सच्छब्दः पार्थ युज्यते
18. 51. बुद्ध्या विशुद्धया युक्तः

युद्ध

Kaush. 3. 1. युद्धेन च पौरुषेण च
Râmap. 46. युद्धमकारयत्
Gîtâ. 1. 23. युद्धे प्रियचिकीर्षवः
33. त इमे ऽवस्थिता युद्धे
2. 31. धर्म्याद्धि युद्धाच्छ्रेयः
32. लभन्ते युद्धमीदृशम्
37. युद्धाय कृतनिश्चयः
38. ततो युद्धाय युज्यस्व
18. 43. युद्धे चाप्यपलायनम्

युद्धविशारद

Gîtâ. 1. 9. सर्वे युद्धविशारदाः

1. युध्

Gîtâ. 1. 22. कैर्मया सह योद्धव्यम्
24. योत्स्यमानानवेक्षे ऽहम्
2. 9. न योत्स्य इति गोविन्दम्
18. तस्माद्युध्यस्व भारत
3. 30. युध्यस्व विगतज्वरः
8. 7. मामनुस्मर युध्य च
11. 34. युध्यस्व जेतासि रणे सपत्नान्
18. 59. न योत्स्य इति मन्यसे

2. युध्

Gîtâ. 1. 4. भीमार्जुनसमा युधि

युधामन्यु

Gîtâ. 1. 6. युधामन्युश्च विक्रान्तः

युधिष्ठिर

Gîtâ. 1. 16. कुन्तीपुत्रो युधिष्ठिरः

युयुत्सु

Gîtâ. 1. 1. समवेता युयुत्सवः
28. युयुत्सुं समुपस्थितम्

युयुधान

Gîtâ. 1. 4. युयुधानो विराटश्च

युवन्

Tait. 2. 8. 1. युवा स्यात् साधुयुवा
Nṛip. 2. 4. स्तुहि श्रुतं गर्त्तसदं युवानम्
5. 2. एतन्महाचक्रं बालो वा युवा वेद

यूप

Mahânâr. 25. 1. हृदयं यूपः
Prâṇâg. 3. शारीरयज्ञस्य . . को यूपः
4. ओङ्कारो यूपः

यूपरशनाशोभित

Prâṇâg. 3. अस्य शारीरयज्ञस्य यूपरशनाशोभितस्य 4.

येष्टिह

Kaush. 1. 3. मुहूर्त्ता येष्टिहाः
4. स आगच्छति मुहूर्त्तान् येष्टिहान्

योग

Tait. 2. 4. 1. योग आत्मा महः पुच्छम्
Kaṭha. 6. 11. तां योगमिति मन्यन्ते
— योगो हि प्रभवाप्ययौ
Śwet. 2. 11. ब्रह्मण्यभिव्यक्तिकराणि योगे
6. 3. तत्त्वस्य तत्त्वेन समेत्य योगम्
13. सांख्ययोगाधिगम्यम्
Maitri. 6. 18. षडङ्गा इत्युच्यते योगः
22. श्रवणाङ्गुष्ठयोगेन
25. तस्माद्योग इति स्मृतः
— सर्वभावपरित्यागो योग इत्यभिधीयते
27. स्वं योगश्च ततो ऽस्माकम्
28. सम्यग्योगः प्रवर्त्तते
36. वर्त्त्याधारस्नेहयोगात्
7. 11. खजाभियोगात्
Mahânâr. 11. 14. अथातो योग

Gauḍa. 4. 50. द्रव्यत्वाभावयोगतः 52.
Kaivalya. 2. श्रद्धाभक्तिध्यानयोगात्
14. जन्मान्तरकर्मयोगात्
Kshur. 12. योगमाश्रित्य नित्यशः
Śikhâ. 2. सर्वज्ञानयोगध्यानानाम्
Garbha. 4. तत् सांख्यं योगमभ्यसेत्
Brahma. 2. योगमुत्तममास्थितः
Brahmab. 7. स्वरेण सन्धयेद्योगम्
Amṛita. 6. षडङ्गो योग उच्यते
22. तदा योगं समभ्यसेत्
23. तालमात्रा तथा योगः
— द्वादशमात्रो योगस्तु
Yogaśi. 10. तदा पश्यन्ति योगेन
Râmap. 20. योग एतयोः फलदः
Mukti. 1. न कर्मसांख्ययोगोपासना-
दिभिः
2. 14. चिराभ्यासयोगेन विना
Gîtâ. 2. 39. योगे त्विमां शृणु
48. समत्वं योग उच्यते
50. तस्माद्योगाय युज्यस्व यो-
गः कर्मसु कौशलम्
53. तदा योगमवाप्स्यसि
4. 1. इमं विवस्वते योगं प्रोक्त-
वान्
2. योगो नष्टः परन्तप
3. योगः प्रोक्तः पुरातनः
42. योगमातिष्ठ
5. 1. पुनर्योगं च शंससि
4. सांख्ययोगौ पृथक्
5. तद्योगैरपि गम्यते
— एकं सांख्यं च योगं च
6. 2. योगं तं विद्धि पाण्डव
3. आरुरुक्षोर्मुनेर्योगम्
12. युञ्ज्याद्योगमात्मविशुद्धये
16. नात्यश्नतस्तु योगो ऽस्ति
17. योगो भवति दुःखहा
19. युञ्जतो योगमात्मनः

Gîtâ. 6. 23. स निश्चयेन योक्तव्यो योगः
33. यो ऽयं योगस्त्वया प्रोक्तः
36. असंयतात्मना योगो दुष्प्रा-
पः
37. योगाच्चलितमानसः
44. जिज्ञासुरपि योगस्य
7. 1. योगं युञ्जन्मदाश्रयः
9. 5. पश्य मे योगमैश्वरम्
11. 8.
10. 7. एतां विभूतिं योगं च
— सो ऽविकम्पेन योगेन
18. विस्तरेणात्मनो योगम्
12. 6. अनन्येनैव योगेन
11. मद्योगमाश्रितः
13. 24. अन्ये सांख्येन योगेन
16. 1. ज्ञानयोगव्यवस्थितिः
18. 33. योगेनाव्यभिचारिण्या
75. योगं योगेश्वरात्कृष्णात्

योगकुण्डलिनी

Mukti. 1. *vide* सरस्वतीरहस्य

योगक्षेम

Tait. 3. 10. 2. योगक्षेम इति प्राणापानयोः
Kaṭha. 2. 2. प्रेयो मन्दो योगक्षेमाद्वृणी-
ते
Gîtâ. 9. 22. योगक्षेमं वहाम्यहम्

योगगुण

Śwet. 2. 12. पञ्चात्मके योगगुणे प्रवृत्ते

योगचार

Nâda. 19. सुस्थितो योगचारेण

योगचूडामणि

Mukti. 1. *vide* जाबालि

योगतत्त्व

Dhyâna. 1. योगतत्त्वं प्रवक्ष्यामि (one MS. omits); Yogat. 1.

Mukti. 1. 33. योगतत्त्वात्मबोधकम्
1. *vide* सरस्वतीरहस्य

योगधारणा

Gîtâ. 8. 12. आस्थितो योगधारणाम्

योगनिर्मलधार

Kshur. 18. योगनिर्मलधारेण क्षुरेण

योगपद

Dhyâna. 21. योगी योगपदे स्थितः

योगप्रवृत्ति

Śwet. 2. 13. योगप्रवृत्तिं प्रथमां वदन्ति

योगबल

Gîtâ. 8. 10. भक्त्या युक्तो योगबलेन चैव

योगभ्रष्ट

Gîtâ. 6. 41. योगभ्रष्टो अभिजायते

योगमाया

Gîtâ. 7. 25. योगमायासमावृतः

योगयज्ञ

Gîtâ. 4. 28. योगयज्ञास्तथापरे

योगयुक्त

Kshur. 1. यां प्राप्य न पुनर्जन्म योगयुक्तस्य जायते (योगयुक्तः स is a variant).
Nâda. 18. योगयुक्तं तदादिशेत्
Yogat. 11. लभते योगयुक्तात्मा
Gîtâ. 5. 6. योगयुक्तो मुनिः
7. योगयुक्तो विशुद्धात्मा
8. 27. योगयुक्तो भवार्जुन

योगयुक्तात्मन्

Gîtâ. 6. 29. ईक्षते योगयुक्तात्मा

योगवित्तम

Gîtâ. 12. 1. तेषां के योगवित्तमाः

योगविद्

Kshur. 24. मात्राधारेण योगवित्
Brahma. 2. योगवित्तत्त्वदर्शिवान्

योगविधि

Katha. 6. 18. योगविधिं च कृत्स्नम्

योगशिखा

Yogaśi. 1. योगशिखां प्रवक्ष्यामि
Mukti. 1. *vide* सरस्वतीरहस्य

योगसंसिद्ध

Gîtâ. 4. 38. तत्स्वयं योगसंसिद्धः

योगसंसिद्धि

Gîtâ. 6. 37. अप्राप्य योगसंसिद्धिम्

योगसञ्ज्ञित

Gîtâ. 6. 23. दुःखसंयोगवियोगं योगसञ्ज्ञितम्

योगसन्न्यस्तकर्मन्

Gîtâ. 4. 41. योगसन्न्यस्तकर्माणम्

योगसिद्धि

Kshur. 1. धारणां योगसिद्धये

योगसेवा

Yogat. 15. निश्चितं चात्मभूतानामरिष्टं योगसेवया
Gîtâ. 6. 20. निरुद्धं योगसेवया

योगस्थ

Gîtâ. 2. 48. योगस्थः कुरु कर्माणि

योगाग्निमय

Swet. 2. 12. योगाग्निमयं शरीरम्

योगाभ्यास

Maitri. 6. 29. शान्तत्वं योगाभ्यासादवाप्नोति
Yogaśi. 6. भिन्दन्ति . . मुर्यं योगाभ्यासेन वै पुनः

योगारूढ

Nṛisut. 4. एवं योगारूढो ब्रह्मण्येवानुष्टुभं सन्दध्यात्

Gîtâ. 6. 3. योगारूढस्य तस्यैव

4. योगारूढस्तदोच्यते

योगासन

Amṛita. 18 बध्वा योगासनं सम्यक्

योगिध्येय

Nṛip. 1. 5. नृकेसरिं योगिध्येयम्

5. 10. ब्रह्मादिवन्दितं योगिध्येयम्

योगिन्

Maitri. 6. 10. सन्न्यासी योगी चात्मयाजी च (bis).

Gauḍa. 3. 39. योगिनो बिभ्यति ह्यस्मात्

Nṛip. 5. 1. सार्वकामिकं मोक्षद्वारं यद्योगिन उपदिशन्ति

10. यत्र गत्वा न निवर्त्तन्ते योगिनः

Kshur. 5. प्राणान् सञ्चारयेद्योगी

15. ततः कण्ठान्तरे योगी

23. कर्माणि योगी दग्ध्वा

Brahma. 2. तत्सूत्रं धारयेद्योगी

Amṛita. 27. नित्यं योगी विवर्जयेत्

Dhyâna. 1. योगिनां हितकाम्यया (one MS. omits); Yogat. 1.

5. स योगी छिन्नसंशयः

21. योगी योगपदे स्थितः

Yogaśi. 6. भिन्दन्ति योगिनः सूर्यं

Parama. 1. योगिनां परमहंसानाम्

3. स एव योगी च स एव ज्ञानी च

Nâr. 5. यमुक्त्वा मुच्यते योगी

Atmapra. 1. यमिष्ट्वा मुच्यते योगी

Vâsu. 2. योगी मत्सायुज्यमाप्नोति

Râmap. 6. रमन्ते योगिनोऽनन्ते

Mukti. 2. 51. योगिभिर्योऽनुभूयते

54. समाधियोगिनां प्रियः

Gîtâ. 3. 3. कर्मयोगेन योगिनाम्

4. 25. योगिनः पर्युपासते

5. 11. योगिनः कर्म कुर्वन्ति

24. स योगी ब्रह्मनिर्वाणम्

6. 1. स सन्न्यासी च योगी च

2. योगी भवति कश्चन

8. युक्त इत्युच्यते योगी

10. योगी युञ्जीत सततमात्मानम्

15. योगी नियतमानसः

19. योगिनो यतचित्तस्य

27. प्रशान्तमनसं . . योगिनम्

28. योगी विगतकल्मषः

31. स योगी मयि वर्त्तते

32. स योगी परमो मतः

42. अथवा योगिनामेव

45. योगी संशुद्धकिल्विषः

46. तपस्विभ्योऽधिको योगी

— कर्मिभ्यश्चाधिको योगी तस्माद्योगी भवार्जुन

47. योगिनामपि सर्वेषाम्

8. 14. नित्ययुक्तस्य योगिनः

23. आवृत्तिं चैव योगिनः

25. योगी प्राप्य निवर्त्तते

27. योगी मुह्यति कश्चन

28. योगी परं स्थानमुपैति चाद्यम्

10. 17. कथं विद्यामहं योगिन्

12. 14. सन्तुष्टः सततं योगी

15. 11. यतन्तो योगिनश्च

योगिनीकोश

Haṁsa. 1. योगिनीकोशसन्निभम् (so all the MSS. but one which has °केश)

योगीश्वर

Maitri. 7. 1. योगीश्वरः सर्वज्ञः

योगेश्वर

Gîtâ. 11. 4. योगेश्वर ततो मे त्वं दर्शय
18. 75. योगेश्वरात्कृष्णात्
78. यत्र योगेश्वरः कृष्णः

योगैश्वर्य

Śiras. 4. आत्मज्ञानेन योगैश्वर्येण

योजन, योजना

Swet. 1. 10. तस्याभिध्यानाद्योजनात्
Gauḍa. 4. 59. तद्वद्धर्मेषु योजना
Amṛita. 23. धारणा योजनं तथा
Dhyâna. 3. विस्तीर्णं योजनान् बहून्

योद्धुकाम

Gîtâ. 1. 22. योद्धुकामानवस्थितान्

योध

Gîtâ. 11. 32. ये ऽवस्थिताः प्रत्यनीकेषु योधाः

योधमुख्य

Gîtâ. 11. 26. सहास्मदीयैरपि योधमुख्यैः

योधवीर

Gîtâ. 11. 34. कर्णं तथान्यानपि योधवीरान्

योनि

Kaush. 1. 6. आकाशाद्योनेः संभूतः
Chhâ. 5. 8. 1. योनिरर्चिः Bṛih. 6. 2. 13.
5. 10. 7. रमणीयचरणाः . . रमणीयां योनिमापद्येरन्
— कपूयचरणाः . . कपूयां योनिमापद्येरन्
Bṛih. 1. 1. 2. तस्य पूर्वे समुद्रे योनिः
— तस्यापरे समुद्रे योनिः
— समुद्रो योनिः
Bṛih. 1. 4. 6. स मुखाच्च योनेर्हस्ताभ्यां च
— अलोमका हि योनिरन्तरतः
11. सैषा क्षत्रस्य योनिर्यद्ब्रह्म
— उपनिश्रयति स्वां योनिम्
— स्वां स योनिमृच्छति
6. 4. 21. विष्णुर्योनिं कल्पयतु
Katha. 5. 7. योनिमन्ये प्रपद्यन्ते शरीरत्वाय
Swet. 1. 2. यदृच्छा भूतानि योनिः
13. इन्धनयोनिगृह्यः
2. 7. तत्र योनिं कृणवसे
4. 11. यो योनिं योनिमधितिष्ठति
5. 2; Siras. 5.
5. 2. विश्वानि रूपाणि योनीश्च सर्वाः
Maitri. 6. 14. अन्नं वा अस्य सर्वस्य योनिः
— सूर्यो योनिः कालस्य
18. यदा पश्यन् पश्यति . . योनिम्
7. 8. मोहजालस्यैष वै योनिः
Mahânâr. 9. 11. घृतमस्य योनिः
20. 8. एष ते योनिः
Kaivalya. 6. शिवं प्रशान्तं . . ब्रह्म योनिम्
Mâṇḍû. 6. एष योनिः सर्वस्य
Nṛip. 4. 1; Nṛisut 1; Râmot. 3.
Garbha. 4. यदि योन्याः प्रमुच्येहम् (ter).
Jâbâla. 4. अयं ते योनिर्ऋत्वियः
— एष वा अग्नेर्योनिर्यः प्राणः
Râmap. 80. लान्तो योन्या युक्तः
Gîtâ. 14. 3. मम योनिर्महद्ब्रह्म
4. तासां ब्रह्म महद्योनिः
16. 19. आसुरीष्वेव योनिषु
20. आसुरीं योनिमापन्नाः

योनिगत

Swet. 1. 13. वह्नेर्यथा योनिगतस्य मूर्तिः

योनित्व

Nṛisut. 9. आत्मन एव . . योनित्वमपि

योनिद्वार

Garbha. 4. अथ योनिद्वारं सम्प्राप्तः

योनिमुक्त

Śwet. 1. 7. लीना ब्रह्मणि तत्परा योनिमुक्ताः

योनिस्वभाव

Śwet. 5. 4. योनिस्वभावानाधितिष्ठत्येकः

योषा

Chhâ. 5. 8. 1. योषा वाव गौतमाग्निः

Bṛih. 6. 2. 13. योषा वा अग्निर्गौतम

योषाग्नि

Bṛih. 6. 2. 16. ततो योषाग्नौ जायन्ते

योषिता

Muṇḍ.2. 1. 5. पुमान् रेतः सिञ्चति योषितायाम्

यौवन

Chhâ. 4. 4. 2. यौवने त्वामलभे 4.

Maitri. 6. 10. कौमारं यौवनं जरा Gîtâ. 2. 13.

यौवनाश्व

Maitri. 1. 4. *vide* आदि

र

Maitri. 6. 7. र इति रञ्जयतीमानि भूतानि

रक्तगौराङ्ग

Dhyâna. 12. ब्रह्मणं रक्तगौराङ्गम्

रक्तवर्णमणिप्रख्य

Amṛita. 36. रक्तवर्णमणिप्रख्यः प्राणो वायुः प्रकीर्त्तितः

रक्तोत्पलाभास

Kshur. 10. ततो रक्तोत्पलाभासम्

रक्ष्

Ait. 4. 5. शतं मा पुर आयसीररक्षन्

Bṛih. 4. 3. 12. प्राणेन रक्षन्नवरं कुलायम्

Mahânâr. 4. 4. रक्षस्व मा पदे पदे

14. 3. मन्युकृतेभ्यः पापेभ्यो रक्षन्ताम् 4.

Praśna. 2. 13. मातेव पुत्रान् रक्षस्व

Nṛip. 3. 1. माया . . सर्वमिदं रक्षति

Kshur. 16. इडा रक्षतु वामेन

Aruṇeya. 4. हे रक्षतो हे रक्षतो हे रक्षत

Râmap. 33. अस्माकं रक्ष देहि श्रियं च (3 MSS. read रक्षाम्)

रक्षण

Kṛish. 21. रक्षणाय च संस्थितः

रक्षस्

Maitri. 7. 6. *vide* आदि

Prâṇâg. 1. अप रक्षांसि चातया (!)

Kṛish. 16. गर्वो रक्षः खगो बकः

Râmap. 56. *vide* अनिल

Gîtâ. 10. 23. वित्तेशो यक्षरक्षसाम्

11. 36. रक्षांसि भीतानि

17. 4. यक्षरक्षांसि राजसाः

रक्षा

Amṛita. 17. कृत्वा मनोमयीं रक्षाम्

रक्षोघ्न

Nṛip. 5. 2. एतद्रक्षोघ्नं मृत्युतारकं गुरुणा लब्धम्

Râmap. 32. रक्षोघ्नाय शुभांगिने

रक्षोदेवजन

Mahânâr.19. 2. रक्षोदेवजनेभ्यः स्वाहा

रघु

Râmap. 1. रघोः कुले ऽखिलं राति

रघुनन्दन

Râmap. 48. द्विभुजो रघुनन्दनः

रघुवीर

Râmap. 32. भद्राय रघुवीराय
33. रघुवीर नृपोत्तम

रघुश्रेष्ठ

Mukti. 1. 5. इदानीं त्वां रघुश्रेष्ठ प्रणमामि
8. वेदान्ताः के रघुश्रेष्ठ

रङ्गावतारिन्

Maitri. 7. 8. चाटजटनटभटप्रव्रजितरङ्गावतारिणः

रजत

Chhâ. 3. 19. 1. ते आण्डकपाले रजतं च सुवर्णं चाभवताम्
2. तद्यद्रजतं सेयं पृथिवी
4. 17. 7. सुवर्णेन रजतं रजतेन त्रपु

रजस्

Bṛih. 5. 14. 3. एष रजः उपर्युपरि तपति
6. 3. 6. मधुमत्पार्थिवं रजः Mahânâr. 9. 9; 17. 7.
Maitri. 5. 2. एतद्रूपं वै रजस्तद्रजः खल्वीरितम्
6. 28. रजस्तमोभ्यां विद्धस्य
Mahânâr. 5. 8. यत्पृथिव्यां रजः स्वम्
12. रजोभूमिस्त्वमाँरोदयस्व
Nâda. 2. पादौ रजस्तमस्तस्य
Kâlâg. 2. प्रथमा रेखा सा . . रजः
Jâbâla. 4. सत्त्वं रजस्तम इति Gîtâ. 14. 5.
Gauḍa. 3. 5. रजोधूमादिभिर्युते
Râmap. 15. रजःसत्त्वतमोगुणैः
88. रजः सत्त्वं तमः
Gîtâ. 14. 7. रजो रागात्मकं विद्धि
9. रजः कर्मणि भारत
10. रजस्तमश्चाभिभूय
— रजः सत्त्वं तमश्चैव तमः सत्त्वं रजस्तथा
12. रजस्येतानि जायन्ते
15. रजसि प्रलयं गत्वा
16. रजसस्तु फलं दुःखम्
17. रजसो लोभ एव च
17. 1. सत्त्वमाहो रजस्तमः

रजोगुणसमुद्भव

Gîtâ. 3. 37. काम एष क्रोध एष रजोगुणसमुद्भवः

रज्जु

Gauḍa. 2. 17. अनिश्चिता यथा रज्जुः
18. निश्चितायां यथा रज्ज्वाम्
— रज्जुरेवेति चाद्वैतम्
Dhyâna. 22. अर्द्धमात्रां रज्जुं कृत्वा
Kṛish. 20. रज्जुर्माताऽदितिस्तथा

रञ्ज्

Maitri. 6. 7. र इति रञ्जयतीमानि भूतानि
Kshur. 8. अणुरक्ताश्च पीताश्च (see अणु)
Śiras. 5. ब्रह्मदेवत्या रक्ता वर्णेन
Śikhâ. 1. प्रथमा रक्ता ब्राह्मी ब्रह्मदेवत्या
Garbha. 2. शुक्लो रक्तः कृष्णो धूम्रः

रण

Gîtâ. 1. 22. अस्मिन् रणसमुद्यमे
46. धार्तराष्ट्रा रणे हन्युः
2. 34. भयाद्रणादुपरतम्
11. 34. युध्यस्व जेतासि रणे सपत्नान्

रति

Kaush. 1. 7. केनानन्दं रतिं प्रजातिमिति
2. 15. आनन्दं रतिं प्रजातिं मे त्वयि दधानीति पितानन्दं रतिं प्रजातिं ते मयि दध इति पुत्रः
3. 5. तस्यानन्दो रतिः. प्रजातिः परस्तात् प्रनिविहिता भूतमात्रा
6. प्रज्ञयोपस्थं समारूह्योपस्थेनानन्दं रतिं प्रजातिमाप्नोति
7. न हि प्रज्ञापेत उपस्थ आनन्दं न रतिं न प्रजातिं कांचन प्रज्ञापयेत्
— नाहमेतमानन्दं न रतिं न प्रजातिं प्राज्ञासिषम्
8. न रतिं . . विजिज्ञासीत . . रतेः . . विज्ञातारं विद्यात्

Katha. 1. 28. वर्णरतिप्रमोदान्

Maitri. 3. 5. हिंसा रतिरीहिष्टिः
5. 1. विश्वक्रीडारतिप्रभुः

Praśna. 1. 13. ये दिवा रत्या संयुज्यन्ते
— यद्रात्रौ रत्या संयुज्यन्ते

Râmap. 80. पीता रतिस्तथा लान्तः

रतिप्रीति

Haṁsa. 2. सौम्ये रतिप्रीतिः

रतिमात्र

Maitri. 7. 9. रतिमात्रं फलमस्याः

रत्नधा

Bṛih. 6. 4. 27. यो मयोभूर्यो रत्नधाः

रत्नमण्डप

Mukti. 1. 1. रत्नमण्डपमध्यगे

रत्नमालिन्

Râmap. 25. द्विभुजः कुण्डली रत्नमाली

रत्नासन

Râmap. 86. रत्नासने देशिकं चार्चयित्वा

रथ

Kaush. 1. 4. यथा रथेन धावयन्
3. 8. यथा रथस्यारेषु नेमिरर्पिता

Chhâ. 4. 16. 3. रथो वैकेन चक्रेण वर्त्तमानः
5. रथो वोभाभ्यां चक्राभ्यां वर्त्तमानः

Bṛih. 4. 2. 1. रथं वा नावं वा समाददीत
4. 3. 9. न तत्र रथाः . . रथान्सृजते

Kaṭha. 3. 3. शरीरं रथमेव तु

Maitri. 2. 6. रथः शरीरं मनो नियन्ता

Praśna. 6. 1. स तूष्णीं रथमारुह्य प्रवव्राज

Gauḍa. 2. 3. अभावश्च रथादीनाम्

Prâṇâg. 3. शारीरयज्ञस्य . . को रथः
4. मनो रथः

Amṛita. 2. ओङ्कारं रथमारुह्य
3. तावद्रथेन गन्तव्यम्
— रथमुत्सृज्य गच्छति

Gitâ. 1. 21. रथं स्थापय मेऽच्युत

रथक्रान्त

Mahânâr. 4. 4. अश्वक्रान्ते रथक्रान्ते

रथचक्र

Kaush. 1. 4. रथचक्रे पर्यवेक्षेत

Bṛih. 5. 10. 1. यथा रथचक्रस्य खम्

रथनाभि

Bṛih. 2. 5. 15. यथा रथनाभौ च रथनेमौ चाराः सर्वे समर्पिताः

Muṇḍ. 2. 2. 6. अरा इव रथनाभौ
Praśna. 2. 6 ; 6. 6.

रथनेमि

Bṛih. 2. 5. 15. यथा रथनाभौ च रथनेमौ चाराः सर्वे समर्पिताः

रथन्तर

Kaush. 1. 5. बृहद्रथन्तरे (bis).
Chhâ. 2. 12. 1. एतद्रथन्तरमग्नौ
2. स य एवमेतद्र॰ न्तरमग्नौ प्रोतं वेद
Mahânâr. 22. 1. गार्हपत्यमृक् पृथिवी रथन्तरम्
Maitri. 7. 1. गायत्रं त्रिवृद्रथन्तरं . . पुरस्तादुद्यन्ति
Chûl. 9. रथन्तरे बृहत्साम्नि

रथपथस्थान

Amṛita. 3. स्थित्वा रथपथस्थानम्

रथपथिस्थित

Amṛita. 3. यावद्रथपथिस्थितः

रथयोग

Bṛih. 4. 3. 10. न तत्र . . रथयोगाः . . रथयोगान्सृजते

रथश्रेणि

Chhâ. 5. 14. 1. पृथग्रथश्रेणयो ऽनुयन्ति

रथित

Maitri. 4. 4. यैः परिपूर्णो ऽभिभूतो ऽयं रथितश्च

रथिन्

Kaṭha. 3. 3. आत्मानं रथिनं विद्धि

रथोत्तम

Gîtâ. 1. 24. स्थापयित्वा रथोत्तमम्

रथोपस्थ

Gîtâ. 1. 47. रथोपस्थ उपाविशत्

1. रम्

Chhâ. 3. 17. 1. यन्न रमते ता अस्य दीक्षा
2. यद्रमते तदुपसदैरेति
5. 10. 7. रमणीयां योनिमापद्येरन्
7. 12. 1. आकाशे रमत आकाशे न रमते
8. 12. 3. जक्षन् क्रीडन् रममाणः
5. कामान् पश्यन् रमते
Bṛih. 1. 4. 3. स वै नैव रेमे तस्मादेकाकी न रमते
4. 3. 5. एतास्मिन्सम्प्रसादे रत्वा
16. एतस्मिन्स्वप्ने रत्वा
17. एतस्मिन् बुद्धान्ते रत्वा
34. एतस्मिन् स्वप्नान्ते रत्वा
4. 4. 10. य उ विद्यायां रताः Iśâ 9.
5. 12. 1. रमिति प्राणो वै रं प्राणे हीमानि . . भूतानि रमन्ते
Iśâ. 12. य उ संभूत्यां रताः
Kaṭha. 1. 28. अतिदीर्घे जीविते को रमेत
Maitri. 2. 6. स नारमतैकः
— स नारमत
Mahânâr. 21. 2. तस्मात्सत्ये रमन्ते
— तस्मात्तपसि रमन्ते
— तस्माद्दमे रमन्ते
— तस्माच्छमे रमन्ते
— तस्माद्दाने रमन्ते
— तस्माद्धर्मे रमन्ते
— तस्माद्भूयिष्ठाः प्रजनने रमन्ते
— तस्मादग्निहोत्रे रमन्ते
— तस्माद्यज्ञे रमन्ते
— तस्माद्विद्वांस एव मानसे रमन्ते
25. 1. यद्रमते तदुपसदः
Amṛita. 17. भूमिभागे समे रम्ये
Yogat. 3. तस्मिन्नेव भगे रमेत्
Nyâsa. 2. गुरुशुश्रूषणे रतः
Gopî. 5. कृष्णगोपीरतोद्भूतम्
Râmap. 6. रमन्ते योगिनो ऽनन्ते
Mukti. 1. 1. अयोध्यानगरे रम्ये
18. दुराचाररतो वापि

Mukti. 1. 22. सदाचाररतो भूत्वा
48. दुराचाररताय वै
1. सर्वभूतहिते रतम्
Gîtâ. 5. 22. न तेषु रमते बुधः
25. सर्वभूतहिते रताः 12. 4.
10. 9. तुष्यन्ति च रमन्ति च
18. 36. अभ्यासाद्रमते यत्र

2. रम्

Bṛih. 5. 12. 1. रमिति प्राणो वै रम्

रमणीयचरण

Chhâ. 5. 10. 7. रमणीयचरणाः..रमणीयां योनिमापद्येरन्

रमा

Râmap. 60. लिखेद्बीजान्तरे रमाम्
61. कोणपार्श्वे रमामाये
64. लिखेत्तत्केसरे रमाम्

रमाधर

Râmap. 31. रमाधराय रामाय

रमासहित

Râmap. 93. रमासहितः सावृतश्च

रयि

Chhâ. 5. 16. 1. एष वै रयिरात्मा
5. 18. 2. वस्तिरेव रयिः
Praśna. 1. 4. स मिथुनमुत्पादयते रयिं च प्राणं च
5. रयिरेव चन्द्रमा रयिर्वा एतत् सर्वं..तस्मान्मूर्त्तिरेव रयिः
9. एष ह वै रयिर्यः पितृयाणः
12. कृष्णपक्ष एव रयिः
13. रात्रिरेव रयिः
2. 5. वायुरेष पृथिवी रयिर्देवः
Jâbâla. 4. अथा नो वर्द्धया रयिम्

रयिमन्त्

Chhâ. 5. 16. 1. तस्मात्त्वं रयिमान्

रवि

Maitri. 6. 38. रविमध्ये स्थितः सोमः
Gîtâ. 10. 21. ज्योतिषां रविरंशुमान्
13. 33. यथा प्रकाशयत्येकः रविः

रवितुल्यरूप

Śwet. 5. 8. अङ्गुष्ठमात्रो रवितुल्यरूपः

रशना

Prâṇâg. 3. शारीरयज्ञस्य..का रशना
4. आशा रशना

रश्मि

Chhâ. 1. 5. 2. रश्मींस्त्वं पर्यावर्त्तयात्
3. 1. 2. तस्य ये प्राञ्चो रश्मयः
3. 2. 1. ये ऽस्य दक्षिणा रश्मयः
3. 3. 1. ये ऽस्य प्रत्यञ्चो रश्मयः
3. 4. 1. ये ऽस्योदञ्चो रश्मयः
3. 5. 1. ये ऽस्योर्द्ध्वा रश्मयः
5. 4. 1. रश्मयो धूमः Bṛih. 6. 2. 9.
8. 6. 2. आदित्यस्य रश्मय उभौ लोकौ गच्छन्ति
5. रश्मिभिरूर्ध्वं आक्रमते
Bṛih. 5. 5. 2. रश्मिभिरेषो ऽस्मिन्प्रातिष्ठितः
— नैनमेते रश्मयः प्रत्यायन्ति
5. 15. 1. व्यूह रश्मीन् समूह तेजः Iśâ. 16.
Maitri. 2. 6. पञ्चभी रश्मिभिर्विषयानत्ति 6. 31.
— बुद्धीन्द्रियाणि..अस्य रश्मयः
6. 9. सवितुश्च रश्मयः पुनन्त्वन्नम्
12. सूर्यो रश्मिभिराददात्यन्नम्
30. अनन्ता रश्मयस्तस्य
— ये नैकरूपास्त्वधस्ताद्रश्मयः

Maitri. 6. 30. यदस्यान्यद्रश्मिशतम्
37. तत्सूर्यो रश्मिभिर्वर्षति
Muṇḍ.1. 2. 5. तं नयन्त्येताः सूर्यस्य रश्मयः
6. सूर्यस्य रश्मिभिर्यजमानं वहन्ति
Mahânâr. 23. 1. याभिरादित्यस्तपति रश्मिभिः
Praśna. 1. 6. प्राच्यान् प्राणान् रश्मिषु सन्निधत्ते
— सर्वान् प्राणान् रश्मिषु सन्निधत्ते
Nîla. 19. ये च सूर्यस्य रश्मिषु
Amṛita. 5. चिन्तयेदात्मनो रश्मीन्

रश्मिज्वाला

Yogaśi. 5. रश्मिज्वालासमाकुलम्

रस्

Bṛih. 4. 3. 25. यद्वै तन्न रसयते रसयन्वै तन्न रसयते
— न तु..ततोऽन्यद्विभक्तं यद्रसयेत्
31. तत्रान्यो ऽन्यद्रसयेत्
4. 4. 2. एकी भवति न रसयते
4. 5. 15. इतर इतरं रसयते..तत्केन कं रसयेत्
Maitri. 6. 7. यत्र द्वैतीभूतं विज्ञानं तत्र..रसयति
Praśna. 4. 2. न जिघ्रति न रसयते
8. रसश्च रसयितव्यं च

रस

Chhâ. 1. 1. 2. एषां भूतानां पृथिवी रसः Bṛih. 6. 4. 1.
— पृथिव्या आपो रसः (similarly 5 times more).
3. स एष रसानां रसतमः
Chhâ. 1. 1. 9. एतस्यैवाक्षरस्य..महिम्ना रसेन
1. 2. 10. एतमु एवांगिरसं मन्यन्ते अंगानां यद्रसः
3. 1. 3. तस्याभितप्तस्य यशस्तेज इन्द्रियं वीर्यमन्नाद्यं रसो ऽजायत 3. 2. 2; 3. 3. 2; 3. 4. 2; 3. 5. 2.
3. 5. 4. एते रसानां रसा वेदा हि रसास्तेषामेते रसाः
4. 17. 1. रसान् प्रावृहत् 2, 3.
4. ऋचामेव तद्रसेन
5. यजुषामेव तद्रसेन
6. साम्नामेव तद्रसेम
6. 9. 1. नानात्ययानां वृक्षाणां रसान् समवहारमेकतां रसं गमयन्ति
— अमुष्याहं वृक्षस्य रसो ऽस्मि (bis).
7. 7. 1. अन्नं च रसं च
Bṛih. 1. 3. 8. आङ्गिरसो ऽङ्गानां हि रसः 19.
19. प्राणो वा अङ्गानां रसः
— एष हि वा अङ्गानां रसः
2. 3. 2. सत एष रसो य एष तपति सतो ह्येष रसः
3. त्यस्यैष रसः..त्यस्य ह्येष रसः 5.
4. सत एष रसो यच्चक्षुः सतो ह्येष रसः
2. 4. 11. सर्वेषां रसानां जिह्वैकायनम् 4. 5. 12.
3. 2. 4. स रसेनातिग्राहेण गृहीतो जिह्वया हि रसान्विजानाति
3. 9. 28. तस्मात्तदा तृणात्प्रैति रसः
Tait. 2. 6. 1. यद्वैतत्सुकृतं रसो वै सः। रसं ह्येवायं लब्ध्वानन्दी भवति

Kaṭha. 4. 3. येन रूपं रसं..एतेनैव विजानाति

Maitri. 5. 2. तत्सत्त्वमेवेरितं रसः सम्प्रास्रवत्

6. 13. प्राणो वा अन्नस्य रसः

31. अपां यः शिवतमो रसः

35. आपो ज्योती रसः Śiras. 6; Prâṇâg. 1; Mahânâr. 13. 1; 15. 2, 3.

37. अतो यो रसो ऽस्रवत्

Muṇḍ.2. 1. 9. अतश्च सर्वा ओषधयो रसश्च Mahânâr. 8. 5. (विश्वा)

Praśna. 4. 8. रसश्च रसयितव्यं च

Garbha. 1. मधुराम्ललवणतिक्तकटुकषायरसान् विन्दति

2. षड्विधो रसो रसाच्छोणितम्

Sarvop. 2. शब्दस्पर्शरूपरसगन्धाः

Parama. 2. न रूपं न रसम्

3. हिरण्यं रसेन दृष्टम्

— हिरण्यं रसेन स्पृष्टम्

— हिरण्यं रसेन ग्राह्यम्

— पूर्णानन्दैकरूपरसबोधः

Râmot. 3. परं ज्योती रसो ऽहम्

Gîtâ. 2. 59. रसवर्जं रसो ऽप्यस्य

7. 8. रसो ऽहमप्सु कौन्तेय

रसघन

Bṛih. 4. 5. 13. कृत्स्नो रसघन एव

रसतम

Chhâ. 1. 1. 3. स एष रसानां रसतमः

रसन

Garbha. 1. जिह्वा रसने

Gîtâ. 15. 9. रसनं घ्राणमेव च

रसनाग्र

Maitri. 6. 20. ताल्वुरसनाग्रनिपीडनात्

रसयति

Bṛih. 4. 3. 25. न हि रसयितू रसयतेर्विपरिलोपः

रसयितृ

Bṛih. 4. 3. 25. न हि रसयितू रसयतेर्विपरिलोपः

Maitri. 6. 7. वक्ता रसयिता घ्राता

11. वक्ता भवति रसयिता भवति

Praśna. 4. 9. एष हि..घ्राता रसयिता

रसातल

Aruṇeya. 1. *vide* तलातल

रसात्मक

Gîtâ. 15. 13. सोमो भूत्वा रसात्मकः

रसादि

Gauḍa. 3. 11. रसादयो हि ये कोशाः

रस्य

Gîtâ. 17. 8. रस्याः स्निग्धाः स्थिरा हृद्याः

रहस्

Gîtâ. 6. 10. रहसि स्थितः

रहस्य

Maitri. 6. 20. मोक्षलक्षणमित्येतत्परं रहस्यम्

Nṛisut. 8. अभयं हि वै ब्रह्म भवति य एवं वेदेति रहस्यम् (4 times).

Brahmav. 2. रहस्यं ब्रह्मविद्यायाम्

Gopî. 4. य एतद्रहस्यं सायं प्रातर्ध्यायेत्

5. सरहस्योपनिषदङ्गान्

Râmap. 84. इदं रहस्यं परमम्

Mukti. 1. 33. रहस्यं वज्रसूचिकम्

35. रहस्यं रामतपनम्

40. *vide* मुक्तिका

Gîtâ. 4. 3. रहस्यं ह्येतदुत्तमम्

रहित

Maitri. 6. 34. लयविक्षेपरहितम्
Tejo. 7. उपाधिरहितं स्थानम्
Sarvop. 3. उत्पत्तिविनाशरहितं चैतन्यम्
Parama. 2. षडूर्मिरहितम्
Vâsu. 3. देहादिरहितं सूक्ष्मम्
Mukti. 1. 20. पुनरावृत्तिरहितां मुक्तिम्

रा

Râmap. 1. रघोः कुले ऽखिलं राति
5. तथा रात्यस्य रामाख्या

1. राक्षस *adj.*

Gîtâ. 9. 12. राक्षसीमासुरीं चैव

2. राक्षस

Maitri. 1. 4. *vide* आदि
7. 8. ditto.
Râmap. 2. राक्षसा येन मरणं यान्ति
3. राक्षसान्मर्त्यरूपेण

राग

Maitri. 3. 5. अन्तस्तृष्णा स्नेहो रागः
Muṇḍ.1. 2. 9. यत्कर्मिणो न प्रवेदयन्ति रागात्
Parama. 3. त्यागो रागे
Gîtâ. 2. 64. रागद्वेषवियुक्तैस्तु
3. 34. रागद्वेषौ व्यवस्थितौ
7. 11. कामरागविवर्जितम्
17. 5. कामरागबलान्विताः
18. 51. रागद्वेषौ व्युदस्य च

रागात्मक

Gîtâ. 14. 7. रजो रागात्मकं विद्धि

रागान्ध

Maitri. 4. 2. महान्धकारमिव रागान्धम्

रागिन्

Gîtâ. 18. 27. रागी कर्मफलप्रेप्सुः

राघव

Râmap. 40. मोदते राघवस्तदा
42. निहत्य राघवः
91. आराधयेद्राघवं चन्दनाद्यैः
93. विश्वव्यापी राघवः
Mukti. 1. 10. तेषां शाखाश्च राघव

राज्

Râmap. 1. राजते यो महीस्थितः

राजकर्मन्

Maitri. 7. 8. राजकर्मणि पतितादयः

राजगुह्य

Gîtâ. 9. 2. राजविद्या राजगुह्यम्

राजन्

Kaush. 2. 9. सोमो राजासि
— तेन मुखेन राज्ञो ऽत्सि
— राजा त एकं मुखं तेन मुखेन विशो ऽत्सि
4. 15. यमो राजेति वा अहमेतमुपासे
19. सोम राजन्निति Bṛih. 2. 1. 15.
Chhâ. 1. 10. 6. राजासौ यक्ष्यते
5. 2. 6. स हि ज्येष्ठः श्रेष्ठो राजाधिपतिः
5. 3. गौतमो राज्ञो ऽर्द्धमेयाय
— तत्रैव राजन्मानुषं वित्तम्
5. 4. 2. तस्या आहुतेः सोमो राजा संभवति
5. 5. 2. सोमं राजानं जुह्वति Bṛih. 6. 2. 10.
5. 10. 4. एष सोमो राजा
5. 12. 1. दिवमेव भगवो राजन् (similarly in Sections 13—17).
8. 14. 1. यशो राज्ञां यशो विशाम्

Bṛih. 1. 3. 24. राजानं भक्षयञ्चुवाचायं त्यस्य राजा मूर्द्धानं विपातयतात्
1. 4. 11. यद्यपि राजा परमतां गच्छति
14. बलीयांसमाशंसते धर्मेण यथा राज्ञा
2. 1. 2. सर्वेषां भूतानां मूर्द्धा राजा (bis).
3. बृहन्पाण्डरवासाः सोमो राजा
2. 5. 15. आत्मा..सर्वेषां..राजा
4. 3. 20. यत्र देव इव राजेव
33. मेधावी राजा
37. यथा राजानमायान्तम्
38. यथा राजानं प्रयियासन्तम्
6. 2. 9. तस्या आहुत्यै सोमो राजा संभवति
16. यथा सोमं राजानं..भक्षयन्ति
6. 3. 5. स हि राजेशानो ऽधिपतिः स मां राजेशानो ऽधिपतिं करोतु

Maitri. 1. 2. बृहद्रथो वै नाम राजा
— वर वृणीष्वेति राजानमब्रवीत्
— राजेमां गाथां जगाद
4. मरुत्तभरतप्रभृतयो राजानः
2. 1. सुप्रीतस्त्वब्रवीद्राजानम्
3. राजन्..अहं ते कथयिष्यामि
6. 29. अनया ब्रह्मविद्यया राजन्
7. 8. इदानीं ज्ञानोपसर्गा राजन्

Mahânar. 5. 2. तन्मे वरुणो राजा पाणिना ह्यवमर्शतु
6. 1. जनयन्प्रजा भुवनस्य राजा

Nîla. 2. उभयो राज्ञोर्ज्याम्

Nâda. 12. स राजा भारते वर्षे

Gopî. 5. राजभिः सत्कृतो भवेत्

Gîtâ. 1. 2. राजा वचनमब्रवीत्
16. अनन्तविजयं राजा
11. 9. एवमुक्त्वा ततो राजन्
18. 76. राजन् संस्मृत्य संस्मृत्य संवादामिमम्
77. विस्मयो मे महान् राजन्

राजन

Chhâ. 2. 20. 1. एतद्राजनं देवतासु प्रोतम् 2.

राजन्यबन्धु

Chhâ. 5. 3. 5. पञ्च मा राजन्यबन्धुः प्रश्नानप्राक्षीत्

Bṛih. 6. 2. 3. पञ्च मा प्रश्नान् राजन्यबन्धुरप्राक्षीत्

राजपुत्र

Praśna. 6. 1. हिरण्यनाभः कौसल्यो राजपुत्रः

राजर्षि

Gîtâ. 4. 2. इमं राजर्षयो विदुः
9. 33. भक्ता राजर्षयस्तथा

राजविद्या

Gîtâ. 9. 2. राजविद्या राजगुह्यम्

राजस

Maitri. 3. 5. अन्तस्तृष्णा .. अन्ततमस्त्विति राजसानि
5. 2. अस्य राजसो ऽंशो ऽसौ स ..यो ऽयं ब्रह्मा

Kṛish. 5. सत्त्वराजसतामसी
6. भक्ते ब्रह्मणि राजसी

Gîtâ. 7. 12. राजसास्तामसाश्च ये
14. 18. मध्ये तिष्ठन्ति राजसाः
17. 2. सात्विकी राजसी चैव
4. यक्षरक्षांसि राजसाः
9. आहारा राजसस्येष्टाः
12. तं यज्ञं विद्धि राजसम्

Gîtâ. 17. 18. राजसं चलमध्रुवम्
21. तज्ज्ञानं राजसं स्मृतम्
18. 8. स कृत्वा राजसं त्यागम्
21. तज्ज्ञानं विद्धि राजसम्
24. तद्राजसमुदाहृतम्
27. राजसः परिकीर्त्तितः
31. बुद्धिः सा पार्थ राजसी
34. धृतिः सा पार्थ राजसी
38. तत्सुखं राजसं स्मृतम्

राजसूय

Bṛih. 1. 4. 11. ब्राह्मणः क्षत्रियमधस्तादुपास्ते राजसूये

राजस्तंबायन

Bṛih. 6. 5. 4. कुश्रिर्यज्ञवचसो राजस्तंबायनात्
— यज्ञवचा राजस्तंबायनस्तुराल्कावषेयात्

राजि

Bṛih. 2. 2. 2. इमा अक्षन् लोहिन्यो राजयः

राज्ञी

Chhâ. 3. 15. 2. राज्ञी नाम प्रतीची

राज्य

Chhâ. 2. 24. 4. पश्येम त्वा वयं राज्यायेति
5. 2. 6. स मा . . राज्यं . . गमयतु
Râmap. 42. राज्ये सुग्रीवं स्थापयेत्
Mukti. 1. 47. राज्यं देयं धनं देयम्
Gîtâ. 1. 32. न च राज्यं सुखानि च
— किं नो राज्येन गोविन्द
33. राज्यं भोगाः सुखानि च
35. त्रैलोक्यराज्यस्य हेतोः
45. यद्राज्यसुखलोभेन
2. 8. राज्यं सुराणामपि चाधिपत्यम्
11. 33. भुंक्ष्व राज्यं समृद्धम्

राज्याभिषिक्त

Râmap. 81. राज्याभिषिक्तस्य तस्य रामस्य

राज्यार्ह

Râmap. 4. राज्यार्हाणां महीभृताम्

राति

Bṛih. 3. 9. 28. रातिर्दातुः परायणम्

रात्रि, रात्री

Chhâ. 5. 2. 4. पौर्णमास्यां रात्रौ
5. 6. 1. रात्रिरर्चिः Bṛih. 6. 2. 11.
5. 10. 3. धूमाद्रात्रिं रात्रेरपरपक्षम्
7. 9. 1. यद्यपि दशरात्रीर्नाश्नीयात्
Bṛih. 1. 1. 2. रात्रिरेनं पश्चान्महिमा
1. 5. 14. तस्य रात्रय एव पञ्चदश कलाः
— स रात्रिभिरेवा च पूर्यते
— अमावास्यां रात्रिम्
— तस्मादेतां रात्रिं . . प्राणं न विच्छिन्द्यात्
6. 2. 16. धूमाद्रात्रिं रात्रेरपक्षीयमाणपक्षम्
Kaṭha. 1. 9. तिस्रो रात्रीर्यदवात्सीर्गृहे मे ऽनश्नन्
11. सुखं रात्रीः शयिता
Śwet. 4. 18. यदातमस्तन्न दिवा न रात्रिः
Mahânâr. 5. 5. ततो रात्र्यजायत
14. 4. यद्रात्र्या पापमकार्षं . . रात्रिस्तदवलुम्पतु
Praśna. 1. 13. अहरेव प्राणो रात्रिरेव रयिः
— ब्रह्मचर्यमेव तद्यद्रात्रौ रत्या संयुज्यन्ते
Kaṭhaśru. 1. यथाहनि तथा रात्रौ
Vâsu. 4. रात्रावग्निहोत्रभस्मना
Gîtâ. 8. 17. रात्रिं युगसहस्रान्ताम्
25. धूमो रात्रिस्तथा कृष्णः

रात्रिकृत

Nâr. 5. रात्रिकृतं पापं नाशयति

रात्र्यागम

Gîtâ. 8. 18. रात्र्यागमे प्रलीयन्ते
19. रात्र्यागमे ऽवशः पार्थ

राथीतर

Tait. 1. 9. 1. [illegible] वचा राथीतरः

राथीतरीपुत्र

Bṛih. 6. 5. 2. शाण्डिलीपुत्रो राथीतरीपुत्रात्
— राथीतरीपुत्रो भालुकीपुत्रात्

राध्

Bṛih. 4. 3. 33. स यो मनुष्याणां राद्धः
Tait. 3. 10. 1. अराध्यस्मा अन्नमित्याचक्षते
— एतद्वै मुखतो ऽन्नं राद्धं मुखतो ऽस्मा अन्नं राध्यते
— एतद्वै मध्यतो ऽन्नं राद्धं मध्यतो ऽस्मा अन्नं राध्यते
— एतद्वा अन्ततो ऽन्नं राद्धमन्ततो ऽस्मा अन्नं राध्यते

राम

Kṛish. 8. वेदार्थः कृष्णरामयोः
14. शेषनागो ऽभवद्रामः
Râmap. 2. स राम इति लोकेषु
3. रामनाम भुवि ख्यातम्
5. तथा रात्यस्य रामाख्या
17. सीतारामौ तन्मयौ
— ततो रामो मानवः
19. चात्मा रामेति गीयते
20. रामो वाच्यः स्यात्
23. अत्र रामो ऽनन्तरूपः
30. कामरूपाय रामाय
31. रमाधराय रामाय
Râmap. 36. रामो लक्ष्मण एव च
38. रामलक्ष्मणौ
39. स तु रामे शंकितः सन्
— यो रामस्तमचिक्षिपत्
44. आगत्य रामेण सह (Nâr. explains रामाय स्वयम्)
45. तदा रामः क्रोधरूपी
74. हुंकारं चात्र रामस्य
81. राज्याभिषिक्तस्य तस्य रामस्य
92. रामं वन्दे सच्चिदानन्दरूपम्
Râmot. 3. अर्द्धमात्रात्मको रामः
— सदा रामो ऽहम्
— राम एव न संशयः
Mukti. 1. 4. रामं स्तुवन्पप्रच्छ
— राम त्वं परमात्मासि
5. त्वद्रूपं ज्ञातुमिच्छामि.. राम
6. कृपया वद मे राम
10. राम वेदाः कतिविधाः
15. राम केचिन्मुनिश्रेष्ठाः
Gîtâ. 10. 31. रामः शस्त्रभृतामहम्

रामचन्द्र

Râmot. 3. यत्परं ब्रह्म रामचन्द्रश्चिदात्मकः सो ऽहम्

रामतपन, °तापनी

Mukti. 1. 35. रहस्यं रामतपनम्
1. *vide* गारुड

रामपत्नी

Râmap. 35. रामपत्नीं वमस्थाम्

रामपद

Râmap. 6. इति रामपदेनासौ

रामबीजस्थ

Râmap. 16. तथैव रामबीजस्थम्

रामभद्र

Râmap. 33. रामभद्र महेष्वास
Râmot. 3. ओं तद्रामभद्रः परं ज्योतिः

रामरहस्य

Mukti. 1. *vide* गारुड

रामा

Kaṭha. 1. 25. इमा रामाः सरथाः सतूर्याः

रामाख्या

Râmap. 5. तथा रात्यस्य रामाख्या

रायस्पोष

Nâr. 4. विन्दते प्राजापत्यं रायस्पोषं गौष्पत्यम्
Gopî. 4. ततः प्राजापत्यं रायस्पोषं गौष्पत्यं च

राव

Râmap. 36. यद्वा रावाच्च रावणः

रावण

Râmap. 35. तदा रावण आसुरः
36. स रावण इति ख्यातो यद्वा रावाच्च रावणः

राशि

Chhâ. 7. 1. 2. अध्येमि..राशिम्
4. नाम वै..राशिः
7. 2. 1. वाग्वै..विज्ञापयति..राशिम्
7. 7. 1. विज्ञानेन वै .. विजानाति ..राशिम्
Râmap. 71. राश्यादिभूषितम्

राष्ट्रवर्द्धन

Râmap. 55. राष्ट्रवर्द्धन एव च

राहु

Chhâ. 8. 13. 1. चन्द्र इव राहोर्मुखात्प्रमुच्य
Maitri. 7. 6. *vide* आदि

Râmap. 3. राड्डर्मनसिजं यथा

रिच्

Amṛita. 20. ओमित्येकेन रेचयेत्

रिपु

Gîtâ. 6. 5. आत्मैव रिपुरात्मनः

रिष्

Chhâ. 4. 16. 3. रथो वैकेन चक्रेण वर्त्तमानो रिष्यत्येवमस्य यज्ञो रिष्यति यज्ञं रिष्यन्तं यजमानो ऽनुरिष्यति
4. 17. 4. तद्यद्यृक्तो रिष्येत्
5. यदि यजुष्टो रिष्येत्
6. यदि सामतो रिष्येत्
Bṛih. 1. 5. 20. न व्यथते ऽथो न रिष्यति 21.
3. 9. 26. असितो न व्यथते न रिष्यति 4. 2. 4; 4. 4. 22; 4. 5. 15.
Śwet. 4. 22. मा नो अश्वेषु रीरिषः

रु

Mahânâr. 10. 1. त्रिधाबद्धो वृषभो रोरवीति

रुक्मवर्ण

Maitri. 6. 18. यदा पश्यन् पश्यति रुक्मवर्णम्
Muṇḍ. 3. 1. 3. यदा पश्यः पश्यते रुक्मवर्णम्

रुच्

Mahânâr. 22. 1. सत्येनादित्यो रोचते दिवि
Nṛip. 2. 4. रोचनो रोचमानः (bis).
Yogaśi. 2. यच्चान्यद्वापि रोचते
Jâbâla. 4. यतो जातो अरोचथाः

रुचिर

Śikhâ. 1. रुचिरा भास्वती स्वभा (4 MSS. omit रुचिरा
Amṛita. 8. रुचिरं चैव चिन्तयेत्
9. रुचिरे रेचकं चैव

रुद्

Kaush. 2. 8. माहं पुत्र्यमघं रुदमिति

Chhâ. 3. 15. 2. न पुत्ररोदं रोदिति

— मा पुत्ररोदं रुदम्

3. 16. 3. प्राणा वाव रुद्रा एते हीदं सर्वं रोदयन्ति

8. 10. 2. अपि रोदितीव 4.

Bṛih. 3. 9. 4. शरीरान्मर्त्यादुत्क्रामन्त्यथ रोदयन्ति तद्यद्रोदयन्ति तस्माद्रुद्राः

रुद्र

Chhâ. 2. 24. 1. रुद्राणां माध्यन्दिनं सवनम्

10. तस्मै रुद्रा माध्यन्दिनं सवनं संप्रयच्छन्ति

3. 7. 1. यद् द्वितीयममृतं तद्रुद्रा उपजीवन्ति

3. रुद्राणामेवैको भूत्वा

4. रुद्राणामेव तावदाधिपत्यं स्वाराज्यं पर्येता

3. 16. 3. तदस्य रुद्रा अन्वायत्ताः प्राणा वाव रुद्राः

4. स ब्रूयात्प्राणा रुद्राः

— माहं प्राणानां रुद्राणां मध्ये यज्ञो विलोप्सीय

Bṛih. 1. 4. 11. इन्द्रो वरुणः सोमो रुद्रः

12. वसवो रुद्रा आदित्याः

2. 2. 2. ताभिरेनं रुद्रोऽन्वायत्तः

3. 9. 2. एकादश रुद्राः

4. कतमे रुद्रा इति . . तद्यद्रोदयन्ति तस्माद्रुद्रा इति

Swet. 3. 2. एको हि रुद्रो न द्वितीयाय तस्थुः

4. विश्वाधिको रुद्रो महर्षिः 4. 12; Mahânâr. 10. 3.

5. या ते रुद्र शिवा तनूः Nîla. 1.

4. 21. रुद्र यत्ते दक्षिणं मुखम्

Swet. 4. 22. वीरान्मा नो रुद्र भामितो वधीः

Maitri. 4. 5. ब्रह्मा रुद्रो विष्णुः

5. 1. त्वं रुद्रस्त्वं प्रजापतिः

2. अस्य तामसो ऽंशो ऽसौ स . . यो ऽयं रुद्रः

6. 5. ब्रह्मा रुद्रो विष्णुरित्यधिपतिवत्येषा

7. भर्जयतीति वैष भर्गो इति रुद्रः

8. शम्भुर्भवो रुद्रः 7. 7.

26. एतद्रुद्रस्य रुद्रत्वम्

7. 2. सोमो रुद्रा दक्षिणत उद्यन्ति

Mahânâr. 3. 1. तन्नो रुद्रः प्रचोदयात् 2; 17. 4.

13. 2. सर्वो वै रुद्रस्तस्मै रुद्राय नमः

— पुरुषो वै रुद्रस्तन्महः

15. 6. त्वं रुद्रस्त्वं ब्रह्मा त्वं प्रजापतिः

16. 2. रुद्रोमाविशान्तकः

17. 3. नमस्ते अस्तु रुद्र रूपेभ्यः

Praśna. 2. 9. रुद्रो ऽसि परिरक्षिता

Nṛip. 1. 2. वसुरुद्रादित्यैः

2. 1. विष्णुरुद्राः Nṛisut. 3.

4. 3. यो वै नृसिंहः . . ये च रुद्रास्तस्मै वै नमो नमः (18)

5. 2. रुद्रा दक्षिणतः (आसते)

Nṛisut. 3. मकारं रुद्रं भ्रूमध्ये

— रुद्रमेव . . सम्पूज्य

Chûl. 12. शर्वो भवश्च रुद्रश्च

Śiras. 1. ते रुद्रमपृच्छन् को भवानिति

— ते देवा रुद्रमपृच्छन्

— ते देवा रुद्रमपश्यन्

— तें देवा रुद्रमध्यायन्

— ते देवा ऊर्ध्वबाहवो रुद्रं स्तुवन्ति

Śiras. 2. यो वै रुद्रः स भगवान्.. तस्मै वै नमो नमः (31 times).
3. य एकः स रुद्रो यो रुद्रः स ईशानः
4. कस्मादुच्यते रुद्रः..तस्मादुच्यते रुद्रः
5. एको रुद्रो न द्वितीयाय तस्थौ
— बुद्ध्या सञ्चितं स्थापयित्वा तु रुद्रे रुद्रमेकत्वमाहुः (bis).
— रुद्रो हि..इषं..नियन्ता
6. यो अग्नौ रुद्रो यो अप्स्वन्तः
— तस्मै रुद्राय नमो अस्त्वग्नये
— यो रुद्रो अग्नौ यो रुद्रो अप्स्वन्तर्यो रुद्र ओषधीर्वीरुध आविवेश
— यो रुद्र इमा विश्वा भुवनानि चाक्लृपे तस्मै रुद्राय वै नमो नमः
— यो रुद्रो अप्सु यो रुद्र ओषधीषु यो रुद्रो वनस्पतिषु
— येन रुद्रेण जगदूर्ध्वं धारितं..तस्मै रुद्राय वै नमो नमः
— व्यापको हि भगवान् रुद्रो भोगायमानो यदा शयते रुद्रः
7. रुद्राणां शतसहस्राणि जप्तानि भवन्ति Mahâ. 4.

Śikhâ. 1. रुद्रो रुद्रास्त्रिष्टुब्दक्षिणाग्निः (one MS. has विष्णुरुद्रो रुद्राः)
2. ब्रह्मविष्णुरुद्रेन्द्राः सम्प्रसूयन्ते
— ब्रह्मा विष्णुश्च रुद्रश्च

Brahma. 2. सुषुप्ते रुद्रः

Prâṇâg. 1. रुद्रैः प्रजग्धं यदि वा पिशाचैः
— त्वं यज्ञस्त्वं ब्रह्मा त्वं रुद्रः

Nîla. 1. अपश्यमस्यन्तं रुद्रम्
3. एष एत्यवीरहा रुद्रः
9. ये चेमे अभितो रुद्राः

Nâda. 15. अष्टम्यां व्रजते रुद्रम्

Nâr. 1. नारायणाद्रुद्रो जायते
— नारायणादेकादश रुद्राः
3. रुद्रं स सारथिं कृत्वा

Haṁsa. 2. मुखे रुद्रः

Jâbâla. 1. रुद्रस्तारकं ब्रह्म व्याचष्टे Râmot. 1.

Kṛish. 3. रुद्रादीनां वचः श्रुत्वा
6. प्रोक्ता सात्त्वीच रुद्रस्य (2 MSS. have रुद्रे सा)
10. वंशस्तु भगवान् रुद्रः
13. रुद्रो येन कृतो वंशः

Râmap. 69. एकादशरुद्रांश्च तत्र वै
75. रुद्रेण संयुता

Râmot. 5. ये चैकादश रुद्राः (33).

Gîtâ. 10. 23. रुद्राणां शंकरश्चास्मि
11. 6. रुद्रानश्विनौ मरुतस्तथा
22. रुद्रादित्या वसवो ये च साध्याः

रुद्रचरित

Śiras. 4. तदेतद्रुद्रचरितम्

रुद्रजापक

Nṛip. 5. 10. यतीनां तु शतं पूर्णं रुद्रजापकेन तत्समम्
— रुद्रजापकशतमेकम्

रुद्रजापिन्

Kâlâg. 2. स सततं रुद्रजापी भवति

रुद्रत्व

Maitri. 6. 26. एतद्रुद्रस्य रुद्रत्वम्

रुद्रदेवत्य

Śikhâ. 1. द्वितीया शुभशुक्ला रौद्री रुद्रदेवत्या

रुद्रपूत

Nṛip. 5. 3. स रुद्रपूतो भवति

रुद्रयुक्त

Râmap. 79. कामिका रुद्रयुक्ता

रुद्राक्ष

Mukti. 1. 38. रुद्राक्षगणदर्शनम्
1. *vide* जाबालि

रुद्राणी

Haṁsa. 2. रुद्राणी चरणौ

रुद्राराधनतत्पर

Amṛita. 2. ब्रह्मलोकपदान्वेषी रुद्राराधनतत्परः

रुध्

Bṛih. 1. 4. 8. प्रियं रोत्स्यतीति
Gîtâ. 4. 29. प्राणापानगती रुद्ध्वा

रुधिर

Bṛih. 3. 9. 28. त्वच एवास्य रुधिरं प्रस्यन्दि
Gîtâ. 2. 5. रुधिरप्रदिग्धान्

रुह्

Bṛih. 3. 9. 28. वृक्णो वृक्णो रोहति मूलात्

रूक्ष

Gîtâ. 17. 9. *vide* विदाहिन्

रूप

Ait. 5. 1. येन वा रूपं पश्यति
Kaush. 1. 7. केन रूपाणीति चक्षुषेति
3. 2. चक्षुषा रूपं (प्रज्ञापयितुं)
3. चक्षुः सर्वै रूपैः सहाप्येति (bis); 4. 20.

Kaush. 3. 4. चक्षुरवोस्मिन् सर्वाणि रूपाण्यभिविसृज्यन्ते चक्षुषा सर्वाणि रूपाण्याप्नोति
5. तस्य रूपं परस्तात्प्रतिविहिता भूतमात्रा
6. प्रज्ञया चक्षुः समारुह्य चक्षुषा सर्वाणि रूपाण्याप्नोति
7. न हि प्रज्ञापेतं चक्षूरूपं किंचन प्रज्ञापयेत्
— नाहमेतद्रूपं प्राज्ञासिषम्
8. न रूपं विजिज्ञासीत द्रष्टारं विद्यात्
— न ह्यन्यतरतो रूपं किंचन सिध्येत्

Kena. 9. दभ्रमेवापि नूनं त्वं वेत्थ ब्रह्मणो रूपम्

Chhâ. 1. 7. 5. तस्यैतस्य तदेव रूपं यदमुष्य रूपम्
3. 1. 4. एतदादित्यस्य रोहितं रूपम्
3. 2. 3. एतदादित्यस्य शुक्लं रूपम्
3. 3. 3. एतदादित्यस्य कृष्णं रूपम्
3. 4. 3. एतदादित्यस्य परःकृष्णं रूपम्
3. 6. 2. त एतदेव रूपमभिसंविशन्त्येतस्माद्रूपादुद्यन्ति 3. 7. 2; 3. 8. 2; 3. 9. 2; 3. 10. 2.
3. स एतदेव रूपमभिसंविशत्येतस्माद्रूपादुदेति 3. 7. 3; 3. 8. 3; 3. 9. 3; 3. 10. 3.
6. 4. 1. रोहितं रूपं तेजसस्तद्रूपम् 2, 3, 4.
— त्रीणि रूपाणीत्येव सत्यम् 2, 3, 4.
6. यदु रोहितमिवाभूदिति तेजसस्तद्रूपं . . यदु शुक्लमिवाभूदित्यपां रूपं . . यदु कृष्णमिवाभूदित्यन्नस्य रूपम्

Chhâ. 8. 3. 4. स्वेन रूपेणाभिनिष्पद्यते 8. 12. 2, 3; Maitri 2. 2.

Bṛih. 1. 4. 11. तच्छ्रेयोरूपमत्यसृजत क्षत्रम्

14. तच्छ्रेयोरूपमत्यसृजत धर्मम्

15. एताभ्यां हि रूपाभ्यां ब्रह्माभवत्

1. 5. 8. यत्किञ्च विज्ञातं वाचस्तद्रूपम्

9. यत्किञ्च विजिज्ञास्यं मनसस्तद्रूपम्

10. यत्किञ्चाविज्ञातं प्राणस्य तद्रूपम्

21. अस्यैव सर्वे रूपमसाम

— एतस्यैव सर्वे रूपमभवन्

1. 6. 1. त्रयं वा इदं नाम रूपं कर्म

2. रूपाणां चक्षुरित्येतदेषामुक्थमतो हि सर्वाणि रूपाण्युत्तिष्ठन्ति

— एतद्धि सर्वै रूपैः समम्

— एतदेषां ब्रह्मैतद्धि सर्वाणि रूपाणि बिभर्ति

2. 3. 1. द्वे वाव ब्रह्मणो रूपे Maitri. 6. 3, 15.

6. तस्य हैतस्य पुरुषस्य रूपम्

2. 4. 11. सर्वेषां रूपाणां चक्षुरेकायनम् 4. 5. 12.

2. 5. 19. रूपं रूपं प्रतिरूपो बभूव Kaṭha. 5. 9, 10.

— तदस्य रूपं प्रतिचक्षणाय

3. 2. 5. स रूपेणातिग्राहेण गृहीतश्चक्षुषा हि रूपाणि पश्यति

3. 9. 12. रूपाण्येव यस्यायतनम् 15.

20. कस्मिन्नु चक्षुः प्रतिष्ठितमिति रूपेष्विति चक्षुषा हि रूपाणि पश्यति कस्मिन्नु रूपाणि &c.

Bṛih. 4. 3. 7. अतिक्रामति मृत्यो रूपाणि

13. रूपाणि देवः कुरुते बहूनि

21. अपहतपाप्माभयं रूपम्

— अकामं रूपं शोकान्तरम्

4. 4. 4. नवतरं कल्याणतरं रूपम् (bis).

5. 15. 1. यत्ते रूपं कल्याणतमं तत्ते पश्यामि Iśâ. 16.

6. 4. 21. त्वष्टा रूपाणि पिंशतु

Kaṭha. 4. 3. येन रूपं रसं..एतेनैव विजानाति

5. 9. रूपं रूपं प्रतिरूपो बहिश्च 10.

12. एकं रूपं बहुधा यः करोति

6. 9. न सन्दृशे तिष्ठति रूपमस्य Śwet. 4. 20; Mahânâr. 1. 11.

Śwet. 2. 11. एतानि रूपाणि पुरःसराणि

5. 2. विश्वानि रूपाणि योनीश्च सर्वाः

11. स्थानेषु रूपाण्यभिसंप्रपद्यते

12. स्थूलानि सूक्ष्माणि बहूनि चैव रूपाणि

Maitri. 2. 6. उत्तरं व्यानस्य रूपं च

3. 3. एतद्वै नानात्वस्य रूपम्

5. 2. एतद्रूपं वै रजः

— एतद्वै सत्त्वस्य रूपम्

6. 11. परं वा एतदात्मनो रूपं यदन्नम्

14. तस्यैतद्रूपं यन्निमेषादिकालात् संभृतम्

15. सकलस्य वा एतद्रूपं यत् संवत्सरः

17. अस्यैतद्भास्वरं रूपम्

26. यदुज्ज्वलत्येतद्ब्रह्मणो रूपम्

Mahânâr. 17. 3. नमस्ते रुद्र रूपेभ्यः

Gauḍa. 3. 6. रूपकार्यसमाख्याश्च

Nṛip. 2. 4. जगद्धितं वा एतद्रूपमक्षरं भवति
— यस्य रूपं दृष्ट्वा सर्वे लोकाः. .भीत्या पलायन्ते

Nṛisut. 3. ओतानुज्ञात्रनुज्ञाविकल्परूपा (twice with रूपम्)
9. इदं रूपमस्य

Kshur. 12. तद्रूपं नाम कृन्तयेत्

Śiras. 4. द्रुतमस्य रूपमुपलभ्यते

Garbha. 1. चक्षुषी रूपे
5. दर्शनाग्नी रूपाणां दर्शनं करोति

Amṛita. 14. अन्धवत् पश्य रूपाणि

Sarvop. 2. शब्दस्पर्शरूपरसगंधाः

Parama. 2. न रूपं न रसम्
3. पूर्णानन्दैकरूपरसबोधः (MSS.)

Gopî. 2. एष ब्रह्मानन्दरूपः
— ब्रह्मानन्दैकरूपम्
5. चिद्घनानन्दैकरूपम्
— पुरुषोत्तमरूपेण
— परब्रह्मानन्दैकरूपम्

Mukti. 1. 5. त्वद्रूपं ज्ञातुमिच्छामि
24. ध्यायन्मद्रूपमव्ययम्
2. क्लेशरूपत्वात्
2. 72. अनामगोत्रं मम रूपमीदृशम्

Gitâ. 11. 3. द्रष्टुमिच्छामि ते रूपम्
5. पश्य मे पार्थ रूपाणि
9. परमं रूपमैश्वरम्
20. दृष्ट्वाद्भुतं रूपमुग्रं तवेदम्
23. रूपं महत्ते बहुवक्त्रनेत्रम्
45. तदेव मे दर्शय देव रूपम्
46. तेनैव रूपेण चतुर्भुजेन
47. रूपं परं दर्शितमात्मयोगात्
49. दृष्ट्वा रूपं घोरमीदृङ्ममेदम्
— तदेव मे रूपमिदं प्रपश्य
50. स्वकं रूपं दर्शयामास भूयः

Gitâ. 11. 51. दृष्ट्वेदं मानुषं रूपम्
52. सुदुर्दर्शमिदं रूपम्
— देवा अप्यस्य रूपस्य
15. 3. न रूपमस्येह तथोपलभ्यते
18. 77. रूपमत्यद्भुतं हरेः

रूपक

Maitri. 6. 36. द्वे वाव खल्वेते ब्रह्मज्योतिषो रूपके

रूपकल्पना

Râmap. 7. ब्रह्मणो रूपकल्पना

रूपधृक्

Kṛish. 22. तच्चक्रं ब्रह्म रूपधृक्

रूपवर्जित

Tejo. 6. त्रिधातुं रूपवर्जितम्

रूपस्थ

Râmap. 8. रूपस्थानां देवतानाम्

रूपिन्

Nṛisut. 9. ब्रह्मविष्णुशिवरूपिणी

Râmap. 32. दशास्यान्तकरूपिणे

Mukti. 1. 18. पारमार्थिकरूपिणी

रेखा

Kâlâg. 1. का रेखाः किं दैवतं के मंत्राः
— तिर्यक् तिस्रो रेखाः प्रकुर्वीत
2. यास्य प्रथमा रेखा
— यास्य द्वितीया रेखा
— यास्य तृतीया रेखा

रेखात्रय

Râmap. 70. रेखात्रयसमन्वितम्

रेचक

Amṛita. 9. रुचिरे रेचकं चैव
— रेचकपूरककुम्भकाः
11. रेचकस्येति लक्षणम्

Dhyâna. 13. रेचकेन तु विद्यात्मा

रेतस्

Ait. 1. 4. शिश्नाद्रेतो रेतस आपः
2. 4. आपो रेतो भूत्वा शिश्नं प्राविशन्
4. 1. एतद्रेतस्तदेतत्सर्वेभ्यो ऽङ्गेभ्यस्तेजः

Kaush. 1. 2. विचक्षणादृतवो रेत आभृतम्
6. रेतः संवत्सरस्य

Chhâ. 3. 17. 7. आदित् प्रत्नस्य रेतसः
5. 7. 2. तस्या आहुते रेतः संभवति
5. 8. 2. एतस्मिन्नग्नौ देवा रेतो जुह्वति Bṛih. 6. 2. 13.
5. 10. 6. यो रेतः सिञ्चति तद्भूय एव भवति

Bṛih. 1. 2. 4. तद्यद्रेत आसीत् संवत्सरो ऽभवत्
1. 4. 6. आर्द्रं तद्रेतसो ऽसृजत
3. 2. 13. अप्सु लोहितं च रेतश्च निधीयते
3. 7. 23. यो रेतसि तिष्ठन् रेतसो ऽन्तरो यं रेतो न वेद यस्य रेतः शरीरं यो रेतो ऽन्तरो यमयति
3. 9. 17. रेत एव यस्यायतनम्
22. कस्मिन्न्वापः प्रतिष्ठिता इति रेतसीति कस्मिन्नु रेतः
— हृदये ह्येव रेतः प्रतिष्ठितम्
28. रेतस इति मा वोचत
6. 1. 8. प्रजायमाना रेतसा 9–11.
12. रेतो होच्चक्राम
— यथा क्लीबा अप्रजायमाना रेतसा
— प्रविवेश ह रेतः
14. यद्वा अहं प्रजातिरस्मि त्वं तत्प्रजातिरसीति रेतः

Bṛih. 6. 2. 12. तस्या आहुत्यै रेतः संभवति
6. 3. 2. रेतसे स्वाहा
6. 4. 1. पुरुषस्य रेतः [रसः]
4. सुप्तस्य वा जाग्रतो वा रेतः स्कन्दति
5. यन्मे ऽद्य रेतः पृथिवीमस्कान्त्सीत्
— इदमहं तद्रेत आददे
10. इन्द्रियेण ते रेतसा रेत आददे
11. इन्द्रियेण ते रेतसा रेत आदधामि
20. रेतो दधावहै

Muṇḍ. 2. 1. 5. पुमान् रेतः सिञ्चति योषितायाम्

Praśna. 1. 14. ततो ह वै तद्रेतः

Nṛip. 1. 1. रेतः प्रथमं यदासीत्

रेतोतिरेक

Garbha. 3. पितू रेतोतिरेकात्पुरुषः
— मातू रेतोतिरेकात् स्त्री

रेफ

Râmap. 72. *vide* आदि

रेफारूढ

Râmap. 16. रेफारूढा मूर्त्तयः स्युः

रेभ्

Mahânâr. 9. 1. सोमः पवित्रमत्येति रेभन् 17. 8.

रेरिवन्

Tait. 1. 10. 1. अहं वृक्षस्य रेरिवा

रेवन्त्

Chhâ. 2. 18. 1. एता रेवत्यः पशुषु प्रोताः 2.

रै

Bṛih. 5. 15. 1. अग्ने नय सुपथा राये Îśâ. 18.

रैक्क

Chhâ. 4. 1. 3. कम्वर एनमेतत्सन्तं सयुग्वानमिव रैक्कमात्थ
— यो नु कथं सयुग्वा रैक्कः 5.
5. अङ्गारे ह सयुग्वानमिव रैक्कमात्थ
8. त्वं नु भगवः सयुग्वा रैक्कः
4. 2. 2. रैक्कमानि षट् शतानि गवाम्
4. रैक्केदं सहस्रं गवाम्

रैक्कपर्ण

Chhâ. 4. 2. 5. ते हैते रैक्कपर्णा नाम महावृषेषु

रैतस

Bṛih. 2. 5. 2. अयमध्यात्मं रैतसः..पुरुषः

रैवत

Kaush. 1. 5. शाक्करैवते Maitri. 7. 5.

रैवतक

Jâbâla. 6. *vide* प्रभृति

रोग

Chhâ. 7. 26. 2. न पश्यो मृत्युं पश्यति न रोगम्
Śwet. 2. 12. न तस्य रोगो न जरा न मृत्युः
Maitri. 1. 3. *vide* आद्य
7. 11. न पश्यन्मृत्युं पश्यति न रोगम्

रोचन

Mahânâr. 20. 7. विश्वमाभासि रोचनम्
Nṛip. 2. 4. रोचनो रोचमानः (bis).
Nîla. 19. ये चामी रोचने दिवि (so 5 MSS.)

रोचिष्णु

Bṛih. 2. 1. 9. रोचिष्णुरिति..एतमुपास्ते
Bṛih. 2. 1. 9. एवमुपास्ते रोचिष्णुर्ह भवति रोचिष्णुर्हास्य प्रजा भवति

रोमन्

Chhâ. 8. 13. 1. अश्व इव रोमाणि विधूय पापम्
Garbha. 5. अर्द्धचतस्रो रोमाणि कोटयः

रोमन्थ

Mukti. 2. 63. बहुशास्त्रकथाकन्थारोमन्थेन वृथैव किम्

रोमहर्ष

Gîtâ. 1. 29. रोमहर्षश्च जायते

रोमहर्षण

Gîtâ. 18. 74. अद्भुतं रोमहर्षणम्

रोष

Parama. 2. *vide* आदि

रोहिणी

Kṛish. 16. दया सा रोहिणी माता

रोहित

Chhâ. 3. 1. 4. एतदादित्यस्य रोहितं रूपम्
6. 4. 1. यदग्ने रोहितं रूपम्
2. यदादित्यस्य रोहितं रूपम्
3. यच्चन्द्रमसो रोहितं रूपम्
4. यद्विद्युतो रोहितं रूपम्
6. यदु रोहितमिवाभूत्

रोहितोच्छिष्ट

Chûl. 11. अनड्वान् रोहितोच्छिष्टः

रौद्र

Chhâ. 2. 24. 7. स रौद्रं सामाभिगायति
Śikhâ. 1. द्वितीया..रौद्री रुद्रदेवत्या

लक्ष्

Maitri. 6. 24. ध्यानं..लक्ष्येषु च निधीयते
34. व्योम्नि व्योम न लक्षयेत्

Muṇḍ.2. 2. 3. लक्ष्यं तदेवाक्षरं..विद्धि
4. ब्रह्म तल्लक्ष्यमुच्यते
Dhyâna. 19.

Gauḍa. 2. 6. अवितथा इव लक्षिताः
4. 31.
30. पृथगेवेति लक्षितः

लक्ष

Amṛita. 33. लक्षैकिको ऽपि विश्वासः

Parama. 3. न लक्षं नालक्षम् (so MSS.)

लक्षण

Maitri. 6. 31. शान्तादिलक्षणोक्तः

Garbha. 3. सर्वलक्षणज्ञानसम्पूर्णः

Amṛita. 11. रेचकस्येति लक्षणम्
12. पूरकस्येति लक्षणम्
13. कुम्भकस्येति लक्षणम्
14. प्रशान्तस्येति लक्षणम्

Sarvop. 4. यस्य लक्षणं .. अव्यभिचारि

Mukti. 2. कर्तृत्वभोक्तृत्वसुखदुःखादिलक्षणश्चित्तधर्मः

लक्षणशून्य, लक्षणा°

Gauḍa. 4. 67. लक्षणाशून्यमुभयम्

Sarvop. 4. लक्षणशून्या सा माया

लक्ष्मण

Râmap. 28. दक्षिणे लक्ष्मणेनाथ
36. रामो लक्ष्मण एव च
38. रामलक्ष्मणौ
51. पश्चिमे लक्ष्मणं धृत्वा
54. विभीषणं लक्ष्मणं च

लक्ष्मी

Nṛip. 1. 3. सावित्रीं लक्ष्मीं यजुः प्रणवं यदि जानीयात् स्त्रीशूद्रः

Nṛip. 3. 1. पाहि..श्रियं लक्ष्मीम्

Râmot. 5. यो वै श्रीरामः..या लक्ष्मीः (23).

लक्ष्मीरूप

Kṛish. 18. लक्ष्मीरूपो व्यवस्थितः

लघुमुण्ड

Kaṭhaśru. 4. लघुमुण्डोऽसूत्रोदरपात्रः कस्मात्

लघुत्व

Śwet. 2. 13. लघुत्वमारोग्यमलोलुपत्वम्

लघ्वाशिन्

Gîtâ. 18. 52. विविक्तसेवी लघ्वाशी

लङ्का

Râmap. 43. लंकां समाययौ
45. पुरीं लंकां समाययौ

लब्धकाम

Râmap. 94. लब्धकामांश्च भुक्त्वा

लब्धयोग

Yogaśi. 9. लब्धयोगेन बोद्धव्यम्

लब्धृ

Kaṭha. 2. 7. कुशलोऽस्य लब्धा

लभ्

Kaush. 2. 3. लभते हैव

Chhâ. 1. 10. 6. यद्वतान्नस्य लभेमहि लभेमहि धनमात्राम्
3. 12. 9. अप्रवर्त्तिनीं श्रियं लभते य एवं वेद
4. 4. 2. यौवने त्वामलभे 4.
6. 9. 2. ते यथा तत्र न विवेकं लभन्ते
7. 22. 1. यदा वै सुखं लभते ऽथ करोति नासुखं लब्ध्वा करोति

Chhâ. 8. 3. 1. न तमिह दर्शनाय लभते

2. यद्यान्यदिच्छन्न लभते

Tait. 2. 7. 1. रस ह्येवायं लब्ध्वानन्दी भवति

Katha. 1. 22. वक्ता चास्य त्वादृगन्यो न लभ्यः

25. न हीदृशा लम्भनीया मनुष्यैः

27. लप्स्यामहे वित्तमद्राक्ष्म चेत्त्वा

2. 7. श्रवणायापि बहुभिर्यो न लभ्यः

13. स मोदते मोदनीयं हि लब्ध्वा

23. नायमात्मा प्रवचनेन लभ्यः Muṇḍ. 3. 2. 3.

— यमेवैष वृणुते तेन लभ्यः Muṇḍ. 3. 2. 3.

6. 18. अथ लब्ध्वा विद्यामेताम्

Maitri. 6. 21. केवलत्वं लभते

22. तन्तुनोर्ध्वमुत्क्रान्तो ऽवकाशं लभति

— ओमित्यनेनोर्ध्वमुत्क्रान्तः स्वातन्त्र्यं लभते

Muṇḍ. 3. 1. 5. सत्येन लभ्यस्तपसा ह्येष आत्मा

3. 2. 4. नायमात्मा बलहीनेन लभ्यः

Gauḍa. 4. 76. यदा न लभते हेतून्

Nṛip. 5. 2. एतद्रक्षोघ्नं मृत्युतारकं गुरुणा लब्धम्

Nṛisut. 9. अनुज्ञामद्वयं लब्ध्वा

Amṛita. 16. यं लब्ध्वाप्यवमन्येत

Yogat. 7. लब्धं तत् परमं पदम्

10. मकारे लभते नादम्

11. लभते योगयुक्तात्मा

Nâr. 5. सर्ववेदपारायणं पुण्यं लभते

Vâsu. 4. सम्यग् ज्ञानं लब्ध्वा

Gopî. 5. इति ब्रह्मवरं लब्ध्वा

Râmot. 4. ये लभन्ते षडक्षरम्

Mukti. 1. 27. ज्ञानं लब्ध्वाचिरादेव

1. तेन सह कैवल्यं लभन्ते

Gîtâ. 2. 32. लभन्ते युद्धमीदृशम्

4. 39. श्रद्धावाँल्लभते ज्ञानम्

— ज्ञानं लब्ध्वा परां शान्तिम्

5. 25. लभन्ते ब्रह्मनिर्वाणम्

6. 22. यं लब्ध्वा चापरं लाभम्

43. लभते पौर्वदेहिकम्

7. 22. लभते च ततः कामान्

8. 22. भक्त्या लभ्यस्त्वनन्यया

9. 21. गतागतं कामकामा लभन्ते

11. 25. दिशो न जाने न लभे च शर्म

33. उत्तिष्ठ यशो लभस्व

16. 13. इदमद्य मया लब्धम्

18. 8. नैव त्यागफलं लभेत्

45. संसिद्धिं लभते नरः

54. मद्भक्तिं लभते पराम्

73. नष्टो मोहः स्मृतिर्लब्धा

लम्ब्

Brahma. 1. तमेव स्तन इव लंबते

लम्बर

Bṛih. 5. 10. 1. यथा लम्बरस्य खम्

लम्भुक

Chhâ. 5. 2. 2. लम्भुको ह वासो भवति

लय

Maitri. 6. 34. लयविक्षेपरहितम्

Kaivalya. 15. यस्मिँल्लयं याति पुरत्रयं च

19. मयि सर्वं लयं याति

Gauḍa. 2. 28. लय इति च तद्विदः

3. 42. सुप्रसन्नं लये चैव यथा कामो लयस्तथा

44. लये संबोधयेच्चित्तम्

Brahmav. 1. यत्रोत्पत्तिं लयं नैव
3. स्थानं कालं लयं तथा
Kshur. 23. दग्ध्वा लयं व्रजेत् (bis).
Chûl. 17. तस्मिन्नेव लयं यान्ति
21. ते लयं यान्ति तत्रैव
Dhyâna. 22. भ्रुवोर्मध्ये नयेल्लयम्
Râmap. 14. सृष्टिस्थितिलयस्य च

लयसामान्य

Gauḍa. 1. 21. लयसामान्यमेव च

लल्

Mukti. 2. 7. लालयेच्चित्तबालकम्

ललाट

Mahâ. 2. तस्य ध्यानान्तःस्थस्य ललाटात् 3.
Nâda. 4. भ्रुवोर्ललाटमध्ये तु
Dhyâna. 23. भ्रुवोर्मध्ये ललाटस्तु
Kâlâg. 1. शिरोललाटवक्षःस्कंधेषु
— त्रिधा चाललाटात्
Vâsu. 2. ललाटादिद्वादशस्थलेषु
— ललाटकण्ठहृदयबाहुमूलेषु
— शिरोललाटहृदयेषु
— परमहंसो ललाटे..धारयेत्
Gopî. 5. ललाटं यस्तु लेपयेत्

ललाटमध्यस्थ

Yogat. 14. भ्रुवोर्ललाटमध्यस्थम्

ललाटस्थ

Dhyâna. 13. ललाटस्थं त्रिलोचनम्

लव

Kaṭhaśru. 4. भिक्षाशी न दद्याल्लवैकं धारयेत्

1. लवण

Gîtâ. 17. 9. *vide* विदाहिन्

2. लवण

Chhâ. 4. 17. 7. यथा लवणेन सुवर्णं सन्दध्यात्
6. 13. 1. लवणमेतदुदके ऽवधाय
— यद्दोषा लवणमुदके ऽवाधाः
2. अस्यान्तादात्रामेति कथमिति लवणमिति (similarly twice more).
Bṛih. 2. 4. 12. यतो यतस्वाददीत लवणमेव
Maitri. 7. 11. अप्सु प्रक्षेपको लवणस्येव
Garbha. 1. *vide* रस

लाघव

Gîtâ. 2. 35. यास्यासि लाघवम्

लान्त (=व)

Râmap. 78. कामिकापञ्चमो लान्तः
80. लान्तो योन्या युक्तः

लाभ

Sarvop. 3. स्वरूपलाभहेतुर्भूत्वा
Jâbâla. 6. लाभालाभौ समौ भूत्वा
Mukti. 2. जीवन्मुक्त्यादिलाभः
— सर्ववासनाक्षयात्तल्लाभः
Gîtâ. 2. 38. लाभालाभौ जयाजयौ
6. 22. यं लब्ध्वा चापरं लाभम्

लालेल

Mahânâr. 3. 7. लालेलाय धीमहि (one MS. has लालीलाय)

लाह्यानि

Bṛih. 3. 3. 1. भुज्युर्लाह्यानिः 2.

लिख्

Râmap. 58. मध्ये तारद्वयं लिखेत्
60. लिखेद्बीजान्तरे रमाम्
61. लिखेद्बीजं हृदादिभिः
62. क्रोधं कोणाग्रान्तरेषु लिख्य

Râmap. 64. पुनरष्टदलं लिखेत्
— लिखेत्तत्केसरे रमाम्
68. लिखेत्सम्यक्ततो बहिः
72. लिखेन्मन्त्रद्वयं तथा
81. उक्तक्रमाल्लिखेत्

लिङ्ग

Bṛih. 4. 4. 6. तदेव सक्तः सह कर्मणैति लिङ्गं मनो यत्र निषक्तमस्य
Śwet. 6. 9. न चेशिता नैव च तस्य लिङ्गम्
Maitri. 2. 5. संकल्पाध्यवसायाभिमानलिङ्गः 5. 2.
6. 10. महदाद्यं विशेषान्तं लिङ्गम्
19. तच्च लिङ्गं निराश्रयम्
30. अध्यवसायसङ्कल्पाभिमानलिङ्गः (bis).
31. स्वकैर्लिङ्गैरुपगृह्यः
— तस्यैतल्लिङ्गमलिङ्गस्य
Nṛisut. 3. अथ लिङ्गान् संहृत्य
Haṁsa. 2. लिङ्गे सुषुप्तिः
Gîtâ. 14. 21. कैर्लिङ्गैस्त्रीन्गुणानेतानतीतः

लिङ्गनाश

Śwet. 1. 13. नैव च लिङ्गनाशः

लिङ्गरूप

Nṛisut. 3. लिङ्गरूपानेव च सम्पूज्य

लिङ्गवन्त्

Maitri. 6. 5. स्त्रीपुन्नपुंसकेति लिङ्गवती

लिङ्गशरीर

Sarvop. 2. तल्लिङ्गशरीरं हृद्ग्रन्थिरित्युच्यते

लिङ्गिन्

Brahmab. 19. लिङ्गिनस्तु गवां यथा

लिन्दु

Chhâ. 8. 14. 1. श्वेतमदत्कमदत्कं श्वेतं लिन्दु माभिगाम्

लिप्

Chhâ. 5. 10. 10. न सह तैराचरन् पाप्मना लिप्यते
Bṛih. 4. 4. 23. तं विदित्वा न लिप्यते कर्मणा पापकेन
Iśâ. 2. न कर्म लिप्यते नरे
Kaṭha. 5. 11. सूर्यो यथा . . न लिप्यते . . तथा सर्वभूतान्तरात्मा न लिप्यते
Gauḍa. 1. 5. स भुञ्जानो न लिप्यते
Brahma. 1. एवमिष्टापूर्तैः शुभाशुभैर्न लिप्यते
Gopî. 5. ललाटं यस्तु लेपयेत्
Gîtâ. 4. 14. न मां कर्माणि लिम्पन्ति
5. 7. कुर्वन्नपि न लिप्यते
10. लिप्यते न स पापेन
13. 31. न करोति न लिप्यते
18. 17. बुद्धिर्यस्य न लिप्यते

लिह्

Garbha. 5. अशितपीतलेह्यचोष्यं पचतीति
Prâṇâg. 2. अशितपीतलीढखादितानि
Gîtâ. 11. 30. लेलिह्यसे ग्रसमानः

ली

Swet. 1. 7. लीना ब्रह्मणि तत्परा योनिमुक्ताः
Gauḍa. 3. 35. लीयते हि सुषुप्ते तन्निगृहीतस्य न लीयते
46. यदा न लीयते चित्तम्
Brahmav. 13. यथा लीयति शान्तये
Kshur. 17. सुषुम्णा तु परे लीना
Nâda. 18. मनो लीनं यदा भवेत्
Brahmab. 13. लीयमाने घटे यथा
— घटो लीयेत नाकाशम्
Haṁsa. 2. यदा हंसो नादे लीनो भवति

लीनास्य

Chûl. 18. लीनास्या व्यक्ततां ययुः
21. लीनास्या ब्रह्मशायिने

लुप्

Kaṭha. 2. 4. न त्वा कामा बहवो ऽलोलुपन्त Maitri. 7. 9. (लोलुपन्ते)

Maitri. 3. 2. लुप्यमानः सस्पृहो व्यग्रः 6. 30.

Śikhâ. 1. सा लुप्तमकारः (one MS. has सा महो लोको मकारः)

Gîtâ. 1. 42. लुप्तपिण्डोदकक्रियाः

लुभ्

Gîtâ. 18. 26. लुब्धो हिंसात्मको ऽशुचिः

लूता

Gâruḍa. 2. लूतानां प्रलूतानाम्

लेलाय्

Bṛih. 4. 3. 7. ध्यायतीव लेलायतीव

Śwet. 3. 18. हंसो लेलायते बहिः

Muṇḍ.1. 2. 2. यदा लेलायते ह्यर्चिः
4. लेलायमाना इति सप्त जिह्वाः

लेश

Chhâ. 2. 22. 5. सर्वे स्पर्शा लेशेनानभिनिहिता वक्तव्याः

Skanda. 1. तव कारुण्यलेशतः

लैङ्ग

Gauḍâ. 2. 27. स्त्रीपुंनपुंसकं लैङ्गाः (MSS. read लिङ्गाः)

लोक

Ait. 1. 1. स ईक्षत लोकान्नु सृजै
2. स इमाँल्लोकानसृजत
3. स ईक्षतेमे नु लोकाः 3. 1.

Ait. 4. 3. तद्भावयत्येषां लोकानां सन्तत्या एवं सन्तता हीमे लोकाः
6. स्वर्गे लोके सर्वान् कामानाप्त्वा 5. 4 ; Atmapra. 1.
5. 3. प्रज्ञानेत्रो लोकः Atmapra. 1.
4. अस्माल्लोकादुत्क्रम्य Atmapra. 1.

Kaush. 1. 1. अस्ति संवृतं लोके
— मा लोके धास्यसि
2. ये वै केचास्माल्लोकात् प्रयन्ति
— एतद्वै स्वर्गस्य लोकस्य द्वारं यच्चन्द्रमाः
7. लोको ऽयं ते ऽसाविति
2. 9. तेन मुखेनेमं लोकमत्सि
15. स्वर्गाँल्लोकान् कामानाप्नुहि
3. 1. न ह वै तस्य केनचन कर्मणा लोको मीयते
2. प्राणेनास्मिँल्लोके ऽमृतत्वमाप्नोति
— सर्वमायुरस्मिँल्लोक एत्याप्नोत्यमृतत्वमक्षितिं स्वर्गे लोके
3. प्राणेभ्यो देवा देवेभ्यो लोकाः 4. 20.
8. यमेभ्यो लोकेभ्य उन्निनीषते
4. 8. पूर्यते . . स्वर्गेण लोकेन
16. प्रजायते . . स्वर्गेण लोकेन

Kena. 2. प्रेत्यास्माल्लोकादमृता भवन्ति 13.
34. अनन्ते स्वर्गे लोके . . प्रतितिष्ठति

Chhâ. 1. 6. 8. स एष ये चामुष्मात्पराञ्चो लोकास्तेषां चेष्ट

Chhâ. 1. 7. 6. स एष ये चैतस्मादर्वाञ्चो लोकास्तेषां चेष्टे
7. स एष ये चामुष्मात्पराञ्चो लोकास्तांश्चाप्नोति
1. 8. 5. अपां का गतिरित्यसौ लोकः
— अमुष्य लोकस्य का गतिः
— न स्वर्गं लोकमति नयेदिति होवाच
— स्वर्गं वयं लोकं सामाभिसंस्थापयामः
7. अमुष्य लोकस्य का गतिरित्ययं लोक इति
— अस्य लोकस्य का गतिः 1. 9. 1.
— न प्रतिष्ठां लोकमति नयेत्
— प्रतिष्ठां वयं लोकं सामाभिसंस्थापयामः
1. 9. 2. परोवरीयसो ह लोकान् जयति
3. परोवरीयो ह . . अस्मिँल्लोके जीवनं भविष्यति
4. तथामुष्मिँल्लोके लोकः (bis).
— परोवरीय एव हास्यास्मिँल्लोके जीवनं भवति
1. 13. 1. अयं वाव लोको हाउकारः
2. 2. 1. लोकेषु पंचविधं सामोपासीत
3. कल्पन्ते हास्मै लोका ऊर्ध्वाश्चावृत्ताश्च
2. 7. 2. परोवरीयसो ह लोकाञ्जयति
2. 17. 1. एताः शक्वर्यो लोकेषु प्रोताः
2. लोकान्न निन्देत्तद्व्रतम्
2. 21. 1. त्रय इमे लोकाः स प्रस्तावः
2. 22. 2. स्वर्गं लोकं यजमानाय
2. 23. 3. प्रजापतिर्लोकानभ्यतपत् 4. 17. 1.

Chhâ. 2. 24. 2. क्व तर्हि यजमानस्य लोकः
5. लोकं मे यजमानाय विन्दैष वै यजमानस्य लोकः 9, 14, 15.
3. 13. 6. स्वर्गस्य लोकस्य द्वारपाः
— स्वर्गस्य लोकस्य द्वारपान् (bis).
— प्रतिपद्यते स्वर्गं लोकम्
7. अनुत्तमेषूत्तमेषु लोकेषु
3. 14. 1. यथाक्रतुरस्मिँल्लोके पुरुषो भवति
3. ज्यायानेभ्यो लोकेभ्यः
4. 5. 3. प्रकाशवानस्मिँल्लोके भवति प्रकाशवतो ह लोकाञ्जयति (similarly, 4. 6. 4; 4. 7. 4; 4. 8. 4).
4. 11. 2. अस्मिंश्च लोकेऽमुष्मिंश्च 4. 12. 2; 4. 13. 2; 5. 1. 3.
4. 14. 3. लोकान्वाव किल सोम्य तेऽवोचन्
4. 15. 4. एष हि सर्वेषु लोकेषु भाति
4. 17. 8. एषां लोकानां . . वीर्येण
5. 3. 3. वेत्थ यथासौ लोको न सम्पूर्यते
7. सर्वेषु लोकेषु क्षत्रस्यैव प्रशासनमभूत्
5. 4. 1. असौ वाव लोको गौतमाग्निः
5. 10. 8. तेनासौ लोको न सम्पूर्य्यते
5. 18. 1. सर्वेषु लोकेषु . . अन्नमत्ति
5. 24. 2. सर्वेषु लोकेषु . हुतं भवति
7. 3. 1. इमं च लोकममुं चेच्छेय
— मनो हि लोकः
7. 4. 2. कर्मणां संक्लृप्त्यै लोकः सङ्कल्पते लोकस्य संक्लृप्त्यै सर्वं सङ्कल्पते
3. संक्लृप्तान् वै स लोकान् . . अभिसिध्यति

Chhâ. 7. 5. 3. चित्तान् वै स लोकान्.. अभिसिध्यति
7. 7. 1. इमं च लोकममुं च विज्ञानेनैव विजानाति
2. विज्ञानवतो वै स लोकान् ज्ञानवतो ऽभिसिध्यति
7. 8. 1. बलेन लोकस्तिष्ठति
7. 9. 2. अन्नवतो वै स लोकान् पानवतो ऽभिसिध्यति
7. 11. 2. तेजस्वतो लोकान्...अभिसिध्यति
7. 14. 1. इमं च लोकममुं चेच्छते
7. 25. 2. सर्वेषु लोकेषु कामचारो भवति 8. 1. 6; 8. 4. 3; 8. 5. 4.
— सर्वेषु लोकेष्वकामचारो भवति 8. 1. 6.
8. 1. 6. कर्मजितो लोकः .. पुण्यजितो लोकः
8. 3. 3. एवंवित् स्वर्गं लोकमेति
8. 4. 1. एषां लोकानामसंभेदाय Brih. 4. 4. 22.
8. 6. 2. रश्मय उभौ लोकौ गच्छन्ति
8. 7. 1. स सर्वांश्च लोकानाप्नोति 2, 3; 8. 12. 6.
8. 8. 4. उभौ लोकाववाप्नोति
5. अमुं लोकं जेष्यन्तो मन्यन्ते
8. 12. 6. सर्वे च लोका आप्ताः
Brih. 1. 2. 7. तस्येमे लोका आत्मानः
1. 3. 1. त एषु लोकेष्वस्पर्द्धन्त
22. सम एभिस्त्रिभिर्लोकैः
1. 4. 15. अग्नावेव देवेषु लोकमिच्छन्ते
— अस्माल्लोकात्स्वं लोकमदृष्ट्वा प्रैति

Brih. 1. 4. 15. आत्मानमेव लोकमुपासीत स य आत्मानमेव लोकमुपास्ते
16. अयं वा आत्मा सर्वेषां भूतानां लोकः
— यद्यजते तेन देवानां लोकः
— तेन तेषां लोकः
— यथा ह स्वाय लोकायारिष्टिमिच्छेत्
1. 5. 4. त्रयो लोका एत एव
— वागेवायं लोकः .. प्राणो ऽसौ लोकः
13. अन्तवन्तं स लोकं जयति
— अनन्तं स लोकं जयति
16. अथ त्रयो वाव लोकाः
— देवलोको वै लोकानां श्रेष्ठः
17. त्वं ब्रह्म त्वं यज्ञस्त्वं लोकः
— अहं ब्रह्माहं यज्ञोऽहं लोकः
— ये वै के च लोकास्तेषां सर्वेषां लोक इत्येकता
— यदेवंविदस्माल्लोकात्प्रैति
— स पुत्रेणैवास्मिँल्लोके प्रतितिष्ठति
2. 1. 5. नास्यास्माल्लोकात्प्रजोद्वर्तते
10. सर्वं हैवास्मिँल्लोक आयुरेति 12.
18. यत्रैतत्स्वप्न्यया चरति ते हास्य लोकाः
20. सर्वे लोकाः.. व्युच्चरन्ति
2. 4. 5. न वा अरे लोकानां कामाय लोकाः प्रिया भवन्त्यात्मनस्तु कामाय लोकाः प्रिया भवन्ति 4. 5. 6.
6. लोकास्तं परादुर्योऽन्यत्रात्मनो लोकान्वेद 4. 5. 7.
— इमे लोकाः.. इदं सर्वं यदयमात्मा 4. 5. 7.

Bṛih. 2. 5. 15. आत्मनि . . सर्वे लोकाः
3. 1. 6. केनाक्रमेण . . स्वर्गं लोकमाक्रमते
9. अनन्तमेव स तेन लोकं जयति 3. 2. 12.
3. 3. 1. यदा लोकानामन्तानपृच्छाम
2. द्वात्रिंशतं वै देवरथाह्न्यान्ययं लोकः
3. 7. 1. अयं च लोकः परश्च लोकः 2; 4. 1. 2; 4. 5. 11.
— इमं च लोकं परं च लोकम्
2. वायुना वै सूत्रेणायं च लोकः परश्च लोकः . . सन्दृब्धानि
3. 8. 10. यो वा एतदक्षरं . . अविदित्वास्मिँल्लोके जुहोति
— यो वा एतदक्षरं . . अविदित्वास्माल्लोकात्प्रैति
— य एतदक्षरं . . विदित्वास्माल्लोकात्प्रैति
3. 9. 8. इम एव त्रयो लोकाः
10. अग्निर्लोकः
11. हृदयं लोकः 14, 16, 17.
12. चक्षुर्लोकः 15.
13. श्रोत्रं लोकः
26. अष्टौ लोका अष्टौ देवाः
4. 3. 7. उभौ लोकावनुसञ्चरति
— इमं लोकमतिक्रामति
9. अस्य लोकस्य सर्वावतः
20. सो ऽस्य परमो लोकः
22. लोका अलोकाः
32. एषो ऽस्य परमो लोकः
4. 4. 6. तस्माल्लोकात्पुनरैत्यस्मै लोकाय
8. तेन धीरा अपियन्ति . . स्वर्गं लोकम्
11. अनन्दा नाम ते लोकाः Kaṭha. 1. 3.

Bṛih. 4. 4. 13. तस्य लोकः स उ लोक एव
22. एतमेव प्रव्राजिनो लोकमिच्छन्तः प्रव्रजन्ति
— येषां नोऽयमात्मायं लोकः
5. 3. 1. एति स्वर्गं लोकं य एवं वेद
5. 4. 1. जयतीमाँल्लोकान्
5. 10. 1. यदा वै पुरुषोऽस्माल्लोकात् प्रैति
— स लोकमागच्छत्यशोकमहिमम्
5. 11. 1. परमं हैव लोकं जयति य एवं वेद (ter).
5. 14. 1. स यावदेषु त्रिषु लोकेषु तावद्ध जयति
6. य इमांस्त्रीँल्लोकान् पूर्णान् प्रतिगृह्णीयात्
6. 2. 2. वेत्थो यथेमं लोकं पुनरापद्यन्ता ३ इति
— वेत्थो यथासौ लोकः . . न सम्पूर्यता ३ इति
9. असौ वै लोको ऽग्निर्गौतम
11. अयं वै लोको ऽग्निर्गौतम
16. ये यज्ञेन दानेन तपसा लोकाञ्जयन्ति
— लोकान् प्रत्युत्थायिनः
6. 4. 3. यावान् ह वै वाजपेयेन यजमानस्य लोको भवति तावानस्य लोको भवति
4. निरिन्द्रिया विसुकृतो ऽस्माल्लोकात्प्रयन्ति
12. निरिन्द्रियो विसुकृदस्माल्लोकात्प्रैति
Íśâ. 3. असुर्या नाम ते लोकाः
Tait. 1. 3. 4. सन्धीयते . . सुवर्गेण लोकेन
1. 5. 1. भूरिति वा अयं लोकः . . सुवरित्यसौ लोकः

Tait. 1. 5. 2. आदित्येन वाव सर्वे लोका महीयन्ते
2. 6. 1. उताविद्वानमुं लोकं प्रेत्य कश्चन गच्छती ३ आहो विद्वानमुं लोकं प्रेत्य समश्नुता ३ उ
2. 8. 1. अस्माल्लोकात्प्रेत्यैतमन्नमयमात्मानमुपसंक्रामति 3. 10. 5 (उपसंक्रम्य)
3. 10. 5. इमाँल्लोकान् कामान्नी कामरूप्यनुसञ्चरन्

Katha. 1. 12. स्वर्गे लोके न भयं किञ्चनास्ति
2. 6. अयं लोको नास्ति परः
3. 1. ऋतं पिबन्तौ सुकृतस्य लोके
5. 8. तस्मिँल्लोकाः श्रिताः सर्वे 6. 1.
6. 4. ततः सर्गेषु लोकेषु शरीरत्वाय कल्पते

Śwet. 3. 1. सर्वाँल्लोकानीशत ईशिनीभिः
2. इमाँल्लोकानीशत ईशिनीभिः
16. सर्वतः श्रुतिमल्लोके Gîtâ. 13. 13.
18. वशी सर्वस्य लोकस्य
4. 13. यस्मिँल्लोका अधिश्रिताः
6. 1. देवस्यैष महिमा तु लोके
9. न तस्य कश्चित्पतिरस्ति लोके

Maitri. 1. 4. अस्माल्लोकादमुं लोकं प्रयाताः
4. 6. तस्यैव लोके प्रतिमोदतीह — उपर्युपरि लोकेषु चरति
6. 7. भ इति भासयतीमाँल्लोकान्

Maitri. 6. 16. यत्किञ्चिच्छुभाशुभं दृश्यतेह लोके
24. सा गतिर्लोक एव सः
26. पूरयतीमाँल्लोकान्
32. तस्माद्वा . . सर्वे लोकाः . उच्चरन्ति
35. लोकमस्मै यजमानाय धेहि (ter).
7. 8. लोको न जानाति वेदविद्यान्तरं तु यत्

Muṇḍ. 1. 1. 8. अन्नात्प्राणो मनः सत्यं लोकाः
1. 2. 1. एष वः पन्थाः स्वकृतस्य लोके
3. आसप्तमांस्तस्य लोकान् हिनस्ति
10. इमं लोकं हीनतरं चाविशन्ति
12. परीक्ष्य लोकान् कर्मचितान्
2. 1. 6. लोकाः सोमो यत्र पवते
8. सप्त इमे लोकाः Mahânâr. 8. 4.
2. 2. 2. यस्मिँल्लोका निहिताः
3. 1. 10. यं यं लोकं मनसा संविभाति तं तं लोकं जयते

Mahânâr. 2. 6. परि लोकान् परि दिशः
7. परीत्य लोकान्परीत्य भूतानि
5. 9. एष पुण्यकृतां लोकान्
12. 2. स ऋचां लोकः . . स साम्नां लोकः . . स यजुषां लोकः
20. 9. इमाँल्लोकान् . . अभ्यजयन्
21. 2. सत्येन न सुवर्गाल्लोकाच्च्यवन्ते
22. 1. लोके दातारं सर्वभूतान्युपजीवन्ति

Mahânâr. 22. 1. लोके साधुप्रजावांस्तन्तुं तन्वानः
— लोके धर्मिष्ठं प्रजा उपसर्पन्ति
— सुवर्गो लोको बृहत्
— सुवर्गस्य लोकस्य ज्योतिः

Praśna. 1. 9. चान्द्रमसमेव लोकमभिजयन्ते
3. 7. पुण्येन पुण्यं लोकं नयति
10. यथासङ्कल्पितं लोकं नयति
5. 1. कतमं वाव स तेन लोकं जयति
6. 4. मन्त्राः कर्म लोका लोकेषु च नाम च

Gauḍa. 2. 21. लोका इति लोकाविदः
27. लोकाँल्लोकविदः प्राहुः
36. जडवल्लोकमाचरेत्
4. 95. ते हि लोके महाज्ञानास्तच्च लोको न गाहते

Nṛip. 1. 3. स त्रीँल्लोकान् जयति
2. 2. व्यतिषक्ता वा इमे लोकाः
4. सर्वाँल्लोकान्. . उद्गृह्णाति
— सर्वाँल्लोकान्. . विरमति
— यः सर्वाँल्लोकान् व्याप्नोति
— सर्वाँल्लोकान्. . स्वतेजसा ज्वलति
— सर्वे लोकाः. . भीत्या पलायन्ते

Brahmav. 4. लोका वेदास्त्रयो ऽग्नयः

Śiras. 1. देवा ह वै स्वर्गं लोकमायन्
5. य इमाँल्लोकानीशत ईशनीभिः
6. गायत्र्या लोका भवन्ति

Brahma. 2. तत्र लोका न लोकाः
3. ते वै सूत्रविदो लोके

Yogat. 5. भुत्वा लोकान् समश्नुते
6. त्रयो लोकास्त्रयो वेदाः

Nyâsa. 1. अभ्युदय दिवं च लोकम्
2. लोकाद्भार्यया सहितः

Parama. 1. लोकेषु दुर्लभतरः
— लोकस्योपचाराय

Aruṇeya. 1. आरुणिः प्रजापतेर्लोकं जगाम
2. दण्डाँल्लोकांश्च विसृजेत्

Nâr. 3. सर्वांश्च लोकानाप्नोति

Atmapra. 1. यस्मिँल्लोके स्वार्हितम्
— अमृते लोके अक्षिते (bis).

Gopî. 1. लोकस्य नरकात्. . संरक्षणी
4. लोकानुग्रहार्थम्
5. न तत्तुल्यं भवेल्लोके

Râmap. 2. स राम इति लोकेषु

Gîtâ. 3. 3. लोके ऽस्मिन्द्विविधा निष्ठा
9. लोको ऽयं कर्मबन्धनः
21. लोकस्तदनुवर्त्तते
22. त्रिषु लोकेषु किञ्चन
24. उत्सीदेयुरिमे लोकाः
4. 12. क्षिप्रं हि मानुषे लोके
31. नायं लोको ऽस्त्ययज्ञस्य
40. नायं लोको ऽस्ति न परः
5. 14. लोकस्य सृजति प्रभुः
6. 41. प्राप्य पुण्यकृताँल्लोकान्
42. लोके जन्म यदीदृशम्
7. 25. मूढो ऽयं नाभिजानाति लोकः
8. 16. आब्रह्मभुवनाल्लोकाः
9. 33. अनित्यमसुखं लोकम्
10. 3. वेत्ति लोकमहेश्वरम्
6. येषां लोक इमाः प्रजाः
16. लोकानिमांस्त्वं व्याप्य तिष्ठसि
11. 23. दृष्ट्वा लोकाः प्रव्यथितास्तथाहम्
29. तथैव नाशाय विशन्ति लोकाः

Gîtâ. 11. 30. ग्रसमानः..लोकान्समग्रान्
32. लोकान्समाहर्त्तुमिह प्रवृत्तः
43. पितासि लोकस्य चराचरस्य
12. 15. यस्मान्नोद्विजते लोको लोकान्नोद्विजते च यः
13. 33. यथा प्रकाशयति..कृत्स्नं लोकम्
14. 14. तदोत्तमविदां लोकान्
15. 16. द्वाविमौ पुरुषौ लोके
18. अतो ऽस्मि लोके वेदे च
16. 6. द्वौ भूतसर्गौ लोके ऽस्मिन्
18. 17. हत्वापि स इमाँल्लोकान्
71. लोकान्प्राप्नुयात्पुण्यकर्मणाम्

लोकक्षयकृत्

Gîtâ. 11. 32. कालो ऽस्मि लोकक्षयकृत्

लोकक्षित्

Chhâ. 2. 24. 5. नमो ऽग्नये..लोकक्षिते
9. नमो वायवे..लोकक्षिते
14. नम आदित्येभ्यश्च..लोकक्षिद्भ्यः

लोकजित्

Bṛih. 1. 3. 28. तद्धैतल्लोकजिदेव

लोकत्रय

Gîtâ. 11. 20. लोकत्रयं प्रव्यथितं महात्मन्
43. लोकत्रये ऽप्यप्रतिमप्रभाव
15. 17. यो लोकत्रयमाविश्य

लोकदुःख

Kaṭha. 5. 11. न लिप्यते लोकदुःखेन बाह्यः

लोकद्वार

Chhâ. 2. 24. 4. लोकद्वारमपावार्णू 8, 12, 13.

Chhâ. 8. 6. 5. एतद्वै खलु लोकद्वारम्

लोकधारिन्

Mahânâr. 4. 5. धरणी लोकधारिणी

लोकपाल, °पालक

Ait. 1. 3. लोकपालान्नु सृजै
3. 1. इमे नु लोकाश्च लोकपालाश्च
Kaush. 3. 8. एष लोकपाल एष लोकाधिपतिरेष लोकेशः
Mahânâr. 12. 3. आदित्यो वै..लोकपालकः
Nṛip. 4. 3. यो वै नृसिंहः..ये चाष्टौ लोकपालास्तस्मै वै नमो नमः (16).
Râmap. 90. धृष्टयादिकैर्लोकपालैः
Râmot. 5. यो वै श्रीरामः..ये चाष्टौ लोकपालाः (32).

लोकपूत

Nṛip. 5. 3. स लोकपूतो भवति

लोकवन्त्

Maitri. 6. 5. भूर्भुवःस्वरिति लोकवत्येषा
6. एषैवास्य..स्थविष्ठा तनूर्या लोकवती

लोकवासना

Mukti. 2. 2. लोकवासनया जन्तोः

लोकविद्

Bṛih. 3. 7. 1. स ब्रह्मवित्स लोकवित्
Gauḍa. 2. 21. लोका इति लोकविदः
27. लोकाँल्लोकविदः प्राहुः

लोकसंग्रह

Gîtâ. 3. 20. लोकसंग्रहमेवापि सम्पश्यन्
25. चिकीर्षुर्लोकसंग्रहम्

लोकस्मृत्

Maitri. 6. 35. नमो ऽग्नये..लोकस्मृते
— नमो वायवे..लोकस्मृते
— नम आदित्याय..लोकस्मृते

लोकादि

Katha. 1. 15. लोकादिमग्निं तमुवाच तस्मै

लोकाधिपति

Kaush. 3. 8. एष लोकपाल एष लोकाधिपतिरेष लोकेशः

लोकान्तर

Mukti. 1. 19. न तु लोकान्तरादिकम्

लोकिन्

Chhâ. 2. 17. 2. एताः शक्वर्यो लोकेषु प्रोता वेद लोकी भवति

4. 11. 2. लोकी भवति सर्वमायुरेति 4. 12. 2; 4. 13. 2.

Muṇḍ. 2. 2. 2. यस्मिँल्लोका निहिता लोकिनश्च

लोकेश

Kaush. 3. 8. एष लोकपाल एष लोकाधिपतिरेष लोकेशः

लोकैषणा

Bṛih. 3. 5. 1. लोकैषणायाश्च व्युत्थाय 4. 4. 22.

— या वित्तैषणा सा लोकैषणा 4. 4. 22.

Nṛisut. 6. लोकैषणायाश्च ससाधनेभ्यो व्युत्थाय

लोकोत्तर

Gauḍa. 4. 88. लोकोत्तरमिति स्मृतम्

लोक्य

Bṛih. 1. 5. 17. पुत्रमनुशिष्टं लोक्यमाहुः

लोभ

Maitri. 1. 3. *vide* आद्य

3. 5. स्नेहो रागो लोभः

Garbha. 5. लोभादयः पशवः

Tejo. 12. लोभं मोहं भयं दर्पम्

Parama. 2. *vide* आदि

Aruṇeya. 3. *vide* आदि

Krish. 11. लोभक्रोधादयो दैत्याः

Gîtâ. 1. 38. लोभोपहतचेतसः

45. यद्राज्यसुखलोभेन

14. 12. लोभः प्रवृत्तिरारम्भः कर्मणाम्

17. रजसो लोभ एव च

16. 21. कामः क्रोधस्तथा लोभः

लोभजाल

Maitri. 6. 38. लोभजालं भिनत्ति

लोमन्

Ait. 1. 4. त्वचो लोमानि लोमभ्य ओषधिवनस्पतयः

2. 4. ओषधिवनस्पतयो लोमानि भूत्वा त्वचं प्राविशन्

Kaush. 3. 1. तस्य मे तत्र न लोम चनामीयत

4. 20. अनुप्रविष्ट आलोमभ्य आनखेभ्यः

Chhâ. 2. 19. 1. लोम हिंकारः

5. 18. 2. लोमानि बर्हिः Bṛih. 6. 4. 3; Mahânâr. 25. 1.

8. 8. 1. आलोमभ्य आनखेभ्यः प्रतिरूपमिति

Bṛih. 1. 1. 1. ओषधयश्च वनस्पतयश्च लोमानि

3. 2. 13. ओषधीर्लोमानि (अपियन्ति)

3. 9. 28. तस्य लोमानि पर्णानि

6. 2. 13. लोमानि धूमः

Muṇḍ. 1. 1. 7. यथा सतः पुरुषात्केशलोमानि

Kathaśru. 3. केशश्मश्रुलोमनखानि

लोमश

Tait. 1. 4. 2. ततो मे श्रियमावह लोमशाम्

लोष्ट

Bṛih. 1. 3. 7. यथाश्मानमृत्वा लोष्टो विध्वंसेत

Aśrama. 4. समलोष्टाश्मकाञ्चनाः

लोह

Chhâ. 4. 17. 7. सीसेन लोहं लोहेन दारु

6. 1. 5. लोहमित्येव सत्यम्

Gauḍa. 3. 15. मृल्लोहविस्फुलिङ्गाद्यैः

लोहमणि

Chhâ. 6. 1. 5. एकेन लोहमणिना सर्वं लोहमयं विज्ञातम्

लोहमय

Chhâ. 6. 1. 5. सर्वं लोहमयं विज्ञातम्

लोहित

Kaush. 4. 19. शुक्लस्य कृष्णस्य पीतस्य लोहितस्य च

Chhâ. 6. 5. 2. यो मध्यमस्तल्लोहितम्

8. 6. 1. शुक्लस्य नीलस्य पीतस्य लोहितस्य

— एष शुक्ल एष नील एष पीत एष लोहितः

Bṛih. 2. 2. 2. इमा अक्षन् लोहिन्यो राजयः

3. 2. 13. अप्सु लोहितं च रेतश्च निधीयते

4. 3. 20. पिङ्गलस्य हरितस्य लोहितस्य

4. 4. 9. पिङ्गलं हरितं लोहितं च

Śwet. 4. 5. लोहितशुक्लकृष्णाम् Mahânâr. 9. 2.

Maitri. 7. 11. लोहितस्यात्र पिण्डः

लोहितपिण्ड

Bṛih. 4. 2. 3. य एषो ऽन्तर्हृदये लोहितपिण्डः

लोहिताक्ष

Bṛih. 6. 4. 16. पुत्रो मे श्यामो लोहिताक्षो जायेत

Śwet. 4. 4. हरितो लोहिताक्षः

Mahânâr. 20. 24. उत्तिष्ठ पुरुषाहरितपिंगल लोहिताक्ष

लौकिक

Gauḍa. 4. 87. द्वयं लौकिकमिष्यते

— शुद्धं लौकिकमिष्यते

लौकिकाग्नि

Aruṇeya. 2. लौकिकाग्नीनुदराग्नौ समारोपयेत् (6 MSS. read लोकाग्नीन्)

वंश

Bṛih. 2. 6. 1. अथ वंशः 4. 6. 1; 6. 5. 1.

6. 3. 6. जघनेनाग्निमासीनो वंशं जपति

Kṛish. 10. वंशस्तु भगवान् रुद्रः

13. रुद्रो येन कृतो वंशः

वंशध्वज

Maitri. 2. 1. इक्ष्वाकुवंशध्वज

वक

Chhâ. 1. 2. 13. तेन तं ह वको दाल्भ्यो विदांचकार

1. 12. 1. वको दाल्भ्यो ग्लावो वा मैत्रेयः 3.

वक्ति

Bṛih. 4. 3. 26. न हि वक्तुर्वक्तेर्विपरिलोपः

वक्तृ

Kaush. 3. 8. न वाचं विजिज्ञासीत वक्तारं विद्यात्

Bṛih. 4. 3. 26. न हि वक्तुर्वक्तोर्विपरिलोपः

Tait. 1. 1. 1. तद्वक्तारमवतु . . अवतु वक्तारम्

Tait. 1. 12. 1. तद्वक्तारमावीत्..आवीद्वक्तारम्
Katha. 1. 22. वक्ता चास्य त्वादृगन्यो न लभ्यः
2. 7. आश्चर्यो वक्ता
Maitri. 6. 7. वक्ता रसयिता घ्राता
11. वक्ता भवति रसयिता भवति

वक्त्र

Amrita. 13. वक्त्रेणोत्पलनालेन
Gitâ. 11. 27. वक्त्राणि ते त्वरमाणा विशन्ति
28. विशन्ति वक्त्राण्यभिविज्वलन्ति
29. विशन्ति लोकास्तवापि वक्त्राणि

वक्र

Swet. 1. 5. पञ्चयोन्युग्रवक्रां (Śamkarânanda gives °वक्त्रां as a variant).
Gauda. 4. 47. ऋजुवक्रादिकाभासम्

वक्रतुण्ड

Mahânâr. 3. 4. वक्रतुण्डाय धीमहि

वक्रपाद

Mahânâr. 3. 11. वक्रपादाय धीमहि

वक्षस्

Kâlâg. 1. शिरोललाटवक्षःस्कंधेषु

वच्

Ait. 4. 4. तदुक्तमृषिणा
5. वामदेव एवमुवाच
Kaush. 1. 1. स होवाच नाहमेतद्वेद
3. 1. तं हेन्द्र उवाच..स उवाच प्रतर्दनः
2. स होवाच प्राणोस्मि
— एवमु हैतादिति हेन्द्र उवाच
Kena. 25. तां होवाच किमेतद्यक्षमिति
26. सा ब्रह्मेति होवाच
32. उक्ता त उपनिषत्
Chhâ. 1. 5. 2. मम त्वमेकोसीति ह कौषीतकिः पुत्रमुवाच 4.
1. 8. 1. ते होचुरुद्गीथे वै कुशलाः स्मः
1. 9. 3. उदरशाण्डिल्यायोक्त्वोवाच
1. 10. 2. तं होवाच नेतो ऽन्ये विद्यन्ते
6. प्रातः सञ्जिहान उवाच 5. 11. 5.
7. तं जायोवाच
8. प्रस्तोतारमुवाच
10. एवमेवोद्गातारमुवाच
11. एवमेव प्रतिहर्त्तारमुवाच
1. 11. 1. एनं यजमान उवाच
3. तथेति ह यजमान उवाच
4. मूर्द्धा ते विपतिष्यतीति मा भगवानवोचत् 6, 8.
5. मूर्द्धा ते व्यपतिष्यत्तथोक्तस्य मयेति 7, 9.
1. 12. 2. अन्ये श्वान उपसमेत्योचुः
3. तान् होवाचेहैव मा प्रातरुपसमीयात
2. 22. 5. सर्वे स्वरा घोषवन्तो बलवन्तो वक्तव्याः
— सर्वे ऊष्माणो ऽग्रस्ता अनिरस्ता विवृत्ता वक्तव्याः
— सर्वे स्पर्शा लेशेनानभिनिहिता वक्तव्याः
2. 24. 6. इत्युक्त्वोत्तिष्ठति 10, 15.
3. 11. 4. एतद्ब्रह्मा प्रजापतय उवाच 8. 15. 1.
3. 15. 4. यदवोचं प्राणं प्रपद्य इति (similarly in 5, 6, 7).
3. 17. 6. तद्धैतत्..कृष्णाय देवकीपुत्रायोक्त्वोवाच
4. 1. 4. यस्तद्वेद यत्स वेद स मयैतदुक्तः 6.

Chhâ. 4. 1. 5. क्षत्तारमुवाच
4. 2. 5. तस्या ह मुखमुपोद्गृह्णन्नुवाच
4. 4. 2. सा हैनमुवाच नाहमेतद्वेद
3. गौतममेत्योवाच
4. तं होवाच किंगोत्रो नु सोम्यासि
5. गा निराकृत्योवाच
— ता अभिप्रस्थापयन्नुवाच
4. 6. 1. अग्निष्टे पादं वक्ता
4. 7. 1. हंसस्ते पादं वक्ता
4. 8. 1. मद्गुष्टे पादं वक्ता
4. 9. 3. तस्मै हैतदेवोवाचात्र ह न किञ्चन वीयाय
4. 10. 2. तं जायोवाच तप्तो ब्रह्मचारी
3. तमाचार्यजायोवाच
4. हन्तास्मै प्रब्रवामेति तस्मै होचुः
5. ते होचुर्यद्वाव कं तदेव खम्
— प्राणं च हास्मै तदाकाशं चोचुः
4. 14. 1. आचार्यस्तु ते गतिं वक्ता
2. किन्नु सोम्य किल ते ऽवोचन्निति
3. लोकान्वाव किल सोम्य ते ऽवोचन्नहं तु ते तद्वक्ष्यामि
— ब्रवीतु मे भगवानिति तस्मै होवाच
5. 1. 7. पितरमेत्योचुः
8. संवत्सरं प्रोष्य पर्य्येत्योवाच 9, 10, 11.
12. तं हाभिसमेत्योचुः
13. अथ हैनं वागुवाच (similarly 3 times more).
5. 2. 1. स होवाच किं मे ऽन्नं . . आ शकुनिभ्य इति होचुः
2. स होवाच किं मे वासो भविष्यतीत्याप इति होचुः

Chhâ. 5. 2. 3. वैयाघ्रपद्यायोक्त्वोवाच
5. 3. 4. किमनुशिष्टो ऽवोचथाः
5. यद्यहमिमानवेदिष्यं कथं ते नावक्ष्यमिति
6. स होवाच तथैव राजन् मानुषं वित्तम्
5. 11. 7. तान् हानुपनीयैवैतदुवाच
6. 1 1. तं ह पितोवाच 3.
7. यद्ध्येतदवेदिष्यन् कथं मे नावक्ष्यन्
— तथा सोम्येति होवाच 6. 5. 4; 6. 6. 5; 6. 8. 7, &c.
6. 8. 1. श्वेतकेतुं पुत्रमुवाच
6. तदुक्तं पुरस्तादेव
7. 1. 1. ततस्त ऊर्ध्वं वक्ष्यामि
8. 3. 4. एष आत्मेति होवाच 8. 10. 1; 8. 11. 1; Maitri. 2. 2.
8. 7. 1. इति ह प्रजापतिरुवाच 8. 12. 6.
3. तौ ह प्रजापतिरुवाच 4; 8. 8. 1, 2.
4. तेषु परिख्यायत इति होवाच
8. 8. 4. तौ हान्वीक्ष्य . . उवाच
8. 9. 3. एवमेवैष मघवन्निति होवाच 8. 10. 4; 8. 11. 3.
Bṛih. 1. 3. 1. ते ह देवा ऊचुः
2. ते ह वाचमूचुः (similarly 5 times more).
8. ते होचुः क्व नु सो ऽभूत्
24. राजानं भक्षयन्नुवाच
1. 4. 1. अहमयमित्येवाग्र उक्त्वा
2. 1. 15. ब्रह्म मे वक्ष्यतीति
2. 4. 2. नेति होवाच याज्ञवल्क्यः 3. 2. 11; 4. 5. 3.
2. 5. 16. तन्मधु दध्यङ्ङाथर्वणो ऽश्विभ्यामुवाच 17, 18, 19.

Bṛih. 2. 5. 16. ऋषिः पश्यन्नवोचत् 17, 18, 19.
3. 1. 2. तान्होवाच ब्राह्मणा भगवन्तः
— ब्रह्मचारिणमुवाच
— स होवाच नमो वयं . . कुर्मः
3. याज्ञवल्क्येति होवाच (passim).
3. 2. 13. तौ ह यदूचतुः कर्म हैव तदूचतुः
3. 3. 1. स होवाचोवाच वै सः
3. 4. 2. स होवाचोषस्तश्चाक्रायणः
3. 6. 1. स होवाच गार्गि मातिप्राक्षीः
3. 8. 1. वाचक्नव्युवाच ब्राह्मणाः
— तौ चेन्मे वक्ष्यति
3. 9. 1. यावन्तो वैश्वदेवस्य निविद्युच्यन्ते
— ओमिति होवाच (7 times); 5. 2. 1—3; 6. 2. 1.
10. तस्य का देवतेत्यमृतमिति होवाच (similarly in 11—17).
25. अहल्लिकेति होवाच
28. रेतस इति मा वोचत
4. 1. 1. तं होवाच किमर्थमचारीः
— उभयमेव सम्राडिति होवाच
4. 2. 1. कूर्चादुपावसर्पन्नुवाच
— वक्ष्यामि यत्र गमिष्यसि
4. 3. 2. आदित्यज्योतिः सम्राडिति होवाच
33. एष ब्रह्मलोकः सम्राडिति होवाच. 4. 4. 23.
4. 4. 7. सोऽहं भगवते सहस्रं ददामीति होवाच जनकः
4. 5. 15. एतावदरे खल्वमृतत्वमिति होक्त्वा . . विजहार
5. 2. 1. देवा ऊचुर्ब्रवीतु नो भवान्
— तेभ्यो हैतदक्षरमुवाच द इति 2, 3.

Bṛih. 5. 2. 1. व्यज्ञासिष्मेति होचुः . . ओमिति होवाच 2, 3.
2. मनुष्या ऊचुर्ब्रवीतु नो भवान्
3. असुरा ऊचुर्ब्रवीतु नो भवान्
5. 12. 1. तस्मा उ हैतदुवाच वीति
6. 1. 7. तद्धोचुः को नो वसिष्ठ इति
8. संवत्सरं प्रोष्यागत्योवाच 9–12.
13. तेहोचुर्मा भगव उत्क्रमीः
6. 2. 2. नेति होवाच (4 times).
3. नो भवान् पुरानुशिष्टानवोचत्
4. यदहं किञ्चन वेद सर्वमहं तत्तुभ्यमवोचम्
8. तां त्वहं तुभ्यं वक्ष्यामि
6. 3. 7. एतं . . अन्तेवासिन उक्त्वोवाच 8–12.

Tait. 1. 2. 1. इत्युक्तः शीक्षाध्यायः
1. 7. 1. ऋषिरवोचत्पांक्तं वा इदं सर्वम्
2. 2. 1. तस्मात्सर्वौषधमुच्यते (bis).
— तस्मादन्नं तदुच्यते Maitri. 6. 12.
2. 3. 1. तस्मात्सर्वायुषमुच्यते (bis).
2. 7. 1. तस्मात्तत्सुकृतमुच्यते

Kaṭha. 1. 4. स होवाच पितरं तात
— द्वितीयं तृतीयं तं होवाच
15. लोकादिमग्निं तमुवाच तस्मै
3. 16. उक्त्वा श्रुत्वा च मेधावी
5. 8. तदेवामृतमुच्यते 6. 1.

Maitri. 1. 2. स तस्मै नमस्कृत्वोवाच
2. 6. उच्यते यः प्राणो ऽपानः &c.
— अन्यत्राप्युक्तम् 3. 3—5; 4. 2; 6. 4, 5, 12, 13, 14, 19—28.
3. 2. भूतशब्देनोच्यन्ते (bis).

Maitri. 3. 2. तच्छरीरमित्युक्तं यो ह . . शरीर इत्युक्तं स भूतात्मेत्युक्तम्
4. 1. ते . . अभिसमेत्योचुः
2. अथोक्तं शब्दस्पर्शादयः
3. आश्रमेष्वेवानवस्थस्तपस्वी वेत्युच्यते
5. ते होचुर्भगवन्नभिवाद्यसि
— निहितमस्माभिरेतद्यथावदुक्तं मनसि
6. 5. इत्यत ओमित्युक्तेनैताः प्रस्तुता अर्चिताः
18. षडङ्गा इत्युच्यते योगः
29. एवमुक्त्वान्तर्हृदयः शाकायन्यः 30.
31. शान्तादिलक्षणोक्तः
7. 8. वाटचे पुरस्तादुक्ते ऽपि
10. तस्मै नमस्कृत्वोचुः
— अतो ऽन्यतममेतेषामुक्तम्
— यद्वेदेषूक्तं तद्विद्वांस उपजीवन्ति
11. कस्मादुच्यते वैद्युतः
Muṇḍ.1. 1. 2. तां पुरोवाचाङ्गिरे
1. 2. 7. उक्तमवरं येषु कर्म
2. 2. 4. ब्रह्म तल्लक्ष्यमुच्यते Dhyâna. 19.
3. 2. 11. एतत्सत्यमृषिरङ्गिराः पुरोवाच
Mahânâr.13. 3. व्रोचेम शन्तमं हृदे
Praśna. 1. 1. एष ह वै तत्सर्वं वक्ष्यतीति
2. तान् ह स ऋषिरुवाच
— यदि विज्ञास्यामः सर्वं ह वो वक्ष्यामः
2. 3. तान् वरिष्ठः प्राण उवाच
4. 8. वाक् च वक्तव्यं च
6. 1. यद्यहमिममवेदिषं कथं ते नावक्ष्यम्

Praśna. 6. 1. तस्मान्नार्हाम्यहमनृतं वक्तुम्
Kaivalya. 1. भगवन्तं परमेष्ठिनं परिसमेत्योवाच
2. तस्मै स होवाच पितामहश्च
Gauḍa. 3. 2. अतो वक्ष्याम्यकार्पण्यम्
18. द्वैतं तद्भेद उच्यते
4. 44. मायाहस्ती यथोच्यते
— अस्ति वस्तु तथोच्यते
60. विवेकस्तत्र नोच्यते
67. किं तदस्तीति चोच्यते
86. शमः प्राकृत उच्यते
Nṛip. 1. 3. स होवाच स यो ह वै तत् . . वेद
4. स होवाच प्रजापतिः 3. 1; 4. 1; 5. 1, 3.
2. 4. कस्मादुच्यते उग्रमिति
— तस्मादुच्यते उग्रमिति
— कस्मादुच्यते वीरमिति
— तस्मादुच्यते वीरमिति
— कस्मादुच्यते महाविष्णुमिति
— तस्मादुच्यते महाविष्णुमिति
— कस्मादुच्यते ज्वलन्तमिति
— तस्मादुच्यते ज्वलन्तमिति
— कस्मादुच्यते सर्वतोमुखमिति
— तस्मादुच्यते सर्वतोमुखमिति
— कस्मादुच्यते नृसिंहमिति
— तस्मादुच्यते नृसिंहमिति
— कस्मादुच्यते भीषणमिति
— तस्मादुच्यते भीषणमिति
— कस्मादुच्यते भद्रमिति
— तस्मादुच्यते भद्रमिति
— कस्मादुच्यते मृत्युमृत्युमिति
— तस्मादुच्यते मृत्युमृत्युमिति
— कस्मादुच्यते नमामीति

Nrip. 2. 4. तस्मादुच्यते नमामीति
— कस्मादुच्यते अहमिति
3. 1. तदेतदृषिणोक्तं निदर्शनम् (bis).

Nrisut. 7. कस्त्वमित्यहमिति होवाच
— अवचनेनैवानुभवन्नुवाच (bis).
9. ब्रूह्येव भगवन्निति ते देवा ऊचुः
— नेति होचुर्हन्तासङ्गा वयमिति होचुः
— कथं पश्यन्तीति होवाच
न वयं विद्म इति होचुः
— ततो यूयमेव स्वप्रकाशा इति होवाच
— विदिताविदितात्पर इति होचुः (bis).
— क्वैषा कथमिति होचुः
— किं तेन न किञ्चनेति होचुः
— ज्ञातो ऽज्ञातश्चेति होचुः
— न चैवमिति होचुः
— ब्रूतैवैनमात्मसिद्धमिति होवाच
— नैव वयं वक्तुं शक्नुमः
— नमस्ते भगवन् प्रसीदेति होचुः
— न भेतव्यं पृच्छतेति होवाच
— एष एवात्मेति होवाच
— ते होचुर्नमस्तुभ्यं वयं ते

Brahmav. 3. यदुक्तं ब्रह्मवादिभिः
— शरीरं तस्य वक्ष्यामि

Kshur. 1. 15. यथोक्तं हि स्वयम्भुवा

Siras. 4. कस्मादुच्यते ओङ्कारः
— तस्मादुच्यते ओङ्कारः
— कस्मादुच्यते प्रणवः (this is repeated with तस्मात् and so with the others).
— कस्मादुच्यते सर्वव्यापी

Siras. 4. कस्मादुच्यते ऽनन्तः
— कस्मादुच्यते तारम्
— कस्मादुच्यते शुक्लम्
— कस्मादुच्यते सूक्ष्मम्
— कस्मादुच्यते वैद्युतम्
— कस्मादुच्यते परं ब्रह्म
— कस्मादुच्यते एकः
— कस्मादुच्यते रुद्रः
— कस्मादुच्यते ईशानः
— कस्मादुच्यते भगवान्महेश्वरः
6. कालाद्व्यापक उच्यते

Sikhâ. 1. ओमोमोमिति त्रिरुक्तः

Mahâ. 1. तस्य ध्यानान्तःस्थस्य यज्ञः स्तोममुच्यते

Brahma. 1. तस्मै स होवाच ब्रह्मविद्यां वरिष्ठाम्
3. स शिखीत्युच्यते विद्वान्

Nâda. 2. शरीरं सत्त्वमुच्यते

Amrita. 5. प्रत्याहारः स उच्यते
6. षडङ्गो योग उच्यते
10. प्राणायामः स उच्यते
16. आगमस्याविरोधेन ऊहनं तर्क उच्यते

Tejo. 4. त्रिधामा हंस उच्यते

Nyâsa. 2. उच्यते . . आश्रमी
— कथं सन्न्यस्त उच्यते
— यस्मिन् सन्न्यस्त उच्यते

Kaṭhaśru. 1. को ऽयं सन्न्यास उच्यते
— तदप्येतदृषिणोक्तम्
4. स्वस्ति सर्वजीवेभ्य इत्युक्त्वा

Sarvop. 2. तत्तुरीयं चैतन्यमित्युच्यते
— अन्नमयः कोश इत्युच्यते
— प्राणमयः कोश इत्युच्यते
— मनोमयः कोश इत्युच्यते
— विज्ञानमयःकोश इत्युच्यते
— आनन्दमयः कोश इत्युच्यते

Sarvop. 2. उपाहितत्वाज्जीव इत्युच्यते
— हृद्ग्रन्थिरित्युच्यते
— स क्षेत्रज्ञ इत्युच्यते
3. स साक्षीत्युच्यते
— तदा कूटस्थ इत्युच्यते
— तदान्तर्यामीत्युच्यते
— तदा त्वंपदार्थः प्रत्यगात्मेत्युच्यते
4. अनन्तमित्युच्यते
— आनन्द इत्युच्यते
— परं ब्रह्मेत्युच्यते
— आत्मेत्युच्यते
— सा मायेत्युच्यते

Haṁsa. 1. स वै ब्रह्म परमात्मेत्युच्यते

Parama. 1. नारदो भगवन्तमुपगम्योवाच
3. एकदण्डी स उच्यते

Aruṇeya. 1. आरुणिः..तं गत्वोवाच
2. लोकांश्चविसृजेदिति होवाच

Nâr. 5. यमुक्त्वा मुच्यते योगी (यं दृष्ट्वा is a variant).

Kâlâg. 1. तं होवाच भगवान्
— वेदवादिभिरुक्तम्

Jâbâla. 1. बृहस्पतिरुवाच याज्ञवल्क्यम् Râmot. 1.
3. अथ हैनं ब्रह्मचारिण ऊचुः
4. अथ ह जनको वैदेहो याज्ञवल्क्यमुपसमेत्योवाच

Vâsu. 1. तं होवाच भगवान्वासुदेवः

Gopî. 3. गोपीत्यम उच्यताम्
5. बहुनात्र किमुक्तेन
— गोपीचन्दनमित्युक्तम्

Krish. 1. ते होचुस्तं सुराः सर्वे

Râmap. 20. रामो वाच्यः

Râmot. 2. तस्मादुच्यते तारकम्
4. अथ स होवाच श्रीरामः
— श्रीरामचन्द्रेणोक्तम्

Râmot. 5. भरद्वाजो याज्ञवल्क्यमुवाच

Mukti. 1. 8. हनूमञ्छृणु वक्ष्यामि
29. शृणु वक्ष्यामि तत्त्वतः
1. ज्ञानमात्रेणोक्ता

Gîtâ. 1. 24. एवमुक्तो हृषीकेशः
25. उवाच पार्थ पश्यैतान्
47. एवमुक्त्वार्जुनः संख्ये
2. 1. उवाच मधुसूदनः
9. एवमुक्त्वा हृषीकेशम्
— न योत्स्य इति गोविन्दमुक्त्वा
10. तमुवाच हृषीकेशः
18. अन्तवन्त इमे देहाः..उक्ताः
25. अविकार्यो ऽयमुच्यते
48. समत्वं योग उच्यते
55. स्थितप्रज्ञस्तदोच्यते
56. स्थितधीर्मुनिरुच्यते
3. 6. मिथ्याचारः स उच्यते
40. अस्याधिष्ठानमुच्यते
6. 3. कर्म कारणमुच्यते
— शमः कारणमुच्यते
4. योगारूढस्तदोच्यते
8. युक्त इत्युच्यते योगी
18. युक्त इत्युच्यते तदा
7. 2. इदं वक्ष्याम्यशेषतः
8. 1. अधिदैवं किमुच्यते
3. स्वभावो ऽध्यात्ममुच्यते
21. अव्यक्तो ऽक्षर इत्युक्तः
23. तं कालं वक्ष्यामि भरतर्षभ
10. 1. वक्ष्यामि हितकाम्यया
16. वक्तुमर्हस्यशेषेण
11. 1. यत्त्वयोक्तं वचः
9. एवमुक्त्वा ततो राजन्
21. स्वस्तीत्युक्त्वा महर्षिसिद्धसंघाः
41. सखेति मत्वा प्रसभं यदुक्तम्

Gîtâ. 11. 50. इत्यर्जुनं वासुदेवस्तथोक्त्वा
13. 12. न सत्तन्नासदुच्यते
17. तमसः परमुच्यते
18. ज्ञेयं चोक्तं समासतः
20. हेतुः प्रकृतिरुच्यते
— भोक्तृत्वे हेतुरुच्यते
22. परमात्मेति चाप्युक्तः
14. 25. गुणातीतः स उच्यते
15. 16. कूटस्थो ऽक्षर उच्यते
20. इदमुक्तं मयानघ
16. 24. ज्ञात्वा शास्त्रविधानोक्तम्
17. 14. शारीरं तप उच्यते
15. वाङ्मयं तप उच्यते
16. तपो मानसमुच्यते
27. सदिति चोच्यते
28. असदित्युच्यते पार्थ
18. 23. तत्सात्त्विकमुच्यते
26. कर्त्ता सात्त्विक उच्यते
28. कर्त्ता तामस उच्यते
65. ततो वक्ष्यामि ते हितम्
67. न चाशुश्रूषवे वाच्यम्

वचन

Maitri. 6. 10. इति वचनात्
Gîtâ. 1. 2. राजा वचनमब्रवीत्
11. 35. एतच्छ्रुत्वा वचनं केशवस्य
18. 73. करिष्ये वचनं तव

वचस्

Chhâ. 8. 7. 3. इति भगवतो वचो वेदयन्ते
Bṛih. 6. 2. 2. अपि हि न ऋषेर्वचः श्रुतम्
Nîla. 6. शिवेन वचसा..अच्छाव-
दामसि
Kṛish. 3. रुद्रादीनां वचः श्रुत्वा
Gîtâ. 2. 10. तमुवाच..इदं वचः
10. 1. शृणु मे परमं वचः 18. 64.
11. 1. यत्त्वयोक्तं वचः

वज्र

Kaṭha. 6. 2. महद्भयं वज्रमुद्यतम्
Aruṇeya. 4. इन्द्रस्य वज्रो ऽसि
Gâruḍa. 2. हतमिन्द्रस्य वज्रेण
Gîtâ. 10. 28. आयुधानामहं वज्रम्

वज्रनख

Mahânâr. 3. 17. वज्रनखाय धीमहि Nrip. 4. 2.

वज्रबाहु

Mahânâr. 20. 11. महाँ इन्द्रो वज्रबाहुः

वज्रशूलाढ्य

Râmap. 70. भुगृहं वज्रशूलाढ्यम्

वज्रसूचिक

Mukti. 1. 33. रहस्यं वज्रसूचिकम्
1. *vide* जाबालि

वञ्च्

Śwet. 4. 3. त्वं जीर्णो दण्डेन वञ्चसि
(so all the MSS.)

वट

Nṛisut. 9. वटान् स्वबीजानुत्पाद्य

वटकणिका

Sarvop. 2. वटकणिकायामिव वृक्षः

वटबीज

Nṛisut. 9. सैषा वटबीजसामान्यवत्
— यथा वटबीजसामान्यमेक-
म्

वटबीजस्थ

Râmap. 15. यथैव वटबीजस्थः

वटभाण्डीर

Kṛish. 26. गरुडो वटभाण्डीरः (2 MSS. have भाण्डारः)

वत्स

Chhâ. 3. 15. 2. तासां वायुर्वत्सः
— वायुं दिशां वत्सं वेद (bis).
Bṛih 1. 5. 2. वत्सं जातमाहुरतृणाद्ध इति
5. 8. 1. तस्याः प्राण ऋषभो मनो वत्सः

वत्सनपात्

Bṛih. 2. 6. 3. विदर्भीकौण्डिन्यो वत्सनपातो बाभ्रवात् 4. 6. 3.
— वत्सनपाद्बाभ्रवः पथः सौभरात्

वत्सर

Maitri. 6. 14. द्वादशात्मकं वत्सरम्

वद्

Ait. 3. 13. किमिहान्यं वावदिषदिति
Kaush. 2. 13. एतद्वै ब्रह्म दीप्यते यद्वाचा वदत्यथैतन्म्रियते यन्न वदति
14. तद्वाचा वदच्छिष्ये
— तद्वाचा वदच्चक्षुषा पश्यत् (ter).
3. 2. वाचं वदन्तीं सर्वे प्राणा अनुवदन्ति
3. न वाचा वदति न ध्यायति
Kena. 1. केनेषितां वाचमिमां वदन्ति
Chhâ. 1. 2. 3. तस्मात्तयोभयं वदति सत्यं चानृतं च
1. 8. 1. हन्तोद्गीथे कथां वदामः
2. भगवन्तावग्रे वदतां ब्राह्मणयोर्वदतोर्वाचं श्रोष्यामि
2. 24. 1. ब्रह्मवादिनो वदन्ति Śwet. 1. 1; Kaṭhaśru. 1.
5. 1. 9. वदन्तो वाचा 10, 11; Bṛih. 6. 1. 9-12.

Chhâ. 5. 3. 5. यथा मा त्वं तदैतानवदः
7. यथा मा त्वं गौतमावदः
5. 11. 6. येन हैवार्थेन पुरुषश्चरेत्तं हैव वदेत्
7. 17. 1. यदा वै विजानात्यथ सत्यं वदति नाविजानन् सत्यं वदति
Bṛih. 1. 3. 2. यत्कल्याणं वदति तदात्मने
— यदेवेदमप्रतिरूपं वदति
1. 4. 7. वदन्वाक्
14. सत्यं वदन्तमाहुर्धर्मं वदतीति धर्मं वा वदन्तं सत्यं वदतीति
1. 5. 18. यया यद्यदेव वदति तद्भवति
21. वदिष्याम्येवाहमिति वाग्दध्रे
2. 4. 9. यथा वीणायै वाद्यमानायै 4. 5. 10.
3. 9. 10. वदैव शाकल्य तस्य का देवता 11-17.
23. दीक्षितमाहुः सत्यं वदेति
4. 3. 1. स मेने न वदिष्ये
26. यद्वै तन्न वदति वदन्वै तन्न वदति
— न तु . . ततोऽन्यद्विभक्तं यद्वदेत्
31. अन्यो ऽन्यद्वदेत्
4. 4. 2. एकीभवति न वदति
6. 2. 2. आपः पुरुषवाचो भूत्वा समुत्थाय वदन्ति
Tait. 1. 1. 1. त्वामेव प्रत्यक्षं ब्रह्म वदिष्यामि
— ऋतं वदिष्यामि सत्यं वदिष्यामि
1. 11. 1. सत्यं वद धर्मं चर
1. 12. 1. त्वामेव प्रत्यक्षं ब्रह्मावादिषम्

Tait. 1. 12. 1. ऋतमवादिषं सत्यमवादि-
षम्
Katha. 2. 14. यत्तत्पश्यसि तद्वद
15. तपांसि सर्वाणि च यद्वदन्ति
3. 1. छायातपौ ब्रह्मविदो वदन्ति
14. दुर्गं पथस्तत्कवयो वदन्ति
Śwet. 2. 13. योगप्रवृत्तिं प्रथमां वदन्ति
4. 9. भूतं भव्यं यच्च वेदा वदन्ति
6. 1. स्वभावमेके कवयो वदन्ति
Maitri. 6. 22. निवाते वदति
7. 9. वेदादिशास्त्रहिंसकधर्माभि-
ध्यानमस्त्विति वदन्ति
Muṇḍ.1. 1. 4. यद्ब्रह्मविदो वदन्ति
3. 2. 10. तेषामेवैतां ब्रह्मविद्यां वदेत
Mahânâr. 1. 3. यदन्तः समुद्रे कवयो वद-
न्ति
16. 4. बृहद्वदेम विदथे सुवीराः
22. 1. किं भगवन्तः परमं वदन्ति
— सत्यं परमं वदन्ति
— तपः परमं वदन्ति
— दमः परमं वदन्ति
— शमः परमं वदन्ति
— दानं परमं वदन्ति
— धर्मं परमं वदन्ति
— प्रजननं परमं वदन्ति
— अग्नीन्परमं वदन्ति
— अग्निहोत्रं परमं वदन्ति
23. 1. यज्ञं परमं वदन्ति
— मानसं परमं वदन्ति
Nṛip. 1. 1. तद्वाचा वदति
Śiras. 5. मुनयो ऽवाग्वदन्ति न तस्य
ग्रहणम्
Garbha. 1. वाचा वदति
Nîla. 23. वाचं वदिष्यतः
Kaṭhaśru. 2. मे तद्वदतो शास्यथेति
— न वदन्तो न वदन्तः
— अथ पुत्रो वैदति

Krish. 23. वदन्ति विबुधा जनाः
Râmap. 12. अर्थं मन्त्रो वदत्ययम्
Râmot. 3. इति वदन्ति ब्रह्मवादिनः
Mukti. 1. 6. कृपया वद मे राम
7. वदामि शृणु तत्त्वतः
8. वर्त्तन्ते कुत्र ते वद
10. कृपया वद तत्त्वतः
Gîtâ. 2. 29. आश्चर्यवद्वदति तथैव चान्यः
36. वदिष्यन्ति तवाहिताः
3. 2. तदेकं वद निश्चित्य
8. 11. यदक्षरं वेदविदो वदन्ति
10. 14. यन्मां वदसि केशव

वदन

Gîtâ. 11. 30. लेलिह्यसे . . वदनैर्ज्वलद्भिः

वध्

Śwet. 4. 22. वीरान् मा नो रुद्र भामितो
वधीः

वध

Chhâ. 8. 1. 5. न वधेनास्य हन्यते 8. 10.
2, 4.

वधाशङ्का

Bṛih. 4. 1. 3. वधाशङ्का भवति यां दिश-
मेति (one MS. has. °श-
ङ्कम्)

वध्र्यश्व

Maitri. 1. 4. *vide* आदि

वन्

Mahânâr. 9. 5. वसोः कुविद्वनाति नः

वन

Mahânâr. 9. 1. स्वधितिर्वनानाम् 17. 8.
Nyâsa. 2. वनं गच्छति संयतः
Jâbâla. 4. ब्रह्मचर्यादेव प्रव्रजेद्गृहाद्वा
वनाद्वा
Krish. 9. वने वृन्दावने क्रीडन्

वनमार्ग

Nyâsa. 2. चरेत वनमार्गेण (4 MSS. read चरेत्सुवर्णवर्णेन)

वनस्थ

Râmap. 35. रामपत्नीं वनस्थाम्

वनस्पति

Chhâ. 7. 2. 1. तृणवनस्पतीन् 7. 7. 1.
7. 8. 1. तृणवनस्पतयः 7. 10. 1; Maitri. 1. 4.
Bṛih. 1. 1. 1. ओषधयश्च वनस्पतयश्च लोमानि
3. 2. 13. वनस्पतीन् केशाः
3. 9. 28. यथा वृक्षो वनस्पतिः
6. 3. 6. मधुमान्नो वनस्पतिः Mahânâr. 9. 10; 17. 7.
Tait. 1. 7. 1. आप ओषधयो वनस्पतयः
Śwet. 2. 17. य ओषधीषु यो वनस्पतीषु
Śiras. 6. यो रुद्रो वनस्पतिषु
Nîla. 20. ये वा वनस्पतीनाम्

वनिन्

Jâbâla. 4. गृही भूत्वा वनी भवेद्वनी भूत्वा प्रव्रजेत्

वन्द्

Gauḍa. 1. 22. वन्द्यस्तमेष महामुनिः
4. 1. तं वन्दे द्विपदां वरम्
Râmap. 92. रामं वन्दे सच्चिदानन्दरूपम्

वन्ध्या

Maitri. 7. 9. अन्यथैषा वन्ध्येवैषा

वन्ध्यापुत्र

Gauḍa. 3. 28. वन्ध्यापुत्रो न तत्त्वेन मायया वापि जायते

वप्

Kaṭhaśru. 3. यद्वसन्ते केशश्मश्रुलोमनखानि वापयेत्

वपन

Brahma. 2. सशिखं वपनं कृत्वा

वपुस्

Parama. 2. एतद्वपुरपध्वस्तम्
Râmap. 3. अभिरामेण वपुषा (so Weber, but MSS. वा पुनः for last word).

वम्र्

Mahânâr. 9. 13. चतुःशृंगो ऽवमीद्गौर एतत्

वयस्

Chhâ. 2. 9. 4. तदस्य वयांस्यन्वायत्तानि
2. 21. 1. नक्षत्राणि वयांसि मरीचयः स प्रतिहारः
3. 16. 2. तं चेदेतस्मिन्वयसि किञ्चिदुपतपेत् 4, 6.
7. 2. 1. पशूंश्च वयांसि च 7. 7. 1.
7. 8. 1. पशवश्च वयांसि च 7.10.1.
Bṛih. 1. 4. 16. श्वापदा वयांसि
3. 9. 25. वयांसि वैनद्विमथ्नीरन्
Muṇḍ. 2. 1. 7. साध्या मनुष्याः पशवो वयांसि
Praśna. 4. 7. यथा . . वयांसि वासोवृक्षं सम्प्रतिष्ठन्ते

वयुन

Bṛih. 5. 15. 1. विश्वानि देव वयुनानि विद्वान् Iśâ. 18.

वयुनाविद्

Śwet. 2. 4. वि होत्रा दधे वयुनावित्

वयोगत

Ait. 4. 4. अस्यायमितर आत्मा . . वयोगतः प्रैति

1. वर *adj.*

Kaush. 3. 1. न वै वरो ऽवरस्मै वृणीते
Mahânâr. 10. 7. वरं वेश्मभूतम्

Gauḍa. 4. 1. तं वन्दे द्विपदां वरम्
Kshur. 15. तासां मध्ये वराः स्मृताः
16. तयोर्मध्ये वरं स्थानम्
Gîtâ. 8. 4. देहे देहभृतां वर

2. वर

Kaush. 3. 1. प्रतर्दन वरं वृणीष्व
Chhâ. 5. 3. 6. मानुषस्य . . वित्तस्य वरं वृणीथाः
Bṛih. 1. 3. 28. तेषु वरं वृणीत यं कामं कामयेत
4. 3. 1. तस्मै ह याज्ञवल्क्यो वरं ददौ
6. 2. 4. वरं भगवते गौतमाय दद्मः
5. प्रतिज्ञातो म एष वरः
6. दैवेषु वै गौतम तद्वरेषु
Kaṭha. 1. 9. त्रीन् वरान् वृणीष्व
10. त्रयाणां प्रथमं वरं वृणे
13. एतद् द्वितीयेन वृणे वरेण
16. वरं तवेहाद्य ददामि भूयः
19. यमवृणीथा द्वितीयेन वरेण
— तृतीयं वरं नचिकेतो वृणीष्व
20. वराणामेष वरस्तृतीयः
21. अन्यं वरं नचिकेतो वृणीष्व
22. नान्यो वरस्तुल्य एतस्य कश्चित्
24. एतत्तुल्यं यदि मन्यसे वरम्
27. वरस्तु मे वरणीयः स एव
29. यो ऽयं वरो गूढमनुप्रविष्टः
3. 14. प्राप्य वरान्निबोधत
Maitri. 1. 2. उत्तिष्ठोत्तिष्ठ वरं वृणीष्व

वरणा

Jâbâla. 2. वरणायां नास्यां च मध्ये (वरणाया नास्याश्च is a variant); Râmot. 4.
— का वै वरणा (केन वरणा भवति is a variant); Râmot. 4.
Jâbâla. 2. सर्वानिन्द्रियकृतान्दोषा-न्वारयतीति तेन वरणा भवति Râmot. 4.

वरद

Śwet. 4. 11. ईशानं वरदं देवमीड्यम् Siras. 5.
Mahânâr. 15. 1. आयातु वरदा देवी
Brahmav. 12. वरदः सर्वभूतानाम्

वरसद्

Kaṭha. 5. 2. नृषद्वरसदृतसत् Mahânâr. 9. 3; 17. 8; Nṛip. 3. 1.

वरान्तर

Râmot. 4. नातो वरान्तरम्

वराह, °हक

Kaush. 1. 2. सिंहो वा वराहो वा
Chhâ. 6. 9. 2. वृको वा वराहो वा 6. 10. 2.
Mahânâr. 4. 5. उद्धृतासि वराहेण
Mukti. 1. 39. याज्ञवल्क्यं वराह
1. *vide* सरस्वतीरहस्य

वरिष्ठ

Muṇḍ. 1. 2. 10. इष्टापूर्त्तं मन्यमाना वरिष्ठम्
2. 2. 1. परं विज्ञानाद्यद्वरिष्ठं प्रजानाम्
11. ब्रह्मैवेदं विश्वमिदं वरिष्ठम्
3. 1. 4. एष ब्रह्मविदां वरिष्ठः
Praśna. 2. 1. कः पुनरेषां वरिष्ठः
3. तान् वरिष्ठः प्राण उवाच
Kaivalya. 1. अधीहि भगवन् ब्रह्मविद्यां वरिष्ठाम्
Śiras. 1. ज्येष्ठोहं श्रेष्ठोहं वरिष्ठोहम्
Brahma. 1. तस्मै स होवाच ब्रह्मविद्यां वरिष्ठाम्

वरुण

Chhâ. 1. 12. 5. देवो वरुणः प्रजापतिः सविता
2. 22. 1. अपध्वान्तं वरुणस्य

Chhâ. 3. 8. 1. यत्तृतीयममृतं तदादित्या उपजीवन्ति वरुणेन मुखेन
3. आदित्यानामेवैको भूत्वा वरुणेनैव मुखेन
Bṛih. 1. 4. 11. इन्द्रो वरुणः सोमो रुद्रः
3. 9. 16. तस्य का देवतेति वरुण इति
22. स वरुणः कस्मिन्प्रतिष्ठितः
Tait. 1. 1. 1. शं नो मित्रः शं वरुणः 1.12.1.
3. 1. 1. वरुणं पितरमुपससार 3. 2. 1; 3. 3. 1; 3. 4. 1; 3. 5. 1.
Maitri. 5. 1. त्वमग्निर्वरुणो वायुः
7. 4. वरुणः साध्या उत्तरत उद्यन्ति
Mahânâr. 4. 11. हिरण्यशृङ्गं वरुणं प्रपद्ये
12. तन्मे इन्द्रो वरुणः..पुनन्तु
5. 1. नमो वरुणाय नमो वारुण्यै
2. तन्मे वरुणो राजा पाणिना ह्यवमर्शतु
8. इमास्तदापो वरुणः पुनातु
11. वरुणो ऽपामघमर्षणः
12. पुनातु वरुणः पुनात्वघमर्षणः
20. 13. वरुणस्य स्कम्भनमसि वरुणस्य स्कम्भसर्जनमसि उन्मुक्तो वरुणस्य पाशः
Nṛip. 2. 4. इन्द्रो वरुणो मित्रो ऽर्यमा
Râmap. 56. *vide* अनिल
Gîtâ. 10. 29. वरुणो यादसामहम्
11. 39. वायुर्यमो ऽग्निर्वरुणः शशांकः

वरुणदेवत

Bṛih. 3. 9. 22. किंदेवतो ऽस्यां प्रतीच्यां दिश्यसीति वरुणदेवत इति

वरुणलोक

Kaush. 1. 3. स वरुणलोकं (आगच्छति)

वरूथ

Mahânâr. 22. 1. यज्ञानां वरूथं दक्षिणा

वरेण्य

Bṛih. 6. 3. 6. अथैनमाचामति तत्सवितुर्वरेण्यम्
Śwet. 4. 18. तदक्षरं तत्सवितुर्वरेण्यम्
5. 4. एवं स देवो भगवान् वरेण्यः
Maitri. 6. 7. तत्सवितुर्वरेण्यम्
34. तत्सवितुर्वरेण्यं भर्गः Mahânâr. 15. 2.
Muṇḍ 2. 2. 1. एतज्जानथ सदसद्वरेण्यम्
Śiras. 5. विश्वं देवं जातरूपं वरेण्यम्

वर्ग

Kaush. 2. 7. वर्गोऽसि पाप्मानं मे वृङ्धि
Sarvop. 2. एते पञ्च वर्गा इति
— एतेषां पञ्चवर्गाणाम्

वर्गाष्टक

Râmap. 63. वर्गाष्टकमथालिखेत्

वर्चोदा

Mahânâr. 24. 1. वर्चोदास्त्वमसि सूर्यस्य

वर्जन

Mukti. 2. 28. भवभावनवर्जनात्

वर्जम्

Kaṭhaśru. 4. वर्षावर्जम्
Gîtâ. 2. 59. रसवर्जम्

वर्ण्

Maitri. 6. 34. न शक्यते वर्णयितुं गिरा

वर्ण

Bṛih. 1. 4. 13. स शौद्रं वर्णमसृजत
Tait. 1. 2. 1. वर्णः स्वरः । मात्रा बलम्
Kaṭha. 1. 28. वर्णरतिप्रमोदान्
Śwet. 4. 1. य एको ऽवर्णः..वर्णाननेकान्..दधाति
Gauḍa. 4. 57. यत्र वर्णा न वर्त्तन्ते
Śiras. 5. ब्रह्मदेवत्या रक्ता वर्णेन
— विष्णुदेवत्या कृष्णा वर्णेन

Śiras. 5. ईशानदेवत्या कपिला वर्णेन
— शुद्धस्फटिकसन्निभा वर्णेन
Amṛita. 35. अथ वर्णास्तु पञ्चानाम्
Kaṭhaśru. 1. चतुर्षु वर्णेषु भैक्षचर्यं चरेत्
Râmap. 9. वर्णवाहनकल्पना
63. तेषु मालामनोर्वर्णान्

वर्णप्रसाद

Śwet. 2. 13. वर्णप्रसादं स्वरसौष्ठवं च

वर्णभेद

Gopî. 4. पृथिव्याश्च वैभवाद्वर्णभेदाः

वर्णसङ्कर

Gîtâ. 1. 41. जायते वर्णसंकरः
43. वर्णसंकरकारकैः

वर्त्तनि, °नी

Chhâ. 4. 16. 1. तस्य वाक् च मनश्च वर्त्तनी
3. अन्यतरामेव वर्त्तनीं संस्कुर्वन्ति
4. उभे एव वर्त्तनी संस्कुर्वन्ति
Bṛih. 2. 2. 2. अधरयैनं वर्त्तन्या पृथिव्यन्वायत्ता

वार्त्ते

Maitri. 6. 36. वर्त्त्याधारस्नेहयोगात्

वर्त्मन्

Chhâ. 4. 15. 1. वर्त्मनी एव गच्छति
Gîtâ. 3. 23. मम वर्त्मानुवर्त्तन्ते 4. 11.
9. 3. मृत्युसंसारवर्त्मनि

वर्द्धन

Râmap. 82. आयुरारोग्यवर्द्धनम्

वर्मन्

Râmap. 67. वर्मास्त्रनतिसंयुक्तम्

वर्ष

Chhâ. 3. 16. 1. चतुर्विंशति वर्षाणि तत्प्रातःसवनम्
3. चतुश्चत्वारिंशद्वर्षाणि तन्माध्यन्दिनं सवनम्
5. अष्टाचत्वारिंशद्वर्षाणि तत् तृतीयसवनम्
4. 10. 1. द्वादशवर्षाण्यग्नीन् परिचचार
5. 5. 2. तस्या आहुतेर्वर्षं संभवति
5. 6. 2. देवा वर्षं जुह्वति
7. 4. 2. तेषां संक्लृप्त्यै वर्षं सङ्कल्पते वर्षस्य संक्लृप्त्या अन्नं सङ्कल्पते
8. 7. 3. तौ ह द्वात्रिंशतं वर्षाणि ब्रह्मचर्यमूषतुः
8. 9. 3. अपराणि द्वात्रिंशतं वर्षाणि (bis); 8. 10. 4 (bis).
8. 11. 3. अपराणि पञ्च वर्षाणि (bis).
— एकशतं ह वै वर्षाणि ब्रह्मचर्य्यमुवास
Nâda. 12. स राजा भारते वर्षे
Aśrama. 1. अष्टाचत्वारिंशद्वर्षाणि वेदब्रह्मचर्यं चरेत्
— चतुर्विंशतिवर्षाणि गुरुकुलवासी
— अष्टाचत्वारिंशद्वर्षवासी
Gîtâ. 9. 19. वर्षं निगृह्णाम्युत्सृजामि च

वर्षगण

Chhâ. 4. 4. 5. स ह वर्षगणं प्रोवास

वर्षशत

Chhâ. 3. 16. 7. स ह षोडशं वर्षशतमजीवत्प्र ह षोडशं वर्षशतं जीवति य एवं वेद

वर्षसहस्र

Bṛih. 3. 8. 10. तपस्तप्यते बहूनि वर्षसहस्राणि

वर्षा

Chhâ. 2. 5. 1. वर्षा उद्गीथः 2. 16. 1.
Maitri. 6. 33. वसन्तो ग्रीष्मो वर्षाः शरद्धेमन्तः
7. 3. वैरूप्यं वर्षाः. . पश्चादुद्यन्ति
Kaṭhaśru. 4. वर्षावर्जम्
Aruṇeya. 3. वर्षासु ध्रुवशीलः

वल्कल

Kaṭhaśru. 1. विशीर्णं वस्त्रं वल्कलं वा
Aśrama. 3. चीरचर्मवल्कलपरिवृताः

वल्मीक

Bṛih. 4. 4. 7. यथा हि निर्ल्वयनी वल्मीके मृता
Jâbâla. 6. *vide* स्थाण्डिल

वश्

Kaṭha. 1. 1. उशन् ह वै वाजश्रवसः
Maitri. 2. 7. स वा एष आत्मेहोशन्ति कवयः

वश

Ait. 5. 2. क्रतुरसुः कामो वश इति
Kaṭha. 2. 6. पुनः पुनर्वशमापद्यते मे
Praśna. 2. 13. प्राणस्येदं वशे सर्वम्
Mukti. 2. 26. वासनावशतः प्राणस्पन्दः
Gîtâ. 2. 61. वशे हि यस्येन्द्रियाणि
3. 34. तयोर्न वशमागच्छेत्
6. 26. आत्मन्येव वशं नयेत्

वशात्

Maitri. 6. 30. प्रकृतिभेदवशात्
35. यशस आश्रयवशात्
Haṁsa. 2. एवं सर्वं हंसवशात् (bis).
Gopî. 4. मायासहितब्रह्मसंभोगवशात्
Râmot. 3. श्रीरामसान्निध्यवशात्
Mukti. 1. 43. ततः कालवशादेव
2. 8. द्रागभ्यासवशाद्याति
60. मदवशादिव
Gîtâ. 9. 8. प्रकृतेर्वशात्

वशानुग

Mahânâr. 19. 1. तिलाः सौम्या वशानुगाः
Chûl. 6. स्वच्छन्देन वशानुगः
Nâda. 6. वायव्यैषा वशानुगा

वशिन्

Bṛih. 4. 4. 22. सर्वस्य वशी सर्वस्येशानः
Kaṭha. 5. 12. एको वशी सर्वभूतान्तरात्मा
Śwet. 3. 18. वशी सर्वस्य लोकस्य
6. 12. एको वशी निष्क्रियाणां बहूनाम्
Mahânâr. 5. 6. विश्वस्य मिषतो वशी
20. 5. वृत्रहा विमृधो वशी
Gîtâ. 5. 13. आस्ते सुखं वशी

वश्य

Kaṭha. 3. 6. तस्येन्द्रियाणि वश्यानि
Nṛisut. 4. वश्यां स्फुरन्तीमसतीं निपीड्य (Nârâyaṇa explains this and वत्स्यां; other MSS. vary considerably).

वश्यात्मन्

Gîtâ. 6. 36. वश्यात्मना तु यतता

वषट्

Nṛip. 2. 2. ओं शिखायै वषट्

वषट्कार

Bṛih. 5. 8. 1. स्वाहाकारो वषट्कारो हन्तकारः स्वधाकारः
— द्वौ स्तनौ देवा उपजीवन्ति स्वाहाकारं च वषट्कारं च
Mahânâr. 15. 6. त्वं यज्ञस्त्वं विष्णुस्त्वं वषट्कारः

Prâṇâg. 1. त्वं रुद्रस्त्वं विष्णुस्त्वं वषट्कारः

Kaṭhaśru. 2. त्वं ब्रह्मा त्वं यज्ञस्त्वं वषट्कारः

— अहं ब्रह्माहं यज्ञोऽहं वषट्कारः

Râmap. 70. वषट्कारं च तद्बहिः

1. वस् (निवासे)

Kaush. 2. 15. पुत्रस्यैश्वर्ये पिता वसेत्

3. 2. यावदस्मिंच्छरीरे प्राणो वसति तावदायुः

4. सह ह्येतावस्मिञ्छरीरे वसतः

4. 1. सोऽवसदुशीनरेषु

Chhâ. 1. 10. 1. इभ्यग्रामे प्रद्राणक उवास

3. 16. 1. एते हीदं सर्वं वासयन्ति

4. 2. 5. महावृषेषु यत्रास्मा उवास (!)

4. 3. 6. तं..नाभिपश्यन्ति..बहुधा वसन्तम्

4. 4. 3. ब्रह्मचर्यं भगवति वत्स्यामि

4. 10. 1. सत्यकामे जाबाले ब्रह्मचर्यमुवास

5. 3. 7. चिरं वसेत्याज्ञापयाञ्चकार

5. 10. 5. तस्मिन्यावत्सम्पातमुषित्वा

5. 11. 5. वसन्तु भगवन्त इति

6. 1. 1. श्वेतकेतो वस ब्रह्मचर्यम्

8. 7. 3. तौ ह..ब्रह्मचर्यमूषतुः

— किमिच्छन्तावववास्तमिति

— तमिच्छन्तावववास्तमिति

8. 9. 3. वसापराणि द्वात्रिंशतं वर्षाणीति स..उवास 8. 10. 4.

8. 11. 3. वसापराणि पञ्चवर्षाणीति स..उवास

— मघवान् प्रजापतौ ब्रह्मचर्यमुवास

Bṛih. 1. 4. 16. यन्मनुष्यान् वासयते

3. 7. 1. मद्रेष्ववसाम

5. 2. 1. त्रयाः प्राजापत्याः..ब्रह्मचर्यमूषुः..उषित्वा ब्रह्मचर्यं देवा ऊचुः

5. 10. 1. तस्मिन्वसति शाश्वतीः समाः

6. 2. 4. तत्र प्रतीत्य ब्रह्मचर्यं वत्स्यावः

7. स होपायनकीर्त्या उवास

8. इयं विद्येतः पूर्वं न कस्मिंश्चन ब्राह्मण उवास

15. पराः परावतो वसन्ति

Kaṭha. 1. 8. यस्यानश्नन् वसति ब्राह्मणो गृहे

9. तिस्रो रात्रीर्यदवात्सीर्गृहे मेऽनश्नन्

Nṛip. 2. 4. सृजति विसृजति वासयति (bis).

Garbha. 3. एकरात्रोषितं कललं भवति सप्तरात्रोषितं बुद्बुदम्

4. नानायोनिसहस्राणि मयोषितानि यानि वै

Brahmab. 20. भूते भूते च वसति विज्ञानम्

Kaṭhaśru. 1. ग्रामे वा नगरे वापि वसेत्

Piṇḍa. 3. अहं वसति तोयेषु अहं वसति चाग्निषु

Aśrama. 3. यत्र यत्र वसन्तो ऽग्निपरिचरणं कृत्वा

4. नगरे तीर्थेषु पञ्चरात्रं वसन्तः

Vâsu. 3. अनुस्यूतो वसामि

Skanda. 13. वसेदेकान्तिको भूत्वा

Gitâ. 6. 41. उषित्वा शाश्वतीः समाः

2. वस् (आच्छादने)

Iśâ. 1. ईशा वास्यमिदं सर्वम्

वसति

Brih. 6. 2. 3. एनं वसत्योपमन्त्रयाञ्चक्रे ऽनादृत्य वसतिं कुमारः प्रदुद्राव

Tait. 3. 10. 1. न कञ्चन वसतौ प्रत्याचक्षीत

वसन

Chhâ. 8. 8 5. प्रेतस्य शरीरं भिक्षया वसनेनालङ्कारेणेति संस्कुर्वन्ति

वसनान्त

Kaush. 2. 15. वसनान्तेन वा प्रच्छाद्य

वसन्त

Chhâ. 2. 5. 1. वसन्तो हिंकारः 2. 16. 1.

Maitri. 6. 33. वसन्तो ग्रीष्मो वर्षाः शरद्धेमन्तः

7. 1. वसन्तः प्राणः..पुरस्ताद्युन्ति

Kaṭhaśru. 3. यद्वसन्ते केशश्मश्रुलोमनखानि वापयेत्

वसा

Maitri. 3. 4. विण्मूत्रपित्तकफमज्जामेदोवसाभिः

1. वसिष्ठ *adj.*

Chhâ. 5. 1. 2. यो ह वै वसिष्ठं वेद वसिष्ठो ह स्वानां भवति वाग्वाव वसिष्ठः

13. यदहं वसिष्ठास्मि त्वं तद्वसिष्ठो ऽसि Brih. 6. 1. 14.

5. 2. 5. वसिष्ठाय स्वाहा

Brih. 6. 1. 2. यो ह वै वसिष्ठां वेद वासिष्ठः स्वानां भवति वाग्वै वासिष्ठा वासिष्ठः स्वानां भवति..य एवं वेद

Brih. 6. 1. 7. को नो वसिष्ठ इति. स्मिन्व उत्क्रान्त इदं शरीरं पापीयो मन्यते स वो वसिष्ठ इति

6. 3. 2. प्राणाय स्वाहा वसिष्ठायै स्वाहा

2. वसिष्ठ

Brih. 2. 2. 4. इमावेव वसिष्ठकश्यपावयमेव वसिष्ठः

Mahânâr. 13. 7. या सा सत्येत्यमृतेति वसिष्ठः

Râmap. 57. वसिष्ठवामदेवादिमुनिभिः

91. वसिष्ठाद्यैर्मुनिभिर्नीलमुख्यैः

Mukti. 1. 2. वसिष्ठाद्यैः शुकादिभिः

वसु

Chhâ. 2. 24. 1. यद्वसूनां प्रातःसवनम्

6. तस्मै वसवः प्रातःसवनं संप्रयच्छन्ति

3. 6. 1. यत्प्रथमममृतं तद्वसव उपजीवन्ति

3. वसूनामेवैको भूत्वा

4. वसूनामेव तावदाधिपत्यं स्वाराज्यं पर्येता

3. 16. 1. तदस्य वसवो ऽन्वायत्ताः प्राणा वाव वसवः

2. प्राणा वसवः

— माहं प्राणानां वसूनां मध्ये यज्ञो विलोप्सीय

Brih. 1. 4. 12. वसवो रुद्रा आदित्याः

3. 9. 2. अष्टौ वसवः

3. कतमे वसवः..एते वसव एतेषु हीदं वसु सर्वं हितमिति तस्माद्वसव इति

4. 4. 24. विन्दते वसु य एवं वेद

Katha. 5. 2. हंसः शुचिषद्वसुः Mahânâr. 9. 3; 17. 8; Nrip. 3. 1.

itri. 3. 4. आमयैर्बहुभिः परिपूर्णे को-
शे इव वसुना
6. 9. वसोः पवित्रमसि सवितुश्च
रश्मयः पुनन्त्वन्नम्
7. 1. वसवः पुरस्तादुद्यन्ति
Mahânâr. 5. 12. पुनन्तु वसवः
9. 5. वसोः कुविद्वनाति नः
16. 4. त्वया जुष्टश्चित्रं विन्दते वसु
24. 1. वसुरण्यो विभूरसि
Nṛip. 1. 2. वसुरुद्रादित्यैः
2. 1. ब्रह्मा वसवो गायत्री गार्ह-
पत्यः Nṛisut. 3; Śikhâ.1.
4. 3. यो वै नृसिंहः ..ये चाष्टौ
वसवस्तस्मै वै नमो नमः(17)
5. 2. तस्य पुरस्ताद्वसव आसते
Nâr. 1. नारायणादष्टौ वसवः
2. वसवोऽश्विनौ च नारायणः
Râmap. 69. ध्यायेदष्टवसून्
Râmot. 5. यो वै श्रीरामः..ये चाष्टौ
वसवः (31).
Gîtâ. 10. 23. वसूनां पावकश्चास्मि
11. 6. पश्यादित्यान्वसून्
22. रुद्रादित्या वसवो ये च सा-
ध्याः

वसुदान

Bṛih. 4. 4. 24. आत्मान्नादो वसुदानः

वसुदेव

Gopî. 5. वसुदेवसद्मनि
Krish. 8. निगमो वसुदेवः

वसुधान

Chhâ. 3. 15. 1. स एष कोशो वसुधानः

वसुन्धरा

Mahânâr. 4. 4. अश्वक्रान्ते रथक्रान्ते वि-
ष्णुक्रान्ते वसुन्धरे
Nṛip. 1. 2. ससागरां सपर्वतां..वसु-
न्धराम्

वसुविद्

Bṛih. 6. 4. 27. यो रत्नधा वसुवित्

वस्त

Bṛih. 1. 4. 4. अजेतराभवद्वस्त इतरः

वस्ति

Chhâ. 5. 16. 2. वस्तिस्त्वेष आत्मन इति
होवाच वस्तिस्ते व्यभेत्स्य-
द्यन्मां नागमिष्यः
5. 18. 2. वस्तिरेव रयिः

वस्तु

Gauḍa. 4. 22. स्वतो वा परतो वापि न
किञ्चिद्वस्तु जायते
— सदसत्सदसद्वापि न कि-
ञ्चिद्वस्तु जायते
44. अस्ति वस्तु तथोच्यते
Nṛisut. 8. न हि वस्तुतः सत्
Sarvop. 3. नामदेशकालवस्तुनिमित्तेषु

वस्तुचतुष्टय

Sarvop. 4. एतद्वस्तुचतुष्टयम्

वस्तुत्ववादिन्

Gauḍa. 4. 42. अस्ति वस्तुत्ववादिनाम्

वस्त्र

Kaṭhaśru. 1. विशीर्णं वस्त्रं वल्कलं वा

वस्त्वभाव

Gauḍa. 4. 79. वस्त्वभावं स बुद्ध्वैव

वस्त्वाभास

Gauḍa. 4. 45. वस्त्वाभासं तथैव च

वस्यस्

Tait. 1. 4. 3. श्रेयान् वस्यसोऽसानि

वह्

Bṛih. 1. 1. 2. हयो भूत्वा देवानवहत्
5. 14. 8. कथं हस्ती भूतो वहसि

Maitri. 3. 2. गुणैरुह्यमानः 6. 30.

Muṇḍ. 1. 2. 6. सूर्यस्य रश्मिभिर्यजमानं वहन्ति

Mahânâr. 9. 11. स्वाहाकृतं वृषभ वक्षि हव्यम्

Dhyâna. 16. वोढुं चन्द्राग्निसूर्ययोः

Mukti. 2. 5. वहन्ती वासनासरित्

Gîtâ. 9. 22. योगक्षेमं वहाम्यहम्

वह्नि

Śwet. 1. 13. वह्नेर्यथा योनिगतस्य मूर्त्तिः

2. 10. शर्करावह्निवालुकाविवर्जिते

Maitri. 6. 26. वृह्नेश्च यद्वत् खलु विस्फुलिंगाः 31.

34. यथा निरिन्धनो वह्निः

Kaivalya. 23. न भूमिरापो न च वह्निरस्ति

Brahmab. 21. चरेद्वह्निमतः परम्

Dhyâna. 15. तत्रार्कचन्द्रवह्नीनाम्

Yogási. 5. तस्य मध्यगतो वह्निः

Vâsu. 3. तैलं तिलेषु काष्ठेषु वह्निः

Râmap. 23. तेजसा वह्निना समः

56. *vide* अनिल

57. वह्निस्तदायुधैः पूज्यः (3 MSS. and Weber read बहिस्)

75. वह्निर्मेधामरविभूषिता

Gîtâ. 3. 38. धूमेनाव्रियते वह्निः

वह्नितम

Praśna. 2. 8. देवानामसि वह्नितमः

वह्निशिखा

Mahânâr. 11. 11. तस्य मध्ये वह्निशिखा Mahâ. 3; Vâsu. 3.

वा

Mahânâr. 8. 2. दूरादगन्धो वाति (bis).

Nṛip. 5. 10. यत्र वायुर्न वाति

वाकोवाक्य

Chhâ. 7. 1. 2. अध्येमि..वाकोवाक्यम्

4. नाम वै..वाकोवाक्यम्

7. 2. 1. वाग्वै..विज्ञापयति..वाकोवाक्यम्

7. 7. 1. विज्ञानेन वै .. विजानाति ..वाकोवाक्यम्

वाक्पति

Tait. 1. 6. 2. वाक्पतिश्चक्षुष्पतिः

वाक्य

Kṛish. 4. भवद्वाक्यं करोम्यहम्

Mukti. 1. 17. वेदान्तवाक्यार्थविचारात्

Gîtâ. 1. 21. हृषीकेशं तदा वाक्यमिदमाह

2. 1. इदं वाक्यमुवाच मधुसूदनः

3. 2. व्यामिश्रेणैव वाक्येन

17. 15. अनुद्वेगकरं वाक्यम्

वागपेत

Kaush. 3. 3. जीवति वागपेतः

वाघत्

Mahânâr. 20. 6. यदङ्ग्भिर्वाघद्भिर्विधेमहे

वाङ्मनोतीतगोचर

Tejo. 7. उपाधिरहितं स्थानं वाङ्मनोतीतगोचरम्

वाङ्मय

Bṛih. 1. 5. 3. वाङ्मयो मनोमयः प्राणमयः

2. 5. 3. अयमध्यात्मं वाङ्मयः.. पुरुषः

Gîtâ. 17. 15. वाङ्मयं तप उच्यते

वाच्

Ait. 1. 4. मुखाद्वाग्वाचोऽग्निः

2. 4. अग्निर्वाग्भूत्वा मुखं प्राविशत्

Ait. 3. 3. तद्वाचाजिघृक्षत्तन्नाशक्नोद्वाचा ग्रहीतुं स यद्धैनद्वाचाग्रहैष्यत्

11. यदि वाचाभिव्याहृतं..को ऽहम्

5. 1. येन वाचं व्याकरोति

Kaush. 1. 6. तदेतया वाचाभिव्याह्रियते सत्यम्

7. केन स्त्रीनामानीति वाचेति

2. 1. वाक् परिवेष्ट्री

— यो वाचं परिवेष्ट्रीं परिवेष्ट्रीमान् भवति

2. वाक्परस्ताच्चक्षुरारुंधते

3. वाङ्नाम देवतावरोधिनी

4. वाचं ते मयि जुहोम्यसौ स्वाहा

5. प्राणं तदा वाचि जुहोति

— वाचं तदा प्राणे जुहोति

13. एतद्वै ब्रह्म दीप्यते यद्वाचा वदति

14. अथैनद्वाक् प्रविवेश तद्वाचा वदच्छिश्ये

— तद्वाचा वदचक्षुषा पश्यत् (ter).

15. वाचं मे त्वयि दधानीति पिता वाचं ते मयि दध इति पुत्रः

3. 2. न हि कश्चन शक्नुयात् सकृद्वाचा नाम प्रज्ञापयितुम्

— वाचं वदन्तीं सर्वे प्राणा अनुवदन्ति

3. तदेनं वाक् सर्वैर्नामभिः सहाप्येति (bis); 4. 20.

— न वाचा वदति न ध्यायति

4. वागेवास्मिन् सर्वाणि नामान्यभिविसृज्यन्ते वाचा सर्वाणि नामान्याप्नोति

5. वागेवास्या एकमंगमुदूल्हम्

Kaush. 3. 6. प्रज्ञया वाचं समारुह्य वाचा सर्वाणि नामान्याप्नोति

7. न हि प्रज्ञापेता वाङ्नाम किंचन प्रज्ञापयेत्

8. न वाचं विजिज्ञासीत वक्तारं विद्यात्

4. 1. सहस्रं दद्म इत्येतस्यां वाचि

2. दक्षिणे ऽक्षिणि वाचः

17. वाच आत्मा..इति वा अहमेतमुपासे

Kena. 1. केनेषितां वाचमिमां वदन्ति

2. यद्वाचो ह वाचम्

3. न वाग्गच्छति नो मनः

4. यद्वाचानभ्युदितं येन वागभ्युद्यते

Chhâ. 1. 1. 2. पुरुषस्य वाग्रसो वाच ऋग्रसः

5. वागेवर्क् प्राणः साम

— तद्वा एतन्मिथुनं यद्वाक् च प्राणश्च

1. 2. 3. अथ ह वाचमुद्गीथमुपासांचक्रिरे

11. एतमु एव बृहस्पतिं मन्यन्ते वाग्घि बृहती तस्या एष पतिः

1. 3. 3. यो व्यानः सा वाक्

— अप्राणन्ननपानन्वाचमभिव्याहरति

4. या वाक् सर्क्

6. वाग्गीर्वाचो ह गिर इत्याचक्षते

7. दुग्धे ऽस्मै वाग्दोहं यो वाचो दोहः 1. 13. 4; 2. 8. 3.

1. 7. 1 वागेवर्क्..वागेव सा

1. 8. 2. ब्राह्मणयोर्वदतोर्वाचं श्रोष्यामि

1. 13. 2. वाग्विराट्

2. 7. 1. वाक् प्रस्तावः 11. 1.

Chhā. 2. 8. 1. वाचि सप्तविधं सामोपासीत यत्किंच वाचो हुमिति स हिंकारः

3. वाचि सप्तविधं सामोपास्ते

2. 23. 4. ओंकारेण सर्वा वाक् सन्तृण्णा

3. 12. 1. वाग्वै गायत्री वाग्वा इदं सर्वं भूतं गायति च त्रायते च

3. 13. 3. सा वाक् सो ऽग्निः

3. 18. 2. वाक् पादः

3. वागेव ब्रह्मणश्चतुर्थः पादः

4. 3. 3. प्राणमेव वागप्येति

4. 16. 1. तस्य वाक् च मनश्च वर्त्तनी

2. वाचा होताध्वर्युरुद्गाता

5. 1. 2. वाग्वाव वसिष्ठः

8. सा ह वागुच्चक्राम

— प्रतिवेश ह वाक् Bṛih. 6. 1. 8.

9. वदन्तो वाचा 10, 11; Bṛih. 6. 1. 9–12.

13. अथ हैनं वागुवाच

15. न वै वाचो न चक्षूंषि

5. 3. 6. यामेव कुमारस्यान्ते वाचमभाषथाः Bṛih. 6. 2. 5.

5. 7. 1. वागेव समित्

5. 21. 2. वाक्तृप्यति वाचि तृप्यन्त्यामग्निस्तृप्यति

6. 5. 3. यो ऽणिष्ठः सा वाक्

4. तेजोमयी वाक् 6. 6. 5; 6. 7. 6.

6. 6. 4. सा वाग् भवति

6. 8. 6. पुरुषस्य प्रयतो वाङ्मनसि सम्पद्यते

6. 15. 1. यावन्न वाङ्मनसि सम्पद्यते

2. यदा वाङ्मनसि सम्पद्यते

7. 2. 1. वाग्वाव नाम्नो भूयसी वाग्वा ऋग्वेदं विज्ञापयति

Chhā. 7. 2. 1. यद्वै वाङ्नाभविष्यत्

— वागेवैतत्सर्वं विज्ञापयति वाचमुपास्वेति

2. यो वाचं ब्रह्मेत्युपास्ते यावद्वाचो गतम् &c.

— अस्ति भगवो वाचो भूय इति वाचो वाव भूयो ऽस्ति

7. 3. 1. मनो वाव वाचो भूयः

— वाचं च नाम च मनो ऽनुभवति

7. 4. 1. वाचमीरयति 7. 5. 1.

7. 26. 1. आत्मतो वाक्

8. 12. 4. अभिव्याहाराय वाक्

Bṛih. 1. 1. 1. वागेवास्य वाक्

1. 2. 4. मनसा वाचं मिथुनं समभवत्

— सैव वागभवत्

5. स तया वाचा . . इदं सर्वमसृजत

1. 3. 2. ते ह वाचमूचुस्त्वं न उद्गाय

— तेभ्यो वागुदगायत्

— यो वाचि भोगस्तं देवेभ्य आगायत्

12. वाचमेव प्रथमामत्यवहत्

20. वाग्वै बृहती तस्या एष पतिः

21. वाग्वै ब्रह्म तस्य एष पतिः

22. वाग्वै साम

23. वागेव गीथा

24. वाचा च ह्येव . . उदगायत्

25. वाचि स्वरमिच्छेत तया वाचा स्वरसंपन्नया

27. तस्य वै वागेव प्रतिष्ठा वाचि हि . . प्राणः प्रतिष्ठितः

1. 4. 7. वदन् वाक्

17. वाग्जाया

1. 5. 3. मनो वाचं प्राणं तान्यात्मने ऽकुरुत

Bṛih. 1. 5. 3. यः कश्च शब्दो वागेव
4. वागेवायं लोकः
5. वागेवर्ग्वेदः
6. वागेव देवाः
7. वाङ्मता
8. यत्किञ्च विज्ञातं वाचस्तद्रूपं वाग्घि विज्ञाता वागेनं तद्भूत्वावति
11. तस्यै वाचः पृथिवी शरीरम्
— यावत्येव वाक्तावती पृथिवी
18. दैवी वागाविशति सा वै दैवी वाक्
21. वदिष्याम्येवाहमिति वाग्दध्रे
— श्राम्यत्येव वाक्
1. 6. 1. तेषां नाम्नां वागित्येतदेषामुक्थम्
2. 1. 1. सहस्रमेतस्यां वाचि दद्मः
17. गृहीता वाक्
2. 2. 3. वागष्टमी ब्रह्मणा संविदाना (bis).
— वाग्घ्यष्टमी ब्रह्मणा संवित्ते
4. वागेवात्रिर्वाचा ह्यन्नमद्यते
2. 4. 11. सर्वेषां वेदानां वागेकायनम् 4. 5. 12.
3. 1. 3. होत्रर्त्विजाग्निना वाचा वाग्वै यज्ञस्य होता तद्येयं वाक्
3. 2. 3. वाग्वै ग्रहः . . वाचा हि नामान्यभिवदति
13. अग्निं वागप्येति
3. 7. 17. यो वाचि तिष्ठन् वाचोऽन्तरो यं वाङ् न वेद यस्य वाक् शरीरं यो वाचमन्तरो यमयति
3. 9. 24. सो ऽग्निः कस्मिन्प्रतिष्ठित इति वाचीति कस्मिन्नु वाक्

Bṛih. 4. 1. 2. वाग्वै ब्रह्मेति
— वागेवायतनमाकाशः प्रतिष्ठा
— का प्रज्ञता . . वागेव . . वाचा वै . . बन्धुः प्रज्ञायते
— सर्वाणि च भूतानि वाचैव . . प्रज्ञायन्ते वाग्वै . . परमं ब्रह्म
— नैनं वाग्जहाति
4. 3. 5. वागेवास्य ज्योतिर्भवतीति वाचैवायं ज्योतिषास्ते
— यत्र वागुच्चरत्युपैव तत्र न्येति
6. शान्तायां वाचि किंज्योतिरेवायम्
4. 4. 21. वाचो विग्लापनं हि तत्
5. 2. 3. दैवी वागनुवदति स्तनयित्नुर्ददद इति
5. 8. 1. वाचं धेनुमुपासीत
5. 14. 5. वागनुष्टुबेतद्वाचमनुब्रूमः
6. 1. 2. वाग्वै वसिष्ठा
8. वाग्घोच्चक्राम
— यथा कला अवदन्तो वाचा
14. सा ह वागुवाच यद्वा अहं वसिष्ठास्मि
6. 2. 7. वाचा ह स्म वै पूर्व उपयन्ति
12. वागर्चिः
6. 3. 2. वाचे स्वाहा प्रतिष्ठायै स्वाहा
6. 4. 18. शुश्रूषितां वाचं भाषिता
25. वाग्वागिति त्रिः
6. 5. 3. कश्यपो नैध्रुविर्वाचः
— वागंभिण्याः

Tait. 1. 3. 4. वाक् सन्धिः
1. 7. 1. चक्षुः श्रोत्रं मनो वाक्त्वक्
2. 4. 1. यतो वाचो निवर्त्तन्ते 2. 9. 1; Brahma. 3.
3. 1. 1. अन्नं प्राणं चक्षुः श्रोत्रं मनो वाचमिति

Tait. 3. 10. 2. क्षेम इति वाचि
Katha. 3. 13. यच्छेद्वाङ्मनसी प्राज्ञः
6. 12. नैव वाचा न मनसा
Maitri. 6. 20. वाङ्मनःप्राणनिरोधनात्
31. वाक् श्रोत्रं चक्षुर्मनः प्राणः
Muṇḍ. 1. 2. 6. प्रियां वाचमभिवदन्त्यः
2. 1. 4. वाग्विवृताश्च वेदाः
2. 2. 2. स प्राणस्तदु वाङ्मनः
5. अन्या वाचो विमुञ्चथ
3. 1. 8. न चक्षुषा गृह्यते नापि वाचा
Mahânâr. 4. 7. वाचा कृतं कर्मकृतम्
12. मनसा वाचा कर्मणा वा दुष्कृतं कृतम् 19. 1.
14. 3. पापमकार्षं . . वाचा 4.
22. 1. सत्यं वाचः प्रतिष्ठा
25. 1. दक्षिणा वाग्घोता
Praśna. 2. 2. वाङ्मनश्चक्षुः श्रोत्रं च 4.
12. या ते तनूर्वाचि प्रतिष्ठिता
4. 8. वाक् च वक्तव्यं च
Nṛip. 1. 1. तद्वाचा वदति
— वाग्वा अनुष्टुब् वाचैव प्रयन्ति वाचैवोद्यन्ति
Nṛisut. 2. वाचो द्रष्टा . . वाचः साक्षी
8. वाग्वा ओङ्कारो वागेवेदं सर्वम्
— वाग्वा ओङ्कारो वागेवेदं सर्वमनुजानाति
— वाग्वा ओङ्कारो वागेव ह्यनुजानाति
Śiras. 4. वाचं संसृजति विसृजति च
Garbha. 1. वाचा वदति
Brahma. 3. वाक्कायक्लेशवर्जिता
Nîla. 23. वाचं वदिष्यतः
Piṇḍa. 7. वाचं पुष्यति वीर्यवान्
Jâbâla. 5. मनसा वाचा वा सन्न्यसेत्
Mukti. 1. वाङ्मे मनसीति शान्तिः
Gîtâ. 2. 42. यामिमां पुष्पितां वाचम्
10. 34. कीर्तिःश्रीर्वाक् च नारीणाम्
18. 15. शरीरवाङ्मनोभिः

वाचक

Râmap. 11. ब्रह्मादीनां वाचको ऽयम्
12. सर्ववाच्यस्य वाचकः
20. मन्त्रो ऽयं वाचकः
21. वाचकेन नाम्ना

वाचक्नवी

Bṛih. 3. 6. 1. गार्गी वाचक्नवी (bis.)
3. 8. 1. वाचक्नव्युवाच
12. वाचक्नव्युपरराम

वाचंयम

Kaush. 2. 3. वाचंयमो ऽभिप्रव्रज्य 4.
Chhâ. 5. 2. 8. वाचंयमो ऽप्रमाहः

वाचा

Haṁsa. 2. परा वाचा तथाष्टमे

वाचारम्भण

Chhâ. 6. 1. 4. वाचारम्भणं विकारो नामधेयम् 5, 6; 6. 4. 1—4.

वाज

Kaush. 2. 8. सं ते पयांसि समु यन्तु वाजाः
Mahânâr. 20. 6. ऊर्ध्वो वाजस्य सनिता

वाजपेय

Bṛih. 6. 4. 3. यावान् ह वै वाजपेयेन यजमानस्य लोको भवति
Nṛip. 5. 8. स वाजपेयेन यजते
Gopî. 5. वाजपेयशतानि च

वाजश्रवस्

Bṛih. 6. 5. 3. कुश्रिर्वाजश्रवसः
— वाजश्रवा जिह्वावतो वाध्योगात्

वाजश्रवस

Katha. 1. 1. उशन् ह वै वाजश्रवसः

वाजसनेय

Bṛih. 6. 3. 7. वाजसनेयाय याज्ञवल्क्याय
8. वाजसनेयो याज्ञवल्क्यः
6. 5. 3. वाजसनेयेन याज्ञवल्क्येन

वाजिन्

Bṛih. 1. 1. 2. वाजी गन्धर्वान् (अवहत्)
Tait. 1. 10. 1. ऊर्ध्वपवित्रो वाजिनीव स्वमृतमस्मि
Nila. 11. सहस्राक्षाय वाजिने

वाञ्छा

Râmap. 22. स्ववाञ्छाविनियोगवान्

वाट्य

Maitri. 7. 8. वाट्ये पुरस्तादुक्ते ऽपि

वाणिज्य

Aśrama. 2. कृषिगोरक्षवाणिज्यम्
Mukti. 2. यथा .. वाणिज्यादिना वित्तम्
Gîtâ. 18. 44. कृषिगोरक्ष्यवाणिज्यम्

वाणी

Râmap. 87. विघ्नं दुर्गां क्षेत्रपालं च वाणीम्

वात

Kaush. 2. 4. अपि वाताद्वा तिष्ठेत् सम्भाषमाणः
Bṛih. 1. 1. 1. वातः प्राणः
3. 2. 13. वातं प्राणः (अप्योति)
6. 3. 6. मधु वाता ऋतायते ..क्षरन्ति Mahânâr. 9. 8; 17. 7.
Tait. 2. 8. 1. भीषास्माद्वातः पवते Nṛip. 2. 4.
Maitri. 6. 35. अणुवातेरितः

वातरज्जु

Maitri. 1. 4. बन्धनं वातरज्जूनाम्

वातीकार

Nîla. 3. वातीकारो ऽप्येतु ते

वात्सीपुत्र

Bṛih. 6. 5. 2. पाराशरीपुत्रो वात्सीपुत्रात्
— वात्सीपुत्रः पाराशरीपुत्रात्

वात्स्य

Bṛih. 2. 6. 3. गौतमो वात्स्यात् 4. 6. 3.
— वात्स्यः शाण्डिल्यात् 4. 6. 3.
6. 5. 4. शाण्डिल्यो वात्स्यात्
— वात्स्यः कुश्रेः

वाद

Gauḍa. 1. 18. उपदेशादयं वादः
2. 24. वादा इति वादविदः
Gîtâ. 10. 32. वादः प्रवदतामहम्

वादविद्

Gauḍa. 2. 24. वादा इति वादविदः

वादिन्

Gauḍa. 3. 20. अजातस्य .. जातिमिच्छन्ति वादिनः 4. 6.
4. 3. भूतस्य जातिमिच्छन्ति वादिनः
Gîtâ. 2. 42. नान्यदस्तीति वादिनः

वाध्योग

Bṛih. 6. 5. 3. वाजश्रवा जिह्वावतो वाध्योगात्
— जिह्वावान् वाध्योगो ऽसिताद्वार्षगणात्

वानप्रस्थ

Nṛip. 5. 10. गृहस्थशतमेकमेकेन वानप्रस्थेन तत्समम्
— वानप्रस्थशतमेकम्
Nyâsa. 2. वानप्रस्थं प्रपद्यते

Aruṇeya. 2. गृहस्थो ब्रह्मचारी वानप्रस्थो वा
Kâlâg. 2. ब्रह्मचारी गृहस्थो वानप्रस्थो यतिर्वा
Âśrama. 3. वानप्रस्था अपि चतुर्विधाः
Vâsu. 2. ब्रह्मचारी वानप्रस्थो वा

वानर

Râmap. 45. तानाहूयाय वानरान्

1. वाम *adj.*

Bṛih. 4. 2. 3. वामे ऽक्षिणि पुरुषरूपम्
Kshur. 16. इडा रक्षतु वामेन
Râmap. 22. दक्षवामयोः स्तनयोः
49. वामे तेजः प्रकाशनम्

2. वाम

Chhâ. 4. 15. 2. सर्वाणि वामान्यभिसंयन्ति
3. सर्वाणि वामानि नयति

वामकक्षायण

Bṛih. 6. 5. 4. माहित्थिर्वामकक्षायणात्
— वामकक्षायणः शाण्डिल्यात्

वामदेव

Ait. 4. 5. वामदेव एवमुवाच
Bṛih. 1. 4. 10. ऋषिर्वामदेवः प्रतिपेदे
Mahânâr. 17. 2. वामदेवाय नमः
Râmap. 57. वसिष्ठवामदेवादिमुनिभिः

वामदेव्य

Chhâ. 2. 13. 1. एतद्वामदेव्यं मिथुने प्रोतम्
Mahânâr. 22. 1. अन्वाहार्यपचनो यजुरन्तरिक्षं वामदेव्यम्

वामन

Kaṭha. 5. 3. मध्ये वामनमासीनं . . उपासते

वामनक

Garbha. 3. अन्धाः खञ्जाः कुब्जा वामनका भवन्ति (so MSS.)

वामनी

Chhâ. 4. 15. 3. एष उ एव वामनीः

वायव्य

Śiras. 3. वायव्यं वायव्येन ग्रसति
Nâda. 6. वायव्यैषा वशानुगा
Haṁsa. 2. वायव्ये गमनादौ बुद्धिः

वायु

Ait. 1. 4. नासिकाभ्यां प्राणः प्राणाद्वायुः
2. 4. वायुः प्राणो भूत्वा नासिके प्राविशत्
3. 10. स एषो ऽस्य महो यद्वायुरन्नायुर्वा एष यद्वायुः
5. 3. पृथिवी वायुराकाश आपः
Kaush. 2. 12. आदित्यमेव तेजो गच्छति वायुं प्राणः (similarly 3 times more).
— एताः सर्वा देवता वायुमेव प्रविश्य वायौ मृत्वा न मृच्छन्ते
4. 2. वायाविन्द्रो वैकुण्ठः
7. वायौ पुरुषस्तमेवाहमुपासे
Kena. 20. वायुमब्रुवन् वायवेतद्विजानीहि
21. वायुर्वा अहमस्मि
27. यदग्निर्वायुरिन्द्रस्ते ह्येनन्नेदिष्ठं पस्पर्शुः
Chhâ. 1. 3. 7. वायुर्गीः
1. 6. 2. वायुः साम . . वायुरमः
1. 13. 1. वायुर्हाइकारः
2. 20. 1. वायुः प्रस्तावः
2. 21. 1. अग्निर्वायुरादित्यःस उद्गीथः
2. 22. 1. मृदु श्लक्ष्णं वायोः
2. 24. 9. नमो वायवे ऽन्तरिक्षक्षिते Maitri. 6. 35.
3. 13. 5. स वायुः स आकाशः
3. 15. 2. तासां वायुर्वत्सः स य एतमेवं वायुं दिशां वत्सं वेद

Chhā. 3. 15. 2. अहमेतमेवं वायु दिशां वत्सं वेद
6. वायुं प्रपद्ये
3. 18. 2. वायुः पादः
4. स वायुना ज्योतिषा भाति
4. 3. 1. वायुर्वाव संवर्गः
— वायुमेवाप्येति (ter).
2. वायुमेवापियन्ति
— वायुर्ह्येवैतान्सर्वान्संवृङ्क्ते
4. तौ वा एतौ द्वौ संवर्गौ वायुरेव देवेषु प्राणः प्राणेषु
4. 17. 1. वायुमन्तरिक्षात्
2. वायोर्यजूंषि
5. 5. 1. वायुरेव समित्
5. 10. 5. आकाशाद्वायुं वायुर्भूत्वा धूमो भवति
5. 14. 1. वायुमेव भगवो राजन्
5. 23. 2. वायुस्तृप्यति वायौ तृप्यत्याकाशस्तृप्यति
— यत्किञ्च वायुश्चाकाशश्चाधितिष्ठतः
7. 2. 1. वायुं चाकाशं च 7. 7. 1.
7. 4. 2. समकल्पेतां वायुश्चाकाशश्च
7. 11. 1. एतद्वायुमागृह्य
8. 1. 3. उभावग्निश्च वायुश्च
8. 12. 2. अशरीरो वायुः
Brih. 1. 2. 3. वायुं तृतीयम्
1. 3. 13. स वायुरभवत्सोऽयं वायुः परेण मृत्युमतिक्रान्तः पवते
1. 5. 22. एवमेतासां देवतानां वायुः
— म्लोचन्ति ह्यन्या देवता न वायुः सैषानस्तमिता देवता यद्वायुः
2. 1. 6. वायौ पुरुष एनं . . ब्रह्मोपासे
2. 3. 2. एतन्मूर्त्तं यदन्यद्वायोश्चान्तरिक्षाच्च

Brih. 2. 3. 3. अथामूर्त्तं वायुश्चान्तरिक्षं च
2. 5. 4. वायुः सर्वेषां . . मधु वायोः सर्वाणि . . मधु
— वायौ . . अमृतमयः पुरुषः
3. 1. 5. उद्गात्रर्त्विजा वायुना प्राणेन
— यो ऽयं प्राणः स वायुः
3. 3. 2. तानिन्द्रः . . वायवे प्रायच्छत्तान्वायुरात्मनि धित्वा
— स वायुमेव प्रशशंस तस्माद्वायुरेव व्यष्टिर्वायुः समष्टिः
3. 6. 1. वायौ गार्गीति कस्मिन्नु खलु वायुरोतश्च प्रोतश्चेति
3. 7. 2. वायुर्वै . . तत्सूत्रं वायुना वै . . सर्वाणि . . सन्दृब्धानि
7. यो वायौ तिष्ठन्वायोरन्तरो यं वायुर्न वेद यस्य वायुः शरीरं यो वायुमन्तरो यमयति
3. 9. 3. अग्निश्च पृथिवी च वायुश्च 7.
5. 10. 1. स वायुमागच्छति
5. 15. 1. वायुरनिलममृतम् Iśā. 17.
6. 2. 16. आकाशाद्वायुं वायोर्वृष्टिम्
6. 4. 22. वायुर्दिशां यथा गर्भः
23. यथा वायुः पुष्करिणीं समिङ्गयति सर्वतः
Tait. 1. 1. 1. नमस्ते वायो 1. 12. 1.
1. 3. 2. वायुः सन्धानम्
1. 5. 2. भुव इति वायुः
1. 6. 1. भुव इति वायौ
1. 7. 1. अग्निर्वायुरादित्यः Maitri. 4. 5.
2. 1. 1. आकाशाद्वायुर्वायोरग्निः
Katha. 5. 10. वायुर्यथैको भुवनं प्रविष्टः
6. 3. भयादिन्द्रश्च वायुश्च मृत्युर्धावति
Swet. 2. 6. वायुर्यत्राधिरुध्यते
4. 2. तद्वायुस्तदु चन्द्रमाः

Maitri. 2. 6. स वायुरिवात्मानं कृत्वा
5. 1. त्वमग्निर्वरुणो वायुः
6. 4. शाखा आकाशवाय्वग्न्युदकभूम्यादयः
5. अग्निर्वायुरादित्या इति भास्वत्येषा
33. अन्तरिक्षमुत्क्षिप्त्वा वायवे प्रायच्छत् प्राणो वै वायुः
Mund.2. 1. 3. खं वायुर्ज्योतिरापः पृथिवी Praśna. 6. 4; Kaivalya. 15; Nâr. 1.
4. वायुः प्राणः
Mahânâr. 1. 7. तदेवाग्निस्तद्वायुस्तत्सूर्यः
12. 3. सत्यो मित्रो वायुराकाशः
22. 1. सत्येन वायुरावाति
Praśna. 2. 2. वायुरग्निरापः पृथिवी
5. वायुरेष पृथिवी रयिर्देवः
3. 8. वायुर्व्यानः
4. 8. वायुश्च वायुमात्रा च
Nṛip. 5. 5. स वायुं स्तंभयति
10. यत्र वायुर्न वाति
Kshur. 7. वायोरायतनं चात्र
Śiras. 2. यो वै रुद्रः . . यश्च वायुः
5. वायुरिति भस्म
6. ब्रह्मणो वायुर्वायोरोङ्कारः
Garbha. 1. पृथिव्यापस्तेजोवायुराकाशम्
— को वायुः किमाकाशम्
— यत्सञ्चरति स वायुः
— वायुर्व्यूहने
2. पित्तस्थानं वायुर्वायुतो हृदयम्
3. *vide* हृदय
4. वैष्णवेन वायुना संस्पृष्टः
Amṛita. 9. वायोराकर्षणं तथा
11. उत्क्षिप्य वायुम्
12. एवं वायुर्ग्रहीतव्यः
13. वायुं कृत्वा निराश्रयम्
Amṛita. 36. प्राणो वायुः प्रकीर्तितः
Dhyâna. 21. तथैवोत्कर्षयेद्वायुम्
Yogat. 12. वायुः पूरत पूरत
Nyâsa. 4. आकाशाद्वायुर्वायोर्ज्योतिः
5. अथ तैः संभूतैर्वायुः
Haṁsa. 1. आधाराद्वायुमुत्थाप्य
Gopî. 5. प्रजापतिर्वायुर्भूत्वा
Kṛish. 22. वैजयन्ती च वायुश्च (so 3 MSS; 4 others read जयन्तीसंभवो वायुः)
Râmap. 78. दीर्घयुतो वायुः
Gîtâ. 2. 67. वायुर्नावमिवाम्भसि
6. 34. वायोरिव सुदुष्करम्
7. 4. भूमिरापो ऽनलो वायुः
9. 6. वायुः सर्वत्रगो महान्
11. 39. वायुर्यमो ऽग्निर्वरुणः शशांकः
15. 8. वायुर्गन्धानिवाशयात्

वायुग

Piṇḍa. 3. दिनमेकं तु वायुगः

वायुद्वार

Amṛita. 26. हृद्वारं वायुद्वारं च

वायुपूत

Nṛip. 5. 3. स वायुपूतो भवति Śiras. 7; Mahâ. 4.

वायुप्रविष्ट

Kaush. 2. 14. ते वायुप्रविष्टाः . . स्वरीयुः
— स वायुप्रविष्टः . . स्वरेति

वायुभक्ष

Nyâsa. 2. वायुभक्षो ऽम्बुभक्षो वा

वायुमय

Bṛih. 4. 4. 5. वायुमय आकाशमयः

वायुमात्रा

Praśna. 4. 8. वायुश्च वायुमात्रा च

वायुर

Bṛih. 5. 1. 1. खं पुराणं वायुरं खमिति

वायुलोक

Kaush. 1. 3. स वायुलोकं [आगच्छति]

वायुवेगिनी

Nâda. 9. चतुर्थी वायुवेगिनी

वायुसूनु

Râmap. 53. तृतीयं वायुसूनुं च

वाराणसी

Prâṇâg. 4. वाराणस्यां मृतो वापि

वाराह

Râmap. 72. नारसिंहं च वाराहम्

वारि

Vâsu. 3. गोपीचन्दनवारिभ्याम्

वारुण

Chhâ. 2. 22. 1. वारुणं त्वेव वर्जयेत्

Tait. 3. 6. 1. सैषा भार्गवी वारुणी विद्या

Mahânâr. 5. 1. नमो वारुण्यै

Maitri. 6. 14. एतस्याग्नेयमर्द्धमर्द्धं वारुणम्

Nâda. 7. वारुणीं तां विदुर्बुधाः

Amṛita. 30. चतुर्मात्राणि वारुणः

Hamsa. 2. वारुण्यां क्रीडा

वारुणि

Tait. 3. 1. 1. भृगुर्वै वारुणिः

वार्कारुणीपुत्र

Bṛih. 6. 5. 2. पाराशरीपुत्रो वार्कारुणीपुत्रात्
— वार्कारुणीपुत्रो वार्कारुणीपुत्रात्
— वार्कारुणीपुत्र आर्त्तभागीपुत्रात्

वार्त्ताकवृत्ति

Aśrama. 2. वार्त्ताकवृत्तयः (bis : three MSS. have वार्त्तुक° in both places).

वार्य

Bṛih. 6. 4. 27. येन विश्वा पुष्यसि वार्याणि

वार्षगण

Bṛih. 6. 5. 3. जिह्वावान् वाध्योगो ऽसितात्वार्षगणात्
— असितो वार्षगणो हरितात्कश्यपात्

वार्षिक

Kaṭhaśru. 1. चतुरो मासान् वार्षिकान् . . वसेत्

वार्ष्ण

Bṛih. 4. 1. 4. बर्कुर्वार्ष्णः
— तथा तद्वार्ष्णो ऽब्रवीत्

वार्ष्णेय

Gitâ. 1. 41. स्त्रीषु दुष्टासु वार्ष्णेय
3. 36. अनिच्छन्नपि वार्ष्णेय

वालखिल्य

Maitri. 2. 3. ऊर्ध्वरेतसो वालखिल्या इति श्रूयन्ते

वालिन्

Râmap. 41. वालिनो वेगतो गृहात्
— वाली तदा निर्जगाम तं वालिनमथाहवे (निहत्य)

वालुका

Śwet. 2. 10. शर्करावह्निवालुकाविवर्जिते

वास्

Kshur. 19. यथावास्यन्ति तैतिलम्

वास

Gîtâ. 1. 44. नरके नियतं वासो भवति

वासना

Mukti. 2. 8. याति यदा ते वासनोदयम्
14. मिथ्या संसारवासना
16. तस्माद्वासनया युक्तम्
— सम्यग्वासनया त्यक्तम्
17. वासना प्रविलीयते
18. वासनाविलये
— वासनां सम्परित्यज्य 68.
22. वासनामात्रकारणम्
24. चित्तस्योत्पत्तिपरमां वासनाम्
26. वासनावशतः प्राणस्पन्दस्तेन च वासना
27. प्राणस्पन्दनवासने
28. वासना न प्रवर्त्तते
29. वासनासम्परित्यागात्
40. बलन्ति हृदि वासनाः
41. क्षीयन्ते भोगवासनाः
45. वासनासम्परित्यागः
57. वासना सा प्रकीर्त्तिता
59. वासनाविवशीकृतः
60. वासनावेगवैचित्र्यात्
61. वासना द्विविधा प्रोक्ता
62. पुनर्जन्मकरी प्रोक्ता मलिना वासना
69. मानसीर्वासनाः पूर्वं त्यक्त्वा विषयवासनाः
— मैत्र्यादिवासनानाम्नीर्गृहाणामलवासनाः
70. भव चिन्मात्रवासनः

वासनाक्षय

Mukti. 2. सर्ववासनाक्षयात्तज्ञामः
2. 10. वासनाक्षयविज्ञानमनोनाशाः

Mukti. 2. 68. मोक्षः स्याद्वासनाक्षयः

वासनात्रयनाशन

Mukti. 1. 41. ज्ञानवैराग्यदं पुंसां वासनात्रयनाशनम्

वासनाबन्ध

Mukti. 2. 68. बन्धो हि वासनाबन्धः

वासनामय

Sarvop. 1. वासनामयान् शब्दादीन् यदोपलभते

वासनारहित

Sarvop. 1. तद्वासनारहितः (one MS. has सहितः)

वासनावृद्धि

Mukti. 2. 9. शुभायां वासनावृद्धौ

वासनाऽव्यूह

Mukti. 2. 3. द्विविधो वासनाव्यूहः

वासनासरित्

Mukti. 2. 5. वहन्ती वासनासरित्

वासनाहीन

Mukti. 2. 22. वासनाहीनमप्येतत्

वासनौघ

Mukti 2. 3. वासनौघेन शुद्धेन
32. त्याज्यो वासनौघः

1. वासव *adj.*

Chhâ. 2. 24. 3. स वासवं सामाभिगायति

2. वासव

Gîtâ. 10. 22. देवानामस्मि वासवः

वासस्

Kaush. 2. 15. अहतेन वाससा संप्रच्छन्नः
Chhâ. 5. 2. 2. किं मे वासो भविष्यति
— लम्भुको वासो भवति
Bṛih. 2. 3. 6. यथा माहारजनं वासः

Bṛih. 6. 1. 14. किं मे वास इति..आपो वास इति
Tait. 1. 4. 2. वासांसि मम गावश्च
Aśrama. 4. कन्थाकौपीनवाससः
Gitâ. 2. 22. वासांसि जीर्णानि यथा विहाय

वासिन्

Chhâ. 2. 23. 2. आचार्यकुलवासी
Aśrama. 1. गुरुकुलवासी
— अष्टाचत्वारिंशद्वर्षवासी
4. ग्रामैकरात्रवासिनः
— शून्यागारदेवगृहवासिनः

वासुकि

Gâruḍa. 2. यदि वासुकिदूतस्त्वं यदि वा वासुकिः स्वयम्
Gîtâ. 10. 28. सर्पाणामस्मि वासुकिः

1. वासुदेव *adj.*

Nṛip. 5. 2. द्वादशसु पत्रेषु द्वादशाक्षरं वासुदेवं भवति

2. वासुदेव

Mahânâr. 3. 16. वासुदेवाय धीमहि
Brahmab. 22. तदस्म्यहं वासुदेवः (so 2 MSS.; 3 have °देवम्)
Vâsu. 1. सर्वेश्वरं वासुदेवं पप्रच्छ
— तं होवाच भगवान्वासुदेवः
Râmap. 53. द्वितीयं वासुदेवाद्यैः
65. तथों नमो भगवते वासुदेवाय
Râmot. 5. य ओं नमो भगवते वासुदेवाय महाविष्णुः (44).
Mukti. 1. 35. वासुदेवं च मुद्गलम्
1. *vide* जाबालि
Gîtâ. 7. 19. वासुदेवः सर्वमिति
10. 37. वृष्णीनां वासुदेवो ऽस्मि
11. 50. इत्यर्जुनं वासुदेवस्तथोक्त्वा
Gîtâ. 18. 74. इत्यहं वासुदेवस्य पार्थस्य च

वासोवृक्ष

Praśna. 4. 7. यथा..वयांसि वासोवृक्षं सम्प्रतिष्ठन्ते

वासोहस्त

Kaush. 1. 4. शतं वासोहस्ताः

वास्तेय

Chhâ. 3. 19. 2. यद्वास्तेयमुदकं स समुद्रः

वाह

Kaṭha. 1. 26. तवैव वाहास्तव नृत्यगीते
Swet. 2. 9. दुष्टाश्वयुक्तमिव वाहम्

वाहन

Râmap. 9. वर्णवाहनकल्पना

वि

Bṛih. 5. 12. 1. तस्मा उ हैतदुवाच वीत्यन्नं वै वि

विंशति

Chhâ. 7. 26. 2. सहस्राणि च विंशतिः
Swet. 1. 4. विंशतिप्रत्यराभिः

विःकृन्धिका

Maitri. 6. 22. भेकविःकृन्धिका

विकम्प्

Gitâ. 2. 31. न विकम्पितुमर्हसि

विकर्ण

Gîtâ. 1. 8. अश्वत्थामा विकर्णश्च

विकर्मन्

Gitâ. 4. 17. बोद्धव्यं च विकर्मणः

विकल्प

Gauḍa. 1. 18. विकल्पो विनिवर्त्तेत 2. 18 (°वर्त्तते)

Hamsa. 2. मनासि सङ्कल्पविकल्पे

विकल्पक

Gauḍa. 2. 11. को वै तेषां विकल्पकः

Tejo. 13. सङ्कल्पं च विकल्पकम्

विकार

Chhâ. 6. 1. 4. वाचारम्भणं विकारो नामधेयम् 5, 6 ; 6. 4. 1, 2, 3, 4.

Maitri. 6. 10. उत्तरो विकारो ऽस्यात्मयज्ञस्य

Gauḍa. 3. 7. विकारावयवौ (bis).

Garbha. 3. अष्टौ प्रकृतयः षोडश विकाराः

Gîtâ. 13. 19. विकारांश्च गुणांश्चैव

विकारजननी

Chûl. 3. विकारजननीं मायाम्

विकारहेतु

Sarvop. 4. विकारहेतौ निरूप्यमाणे ऽसती

विकित्

Kaṭha. 1. 21. देवैरत्रापि विचिकित्सितम् 22.

29. यस्मिन्निदं विचिकित्सन्ति

Nṛisut. 9. अत्र ह्येव न विचिकित्स्यम् (bis).

विकृ

Bṛih. 1. 2. 3. स त्रेधात्मानं व्यकुरुत Maitri. 6. 3.

Śwet. 5. 3. एकैकं जालं बहुधा विकुर्वन्

Gauḍa. 2. 13. विकरोत्यपरान् भावान्

विकृति

Mukti. 2. 50. विलाप्य विकृतिं कृत्स्नाम्

विकॄ

Muṇḍ. 2. 1. 10. सो ऽविद्याग्रन्थिं विकिरतीह सोम्य

विकॢप्

Gauḍa. 1. 7. स्वप्नमायास्वरूपेति सृष्टिरन्यैर्विकल्पिता

2. 17. रज्जुरन्धकारे विकल्पिता ..तद्वदात्मा विकल्पितः

19. भावैरेतैर्विकल्पितः

विक्रम्

Mahânâr. 20. 14. त्रीणि पदा विचक्रमे विष्णुर्गोपा अदाभ्यः

Gîtâ. 1. 6. युधामन्युश्च विक्रान्तः

विक्रमण

Nṛip. 2. 4. यस्योरुषु त्रिषु विक्रमणेष्वधि

विक्रिया

Mukti. 1. 3. धीविक्रियासहस्राणां साक्षिणं (MSS. read विधिक्रिया°)

विक्षर्

Chhâ. 3. 1. 4. तद् व्यक्षरत् 3. 2. 3; 3. 3. 3; 3. 4. 3; 3. 5. 3.

विक्षिप्

Gauḍa. 3. 42. विक्षिप्तं कामभोगयोः

44. विक्षिप्तं शमयेत्पुनः

46. न च विक्षिप्यते पुनः

Brahma. 1. एकेन तन्तुना जालं विक्षिपति

विक्षेप

Maitri. 6. 34. लयविक्षेपरहितम्

विगतकल्मष

Gîtâ. 6. 28. योगी विगतकल्मषः

विगतज्वर

Gîtâ. 3. 30. युध्यस्व विगतज्वरः

विगतनिद्र

Maitri. 6. 4. भारूपं विगतनिद्रम् 25; 7. 5.
25. भारूपो विगतनिद्रः

विगतभय

Maitri. 6. 30. परेष्वात्मवद्विगतभयः

विगतभी

Gîtâ. 6. 14. प्रशान्तात्मा विगतभीः

विगतस्पृह

Gîtâ. 2. 56. सुखेषु विगतस्पृहः
18. 49. जितात्मा विगतस्पृहः

विगतेच्छाभयक्रोध

Gîtâ. 5. 28. विगतेच्छाभयक्रोधः

विगतेतरवासन

Mukti. 2. 58. भवत्याशु .. विगतेतरवासनः

विगम्

Gîtâ. 11. 1. मोहो ऽयं विगतो मम

विगुण

Gîtâ. 3. 35. श्रेयान्स्वधर्मो विगुणः 18. 47.

विगुप्

Bṛih. 4. 4. 15. न ततो विजुगुप्सते Kaṭha. 4. 5, 12.

Iśâ. 6. ततो न विजुगुप्सते

विग्रह

Maitri. 6. 7. विभुर्विग्रहे सन्निविष्टः
Kṛish. 2. अन्यो न विग्रहं धत्ते (one MS. has अन्यम्)
Râmap. 13. विग्रहो यन्त्रकल्पना
39. विग्रहं दर्शयामास
Râmot. 3. ब्रह्मानन्दैकविग्रहः
Mukti. 2. 18. मयि चिन्मात्रविग्रहे

विग्रहवन्त्

Maitri. 6. 16. विग्रहवानेष कालः

विग्लापन

Bṛih. 4. 4. 21. वाचो विग्लापनं हि तत्

विघ्न

Râmap. 87. विघ्नं दुर्गां क्षेत्रपालं च वाणीम्

विचक्ष्

Iśâ. 10. ये नस्तद्विचचक्षिरे 13.

विचक्षण

Kaush. 1. 2. विचक्षणादृतवो रेत आभृतम्
2. 9. विचक्षणः पञ्चमुखो ऽसि
Praśna. 1. 11. उपरे विचक्षणं .. आहुरर्पितम्
Gauḍa. 2. 31. वेदान्तेषु विचक्षणैः
Nâda. 5. हंसयोगविचक्षणः
Gîtâ. 18. 2. प्राहुस्त्यागं विचक्षणाः

विचक्षणा

Kaush. 1. 3. विचक्षणासन्दी
5. विचक्षणामासन्दीम्

विचर्

Maitri. 6. 2. अर्वाग्विचरत एतौ प्राणादित्यौ
Gauḍa. 4. 94. भेदे विचरतां सदा
Śiras. 5. येनेदं सं च विचरति सर्वम् — अव्यक्तीभूता खं विचरति
Brahma. 2. तस्मिन्निदं सं च विचरति
Haṁsa. 1. विचार्य सर्ववेदेषु
2. तस्मान्मनो हंसो विचार्यते
Râmap. 37. विचेरतुस्तदा भूमौ

विचर्षण

Tait. 1. 4. 1. शरीरं मे विचर्षणम्

विचल्

Gîtâ. 3. 29. कृत्स्नविन्न विचालयेत्
6. 22. न दुःखेन गुरुणापि विचाल्यते
14. 23. गुणैर्यो न विचाल्यते

विचार

Mukti. 1. 17. वेदान्तवाक्यार्थविचारात्

विचारण, °णा

Gopî. 5. नात्र कार्या विचारणा
Mukti. 2. 57. त्यक्तपूर्वापरविचारणम्

विचि

Maitri. 6. 34. मन्त्रार्थं विचिनोति
Mukti. 2. 46. विचिन्वन्ति तमोऽज्ञनैः

विचिकित्सा

Chhâ. 3. 14. 4. यस्य स्यादद्धा न विचिकित्सास्ति
Bṛih. 1. 5. 3. कामः सङ्कल्पो विचिकित्सा Maitri. 6. 30.
Kaṭha. 1. 20. येयं प्रेते विचिकित्सा मनुष्ये
Tait. 1. 11. 3. यदि ते कर्मविचिकित्सा वा वृत्तविचिकित्सा वा स्यात्

विचिटि (!)

Mahânâr. 20. 22. विचिटि स्वाहा (so Nârâyaṇa and one other MS.; other readings are विविटि and चिविटि)

विचित्र

Kaivalya. 12. स्त्रियन्नपानादिविचित्रभोगैः
14. ततस्तु जातं सकलं विचित्रम्
20. विश्वमहं विचित्रम्

विचिन्त्

Kena. 13. भूतेषु भूतेषु विचिन्त्य धीराः
Kaivalya. 5. हृत्पुण्डरीकं विरजं विशोकं विचिन्त्य
Dhyâna. 11. महावीरं पूरकेण विचिन्तयेत्
Mukti. 2. 51. चिदानन्दं विचिन्तय

विचूर्ण्

Mukti. 2. 42. दन्तैर्दन्तान्विचूर्ण्य च

विचेतस्

Gîtâ. 9. 12. मोघज्ञाना विचेतसः

विचेष्ट्

Kaṭha. 6. 10. बुद्धिश्च न विचेष्टते Maitri. 6. 30.

विच्छद्

Chhâ. 8. 10. 2. घ्नन्ति त्वेवैनं विच्छादयन्तीव (so all MSS. but M. M. proposes to read विच्छाययन्तीव)

विच्छिद्

Chhâ. 6. 7. 1. आपोमयः प्राणो न पिबतो विच्छेत्स्यते
Bṛih. 1. 5. 14. एतां रात्रिं . . प्राणं न विच्छिन्द्यात्

विछ्

Bṛih. 4. 3. 20. हस्तीव विच्छाययति

विजन्

Kaṭha. 4. 7. या भूतेभिर्व्यजायत
Mahânâr. 2. 1. स विजायमानः स जनिष्यमाणः

1. विजय

Kena. 14. ब्रह्मणो विजये देवा अमहीयन्त त ऐक्षन्तास्माकमेवायं विजयः
26. ब्रह्मणो वा एतद्विजये महीयध्वम्

Gîtâ. 1. 32. न कांक्षे विजयं कृष्ण
18. 78. तत्र श्रीर्विजयो भूतिर्ध्रुवाणि

2. विजय

Râmap. 55. विजयश्च सुराष्ट्रश्च

विजर

Kaush. 1. 3. विजरा नदी
— विजरां वा अयं नदीं प्रापत्
4. स आगच्छति विजरां नदीम्

Chhâ. 8. 1. 5. विजरो विमृत्युर्विशोकः 8. 7. 1, 3; Maitri. 6. 25; 7. 7.

Bṛih. 4. 4. 20. विजरः पर आकाशात्

Maitri. 6. 4. विजरं विमृत्युं त्रिपदम्
25. विजरं विमृत्युं विशोकम् 7. 5.

विजरन्न

Maitri. 6. 13. अन्नमेव विजरन्नम्

विजि

Kaush. 4. 20. अथ हत्वासुरान् विजित्य

Kena. 14. ब्रह्म ह देवेभ्यो विजिग्ये

Chhâ. 4. 1. 4. यथा कृताय विजिताय 6.

Mukti. 2. 40. यावन्न विजितं मनः

विजिगीत

Bṛih. 6. 4. 18. पुत्रो मे पण्डितो विजिगीतः ..जायेत

विजिघत्स

Chhâ. 8. 1. 5. विजिघत्सो ऽपिपासः 8. 7. 1, 3.

विजिज्ञासा

Bṛih. 3. 1. 1. जनकस्य विजिज्ञासा बभूव

विजितात्मन्

Gîtâ. 5. 7. विजितात्मा जितेन्द्रियः

विजिति

Maitri. 6. 36. पुण्यलोकविजित्यर्थाय

विजितेन्द्रिय

Gîtâ. 6. 8. कूटस्थो विजितेन्द्रियः

विजृंभ्

Bṛih. 1. 1. 1. यद्विजृंभते तद्विद्योतते

विज्ञा

Ait. 5. 1. येन वा स्वादु चास्वादु च विजानाति

Kaush. 1. 1. एहि व्येव त्वा ज्ञपयिष्यामि 4. 19.
7. स ब्रह्मेति विज्ञेयः
— केन धियो विज्ञातव्यं कामानिति
3. 1. मामेव विजानीह्येतदेवाहं मनुष्याय हिततमं मन्ये यन्मां विजानीयात्
8. न वाचं विजिज्ञासीत वक्तारं विद्यात् (similarly 8 times more).
4. 19. तत उ ह बालाकिर्न विजज्ञे
20. यावद्ध वा इन्द्र एतमात्मानं न विजज्ञे ..स यदा विजज्ञे

Kena. 3. न विद्मो न विजानीमः
11. अविज्ञातं विजानतां विज्ञातमविजानताम्
15. तद्धैषां विजज्ञौ तेभ्यो ह प्रादुर्बभूव तन्न व्यजानन्त
16. एतद्विजानीहि किमेतद्यक्षमिति 20, 24.
19. नैतदशकं विज्ञातुं यदेतद्यक्षमिति 23.

Chhâ. 1. 2. 9. नैवैतेन सुरभि न दुर्गन्धि विजानाति
3. 13. 7. उष्णिमानं संस्पर्शेन विजानाति
4. 10. 5. विजानाम्यहं यत्प्राणो ब्रह्म कं च तु खं च न विजानामीति

Chhâ. 6. 1. 3. येन..अविज्ञातं विज्ञातमिति
4. सर्वं मृन्मयं विज्ञातम्
5. सर्वं लोहमयं विज्ञातम्
6. सर्वं कार्ष्णायसं विज्ञातम्
6. 3. 4. तन्मे विजानीहि 6. 4. 7.
6. 5. 4. भूय एव मा भगवान् विज्ञापयतु 6. 6. 5; 6. 8. 7; 6. 9. 4; 6. 10. 3; 6. 11. 3; 6. 12. 3; 6. 13. 3; 6. 14. 3; 6. 15. 3; Nṛisut. 7 (नो)
6. 7. 4. अशानाथ मे विज्ञास्यसि
6. तद्धास्य विजज्ञौ 6. 16. 3.
6. 8. 1. स्वप्नान्तं मे..विजानीहि
3. अशनापिपासे..विजानीहि
— शुङ्गमुत्पतितं..विजानीहि 5.
7. 2. 1. वाग्वा ऋग्वेदं विज्ञापयति
— न धर्मो नाधर्मो व्यज्ञापयिष्यत्
— वागेवैतत्सर्वं विज्ञापयति
7. 7. 1. विज्ञानेन वा ऋग्वेदं विजानाति
— विज्ञानेनैव विजानाति
7. 13. 1. न मन्वीरन्न विजानीरन्. अथ मन्वीरन्नथ विजानीरन् स्मरेण वै पुत्रान् विजानाति
7. 15. 4. एवं मन्वान एवं विजानन् 7. 25. 2.
7. 16. 1. सत्यं त्वेव विजिज्ञासितव्यमिति सत्यं भगवो विजिज्ञासे (similarly in each section down to 23).
7. 17. 1. यदा वै विजानात्यथ सत्यं वदति नाविजानन् सत्यं वदति विज्ञानन्नेव सत्यं वदति

Chhâ. 7. 18. 1. यदा वै मनुते ऽथ विजानाति नामत्वा विजानाति मत्वैव विजानाति
7. 24. 1. यत्र..नान्यद्विजानाति स भूमा यत्र..अन्यद्विजानाति तदल्पम्
7. 26. 1. एवं विजानत आत्मतः प्राणः
8. 1. 1. तद्वाव विजिज्ञासितव्यम्
2. किं तद्..यद्वाव विजिज्ञासितव्यम्
8. 6. 3. स्वप्नं न विजानाति 8. 11. 1.
8. 7. 1. सो ऽन्वेष्टव्यः स विजिज्ञासितव्यः
— यस्तमात्मानमनुविद्य विजानाति 3.
8. 8. 1. यदात्मनो न विजानीथः
Bṛih. 1. 5. 3. पृष्ठत उपस्पृष्टो मनसा विजानाति
8. विज्ञातं विजिज्ञास्यमविज्ञातमेत एव यत्किञ्च विज्ञातं वाचस्तद्रूपं वाग्घि विज्ञाता
9. यत्किञ्च विजिज्ञास्यं मनसस्तद्रूपं मनो हि विजिज्ञास्यम्
2. 1. 15. व्येव त्वा ज्ञपयिष्यामीति
2. 4. 14. इतर इतरं विजानाति.. केन कं विजानीयात् 4. 5. 15.
— येनेदं सर्वं विजानाति तं केन विजानीयात् 4. 5. 15
— विज्ञातारमरे केन विजानीयात् 4. 5. 15.
3. 2. 4. जिह्वया हि रसान्विजानाति

Bṛih. 3. 4. 2. न विज्ञातेर्विज्ञातारं विजानीयाः
4. 3. 30. यद्वै तन्न विजानाति विजानन्वै तन्न विजानाति.. न तु तद्द्वितीयमस्ति..यद्विजानीयात्
31. अन्यो ऽन्यद्विजानीयात्
4. 4. 2. एकीभवति न विजानाति
13. आत्मानं चेद्विजानीयात्
21. तमेव धीरो विज्ञाय
4. 5. 6. आत्मनि खल्वरे..विज्ञात इदं सर्वं विदितम्
14. न वा अहमिमं विजानामीति
5. 2. 1. व्यज्ञासिष्टा३ इति व्यज्ञासिष्मेति..ओमिति होवाच व्यज्ञासिष्टेति 2, 3.
6. 2. 7. विज्ञायते हास्ति हिरण्यस्यापात्तम्

Isâ. 7. यस्मिन् सर्वाणि भूतान्यात्मैवाभूद्विजानतः

Tait. 3. 1. 1. तद्विजिज्ञासस्व तद्ब्रह्मेति
3. 2. 1. अन्नं ब्रह्मेति व्यजानात्
— तद्विज्ञाय पुनरेव वरुणं पितरमुपससार..तं होवाच तपसा ब्रह्म विजिज्ञासस्व 3. 3. 1; 3. 4. 1; 3. 5. 1.
3. 3. 1. प्राणो ब्रह्मेति व्यजानात्
3. 4. 1. मनो ब्रह्मेति व्यजानात्
3. 5. 1. विज्ञानं ब्रह्मेति व्यजानात्
3. 6. 1. आनन्दो ब्रह्मेति व्यजानात्

Kaṭha. 2. 19. उभौ तौ न विजानीतः Gîtâ. 2. 19.
4. 2. येन रूपं..एतेनैव विजानाति
15. एवं मुनेर्विजानत आत्मा भवति
5. 14. कथं नु तद्विजानीयाम्

Swet. 5. 9. जीवः स विज्ञेयः

Muṇḍ.1. 1. 3. कस्मिन्..विज्ञाते सर्वमिदं विज्ञातं भवति
3. 1. 4. विजानन्विद्वान् भवते नातिवादी

Mahânar.11. 8. हृदयं तद्विजानीयात् Brahma. 3.

Praśna. 1. 2. यदि विज्ञास्यामः सर्वं ह वो वक्ष्यामः
3. 12. अध्यात्मं चैव प्राणस्य विज्ञाय

Kaivalya. 21 अहं विजानामि विविक्तरूपः

Mâṇḍû. 7. स आत्मा स विज्ञेयः Nṛip. 4. 1 (most MSS. omit second स)

Gauḍa. 3. 34. प्रचारः स तु विज्ञेयः
44. सकषायं विजानीयात्
4. 9. प्रकृतिः सेति विज्ञेया
46. एवमेव विजानन्तः
88. ज्ञानं ज्ञेयं च विज्ञेयम्
90. विज्ञेयान्यग्र्याणतः
— तेषामन्यत्र विज्ञेयात्

Nṛisut. 1. स एवात्मा स एव विज्ञेयः
9. जानन्नेव ह्यत्र न विजानाति
— ज्ञातो वैष विज्ञातः

Dhyâna. 23. अमृतस्थानं विजानीयात्

Jâbâla. 2. तं कथमहं विजानीयामिति Râmot. 4.

Gopî. 5. तं तं पूतं विजानीयात्

Skanda. 14. वेदात्मकं ब्रह्म निजं विजानते

Râmot. 3. स आत्मा विज्ञेयः

Gîtâ. 2. 46. ब्राह्मणस्य विजानतः
4. 4. कथमेतद्विजानीयाम्
11. 31. विज्ञातुमिच्छामि भवन्तम्
13. 18. मद्भक्त एतद्विज्ञाय

विज्ञातवस्तु

Mukti. 2. 31. ततः पक्वकषायेन नूनं विज्ञातवस्तुना

विज्ञाति

Bṛih. 3. 4. 2. न विज्ञातेर्विज्ञातारं विजानीयाः

4. 3. 30. न हि विज्ञातुर्विज्ञातेर्विपरिलोपः

विज्ञातृ

Kaush. 3. 8. नान्नरसं विजिज्ञासीतान्नरसस्य विज्ञातारं विद्यात्

— न सुखदुःखे विजिज्ञासीत सुखदुःखयोर्विज्ञातारं विद्यात्

— आनन्दस्य रतेः प्रजातेर्विज्ञातारं विद्यात्

Chhâ 7. 8. 1. उपसीदन्..विज्ञाता भवति

7. 9. 1. अन्नस्यायै..विज्ञाता भवति

Bṛih. 2. 4. 14. विज्ञातारमरे केन विजानीयात् 4. 5. 15.

3. 4. 2. न विज्ञातेर्विज्ञातारं विजानीयाः

3. 7. 23. अविज्ञातो विज्ञाता

— नान्यो ऽतो ऽस्ति विज्ञाता

3. 8. 11. अविज्ञातं विज्ञातृ

— नान्यदतो ऽस्ति विज्ञातृ

4. 3. 30. न हि विज्ञातुर्विज्ञातेर्विपरिलोपः

विज्ञान

Ait. 5. 2. संज्ञानमाज्ञानं विज्ञानं प्रज्ञानम्

Kaush. 3. 3. तस्यैषैव दृष्टिरेतद्विज्ञानम्

— तस्यैषैव सिद्धिरेतद्विज्ञानम्

Chhâ. 7. 7. 1. विज्ञानं वाव ध्यानाद्भूयो विज्ञानेन वा ऋग्वेदं विजानाति

Chhâ. 7. 7. 1. विज्ञानेनैव विजानाति विज्ञानमुपास्वेति

2. यो विज्ञानं ब्रह्मेत्युपास्ते

— यावद्विज्ञानस्य गतम्

— अस्ति भगवो विज्ञानाद्भूय इति विज्ञानाद्भूयो ऽस्तीति

7. 8. 1. बलं वाव विज्ञानाद्भूयः

7. 17. 1. विज्ञानं त्वेव विजिज्ञासितव्यमिति विज्ञानं..विजिज्ञासे

7. 26. 1. आत्मतो विज्ञानम्

Bṛih. 2. 1. 17. प्राणानां विज्ञानेन विज्ञानमादाय

2. 4. 5. आत्मनो वा अरे..विज्ञानेन

13. अलं वा अर इदं विज्ञानाय

3. 7. 22. यो विज्ञाने तिष्ठन्विज्ञानादन्तरो यं विज्ञानं न वेद यस्य विज्ञानं शरीरम्

3. 9. 28. विज्ञानमानन्दं ब्रह्म

Tait. 2. 5. 1. विज्ञानं यज्ञं तनुते

— विज्ञानं देवाः सर्वे ब्रह्मज्येष्ठमुपासते

— विज्ञानं ब्रह्म चेद्वेद

2. 6. 1. विज्ञानं चाविज्ञानं च

3. 5. 1. विज्ञानं ब्रह्मेति व्यजानाद्विज्ञानाद्धि..भूतानि जायन्ते विज्ञानेन..जीवन्ति विज्ञानं प्रयन्ति

Katha. 3. 9. विज्ञानसारथिर्यस्तु

Maitri. 6. 7. यत्र द्वैतीभूतं विज्ञानम्

— यत्राद्वैतीभूतं विज्ञानम्

13. विज्ञानं मनस आनन्दं विज्ञानस्य

24. अविशेषविज्ञानं विशेषमुपगच्छति

Mund. 1. 2. 12. तद्विज्ञानार्थं स गुरुमेवाभिगच्छेत्

Muṇḍ.2. 2. 1. परं विज्ञानाद्यद्वरिष्ठं प्रजानाम्
7. तद्विज्ञानेन परिपश्यन्ति
3. 2. 6. वेदान्तविज्ञानसुनिश्चितार्थाः Mahanar. 10. 6; Kaivalya. 3.
Mahânâr.23. 1. स्मारेण विज्ञानं विज्ञानेनात्मानं वेदयति
— मनसश्च विज्ञानं विज्ञानादानन्दो ब्रह्मयोनिः
25. 1. यदस्य विज्ञानं तज्जुहोति
Gauḍa. 1. 20. तैजसस्योत्वविज्ञाने
4. 45. विज्ञानं शान्तमद्वयम्
47. विज्ञानस्पन्दितं तथा
48. अस्पन्दमानं विज्ञानम्
50. विज्ञाने ऽपि तथैव स्युः
51. न विज्ञानं प्रविशन्ति ते
— विज्ञाने स्पन्दमाने वै
52. न निर्गता विज्ञानात्ते
Brahma. 2. हृद्याकाशं तद्विज्ञानमाकाशम्
Brahmab. 18. ज्ञानविज्ञानतत्त्वतः
20. भूते भूते च वसति विज्ञानम्
Sarvop. 1. विषयविशेषविज्ञानाभावात्
2. स्वकारणविज्ञानेन
3. विज्ञानचिन्मात्रस्वभावः
Râmot. 5. पूर्णानन्दैकविज्ञानम्
Mukti. 1. 28. दृढता नोचेद्विज्ञानस्य
2. 10. वासनाक्षयविज्ञानमनोनाशाः
Gîtâ. 3. 41. ज्ञानविज्ञाननाशनम्
6. 8. ज्ञानविज्ञानतृप्तात्मा
9. 1. ज्ञानं विज्ञानसहितम्
18. 42. ज्ञानं विज्ञानमास्तिक्यम्

विज्ञानघन

Bṛih. 2. 4. 12. अनन्तमपारं विज्ञानघनएव
Parama. 2. विज्ञानघन एवास्मि Skanda. 1.
Nâr. 5. तदिदं पुरं पुण्डरीकं विज्ञानघनम्
Atmapra. 1. कारणरूपं बोधस्वरूपं विज्ञानघनम्

विज्ञानपति

Tait. 1. 6. 2. श्रोत्रपतिर्विज्ञानपतिः

विज्ञानमय

Bṛih. 2. 1. 16. य एष विज्ञानमयः पुरुषः 17.
4. 3. 7. यो ऽयं विज्ञानमयः . . पुरुषः
4. 4. 5. विज्ञानमयो मनोमयः
22. यो ऽयं विज्ञानमयः प्राणेषु
Tait. 2. 4. 1. अन्यो ऽन्तर आत्मा विज्ञानमयः
2. 5. 1. एतस्माद्विज्ञानमयादन्यो ऽन्तर आत्मानन्दमयः
2. 8. 1. एतं विज्ञानमयमात्मानमुपसंक्रामति 3. 10. 5 (उपसंक्रम्य)
Muṇḍ.3. 2. 7. कर्माणि विज्ञानमयश्च आत्मा
Sarvop. 1. अयं . . विज्ञानमय आनन्दमयः कथम्
2. तदा विज्ञानमयः कोश इत्युच्यते

विज्ञानवन्त्

Chhâ. 7. 7. 2. विज्ञानवतो वै स लोकान् ज्ञानवतो ऽभिसिध्यति
7. 8. 1. शतं विज्ञानवतामेको बलवानाकम्पयते
Kaṭha. 3. 6. यस्तु विज्ञानवान् भवति 8.
Maitri. 6. 5. ऋग्यजुः सामेति विज्ञानवत्येषा
13. विज्ञानवान् . . भवति यो हैवं वेद

विज्ञानात्मन्

Praśna. 4. 9. एष हि . . विज्ञानात्मा पुरुषः
11. विज्ञानात्मा सह देवैश्च सर्वैः

विज्य

Nila. 15. विज्यं धनुः शिखण्डिनः

विण्मूत्र

Maitri. 1. 3. *vide* संघात
3. 4. *vide* वसा

वितथ

Gauḍa. 2. 6. वितथैः सदृशाः सन्तः 4. 31.

वितन्

Chhâ. 1. 10. 7. यज्ञं विततमेयाय
Bṛih. 4. 4. 8. अणुः पन्था विततः पुराणः
Tait. 1. 4. 1. आवहन्ती वितन्वाना
Kaṭha. 4. 2. ते मृत्योर्यन्ति विततस्य पाशम्
Muṇḍ. 3. 1. 6. सत्येन पन्था विततो देवयानः
Mahânâr. 2. 6. ऋतस्य तन्तुं विततं विवृत्य
Kaṭhaśru. 3.ताननुरूपाभिर्वृत्तिभिर्वितत्य
Gîtâ. 4. 32. वितता ब्रह्मणो मुखे

वितप्

Nṛip. 2. 4. तपन् वितपन् सन्तपन्

वितल

Aruṇa. 1. *vide* तलातल

वितस्ता

Mahânâr. 5. 4. मरुद्वृधे वितस्तया . . भृगुभ्या

वितस्ति

Mahânâr. 11. 8. अधो निष्ट्या वितस्त्यां तु

वितुद

Mahânâr. 20. 1. भूताः . . वितुदस्य प्रेष्ठाः

वितृद्

Kaṭha. 4. 1. पराञ्चि खानि व्यतृणत्स्वयंभूः

वित्त

Chhâ. 5. 3. 6. मानुषस्य . . वित्तस्य वरं वृणीथाः
— तवैव राजन् मानुषं वित्तम्
Bṛih. 1. 4. 8. प्रेयो वित्तात्
17. अथ वित्तं मे स्यात् (bis).
— चक्षुर्मानुषं वित्तम्
1. 5. 15. तस्य वित्तमेव पञ्चदश कलाः
— वित्तेनैवा च पूर्यते ऽप च क्षीयते
— प्रधिर्वित्तम्
2. 4. 2. सर्वा पृथिवी वित्तेन पूर्णा 4. 5. 3.
— अमृतत्वस्य तु वित्तेन नाशास्ति 4. 5. 3.
5. न वा अरे वित्तस्य कामाय वित्तं प्रियं भवत्यात्मनस्तु कामाय वित्तं प्रियं भवति 4. 5. 6.
Tait. 2. 8. 1. तस्येयं पृथिवी वित्तस्य पूर्णा
Kaṭha. 1. 24. वृणीष्व वित्तं चिरजीविकां च
27. न वित्तेन तर्पणीयो मनुष्यो लप्स्यामहे वित्तमद्राक्ष्म चेत्त्वा
Mukti. 2. यथा . . वाणिज्यादिना वित्तम्

वित्तमय

Kaṭha. 2. 3. नैतां सृङ्कां वित्तमयीमवाप्तः

वित्तमोह

Katha. 2. 6. प्रमाद्यन्तं वित्तमोहेन मूढम्

वित्तेश

Gîtâ. 10. 23. वित्तेशो यक्षरक्षसाम्

वित्तैषणा

Bṛih. 3. 5. 1. वित्तैषणायाश्च . . व्युत्थाय 4. 4. 22; Nṛisut. 6.

— या ह्येव पुत्रैषणा सा वित्तैषणा या वित्तैषणा सा लोकैषणा 4. 4. 22.

1. विद् (ज्ञाने)

Kaush. 1. 1. नाहमेतद्वेद

— अहमप्येतन्न वेद

7. तां व्यष्टिं व्यश्नुते य एवं वेद

2. 1. ब्रह्मणो मनो दूतं वेद

— य एवं वेद तस्योपनिषन्न याचेदिति 2. 2.

5. एतत् पूर्वे विद्वांसो ऽग्निहोत्रं न जुहवांचक्रुः

6. तेजस्वितमो भवति य एवं वेद

— इन्द्रस्यात्मा भवति य एवं वेद

14. प्राणे निःश्रेयसं विदित्वा (bis).

— तदमृतो भवति य एवं वेद

3. 1. यो मां वेद न ह वै तस्य केन चन कर्मणा लोको मीयते

8. न वाचं विजिज्ञासीत वक्तारं विद्यात् (similarly 8 times more).

— स म आत्मेति विद्यात्

4. 19. यस्य वै तत्कर्म स वै वेदितव्यः

20. आधिपत्यं पर्येति य एवं वेद

Kena. 3. न विद्मो न विजानीमः

Kena. 3. अन्यदेव तद्विदितादथो अविदितादधि

4. तदेव ब्रह्म त्वं विद्धि 5, 6, 7, 8.

9. यदि मन्यसे सुवेदेति दभ्रमेवापि नूनं त्वं वेत्थ ब्रह्मणो रूपम्

— मन्ये विदितम्

10. नाहं मन्ये सुवेदेति नो न वेदेति वेद च। यो नस्तद्वेद तद्वेद नो न वेदेति वेद च

11. मतं यस्य न वेद सः

12. प्रतिबोधविदितं मतम्

13. इह चेदवेदीदथ सत्यमस्ति न चेदिहावेदीन्महती विनष्टिः (2 MSS. have अवेदीः in second instance.)

26. ततो हैव विदांचकार ब्रह्मेति

27. एनत्प्रथमो विदांचकार ब्रह्मेति 28.

31. स य एतदेवं वेदाभिहैनं सर्वाणि भूतानि संवाञ्छन्ति

34. या वा एतामेवं वेदापहत्य पाप्मानम्

Chhâ. 1. 1. 7. य एतदेवं विद्वानक्षरमुद्गीथमुपास्ते 8.

10. यश्चैतदेवं वेद यश्च न वेद

1. 2. 13. बको दाल्भ्यो विदांचकार

14. य एतदेवं विद्वानक्षरमुद्गीथमुपास्ते

1. 3. 1. अपहन्ता ह वै भयस्य तमसो भवति य एवं वेद

7. य एतान्येवं विद्वानुद्गीथाक्षराण्युपास्ते

1. 4. 3. ते नु विस्त्वोर्ध्वा ऋचः साम्नो यजुषः

Chhâ. 1. 4. 5. स य एतदेवं विद्वानक्षरं प्रणौति
1. 6. 7. उदेति ह वै सर्वेभ्यः पाप्मभ्यो य एवं वेद
1. 7. 7. य एतदेवं विद्वान् साम गायति 9.
1. 8. 7. हन्ताहमेतद्भगवत्तो वेदानीति विद्धीति होवाच 8.
1. 9. 2. य एतदेवं विद्वान् परोवरीयांसमुद्गीथमुपास्ते
3. यावत्त एनं प्रजायामुद्गीथं वेदिष्यन्ते
4. य एतमेवं विद्वानुपास्ते
1. 11. 1. भगवन्तं वा अहं विविदिषाणि
1. 13. 4. अन्नादो भवति य एतामेवं साम्नामुपनिषदं वेद
2. 1. 4. स य एतदेवं विद्वान् साधु सामेत्युपास्ते
2. 2. 3. य एतदेवं विद्वाँल्लोकेषु पंचविधं सामोपास्ते (similarly 6 times more).
2. 9. 2. तास्मिन्निमानि सर्वाणि भूतान्यन्वायत्तानीति विद्यात्
2. 10. 6. य एतदेवं विद्वानात्मसम्मितमतिमृत्यु सप्तविधं सामोपास्ते
2. 11. 2. स य एवमेतद्गायत्रं प्राणेषु प्रोतं वेद (similarly 12. 2; 13. 2; 14. 2; 15. 2; 16. 2; 17. 2; 18. 2; 19. 2; 20. 2; 21. 2.)
2. 21. 4. यस्तद्वेद स वेद सर्वम्
2. 24. 2. स यस्तं न विद्यात्कथं कुर्यादथ विद्वान् कुर्यात्
16. एष ह वै यज्ञस्य मात्रां वेद य एवं वेद

Chhâ. 3. 6. 3. स य एतदेवममृतं वेद 3. 7. 3; 3. 8. 3; 3. 9. 3; 3. 10. 3.
3. 11. 3. य एतामेवं ब्रह्मोपनिषदं वेद
3. 12. 9. पूर्णामप्रवर्त्तिनीं श्रियं लभते य एवं वेद
3. 13. 1. तेजस्व्यन्नादो भवति य एवं वेद
2. यशस्वी भवति य एवं वेद
3. ब्रह्मवर्चस्यन्नादो भवति य एवं वेद
4. कीर्त्तिमान् व्युष्टिमान् भवति य एवं वेद
5. ओजस्वी महस्वान् भवति य एवं वेद
6. स्वर्गस्य लोकस्य द्वारपान् वेद
8. चक्षुष्यः श्रुतो भवति य एवं वेद
3. 15. 2. स य एतमेवं वायुं दिशां वत्सं वेद
— अहमेतमेवं वायुं दिशां वत्सं वेद
3. 16. 7. प्र ह षोडशं वर्षशतं जीवति य एवं वेद
3. 18. 3. भाति च तपति च कीर्त्या यशसा ब्रह्मवर्चसेन य एवं वेद 4, 5, 6.
3. 19. 4. स य एतमेवं विद्वानादित्यं ब्रह्मेत्युपास्ते
4. 1. 4. यस्तद्वेद यत् स वेद 6.
4. 3. 8. अन्नादो भवति य एवं वेद
4. 4. 2. नाहमेतद्वेद तात यद्गोत्रस्त्वमसि (similarly three times more).
4. 5. 3. स य एतमेवं विद्वांश्चतुष्कलं पादं ब्रह्मणः. . उपास्ते 4. 6. 4; 4. 7. 4; 4. 8. 4.

Chhâ. 4. 9. 3. आचार्याद्धैव विद्या विदिता साधिष्ठं प्रापयति
4. 11. 2. य एतमेवं विद्वानुपास्ते 4. 12. 2; 4. 13. 2.
4. 15. 2. सर्वाण्येनं वामान्यभिसंयन्ति य एवं वेद
3. सर्वाणि वामानि नयति य एवं वेद
4. सर्वेषु लोकेषु भाति य एवं वेद
5. 1. 1. यो ह वै ज्येष्ठं च श्रेष्ठं च वेद Bṛih. 6. 1. 1.
2. यो ह वै वसिष्ठं वेद
3. यो ह वै प्रतिष्ठां वेद Bṛih. 6. 1. 3.
4. यो ह वै संपदं वेद Bṛih. 6. 1. 4.
5. यो ह वा आयतनं वेद Bṛih. 6. 1. 5.
5. 2. 8. समृद्धं कर्मेति विद्यात्
5. 3. 2. वेत्थ यदितो ऽधि प्रजाः प्रयन्तीति
— वेत्थ यथा पुनरावर्त्तन्ता३ इति
— वेत्थ पथोर्देवयानस्य पितृयाणस्य च व्यावर्त्तना ३ इति
3. वेत्थ यथासौ लोको न संपूर्यता ३ इति
— वेत्थ यथा पञ्चम्यामाहुतावापः पुरुषवचसो भवन्तीति
4. यो हीमानि न विद्यात्
5. अहमेषां नैकञ्चन वेद यद्यहमिमानवेदिष्यम्
5. 10. 1. तद्य इत्थं विदुः
10. य एतानेवं पञ्चाग्नीन् वेद
— पुण्यलोको भवति य एवं वेद

Chhâ. 5. 18. 1. आत्मानं वैश्वानरं विद्वांस
5. 24. 2. य एतदेवं विद्वानग्निहोत्रं जुहोति 3.
6. 1. 7. न . . त एतदवेदिषुर्यद्ध्येतदवेदिष्यन् कथं मे नावक्ष्यन्
6. 4. 5. इति ह्येभ्यो विदाञ्चक्रुः
6. तेजसस्तद्रूपमिति तद्विदाञ्चक्रुः (similarly twice more).
7. देवतानां समास इति तद्विदाञ्चक्रुः
6. 9. 2. न विदुः सति सम्पद्यामहे
6. 10. 1. न विदुरियमहमस्मि
2. न विदुः सत आगच्छामहे
6. 11. 2. एवमेव खलु सोम्य विद्धि
6. 14. 2. आचार्यवान् पुरुषो वेद
7. 1. 1. यद्वेत्थ तेन मोपसीद
7. 5. 2. नायमस्तीत्येवैनमाहुर्यदयं वेद यद्वायं विद्वानित्थमचित्तः स्यात्
7. 25. 2. ये ऽन्यथातो विदुरन्यराजानस्ते
8. 6. 5. विदुषां प्रपदनं निरोधो ऽविदुषाम्
8. 7 3. भगवतो वचो वेदयन्ते
8. 12. 4. यो वेदेदं जिघ्राणीति स आत्मा (similarly 3 times more.)

Bṛih. 1. 2. 1. य एवमेतदर्कस्यार्कत्वं वेद
5. य एवमेतददितेरदितित्वं वेद
7. अश्वमेधं वेद य एनमेवं वेद
1. 3. 2. ते ऽविदुरनेन वै न उद्गात्रात्येष्यन्तीति 3—7.
7. परास्य द्विषन् भ्रातृव्यो भवति य एवं वेद
9. दूर ह वा अस्मान्मृत्युर्भवति य एवं वेद

Brih. 1. 3. 16. एनमेषा देवता मृत्युमतिवहति य एवं वेद
18. अन्नादो ऽधिपतिर्य एवं वेद
22. अश्नुते सायुज्यं सलोकतां य एवमेतत्साम वेद
25. एतस्य साम्नो यः स्वं वेद भवति हास्य स्वम्
26. साम्नो यः सुवर्णं वेद भवति हास्य सुवर्णम्
27. साम्नो यः प्रतिष्ठां वेद प्रति ह तिष्ठति
28. न हैवालोक्यताया आशास्ति य एवमेतत्साम वेद
1. 4. 1. ओषति ह वै स तं..य एवं वेद
5. सो ऽवेदहं वाव सृष्टिरस्मि
— सृष्ट्यां..एतस्यां भवति य एवं वेद
6. अतिसृष्ट्यां .. भवति य एवं वेद
7. यो ऽत एकैकमुपास्ते न स वेद
— अनेन ह्येतत्सर्वं वेद
— कीर्त्तिं श्लोकं विन्दते य एवं वेद
9. किमु तद्ब्रह्मावेत्
— तदात्मानमेवावेदहं ब्रह्मास्मीति
10. य एवं वेदाहं ब्रह्मास्मीति
— अन्यो ऽसावन्यो ऽहमस्मीति न स वेद
— एषां तन्न प्रियं यदेतन्मनुष्या विद्युः
16. एतद्विदितं मीमांसितम्
17. इदं सर्वमाप्नोति य एवं वेद
1. 5. 1. यो वै तामक्षितिं वेद 2.
2. न तथा विद्यात्

Brih. 1. 5. 12. नास्य सपत्नो भवति य एवं वेद
21. तेन ह वाव तत्कुलमाचक्षते ..य एवं वेद
2. 1. 14. एतावन्नू३ इत्येतावद्धीति नैतावता विदितं भवतीति
19. यदा न कस्यचन वेद
2. 2. 1. यो ह वै शिशुं..वेद
2. नास्यान्नं क्षीयते य एवं वेद
4. सर्वमस्यान्नं भवति य एवं वेद
2. 3. 6. सकृद्विद्युत्तेव ह वा अस्य श्रीर्भवति य एवं वेद
2. 4. 3. यदेव भगवान्वेद तदेव मे ब्रूहीति
5. आत्मनो वा अरे..विज्ञानेनेदं सर्वं विदितम्
6. ब्रह्म तं परादाद्यो ऽन्यत्रात्मनो ब्रह्म वेद (similarly 5 times more); 4. 5. 7 (similarly six times more).
3. 2. 9. त्वचा हि स्पर्शान् वेदयते
13. आवामेवैतस्य वेदिष्यावः
3. 3. 2. अप पुनर्मृत्युं जयति य एवं वेद
3. 5. 1. एतं वै तमात्मानं विदित्वा
3. 7. 1. वेत्थ नु त्वं काप्य तत्सूत्रम्
— नाहं तद्भगवन्वेदेति
— वेत्थ नु त्वं..तमन्तर्यामिणम्
— नाहं तं भगवन्वेदेति
— यो वै तत्काप्य सूत्रं विद्यात्तं चान्तर्यामिणम्
— तदहं वेद
— वेद वा अहं गौतम तत्सूत्रम्
— यो वा इदं कश्चिद्ब्रूयाद्वेद वेदेति यथा वेत्थ तथा ब्रूहीति

Bṛih. 3. 7. 3. यं पृथिवी न वेद (similarly, in 4-23).

3. 9. 10. यो वै तं पुरुषं विद्यात्..वेद वा अहं तं पुरुषम् 11-17.

19. किं ब्रह्म विद्वानिति

— दिशो वेद..यद्दिशो वेत्थ

4. 2. 1. नाहं..वेद यत्र गमिष्यामि

4. यो नो भगवन्नभयं वेदयसे

4. 3. 21. न बाह्यं किञ्चन वेद नान्तरम् (bis).

4. 4. 14. इहैव सन्तो ऽथ विद्मस्तद्वयम्

— य एतद्विदुरमृतास्ते भवन्ति Kaṭha. 6. 2, 9; Swet. 3. 1, 10, 13; 4. 17, 20.

17. विद्वान्ब्रह्मामृतो ऽमृतम्

18. मनसो ये मनो विदुः

22. तमेतं वेदानुवचनेन ब्राह्मणा विविदिषन्ति

— एतमेव विदित्वा मुनिर्भवति

— पूर्वे विद्वांसः प्रजां न कामयन्ते

23. तं विदित्वा न लिप्यते कर्मणा पापकेन

24. विन्दते वसु य एवं वेद

25. अभयं हि वै ब्रह्म भवति य एवं वेद Nṛisut. 8 (4 times).

4. 5. 4. यदेव भगवान्वेत्थ तदेव मे विब्रूहि

6. आत्मनि खल्वरे..विज्ञात इदं सर्वं विदितम्

5. 1. 1. वेदो ऽयं ब्राह्मणा विदुर्वेदैनेन यद्वेदितव्यम्

5. 3. 1. अभिहरन्त्यस्मै स्वाश्चान्ये च य एवं वेद

— ददत्यस्मै स्वाश्चान्ये च य एवं वेद

— एति स्वर्गं लोकं य एवं वेद

Bṛih 5. 4. 1. महद्यक्षं प्रथमजं वेद

5. 5. 1. नैनं विद्वांसमनृतं हिनस्ति

3. हन्ति पाप्मानं जहाति च य एवं वेद 4.

5. 7. 1. विद्यत्येनं पाप्मनो य एवं वेद विद्युद्ध्येति

5. 11. 1. परमं हैव लोकं जयति य एवं वेद (ter).

5. 12. 1. सर्वाणि ह वा अस्मिन् भूतानि विशन्ति सर्वाणि भूतानि रमन्ते य एवं वेद

5. 13. 1. सायुज्यं सलोकतां जयति य एवं वेद 2, 3, 4.

5. 14. 1. स यावदेषु त्रिषु लोकेषु तावद्ध जयति यो ऽस्या एतदेवं पदं वेद

2. यावतीयं त्रयी विद्या तावद्ध जयति यो ऽस्या एतदेवं पदं वेद

3. यावदिदं प्राणि तावद्ध जयति यो ऽस्या एतदेवं पदं वेद

— एवं हैव श्रिया यशसा तपति यो ऽस्या एतदेवं पदं वेद

8. मुखं ह्यस्याः सम्राण्न विदाञ्चकारेति

5. 15. 1. विश्वानि देव वयुनानि विद्वान् Iśâ. 18.

6. 1. 1. ज्येष्ठश्च श्रेष्ठश्च स्वानां भवत्यपि च येषां बुभूषति य एवं वेद

2. यो ह वै वसिष्ठां वेद.. वसिष्ठः स्वानां भवति.. य एवं वेद

3. प्रतितिष्ठति समे प्रतितिष्ठति दुर्गे य एवं वेद

4. सं हास्मै पद्यते यं कामं कामयते य एवं वेद

Brih. 6. 1. 5. आयतनं स्वानां भवत्यायतनं जनानां य एवं वेद
6. योह वै प्रजातिं वेद.. प्रजायते ह प्रजया..य एवं वेद
8. विद्वांसो मनसा 9, 10, 12.
14. य एवमेतदनस्यान्नं वेद
6. 2. 2. वेत्थ यथेमाः प्रजाः प्रयत्यो विप्रतिपद्यन्ता ३ इति
— वेत्थो यथेमं लोकं पुनरापद्यन्ता ३ इति
— वेत्थो यथासौ लोक एवं बहुभिः पुनः पुनः प्रयद्भिर्न सम्पूर्यता ३ इति
— वेत्थो यतिथ्यामाहुत्यां हुतायामापः पुरुषवाचो भूत्वा समुत्थाय वदन्ती ३ इति
— वेत्थो देवयानस्य वा पथः प्रतिपदम्
— नाहमत एकञ्चन वेद
3. तनो नैकञ्चन वेद
4. यदहं किञ्चन वेद
15. ते य एवमेतद्विदुः
16. य एतौ पन्थानौ न विदुः
6. 4. 24. अग्निष्टत्स्विष्टकृद्विद्वान्

Isâ. 11. यस्तद्वेदोभयं सह 14; Maitri. 7. 9.

Tait. 1. 3. 4. य एवमेता महासंहिता व्याख्याता वेद
1. 5. 3. ता यो वेद स वेद ब्रह्म
2. 1. 1. ब्रह्म यो वेद निहितं गुहायाम्
2. 4. 1. आनन्दं ब्रह्मणो विद्वान् 2. 9. 1.
2. 5. 1. विज्ञानं ब्रह्म चेद्वेद
2. 6. 1. असद्ब्रह्मेति वेद चेत्

Tait. 2. 6. 1. अस्ति ब्रह्मेति चेद्वेद सन्तमेनं ततो विदुः
— आहो विद्वानमुं लोकं प्रेत्य कश्चित्समश्नुता ३उ
2. 7. 1. तत्त्वेव भयं विदुषो मन्वानस्य
2. 9. 1. य एवं विद्वानेते आत्मानं स्पृणुते | उभे ह्येवैष एते आत्मानं स्पृणुते य एवं वेद
3. 6. 1. स य एवं वेद प्रतितिष्ठति
3. 7. 1. स य एतदन्नमन्ने प्रतिष्ठितं वेद 3. 8. 1; 3. 9. 1.
3. 10. 2. य एवं वेद क्षेम इति वाचि
6. य एवं वेदेत्युपनिषत् Mahânâr. 21. 2; Nṛip. 2. 4; 3. 1; Gopî. 2.

Kaṭha. 1. 14. अनन्तलोकाप्तिमथो प्रतिष्ठां विद्धि
17. देवमीड्यं विदित्वा
18. त्रयमेतद्विदित्वा य एवं विद्वांश्चिनुते नाचिकेतम्
20 एतद्विद्यामनुशिष्टस्त्वया
2. 7. शृण्वन्तोऽपि बहवो यं न विद्युः
25 क इत्था वेद यत्र सः
3. 3. आत्मानं रथिनं विद्धि
— बुद्धिं तु सारथिं विद्धि
4. 2. अथ धीरा अमृतत्वं विदित्वा
5. य इमं मध्वदं वेद आत्मानम्
6. 17. तं विद्याच्छुक्रममृतम्

Śwet. 1. 7. अत्रान्तरं वेदविदो विदित्वा
12. नातः परं वेदितव्यं हि किञ्चित्
2. 8. प्रतरेत विद्वान् स्रोतांसि
9. एनं विद्वान् मनो धारयेत

Śwet. 3. 8. वेदाहमेतं पुरुषं महान्तम्
— तमेव विदित्वातिमृत्युमेति
6. 15.
19. स वेत्ति वेद्यम्
21. वेदाहमेतमजरं पुराणम्
4. 8. यस्तन्न वेद किमृचा करिष्यति य इत्तद्विदुः Nṛip. 4. 2; 5. 2.
10. मायां तु प्रकृतिं विद्यात्
5. 6. तद्ब्रह्मा वेदते ब्रह्मयोनिम्
(Nârâyaṇa reads तद्ब्रह्म विन्दते)
— ये पूर्वं देवा ऋषयश्च तद्विदुः
14. कलासर्गकरं देवं ये विदुः
6. 7. विदाम देवं भुवनेशमीड्यम्
21. ब्रह्म ह श्वेताश्वतरोऽथ विद्वान्
Maitri. 2. 3. यद्भगवन् वेत्सि तदस्माकं ब्रूहि
6. 1. यः कश्चिद्विद्वानपहतपाप्मा
9. ध्यानं प्रयोगस्थं मनो विद्वद्भिष्टुतम्
10. अथापरं वेदितव्यम्
— यो हैवं वेद सन्न्यासी योगी चात्मयाजी च
13. अन्नवान्..आनन्दवांश्च भवति यो हैवं वेद
— तावत्स्त्वन्तःस्थोऽन्नमत्ति यो हैवं वेद
15. यस्तं वेद स वेदवित् Kshur. 16; Dhyâna. 17, 18; Gitâ. 15. 1.
17. एकस्य हैकत्वमेति य एवं वेद
18. विद्वान् पुण्यपापे विहाय
19. यदा वै..विद्वान् मनो नियम्य
22. द्वे ब्रह्मणी वेदितव्ये
Maitri. 7. 10. यद्देदेषूक्तं तद्विद्वांस उपजीवन्ति
11. जिह्वाग्रदेशेऽण्यणुकं च विद्धि
Mund. 1. 1. 4. द्वे विद्ये वेदितव्ये Brahmab. 17.
1. 2. 10. नान्यच्छ्रेयो वेदयन्ते प्रमूढाः
11. शान्ता विद्वांसो भैक्षचर्यां चरन्तः
13. तस्मै स विद्वानुपसन्नाय
— येनाक्षरं पुरुषं वेद
2. 1. 10. एतद्यो वेद निहितं गुहायां
2. 2. 9. तद्यदात्मविदो विदुः
3. 1. 3. तदा विद्वान् पुण्यपापे विधूय
4. विजानन् विद्वान् भवते नातिवादी
9. एषोऽणुरात्मा चेतसा वेदितव्यः
3. 2. 1. स वेदैतत्परमं ब्रह्मधाम
4. एतैरुपायैर्यतते यस्तु विद्वान्
8. तथा विद्वान्नामरूपाद्विमुक्तः
9. ब्रह्म वेद ब्रह्मैव भवति
Mahânâr. 1. 11. य एनं विदुरमृतास्ते भवन्ति
2. 3. विश्वा भुवनानि विद्वान्
4. प्र तद्वोचे अमृतं नु विद्वान्
— यस्तद्वेद स पितुः पितासत्
5. धामानि वेद भुवनानि विश्वा
3. 1. तत्पुरुषस्य विद्महे
2. तत्पुरुषाय विद्महे 3, 4, 15; 17. 4.
5. षण्मुखाय विद्महे
6. पावकाय विद्महे
7. वैश्वानराय विद्महे
8. भास्कराय विद्महे
9. दिवाकराय विद्महे
10. आदित्याय विद्महे
11. तीक्ष्णशृङ्गाय विद्महे
12. कात्यायन्यै विद्महे
13. महाशूलिन्यै विद्महे

Mahânâr. 3. 14. सुभगायै विद्महे
16. नारायणाय विद्महे
17. नृसिंहाय विद्महे Nṛip. 4. 2.
18. चतुर्मुखाय विद्महे
12. 3. देवतानां सायुज्यं . . आप्नोति य एवं वेद
18. 1. विद्वांसश्चाविद्वांसश्चैनश्चक्रम (bis).
20. 2. वृत्रहञ्छूर विद्वान्
21. 2. मानसमिति विद्वांसस्तस्माद्विद्वांस एव मानसे रमन्ते
23. 1. विज्ञानेनात्मानं वेदयति
24. 1. भूयो न मृत्युमुपयाहि विद्वान्
— य एवं वेद ब्रह्मणो महिमानमाप्नोति
25. 1. य एवं विद्वानुदगयने प्रमीयते
— ब्राह्मणो विद्वानभिजयति

Praśna. 3. 11. य एवं विद्वान्प्राणं वेद
4. 10. अक्षरं वेदयते यस्तु 11.
5. 2. विद्वानेतेनैवायतनेनैकतरमन्वेति
7. स सामभिर्यत्तत्कवयो वेदयन्ते
— तमोङ्कारेणैवायतनेनान्वेति विद्वान्
6. 1. षोडशकलं . . पुरुषं वेत्थ
— नाहमिमं वेद यद्यहमिममवेदिषम्
6. तं वेद्यं पुरुषं वेद
7. एतावदेवाहमेतत्परं ब्रह्म वेद

Kaivalya. 1. परात्परं पुरुषं याति विद्वान्
22. वेदैरनेकैरहमेव वेद्यः
23. एवं विदित्वा परमात्मरूपम्
24. एवं विदित्वैनं कैवल्यं फलमश्नुते

Mâṇḍû. 9. आदिश्च भवति य एवं वेद Nṛisut. 2.
10. नास्याब्रह्मवित्कुले भवति य एवं वेद
11. अपीतिश्च भवति य एवं वेद Nṛisut. 2.
12. संविशत्यात्मनात्मानं य एवं वेद Nṛisut. 2.

Gauḍa. 1. 5. वेदैतदुभयं यस्तु
22. सामान्यं वेत्ति निश्चितः
24. ओङ्कारं पादशो विद्यात्
28. प्रणवं हीश्वरं विद्यात्
29. ओङ्कारो विदितो येन
2. 30. एवं यो वेद तत्त्वेन
34. इति तत्त्वविदो विदुः
36. तस्मादेवं विदित्वैनम्
4. 89. क्रमेण विदिते स्वयम्

Nṛip. 1. 3. तत्साम्नोऽङ्गं वेद (ter).
6. तमेवं विद्वानमृत इह भवति
7. यो ऽसौ सो ऽवेदयदिदं किञ्च
— य एवं वेदेति महोपनिषत् 4. 3; 5. 10.
— य एतां महोपनिषदं वेद
3. 1. मायामेतां शक्तिं विद्यात्
— य एतां मायां शक्तिं वेद
— तस्मादाकाशं बीजं विद्यात्
4. 2. य एवं वेद श्रिया हैवाभिषिच्यते
— न साम्नार्थो ऽस्ति यः सावित्रीं वेद
— य एतां महालक्ष्मीं याजुषीं वेद
— य एवं वेद स निदानवान् भवति
5. 2. एतन्महाचक्रं बालो वा युवा वा वेद

Nṛisut. 2. समानश्च भवति य एवं वेद

Nṛisut. 2. मन्त्रराजेन तुरीयं विद्यात्
5. ब्रह्म भवति य एवं वेद (bis).
— परमेव ब्रह्म भवति य एवं वेद
7. स स्वराड् भवति य एवं वेद (ter).
9. न वयं विद्म इति होचुः
— विदिताविदितात्परः (bis).

Cihûl. 14. अथर्वाणः शिरो विदुः
21. ये विदुर्ब्राह्मणादयः

Śiras. 1. यो मां वेद स देवान् वेद

Brahma. 1. देवता वेदयति
— य एवं वेद स परं ब्रह्मधाम क्षेत्रज्ञमुपैति
2. तद्वेद्यं हृद्याकाशं (4 MSS. have वेद्यां and one वैद्यां; my reading is conjectural).
— तत्सूत्रं विदितं येन
— बहिः सूत्रं त्यजेद्विद्वान् Aruṇeya. 3.
3. स शिखीत्युच्यते विद्वान्
— इति ब्रह्मविदो विदुः
— स विद्वान् यज्ञोपवीती स्यात्
— नेत्रस्थं जाग्रतं विद्यात्

Nâda. 7. वारुणीं तां विदुर्बुधाः

Amṛita. 26. सुषिरं मण्डलं विदुः

Dhyâna. 10. वृक्षं तु सकलं विद्यात्

Tejo. 12. न देवा न परं विदुः

Yogat. 13. निर्वाणं कुंभकं विदुः

Kaṭhaśru. 2. न विदामो न विदामः
— सायुज्यतां गच्छति य एवं वेद

Haṁsa. 1. तं विदित्वा न मृत्युमेति

Parama. 1. स एव वेदपुरुष इति विदुषो मन्यन्ते

Aruṇeya. 3. ब्रह्म सूत्रमहमेव विद्वान्
4. खलु वेदार्थं यो विद्वान्
5. एतदुपनिषदं विद्वान् य एवं वेद
— यज्ञोपवीतं च त्यक्त्वा शूरो य एवं वेद

Nâr. 2. य एवं वेद स विष्णुरेव भवति

Kâlâg. 2. यो विद्वान् ब्रह्मचारी

Jâbâla. 2. सोऽविमुक्तं ज्ञानमाचष्टे यो वै तदेवं वेद Râmot. 4.
4. मोक्षमंत्रस्त्र्येवं विदेत् (वदेत् and विन्देत् are variants).

Râmap. 2. विद्वद्भिः प्रकटीकृतः

Râmot. 2. तदेव तारकं ब्रह्म त्वं विद्धि
3. य एवं वेद स मुक्तो भवति

Mukti. 1. 52. यमेवैष विद्याः श्रुतमप्रमत्तम्
2. 8. साफल्यं विद्धि त्वमरिमर्दन
16. मनोबद्धं विदुर्बुधाः
24. मुनयो विदुः
52. बहिष्ठं कुम्भकं विदुः

Gîtâ. 2. 6. न चैतद्विद्मः कतरन्नो गरीयः
17. अविनाशि तु तद्विद्धि
19. य एनं वेत्ति हन्तारम्
21. वेदाविनाशिनं नित्यम्
25. तस्मादेवं विदित्वैनम्
29. श्रुत्वाप्येनं वेद न चैव कश्चित्
3. 15. कर्म ब्रह्मोद्भवं विद्धि
25. कुर्याद्विद्वांस्तथासक्तः
26 विद्वान्युक्तः समाचरन्
32. विद्धि नष्टानचेतसः
37. विद्ध्येनमिह वैरिणम्

Gîtâ. 4. 2. इमं राजर्षयो विदुः
5. तान्यहं वेद सर्वाणि न त्वं वेत्थ परन्तप
9. एवं यो वेत्ति तत्त्वतः
13. विद्ध्यकर्त्तारमव्ययम्
32. कर्मजान्विद्धि तान्सर्वान्
34. तद्विद्धि प्रणिपातेन
6. 2. योगं तं विद्धि पाण्डव
21. वेत्ति यत्र न चैवायम्
23. तं विद्याद्दुःखसंयोगवियोगं
7. 3. कश्चिन्मां वेत्ति तत्त्वतः
5. अन्यां प्रकृतिं विद्धि मे पराम्
10. विद्धि पार्थ सनातनम्
12. मत्त एवेति तान्विद्धि न त्वहं तेषु ते मयि
26. वेदाहं समतीतानि
— मां तु वेद न कश्चन
29. ते ब्रह्म तद्विदुः कृत्स्नम्
30. साधियज्ञं च ये विदुः
— ते विदुर्युक्तचेतसः
8. 17. अहर्यद् ब्रह्मणो विदुः
28. अत्येति तत्सर्वमिदं विदित्वा
9. 17. वेद्यं पवित्रमोंकारः
10. 2. न मे विदुः सुरगणाः
3. वेत्ति लोकमहेश्वरम्
7. योगं च मम यो वेत्ति तत्त्वतः
14. नहि ते भगवन्व्यक्तिं विदुः
15. वेत्थ त्वं पुरुषोत्तम
17. कथं विद्यामहं योगिन्
24. मां विद्धि पार्थ बृहस्पतिम्
27. उच्चैःश्रवसं . . विद्धि मां
11. 18. त्वमक्षरं परमं वेदितव्यम्
38. वेत्तासि वेद्यं च परं च धाम

Gîtâ. 13. 1. एतद्यो वेत्ति तं प्राहुः क्षेत्रज्ञम्
2. क्षेत्रज्ञं चापि मां विद्धि
19. प्रकृतिं पुरुषं चैव विद्धि
— विद्धि प्रकृतिसम्भवान्
23. य एवं वेत्ति पुरुषम्
26. तद्विद्धि भरतर्षभ
34. भूतप्रकृतिमोक्षं च ये विदुः
14. 7. रजो रागात्मकं विद्धि
8. तमस्त्वज्ञानजं विद्धि
11. ज्ञानं यदा तदा विद्यात्
19. गुणेभ्यश्च परं वेत्ति
15. 12. तत्तेजो विद्धि मामकम्
15. वेदैश्च सर्वैरहमेव वेद्यः
16. 7. जना न विदुरासुराः
17. 6. तान्विद्ध्यासुरनिश्चयान्
12. तं यज्ञं विद्धि राजसम्
18. 1. तत्त्वमिच्छामि वेदितुम्
2. सन्न्यासं कवयो विदुः
20. तज्ज्ञानं विद्धि सात्त्विकम्
21. वेत्ति सर्वेषु भूतेषु तज्ज्ञानं विद्धि राजसम्
30. बन्धं मोक्षं च या वेत्ति

2. विद् (सत्तायां)

Chhâ. 1. 10. 2. नेतो ऽन्ये विद्यन्ते.
8. 1. 2. किं तदत्र विद्यते यदन्वेष्टव्यम्
Bṛih. 4. 3. 23. न हि द्रष्टुर्दृष्टेर्विपरिलोपो विद्यते (similarly in 24–30).
Śwet. 3. 8. नान्यः पन्था विद्यते ऽयनाय
6. 15.
6. 8. न तस्य कार्यं करणं च विद्यते
17. नान्यो हेतुर्विद्यत ईशनाय
Maitri. 4. 1. अस्माकं गतिरन्या न विद्यते

Mâṇḍa. 1. 13. सा च तुर्ये न विद्येत
17. प्रपञ्चो यदि विद्यते
18. ज्ञाते द्वैतं न विद्यते
23. नामात्रे विद्यते मतिः
25. न भयं विद्यते क्वचित्
2. 2. तस्मिन्देशे न विद्यते 4. 34.
3. 10. नोपपत्तिर्हि विद्यते
38. चिन्ता यत्र न विद्यते
48. संभवो ऽस्य न विद्यते 4.71.
4. 23. आदिर्न विद्यते यस्य तस्य ह्यादिर्न विद्यते
58. सा च माया न विद्यते
64. न विद्यन्ते ततः पृथक् 66.
75. द्वयं तत्र न विद्यते
91. विद्यते नहि नानात्वं तेषां क्वचन किञ्चन

Brahmab. 11. पुनर्जन्म न विद्यते Gîtâ. 8. 16.

Mukti. 2. 34. चित्तनाशाभिधानं हि यदा ते विद्यते
35. जीवन्मुक्तस्य विद्यते

Gîtâ. 2. 16. नासतो विद्यते भावो नाभावो विद्यते सतः
31. श्रेयो ऽन्यत्क्षत्रियस्य न विद्यते
40. प्रत्यवायो न विद्यते
3. 17. तस्य कार्यं न विद्यते
4. 38. पवित्रमिह विद्यते
6. 40. विनाशस्तस्य विद्यते
16. 7. न सत्यं तेषु विद्यते

3. विद् (लाभे)

Kaush. 4. 12. स यो हैतमेवमुपास्ते विन्दते द्वितीयात्

Kena. 12. अमृतत्वं हि विन्दते
— आत्मना विन्दते वीर्यं विद्यया विन्दते ऽमृतम्

Chhâ. 1. 2. 9. एतमु एवान्ततो ऽविन्दोत्क्रामति
2. 24. 5. लोकं मे यजमानाय विन्द 9.
14. लोकं मे यजमानाय विन्दत
4. 1. 7. नाविदमिति प्रत्येयाय
8. अविदमिति प्रत्येयाय
6. 13. 1. तद्धावमृश्य न विवेद
8. 3. 2. सर्वं तदत्र गत्वा विन्दते
— उपर्युपरि सञ्चरन्तो न विन्देयुः
— एवं ब्रह्मलोकं न विन्दन्ति
8. 5. 1. ज्ञाता तं विन्दते
2. सत आत्मनस्त्राणं विन्दते

Brih. 1. 4. 7. कीर्त्तिं श्लोकं विन्दते य एवं वेद
16. पशुभ्यस्तृणोदकं विन्दति
17. नेच्छंश्चनातो भूयो विन्देत्
— चक्षुषा हि तद्विन्दते
4. 4. 24. विन्दते वसु य एवं वेद
6. 4. 13. यस्य जायामार्त्तवं विन्देत्
20. रेतो दधावहै पुंसे पुत्राय वित्तये

Tait. 2. 7. 1. यदा . . एतस्मिन्नदृश्ये . . अभयं प्रतिष्ठां विन्दते

Śwet. 1. 9. त्रयं यदा विन्दते ब्रह्ममेतत्

Mahânâr. 16. 4. चित्रं विन्दते वसु

Siras. 3. अगन्म ज्योतिरविदाम देवान्

Garbha. 1. मधुराम्ललवणतिक्तकटुकषायरसान् विन्दति
3. शुभाशुभं च कर्म विन्दति
4. नत्र कर्म शुभाशुभं विन्दति

Dhyâna. 5. तत्परं विन्दयेद्यस्तु (so 4 MSS.; one has विन्दते)

Tejo. 4. मुखानि त्रीणि विन्दन्ति

Nâr. 4. विन्दते प्राजापत्यं रायस्पोषं गौष्पत्यम्

Jâbâla. 4. यद्यग्निं न विन्देदप्सु जुहु-
यात्

Gîtâ. 4. 38. कालेनात्मनि विन्दति
5. 4. उभयोर्विन्दते फलम्
21. विन्दत्यात्मनि यः सुखम्
11. 24. धृतिं न विन्दामि शमं च
विष्णो
18. 45. सिद्धिं यथा विन्दति
46. सिद्धिं विन्दति मानवः

विदग्ध

Bṛih. 3. 9. 1. विदग्धः शाकल्यः 4. 1. 7.

विदथ

Mahânâr. 16. 4. बृहद्वदेम विदथे सुवीराः

विदर्भीकौण्डिन्य

Bṛih. 2. 6. 3. गालवो विदर्भीकौण्डिन्या-
त् 4. 6. 3.
— विदर्भीकौण्डिन्यो वत्सन-
पातो बाभ्रवात् 4. 6. 3.

विदान

Bṛih. 5. 7. 1. विदानाद्विद्युत्

विदाहिन्

Gîtâ. 17. 9. कट्वम्ललवणात्युष्णतीक्ष्णरू-
क्षाविदाहिनः

विदितचित्त

Kshur. 21. ततो विदितचित्तस्तु

विदितात्मन्

Gîtâ. 5. 26. वर्तते विदितात्मनाम्

विदिश्

Râmap. 71. तस्य दिक्षु विदिक्षु च

विदुष्कृत

Kaush. 1. 4. स एष विसुकृतो विदुष्कृतः

विधृति

Ait. 3. 12. सैषा विधृतिर्नाम द्वाः

विदृश्

Kaush. 1. 5. सा प्रज्ञा प्रज्ञया हि विप-
श्यति

Kaṭha. 4. 6. गुहां प्रविश्य तिष्ठन्तं यो
भूतेभिर्व्यपश्यत

विदॄ

Ait. 3. 12. स एतमेव सीमानं विदार्य

Gîtâ. 1. 19. हृदयानि व्यदारयत्

विदेह

Bṛih. 4 2. 4. इमे विदेहा अयमहमस्मीति
4. 4. 23. सो ऽहं भगवते विदेहान् द-
दामि

विदेहमुक्ति

Mukti. 1. 29. विदेहमुक्ताविच्छा चेत्
1. विदेहमुक्तिः सैव कैवल्य-
मुक्तिः
2. केयं विदेहमुक्तिः
— प्रारब्धक्षयाद्विदेहमुक्तिः
— जीवन्मुक्तिविदेहमुक्त्योः

विदो

Bṛih. 5. 7. 1. विद्यत्येनं पाप्मनो य एवं
वेद विद्युद्ब्रह्मेति

विद्या

Kena. 12. विद्यया विन्दते ऽमृतम्

Chhâ. 1. 1. 10. नाना तु विद्या चाविद्या च
यदेव विद्यया करोति . .
तदेव वीर्यवत्तरम्
4. 9. 3. आचार्याद्धैव विद्या विदिता
साधिष्ठं प्रापयति
4. 14. 1. उपकोसलैषा सोम्य ते ऽस्म-
द्विद्या
5. 3. 7. इयं न प्राक् त्वत्तः पुरा वि-
द्या ब्राह्मणान् गच्छति

Bṛih. 1. 5. 16. विद्यया देवलोकः
— तस्माद्विद्यां प्रशंसन्ति

Bṛih. 2. 4. 10. विद्या उपनिषदः श्लोकाः 4. 1. 2; 4. 5. 11; Maitri. 6. 32.

11. सर्वासां विद्यानां हृदयमेकायनं 4. 5. 12.

4. 4. 2. तं विद्याकर्मणी समन्वारभेते

10. य उ विद्यायां रताः Iśâ. 9.

6. 2. 8. इयं विद्येतः पूर्वं न कस्मिंश्चन ब्राह्मण उवास

Iśâ. 10. अन्यदेवाहुर्विद्यया

11. विद्यां चाविद्यां च यस्तद्वेदोभयं सह..विद्ययामृतमश्नुते Maitri. 7. 9.

Tait. 1. 3. 3. विद्या सन्धिः

3. 6. 1. सैषा भार्गवी वारुणी विद्या

Kaṭha. 2. 4. अविद्या या च विद्येति ज्ञाता Maitri. 7. 9.

6. 18. मृत्युप्रोक्तां..विद्यामेताम्

Śwet. 5. 1. क्षरं त्वविद्या ह्यमृतं तु विद्या

Maitri. 4. 4. विद्यया तपसा चिन्तया चोपलभ्यते ब्रह्म

Muṇḍ. 1. 1. 4. द्वे विद्ये वेदितव्ये Brahmab. 17.

Praśna. 1. 10. श्रद्धया विद्ययात्मानमन्विष्य

Nṛip. 3. 1. यामिन्द्रसेनेत्युत आहुस्तां विद्यां (पाहि)

4. 3. यो वै नृसिंहः..या विद्या तस्मै वै नमो नमः (10).

Nyâsa. 4. विद्याया मनसि संयोगः

Kaṭhaśru. 1. विद्या सा शिखा

2. प्रजां विद्यां छिन्द्यात् (for विद्यां 2 MSS. have विद्यात् and 2 विन्द्यात्)

Sarvop. 1. का अविद्या का विद्येति — सो ऽभिमानो ययाभिनिवर्तते सा विद्या

Râmap. 89. मायाविद्ये ये कलापरतत्त्वे (Weber proposes अविद्या for विद्या)

Râmot. 5. यो वै श्रीरामः..या विद्या (Weber reads अविद्या)

Mukti. 1. 33. तेजोनादो ध्यानं विद्या

51. विद्या ह वै ब्राह्मणमाजगाम

Gitâ. 10. 32. अध्यात्मविद्या विद्यानाम्

विद्यात्मन्

Dhyâna. 13. रेचकेन तु विद्यात्मा

विद्याधर

Nâda. 13. विद्याधरस्तृतीयायाम्

विद्यान्तर

Maitri. 7. 8. न जानाति वेदविद्यान्तरं तु यत्

विद्याभीप्सित

Maitri. 7. 9. विद्याभीप्सितं नचिकेतसं मन्ये

विद्याभीप्सिन्

Kaṭha. 2. 4. विद्याभीप्सिनं नचिकेतसं मन्ये

विद्याविद्य

Śwet. 5. 1. विद्याविद्ये निहिते यत्र गूढे — विद्याविद्ये ईशते यस्तु सो ऽन्यः

विद्याविनयसम्पन्न

Gitâ. 5. 18. विद्याविनयसम्पन्ने ब्राह्मणे

1. विद्युत्

Kaush. 2. 12. एतद्वै ब्रह्म दीप्यते यद्विद्युद्विद्योतते ऽथैतन्म्रियते यन्न विद्योतते

Kena. 29. एतद्विद्युतो व्यद्युतदा

Chhâ. 2. 3. 1. विद्योतते स्तनयति स प्रतिहारः 2. 15. 1.
7. 11. 1. विद्योतते स्तनयति वर्षिष्यति वा इति

Bṛih. 1. 1. 1. यद्विजृंभते तद्विद्योतते

Maitri. 7. 11. उच्चारितमात्र एव सर्वं शरीरं विद्योतयति

Praśna. 4. 8. तेजश्च विद्योतयितव्यं च

2. विद्युत् *adj.*

Mahânâr. 1. 8. सर्वे निमेषा जज्ञिरे विद्युतः पुरुषादधि

3. विद्युत्

Kaush. 1. 12. तस्य विद्युतमेव तेजो गच्छति वायुं प्राण एतद्वै ब्रह्म दीप्यते यद्विद्युद्विद्योतते
4. 2. विद्युति सत्यम्
5. य एवैष विद्युति पुरुषस्तमेवाहमुपासे
18. विद्युत आत्मा.. अहमेतमुपासे

Kena. 29. एतद्विद्युतो व्यद्युतदा

Chhâ. 4. 7. 3. चन्द्रः कला विद्युत्कला
4. 13. 1. प्राण आकाशो द्यौर्विद्युदिति य एष विद्युति पुरुषो दृश्यते
4. 15. 5. चन्द्रमसो विद्युतम् 5. 10. 2.
5. 5. 1. विद्युदर्चिः Bṛih. 6. 2. 10.
5. 22. 2. विद्युत्तृप्यति विद्युति तृप्यन्त्यां यत्किञ्च विद्युच्च पर्जन्यश्चाधितिष्ठतस्तत्तृप्यति
6. 4. 4. यद्विद्युतो रोहितं रूपम्
— अपागाद्विद्युतो विद्युत्त्वम्
7. 11. 1. ऊर्ध्वाभिश्च तिरश्चीभिश्च विद्युद्भिः
7. 12. 1. आकाशो वै.. विद्युत्

Chhâ. 8. 1. 3. विद्युन्नक्षत्राणि
8. 12. 2. अभ्रं विद्युत्स्तनयित्नुः

Bṛih. 2. 1. 4. विद्युति पुरुष एतं.. ब्रह्मोपासे
2. 5. 8. विद्युत्सर्वेषां.. मध्वस्यै विद्युतः सर्वाणि.. मधु
— विद्युति.. अमृतमयः पुरुषः
5. 7. 1. विद्युद्ब्रह्मेत्याहुर्विदानाद्विद्युत्.. विद्युद्ब्रह्मेति विद्युद्ध्येव ब्रह्म

Tait. 3. 10. 2. बलमिति विद्युति

Kaṭha. 5. 15. नेमा विद्युतो भान्ति Śwet. 6. 14; Muṇḍ. 2. 2. 10.

Śwet. 2. 11. खद्योतविद्युत्स्फटिकशशीनाम्

Maitri. 6. 24. यत्.. अग्नौ विद्युति विभाति
35. विद्युदिवाभ्रार्चिषः परमे व्योमन्

विद्युतोपम

Brahmav. 9. विधूमो विद्युतोपमः

विद्युत्त्व

Chhâ. 6. 4. 4. अपागाद्विद्युतो विद्युत्त्वम्

विद्युन्मन्त्

Śikhâ. 1. चतुर्थी विद्युन्मती सर्ववर्णा

विद्युन्माली

Nâda. 9. विद्युन्माली तथापरा

विद्युल्लेखा

Mahânâr. 11. 12. विद्युलेखेव भास्वरा Vâsu. 3.

विद्योत

Nṛisut. 6. ओङ्काराग्रविद्योतम् (ter).

1. विद्विष्

Tait. 2. 1. 1. मा विद्विषावहै 3. 1. 1; Kaṭha. 6. 19.

2. विद्विष्

Mahânâr. 20. 4. विद्विषो विमृधो जहि

विधरण

Bṛih. 4. 4. 22. एष सेतुर्विधरणः Maitri. 7. 7.

6. 3. 1. यां तिरश्ची निपद्यते ऽहं विधरणी इति

Maitri. 7. 6. यः प्राज्ञो विधरणः

विधर्तृ

Mahânâr. 9. 5. विधर्त्तारं हवामहे (Nârâyaṇa gives विभक्तारम् as variant).

विधर्मन्

Mahânâr. 6. 1. अक्रान्त्समुद्रः प्रथमे विधर्मन्

1. विधा

Chhâ. 6. 5. 1. अन्नमशितं त्रेधा विधीयते

2. आपः पीतास्त्रेधा विधीयन्ते

3. तेजो ऽशितं त्रेधा विधीयते

8. 15. 1. धार्मिकान् विदधत्

Bṛih. 1. 2. 3. स एष प्राणस्त्रेधा विहितः

5. 15. 1. भूयिष्ठां ते नमउक्तिं विधेम Iśâ. 18.

Iśâ. 8. अर्थान् व्यदधाच्छाश्वतीभ्यः समाभ्यः

Kaṭha. 5. 13. एको बहूनां यो विदधाति कामान् Śwet. 6. 13.

Śwet. 2. 4. वि होत्रा दधे वयुनावित्

4. 13. कस्मै देवाय हविषा विधेम Nṛip. 2. 4.

6. 18. यो ब्रह्माणं विदधाति पूर्वम्

Mahanâr. 5. 6. अहोरात्राणि विदधत्

Praśna. 2. 18. श्रीश्च प्रज्ञां विधेहि नः

Śiras. 5. अयं पन्था विहितः

Nâda. 1. षष्ठी चैन्द्री विधीयते

Vâsu. 3. ऊर्ध्वपुण्ड्रं विधीयते

Mukti. 1. 41. पूर्वोत्तरेषु विहितः (?)

2. 67. कस्य शौचं विधीयते

Gîtâ. 2. 44. समाधौ न विधीयते

7. 21. तामेव विदधाम्यहम्

22. मयैव विहितान्हितान्

17. 23. यज्ञाश्च विहिताः पुरा

2. विधा

Tait. 3. 10. 1. यया कया च विधया बह्वन्नं प्राप्नुयात्

विधातृ

Maitri. 6. 8. एष हि खल्वात्मा विधाता

Mahânâr. 2. 5. स नो बन्धुर्जनिता स विधाता

Kaṭhaśru. 2. त्वं धाता त्वं विधाता — अहं धाताहं विधाता

विधान

Gopî. 5. विधानेन विशेषतः

विधानोक्त

Gîtâ. 17. 24. प्रवर्त्तन्ते विधानोक्ताः

विधाव्

Kaṭha. 4. 14. यथोदकं दुर्गे वृष्टं पर्वतेषु विधावति

1. विधि

Maitri. 4. 1. अस्य को विधिर्भूतात्मनः

6. 9. एवं विधिना खल्वनेनात्ता

Muṇḍ. 2. 1. 7. श्रद्धा सत्यं ब्रह्मचर्यं विधिश्च

Prâṇâg. 1. स्वेन विधिनान्नं भूमौ निक्षिप्य

Amṛita. 28. अनेन विधिना सम्यङ् नित्यमभ्यस्यतः

Kâlâg. 1. अधीहि भगवंस्त्रिपुण्ड्रविधिसतत्त्वम् (so Nârâyaṇa; all other MSS. °विधिं)

Jâbâla. 5. अयं विधिः परिव्राजिनाम्
Vâsu. 4. एवं विधिना गोपीचन्दनं यो धारयेत्

2. विधि

Krish. 12. यष्टिरूपो ऽभवद्विधिः

विधिदृष्ट

Gîtâ. 17. 11. यज्ञो विधिदृष्टो य इज्यते

विधिवत

Muṇḍ. 1. 1. 3. अङ्गिरसं विधिवदुपसन्नः
3. 2. 10. शिरोव्रतं विधिवद्यैस्तु चीर्णम्

Mukti. 1. सद्गुरुं विधिवदुपसंगम्य
— अष्टोत्तरशतोपनिषदं विधिवदधीत्य

विधिहीन

Gîtâ. 17. 13. विधिहीनमसृष्टान्नम्

विधु

Râmap. 88. अर्कविध्वग्नितेजांसि

विधू

Chhâ. 8. 13. 1. अश्व इव रोमाणि विधूय पापम्
Bṛih. 1. 1. 1. यद्विधूनुते तत्स्तनयति
Muṇḍ. 3. 1. 3. तदा विद्वान्पुण्यपापे विधूय

विधूम

Brahmav. 9. विधूमो विद्युतोपमः

विधृ

Bṛih. 3. 8. 9. सूर्याचन्द्रमसौ विधृतौ तिष्ठतः
— द्यावापृथिव्यौ विधृते तिष्ठतः
— संवत्सरा इति विधृतास्तिष्ठन्ति

Praśna. 2. 1. कत्येव देवाः प्रजां विधारयन्ते
Praśna. 2. 2. एतद्बाणमवष्टभ्य विधारयामः 3 (°यामि)
4. 8. प्राणश्च विधारयितव्यं च

विधृति

Chhâ. 8. 4. 1. आत्मा स सेतुर्विधृतिः

विधेयात्मन्

Gîtâ. 2. 64. आत्मवश्यैर्विधेयात्मा

विध्वंस्

Chhâ. 1. 2. 7. तं हासुरा ऋत्वा विदध्वंसुर्यथाश्मानमाखणमृत्वा विध्वंसेत
8. एवं यथाश्मानमाखणमृत्वा विध्वंसत एवं हैव स विध्वंसते

Bṛih. 1. 3. 7. यथाश्मानमृत्वा लोष्टो विध्वंसेतैवं हैव विध्वंसमानाः

विनद्

Gîtâ. 1. 12. सिंहनादं विनद्योच्चैः

विनय

Gauḍa. 4. 86. विप्राणां विनयो ह्येषः

विनर्दिन्

Chhâ. 2. 22. 1. विनर्दि साम्नो वृणे (one MS. and Sâyaṇa read विनदि)

विनश्

Bṛih. 1. 3. 7. विष्वञ्चो विनेशुः
Nîla. 3. वि ते ऽक्षेममनोनशत्
Sarvop. 2. भूतात्मज्ञानादृते न विनश्यति
3. नामदेशकालवस्तुनिमित्तेषु विनश्यत्सु यन्न विनश्यति
Skanda. 3. स्वप्नवच्च विनश्यति
Gîtâ. 4. 40. संशयात्मा विनश्यति

Gîtâ. 8. 20. यः स सर्वेषु भूतेषु नश्यत्सु न विनश्यति
13. 27. विनश्यत्स्वविनश्यन्तम्
18. 58. अथ चेत्..न श्रोष्यसि विनंक्ष्यसि

विनष्टि

Kena. 13. न चेदिहावेदीन्महती विनष्टिः

Bṛih. 4. 4. 14. न चेदवेदिर्महती विनष्टिः

विना

Prâṇâg. 1. विनाप्यग्निहोत्रेण विनापि सांख्ययोगेन

Râmap. 11. नैवं विना देवः प्रसीदति
13. विना यन्त्रेण चेत्पूजा

Mukti. 2. 14. चिराभ्यासयोगेन विना
43. विना युक्तिमनिन्दिताम्
44. अंकुशेन विना
53. अहंकृतिं विना

Gîtâ. 10. 39. न तदस्ति विना यत्स्यान्मया

विनाश

Chhâ. 8. 11. 1. विनाशमेवापीतो भवति 2.

Iśâ. 14. संभूतिं च विनाशं च यस्तद्वेदोभयं सह विनाशेन मृत्युं तीर्त्वा

Sarvop. 3. उत्पत्तिविनाशरहितम्

Gîtâ. 2. 17. विनाशमव्ययस्यास्य
4. 8. विनाशाय च दुष्कृताम्
6. 40. विनाशस्तस्य विद्यते

विनिधा

Bṛih. 1. 3. 10. तदासां पाप्मनो विन्यदधात्

विनिधृ

Amṛita. 22. तिर्यगूर्ध्वमधो दृष्टिं विनिधार्य

विनियम्

Gîtâ. 6. 18. यदा विनियतं चित्तम्
24. विनियम्य समन्ततः

विनियुज्

Śwet. 5. 5. गुणांश्च सर्वान् विनियोजयेद्यः
6. 4. भावांश्च सर्वान् विनियोजयेद्यः

Praśna. 3. 4. यथा सम्राडेवाधिकृतान् विनियुंक्ते

विनियोग

Râmap. 22. स्ववाञ्छाविनियोगवान्

विनिर्गम्

Maitri. 6. 30. सौरं द्वारं भित्त्वोर्ध्वेन विनिर्गतः
7. 11. विनिर्गतं मातृकमेवमाहुः

Nyâsa. 5. यवमात्रे विनिर्गताम्

विनिर्ज्ञा

Bṛih. 4. 3. 5. यत्र स्वः पाणिर्न विनिर्ज्ञायते

विनिर्दिश्

Brahma. 3. कण्ठे स्वप्नं विनिर्दिशेत्

विनिर्मुच्

Praśna. 5. 5. यथा पादोदरस्त्वचा विनिर्मुच्यत एवं ह वै स पाप्मना विनिर्मुक्तः

Brahmab. 6. पक्षपातविनिर्मुक्तम्

Tejo. 8. चित्तवृत्तिविनिर्मुक्तम्
14. एतद्भावविनिर्मुक्तम्

Sarvop. 3. सर्वोपाधिविनिर्मुक्तः (so 2 MSS.; 3 have °क्तं)

Atmapra. 1. शोकमोहविनिर्मुक्तं विष्णुम्

Mukti. 1. उपाधिविनिर्मुक्तघटाकाशवत् 2.
2. 35. भूयोजन्मविनिर्मुक्तम्
Gîtâ. 2. 51. जन्मबन्धविनिर्मुक्ताः

विनिवृत्

Śwet. 6. 3. तत्कर्म कृत्वा विनिवृत्य भूयः (so MSS. and Śaṁkarânanda, Nârâyaṇa, and Vijnânabhagavat).
Gauḍa. 1. 18. विकल्पो विनिवर्त्तेत
2. 18. विकल्पो विनिवर्त्तेते
4. 79. निःसङ्गं विनिवर्त्तते
Gîtâ. 2. 59. विषया विनिवर्त्तन्ते

विनिश्चय

Gauḍa. 1. 6. प्रभवः सर्वभावानां सतामिति विनिश्चयः

विनिश्चर्

Bṛih. 2. 4. 10. पृथग्धूमा विनिश्चरन्ति 4. 5. 11.

विनिश्चि

Gauḍa. 1. 8. इति सृष्टौ विनिश्चिताः
Gîtâ. 13. 4. हेतुमद्भिर्विनिश्चितैः

विनिष्कम्प

Amṛita. 22. स्थिरस्थायी विनिष्कम्पः

विनुद्

Maitri. 6. 27. तदेकाग्र्येणैवमन्तर्हृदयाकाशं विनुदन्ति

विन्यस्

Aruṇeya. 5. ओं हि ओं हि ओं हीत्येतदुपनिषदं विन्यसेत्

विपट्

Kaush. 4. 19. तद्यथा सहस्रधा केशो विपाटितः

विपत्

Chhâ. 1. 8. 6. यस्त्वेतर्हि ब्रूयान्मूर्द्धा ते विपतिष्यतीति मूर्द्धा ते विपतेत् 8.
1. 10. 9. मूर्द्धा ते विपतिष्यति 10,11; 1. 11. 4, 6, 8; Bṛih. 3. 7. 1; 3. 9. 26.
1. 11. 5. मूर्द्धा ते व्यपतिष्यत् 7, 9; 5. 12. 2.
Bṛih. 1. 3. 24. अयं त्वस्य राजा मूर्द्धानं विपातयतात्
3. 6. 1. मा ते मूर्द्धा व्यपप्तत्
3. 9. 26. तस्य ह मूर्द्धा विपपात

विपन्यु

Nṛip. 5. 10. तद्विप्रासो विपन्यवो जागृवांसः समिन्धते Aruṇeya. 5; Vâsu 4; Skanda. 15; Mukti. 2. 78.

विपरिपत्

Bṛih. 4. 3. 19. आकाशे श्येनो वा सुपर्णो वा विपरिपत्य

विपरिलोप

Bṛih. 4. 3. 23. न हि द्रष्टुर्दृष्टेर्विपरिलोपः
24. न हि घ्रातुर्घ्रातेर्विपरिलोपः
25. न हि रसयितू रसयतेर्विपरिलोपः
26. न हि वक्तुर्वक्तेर्विपरिलोपः
27. न हि श्रोतुः श्रुतेर्विपरिलोपः
28. न हि मन्तुर्मतेर्विपरिलोपः
29. न हि स्प्रष्टुः स्पृष्टेर्विपरिलोपः
30. न हि विज्ञातुर्विज्ञातेर्विपरिलोपः

विपरिवृत्

Gîtâ. 9. 10. जगद्विपरिवर्त्तते

विपरी

Katha. 2. 4. दूरमेते विपरीते विषूची Maitri. 7. 9.

Maitri. 6. 30. अतस्तद्विपरीतो मुक्तः (bis).

Parama. 2. संशयविपरीतमिथ्याज्ञानानां यो हेतुः

Gîtâ. 1. 31. निमित्तानि च पश्यामि विपरीतानि

18. 15. न्याय्यं वा विपरीतं वा

32. सर्वार्थान्विपरीतांश्च

विपर्यय

Gauḍa. 4. 46. न पतन्ति विपर्यये

विपर्यास

Gauḍa. 1. 15. विपर्यासे तयोः क्षीणे

4. 27. आनिमित्तो विपर्यासः

41. विपर्यासाद्यथा जाग्रत्

— तथा स्वप्ने विपर्यासात्

विपल्यय्

Bṛih. 4. 3. 2. कर्म कुरुते विपल्येति 3–6.

विपश्चित्

Tait. 2. 1. 1. सो ऽश्नुते सर्वान् कामान् सह ब्रह्मणा विपश्चिता

Kaṭha. 2. 18. न जायते म्रियते वा विपश्चित्

Śwet. 2. 4. विप्रा विप्रस्य बृहतो विपश्चितः

Gîtâ. 2. 60. पुरुषस्य विपश्चितः

विपाप

Bṛih. 4. 4. 23. विपापो विरजः. . भवति

विपाप्मन्

Mahânâr. 10. 7. दहं विपाप्मं वरं वेश्मभूतम् (so MSS.)

20. 15. विपाप्मा भूयासम् 16–21, 24, 25.

विप्र

Śwet. 2. 4. विप्रा विप्रस्य बृहतो विपश्चितः

Mahânâr. 9. 1. ऋषिर्विप्राणाम् 17. 8.

Gauḍa. 4. 86. विप्राणां विनयो ह्येषः

Nṛip. 5. 10. तद्विप्रासो विपन्यवः Aruṇey. 5; Vâsu. 4; Skanda 10; Mukti. 2. 78.

Brahma. 2. स विप्रो वेदपारगः

विप्रकीर्णाब्जकर्णिक

Dhyâna. 15. शताब्जं शतपत्राढ्यं विप्रकीर्णाब्जकर्णिकम्

विप्रचित्ति

Bṛih. 2. 6. 3. एकऋषिर्विप्रचित्तेः 4. 6. 3.

— विप्रचित्तिर्व्यष्टेः 4. 6. 3.

विप्रतिपद्

Bṛih. 6. 2. 2. वेत्थ यथेमाः प्रजाः प्रयत्यो विप्रतिपद्यन्ता३ इति

Gauḍa. 2. 7. स्वप्ने विप्रतिपद्यन्ते 4. 32.

Gîtâ. 2. 53. श्रुतिविप्रतिपन्ना ते

विप्रमोक्ष

Chhâ. 7. 26. 2. सर्वग्रन्थीनां विप्रमोक्षः

विप्रस्था

Kaush. 3. 3. यथाग्नेर्ज्वलतो विष्फुलिंगा विप्रतिष्ठेरन्नेवमेवैतस्मादात्मनः प्राणा यथायतनं विप्रतिष्ठन्ते 4. 20.

विबुध्

Gauḍa. 3. 33. अजेनाजं विबुध्यते

विबुध

Kṛish. 23. वदन्ति विबुधा जनाः

विबोध

Maitri. 2. 5. सुप्तस्येवाबुद्धिपूर्वं विबोधः

विब्रू

Bṛih. 3. 4. 2. यथा विब्रूयादसौ गौः
4. 5. 4. यदेव भगवान्वेत्थ तद्देव मे विब्रूहि

विभज्

Bṛih. 4. 3. 23. न तु तद्द्वितीयमस्ति ततो ऽन्यद्विभक्तं 24–30.
Maitri. 2. 6. पञ्चधात्मानं विभज्य (bis).
6. 26. अपरिमितधा चात्मानं विभज्य
Mahânâr. 11. 10. सो ऽग्रभुग्विभजंस्तिष्ठन्नाहारम्
Nṛisut. 3. विभक्तांस्त्रीनेव . . संपूज्य
Nîla. 24. येनेदं विभजामहे
Gîtâ. 13. 16. विभक्तमिव च स्थितम्
18. 20. अविभक्तं विभक्तेषु

विभञ्ज्

Parama. 2. तयोर्भेद एक एव विभमः

विभा

Kaṭha. 5. 14. किमु भाति विभाति वा
15. तस्य भासा सर्वमिदं विभाति Śwet. 6. 14; Muṇḍ. 2. 2. 10.
Maitri. 6. 24. यदमुष्मिन्नादित्ये ऽथ सोमे ऽग्नौ विद्युति विभाति
Muṇḍ. 2. 2. 7. आनन्दरूपममृतं यद्विभाति
3. 1. 4. प्राणो ह्येष यः सर्वभूतैर्विभाति
7. सूक्ष्माच्च तत्सूक्ष्मतरं विभाति
Brahma. 1. दिव्ये ब्रह्मपुरे . . यद्ब्रह्म विभाति
2. चतुष्पादं ब्रह्म विभाति
— तेषां मध्ये यत्परं ब्रह्म विभाति
— एकमेव परं ब्रह्म विभाति

विभाग

Mukti. 1. 10. ऋग्वेदादिविभागेन
17. सालोक्यादिविभागेन

विभावसु

Mahânâr. 7. 4. यज्ञं पाहि विभावसो
Gîtâ. 7. 9. तेजश्चास्मि विभावसौ

विभिद्

Chhâ. 5. 16. 2. वस्तिस्ते व्यभेत्स्यद्यन्मां नागमिष्यः
Râmap. 40. सप्ततालान् विभिद्याशु

विभीषण

Râmap. 47. विभीषणं तत्र स्थाप्य
51. शत्रुघ्नाधो विभीषणम्
54. विभीषणं लक्ष्मणं च

विभु

Kaṭha. 2. 22. महान्तं विभुमात्मानं मत्वा 4. 4.
Maitri. 6. 7. विभुर्विग्रहे सन्निविष्टः
Muṇḍ. 1. 1. 6. नित्यं विभुं सर्वगतम्
Mahânâr. 2. 3. स ओतः प्रोतश्च विभुः प्रजासु
Kaivalya. 6. विभुं चिदानन्दमरूपम्
Gauḍa. 1. 1. बहिःप्रज्ञो विभुर्विश्वः
10. देवस्तुर्यो विभुः स्मृतः
Nṛisut. 9. विभुरद्वय आत्मानन्दः
Chûl. 5. सर्वकामदुघा विभोः
13. स्तूयते मन्त्रसंयुक्तैरथर्वविहितैर्विभुः
16. पश्यन्ति परिशुद्धं विभुम्
Brahma. 2. सं विभोः प्रजा विज्ञायेरन्
Kṛish. 27. आभिर्भिन्नो न वै विभुः
Gîtâ. 5. 15. न चैव सुकृतं विभुः
10. 12. आदिदेवमजं विभुम्

विभुत्व

Śwet. 3. 21. सर्वात्मानं सर्वगतं विभुत्वात्

Śwet. 4. 4. अनादिमत्त्वं विभुत्वेन वर्त्तसे
Praśna. 3. 12. विभुत्वं चैव पञ्चधा

विभुप्रमित

Kaush. 1. 3. विभुप्रमितम्
5. स आगच्छति विभुप्रमितम्

1. विभू

Bṛih. 1. 4. 11. तदेकं सन्न व्यभवत्
12. स नैव व्यभवत् 13, 14.
Muṇḍ.3. 1. 9. विभवत्येष आत्मा
Kshur. 20. सा नाडी तां विभावयेत्

2. विभू

Bṛih. 6. 3. 4. विभूरसि प्रभूरसि
Mahânâr. 2. 24. वसुरण्यो विभूरसि

विभूति

Praśna. 5. 4. सोमलोके विभूतिमनुभूय
Gauḍa. 1. 7. विभूतिं प्रसवं त्वन्ये मन्यन्ते
Gîtâ. 10. 7. एतां विभूतिं योगं च
16. याभिर्विभूतिभिः . . तिष्ठसि
18. विभूतिं च जनार्दन
40. नान्तो ऽस्ति मम दिव्यानां विभूतीनाम्
— विभूतेर्विस्तरो मया

विभूतिमन्त्

Gîtâ. 10. 41. यद्यद्विभूतिमत्सत्त्वम्

विभूष्

Râmap. 26. धृष्टद्यष्टकविभूषितः
75. मेधामरविभूषिता

विभ्रम्

Gîtâ. 16. 16. अनेकचित्तविभ्रान्ताः

विभ्राज्

Mahânâr.10. 5. परेण नाकं निहितं गुहायां विभ्राजते Kaivalya. 3.

विमत्सर

Gîtâ. 4. 22. द्वन्द्वातीतो विमत्सरः

विमथ्

Bṛih. 3. 9. 25. वयांसि वैनद्विमथ्नीरन्

विमल

Nâda. 20. विमलः केवलः प्रभुः

विमलादि

Râmap. 90. विमलादीश्च शक्तीरभ्यर्चयेत्

विमुक्तमार्ग

Nyâsa. 3. विमुक्तमार्गो भवति
Kaṭhaśru. 4. विमुक्तमार्गो भवेत्

विमुक्ति

Tait. 3. 10. 2. विमुक्तिरिति पायौ
Kaivalya. 9. नान्यः पन्था विमुक्तये
Mukti. 1. 26. मुमुक्षूणां विमुक्तये

विमुख

Mukti. 1. 48. मद्भक्तिविमुखाय

विमुच्

Chhâ. 6. 14. 2. तावदेव चिरं यावन्न विमोक्ष्ये
Bṛih. 4. 2. 1. इतो विमुच्यमानः क्व गमिष्यसीति
4. 4. 8. इत ऊर्ध्वा विमुक्ताः
Kaṭha. 5. 1. विमुक्तश्च विमुच्यते
4. देहाद्विमुच्यमानस्य किमत्र परिशिष्यते
Muṇḍ.2. 2. 5. अन्या वाचो विमुञ्चथ
3. 2. 8. नामरूपाद्विमुक्तः
9. गुहाग्रन्थिभ्यो विमुक्तः
Nâr. 3. सर्वेभ्यो अघेभ्यो विमुक्तो भवति . . घोरेभ्यो विमुक्तो भवति

Jâbâla. 1. अविमुक्तं न विमुञ्चेत्
Râmot. 1.
6. यथोक्तकाले विमुक्तो भैक्षमाचरन्नुदरपात्रेण
(one MS. has अविमुक्तः Saṁkara explains both).

Mukti. 2. 73. तदेव चाहं सकलं विमुक्त ओम्

Gîtâ. 4. 32. एवं ज्ञात्वा विमोक्ष्यसे
9. 28. विमुक्तो मामुपैष्यसि
14. 20. विमुक्तो ऽमृतमश्नुते
15. 5. द्वन्द्वैर्विमुक्ताः सुखदुःखसंज्ञैः
16. 22. एतैर्विमुक्तः कौन्तेय
18. 35. न विमुञ्चति दुर्मेधाः
53. कामं क्रोधं परिग्रहं | विमुच्य

विमुह्

Maitri. 6. 34. इन्द्रियार्थविमूढस्य

Mukti. 2. 47. विमूढाः कर्त्तुमुद्युक्ताः
59. सद्वस्त्विति विमुह्यति

Gîtâ. 2. 72. नैनां प्राप्य विमुह्यति
3. 32. सर्वज्ञानविमूढांस्तान्
40. एतैर्विमोहयत्येषः
6. 38. विमूढो ब्रह्मणः पथि
15. 10. विमूढा नानुपश्यन्ति

विमूढभाव

Gîtâ. 11. 49. मा ते व्यथा मा च विमूढभावः

विमूढात्मन्

Gîtâ. 3. 6. इन्द्रियार्थान्विमूढात्मा
27. अहंकारविमूढात्मा

विमृत्यु

Chhâ. 8. 1. 5. विजरो विमृत्युर्विशोकः
8. 7. 1, 3; Maitri. 6. 25; 7. 7.

Kaṭha. 6. 18. विरजो ऽभूद्विमृत्युः

Maitri. 6. 4. विजरं विमृत्युं विपल्मा
25. विजरं विमृत्युं विशोकम
7. 5.

विमृध्

Mahânâr. 20. 4. विद्विषो विमृधो जहि
5. वृत्रहा विमृधो वशी

विमृश्

Chhâ. 1. 1. 4. इति विमृष्टं भवति

Gîtâ. 18. 63. विमृश्यैतदशेषेण

विमोक्ष

Bṛih. 4. 3. 14. अतऊर्ध्वं विमोक्षाय ब्रूहि
15, 16, 33.

Gîtâ. 16. 5. दैवी सम्पद्विमोक्षाय

विमोक्षण

Śiras. 5. पशुपाशविमोक्षणम्
— पशुपाशविमोक्षणाय

Yogat. 14. ऊर्ध्ववायुविमोक्षणे

Gîtâ. 5. 23. प्राक् शरीरं विमोक्षणात्

विम्लु

Chhâ. 5. 17. 2. पादौ ते व्यम्लास्येतां यन्मां नागमिष्यः

वियुज्

Nâda. 12. यदि प्राणैर्वियुज्यते 14.

Gîtâ. 2. 64. रागद्वेषवियुक्तैस्तु

वियोग

Sarvop. 2. प्राप्तशरीरसंबन्धवियोगम्
(4 MSS. have सन्धियोगम्)

Gîtâ. 6. 23. दुःखसंयोगवियोगम्

विरज, विरजस्

Bṛih. 4. 4. 23. विपापो विरजः . . भवति

Kaṭha. 6. 18. ब्रह्मप्राप्तो विरजो ऽभूत्

Muṇḍ 1. 2. 11. सूर्यद्वारेण ते विरजाः प्रयान्ति
2. 2. 9. विरजं ब्रह्म निष्कलम्
Mahânâr. 5. 3. सो ऽहमपापो विरजः
20. 15. ज्योतिरहं विरजा विपाप्मा भूयासम् 16-20, 21, 24, 25.
Praśna. 1. 16. तेषामसौ विरजो ब्रह्मलोकः
Kaivalya. 5. हृत्पुण्डरीकं विरजं विशुद्धम्
Kshur. ..7. विरजा ब्रह्मरूपिणी
Brahma. 1. विरजं निष्कलं..ब्रह्म

विरञ्ज्

Jâbâla. 4. यदहरेव विरजेत्तदहरेव प्रव्रजेत्
Mukti. 2. 66. न विरज्येत यः पुमान्

विरम्

Nṛip. 2. 4. सर्वाणि भूतानि विरमति विरामयति

विरम

Mukti. 1. 3. समाधिविरमे

विराग

Mukti. 2. 66. विरागकारणं तस्य

1. विराज्

Chhâ. 2. 16. 2. य एवमेतद्वैराजमृतुषु प्रोतं वेद विराजति प्रजया

2. विराज्

Chhâ. 1. 13. 2. वाग्विराट्
4. 3. 8. सैषा विराडन्नादी
Bṛih. 4. 2. 3. एषास्य पत्नी विराट्
Mahânâr. 14. 1. विराडापः
Nṛip. 1. 4. सम्राट् स्वराड् विराट्
2. 1. विराडेकऋषिः Nṛisut. 3.
4. 3. यो वै नृसिंहः..यश्च विराट् तस्मै वै नमो नमः (31).
Nṛisut. 9. विराजं देवताः कोशांश्च सृष्ट्वा
Chûl. 13. प्रजापतिर्विराट् चैव
Śikhâ. 1. विराडेकऋषिरङ्गिराः (so 2 MSS.)
Râmot. 5. यो ब्रह्माण्डस्यान्तर्बहिर्व्याप्नोति विराट् (36).

विराज्य

Maitri. 1. 2. विराज्ये पुत्रं निधापयित्वा

विराट

Gîtâ. 1. 4. युयुधानो विराटश्च
17. धृष्टद्युम्नो विराटश्च

विराध्

Chhâ. 3. 11. 2. मा विराधिषि ब्रह्मणा
Prâṇâg. 1. यदन्नमद्मि बहुधा विराद्धम् (so one MS.; Nârâyaṇa says विराद्धं सिद्धिविरोधि विराद्धमेवाह. Four MSS. read विराजम्)

विरिञ्चि

Skanda. 14. विरिञ्चिनारायणशंकरात्मक

विरिष्ट

Chhâ. 4. 17. 4. यज्ञस्य विरिष्टं सन्दधाति 5, 6, 8.

विरुध्

Maitri. 6. 34. ब्रह्मणः पदव्योमानुस्मरणं विरुद्धम्
Gauḍa. 3. 17. परस्परं विरुध्यन्ते तैरयं न विरुध्यते
18. तेनायं न विरुध्यते

विरूप

Chhâ. 2. 15. 2. विरूपांश्च सुरूपांश्च पशूनवरुन्धे

विरूपाक्ष

Mahânâr. 12. 1. ऊर्ध्वरेतं विरूपाक्षम् Nṛip. 1. 6.
Nîla. 23. विरूपाक्षेण बभ्रुणा

विरोचन

Chhâ. 8. 7. 2. विरोचनो ऽसुराणाम्
8. 8. 4. विरोचनो ऽसुरान् जगाम
8. 9. 2. प्राव्राजीः सार्द्धं विरोचनेन

विरोदस्

Mahânâr. 5. 8. यत् पृथिव्यां रजः स्वमान्तरिक्षे विरोदसी

विलक्षण

Kaivalya. 18. तेभ्यो विलक्षणः साक्षी
Nṛi ut. 2. सर्वस्मादस्मादन्यो विलक्षणः
Sarvop. 4. त्वंपदार्थादौपाधिकात्तत्पदार्थादौपाधिकाद्विलक्षणः

विलग्

Gîtâ. 11. 27. केचिद्विलग्ना दशनान्तरेषु

विलय

Mukti. 2. 18. वासनाविलये

विलिख्

Râmap. 62. विलिखेत्स्वरान्
63. विलिखेद्भूमिसंख्यया
65. विलिखेद्द्वादशाक्षरम्
66. विलिखेत्केसरे ह्रियम्
69. विलिखेन्मन्त्रराजार्णान्

विली

Chhâ. 6. 13. 1. यथा विलीनमेवाङ्ग
Maitri. 6. 24. मानसे च विलीने तु
35. सैन्धव इव व्लीयन्ते
Kaivalya. 13. सुषुप्तिकाले सकले विलीने
Haṁsa. 2. तस्मिन्मनो विलीयते
Mukti. 2. 50. विलाप्य विकृतिं कृत्स्नाम्

विलीनपाश

Nâda. 20. ततो विलीनपाशो ऽसौ

विलुप्

Chhâ. 3. 16. 2. माहं . . यज्ञो विलोप्सीय 4, 6.

विलोहित

Kshur. 8. कृष्णास्ताम्रविलोहिताः
Nîla. 2. नीलग्रीवं विलोहितम् 10.
9. उत बभ्रुर्विलोहितः

विवक्षा

Gauḍa. 1. 19. विश्वस्यात्वविवक्षायाम्

विवच्

Chhâ. 4. 4. 5. नैतदब्राह्मणो विवक्तुमर्हति
5. 3. 5. नैकं चनाशकं विवक्तुमिति
Bṛih. 3. 8. 5. नमस्ते ऽस्तु . . यो म एतं व्यवोचः
3. 9. 26. तं चेन्मे न विवक्ष्यसि

विवद्

Kaush. 2. 14. देवता अहंश्रेयसे विवदमानाः
Chhâ. 5. 1. 6. प्राणा अहंश्रेयसि व्यूदिरे
Bṛih. 5. 14. 4. यदिदानीं द्वौ विवदमानावेयाताम्
6. 1. 7. ते हेमे प्राणा अहंश्रेयसे विवदमानाः
Gauḍa. 4. 3. विवदन्तः परस्परम्
4. विवदन्तो ऽद्वया हि
5. विवदामो न तैः सार्द्धम्

विवर

Maitri. 7. 1. विवरेणेक्षन्ति 2—6.

विवर्णवासस्

Jâbâla. 5. अथ परिव्राड्विवर्णवासाः

विवर्द्धन

Gopî. 5. बलारोग्यविवर्द्धनम्

Gîtâ. 17. 8. आयुःसत्त्वबलारोग्यसुख-प्रीतिविवर्द्धनाः

विवशीकृत

Mukti. 2. 59. वासनाविवशीकृतः

विवस्

Chhâ. 4. 4. 1. ब्रह्मचर्यं भवति विवत्स्यामि

विवस्वत्

Gîtâ. 4. 1. इमं विवस्वते योगम्
— विवस्वान्मनवे प्राह
4. परं जन्म विवस्वतः

विविक्तदेश

Kaivalya. 4. विविक्तदेशे च सुखासनस्थः

Gîtâ. 13. 10. विविक्तदेशसेवित्वम्

विविक्तरूप

Kaivalya. 21. अहं विजानामि विविक्त-रूपः

विविक्तसेविन्

Gîtâ. 18. 52. विविक्तसेवी लघ्वाशी

विविच्

Katha. 2. 2. तौ सम्परीत्य विविनक्ति धीरः

विविध

Śwet. 6. 8. परास्य शक्तिर्विविधैव श्रूयते

Muṇḍ. 2. 1. 1. तथाक्षराद्विविधाः सोम्य भावाः

Garbha. 4. आहारा विविधा भुक्ताः
— मातरो विविधा दृष्टाः

Râmap. 91. मुख्योपहारैर्विविधैश्च पूज्य

Gîtâ. 13. 4. छन्दोभिर्विविधैः पृथक्
17. 25. दानक्रियाश्च विविधाः

विविधाकार

Brahmab. 14. घटवद्विविधाकारम्

विविश्

Maitri. 2. 6. एतासां प्रतिबोधनायाभ्यन्तरं विविशामि

विवृ

Katha. 2. 13. विवृतं सद्म नचिकेतसं मन्ये
23. तस्यैष आत्मा विवृणुते तनूं स्वाम् Muṇḍ. 3. 2. 3.

Muṇḍ. 2. 1. 4. वाग्विवृताश्च वेदाः

Mahânâr. 2. 6. ऋतस्य तन्तुं विततं विवृत्य

Gauḍa. 4. 82. दुःखं विव्रियते सदा

विवृज्

Śwet. 2. 10. शर्करावह्निवालुकाविवर्जिते
3. 17. सर्वेन्द्रियविवर्जितम् Gîtâ. 13. 14.

Gauḍa. 3. 10. आत्ममायाविवर्जिताः

Amṛita. 27. नित्यं योगी विवर्जयेत्

Vâsu. 3. मध्याद्यन्तविवर्जितम्

Kshur. 20. पुनर्जन्मविवर्जिताः

Gîtâ. 7. 10. कामरागविवर्जितम्
12. 18. संगविवर्जितः

विवृत्

Chhâ. 2. 22. 5. ऊष्माणो . . विवृत्ता वक्तव्याः

Tait. 1. 6. 1. यत्रासौ केशान्तो विवर्त्तते

Śwet. 6. 2. तेनेशितं कर्म विवर्त्तते ह

विवृध्

Maitri. 6. 15. संवत्सरेणेह वै जाता विवर्धन्ते

Mahânâr. 4. 2. शतमायुर्विवर्द्धति (so 2 MSS.; 2 others read वर्द्धिनी)

Gîtâ. 14. 11. विवृद्धं सत्त्वमित्युत
12. रजसि . . विवृद्धे भरतर्षभ
13. तमसि . . विवृद्धे कुरुनन्दन

विवेक

Chhâ. 6. 9. 2. ते यथा तत्र न विवेकं लभन्ते

Gauḍa. 4. 60. विवेकस्तत्र नोच्यते

विवेकिन्

Mukti. 2. 15. पौरुषेण विवेकिना

1. विश्

Bṛih. 5. 12. 1. अन्नं वै वि अन्ने हीमानि सर्वाणि भूतानि विष्टानि — सर्वाणि ह वा अस्मिन् भूतानि विशान्ति . . य एवं वेद

Maitri. 6. 9. विशन्तु त्वामाहुतयश्च सर्वाः
28. एवं ब्रह्मशालां विशेत्
7. 1. पुनर्विशन्त्यन्तर् 2–6

Muṇḍ. 3. 2. 4. तस्यैष आत्मा विशते ब्रह्मधाम

Mahânâr. 1. 4. विवेश भूतानि चराचराणि
10. 5. यद्यतयो विशन्ति Kaivalya. 3.

Mukti. 2. 76. विशत्यदेहमुक्तत्वम्

Gîtâ. 8. 11. विशन्ति यद्यतयो वीतरागाः
9. 21. क्षीणे पुण्ये मर्त्यलोकं विशन्ति
11. 21. अमी हि त्वां सुरसंघा विशन्ति
27. वक्त्राणि ते त्वरमाणा विशन्ति
28. विशन्ति वक्त्राण्यभिविज्वलन्ति
29. विशन्ति नाशाय समृद्धवेगाः

Gîtâ. 11. 29. तथैव नाशाय विशन्ति लोकाः
18. 55. विशते तदनन्तरम्

2. विश्

Kaush. 2. 9. तेन मुखेन विशो ऽत्सि

Chhâ. 8. 14. 1. यशो राज्ञां यशो विशाम्

Bṛih. 1. 4. 12. स विशमसृजत
15. तदेतद्ब्रह्म क्षत्रं विट् शूद्रः

Gîtâ. 18. 41. ब्राह्मणक्षत्रियविशाम्

विशद

Kaivalya. 5. विचिन्त्य मध्ये विशदं विशोकम्

विशल्य

Nîla. 15. विशल्यो बाणवाँ उत

विशांपति

Mahânâr. 20. 5. स्वस्तिदा विशांपतिः

विशारद

Gauḍa. 4. 93. अजं साम्यं विशारदम् 100.

विशाल

Gîtâ. 9. 21. ते तं भुक्त्वा स्वर्गलोकं विशालम्

विशिष्

Gîtâ. 1. 7. अस्माकं तु विशिष्टा ये
3. 7. असक्तः स विशिष्यते
5. 2. कर्मयोगो विशिष्यते
6. 9. समबुद्धिर्विशिष्यते
7. 17. एकभक्तिर्विशिष्यते
12. 12. ज्ञानाद्ध्यानं विशिष्यते

विशुद्धसत्त्व

Muṇḍ. 3. 1. 8. ज्ञानप्रसादेन विशुद्धसत्त्वः
10. विशुद्धसत्त्वः कामयते यांश्च कामान्

विशुद्धात्मन्

Gîtâ. 5. 7. योगयुक्तो विशुद्धात्मा

विशुद्धि

Haṁsa. 1. विशुद्धौ प्राणान्निरुध्य
Gîtâ. 6. 12. आत्मविशुद्धये

विशुध्

Śwet. 2. 15. सर्वतत्त्वैर्विशुद्धम्
Muṇḍ. 3. 1. 9. यस्मिन् विशुद्धे विभवत्येष आत्मा
Kaivalya. 5. हृत्पुण्डरीकं विरजं विशुद्धम्
Gîtâ. 18. 51. बुद्ध्या विशुद्धया युक्तः

विशॄ

Chhâ. 5. 15. 2. सन्देहस्ते व्यशीर्यद्यन्मां नागमिष्यः
Kaṭhaśru. 1. विशीर्णं वस्त्रं वल्कलं वा

विशेष

Maitri. 6. 24. अविशेषविज्ञानं विशेषमुपगच्छति
Gauḍa. 2. 14. विशेषो नान्यहेतुकः
15. विशेषस्त्विन्द्रियान्तरे
Sarvop. 1. विषयविशेषविज्ञानाभावात्
2. तद्गतविशेषाविशेषज्ञः

विशेषतस्

Gopî. 5. विधानेन विशेषतः

विशेषान्त

Maitri. 6. 10. महदाद्यं विशेषान्तम्

विशोक

Chhâ. 2. 10. 5. तन्नाकं तद्विशोकम्
8. 1. 5. विजरो विमृत्युर्विशोकः 8. 7. 1, 3; Maitri. 6. 25; 7. 7.
Maitri. 6. 25. विजरं विमृत्युं विशोकम् 7. 5.
Mahânâr. 10. 7. तत्रापि दहं गगनं विशोकः
Kaivalya. 5. विचिन्त्य मध्ये विशदं विशोकम्

विश्रु

Tait. 1. 4. 1. कर्णाभ्यां भूरि विश्रुवम्
Maitri. 2. 1. मरुन्नाम्नेति विश्रुतो ऽसि

1. विश्व

Ait. 4. 5. अन्वेषामवेदमहं देवानां जनिमानि विश्वा
Chhâ. 3. 15. 1. तस्मिन्विश्वमिदं श्रितम्
Bṛih. 5. 15. 1. विश्वानि देव वयुनानि विद्वान् Iśâ. 18.
6. 2. 2. ताभ्यामिदं विश्वमेजत्समेति
6. 3. 3. विश्वाय स्वाहा
6. 4. 27. येन विश्वा पुष्यसि वार्याणि
Tait. 3. 10. 6. अहं विश्वं भुवनमभ्यभवाम् Nṛip. 2. 4.
Śwet. 1. 8. व्यक्ताव्यक्तं भरते विश्वमीशः
10. विश्वमायानिवृत्तिः
2. 5. शृण्वन्तु विश्वे अमृतस्य पुत्राः
17. यो विश्वं भुवनमाविवेश
3. 2. संसृज्य विश्वा भुवनानि Śiras. 5.
7. विश्वस्यैकं परिवेष्टितारम् 4. 14, 16; 5. 13.
4. 1. वि चैति चान्ते विश्वमादौ
4. यतो जातानि भुवनानि विश्वा
8. यस्मिन्देवा अधि विश्वे निषेदुः Mahânâr. 1. 2; Nṛip. 4. 2; 5. 2.
9. अस्मान्मायी सृजते विश्वमेतत्
14. विश्वस्य स्रष्टारमनेकरूपम् 5. 13.

Śwet. 5. 2. विश्वानि रूपाणि योनीश्च सर्वाः
5. सर्वमेतद्विश्वमधितिष्ठत्येकः
Maitri. 5. 1. त्वं विश्वं त्वमथाच्युतः
— विश्वभुग्विश्वमायुस्त्वं विश्वक्रीडारतिप्रभुः
2. प्रजापतिर्विश्वेत्यस्य प्रागुक्ता एतास्तनवः
6. 9. प्राणो ऽग्निर्विश्वो ऽसि
— स प्रीतः प्रीणातु विश्वम्
— विश्वो ऽसि . . विश्वं त्वया धार्यते जायज्ञानम् Prâṇâg. 2.
32. अस्यैवैतानि विश्वा भूतानि
Muṇd.1. 1. 1. विश्वस्य कर्त्ता भुवनस्य गोप्ता
7. तथाक्षरात् सम्भवतीह विश्वम्
2. 1. 3. पृथिवी विश्वस्य धारिणी Kaivalya. 15 ; Nâr. 1.
4. हृदयं विश्वम्
10. पुरुष एवेदं विश्वम्
2. 2. 11. ब्रह्मैवेदं विश्वमिदं वरिष्ठम्
3. 2. 1. यत्र विश्वं निहितं भाति शुभ्रम्
Mahânâr. 1. 5. विश्वं पुराणं तमसः परस्तात्
6. विश्वं बिभर्त्ति भुवनस्य नाभिः
2. 3. विश्वा भुवनानि विद्वान्यत्र विश्वं भवत्येकनीडम्
5. धामानि वेद भुवनानि विश्वा
5. 6. विश्वस्य मिषतो वशी
6. 2. स नः पर्षदति दुर्गाणि विश्वा
4. अग्ने त्वं पारया . . अति दुर्गाणि विश्वा
5. विश्वानि . . दुरिता
8. 5. अतश्च विश्वा ओषधयः
9. 4. य आविवेश भुवनानि विश्वा Nṛip. 2. 4.

Mahânâr. 9. 7. विश्वानि . . दुरितानि परासुव 17. 7.
11. 1. विश्वं नारायणं देवम्
2. विश्वं नारायणं हरिम् Mahâ. 3.
— विश्वमेवेदं पुरुषस्तद्विश्वमुपजीवति Mahâ. 3 (most MSS. read पुरुषम्)
3. पतिं विश्वस्यात्मेश्वरम्
8. विश्वस्यायतनं महत् Kaivalya. 16 ; Brahma. 3 ; Dhyâna. 23.
12. 3. अमृतो जीवो विश्वः
13. 2. विश्वं भूतं भव्यं भुवनम्
7. पृथ्वी बहुला विश्वा
14. 1. विश्वा भूतान्यापः
15. 1. विश्वमसि विश्वायुः
6. विश्वमूर्तिषु
20. 7. विश्वमाभासि रोचनम्
22. 1. धर्मो विश्वस्य जगतः प्रतिष्ठा
23. 1. ब्रह्मा विश्वः कतमः
Praśna. 2. 11. अत्ता विश्वस्य सत्पतिः
Kaivalya. 20. विश्वमहं विचित्रम्
Gauḍa. 1. 1. बहिःप्रज्ञो विभुर्विश्वः
2. दक्षिणाक्षिमुखे विश्वः
3. विश्वो हि स्थूलभुङ् नित्यम्
4. स्थूलं तर्पयते विश्वम्
11. इष्यते विश्वतैजसौ
19. विश्वस्यात्वविवक्षायाम्
23. अकारो नयते विश्वम्
2. 31. तथा विश्वमिदं दृष्टम्
Nṛip. 1. 4. इदं सर्वं विश्वानि भूतानि
7. विश्वसृज एतेन वै विश्वमिदमसृजन्त यद्विश्वमसृजन्त तस्माद्विश्वसृजः
— विश्वमेतानुप्रजायते
2. 4. क्षियन्ति भुवनानि विश्वा

Nṛip. 2. 4. विश्व उपासते प्रशिषं यस्य देवाः

Nṛisut. 1. विश्वो वैश्वानरः 2.

Śiras. 2. यो वै रुद्रः..यच्च विश्वम्

3. सर्वमसर्वं विश्वमविश्वम्

5. विश्वं देवं जातरूपं वरेण्यम्

6. इमा विश्वा भुवनानि चाक्लृपे (bis).

Prâṇâg. 2. विश्वं तु त्वाहुतयः सर्वाः

Nîla. 10. उत त्वा विश्वा भूतानि

Râmap. 24. स त्वनुष्णगुविश्वश्चेत्

76. अमोघा च विश्वमपि

Gîtâ. 11. 18. त्वमस्य विश्वस्य परं निधानम् 38.

19. स्वतेजसा विश्वमिदं तपन्तम्

38. त्वया ततं विश्वमनन्तरूप

47. तेजोमयं विश्वमनन्तमाद्यम्

2. विश्व

Gîtâ. 11. 22. विश्वेऽश्विनौ मरुतश्चोष्मपाश्च

विश्वकर्मकृत्

Maitri. 5. 1. विश्वात्मा विश्वकर्मकृत्

विश्वकर्मन्

Śwet. 4. 17. एष देवो विश्वकर्मा महात्मा

विश्वकृत्

Bṛih. 4. 4. 13. स विश्वकृत्स हि सर्वस्य कर्त्ता

Śwet. 6. 16. स विश्वकृद्विश्वविदात्मयोनिः

विश्वचक्षुस्

Maitri. 6. 6. प्रजापतिर्विश्वात्मा विश्वचक्षुरिवोपासितः

विश्वतश्चक्षुस्

Śwet. 3. 3. विश्वतश्चक्षुरुत विश्वतोमुखः Mahânâr. 2. 2.

विश्वतस्

Chhâ. 3. 13. 7. विश्वतः पृष्ठेषु

Śwet. 3. 14. स भूमिं विश्वतो वृत्वा

Mahânâr. 11. 2. विश्वतः परमं नित्यम् Mahâ. 3.

20. 2. अभयं कृणुहि विश्वतो नः

Nîla. 16. परि..अस्मान् वृणक्तु विश्वतः

17. तया त्वं विश्वतः..परिभुज

विश्वतस्पाद्

Śwet. 3. 3. विश्वतोबाहुरुत विश्वतस्पात् Mahânâr. 2. 2.

विश्वतोबाहु

Śwet. 3. 3. विश्वतोबाहुरुत विश्वतस्पात् Mahânâr. 2. 2.

विश्वतोमुख

Śwet. 3. 3. विश्वतश्चक्षुरुत विश्वतोमुखः Mahânâr. 2. 2.

4. 3. त्वं जातो भवसि विश्वतोमुखः

Mahânâr. 11. 10. विश्वार्चिर्विश्वतोमुखः Mahâ. 3 (°मुखं)

Prâṇâg. 1. गुहायां विश्वतोमुखः

Gîtâ. 9. 15. बहुधा विश्वतोमुखम्

10. 33. धाताहं विश्वतोमुखः

11. 11. अनन्तं विश्वतोमुखम्

विश्वदर्शत

Mahânâr. 20. 7. तरणिर्विश्वदर्शतः

विश्वधामन्

Śwet. 6. 6. ज्ञात्वात्मस्थममृतं विश्वधाम

विश्वंधर

Râmot. 5. विश्वंधरं महाविष्णुम् (वि-श्वाधारम् Weber).

विश्वभावन

Râmot. 3. सौमित्रिर्विश्वभावनः

विश्वभुज्

Maitri. 5. 1. विश्वभुग्विश्वमायुस्त्वम्
6. 9. स प्रीतः प्रीणातु विश्वं विश्वभुक्

Mahânâr. 16. 3. प्रभुः प्रीणाति विश्वभुक्

विश्वभृत्

Maitri. 6. 6. एषा वै प्रजापतेर्विश्वभृत्तनुः
13. विश्वभृद्वै नामैषा तनूर्भगवतो विष्णोः

विश्वमूर्त्ति

Gîtâ. 11. 46. सहस्रबाहो..विश्वमूर्त्ते

विश्वंभर

Kaush. 4. 20. विश्वंभरो वा विश्वंभरकुलाये Bṛih. 1. 4. 7.

विश्वयोनि

Śwet. 5. 5. यश्च स्वभावं पचति विश्वयोनिः

विश्वरुची

Muṇḍ. 1. 2. 4. विश्वरुची च देवी (so MSS; printed text has विश्वरूपी)

1. विश्वरूप

Chhâ. 5. 13. 1. एष वै विश्वरूप आत्मा
— तस्मात्तव बहु विश्वरूपं कुले दृश्यते
5. 18. 2. चक्षुर्विश्वरूपः

Bṛih. 2. 2. 3. यशो निहितं विश्वरूपम् (ter).

Tait. 1. 4. 1. यश्छन्दसामृषभो विश्वरूपः Mahânâr. 7. 5.

Śwet. 1. 4. विश्वरूपैकपाशम्
9. अनन्तश्चात्मा विश्वरूपः
5. 7. विश्वरूपस्त्रिगुणस्त्रिवर्त्मा
6. 5. तं विश्वरूपं भवभूतमीड्यम्

Maitri. 6. 8. विश्वरूपं हरिणं जातवेदसम् Praśna. 1. 8.
7. 7. इद्धो ऽग्निरिव विश्वरूपः
— तस्मै ते विश्वरूपाय..नमः

Mahânâr. 12. 1. विश्वरूपाय वै नमः
16. 7. मेधा सुरभिर्विश्वरूपा

Praśna. 1. 7. स एष वैश्वानरो विश्वरूपः

Śiras. 3. विश्वरूपो ऽसि ब्रह्मैकस्त्वम्

Prâṇâg. 2. विश्वोसि वैश्वानरो विश्वरूपः

Gîtâ. 11. 16. विश्वेश्वर विश्वरूप

2. विश्वरूप

Bṛih. 2. 6. 3. आभूतिस्त्वाष्ट्रो विश्वरूपात्त्वाष्ट्रात् 4. 6. 3.
— विश्वरूपस्त्वाष्ट्रो ऽश्विभ्याम् 4. 6. 3.

विश्वरूपिन्

Mahâ. 3. समुद्रेतं विश्वरूपिणम्

विश्वलोक

Kaivalya. 13. स्वमायया कल्पितविश्वलोके..विलीने

विश्वविद्

Śwet. 6. 16. स विश्वकृद्विश्वविदात्मयोनिः

विश्ववेदस्

Mahânâr. 7. 4. पाहि नो विश्ववेदसे

Nṛip. 1. 1. स्वस्ति नः पूषा विश्ववेदाः Nṛisut. 1.

विश्वव्यापिन्

Râmap. 93. विश्वव्यापी राघवः

विश्वशंभू

Mahânâr. 11. 1. विश्वाख्यं विश्वशंभुवम्
7. समुद्रेतं विश्वशंभुवम्
Mahâ. 3. सहस्राक्षं विश्वशंभुवम् (2 MSS. have °भ्वं)

विश्वसृज्

Maitri. 6. 8. एष हि खल्वात्मा . . विश्वसृक् 7. 7.
Mahânâr. 24. 2. ब्रह्मन् त्वमसि विश्वसृक्
Nṛip. 1. 7. विश्वसृज एतेन वै विश्वमिदमसृजन्त यद्विश्वमसृजन्त तस्माद्विश्वसृजः

विश्वाख्य

Maitri. 2. 5. प्रजापतिर्विश्वाख्यः
Mahânâr. 11. 1. विश्वाख्यं विश्वशम्भुवम्

विश्वाञ्च्

Mahânâr. 16. 4. विश्वाची भद्रा सुमनस्यमाना

विश्वातीत

Tejo. 1. विश्वातीतं हृदि स्थितम्

विश्वात्मन्

Maitri. 5. 1. विश्वात्मा विश्वकर्मकृत्
6. 6. प्रजापतिर्विश्वात्मा विश्वचक्षुरिव
Mahânâr. 11. 3. विश्वात्मानं परायणम्

विश्वाधिक

Śwet. 3. 4. विश्वाधिको रुद्रो महर्षिः 4. 12; Mahânâr. 10. 3.

विश्वाधिप

Śwet. 4. 15. विश्वाधिपः सर्वभूतेषु गूढः

विश्वामित्र

Bṛih. 2. 2. 4. इमावेव विश्वामित्रजमदग्नी अयमेव विश्वामित्रः

विश्वामृत

Maitri. 6. 9. प्रजास्तत्र यत्र विश्वामृतोऽसि
Prâṇâg. 2. विश्वामृतोऽसि

विश्वायुस्

Mahânâr. 15. 1. विश्वमसि विश्वायुः

विश्वार्चिस्

Mahânâr. 11. 10. विश्वार्चिर्विश्वतोमुखः Mahâ. 3 (has °खंम्)

विश्वावसु

Bṛih. 6. 4. 19. उत्तिष्ठातो विश्वावसो

विश्वेदेवास्

Chhâ. 1. 13. 2. विश्वेदेवा औहोइकारः
2. 24. 1. विश्वेषां च देवानां तृतीयसवनम्
14. नम आदित्येभ्यश्च विश्वेभ्यश्च देवेभ्यः
16. तस्मा आदित्याश्च विश्वे च देवास्तृतीयसवनं संप्रयच्छन्ति
Bṛih. 1. 4. 12. विश्वेदेवा मरुत इति
3. 1. 9. अनन्ता विश्वेदेवाः 3. 2. 12.
Kaṭha. 5. 3. विश्वेदेवा उपासते
Maitri. 7. 4. विश्वेदेवाः . . उत्तरत उद्यन्ति
Nṛip. 2. 4. विश्व उपासते प्रशिषं यस्य देवाः
5. 2. विश्वेदेवा उत्तरतः

विश्वेश्वर

Maitri. 5. 1. विश्वेश्वर नमस्तुभ्यम्
Mahâ. 3. ऋषिं विश्वेश्वरं देवम् (4 MSS. have कविं after ऋषिं and omit देवं)
Gîtâ. 11. 16. विश्वेश्वर विश्वरूप

विश्वैश्वर्य

Śwet. 1. 11. देहभेदे विश्वैश्वर्यम्

विष

Nrip. 5. 5. स विषं स्तंभयति
Gâruḍa. 2. हतं विषं नष्टं विषं प्रनष्टं विषम्
Râmap. 78. सूक्ष्मयुतो विषः
Gîtâ. 18. 37. यत्तदग्रे विषमिव
38. परिणामे विषमिव

विषद्

Gîtâ. 1. 28. विषीदन्निदमब्रवीत्
2. 1. विषीदन्तमिदं वाक्यमुवाच
10. विषीदन्तमिदं वचः

विषदन्त

vide नवकुल

विषदूषिन्

Gâruḍa. 2. विषहारिणीं विषदूषिणीम्

विषनाशिन्

Gâruḍa. 2. विषसर्पिणीं विषनाशिनीम् (most MSS. omit this).

विषम

Gîtâ. 2. 2. विषमे समुपस्थितम्

विषमत्व

Maitri. 5. 2. तत्परेणेरितं विषमत्वं प्रयाति
— तद्रजः खल्वीरितं विषमत्वं प्रयाति

विषय

Katha. 3. 4. विषयांस्तेषु गोचरान्
Maitri. 2. 6. पञ्चभी रश्मिभिर्विषयानत्ति 6. 31.
Gauḍa. 2. 21. विषया इति तद्विदः
4. 80. विषयः स हि बुद्धानाम्
Garbha. 2. द्रव्यादिविषया जायन्ते
Chûl. 6. पिबन्ते नामविषयम्
Amṛita. 5. शब्दादिविषयाः पञ्च
Sarvop. 1. शब्दादीन् विषयान्
— विषयविशेषविज्ञानाभावात्
2. शब्दादिविषयान्
Mukti. 2. 74. न मे ऽस्ति कश्चिद्विषयः स्वभावतः
Gîtâ. 2. 59. विषया विनिवर्त्तन्ते
62. ध्यायतो विषयान्पुंसः
64. विषयानिन्द्रियैश्चरन्
4. 26. शब्दादीन्विषयान्
15. 9. विषयानुपसेवते
18. 38. विषयेन्द्रियसंयोगात्
51. शब्दादीन्विषयांस्त्यक्त्वा

विषयगोचर

Maitri. 6. 34. समासक्तं यथा चित्तं जन्तोर्विषयगोचरे

विषयदष्ट

Maitri. 4. 2. महोरगदष्ट इव विषयदष्टम्

विषयप्रबाल

Gîtâ. 15. 2. गुणप्रवृद्धा विषयप्रबालाः

विषयासक्त

Brahmab. 2. बन्धाय विषयासक्तम्

विषयासङ्ग

Brahmab. 4. निरस्तविषयासङ्गम्

विषयासङ्गिन्

Maitri. 6. 34. बन्धाय विषयासङ्गि

विषसर्पिन्

Gâruḍa. 2. विषसर्पिणीं विषनाशिनीम्

विषहारिन्

Gâruḍa. 2. विषहारिणीं विषदूषिणीम्

विषाणवत्

Gauda. 4. 16. असंबन्धो विषाणवत्

विषाद

Maitri. 1. 3. *vide* आद्य

3. 5. विषादो निद्रा . . इति तामसानि

Gîtâ. 18. 35. विषादं मदमेव च

विषादिन्

Gîtâ. 18. 28. विषादी दीर्घसूत्री च

विषासहि

Kaush. 4. 2. अग्नौ विषासहिः

9. विषासहिरिति वा अहमेतमुपासे Brih. 2. 1. 7.

— एतमेवमुपास्ते विषासहिर्ह वा अन्येषु भवति

Bṛih. 2. 1. 7. एतमेवमुपास्ते विषासहिर्ह भवति विषासहिर्हास्य प्रजा भवति

विष्टम्भ्

Gîtâ. 10. 42. विष्टभ्याहमिदं कृत्स्नम्

विष्णु

Bṛih. 6. 4. 21. विष्णुर्योनिं कल्पयतु

Tait. 1. 1. 1. शं नो विष्णुरुरुक्रमः 1. 12. 1.

Kaṭha. 3. 9. तद्विष्णोः परमं पदम् Maitri. 6. 26.

Maitri. 4. 5. ब्रह्मा रुद्रो विष्णुः

5. 1. त्वं ब्रह्मा त्वं च वै विष्णुः

2. अस्य सात्त्विको ऽंशः . . विष्णुः

6. 5. ब्रह्मा रुद्रो विष्णुरित्यधिपतिवत्येषा

Maitri. 6. 8. एष हि खल्वात्मा . . विष्णुः 7. 7.

13. विश्वभृद्वै नामैषा तनूर्भगवतो विष्णोः

16. यज्ञो विष्णुः प्रजापतिः

35. सत्यधर्माय विष्णवे

Mahânâr 3. 16. तन्नो विष्णुः प्रचोदयात्

15. 6. त्वं यज्ञस्त्वं विष्णुः

20. 14. त्रीणि पदा विचक्रमे विष्णुः

Kaivalya. 7. स एव विष्णुः स प्राणः

Nṛip. 2. 1. विष्णुरुद्राः Nṛisut. 3.

4. प्र तद्विष्णुः स्तवते वीर्येण

4. 3. यो वै नृसिंहः . . यश्च विष्णुस्तस्मै वै नमो नमः (2)

5. 2. ब्रह्मविष्णुमहेश्वरा नाभ्याम्

10. तद्विष्णोः परमं पदं सदा पश्यन्ति सूरयः Aruṇeya. 5; Vâsu. 4; Skanda. 15; Mukti. 2. 77.

— विष्णोर्यत्परमं पदम् Aruṇeya. 5; Vâsu 4; Skanda. 15; Mukti. 2. 78.

Nṛisut. 3. उकारं विष्णुं हृदये

— विष्णुमेव . . सम्पूज्य

4. एष एव विष्णुः

5. एष एव विष्णुरेष हि व्याप्ततमः

— एष एव विष्णुरेष ह्येवोत्कृष्टः

— एतदेव विष्णुरेतद्धि महाविभूति

6. विष्णुमाविष्णुं . . बुबुधिरे

9. ब्रह्मविष्णुशिवरूपिणी

— विष्णुरीशानो ब्रह्मा

Brahmav. 1. ब्रह्मविष्णुमहेश्वरात्

2. विष्णोरद्भुतकर्मणः

6. विष्णुश्च भगवान्देवः

Siras. 2. यो वै रुद्रः..यश्च विष्णुः
Sikhâ. 1. विष्णुरादित्या जगत्याहवनीयः
2. विष्णुः सर्वान् जयति
— विष्णुर्मनसि नादान्ते
— ब्रह्मविष्णुरुद्रेन्द्राः सम्प्रसूयन्ते
— ब्रह्मा विष्णुश्च रुद्रश्च
Brahma. 2. स्वप्ने विष्णुः
— स आदित्यश्च विष्णुश्चेश्वरश्च
Prâṇâg. 1. त्वं विष्णुस्त्वं वषट्कारः
Amṛita. 2. विष्णुं कृत्वा तु सारथिम्
Dhyâna. 2. विष्णुर्नाम महायोगी (one MS. omits); Yogat. 2.
Tejo. 5. विष्णोस्तत्परमं पदम्
Nâr. 2. य एवं वेद स विष्णुरेव भवति
Atmapra. 1. शोकमोहविनिर्मुक्तं विष्णुं ध्यायन्न सीदति
Vâsu. 2. विष्णोर्नु कमिति मर्हयेत्
3. एको विष्णुरनेकेषु
4. इदं विष्णुः..इति मन्त्रैः
Gopî. 2. कश्च विष्णुः परं ब्रह्मैव विष्णुः
5. विष्णुपूजितभूतित्वात्
Kṛish. 18. यः शंखः स स्वयं विष्णुः
Skanda. 8. शिवरूपाय विष्णवे
— शिवस्य हृदयं विष्णुर्विष्णोश्च हृदयं शिवः
9. यथा शिवमयो विष्णुः
Râmot. 5. यो ब्रह्मा विष्णुरीश्वरः
Mukti. 1. 9. निश्वासभूता मे विष्णोः
Gitâ. 10. 21. आदित्यानामहं विष्णुः
11. 24. धृतिं न विन्दामि शमं च विष्णो
30. भासस्तवोग्राः प्रतपन्ति विष्णो

विष्णुक्रान्त

Mahâṇâr. 4. 4. विष्णुक्रान्ते वसुन्धरे

विष्णुगायत्री

Vâsu. 2. विष्णुगायत्र्या च त्रिवारमभिमन्त्र्य
— विष्णुगायत्र्या केशवादिपञ्चनामभिर्वा
— विष्णुगायत्र्या कृष्णादिपञ्चनामभिर्वा
4. विष्णुगायत्र्या प्रणवेन

विष्णुचन्दन

Vâsu. 1. विष्णुचन्दनं वैकुण्ठस्थानादाहृत्य
— चन्दनं कुंकुमादिसहितं विष्णुचन्दनम्

विष्णुत्व

Nṛisut. 7. महत्त्वाद्विष्णुत्वात्

विष्णुदेवत्य

Siras. 5. या सा द्वितीया मात्रा विष्णुदेवत्या (one MS. has दै°)
Sikhâ. 1. तृतीया कृष्णा विष्णुमती विष्णुदेवत्या

विष्णुदेहसमुद्भव

Vâsu. 2. गोपीचन्दन पापघ्न विष्णुदेहसमुद्भव

विष्णुपत्नी

Gopî. 2. गोप्यो नाम विष्णुपत्न्यः स्युः
— काश्च विष्णुपत्न्यो गोप्यो नाम

विष्णुपूत

Nṛip. 5. 3. स विष्णुपूतो भवति

विष्णुमन्त्

Śikhâ. 1. तृतीया..विष्णुमती विष्णुदेवत्या

विष्णुमय

Gopî. 5. साक्षाद्विष्णुमयो भवेत्
Skanda. 9. एवं विष्णुमयः शिवः

विष्णुमुख

Mahânâr. 20. 9. विष्णुमुखा वै देवाः

विष्णुरूप

Gopî. 5. विष्णुरूपमिदं पुण्यम्
Skanda. 8. शिवाय विष्णुरूपाय

विष्णुलोक

Gopî. 5. विष्णुलोके महीयते

विष्णुसंज्ञित

Maitri. 6. 23. ध्रुवं विष्णुसंज्ञितम् 38; 7. 3.

विष्णुसायुज्य

Vâsu. 4. विष्णुसायुज्यमाप्नोति

विष्णवाख्य

Nâr. 3. विष्णवाख्यं पदमव्ययम्

विष्फु[स्फु]लिङ्ग

Kaush. 3. 3. यथाग्नेर्ज्वलतः सर्वा दिशो विष्फुलिङ्गा विप्रतिष्ठेरन् 4. 20.
Chhâ. 5. 4. 1. नक्षत्राणि विस्फुलिङ्गाः Bṛih. 6. 2. 11.
5. 5. 1. ह्रादुनयो विस्फुलिङ्गाः Bṛih. 6. 2. 10.
5. 6. 1. अवान्तरदिशो विस्फुलिङ्गाः Bṛih. 6. 2. 9.
5. 7. 1. श्रोत्रं विस्फुलिङ्गाः Bṛih. 6. 2. 12.
5. 8. 1. अभिनन्दा विस्फुलिङ्गाः Bṛih. 6. 2. 13.
Bṛih. 2. 1. 20. यथाग्नेः क्षुद्रा विस्फुलिङ्गाः
6. 2. 14. विस्फुलिङ्गा विस्फुलिङ्गाः
Maitri. 6. 26. वह्नेश्च यद्वत् खलु विष्फुलिङ्गाः 31.
31. धूमार्चिर्विष्फुलिङ्गा इवाग्नेः
Muṇḍ. 2. 1. 1. यथा सुदीप्तात्पावकाद्विस्फुलिङ्गाः
Gauḍa. 3. 15. मृल्लोहविस्फुलिङ्गाद्यैः

विष्वञ्च्

Chhâ. 8. 6. 6. विष्वङ्ङन्या उत्क्रमणे भवन्ति Kaṭha. 6. 16.
Bṛih. 1. 3. 7. विष्वञ्चो विनेशुः
Kaṭha. 2. 4. दूरमेते विपरीते विषूची Maitri. 7. 9.

विसर्ग

Bṛih. 2. 4. 11. सर्वेषां विसर्गाणां पायुरेकायनम् 4. 5. 12.
Gîtâ. 8. 3. विसर्गः कर्मसंज्ञितः

विसर्जन

Parama. 3. नावाहनं न विसर्जनम्

विसुकृत्, विसुकृत

Kaush. 1. 4. स एष विसुकृतो विदुष्कृतः
Bṛih. 6. 4. 4. निरिन्द्रिया विसुकृतः
12. निरिन्द्रियो विसुकृत्

विसृज्

Ait. 3. 9. विसृज्य हैवान्नमत्रप्स्यत्
11. यदि शिश्नेन विसृष्टं..कोऽहम्
Chhâ. 6. 14. 1. तं ततोऽतिजने विसृजेत्
— अभिनद्धाक्षो विसृष्टः
Mahânâr. 1. 4. तोयेन जीवान्विससर्ज भूम्याम्
Praśna. 4. 2. न विसृजते नेयायते
8. पायुश्च विसर्जयितव्यं च

Nṛip. 2. 4. सृजति विसृजति वासयति (bis).

Śiras. 4. संसृजति विसृजति च
— वाचं संसृजति विसृजति च

Nyâsa. 2. ग्राम्यकामान् विसृज्य च

Kaṭhaśru. 1. विसृज्य यज्ञोपवीतम् 2, 3.

Aruṇeya. 1. केन . . कर्माण्यशेषतो विसृजामि (one MS. has विसृजानि)
— ब्रह्माण्डं च विसृजेत् (3 MSS. read विवर्जयेत्)
— शेषं विसृजेत्
2. उपवीतं शिखां भूमावप्सु वा विसृजेत्
— कुटुंबं विसृजेत्पात्रं विसृजेत्पवित्रं विसृजेद्दण्डाँल्लोकांश्च विसृजेत्
— ऊर्ध्वगमनं विसृजेत्

Gîtâ. 1. 47. विसृज्य सशरं चापम्
5. 9. प्रलपन्विसृजन् गृह्णन्
9. 7. कल्पादौ विसृजाम्यहम्
8. विसृजामि पुनः पुनः

विसृप्

Yogaśi. 7. परिशुद्धं विसर्पति

विसृष्टि

Bṛih. 1. 4. 6. एतस्यैव सा विसृष्टिः

विस्तर

Gîtâ. 10. 18. विस्तरेणात्मनो योगम्
19. नास्त्यन्तो विस्तरस्य मे
40. प्रोक्तो विभूतेर्विस्तरो मया

विस्तरशस्

Gîtâ. 11. 2. श्रुतौ विस्तरशो मया
16. 6. दैवो विस्तरशः प्रोक्तः

विस्तार

Gîtâ. 13. 30. तत एव च विस्तारम्

विस्तृ, °स्तृ

Dhyâna. 3. विस्तीर्णं योजनान् बहून्

Gopî. 5. धूममार्गविस्तृतं हि वेदार्थम्
— अर्चिर्मार्गविस्तृतं वेदार्थम् (MSS. vary considerably in both places; other readings are विसृतं आविष्कृतं, विस्तरम्)

विस्तृति

Maitri. 7. 11. अभिध्यातुर्विस्तृतिरिवैतत्

विस्मय

Gîtâ. 18. 77. विस्मयो मे महान् राजन्

विस्मयाविष्ट

Gîtâ. 11. 14. ततः स विस्मयाविष्टः

विस्मि

Gîtâ. 11. 22. वीक्षन्ते त्वां विस्मिताश्चैव सर्वे

विस्रंस्

Bṛih. 3. 7. 2. व्यस्रंसिषतास्याङ्गानि

Kaṭha. 5. 4. अस्य विस्रंसमानस्य शरीरस्थस्य देहिनः

विस्रस्

Kaṭha. 6. 4. प्राक् शरीरस्य विस्रसः

विहग

Maitri. 7. 6. *vide* आदि

विहन्

Bṛih. 4. 3. 9. स्वयं विहत्य स्वयं निर्माय

1. विहा (गतौ)

Bṛih. 5. 10. 1. तस्मै स तत्र विजिहीते (ter).
6. 4. 21. अथास्या ऊरू विहापयति विजिहीथां द्यावापृथिवी इति

2. विहा (त्यागे)

Bṛih. 4. 3. 8. पाप्मनो विजहाति
Maitri. 6. 18. विद्वान् पुण्यपापे विहाय
Muṇḍ.3. 2. 8. नामरूपे विहाय
Mukti. 1. 48. गुरुभक्तिविहीनाय
Gîtâ. 2. 22. वासांसि जीर्णानि यथा विहाय
— तथा शरीराणि विहाय जीर्णानि
71. विहाय कामान्यः सर्वान्

विहार

Gîtâ. 11. 42. विहारशय्यासनभोजनेषु

विहितानोत्तर

Nyâsa. 2. विहितानोत्तरः फलैः (so Nâr. and one MS; 4 MSS. have °त्तरफलैः)

विहुर्छ्

Chhâ. 2. 19. 2. नाङ्गेन विहूर्छति

विहृ

Bṛih. 4. 5. 15. इति होक्त्वा याज्ञवल्क्यो विजहार

विह्वल्

Mahânâr. 8. 2. यद्युवेह वेह वा विह्वलिष्यामि कर्त्ते पतिष्यामि

विह्वे

Mahânâr. 20. 6. यदञ्जिभिर्वाघद्भिर्विह्वयामहे

1. वी (गतौ)

Kaush. 3. 1. नास्य पापं चक्रुषो मुखान्नीलं वेतीति

2. वी (√इ)

Chhâ. 4. 9. 3. तस्मै हैतदेवोवाचात्र ह न किञ्चन वीयाय

Bṛih. 1. 4. 2. तत एवास्य भयं वीयाय
Tait. 1. 4. 2. वि मा यन्तु ब्रह्मचारिणः
Śwet. 2. 5. वि श्लोक एतु पथ्येव सूरेः
4. 1. वि चैति चान्ते विश्वमादौ
11. यस्मिन्निदं सं च विचैति सर्वम् Mahânâr. 1. 2.
Gauḍa. 4. 43. उपलम्भाद्बियन्ति ये

वीक्ष्

Nṛisut. 5. असङ्गो ऽन्यं न वीक्षत आत्मा
Gîtâ. 11. 22. वीक्षन्ते त्वां विस्मिताश्चैव सर्वे

वीक्षण

Nṛisut. 9. बाह्यान्तरवीक्षणात्

वीणा

Chhâ. 1. 7. 6. तद्य इमे वीणायां गायन्ति
Bṛih. 2. 4. 9. यथा वीणायै वाद्यमानायै ..वीणायै तु ग्रहणेन 4. 5. 10.

वीणावाद

Bṛih. 2. 4. 9. वीणायै तु ग्रहणेन वीणावादस्य वा

वीतमन्यु

Kaṭha. 1. 10. वीतमन्युर्गौतमो माभि
11. सुखं रात्रीः शयिता वीतमन्युः

वीतराग

Muṇḍ.3. 2. 5. कृतात्मानो वीतरागाः प्रशान्ताः
Gîtâ. 8. 11. विशन्ति यद्यतयो वीतरागाः

वीतरागभयक्रोध

Gauḍa. 2. 35. वीतरागभयक्रोधैर्मुनिभिर्वेदपारगैः

Gîtâ. 2. 56. वीतरागभयक्रोधः स्थितधीर्मुनिरुच्यते
4. 10. वीतरागभयक्रोधा मन्मयाः

वीतशोक

Kaṭha. 2. 20. तमक्रतुः पश्यति वीतशोकः
Śwet. 2. 14. कृतार्थो भवते वीतशोकः
3. 20. तमक्रतुं पश्यति वीतशोकः Mahânâr. 8. 3.
4. 7. यदा पश्यति . . इति वीतशोकः Muṇḍ. 3. 1. 2.
Gauḍa. 4. 78. वीतशोकं . . पदमश्नुते

वीर

Chhâ. 3. 13. 6. अस्य कुले वीरो जायते
Bṛih. 6. 4. 28. वीरे वीरमजीजनत्सा त्वम्
Śwet. 4. 22. वीरान्मा नो रुद्र भामितो वधीः
Nṛip. 1. 5. वीरं प्रथमस्यार्द्धान्त्यम्
2. 3. वीरं द्वितीयं स्थानम्
4. कस्मादुच्यते वीरमिति
— यतो वीरः कर्मण्यः सुदक्षः . . तस्मादुच्यते वीरमिति
Nṛisut. 2. एष वीरः . एष वीरो नृसिंह एव
4. एष एव वीरः
— स एष वीरः
5. एष एव वीर एष हि व्याप्ततमः
— एष एव वीर एष ह्येवोत्कृष्टः
— एतदेव वीरमेतद्धि महाविभूति
6. वीरमवीरं . . बुबुधिरे
Nîla. 23. सर्व नीलशिखण्ड वीर

वीरत्व

Nṛisut. 7. उग्रत्वाद्वीरत्वान्महत्त्वात् (bis).

वीरवन्त्

Bṛih. 6. 4. 28. वीरवती भव यास्मान्वीरवतो ऽकरत्

वीरहत्या

Mahânâr. 17. 8. वीरहत्यां वा एते घ्नन्ति
Nṛip. 5. 4. स वीरहत्यां तरति Râmot. 2.

वीराध्वन्

Kaṭhaśru. 3. वीराध्वानं महाप्रस्थानं वृद्धाश्रमं वा गच्छेत्

वीराध्वान

Jâbâla. 5. वीराध्वाने वा अनाशके वा (so Nârâyaṇa and Saṁkarânanda; but one MS. of latter has वीराध्वनि)

वीरुध्

Śiras. 6. ओषधीर्वीरुध आविवेश (bis).

वीर्य्य

Kena. 12. आत्मना विन्दते वीर्य्यम्
18. तस्मिंस्त्वयि किं वीर्य्यं 22.
Chhâ. 3. 1. 3. वीर्यमन्नाद्यं रसो ऽजायत 3. 2. 2; 3. 3. 2; 3. 4. 2; 3. 5. 2.
4. 17. 4. ऋचां वीर्य्येण
5. यजुषां वीर्य्येण
6. साम्नां वीर्य्येण
8. त्रय्या विद्याया वीर्य्येण
Bṛih. 1. 2. 6. यशो वीर्यमुदक्रामत्
— प्राणा वै यशो वीर्य्यम्
Tait. 2. 1. 1. सह वीर्यं करवावहै 3. 1. 1; Kaṭha. 6. 19.
Praśna. 6. 4. अन्नाद्वीर्यं तपो मन्त्राः
Nṛip. 2. 4. प्र तद्विष्णुः स्तवते वीर्येण

वीर्यतम

Nṛip. 2. 4. ना वीर्यतमः श्रेष्ठतमश्च
— सिंहो वीर्यतमः श्रेष्ठतमश्च

वीर्यवत्तर

Chhâ. 1. 1. 10. यदेव विद्यया करोति. तदेव वीर्यवत्तरं भवति

वीर्यवन्त्

Chhâ. 1. 3. 5. यान्यन्यानि वीर्यवन्ति कर्माणि
Piṇḍa. 7. वाचं पुष्यति वीर्यवान्
Mukti. 1. 51. वीर्यवती तथा स्याम्
Gîtâ. 1. 5. काशिराजश्च वीर्यवान्
6. उत्तमौजाश्च वीर्यवान्

वृ

Kaush. 1. 1. आरुणिं वव्रे
3. 1. प्रतर्दन वरं वृणीष्वेति
— त्वमेव मे वृणीष्व
— न वै वरो ऽवरस्मै वृणीते त्वमेव वृणीष्व
Chhâ. 1. 10. 6. स मा सर्वैरार्त्विज्यैर्वृणीतेति
1. 11. 2. भगवतो वा अहमविन्त्यान्यानवृषि
2. 22. 1. विनर्दि साम्नो वृणे
5. 2. 7. तत्सवितुर्वृणीमह इत्याचामति
5. 3. 6. वित्तस्य वरं वृणीथाः
Bṛih. 1. 3. 28. तेषु वरं वृणीत यं कामं कामयेत
4. 3. 1. स ह कामप्रश्नमेव वव्रे
Kaṭha. 1. 9. त्रीन् वरान् वृणीष्व
10. त्रयाणां प्रथमं वरं वृणे
13. एतद् द्वितीयेन वृणे वरेण
19. यमवृणीथा द्वितीयेन वरेण
— तृतीयं वरं नचिकेतो वृणीष्व
Kaṭha 1. 21. अन्यं वरं नचिकेतो वृणीष्व
23. पुत्रपौत्रान् वृणीष्व
— भूमेर्महदायतनं वृणीष्व
24. वृणीष्व वित्तं चिरजीविकां च
27. वरस्तु मे वरणीयः स एव
29. नान्यं तस्मान्नचिकेता वृणीते
2. 1. हीयते ऽर्थाद्य उ प्रेयो वृणीते
2. प्रेयो मन्दः . . वृणीते
23. यमेवैष वृणुते तेन लभ्यः Muṇḍ. 3. 2. 3.
Śwet. 3. 14. स भूमिं विश्वतो वृत्वा
5. 12. रूपाणि देही स्वगुणैर्वृणोति
Maitri. 1. 2. उत्तिष्ठोत्तिष्ठ वरं वृणीष्व
— अन्यान् कामान् वृणीष्व
Gauḍa. 4. 84. ग्रहैर्यासां सदा वृतः
Kshur. 8. नाडीभिर्बहुभिर्वृता
Kaṭhaśru. 1. सर्वांश्च पूर्ववद्वृणीत्वा
Jâbâla. 2. सर्वानिन्द्रियकृतान्दोषान् वारयति (or इन्द्रियपुरुषान्); Râmot. 4.
Râmot. 4. वृणीष्व यदभीष्टम्

वृक

Chhâ. 6. 9. 3. वृको वा वराहो वा 6. 10. 2.

वृकोदर

Gîtâ. 1. 15. भीमकर्मा वृकोदरः

वृक्ष

Kaush. 1. 3. इल्यो वृक्षः
5. स आगच्छतील्यं वृक्षम्
Chhâ. 6. 9. 1. नानात्ययानां वृक्षाणां रसान्
— अमुष्याहं वृक्षस्य रसोऽस्मि (bis).

Chhâ. 6. 11. 1. महतो वृक्षस्य यो मूले ऽभ्याहन्यात्

Brih. 3. 9. 27. यथा वृक्षो वनस्पतिस्तथैव पुरुषः

28. वृक्षादिवाहतात्

— यद्वृक्षो वृक्णो रोहति मूलात्

— वृक्षो ऽञ्जसा प्रेत्यसंभवः

— यत्समूलमावृहेयुर्वृक्षम्

Tait. 1. 10. 1. अहं वृक्षस्य रेरिवा

Swet. 3. 9. वृक्ष इव स्तब्धो दिवि तिष्ठत्येकः Mahânâr. 10. 4.

4. 6. समानं वृक्षं परिषस्वजाते Mund. 3. 1. 1.

7. समाने वृक्षे पुरुषो निमग्नः Mund. 3. 1. 2.

6. 6. वृक्षकालाकृतिभिः परः

Mahânâr. 8. 2. यथा वृक्षस्य सम्पुष्पितस्य

Dhyâna. 10. वृक्षं तु सकलं विद्यात्

Sarvop. 2. वटकणिकायामिव वृक्षः

Mukti. 2. 27. द्वे बीजे चित्तवृक्षस्य 48.

37. अस्य संसारवृक्षस्य

वृक्षमूल

Jâbâla. 6. *vide* स्थण्डिल

वृज्

Kaush. 2. 7. वर्गो ऽसि पाप्मानं मे वृङ्धि

Chhâ. 2. 22. 1. वारुणं त्वेव वर्जयेत्

Brih. 6. 4. 3. आसां स स्त्रीणां सुकृतं वृंक्ते

Katha. 1. 8. एतद्वृंक्ते पुरुषस्याल्पमेधसः

Brahma. 3. वाक्कायक्लेशवर्जिता

Brahmab. 9. हेतुदृष्टान्तवर्जितम्

Nyâsa. 3. कक्षोपस्थलोमानि वर्जयेत् Kathaśru. 4 (लोमान्)

— सर्वं तद्वर्जयेद्यतिः Kathaśru. 4.

Gîtâ. 4. 19. कामसंकल्पवर्जिताः

वृजिन

Gîtâ. 4. 36. वृजिनं सन्तरिष्यसि

वृत्

Kaush. 2. 8. मासि मास्यमावास्यायां वृत्तायाम्

Chhâ. 1. 1. 9. तेनेयं त्रयी विद्या वर्त्तते

4. 16. 3. रथो वैकेन चक्रेण वर्त्तमानः

5. रथो वोभाभ्यां चक्राभ्यां वर्त्तमानः

8. 15. 1. एवं वर्त्तयन्यावदायुषम्

Brih. 4. 5. 1. याज्ञवल्क्यो ऽन्यद्वृत्तमुपाकरिष्यन्

Tait. 1. 11. 3. वृत्तविचिकित्सा वा

4. यथा ते तत्र वर्त्तेरंस्तथा तत्र वर्त्तेथाः (again, with तेषु for तत्र).

Katha. 2. 5. अविद्यायामन्तरे वर्त्तमानाः Mund. 1. 2. 8.

Swet. 1. 1. सुखेतरेषु वर्त्तामहे

4. 4. अनादिमत्त्वं विभुत्वेन वर्त्तसे

Maitri. 1. 2. एतद्वृत्तं पुरस्तात्

6. 8. सहस्ररश्मिः शतधा वर्त्तमानः Praśna. 1. 8.

Mund. 1. 2. 9. अविद्यायां बहुधा वर्त्तमानाः

Gauda. 2. 6. वर्त्तमाने ऽपि तत्तथा 4. 31.

3. 1. जाते ब्रह्मणि वर्त्तते

4. 60. यत्र वर्णा न वर्त्तन्ते

Nrisut. 5. नृसिंहे ब्रह्मणि वर्त्तते (bis).

— नृसिंहे देवे परे ब्रह्मणि वर्त्तते

Brahmav. 10. शिखा च दीपसङ्काशा यस्मिन्नुपरि वर्त्तते

Śiras. 1. वर्त्तामि च भविष्यामि च

Garbha. 1. पञ्चात्मकं पञ्चसु वर्त्तमानम्

Sarvop. 2. अन्नमये कोशे यदा वर्त्तन्ते
— वटकणिकायामिव वृक्षो
यदा वर्त्तते
Haṁsa. 1. सर्वेषु देहेषु व्याप्तो वर्त्तते
Mukti. 1. 8. वर्त्तन्ते कुत्र ते वद
Gîtâ. 3. 22. वर्त्त एव च कर्मणि
23. यदि ह्यहं न वर्त्तेयम्
28. गुणा गुणेषु वर्त्तन्ते
5. 9. इन्द्रियाणीन्द्रियार्थेषु वर्त्त-
न्ते
26. वर्त्तते विदितात्मनाम्
6. 6. वर्त्तेतात्मैव शत्रुवत्
31. सर्वथा वर्त्तमानो ऽपि स
योगी मयि वर्त्तते
7. 26. वर्त्तमानानि चार्जुन
13. 23. सर्वथा वर्त्तमानो ऽपि न
स भूयो ऽभिजायते
14. 23. गुणा वर्त्तन्त इत्येव
16. 23. वर्त्तते कामकारतः

वृत्तच्युत

Maitri. 7. 9. रतिमात्रं फलमस्या वृत्त-
च्युतस्येव

वृत्तत्रय

Râmâp. 62. वृत्तत्रयं साष्टपत्रं सरोजम्
88. वृत्तत्रयं बीजाद्यम्

वृत्ताकार

Râmap. 66. वृत्ताकारेण संलिखेत्

वृत्ति

Nyaśa. 4. एतां वृत्तिमुपासीनाः
Kaṭhaśru 3.ताननुरूपाभिर्वृत्तिभिर्वितत्य
4. एतां वृत्तिमुपासन्तः
Haṁsa. 2. तस्याष्टधा वृत्तिर्भवति

वृत्तिक्षय

Maitri. 6. 34. तथा वृत्तिक्षयाच्चित्तम्

वृत्त्युपार्जन

Aśrama. 3. वृत्त्युपार्जनं कृत्वा

वृत्रहन्

Mahânâr. 20. 2. सोमं पिब वृत्रहन्
5. वृत्रहा विमृधो वशी

वृथा

Maitri. 7. 8. वृथा कषायकुण्डलिनः
— वृथातर्कदृष्टान्तकुहकेन्द्र-
जालैः
Mukti. 2. 63. बहुशास्त्रकथाकन्थारोम-
न्थेन वृथैव किम्

वृद्धश्रवस्

Nṛip. 1. 1. स्वस्ति न इन्द्रो वृद्धश्रवाः
Nṛisut. 1.

वृद्धाश्रम

Kaṭhaśru. 3. वृद्धाश्रमं वा गच्छेत्

वृद्धि

Maitri. 6. 14. कालाद्वृद्धिं प्रयान्ति च

वृध्

Bṛih. 4. 4. 23. न वर्द्धते कर्मणा नो कनी-
यान्
4. 5. 5. प्रियमवृद्धत्
Tait. 2. 2. 1. जातान्यन्नेन वर्द्धन्ते
Maitri. 6. 12.
Mahânâr. 6. 1. बृहत्सोमो वावृधे सुवान
इन्दुः
Jâbâla. 4. अथा नो वर्द्धया रयिम्
Vâsu. 4. मय्यचला भक्तिश्चास्य व-
र्द्धते

वृन्दा

Krish. 26. वृन्दा भक्तिः प्रिया बुद्धिः

वृन्दारक

Bṛih. 4. 2. 1. वृन्दारक आढ्यः सन्

वृन्दावन

Kṛish. 9. वने वृन्दावने क्रीडन्

वृम्

Râmap. 68. हं स्रं भृं वृं लं शृं जृं च

वृश्चिक

Gâruḍa. 2. नागानां सर्पाणां वृश्चिकानाम्

वृष्

Kaush. 1. 2. तमिह वृष्टिर्भूत्वा वर्षति
Chhâ. 2. 3. 1. वर्षति स उद्गीथः 2. 15. 1.
2. वर्षति हास्मै वर्षयति ह य एतदेवं विद्वान् वृष्टौ पंचविधं सामोपास्ते
2. 4. 1. यद्वर्षति स प्रस्तावः
2. 15. 2. वर्षन्तं न निन्देत्तद्व्रतम्
6. 2. 4. यत्र क्व च वर्षति तदेव भूयिष्ठमन्नं भवति
7. 11. 1. तदाहुर्निशोचति नितपति वर्षिष्यति वा इति
— तस्मादाहुर्विद्योतते स्तनयति वर्षिष्यति वा इति
Bṛih. 1. 1. 1. यन्मेहति तद्वर्षति
Kaṭha. 4. 14. यथोदकं दुर्गे वृष्टम्
Maitri. 6. 37. स उद्गीथं वर्षति
— तत् सूर्यो रश्मिभिर्वर्षति
7. 1. तपन्ति वर्षन्ति स्तुवन्ति 2–6.
Mahânâr. 23. 1. ताभिः पर्जन्यो वर्षति

वृषण

Nyâsa. 5. वृषणापानयोर्मध्ये

वृषन्

Mahânâr. 6. 1. वृषा पवित्रे अधि सानो अव्ये
20. 5. वृषेन्द्रः पुर एतु नः

वृषभ

Mahânâr. 3. 3. तन्नो वृषभः प्रचोदयात् 11.
9. 11. स्वाहाकृतं वृषभ वक्षि हव्यम्
10. 1. त्रिधा बद्धो वृषभो रोरवीति

वृषभध्वज

Râmot. 4. जजाप वृषभध्वजः

वृषल, वृषली

Bṛih. 6. 4. 13. नैनां वृषलो न वृषल्युपहन्यात्

वृषलीभोजन

Mâhânâr. 19. 1. भुक्त्वा वृषलीभोजनम्

वृष्टि

Kaush. 1. 2. तमिह वृष्टिर्भूत्वा वर्षति
Chhâ. 2. 3. 1. वृष्टौ पंचविधं सामोपासीत
2. वृष्टौ पंचविधं सामोपास्ते
Bṛih. 2. 5. 16. तन्यतुर्न वृष्टिम्
6. 2. 10. तस्या आहुत्यै वृष्टिः संभवति
11. एतस्मिन्नग्नौ देवा वृष्टिं जुह्वति
16. वायोर्वृष्टिं वृष्टेः पृथिवीं
Tait. 3. 10. 2. तृप्तिरिति वृष्टौ
Maitri. 6. 22. भेकत्रिःकुन्धिका वृष्टिः
37. आदित्याज्जायते वृष्टिर्वृष्टेरन्नम्

वृष्णि

Gîtâ. 10. 37. वृष्णीनां वासुदेवो ऽस्मि

वेग

Śwet. 1. 5. पञ्चदुःखौघवेगाम्
Mukti. 2. 60. वासनावेगवैचित्र्यात्
Gîtâ. 5. 23. कामक्रोधोद्भवं वेगम्

वेगतस्

Râmap. 41. वालिनो वेगतो गृहात्

वेणुनाद

Haṁsa. 2. सप्तमो वेणुनादः

वेताल

Mukti. 2. 40. तावान्निशीव वेतालाः

वेत्तृ

Śwet. 3. 19. न च तस्यास्ति वेत्ता
Kaivalya. 21. न चास्ति वेत्ता मम
Gîtâ. 11. 38. वेत्तासि वेद्यं च परं च धाम

1. वेद

Kena. 33. वेदाः सर्वाङ्गानि
Chhâ. 3. 5. 4. वेदा हि रसाः
— वेदा ह्यमृताः
6. 1. 2. सर्वान् वेदानधीत्य
6. 7. 3. तर्यैतर्हि वेदान्नानुभवसि
6. तर्यैतर्हि वेदाननुभवसि
7. 1. 2. अध्येमि..वेदानां वेदम्
4. नाम वै..वेदानां वेदः
7. 2. 1. वाग्वै..विज्ञापयति..वेदानां वेदम्
7. 7. 1. विज्ञानेन वै..विजानाति..वेदानां वेदम्
8. 15. 1. आचार्यकुलाद्वेदमधीत्य
Brih. 1. 4. 15. यथा वेदो वाननूक्तः
1. 5. 5. त्रयो वेदा एत एव
2. 4. 11. सर्वेषां वेदानां वागेकायनम् 4. 5. 12.
4. 3. 22. वेदा अवेदाः
4. 5. 6. न वा अरे वेदानां कामाय वेदाः प्रिया भवन्त्यात्मनस्तु कामाय वेदाः प्रिया भवन्ति
4. 5. 7. वेदास्तं परादुर्यो ऽन्यत्रात्मनो वेदान्वेद
5. 1. 1. वेदो ऽयं ब्राह्मणा विदुः
6. 1. 4. श्रोत्रे ह्रीमे सर्वे वेदा अभिसम्पन्नाः

Brih. 6. 4. 14. वेदमनुब्रुवीत
15. द्वौ वेदावनुब्रुवीत
16. त्रीन् वेदाननुब्रुवीत
18. सर्वान् वेदाननुब्रुवीत
26. अस्य नाम करोति वेदो ऽसि
Tait. 1. 5. 3. सर्वे वेदा महीयन्ते
1. 11. 1. वेदमनूच्याचार्यो ऽन्तेवासिनमनुशास्ति
Kaṭha. 2. 15. सर्वे वेदा यत्पदमामनन्ति
Śwet. 4. 9. भूतं भव्यं यच्च वेदा वदन्ति
6. 18. यो वै वेदांश्च प्रहिणोति तस्मै
Maitri. 4. 3. एष स्वधर्मो ऽभिहितो यो वेदेषु
6. 32. तस्मात्..सर्वे वेदाः..उच्चरन्ति
7. 8. न जानाति वेदविद्यान्तरम्
9. वेदादिशास्त्रहिंसकधर्माभिध्यानम्
10. यद्वेदेष्वभिहितं तत्सत्यम्
— यद्वेदेषूक्तं तद्विद्वांस उपजीवन्ति
Muṇḍ. 2. 1. 4. वाग्विवृताश्च वेदाः
Kaivalya. 22. वेदैरनेकैरहमेव वेद्यः
Gauḍa. 2. 22. वेदा इति च वेदविदः
Nṛip. 2. चत्वारो वेदाः साङ्गाः सशाखाः
3. सर्वे वेदाः प्रणवादिकाः
4. अग्निर्वै वेदाः
4. 2. देवानां वेदानां निदानम्
3. यो वै नृसिंहः .. ये वेदाः साङ्गाः सशाखास्तस्मै वै नमो नमः (13).
5. 1. वेदा वा एते अराः
Brahmav. 4. लोका वेदास्त्रयो ऽग्नयः
Siras. 1. सर्वान् वेदान् साङ्गानपि
7. स सर्वैर्वेदैरनुध्यातो भवति Mahâ. 4.

Śikhâ. 1. देवाश्चत्वारो वेदाश्चत्वारः
Brahma. 1. वेद एव परं ज्योतिः
2. तत्र . . वेदा न वेदाः
Prâṇâg. 4. वेदा महर्त्विजः
Yogat. 6. त्रयो लोकास्त्रयो वेदाः
Nyâsa. 2. वेदानधीत्यानुज्ञातः . . गुरुणा
Kaṭhaśru. 2. वेदमधीत्य वेदौ वेदान् वा
4. यज्ञोपवीतं वेदांश्च सर्वं तद्वर्जयेद्यतिः
Aruṇeya. 2. सर्वेषु वेदेष्वारण्यकमावर्त्तयेत्
Aśrama. 1. यावद्ग्रहणान्तं वा वेदस्य
Vâsu. 2. त्रयो वेदास्त्रयः स्वराः
Gopî. 5. गायत्र्या वेदाः
— सर्वान् वेदान् . . ब्रह्मलोके स्थापयामास.
Râmot. 5. ये सर्वे वेदाः सांगाः (6)
Mukti. 1. 9. वेदा जाताः सुविस्तराः
— तिलेषु तैलवद्वेदे वेदान्तः
10. राम वेदाः कतिविधाः
11. वेदाश्चत्वार ईरिताः
2. 65. अधीत्य चतुरो वेदान्
Gîtâ. 2. 45. त्रैगुण्यविषया वेदाः
46. तावान्सर्वेषु वेदेषु
8. 28. वेदेषु यज्ञेषु तपःसु चैव
10. 22. वेदानां सामवेदो ऽस्मि
11. 48. न वेदयज्ञाध्ययनैः
53. नाहं वेदैर्न तपसा
15. 15. वेदैश्च सर्वैरहमेव वेद्यः
18. अतो ऽस्मि लोके वेदे च
17. 23. ब्राह्मणास्तेन वेदाश्च

2. वेद (= दर्भमुष्टि)

Mahânâr. 25. 1. वेदः शिखा

वेदगुह्य

Śwet. 5. 6. वेदगुह्योपनिषत्सु

वेदतत्त्वार्थविहित

Kshur. 2. वेदतत्त्वार्थविहितं यथोक्तं हि स्वयंभुवा

वेददेवयोनि

Śikhâ. 1. प्रणवश्चतुर्धावस्थित इति वेददेवयोनिः
Brahma. 1. तमेव स्तन इव लम्बते वेददेवयोनिः (4 MSS. read एष for वेद)

वेदपारग

Gauḍa. 2. 35. मुनिभिर्वेदपारगैः
Brahma. 2. स विप्रो वेदपारगः

वेदपुरुष

Parama. 1. स एव वेदपुरुष इति विदुषो मन्यन्ते

वेदपूत

Nṛip. 5. 3. स वेदपूतो भवति (2 MSS. read देवपूतः)

वेदप्रवचन

Haṁsa. 2. ओं वेदप्रवचनम्

वेदब्रह्मचर्य

Aśrama. 1. अष्टाचत्वारिंशद्वर्षाणि वेदब्रह्मचर्यं चरेत्

वेदवादरत

Gîtâ. 2. 42. वेदवादरताः पार्थ

वेदवादिन्

Kâlâg. 1. सर्ववेदेषु वेदवादिभिरुक्तम्

वेदविद्

Bṛih. 3. 7. 1. स देववित्स वेदवित्
Śwet. 1. 7. अत्रान्तरं वेदविदो विदित्वा

Maitri. 6. 15. यस्तं वेद सवेदवित् Kshur. 16; Dhyâna. 17, 18; Gîtâ. 15. 1.

Kaivalya. 22. वेदान्तकृद्वेदविदेव चाहम् Gîtâ. 15. 15.

Gauḍa. 2. 22. वेदा इति वेदविदः

Gîtâ. 8. 11. यदक्षरं वेदविदो वदन्ति

वेदविद्या

Chhâ. 7. 1. 2. अध्येमि . . वेदविद्याम्

4. नाम वै . . वेदविद्या

7. 2. 1. वाग्वै . . विज्ञापयति . . वेदविद्याम्

7. 7. 1. विज्ञानेन वै . . विजानाति . . वेदविद्याम्

Maitri. 4. 3. वेदविद्याधिगमः

वेदविद्याव्रतस्नात

Mukti. 1. 42. वेदविद्याव्रतस्नातदेशिकस्य मुखात्

वेदस्

Mahânâr. 6. 2. अरातीयतो निदहाति वेदः

वेदात्मक

Skanda. 14. वेदात्मकं ब्रह्म निजं विजानते

वेदादि

Mahânâr. 10. 8. यो वेदादौ स्वरः प्रोक्तः

वेदादिरूप

Râmap. 31. नमो वेदादिरूपाय

वेदानुवचन

Bṛih. 4. 4. 22. तमेतं वेदानुवचनेन ब्राह्मणा विविदिषन्ति

Tait. 1. 10. 1. इति त्रिशङ्कोर्वेदानुवचनम्

वेदानुशासन

Aruṇeya. 5. एवं निर्वाणानुशासनं वेदानुशासनम् Skanda 16.

वेदान्त

Śwet. 6. 22. वेदान्ते परमं गुह्यम्

Muṇḍ. 3. 2. 6. वेदान्तविज्ञानसुनिश्चितार्थाः Mahânâr. 10. 6; Kaivalya. 3.

Mahânâr. 10. 8. यो वेदादौ स्वरः प्रोक्तो वेदान्ते च प्रतिष्ठितः

Gauḍa. 2. 12. इति वेदान्तनिश्चयः

31. वेदान्तेषु विचक्षणैः (दृष्टं)

Kshur. 10. वेदान्तेषु निगद्यते

Mukti. 1. 7. वेदान्ते सुप्रतिष्ठो ऽहं वेदान्तं समुपाश्रय

8. वेदान्ताः के रघुश्रेष्ठ

— वक्ष्यामि वेदान्तस्थितिमञ्जसा

9. वेदे वेदान्तः सुप्रतिष्ठितः

17. वेदान्तवाक्यार्थविचारात्

1. वेदान्तश्रवणादि कृत्वा

2. *vide* समाधि

वेदान्तकृत्

Kaivalya. 22. वेदान्तकृद्वेदविदेव चाहम् Gîtâ. 15. 15.

वेदार्थ

Aruṇeya. 4. खलु वेदार्थं यो विद्वान्

Gopî. 5. धूममार्गविस्तृतं हि वेदार्थम्

— अर्चिर्मार्गविस्तृतं वेदार्थम्

Kṛish. 8. यो वेदार्थः कृष्णरामयोः

वेदि

Chhâ. 5. 18. 2. उर एव वेदिः

Bṛih. 6. 4. 3. तस्या वेदिरुपस्थः

Mahânâr. 25. 1. उरो वेदिः

Prâṇâg. 3. शारीरयज्ञस्य . . का वेदिः

4. शरीरं वेदिः

वेदितृ

Bṛih. 3. 9. 10. यो वै तं पुरुषं विद्यात् . . स वै वेदिता स्यात् 11-17.

वेदिषद्

Kaṭha. 5. 2. वेदिषदतिथिर्दुरोणसत्
Mahânâr. 9. 3; 17. 8; Nṛip. 3. 1.

वेदोपनिषद्

Tait. 1. 11. 4. एषा वेदोपनिषत्

वेन

Mahânâr. 2. 3. वेनस्तत्पश्यन्
10. 2. वेनादेकं स्वधया निष्टतक्षुः

वेप्

Gîtâ. 11. 35. कृताञ्जलिर्वेपमानः किरीटी

वेपथु

Gîtâ. 1. 29. वेपथुश्च शरीरे मे

वेशान्त

Bṛih. 4. 3. 10. न तत्र वेशान्ताः. . भवन्त्यथ वेशान्तान्. . सृजते

वेश्मन्

Chhâ. 8. 1. 1. दहरं पुण्डरीकं वेश्म 2.
8. 14. 1. प्रजापतेः सभां वेश्म प्रपद्ये
Atmapra. 1. यदिदं पुरं ब्रह्मपुरमिदं पुण्डरीकं वेश्म

वेश्मभूत

Mahânâr. 10. 7. दहं विपाप्मं वरं वेश्मभूतम्

वेष्ट्

Śwet. 6. 20. यदा चर्मवदाकाशं वेष्टयिष्यन्ति मानवाः
Maitri. 7. 9. अविद्यायामन्तरे वेष्टचमानाः
Nṛip. 5. 1. मायया वा एतत्सर्वं वेष्टितं भवति
— बाह्मायया वेष्टितं भवति (ter).
Râmap. 60. वेष्टयेद्बुद्धिवृद्धिमान्

वैकङ्कत

Mahânâr. 13. 5. यस्य वैकङ्कत्यमिहोत्रहवणी

वैकुण्ठ

Kaush. 4. 2. वायाविन्द्रो वैकुंठः
7. इन्द्रो वैकुंठः. . अहमेतमुपासे Bṛih. 2. 1. 6.
Atmapra. 1. वैकुंठं भगवल्लोकं गमिष्यति
Kṛish. 10. गोकुलवनं वैकुण्ठम्
27. वैकुण्ठं स्वर्गवासिनम्

वैकुण्ठभुवन

Nâr. 5. वैकुण्ठभुवनं गमिष्यति (most MSS. have °भवनम्)

वैकुण्ठस्थान

Vâsu. 1. वैकुण्ठस्थानोद्भवम्
— विष्णुचन्दनं वैकुण्ठस्थानादाहृत्य

वैखानस

Aśrama. 3. वैखानसा उदुंबरा बालखिल्याः फेनपाश्च
— वैखानसा अकृष्टपच्यौषधिवनस्पतिभिर्ग्रामबहिष्कृताभिरग्निपरिचरणं कृत्वा

वैचित्र्य

Mukti. 2. 60. वासनावेगवैचित्र्यात्

वैजयन्ती

Kṛish. 22. वैजयन्ती च वायुश्च (so 2 MSS. and Nâr: with जयन्तीसंभवो वायुः as variant).

वैजवापायन

Bṛih. 2. 6. 2. पाराशर्यो वैजवापायनात्
— वैजवापायनःकौशिकायनेः

वैणव

Aruṇeya. 4. वैणवं दण्डं...परिग्रहेत्

वैतथ्य

Gauḍa. 2. 1. वैतथ्यं सर्वभावानाम्
3. वैतथ्यं तेन वै प्राप्तम्
9. दृष्टं वैतथ्यमेतयोः (MSS. read सदसतोर्वैतथ्यं युक्तम्)
10. युक्तं वैतथ्यमेतयोः (MSS. read सदसतोर्वैतथ्यं दृष्टम्)
11. उभयोरपि वैतथ्यं भेदानाम्

वैदर्भि

Praśna. 1. 1. भार्गवो वैदर्भिः 2. 1.

वैदल

Nyâsa. 4. भिक्षादिवैदलं पात्रम्

वैदिक

Maitri. 7. 8. वैदिकेषु परिस्थातुमिच्छन्ति
Brahma. 3. कर्मण्यधिकृता ये तु वैदिके
Vâsu. 3. ब्राह्मणानां तु सर्वेषां वैदिकानाम्

वैदृभतीपुत्र

Bṛih. 6. 5. 2. क्रौञ्चिकीपुत्रौ वैदृभतीपुत्रात्
— वैदृभतीपुत्रः कार्शकेयीपुत्रात्

1. वैदेह

Bṛih. 3. 1. 1. जनको वैदेहः 4. 1. 1–7; 4. 2. 1; 4. 4. 7; 5. 14. 8; Jâbâla. 4.
— जनकस्य वैदेहस्य 2.
3. 8. 2. काश्यो वा वैदेहो वा
4. 3. 1. जनकं ह वैदेहम्
— जनकश्च वैदेहः

2. वैदेह

Mukti. 1. 44. वैदेहीं मामकीं मुक्तिं यान्ति

वैदेहमुक्तिग (?)

Mukti. 2. 36. अरूपस्तु मनोनाशो वैदेहमुक्तिगो भवेत्

वैद्युत

Bṛih. 6. 2. 15. आदित्याद्वैद्युतं तान् वैद्युतान् पुरुषो मानस एत्य
Tait. 1. 3. 2. वैद्युतः सन्धानम्
Maitri. 7. 11. कस्मादुच्यते वैद्युतः
Śiras. 3. यत् सूक्ष्मं तद्वैद्युतं यद्वैद्युतं तत्परं ब्रह्म
4. कस्मादुच्यते वैद्युतं ..तस्मादुच्यते वैद्युतम्

वैधर्म्य

Gauḍa. 4. 97. अणुमात्रे ऽपि वैधर्म्ये

वैनतेय

Gîtâ. 10. 30. वैनतेयश्च पक्षिणाम्

वैभव

Gopî. 4. पृथिव्याश्च वैभवाद्वर्णभेदः
— चन्दनस्य वैभवम्

वैयाघ्रपदीपुत्र

Bṛih. 6. 5. 1. कौशिकीपुत्र आलंबीपुत्राच्च वैयाघ्रपदीपुत्राच्च
— वैयाघ्रपदीपुत्रः काण्वीपुत्राच्च कापीपुत्राच्च

वैयाघ्रपद्य

Chhâ. 5. 2. 3. गोश्रुतये वैयाघ्रपद्याय
5. 14. 1. वैयाघ्रपद्य कं त्वमात्मानमुपास्से 5. 16. 1.

वैराग्य

Maitri. 1. 2. वैराग्यमुपेतो ऽरण्यं निर्जगाम

Mahâ. 2. बिभ्रत्..तपो वैराग्यम्
Haṁsa. 2. मध्ये वैराग्यम्
Râmap. 5. यथा ध्यानेन वैराग्यम्
Gîtâ. 6. 35. वैराग्येण च गृह्यते
13. 8. इन्द्रियार्थेषु वैराग्यम्
18. 52. वैराग्यं समुपाश्रितः

वैराग्योपलघृष्ट

Kshur. 24. वैराग्योपलघृष्टेन छित्त्वा तन्तुम्

वैराज

Kaush. 1. 5. वैरूपवैराजे अनूच्ये
Chhâ. 2. 16. 1. एतद्वैराजमृतुषु प्रोतम् 2.
Maitri. 7. 4. अनुष्टुबेकविंशो वैराजः.. उत्तरत उद्यन्ति

वैराज्य

Chhâ. 2. 24. 8. लोकद्वारमपावार्णू पश्येम त्वा वयं वैराज्यायेति

वैरिन्

Gîtâ. 3. 37. विद्ध्येनमिह वैरिणम्

वैरूप

Kaush. 1. 5. वैरूपवैराजे अनूच्ये
Chhâ. 2. 15. 1. एतद्वैरूपं पर्जन्ये प्रोतम्
2. स य एवमेतद्वैरूपं पर्जन्ये प्रोतं वेद
Maitri. 7. 3. वैरूपं वर्षाः..पश्चादुद्यन्ति

वैरोचन

Mahânâr. 6. 3. तामग्निवर्णां तपसा ज्वलन्तीं वैरोचनीम्

वैवस्वत

Katha. 1. 7. हर वैवस्वतोदकम्
Gopî. 5. वैवस्वते ऽन्तरे

वैशारद्य

Gauḍa. 4. 94. वैशारद्यं तु वै नास्ति

वैश्य

Bṛih. 1. 4. 15. वैश्येन वैश्यः (अभवत्)
Gîtâ. 9. 32. स्त्रियो वैश्यास्तथा शूद्राः

वैश्यकर्मन्

Gîtâ. 18. 44. वैश्यकर्म स्वभावजम्

वैश्ययोनि

Chhâ. 5. 10. 7. क्षत्रिययोनिं वा वैश्ययोनिं वा

वैश्वदेव

Chhâ. 2. 24. 11. स वैश्वदेवं सामाभिगायति
Bṛih. 3. 9. 1. यावन्तो वैश्वदेवस्य निविद्युच्यन्ते

वैश्वानर

Chhâ. 5. 11. 2. सम्प्रतीममात्मानं वैश्वानरमध्येति 4.
6. आत्मानमेवेमं वैश्वानरं सम्प्रत्यध्येषि
5. 12. 1. वैश्वानरो ऽयं स्वमात्मानमुपास्से 5. 13. 1; 5. 14. 1; 5. 15. 1; 5. 16. 1; 5. 17. 1.
2. य एतमेवमात्मानं वैश्वानरमुपास्ते 5. 13. 2; 5. 14. 2; 5. 15. 2; 5. 16. 2; 5. 17. 2.
5. 18. 1. आत्मानं वैश्वानरं विद्वांसः — आत्मानं वैश्वानरमुपास्ते
5. 24. 4. आत्मनि हैवास्य तद्वैश्वानरे हुतं स्यात्
Bṛih. 1. 1. 1. व्यात्तमग्निर्वैश्वानरः
5. 9. 1. अयमग्निर्वैश्वानरो यो ऽयमन्तःपुरुषे Maitri. 2. 6.
Katha. 1. 7. वैश्वानरः प्रविशत्यतिथिः
Maitri. 2. 6. यः पुरुषः सो ऽग्निर्वैश्वानरः
6. 9. विश्वो ऽसि वैश्वानरो ऽसि

Mahânâr. 3. 6. तन्नो वैश्वानरः प्रचोदयात्
7. वैश्वानराय विद्महे
Praśna. 1. 7. स एष वैश्वानरो विश्वरूपः
Mâṇḍû. 3. स्थूलभुग्वैश्वानरः Nṛip. 4. 1; Râmot. 3.
9. जागरितस्थानो वैश्वानरोऽकारः
Nṛisut. 1. विश्वो वैश्वानरः 2.
Prâṇâg. 2. विश्वोऽसि वैश्वानरः
Kaṭhaśru. 1. वैश्वानरीमिष्टिं कुर्यात्
3. अग्नये वैश्वानराय प्रजापतये च
Gîtâ. 15. 14. अहं वैश्वानरो भूत्वा

वैष्णव

Śiras. 5. स गच्छेद्वैष्णवं पदम्
Garbha. 4. वैष्णवेन वायुना संस्पृष्टः
Nâda. 10. सप्तमी वैष्णवी नाम
15. सप्तम्यां वैष्णवं पदम्
Kaṭhaśru. 3. वैष्णवं त्रिकपालम्
Krish. 7. अजय्या वैष्णवी माया
Mukti. 1. 52. वैष्णवीमात्मनिष्ठाम्

वौषट्

Haṁsa. 2. अग्नीषोमाभ्यां वौषट्

व्यक्तचैतन्य

Nṛisut. 9. ईश्वरवद्व्यक्तचैतन्यः

व्यक्तता

Maitri. 6. 10. एवं प्रधानस्य व्यक्ततां गतस्य
Chûl. 18. व्यक्ततां ययुः
— व्यक्ततां भूयो जायन्ते

व्यक्तदर्शन

Chûl. 15. अव्यक्तं व्यक्तदर्शनम्

व्यक्तमध्य

Gîtâ. 2. 28. व्यक्तमध्यानि भारत

व्यक्ति

Gîtâ. 7. 24. अव्यक्तं व्यक्तिमापन्नम्
8. 18. अव्यक्ताद्व्यक्तयः सर्वाः
10. 14. न हि ते भगवन्व्यक्तिं विदुः

व्यग्र

Maitri. 3. 2. लुप्यमानः सस्पृहो व्यग्रः 6. 30.

व्यग्रत्व

Maitri. 3. 5. चलत्वं व्यग्रत्वम्

व्यञ्ज्

Swet. 1. 8. व्यक्ताव्यक्तं भरते विश्वमीशः
Maitri. 6. 10. एवं व्यक्तमन्नमव्यक्तमन्नम्
Chûl. 19. कारणैर्व्यञ्जयेद्बुधः
Śiras. 1. नित्यानित्यो व्यक्ताव्यक्तः
Gîtâ. 8. 20. अव्यक्तो व्यक्तात्सनातनः

व्यञ्जक

Nṛisut. 9. अस्य व्यञ्जिका नित्यनिवृत्तापि मूढैरात्मैव दृष्टा

व्यतितॄ

Gîtâ. 2. 52. बुद्धिर्व्यतितरिष्यति

व्यतिरिच्

Śiras. 1. नान्यः कश्चिन्मत्तो व्यतिरिक्तः
Skanda. 3. व्यतिरिक्तं जडं सर्वम्

व्यतिषञ्ज्

Nṛip. 2. 2. व्यतिषक्ता वा इमे लोकास्तस्माद्व्यतिषक्तान्यङ्गानि भवन्ति
4. स्नेहो यथा पललपिण्डमोतं प्रोतमनुप्राप्तं व्यतिषक्तः
Śiras. 4 ओतप्रोतमनुप्राप्तो व्यतिषक्तश्च (one MS. has व्यतिसृष्टश्च)

व्यतिसन्दह्

Chhâ. 7. 15. 3. यद्यप्येनानुत्क्रान्तप्राणाञ्छूलेन समासं व्यतिसन्दहेत्

व्यती

Brahma. 11. स्थानत्रयाद्व्यतीतस्य

Gîtâ. 4. 5. बहूनि मे व्यतीतानि जन्मानि

व्यत्यय

Mukti. 2. 50. संभवव्यत्ययक्रमात्

व्यथ्

Kaush. 2. 11. मा छेत्था मा व्यथिष्ठाः

Brih. 1. 5. 20. न व्यथते ऽथो न रिष्यति 21.

3. 9. 26. असितो न व्यथते न रिष्यति 4. 2. 4; 4. 4. 22; 4. 5. 15.

Gîtâ. 2. 15. यं हि न व्यथयन्त्येते

11. 34. मया हतांस्त्वं जहि मा व्यथिष्ठाः

14. 2. प्रलये न व्यथन्ति च

व्यथा

Gîtâ. 11. 49. मा ते व्यथा मा च विमूढभावः

व्यध्

Chhâ. 1. 2. 2. तं हासुराः पाप्मना विविधुः (similarly, 3—6).

— पाप्मना ह्येष विद्धः

3. पाप्मना ह्येषा विद्धा

4. पाप्मना ह्येतद्विद्धम् 5, 6.

8. 4. 2. विद्धः सन्नविद्धो भवति

Brih. 1. 3. 2. तमभिद्रुत्य पाप्मनाविध्यन् 3–6.

6. एवमेनाः पाप्मनाविध्यन्

7. तमभिद्रुत्य पाप्मनाविव्यस्सन्

Maitri. 6. 28. रजस्तमोभ्या विद्धस्य

Mund. 2. 2. 2. तद्वेद्धव्यं सोम्य विद्धि

3. लक्ष्यं तदेवाक्षरं . . विद्धि

4. अप्रमत्तेन वेद्धव्यम् Dhyâna. 19.

व्यन्

Brih. 3. 4. 1. यो व्यानेन व्यानिति स त आत्मा सर्वान्तरः (व्यानितीति छान्दसं दैर्घ्यं Saṁkara).

व्यनुनद्

Gîtâ. 1. 19. नभश्च पृथिवीं चैव . . व्यनुनादयन्

व्यपदिश्

Brih. 3. 4. 2. एवमेवैतद् व्यपदिष्टं भवति

व्यपाश्रि

Gîtâ. 9. 32. मां हि पार्थ व्यपाश्रित्य

व्यपेतभी

Gîtâ 11. 49. व्यपेतभीः प्रीतमनाः पुनस्त्वम्

व्यपोह्

Tait. 1. 6. 1. व्यपोह्य शीर्षकपाले

Kaivalya. 1. अचिरात् सर्वंपापं व्यपोह्य

व्यय्

Maitri. 2. 2. व्ययमानो ऽव्ययमानः

व्यय

Gîtâ. 11. 2. भवव्ययौ हि भूतानाम्

व्यवच्छिद्

Tait. 1. 11. 1. प्रजातन्तुं मा व्यवच्छेत्सीः

व्यववद्

Chhâ. 4. 16. 2. ब्रह्मा व्यववदति 4 (व्यपवदति MSS.)

व्यवसाय

Gîtâ. 10. 36. जयो ऽस्मि व्यवसायो ऽस्मि
18. 59. मिथ्यैष व्यवसायस्ते

व्यवसायात्मक

Gîtâ. 2. 41. व्यवसायात्मिका बुद्धिः 44.

व्यवसो

Gîtâ. 1. 45. महत्पापं कर्तुं व्यवसिता व-
यम्
9. 30. सम्यग्व्यवसितो हि सः

1. व्यवस्था

Maitri. 6. 30. ऊर्ध्वमेव व्यवस्थितम्
Mahânâr. 11. 11. अणीयोर्ध्वा व्यवस्थिता
Mahâ. 3; Vâsu. 3.
13. परमात्मा व्यवस्थितः
Maha. 3; Vasu. 3.
Gauḍa. 1. 2. त्रिधा देहे व्यवस्थितः
2. 13. अन्तश्चित्ते व्यवस्थितान्
Brahmav. 8. तस्य मध्ये व्यवस्थितः
Nâda. 4. सत्यलोको व्यवस्थितः
Brahmab. 12. भूते भूते व्यवस्थितः
Dhyâna. 10. सर्वत्रात्मा व्यवस्थितः
Piṇḍa. 2. कस्मिन् स्थाने व्यवस्थितः
Kṛish. 18. लक्ष्मीरूपो व्यवस्थितः
Gîtâ. 1. 20. अथ व्यवस्थितान्दृष्ट्वा
3. 34. रागद्वेषौ व्यवस्थितौ

2. व्यवस्था

Śwet. 1. 1. सुखेतरेषु वर्त्तामहे .. व्य-
वस्थाम्
Gauḍa. 3. 17. स्वसिद्धान्तव्यवस्थासु
4. 13. न व्यवस्था प्रसज्यते

व्यवस्थिति

Gîtâ. 16. 1. ज्ञानयोगव्यवस्थितिः
24. कार्याकार्यव्यवस्थितौ

व्यवहार

Mukti. 2. 28. असंगव्यवहारत्वात्

व्यवहृ

Nṛisut. 9. अमूढो मूढ इव व्यवहर-
न्नास्ते माययैव
Mukti. 2. 70. ताभिर्व्यवहरन्नपि

व्यश्

Kaush. 1. 7. तां व्यष्टिं व्यश्नुते
Gauḍa. 1. 27. व्यश्नुते तदनन्तरम्
Nṛip. 1. 1. व्यशेम देवहितं यदायुः
2. 4; Nṛisut 1.

1. व्यष्टि

Kaush. 1. 7. सा या ब्रह्मणो जितिर्या
व्यष्टिस्तां जितिं जयति तां
व्यष्टिं व्यश्नुते
Bṛih. 3. 3. 2. तस्माद्वायुरेव व्यष्टिः

2. व्यष्टि

Bṛih. 2. 6. 3. विप्रचित्तिर्व्यष्टेः 4. 6. 3.
— व्यष्टिः सनारोः 4. 6. 3.

व्याकरण

Muṇḍ. 1. 1. 5. शिक्षा कल्पो व्याकरणम्

व्याकुलितमनस्

Garbha. 3. व्याकुलितमनसो ऽन्धाः ख-
ञ्जाः कुब्जा वामनका भ-
वन्ति

व्याकृ

Ait. 5. 1. येन वाचं व्याकरोति
Chhâ. 6. 3. 2. नामरूपे व्याकरवाणि
3. नामरूपे व्याकरोत्
Bṛih. 1. 4. 7. नामरूपाभ्यामेव व्याक्रियत
(again with °ते)

1. व्याख्या

Kaush. 3. 4. यथास्यै प्रज्ञायै सर्वाणि भू-
तान्येकं भवन्ति तद् व्या-
ख्यास्यामः

Bṛih. 2. 4. 4. एवास्व व्याख्यास्यामि ते
4. 5. 5. भवत्येतद् व्याख्यास्यामि ते
Tait. 1. 2. 1. शीक्षां व्याख्यास्यामः
1. 3. 1. संहिताया उपनिषदं व्याख्यास्यामः
4. य एवमेता महासंहिता व्याख्याता वेद-
Maitri. 6. 10. अनेनैव प्रधानस्य भोज्यत्वं व्याख्यातम्
Gauḍa. 3. 11. रसादयो हि ये कोशा व्याख्यातास्तैत्तिरीयके
26. स एष नेति नेतीति व्याख्यातम्
Brahmav. 5. व्याख्यातं ब्रह्मवादिभिः
Prâṇâg. 1. शारीरयज्ञं व्याख्यास्यामः
Haṁsa. 1. हंसपरमहंसनिर्णयं व्याख्यास्यामः

2. व्याख्या

Maitri. 6. 10. अनेनैव चतुर्दशविधस्य मार्गस्य व्याख्या कृता

व्याख्यान

Bṛih. 2. 4. 10. अनुव्याख्यानि व्याख्यानानि 4. 1. 2; 4. 5. 11; Maitri. 6. 32.
Râmap. 49. व्याख्याननिरतः

व्याघ्र

Chhâ. 6. 9. 2. व्याघ्रो वा सिंहो वा 6.10.2.

व्याचक्ष्

Kena. 3. इति शुश्रुम पूर्वेषां ये नस्तद् व्याचचक्षिरे
Bṛih. 2. 4. 4. व्याचक्षाणस्य मे निदिध्यासस्व 4. 5. 5.
3. 4. 1. य आत्मा सर्वान्तरस्तं मे व्याचक्ष्व 2; 3. 5. 1.
Nṛip. 1. 7. देहान्ते देवः परं ब्रह्मतारकं व्याचष्टे
Nṛisut. 1. इममात्मानमोङ्कारं नो व्याचक्ष्व
Jâbâla. 1. रुद्रस्तारकं ब्रह्म व्याचष्टे Râmot. 1.

व्याज

Râmap. 36. तद्व्याजेनेक्षितुं सीताम्

व्यात्तानन

Gîtâ. 11. 24. व्यात्ताननं दीप्तविशालनेत्रम्

व्यादा

Chhâ. 1. 2. 9. व्याददात्येवान्तत इति
Bṛih. 1. 1. 1. व्यात्तमग्निर्वैश्वानरः
6. 2. 12. तस्य व्यात्तमेव समित्

व्याधा

Chhâ. 7. 10. 1. व्याधीयन्ते प्राणाः
Bṛih. 5. 11. 1. एतद्वै परमं तपो यद्व्याहितस्तप्यते

व्याधि

Chhâ. 4. 10. 3. स ह व्याधिनानशितुं दध्रे — व्याधिभिः प्रतिपूर्णो ऽस्मि
Śiras. 4. *vide* महाभय
Gîtâ. 13. 8. जन्ममृत्युजराव्याधिदुःखदोषानुदर्शनम्

व्यान

Chhâ. 1. 3. 3. अथ खलु व्यानमेवोद्गीथमुपासीत 5.
— प्राणापानयोः संधिः स व्यानो यो व्यानः सा वाक्
3. 13. 2. दक्षिणः सुषिः स व्यानः
5. 20. 1. तां जुहुयाद्व्यानाय स्वाहेति व्यानस्तृप्यति
2. व्याने तृप्यति श्रोत्रं तृप्यति
Bṛih. 1. 5. 3. प्राणो ऽपानो व्यान उदानः समानः Tait. 1. 7. 1.
3. 1. 10. व्यानः शस्या

Brih. 3. 4. 1. यो व्यानेन व्यानिति स त आत्मा सर्वान्तरः
3. 9. 26. कस्मिन्न्वपानः . . व्यान इति कस्मिन्नु व्यानः
5. 14. 3. प्राणो ऽपानो व्यान इत्यष्टाक्षराणि
Tait. 1. 5. 3. सुवरिति व्यानः
2. 2. 1. व्यानो दक्षिणः पक्षः
Maitri. 2. 6. प्राणो ऽपानः समान उदानो व्यानः
— येन वा एता अनुगृहीता इत्येष वाव स व्यानः
— उत्तरं व्यानस्य रूपं च
6. 5. प्राणो ऽपानो व्याना इति प्राणवत्येषा
9. प्राणाय स्वाहा . . व्यानाय स्वाहा
33. प्राणो ऽपानो व्यानः समान उदानः
7. 2. भीष्मो व्यानः सोमो रुद्रा दक्षिणत उद्यन्ति
Mahânâr.15. 8. व्याने निविष्टो ऽमृतं जुहोमि 9.
16. 1. व्याने निविश्यामृतं हुतं व्यानमन्नेनाप्यायस्व
Praśna. 3. 6. आसु व्यानश्चरति
8. वायुर्व्यानः
4. 3. व्यानो ऽन्वाहार्यपचनः
Prâṇâg. 1. मध्यमिकया व्याने
4. व्यानः प्रस्तोता
Amṛita. 35. व्यानः सर्वेषु चाङ्गेषु
37. व्यानो ऽर्चिसमप्रभः
Kaṭhaśru. 1. प्राणापानव्यानोदानसमानान्

व्याप्

Śwet. 4. 10. तस्यावयवभूतैस्तु व्याप्तं सर्वमिदं जगत्
Mahânâr.11. 6. तत्सर्वं व्याप्य नारायणः स्थितः Vâsu. 3.
Nṛip. 2. 4. यः सर्वांल्लोकान् व्याप्नोति व्यापयति
— स्नेहो यथा पललपिण्डं . . व्याप्यते व्यापयते
4. 2. तया सर्वमिदं व्याप्तम्
Nṛisut. 2. व्याप्तः सदोज्ज्वलः
Brahmav. 12. सर्वं व्याप्यैव तिष्ठति
Siras. 6. सहस्रपादेकमूर्धा व्याप्तम्
Haṁsa. 1. सर्वेषु देहेषु व्याप्तो वर्त्तते
2. येनेदं व्याप्तम्
Râmot. 5. यो ब्रह्माण्डस्यान्तर्बहिर्व्याप्नोति विराट् (36).
Gîtâ. 10. 16. लोकानिमांस्त्वं व्याप्य तिष्ठसि
11. 20. व्याप्तं त्वयैकेन दिशश्च सर्वाः

व्यापक

Katha. 6. 8. व्यापको ऽलिङ्ग एव च
Siras. 6. कालाद्व्यापक उच्यते
— व्यापको हि भगवान् रुद्रः
Nâda. 17. व्यापकं निष्कलं शिवम्
Sarvop. 4. पूर्वं व्यापकं चैतन्यम्

व्याप्ततम

Nṛisut. 5. न हीदं सर्वमेष हि व्याप्ततमः
— एष एवोग्र एष हि व्याप्ततमः (so with the other 10 words of the Mantra).
— व्याप्ततम उत्कृष्टतमः

व्यामिश्र

Gîtâ. 3. 2. व्यामिश्रेणेव वाक्येन

व्यावर्त्तन

Chhâ. 5. 3. 2. वेत्थ पथोर्देवयानस्य पितृयाणस्य च व्यावर्त्तना३ इति

व्यावृ

Amṛita. 35. सदा व्यावृत्य तिष्ठति

व्यावृत्

Bṛih. 1. 5. 2. न स पाप्मनो व्यावर्त्तते
Maitri. 6. 1. अहोरात्रेणैतौ व्यावर्त्तेते
Parama. 3. सर्वे कामा मनोगता व्यावर्त्तन्ते (सर्वान् कामानात्मनो गतान् व्यावर्त्तेरन् MSS.)

व्यावृतत्व

Maitri. 3. 5. व्यावृतत्वमीर्ष्या

व्याशा

Râmap. 88. आशाऽव्याशास्वपि

व्यास

Gîtâ. 10. 13. असितो देवलो व्यासः
37. मुनीनामप्यहं व्यासः
18. 75. व्यासप्रसादाच्छ्रुतवान्

व्याहृ

Bṛih. 1. 4. 1. सो ऽहमस्मीत्यग्रे व्याहरत्
Nâr. 4. ओमित्येतदग्रे व्याहरेत्
Gîtâ. 8. 13. ओमित्येकाक्षरं ब्रह्म व्याहरन्

व्याहृति

Tait. 1. 5. 1. भूर्भुवः सुवरिति वा एतास्तिस्रो व्याहृतयः
3. चतस्रश्चतस्रो व्याहृतयः
Maitri. 6. 2. व्याहृतिभिः सावित्र्या च
Nṛip. 4. 3. यो वै नृसिंहः.. याः सप्त व्याहृतयस्तस्मै वै नमो नमः (15).
Mahâ. 2. सप्रणवा व्याहृतयः
3. भूरिति व्याहृतिः
— भुव इति व्याहृतिः
— स्वरिति व्याहृतिः
— ओं जनदिति व्याहृत्या
Vâsu. 2. तिस्रो व्याहृतयस्त्रीणि छन्दांसि

Gopî. 5. ततो व्याहृतीस्ततो गायत्रीम्
Râmot. 5. यो वै श्रीरामः.. याः सप्त व्याहृतयः (20).

व्युच्चर्

Bṛih. 2. 1. 20. यथाग्नेः क्षुद्रा विस्फुलिङ्गा व्युच्चरन्त्येवमेवास्मादात्मनः सर्वे प्राणाः .. व्युच्चरन्ति

व्युत्था

Bṛih. 3. 5. 1. पुत्रैषणायाश्च वित्तैषणायाश्च लोकैषणायाश्च व्युत्थाय 4. 4. 22; Nṛisut. 6 (adds ससाधनेभ्यः before last word).
Kaṭhaśru. 1. यो वा व्युत्तिष्ठति किमस्य यज्ञोपवीतम्

व्युदस्

Gîtâ. 18. 51. रागद्वेषौ व्युदस्य च

व्युष्टि

Chhâ. 3. 13. 4. एतत्कीर्त्तिश्च व्युष्टिश्चेत्युपासीत

व्युष्टिमन्त्

Chhâ. 3. 13. 4. स कीर्त्तिमान् व्युष्टिमान् भवति

व्यूह्

Bṛih. 5. 15. 1. व्यूह रश्मीन् समूह तेजः Iśâ. 16.
Gîtâ. 1. 2. दृष्ट्वा तु पाण्डवानीकं व्यूढम्
3. व्यूढां द्रुपदपुत्रेण

व्यूह

Râmap. 90. अंगव्यूहानिलजाद्यैः

व्यूहन

Garbha. 1. वायुर्व्यूहने

व्योम, व्योमन्

Tait. 2. 1. 1. निहितं गुहायां परमे व्योमन्
3. 6. 1. एषा भार्गवी वारुणी विद्या परमे व्योमन् प्रतिष्ठिता
Śwet. 4. 8. ऋचो अक्षरे परमे व्योमन्
Nṛip: 4. 2 ; 5. 2.
Maitri. 6. 34. व्योम्नि व्योम न लक्षयेत्
— पदव्योमानुस्मरणम्
35. विद्युदिवाभ्रार्चिषः परमे व्योमन्
Muṇḍ.2. 2. 7. व्योम्न्यात्मा प्रतिष्ठितः
Mahânâr. 1. 2. तदक्षरे परमे व्योमन्
Śiras. 1. अहमेव सर्वं व्योममेव सः (व्योमशब्दो ऽकारान्तः Nâr.)
5. व्योममिति भस्म (not in the MSS.)
Tejo. 9. तद्व्योम परमं स्थितम्

व्योमरूप

Tejo. 5. व्योमरूपं कलासूक्ष्मम्

व्योमसद्

Kaṭha. 5. 2. वरसदृतसद्व्योमसत्
Mahânâr. 9. 3; 17. 8; Nṛip. 3. 1.

व्रज्

Chhâ. 4. 16. 3. यथैकपाद्व्रजन्
5. यथोभयपाद्व्रजन्
6. 14. 2. एतां दिशं व्रज
8. 1. 6. आत्मानमननुविद्य व्रजन्ति ..आत्मानमनुविद्य व्रजन्ति
8. 8. 4. आत्मानमननुविद्य व्रजतः
Kaṭha. 2. 21. आसीनो दूरं व्रजति
Gauḍa. 3. 19. मर्त्यताममृतं व्रजेत्
4. 86. एवं विद्वाञ्छमं व्रजेत्
Kshur. 23. दग्ध्वा लयं व्रजेत् (bis).
Śiras. 4. तीर्थमेके व्रजन्ति
Nâda. 15. अष्टम्यां व्रजते रुद्रम्
16. दशम्यां च ध्रुवं व्रजेत्
Gîtâ. 2. 54. किमासीत व्रजेत किम्
18. 66. मामेकं शरणं व्रज

व्रज

Bṛih. 6. 4. 23. इन्द्रस्यायं व्रजः कृतः

व्रत

Chhâ. 2. 11. 2. महामनाः स्यात्तद्व्रतम्
2. 12. 2. न प्रत्यङ्ङग्निमाचामेन्न निष्ठीवेत्तद्व्रतम्
2. 13. 2. न कांचन परिहरेत्तद्व्रतम्
2. 14. 2. तपन्तं न निन्देत्तद्व्रतम्
2. 15. 2. वर्षन्तं न निन्देत्तद्व्रतम्
2. 16. 2. ऋतून्न निन्देत्तद्व्रतम्
2. 17. 2. लोकान्न निन्देत्तद्व्रतम्
2. 18. 2. पशून्न निन्देत्तद्व्रतम्
2. 19. 2. संवत्सरं मज्ज्ञो नाश्नीयात्तद्व्रतं मज्ज्ञो नाश्नीयादिति वा
2. 20. 2. ब्राह्मणान्न निन्देत्तद्व्रतम्
2. 21. 4. सर्वमस्मीत्युपासीत तद्व्रतम्
Bṛih. 1. 5. 21. अथातो व्रतमीमांसा
23. तस्मादेकमेव व्रतं चरेत्
Tait. 3. 7. 1. अन्नं न निन्द्यात्तद्व्रतम्
3. 8. 1. अन्नं न परिचक्षीत तद्व्रतम्
3. 9. 1. अन्नं बहु कुर्वीत तद्व्रतम्
3. 10. 1. न कञ्चन वसतौ प्रत्याचक्षीत तद्व्रतम्
Śwet. 4. 9. छन्दांसि यज्ञाः क्रतवो व्रतानि
Maitri. 4. 3. स्वधर्मस्य वा एतद्व्रतम्
Nṛisut. 6. देवानां व्रतमाचरन्
Śiras. 5. यस्माद्व्रतमिदं पाशुपतम्
Kâlâg. 1. व्रतमेतच्छांभवम्
Gopî. 5. व्रतं यस्तु समाचरेत्
Mukti. 2. 48. निवृत्तिव्रतधारिणः

व्रतवन्त्

Nyâsa. 1. व्रतवान् स्यादतन्द्रितः

व्रतिन्

Jâbâla. 4. पुनरव्रती वा व्रती वा

व्रश्च्

Bṛih. 3. 9. 28. वृक्षो वृक्णो रोहति मूलात्
— मर्त्यः स्विन्मृत्युना वृक्णः

व्रश्चन

Maitri. 1. 4. व्रश्चनं वातरज्जूनाम्

व्रात्य

Praśna. 2. 11. व्रात्यस्त्वं प्राणैकऋषिः
Chûl. 11. ब्रह्मचारी च व्रात्यश्च

व्रीहि

Chhâ. 3. 14. 3. अणीयान् व्रीहेर्वा यवाद्वा
5. 10. 6. न इह व्रीहियवाः . . इति जायन्ते
Bṛih. 5. 6. 1. अन्तर्हृदये यथा व्रीहिर्वा
6. 3. 13. व्रीहियवाः
6. 4. 13. व्रीहीनवघातयेत्
Muṇḍ. 2. 1. 7. प्राणापानौ व्रीहियवौ तपश्च
Skanda. 6. तुषेण बद्धो व्रीहिः स्यात्

शंयु

Mahânâr. 6. 4. भवा तोकाय तनयाय शंयोः

शंयोर्वाक

Prâṇag. 3. शारीरयज्ञस्य . . कः शंयोर्वाकः
4. तालुः शंयोर्वाकः

शंस्

Chhâ. 1. 1. 9. ओमिति शंसति
Tait. 1. 8. 1. ओं शोमिति शस्त्राणि शसन्ति
Mahânâr. 9. 13. उप ब्रह्मा शृणवच्छस्यमानम्
Chûl. 9. शंसन्तमनुशंसन्ति
Râmap. 38. आहूय शंसतां सर्वम्
Gîtâ. 5. 1. पुनर्योगं च शंससि

शक्

Ait. 3. 3. तन्नाशक्नोद्वाचा ग्रहीतुम् (similarly in 4–9).
Kaush. 2. 5. न तावत्प्राणितुं शक्नोति
— न तावद्भाषितुं शक्नोति
3. 2. न हि कश्चन शक्नुयात् सकृद्वाचा नाम प्रज्ञापयितुम्
Kena. 19. तन्न शशाक दग्धुम्
— नैतदशकं विज्ञातुम् 23.
23. तन्न शशाकादातुम्
Chhâ. 5. 1. 8. कथमशकतर्ते मज्जीवितुमिति 9, 10, 11.
5. 3. 5. नैकं चनाशकं विवक्तुमिति
Bṛih. 2. 4. 7. न बाह्याञ्छब्दाञ्छक्नुयाद्ग्रहणाय 8, 9; 4. 5. 8, 9, 10.
5. 2. 3. एतत्त्रयं शिक्षेद्दमं दानं दयाम्
6. 1. 8. कथमशकत मदृते जीवितुमिति 9–12.
13. न वै शक्ष्यामस्त्वदृते जीवितुम्
Kaṭha. 3. 2. नाचिकेतं शकेमहि
6. 4. इह चेदशकद्बोद्धुम्
12. न मनसा प्राप्तुं शक्यः
Maitri. 2. 6. स एको नाशकत्
6. 34. न शक्यते वर्णयितुं गिरा
Mahânâr. 7. 5. सतां शक्यः प्रोवाचोपनिषदिन्द्रः
20. 4. मघवञ्छग्धि तव तन्नः

Nṛisut. 9. नैव वयं वक्तुं शक्नुमः
Râmot. 5. श्रीरामेणैवं शिक्षितः
Mukti. 2. 43. न शक्यते मनो जेतुम्
Gitâ. 1. 30. न च शक्नोम्यवस्थातुम्
5. 23. शक्नोतीहैव यः सोढुम्
6. 36. शक्यो ऽवाप्तुमुपायतः
11. 4. मन्यसे यदि तच्छक्यम्
8. न तु मां शक्ष्यसे द्रष्टुम्
48. एवंरूपः शक्य अहं नृलोके द्रष्टुम्
53. शक्य एवंविधो द्रष्टुम्
54. भक्त्या त्वनन्यया शक्यः
12. 9. अथ चित्तं समाधातुं न शक्नोषि
18. 11. न हि देहभृता शक्यम्

शकट

Chhâ. 4. 1. 8. अधस्ताच्छकटस्य
Maitri. 2. 3. शकटमिवाचेतनमिदं शरीरम्

शकर

Bṛih. 3. 9. 28. मांसान्यस्य शकराणि

शकुन

Maitri. 6. 34. हिरण्यवर्णः शकुनः

शकुनि

Kaush. 1. 2. मत्स्यो वा शकुनिर्वा
Chhâ. 5. 2. 1. यत्किञ्चिदिदमा श्वभ्य आ शकुनिभ्यः
6. 8. 2. यथा शकुनिः सूत्रेण प्रबद्धः

शक्वर्यस्

Chhâ. 2. 17. 1. एताः शक्वर्यो लोकेषु प्रोताः 2.

शक्ति

Śwet. 2. 2. स्वर्गेयाय शक्त्या (so 3 MSS. agreeing with VS. xi. 2; the reading of TS. is शक्त्यै)
Śwet. 6. 8. परास्य शक्तिर्विविधैव श्रूयते
Nṛip. 3. 1. मन्त्रराजस्य.. शक्ति.. ब्रूहि
— मायामेतां शक्तिं विद्यात्
— य एतां मायां शक्तिं वेद
Śiras. 4. ईशानीभिर्जननीभिश्च शक्तिभिः
Nyâsa. 2. अग्निमाधाय शक्तितः
Kaṭhaśru. 3. इष्ट्वा च शक्तितो यज्ञैः
Haṁsa. 2. हमिति बीजं स इति शक्तिः
Kâlâg. 1. के मंत्राः काः शक्तयः
Râmap. 10. शक्तिसेनाकल्पना
16. शक्तयस्तिस्र एव च
22. बीजशक्ती न्यसेत्
72. *vide* आदि
86. शक्तिं चाधाराख्यकाम्
90. विमलादीश्च शक्तीरभ्यर्चयेत्

शक्तियोग

Śwet. 4. 1. बहुधा शक्तियोगाद्वर्णाननेकान्.. दधाति

शक्त्यात्मन्

Haṁsa. 2. सदाशिवः शक्त्यात्मा

शक्र

Mahânâr. 20. 3. ह्वयामि शक्रं पुरुहूतमिन्द्रम्
Nâr. 2. शक्रश्च नारायणः

शङ्क्

Râmap. 39. स तु रामे शंकितः सन्

शङ्कर

Nṛip. 1. 6. शङ्करं नीललोहितम्
Skanda. 14. विरिञ्चिनारायणशङ्करात्मक

Râmut. 4. श्रीरामः प्राह शङ्करम्
Gîtâ. 10. 23. रुद्राणां शंकरश्चास्मि

शङ्कु

Chhâ. 2. 23. 4. यथा शङ्कुना सर्वाणि पर्णानि सन्तृण्णानि
5. 1. 12. यथा सुहयः पड्वीशशङ्कून् संखिदेत्
Bṛih. 6. 1. 13. यथा महासुहयः पड्वीशशङ्कून् संबृहेत्

शंख

Bṛih. 2. 4. 8. यथा शंखस्य ध्मायमानस्य 4. 5. 9.
— शंखस्य तु ग्रहणेन 4. 5. 9.
Kṛish. 18. यः शंखः स स्वयं विष्णुः
Râmap. 9. हस्ताः शंखादिभिर्युताः
92. गदारिशंखाब्जधरम्
93. शंखचक्रे गदाब्जे
Gitâ. 1. 12. शंखं दध्मौ प्रतापवान्
13. ततः शंखाश्च भेर्यश्च
14. दिव्यौ शंखौ प्रदध्मतुः
18. शंखान्दध्मुः पृथक्पृथक्

शंखचक्रगदाधर

Atmapra. 1. ओं नमो नारायणाय शंखचक्रगदाधराय

शंखचक्रगदापाणि

Vâsu. 2. शंखचक्रगदापाणे द्वारकानिलयाच्युत

शंखध्म

Bṛih. 2. 4. 8. शंखस्य तु ग्रहणेन शंखध्मस्य वा 4. 5. 9.

शंखनाद

Haṁsa. 2. शंखनादश्चतुर्थः

शंखपुलिक

Gâruḍa. 2. यदि शंखपुलिकदूतस्त्वं यदि वा शंखपुलिकः स्वयम्

शंखमध्यग

Brahmav. 8. अकारः शंखमध्यगः

शठ

Mukti. 1. 51. असूयकायानृजवे शठाय
Gîtâ. 18. 28. शठो नैष्कृतिको ऽलसः

शत

Ait. 4. 5. शतं मा पुर आयसीररक्षन्
Kaush. 1. 4. शतं फलहस्ताः &c.
2. 11. स जीव शरदः शतमिति (bis).
— शतं शरद आयुषो जीवस्व
Chhâ. 3. 16. 7. स ह षोडशवर्षशतमजीवत्प्र ह षोडशवर्षशतं जीवति य एवं वेद
4. 2. 1. षट् शतानि गवाम् 2.
7. 8. 1. शतं विज्ञानवतामेको बलवानाकम्पयते
7. 26. 2. शतं च दश चैकं च
8. 6. 6. शतं चैका च हृदयस्य नाड्यः Katha. 6. 16.
Bṛih. 2. 5. 19. अस्य हरयः शता दश
3. 9. 1. त्रयश्च त्री च शता (bis).
4. 3. 33. ये शतं मनुष्याणामानन्दाः स एकः पितॄणां जितलोकानामानन्दः (similarly 5 times more).
Iśâ. 2. जिजीविषेच्छतं समाः
Tait. 2. 8. 1. ते ये शतं मानुषा आनन्दाः स एको मनुष्यगन्धर्वाणामानन्दः (similarly 9 times more).
Mahânâr. 4. 2. शतं मे घ्नन्ति पापानि शतमायुर्विवर्द्धति

Mahânâr. 3. एवा नो दूर्वे प्रतनु सहस्रेण शतेन च
6. जीवामि शरदः शतम्
Praśna. 3. 6. तासां शतं शतमेकैकस्याम्
Nṛip. 5. 10. अनुपनीतशतमेकम्
— उपनीतशतमेकम्
— गृहस्थशतमेकम्
— वानप्रस्थशतमेकम्
— यतीनां तु शतं पूर्णम्
— रुद्रजापकशतमेकम्
— अथर्वशिरःशिखाध्यायिकशतमेकम्
Garbha. 5. सप्तोत्तरं मर्मशतम्
— साशीतिकं सन्धिशतम्
— सनवकं स्नायुशतम्
— सप्त शिराशतानि
— पञ्च मज्जाशतानि
— अस्थीनि च ह वै त्रीणि शतानि षष्टिश्च
Gâruḍa. 3. शतं ब्राह्मणान् ग्राहयित्वा
Gopî. 5. वाजपेयशतानि च
Mukti. 1. 44. सारमष्टोत्तरं शतम्
46. गुह्यमष्टोत्तरं शतम्
50. एवमष्टोत्तरं शतम्
2. 11. समाशतैः
14. जन्मान्तरशताभ्यस्ता

शतक्रतु

Mahânâr. 7. 4. सर्वं पाहि शतक्रतो

शतधा

Śwet. 5. 9. शतधा कल्पितस्य च भागः
Maitri. 6. 8. सहस्ररश्मिः शतधा वर्त्तमानः Praśna. 1. 8.
Nṛisut. 8. शतधा सहस्रधा भिन्नः

शतपत्राढ्य

Dhyâna. 15. शताब्जं शतपत्राढ्यम्

शतबाहु

Mahânâr. 4. 5. कृष्णेन शतबाहुना

शतभाग

Śwet. 5. 9. बालाग्रशतभागस्य

शतमूल

Mahânâr. 4. 1. सहस्रपरमा देवी शतमूला शताङ्कुरा
2. दूर्वा अमृतसम्भूताः शतमूलाः शताङ्कुराः (singular in 4 MSS.)

शतरुद्रिय

Kaivalya. 24. यः शतरुद्रियमधीते
Jábâla. 3. शतरुद्रियेणेत्येतान्येव ह वा अमृतस्य नामानि

शतविचक्षण

Prâṇâg. 1. बह्वीः शतविचक्षणाः

शतशस्

Gîtâ. 11. 5. शतशो ऽथ सहस्रशः

शतसंवत्सर

Aśrama. 2. शतसंवत्सराभिः क्रियाभिर्यजन्तः (4 times).

शतसहस्र

Śiras. 7. रुद्राणां शतसहस्राणि जप्तानि भवन्ति Mahâ. 4.

शतसाहस्रार्द्ध

Dhyâna. 6. बालाग्रशतसाहस्रार्द्धम् (so MSS).

शताङ्कुर

Mahânâr. 4. 1. शतमूला शताङ्कुरा
2. शतमूलाः शताङ्कुराः (singular in 4 MSS.)

शताधिक

Kṛish. 14. शताधिकाः स्त्रियस्तथा

शताब्ज

Dhyâna. 15. शताब्जं शतपत्राब्जम्

शतायुस्

Kaṭha. 1. 23. शतायुषः पुत्रपौत्रान् वृणीष्व

शतार्द्धार

Śwet. 1. 4. शतार्द्धारं विंशतिप्रत्यराभिः

शतेषुधि

Nîla. 16. सहस्राक्ष शतेषुधे

शत्रु

Mahânâr. 20. 2. जहि शत्रूंरप मृधो नुदस्व
Nîla. 24. नमः कुमाराय शत्रवे
Kṛish. 21. संहारार्थं च शत्रूणाम्
Gîtâ. 3. 43. जहि शत्रुं महाबाहो
6. 6. वर्त्तेतात्मैव शत्रुवत्
11. 33. जित्वा शत्रून् भुंक्ष्व राज्यम्
12. 18. समः शत्रौ च मित्रे च
16. 14. असौ मया हतः शत्रुः

शत्रुघ्न

Râmap. 50. शत्रुघ्नभरतौ
51. शत्रुघ्नाधो विभीषणम्
Râmot. 3. शत्रुघ्नस्तैजसात्मकः
Mukti. 1. 1. सीताभरतसौमित्रिशत्रुघ्नाद्यैः

शत्रुत्व

Gîtâ. 6. 6. अनात्मनस्तु शत्रुत्वे

शनकैस्

Maitri. 6. 28. शनकैस्वटैवावटकृद्धातुकामः संविशति

शनि

Maitri. 7. 6. *vide* आदि

शनैस्

Kshur. 3. प्रणवेन शनैः शनैः
5. शनैरथ समुत्सृजेत्
21. निरपेक्षः शनैः शनैः
Nâda. 19. शनैर्मुञ्चेत् कलेवरम्
Gîtâ. 6. 25. शनैः शनैरुपरमेत्

शन्तम

Śwet. 3. 5. तया नस्तनुवा शन्तमया
Nîla. 8 (तन्वा)
Mahânâr. 13. 3. वोचेम शन्तमं हृदे

शप्

Bṛih. 6. 4. 12. यमेवंविद्वान् ब्राह्मणः शपति
Nyâsa. 4. निन्दितो न शपेत् परान्
Kaṭhaśru. 4.

शबरी

Râmap. 37. शबरीं गत्वा

शबल

Chhâ. 8. 13. 1. श्यामाच्छबलं प्रपद्ये शबलाच्छ्यामम्

शब्द

Ait. 5. 1. येन वा शब्दं शृणोति
Kaush. 1. 7. केन शब्दानिति श्रोत्रेणेति
3. 2. श्रोत्रेण शब्दम्
3. श्रोत्रं सर्वैः शब्दैः सहाप्येति (bis); 4. 20.
4. श्रोत्रमेवास्मिन् सर्वे शब्दा अभिविसृज्यन्ते श्रोत्रेण सर्वाञ्छब्दानाप्नोति
5. तस्य शब्दः परस्तात्प्रतिविहिता भूतमात्रा
6. प्रज्ञया श्रोत्रं समारुह्य श्रोत्रेण सर्वाञ्छब्दानाप्नोति
7. न हि प्रज्ञापेतं श्रोत्रं शब्दं कंचन प्रज्ञापयेत्

Kaush. 3. 7. नाहमेतं शब्द प्राज्ञासिषम्
8. न शब्दं विजिज्ञासीत श्रोतारं विद्यात्
4. 2. स्तनयित्नौ शब्दः
— शब्दे मृत्युः
6. शब्दस्यात्मेति वा अहमेतमुपासे . . एतमेवमुपास्ते शब्दस्यात्मा भवति
4. 14. शब्दे पुरुषस्तमेवाहमुपासे
Bṛih. 1. 5. 3. यः कश्च शब्दो वागेव
2. 1. 10. यन्तं पश्चाच्छब्दो ऽनूदेति
2. 4. 7. न बाह्याञ्छब्दाञ्छक्नुयाद्ग्रहणाय 8, 9; 4. 5. 8—10.
— शब्दो गृहीतः 8, 9; 4. 5. 8—10.
11. सर्वेषां शब्दानां श्रोत्रमेकायनम् 4. 5. 12.
3. 2. 6. स शब्देनातिग्राहेण गृहीतः श्रोत्रेण हि शब्दाञ्छृणोति
4. 4. 21. नानुध्यायाद्बहूञ्छब्दान्
Kaṭha. 4. 3. शब्दान् . . एतेनैव विजानाति
Śwet. 2. 10. शब्दजलाश्रयादिभिः
Maitri. 6. 22. शब्दश्चाशब्दश्च
— शब्देनैवाशब्दमाविष्क्रियते
— तत्रा ओमिति शब्दः
— अन्तर्हृदयाकाशशब्दम्
23. यः शब्दस्तदोमित्येतदक्षरम्
Brahmav. 14. यस्मिन् संलीयते शब्दः
Amṛita. 14. शृणु शब्दमकर्णवत्
19. शब्दमेवाभिचिन्तयेत्
Dhyâna. 5. अनाहतं च यच्छब्दं तस्य शब्दस्य यत्परम्
Sarvop. 2. शब्दस्पर्शरूपरसगन्धाः
Parama. 2. न शब्दं न स्पर्शम्
Gîtâ. 1. 13. स शब्दस्तुमुलो ऽभवत्
7. 8. शब्दः खे पौरुषं नृषु
17. 26. सच्छब्दः पार्थ युज्यते

शब्दब्रह्मन्

Maitri. 6. 22. शब्दब्रह्म परं च यत्
Brahmab. 17.
— शब्दब्रह्मणि निष्णातः
Brahmab. 17.
Gîtâ. 6. 44. शब्दब्रह्मातिवर्त्तते

शब्दमायावृत

Brahmab. 15. शब्दमायावृतो यावत्

शब्दवादिन्

Maitri. 6. 22. अन्यथा परे शब्दवादिनः

शब्दव्यञ्जनवर्जित

Amṛita. 4. मात्रालिङ्गपदं त्यक्त्वा शब्दव्यञ्जनवर्जितम्

शब्दसंज्ञाप्रणिधान

Garbha. 1. इष्टानिष्टानि शब्दसंज्ञाप्रणिधानादृशविधा

शब्दस्पर्शादि

Maitri. 4. 2. शब्दस्पर्शादयो ह्यर्थाः

शब्दाक्षर

Brahmab. 16. शब्दाक्षरं परं ब्रह्म

शब्दादि

Amṛita. 5. शब्दादिविषयाः पञ्च
Sarvop. 1. शब्दादीन् विषयान् स्थूलान्
— शब्दाद्यभावे ऽपि
— वासनामयाञ्छब्दादीन्
2. शब्दादिविषयान्
Gîtâ. 4. 26. शब्दादीन्विषयानन्ये
18. 51. शब्दादीन्विषयांस्त्यक्त्वा

शब्दोपलब्धि

Garbha. 1. श्रोत्रे शब्दोपलब्धौ

1. शम्

Chhâ. 3. 14. 1. शान्त उपासीत

Bṛih. 4. 3. 5. शान्ते ऽग्नौ किंज्योतिरेवायम्
6. शान्ते ऽग्नौ शान्तायां वाचि
4. 4. 23. शान्तो दान्त उपरतः
Kaṭha. 3. 13. तद्यच्छेच्छान्त आत्मनि
Śwet. 6. 19. निष्कलं निष्क्रियं शान्तम्
Maitri. 2. 4. शुद्धः पूतः शून्यः शान्तः 6. 28.
6. 23. यदस्यामं तच्छान्तमशब्दम्
31. शान्तादिलक्षणोक्तः
36. शान्तमेकं समृद्धं चैकम्
— यच्छान्तं तस्याधारं खम्
7. 3. शान्तमशब्दमभयम्
4. अन्तःशुद्धः पूतः शून्यः शान्तः
6. भान्तः क्षान्तः शान्तः
8. शमयाम इत्येवं ब्रुवाणाः
Muṇḍ.1. 2. 11. शान्ता विद्वांसो भैक्षचर्यां चरन्तः
Mahânâr. 8. 1. श्रुतं तपः शान्तं तपः
19. 1. भ्रूणहत्यां तिलाः शमयन्तु
22. 1. शमेन शान्ताः शिवमाचरन्ति
Praśna. 5. 7. शान्तमजरममृतमभयम्
Mâṇḍû. 7. शान्तं शिवमद्वैतं चतुर्थम् Nṛisut. 1 (शिवं first).
Gauḍa. 3. 44. विक्षिप्तं शमयेत् पुनः
47. स्वस्थं शान्तं सनिर्वाणम्
4. 45. विज्ञानं शान्तमद्वयम्
Nṛip. 5. 10. शाश्वतं शान्तं सदाशिवम्
Nṛisut. 6. शान्ता दान्ता उपरताः
Brahmab. 21. निष्कलं निर्मलं शान्तम्
Haṁsa. 1. शान्ताय दान्ताय गुरुभक्ताय
2. निरञ्जनः शान्तः प्रकाशितः
Parama. 2. तं शान्तमचलमद्वयानन्दम्
Gîtâ. 18. 53. निर्ममः शान्तः

2. शम्

Tait. 1. 1. 1. शं नो मित्रः शं वरुणः । शं नो भवत्वर्यमा । शं न इन्द्रो बृहस्पतिः । शं नो विष्णुरुरुक्रमः । 1. 12. 1.

शम

Tait. 1. 9. 1. शमश्च स्वाध्यायप्रवचने च
Mahânâr. 21. 2. शम इत्यरण्ये मुनयस्तस्माच्छमे रमन्ते
22. 1. शमेन शान्ताः शिवमाचरन्ति शमेन नाकं मुनयो ऽन्वविन्दञ्छमो भूतानां दुराधर्षं शमे सर्वं प्रतिष्ठितं तस्माच्छमः परमं वदन्ति
Gauḍa. 4. 86. शमः प्राकृत उच्यते
— एवं विद्वाञ्छमं व्रजेत्
Kṛish. 17. शमो मित्रं सुदामा यः
Mukti. 2. 18. शममायाति दीपवत्
Gîtâ. 6. 3. शमः कारणमुच्यते
10. 4. क्षमा सत्यं दमः शमः
11. 24. धृतिं न विन्दामि शमं च विष्णो
18. 42. शमो दमस्तपः शौचम्

शमप्राप्त

Gauḍa. 3. 44. शमप्राप्तं न चालयेत्

शमयितृ

Mahânâr. 25. 1. दमः शमयिता

शमल

Mahânâr. 20. 12. शमलं कुसीदम्

शमान्वित

Muṇḍ.1. 2. 13. प्रशान्तचित्ताय शमान्वि-ताय

शमाय्

Tait. 1. 4. 2. शमायन्तु ब्रह्मचारिणः

शम्भु

Maitri. 6. 8. एष हि खल्वात्मा..शम्भुः 7. 7.

Nîlâ. 14. शिवो नः शम्भुराभव

शयन

Aruṇeya. 5. आसनशयनादिकं भूमौ (2 MSS. read आसनशयनाभ्याम्)

शय्या

Gitâ. 11. 42. विहारशय्यासनभोजनेषु

शर

Bṛih. 1. 2. 2. तद्यदपां शर आसीत्

Maitri. 6. 24. धनुः शरीरमोमित्येतच्छरः

Muṇḍ.2. 2. 3. शरं ह्युपासानिशितं सन्धीयत

4. प्रणवो धनुः शरो ह्यात्मा Dhyâna. 19.

— शरवत्तन्मयो भवेत् Dhyâna. 19.

Kṛish. 25. शरः कालो ऽम्बुभोजनः

शरण

Chhâ. 2. 22. 3. इन्द्रं शरणं प्रपन्नो ऽभूवम्

4. प्रजापतिं शरणं प्रपन्नो ऽभूवम्

— मृत्युं शरणं प्रपन्नो ऽभूवम्

Śwet. 3. 17. सर्वस्य शरणं सुहृत्

6. 18. मुमुक्षुर्वै शरणमहं प्रपद्ये

Mahânâr. 6. 3. दुर्गां देवीं शरणमहं प्रपद्ये

Nṛip. 3. 1. तामिहायुषे शरणं प्रपद्ये

Gitâ. 2. 49. बुद्धौ शरणमन्विच्छ

9. 18. निवासः शरणं सुहृत्

18. 62. तमेव शरणं गच्छ

66. मामेकं शरणं व्रज

शरणागत

Vâsu. 2. मां पाहि शरणागतम्

शरद्

Kaush. 2. 11. स जीव शरदः शतमिति (bis).

— शतं शरद आयुषो जीवस्व

Chhâ. 2. 5. 1. शरत्प्रतिहारः 2. 16. 1.

Kaṭha. 1. 23. स्वयं च जीव शरदो यावदिच्छसि

Maitri. 6. 33. वसन्तो ग्रीष्मो वर्षाः शरद्धेमन्तः

7. 4. शरत् समानो वरुणः.. उत्तरत उद्यन्ति

Mahânâr. 4. 6. जीवामि शरदः शतम्

शरबर्हि

Bṛih. 6. 4. 12. प्रतिलोमं शरबर्हि स्तीर्त्वा

शरभ

Maitri. 7. 6. *vide* आदि

Mukti. 1. 34. दक्षिणाशरभं स्कन्दम्

1. *vide* गारुड

शरभृष्टि

Bṛih. 6. 4. 12. तस्मिन्नेताः शरभृष्टीः प्रतिलोमाः सर्पिषाक्ता जुहुयात्

शरण्या

Nîla. 7. शिवा शरण्या या तव

शरीर

Kaush. 1. 7. केन सुखदुःखे इति शारीरेणेति

Kaush. 2. 14. अस्माच्छरीरादुच्चक्रमुः (bis).
— अस्माच्छरीरादुत्क्रामति
3. 2. यावदस्मिञ्छरीरे प्राणो वसति तावदायुः
3. प्राण एव.. शरीरं परिगृह्योत्थापयति (bis).
— स यदास्माच्छरीरादुत्क्रामति
4. सह ह्येतावस्मिञ्छरीरे वसतः
5. शरीरमेवास्या एकमङ्गमुदूल्हम्
6. प्रज्ञया शरीरं समारुह्य शरीरेण सुखदुःखे आप्नोति
7. न हि प्रज्ञापेतं शरीरं सुखं न दुःखं किंचन प्रज्ञापयेत्
4. 2. शरीरे प्रजापतिः
16. शरीरे पुरुषस्तमेवाहमुपासे
20. इदं शरीरमात्मानमनुप्रविष्टः (bis).

Chhâ. 3. 12. 3. इयं वाव सा यदिदमस्मिन्पुरुषे शरीरम्
4. यद्वैतत्पुरुषे शरीरमिदं वाव तद्यदिदमस्मिन्नन्तः पुरुषे हृदयम्
3. 13. 7. यत्रैतदस्मिञ्छरीरे संस्पर्शेनोष्णिमानं विजानाति
5. 1. 7. शरीरं पापिष्ठतरमिव दृश्येत
8. 3. 4. अस्माच्छरीरात्समुत्थाय 8. 12. 3; Maitri. 2. 2.
8. 6. 4. यावदस्माच्छरीरादनुत्क्रान्तः
5. यत्रैतदस्माच्छरीरादुत्क्रामति
8. 8. 5. प्रेतस्य शरीरं..संस्कुर्वन्ति

Chhâ. 8. 9. 1. शरीरे साध्वलङ्कृते 2.
— शरीरस्य नाशमन्वेष नश्यति 2.
8. 10. 1. यद्यपीदं शरीरमन्धं भवति 3.
8. 12. 1. मर्त्यं वा इदं शरीरम्
3. नोपजनं स्मरन्निदं शरीरम्
— अस्मिञ्छरीरे प्राणो युक्तः
8. 13. 1. धूत्वा शरीरं.. ब्रह्मलोकमभिसम्भवामि

Brih. 1. 2. 6. शरीरं श्वयितुमध्रियत
— तस्य शरीर एव मन आसीत्
1. 5. 11. तस्यै वाचः पृथिवी शरीरम्
12. तस्य मनसो द्यौः शरीरम्
13. एतस्य प्राणस्यापः शरीरम्
2. 1. 18. स्वे शरीरे यथाकामं परिवर्त्तते
3. 2. 13. पृथिवीं शरीरं (अप्येति)
3. 7. 3. यस्य पृथिवी शरीरम् (similarly in 4—23.)
3. 9. 4. ते यदास्माच्छरीरान्मर्त्यादुत्क्रामन्ति
4. 3. 8. शरीरमभिसम्पद्यमानः
4. 4. 3. शरीरं निहत्याविद्यां गमयित्वा 4.
7. एवमेवेदं शरीरं शेते
12. शरीरमनुसञ्ज्वरेत्
5. 15. 1. अथेदं भस्मान्तं शरीरम् Îśâ. 17.
6. 1. 7. इदं शरीरं पापीयो मन्यते

Tait. 1. 4. 1. शरीरं मे विचर्षणम्
2. 5. 1. शरीरे पाप्मनो हित्वा
3. 7. 1. शरीरमन्नादं प्राणे शरीरं प्रतिष्ठितं शरीरे प्राणः

Kaṭha. 2. 18. न हन्यते हन्यमाने शरीरे Gîtâ. 2. 20.

Kaṭha. 2. 22. अशरीरं शरीरेषु
3. 3. शरीरं रथमेव तु
6. 4. प्राक् शरीरस्य विस्रसः
17. तं स्वाच्छरीरात्प्रवृहेत्

Swet. 2. 8. त्रिरुन्नतं स्थाप्य समं शरीरम्
12. योगाग्निमयं शरीरम्
5. 10. यद्यच्छरीरमादत्ते

Maitri. 1. 2. अशाश्वतं मन्यमानः शरीरम्
3. अस्मिञ्छरीरे किं कामोपभोगैः (bis).
2. 3. शकटमिवाचेतनमिदं शरीरम्
4. अनेनेदं शरीरं चेतनवत् प्रतिष्ठापितम् 6.
5. चेतनेनेदं शरीरं चेतनवत् प्रतिष्ठापितम्
6. रथः शरीरं मनो नियन्ता
— अनेन खल्वीरितः परिभ्रमतीदं शरीरम्
7. प्रति शरीरेषु चरति
3. 2. तेषां यत्समुदयं तच्छरीरं ..यः..शरीरे..स भूतात्मा
4. शरीरमिदं मैथुनादेवोद्भूतम्
6. 8. स्वाञ्शरीरादुपलभेतैनम्
24. धनुः शरीरमोमित्येतच्छरः
27. ब्रह्मणो वावैतत्तेजः .. यच्छरीरस्यौष्ण्यम्
38. शरीरप्रादेशाङ्गुष्ठमात्रम्
— अङ्गुष्ठप्रादेशशरीरमात्रम्
7. 11. उच्चारितमात्र एव सर्वं शरीरं वियोतयाति

Muṇḍ.3. 1. 5. अन्तः शरीरे ज्योतिर्मयः

Mahânâr.20. 12. शरीरं यज्ञः
25. 1. शरीरमिध्मः

Praśna. 3. 1. कथमायात्यस्मिञ्छरीरे
3. मनोकृतेनायात्यस्मिञ्छरीरे
4. 6. तदैतस्मिञ्छरीरे एतत्सुखं भवति
6. 2. इहैवान्तः शरीरे..स पुरुषः

Kaivalya. 4. समग्रीवशिरःशरीरः
12. शरीरमास्थाय करोति सर्वम्

Nṛip. 1. 5. तेनैव शरीरेण देवतादर्शनं करोति

Brahmav. 3. शरीरं तस्य वक्ष्यामि
5. अकारस्य शरीरं तु

Śiras. 4. सूक्ष्मो भूत्वा शरीराण्यधितिष्ठति

Garbha. 1. चतुर्विधाहारमयं शरीरम्
— अस्मिन् पञ्चात्मके शरीरे
5. शरीरं कस्मात्

Prâṇâg. 2. स्वे शरीरे यज्ञं परिवर्त्तयामि
4. शरीरं वेदिः
— देवताः शरीरे ऽधिसमाहिताः

Nâda. 2. शरीरं सत्त्वमुच्यते

Dhyâna. 9. पुरुषस्य शरीरे तु

Yogaśi. 4. ईदृशे तु शरीरे वा

Nyâsa. 4. नात्यर्थं..शरीरमुपतापयेत Kaṭhaśru. 4.

Piṇḍa. 9. पिण्डे पिण्डे शरीरस्य पिण्डदानेन संभवः

Sarvop. 2. प्राप्तशरीरसंबन्धवियोगमप्राप्तशरीरसंयोगमिव

Râmap. 10. कल्पितस्य शरीरस्य

Mukti. 2. 28. शरीरनाशदर्शित्वात्

Gîtâ. 1. 29. वेपथुश्च शरीरे मे
2. 22. तथा शरीराणि विहाय जीर्णानि

Gîtâ. 5. 23. प्राक् शरीरविमोक्षणात्
11. 13. अपश्यद्देवदेवस्य शरीरे
13. 1. इदं शरीरं कौन्तेय
15. 8. शरीरं यदवाप्नोति
18. 15. शरीरवाङ्मनोभिः

शरीरत्रय

Nṛisut. 3. तेजसा शरीरत्रयं संव्याप्य

शरीरत्व

Kaṭha. 5. 7. योनिमन्ये प्रपद्यन्ते शरीरत्वाय
6. 4. ततः सर्गेषु लोकेषु शरीरत्वाय कल्पते

शरीरदेश

Bṛih. 4. 4. 2. अन्येभ्यो वा शरीरदेशेभ्यः

शरीरभेद

Ait. 4. 6. स एवंविद्वानस्माच्छरीरभेदादूर्ध्व उत्क्रम्य

शरीरयात्रा

Gîtâ. 3. 8. शरीरयात्रापि च ते

शरीरस्थ

Kaṭha. 5. 4. शरीरस्थस्य देहिनः
Gîtâ. 13. 31. शरीरस्थो ऽपि कौन्तेय
17. 6. कर्शयन्तः शरीरस्थं भूतग्रामम्

शरीरिन्

Gîtâ. 2. 18. नित्यस्य . . शरीरिणः

शर्करा

Śwet. 2. 10. शर्करावह्निवालुकाविवर्जिते

शर्मन्

Mahânâr. 20. 11. शर्म यच्छतु
Gîtâ. 11. 25. न लभे च शर्म

शर्याति

Maitri. 1. 4. *vide* आदि

शर्व

Chûl. 12. शर्वो भवश्च रुद्रश्च

शल्य

Nîla. 14. निशीर्य शल्यानां मुखा

शव्य

Chhâ. 4. 15. 5. यदु चैवास्मिञ्छव्यं कुर्वन्ति यदि च न

शशबिन्दु

Maitri. 1. 4. *vide* आदि

शशय

Bṛih. 6. 4. 27. यस्ते स्तनः शशयः

शशाङ्क

Gîtâ. 11. 39. वायुर्यमो ऽग्निर्वरुणः शशांकः
15. 6. न शशांको न पावकः

शशिन्

Swet. 2. 11. खद्योतविद्युत्स्फटिकशशीनाम् (all the MSS. have शी. Nârâyaṇa says शशिनामिति युक्तः पाठः। छान्दसो वा मध्यदीर्घः)
Gîtâ. 7. 8. प्रभास्मि शशिसूर्ययोः
10. 21. नक्षत्राणामहं शशी

शशिसूर्यनेत्र

Gîtâ. 11. 19. अनन्तबाहुं शशिसूर्यनेत्रम्

शश्वच्छान्ति

Gîtâ. 9. 31. शश्वच्छान्तिं निगच्छति

शश्वत्

Chhâ. 6. 13. 2. तच्छश्वत्संवर्त्तते
Maitri. 6. 7. शश्वत्सूयमानात् सूर्यः
Krish. 3. शश्वत्स्पर्शार्पिते ऽस्माकम्

1. शस्त्र (शंस्)

Tait. 1. 8. 1. ओंशोमिति शस्त्राणि शंस-
न्ति

2. शस्त्र (शस्)

Kaush. 2. 6. तेजस्वितममिति शस्त्रेषु भ-
वति

Gîtâ. 2. 23. नैनं छिन्दन्ति शस्त्राणि

शस्त्रपाणि

Gîtâ. 1. 46. अशस्त्रं शस्त्रपाणयः

शस्त्रभृत्

Gîta. 10. 31. रामः शस्त्रभृतामहम्

शस्त्रसम्पात

Gîtâ. 1. 20. प्रवृत्ते शस्त्रसम्पाते

शस्या

Bṛih. 3. 1. 7. शस्यैव तृतीया 10.
10. व्यानः शस्या
— द्युलोकं शस्यया (जयति)

शाकल्य

Bṛih. 3. 9. 1. विदग्धः शाकल्यः 4. 1. 7.
10. वदैव शाकल्य तस्य का
देवता 11–17.
26. तं ह न मेने शाकल्यः
4. 1. 7. तच्छाकल्यो ऽब्रवीत्

शाकायन्य

Maitri. 1. 2. आत्मविद्गवाञ्छाकाय-
न्यः
— अन्यान् कामान् वृणीष्वेति
शाकायन्यः
2. 1. भगवाञ्छाकायन्यः सुप्रीतः
6. 29. अन्तर्हृदयः शाकायन्यः 30

शाकुनिक

Maitri. 6. 26. अप्सुचारिणः शाकुनिकः
सूत्रयन्त्रेणोद्धृत्य

शाक्त

Tejo. 1. आणवं शांभवं शाक्तम्

शाक्वर

Kaush. 1. 5. शाक्वररैवते तिरश्ची
Maitri. 7. 5. शाक्वररैवते . . ऊर्ध्वा उद्य-
न्ति

शाखा

Chhâ. 5. 2. 3. जायेरन्नेवास्मिञ्छाखाः
6. 11. 2. यदेकां शाखां जीवो जहाति
Bṛih. 6. 3. 7. जायेरञ्छाखाः प्ररोहेयुः प-
लाशानि 8–12.
Maitri. 6. 4. शाखा आकाशवाय्वग्न्यु-
दकभूम्यादयः
Nṛip. 5. 9. स शाखा अधीते
Mukti. 1. 10. तेषां शाखाश्च राघव
11. तेषां शाखा ह्यनेकाः स्युः
12. ऋग्वेदस्य तु शाखाः स्युः
— नवाधिकशतं शाखाः
13. शाखाः साम्नः परन्तप
— आथर्वणस्य शाखाः स्युः
14. एकैकस्यास्तु शाखायाः
2. 36. *vide* शालिन्
Gîtâ. 15. 2. अधश्चोर्ध्वं प्रसृतास्तस्य शा-
खाः

शांकर

Nâda. 10. शाङ्करी च तथाष्टमी

शाट्यायनी

Mukti. 1. 39. शाट्यायनी हयग्रीवम्
1. *vide* मुक्तिका

शाण्डिलीपुत्र

Bṛih. 6. 5. 2. माण्डूकीपुत्रः शाण्डिलीपु-
त्रात्
— शाण्डिलीपुत्रो राथीतरीपु-
त्रात्

शाण्डिल्य

Chhâ. 3. 14. 4. इति ह स्माह शाण्डिल्यः
Bṛih. 2. 6. 1. कौण्डिन्यः शाण्डिल्यात् 4. 6. 1.
— शाण्डिल्यः कौशिकाच्च गौतमाच्च 4. 6. 1.
2. आग्निवेश्यः शाण्डिल्याच्चानभिम्लातात्
3. वात्स्यः शाण्डिल्यात् 4. 6. 3.
— शाण्डिल्यः कैशोर्यात् काप्यात् 4. 6. 3.
6. 5. 4. वामकक्षायणः शाण्डिल्यात्
— शाण्डिल्यो वात्स्यात्
Mukti. 1. 35. शाण्डिल्यं पैङ्गलं भिक्षुम्
1. *vide* गारुड

शान्तत्व

Maitri. 6. 29. शान्तत्वं योगाभ्यासादवाप्नोति

शान्तरजस्

Gîtâ. 6. 27. उपैति शान्तरजसम्

शान्तरूप

Śiras. 4. शान्तरूपमोतप्रोतम्

शान्तसंकल्प

Kaṭha. 1. 10. शान्तसङ्कल्पः सुमना यथा स्यात्

शान्तहृदय

Chhâ. 8. 8. 3. तौ ह शान्तहृदयौ प्रवव्रजतुः
4. शान्तहृदय एव विरोचनः
8. 9. 2. शान्तहृदयः प्राव्राजीः 8. 10. 3; 8. 11. 2.
8. 10. 1. स ह शान्तहृदयः प्रवव्राज 8. 11. 1.

शान्तात्मन्

Maitri. 5. 1. नमः शान्तात्मने तुभ्यम्
Sikhâ. 1. चतुर्थः शान्तात्मा प्लुतप्रयोगे

शान्ति

Tait. 1. 1. 1. शान्तिः शान्तिः शान्तिः 2. 1. 1; 3. 1. 1; Kaṭha. 6. 19.
Kaṭha. 1. 7. तस्यैतां शान्तिं कुर्वन्ति
17. इमां शान्तिमत्यन्तमेति Śwet. 4. 11; Śiras. 5.
5. 13. तेषां शान्तिः शाश्वती नेतरेषाम् Brahma. 3.
Śwet. 3. 12. सुनिर्मलामिमां शान्तिम्
4. 14. ज्ञात्वा शिवं शान्तिमत्यन्तमेति
Mahânâr. 19. 1. तिलाः शान्तिं कुर्वन्तु (3 times).
23. 1. मनसा शान्तिः शान्त्या चित्तम्
Gauḍa. 3. 40. अक्षया शान्तिरेव च
Nṛip. 1. 1. ओं शान्तिः (3 times); Nṛisut. 1; Mukti. 1.
Brahmav. 13. यथा लीयति शान्तये
— तथा योज्यः शान्तये
Śiras. 3. शान्तिस्त्वं पुष्टिस्त्वम्
5. आत्मन्. . शान्तिं संसृजति
— तेषां शान्तिर्भवति नेतरेषाम्
Brahmab. 16. यदीच्छेच्छान्तिमाप्नुयात्
Mukti. 1. 41. तत्तच्छान्तिपुरःसरम्
1. पृथक् शान्तिमनुब्रूहि
— वाङ्मे मनसीति शान्तिः
— पूर्णमद इति शान्तिः
— सह नाववत्विति शान्तिः
— आप्यायन्त्विति शान्तिः
— भद्रं कर्णेभिरिति शान्तिः
2. 34. शान्तिमेति न संशयः

Gîtâ 2. 66. न चाभावयतः शान्तिः
70. स शान्तिमाप्नोति न कामकामी
71. स शान्तिमधिगच्छति
4. 39. ज्ञानं लब्ध्वा परां शान्तिम्
5. 12. शान्तिमाप्नोति नैष्ठिकीम्
29. ज्ञात्वा मां शान्तिमृच्छति
6. 15. शान्तिं निर्वाणपरमाम्
12. 12. त्यागाच्छान्तिरनन्तरम्
16. 2. त्यागः शान्तिरपैशुनम्
18. 62. तत्प्रसादात्परां शान्तिम्

शान्तिसमृद्ध

Tait. 1. 6. 2. शान्तिसमृद्धममृतम्

शाब्द

Brih. 2. 5. 9. अयमध्यात्मं शाब्दः सौवरः ..पुरुषः

शांभव

Tejo. 1. आणवं शांभवं शाक्तम्
Kâlâg. 1. व्रतमेतच्छांभवम्

शारीर

Brih. 2. 5. 1. शारीरस्तेजोमयो ऽमृतमयः पुरुषः
3. 9. 10. य एवायं शारीरः पुरुषः
4. 2. 3. अस्माच्छारीरादात्मनः
4. 3. 11. स्वप्नेन शारीरमभिप्रहत्य
35. शारीर आत्मा..उत्सर्जन्याति
Tait. 2. 3. 1. तस्यैष एव शारीर आत्मा 2. 4. 1; 2. 5. 1; 2. 6. 1.
Prâṇâg. 2. शारीरो ऽग्निर्नाम जराप्रणुदा
Gîtâ. 4. 21. शारीरं केवलं कर्म
17. 14. शारीरं तप उच्यते

शारीरक

Mukti. 1. 35. महच्छारीरकं शिखा
1. *vide* सरस्वतीरहस्य

शारीरयज्ञ

Prâṇâg. 1. शारीरयज्ञं व्याख्यास्यामः
3. अस्य शारीरयज्ञस्य..को यजमानः
4. अस्य शारीरयज्ञस्य..आत्मा यजमानः

शार्कराक्ष्य

Chhâ. 5. 11. 1. जनः शार्कराक्ष्यः
5. 15. 1. शार्कराक्ष्य कं त्वमात्मानमुपास्से

शार्ङ्ग

Krish. 25. धनुः शार्ङ्गं स्वमाया तत्

शार्दूल

Kaush. 1. 2. परश्वा वा शार्दूलो वा

शालावत्य

Chhâ. 1. 8. 1. शिलकः शालावत्यः 3, 6.
8. अन्तवद्वै किल ते शालावत्यसाम

शालिन्

Mukti. 2. 36. सहस्राङ्कुरशाखाग्रफलपल्लवशालिनः
62. घनाहंकारशालिनी

शालीनवृत्ति

Aśrama. 2. वार्त्ताकवृत्तयः शालीनवृत्तयः
— शालीनवृत्तयो यजन्तो न याजयन्तः

शाश्वत

Brih. 5. 10. 1. तस्मिन्वसति शाश्वतीः समाः
Iśâ. 8. अर्थान् व्यदधाच्छाश्वतीभ्यः समाभ्यः
Katha. 2. 18. अजो नित्यः शाश्वतो ऽयं पुराणः Gîtâ 2. 20.

Katha. 5. 12. तेषां सुखं शाश्वतं नेतरेषाम् Swet. 6. 12.
13. तेषां शान्तिः शाश्वती नेतरेषाम् Brahma. 3.
Maitri. 2. 4. स्थिरः शाश्वतः 6. 28.
Mahânâr.11. 3. शाश्वतं शिवमच्युतम्
Gauḍa. 4. 57. शाश्वतं तेन नास्ति वै
60. शाश्वताशाश्वताभिधा
Nrip. 5. 10. शाश्वतं शान्तं सदाशिवम्
Siras. 5. शाश्वतं वै पुराणमिषम्
— शाश्वतेन वै पुराणेन . . ऊर्जेन
Nâda. 16. द्वादश्यां ब्रह्म शाश्वतम्
Tejo. 8. शाश्वतं ध्रुवमच्युतम्
Krish. 14. कृष्णो ब्रह्मैव शाश्वतम्
Gitâ. 1. 43. कुलधर्माश्च शाश्वताः
6. 41. उषित्वा शाश्वतीः समाः
8. 26. जगतः शाश्वते मते
10. 12. पुरुषं शाश्वतं दिव्यम्
14. 27. शाश्वतस्य च धर्मस्य
18. 56. शाश्वतं पदमव्ययम्
62. स्थानं प्राप्स्यसि शाश्वतम्

शाश्वतधर्मगोप्तृ

Gitâ. 11. 18. त्वमव्ययः शाश्वतधर्मगोप्ता

शास्

Gitâ. 2. 7. शाधि मां त्वां प्रपन्नम्

शासन

Brahmab. 10. न बन्धो न च शासनम्

शास्तृ

Maitri. 6. 8. एष हि खल्वात्मा . . शास्ता 7. 7.

शास्त्र

Maitri. 7. 9. वेदादिशास्त्रहिंसकधर्माभिध्यानमस्तु
Amrita. 1. शास्त्राण्यधीत्य मेधावी
Mukti. 1. 46. इदं शास्त्रं मयादिष्टम्
48. शास्त्रगर्त्तेषु मुह्यते
2. 31. गुरुशास्त्रप्रमाणैस्तु
63. बहुशास्त्रकथाकन्थारोमन्थेन
Gitâ. 15. 20. इति गुह्यतमं शास्त्रम्
16. 24. तस्माच्छास्त्रं प्रमाणं ते

शास्त्रकोविद

Chûl. 9. बह्वृचाः शास्त्रकोविदाः

शास्त्रवात्सल्य

Mukti. 1. श्रोत्रियं शास्त्रवात्सल्यम्

शास्त्रवासना

Mukti. 2. 2. शास्त्रवासनयापि च

शास्त्रविद्वस्

Maitri. 7. 8. शूद्राश्च शास्त्रविद्वांसः

शास्त्रविधान

Gitâ. 16. 24. ज्ञात्वा शास्त्रविधानोक्तम्

शास्त्रविधि

Gitâ. 16. 23. यः शास्त्रविधिमुत्सृज्य
17. 1. ये शास्त्रविधिमुत्सृज्य

शास्त्रित

Mukti. 2. 1. उच्छास्त्रं शास्त्रितं चेति
— परमार्थाय शास्त्रितम्

शिक्य

Nyâsa. 4. कुण्डिकां चमसं शिक्यम् Kaṭhaśru. 4.
Aśrama. 4. *vide* धारिन्
— शिक्यकमण्डलुहस्ताः
— *vide* यज्ञोपवीत
Jâbâla. 6. त्रिदण्डं कमण्डलुं शिक्यम्

शिक्षा

Tait. 1. 2. 1. शीक्षां व्याख्यास्यामः
Mund. 1. 1. 5. शिक्षा कल्पो व्याकरणम्

शिक्षाध्याय

Tait. 1. 2. 1. इत्युक्तः शीक्षाध्यायः

शिखण्डिन्

Nîla. 1. नीलग्रीवं शिखण्डिनम्
15. विज्यं धनुः शिखण्डिनः

Gîtâ. 1. 17. शिखण्डी च महारथः

शिखर

Mahânâr. 15. 5. उत्तमे शिखरे देवी

शिखरिन्

Maitri. 1. 4. शिखरिणां प्रपतनम्

Gitâ. 10. 23. मेरुः शिखरिणामहम्

शिखा

Maitri. 6. 24. शिखास्य मनः

Mahânâr. 11. 13. तस्याः शिखाया मध्ये
Vâsu. 3.
25. 1. वेदः शिखा

Nṛip. 2. 2. ओं शिखायै वषट्
5. 2. कण्ठे बाहौ वा शिखायां वा बध्नीयात्

Brahmav. 10. शिखा च दीपसङ्काशा

Mahâ. 3. तस्यै शिखायै मध्ये

Brahma. 3. अग्नेरिव शिखा नान्या यस्य ज्ञानमयी शिखा
— शिखा ज्ञानमयी यस्य

Kaṭhaśru. 1. का वास्य शिखा
— विद्या सा शिखा

Parama. 1. शिखायज्ञोपवीतं च (two MSS. read शिखां)
2. न शिखां न यज्ञोपवीतम् (so 6 MSS. of text, but Nârâyaṇa reads शिखं)
— तदेव शिखा च तदेवोपवीतं च

Aruṇeya. 1. शिखां यज्ञोपवीतं च . . विसृजेत्
2. उपवीतं शिखां . . विसृजेत्

Aśrama. 4. *vide* धारिन्
— *vide* यज्ञोपवीत

Jâbâla. 6. शिखां यज्ञोपवीतं च

Mukti. 1. 31. बिन्दुर्नादः शिरः शिखा
35. महच्छारीरकं शिखा

शिखाभ

Brahmav. 11. शिखाभा दृश्यते परा

शिखावर्जित

Aśrama. 4. शिखावर्जिता यज्ञोपवीतधारिणः

शिखिन्

Brahma. 3. स शिखीत्युच्यते विद्वान्

शिरस्

Bṛih. 1. 1. 1. अश्वस्य मेध्यस्य शिरः
1. 2. 3. तस्य प्राची दिक् शिरः
2. 2. 3. इदं तच्छिरः
2. 5. 17. अश्व्यं शिरः प्रत्यैरयतम्
5. 5. 3. भूरिति शिर एकं शिरः 4.

Tait. 2. 1. 1. तस्येदमेव शिरः
2. 2. 1. तस्य प्राण एव शिरः
2. 3. 1. तस्य यजुरेव शिरः
2. 4. 1. तस्य श्रद्धैव शिरः
2. 5. 1. तस्य प्रियमेव शिरः

Maitri. 1. 2. शिरसास्य चरणावभिमृशमानः
6. 6. स्वरित्यस्याः शिरः
33. शिरःपक्षसीपुच्छपृष्ठवान् (ter).

Mahânâr. 4. 4. शिरसा धारिता देवि

Nṛip. 2. 2. ओं शिरसे स्वाहा

Chûl. 14. अथर्वाणः शिरो विदुः

Siras. 3. तस्योत्तरतः शिरः
6. तद्वा अथर्वणः शिरः
— तत्प्राणो अभिरक्षति शिरः

Garbha. 3. मासद्वयेन शिरः

Garbha. 5. शिरः कपालं केशा दर्भाः
— चतुष्कपालं शिरः

Nâda. 1. अर्द्धमात्रा शिरस्तथा

Amṛita. 10. गायत्रीं शिरसा सह

Yogat. 12. शिरस्यात्मनि धारयेत्

Piṇḍa. 6. हस्ताङ्गुल्यः शिरो मुखम्

Haṁsa. 2. ओङ्कारः शिरः
— चतुर्थे कम्पते शिरः

Kâlâg. 1. शिरोललाटवक्षःस्कंधेषु

Kaivalya. 4. समग्रीवशिरः शरीरः

Vâsu. 2. शिरोललाटहृदयेषु

Mukti. 1. 31. बिन्दुर्नादः शिरः शिखा

Gîtâ. 6. 13. समं कायशिरोग्रीवम्
11. 14. प्रणम्य शिरसा देवम्

शिरा

Mahânâr. 11. 9. सततं तु शिराभिस्तु

Garbha. 5. सप्त शिराशतानि

शिरोव्रत

Muṇḍ. 3. 2. 10. शिरोव्रतं विधिवद्यैस्तु चीर्णम्

शिलक

Chhâ. 1. 8. 1. शिलकः शालावत्यः 3, 6.

शिल्प

Bṛih. 6. 5. 3. हरितः कश्यपः शिल्पात् कश्यपात्
— शिल्पः कश्यपः कश्यपान्नैध्रुवेः

शिल्पोपजीविन्

Maitri. 7. 8. नित्यं शिल्पोपजीविनः

1. शिव *adj.*

Śwet. 3. 5. या ते रुद्र शिवा तनूः
Nîla. 8.
6. शिवां गिरित्र तां कुरु
Nîla. 5.
3. 11. तस्मात् सर्वगतः शिवः
4. 14. ज्ञात्वा शिवं शान्तिमत्यन्तमेति
16. ज्ञात्वा शिवं सर्वभूतेषु गूढम्
18. शिव एव केवलः
5. 14. भावाभावकरं शिवम्

Maitri. 7. 9. तया शिवमशिवमित्युदिशन्त्यशिवं शिवमिति

Mahânâr. 11. 3. शाश्वतं शिवमच्युतम्
17. 5. ब्रह्मा शिवो मे अस्तु
22. 1. शमेन शान्ताः शिवमाचरन्ति

Praśna. 2. 12. शिवां तां कुरु मोत्क्रमीः

Kaivalya. 6. शिवं प्रशान्तममृतम्

Mâṇḍû. 7. शान्तं शिवमद्वैतं चतुर्थम्
Nṛisut. 1 (शिवं शान्तं)
12. प्रपञ्चोपशमः शिवः
Nṛisut. 2.

Gauḍa. 1. 29. द्वैतस्योपशमः शिवः
2. 33. तस्मादद्वयता शिवा

Nṛip. 4. 1. शिवमद्वैतं चतुर्थं मन्यन्ते
Râmot. 3.

Sikhâ. 2. शिवमाकाशं मध्ये ध्रुवस्थम्

Prâṇâg. 1. अभयं कृणोतु शिवम्

Nîla. 6. शिवेन वचसा त्वा अच्छावदामसि
7. शिवं बभूव ते धनुः
— शिवा शरव्या या तव
14. शिवो न शंभुराभव
15. शिवो अस्य निषङ्गतिः

Nâda. 17. व्यापकं निष्कलं शिवम्

Brahmab. 9. ज्ञात्वा च परमं शिवम्

Skanda. 1. शिवो ऽस्मि किमतः परम्

Mukti. 1. 25. ब्रह्मानन्दकरी शिवा

2. शिव *n.*

Mahânâr. 11. 12. स ब्रह्मा स शिवः सेन्द्रः Kaivalya. 8.
15. 9. शिवोमाविशाप्रदाहाय (5 times).
Nṛip. 1. 4. स ब्रह्मा स शिवः स हरिः
Nṛisut. 9. ब्रह्मविष्णुशिवरूपिणी
Brahmav. 4. त्र्यक्षरस्य शिवस्य च
Śikhâ. 2. ईश्वरः शिव एव च
— शिव एको ध्येयः शिवङ्करः
Nîla. 22. नीलगलमालः शिवः
Nâr. 2. शिवश्च नारायणः
Kâlâg. 2. तृतीया रेखा सा..शिवो देवता
Skanda. 6. जीवः शिवः शिवो जीवः स जीवः केवलः शिवः
8. शिवाय विष्णुरूपाय
— शिवस्य हृदयं विष्णुर्विष्णोश्च हृदयं शिवः
9. एवं विष्णुमयः शिवः
10. शिवकेशवयोस्तथा
— स जीवः केवलः शिवः
Râmot. 4. क्षेत्रे ऽस्मिन्यो ऽर्चयेत्..शिव
— स मुक्तो भविता शिव

शिवंकर

Śikhâ. 2. शिव एको ध्येयः शिवङ्करः

शिवतम

Maitri. 6. 31. अपां यः शिवतमो रसः
Nîla. 7. या त इषुः शिवतमा

शिवमय

Skanda. 9. यथा शिवमयो विष्णुः

शिवरूप

Kaivalya. 20. शिवरूपमस्मि
Skanda. 8. शिवरूपाय विष्णवे

शिवसायुज्य

Kâlâg. 2. देहं त्यक्त्वा शिवसायुज्यमेति

शिवात्मक

Mukti. 2. 56. मध्यपूर्णं शिवात्मकम्

शिशिर

Maitri. 7. 5. हेमन्तशिशिरा उदानः.. ऊर्ध्वा उद्यान्ति
Śiras. 6. शिशिरे शिशिरम्

शिशु

Bṛih. 2. 2. 1. यो ह वै शिशुं वेद
— अयं वाव शिशुर्योऽयं मध्यमः प्राणः

शिश्न

Ait. 1. 4. शिश्नं निरभिद्यत शिश्नाद्रेतः
2. 4. आपो रेतो भूत्वा शिश्नं प्राविशन्
3. 9. तच्छिश्नेनाजिघृक्षत्तन्नाशक्रोच्छिश्नेन ग्रहीतुं स यद्धैनच्छिश्नेनाग्रहैष्यत्
11. यदि शिश्नेन विसृष्टमथ को ऽहमिति
Mahânâr. 14. 3. पापमकार्षं..शिश्ना 4.
Kshur. 7. गुदे शिश्ने त्रयस्त्रयः

शिष्

Haṁsa. 2. पश्यत्यनागारश्च शिष्टोभयपार्श्वे भवतः

शिष्य

Nṛip. 1. 4. पुत्राय शुश्रूषवे दास्यत्यन्यस्मै शिष्याय च
Prâṇâg. 1. अमा शिष्यान्तो ऽसि
Gâruḍa. 1. भारद्वाजः...शिष्येभ्यः प्रायच्छत्

Mukti. 1. 45. मयोपदिष्टं शिष्याय तुभ्यम्
49. सेवापराय शिष्याय
Gîtâ. 1. 3. तव शिष्येण धीमता
2. 7. शिष्यस्ते ऽहं शाधि मां त्वां प्रपन्नम्

शी

Ait. 4. 5. गर्भ एव शयानो वामदेवः
Kaush. 2. 14. तद्वाप्राणचक्षुष्कं दारुभूतं शिष्ये
— तद्वाचा वदच्छिष्य एव (similarly 3 times more).
15. अहतेन वाससा सम्प्रच्छन्नः पिता शेते
4. 19. स उ ह शिश्य एव
— क्वैष एतद्बालाके पुरुषो ऽशयिष्ट
— यत्रैष एतद्बालाके पुरुषो ऽशयिष्ट
Chhâ. 2. 13. 1. स्त्रिया सह शेते स उद्गीथः प्रतिस्त्री सह शेते स प्रतिहारः
3. 19. 1. तत्संवत्सरस्य मात्रामशयत
5. 9. 1. दश वा मासानन्तःशयित्वा
Bṛih. 2. 1. 17. अन्तर्हृदय आकाशस्तस्मिञ्छेते
19. पुरीतति शेते
— अतिघ्नीमानन्दस्य गत्वा शयीतैवमेवैष एतच्छेते
3. 2. 11. आध्मातो मृतः शेते
4. 4. 7. वल्मीके मृता प्रत्यस्ता शयीतैवमेवेदं शरीरं शेते
22. तस्मिञ्छेते सर्वस्य वशी
Kaṭha. 1. 11. सुखं रात्रीः शयिता
2. 21. शयानो याति सर्वतः
Śiras. 6. भोगायमानो यदा शयते रुद्रः
Nîla. 20. ये वाबटेषु शेरते

शीकर

Mahâ. 3. सन्तते शीकराभिश्च (so Nârâyaṇa; but Saṁkarânanda सन्तत्यै शीत्कराभिश्च)

शीघ्र

Maitri. 2. 1. शीघ्रमात्मज्ञः कृतकृत्यः

शीत

Parama. 2. न शीतं न चोष्णम्

शीतोपघातिन्

Nyâsa. 3. शीतोपघातिनीं कन्थाम् Kaṭhaśru. 4.

शीतोष्ण

Tejo. 13. शीतोष्णं क्षुत्पिपासे च
Nyâsa. 2. गर्भवासभयाच्छीतः शीतोष्णाभ्यां तथैव च
Gîtâ. 2. 14. शीतोष्णसुखदुःखदाः
6. 7. शीतोष्णसुखदुःखेषु 12. 18.

शीर्ष, शीर्षन्

Bṛih. 2. 5. 16. वामश्वस्य शीर्ष्णा प्र यदीमुवाच
Tait. 1. 6. 1. व्यपोह्य शीर्षकपाले
Mahânâr. 10. 1. द्वे शीर्षे सप्तहस्तासो अस्य
Śiras. 3. स्वस्ते शीर्षम्
6. प्रैरयत्पवमानो ऽधि शीर्षतः

शीर्षण्य

Kaush. 1. 5. भद्रयशायशीये शीर्षण्ये

शुक

Mukti. 1. 2. वसिष्ठाद्यैः शुकादिभिः

शुकरहस्य

Mukti. 1. *vide* सरस्वतीरहस्य

शुक्तस्वर

Maitri. 3. 5. शुक्तस्वरो ऽनृतमः

शुक्र

Bṛih. 4. 3. 11. शुक्रमादाय पुनरेति स्थानम्
Îśâ. 8. शुक्रमकायमव्रणम्
Kaṭha. 5. 8. तदेव शुक्रं तद्ब्रह्म तदेवामृतम् 6. 1.
6. 17. तं विद्याच्छुक्रममृतम्
Śwet. 4. 2. तदेव शुक्रं तद्ब्रह्म तदापः
Maitri. 1. 3. *vide* संघात
6. 24. तद्ब्रह्म चामृतं शुक्रम्
35. एतच्छुक्रमेतदमृतमेतद्ब्रह्मविषयम्
7. 9. बृहस्पतिर्वै शुक्रो भूत्वा
Muṇḍ. 3. 2. 1. शुक्रमेतदतिवर्त्तन्ति धीराः
Mahânâr. 1. 1. शुक्रेण ज्योतींषि समनुप्रविष्टः
7. तदेव शुक्रममृतं तद्ब्रह्म
20. 25. शुक्रशोणित ओजांसि मे शुध्यन्तां (so MSS).
Garbha. 2. अस्थिभ्यो मज्जा मज्जातः शुक्रम्
— शुक्रशोणितसंयोगादावर्त्तते गर्भः
3. *vide* द्वैध्य
5. शुक्रकुडवम्

शुक्ल

Kaush. 4. 19. शुक्लस्य कृष्णस्य पीतस्य
Chhâ. 1. 6. 5. यदेतदादित्यस्य शुक्लं भाः 6.
1. 7. 4. यदेतदक्ष्णः शुक्लं भाः (bis).
3. 2. 3. एतदादित्यस्य शुक्लं रूपम्
6. 4. 1. यच्छुक्लं तदपाम् 2—4.
6. यदु शुक्लमिवाभूदित्यपां रूपम्
8. 6. 1. शुक्लस्य नीलस्य पीतस्य
— एष शुक्ल एष नील एष पीतः
Bṛih. 2. 2. 2. यच्छुक्लं तेनेन्द्रः
Bṛih. 4. 3. 20. शुक्लस्य नीलस्य पिङ्गलस्य
4. 4. 9. तस्मिञ्छुक्लमुत नीलमाहुः
6. 4. 14. पुत्रो मे शुक्लो जायेत
6. 5. 3. आदित्यानीमानी शुक्लानि यजूंषि
Śwet. 4. 5. लोहितशुक्लकृष्णां Mahânâr. 9. 2.
Maitri. 6. 35. तच्छुक्लं पुरुषमलिङ्गम्
Praśna. 1. 12. कृष्णपक्ष एव रयिः शुक्लः प्राणस्तस्मादेते ऋषयः शुक्ल इष्टिं कुर्वन्ति
Kshur. 9. शुक्लां नाडीं समाश्रयेत्
Śiras. 2. यो वै रुद्रः. . यच्च शुक्लम्
3. यत्तारं तच्छुक्लं यच्छुक्लं तत् सूक्ष्मम्
4. कस्मादुच्यते शुक्लं. . तस्मादुच्यते शुक्लम्
Garbha. 2. शुक्लो रक्तः कृष्णो धूम्रः
Gîtâ. 8. 24. अग्निर्ज्योतिरहः शुक्लः
26. शुक्लकृष्णे गती ह्येते

शुक्लध्यानपरायण

Jâbâla. 6. शुक्लध्यानपरायणो ऽध्यात्मनिष्ठः

शुक्लयजुर्वेद

Mukṭi. 1. शुक्लयजुर्वेदगतानां. . उपनिषदाम्

शुङ्ग

Chhâ. 6. 8. 3. तत्रैतच्छुङ्गमुत्पतितं सोम्य विजानीहि 5.
4. अन्नेन शुङ्गेनापो मूलमन्विच्छ
— अद्भिः शुङ्गेन तेजो मूलमन्विच्छ तेजसा शुङ्गेन सन्मूलमन्विच्छ 6.

1. शुच् (शोके)

Chhâ. 7. 1. 3. सो ऽहं भगवः शोचामि

Bṛih. 1. 5. 19. आनन्द्येव भवत्यथो न शोचति
20. यदु किञ्चेमाः प्रजाः शोचन्ति

Kaṭha. 2. 22. आत्मानं मत्वा धीरो न शोचति 4. 4.
5. 1. पुरं..अनुष्ठाय न शोचति
6. 6. इन्द्रियाणां पृथग्भावं .. मत्वा धीरो न शोचति

Śwet. 4. 7. अनीशया शोचति मुह्यमानः Muṇḍ. 3. 1. 2.

Gauḍa. 1. 28. ओङ्कारं मत्वा धीरो न शोचति

Râmot. 4. मोक्षयिष्यामि मा शुचः Gîtâ. 18. 66.

Gîtâ. 2. 26. नैनं शोचितुमर्हसि
27. न त्वं शोचितुमर्हसि 30.
12. 17. न शोचति न कांक्षति 18. 54.

Gîtâ. 16. 5. मा शुचः..पाण्डव

2. शुच् (क्लेदे &c.)

Chhâ. 6. 2. 3. यत्र क्व च शोचति स्वेदते वा पुरुषः

Yogat. 10. अकारे शोचितं पद्मम्

शुचि *adj.*

Chhâ. 8. 15. 1. शुचौ देशे स्वाध्यायमधीयानः

Kaṭha. 3. 8. समनस्कः सदा शुचिः

Śwet. 2. 10. समे शुचौ शर्करा..विवर्जिते

Maitri. 6. 30. शुचौ देशे शुचिः सत्त्वस्थः
34. तत एव पवमानपावकशुचयः
— पवमानपावकशुचिसंघातो हि जाठरः
35. अष्टपादं शुचिं हंसं..पश्यन् (*vide* शुचिस्)
36. इमौ स्थितावात्मशुची

Kaivalya. 4. शुचिः समग्रीवशिरःशरीरः

Śiras. 7. शुचिः पूतः कर्मण्यो भवति

Nyâsa. 2. शुचौ देशे परिभ्रमन्

Jâbâla. 5. शुचिरद्रोही भैक्षाणः

Gîtâ. 6. 11. शुचौ देशे प्रतिष्ठाप्य
41. शुचीनां श्रीमतां गेहे
12. 16. अनपेक्षः शुचिर्दक्षः

शुचिषद्

Kaṭha. 5. 2. हंसः शुचिषद्वसुः Mahânâr. 9. 3; 17. 8; Nṛip. 3. 1.

शुचिस्

Chûl. 1. अष्टपादं शुचिं हंसं (शुचिरुज्ज्वलं शुचिःशब्दः सकारान्तो नपुंसकम् Nârâyaṇa.)

शुतुद्री

Mahânâr. 5. 4. इमं मे..सरस्वति शुतुद्रि स्तोमं सचता

शुद्धपक्ष

Kaush. 2. 3. शुद्धपक्षे वा पुण्ये नक्षत्रे

शुद्धमानस

Jâbâla. 6. तत्त्वब्रह्ममार्गे सम्यक्सम्पन्नः शुद्धमानसः

शुद्धसत्त्व

Muṇḍ. 3. 2. 6. यतयः शुद्धसत्त्वाः Mahânâr. 10. 6. Kaivalya. 3.

शुद्धस्फटिक

Śiras. 5. शुद्धस्फटिकसन्निभा वर्णेन

Dhyâna. 13. शुद्धस्फटिकसङ्काशम् Yogat. 11; Haṁsa. 1

शुद्धि

Gopî. 5. न शुद्धिर्गोपीचन्दनात्

शुद्धितम

Maitri. 6. 25. शुद्धितमया धिया

शुध्

Chhâ. 5. 10. 10. शुद्धः पूतः पुण्यलोको भवति

Bṛih. 5. 5. 2. शुद्धमेवैतन्मण्डलं पश्यति

5. 14. 8. शुद्धः पूतो ऽजरो ऽमृतः

Iśâ. 8. शुद्धमपापविद्धम्

Kaṭha. 4. 15. यथोदकं शुद्धे शुद्धमासिक्तम्

Maitri. 2. 4. शुद्धः पूतः शून्यः शान्तः 6. 28.

7. शुद्धः स्थिरो ऽचलश्चालेप्यः

6. 31. शुद्धः पूतः शून्यः शान्तादिलक्षणोक्तः

34. तत् प्रयत्नेन शोधयेत्

— शुद्धं चाशुद्धमेव च Brahmab. 1.

— शुद्धं कामविवर्जितम् Brahmab. 1.

38. ततः शुद्धः. . चैतन्यं. . पश्यति

7. 1. निर्गुणः शुद्धो भास्वरः

6. शुद्धः पूतो भान्तः क्षान्तः

Mahânâr. 20. 15. प्राणापानव्यानोदानसमाना मे शुध्यन्ताम्

16. वाङ्मनश्चक्षुःश्रोत्रजिह्वाघ्राणरेतोबुद्ध्याकूतिसङ्कल्पा मे शुध्यन्ताम्

17. शिरःपाणिपादपार्श्वपृष्ठोदरजंघाशिश्नोपस्थपायवो मे शुध्यन्ताम्

18. त्वक्चर्ममांसरुधिरस्नायुमेदोऽस्थिमज्जा मे शुध्यन्ताम्

19. शब्दस्पर्शरसरूपगन्धा मे शुध्यन्ताम्

Mahânâr. 20. 20. पृथिव्यप्तेजोवाय्वाकाशा मे शुध्यन्ताम्

21. अन्नमयप्राणमयमनोमयविज्ञानमयानन्दमया मे शुध्यन्ताम्

24. देहि देहि ददापयिता मे शुध्यन्ताम्

25. शुक्रशोणितओजांसि मे शुध्यन्ताम्

Kaivalya. 24. प्रयाति शुद्धं परमात्मरूपम्

Gauḍa. 4. 87. शुद्धं लौकिकमिष्यते

Nṛisut. 3. शुद्धः संविष्टो निर्विघ्नः

9. नित्यः शुद्धो बुद्धः सत्यः

— अत एव शुद्धो ऽवाह्यस्वरूपः

— नित्यं शुद्धं बुद्धं मुक्तम्

Nâda. 17. ततः परतरं शुद्धम्

Haṁsa. 2. शुद्धो बुद्धो नित्यः

Nâr. 2. शुद्धो देव एको नारायणः

Gopî. 2. शुद्धान्तःकरणानाम्

Râmap. 85. भूतादिकं शोधयेत्

Mukti. 2. 3. वासनौघेन शुद्धेन

61. शुद्धा च मलिना तथा

— शुद्धा जन्मविनाशिनी

73. दृशिरस्तु शुद्धो ऽहम्

शुभ्

Kena. 25. स तस्मिन्नेवाकाशे स्त्रियमाजगाम बहुशोभमानाम्

Nṛip. 2. 4. शोभनः शोभमानः कल्याणः (bis).

शुभ

Śwet. 2. 13. गन्धः शुभो मूत्रपुरीषमल्पम्

3. 4. स नो बुद्ध्या शुभया संयुनक्तु 4. 1, 12.

Mahânâr. 10. 3. स नो देवः शुभया स्मृत्या संयुनक्ति

Mukti. 2. 3. शुभश्चैवाशुभश्च तौ
6. योजनीया शुभे पथि
— शुभेष्वेवावतारयेत्
7. शुभं तस्मादपीतरत्
9. शुभामेव समाचर
— शुभायां वासनावृद्धौ
32. शुभो ऽप्यसौ त्वया त्याज्यः

शुभशुक्ल

Śikhâ. 1. द्वितीया शुभशुक्ला रौद्री (so 4 MSS.; another has शुक्ला)

शुभाकल्प

Gopî. 5. सदाचारः शुभाकल्पः

शुभाङ्गिन्

Râmap. 32. रक्षोघ्नाय शुभांगिने

शुभाशुभ

Maitri. 6. 16. यत्किञ्चिच्छुभाशुभं दृश्यतेह लोके
20. हन्ति कर्म शुभाशुभम् 34.
Kshur. 20. एवं शुभाशुभैर्भावैः
Garbha. 3. शुभाशुभं च कर्म विन्दति 5.
4. यन्मया . . कृतं कर्म शुभाशुभम्
— न च कर्म शुभाशुभं विन्दति
Brahma. 1. एवमिष्टापूर्तैः शुभाशुभैर्न लिप्यते
— यत्र जागर्ति शुभाशुभमनिरुक्तमस्य देवस्य
Parama. 3. सर्वत्र शुभाशुभयोरनभिस्नेहः
Mukti. 2. 5. शुभाशुभाभ्यां मार्गाभ्याम्
Gîtâ. 2. 57. तत्तत्प्राप्य शुभाशुभम्

शुभाशुभपरित्यागिन्

Gîtâ. 12. 17. शुभाशुभपरित्यागी

शुभाशुभफल

Gîtâ. 9. 28. शुभाशुभफलैः . . कर्मबन्धनैः

शुभ्र

Muṇḍ. 2. 1. 2. अप्राणो ह्यमनाः शुभ्रः
2. 2. 9. तच्छुभ्रं ज्योतिषां ज्योतिः
3. 1. 5. ज्योतिर्मयो हि शुभ्रः
3. 2. 1. यत्र विश्वं निहितं भाति शुभ्रम्
Praśna. 4. 10. शुभ्रमक्षरं वेदयते यः
Brahma. 1. शुभ्रमक्षरं यद्ब्रह्म
2. शुभ्रं यज्ञोपवीतम्

शुश्रूषा

Mukti. 1. 4. भक्त्या शुश्रूषया . . स्तुवन्

शुश्रूषु

Nṛip. 1. 4. पुत्राय शुश्रूषवे दास्यत्यन्यस्मै शिष्याय च

शुष्

Chhâ. 6. 11. 2. एकां शाखां जीवो जहात्यथ सा शुष्यति
— द्वितीयां जहात्यथ सा शुष्यति तृतीयां जहात्यथ सा शुष्यति
— सर्वं जहाति सर्वः शुष्यति
Bṛih. 1. 3. 19. प्राण उत्क्रामति तदेव तच्छुष्यति
5. 12. 1. शुष्यति वै प्राण ऋते ऽन्नात्
Mukti. 2. 38. शोषयाशु यथा शोषमेति
Gîtâ. 2. 23. न शोषयति मारुतः

शुष्क

Kaush. 2. 14. तद्धाप्राणच्छुष्कं दारुभूतं शिश्ये

Chhâ. 5. 2. 3. यद्यप्येनच्छुष्काय स्थाणवे ब्रूयात्

Bṛih. 6. 3. 7. य एनं शुष्के स्थाणौ निषिञ्चेत् 8—12.

शुष्कभृंगार

Kaush. 2. 6. उक्थं ब्रह्मेति ह स्माह शुष्कभृंगारः

शुष्मिन्

Prâṇâg. 1. अनमीवस्य शुष्मिणः

शूद्र

Chhâ. 4. 2. 3. हारेत्वा शूद्र तवैव

5. आजहारेमाः शूद्र

Bṛih. 1. 4. 15. तदेतद्ब्रह्म क्षत्रं विट् शूद्रः — शूद्रेण शूद्रः (अभवत्)

Maitri. 7. 8. शूद्राश्च शास्त्रविद्वांसः

Gîtâ. 9. 32. स्त्रियो वैश्यास्तथा शूद्राः

18. 41. शूद्राणां च परन्तप

44. शूद्रस्यापि स्वभावजम्

शूद्राशिष्य

Maitri. 7. 8. अयाज्ययाजकाः शूद्रशिष्याः

शून्य

Maitri. 2. 4. शुद्धः पूतः शून्यः शान्तः 6. 28.

6. 31. शुद्धः पूतः शून्यः शान्तादिलक्षणोक्तः

7. 4. अन्तःशुद्धः पूतः शून्यः

Nṛisut. 6. आनन्दघनं शून्यमभवत् — आत्मप्रकाशं शून्यं जानन्तः

Amṛita. 11. शून्यं कृत्वा निरात्मकम्

Tejo. 2. सर्वं च परमं शून्यम्

Aśrama. 4. शून्यागारदेवगृहवासिनः

शून्यभाव

Amṛita. 11. शून्यभावेन युञ्जीयात्

Tejo. 10. अशून्ये शून्यभावं च

शून्यभूत

Maitri. 6. 23. निःशब्दः शून्यभूतस्तु

शून्यागार

Maitri. 6. 10. यद्वन्न कश्चिच्छून्यागारे कामिन्यः प्रविष्टाः स्पृशति

Aśrama. 4. शून्यागारदेवगृहवासिनः

Jâbâla. 6. *vide* स्थण्डिल

शून्यातीत

Tejo. 10. शून्यातीतमवस्थितम्

शूर

Mahânâr. 20. 2. सोमं पिब वृत्रहञ्छूर

3. सुहवं शूरमिन्द्रम्

Śiras. 4. अभि त्वा शूर नोनुमः

Aruṇeya. 5. शूरो य एवं वेद

Gîtâ. 1. 4. अत्र शूरा महेष्वासाः

9. अन्ये तु बहवः शूराः

शूल

Chhâ. 7. 15. 3. यद्यप्येनानुत्क्रान्तप्राणाञ्छूलेन समासं व्यतिसन्दहेत्

शूलपाणि

Mahâ. 2. त्र्यक्षः शूलपाणिः पुरुषः (Saṁkarânanda reads त्र्यक्षशूलपाणिपुरुषः)

शृंखला

Mukti. 2. 39. मनो ज्ञस्य हि शृंखला

शृङ्ग

Bṛih. 3. 1. 1. दश दश पादा एकैकस्याः शृङ्गयोः

Mahânâr. 10. 1. चत्वारि शृङ्गा त्रयो अस्य पादाः

Nṛisut. 4. संयोज्य शृङ्गैर्ऋषभस्य

6. शृङ्गेषु शृङ्गं संयोज्य सिंहं शृङ्गेषु योजयेत्

Nṛisut. 6. शृङ्गाभ्यां शृङ्गमावध्य
7. शृङ्गं शृङ्गार्द्धमाकृष्य शृङ्गेणानेन योजयेत्
— शृङ्गमेनं परे शृङ्गे तमनेनापि योजयेत्

Kṛish. 10. शृङ्गमिन्द्रः सखा सुराः

शृङ्गप्रोत

Nṛisut. 4. शृङ्गप्रोतान् पदान् स्पृष्ट्वा

शृङ्गार्द्ध

Nṛisut. 7. शृङ्गं शृङ्गार्द्धमाकृष्य

शृम्

Râmap. 68. हं सं भृं वृं लं शृं जूं च

शॄ

Bṛih. 3. 9. 26. अशीर्यो न हि शीर्यते 4. 2. 4; 4. 4. 22; 4. 5. 15.

Aśrama. 3. शीर्णपर्णफलभोजिनः

शेवधि

Kaṭha. 2. 10. जानाम्यहं शेवधिरित्यनित्यम्

Maitri. 6. 30. परमं वै शेवधेरिव परस्योद्धरणम्

Mukti. 1. 51. शेवधिष्टे ऽहमस्मि

शेष

Maitri. 6. 34. शेषान्ये ग्रन्थविस्तराः

Aruṇeya. 1. शेषं विसृजेत्

Aśrama. 3. शेषानष्टौ मासान्

शेषनाग

Kṛish. 14. शेषनागो ऽभवद्रामः

शेषस्थिरसमाधान

Mukti. 2. 71. शेषस्थिरसमाधानो मयि त्वं भव

शैलसम

Dhyâna. 3. यदि शैलसमं पापम्

शैलिनि, शैलिन

Bṛih. 4. 1. 2. जित्वा शैलिनिः
— तथा तच्छैलिनो ऽब्रवीत्

शैव

Nyâsa. 5. अथ शैवं पदं यत्र

शैब्य

Praśna. 1. 1. शैब्यश्च सत्यकामः 5. 1.

Gîtâ. 1. 5. शैब्यश्च नरपुंगवः

शोक

Chhâ. 7. 1. 3. तरति शोकमात्मवित्
— शोकस्य पारं तारयतु
8. 4. 1. न जरा न मृत्युर्न शोकः

Bṛih. 3. 5. 1. शोकं मोहं जरां मृत्युमत्येति
4. 3. 22. तीर्णो हि तदा सर्वाञ्छोकान्

Isâ. 7. तत्र को मोहः कः शोकः

Kaṭha. 2. 12. हर्षशोकौ जहाति

Maitri. 1. 3. *vide* आद्य
3. 5. जरा शोकः . . इति तामसानि

Muṇḍ. 3. 2. 9. तरति शोकं तरति पाप्मानम्

Atmapra. 1. शोकमोहविनिर्मुक्तं विष्णुम्

Gîtâ. 1. 47. शोकसंविग्नमानसः
2. 8. ममापनुद्याद्यच्छोकम्
17. 9. दुःखशोकामयप्रदाः
18. 27. हर्षशोकान्वितः कर्ता
35. यया स्वप्नं भयं शोकम्

शोकातिग

Kaṭha. 1. 12. शोकातिगो मोदते स्वर्गलोके 18.

शोकान्तर

Bṛih. 4. 3. 21. अकामं रूपं शोकान्तरम्

शोणित

Maitri. 1. 3. *vide* संघात
Mahânâr. 20. 25. शुक्रशोणितओजांसि मे शुध्यन्ताम्
Garbha. 2. रसाच्छोणितं शोणितान्मांसम्
— शुक्रशोणितसंयोगात्
Piṇḍa. 4. मांसत्वक्शोणितोद्भवः

शोभन

Nṛip. 2. 4. शोभनः शोभमानः (bis).

शोम्

Tait. 1. 8. 1. ओं शोमिति शस्त्राणि शंसन्ति

शोष

Mukti. 2. 38. यथा शोषमेति संसारपादपः

शोषण

Maitri. 1. 4. अन्यानां शोषणं महार्णवानाम्

शौङ्गीपुत्र

Bṛih. 6. 5. 2. आर्त्तभागीपुत्रः शौङ्गीपुत्रात्
— शौङ्गीपुत्रः साङ्कृतीपुत्रात्

शौच

Nyâsa. 4. स्नानं दानं तथा शौचम्
Kaṭhaśru 4.
Skanda. 12. शौचमिन्द्रियनिग्रहः
Mukti. 2. 67. कस्य शौचं विधीयते
Gîtâ. 13. 7. आचार्योपासनं शौचम्
16. 3. तेजः क्षमा धृतिः शौचम्
7. न शौचं नापि चाचारः
17. 14. शौचमार्जवम्
18. 42. शमो दमस्तपः शौचम्

शौद्र

Bṛih. 1. 4. 13. स शौद्रं वर्णमसृजत

शौनक

Chhâ. 1. 9. 3. अतिधन्वा शौनकः
4. 3. 4. शौनकं च कापेयम्
7. शौनकः कापेयः
Muṇḍ. 1. 1. 3. शौनको ह वै महाशालः
Brahma. 1.

शौर्य

Gîtâ. 18. 43. शौर्यं तेजो धृतिर्दाक्ष्यम्

शौल्वायन

Bṛih. 4. 1. 3. उदङ्कः शौल्वायनः
— तथा तच्छौल्वायनोऽब्रवीत्

शौव

Chhâ. 1. 12. 1. अथातः शौव उद्गीथः

श्मश्रु

Kaṭhaśru. 3. केशश्मश्रुलोमनखानि

श्याम

Chhâ. 8. 13. 1. श्यामाच्छबलं प्रपद्ये शबलाच्छ्यामम्
Bṛih. 6. 4. 16. पुत्रो मे श्यामो लोहिताक्षो जायेत
Râmap. 25. प्रकृत्या सहितः श्यामः

श्यामाक

Chhâ. 3. 14. 3. श्यामाकाद्वा श्यामाकतण्डुलाद्वा
Aśrama. 3. तदाहृतोदुंबरबदरनीवारश्यामाकैः

श्यामाकतण्डुल

Chhâ. 3. 14. 3. श्यामाकाद्वा श्यामाकतण्डुलाद्वा

श्याल

Gîtâ. 1. 34. श्यालाः सम्बन्धिनस्तथा

श्याव

Chûl. 12. श्यावश्च पुरुषस्तथा (This is the reading of one MS. and of Nârâyaṇa who says श्यावा विकृता अश्वा इन्द्रियाणि नेत्रादीनि यस्य. Three MSS. read श्यावाश्व. The Calc. text has ईश्वरः)

श्येन

Ait. 4. 5. अधः श्येनो जवसा निरदीयम्

Kaush. 2. 9. श्येनस्त एकं मुखम्

Bṛih. 4. 3. 19. श्येनो वा सुपर्णो वा

Mahânâr. 9. 1. श्येनो गृध्राणाम् 17. 8.

Brahma. 1. श्येनाकाशवत्

— यथा खं श्येनमाश्रित्य याति (one MS. has श्येनः)

श्येत

Kaush. 1. 5. श्येतनौधसे चापरौ पादौ

1. श्रद्धा

Chhâ. 6. 12. 3. श्रद्धत्स्व सोम्य

7. 19. 1. यदा वै श्रद्दधात्यथ मनुते ..श्रद्दधदेव मनुते

7. 20. 1. यदा वै निस्तिष्ठत्यथ श्रद्दधाति..निस्तिष्ठन्नेव श्रद्दधाति

Bṛih. 3. 9. 21. यदा ह्येव श्रद्धत्ते ऽथ दक्षिणां ददाति

5. 14. 4. य एव ब्रूयादहमदर्शमिति तस्मा एव श्रद्दध्याम

Katha. 1. 13. प्रब्रूहि तं श्रद्दधानाय मह्यम्

Muṇḍ. 3. 2. 10. स्वयं जुह्वते एकर्षिं श्रद्धयन्तः

Gîtâ. 12. 20. श्रद्दधाना मत्परमाः

2. श्रद्धा

Chhâ. 1. 1. 10. यदेव..करोति श्रद्धयोपनिषदा

5. 4. 2. एतस्मिन्नग्नौ देवाः श्रद्धां जुह्वति Bṛih. 6. 2. 9.

7. 19. 1. श्रद्धा त्वेव विजिज्ञासितव्येति श्रद्धां भगवो विजिज्ञासे

Bṛih. 1. 5. 3. श्रद्धाश्रद्धा धृतिरधृतिः Maitri. 6. 30.

3. 9. 21. कस्मिन्नु दक्षिणा प्रतिष्ठितेति श्रद्धायामिति

— कस्मिन्नु श्रद्धा प्रतिष्ठितेति ..हृदयेन हि श्रद्धां जानाति हृदये ह्येव श्रद्धा प्रतिष्ठिता

6. 2. 15. ये चामी अरण्ये श्रद्धां सत्यमुपासते

Tait. 1. 11. 3. श्रद्धया देयमश्रद्धयादेयम्

2. 4. 1. तस्य श्रद्धैव शिरः

Katha. 1. 1. तं ह कुमारं सन्तं ..श्रद्धा विवेश

Muṇḍ. 1. 2. 2. श्रद्धया हुतम्

11. तपःश्रद्धे ये ह्युपवसन्त्यरण्ये

2. 1. 7. श्रद्धा सत्यं ब्रह्मचर्यं विधिश्च

Mahânâr. 16. 1. श्रद्धायां प्राणे निविश्यामृतं हुतम्

19. 1. श्रद्धा प्रजा च मेधा च (bis).

23. 1. तपसा श्रद्धा श्रद्धया मेधा

25. 1. आत्मा यजमानः श्रद्धा पत्नी

Praśna. 1. 2. तपसा ब्रह्मचर्येण श्रद्धया 10; 5. 3.

6. 4. स प्राणमसृजत प्राणाच्छ्रद्धाम्

Kaivalya. 2. श्रद्धाभक्तिध्यानयोगात्

Nṛip. 5. 2. श्रद्धया यां काञ्चिद्दद्यात्

Gîtâ. 6. 37. अयतिः श्रद्धयोपेतः

7. 21. श्रद्धयार्चितुमिच्छति

Gîtâ. 7. 21. तस्य तस्याचलां श्रद्धाम्
22. स तया श्रद्धया युक्तः
9. 23. यजन्ते श्रद्धयान्विताः
17. 1.
12. 2. श्रद्धया परयोपेताः
17. 2. त्रिविधा भवति श्रद्धा
3. सत्त्वानुरूपा सर्वस्य श्रद्धा
17. श्रद्धया परया तप्तं तपः

श्रद्धातपस्

Chhâ. 5. 10. 1. ये चेमे ऽरण्ये श्रद्धातप इत्युपासते

श्रद्धादेय

Chhâ. 4. 1. 1. श्रद्धादेयो बहुदायी

श्रद्धामय

Gîtâ. 17. 3. श्रद्धामयो ऽयं पुरुषः

श्रद्धावन्त्

Mukti. 1. श्रद्धावन्तं सत्कुलभवम्
Gîtâ. 3. 31. श्रद्धावन्तो ऽनसूयन्तः
4. 39. श्रद्धावाँल्लभते ज्ञानम्
6. 47. श्रद्धावान्भजते यो माम्
18. 71. श्रद्धावाननसूयश्च

श्रद्धाविरहित

Gîtâ. 17. 13. श्रद्धाविरहितं यज्ञम्

श्रद्धासत्य

Mahânâr. 24. 1. श्रद्धासत्यो महस्वान्

श्रम्

Bṛih. 1. 2. 2. तस्यामश्राम्यतस्य श्रान्तस्य
6. सो ऽश्राम्यत्..तस्य श्रान्तस्य
1. 5. 21. श्राम्यत्येव वाक् श्राम्यति चक्षुः श्राम्यति श्रोत्रम्
4. 3. 19. सुपर्णो वा विपरिपत्य श्रान्तः
Gopî. 5. प्रजापतिर्वायुर्भूत्वाश्राम्यत

श्रम

Bṛih. 1. 5. 21. मृत्युः श्रमो भूत्वोपयेमे

श्रमण

Bṛih. 4. 3. 22. श्रमणो ऽश्रमणः
Brahma. 2. तत्र..श्रमणो न श्रमणः

श्रवण

Chhâ. 8. 12. 4. श्रवणाय श्रोत्रम्
Bṛih. 2. 4. 5. आत्मनो वा अरे..श्रवणेन
Kaṭha. 2. 7. श्रवणायापि बहुभिर्यो न लभ्यः
Maitri. 6. 22. श्रवणाङ्गुष्ठयोगेन
Nyâsa. 5. श्रवणे नासिके न गन्धाय
Mukti. 1. श्रवणमनननिदिध्यासनानि
— वेदान्तश्रवणादि कृत्वा
2. *vide* समाधि

श्रविष्ठार्द्ध

Maitri. 6. 14. मघाद्यं श्रविष्ठार्द्धमाग्नेयम्

श्रविष्ठार्द्धान्त

Maitri. 6. 14. सार्पाद्यं श्रविष्ठार्द्धान्तं सौम्यम्

श्रा

Prâṇâg. 2. अशितपीतलीढखादितानि सम्यक् श्रपयित्वा

श्राद्ध

Chûl. 20. य एवं श्रावयेच्छ्राद्धे

श्राद्धकाल

Kaṭha. 3. 17. प्रयतः श्राद्धकाले वा

श्राद्धतर्पण

Nyâsa. 1. पितृभ्यः श्राद्धतर्पणं कृत्वा

श्रि

Kaush. 2. 8. यन्मे सुसीमं हृदयं दिवि चन्द्रमसि श्रितम्

Kaush. 2. 10. यत्ते सुसीमे हृदये श्रितम्
Chhâ. 3. 1. 4. तदादित्यमभितो ऽश्रयत् 3. 2. 3; 3. 3. 3; 3. 4. 3; 3. 5. 3.
3. 15. 1. तस्मिन्विश्वमिदं श्रितम्
Bṛih. 4. 4. 7. कामा ये ऽस्य हृदि श्रिताः Kaṭha. 6. 14.
Tait. 2. 2. 1. याः काश्च पृथिवीं श्रिताः
Kaṭha. 5. 8. तस्मिँल्लोकाः श्रिताः सर्वे 6. 1.
Maitri. 6. 2. स एषो ऽग्निर्दिवि श्रितः सौरः
Mahânâr. 9. 11. घृते श्रितो घृतम्वस्य धाम
Garbha. 5. अग्नयो ह्यत्र श्रियन्ते
Nîla. 9. रुद्रा दिक्षु श्रिताः सहस्रशः
Gîtâ. 9. 12. प्रकृतिं मोहिनीं श्रिताः

श्री

Kaush. 1. 5. श्रीश्चेरा चापरौ (पादौ)
— श्रीरुपबर्हणम्
2. 6. तच्छ्रीरित्युपासीत
Chhâ. 3. 12. 9. अप्रवर्त्तिनीं श्रियं लभते य एवं वेद
3. 13. 2. एतच्छ्रीश्च यशश्चेत्युपासीत
Bṛih. 2. 3. 6. सकृद्विद्युत्तेव ह वा अस्य श्रीर्भवति य एवं वेद
5. 14. 3. श्रिया यशसा तपति
6. 4. 6. श्रीर्ह वा एषा स्त्रीणाम्
28. श्रिया यशसा ब्रह्मवर्चसेन
Tait. 1. 4. 2. ततो मे श्रियमावह
1. 11. 3. श्रिया देयं ह्रिया देयम्
Maitri. 1. 4. महतीं श्रियं त्यक्त्वा
Mahânâr. 2. 9. श्रिया मा परिपातय
4. 8. तामिहोपह्वये श्रियम्
19. 1. श्रीश्च पुष्टिश्चानृण्यम्
20. 10. श्री मे भजत
Praśna. 2. 13. श्रीश्च प्रज्ञां विधेहि नः
Nṛip. 1. 3. सावित्रस्याष्टाक्षरं पदं श्रियाभिषिक्तम् 4. 2.
Nṛip. 1. 3. श्रिया हैवाभिषिच्यते 4. 2.
3. 1. महतीं श्रियमश्नुते 4. 2.
— महतीं श्रियमाप्नुयात्
— पाहि . . श्रियं लक्ष्मीम्
4. 3. यो वै नृसिंहः . . या श्रीस्तस्मै वै नमो नमः (7)
Mahâ. 2. बिभ्रच्छ्रियं सत्यं ब्रह्मचर्यं (instead of श्रियं Saṁkarânanda explains शीं =शीत्कारम्)
Râmap. 33. देहि श्रियं च ते
Gîtâ. 10. 34. कीर्त्तिः श्रीर्वाक् च नारीणाम्
18. 78. तत्र श्रीर्विजयो भूतिर्ध्रुवा

श्रीकृष्णाख्य

Gopî. 5. श्रीकृष्णाख्यं परं ब्रह्म

श्रीमत्तम

Kaush. 2. 6. यथैतच्छ्रीमत्तमं . . भवत्येवं स . . श्रीमत्तमः . . भवति

श्रीमन्त्

Chhâ. 3. 13. 2. श्रीमान् यशस्वी भवति
Maitri. 7. 1. श्रीमानजो धीमान्
Gîtâ. 6. 41. शुचीनां श्रीमतां गेहे
10. 41. श्रीमदूर्जितमेव वा

श्रीराम

Râmap. 31. श्रीरामायात्ममूर्त्तये
Râmot. 3. श्रीरामसांनिध्यवशात्
4. श्रीरामः प्राह शंकरम्
— अथ स होवाच श्रीरामः
5. कैर्मन्त्रैः स्तुतः श्रीरामः प्रीतो भवति
— श्रीरामेणैवं शिक्षितः
— यो वै श्रीरामः स भगवान् (47 times).

श्रीरामचन्द्र

Râmot. 4. श्रीरामचन्द्रस्य मनुं जजाप

Râmot. 4. श्रीरामचन्द्रेणोक्तम्
Mukti. 1. श्रीरामचन्द्रं मारुतिः पप्रच्छ

श्रु

Ait. 3. 6. श्रुत्व हैवान्नमत्रप्स्यत्
11. यदि श्रोत्रेण श्रुतं .. कोऽहम्
5. 1. येन वा शब्दं शृणोति
Kaush. 2. 13. एतद्वै ब्रह्म दीप्यते यच्छ्रोत्रेण शृणोत्यथैतन्म्रियते यन्न शृणोति
14. श्रोत्रेण शृण्वच्छिष्ये (bis)
3. 2. श्रोत्रं शृण्वत् सर्वे प्राणा अनुशृण्वन्ति
3. न शृणोति न पश्यति न वाचा वदति
Kena. 3. इति शुश्रुम पूर्वेषाम्
7. यच्छ्रोत्रेण न शृणोति येन श्रोत्रमिदं श्रुतम्
Chhâ. 1. 2. 5. तस्मात्तेनोभयं शृणोति श्रवणीयं चाश्रवणीयं च
1. 8. 2. ब्राह्मणयोर्वदतोर्वाचं श्रोष्यामि
3. 13. 8. एतद् दृष्टं च श्रुतं चेत्युपासीत
— चक्षुष्यः श्रुतो भवति य एवं वेद
4. 9. 3. श्रुतं ह्येव मे भगवद्दृशेभ्यः 7. 1. 3.
5. 1. 8. शृण्वन्तः श्रोत्रेण 9, 11. Bṛih. 6. 1. 8, 9, 11, 12.
6. 1. 3. येनाश्रुतं श्रुतं भवति
7. 5. 2. तस्मा एवोत शुश्रूषन्ते
7. 12. 1. आकाशेन शृणोति
7. 13. 1. न स्मरन्तो नैव ते कञ्चन शृणुयुः .. यदा वाव ते स्मरेयुरथ शृणुयुः

Chhâ. 7. 24. 1. यत्र नान्यत्पश्यति नान्यच्छृणोति .. स भूमा .. यत्रान्यत्पश्यत्यन्यच्छृणोति .. तदल्पम्
8. 12. 4. यो वेदेदं शृण्वानीति स आत्मा
Bṛih. 1. 3. 5. यत्कल्याणं शृणोति तदात्मने
— यदेवेदमप्रतिरूपं शृणोति
1. 4. 7. शृण्वन् श्रोत्रम्
17. श्रोत्रेण हि तच्छृणोति
1. 5. 3. अन्यत्रमना अभूवं नाश्रौषम्
— मनसा शृणोति Maitri. 6. 30.
21. श्रोष्याम्यहमिति श्रोत्रम्
— श्राम्यति श्रोत्रम्
2. 4. 5. आत्मा वा अरे .. श्रोतव्यः 4. 5. 6.
14. इतर इतरं शृणोति 4. 5. 15.
— केन कं शृणुयात् 4. 5. 15.
3. 2. 6. श्रोत्रेण हि शब्दाञ्छृणोति
3. 4. 2. न श्रुतेः श्रोतारं शृणुयाः
4. 1. 2. यत्ते कश्चिदब्रवीत्तच्छृणवाम 3—7.
4. 3. 27. यद्वैतन्न शृणोति शृण्वन्वै तन्न शृणोति .. न तु तद्द्वितीयमस्ति .. यच्छृणुयात्
31. अन्यो ऽन्यच्छृणुयात्
4. 4. 2. एकीभवति न शृणोति
4. 5. 6. आत्मनि खल्वरे दृष्टे श्रुते मते
5. 9. 1. तस्यैष घोषो भवति यमेतत्कर्णावपिधाय शृणोति Maitri. 2. 6.
— स यदोत्क्रमिष्यन् भवति नैनं घोषं शृणोति Maitri. 2. 6.

Brih. 5. 14. 4. अहमदर्शमहमश्रौषमिति
6. 2. 2. अपि हि न ऋषेर्वचः श्रुतं द्वे सृती अशृणवम्
6. 3. 4. श्रावितमसि प्रत्याश्रावितमसि
6. 4. 18. शुश्रूषितां वाचं भाषिता

Iśâ. 10. इति शुश्रुम धीराणाम् 13.

Tait. 1. 4. 1. श्रुतं मे गोपाय

Katha. 2. 7. शृण्वन्तोपि बहवो यं न विद्युः
13. एतच्छ्रुत्वा सम्परिगृह्य
23. न मेधया न बहुना श्रुतेन Mund. 3. 2. 3.
3. 16. उक्त्वा श्रुत्वा च मेधावी
17. य इमं परमं गुह्यं श्रावयेत्

Śwet. 2. 5. शृण्वन्तु विश्वे अमृतस्य पुत्राः
3. 19. स शृणोत्यकर्णः
6. 8. परास्य शक्तिर्विविधैव श्रूयते

Maitri. 1. 2. त्वं तत्त्वविच्छुश्रुमो वयम्
2. 3. ऊर्ध्वरेतसो वालखिल्या इति श्रूयन्ते
4. यो ह खलु वावोपरिस्थः श्रूयते
6. 7. यत्र द्वैतीभूतं विज्ञानं तत्र हि शृणोति

Mahânar. 5. 4. आर्जीकीये शृणुह्या सुषोमया
7. 6. कर्णयोः श्रुतं मा च्योढ्वम्
8. 1. श्रुतं तपः शान्तं तपः
11. 6. दृश्यते श्रूयते ऽपि वा Vâsu. 3.

Praśna. 4. 2. न शृणोति न पश्यति न जिघ्रति
5. श्रुतं तमेवार्थमनुशृणोति
— श्रुतं चाश्रुतं च . . पश्यति
8. श्रोत्रं च श्रोतव्यं च

Kaivalya. 21. स शृणोम्यकर्णः

Gauḍa. 2. 3. श्रूयते न्यायपूर्वकम्

Nrip. 1. 1. भद्रं कर्णेभिः शृणुयाम देवाः 2. 4; Nṛisut. 1.
2. 4. स्तुहि श्रुतं गर्त्तसदं युवानम्
— सर्वतः शृणोति

Chûl. 20. य एवं श्रावयेच्छ्राद्धे

Amṛita. 14. शृणु शब्दमकर्णवत्

Dhyâna. 1. तच्छ्रुत्वा च पठित्वा च (one MS. omits); Yogat. 1.

Yogat. 5. श्रुत्वा लोकान् समश्नुते

Haṁsa. 1. शृणु गौतम तन्मम

Gâruḍa. 3. य इमां महाविद्याममावास्यायां शृणुयात्

Kṛish. 3. रुद्रादीनां वचः श्रुत्वा

Mukti. 1. 7. वदामि शृणु तत्त्वतः
8. हनुमञ्छृणु वक्ष्यामि
29. तासां क्रमं . . शृणु
50. यः पठेच्छृणुयाद्वापि
52. यमेवैष विद्याः श्रुतमप्रमत्तम्
2. 33. पावने शृणु सादरम्

Gîtâ. 2. 29. आश्चर्यवच्चैनमन्यः शृणोति श्रुत्वाप्येनं वेद न चैव कश्चित्
39. योगे त्विमां शृणु
52. श्रोतव्यस्य श्रुतस्य च
5. 8. पश्यन् शृण्वन् स्पृशन् जिघ्रन्
7. 1. यथा ज्ञास्यसि तच्छृणु
10. 1. शृणु मे परमं वचः 18. 64.
18. तृप्तिर्हि शृण्वतो नास्ति मेऽमृतम्
11. 2. श्रुतौ विस्तरशो मया
35. एतच्छ्रुत्वा वचनं केशवस्य
13. 3. समासेन मे शृणु
25. श्रुत्वान्येभ्य उपासते
16. 6. आसुरं पार्थ मे शृणु

Gîtâ. 17. 2. तां शृणु
7. तेषां भेदमिमं शृणु
18. 4. निश्चयं शृणु मे तत्र
19. यथावच्छृणु तान्यपि
29. गुणतस्त्रिविधं शृणु
36. शृणु मे भरतर्षभ
45. सिद्धिं यथा विन्दति तच्छृणु
58. अथ चेत्..न श्रोष्यसि
71. शृणुयादपि यो नरः
72. कच्चिदेतच्छ्रुतं पार्थ
74. संवादमिममश्रौषम्

श्रुति

Chhâ. 3. 13. 8. तस्यैषा श्रुतिः
Bṛih. 3. 4. 2. न श्रुतेः श्रोतारं शृणुयाः
4. 3. 27. न हि श्रोतुः श्रुतेर्विपरिलोपः
Gauḍa. 3. 23. समा श्रुतिः
Gopî. 5. तत उपनिषदः श्रुतय आविर्बभूवुः
— श्रुतयो ब्रह्मलोकगाः
— गोपिकाः श्रुतयो ऽभवन्
Gîtâ. 2. 53. श्रुतिविप्रतिपन्ना ते

श्रुतिपरायण

Gîtâ. 13. 25. ते ऽपि चातितरन्ति..श्रुतिपरायणाः

श्रेयस्

Chhâ. 4. 16. 5. स इष्ट्वा श्रेयान् भवति
5. 1. 6. अहं श्रेयानस्म्यहं श्रेयानस्मीति
Bṛih. 1. 4. 6. श्रेयसो देवानसृजत
11. तच्छ्रेयोरूपमत्यसृजत क्षत्रम्
— यथा श्रेयांसं हिंसित्वा
14. तच्छ्रेयोरूपमत्यसृजत धर्मम्

Tait. 1. 4. 3. श्रेयान् वस्यसो ऽसानि
1. 11. 3. ये के चास्मच्छ्रेयांसो ब्राह्मणाः
Kaṭha. 2. 1. अन्यच्छ्रेयो ऽन्यदुतैव प्रेयः
— श्रेय आददानस्य साधु भवति
2. श्रेयश्च प्रेयश्च मनुष्यमेतः
— श्रेयो हि धीरो ऽभि..वृणीते
Maitri. 4. 5. श्रेयः कतमो यः सो ऽस्माकं ब्रूहि
Muṇḍ.1. 2. 7. एतच्छ्रेयो ये ऽभिनन्दन्ति मूढाः
10. नान्यच्छ्रेयो वेदयन्ते प्रमूढाः
Gîtâ. 1. 31. न च श्रेयो ऽनुपश्यामि
2. 5. श्रेयो भोक्तुं भैक्ष्यम्
7. यच्छ्रेयः स्यान्निश्चितं ब्रूहि तन्मे
31. धर्म्याद्धि युद्धाच्छ्रेयः
3. 2. येन श्रेयो ऽहमाप्नुयाम्
11. श्रेयः परमवाप्स्यथ
35. श्रेयान्स्वधर्मो विगुणः 18. 47
— स्वधर्मे निधनं श्रेयः
4. 33. श्रेयान्द्रव्यमयाद्यज्ञात्
5. 1. यच्छ्रेय एतयोरेकम्
12. 12. श्रेयो हि ज्ञानमभ्यासात्
16. 22. आचरत्यात्मनः श्रेयः

श्रेष्ठ

Kaush. 2. 11. इन्द्र श्रेष्ठानि द्रविणानि धेहि
Chhâ. 5. 1. 1. ज्येष्ठं च श्रेष्ठं च वेद..ज्येष्ठश्च श्रेष्ठश्च भवति प्राणो वाव..श्रेष्ठः Bṛih. 6. 1. 1 (वै for वाव)
7. भगवन् को नः श्रेष्ठः
— स वः श्रेष्ठः

Chhâ. 5. 1. 12. त्वन्नः श्रेष्ठो ऽसि

5. 2. 4. ज्येष्ठाय श्रेष्ठाय स्वाहा

6. ज्येष्ठः श्रेष्ठो राजाधिपतिः

7. श्रेष्ठं सर्वधातममित्याचामति

Bṛih. 1. 3. 18. श्रेष्ठः पुर एता भवति

1. 5. 16. देवलोको वै लोकानां श्रेष्ठः

21. अयं वै नः श्रेष्ठः

6. 1. 1. ज्येष्ठश्च श्रेष्ठश्च स्वानां भवति. य एवं वेद

6. 3. 2. ज्येष्ठाय स्वाहा श्रेष्ठाय स्वाहा

Kaṭha. 2. 17. एतदालंबनं श्रेष्ठम्

Mahânâr. 17. 2. ज्येष्ठाय नमः श्रेष्ठाय नमः

Śiras. 1. ज्येष्ठोहं श्रेष्ठोहं वरिष्ठोहम्

Gîtâ. 3. 21. यद्यदाचरति श्रेष्ठः

श्रेष्ठतम

Nṛip. 2. 4. ना वीर्यतमः श्रेष्ठतमश्च

— सिंहो वीरतमः श्रेष्ठतमश्च

श्रेष्ठिन्

Kaush. 4. 20. एतमात्मानमेत आत्मानो ऽन्ववस्यन्ति यथा श्रेष्ठिनं स्वास्तद्यथा श्रेष्ठी स्वैर्भुङ्क्ते यथा वा स्वाः श्रेष्ठिनं भुंजन्ति

श्रैष्ठ्य

Kaush. 2. 6. श्रैष्ठ्यायाभ्यर्चन्ते..युज्यन्ते..सन्नमन्ते

4. 15. सर्वं हास्मा इदं श्रैष्ठ्याय यम्यते

20. सर्वेषां भूतानां श्रैष्ठ्यं .. पर्यैत्

— सर्वेषां भूतानां श्रैष्ठ्यं .. पर्येति

Chhâ. 5. 2. 6. स मा ज्यैष्ठ्यं श्रैष्ठ्यं .. गमयतु

Bṛih. 5. 13. 2. युज्यन्ते हास्मै सर्वाणि भूतानि श्रैष्ठ्याय

3. सम्यञ्चि हास्मै सर्वाणि भूतानि श्रैष्ठ्याय कल्पन्ते

श्रोतृ

Kaush. 3. 8. न शब्दं विजिज्ञासीत श्रोतारं विद्यात्

Chhâ. 7. 8. 1. उपसीदन्..श्रोता भवति

7. 9. 1. अन्नस्यायै..श्रोता भवति

Bṛih. 3. 4. 2. न श्रुतेः श्रोतारं शृणुयाः

3. 7. 23. अश्रुतः श्रोता

— नान्यो ऽतो ऽस्ति श्रोता

3. 8. 11. अश्रुतं श्रोतृ

— नान्यदतो ऽस्ति श्रोतृ

4. 3. 27. न हि श्रोतुः श्रुतेर्विपरिलोपः

Maitri. 6. 7. घ्राता द्रष्टा श्रोता स्पृशति च

11. यदि खल्वभाति..श्रोता भवति

Praśna. 4. 9. एष हि द्रष्टा स्प्रष्टा श्रोता

Râmap. 50. हनुमन्तं च श्रोतारम्

श्रोत्र

Ait. 1. 4. कर्णाभ्यां श्रोत्रं श्रोत्राद्दिशः

2. 4. दिशः श्रोत्रं भूत्वा कर्णौ प्राविशन्

3. 6. तच्छ्रोत्रेणाजिघृक्षत्तन्नाशक्नोच्छ्रोत्रेण ग्रहीतुं स यद्धैनच्छ्रोत्रेणाग्रहैष्यत्

11. यदि श्रोत्रेण श्रुतं..कोऽहमिति

Kaush. 1. 7. केन शब्दानिति श्रोत्रेणेति

2. 1. श्रोत्रं संश्रावयितृ

— यः श्रोत्रं संश्रावयितृ (वेद)

2. चक्षुः परस्ताच्छ्रोत्रमारुंधते श्रोत्रं परस्तान्मन आरुंधते

3. श्रोत्रं नाम देवतावरोधिनी

4. श्रोत्रं ते मयि जुहोमि

Kaush. 2. 13. तस्य श्रोत्रमेव तेजो गच्छति — एतद्वै ब्रह्म दीप्यते यच्छ्रोत्रेण शृणोति

11. अथैनच्छ्रोत्रं प्रविवेश तद्वाचा वदच्चक्षुषा पश्यच्छ्रोत्रेण शृण्वच्छिश्ये

15. श्रोत्रं मे त्वयि दधानीति पिता श्रोत्रं ते मयि दध इति पुत्रः

3. 2. श्रोत्रेण शब्दं (प्रज्ञापयितुं) — श्रोत्रं शृण्वत् सर्वे प्राणा अनुशृण्वन्ति

3. श्रोत्रं सर्वैः शब्दैः सहाप्येति (bis); 4. 20.

4. श्रोत्रमेवास्मि सर्वे शब्दा अभिविसृज्यन्ते श्रोत्रेण सर्वाञ्छब्दानाप्नोति

5. श्रोत्रमेवास्या एकमङ्गमुदूल्हम्

6. प्रज्ञया श्रोत्रं समारुह्य श्रोत्रेण सर्वाञ्छब्दानाप्नोति

7. नहि प्रज्ञापेतं श्रोत्रं शब्दं कंचन प्रज्ञापयेत्

Kena. 1. चक्षुः श्रोत्रं क उ देवो युनक्ति

2. श्रोत्रस्य श्रोत्रम्

7. यच्छ्रोत्रेण न शृणोति येन श्रोत्रमिदं श्रुतम्

Chhâ. 1. 2. 5. अथ ह श्रोत्रमुद्गीथमुपासांचक्रिरे

1. 7. 3. श्रोत्रमेवर्क्..श्रोत्रमेव सा

2. 7. 1. श्रोत्रं प्रतिहारः 2. 11. 1.

3. 13. 2. स व्यानस्तच्छ्रोत्रम्

3. 18. 2. श्रोत्रं पादः

6. श्रोत्रमेव ब्रह्मणश्चतुर्थः पादः

4. 3. 3. यदा स्वपिति प्राणमेव वागप्येति प्राणं श्रोत्रम्

Chhâ. 4. 8. 3. श्रोत्रं कला मनः कला

5. 1. 4. श्रोत्रं वाव सम्पत्

8. शृण्वन्तः श्रोत्रेण 9, 11; Bṛih. 6. 1. 8, 9, 11, 12.

10. श्रोत्रं होच्चक्राम..प्रविवेश श्रोत्रम् Bṛih. 6. 1. 10.

14. श्रोत्रमुवाच यदहं सम्पदस्मि त्वं तत्सम्पदसीति

15. न श्रोत्राणि न मनांसि

5. 7. 1. श्रोत्रं विस्फुलिंगाः Bṛih. 6. 2. 12.

5. 20. 2. श्रोत्रं तृप्यति श्रोत्रे तृप्यति चन्द्रमास्तृप्यति

8. 12. 4. श्रवणाय श्रोत्रम्

Bṛih. 1. 3. 5. श्रोत्रमुदुस्त्वन्न उद्गायेति .. श्रोत्रमुदगायद्यः श्रोत्रे भोगस्तं देवेभ्य आगायत्

14. अथ श्रोत्रमत्यवहत्

1. 4. 7. शृण्वञ्छ्रोत्रम्

17. श्रोत्रं दैवं श्रोत्रेण हि तच्छृणोति

1. 5. 21. श्रोष्याम्यहमिति श्रोत्रम् — श्राम्यति श्रोत्रम्

2. 1. 17. गृहीतं श्रोत्रम्

2. 4. 11. सर्वेषां शब्दानां श्रोत्रमेकायनम् 4. 5. 12.

3. 2. 6. श्रोत्रं वै ग्रहः..श्रोत्रेण हि शब्दाञ्छृणोति

13. दिशः श्रोत्रं (अप्येति)

3. 7. 19. यः श्रोत्रे तिष्ठञ्छ्रोत्रादन्तरो यं श्रोत्रं न वेद यस्य श्रोत्रं शरीरं यः श्रोत्रमन्तरो यमयति

3. 9. 13. श्रोत्रं लोकः

4. 1. 5. श्रोत्रं वै ब्रह्म (bis).
— श्रोत्रमेवायतनम्
— दिशो वै.. श्रोत्रं श्रोत्रं वै.. परमं ब्रह्म नैनं श्रोत्रं जहाति

Bṛih. 4. 4. 18. उत श्रोत्रस्य श्रोत्रं (ये विदुः)
6. 1. 4. श्रोत्रं वै सम्पच्छ्रोत्रे हीमे सर्वे वेदा अभिसम्पन्नाः
10. यथा बधिरा अशृण्वन्तः श्रोत्रेण
14. त्वं तत्सम्पदसीति श्रोत्रम्
6. 3. 2. श्रोत्राय स्वाहायतनाय स्वाहा
Tait. 1 7. 1. चक्षुः श्रोत्रं मनो वाक्त्वक्
3. 1. 1. अन्नं प्राणं चक्षुः श्रोत्रं मनो वाचमिति
Maitri. 6. 31. वाक् श्रोत्रं चक्षुर्मनः प्राणः
Muṇḍ. 2. 1. 4. दिशः श्रोत्रे
Mahânâr. 12. 3. आदित्यो वै . . चक्षुः श्रोत्रम्
25. 1. श्रोत्रमभीत्
Praśna. 2. 2. वाङ्मनश्चक्षुः श्रोत्रं च 4.
12. या श्रोत्रे या च चक्षुषि
4. 8. श्रोत्रं च श्रोतव्यं च
Nṛisut. 2. श्रोत्रस्य द्रष्टा . . श्रोत्रस्य साक्षी
Garbha. 1. श्रोत्रे शब्दोपलब्धौ
3. षष्ठे मुखनासिकाक्षिश्रोत्राणि
Prâṇâg. 4. श्रोत्रे आधारौ
Nyâsa. 5. श्रोत्रे स्थाप्य तथा भ्रुवि
Gîtâ. 15. 9. श्रोत्रं चक्षुः स्पर्शनं च

श्रोत्रपति

Tait. 1. 6. 2. श्रोत्रपतिर्विज्ञानपतिः

श्रोत्रमय

Bṛih. 4. 4. 5. चक्षुर्मयः श्रोत्रमयः

श्रोत्रादि

Gîtâ. 4. 26. श्रोत्रादीनीन्द्रियाणि

श्रोत्रापेत

Kaush. 3. 3. जीवति श्रोत्रापेतो बधिरान् हि पश्यामः

श्रोत्रिय

Bṛih. 4. 3. 33. श्रोत्रियो ऽवृजिनो ऽकामहतः (ter).
6. 1. 14. श्रोत्रिया अशिष्यन्त आचामन्ति
6. 4. 12. तस्मादेवंविच्छ्रोत्रियस्य दारेण नोपहासमिच्छेत्
Tait. 2. 8. 1. श्रोत्रियस्य चाकामहतस्य (10 times).
Muṇḍ. 1. 2. 12. श्रोत्रियं ब्रह्मनिष्ठम्
3. 2. 10. क्रियावन्तः श्रोत्रिया ब्रह्मनिष्ठाः
Śiras. 7. अश्रोत्रियः श्रोत्रियो भवति Mahâ. 4.
Mukti. 1. श्रोत्रियं शास्त्रवात्सल्यम्

श्रौत्र

Bṛih. 2. 5. 6. अयमध्यात्मं श्रौत्रः प्रातिश्रुत्कः . . पुरुषः
3. 9. 13. य एवायं श्रौत्रः प्रातिश्रुत्कः पुरुषः स एषः

श्लक्ष्ण

Chhâ. 2. 22. 1. मृदु श्लक्ष्णं वायोः श्लक्ष्णं बलवदिन्द्रस्य
Râmap. 86. मृदुश्लक्ष्णसतूलिकायाम्

श्लिष्

Chhâ. 4. 14. 3. यथा पुष्करपलाश आपो न श्लिष्यन्त एवमेवंविदि पापं कर्म न श्लिष्यते
Râmap. 27. श्लिष्टः कमलधारिण्या

श्लेष्मन्

Maitri. 1. 3. *vide* संघात

श्लोक

Kaush. 1. 6. तदेतच्छ्लोकेनाभ्युक्तम् (MSS. insert. ऋक् before श्लोकेन)

Chhâ. 2. 21. 3. तदेष श्लोकः 3. 11. 1 ; 5. 2. 9; 5. 10. 8; 5. 24. 4; 7. 26. 2; 8. 6. 6; Praśna 1. 10; 3. 11; 4. 10; 6. 5; Nrisut. 6, 7, 9.

Bṛih. 1. 4. 7. कीर्त्तिं श्लोकं विन्दते य एवं वेद

1. 5. 1. इति श्लोकाः

23. अथैष श्लोको भवति

2. 2. 3. तदेष श्लोको भवति 4. 4. 6, 7.

2. 4. 10. उपनिषदः श्लोकाः सूत्राणि 4. 1. 2; 4. 5. 11; Maitri. 6. 32.

3. 9. 28. तान्हैतैः श्लोकैः पप्रच्छ

4. 3. 11. तदेते श्लोका भवन्ति 4. 4. 8; Râmot. 3 (अथ)

Tait. 2. 1. 1. तदप्येष श्लोको भवति 2. 2. 1; 2. 3. 1; 2. 4. 1; 2. 5. 1; 2. 6. 1; 2. 7. 1; 2. 8. 1.

Śwet. 2. 5. वि श्लोक एतु पथ्येव सूरेः

Maitri. 6. 34. अत्रेमे श्लोका भवन्ति

Praśna. 5. 5. तदेतौ श्लोकौ भवतः Nṛisut. 4.

Gopi. 5. तत्र श्लोकौ

Mukti. 2. अत्र श्लोका भवन्ति

श्लोककृत्

Tait. 3. 10. 6. अहं श्लोककृदहं श्लोककृदहं श्लोककृत्

श्वन्

Chhâ. 1. 12. 2. तस्मै श्वा श्वेतः प्रादुर्बभूव तमन्ये श्वान उपसमेत्योचुः

5. 2. 1. यत्किञ्चिदिदमा श्वभ्य आ शकुनिभ्यः

Bṛih. 3. 9. 25. श्वानो वैनदद्युः

6. 1. 14. यदिदं किञ्चाश्वभ्य आकृमिभ्यः

Gîtâ. 5. 18. शुनि चैव श्वपाके च

श्वपाक

Gîtâ. 5. 18. शुनि चैव श्वपाके च

श्वभ्र

Chhâ. 2. 9. 7. ते पुरुषं दृष्ट्वा कक्षं श्वभ्रमित्युपद्रवन्ति

श्वयोनि

Chhâ. 5. 10. 7. श्वयोनिं वा सूकरयोनिं वा

श्वशुर

Gîtâ. 1. 27. श्वशुरान् सुहृदश्चैव

34. मातुलाः श्वशुराः पौत्राः

1. श्वस्

Gîtâ. 5. 8. अश्नन् गच्छन् स्वपन् श्वसन्

2. श्वस्

Bṛih. 1. 5. 23. स एवाद्य स उ श्वः Katha. 4. 13.

श्वापद

Chhâ. 7. 2. 1. श्वापदान्याकीटपतङ्गपिपीलकम् 7. 7. 1; 7. 8. 1; 7. 10. 1.

Bṛih. 1. 4. 16. श्वापदा वयांस्यापिपीलिकाभ्यः

श्वि

Bṛih. 1. 2. 6. शरीरं श्वयितुमध्रियत

7. ततोऽश्वः समभवद्यदश्वत्

श्वेत

Chhâ. 1. 12. 2. तस्मै श्वा श्वेतः प्रादुर्बभूव

8. 14. 1. श्वेतमदत्कमदत्कं श्वेतम् (one MS. has श्येतं in both places).

Bṛih. 3. 8. 9. नद्यः स्यन्दन्ते श्वेतेभ्यः प्रवर्तेभ्यः

Mahânâr. 19. 1. तिलाः कृष्णास्तिलाः श्वेताः

Gîtâ. 1. 14. ततः श्वेतैर्हयैर्युक्ते

श्वेतकेतु

Kaush. 1. 1. पुत्रं श्वेतकेतुं प्रजिघाय

Chhâ. 5. 3. 1. श्वेतकेतुर्हारुणेयः 6. 1. 1; Bṛih. 6. 2. 1.

6. 1. 1. श्वेतकेतो वस ब्रह्मचर्यम्

3. श्वेतकेतो यन्नु सोम्य &c.

6. 8. 1. श्वेतकेतुं पुत्रम्

7. तत्त्वमसि श्वेतकेतो 6. 9. 4; 6. 10. 3; 6. 11. 3; 6. 12. 3; 6. 13. 3; 6. 14. 3; 6. 15. 3; 6. 16. 3.

Jâbâla. 6. *vide* प्रभृति

श्वेता (=स)

Râmap. 77. श्वेतानुस्वारसंयुता

श्वेताश्व

Mukti. 1. 31. ब्रह्मकैवल्यजाबालश्वेताश्वः

श्वेताश्वतर

Śwet. 6. 21. ब्रह्म ह श्वेताश्वतरो ऽथ विद्वान्

Mukti. 1. *vide* सरस्वतीरहस्य

श्वोभाव

Kaṭha. 1. 26. श्वोभावा मर्त्यस्य . . सर्वेन्द्रियाणां जरयन्ति तेजः

श्वोभूते

Chhâ. 4. 6. 1. स ह श्वोभूते गा अभिप्रस्थापयाञ्चकार 4. 7. 1; 4. 8. 1.

षट्कोण

Râmap. 52. एवं षट्कोणम्

षट्पत्र

Nṛip. 5. 1. षडरं भवति षट्पत्रं भवति

षट्शत

Haṁsa. 2. एकविंशतिसहस्राणि षट्शतान्यधिकानि

षट्संख्या

[Haṁ]sa. 2. अथ हंस ऋषिरव्यक्तगायत्री छन्दः . . षट्संख्या (so MSS.).

षड्

Chhâ. 4. 2. 1. षट् शतानि गवाम् 2.

4. 15. 5. षडुदङ्ङेति मासान् 5. 10. 1.

5. 10. 3. षड् दक्षिणैति मासान्

Bṛih. 3. 9. 1. कत्येव देवाः . . षडिति

7. कतमे षडिति . . एते षडेते हीदं सर्वं षडिति

6. 2. 15. यान् षण्मासानुदङ्ङादित्य एति

Śwet. 1. 4. अष्टकैः षड्भिः

Maitri. 6. 28. षड्भिर्मासैस्तु युक्तस्य

Nṛip. 5. 1. षड् वा ऋतवः

2. षट्सु पत्रेषु षडक्षरं सुदर्शनं भवति

Sarvop. 2. अन्नकार्याणां षण्णां कोशानां समूहः

Râmap. 8. द्विचत्वारि षडष्टासाम्

Gîtâ. 8. 24. षण्मासा उत्तरायणम्

25. षण्मासा दक्षिणायनम्

षडक्षर

Nṛip. 5. 2. षट्सु पत्रेषु षडक्षरं सुदर्शनं भवति

Râmot. 4. ये लभन्ते षडक्षरम्

षडङ्ग

Maitri. 6. 18. षडङ्गा इत्युच्यते योगः

Amṛita. 6. षडङ्गो योग उच्यते

षडर

Praśna. 1. 11. सप्तचक्रे षडरे

Nṛip. 5. 1. षडरं वा एतत्सुदर्शनं महाचक्रं तस्मात् षडरं भवति

षडस्र

Râmap. 61. दीर्घभाजि षडस्रेषु

षडाश्रय

Garbha. 1. षडाश्रयं षड्गुणयोगयुक्तम्
— षडाश्रयं कस्मात्

षडूर्मि

Parama. 2. षडूर्मिरहितम्

षड्गुणयोगयुक्त

Garbha. 1. षडाश्रयं षड्गुणयोगयुक्तम्

षड्ज

Garbha. 1. *vide* निषाद

षड्विंश

Gauḍa. 2. 26. षड्विंश इति चापरे

षड्विंशक

Chûl. 14. तं षड्विंशकमित्येके

षड्विध

Chhâ. 3. 12. 5. सैषा चतुष्पदा षड्विधा गायत्री

Garbha. 2. परस्परं सौम्यगुणत्वात् षड्विधो रसः

षण्मुख

Mahânâr. 3. 5. षण्मुखाय विद्महे

षष्टि

Garbha. 5. अस्थीनि च ह वै त्रीणि शतानि षष्टिश्च

षष्टिसहस्र

Śiras. 7. गायत्र्याः षष्टिसहस्राणि जप्तानि भवन्ति Mahâ. 4.

षष्ठ

Mahânâr. 3. 5. तन्नः षष्ठः प्रचोदयात्

Nṛip. 2. 3. नृसिंहं षष्ठं (स्थानं जानीयात्)

Garbha. 3. षष्ठे मुखनासिकाक्षिश्रोत्राणि

Nâda. 10. षष्ठी चैन्द्री विधीयते
15. षष्ठ्यामिन्द्रस्य सायुज्यम्

Amṛita. 29. षष्ठे मासि न संशयः

Piṇḍa. 6. षष्ठेन कृतपिण्डेन

Haṁsa. 2. षष्ठस्तालनादः
— षष्ठे ऽमृतनिषेवणम्

Râmot. 2. नादः षष्ठाक्षरो भवति

षष्ठी

Nṛip. 3. 1. पाहि . . षष्ठीं च

षष्ठ्यन्त

Râmap. 59. षष्ठ्यन्तं साधकं तथा

षोडश

Chhâ. 3. 16. 7. स ह षोडशं वर्षशतमजीवत्प्र ह षोडशं वर्षशतं जीवति य एवं वेद

Bṛih. 1. 5. 14. ध्रुवैवास्य षोडशी कला
— एतया षोडश्या कलया
15. आत्मैवास्य षोडशी कला

षोडशकल

Chhâ. 6. 7. 1. षोडशकलः सोम्य पुरुषः

Bṛih. 1. 5. 14. संवत्सरः प्रजापतिः षोडशकलः 15.

Praśna. 6. 1. षोडशकलं भारद्वाज पुरुषं वेत्थ

Nṛip. 5. 1. षोडशकलो वै पुरुषः

षोडश कलाः

Chhâ. 6. 7. 3. षोडशानां कलानामेका कलातिशिष्टा 6.

Praśna. 6. 2. यस्मिन्नेताः षोडश कलाः प्रभवन्ति

5. एवमेवास्य परिद्रष्टुरिमाः षोडश कलाः

Nṛip. 5. 2. मातृकाद्याः सबिन्दुकाः षोडश कलाः

षोडशदल

Râmap. 66. तद्बहिः षोडशदलम्

षोडशन्

Nṛip. 5. 2. षोडशसु पत्रेषु..षोडश कला भवन्ति

Nṛisut. 3. आनन्दामृतरूपं प्रणवं षोडशान्ते

Garbha. 3. अष्टौ प्रकृतयः षोडश विकाराः

5. षोडश पार्श्वदन्तौष्ठपटलानि

Râmap. 8. दश द्वादश षोडश

षोडशपत्र

Nṛip. 5. 1. षोडशारं षोडशपत्रं चक्रम्

षोडशभेद

Aśrama. 1. चत्वार आश्रमाः षोडशभेदा भवन्ति

षोडशसंख्याक

Mukti. 1. षोडशसंख्याकानामुपनिषदाम्

षोडशान्त

Swet. 1. 4. तमेकनेमिं त्रिवृतं षोडशान्तम्

षोडशार

Nṛip. 5. 1. षोडशारं षोडशपत्रं चक्रम्

1. षोडशिन्

Mahânâr. 9. 4. त्रीणि ज्योतींषि सचते स षोडशी Nṛip. 2. 4.

Mahânâr. 20. 11. महाँ इन्द्रो वज्रबाहुः षोडशी

2. षोडशिन्

Maitri. 6. 36. सूर्यराज्यं षोडशिना

Nṛip. 5. 8. स षोडशिना यजते

स

Bṛih. 5. 5. 1. स इत्येकमक्षरम्

संयत्

Chhâ. 1. 2. 1. देवासुरा ह वै यत्र संयेतिरे

संयतेन्द्रिय

Gîtâ. 4. 39. तत्परः संयतेन्द्रियः

संयद्वाम

Chhâ. 4. 15. 2. एतं संयद्वाम इत्याचक्षते

संयम्

Yogaśi. 3. मनः सर्वत्र संयम्य

Nyâsa. 2. वनं गच्छति संयतः

(5 MSS. have °युतः)

4. तदभ्यासेन प्राणापानौ संयम्य

Gîtâ. 2. 61. तानि सर्वाणि संयम्य

3. 6. कर्मेन्द्रियाणि संयम्य

6. 14. मनः संयम्य मच्चित्तः

8. 12. सर्वद्वाराणि संयम्य

10. 29. यमः संयमतामहम्

संयमन

Kaush. 2. 5. अथातः संयमनं प्रातर्दनम्

संयमाग्नि

Gîtâ. 4. 26. संयमाग्निषु जुह्वति

संयमिन्

Gîtâ. 2. 69. तस्यां जागर्त्ति संयमी

संया

Gîtâ. 2. 22. अन्यानि संयाति नवानि देही
15. 8. गृहीत्वैतानि संयाति

संयु

Yogaśi. 2. हस्तौ पादौ च संयुतौ (Nârayâṇa reads संयतौ)
Râmap. 52. स्वदीर्घाङ्गैरेष संयुतः
53. आग्नेयादिषु संयुतः
71. फणिसंयुतम्
75. रुद्रेण संयुता (so Nâr. and Weber; but 7 MSS. have संयुतः)
77. अनुस्वारसंयुता

संयुक्तचेष्ट

Śwet. 2. 9. प्राणान् प्रपीड्येह संयुक्तचेष्टः

संयुज्

Śwet. 1. 8. संयुक्तमेतत् क्षरमक्षरं च
3. 4. स नो बुद्ध्या शुभया संयुनक्तु 4. 1, 12.
Maitri. 6. 21. इन्द्रियाणि संयोज्य महिमानं निरीक्षेत (so MS.)
38. सत्यकामसर्वज्ञत्वसंयुक्तम्
Mahânâr. 10. 3. स नो देवः शुभया स्मृत्या संयुनक्ति
Prasna. 1. 13. ये दिवा रत्या संयुज्यन्ते — यद्रात्रौ रत्या संयुज्यन्ते
Nṛisut. 4. स्वसुतान् गुणर्द्धान् संयोज्य शृङ्गैर्ऋषभस्य
6. शृङ्गेषु शृङ्गं संयोज्य
Garbha. 3. सप्तमे जीवेन संयुक्तः
Sarvop. 2. एतत्कोशद्वयसंयुक्तः — एतत्कोशत्रयसंयुक्तः
Râmap. 67. वर्मास्त्रनतिसंयुक्तम्
77. अग्निसंयुक्ता

Gîtâ. 17. 5. दम्भाहंकारसंयुक्ताः

संयोग

Swet. 1. 2. संयोग एषां न त्वात्मभावात्
5. 12. संयोगहेतुः
6. 5. संयोगनिमित्तहेतुः
Garbha. 2. शुक्रशोणितसंयोगात्
Nyâsa. 4. विद्याया मनसि संयोगः
Sarvop. 2. अप्राप्तशरीरसंयोगमिव
Gîtâ. 6. 23. दुःखसंयोगवियोगम्
13. 26. क्षेत्रक्षेत्रज्ञसंयोगात्
18. 38. विषयेन्द्रियसंयोगात्

1. संरक्षण *adj.*

Gopî. 1. गोपी का नाम । संरक्षणी । कुतः संरक्षणी । लोकस्य नरकात् . . संरक्षणी । (one MS. reads संरक्षिणी)

2. संरक्षण

Nyâsa. 3. जन्तुसंरक्षणार्थम् Kaṭha-śru. 4.

संरभ्

Chhâ. 1. 12. 4. यथैवेह बहिष्पवमानेन स्तोष्यमाणाः संरब्धाः सर्पन्ति
Bṛih. 6. 4. 20. तावेहि संरभावहै सह

संराधनी

Bṛih. 6. 3. 1. तां त्वा घृतस्य धारया यजे संराधनीमहम्

संलय

Bṛih. 4. 3. 19. संहत्य पक्षौ संलयायैव ध्रियते

संलिख्

Râmap. 66. वृत्ताकारेण संलिखेत्

संली

Brahmav. 14. यस्मिन् संलीयते शब्दः

संवत्सर

Kaush. 1. 6. रेतः संवत्सरस्य

Chhâ. 2. 19. 2. संवत्सरं मज्जो नाभीयात्तद्धतम्

3. 19. 1. तत्संवत्सरस्य मात्रामशयत

4. 15. 5. मासेभ्यः संवत्सरं संवत्सरादादित्यम् 5. 10. 2.

5. 1. 8. संवत्सरं प्रोष्य 9, 10, 11; Bṛih. 6. 1. 8—12.

5. 6. 1. संवत्सर एव समित् Bṛih. 6. 2. 10.

5. 10. 3. नैते संवत्सरमभिप्राप्नुवन्ति

Bṛih. 1. 1. 1. संवत्सर आत्माश्वस्य

1. 2. 4. स संवत्सरोऽभवन्न ह पुरा तनः संवत्सर आस

— यावान्संवत्सरस्तमेतावतः कालस्य परस्तादसृजत

7. संवत्सरस्य परस्तात्

— तस्य संवत्सर आत्मा

1. 5. 2. संवत्सरं पयसा जुह्वत्

14. संवत्सरः प्रजापतिः 15.

3. 8. 9. मासा ऋतवः संवत्सराः

3. 9. 5. द्वादश वै मासाः संवत्सरस्य

4. 4. 16. संवत्सरो ऽहोभिः परिवर्त्तते

Maitri. 6. 15. सकलस्य वा एतद्रूपं यत्संवत्सरः

— संवत्सरात्. . इमाः प्रजाः प्रजायन्ते

— संवत्सरेणेह वै जाता विवर्धन्ते संवत्सरे प्रत्यस्तं यन्ति

— तस्मात्संवत्सरो वै प्रजापतिः

16. *vide* आदि

33. पञ्चेष्टको वा एषो ऽग्निः संवत्सरः

Muṇḍ. 2. 1. 6. संवत्सरश्च यजमानश्च

Mahânâr. 1. 9. संवत्सरश्च कल्पताम्

5. 6. समुद्रादर्णवादधि संवत्सरो अजायत

Mahânâr. 12. 3. कतमः स्वयम्भूः प्रजापतिः संवत्सर इति संवत्सरो ऽसावादित्यः 23. 1.

25. 1. ये संवत्सराश्च परिवत्सराश्च

Praśna. 1. 2. संवत्सरं संवत्स्यथ

9. संवत्सरो वै प्रजापतिः

Mahâ. 1. संवत्सरादधिजायन्ते

संवद्

Kaush. 4. 3. मा मैतस्मिन् संवादयिष्ठाः (17 times).

19. मृषा वै खलु मा संवादयिष्ठा ब्रह्म ते ब्रवाणीति

Chhâ. 4. 10. 4. अथ हाग्नयः समुदिरे

Bṛih. 2. 1. 2. मा मैतस्मिन्संवदिष्ठाः (12 times).

4. 3. 1 अग्निहोत्रे समूदाते

संवनन

Maitri. 6. 13. अन्नं संवननं स्मृतम्

संवर्ग

Kaush. 2. 7. संवर्गो ऽसि पाप्मानं मे संवृङ्ग्धि

Chhâ. 4. 3. 1. वायुर्वाव संवर्गः

3. प्राणो वाव संवर्गः

4. तौ वा एतौ द्वौ संवर्गौ

Bṛih. 6. 3. 4. निधनमसि संवर्गो ऽसि

संवर्त्तक

Nṛip. 2. 1. संवर्त्तको ऽग्निर्मरुतो विराट् Nṛisut. 3; Sikhâ. 1.

Jâbâla. 6. *vide* प्रभृति

संवस्

Maitri. 7. 8. तैः सह न संवसेत्

Praśna. 1. 2. संवत्सरं संवत्स्यथ

संवाद

Gîtâ. 18. 70. धर्म्यं संवादमावयोः
74. संवादमिममश्रौषम्
76. संस्मृत्य संस्मृत्य संवादम्

संविज्

Gîtâ. 1. 47. शोकसंविग्नमानसः

संविज्ञा

Brahma. 2. सं विभोः प्रजा विज्ञायेरन्

1. संविद्

Brih. 2. 2. 3. वागष्टमी ब्रह्मणा संविदाना (bis).
— वाग्घ्यष्टमी ब्रह्मणा संवित्ते

Mahânâr. 9. 4. प्रजापतिः प्रजया संविदानः Nrip. 2. 4.

Praśna. 5. 3. तेनैव संवेदितस्तूर्णमेव जगत्यामभिसम्पद्यते

Gauḍa. 1. 12. न सत्यं नापि चानृतं प्राज्ञः किञ्चन संवित्ति

Tejo. 11. न च सत्यं न संविदुः

Kṛish. 23. छत्त्रं च खं च संविद्धि

2. संविद्

Tait. 1. 11. 3. भिया देयं संविदा देयम्

Mukti. 2. 24. भावसंवित्प्रकटिताम्
49. सा हि सर्वगता संवित्

संविन्मात्रस्थित

Skanda. 2. संविन्मात्रस्थितो हरिः
3. संविन्मात्रस्थितश्चाहम्

संविभज्

Nyâsa. 2. संविभज्य सुतानर्थान्

संविभा

Muṇḍ. 3. 1. 10. यं यं लोकं मनसा संविभाति

संविश्

Kaush. 2. 10. अथ संवेश्यन् जायायै हृदयमभिमृशेत्

Chhâ. 5. 2. 8. पश्चादग्नेः संविशति

Bṛih. 6. 3. 6. जघनेनाग्निं . . संविशति

Maitri. 6. 28. शनकैरवटैवावटकृद्धातुकामः संविशति

Muṇḍ. 3. 1. 9. यस्मिन् प्राणः पञ्चधा संविवेश

Mâṇḍû. 12. संविशत्यात्मनात्मानं य एवं वेद Nṛisut. 2.

Nṛisut. 3. शुद्धः संविष्टो निर्विघ्नः

संवृ

Kaush. 1. 1. अस्ति संवृतं लोके यस्मिन् मा धास्यसि

Gauḍa. 4. 33. संवृते ऽस्मिन् प्रदेशे वै

संवृज्

Kaush. 2. 7. संवर्गो ऽसि पाप्मानं मे संवृङ्धि
— यदहोरात्राभ्यां पापमकरोत् सं तद्वृङ्क्ते
— यदहोरात्राभ्यां पापं करोति सं तद् वृङ्क्ते

Chhâ. 4. 3. 2. वायुर्ह्येवैतान्सर्वान्संवृङ्क्ते
3. प्राणो ह्येवैतान्सर्वान्संवृङ्क्ते

संवृत्

Chhâ. 6. 13. 2. तच्छश्वत्संवर्त्तते

Nṛip. 1. 1. तस्यान्तर्मनसि कामः समवर्त्तत
— कामस्तदग्रे समवर्त्तत

Gîtâ. 11. 51. इदानीमस्मि संवृत्तः सचेताः

संवृतत्व

Gauḍa. 2. 1. संवृतत्वेन हेतुना
4. संवृतत्वेन भिद्यते

संवृति

Gauḍa. 4. 57. संवृत्या जायते सर्वम्
74. संवृत्या जायते तु सः

संवृद्ध्युपेत

Maitri. 3. 4. संवृद्ध्युपेतं निरये

संवृह्

Brih. 6. 1. 13. यथा महासुहयः सैन्धवः पड्वीशशङ्कून् संवृहेदेवं हैवेमान्प्राणान् संववर्ह

संवेग

Mukti. 2. 58. भावितं तीव्रसंवेगात्

संव्याप्

Nrisut. 3. तेजसा शरीरत्रयं संव्याप्य

संशम्

Chhâ. 2. 12. 1. संशाम्यति तन्निधनम्

संशय

Gauḍa. 1. 17. निवर्त्तेत न संशयः
24. पादा मात्रा न संशयः
3. 30. द्वयाभासं मनः स्वप्ने न संशयः..तथा जाग्रन्न संशयः 4. 62 (has चित्तं for मनः though MSS. read मनः)

Amṛita. 28. त्रिभिर्मासैर्न संशयः
29. षष्ठे मासि न संशयः

Parama. 2. संशयविपरीतमिथ्याज्ञानानां यो हेतुः

Vâsu. 3. स मुक्तो नात्र संशयः

Kṛish. 24. एवमादि न संशयः

Skanda. 5. तद्ब्रह्माहं न संशयः

Râmap. 20. फलदश्चैव..न संशयः

Râmot. 3. राम एव न संशयः

Mukti. 1. 44. नास्त्यत्र संशयः
50. स मामेति न संशयः
2. 34. शान्तिमेति न संशयः

Gîtâ. 4. 42. छित्त्वैनं संशयम्
6. 39. एतं मे संशयं कृष्ण छेत्तुम्
6. 39. त्वदन्यः संशयस्यास्य छेत्ता
8. 5. नास्त्यत्र संशयः
10. 7. नात्र संशयः
12. 8. अत ऊर्ध्वं न संशयः

संशयात्मन्

Gîtâ. 4 40. संशयात्मा विनश्यति — न सुखं संशयात्मनः

संशास्

Mahânâr. 5. 9. स नः स्रुवः संशिशाधि

संशितव्रत

Gîtâ. 4. 28. यतयः संशितव्रताः

संशुद्धकिल्बिष

Gîtâ. 6. 45. योगी संशुद्धकिल्बिषः

संभ्रा

Mahânâr. 5. 9. द्यावापृथिव्योर्हिरण्मयं संभृतं स्रुवः

संश्रावयितृ

Kaush. 2. 1. श्रोत्रं संश्रावयितृ (bis)

संश्रावयितृमन्त्

Kaush. 2. 1. यः श्रोत्रं संश्रावयितृ संश्रावयितृमान्भवति

संश्रि

Nyâsa. 5. पाणी आस्थाय संश्रयेत्

Gîtâ. 16. 18. कामं क्रोधं च संश्रिताः

संसक्त

Gopî. 2. गोपीचन्दनसंसक्तंमानुषाणाम्

संसार

Katha. 3. 7. संसारं चाधिगच्छति

Śwet. 6. 16. संसारमोक्षस्थितिबन्धहेतुः

Maitri. 1. 4. एतद्विधे ऽस्मिन्संसारे — अन्धोदपानस्थो भेक इवाहमस्मिन्संसारे

Maitri. 6. 34. चित्तमेव हि संसारम्
Gauda. 4. 30. अनादेरन्तवत्त्वं च संसारस्य
56. संसारस्तावदायतः
— संसारं न प्रपद्यते
Nrip. 1. 5. तेनैव संसारान्मुच्यते
2. 1. देवा ह वै..संसाराच्चाबिभयुः
— तेन..संसारं चातरन्
— यः..संसाराच्च बिभीयात्
— स संसारं तरति 5. 4; Râmot. 2.
Kshur. 22. संसारं तरते तदा
Śiras. 4. *vide* महाभय
Nâr. 5. जन्मसंसारबंधनात् Atmapra. 1.
Râmot. 2. *vide* महद्भय
Mukti. 2. 14. मिथ्यासंसारवासना
Gîtâ. 9. 3. मृत्युसंसारवर्त्मनि
12. 7. मृत्युसंसारसागरात्
16. 19. संसारेषु नराधमान् । क्षिपामि

संसारचक्र

Maitri. 6. 28. आवृत्तचक्रमिव संसारचक्रमालोकयति
Yogat. 5. एवं संसारचक्रेण कूपचक्रघटा इव

संसारच्छेदन

Yogaśi. 10. तदा पश्यन्ति योगेन संसारच्छेदनं परम्

संसारज्ञान

Prâṇâg. 1. संसारज्ञानं..शारीरयज्ञम्

संसारपादप

Mukti. 2. 38. यथा शोषमेति संसारपादपः

संसारविमुक्ति

Prâṇâg. 1. संसारविमुक्तिर्भवति

संसारवृक्ष

Mukti. 2. 37. अस्य संसारवृक्षस्य मनो मूलम्

संसारार्णवनाशन

Kaivalya. 24. अनेन ज्ञानमाप्नोति संसारार्णवनाशनम्

संसारिन्

Râmot. 3. न ते संसारिणो नूनम्

संसिद्धि

Gîtâ. 3. 20. कर्मणैव हि संसिद्धिमास्थिताः
6. 43. संसिद्धौ कुरुनन्दन
8. 15. संसिद्धिं परमां गताः
18. 45. संसिद्धिं लभते नरः

संसिध्

Gîtâ. 6. 45. अनेकजन्मसंसिद्धः

संसिव्

Śiras. 6. मूर्द्धानमस्य संसीव्य

संसृ

Maitri. 6. 30. इह कर्मोपभोगाय तैः संसरति

संसृज्

Chhâ. 1. 1. 6. एतदस्मिन्नक्षरे संसृज्यते
Bṛih. 4. 3. 8. पाप्मभिः संसृज्यते
Śwet. 3. 2. संसृज्य विश्वा भुवनानि Siras. 5.
Śiras. 4. संसृजति विसृजति च
— वात्रं संसृजति विसृजति च
5. तदेतेनात्मन्नेतेनार्द्धचतुर्थमात्रेण शान्ति संसृजति पशुपाशविमोक्षणम्
Brahma. 1. यदा याति संसृष्टमाकृष्य

संस्कार

Nyâsa. 1. प्रेतस्य मन्त्रैः संस्कारोपतिष्ठते

संस्कृ

Kaush. 2. 6. आत्मानमध्वर्युः संस्करोति
Chhâ. 4. 16. 2. तयोरन्यतरां मनसा संस्करोति ब्रह्मा
3. अन्यतरामेव वर्त्तनीं संस्कुर्वन्ति
4. उभे एव वर्त्तनी संस्कुर्वन्ति
8. 8. 5. प्रेतस्य शरीरं . . संस्कुर्वन्ति
Bṛih. 6. 3. 1. आवृताज्यं संस्कृत्य

संस्तम्भ्

Nṛisut. 4. संस्तभ्य सिंहम्
Gîtâ. 3. 43. संस्तभ्यात्मानमात्मना

संस्ताव

Bṛih. 4. 2. 3. तयोरेष संस्तावः

संस्तृ

Kaush. 2. 15. नवैस्तृणैरगारं संस्तीर्य

संस्थ

Maitri. 6. 27. मृद्वत्संस्थमयास्पिण्डम्

संस्था

Nrisut. 9. तत्र तत्र च सम्पूर्ण सन्तिष्ठति
Kshur. 14. ऊरोर्मध्ये तु संस्थाप्य
Brahma. 3. तुरीयं मूर्ध्नि संस्थितम्
Nyâsa. 5. संस्थाप्य हृदयं तपः
Kṛish. 21. रक्षणाय च संस्थितः

संस्थान

Kaush. 1. 3. सालज्यं संस्थानम् 5.

संस्थापन

Gîtâ. 4. 8. धर्मसंस्थापनार्थाय

संस्थिति

Maitri. 5. 1. बहुधा संस्थितिस्त्वयि
6. 36. यथा दीपस्य संस्थितिः

संस्पर्श

Kaush. 2. 4. संस्पर्शं जिगमिषेत्
Chhâ. 3. 13. 7. शरीरे संस्पर्शेनोष्णिमानं विजानाति
Maitri. 6. 26. तृणकाष्ठसंस्पर्शेन . . प्राणसंस्पर्शेन

संस्पर्शज

Gîtâ. 5. 22. ये हि संस्पर्शजा भोगाः

संस्पष्ट

Kaush. 4. 1. गार्ग्यो बालाकिरनूचानः संस्पष्ट आस

संस्पृश्

Kaush. 2. 15. इन्द्रियैरिन्द्रियाणि संस्पृश्य
Gauḍa. 4. 26. चित्तं न संस्पृशत्यर्थम्
27. निमित्तं न सदा चित्तं संस्पृशति
Śiras. 5. व्रतमिदं पाशुपतं यद्भस्मनाङ्गानि संस्पृशेत्
Garbha. 4. वैष्णवेन वायुना संस्पृष्टः

संस्फुर्

Maitri. 6. 35. संस्फुरत्यसावन्तर्गः सुराणाम्

संस्मृ

Râmot. 5. मनसा संस्मरन् ब्रह्म
Gîtâ. 18. 76. संस्मृत्य संस्मृत्य संवादम्
77. तच्च संस्मृत्य संस्मृत्य रूपम्

संस्रव

Bṛih. 6. 3. 2. अग्नौ हुत्वा मन्थे संस्रवमवनयति (20 times).

संहन्

Bṛih. 1. 2. 2. तद्यदपां शर आसीत्तत् समहन्यत

Bṛih. 4. 3. 19. संहत्य पक्षौ संलयायैव ध्रियते

Muṇḍ. 2. 2. 6. अरा इव रथनाभौ संहता यत्र नाड्यः

संहा

Chhâ. 1. 10. 6. स ह प्रातः सञ्जिहान उवाच 5. 11. 5.

4. 1. 5. स ह सञ्जिहान एव क्षत्तारमुवाच

संहार

Kṛish. 21. संहारार्थं च शत्रूणाम्

Râmot. 3. उत्पत्तिस्थितिसंहारकारिणी

संहिता

Tait. 1. 3. 1. संहिताया उपनिषदं व्याख्यास्यामः

संहृ

Śwet. 5. 3. यस्मिन् क्षेत्रे संहरत्येष देवः

Nṛip. 3. 1. माया . . सर्वमिदं संहरति

Nṛisut. 1. संहरेदोमिति

3. अथ लिङ्गान् संहृत्य

— महासूक्ष्मं महाकारणे च संहृत्य

4. ओमिति संहृत्य

— ओमिति संहरन्

Kshur. 3. कूर्मोऽङ्गानीव संहृत्य

Śiras. 6. तदा संहार्यते प्रजाः

Brahma. 3. सृजते संहरत्यपि

Gîtâ. 2. 58. यदा संहरते चायम्

सकल

Maitri. 6. 15. य आदित्याद्यः स कालः सकलः

— सकलस्य वा एतद्रूपं यत् संवत्सरः

Kaivalya. 5. सकलेन्द्रियाणि निरुध्य

13. सुषुप्तिकाले सकले विलीने

14. ततस्तु जातं सकलं विचित्रम्

19. मय्येव सकलं जातम्

Nṛisut. 3. अथ सकलः साधारः

Brahma. 3. ब्राह्मण्यं सकलं तस्य

Dhyâna. 10. वृक्षं तु सकलं विद्यात्

— सकले निष्कले भावे

Mukti. 2. 73. तदेव चाहं सकलं विमुक्त ओम्

सकलभोगभुज्

Kâlâg. 2. स सकलभोगभुक्

सकषाय

Gauḍa. 3. 44. सकषायं विजानीयात्

सकाशम्

Chhâ. 8. 7. 3. प्रजापतिसकाशमाजग्मतुः

सकृच्छ्रवणमात्र

Mukti. 1. 45. सकृच्छ्रवणमात्रेण सर्वाघौघनिकृन्तनम्

सकृज्ज्योतिस्

Gauḍa. 3. 37. सुप्रशान्तः सकृज्ज्योतिः

सकृत्

Kaush. 3. 2. न हि कश्चन शक्नुयात् सकृद्वाचा नाम प्रज्ञापयितुम्

Kaivalya. 24. सर्वदा सकृद्वा जपेत्

Siras. 7. अथर्वशिरः सकृज्जप्त्वा

Śikhâ. 1. सकृदावर्त्तव्यः

— सकृदुच्चारितमात्रः

सकृद्दिवा

Chhâ. 3. 11. 3. सकृद्दिवा हैवास्मै भवति Kaṭhaśru. 1.

सकृद्विद्युत्त

Bṛih. 2. 3. 6. यथा पुण्डरीकं यथा सकृद्विद्युत्तम्

Bṛih. 2. 3. 6. सकृद्विद्युत्तेव ह वा अस्य-
श्रीर्भवति य एवं वेद

सकृद्विभात

Chhâ. 8. 4. 2. सकृद्विभातो ह्येवैष ब्रह्म-
लोकः

Gauḍa. 3. 36. सकृद्विभातं सर्वज्ञम्

4. 81. सकृद्विभातो ह्येवैष धर्मः

Nṛisut. 9. सुविभातं सकृद्विभातम्

Mukti. 2. 73. सकृद्विभातं त्वजमेकमक्षरम्

सक्थि

Bṛih. 1. 2. 3. असौ चासौ च सक्थ्यौ

सखि

Chhâ. 8. 2. 5. सखायः समुत्तिष्ठन्ति

Śwet. 4. 6. द्वा सुपर्णा सयुजा सखाया
Muṇḍ. 3. 1. 1.

Nyâsa. 1. ओं चित्सखायमिति

Aruṇeya. 4. सखा मा गोपायौजः सखा
योऽसि

Kṛish. 10. शृंगमिन्द्रः सखा सुराः

Gîtâ. 1. 26. पुत्रान्पौत्रान् सखींस्तथा

4. 3. भक्तो ऽसि मे सखा चेति

11. 41. सखेति मत्वा प्रसभं यदुक्तं
हे कृष्ण हे यादव हे सखेति

44. पितेव पुत्रस्य सखेव सख्युः

सखिलोक

Chhâ. 8. 2. 5. सखिलोकेन सम्पन्नो मही-
यते

सखिलोककाम

Chhâ. 8. 2. 5. यदि सखिलोककामो भ-
वति

सगण

Mahânâr. 20. 2. सजोषा इन्द्र सगणः

सगद्गदम्

Gîtâ. 11. 35. सगद्गदं भीतभीतः प्रणम्य

सगुण

Gopî. 5. सगुणं ब्रह्म चिद्घनानन्दैक-
रूपम्

Râmap. 81. गुणान्तः सगुणः स्वयम्

संकट

Mukti. 2. 4. त्वां योजयति संकटे

संकर

Gîtâ. 1. 42. संकरो नरकायैव

3. 24. संकरस्य च कर्त्ता स्याम्

संकल्प

Ait. 5. 2. मनीषाजूतिः स्मृतिः सङ्कल्पः

Kaush. 3. 2. आप्नोति प्रज्ञया सत्यं स-
ङ्कल्पम्

Kena. 30. अनेन चैतदुपस्मरत्यभीक्ष्णं
सङ्कल्पः

Chhâ. 7. 4. 1. सङ्कल्पो वाव मनसो भूयान्
— एतानि . . सङ्कल्पे प्रतिष्ठि-
तानि

2. स एष सङ्कल्पः सङ्कल्पमु-
पास्व

3. यः सङ्कल्पं ब्रह्मेत्युपास्ते
— यावत्सङ्कल्पस्य गतम्
— अस्ति भगवः सङ्कल्पाद्भूय
इति सङ्कल्पाद्वाव भूयो
ऽस्ति

7. 5. 1. चित्तं वाव सङ्कल्पाद्भूयः

7. 26. 1. आत्मतः सङ्कल्पः

8. 2. 1. सङ्कल्पादेवास्य पितरः स-
मुत्तिष्ठन्ति (similarly 8
times more)

10. यं कामं कामयते सो ऽस्य
सङ्कल्पादेव समुत्तिष्ठति

Bṛih. 1. 5. 3. कामः सङ्कल्पो विचिकि-
त्सा Maitri. 6. 30.

2. 4. 11. सर्वेषां सङ्कल्पानां मन ए-
कायनम् 4. 5. 12.

Swet. 5. 8. संकल्पाहंकारसमन्वितः
Maitri. 2. 5. *vide* लिङ्ग 5. 2.
6. 10. अध्यवसायसंकल्पाभिमानाः
30. *vide* लिङ्ग
Tejo. 13. सङ्कल्पं च विकल्पकम्
Haṁsa. 2. मनसि सङ्कल्पविकल्पे
Mukti. 2. 37. सङ्कल्प एव तन्मन्ये सङ्कल्पोपशमे न तत्
Gîtâ. 6. 4. सर्वसंकल्पसन्न्यासी

संकल्पक

Amṛita. 15. मनः सङ्कल्पकं ध्यात्वा

संकल्पन

Śwet. 5. 11. सङ्कल्पनस्पर्शनदृष्टिहोमैः

संकल्पप्रभव

Gitâ. 6. 24. संकल्पप्रभवान् कामान्

संकल्पात्मक

Chhâ. 7. 4. 2. सङ्कल्पैकायनानि सङ्कल्पात्मकानि

संकल्पादिधर्म

Sarvop. 2. सङ्कल्पादिधर्मान् यदा करोति

संकल्पैकायन

Chhâ. 7. 4. 2. एतानि सङ्कल्पैकायनानि

संकाश

Nâda. 7. भानुमण्डलसङ्काशा
Dhyâna. 11. अतसीपुष्पसङ्काशम्
13. शुद्धस्फाटिकसङ्काशम् Yogat. 11; Hamsa. 1.
14. कदलीपुष्पसङ्काशम्
Brahmav. 9. उकारश्चन्द्रसङ्काशः

संकील्

Mukti. 2. 12. मन्त्राः संकीलिता इव

संकुच्

Śwet. 3. 2. सञ्चुकोचान्तकाले Śiras. 5.

संकॢप्

Chhâ. 1. 2. 6. तस्मात्तेनोभयं संकल्पयते संकल्पनीयं चासंकल्पनीयं च
7. 4. 1. यदा वै सङ्कल्पयते
2. समक्लृपतां द्यावापृथिवी समकल्पेतां वायुश्चाकाशं च समकल्पतामापश्च तेजश्च
— तेषां संक्लृप्त्यै वर्षं सङ्कल्पते (similarly six times more).
3. संक्लृप्तान् वै स लोकान् ..अभिसिध्यति
7. 5. 1. यदा वै चेतयते ऽथ सङ्कल्पयते
Bṛih. 1. 3. 6. यत्कल्याणं सङ्कल्पयति तदात्मने
— यदेवेदमप्रतिरूपं सङ्कल्पयति
Gauḍa. 3. 32. न सङ्कल्पयते यदा
Garbha. 1. मनसा सङ्कल्पयति

संक्लृप्ति

Chhâ. 7. 4. 2. तेषां संक्लृप्त्यै वर्षं सङ्कल्पते (similarly 6 times more).

संक्रम्

Maitri. 2. 6. यो ऽयमवाङ् संक्रामति

संक्लेश

Gauḍa. 4. 24. संक्लेशस्योपलब्धेश्च

संक्षिप्

Amṛita. 15. संक्षिप्यात्मनि बुद्धिमान्

संक्षेप

Yogaśi. 9. संक्षेपात् कथितं मया

संखिद

Chhâ. 5. 1. 12. यथा सुहयः पड्वीशशङ्कून् संखिदेदेवमितरान्प्राणान्समखिदत्

संख्य

Gîtâ. 1. 47. एवमुक्त्वार्जुनः संख्ये
2. 4. कथं भीष्ममहं संख्ये

संख्या

Râmap. 63. विलिखेर्दूर्मिसंख्यया
Mukti. 1. 12. एकविंशतिसंख्यया
13. सहस्रसंख्यया जाताः

सङ्ग

Gîtâ. 2. 47. मा ते संगो ऽस्त्वकर्मणि
48. संगं त्यक्त्वा धनंजय
62. संगस्तेषूपजायते
— संगात्सञ्जायते कामः
5. 10. संगं त्यक्त्वा करोति यः
11. संगं त्यक्त्वात्मशुद्धये
18. 6. संगं त्यक्त्वा फलानि च
9. संगं त्यक्त्वा फलं चैव

सङ्गत

Katha. 1. 8. आशाप्रतीक्षे सङ्गतं सूनृतां च

सङ्गति

Śiras. 4. सर्वेषामिह सङ्गतिः
Mukti. 2. 44. साधुसङ्गतिरेव च

सङ्गरहित

Gîtâ. 18. 23. नियतं संगरहितम्

सङ्गवर्जित

Gîtâ. 11. 55. मद्भक्तः संगवर्जितः

सङ्गविवर्जित

Gîtâ. 12. 18. समः संगविवर्जितः

सङ्गवेला

Chhâ. 2. 9. 4. यत्सङ्गवेलायां स आदिः

संग्रह

Katha. 2. 15. तत्ते पदं संग्रहेण ब्रवीमि
Gîtâ. 8. 11. तत्ते पदं संग्रहेण प्रवक्ष्ये

संग्राम

Gîtâ. 2. 33. अथ चेत्त्वमिमं धर्म्यं संग्रामं न करिष्यसि

संघ

Gîtâ. 11. 15. भूतविशेषसंघान्
21. महर्षिसिद्धसंघाः
22. गन्धर्वयक्षासुरसिद्धसंघाः
26. अवनिपालसंघैः
36. सिद्धसंघाः

संघात

Maitri. 1. 3. अस्थिचर्मस्नायुमज्जमांसशुक्रशोणितश्लेष्माश्रुदूषिकाविण्मूत्रपित्तकफसंघाते
6. 34. पवमानपावकशुचिसंघातो हि जाठरः
Gauda. 3. 3. घटादिवच्च संघातैः
10. संघाताः स्वप्नवत्सर्वे
Gîtâ. 13. 6. संघातश्चेतना धृतिः

संघातैकपदोज्झित

Tejo. 7. स्वभावभावनाग्राह्यं संघातैकपदोज्झितम्

सच्

Mahânâr. 5. 4. इमं मे ..स्तोमं सचता
9. 4. त्रीणि ज्योतींषि सचते
Nrip. 2. 4.

सचराचर

Gauda. 3. 31. मनोदृश्यमिदं द्वैतं यत्किञ्चित् सचराचरम्
Gîtâ. 9. 10. सूयते सचराचरम्
11. 7. पश्याद्य सचराचरम्

सचामर

Râmap. 51. धृतच्छत्रं सचामरम्

सचारकविध

Maitri. 6. 14. तत्रैकैकमात्मनो नवांशकं सचारकविधम्

सचेतस्

Gîtâ. 11. 51. सचेताः प्रकृतिं गतः

सच्चित्सुखात्मक

Mukti. 2. 19. सोऽहं सच्चित्सुखात्मकः

सच्चिदानन्द

Vâsu. 3. स्वप्रभं सच्चिदानन्दम्

Râmot. 5. यः सच्चिदानन्दाद्वैतैकरसात्मा (47).

सच्चिदानन्दघन

Nṛisut. 6. सच्चिदानन्दघनं ज्योतिः (bis).

सच्चिदानन्दपूर्णात्मन्

Nṛisut. 4. सच्चिदानन्दपूर्णात्मसु नवात्मकं सच्चिदानन्दपूर्णात्मानं . . परमं ब्रह्म संभाव्य

सच्चिदानन्दमय

Nṛip. 1. 7. तस्मादिदं साम सच्चिदानन्दमयं परं ब्रह्म

सच्चिदानन्दमात्र

Nṛisut. 5. सच्चिदानन्दमात्रमेकरसम् (bis).

7. अतमाः सच्चिदानन्दमात्रः (ter).

सच्चिदानन्दरूप

Nṛisut. 7. ब्रह्मैवेदं सर्वं सच्चिदानन्दरूपम्

— सच्चिदानन्दरूपमिदं सर्वम्

Râmap. 92. रामं वन्दे सच्चिदानन्दरूपम्

सच्चिदानन्दविग्रह

Mukti. 1. 4. त्वं परमात्मासि सच्चिदानन्दविग्रहः

सच्चिदानन्दाख्य

Râmot. 2. ओंनद्ब्रह्मात्मकाः सच्चिदानन्दाख्याः

सजन

Bṛih. 3. 2. 13. न नावेतत्सजन इति

सजोषस्

Mahânâr. 20. 2. सजोषा इन्द्र सगणः

सञ्चय

Tejo. 13. न मुक्तिग्रन्थसञ्चयम्

सञ्चर्

Chhâ. 8. 3. 2. उपर्युपरि सञ्चरन्तः

Bṛih. 1. 5. 20. सञ्चरंश्चासञ्चरंश्च न व्यथते 21.

Swet. 5. 7. प्राणाधिपः सञ्चरति स्वकर्मभिः

Mahânâr. 25. 1. यत्सञ्चरत्युपविशत्युत्तिष्ठते च स प्रवर्ग्यः

Kshur. 5. प्राणान् सञ्चारयेद्योगी

9. ततः सञ्चारयेत्प्राणान्

Siras. 5. सं च विचरति सर्वम्

Garbha. 1. यत्सञ्चरति स वायुः

Brahma. 2. तस्मिन्निदं स च विचरति (so MSS.).

Dhyâna. 16. आत्मा सञ्चरते ध्रुवम्

सञ्चर

Chhâ. 1. 13. 3. सञ्चरो हुंकारः

सञ्चरण

Bṛih. 4. 2. 3. एनयोरेषा सृतिः सञ्चरणी

सञ्चि

Siras. 5. बुद्ध्या सञ्चितं स्थापयित्वा तु रुद्रे (bis).

सञ्चिन्त्

Nṛisut. 4. तुरीयोङ्कारानविद्योतं प्रणवेन सञ्चिन्त्य

सञ्ज्

Bṛih. 1. 3. 8. क नु सोऽभूद्यो न इत्थमसक्त

Brih. 3. 9. 26. असङ्गो न हि सज्यते 4. 2. 4; 4. 4. 22; 4. 5. 15.
4. 4. 6. तदेव सक्तः सह कर्मणैति
Maitri. 4. 2. येषां सक्तस्तु भूतात्मा
6. 28. पुत्रदारकुटुम्बेषु सक्तस्य
Gîtâ. 3. 25. सक्ताः कर्मण्यविद्वांसः
28. इति मत्वा न सज्जते
29. सज्जन्ते गुणकर्मसु
5. 12. फले सक्तो निबध्यते
14. 9. सत्त्वं सुखे सञ्जयति
— तमः प्रमादे सञ्जयत्युत
18. 22. एकस्मिन् कार्ये सक्तम्

सञ्जन्

Śwet. 2. 6. तत्र सञ्जायते मनः
Śiras. 6. अक्षरात् सञ्जायते कालः
Mukti. 2. 25. अतिचञ्चलं चित्तं सञ्जायते
Gîtâ. 1. 11. तस्य सञ्जनयन् हर्षम्
2. 62. संगात्सञ्जायते कामः
13. 26. यावत्सञ्जायते किञ्चित्
14. 17. सत्त्वात्सञ्जायते ज्ञानम्

सञ्जय

Gîtâ. 1. 1. किमकुर्वत सञ्जय

सञ्ज्ञा

Brih. 2. 4. 12. न प्रेत्य संज्ञास्ति 13; 4. 5. 13.
Maitri. 6. 10. सुखदुःखमोहसंज्ञं .. इदं जगत्
Mukti. 1. 7. संज्ञार्थं तान्ब्रवीमि ते

सञ्ज्ञान

Ait. 5. 2. संज्ञानमाज्ञानं विज्ञानं प्रज्ञानम्

सञ्ज्ञित

Râmot. 3. मूलप्रकृतिसंज्ञिता
Gîtâ. 11. 1. अध्यात्मसंज्ञितम्

सञ्ज्वल्

Nrisut. 3. तदधिष्ठानमात्मानं संज्वाल्य
7. स एतत् सर्वं .. संज्वाल्य

सत्

Kaush. 1. 6. यदन्यद्देवेभ्यश्च प्राणेभ्यश्च तत्सत्
Chhâ. 3. 19. 1. तत्सदासीत्तत्समभवत्
6. 2. 1. सदेव सोम्येदमग्र आसीत्
— तस्मादसतः सज्जायेत
2. कथमसतः सज्जायेतेति
— सत्त्वेव सोम्येदमग्र आसीत्
6. 8. 1. सता सोम्य तदा सम्पन्नो भवति
4. सन्मूलमन्विच्छ 6.
6. 9. 2. इमाः सर्वाः प्रजाः सति सम्पद्य न विदुः सति सम्पद्यामहे
6. 10. 2. इमाः सर्वाः प्रजाः सत आगम्य न विदुः सत आगच्छामहे
6. 13. 2. सत्सोम्य न निभालयसे
8. 3. 5. तद्यत्सत्तदमृतम्
8. 5. 2. सत आत्मनस्त्राणं विन्दते
Brih. 1. 3. 28. असतो मा सद्गमय (bis)
— सदमृतम्
2. 3. 1. द्वे वाव ब्रह्मणो रूपे .. सच्च त्यं च
2. एतं मर्त्यमेतात्स्थितमेतत्सत् 4.
— एतस्य सत एष रसो य एष तपति सतो ह्येष रसः
4. एतस्य सत एष रसो यश्चक्षुः सतो ह्येष रसः
Tait. 2. 6. 1. तदनुप्रविश्य सच्च त्यच्चाभवत्
2. 7. 1. ततो वै सदजायत

Katha. 1. 1. तं ह कुमारं सन्तं..श्रद्धाविवेश
Swet. 4. 18. यदातमस्तन्न..सन्नचासन्
Maitri. 6. 30. सद्ब्रह्मणि सत्यभिलाषिणि
Mund.2. 2. 1. एतज्ज्ञानथ सदसद्वरेण्यम्
Mahânâr. 7. 5. सतां शाक्यः प्रोवाचोपनिषदिन्द्रो ज्येष्ठः
21. 2. सतां हि सत्यं तस्मात्सत्ये रमन्ते
Praśna. 2. 5. सदसच्चामृतं च यत्
4. 5. सच्चासच्च सर्वं पश्यति
Kaivalya. 1. सदा सद्भिः सेव्यमानाम्
Gauḍa. 1. 6. प्रभवः सर्वभावानां सताम्
2. 9. बहिश्चेतोगृहीतं सत् 10.
3. 27. सतो हि मायया जन्म युज्यते न तत्त्वतः
4. 22. सदसत्सदसच्चापि
37. सज्जागरितमिष्यते
40. सदसद्धेतुकं तथा
— सच्च सद्धेतुकं नास्ति
Nṛip. 1. 1. सतो बन्धुमसति निरविन्दन्
Nṛisut. 7. सद्धीदं सर्वं सत्सदिति (Nârâyaṇa explains this and सदिति ; 3 MSS. read तत्सदिति)
— किं सदितीदमिदं नेत्यनुभूतिरिति
8. न हि वस्तुतः सत्
— आत्मा हीदं सर्वं सदेव
9. सदेव पुरस्तात्
Sarvop. 4. न सती नासती न सदसती
— विकारहेतौ..अनिरूप्यमाणे सती
Râmot. 3. अहमों तत्सद्यत्परं ब्रह्म
Gitâ. 2. 16. नाभावो विद्यते सतः
9. 19. सदसच्चाहमर्जुन
Gitâ. 11. 37. त्वमक्षरं सदसत्तत्परं यत्
13. 12. न सत्तन्नासदुच्यते
17. 23. ओं तत्सदिति निर्देशो ब्रह्मणः
26. सदित्येतत्प्रयुज्यते
— सच्छब्दः पार्थ युज्यते
27. सदिति चोच्यते
— सदित्येवाभिधीयते

सततम्

Mahânâr. 11. 9. सततं तु शिराभिस्तु
Nṛisut. 7. सततं ह्येतद्ब्रह्म
Brahmab. 20. सततं मन्थयितव्यम्
Yogaśi. 3. ध्यायेत सततं प्राज्ञः
Kâlâg. 2. स सततं रुद्रजापी भवति
Kṛish. 8. स्तुवन्ति सततं यन्मे
Mukti. 2. 29. आवासनत्वात्सततम्
Gîtâ. 3. 19. तस्मादसक्तः सततम्
6. 10. योगी युञ्जीत सततमात्मानम्
8. 14. अनन्यचेताः सततम्
9. 14. सततं कीर्तयन्तो माम्
12. 14. सन्तुष्टः सततं योगी
17. 24. सततं ब्रह्मवादिनाम्
18. 57. मच्चित्तः सततं भव

सततयुक्त

Gîtâ. 10. 10. तेषां सततयुक्तानाम्
12. 1. एवं सततयुक्ता ये

सतत्त्व

Kâlâg. 1. अधीहि भगवंस्त्रिपुण्ड्रविधिसतत्त्वं (so Nârâyaṇa; other MSS. °विधिम्)

सतूर्य

Katha. 1. 25. इमा रामाः सरथाः सतूर्याः

सतूलिका

Râmap. 86. मृदुश्लक्ष्णसतूलिकायाम्

सत्कार

Gitâ. 17. 18. सत्कारमानपूजार्थम्

सत्कुलभव

Mukti. 1. श्रद्धावन्तं सत्कुलभवम्

सत्कृत

Gopi. 5. राजभिः सत्कृतो भवेत्

सत्तम

Chhâ. 2. 9. 5. तस्मात्ते सत्तमाः प्राजापत्यानाम्

सत्तामात्र

Nrisut. 9. सत्तामात्रं हीदं सर्वम्
Sarvop. 4. केवलः सत्तामात्रः

सत्त्रायण

Chhâ. 8. 5. 2. यत्सत्त्रायणमित्याचक्षते

सत्त्व

Katha. 6. 7. मनसः सत्त्वमुत्तमं सत्त्वादधि महानात्मा
Śwet. 3. 12. सत्त्वस्यैष प्रवर्त्तकः
Maitri. 4. 3. तपसा प्राप्यते सत्त्वं सत्त्वात्सम्प्राप्यते मनः
5. 2. एतद्वै सत्त्वस्य रूपं तत्सत्त्वमेवेरितम्
6. 38. तेजोमध्ये स्थितं सत्त्वं सत्त्वमध्ये स्थितो ऽच्युतः
Nrisut. 9. अस्य सत्त्वमसत्त्वं च दर्शयति
Nâda. 2. शरीरं सत्त्वमुच्यते
Kâlâg. 2. द्वितीया रेखा सा..सत्त्वम्
Jâbâla. 4. सत्त्वं रजस्तम इति Gitâ. 14. 5.
Krish. 5. सत्त्वराजसतामसी
Râmap. 15. रजःसत्त्वतमोगुणैः
38. रजः सत्त्वं तमः
Gitâ. 10. 36. सत्त्वं सत्त्ववतामहम्
41. यद्यद्विभूतिमत्सत्त्वम्
13. 26. सत्त्वं स्थावरजंगमम्
14. 6. तत्र सत्त्वं निर्मलत्वात्प्रकाशकम्
9. सत्त्वं सुखे सञ्जयति
10. सत्त्वं भवति भारत
— रजः सत्त्वं तमश्चैव तमः सत्त्वं रजस्तथा
11. विवृद्धं सत्त्वमित्युत
14. यदा सत्त्वे प्रवृद्धे तु
17. सत्त्वात्सञ्जायते ज्ञानम्
17. 1. सत्त्वमाहो रजस्तमः
8. *vide* विवर्द्धन
18. 40. सत्त्वं प्रकृतिजैर्मुक्तम्

सत्त्ववन्त्

Gitâ. 10. 36. सत्त्वं सत्त्ववतामहम्

सत्त्वशुद्धि

Chhâ. 7. 26. 2. आहारशुद्धौ सत्त्वशुद्धिः सत्त्वशुद्धौ ध्रुवा स्मृतिः

सत्त्वसंशुद्धि

Gitâ. 16. 1. अभयं सत्त्वसंशुद्धिः

सत्त्वसमाविष्ट

Gitâ. 18. 10. त्यागी सत्त्वसमाविष्टः

सत्त्वस्थ

Maitri. 6. 30. शुचौ देशे शुचिः सत्त्वस्थः
Chûl. 2. अन्तः पश्यति सत्त्वस्थम्
Gitâ. 14. 18. ऊर्ध्वं गच्छन्ति सत्त्वस्थाः

सत्त्वादि

Sarvop. 2. मनआदिश्च प्राणादिश्च सत्त्वादिश्च

सत्त्वानुरूप

Gitâ. 17. 3. सत्त्वानुरूपा सर्वस्य श्रद्धा

सत्त्वान्तरस्थ

Maitri. 6. 38. सत्त्वान्तरस्थमचलममृतम्

सत्पति

Praśna. 2. 11. अत्ता विश्वस्य सत्पतिः

सत्प्रतिष्ठ

Chhâ. 6. 8. 4. सर्वाः प्रजाः सदायतनाः सत्प्रतिष्ठाः 6.

सत्य

Kaush. 1. 2. तेन सत्येन तेन तपसा ऋतुरस्मि
6. सत्यमिति ब्रूयात् किं तद्यत्सत्यम्
— एतया वाचाभिव्याह्रियते सत्यम्
3. 1. इन्द्रः सत्यादेव नेयाय सत्यं हीन्द्रः
2. आप्नोति प्रज्ञया सत्यं संकल्पम्
4. 2. विद्युति सत्यम्
— सव्ये ऽक्षिणि सत्यस्य
5. सत्यस्यात्मेति वा अहमेतमुपासे
— एतमेवमुपास्ते सत्यस्यात्मा भवति
18. सत्यस्यात्मा . . तेजस आत्मेति वा अहमेतमुपासे

Kena. 13. इह चेदवेदीत् सत्यमस्ति
33. सत्यमायतनम्

Chhâ. 1. 2. 3. तस्मात्तयोभयं वदति सत्यं चानृतं च
3. 11. 2. देवास्तेनाहं सत्येन मा विराधिषि ब्रह्मणा
4. 4. 5. न सत्यादगाः
6. 1. 4. मृत्तिकेत्येव सत्यम्
5. लोहमित्येव सत्यम्

Chhâ. 6. 1. 6. कृष्णायसमित्येव सत्यम्
6. 4 1. त्रीणि रूपाणीत्येव सत्यम् 2, 3, 4.
6. 8. 7. तत्सत्यं स आत्मा 6. 9. 4; 6. 10. 3; 6. 11. 3; 6. 12. 3; 6. 13. 3; 6. 14. 3; 6. 15. 3; 6. 16. 3.
6. 16. 2. सत्यमात्मानं कुरुते . . सत्येनात्मानमन्तर्धाय
7. 2. 1. सत्यं चानृतं च 7. 7. 1.
— न सत्यं नानृतम्
7. 16. 1. एष तु अतिवदति यः सत्येनातिवदति सो ऽहं भगवः सत्येनातिवदानीति सत्यं त्वेव विजिज्ञासितव्यमिति सत्यं . . विजिज्ञास इति
7. 17. 1. यदा वै विजानात्यथ सत्यं वदति नाविजानन् सत्यं वदति विजानन्नेव सत्यं वदति
8. 1. 5. एतत्सत्यं ब्रह्मपुरम्
6. व्रजन्त्येतांश्च सत्यान्कामान्
8. 3. 1. सत्याः कामा अनृतापिधानाः 2.
— तेषां सत्यानां सतामनृतमपिधानम्
4. ब्रह्मणो नाम सत्यमिति

Bṛih. 1. 4. 14. यो वै स धर्मः सत्यं वै तत्
— सत्यं वदन्तमाहुर्धर्मं वदतीति धर्मं वा वदन्तं सत्यं वदतीति
1. 6. 3. एतदमृतं सत्येन छन्नम्
— नामरूपे सत्यम्
2. 1. 20. तस्योपनिषत्सत्यस्य सत्यमिति Maitri. 6. 32.

Brih. 2. 1. 20. प्राणा वै सत्यं तेषामेष सत्यम्
2. 3. 6. अथ नामधेयं सत्यस्य सत्यमिति प्राणा वै सत्यं तेषामेष सत्यम्
2. 5. 12. सत्यं सर्वेषां भूतानां मध्वस्य सत्यस्य सर्वाणि . . मधु
— अयमस्मिन्सत्ये . . पुरुषः
3. 9. 12. तस्य का देवतेति सत्यमिति
23. कस्मिन्नु दीक्षा प्रतिष्ठितेति सत्य इति तस्मादपि दीक्षितमाहुः सत्यं वदेति सत्ये ह्येव दीक्षा . . कस्मिन्नु सत्यम्
— हृदयेन सत्यं जानाति हृदये ह्येव सत्यं प्रतिष्ठितम्
4. 1. 4. सत्यमित्येनदुपासीत
— स आहाद्राक्षमिति तत्सत्यम्
5. 4. 1. तदास सत्यमेव . . सत्यं ब्रह्म . . सत्यं ब्रह्मेति सत्यं ह्येव ब्रह्म
5. 5. 1. आपः सत्यमसृजन्त सत्यं ब्रह्म
— ते देवाः सत्यमेवोपासते
— एतत् त्र्यक्षरं सत्यमिति
— प्रथमोत्तमे अक्षरे सत्यम्
— अनृतमुभयतः सत्येन परिगृहीतम्
2. यत्तत्सत्यमसौ स आदित्यः
5. 14. 4. तद्वै तत्सत्ये प्रतिष्ठितं चक्षुर्वै सत्यं चक्षुर्हि वै सत्यम्
— तद्वै तत्सत्यं बले प्रतिष्ठितं तस्मादाहुर्बलं सत्यादोगीयः
5. 15. 1. हिरण्मयेन पात्रेण सत्यस्यापिहितं मुखं Íśâ. 15; Maitri. 6. 35.

Brih. 6. 2. 15. ये चामी अरण्ये श्रद्धां सत्यमुपासते
Tait. 1. 1. 1. ऋतं वदिष्यामि सत्यं वदिष्यामि
1. 9. 1. सत्यं च स्वाध्यायप्रवचने च
— सत्यमिति सत्यवचा राथीतरः
1. 11. 1. सत्यं वद धर्मं चर
— सत्यान्न प्रमदितव्यम्
1. 12. 1. ऋतमवादिषं सत्यमवादिषम्
2. 1. 1. सत्यं ज्ञानमनन्तं ब्रह्म
2. 4. 1. सत्यमुत्तरः पक्षः
2. 6. 1. सत्यमभवद्यदिदं किञ्च तत्सत्यमित्याचक्षते
Swet. 1. 15. सत्येनैनं तपसा योऽनुपश्यति Brahma. 3.
Maitri. 6. 3. यदमूर्त्तं तत्सत्यम्
6. स सत्यं प्रजापतिस्तप्त्वा
— सत्यं वै चक्षुः
8. एष हि खल्वात्मा . . सत्यम् 7. 7.
7. 7. सत्ये नभसि हिताय नमः
10. सत्यमिवानृतं पश्यन्ति
— यद्वेदेष्वभिहितं तत् सत्यम्
11. सत्यानृतोपभोगार्थः
Mund. 1. 1. 8. अन्नात्प्राणो मनः सत्यम्
1. 2. 1. तदेतत्सत्यम् 2. 1. 1; 2. 2. 2.
13. येनाक्षरं पुरुषं वेद सत्यम्
2. 1. 7. श्रद्धा सत्यं ब्रह्मचर्यं विधिश्च
3. 1. 5. सत्येन लभ्यस्तपसा ह्येष आत्मा
6. सत्यमेव जयते नानृतम्
— सत्येन पन्था विततो देवयानः
— यत्र तत्सत्यस्य परमं निधानम्

Muṇḍ.3. 2. 11. तदेतत्सत्यमृषिरङ्गिराः पुरोवाच

Mahânâr. 1. 6. तदेवर्तं तदु सत्यमाहुः

5. 5. ऋतं च सत्यं चाभीद्धात्तपसो ऽध्यजायत

8. 1. ऋतं तपः सत्यं तपः

12. 1. ऋतं सत्यं परं ब्रह्म Nṛip. 1. 6.

3. आदित्यो वै . . सत्यः

— किं तत्सत्यमन्नमायुः

13. 1. अर्चयन्ति तपः सत्यम् Siras. 6.

7. या सा सत्येत्यमृतेति वसिष्ठः

14. 3. सत्ये ज्योतिषि जुहोमि

15. 3. भूर्भुवः सुवर्महर्जनस्तपः सत्यम्

21. 2. सत्यं परं परं सत्यं सत्येन न सुवर्गाल्लोकाच्च्यवन्ते

— सतां हि सत्यं तस्मात् सत्ये रमन्ते

22. 1. सत्येन वायुरावाति सत्येनादित्यो रोचते दिवि

— सत्यं वाचः प्रतिष्ठा सत्ये सर्वं प्रतिष्ठितं तस्मात् सत्यं परमं वदन्ति

Praśna. 1. 15. येषु सत्यं प्रतिष्ठितम्

2. 8. ऋषीणां चरितं सत्यम्

Gauḍa. 1. 12. न सत्यं नापि चानृतम्

3. 48. एतत्तदुत्तमं सत्यम् 4. 71.

4. 78. बुध्वा निमित्ततां सत्याम्

Nṛisut. 9. सत्यो मुक्तो निरञ्जनः

— सत्यं हीत्थं पुरस्तात्

— सत्यं सूक्ष्मं परिपूर्णमद्वयम्

— तदेतत्सत्यमात्मा ब्रह्मैव

— अत्र ह्येव न विचिकित्स्यमित्यों सत्यम्

Siras. 1. छन्दोहं सत्योहम्

— सत्येन सत्यं . . तर्पयामि

2. यो वै रुद्रः . . यच्च सत्यम्

7. ओं सत्यमों सत्यम्

Mahâ. 2. बिभ्रच्छ्रियं सत्यं ब्रह्मचर्यम्

Tejo. 11. न च सत्यं न संविदुः

Sarvop. 3. सत्यं ज्ञानमनन्तमानन्दं ब्रह्म

— सत्यमविनाशि

Aruṇeya. 4. ब्रह्मचर्यमहिंसां चापरिग्रहं च सत्यं च

Kâlâg. 2. ओं सत्यमित्युपनिषत् Mukti. 2. 78.

Kṛish. 17. सत्याक्रूरो दमोद्भवः

Mukti. 2. 17. सम्यगालोकनात्सत्यात्

Gîtâ. 10. 4. क्षमा सत्यं दमः शमः

16. 2. अहिंसा सत्यमक्रोधः

7. न सत्यं तेषु विद्यते

17. 15. सत्यं प्रियहितं च यत्

18. 65. सत्यं ते प्रतिजाने

1. सत्यकाम *adj.*

Chhâ. 8. 1. 5. सत्यकामः सत्यसंकल्पः 8. 7. 1, 3.

Maitri. 7. 7. सत्यसंकल्पः सत्यकामः

Muṇḍ.1. 2. 1. तान्याचरथ नियतं सत्यकामाः

2. सत्यकाम

Chhâ. 4. 4. 1. सत्यकामो जाबालः 2, 4; 5. 2. 3; Bṛih. 4. 1. 6; 6. 3. 12.

2. सत्यकामो नाम त्वमसि 4.

4. 5. 1. एनं . . अभ्युवाद सत्यकामा३ 4. 6. 2; 4. 7. 2; 4. 8. 2; 4 9. 1.

4. 10. 1. सत्यकामे जाबाले

Bṛih. 6. 3. 11. सत्यकामाय जाबालाय

Maitri. 6. 5. एतद्वै सत्यकाम परं चापरं च ब्रह्म Praśna. 5. 2.

Praśna. 1. 1. शैब्यश्च सत्यकामः 5. 1. 3. सत्यकाम

Maitri. 6. 38. सत्यकामसर्वज्ञत्वसंयुक्तं चैतन्यम्

सत्यकामतस्

Maitri. 6. 34. स्वयोना उपशान्तस्य मनसः सत्यकामतः

सत्यता

Bṛih. 4. 1. 4. का सत्यता . . चक्षुरेव

सत्यधर्म

Bṛih. 5. 15. 1. तत्त्वं पूषन्नपावृणु सत्यधर्माय Iśâ. 15 ; Maitri. 6. 35.

Maitri. 6. 35. एष ह वै सत्यधर्मो यदादित्यस्यादित्यत्वम्

— एतत्सत्यधर्मो नभसो ऽन्तर्गतस्य तेजसोंऽशमात्रं (bis).

— एतत् सवित् सत्यधर्मः

सत्यधृति

Kaṭha. 2. 9. सत्यधृतिर्वतासि

सत्यपूत

Nṛip. 5. 3. स सत्यपूतो भवति Śiras. 7 ; Mahâ. 4.

सत्यप्रसव

Bṛih. 6. 4. 19. देवाय सवित्रे सत्यप्रसवाय स्वाहा

सत्यभामा

Kṛish. 16. सत्यभामाहिंसेति वै

सत्यभूय

Bṛih. 5. 5. 1. एतदनृतमुभयतः सत्येन परिगृहीतं सत्यभूयमेव भवति

सत्ययज्ञ

Chhâ. 5. 11. 1. सत्ययज्ञः पौलुषिः

5. 13. 1. सत्ययज्ञं पौलुषिम्

सत्यलोक

Nṛip. 5. 6. स सत्यलोकं जयति

Nâda. 4. सत्यलोको व्यवस्थितः

Aruṇeya. 1. सत्यलोकं च . . विसृजेत्

सत्यवचन

Chhâ. 3. 17. 4. अहिंसा सत्यवचनमिति

सत्यवचस्

Tait. 1. 9. 1. सत्यवचा राथीतरः

सत्यवाह

Muṇḍ. 1. 1. 2. भारद्वाजाय सत्यवाहाय

सत्यसङ्कल्प

Chhâ. 3. 14. 2. भारूपः सत्यसङ्कल्पः Maitri. 2. 6.

8. 1. 5. सत्यकामः सत्यसङ्कल्पः 8. 7. 1, 3.

Maitri. 7. 7. सत्यसङ्कल्पः सत्यकामः

सत्यस्वरूप

Nṛisut. 5. तस्मादेष सत्यस्वरूपः

सत्यात्मन्

Tait. 1. 6. 2. सत्यात्म प्राणारामं मनआनन्दम्

सत्याभिसन्ध

Chhâ. 6. 16. 2. स सत्याभिसन्धः सत्येनात्मानमन्तर्धाय

सत्र

Mahânâr. 25. 1. सर्ववेदसं वा एतत्सत्रम्

— एतद्वै जरामर्यमग्निहोत्रं सत्रम्

सत्वन्

Nîla. 11. अथो ये अस्य सत्वानः

सत्वन्मत्स्य

Kaush. 4. 1. सो ऽवसत्. . सत्वन्मत्स्येषु (so one MS.; another reads सत्वमत्स्येषु)

सत्संविन्मय

Nṛisut. 9. ततो यूयमेव स्वप्रकाशा इति होवाच न च सत्संविन्मयाः

सत्संविन्मयत्व

Nṛisut. 9. इदं हि सत्संविन्मयत्वाद्यूयमेव

सद्

Mahânâr. 6. 7. सनाद्य होता नव्यश्च सत्सि
20. 12. शरीरं यज्ञः शमलं कुसीदं तस्मिन्सीदतु यो ऽस्मान्द्वेष्टि

Atmapra. 1. विष्णुं ध्यायन्न सीदति

Gîtâ. 1. 29. सीदन्ति मम गात्राणि

सदधीयान

Maitri. 6. 30. सदधीयानः सद्वादी

सदम्

Swet. 4. 22. हविष्मन्तः सदमित्त्वा हवामहे (so all the MSS.)

सदश्व

Kaṭha. 3. 6. सदश्वा इव सारथेः

सदस्

Kaush. 1. 1. सदस्येव वयं स्वाध्यायमधीत्य

Nîla. 19. येषामप्सु सदस्कृतम्

सदसत्फलमय

Maitri. 4. 2. सदसत्फलमयैः पाशैः पङ्गुरिव बद्धम्

सदसद्योनि

Maitri. 3. 1. सदसद्योनिमापद्यता इति 2 (bis).

Gîtâ. 13. 21. सदसद्योनिजन्मसु

सदसद्विहीन

Kaivalya. 24. समस्तसाक्षिं सदसद्विहीनम्

सदसस्पति

Mahânâr. 2. 7. सदसस्पतिमद्भुतं प्रियमिन्द्रस्य काम्यम्

सदस्य

Prâṇâg. 3. शारीरयज्ञस्य. . के सदस्याः
4. तन्मात्राणि सदस्याः

सदा

Kaṭha. 3. 5. अयुक्तेन मनसा सदा
6. युक्तेन मनसा सदा
7. अमनस्कः सदा शुचिः
8. समनस्कः सदा शुचिः
6. 17. सदा जनानां हृदये सन्निविष्टः Śwet 3. 13; 4. 17.

Kaivalya. 1. सदा सद्भिः सेव्यमानाम्
21. चित् सदाहम्

Gauḍa. 1. 12. तुर्यं तत्सर्वदृक् सदा
3. 7. नैवात्मनः सदा जीवः
4. 20. सदा साध्यसमो हि सः
27. न सदा चित्तं संस्पृशति
42. अजातेस्त्रसतां सदा
52. यतो ऽचिन्त्याः सदैव ते
63. जीवान् पश्यति· यान् सदा 65.
82. दुःखं विव्रियते सदा
84. ग्रहैर्यासां सदा वृतः
88. सदा बुद्धैः प्रकीर्त्तितम्
94. भेदे विचरतां सदा
97. असङ्गता सदा नास्ति

Nrip. 5. 10. सदा पश्यन्ति सूरयः
Aruṇeya. 5; Vâsu 4; Skanda 15; Mukti 2. 77.
Nrisut. 7. स्वे महिम्नि सदा समासते
Amrita. 35. सदा व्यावृत्य तिष्ठति
Haṁsa. 1. सदायं सर्वेषु देहेषु व्याप्तः
Parama. 1. तत्सदा मय्येवावतिष्ठते
3. सदात्मा आत्मन्येवावतिष्ठते
Aśrama. 1. सदा परदारवर्जी
Râmot. 3. सदा रामो ऽहम्
Mukti. 2. 75. सदैव तृप्तो ऽहमितीह भावय
Gîtâ. 5. 28. यः सदा मुक्त एव सः
6. 15. युञ्जन्नेवं सदात्मानम् 28.
8. 6. सदा तद्भावभावितः
10. 17. त्वां सदा परिचिन्तयन्
18. 56. सर्वकर्माण्यपि सदा कुर्वाणः

सदाचार

Gopî. 5. सदाचारः शुभाकल्पः
Mukti. 1. 22. सदाचाररतो भूत्वा

सदानन्द

Nrip. 5. 10. सदानन्दं परमानन्दम्
Nrisut. 9. सदानन्दचिन्मात्रमात्मैव

सदाम

Bṛih. 2. 2. 1. सप्रत्याधानं सस्थूणं सदामम्

सदायतन

Chhâ. 6. 8. 4. सर्वाः प्रजाः सदायतनाः सत्प्रतिष्ठाः 6.

सदाशिव

Mahânâr. 17. 5. ब्रह्मा शिवो मे अस्तु सदाशिवोम्
Nrip. 5. 10. शाश्वतं शान्तं सदाशिवम्
Haṁsa. 2. सदाशिवः शक्त्यात्मा
Kâlâg. 2. द्वितीया मात्रा सा . . सदाशिवः
Kaivalya. 18. चिन्मात्रो ऽहं सदाशिवः
Skanda. 7. कर्मनाशे सदाशिवः
— पाशमुक्तः सदाशिवः

सदृश

Gauḍa. 2. 6. वितथैः सदृशाः सन्तः 4. 31.
4. 79. सदृशे तत्प्रवर्त्तते
Nyâsa. 2. दारमाहृत्य सदृशम्
Gîtâ. 3. 33. सदृशं चेष्टते स्वस्याः प्रकृतेः
4. 38. न हि ज्ञानेन सदृशम्
11. 12. सदृशी सा स्याद्भासस्तस्य महात्मनः
16. 15. को ऽन्यो ऽस्ति सदृशो मया

सदेव

Bṛih. 3. 9. 19. दिशः . . सदेवाः सप्रतिष्ठाः (bis).

सदैकरस

Nrisut. 2. नित्यानन्दं सदैकरसम्

सदोज्ज्वल

Nrisut. 2. व्याप्तः सदोज्ज्वलः
Râmot. 3. स आत्मा विज्ञेयः सदोज्ज्वलः

सदोदित

Nâda. 17. सदोदितं परं ब्रह्म

सदोष

Gîtâ. 18. 48. सदोषमपि न त्यजेत्

सद्गुरु

Mukti. 1. सद्गुरुं विधिवदुपसंगम्य

सद्घन

Nrisut. 8. सद्घनो ऽयं चिद्घनः

सद्धेतुक

Gauda. 4. 40. सञ्च सद्धेतुकं नास्ति सद्धेतुकमसत्कुतः

सद्ध्यायिन्

Maitri. 6. 30. सद्ध्यायी सद्याजी स्यात्

सद्ब्रह्मन्

Maitri. 6. 30. सद्ब्रह्मणि सत्यभिलाषिणि निर्वृत्तो ऽन्यः

सद्भाव

Gauda. 4. 57. सद्भावेन ह्यजं सर्वम्
Gîtâ. 17. 26. सद्भावे साधुभावे च

सद्मन्

Kaṭha. 2. 13. विवृतं सद्म नचिकेतसं मन्ये
Gopî. 5. वसुदेवसद्मनि

सद्यस्

Mahânâr. 2. 6. परि द्यावापृथिवी यन्ति सद्यः

सद्याजिन्

Maitri. 6. 30. सद्ध्यायी सद्याजी स्यात्

सद्यादि

Kâlâg. 1. सद्यादिपञ्चब्रह्ममंत्रैः परिगृह्य

सद्योजात

Mahânâr.17. 1. सद्योजातं प्रपद्यामि सद्योजाताय वै नमः

सद्वस्तु

Mukti. 2. 50. सद्वस्त्विति विमुह्यति

सद्वादिन्

Maitri. 6. 30. सदधीयानः सद्वादी

सधनुष्पाणि

Râmap. 28. सधनुष्पाणिना पुनः

सधस्थ

Mahânâr. 6. 6. अभिमुग्रं हुवेम परमात्सधस्थात्

सनक

Mukti. 1. 2. सनकाद्यैर्मुनिगणैः

सनग

Bṛih. 2. 6. 3. सनातनः सनगात् सनगः परमेष्ठिनः 4. 6. 3.

सनत्कुमार

Chhâ. 7. 1. 1. उपससाद सनत्कुमारं नारदः
7. 26. 2. तस्मै . . तमसः पारं दर्शयति भगवान् सनत्कुमारः
Sikhâ. 1. पिप्पलादो ऽङ्गीराः सनत्कुमारश्च
Kâlâg. 1. कालाग्निरुद्रं . . सनत्कुमारः पप्रच्छ
— अथ सनत्कुमार प्रमाणमस्य

सनत्सुजात

Haṁsa. 1. सनत्सुजात उवाच

सनवक

Garbha. 5. सनवकं स्वायुश्शतम्

सनात्

Mahânâr. 6. 7. सनाच्च होता नव्यश्च सत्सि

1. सनातन

Kaṭha. 3. 16. मृत्युप्रोक्तं सनातनम्
5. 6. गुह्यं ब्रह्म सनातनम्
6. 1. एषो ऽश्वत्थः सनातनः
Maitri. 6. 34. गुह्यमेतत् सनातनम्
Kaivalya. 8. स एव सर्वं . . सनातनम्
Krish. 1. भगवन्तं सनातनम्
Gîtâ. 1. 30. कुलधर्माः सनातनाः
2. 24. अचलो ऽयं सनातनः

Gîtâ. 4. 31. यान्ति ब्रह्म सनातनम्
7. 10. विद्धि पार्थ सनातनम्
8. 20. अव्यक्तो व्यक्तात्सनातनः
11. 18. सनातनस्त्वं पुरुषो मतो मे
15. 7. जीवभूतः सनातनः

2. सनातन

Bṛih. 2. 6. 3. सनारुः सनातनात्सनातनः सनगात् 4. 6. 3.

सनामधेय

Nyâsa. 2. सनामधेयस्तु स किम्

सनारु

Bṛih. 2. 6. 3. व्यष्टिः सनारोः सनारुः सनातनात् 4. 6. 3.

सनि

Bṛih. 2. 5. 16. तद्वां नरा सनये दंस उग्रम्
Mahânâr. 2. 7. सनिं मेधामयासिषम्

सनितृ

Mahânâr. 20. 6. देवो न सनिता . . वाजस्य सनिता (so Nârâyaṇa; all other MSS. have सविता)

सनिमित्तत्व

Gauḍa. 4. 24. प्रज्ञप्तेः सनिमित्तत्वम् 25.

सनिर्वाण

Gauḍa. 3. 47. स्वस्थं शान्तं सनिर्वाणम्

सन्तति

Ait. 4. 3. आत्मानमेव तद्भावयत्येषां लोकानां सन्तत्यै

सन्तन्

Ait. 4. 3. एवं सन्तता हीमे लोकाः
Kaush. 2. 5. एते . . आहुती . . सन्ततं जुहोति
Muṇḍ. 1. 2. 1. तानि त्रेतायां . . सन्ततानि
Praśna. 2. 12. या च मनसि सन्तता
Mahâ. 3. सन्तते शीकराभिश्च (so Nârâyaṇa; but Saṁkarânanda सन्तत्यै शीत्कराभिश्च)

सन्तप्

Mahânâr. 11. 11. सन्तापयति स्वं देहम्
Nṛip. 2. 4. तपन् वितपन् सन्तपन्

सन्तान

Tait. 1. 2. 1. साम सन्तानः

सन्तुष्

Gîtâ. 3. 17. आत्मन्येव च सन्तुष्टः
12. 14. सन्तुष्टः सततं योगी
19. सन्तुष्टो येन केनचित्

सन्तृद्

Chhâ. 2. 23. 4. यथा शंकुना सर्वाणि पर्णानि सन्तृण्णान्येवमोङ्कारेण सर्वा वाक् सन्तृण्णा

सन्तॄ

Śikha. 2. सर्वेभ्यो दुःखभयेभ्यः सन्तारयति
Râmot. 2. गर्भजन्मजरामरणसंसारमहद्भयात्सन्तारयति
Gîtâ. 4. 36. वृजिनं सन्तरिष्यसि

सन्तोष

Maitri. 6. 29. सन्तोषं . . योगाभ्यासादवाप्नोति
Garbha. 5. धृतिर्दीक्षा सन्तोषश्च

सन्त्यक्तवासन

Mukti. 2. 21. सन्त्यक्तवासनान्मौनादृते

सन्दंश्

Nyâsa. 5. सन्दश्य दशनैर्जिह्वाम्

सन्दह

Bṛih. 5. 14. 8. सर्वमेव तत्सन्दहति

सन्दिह्

Mukti. 2. 9. सन्दिग्धायामपि भृशम्

सन्दीप्

Bṛih. 6. 3. 4. आर्द्रं सन्दीप्तमसि

सन्दृभ्

Bṛih. 3. 7. 1. तत्सूत्रं..येन..सर्वाणि..सन्दृब्धानि
2. वायुना..सूत्रेण..सर्वाणि..सन्दृब्धानि

सन्दृश्

Kaivalya. 10. सर्वभूतानि चात्मनि सम्पश्यन्
Râmap. 37. देवीं सन्दृश्य
Mukti. 2. 59. सम्पश्यति यदेवैतत्
Gîtâ. 3. 20. लोकसंग्रहमेवापि संपश्यन्
11. 27. सन्दृश्यन्ते चूर्णितैरुत्तमांगैः

सन्दृश

Kaṭha. 6. 9. न सन्दृशे तिष्ठति रूपमस्य Swet. 4. 20; Mahânâr. 1. 11.

सन्देघ

Bṛih. 4. 4. 13. अस्मिन्सन्देघे गहने प्रविष्टः (so MS.)

सन्देह

Chhâ. 5. 15. 2. सन्देहस्त्वेष आत्मन इति होवाच सन्देहस्ते व्यशीर्यद्यन्मां नागमिष्यः
5. 18. 2. सन्देहो बहुलः

सन्धर्त्तृ

Śikhâ. 2. सन्धर्त्ता सर्वेभ्यो दुःखभयेभ्यः सन्तारयति

1. सन्धा

Chhâ. 4. 17. 4. यज्ञस्य विरिष्टं सन्दधाति 5, 6, 8.
Chhâ. 4. 17. 7. लवणेन सुवर्णं सन्दध्यात्
Bṛih. 6. 4. 9. मुखेन मुखं सन्धाय 10, 11, 21.
Tait. 1. 3. 4. सन्धीयते प्रजया पशुभिः
Muṇḍ. 2. 2. 3. शरं ह्युपासानिशितं सन्धीयत
Nṛisut. 3. अग्निरूपं प्रणवं सन्दध्यात्
4. ब्रह्मण्येवानुष्टुभं सन्दध्यात्
7. आत्मानं..मकारेण ब्रह्मणा सन्दध्यात्
Brahma. 1. आत्मानं नयति परं सन्धय (= सन्धाय Nâr.; but 4 MSS. read सन्धयति)
3. आत्मानं सन्धत्ते परमात्मनि
Brahmab. 7. स्वरेण सन्धयेद्योगम्
Kaṭhaśru. 1. एतेनात्मानं सन्धत्ते

2. सन्धा

Kaush. 3. 1. बह्वीः सन्धा अतिक्रम्य

सन्धातृ

Mahânâr. 24. 1. प्राणे त्वमसि सन्धाता

सन्धान

Tait. 1. 3. 2. वायुः सन्धानम्
— वैद्युतः सन्धानम्
3. प्रवचनं सन्धानम्
— प्रजननं सन्धानम्
4. जिह्वा सन्धानम्

सन्धि

Chhâ. 1. 3. 3. प्राणापानयोः सन्धिः
Tait. 1. 3. 1. आकाशः सन्धिः
2. आपः सन्धिः
3. विद्या सन्धिः
— प्रजा सन्धिः
4. वाक् सन्धिः
Kaṭha. 1. 17. त्रिभिरेत्य सन्धिम्

Garbha. 5. साशीतिकं सन्धिशतम्
Aruṇeya. 2. सन्धिं समाधावात्मन्याचरेत्
Jâbâla. 2. भ्रुवोर्घ्राणस्य च यः सन्धिः स एष द्यौर्लोकस्य परस्य च सन्धिर्भवति Râmot. 4.
— एतद्वै सन्धिं सन्ध्यां ब्रह्मविद उपासते Râmot. 4.
Râmap. 67. तत्सन्धिष्वीरजादीनाम्

सन्धिन्

Brahma. 3. सन्धिनी सर्वभूतानां सा सन्ध्या ह्येकदण्डिनाम्

सन्धृ

Brahma. 3. तैः सन्धार्यमिदं सूत्रम्

सन्ध्मा

Swet. 3. 3. सं बाहुभ्यां धमति Mahânâr. 2. 2.

सन्ध्य

Bṛih. 4. 3. 9. सन्ध्यं तृतीयं स्वप्नस्थानम्
— तस्मिन्सन्ध्ये स्थाने तिष्ठन्

सन्ध्या

Brahma. 3. तेन सन्ध्या ध्यानमेव तस्मात्सन्ध्याभिवन्दनम्
— सा सन्ध्या ह्येकदण्डिनाम्
Yogat. 6. त्रयः सन्ध्यास्त्रयः सुराः
Parama. 2. या सा सन्ध्या

सन्नम्

Kaush. 2. 6. सर्वाणि हास्मै भूतानि श्रैष्ठ्याय सन्नमन्ते

सन्नय

Bṛih. 1. 5. 17. एतन्मा सर्वं सन्नयमितोऽभुनजत्

सन्निगम्

Bṛih. 2. 1. 9. श्रैः सन्निगच्छति . . तानतिरोचते

सन्निधा

Muṇḍ. 2. 2. 1. आविः सन्निहितं गुहाचरम्
7. हृदयं सन्निधाय
Praśna. 1. 6. प्राच्यान् प्राणान् रश्मिषु सन्निधत्ते
— सर्वान् प्राणान् रश्मिषु सन्निधत्ते
3. 4. एवमेवैष प्राण इतरान् प्राणान् पृथक् पृथगेव सन्निधत्ते
Râmot. 4. अहं सन्निहितस्तत्र

सन्निधि

Haṁsa. 2. ब्रह्मात्मसन्निधौ

सन्निभ

Mahânâr. 11. 9. लम्बत्या कोशसन्निभम् Mahâ. 3.
Śiras. 5. शुद्धस्फटिकसन्निभा
Haṁsa. 1. योगिनी कोशसन्निभम्
Amṛita. 36. इन्द्रगोपकसन्निभः
Gîtâ. 11. 25. कालानलसन्निभानि

सन्नियम्

Gîtâ. 12. 4. सन्नियम्येन्द्रियग्रामम्

सन्निरुध्

Swet. 4. 9. अन्यो मायया सन्निरुद्धः
Brahmab. 4. सन्निरुद्धं मनो हृदि

सन्निविश्

Kaṭha. 6. 17. सदा जनानां हृदये सन्निविष्टः Śwet. 3. 13; 4. 17.
Śwet. 2. 8. हृदीन्द्रियाणि मनसा सन्निवेश्य
6. 15. स एवाग्निः सलिले सन्निविष्टः
Maitri. 6. 7. विभुर्विग्रहे सन्निविष्टः
Gîtâ. 15. 15. सर्वस्य चाहं हृदि सन्निविष्टः

सन्नी

Bṛih. 6. 3. 1. मन्थं सन्नीय जुहोति
6. 4. 24. कंसे पृषदाज्यं सन्नीय
25. दधि मधु घृतं सन्नीय
Brahma. 1. यथैवैष कपालाष्टकं सन्न-
यति

सन्न्यस्

Nyâsa. 2. कथं सन्न्यस्त उच्यते
— यस्मिन् सन्न्यस्त उच्यते
— त्यक्त्वा कामान् सन्न्यस्यति
3. सन्न्यस्याग्निमपुनरावर्त्तनम्
Kaṭhaśru. 1. यो ऽनुक्रमेण सन्न्यसति स
सन्न्यस्तो भवति
— कथं सन्न्यस्तो भवति
— यो वा एवं क्रमेण सन्न्य-
सति
4. सन्न्यस्याग्नीन्न पुनरावर्त्त-
येत्
Parama. 1. सर्वकर्माणि सन्न्यस्य
Aruṇeya. 4. सन्न्यस्तं मया सन्न्यस्तं म-
या सन्न्यस्तं मयेति त्रिः
कृत्वा
Jâbâla. 5. मनसा वाचा वा सन्न्यसेत्
Gîtâ. 3. 30. मयि सर्वाणि कर्माणि स-
न्न्यस्य
5. 13. सर्वकर्माणि मनसा सन्न्य-
स्य
12. 6. ये तु सर्वाणि कर्माणि मयि
सन्न्यस्य
18. 57. चेतसा सर्वकर्माणि मयि
सन्न्यस्य

सन्न्यसन

Gîtâ. 3. 4. न च सन्न्यसनादेव

सन्न्यास

Nyâsa. 2. सन्न्यासं सहते ऽर्चिमान्
Kaṭhaśru. 1. को ऽयं सन्न्यास उच्यते
3. तस्य सन्न्यासो गुरुभिरनु-
ज्ञातस्य बान्धवैश्च
Jâbâla. 4. भगवन् सन्न्यासमनुब्रूहि
6. सन्न्यासेन देहत्यागं करोति
Mukti. 1. 36. *vide* अक्षमालिका
1. *vide* जाबालि
Gîtâ. 5. 1. सन्न्यासं कर्मणां कृष्ण
2. सन्न्यासः कर्मयोगश्च
6. सन्न्यासस्तु महाबाहो
6. 2. यं सन्न्यासमिति प्राहुः
18. 1. सन्न्यासस्य . . तत्त्वम्
2. सन्न्यासं कवयो विदुः
7. नियतस्य तु सन्न्यासः
49. सन्न्यासेनाधिगच्छति

सन्न्यासयोग

Muṇḍ. 3. 2. 6. सन्न्यासयोगाद्यतयः शुद्ध-
सत्त्वाः Mahânâr. 10. 6;
Kaivalya. 3.

सन्न्यासयोगयुक्त

Gîtâ. 9. 28. सन्न्यासयोगयुक्तात्मा

सन्न्यासिन्

Maitri. 6. 10. सन्न्यासी योगी चात्मयाजी
च (bis).
Jâbâla. 5. तेनेति सन्न्यासी ब्रह्मवित्
Gîtâ. 6. 1. स सन्न्यासी च योगी च
4. सर्वसंकल्पसन्न्यासी
18. 12. न तु सन्न्यासिना क्वचित्

सन्मात्र

Nṛisut. 2. सर्वाधिष्ठानः सन्मात्रः
Râmot. 3.
9. सन्मात्रो नित्यः शुद्धो बुद्धः
— पश्यतेहापि सन्मात्रमसद-
न्यत्

सन्मार्गगमन

Amṛita. 25. अतः समभ्यसेन्नित्यं सन्मा-
र्गगमनाय वै

सन्मुख (?)

Gopi. 5. देवाः सन्मुखास्तानुपासते (so all the MSS. but one which reads देवास्तन्मुखाः)

सन्मूल

Chhâ. 6. 8. 4. सन्मूलाः सोम्येमाः सर्वाः प्रजाः 6.

सपत्तन

Râmap. 93. सपत्तनः सानुजः सर्वलोकी (so 5 MSS. and Weber; but Nâr. has ससपत्नजः)

सपत्न

Bṛih. 1. 5. 12. द्वितीयो वै सपत्नो नास्य सपत्नो भवति य एवं वेद

Tait. 3. 10. 4. पर्येणं म्रियन्ते द्विषन्तः सपत्नाः

Mahânâr. 22. 1. तपसा सपत्नान् प्रणुदामारातीः

Gîtâ. 11. 34. युध्यस्व जेतासि रणे सपत्नान्

सपत्नातिव्याधिन्

Bṛih. 3. 8. 2. द्वौ बाणवन्तौ सपत्नातिव्याधिनौ

सपरिवार

Nṛisut. 3. अथ महापीठे सपरिवारं तं ..सन्दध्यात्

सपरिश्रय

Bṛih. 6. 4. 23. सार्गलः सपरिश्रयः

सपर्वत

Nṛip. 1. 2. सपर्वतां ससप्तद्वीपां वसुन्धराम्

सपात्र

Kaush. 2. 15. उदकुंभं सपात्रमुपनिधाय

सपुराण

Râmot. 5. ये सर्वे वेदाः सांगाः सशाखाः सपुराणाः (6).

सप्तचक्र

Praśna. 1. 11. सप्तचक्रे षडरे

सप्तचत्वारिंशत्

Râmot. 5. इत्येतैः सप्तचत्वारिंशन्मन्त्रैः..स्तुवन्

सप्तचत्वारिंशद्वर्ण

Râmap. 81. सप्तचत्वारिंशद्वर्णो गुणान्तः

सप्तजिह्व

Mahânâr. 3. 6. सप्तजिह्वाय धीमहि

सप्तदश

Maitri. 7. 3. मरुतो जगती सप्तदशः.. पश्चाद्दुह्यन्ति

सप्तद्वीपवन्त्

Nṛip. 5. 2. सप्तद्वीपवती भूमिः

सप्तधा

Chhâ. 7. 26. 2. सप्तधा नवधा

सप्तधातु, °तुक

Garbha. 1. तत्सप्तधातु त्रिमलं द्वियोनिम्

2. सप्तधातुकं कस्मात्

सप्तन्

Bṛih. 1. 5. 1. यत्सप्तान्नानि मेधया तपसाजनयत् पिता 2.

2. 2. 1. सप्त ह द्विषतो भ्रातृव्यानवरुणद्धि

2. तमेताः सप्ताक्षितय उपतिष्ठन्ते

Bṛih. 2. 2. 3. तस्यासत ऋषयः सप्त तीरे (bis).
Muṇḍ. 1. 2. 4. लेलायमाना इति सप्त जिह्वाः
2. 1. 8. सप्त प्राणाः . . सप्तार्चिषः . . सप्त होमाः . . सप्त इमे लोकाः . . सप्त सप्त Mahânâr. 8. 4 (जिह्वाः for होमाः)
Mahânâr. 10. 1. सप्त हस्तासो अस्य
Praśna. 3. 5. तस्मादेताः सप्तार्चिषो भवन्ति
Nṛip. 4. 3. यो वै नृसिंहः . . याः सप्त व्याहृतयः (15).
Chûl. 9. सप्तैवैते च गीयते
Garbha. 5. सप्त शिराशतानि
Râmap. 40. सप्ततालान् विभिद्याशु
Râmot. 5. यो वै श्रीरामः . . याः सप्त व्याहृतयः
Gîtâ. 10. 6. महर्षयः सप्त पूर्वे

सप्तम

Muṇḍ. 1. 2. 3. आसप्तमांस्तस्य लोकान् हिनस्ति
Nṛip. 2. 3. भीषणं सप्तमं (स्थानं जानीयात्)
Śiras. 7. आसप्तमात्पुरुषयुगात् पुनाति Mahâ. 4.
Garbha. 3. सप्तमे जीवेन संयुक्तः
Nâda. 10. सप्तमी वैष्णवी नाम
15. सप्तम्यां वैष्णवं पदम्
Piṇḍa. 7. सप्तमेन तु पिण्डेन
Haṁsa. 2. सप्तमो वेणुनादः
— सप्तमे गूढविज्ञानम्

सप्तरात्र

Garbha. 3. सप्तरात्रोषितं बुद्बुदं (भवति)

सप्तविध

Chhâ. 2. 8. 1. अथ सप्तविधस्य
— सप्तविधं सामोपासीत 2. 9. 1; 2. 10. 1.
Chhâ. 2. 8. 3. सप्तविधं सामोपास्ते 2. 9. 8; 2. 10. 6.
Maitri. 6. 22. सप्तविधेयं नस्योपमा

सप्ताङ्ग

Mâṇḍû. 3. सप्ताङ्ग एकोनविंशतिमुखः 4; Nṛip. 4. 1; Nṛisut. 1; Râmot. 3.

सप्तात्मन्

Nṛisut. 3. सप्तात्मानं चतुरात्मानम् (5 times).

सप्तविंश

Chûl. 14. सप्तविंशमथापरे

सप्तोत्तर

Garbha. 5. सप्तोत्तरं मर्मशतम्

सप्रणव

Nṛip. 2. 2. सप्रणवं सर्वं पञ्चमं भवति
Mahâ. 2. सप्रणवा व्याहृतयः
Amṛita. 10. सव्याहृतिं सप्रणवां गायत्रीम्

सप्रतिष्ठ

Bṛih. 3. 9. 19. दिशः . . सदेवाः सप्रतिष्ठाः (bis).
Râmap. 77. सप्रतिष्ठा ह्लादिनी त्वक्

सप्रत्याधान

Bṛih. 2. 2. 1. शिशुं साधानं सप्रत्याधानम्

सप्रयोजनता

Gauḍa. 2. 7. सप्रयोजनता तेषाम् 4. 32.

सबिन्दुक

Nṛip. 5. 2. मातृकायाः सबिन्दुकाः षोडश कलाः

सभा

Chhâ. 8. 14. 1. प्रजापतेः सभां वेश्म प्रपद्ये

सभाग

Chhâ. 5. 3. 6. स ह प्रातः सभाग उदेयाय

सभाप्रपादिन्

Nila. 25. नमः सभाप्रपादिने (bis).

सभ्य

Kaṭhaśru. 1. सभ्यावसथ्ययोश्च

सम

Chhâ. 2. 9. 1. सर्वदा समस्तेन साम मां प्रति मां प्रतीति सर्वेण समस्तेन साम

2. 10. 1. हिंकार इति त्र्यक्षरं प्रस्ताव इति त्र्यक्षरं तत्समम्

2. तत इहैकं तत्समम्

3. त्रिभिस्त्रिभिः समं भवति.. त्र्यक्षरं तत्समम्

4. निधनमिति त्र्यक्षरं तत् सममेव

4. 1. 2. समं दिवा ज्योतिराततम

Bṛih. 1. 3. 22. यद्वेव समः प्लुषिणा समो मशकेन &c.

1. 5. 13. एते सर्व एव समाः

1. 6. 1. एतद्धि सर्वैर्नामभिः समम्

2. एतद्धि सर्वै रूपैः समम्

3. एतद्धि सर्वैः कर्मभिः समम्

6. 1. 3. प्रतितिष्ठति समे प्रतितिष्ठति दुर्गे (bis).

— समे च दुर्गे च प्रतितिष्ठति

Śwet. 2. 8. त्रिरुन्नतं स्थाप्य समं शरीरम्

10. समे शुचौ शर्करा..विवर्जिते

Praśna. 3. 5. एष ह्येतद्धुतमन्नं समं नयति

4. 4. एतावाहुती समं नयतीति स समानः

Gauḍa. 3. 23. समा श्रुतिः

4. 77. यानुत्पत्तिः समा या

Nṛip. 5. 10. एकेनोपनीतेन तत्समम्

— एकेन गृहस्थेन तत्समम्

— एकेन वानप्रस्थेन तत्समम्

— एकेन यतिना तत्समम्

— रुद्रजापकेन तत्समम्

— एकेनाथर्वशिरःशिखाध्यायिकेन तत्समम्

— एकेन मन्त्रराजजापकेन तत्समम्

Śiras. 1. व्योममेव स सर्वे समाः

Amṛita. 17. भूमिभागे समे रम्ये

Kaivalya. 4. शुचिः समग्रीवशिरःशरीरः

Aśrama. 4. समलोष्टाश्मकाञ्चनाः

Jâbâla. 6. लाभालाभौ समौ भूत्वा

Gopî. 5 न गङ्गया समं तीर्थम्

— काञ्चनाद्रिसमं फलम्

Râmap. 23. तेजसा वह्निना समः

Mukti. 2. 11. त्रयमेतत्समं यावन्नाभ्यस्तम्

Gîtâ. 1. 4. भीमार्जुनसमा युधि

2. 38. सुखदुःखे समे कृत्वा

48. सिद्ध्यसिद्ध्योः समो भूत्वा

4. 22. समः सिद्धावसिद्धौ च

5. 19. निर्दोषं हि समं ब्रह्म

27. प्राणापानौ समौ कृत्वा

6. 13. समं कायशिरोग्रीवम्

32. समं पश्यति यो ऽर्जुन

9. 29. समो ऽहं सर्वभूतेषु

11. 43. न त्वत्समो ऽस्त्यभ्यधिकः कुतो ऽन्यः

12. 18. समः शत्रौ च मित्रे च

— शीतोष्णसुखदुःखेषु समः

13. 27. समं सर्वेषु भूतेषु

28. समं पश्यन् हि सर्वत्र

18. 54. समः सर्वेषु भूतेषु

समकाल

Mukti. 2. 10. समकालं चिराभ्यस्ताः

समक्षम्

Gîtâ. 11. 42. एको ऽथवाप्यच्युत तत्समक्षम्

समग्र

Gîtâ. 4. 23. समग्रं प्रविलीयते
7. 1. असंशयं समग्रं माम्
11. 30. ग्रसमानः..लोकान् समग्रान्
— तेजोभिरापूर्य जगत्समग्रम्

समचित्तत्व

Gîtâ. 13. 9. नित्यं च समचित्तत्वम्

समञ्जस

Gauḍa. 3. 13. तदेवं हि समञ्जसम्

समता, समत्व

Gauḍa. 2. 5. भेदानां हि समत्वेन
3. 2. अजाति समतां गतम् 38.
Gîta. 2. 48. समत्वं योग उच्यते
10. 5. अहिंसा समता तुष्टिः

समतिसृज्

Chhâ. 1. 11. 3. एत एव समतिसृष्टाः स्तुवताम्

समती

Gîtâ. 7. 26. वेदाहं समतीतानि
14. 26. स गुणान् समतीत्यैतान्

समदर्शन

Gîtâ. 6. 29. सर्वत्र समदर्शनः

समदर्शिन्

Gîtâ. 5. 18. पण्डिताः समदर्शिनः

समदुःखसुख

Gîtâ. 2. 15. समदुःखसुखं धीरम्
12. 13. समदुःखसुखः क्षमी
14. 24. समदुःखसुखः स्वस्थः

समधिगम्

Gîtâ. 3. 4. सिद्धिं समधिगच्छति

समनस्क

Kaṭha. 3. 8. समनस्कः सदा शुचिः

समनुप्रविश्

Mahânâr. 1. 1. शुक्रेण ज्योतींषि समनुप्रविष्टः

समनुप्राप्

Gauḍa. 2. 36. अद्वैतं समनुप्राप्य

समन्ततस्

Gauḍa. 3. 2. जायमानं समन्ततः
35. ज्ञानालोकं समन्ततः
Gîtâ. 6. 24. विनियम्य समन्ततः

समन्तम्

Bṛih. 1. 3. 18. तं समन्तं परिण्यविशन्त
3. 3. 2. तं समन्तं पृथिवी..पर्येति तां समन्तं पृथिवीं..समुद्रः पर्येति

समन्तात्

Gîtâ. 11. 17. पश्यामि त्वां दुर्निरीक्ष्यं समन्तात्
30. लेलिह्यसे ग्रसमानः समन्तात्

समन्वारभ्

Bṛih. 4. 4. 2. तं विद्याकर्मणी समन्वारभेते पूर्वप्रज्ञा च

समन्वि

Śwet. 5. 8. सङ्कल्पाहङ्कारसमन्वितः
Chûl. 10. पदक्रमसमन्वितम्
Garbha. 4. जन्तुभिश्च समन्वितः
Râmap. 70. रेखात्रयसमन्वितम्
Mukti. 1. 1. सीताभरतसौमित्रिशत्रुघ्नाद्यैः समन्वितम्

Mukti. 2. 71. मनोबुद्धिसमन्विताम्
Gîtâ. 10. 8. बुधा भावसमन्विताः
18. 26. धृत्युत्साहसमन्वितः

समबुद्धि

Gîtâ. 6. 9. समबुद्धिर्विशिष्यते
12. 4. सर्वत्र समबुद्धयः

समभ्यस्

Amrita. 22. तदा योगं समभ्यसेत्
25. समभ्यसेन्नित्यं सन्मार्गगमनाय वै
Mukti. 1. 28. द्वात्रिंशाख्योपनिषदं समभ्यस्य

समभ्यादा

Bṛih. 4. 4. 1. एतास्तेजोमात्राः समभ्याददानः

समर्थ

Garbha. 3. पञ्चात्मकः समर्थः

समर्द्धयितृ

Chhâ. 1. 1. 8. समर्द्धयिता ह वै कामानां भवति

समलोष्टाश्मकाञ्चन

Gîtâ. 6. 8. योगी समलोष्टाश्मकाञ्चनः
14. 24. स्वस्थः समलोष्टाश्मकाञ्चनः

समवनी

Bṛih. 3. 2. 11. अत्रैत्र समवनीयन्ते Nṛisut. 5 (ter).

समवस्था

Gîtâ. 13. 28. समवस्थितमीश्वरम्

समवह

Chhâ. 6. 9. 1. नानात्ययानां वृक्षाणां रसान् समवहारम्

समवे

Gîtâ. 1. 1. समवेता युयुत्सवः
25. समवेतान् कुरून्

समश्

Bṛih. 4. 4. 7. अत्र ब्रह्म समश्नुते Kaṭha. 6. 14.
Tait. 2. 5. 1. सर्वान् कामान् समश्नुते
2. 6. 1. आहो विद्वानमुं लोकं प्रेत्य कश्चित्समश्नुता३उ
Mahânâr. 9. 12. उपांशुना सममृतत्वमानट्
Yogat. 5. लोकान् समश्नुते
Gopî. 5. स वै मोक्षं समश्नुते

समष्टि

Bṛih. 3. 3. 2. वायुरेव व्यष्टिर्वायुः समष्टिः

समस्

Chhâ. 2. 1. 1. समस्तस्य खलु साम्न उपासनं साधु
7. 15. 3. यद्यप्येनानुत्क्रान्तप्राणाञ्छूलेन समासं व्यतिसन्दहेत्
8. 6. 3. यत्रैतत् सुप्तः समस्तः सम्प्रसन्नः स्वप्नं न विजानाति 8. 11, 1.
Kâlâg. 2. समस्तमहापातकोपपातकेभ्यः

समस्तसाक्षि

Kaivalya. 7. समस्तसाक्षिं तमसः परस्तात् [इकारान्तः साक्षिशब्दश्छान्दसः *Nâr. Dîpikâ.*]
24. समस्तसाक्षिं सदसद्विहीनम्

समस्नेह

Mukti. 2. 70. अन्तःशान्तः समस्नेहो भव

समा

Bṛih. 5. 10. 1. तस्मिन्वसति शाश्वतीः समाः
Îśâ. 2. जिजीविषेच्छतं समाः
8. शाश्वतीभ्यः समाभ्यः
Mukti. 2. 11. समाशतैः
Gîtâ. 6. 41. उषित्वा शाश्वतीः समाः

समाकुल

Yogaśi. 5. रश्मिज्वालासमाकुलम्

समाक्रम्

Mukti. 2. 42. अङ्गानङ्गैः समाक्रम्य

1. समाख्या

Râmap. 73. यो नृसिंहः समाख्यातः
84. एवं यन्त्रं समाख्यातम्

2. समाख्या

Gauḍa. 3. 6. रूपकार्यसमाख्याश्च

समागम्

Chhâ. 1. 1. 6. यदा वै मिथुनौ समागच्छतः
Gîtâ. 1. 23. य एते ऽत्र समागताः

समागम

Maitri. 7. 11. समागमस्तयोरेव हृदयान्तर्गते सुषौ

समाचर्

Kâlâg. 1. तत्समाचरेन्मुमुक्षुर्न पुनर्भवाय
Gopî. 5. व्रतं यस्तु समाचरेत्
Mukti. 2. 9. शुभमेव समाचर
Gîtâ. 3. 9. मुक्तसंगः समाचर
19. कार्यं कर्म समाचर
26. विद्वान्युक्तः समाचरन्

समाचार

Gauḍa. 4. 42. उपलम्भात् समाचारात् 44 (bis).

समाज्ञा

Tait. 3. 10. 2. इति मानुषीः समाज्ञाः

समादा

Bṛih. 4. 2. 1. रथं वा नावं वा समाददीत
Brahmab. 21. ज्ञाननेत्रं समादाय

समाधा

Chhâ. 8. 1. 3. द्यावापृथिवी अन्तरैव समाहिते..सर्वं तदस्मिन् समाहितम्
4. अस्मिंश्चेदिदं ब्रह्मपुरे सर्वं समाहितम्
5. अस्मिन् कामाः समाहिताः
Bṛih. 4. 4. 23. तितिक्षुः समाहितो भूत्वा
Maitri. 6. 30. अत्र हि सर्वे कामाः समाहिताः 35, 38.
Nṛisut. 6. तितिक्षवः समाहिताः
Kshur. 6. अङ्गुष्ठे तु समाहितः
Gîtâ. 6. 7. परमात्मा समाहितः
12. 9. अथ चित्तं समाधातुम्
17. 11. यष्टव्यमेवेति मनः समाधाय

समाधान

Mukti. 2. 21. न समाधानजाप्याभ्याम्

समाधि

Maitri. 6. 18. प्राणायामः..समाधिः षडङ्गा इत्युच्यते योगः
34. समाधिनिर्धौतमलस्य चेतसः
Gauḍa. 3. 37. समाधिरचलो ऽभयः
Amṛita. 6. तर्कश्चैव समाधिश्च
16. समाधिः परिकीर्त्तितः
Aruṇeya. 2. सन्धिं समाधावात्मन्याचरेत्
Mukti. 1. 3. समाधिविरमे
2. पुरुषप्रयत्नसाध्यवेदान्तश्रवणादिजनितसमाधिना
2. 19. समाधिमथ कर्माणि
53. सम्प्रज्ञातसमाधिः
54. असम्प्रज्ञातनामायं समाधिः
55. अतद्व्यावृत्तिरूपो ऽसौ समाधिः
56. समाधिः परमार्थिकः
Gîtâ. 2. 44. समाधौ न विधीयते
53. समाधावचला बुद्धिः

समाधिस्थ

Gitâ. 2. 54. स्थितप्रज्ञस्य . . समाधिस्थस्य

1. समान *adj.*

Chhâ. 1. 3. 2. समान उ एवायं चासौ च
Bṛih. 4. 3. 7. समानः सन्नुभौ लोकावनुसञ्चरति
6. 5. 4. समानमा साञ्जीवीपुत्रात्
Śwet. 4. 6. समानं वृक्षं परिषस्वजाते Muṇḍ. 3. 1. 1.
7. समाने वृक्षे पुरुषो निमग्नः Muṇḍ. 3. 1. 2.
Mâṇḍû. 10. समानश्च भवति . य एवं वेद Nṛisut. 2.

2. समान

Chhâ. 3. 13. 4. उदङ्सुषिः स समानः
5. 22. 1. तां जुहुयात् समानाय स्वाहेति समानस्तृप्यति
2. समाने तृप्यति मनस्तृप्यति
Bṛih. 1. 5. 3. प्राणो ऽपानो व्यान उदानः समानः Tait. 1. 7. 1.
3. 9. 26. कस्मिन्नूदानः . . समान इति
Maitri. 2. 6. प्राणो ऽपानः समान उदानो व्यानः
6. 9. प्राणाय स्वाहा . . समानाय स्वाहा
33. प्राणो ऽपानो व्यानः समान उदानः
7. 4. शरत् समानः . . उत्तरत उद्यन्ति
Mahânâr. 15. 8. समाने निविष्टो ऽमृतं जुहोमि 9.
16. 1. समाने निविश्यामृतं हुतं समानमन्नेनाप्यायस्व
Praśna. 3. 5. मध्ये तु समानः
3. 8. अन्तरा यदाकाशः स समानः
4. 4. एतावाहुती समं नयतीति स समानः
Prâṇâg. 1. प्रादेशिन्या समाने
4. समानो मैत्रावरुणः
Amṛita. 34. समानो नाभिदेशे तु
37. समानस्तस्य मध्ये तु
Kaṭhaśru. 1. प्राणापानव्यानोदानसमानान्

समानद्

Râmap. 75. अथो दीर्घा समानदा

समानलोकता

Mahânâr. 12. 3. एतासामेव देवतानां . . समानलोकतामाप्नोति

समानसंज्ञ

Maitri. 2. 6. अणिष्ठो वाङ्गे ऽङ्गे समानयत्येष वाव स समानसंज्ञः

समानी

Maitri. 2. 6. अणिष्ठो वाङ्गे ऽङ्गे समानयति

समाप्

Kaush. 2. 15. एनं समापयेयुर्यथा समापयितव्यो भवति
Bṛih. 1. 5. 23. यद्यु चरेत्समापिपयिषेत्
Kshur. 25. अमृतत्वं समाप्नोति (not in 5 MSS.).
Jâbâla. 4. ब्रह्मचर्यं समाप्य गृही भवेत्
Gîtâ. 11. 40. सर्वं समाप्नोषि ततो ऽसि सर्वः

समाभिन्न

Gauḍa. 4. 93. सर्वे धर्माः समाभिन्नाः

समाया

Râmap. 29. तं देवा ये समाययुः
43. लंकां समाययौ
45. पुरीं लंकां समाययौ

समायु

Râmap. 68. नादबिन्दुसमायुतम्

समायुज्

Gîtâ. 15. 14. प्राणापानसमायुक्तः

समायोग

Kshur. 19. जातीपुष्पसमायोगैः (five independent MSS. read समो योगी)

समारम्

Chhâ. 1. 10. 11. ते ह समारतास्तूष्णीमासांचक्रिरे

समारुह्

Kaush. 3. 6. प्रज्ञया वाचं समारुह्य (similarly 9 times more).

Nâda. 5. एवमेनं समारूढः

Nyâsa. 1. मय्यग्ने अग्निमित्यग्नीन् समारोपयेत्

Kaṭhaśru. 1. यजमानस्याङ्गान् . . समारोप्य

— सर्वान् सर्वेषु समारोपयेत्

Aruṇeya. 2. लौकिकाग्नीनुदराग्नौ समारोपयेत्

— गायत्रीं च स्ववाचाग्नौ समारोपयेत्

समारोप

Nyâsa. 2. स्वशरीरे समारोपः

समालिख्

Râmap. 67. मन्त्रान्मन्त्री समालिखेत्

समावस्था

Mukti. 2. 52. तावत्पूर्णां समावस्थाम्

समाविश्

Mukti. 2. 6. अशुभेषु समाविष्टम्

Gîtâ. 18. 10. त्यागी सत्त्वसमाविष्टः

समावृ

Śwet. 6. 10. देव एकः समावृणोति

Gîtâ. 7. 25. योगमायासमावृतः

16. 16. मोहजालसमावृताः

समावृत्

Chhâ. 4. 10. 1. अन्यानन्तेवासिनः समावर्त्तयंस्तं ह स्मैव न समावर्त्तयति

समाश्रि

Maitri. 6. 9. परमात्मा वै पञ्चवायुः समाश्रितः

Mahânâr. 16. 3. अङ्गुष्ठं च समाश्रितः

Kshur. 7. नाभिदेशे समाश्रयेत्

9. शुक्लां नाडीं समाश्रयेत्

Mukti. 2. 15. त्वयमेव समाश्रय

समास्

Swet. 4. 8. य इत्तद्विदुस्त इमे समासते

Nṛip. 4. 2; 5. 2.

Nṛisut. 7. स्वे महिम्नि सदा समासते

समास

Kaush. 2. 15. समासेनैव ब्रूयात्

Chhâ. 6. 4. 7. एतासामेव देवतानां समासः

Gîtâ. 13. 3. तत्समासेन मे शृणु

6. एतत्क्षेत्रं समासेन

18. 50. समासेनैव कौन्तेय

समासञ्ज्

Maitri. 6. 34. समासक्तं यथा चित्तम्

समासतस्

Gîtâ. 13. 18. ज्ञेयं चोक्तं समासतः

समासद्

Yogaśi. 9. पुण्यमेतत् समासाद्य

समाहितात्मन्

Bṛih. 4. 2. 1. एताभिरुपनिषद्भिः समाहितात्मासि

समाहृ

Gîtâ. 11. 32. लोकान्समाहर्त्तुमिह प्रवृत्तः

समाहृति

Piṇḍa. 8. सर्वेन्द्रियसमाहृतिः

समि

Kaush. 2. 8. आप्यायस्व समेतु ते
— सं ते पयांसि समु यन्तु वाजाः

Chhâ. 4. 1. 4. यथा कृतायविजितायाधरेयाः संयान्ति 6.

Bṛih. 1. 5. 12. तौ मिथुनं समैताम्
6. 2. 2. ताभ्यामिदं विश्वमेजत्समेति

Swet. 4. 11. यस्मिन्निदं सं च विचैति सर्वम् Mahânâr. 1. 2.

समिङ्ग्

Bṛih. 6. 4. 23. यथा वायुः पुष्करिणीं समिङ्गयति

समिति

Chhâ. 5. 3. 1. पञ्चालानां समितिमेयाय

समितिंगम

Bṛih. 6. 4. 18. पुत्रो मे पण्डितो विजिगीतः समितिंगमः . . जायेत

समितिञ्जय

Gîtâ. 1. 8. कृपश्च समितिञ्जयः

समित्पाणि

Kaush. 1. 1. स ह समित्पाणिः . . प्रतिचक्रमे
4. 19. बालाकिः समित्पाणिः प्रतिचक्रमे

Chhâ. 5. 11. 7. समित्पाणयः पूर्वाह्णे प्रतिचक्रमिरे
8. 7. 2. समित्पाणी प्रजापतिसकाशमाजग्मतुः
8. 9. 1. स समित्पाणिः पुनरेयाय 8. 10. 3; 8. 11. 2.

Muṇḍ. 1. 2. 12. गुरुमेवाभिगच्छेत् समित्पाणिः

Praśna. 1. 1. समित्पाणयो भगवन्तं पिप्पलादमुपसन्नाः

समिध् , समिध

Chhâ. 4. 4. 5. समिधं सोम्याहर
4. 6. 1. समिधमाधाय 4. 7. 1; 4. 8. 1.
5. 4. 1. आदित्य एव समित् Bṛih. 6. 2. 9.
5. 5. 1. वायुरेव समित्
5. 6. 1. संवत्सर एव समित् Bṛih. 6. 2. 10.
5. 7. 1. वागेव समित्
5. 8. 1. उपस्थ एव समित् Bṛih. 6. 2. 13.

Bṛih. 6. 2. 11. पृथिव्येव समित्
12. व्यात्तमेव समित्
14. समित्समित्

Muṇḍ. 2. 1. 5. तस्मादग्निः समिधो यस्य सूर्यः
8. सप्तार्चिषः समिधः Mahânâr. 8. 4.

Mahânâr. 25. 1. यत्साय प्रातरत्ति तत्समिधः

समिन्ध्

Bṛih. 6. 4. 3. चर्माधिषवणे समिद्धो मध्यतस्तौ मुष्कौ
12. मम समिद्धे ऽहौषीः (4 times).

Muṇḍ. 1. 2. 2. समिद्धे हव्यवाहने

Nrip. 5. 10. तद्विप्रासो विपन्यवो जागृवांसः समिन्धते Aruṇeya. 5; Vâsu. 4; Skanda. 15; Mukti. 2. 78.
Gîtâ. 4. 37. यथैधांसि समिद्धोऽग्निः

समीक्ष्

Gîtâ. 1. 27. तान् समीक्ष्य स कौन्तेयः

समीरण

Maitri. 7. 11. एतत् समीरणे प्रकाशप्रक्षेपकौष्ण्यस्थानीयम्
— समीरणे नभसि प्रशाखयैवोत्क्रम्य

समुत्क्रम्

Nâda. 13. द्वितीयायां समुत्क्रान्तः

समुत्थ

Brahmav. 2. प्रसादान्तःसमुत्थस्य विष्णोः
Gîtâ. 7. 27. इच्छाद्वेषसमुत्थेन

समुत्था

Kaush. 2. 14. तत्तत एव समुत्तस्थौ
4. 19. स तत एव समुत्तस्थौ
Chhâ. 8. 2. 1. सङ्कल्पादेवास्य पितरः समुत्तिष्ठन्ति (similarly 9 times more in this section).
8. 3. 4. अस्माच्छरीरात्समुत्थाय 8. 12. 3; Maitri. 2. 2.
8. 12. 2. अमुष्यादाकाशात्समुत्थाय
Brih. 2. 4. 12. एतेभ्यो भूतेभ्यः समुत्थाय 4. 5. 13.
6. 2. 2. आपः पुरुषवाचो भूत्वा समुत्थाय वदन्ति
Swet. 2. 12. पृथ्व्याप्यतेजोनिलखे समुत्थिते

समुत्पद्

Chhâ. 1. 9. 1. इमानि भूतान्याकाशादेव समुत्पद्यन्ते
Nâr. 1. सर्वाणि च भूतानि नारायणादेव समुत्पद्यन्ते
Krish. 18. दुग्धसिन्धोः समुत्पन्नः

समुत्पॄ

Brih. 6. 4. 2. एतं प्राञ्चं ग्रावाणमात्मन एव समुदपारयत्

समुत्सृज्

Kshur. 5. शनैरथ समुत्सृजेत्

समुदय

Maitri. 3. 2. तेषां यत् समुदयं तच्छरीरमित्युक्तम्

समुदीष्

Chhâ. 6. 6. 1. यो ऽणिमा स ऊर्ध्वः समुदीषति 2, 3, 4.

समुद्दिश्

Nyâsa. 2. किं वा दुःखं समुद्दिश्य

समुद्धर्तृ

Gîtâ. 12. 7. तेषामहं समुद्धर्ता

समुद्धृ

Ait. 1. 3. अद्भ्य एव पुरुषं समुद्धृत्य
Kâlâg. 3. मा नस्तोकेति समुद्धृत्य

समुद्यम

Gîtâ. 1. 22. अस्मिन् रणसमुद्यमे

समुद्र

Chhâ. 2. 4. 1. समुद्रो निधनम् 2. 17. 1.
3. 19. 2. यद्वास्तेयमुदकं स समुद्रः
4. 6. 3. समुद्रः कला
6. 10. 1. समुद्रात्समुद्रमेवापियन्ति समुद्र एव भवन्ति
Brih. 1. 1. 2. तस्य पूर्वे समुद्रे योनिः
— तस्यापरे समुद्रे योनिः
— समुद्र एवास्य बन्धुः समुद्रो योनिः

Brih. 2. 4. 11. सर्वासामपां समुद्र एकायनम् 4. 5. 12.
3. 3. 2. पृथिवी द्विस्तावत्समुद्रः पर्यैति
Śwet. 4. 4. ऋतवः समुद्राः
Muṇḍ.2. 1. 9. अतः समुद्रा गिरयश्च सर्वे Mahânâr. 8. 5.
3. 2. 8. समुद्रे ऽस्तङ्गच्छन्ति
Mahânâr. 1. 3. यदन्तः समुद्रे कवयो वदन्ति
5. 5. ततः समुद्रो अर्णवः
6. समुद्रादर्णवादधि संवत्सरो अजायत
6. 1. अक्रान्त्समुद्रः प्रथमे विधर्मन्
9. 12. समुद्रादूर्मिर्मधुमानुदारत्
Prasna. 6. 5. समुद्रं प्राप्यास्तङ्गच्छन्ति — समुद्र इत्येवं प्रोच्यते
Sarvop. 4. अपरिमितानन्दसमुद्रः
Gîtâ. 2. 70. समुद्रमापः प्रविशन्ति यद्वत्
11. 28. समुद्रमेवाभिमुखा द्रवन्ति

समुद्रवेला

Maitri. 4. 2. समुद्रवेलेव दुर्निवार्यमस्य मृत्योरागमनम्

समुद्रायण

Praśna. 6. 5. यथेमा नद्यः स्यन्दमानाः समुद्रायणाः

समुद्रेत

Mahânâr.11. 7. समुद्रेतं विश्वशंभुवम् (so MSS; समुद्रेतं समुद्रमितं प्राप्तम् Nârâyaṇa).
Mahâ. 3. समुद्रेतं विश्वरूपिणम् (so Nârâyaṇa; but Śaṁkarânanda समुद्रे कं, &c.).

समुपदिश्

Mukti. 1. 21. मत्तारं समुपादिशत्

समुपविश्

Chhâ. 1. 8. 2. तथेति ह समुपविविशुः
1. 12. 4. ते ह समुपविश्य हिंचक्रुः

समुपस्था

Gîtâ. 1. 28. युयुत्सुं समुपस्थितम्
2. 2. विषमे समुपस्थितम्

समुपाश्रि

Mukti. 1. 7. वेदान्तं समुपाश्रय
Gîtâ. 18. 52. वैराग्यं समुपाश्रितः

समुपास्

Râmap. 57. वसिष्ठवामदेवादिमुनिभिः समुपासितः

समुपे

Gauḍa. 2. 29. तद्भूहः समुपैति तम्

समुब्ज्

Śiras. 6. देवकोशः समुब्जितः

समूल

Bṛih. 3. 9. 28. यत्समूलमावृहेयुर्वृक्षम्
Praśna. 6. 1. समूलो वा एष परिशुष्यति

समूह्

Bṛih. 5. 15. 1. व्यूह रश्मीन् समूह तेजः Iśâ. 16.
Kshur. 15. समूहन्नाडिसञ्चयम्

समूह

Sarvop. 2. षण्णां कोशानां समूहः

समृ

Chhâ. 7. 15. 1. यथा वा अरा नाभौ समर्पिता एवमस्मिन् प्राणे सर्वं समर्पितम्

Bṛih. 2. 5. 15. यथा रथनाभौ च रथनेमौ चाराः सर्वे समर्पिताः.. आत्मनि..सर्व एत आत्मानः समर्पिताः

Muṇḍ.2. 2. 1. अत्रैतत् समर्पितमेजत्प्राणन्निमिषच्च यत्

Râmap. 91. तस्मै जपादींश्च सम्यक् समर्प्य

समृद्धवेग

Gîtâ. 11. 29. विशन्ति नाशाय समृद्धवेगाः
— तथैव..लोकास्तवापि वक्त्राणि समृद्धवेगाः

समृद्धि

Chhâ. 1. 1. 8. एषो एत्र समृद्धिर्यदनुज्ञा
1. 3. 8. अथ खल्वाशीःसमृद्धिः
5. 2. 9. समृद्धिं तत्र जानीयात्

Maitri. 6. 36. तेजसः समृद्ध्यै

समृध्

Chhâ. 1. 3. 12. अभ्याशो ह यदस्मै स कामः समृध्येत यत्कामः स्तुवीत
5. 2. 8. समृद्धं कर्मेति विद्यात्
7. 14. 2. अस्य सर्वे कामाः समृध्यन्ति

Bṛih. 4. 3. 33. स यो मनुष्याणां राद्धः समृद्धः
5. 14. 7. असावस्मै कामो मा समर्द्धि

Maitri. 6. 36. शान्तमेकं समृद्धं चैकम्
— यत्समृद्धमिदं तस्यान्नम्

Gîtâ. 11. 33. भुंक्ष्व राज्यं समृद्धम्

समे

Chhâ. 5. 11. 1. महाश्रोत्रियाः समेत्य मीमांसां चक्रुः

Śwet. 6. 3. तत्त्वस्य तत्त्वेन समेत्य योगम्

Kaṭhaśru. 2. देवा ह वै समेत्य प्रजापतिमब्रुवन्

सम्पद्

Chhâ. 4. 4. 5. ता यदा सहस्रं सम्पेदुः
5. 1. 4. सम्पदं वेद सं हास्मै कामाः पद्यन्ते
5. 11. 2. ते ह सम्पादयाञ्चक्रुः
3. स ह सम्पादयाञ्चकार
6. 8. 1. सता सोम्य तदा सम्पन्नो भवति
6. पुरुषस्य प्रयतो वाङ्मनसि सम्पद्यते
6. 9. 2. सति सम्पद्य न विदुः सति सम्पद्यामहे (MSS. and Sâyaṇa read सम्पत्स्यामहे)
6. 14. 2. अथ सम्पत्स्ये
6. 15. 1. यावन्न वाङ्मनसि सम्पद्यते
2. यदास्य वाङ्मनसि सम्पद्यते
8. 2. 1. पितृलोकेन सम्पन्नो महीयते (similarly 9 times more in this section).
8. 6. 3. तेजसा हि तदा सम्पन्नो भवति
8. 11. 3. तान्येकशतं सम्पेदुः

Bṛih. 6. 1. 4. सं हास्मै पद्यते यं कामं कामयते (bis).

Maitri. 1. 1. अविकलः संपद्यते यज्ञः
6. 22. यथा सम्पन्ना मधुत्वं नाना रसाः
27. यत्तस्य ज्योतिरिव सम्पद्यति

Praśna. 3. 9. इन्द्रियैर्मनसि सम्पद्यमानैः
5. 3. तपसा ब्रह्मचर्येण श्रद्धया सम्पन्नः

Prasna. 5. 4. यदि द्विमात्रेण मनसि स-
म्पद्यते
5. स तेजसि सूर्ये सम्पन्नः
Nrip. 2. 2. एवं द्वात्रिंशदक्षराणि संप-
द्यन्ते
5. 1. क्षेत्रं क्षेत्रं वा मायैषा सम्प-
द्यते
Nrisut. 3. गुणैरैक्यं सम्पाद्य
Śikhâ. 2. करणं सर्वमैश्वर्यं सम्पन्नम्
Brahmab. 6. ब्रह्म सम्पद्यते तदा
Gîtâ. 13. 30.
8. ब्रह्म सम्पद्यते ध्रुवम्
Jâbâla. 6. तत्त्वब्रह्ममार्गे सम्यक् स-
म्पन्नः
Mukti. 1. साधनचतुष्टयसम्पन्नाः

2. सम्पद्

Chhâ. 5. 1. 4. यो ह वै सम्पदं वेद . . श्रोत्रं
. . सम्पत् Bṛih. 6. 1. 4.
14. यदहं सम्पदस्मि त्वं तत्स-
म्पदसि Bṛih. 6. 1. 14.
5. 2. 5. सम्पदे स्वाहा
Bṛih. 3. 1. 6. इत्यतिमोक्षा अथ सम्पदः
4. 3. 32. एषास्य परमा सम्पत्
6. 3. 2. चक्षुषे स्वाहा सम्पदे स्वाहा
Gîtâ. 16. 3. सम्पदं दैवीमभिजातस्य
4. सम्पदमासुरीम्
5. दैवी सम्पद्विमोक्षाय
— मा शुचः सम्पदं दैवीम-
भिजातो ऽसि पाण्डव

सम्पन्नतम

Bṛih. 4. 3. 33. सर्वैर्मानुष्यकैर्भोगैः सम्पन्न-
तमः

सम्परिग्रह्

Kaṭha. 2. 13. एतच्छ्रुत्वा सम्परिगृह्य

सम्परित्यज्

Mukti. 2. 18. वासनां सम्परित्यज्य 68.

सम्परित्याग

Mukti. 2. 29. वासनासम्परित्यागात्
45. वासनासम्परित्यागः

सम्परिष्वञ्ज्

Bṛih. 1. 4. 3. यथा स्त्रीपुमांसौ सम्परि-
ष्वक्तौ
4. 3. 21. यथा प्रियया स्त्रिया सम्प-
रिष्वक्तः . . एवमेवायं पु-
रुषः प्राज्ञेनात्मना सम्परि-
ष्वक्तः

सम्परी

Kaṭha. 2. 2. तौ सम्परीत्य विविनक्ति
धीरः

सम्पात

Chhâ. 5. 2. 4. मन्थे सम्पातमवनयेत् 5.
5. 10. 5. तस्मिन्यावत्संपातमुषित्वा

सम्पीड्

Nṛisut. 7. स एतत्सर्वं . . सम्पीड्य
Mukti. 2. 42. हस्तं हस्तेन सम्पीड्य

सम्पुष्पित

Mahânâr. 8. 1. यथा वृक्षस्य सम्पुष्पितस्य

सम्पूज्

Gauḍa. 1. 22. सम्पूज्यः सर्वभूतानाम्
Nṛisut. 3. आनन्दामृतेनैनांश्चतुर्धा स-
म्पूज्य
— सम्पूज्योपहारैश्चतुर्धा
Râmap. 90. (मायाविद्ये . .) सम्पूजयेत्

सम्पूर्णता

Gopî. 5. न्यूनं सम्पूर्णतां याति

सम्पॄ

Chhâ. 5. 3. 3. वेत्थ यथासौ लोको न स-
म्पूर्यता ३ इति

Chhâ. 5. 10. 8. तेनासौ लोको न सम्पूर्य्यते
Bṛih. 6. 2. 2. वेत्थो यथासौ लोक एवं बहुभिः पुनः पुनः प्रयद्भिर्न सम्पूर्यता ३ इति
Nṛisut. 9. तत्र तत्र च सम्पूर्णं सान्तिष्ठति
Garbha. 3. नवमे मासि सर्वलक्षणज्ञानसम्पूर्णो भवति

सम्प्रकाश्

Gauḍa. 3. 11. खं यथा सम्प्रकाशितः

सम्प्रकृत्

Gîtâ. 18. 4. त्रिविधः सम्प्रकीर्त्तितः

सम्प्रचक्ष्

Brahmav. 2. ध्रुवाग्निः सम्प्रचक्षते

सम्प्रच्छद्

Kaush. 2. 15. अहतेन वाससा सम्प्रच्छन्नः

सम्प्रज्ञा

Mukti. 2. 53. सम्प्रज्ञातसमाधिः

सम्प्रति

Chhâ. 2. 9. 5. यत्सम्प्रति मध्यन्दिने स उद्गीथः
Râmap. 34. सम्प्रत्याश्वरिमारणं कुरु

सम्प्रतिज्ञा

Chhâ. 8. 11. 1. नाह खल्वयमेवं सम्प्रत्यात्मानं जानात्ययमहमस्मीति 2.

सम्प्रतिपत्ति

Gauḍa. 1. 19. मात्रासम्प्रतिपत्तौ 20, 21.

सम्प्रतिविद्

Kaush. 1. 4. तमित्वा सम्पतिविदो मज्जन्ति

सम्प्रतिष्ठ

Śwet. 1. 1. क्क च सम्प्रतिष्ठाः

सम्प्रतिष्ठा

Chhâ. 8. 15. 1. आत्मनि सर्वेन्द्रियाणि सम्प्रतिष्ठाप्य
Praśna. 4. 1. कस्मिन्नु सर्वे सम्प्रतिष्ठिताः
Śikhâ. 2. सर्वकरणानि सम्प्रतिष्ठाप्य ध्यानात्
Brahma. 1. दिव्ये ब्रह्मपुरे सम्प्रतिष्ठिताः

2. सम्प्रतिष्ठा

Gîtâ. 15. 3. नान्तो न चादिर्न च सम्प्रतिष्ठा

सम्प्राप्ति

Bṛih. 1. 5. 17. अथातः सम्प्रत्तिः

सम्प्रत्यधी

Chhâ. 5. 11. 2. सम्प्रतीममात्मानं वैश्वानरमध्येति 4.
6. आत्मानमेवेमं वैश्वानरं सम्प्रत्यध्येषि

सम्प्रदा

Kaush. 2. 15. अथास्मै सम्प्रयच्छति

सम्प्रदान

Kaush. 2. 15. अथातः पितापुत्रीयं सम्प्रदानम्

सम्प्रधा

Kaush. 2. 15. अस्या आसीनायाभिमुखायैव सम्प्रदध्यात् (so MS.)

सम्प्रमुच्

Bṛih. 4. 3. 36. एभ्यो ऽङ्गेभ्यः सम्प्रमुच्य

सम्प्रयम्

Chhâ. 2. 24. 6. तस्मै वसवः प्रातःसवनं संप्रयच्छन्ति
10. तस्मै रुद्रा माध्यन्दिनं सवनं संप्रयच्छन्ति

Chhâ. 2. 24. 16. तस्मा आदित्याश्च विश्वे च देवास्तृतीयसवनं संप्रयच्छन्ति

सम्प्रयुज्

Maitri. 7. 11. खजाग्नियोगाद्धृदि सम्प्रयुक्तम्

Gauḍa. 3. 5. न सर्वे सम्प्रयुज्यन्ते

सम्प्रली

Gauḍa. 3. 4. आकाशे सम्प्रलीयन्ते

सम्प्रवच्

Kshur. 1. क्षुरिकां सम्प्रवक्ष्यामि

सम्प्रवृत्

Gîtâ. 14. 22. न द्वेष्टि सम्प्रवृत्तानि

सम्प्रसद्

Chhâ. 8. 6. 3. सुप्तः समस्तः सम्प्रसन्नः 8. 11. 1.

सम्प्रसाद

Chhâ. 8. 3. 4. य एष सम्प्रसादो ऽस्माच्छरीरात्समुत्थाय Maitri. 2. 2.

8. 12. 3. एवमेवैष सम्प्रसादः

Bṛih. 4. 3. 15. एतस्मिन्सम्प्रसादे रत्वा

सम्प्रसार

Brahma. 1. सम्प्रसारो ऽन्तर्यामी

सम्प्रसू

Muṇḍ.2. 1. 5. बह्वीः प्रजाः पुरुषात् सम्प्रसूताः

7. तस्माच्च देवा बहुधा सम्प्रसूताः

Śikhâ. 2. ब्रह्माविष्णुरुद्रेन्द्राः सम्प्रसूयन्ते

सम्प्रस्था

Praśna. 4. 7. यथा . . वयांसि वासोवृक्षं सम्प्रतिष्ठन्त एवं . . तत्सर्वं पर आत्मनि सम्प्रतिष्ठते

Praśna. 4. 9. स परे ऽक्षरे आत्मनि सम्प्रतिष्ठते

11. प्राणा भूतानि सम्प्रतिष्ठन्ति यत्र

सम्प्रस्रु

Chhâ. 2. 23. 3. त्रयी विद्या सम्प्रास्रवत्
— एतान्यक्षराणि सम्प्रास्रवन्त

4. ओङ्कारः सम्प्रास्रवत्

Maitri. 5. 2. तत्सत्त्वमेवेरितं रसः सम्प्रास्रवत्

सम्प्राप्

Maitri. 4. 3. सत्त्वात् सम्प्राप्यते मनः

Muṇḍ.3. 2. 5. सम्प्राप्यैनमृषयो ज्ञानतृप्ताः

Garbha. 4. अथ योनिद्वारं सम्प्राप्तः

सम्प्राप्ति

Mukti. 2. 11. तावन्न पदसम्प्राप्तिः

सम्प्रेक्ष्

Gîtâ. 6. 13. सम्प्रेक्ष्य नासिकाग्रं स्वम्

सम्प्लु

Chhâ. 2. 4. 1. मेघो यत्सम्प्लवते स हिङ्कारः

2. 15. 1. अभ्राणि सम्प्लवन्ते स हिङ्कारः

सम्प्लुतोदक

Gîtâ. 2. 46. सर्वतः सम्प्लुतोदके

सम्प्सा

Bṛih. 5. 14. 8. सर्वमेव तत्सम्प्साय

सम्बन्ध

Sarvop. 2. प्राप्तशरीरसंबन्धवियोगम्

सम्बन्धिन्

Gîtâ. 1. 34. श्यालाः सम्बन्धिनस्तथा

सम्बुध्

Gauḍa. 3. 44. लये सम्बोधयेच्चित्तम्

4. 1. ज्ञेयाभिन्नेन सम्बुद्धः

सम्बोधयितृ

Maitri. 6. 4. एको ऽस्य सम्बोधयिता

सम्भक्ष्

Nṛisut. 4. संभक्ष्य सिंहेन
7. स एतत् सर्वं . . संभक्ष्य
Śiras. 4. सर्वान् प्राणान् संभक्ष्य

सम्भक्षण

Śiras. 4. संभक्षणेनाजः संसृजति

सम्भव

Iśâ. 13. अन्यदेवाहुः संभवात्
Swet. 3. 1. य एवैक उद्भवे संभवे च
Gauḍa. 3. 9. मरणे संभवे चैव
25. संभवः प्रतिषिध्यते
48. संभवो ऽस्य न विद्यते 4. 71.
4. 16. संभवे हेतुफलयोः
— युगपत्संभवे यस्मात
38. न च भूतादभूतस्य संभवो ऽस्ति
Piṇḍa. 4. कलानां तस्य संभवः
9. पिण्डदानेन संभवः
Gopî. 5. केलिकुङ्कुमसंभवम्
Râmot. 3. मकाराक्षरसंभवः
Mukti. 2. 50. संभवव्यत्ययक्रमात्
Gîtâ. 14. 3. सम्भवः सर्वभूतानाम्

सम्भाष्

Kaush. 2. 4. अपि वाताद्वा तिष्ठेत्संभाषमाणः

सम्भू

Ait. 4. 1. रेतस्तदेतत्सर्वेभ्यो ऽङ्गेभ्यस्तेजः संभूतम्
6. सर्वान् कामानाप्त्वामृतः समभवत् 5. 4; Atmapra. 1.
Kaush. 1. 6. आकाशाद्योनेः संभूतः
2. 11. अङ्गादङ्गात्संभवसि Bṛih. 6. 4. 9.
Chhâ. 3. 19. 1. तत्सदासीत्तत्समभवत्
5. 4. 2. तस्या आहुतेः सोमो राजा संभवति Bṛih. 6. 2. 9 (आहुत्यै)
5. 5. 2. . . वर्षं संभवति
5. 6. 2. . . अन्नं संभवति Bṛih. 6. 2. 11.
5. 7. 2. . . रेतः संभवति Bṛih. 6. 2. 12.
5. 8. 2. . . गर्भः संभवति
5. 9. 2. यतः संभूतो भवति
Bṛih. 1. 1. 2. एतौ वा अश्वं महिमानावभितः संबभूवतुः
1. 2. 4. स मनसा वाचं मिथुनं समभवत्
7. अश्वः समभवद्यदश्वत्
1. 4. 3. तां समभवत्ततो मनुष्या अजायन्त
4. कथं नु मात्मन एव जनयित्वा संभवति
— तां समेवाभवत्ततो गावो ऽजायन्त (similarly twice more).
5. 14. 8. शुद्धः पूतो ऽजरो ऽमृतः संभवति
6. 2. 10. तस्या आहुत्यै वृष्टिः संभवति
13. तस्या आहुत्यै पुरुषः संभवति
14. तस्या आहुत्यै पुरुषो भास्वरवर्णः संभवति
Tait. 2. 1. 1. आत्मन आकाशः संभूतः
Kaṭha. 4. 7. या प्राणेन संभवत्यदितिः
Maitri. 6. 19. अप्राणात् . . सम्भूतः प्राणसंज्ञको जीवः

Muṇḍ. 1. 1. 1. ब्रह्मा देवानां प्रथमः संबभूव
7. यथा पृथिव्यामोषधयः संभवन्ति
— तथाक्षरात् संभवतीह विश्वम्

Mahânâr. 1. 12. अद्भ्यः संभूतो हिरण्यगर्भः

Nṛip. 1. 1. स प्रजापतिरेकः पुष्करपर्णे समभवत्

Nṛisut. 4. परमं ब्रह्म संभाव्य

Nyâsa. 5. अथ तैः संभूतैर्वायुः

Nâr. 5. तानेकधा समभवत्तदोमिति

Vâsu. 2. तदेतदोमित्येकधा समभवत्

Gopî. 5. एतत्संभोगसंभूतं चन्दनम्

Râmot. 3. अकाराक्षरसंभूतः
— उकाराक्षरसंभूतः
— अहमेवेति सम्भाव्य

Gîtâ. 2. 34. सम्भावितस्य चाकीर्त्तिः
4. 6. सम्भवाम्यात्ममायया
8. सम्भवामि युगे युगे
14. 4. मूर्त्तयः सम्भवन्ति याः
16. 8. अपरस्परसम्भूतम्

सम्भूति

Îśâ. 12. य उ संभूत्यां रताः
14. संभूतिं च विनाशं च यस्तद्वेदोभयं सह .. संभूत्यामृतमश्नुते

Gauḍa. 3. 25. संभूतेरपवादाच्च

सम्भृ

Bṛih. 6. 3. 1. सर्वौषधं फलानीति संभृत्य

Maitri. 6. 14. तस्यैतद्रूपं यन्निमेषादिकालात् संभृतम्

Nyâsa. 1. ओपधिसंभारान् संभृत्य (3 MSS. have विधिवत्संभारान् and 2 omit the वत्)

Gopî. 5. कुङ्कुमं .. जलक्रीडासु संभृतम्

सम्भोग

Gopî. 4. मायासहितब्रह्मसंभोगवशात्
5. एतत्संभोगसंभूतं चन्दनम् (one MS. has एतत्संयोग°)

सम्भ्रज्ज्

Mukti. 2. 63. स्थितिः सम्भृष्टबीजवत्

सम्मन्त्र्

Gauḍa. 4. 35. मित्राद्यैः सह सम्मन्त्र्य

सम्मर्शिन्

Tait. 1. 11. 4. ये तत्र ब्राह्मणाः सम्मर्शिनः (bis).

सम्मा

Chhâ. 2. 10. 1. आत्मसम्मितम् 6.

Mahânâr. 15. 1. अक्षरे ब्रह्म सम्मितम्

Nṛip. 5. 1. ऋतुभिः सम्मितं भवति
— गायत्र्या सम्मितं भवति
— जगत्या सम्मितं भवति
— पुरुषेण सम्मितं भवति
— अनुष्टुभा सम्मितं भवति

सम्मिलित

Gopî. 4. महदाद्या ब्रह्मणो महामायासम्मिलितात्

सम्मुह्

Gauḍa. 2. 19. यया सम्मोहितः स्वयम्

Gîtâ. 2. 7. धर्मसम्मूढचेताः

सम्मूढत्व

Maitri. 3. 2. अभिभूतत्वात् सम्मूढत्वं प्रयातः सम्मूढत्वादात्मस्थं ..नापश्यत्

सम्मोह

Kaush. 3. 3. आबल्यमेत्य सम्मोहमेति
4. 13. न पुरा कालात् सम्मोहमेति
Brih. 4. 4. 1. अबल्यं न्येत्य सम्मोहमिव न्येति
Maitri. 3. 5. सम्मोहो भयं..इति तामसानि
6. 38. अतः सम्मोहं छित्त्वा
Gîtâ. 2. 63. क्रोधाद्भवति सम्मोहः सम्मोहात्स्मृतिविभ्रमः
7. 27. सर्वभूतानि सम्मोहं..यान्ति

सम्मोहमौलिन्

Maitri. 6. 28. सम्मोहमौली तृष्णेर्ष्याकुण्डली

सम्यग्ज्ञान

Mund.3. 1. 5. सम्यग्ज्ञानेन ब्रह्मचर्येण नित्यम्

सम्यञ्च्

Brih. 5. 13. 3. प्राणे हीमानि सर्वाणि भूतानि सम्यञ्चि सम्यञ्चि हास्मै..श्रैष्ठ्याय कल्पन्ते
Śwet. 6. 21. प्रोवाच सम्यगृषिसंघजुष्टम्
Maitri. 6. 23. सम्यग्योगः प्रवर्त्तते
37. अग्नौ प्रास्ताहुतिः सम्यक्
Mund. 1. 2. 13. सम्यक्..प्रोवाच
Praśna. 5. 6. क्रियासु..सम्यक् प्रयुक्तासु
Prâṇâg. 2. सम्यक् श्रपयित्वा
Amṛita. 18. बध्वा योगासनं सम्यक्
28. सम्यङ्नित्यमभ्यस्यतः
Jâbâla. 6. तत्त्वब्रह्ममार्गे सम्यक् सम्पन्नः
Vâsu. 4. सम्यग् ज्ञानं लब्ध्वा
Râmap. 68. लिखेत्सम्यक्ततो बहिः
83. प्राप्नुवन्ति क्षणात्सम्यक्
91. तस्मै जपादींश्च सम्यक् समर्प्य
Mukti. 1. 24. मत्सायुज्यं द्विजः सम्यग्भजेत्
49. सम्यक्परीक्ष्य दातव्यम्
52. सम्यक्परीक्ष्य दद्याः
2. 16. सम्यग्वासनया त्यक्तम्
17. सम्यगालोकनात्सत्यात्
Gîtâ. 5. 4. एकमप्यास्थितः सम्यक्
8. 10. प्राणमावेश्य सम्यक्
9. 30. सम्यग्व्यवसितो हि सः

सम्राज्

Brih. 4. 1. 1. उभयमेव सम्राडिति होवाच
2. एकपाद्वा एतत्सम्राडिति 3—7.
— वागेव सम्राडिति होवाच वाचा वै सम्राड् बन्धुः प्रज्ञायते (similarly in 3, 4, 5, 6, 7).
— वाग्वै सम्राट् परमं ब्रह्म (similarly in 3–7).
4. 2. 1. यथा वै सम्राण्महान्तमध्वानमेष्यन्
4. 3. 1. तं सम्राडेव पूर्वः पप्रच्छ
2. आदित्यज्योतिः सम्राट्
5. तस्माद्वै सम्राडपि यत्र स्वः पाणिर्न विनिर्ज्ञायते
32. एष ब्रह्मलोकः सम्राडिति 33; 4. 4. 23.
5. 14. 8. मुखं ह्यस्याः सम्राण्न विदाञ्चकारेति
Maitri. 6. 8. एष हि खल्वात्मा..सम्राट्
Mahânâr. 14. 1. सम्राडापः

raśna. 3. 4. यथा सम्राडेवाधिकृतान् विनियुंक्ते

Nṛip. 1. 4. सम्राट् स्वराड्विराट्

सयुग्वन्

Chhâ. 4. 1. 3. कम्वर एनमेतत्सन्तं सयुग्वानमिव रैक्कमात्थ

— यो नु कथं सयुग्वा रैक्क इति 5.

5. अङ्गारे ह सयुग्वानमिव रैक्कमात्थ

8. त्वं नु भगवः सयुग्वा रैक्कः

सयुज्

Śwet. 4. 6. द्वा सुपर्णा सयुजा सखाया Muṇḍ. 3. 1. 1.

सरण

Chhâ. 1. 3. 5. आजेः सरणम्

सरथ

Kaṭha. 1. 25. इमा रामाः सरथाः सतूर्याः

सरस्

Chhâ. 8. 5. 3. तदैरम्मदीयं सरः

Gitâ. 10. 24. सरसामस्मि सागरः

सरस्वती

Bṛih. 6. 4. 27. सरस्वति तमिह धातवे कः

Mahânâr. 5. 4. इमं मे..सरस्वति शुतुद्रि स्तोमं सचता

15. 1. सरस्वतीमावाहयामि

16. 5. ददातु मेधां देवी सरस्वती

Nṛip. 4. 3. यो वै नृसिंहः..या सरस्वती तस्मै वै नमो नमः(6).

Râmot. 5. यो वै श्रीरामः..या सरस्वती (22).

सरस्वतीरहस्य

Mukti. 1. कठवल्लीतैत्तिरीयकब्रह्मकैवल्यश्वेताश्वतरगर्भनारायणामृतबिन्द्वमृतनादकालाग्निरुद्रक्षुरिकासर्वसारशुकरहस्यतेजोबिन्दुध्यानबिन्दुब्रह्मविद्यायोगतत्त्वदक्षिणामूर्त्तिस्कन्दशारीरकयोगशिखैकाक्षराक्ष्यवधूतकठरुद्रहृदययोगकुण्डलिनीपञ्चब्रह्मप्राणाग्निहोत्रवराहकलिसन्तरणसरस्वतीरहस्यानाम्

सराम

Râmap. 40. सरामस्तस्य पत्तनम्

सरूप

Śwet. 4. 5. बह्वीः प्रजाः सृजमानां सरूपाः

Muṇḍ.2. 1. 1. सहस्रशः प्रभवन्ते सरूपाः

Mahânâr. 9. 2. बह्वीं प्रजां जनयन्तीं सरूपाम्

Nṛip. 3. 1. पाहि..ब्रह्मयोनिं सरूपाम्

Mukti. 2. 32. सरूपो ऽरूप एव च

33. जीवन्मुक्तः सरूपः स्यात्

35. सरूपो ऽसौ मनोनाशः

सरोज

Râmap. 62. वृत्तत्रयं साष्टपत्रं सरोजम्

सर्ग

Kaṭha. 6. 4. ततः सर्गेषु लोकेषु शरीरत्वाय कल्पते

Maitri. 6. 30. *vide* हेतु

Gitâ. 5. 19. इहैव तैर्जितः सर्गः

7. 27. सम्मोहं सर्गे यान्ति परन्तप

10. 32. सर्गाणामादिरन्तश्च

14. 2. सर्गे ऽपि नोपजायन्ते

सर्प

Chhâ. 2. 21. 1. सर्पा गन्धर्वाः पितरस्तन्निधनम्

Mahânâr. 3. 1. *vide* नवकुल

Nîla. 18. नमो ऽस्तु सर्पेभ्यः

— तेभ्यः सर्पेभ्यो नमः 19, 20.

Gâruḍa. 2. नागानां सर्पाणां वृश्चिकानाम्

3. द्वादशवर्षं न तं दशन्ति सर्पाः

— यावज्जीवं न तं दशन्ति सर्पाः

Gîtâ. 10. 28. सर्पाणामस्मि वासुकिः

सर्पदेवजनविद्या

Chhâ. 7. 1. 2. अध्येमि . . सर्पदेवजनविद्याम्

4. नाम वै . . सर्पदेवजनविद्या

7. 2. 1. वाग्वै . . विज्ञापयति . . सर्पदेवजनविद्याम्

7. 7. 1. विज्ञानेन वै . . विजानाति . . सर्पदेवजनविद्याम्

सर्पधारा

Gauḍa. 2. 17. सर्पधारादिभिर्भावैः

सर्पिष्मन्त्

Bṛih. 6. 4. 14. क्षीरौदनं पाचयित्वा सर्पिष्मन्तम्

15. दध्योदनं पाचयित्वा सर्पिष्मन्तम्

16. उदौदनं पाचयित्वा सर्पिष्मन्तम्

17. तिलौदनं पाचयित्वा सर्पिष्मन्तम्

18. मांसौदनं पाचयित्वा सर्पिष्मन्तम्

सर्पिस्

Chhâ. 4. 15. 1. यद्यप्यस्मिन् सर्पिर्वोदकं वा सिञ्चन्ति

Chhâ. 6. 6. 1. तत्सर्पिर्भवति

Bṛih. 6. 4. 12. शरभृष्टीः प्रतिलोमाः सर्पिषाक्ताः

Swet. 1. 15. दधिनीव सर्पिः Brahma. 3.

16. क्षीरे सर्पिरिवार्पितम् Brahma. 3.

Maitri. 6. 26. यथा तर्पोर्वि सर्पिः . . उज्ज्वलति

Yogat. 8. पयोमध्ये ऽस्ति सर्पिवत् (छान्दसो वर्णलोपः Nar.)

सर्व

Ait. 4. 1. सर्वेभ्यो ऽङ्गेभ्यस्तेजः संभृतम्

6. स्वर्गे लोके सर्वान् कामानाप्त्वा 5. 4; Atmapra. 1.

5. 2. सर्वाण्येवैतानि प्रज्ञानस्य नामधेयानि भवन्ति

3. एते सर्वे देवाः

— सर्वं तत्प्रज्ञानेत्रम् Atmapra. 1.

Kaush. 1. 2. चंद्रमसमेव ते सर्वे गच्छंति

4. सर्वाणि च द्वंद्वानि

6. एतावदिदं सर्वमिदं सर्वमसि

2. 1. सर्वा देवता अयाचमानाय बलिं हरन्ति 2. 2.

— सर्वाणि भूतान्ययाचमानायैव बलिं हरन्ति 2.

6. सर्वाणि हास्मै भूतानि श्रैष्ठ्यायाभ्यर्च्यन्ते . . युज्यन्ते . . सन्नमन्ते

— एवं हैव स सर्वेषु भूतेषु

9. तेन मुखेन सर्वाणि भूतान्यत्सि

12. एताः सर्वा देवता वायुमेव प्रविश्य

13. एताः सर्वा देवताः प्राणमेव प्रविश्य

Kaush. 2. 14. एताः सर्वा देवताः प्राणे निःश्रेयसं विदित्वा

— सहैवैतैः सर्वैरस्माच्छरीरादुच्चक्रमुः (again with उत्क्रामति)

3. 2. सर्वमायुरस्मिँल्लोक एति

— एकैकमेतानि सर्वाणि प्रज्ञापयन्ति

— सर्वे प्राणा अनुवदान्ति (similarly 4 times more).

3. तदेनं वाक् सर्वैर्नामभिः सहाप्येति (similarly 6 times more); 4. 20.

— यथाग्नेर्ज्वलतः सर्वा दिशो विस्फुलिंगा विप्रतिष्ठेरन् 4. 20.

4. सर्वाणि नामान्यभिविसृज्यन्ते . . सर्वाणि नामान्याप्नोति (similarly 4 times more).

— सर्वाणि भूतान्येकं भवन्ति

6. प्रज्ञाया वाचं समारुह्य वाचा सर्वाणि नामान्याप्नोति (similarly nine times more).

4. 3. सर्वेषां भूतानां मूर्द्धा Brih. 2. 1. 2 (bis).

8. सर्वमायुरेति 16; Chhâ. 2. 11. 2; 12. 2; 13. 2; 14. 2; 15. 2; 16. 2; 17. 2; 18. 2; 19. 2; 20. 2; 4. 11. 2; 4. 12. 2; 4. 13. 2; Gopî. 4.

15. सर्वं हास्मा इदं श्रैष्ठ्याय यम्यते

20. सर्वेषां च देवानां सर्वेषां च भूतानां श्रैष्ठ्यं . . पर्यैत्

Kaush. 4. 20. तथो एवैवं विद्वान् सर्वान् पाप्मनोऽपहत्य

— सर्वेषां भूतानां श्रैष्ठ्यं पर्येति य एवं वेद

Kena. 18. इदं सर्वं दहेयम्

19. तदुपप्रेयाय सर्वजवेन 23.

22. इदं सर्वमाददीयम्

31. अभि हैनं सर्वाणि भूतानि संवाञ्छन्ति

33. वेदाः सर्वाङ्गानि

Chhâ. 1. 3. 6. अन्नं थमन्ने हीदं सर्वं स्थितम्

1. 6. 6. आप्रणखात्सर्व एव सुवर्णः

7. स एष सर्वेभ्यः पाप्मभ्य उदित उदेति ह वै सर्वेभ्यः पाप्मभ्यो य एवं वेद

1. 9. 1. सर्वाणि ह वा इमानि भूतान्याकाशादेव समुत्पद्यन्ते

1. 10. 6. स मा सर्वैरार्त्विज्यैर्वृणीतेति

1. 11. 2. भगवन्तं वा अहमेभिः सर्वैरार्त्विज्यैः पर्यैशिषम्

3. भगवांस्त्वेव मे सर्वैरार्त्विज्यैरिति तथेति

5. सर्वाणि ह वा इमानि भूतानि प्राणमेवाभिसंविशन्ति (*vide also* 7 *and* 9.)

2. 4. 1. सर्वास्वप्सु पंचविधं सामोपासीत

2. 9. 1. मां प्रति मां प्रतीति सर्वेण समस्तेन साम

2. तस्मिन्निमानि सर्वाणि भूतान्यन्वायत्तानि

2. 21. 1. एतत्साम सर्वस्मिन् प्रोतम्

2. एतत्साम सर्वस्मिन् प्रोतं वदे सर्वं ह भवति

Chhâ. 2. 21. 4. यस्तद्वेद स वेद सर्वं सर्वा दिशो बलिमस्मै हरन्ति
— सर्वमस्मीत्युपासीत तद्व्रतम्
2. 22. 1. तान् सर्वानेवोपसेवेत
3. सर्वे स्वरा इन्द्रस्यात्मानः &c.
5. सर्वे स्वरा घोषवन्तो बलवन्तो वक्तव्याः
— सर्वे ऊष्माणोऽग्रस्ता अनिरस्ता वक्तव्याः
— सर्वे स्पर्शा लेशेनानभिनिहिता वक्तव्याः
2. 23. 2. सर्व एते पुण्यलोका भवन्ति
4. शंकुना सर्वाणि पर्णानि सन्तृण्णान्येवमोंकारेण सर्वा वाक् सन्तृण्णा
— ओंकार एवेदं सर्वम्
3. 12. 1. गायत्री वा इदं सर्वं भूतं ..वाग्वा इदं सर्वं भूतं गायति
2. अस्यां हीदं सर्वं भूतं प्रतिष्ठितम्
6. पादोऽस्य सर्वा भूतानि
3. 14. 1. सर्वं खल्विदं ब्रह्म
2. सर्वमिदमभ्यात्तः 4.
3. 15. 4. प्राणो वा इदं सर्वं भूतम्
3. 16. 1. एते हीदं सर्वं वासयन्ति
3. एते हीदं सर्वं रोदयन्ति
5. एते हीदं सर्वमाददते
3. 19. 3. सर्वाणि च भूतानि सर्वे च कामाः (bis).
4. 1. 4. एनं सर्वं तदभिसमेति 6.
4. 3. 2. वायुरेवैतान्सर्वान्संवृङ्क्ते
8. तस्मात्सर्वासु दिक्ष्वन्नमेव दशकृतम्
— तयेदं सर्वं दृष्टं सर्वमस्येदं दृष्टम्

Chhâ. 4. 15. 2. एतं हि सर्वाणि वामान्यभिसंयन्ति
3. सर्वाणि वामानि नयति
4. सर्वेषु लोकेषु भाति
4. 16. 1. एष ह यन्निदं सर्वं पुनाति
4. 17. 10. सर्वांश्चर्त्विजोऽभिरक्षति
5. 1. 15. प्राणो ह्येवैतानि सर्वाणि भवति
5. 2. 6. अमा हि ते सर्वमिदम्
— अहमेवेदं सर्वमसानि
7. इति सर्वं पिबति
5. 3. 7. सर्वेषु लोकेषु क्षत्रस्यैव प्रशासनमभूत्
5. 11. 3. तेभ्यो न सर्वमिव प्रतिपत्स्ये
5. 18. 1. सर्वेषु लोकेषु सर्वेषु भूतेषु सर्वेष्वात्मस्वन्नमत्ति
5. 24. 2. तस्य सर्वेषु लोकेषु सर्वेषु भूतेषु सर्वेष्वात्मसु हुतं भवति
3. अस्य सर्वे पाप्मानः प्रदूयन्ते
5. एवं सर्वाणि भूतान्यग्निहोत्रमुपासते
6. 1. 2. सर्वान् वेदानधीत्य
4. सर्वं मृन्मयं विज्ञातम्
5. सर्वं लोहमयं विज्ञातम्
6. सर्वं कार्ष्णायसं विज्ञातम्
6. 7. 4. यत्किञ्च पप्रच्छ सर्वं ह प्रतिपेदे
6. 8. 4. सन्मूलाः सोम्येमाः सर्वाः प्रजाः 6.
6. 8. 7. ऐतदात्म्यमिदं सर्वम् 6. 9. 4; 6. 10. 3; 6. 11. 3; 6. 12. 3; 6. 13. 3; 6. 14. 3; 6. 15. 3; 6. 16. 3.
6. 9. 2. इमाः सर्वाः प्रजाः..न विदुः 6. 10. 2.

Chhâ. 6. 11. 2. सर्वं जहाति सर्वः शुष्यति
7. 2. 1. वागेवैतत्सर्वं विज्ञापयति
7. 4. 2. लोकस्य संक्लृप्त्यै सर्वं सङ्कल्पते
7. 10. 2. आप्नोति सर्वान् कामान्
7. 14. 2. अस्य सर्वे कामाः समृध्यन्ति
7. 15. 1. एवमस्मिन्प्राणे सर्वं समर्पितम्
4. प्राणो ह्येवैतानि सर्वाणि भवति
7. 25. 1. स एवेदं सर्वं..अहमेवेदं सर्वमिति
2. आत्मैवेदं सर्वमिति
— सर्वेषु लोकेषु कामचारो भवति 8. 1. 6; 8. 4. 3; 8. 5. 4.
— सर्वेषु लोकेष्वकामचारो भवति 8. 1. 6.
7. 26. 1. आत्मत एवेदं सर्वमिति
2. सर्वं ह पश्यः पश्यति सर्वमाप्नोति सर्वशः
— स्मृतिलंभे सर्वग्रन्थीनां विप्रमोक्षः
8. 1. 3. सर्वं तदस्मिन् समाहितम्
4. ब्रह्मपुरे सर्वं समाहितं सर्वाणि च भूतानि सर्वे च कामाः
8. 3. 2. सर्वं तदत्र गत्वा विन्दते
— सर्वाः प्रजा अहरहर्गच्छन्त्यः
8. 4. 1. सर्वे पाप्मानो ऽतो निवर्त्तन्ते
8. 7. 1. सर्वांश्च लोकानाप्नोति सर्वांश्च कामान् 2, 3; 8. 12. 6.
4. एष उ एवैषु सर्वेष्वेतेषु परिख्यायते
8. 8. 1. सर्वमेवेदमावां..पश्यावः

Chhâ. 8. 12. 6. सर्वे च लोका आप्ताः सर्वे च कामाः
8. 15. 1. आत्मनि सर्वेन्द्रियाणि सम्प्रतिष्ठाप्याहिंसन्त्सर्वभूतानि
Bṛih. 1. 2. 5. इदं सर्वमसृजत यदिदं किञ्च
— सर्वं वा अत्ति
— सर्वस्यैतस्यात्ता भवति सर्वमस्यान्नं भवति
1. 3. 18. इदं सर्वं यदन्नं तदात्मने
22. समो ऽनेन सर्वेण
23. प्राणेन हीदं सर्वमुत्तब्धम्
1. 4. 1. पूर्वो ऽस्मात्सर्वस्मात्सर्वान् पाप्मन औषत्
4. तत्सर्वमसृजत
5. अहं हीदं सर्वमसृक्षि
6. एष उ ह्येव सर्वे देवाः
— एतावद्वा इदं सर्वमन्नं चैवान्नादश्च
7. अत्र ह्येते सर्व एकं भवन्ति
— एतत्पदनीयमस्य सर्वस्य यदयमात्मानेन ह्येतत्सर्वं वेद
8. प्रेयो ऽन्यस्मात्सर्वस्मात्
9. ब्रह्मविद्यया सर्वं भविष्यन्तः
— यस्मात्तत्सर्वमभवत्
10. तस्मात्तत्सर्वमभवत्
— स इदं सर्वं भवति
13. इयं हीदं सर्वं पुष्यति
16. आत्मा सर्वेषां भूतानां लोकः
— सर्वाणि भूतान्यरिष्टिमिच्छन्ति
17. पांक्तमिदं सर्वं यदिदं किञ्च
— तादिदं सर्वमाप्नोति य एवं वेद

Brih. 1. 5. 1. तस्मिन्सर्वं प्रतिष्ठितम् 2.
2. पयसि हीदं सर्वं प्रतिष्ठितम्
— सर्वं हि देवेभ्यो ऽन्नाद्यं प्रयच्छति
3. एतत्सर्वं मन एव Maitri. 6. 30.
— एतत्सर्वं प्राण एव
13. एते सर्व एव समाः सर्वे ऽनन्ताः
14. सर्वमिदं प्राणभृदनुप्रविश्य
15. यद्यपि सर्वज्यानिं जीयते
17. तस्य सर्वस्य ब्रह्म
— तेषां सर्वेषां यज्ञः
— तेषां सर्वेषां लोकः
— एतावद्वा इदं सर्वम्
— मा सर्वं सन्नयामितो ऽभुनजत्
— एनं सर्वस्मात्पुत्रो मुञ्चति
20. एवंवित्सर्वेषां भूतानामात्मा
— सर्वाणि भूतान्यवन्ति (bis).
21. अस्यैव सर्वे रूपमसाम
— एतस्यैव सर्वे रूपमभवन्
1. 6. 1. सर्वाणि नामान्युत्तिष्ठन्ति
— सर्वैर्नामभिः समम्
— सर्वाणि नामानि बिभर्त्ति
2. सर्वाणि रूपाण्युत्तिष्ठन्ति
— सर्वै रूपैः समम्
— सर्वाणि रूपाणि बिभर्त्ति
3. सर्वाणि कर्माण्युत्तिष्ठन्ति
— सर्वैः कर्मभिः समम्
— सर्वाणि कर्माणि बिभर्त्ति
2. 1. 9. सर्वांस्तानतिरोचते
10. सर्वं . . आयुरेति 12.
20. आत्मनः सर्वे प्राणाः सर्वे लोकाः सर्वे देवाः . . व्युच्चरन्ति

Brih. 2. 2. 4. सर्वस्यात्ता भवति सर्वमस्यान्नं भवति
2. 4. 2. सर्वा पृथिवी वित्तेन पूर्णा 4. 5. 3.
5. न वा अरे सर्वस्य कामाय सर्वं प्रियं भवत्यात्मनस्तु कामाय सर्वं प्रियं भवति 4. 5. 6.
— आत्मनो . . विज्ञानेनेदं सर्वं विदितम्
6. सर्वं तं परादाद्यो ऽन्यत्रात्मनः सर्वं वेद 4. 5. 7.
— इदं सर्वं यदयमात्मा 4. 5. 7.
10. अस्यैवैतानि सर्वाणि निश्वसितानि 4. 5. 11.
11. सर्वासामपां समुद्र एकायनम् (similarly 12 times more) ; 4. 5. 12 (12 times more).
14. यत्र वा अस्य सर्वमात्मैवाभूत् 4. 5. 15.
— येनेदं सर्वं विजानाति 4. 5. 15.
2. 5. 1. सर्वेषां भूतानां मधु . . सर्वाणि भूतानि मधु (14 times).
— इदममृतमिदं ब्रह्मेदं सर्वम् (14 times).
15. सर्वेषां . . अधिपतिः सर्वेषां . . राजा
— अराः सर्वे समर्पिताः
— आत्मनि सर्वाणि भूतानि सर्वे देवाः सर्वे लोकाः सर्वे प्राणाः सर्व एत आत्मानः समर्पिताः
18. सर्वासु पूर्षु पुरिशय.

Brih. 3. 1. 3. सर्वं मृत्युनाप्तं सर्वं मृत्युनाभिपन्नम्
4. सर्वमहोरात्राभ्यामाप्तं सर्वमहोरात्राभ्यामभिपन्नम्
5. सर्वं पूर्वपक्षापरपक्षाभ्यामाप्तं सर्वं . . अभिपन्नम्
3. 2. 10. इदं सर्वं मृत्योरन्नम्
3. 6. 1. यदिदं सर्वमप्स्वोतं च प्रोतं च
3. 7. 1. सूत्रं येन . . सर्वाणि च भूतानि सन्दृब्धानि
— सर्वाणि च भूतानि यो ऽन्तरो यमयति
2. वायुना . . सूत्रेण . . सर्वाणि च भूतानि सन्दृब्धानि
15. यः सर्वेषु भूतेषु तिष्ठन्, &c.
3. 9. 3. एतेषु हीदं वसु सर्वं हितम्
5. इदं सर्वमाददाना यन्ति
7. एते हीदं सर्वं षडिति
8. एषु हीमे सर्वे देवा इति
9. अस्मिन्निदं सर्वमध्याप्रोत्
10. सर्वस्यात्मनः परायणम् (16 times).
27. सर्वे वा मा पृच्छत . . सर्वान्वा वः पृच्छामीति
4. 1. 2. सर्वाणि च भूतानि वाचैव . . प्रज्ञायन्ते
— सर्वाण्येनं भूतान्यभिक्षरन्ति 3—7.
7. हृदयं वै सर्वेषां भूतानामायतनं . . सर्वेषां . . प्रतिष्ठा . . हृदये ह्येव सर्वाणि . . प्रतिष्ठितानि
4. 2. 4. सर्वा दिशः सर्वे प्राणाः
4. 3. 20. अहमेवेदं सर्वमस्मीति
22. तीर्णो हि तदा सर्वाञ्छोकान्

Brih. 4. 3. 33. सर्वैर्मानुष्यकैर्भोगैः सम्पन्नतमः
— सर्वेभ्यो मा ऽन्तेभ्य उदरौत्सीत्
37. एवंविदं सर्वाणि भूतानि प्रतिकल्पन्ते
— सर्वे प्राणा अभिसमायन्ति
4. 4. 2. सर्वे प्राणा अनूत्क्रामन्ति
7. यदा सर्वे प्रमुच्यन्ते कामाः Katha. 6. 14.
13. स विश्वकृत्स हि सर्वस्य कर्ता
22. सर्वस्य वशी सर्वस्येशानः सर्वस्याधिपतिः
23. सर्वमात्मानं पश्यति
— सर्वं पाप्मानं तरति . . सर्वं पाप्मानं तपति
4. 5. 6. आत्मनि खल्वरे . . विज्ञात इदं सर्वं विदितम्
5. 3. 1. एतद्धैतत्सर्वम्
5. 6. 1. एष सर्वस्येशानः सर्वस्याधिपतिः सर्वमिदं प्रशास्ति
5. 12. 1. अन्ने हीमानि सर्वाणि भूतानि विष्टानि
— प्राणे हीमानि सर्वाणि भूतानि रमन्ते
— सर्वाणि . . अस्मिन् . . विशन्ति सर्वाणि . . रमन्ते
5. 13. 1. प्राणो हीदं सर्वमुत्थापयति
2. प्राणे हीमानि सर्वाणि भूतानि युज्यन्ते युज्यन्ते हास्मै सर्वाणि भूतानि श्रैष्ठ्याय . . य एवं वेद
3. प्राणे हीमानि सर्वाणि भूतानि सम्यञ्चि सम्यञ्चि हास्मै सर्वाणि भूतानि श्रैष्ठ्याय

Bṛih. 5. 14. 3. एष परोरजा इति सर्वं . . रजः . . तपति
8. सर्वमेव तत् सन्दहति
— सर्वमेव तत् संप्साय
6. 1. 4. श्रोत्रे हीमे सर्वे वेदा अभिसम्पन्नाः
6. 2. 4. सर्वमहं तत्तुभ्यमवोचम्
6. 3. 1. सर्वैः कामैस्तर्पयन्तु
3. सर्वाय स्वाहा
6. सर्वां च सावित्रीमन्वाह स र्वाश्च मधुमतीः
— अहमेवेदं सर्वं भूयासम्
6. 4. 14. सर्वमायुरियादिति 15–18
18. सर्वान् वेदाननुब्रुवीत
25. भूर्भुवः स्वः सर्वं त्वयि दधामि

Iśâ. 1. ईशा वास्यमिदं सर्वम्
5. तदन्तरस्य सर्वस्य तदु सर्वस्यास्य बाह्यतः
6. यस्तु सर्वाणि भूतान्यात्मन्येवानुपश्यति सर्वभूतेषु चात्मानम्
7. यस्मिन् सर्वाणि भूतान्यात्मैवाभूत्

Tait. 1. 5. 2. सर्वे लोका महीयन्ते
— सर्वाणि ज्योतींषि महीयन्ते
3. सर्वे वेदा महीयन्ते
— सर्वे प्राणा महीयन्ते
— सर्वे ऽस्मै देवा बलिमावहन्ति
1. 7. 1. पांक्तं वा इदं सर्वम्
1. 8. 1. ओमितीदं सर्वम्
2. 1. 1. सो ऽश्नुते सर्वान् कामान्
2. 2. 1. सर्वं वै ते ऽन्नमाप्नुवन्ति
2. 3. 1. सर्वमेव त आयुर्यन्ति
2. 5. 1. विज्ञानं देवाः सर्वे ब्रह्म ज्येष्ठमुपासते

Tait. 2. 5. 1. सर्वान् कामान् समश्नुते
2. 6. 1. तपस्तप्त्वेदं सर्वमसृजत
2. 8. 1. तस्येयं पृथिवी सर्वा वित्तस्य पूर्णा
3. 10. 3. सर्वमित्याकाशे

Katha. 1. 8. पुत्रपशूंश्च सर्वान्
25. सर्वान् कामांश्छन्दतः प्रार्थयस्व
26. सर्वं जीवितमल्पमेव
2. 15. सर्वे वेदाः . . तपांसि सर्वाणि
3. 12. एष सर्वेषु भूतेषु गूढात्मा
4. 9. तं देवाः सर्वे ऽर्पिताः
5. 8. तस्मिँल्लोकाः श्रिताः सर्वे 6. 1.
15. तमेव भान्तमनुभाति सर्वं तस्य भासा सर्वमिदं विभाति Śwet. 6.14; Muṇḍ. 2. 2. 10.
6. 2. यदिदं किञ्च जगत्सर्वम्
15. यदा सर्वे प्रभिद्यन्ते

Śwet. 1. 12. सर्वं प्रोक्तं त्रिविधं ब्रह्ममेतत्
2. 8. स्रोतांसि सर्वाणि भयावहानि
16. एषो ऽह देवः प्रदिशो ऽनु सर्वाः Mahânâr. 2. 1 (एष हि)
3. 1. सर्वाँल्लोकानीशत ईशिनीभिः
9. तेनेदं पूर्णं पुरुषेण सर्वम् Mahânâr. 10. 4.
15. पुरुष एवेदं सर्वम् Nṛip. 5. 1.
16. सर्वमावृत्य तिष्ठति Gîtâ 13. 13.
17. सर्वस्य प्रभुं . . सर्वस्य शरणम्
18. वशी सर्वस्य लोकस्य
4. 10. तस्यावयवभूतैस्तु व्याप्तं सर्वम्

Śwet. 4. 11. यस्मिन्निदं सं च विचैति सर्वम् Mahânâr. 1. 2.
5. 2. योनीश्च सर्वाः
4. सर्वा दिश ऊर्ध्वमधश्च तिर्यक्
5. प्राच्यांश्च सर्वान् परिणामयेद्यः सर्वमेतद्विश्वमाधितिष्ठत्येको गुणांश्च सर्वान् विनियोजयेद्यः
6. 2. येनावृतं नित्यमिदं हि सर्वम्
4. भावांश्च सर्वान् विनियोजयेद्यः

Maitri. 1. 4. सर्वं चेदं क्षयिष्णु पश्यामः
4. 6. ब्रह्म खल्विदं वाव सर्वम्
6. 3. एताभिः सर्वमिदमोतं प्रोतम्
6. एतस्यामिदं सर्वमन्तर्हितमस्मिंश्च सर्वस्मिन्नेषान्तर्हिता
7. सर्वमात्मा जानीतेति
9. विशन्तु त्वामाहुतयश्च सर्वाः
10. एवं सर्वाणीन्द्रियकर्माणि
12. सर्वाणि . . भूतान्यहरहः प्रपतन्ति
14. अन्नं वा अस्य सर्वस्य योनिः
15. कालः पचति भूतानि सर्वाणि
16. अर्थेभ्यः सर्वमिदम्
— सर्वः कश्चित् प्रभुः साक्षी
18. परेऽव्यये सर्वमेकीकरोति
25. यस्मात् सर्वमनेकधा युनक्ति
30. अत्र हि सर्वे कामाः समाहिताः 35, 38.
32. तस्माद्वा . . सर्वे प्राणाः सर्वे लोकाः सर्वे वेदाः सर्वे देवाः सर्वाणि च भूतान्युच्चरन्ति
35. सर्वमस्मै यजमानाय धेहि
— सर्वं पश्यन् पश्यति

Maitri. 7. 1. सर्वस्यात्मा . . सर्वस्येशानः सर्वस्यान्तरान्तरः
7. अस्यैवान्नमिदं सर्वम्
11. उच्चारितमात्र एव सर्वं शारीरं विद्योतयति
— सर्वं हि पश्यन् पश्यति सर्वमाप्नोति

Muṇḍ.1. 1. 3. सर्वमिदं विज्ञातं भवति
2. 1. 6. दीक्षा यज्ञाश्च सर्वे
9. अतः समुद्रा गिरयश्च सर्वे Mahânâr. 8. 5.
— अतश्च सर्वा ओषधयः
2. 2. 5. मनः सह प्राणैश्च सर्वैः
3. 1. 9. प्राणैश्चित्तं सर्वमोतम्
3. 2. 2. इहैव सर्वे प्रविलीयन्ति कामाः
5. सर्वमेवाविशन्ति
6. परिमुच्यन्ति सर्वे Mahânâr. 10. 6; Kaivalya. 4.
7. देवाश्च सर्वे प्रतिदेवतासु
— परेऽव्यये सर्व एकीभवन्ति

Mahânâr. 1. 8. सर्वे निमेषा जज्ञिरे
2. 7. परीत्य सर्वाः प्रदिशो दिशश्च
4. 1. सर्वं हरतु मे पापम्
7. त्वयि सर्वं प्रतिष्ठितम्
5. 9. एष सर्वस्य भूतस्य . . गोप्ता
7. 4. सर्वं पाहि शतक्रतो
11. 6. अन्तर्बहिश्च तत्सर्वम् Vâsu. 3.
9. तस्मिन् सर्वं प्रतिष्ठितम्
13. 2. सर्वो वै रुद्रः
— सर्वो ह्येष रुद्रः
14. 1. आपो वा इदं सर्वम्
— सर्वा देवता आपः
2. सर्वं पुनन्तु मामापः Prâṇâg. 1.

Mahânâr. 15. 1. सर्वमसि सर्वायुः
16. 3. ईशः सर्वस्य जगतः
17. 3. सर्व सर्वेभ्यो नमस्ते रुद्र रूपेभ्यः
21. 2. दानमिति सर्वाणि भूतानि प्रशंसन्ति
— धर्मेण सर्वमिदं परिगृहीतम्
22. 1. सत्ये सर्वं प्रतिष्ठितम्
— तपसि सर्वं प्रतिष्ठितम्
— दमे सर्वं प्रतिष्ठितम्
— शमे सर्वं प्रतिष्ठितम्
— दाने सर्वं प्रतिष्ठितम्
— धर्मे सर्वं प्रतिष्ठितम्
23. 1. यज्ञे सर्वं प्रतिष्ठितम्
— मानसे सर्वं प्रतिष्ठितम्
— तस्मादन्नं ददन्त्सर्वाण्येतानि ददाति
— येन सर्वमिदं प्रोतं . . सर्वैः सर्वमिदं जगत्

Praśna. 1. 1. एष ह वै तत्सर्वं वक्ष्यतीति
2. सर्वं ह वो वक्ष्यामः
5. रयिर्वा एतत्सर्वम्
6. यत्सर्वं प्रकाशयति तेन सर्वान् प्राणान् रश्मिषु संनिधत्ते
2. 4. इतरे सर्व एवोत्क्रामन्ते . . सर्व एव प्रातिष्ठन्ते
— सर्वा एवोत्क्रामन्ते . . सर्वा एव प्रातिष्ठन्ते
6. प्राणे सर्वं प्रतिष्ठितम्
4. 1. कस्मिन्नु सर्वे सम्प्रतिष्ठिताः
2. सर्वाः एकीभवन्ति
— तत्सर्वं . . एकीभवति
5. सर्वं पश्यति सर्वः पश्यति
7. सर्वं पर आत्मनि सम्प्रतिष्ठते
10. स सर्वज्ञः सर्वो भवति
11. विज्ञानात्मा सह देवैश्च सर्वैः
— स सर्वज्ञः सर्वमेवाविवेश

Kaivalya. 9. स एव सर्वं यद्भूतं यच्च भव्यम्
19. मयि सर्वं प्रतिष्ठितम्
— मयि सर्वं लयं याति

Mâṇḍû. 1. ओमित्येतदक्षरमिदं सर्वम् Nṛip. 2. 2; 4. 1; Nṛisut. 1; Râmot. 3.
— सर्वमोङ्कार एव Nṛip. 4. 1; Nṛisut. 1; Râmot. 3.
2. सर्वं ह्येतद्ब्रह्म Nṛip. 4. 1; Nṛisut 1; Râmot. 3.
6. एष योनिः सर्वस्य Nṛip. 4. 1; Nrisut.1; Râmot. 3.
9. आप्नोति ह वै सर्वान् कामान् . . य एवं वेद
11. मिनोति ह वा इदं सर्वम् Nṛisut. 2.

Gauḍa. 1. 6. सर्वं जनयति प्राणः
27. सर्वस्य प्रणवो ह्यादिः
28. सर्वस्य हृदये स्थितम्
2. 2. प्रतिबुद्धश्च वै सर्वः 4. 34.
14. कल्पिता एव ते सर्वे 15.
28. सर्वे चेह तु सर्वदा
3. 1. प्रागुत्पत्तेरजं सर्वम्
5. न सर्वे सम्प्रयुज्यन्ते
10. संघाताः स्वप्नवत्सर्वे
26. निह्नुते यतः सर्वम्
43. दुःखं सर्वमनुस्मृत्य
— अजं सर्वमनुस्मृत्य
4. 10. सर्वे धर्माः स्वभावतः
33. सर्वे धर्मा मृषा स्वप्ने
36. यथा कायस्तथा सर्वम्
38. अजं सर्वमुदाहृतम्
57. संवृत्या जायते सर्वम्
— सद्भावेन ह्यजं सर्वम्
68. तथा जीवा अमी सर्वे 69 70.
77. अजातस्यैव सर्वस्य

Gauḍa. 4. 91. सर्वे धर्मा अनादयः
92. सर्वे धर्माः सुनिश्चिताः
93. सर्वे धर्माः समाभिन्नाः
98. अलब्धावरणाः सर्वे धर्माः
99. सर्वे धर्मास्तथा ज्ञानम्

Nṛip. 1. 1. तेन वै सर्वमिदमसृजत . . तस्मात् सर्वमिदमानुष्टुभमित्याचक्षते
2. सर्वैः सेवितं दिवम्
3. सर्वे वेदाः प्रणवादिकाः
4. इदं सर्वं विश्वानि भूतानि

2. 1. सर्वे मृत्युमजयन् सर्वे पाप्मानमतरन्
2. अनुष्टुभा सर्वमिदं सृष्टम् 3.
— अनुष्टुभा सर्वमुपसंहृतम् 3.
— सप्रणवं सर्वं पञ्चमं भवति
3. सर्वमिदमानुष्टुभं जानीयात्
4. सर्वाँल्लोकान् सर्वान्देवान् सर्वानात्मनःसर्वाणि भूतानि (ter).
— यस्मात् सर्वेषां भूतानां नावीर्यतमः
— सर्वे लोकाः सर्वे देवाः सर्वाणि भूतानि भीत्या पलायन्ते
— यं सर्वे देवा नमन्ति

3. 1. माया . . सर्वमिदं सृजति सर्वमिदं रक्षति सर्वमिदं संहरति
— सर्वं पाप्मानं दहति
— सर्वेषां वा एतद्भूतानामाकाशः परायणम्
— सर्वाणि ह वा इमानि भूतान्याकाशादेव जायन्ते

4. 2. तया सर्वमिदं व्याप्तम्
— गायत्री वा इदं सर्वम्

Nṛip. 4. 3. यो वै नृसिंहः . . यच्च सर्वं तस्मै वै नमो नमः (32).

5. 1. मायया वा एतत् सर्वं वेष्टितम्
2. सर्वेषां मन्त्राणामुपदेष्टा भवति
4. स सर्वं तरति Râmot. 2.
5. स सर्वान्देवान् स्तंभयति
— स सर्वान् महान् स्तंभयति
7. स सर्वानाकर्षयति
8. स सर्वैः क्रतुभिर्यजते
9. स सर्वमधीते

Nṛisut. 1. तस्मिन्निदं सर्वं . . आरोप्य
2. सर्वस्य द्रष्टा
— सर्वस्मादस्मादन्यो विलक्षणः
— सर्वस्य साक्षी
— अस्मात् सर्वस्मात् प्रियतमः
— अस्मात् सर्वस्मात् पुरतः सुविभातम्
— आप्नोति ह वा इदं सर्वं . . य एवं वेद
— यथेदं सर्वमन्तकाले कालाग्निसूर्यो ऽस्रैः
— अस्य सर्वस्य स्वात्मानं ददाति
— यदि सर्वमिदं दर्शयतीदं सर्वं स्वात्मानं करोति
— नामरूपात्मकं हीदं सर्वम्
— अविकल्परूपं हीदं सर्वम्
3. भवति च सर्वेषु पादेषु चतुरात्मा (4 times).
— इहेदं सर्वं दृष्ट्वा (सृष्ट्वा 2 MSS.)
4. असौ हि . . सर्वमत्ति
5. नहीदं सर्वमेष हि व्याप्ततमः

Nṛiṣt. 5. इदं सर्वं यदयमात्मा मायामात्रम्

— पुरतो ऽस्मात् सर्वस्मात् सुविभातम् 9.

6. सर्वस्य पुरतः सुविभातम्

7. एवमेवेदं सर्वम्

— सर्वं ह्ययमात्मा

— न हीदं सर्वं निरात्मकमात्मैवेदं सर्वम्

— ब्रह्मैवेदं सर्वं सच्चिदानन्दरूपम्

— सच्चिदानन्दरूपमिदं सर्वम्

— सद्धीदं सर्वं..चिद्धीदं सर्वम्

— सर्वमन्यदपि

— ब्रह्म ह वा इदं सर्वम्

— स यदेतत्सर्वमुपेक्षते तदैतत्सर्वमस्मिन् प्रविशति

— एतत्सर्वमस्मादेवोत्तिष्ठति

— स एतत् सर्वं निरूह्य

8. अस्मिन्निदं हि सर्वम्

— अयं हि सर्वमेवौतः

— वागेवेदं सर्वम्

— चिन्मयमिदं सर्वम्

— एष ह्यस्य सर्वस्य स्वात्मानमनुजानाति

— नहीदं सर्वं स्वत आत्मवत्

— वागेवेदं सर्वमनुजानाति

— चिद्धीदं सर्वं निरात्मकमात्मसात्करोति

— अयं ह्यस्मात्सर्वस्मात्पुरतः सुविभातः

— आत्मा हीदं सर्वं सदेव

9. एषैव सर्वम्

— तथाहि प्राज्ञैः सैषाविद्या जगत्सर्वम्

— सर्वं सर्वमयं सर्वे जीवाः सर्वमयाः

Nṛisut. 9. सत्तामात्रं हीदं सर्वम्

— अन्यदपि सर्वं सर्वगं सर्वम्

— न हीदं सर्वं कदाचित्

— एतद्धीदं सर्वं साधयति

Brahmav. 12. सर्वं व्याप्यैव तिष्ठति

13. योज्यः शान्तये सर्वमिच्छता

Kshur. 4. पूरयेत्सर्वमात्मानम्

23. सर्वाणि कर्माणि..दग्ध्वा

Chûl. 1. सर्वः पश्यन्न पश्यति

17. यस्मिन् सर्वमिदं प्रोतम्

Śiras. 1. अहमेव सर्वे व्योममेव स सर्वे समाः (so Nârâyaṇa and some MSS. of the text).

— सर्वांश्च वेदान् साङ्गानपि

2. यो वै रुद्रः..यच्च सर्वम्

3. सर्वमसर्वं विश्वमविश्वम्

— सूक्ष्मः पुरुषः सर्वम्

— हृदिस्था देवताः सर्वाः Brahma. 2.

4. सर्वाणि चाङ्गान्यभिमृशति

— सर्वान् प्राणान् संभक्ष्य

— तेषां सर्वेषामिह सङ्गतिः

— यः सर्वान्देवानीशते

— सर्वान् भावान् परित्यज्य

5. एको ह देवः प्रदिशो ऽनु सर्वाः

— सं च विचरति सर्वम्

— सर्वं ह वा इदं भस्म

6. यस्मिन्निदं सर्वमोतप्रोतम् Brahma. 2.

7. स सर्वैर्देवैर्ज्ञातो भवति Mahâ. 4; Kâlâg. 2;

— स सर्वैर्वेदैरनुध्यातो भवति Mahâ. 4.

— स सर्वेषु तीर्थेषु स्नातो भवति Mahâ. 4; Kâlâg. 2; Vâsu 4.

Śiras. 7. तेन सर्वैः क्रतुभिरिष्टं भवति Mahâ. 4.

Sikhâ. 1. स एष सर्वान् प्राणान्.. उत्क्रामयति

2. प्रणवः सर्वान् प्राणान् प्रणामयति

— सर्वेभ्यो दुःखभयेभ्यः सन्तारयति

— तारणात्तानि सर्वाणीति विष्णुः सर्वान् जयति

— ईशा वा सर्वमिदं प्रयुक्तम्

— सर्वाणि चेन्द्रियाणि सहभूतानि

— करणं सर्वमैश्वर्यं सम्पन्नम्

— सर्वज्ञानयोगध्यानानाम्

— सर्वमन्यत्परित्यज्य

Garbha. 3. सर्वलक्षणज्ञानसम्पूर्णः

Mahâ. 2. सर्वाणि छन्दांसि तान्यङ्गेष्वाश्रितानि

Brahma. 1. प्राणदेवतास्ताः सर्वा नाड्यः

2. तेन सर्वमिदं प्रोतम्

Prâṇâg. 1. सर्वं.. अभयं कृणोतु

— सर्वाभिरुदाने

2. विश्वं तु त्वाहुतयः सर्वाः

— सर्वेषामेव सूनुर्भवति

4. सर्वा ह्यस्मिन् देवताः

Nîla. 6. यथा नः सर्वमिज्जगदयक्ष्मम्

Amrita. 35. व्यानः सर्वेषु चाङ्गेषु

Dhyâna. 8. एवं सर्वाणि भूतानि मणिसूत्रमिवात्मनि

Tejo. 11. सर्वं च परमं शून्यम्

Yogat. 6. स्थिताः सर्वे त्रयाक्षरे

7. तेन सर्वमिदं प्राप्तम्

12. एवं सर्वेषु द्वारेषु

Nyâsa. 1. अभ्युदय.. इदममुं च सर्वम्

Nyâsa. 1. सर्वमभिजित्य सर्वंश्रियं दधतु (another reading is सर्वमभिजन्युः)

3. सर्वं तद्वर्जयेद्यतिः Katha-śru. 4.

Kaṭhaśru. 1. सर्वांश्च पूर्ववद्वृणीत्वा

— सर्वैः पात्रैः समारोप्य

— सर्वान् सर्वेषु समारोपयेत्

— त्वं सर्वमित्यनुमन्त्रयेत्

Piṇḍa. 1. देवता ऋषयः सर्वे

Sarvop. 3. सर्वप्राणिबुद्धिषु

— सर्वप्राणिबुद्धिस्थः

— सर्वोपाधिविनिर्मुक्तः

Haṁsa. 1. सर्वेषु देहेषु व्याप्तो वर्त्तते

2. एवं सर्वं हंसवशात् (bis).

Parama. 2. सर्वान् कामान् परित्यज्य

3. सर्वे कामा मनोगता व्यावर्त्तन्ते (सर्वान् कामानात्मनो गतान् व्यावर्त्तेरन् MSS.)

— सर्वेषामिन्द्रियाणां गतिरुपरमते

Aruṇeya. 2. सर्वेषु वेदेष्वारण्यकमावर्त्तयेत्

4. मत्तः सर्वं प्रवर्त्तते

Nâr. 1. नारायणात्.. सर्वा देवताः

— नारायणात्.. सर्वे ऋषयः सर्वाणि छंदांसि

— सर्वाणि च भूतानि नारायणादेव

2. नारायण एवेदं सर्वम्

3. सर्वेभ्यो ऽघेभ्यो विमुक्तो भवति स सर्वान् कामानवाप्नोति सर्वांश्च लोकानाप्नोति

4. सर्वमायुरप्येति

Kâlâg. 2. तेन सर्वे देवा ध्याता भवन्ति

Jâbâla. 1. सर्वेषां भूतानां ब्रह्मसदनम् (ter) ; Râmot. 1 (ter).
2. सर्वानिन्द्रियकृतान् दोषान् वारयति Râmot. 4.
— सर्वानिन्द्रियकृतान्पापान्नाशयति Râmot. 4.
4. आपो वै सर्वा देवताः
— सर्वाभ्यो देवताभ्यो जुहोमि
6. एतत् सर्वं भूः स्वाहेत्यप्सु परित्यज्य

Vâsu. 2. एते सर्वे प्रणवमयोर्ध्वपुण्ड्रत्रयात्मकाः
3. यच्च किञ्चिज्जगत्सर्वम्
— ब्राह्मणानां तु सर्वेषाम्
4. सर्वमहापातकेभ्यः
— सर्वैर्यज्ञैर्याजी भवति
— सर्वैर्देवैः पूज्यो भवति

Gopî. 5. सर्वान् वेदान्..ब्रह्मलोके स्थापयामास

Krish. 1. ते होचुस्तं सुराः सर्वे
4. मोदितास्ते सुराः सर्वे
12. दुर्जया सा सुरैः सर्वैः
27. भूमावुत्तारितं सर्वम्

Skanda. 3. व्यतिरिक्तं जडं सर्वम्

Râmap. 20. सर्वेषां साधकानाम्
23. सर्वेषामेव मन्त्राणाम्
27. सर्वालंकृतया चिता
38. आहूय शंसतां सर्वम्
60. तत्सर्वं प्रणवाभ्याम्
92. मोक्षमाप्नोति सर्वः

Râmot. 3. सर्वदेहिनाम्
4. सर्वेषां मुक्तिसिद्ध्ये
5. ये सर्वे वेदाः सांगाः (6).

Mukti. 1. सर्वेषां कैवल्यमुक्तिः
2. सर्ववासनाक्षयात्
2. 60. भ्रान्तं पश्यति..सर्वम्

Gîtâ. 1. 6. सर्व एव महारथाः
9. सर्वे युद्धविशारदाः
11. अयनेषु च सर्वेषु
— भवन्तः सर्व एव हि
25. सर्वेषां च महीक्षिताम्
27. सर्वान्बन्धूनवस्थितान्
2. 12. सर्वे वयमतः परम्
17. येन सर्वमिदं ततम् 8. 22 ; 18. 46.
30. देहे सर्वस्य भारत
46. तावान्सर्वेषु वेदेषु
54. सर्वान्पार्थ मनोगतान्
61. तानि सर्वाणि संयम्य
70. तद्वत्कामा यं प्रविशन्ति सर्वे
71. विहाय कामान्यः सर्वान्
3. 5. कार्यते ह्यवशः कर्म सर्वः
30. मयि सर्वाणि कर्माणि सन्न्यस्य
4. 5. तान्यहं वेद सर्वाणि
19. यस्य सर्वे समारम्भाः
27. सर्वाणीन्द्रियकर्माणि
30. सर्वे ऽप्येते यज्ञविदः
32. कर्मजान्विद्धि तान्सर्वान्
33. सर्वं कर्माखिलं पार्थ
36. सर्वेभ्यः पापकृत्तमः
— सर्वं ज्ञानप्लवेनैव
6. 4. सर्वसंकल्पसन्न्यासी
24. त्यक्त्वा सर्वानशेषतः
30. सर्वं च मयि पश्यति
47. योगिनामपि सर्वेषाम्
7. 6. एतद्योनीनि भूतानि सर्वाणि
7. मयि सर्वमिदं प्रोतम्
13. एभिः सर्वमिदं जगत्
18. उदाराः सर्व एवैते
19. वासुदेवः सर्वमिति
7. तस्मात्सर्वेषु कालेषु
9. सर्वस्य धातारम्
18. अव्यक्ताद्व्यक्तयः सर्वाः

Gîtâ. 8. 20. सर्वेषु भूतेषु नश्यत्सु
27. तस्मात्सर्वेषु कालेषु
28. अत्येति तत्सर्वमिदं विदित्वा
9. 4. मयाततमिदं सर्वम्
6. तथा सर्वाणि भूतानि मत्स्थानि
10. 8. अहं सर्वस्य प्रभवो मत्तः सर्वं प्रवर्त्तते
13. आहुस्त्वामृषयः सर्वे
14. सर्वमेतदृतं मन्ये
11. 15. सर्वांस्तथा भूतविशेषसंघान्
— ऋषींश्च सर्वानुरगांश्च दिव्यान्
20. व्याप्तं त्वयैकेन दिशश्च सर्वाः
22. वीक्षन्ते त्वां विस्मिताश्चैव सर्वे
26. सर्वे सहैवावनिपालसंघैः
32. ऋते ऽपि त्वां न भविष्यन्ति सर्वे
36. सर्वे नमस्यन्ति च सिद्धिसंघाः
40. नमो ऽस्तु ते सर्वत एव सर्व
— सर्वं समाप्नोषि ततो ऽसि सर्वः
12. 6. ये तु सर्वाणि कर्माणि मयि सन्न्यस्य
11. सर्वकर्मफलत्यागम् 18. 2.
13. 17. हृदि सर्वस्य धिष्ठितम्
27. समं सर्वेषु भूतेषु
14. 1. यज्ज्ञात्वा मुनयः सर्वे
15. 13. पुष्णामि चौषधीः सर्वाः
15. सर्वस्य चाहं हृदि सन्निविष्टः
— वेदैश्च सर्वैरहमेव वेद्यः

Gîtâ. 15. 16. क्षरः सर्वाणि भूतानि
17. 3. सत्त्वानुरूपा सर्वस्य श्रद्धा
7. आहारस्त्वपि सर्वस्य
18. 21. वेत्ति सर्वेषु भूतेषु
54. समः सर्वेषु भूतेषु
64. सर्वगुह्यतमं भूयः

2. सर्व (=Śiva.)

Nîla. 22. सर्वेण नीलशिखण्डेन
23. सर्व नीलशिखण्ड वीर
24. नमो भवाय नमः सर्वाय

सर्वसह

Âśrama. 4. सर्वसहाः सर्वसमाः

सर्वकरण

Śikhâ. 2. सर्वकरणानि सम्प्रतिष्ठाप्य ध्यानात्

1. सर्वकर्मन्

Chhâ. 3. 14. 2. सर्वकर्मा सर्वकामः 4.

2. सर्वकर्मन्

Parama. 1. सर्वकर्माणि सन्न्यस्य
Gîtâ. 3. 26. जोषयेत्सर्वकर्माणि
4. 37. ज्ञानाग्निः सर्वकर्माणि भस्मसात्कुरुते
5. 13. सर्वकर्माणि मनसा सन्न्यस्य
18. 13. सिद्धये सर्वकर्मणाम्
56. सर्वकर्माण्यपि सदा कुर्वाणः
57. चेतसा सर्वकर्माणि मयि सन्न्यस्य

1. सर्वकाम

Chhâ. 3. 14. 2. सर्वकर्मा सर्वकामः 4.

2. सर्वकाम

Gîtâ. 6. 18. निःस्पृहः सर्वकामेभ्यः

सर्वकामदुघ

Chûl. 5. सर्वकामदुघा विभोः

सर्वकाममय

Maitri. 6. 30. स हि सर्वकाममयः पुरुषः

सर्वकामार्थद

Râmap. 94. इमा ऋचः सर्वकामार्थदाश्च

सर्वकिल्बिष

Gitâ. 3. 13. मुच्यन्ते सर्वकिल्बिषैः

सर्वक्षित्

Maitri. 6. 35. नमो ब्रह्मणे सर्वक्षिते

सर्वक्षेत्र

Sarvop. 3. मणिगणसूत्रमिव सर्वक्षेत्रेष्वनुस्यूतत्वेन

Gitâ. 13. 2. सर्वक्षेत्रेषु भारत

सर्वग

Śwet. 6. 17. ज्ञः सर्वगो भुवनस्यास्य गोप्ता

Muṇḍ.3. 2. 5. ते सर्वगं सर्वतः प्राप्य धीराः

Nṛip. 2. 4. सर्वगः सर्वतस्तिष्ठति

Nrisut. 9. सर्वगो ह्येष ईश्वरः

— अन्यदपि सर्वं सर्वगं सर्वम्

सर्वगत

Śwet. 3. 11. तस्मात् सर्वगतः शिवः

21. सर्वात्मानं सर्वगतम्

Muṇḍ.1. 1. 6. नित्यं विभुं सर्वगतम्

Nṛisut. 5. एष हीश्वरो ऽतः सर्वगतः

Mukti. 2. 49. सा हि सर्वगता संवित्

73. अलेपकं सर्वगतं यदद्वयम्

75. स्वयम्प्रभः सर्वगतो ऽहमव्ययः

Gitâ. 2. 24. नित्यः सर्वगतः स्थाणुः

3. 15. तस्मात्सर्वगतं ब्रह्म

13. 32. यथा सर्वगतं . . आकाशम्

सर्वगन्ध

Chhâ. 3. 14. 2. सर्वगन्धः सर्वरसः 4.

सर्वगुणसम्पन्न

Maitri. 6. 29. सर्वगुणसम्पन्नाय दद्यात्

सर्वग्रास

Nṛisut. 5. सर्वग्रासं सर्वप्रेमास्पदम्

सर्वचिन्तासमुत्थित

Gauḍa. 3. 37. सर्वाभिलापविगतः सर्वचिन्तासमुत्थितः

सर्वजन्तुप्रकाशिन्

Kṛish. 26. प्रिया बुद्धिः सर्वजन्तुप्रकाशिनी

सर्वजित्

Kaush. 2. 7. सर्वजितः कौषीतकेः

— सर्वजिद्ध स्म कौषीतकिः

सर्वजीव

Kaṭhaśru. 4. स्वस्ति सर्वजीवेभ्यः

सर्वज्ञ

Maitri. 7. 1. योगीश्वरः सर्वज्ञः

Muṇḍ.1. 1. 9. यः सर्वज्ञः सर्ववित् 2. 2. 7.

Praśna. 4. 10. स सर्वज्ञः सर्वो भवति

Mâṇḍû. 6. एष सर्वेश्वर एष सर्वज्ञः Nṛip. 4. 1; Nṛisut. 1; Râmot. 3.

Gauḍa. 3. 36. सकृद्विभातं सर्वज्ञम्

47. अजमजेन ज्ञेयेन सर्वज्ञम्

Nṛisut. 5. एतदेव ब्रह्मापि सर्वज्ञम्

9. सर्वज्ञो ऽनन्तो ऽभिन्नः

Nyâsa. 1. स सर्वज्ञः सर्ववित्

सर्वज्ञता, °त्व

Maitri. 6. 38. सत्यकामसर्वज्ञत्वसंयुक्तम्

Gauḍa. 4. 85. प्राप्य सर्वज्ञतां कृत्स्नाम्

89. सर्वज्ञता हि सर्वत्र भवतीह

सर्वज्ञान

Brahmav. 1. ब्रह्मविद्यां प्रवक्ष्यामि सर्वज्ञानम्

Yogaśi. 1. सर्वज्ञानेषु चोत्तमाम्
Gîtâ. 3. 32. सर्वज्ञानविमूढांस्तान्

सर्वतःपाणिपाद

Śwet. 3. 16. सर्वतःपाणिपादं तत्
Gîtâ. 13. 13.

सर्वतःश्रुतिमन्त्

Śwet. 3. 16. सर्वतःश्रुतिमल्लोके Gîtâ. 13. 13.

सर्वतत्त्व

Śwet. 2. 15. सर्वतत्त्वैर्विशुद्धम्

सर्वतस्

Chhâ. 3. 13. 7. सर्वतः पृष्ठेषु
4. 1. 1. स ह सर्वत आवसथान् मापयाञ्चक्रे सर्वत एव मे ऽत्स्यन्तीति
Bṛih. 6. 4. 23. यथा वायुः पुष्करिणीं समिङ्गयति सर्वतः
Tait. 1. 4. 3. ब्रह्मचारिणः..आयन्तु सर्वतः
Kaṭha. 2. 21. शयानो याति सर्वतः
Maitri. 6. 17. सर्वतो ऽनन्तः
Muṇḍ.3. 2. 5. ते सर्वगं सर्वतः प्राप्य
Mahânâr.17. 3. सर्वतः सर्व सर्वेभ्यो नमस्ते रुद्र रूपेभ्यः
Nṛip. 2. 4. सर्वतः पश्यति सर्वतः शृणोति सर्वतो गच्छति सर्वत आदत्ते..सर्वतस्तिष्ठति
5. 1. पत्नैर्वा एतत् सर्वतः परिक्रामति
Mukti. 2. 74. पुरस्तिरश्चोर्ध्वमधश्च सर्वतः
Gîtâ. 2. 46. सर्वतः सम्प्लुतोदके
11. 16. पश्यामि त्वां सर्वतो ऽनन्तरूपम्
17. तेजोराशिं सर्वतो दीप्तिमन्तम्
40. नमो ऽस्तु ते सर्वत एव सर्व

सर्वतोक्षिशिरोमुख

Śwet. 3. 16. सर्वतःपाणिपादं तत् सर्वतोक्षिशिरोमुखम् Gîtâ. 13. 13.

सर्वतोमुख

Śwet. 2. 16. प्रत्यङ् जनास्तिष्ठति सर्वतोमुखः Śiras. 5.
Mahânâr. 2. 1. प्रत्यङ्मुखस्तिष्ठति सर्वतोमुखः (so Nârâyaṇa ; other MSS. विश्वतोमुखः)
Nṛip. 1. 5. तं स द्वितीयस्यार्द्धान्त्यम्
6. र्वतो द्वितीयान्तार्द्धस्याद्यम्
7. मुखं द्वितीयस्यान्त्यम्
2. 3. सर्वतोमुखं पञ्चमं (स्थानं जानीयात्)
4. कस्मादुच्यते सर्वतोमुखमिति
— नमामि तमहं सर्वतोमुखम्
— तस्मादुच्यते सर्वतोमुखमिति
Nṛisut. 4. एष एव सर्वतोमुखः
5. एष एव सर्वतोमुख एष हि व्याप्ततमः
— एष एव सर्वतोमुख एष ह्येवोत्कृष्टः
— एतदेव सर्वतोमुखमेतद्धि महाविभूति
6. सर्वतोमुखमसर्वतोमुखं .. बुबुधिरे

सर्वतोमुखत्व

Nṛisut. 7. ज्वलत्त्वात् सर्वतोमुखत्वात्

सर्वत्र

Gauḍa. 4. 89. सर्वज्ञता हि सर्वत्र
Nṛisut. 4. एष उ एव नृ एष हि सर्वत्र सर्वदा सर्वात्मा

Nṛisut. 4. असौ हि सर्वत्र सर्वदा सर्वात्मा
9. अविकारो ह्युपलब्धा सर्वत्र
— सर्वत्र ब्रह्मविष्णुशिवरूपिणी
— आत्मन एव..सर्वत्र योनित्वम्
Dhyâna. 10. सर्वत्रात्मा व्यवस्थितः
Yogaśi. 3. मनः सर्वत्र संयम्य
Parama. 3. सर्वत्र शुभाशुभयोरनभिस्नेहः
Gîtâ. 2. 57. यः सर्वत्रानभिस्नेहः
6. 29. सर्वत्र समदर्शनः
30. यो मां पश्यति सर्वत्र
32. आत्मौपम्येन सर्वत्र
12. 4. सर्वत्र समबुद्धयः
13. 28. समं पश्यन् हि सर्वत्र
18. 49. असक्तबुद्धिः सर्वत्र

सर्वत्रग

Gîtâ. 9. 6. वायुः सर्वत्रगो महान्
12. 3. सर्वत्रगमचिन्त्यं च

सर्वत्रावस्थित

Kathaśru. 1. नीरैः सर्वत्रावस्थितैः
Haṁsa. 2. सर्वत्रावस्थितः स्वयंज्योतिः
Gîtâ. 13. 32. सर्वत्रावस्थितो देहे

सर्वथा

Gauḍa. 4. 19. एवं हि सर्वथा बुद्धैः
Gîtâ. 6. 31. सर्वथा वर्त्तमानो ऽपि 13. 23.

सर्वदा

Chhâ. 2. 9. 1. सर्वदा समस्तेन साम
Bṛih. 1. 5. 1. अद्यमानानि सर्वदा 2.
Tait. 1. 4. 2. अन्नपाने च सर्वदा
Kaivalya. 24. सर्वदा सकृद्वा जपेत्
Gauḍa. 2. 28. सत्रै चेह तु सर्वदा
Nṛip. 1. 3. तस्मात् सर्वदा नाचष्टे
2. 4. सर्वदा भद्रं ददाति
Nṛisut. 2. सर्वदा द्वैतरहितः Kâmot. 3.
4. सर्वत्र सर्वदा सर्वात्मा (bis).
Haṁsa. 1. त्रिमात्रोऽहमित्येव सर्वदा ध्यायन्
Gopî. 5. सर्वदैव चतुर्वर्गफलप्रदम्

सर्वदासंवित्ति

Nṛisut. 9. अद्वयः सर्वदासंवित्तिः

सर्वदुःख

Gauḍa. 1. 10. निवृत्तेः सर्वदुःखानाम्
Gîtâ. 2. 65. प्रसादे सर्वदुःखानां हानिः

सर्वदुर्ग

Gîtâ. 18. 58. मच्चित्तः सर्वदुर्गाणि..तरिष्यसि

सर्वदृश्

Gauḍa. 1. 12. तुर्यं तत्सर्वदृक् सदा
4. 84. येन दृष्टः स सर्वदृक्

सर्वदेवत्य

Bṛih. 1. 2. 7. सर्वदेवत्यं प्रोक्षितं प्राजापत्यमालभन्ते
Śiras. 5. सर्वदेवत्याव्यक्तीभूता (one MS. has दै for दे)

सर्वदेवमयांबुज

Dhyâna. 14. कदलीपुष्पसङ्काशं सर्वदेवमयांबुजम् (°यात्मकं, °यात्मजं and °वाप्नुयात् are variants).

सर्वदेहिन्

Gîtâ. 14. 8. मोहनं सर्वदेहिनाम्

सर्वदोषविवर्जित

Amṛita. 17. भूमिभागे .. सर्वदोषविवर्जिते

सर्वद्रष्टृ

Nṛisut. 5. सर्वद्रष्टारं सर्वसाक्षिणम्

सर्वद्वार

Kshur. 4. सर्वद्वारान् निरुध्य च (one MS. reads सर्वद्वाराणि रुध्य च)

Gîtâ. 8. 12. सर्वद्वाराणि संयम्य
14. 11. सर्वद्वारेषु देहे ऽस्मिन्

सर्वधर्म

Gauḍa. 4. 60. नाजेषु सर्वधर्मेषु

Gîtâ. 18. 66. सर्वधर्मान्परित्यज्य

सर्वधर्मज्ञ

Haṁsa. 1. भगवन् सर्वधर्मज्ञ

सर्वधातम

Chhâ. 5. 2. 7. श्रेष्ठं सर्वधातममित्याचामति

सर्वपाप

Kaivalya. 1. अचिरात् सर्वपापं व्यपोह्य

Dhyâna. 1. सर्वपापैः प्रमुच्यते (one MS. omits); Yogat. 1; Gîtâ. 10. 3.

Gîtâ. 18. 66. अहं त्वा सर्वपापेभ्यो मोक्षयिष्यामि

सर्वपाश

Swet. 1. 8. ज्ञात्वा देवं मुच्यते सर्वपाशैः 2. 15; 4. 16; 5. 13; 6. 13.
11. सर्वपाशापहानिः

सर्वपूत

Nṛip. 5. 3. स सर्वपूतो भवति Śiras. 7; Mahâ. 4.

सर्वप्रायश्चित्तीय

Prâṇâg. 1. एकां सर्वप्रायश्चित्तीये (जुहोति)

सर्वप्रेमास्पद

Nṛisut. 5. सर्वग्रासं सर्वप्रेमास्पदम् (Nârâyaṇa reads सर्वप्रियमास्पदम्)

सर्वबन्ध

Kaivalya. 17. सर्वबन्धैः प्रमुच्यते

सर्वभाव

Maitri. 6. 25. सर्वभावपरित्यागः

Gauḍa. 1. 6. प्रभवः सर्वभावानाम्
10. अद्वैतः सर्वभावानाम्
2. 1. वैतथ्यं सर्वभावानाम् (भूतानाम् MSS.).

Gîtâ. 15. 19. स सर्वविद्भजति मां सर्वभावेन
18. 62. तमेव शरणं गच्छ सर्वभावेन

सर्वभुज्

Maitri. 7. 1. सर्वभुक् सर्वस्येशानः

सर्वभूत

Swet. 3. 7. यथानिकायं सर्वभूतेषु गूढम्
4. 15. विश्वाधिपः सर्वभूतेषु गूढः
16. ज्ञात्वा शिवं सर्वभूतेषु गूढम्
6. 11. एको देवः सर्वभूतेषु गूढः Brahma. 3.

Maitri. 6. 2. सर्वभूतान्यन्नमात्ति
8. सर्वभूतेभ्यो ऽभयं दत्त्वा

Muṇḍ.3. 1. 4. प्राणो ह्येष यः सर्वभूतैर्विभाति

Mahânâr. 4. 8. ईश्वरीं सर्वभूतानाम्
13. 7. तेषां सर्वभूतानां माता
17. 5. ईश्वरः सर्वभूतानाम् Nṛip. 1. 6; Gîtâ. 18. 61.
19. 2. सर्वभूतेभ्यः स्वाहा
22. 1. लोके दातारं सर्वभूतान्युपजीवन्ति

Kaivalya. 10. सर्वभूतस्थमात्मानं सर्वभूतानि चात्मनि Gîtâ.6.29.
Gauḍa. 1. 22. सम्पूज्यः सर्वभूतानाम्
2. 1. वैतथ्यं सर्वभूतानाम् (the printed text has सर्वभावानाम्)
Brahmav. 12. वरदः सर्वभूतानाम्
Brahma. 3. सन्धिनी सर्वभूतानाम्
Prâṇâg. 2. अभयं सर्वभूतेभ्यः Aruṇeya. 4.
Krish. 21. कृपार्थे सर्वभूतानाम्
Gîtâ. 2. 69. या निशा सर्वभूतानाम्
3. 18. न चास्य सर्वभूतेषु
5. 7. सर्वभूतात्मभूतात्मा
29. सुहृदं सर्वभूतानाम्
7. 9. जीवनं सर्वभूतेषु
10. बीजं मां सर्वभूतानाम्
27. सर्वभूतानि सम्मोहं . . यान्ति
9. 4. मत्स्थानि सर्वभूतानि
7. सर्वभूतानि कौन्तेय
29. समो ऽहं सर्वभूतेषु
10. 39. यच्चापि सर्वभूतानां बीजम्
11. 55. निर्वैरः सर्वभूतेषु
12. 13. अद्वेष्टा सर्वभूतानाम्
14. 3. सम्भवः सर्वभूतानाम्
18. 20. सर्वभूतेषु येनैकं भावम्
61. भ्रामयन् सर्वभूतानि

सर्वभूतगुहाशय

Śwet. 3. 11. सर्वाननशिरोग्रीवः सर्वभूतगुहाशयः

सर्वभूतदमन

Mahânâr. 17. 2. सर्वभूतदमनाय नमः

सर्वभूतस्थ

Kaivalya. 10. सर्वभूतस्थमात्मानम् Gîtâ, 6. 29.
Nâr. 5. सर्वभूतस्थमेकं नारायणम् Atmapra. 1.

सर्वभूतस्थित

Gîtâ. 6. 31. सर्वभूतस्थितं यो माम्

सर्वभूतहित

Mukti. 1. सर्वभूतहिते रतम्
Gîtâ. 5. 25. सर्वभूतहिते रताः 12. 4.

सर्वभूताधिवास

Śwet. 6. 11. कर्माध्यक्षः सर्वभूताधिवासः Brahma. 3.
Brahmab. 22. सर्वभूताधिवासं च यद्भूतेषु वसत्यधि

सर्वभूतान्तरात्मन्

Kaṭha. 5. 9. एकस्तथा सर्वभूतान्तरात्मा 10, 11.
12. एको वशी सर्वभूतान्तरात्मा
Śwet. 6. 11. सर्वव्यापी सर्वभूतान्तरात्मा Brahma. 3.
Muṇḍ.2. 1. 4. ह्येष सर्वभूतान्तरात्मा
Râmot. 5. यो वै श्रीरामः . . यः सर्वभूतान्तरात्मा (8).

सर्वभूताशयस्थित

Gîtâ. 10. 20. अहमात्मा . . सर्वभूताशयस्थितः

सर्वभृत्

Gîtâ. 13. 14. असक्तं सर्वभृच्चैव

सर्वमय

Bṛih. 4. 4. 5. धर्ममयो ऽधर्ममयः सर्वमयः
Nṛisut. 3. सर्वमयश्चतुरात्मा
9. सर्वं सर्वमयं सर्वे जीवाः सर्वमयाः

सर्वमूर्द्धन्

Kṛish. 23. बिन्दुवत्सर्वमूर्द्धनि

सर्वयज्ञ

Gîtâ. 9. 24. अहं हि सर्वयज्ञाना भोक्ता

सर्वयोगिन्

Gauḍa. 3. 39. दुर्दर्शः सर्वयोगिभिः
40. मनसो निग्रहायत्तमभयं सर्वयोगिनाम्

सर्वयोनि

Gîtâ. 14. 4. सर्वयोनिषु कौन्तेय

सर्वरस

Chhâ. 3. 14. 2. सर्वगन्धः सर्वरसः 4.

सर्वरूप

Muṇḍ.2. 1. 9. अस्मात्स्यन्दन्ते सिन्धवः सर्वरूपाः Mahânâr. 8. 5.

सर्वलोक

Kaṭha. 5. 11. सूर्यो यथा सर्वलोकस्य चक्षुः
Nṛip. 5. 6. स सर्वलोकं जयति
Gopî. 5. सर्वलोकोत्कृष्टसौन्दर्यक्रीडाभोगाः
Gîtâ. 5. 29. सर्वलोकमहेश्वरम्

सर्वलोकिन्

Râmap. 93. सपत्तनः सानुजः सर्वलोकी

सर्ववर्ण

Śikhâ. 1. चतुर्थी विद्युन्मती सर्ववर्णा

सर्ववाच्य

Râmap. 12. सर्ववाच्यस्य वाचकः

सर्वविद्

Bṛih. 3. 7. 1. स आत्मवित्स सर्ववित्
Śwet. 6. 2. ज्ञः कालकालो गुणी सर्वविद्यः 16.
Muṇḍ.1. 1. 9. यः सर्वज्ञः सर्ववित् 2. 2. 7.
Brahma. 2. प्रतिबुद्धः सर्वविदिति
Nyâsa. 1. स सर्वज्ञः सर्ववित्
Gîtâ. 15. 19. स सर्वविद्भजति माम्

सर्वविद्या

Muṇḍ.1. 1. 1. सर्वविद्याप्रतिष्ठाम्
Mahânâr. 17. 5. ईशानः सर्वविद्यानाम्
Nṛip. 1. 6.

सर्ववृक्ष

Gîtâ. 10. 26. अश्वत्थः सर्ववृक्षाणाम्

सर्ववेद

Haṁsa. 1. विचार्य सर्ववेदेषु
Kâlâg. 1. सर्ववेदेषु वेदवादिभिरुक्तम्
Gîtâ. 7. 8. प्रणवः सर्ववेदेषु

सर्ववेदपारायण

Nâr. 5. सर्ववेदपारायणं पुण्यं लभते

सर्ववेदस

Kaṭha. 1. 1. सर्ववेदसं ददौ
Mahânâr. 25. 1. सर्ववेदसं वा एतत्सत्रम्

सर्ववेदात्मन्

Râmot. 5. यः सर्ववेदात्मा (5).

सर्वव्यापिन्

Śwet. 1. 16. सर्वव्यापिनमात्मानम् Brahma. 3.
3. 11. सर्वव्यापी स भगवान्
6. 11. सर्वव्यापी सर्वभूतान्तरात्मा Brahma. 3.
Gauḍa. 1. 28. सर्वव्यापिनमोङ्कारं मत्वा
Śiras. 3. यः प्रणवः स सर्वव्यापी यः सर्वव्यापी सो ऽनन्तः
4. कस्मादुच्यते सर्वव्यापी — तस्मादुच्यते सर्वव्यापी

सर्वशत्रुनिबर्हण

Kṛish. 24. गदा च कालिका साक्षात्सर्वशत्रुनिबर्हणी

सर्वशरीर

Gauḍa. 3. 9. सर्वशरीरेषु आकाशेनाविलक्षणः

सर्वशस्

Chhâ. 7. 26. 2. सर्वमाप्नोति सर्वशः Maitri. 7. 11.

Mahânâr. 1. 8. काष्ठाश्चाहोरात्राश्च सर्वशः

Gîtâ. 1. 18. सर्वशः पृथिवीपते
2. 58. कूर्मो ऽङ्गानीव सर्वशः
68. निगृहीतानि सर्वशः
3. 23. मनुष्याः पार्थ सर्वशः 4. 11.
27. गुणैः कर्माणि सर्वशः
10. 2. महर्षीणां च सर्वशः
13. 29. क्रियमाणानि सर्वशः

सर्वशास्त्र

Mukti. 2. 65. अधीत्य . . सर्वशास्त्राण्यनेकशः

सर्वशास्त्रविशारद

Haṁsa. 1. भगवन् सर्वधर्मज्ञ सर्वशास्त्रविशारद (so all the MSS.).

सर्वश्री

Nyâsa. 1. सर्वमभिजित्य सर्वश्रियं दधतु

सर्वसंशय

Muṇḍ.2. 2. 8. छिद्यन्ते सर्वसंशयाः

सर्वसंस्थ

Śwet. 1. 6. सर्वाजीवे सर्वसंस्थे

सर्वसंहारसमर्थ

Nṛisut. 2. सर्वसंहारसमर्थः परिभवासहः

सर्वसङ्गविवर्जित

Nâda. 19. सुस्थितो योगचारेण सर्वसङ्गविवर्जितः

सर्वसत्त्वसुख

Gauḍa. 4. 2. सर्वसत्त्वसुखो हितः

सर्वसम

Aśrama. 4. सर्वसहाः सर्वसमाः

सर्वसम्पूर्ण

Garbha. 3. अष्टमे सर्वसम्पूर्णः

सर्वसाक्षिन्

Nṛisut. 5. सर्वद्रष्टारं सर्वसाक्षिणम्
9. स्वप्रकाशे सर्वसाक्षिणि

सर्वसाधारण

Chûl. 7. सर्वसाधारणां दोग्ध्रीम्

सर्वसाम्य

Gauḍa. 3. 10. आधिक्ये सर्वसाम्ये वा

सर्वसार

Mukti. 1. 33. सर्वसारं निरालम्बम्
1. *vide* सरस्वतीरहस्य

सर्वसृज्

Maitri. 7. 1. सर्वसृक् सर्वस्यात्मा

सर्वस्मृत्

Maitri. 6. 35. नमो ब्रह्मणे . . सर्वस्मृते

सर्वस्व

Kaṭhaśru. 1. सर्वस्वं दद्यात्

सर्वहत्या

Nṛip. 5. 4. स सर्वहत्यां तरति Râmot. 2.

सर्वहर

Gîtâ. 10. 34. मृत्युः सर्वहरश्चाहम्

सर्वाजीव

Śwet. 1. 6. सर्वाजीवे सर्वसंस्थे बृहन्ते

सर्वात्मक

Nṛisut. 7. तस्मात्सर्वात्मकेनाकारेण सर्वात्मकमात्मानमन्विच्छेत्

Râmap. 82. इदं सर्वात्मकं यन्त्रम्

Mukti. 1. 23. मयि सर्वात्मके भावः

सर्वात्मन्

Śwet. 3. 21. सर्वात्मानं सर्वगतम्

Kaivalya. 16. यत् परं ब्रह्म सर्वात्मा

Nṛisut. 4. सर्वत्र सर्वदा सर्वात्मा (bis)
8. अयं हि सर्वात्मा

सर्वात्मैकत्वसार

Brahma. 3. सर्वात्मैकत्वसारेण तद्ब्रह्मोपनिषत्परम् (only in one of six MSS.)

सर्वाधिपत्य

Śwet. 5. 3. सर्वाधिपत्यं कुरुते महात्मा

सर्वाधिष्ठान

Nṛisut. 2. सर्वाधिष्ठानः सन्मात्रः Râmot. 3.

सर्वाननशिरोग्रीव

Śwet. 3. 11. सर्वाननशिरोग्रीवः सर्वभूतगुहाशयः

सर्वानुग्राहकत्व

Brahmab. 22. सर्वानुग्राहकत्वेन तदस्म्यहं वासुदेवः

सर्वानुभू

Bṛih 2. 5. 19. अयमात्मा ब्रह्म सर्वानुभूः

सर्वानुस्यूत

Vâsu. 3. सर्वानुस्यूतमद्वैतम्

सर्वान्तर

Bṛih. 3. 4. 1. य आत्मा सर्वान्तरस्तं मे व्याचक्ष्व 2; 3. 5. 1.

Bṛih. 3. 4. 1. एष त आत्मा सर्वान्तरः 2; 3. 5. 1.
— कतमो याज्ञवल्क्य सर्वान्तरः 2; 3. 5. 1.
— यः प्राणेन प्राणिति स त आत्मा सर्वान्तरः (similarly 3 times more).

Maitri. 7. 6. यः प्राज्ञो विधरणः सर्वान्तरः

Nṛisut. 7. सर्वं ह्ययमात्मायं हि सर्वान्तरः

सर्वापर

Maitri. 6. 38. सर्वापरं धाम 7. 3.

सर्वापरत्व

Maitri. 6. 23. सर्वापरत्वाय तदेता उपासीत

सर्वाप्ति

Kaush. 3. 3. सैषा प्राणे सर्वाप्तिः

सर्वाभरणभूषित

Râmap. 48. धनुर्धरः प्रसन्नात्मा सर्वाभरणभूषितः

सर्वाभिधान

Nṛisut. 7. तस्मादहमिति सर्वाभिधानम्

सर्वाभिलापविगत

Gauḍa. 3. 37. सर्वाभिलापविगतः सर्वचिन्तासमुत्थितः

सर्वायुष

Tait. 2. 3. 1. प्राणो हि भूतानामायुस्तस्मात्सर्वायुषमुच्यते (bis.)

सर्वायुस्

Mahânâr. 15. 1. सर्वमसि सर्वायुः

सर्वारम्भ

Gitâ. 18. 48. सर्वारम्भा हि दोषेण

सर्वारम्भपरित्यागिन्

Gitâ. 12. 16. सर्वारम्भपरित्यागी 14. 25.

सर्वार्थ

Maitri. 6. 6. अक्षिण्यवस्थितो हि पुरुषः सर्वार्थेषु चरति

Gitâ. 18. 32. सर्वार्थान्विपरीतांश्च

सर्वावन्त्

Brih. 4. 3. 9. अस्य लोकस्य सर्वावतः

सर्वावस्था

Nrisut. 9. सर्वे जीवाः सर्वमयाः सर्वावस्थासु

सर्वाशिन्

Parama. 3. सर्वाशी ज्ञानवर्जितः

सर्वाश्चर्यमय

Gitâ. 11. 11. सर्वाश्चर्यमयं देवम्

सर्वाहंमानिन्

Nrisut. 9. नियन्तेश्वरः सर्वाहंमानी

सर्वेन्द्रिय

Chhâ. 8. 15. 1. आत्मनि सर्वेन्द्रियाणि संप्रतिष्ठाप्य

Katha. 1. 26. सर्वेन्द्रियाणां जरयन्ति तेजः

Mund. 2. 1. 3. मनः सर्वेन्द्रियाणि च Kaivalya 15; Nâr. 1.

Swet. 3. 17. सर्वेन्द्रियगुणाभासं सर्वेन्द्रियविवर्जितम् (Gitâ. 13. 14.

Pinda. 8. सर्वेन्द्रियसमाहतिः

सर्वेश्वर

Brih. 4. 4. 22. एष सर्वेश्वर एष भूताधिपतिः

Mândû. 6. एष सर्वेश्वर एष सर्वज्ञः Nrip. 4. 1; Nrisut. 1; Râmot. 3.

Nrisut. 3. ओङ्कारं सर्वेश्वरं द्वादशान्ते

Vâsu. 1. सर्वेश्वरं वासुदेवं पप्रच्छ

सर्वैश्वर्य

Nrip. 1. 7. स सर्वैश्वर्यं ददाति

सर्वैषणाविनिर्मुक्त

Kshur. 25. सर्वैषणाविनिर्मुक्तश्छित्त्वा तन्तुम् (not in 5 MSS.)

सर्वोपनिषद्

Mukti. 1. 44. सर्वोपनिषदां मध्ये

सर्वोपनिषत्सार

Prâṇâg. 1. अथातः सर्वोपनिषत्सारं ..व्याख्यास्यामः

सर्वोपनिषद्विद्या

Maitri. 2. 3. इयं ब्रह्मविद्या सर्वोपनिषद्विद्या वा

सर्वौषध

Chhâ. 5. 2. 4. सर्वौषधस्य मन्थम्

Brih. 6. 3. 1. सर्वौषधं फलानीति संभृत्य

Tait. 2. 2. 1. तस्मात्सर्वौषधमुच्यते (bis).

सर्षप

Chhâ. 3. 14. 3. अणीयान्..सर्षपाद्वा

1. सलिल *adj.*

Brih. 4. 3. 32. सलिल एको द्रष्टा ऽद्वैतो भवति

Chûl. 13. पार्ष्णिः सलिल एव च (so Nârâyaṇa, who says सलिलः सलिलवान् गंगाधरत्वात् The usual reading is सलिलमेव च)

2. सलिल

Śwet. 6. 15. स एवाग्निः सलिले सन्निविष्टः

Nṛip. 1. 1. आपो ह वा इदमासन् सलिलमेव

सलोकता

Chhâ. 2. 20. 2. देवतानां सलोकतां सार्ष्टितां सायुज्यं गच्छति

Bṛih. 1. 3. 22. अश्नुते साम्नः सायुज्यं सलोकताम्

1. 5. 23. सायुज्यं सलोकतां जयति 5. 13. 1–4.

Mahânâr. 12. 3. ब्रह्मणः सायुज्यं सलोकतामाप्नोति

Nṛip. 1. 7. ब्रह्मणः सायुज्यं सलोकतां यन्ति

सव

Śwet. 2. 2. देवस्य सवितुः सवे

सवन

Chhâ. 2. 24. 1. रुद्राणां माध्यन्दिनं सवनम्

7. पुरा माध्यन्दिनस्य सवनस्योपाकरणात्

10. तस्मै रुद्रा माध्यन्दिनं सवनं संप्रयच्छन्ति

3. 16. 2. इदं मे प्रातःसवनं माध्यन्दिनं सवनमनुसन्तनुत

3. चतुश्चत्वारिंशद्वर्षाणि तन्माध्यन्दिनं सवनम्

— त्रैष्टुभं माध्यन्दिनं सवनम्

4. इदं मे माध्यन्दिनं सवनं तृतीयसवनमनुसन्तनुत

Maitri. 6. 7. सवनात्सविता

Mahânâr. 25. 1. यत्सायम्प्रातर्मध्यन्दिनं च तानि सवनानि

Kâlâg. 2. द्वितीया रेखा सा . . माध्यन्दिनं सवनम्

सवस्तु

Gauḍa. 4. 87. सवस्तु सोपलम्भं च

सविकार

Gîtâ. 13. 6. सविकारमुदाहृतम्

सविज्ञान

Bṛih. 4. 4. 2. सविज्ञानो भवति सविज्ञानमेवान्ववक्रामति

Gîtâ. 7. 2. ज्ञानं ते ऽहं सविज्ञानम्

सविताख्य

Maitri. 6. 16. एष तत्स्थः सविताख्यः

सवितृ

Chhâ. 1. 12. 5. देवो वरुणो प्रजापतिः सविता

5. 2. 7. तत्सवितुर्वृणीमह इत्याचामति

Bṛih. 6. 3. 6. तत्सवितुर्वरेण्यं . . भर्गो देवस्य धीमहि Maitri. 6. 7.

6. 4. 19. देवाय सवित्रे सत्यप्रसवाय स्वाहा

Śwet. 2. 1. तत्त्वाय सविता धियः

2. देवस्य सवितुः सवे

3. सविता प्रसुवाति तान्

4. मही देवस्य सवितुः परिष्टुतिः

7. सवित्रा प्रसवेन जुषेत ब्रह्म पूर्व्यम्

4. 18. तदक्षरं तत्सवितुर्वरेण्यम्

Maitri. 6. 7. तत्सवितुर्वरेण्यमित्यसौ वा आदित्यः सविता

— सविता वै देवस्ततो योऽस्य भर्गाख्यस्तं चिन्तयामि

— सवनात् सविता

8. एष हि खल्वात्मा . . सविता

Maitri. 6. 9. सवितुश्च रश्मयः पुनन्त्वन्नम्
34. तत्सवितुर्वरेण्यं भर्गः Mahânâr. 15. 2.

Mahânâr. 4. 12. तन्मे इन्द्रः..सविता च पुनन्तु
9. 5. सवितारं नृचक्षसम्
6. अद्या नो देव सवितः 17. 7.
7. विश्वानि देव सवितर्दुरितानि 17. 7.

Nṛip. 2. 4. सविता प्रसविता

Nṛisut. 2. यथा तमः सविता

सविद्

Maitri. 6. 35. एतत् सावित् सत्यधर्मः — यो हैवावित् स सवित्

सव्य

Kaush. 2. 11. इन्द्र श्रेष्ठानि द्रविणानि धेहीति सव्ये (कर्णे जपति)
15. अथेतरः सव्यमन्वंसमभ्यवेक्षते
4. 2. सव्ये ऽक्षिणि सत्यस्य
18. सव्ये ऽक्षिणि पुरुषस्तमेवाहमुपासे

Maitri. 7. 11. अस्य जायेयं सव्ये चाक्षिण्यवस्थिता

Prâṇâg. 2. सव्ये पाणावपो गृहीत्वा

सव्यसाचिन्

Gitâ. 11. 33. निमित्तमात्रं भव सव्यसाचिन्

सव्यहस्त

Prâṇâg. 4. सव्यहस्त आज्यस्थाली

सव्याहृति

Amṛita. 10. सव्याहृतिं सप्रणवां गायत्रीम् (2 MSS. of the text, and 2 of Nârâyaṇa's Dipikâ read सव्याहृतीं, but see *Vishṇusmṛiti.* 55. 9).

सशर

Gitâ. 1. 47. विसृज्य सशरं चापम्

सशरीर

Chhâ. 8. 12. 1. आत्तो वै सशरीरः प्रियाप्रियाभ्यां न वै सशरीरस्य सतः प्रियाप्रिययोरपहतिरस्ति

सशाख

Nṛip. 1. 2. चत्वारो वेदाः साङ्गाः सशाखाः
4. 3. यो वै नृसिंहः..ये वेदाः साङ्गाः सशाखास्तस्मै वै नमो नमः (13)

Râmot. 5. ये सर्वे वेदाः साङ्गाः सशाखाः (6)

सशान्ति

Mukti. 1. 29. तासां क्रमं सशान्ति च शृणु

सशिख

Brahma. 2. सशिखं वपनं कृत्वा

Kaṭhaśru. 1. सशिखान् केशान्निष्कृत्य 2. 3.

ससपत्नज

Râmap. 93. *vide* सपत्नज

ससप्तद्वीप

Nṛip. 1. 2. ससप्तद्वीपां वसुन्धराम्

ससागर

Nṛip. 1. 2. ससागरां सपर्वतां..वसुन्धराम्

ससाधन

Nṛisut. 6. लोकैषणायाश्च ससाधनेभ्यो व्युत्थाय

ससूक्ष्म

Râmap. 76. ससूक्ष्मा मृत्युरूपिणी

सस्थूण

Bṛih. 2. 2. 1. सं प्रत्याधानं सस्थूणं सदामम्

सस्पृह

Maitri. 3. 2. लुप्यमानः सस्पृहो व्यग्रः 6. 30.

सस्य

Kaṭha. 1. 6. सस्यमिव मर्त्यः पच्यते सस्यमिवाजायते पुनः

सह्

Mahânâr. 6. 6. पृतनाजितं सहमानमुग्रमग्निं हुवेम

Nyâsa. 2. सन्न्यासं सहते अर्चिमान्

Gîtâ. 5. 23. शक्नोतीहैव यः सोढुम्
11. 44. अर्हसि देव सोढुम्

सहज

Gauḍa. 4. 9. सहजा अकृता च या

Brahma. 2. प्रजापतेर्यत्सहजं पुरस्तात्

Gîtâ. 18. 48. सहजं कर्म कौन्तेय

सहदेव

Gîtâ. 1. 16. नकुलः सहदेवश्च

सहभूत

Sikhâ. 2. सर्वाणि चेन्द्रियाणि सहभूतानि

सहमाना

Chhâ. 3. 15. 2. सहमाना नाम दक्षिणा

सहयज्ञ

Gîtâ. 3. 10. सहयज्ञाः प्रजाः सृष्ट्वा

सहस्

Mahânâr. 15. 1. ओजो ऽसि सहो ऽसि बलमसि

सहसा

Gîtâ. 1. 13. सहसैवाभ्यहन्यन्त

सहस्र

Kaush. 4. 1. सहस्रं दद्म इत्येतस्यां वाचि

Chhâ. 4. 2. 3. सहस्रं गवाम् 4.
4. 4. 5. ता यदा सहस्रं संपेदुः
4. 5. 1. प्राप्ताः सोम्य सहस्रं स्मः
7. 26. 2. सहस्राणि च विंशतिः

Bṛih. 2. 1. 1. सहस्रमेतस्यां वाचि दद्मः
19. हिता नाम नाड्यो द्वासप्ततिः सहस्राणि
2. 5. 19. अयं वै दश च सहस्राणि
3. 1. 1. गवां सहस्रमवरुरोध
3. 9. 1. त्रयश्च त्री च सहस्रेति (bis)
4. 1. 2. हस्त्यृषभं सहस्रं ददामीति 3—7.
4. 3. 14. सो ऽहं भगवते सहस्रं ददामि 15, 16, 33; 4. 4. 7.
6. 4. 24. अस्मिन् सहस्रं पुष्यासम्

Maitri. 1. 2. अन्ते सहस्रस्य (so MS.).

Mahânâr. 4. 3. एवा नो दूर्वे प्रतनु सहस्रेण शतेन च
17. 6. आसहस्रात्पंक्तिं पुनन्ति 7. 8.

Prasna. 3. 6. प्रतिशाखानाडीसहस्राणि

Yogasi. 10. जन्मान्तरसहस्रेषु

Brahmav. 12. द्वासप्ततिसहस्राणि Kshur. 17.

Amṛita. 33. सहस्राणि त्रयोदश

Haṁsa. 2. एकविंशति सहस्राणि

Gâruḍa. 3. सहस्रं ब्राह्मणान् ग्राहयित्वा

Gopî. 5. अग्निष्टोमसहस्राणि

Râmot. 4. मन्वन्तरसहस्रैस्तु

Mukti. 1. 3. विधिक्रियासहस्राणाम्
13. सहस्रसंख्यया जाताः
2. 36. *vide* शालिन्

Gîtâ. 7. 3. मनुष्याणां सहस्रेषु

सहस्रकिरण

Mahânâr. 3. 10. सहस्रकिरणाय धीमहि

सहस्रकृत्वस्

Gîtâ. 11. 39. नमो नमस्ते ऽस्तु सहस्र-कृत्वः

सहस्रदृश्

Râmap. 56. *vide* अनिल

सहस्रधा

Kaush. 4. 19. तद्यथा सहस्रधा केशो विपाटितः

Bṛih. 4. 2. 3. यथा केशः सहस्रधा भिन्नः 4. 3. 20.

Nṛisut. 8 शतधा सहस्रधा भिन्नः

सहस्रपद्

Śwet. 3. 14. सहस्राक्षः सहस्रपात्

Śiras. 6. सहस्रपादेकमूर्धा व्याप्तम्

सहस्रपरम

Mahânâr. 4. 1. सहस्रपरमा देवी

सहस्रबाहु

Gîtâ. 11. 46. सहस्रबाहो . . विश्वमूर्त्ते

सहस्रयुगपर्यन्त

Gîtâ. 8. 17. सहस्रयुगपर्यन्तमहः

सहस्ररश्मि

Maitri. 6. 8. सहस्ररश्मिः शतधा वर्त्तमानः Praśna. 1. 8.

Prâṇâg. 2. सहस्ररश्मिभिः परिवृतः

सहस्रशस्

Muṇḍ. 2. 1. 1. सहस्रशः प्रभवन्ते सरूपाः

Chûl. 19. एवं सहस्रशो देवं पर्यस्यन्तम्

Nîla. 9. रुद्रा दिक्षु श्रिताः सहस्रशः

Gitâ. 11. 5. शतशो ऽथ सहस्रशः

सहस्रशाख

Tait. 1. 4. 3. तस्मिन्त्सहस्रशाखे

सहस्रशीर्ष, °र्षन्

Śwet. 3. 14. सहस्रशीर्षा पुरुषः

Mahânâr. 11. 1. सहस्रशीर्षं देवम् Mahâ. 3.

सहस्रान्त

Râmap. 9. सहस्रान्तास्तथा तासाम्

सहस्राक्ष

Swet. 3. 14. सहस्राक्षः सहस्रपात्

Maitri. 6. 8. अपिहितः सहस्राक्षेण हिरण्मयेनाण्डेन

Mahânâr. 3. 1. सहस्राक्षस्य महादेवस्य धीमहि

Mahâ. 3. सहस्राक्षं विश्वशंभुवम्

Nîla. 11. सहस्राक्षाय वाजिने
14. अवतत्य धनुस्त्वं सहस्राक्ष

सहस्राक्षजित्

Râmap. 46. षट्श्रोत्रसहस्राक्षजिह्वाम्

सहस्राह्व

Nâda. 5. सहस्राह्वमिति चात्र (printed text has सहस्राक्षम्)

सहित

Nyâsa. 2. लोकाद्भार्यया सहितः

Vâsu. 1. द्रव्यमंत्रस्थानादिसहितम्
— चन्दनं कुंकुमादिसहितम्

Gopî. 4. मायासहितब्रह्मसंभोगवशात्

Râmap. 25. प्रकृत्या सहितः श्यामः

Gîtâ. 9. 1. ज्ञानं विज्ञानसहितम्

सा

Chhâ. 1. 6. 1. इयमेव सा ऽग्निरमस्तत्साम
2. अन्तरिक्षमेव सा वायुरमस्तत्साम (similarly in 3, 4, 6.)

Chhâ. 1. 7. 1. वागेव सा प्राणो ऽमस्तत्साम
2. चक्षुरेव सा &c.
3. श्रोत्रमेव सा &c.
4. यदेवैतदक्ष्णः शुक्लं भाः सैव सा &c.

Brih. 1. 3. 22. वाग्वै सामैष सा चामश्चेति तत्साम्नः सामत्वम्
6. 4. 20. अमो ऽहमस्मि सा त्वं सा त्वमस्यमो ऽहम्

सांसिद्धिक

Gauda. 4. 9. सांसिद्धिकी स्वाभाविकी

साकम्

Śiras. 4. साकं स एको भूतश्चरति

साक्षात्

Brih. 3. 4. 1. यत्साक्षादपरोक्षाद्ब्रह्म 2; 3. 5. 1.

Gopî. 5. साक्षाद्विष्णुमयो भवेत्

Krish. 11. गोपरूपो हरिः साक्षात्
24. गदा च कालिका साक्षात्

Gîtâ. 18. 75. कृष्णात्साक्षात्कथयतः स्वयम्

साक्षाद्विधिमुख

Mukti. 2. 56. साक्षाद्विधिमुखो ऽसौ समाधिः

साक्षित्व

Nrisut. 2. बीजत्वात् साक्षित्वाच्च (ter).

साक्षिन्

Śwet. 6. 11. साक्षी चेता केवलो निर्गुणश्च Brahma. 3.

Maitri. 6. 16. सर्वः कश्चित्प्रभुः साक्षी

Kaivalya. 18. तेभ्यो विलक्षणः साक्षी

Nrisut. 2. चक्षुषः साक्षी श्रोत्रस्य साक्षी वाचः साक्षी

Nrisut. 2. मनसः साक्षी बुद्धेः साक्षी प्राणस्य साक्षी
— तमसः साक्षी सर्वस्य साक्षी
— स्थूलसूक्ष्मबीजसाक्षिभिः (ter); 3 (4 times).
5. एष हि साक्ष्येष हीश्वरः
7. मनआदिसाक्षिणमन्विच्छेत्
9. एक एव साक्षी स्वप्रकाशः
— द्रष्टा द्रष्टुः साक्ष्यविक्रियः

Sarvop. 1. कर्त्ता जीवः क्षेत्रज्ञः साक्षी ..कथम्
3. स साक्षीत्युच्यते

Mukti. 1. 3. साक्षिणं निर्विकारिणम्

Gîtâ. 9. 18. गतिर्भर्त्ता प्रभुः साक्षी

साक्ष्यविशेष

Nrisut. 9. नाल्पः साक्ष्यविशेषो नान्यः

सागर

Chûl. 17. बुद्बुदाः सागरे यथा

Gîtâ. 10. 24. सरसामस्मि सागरः
12. 7. मृत्युसंसारसागरात्

सांकृतीपुत्र

Brih. 6. 5. 2. शौङ्गीपुत्रः साङ्कृतीपुत्रात्
— साङ्कृतीपुत्र आलंबायनीपुत्रात्

सांख्य

Śwet. 6. 13. सांख्ययोगाधिगम्यम्

Chûl. 14. पुरुषं निर्गुणं सांख्यम्

Garbha. 4. तत्सांख्यं योगमभ्यसेत्

Mukti. 1. न कर्मसांख्ययोगोपासनादिभिः

Gîtâ. 2. 39. एषा ते ऽभिहिता सांख्ये
3. 3. ज्ञानयोगेन सांख्यानाम्
5. 4. सांख्ययोगौ पृथक्
5. यत्सांख्यैः प्राप्यते स्थानम्

Gîtâ. 5. 5. एकं सांख्यं च योगं च
13. 24. अन्ये सांख्येन योगेन
18. 13. सांख्ये कृतान्ते प्रोक्तानि

सांख्ययोग

Prâṇâg. 1. विनापि सांख्ययोगेन
Mukti. 1. 16. अन्ये तु सांख्ययोगेन

साङ्ग

Nṛip. 1. 2. चत्वारो वेदाः साङ्गाः सशाखाः
3. तस्मादिदं साङ्गं साम जानीयात् 5, 6. 7
4. 3. यो वै नृसिंहः..ये वेदाः साङ्गाः सशाखास्तस्मै वै नमो नमः (13).
Śiras. 1. सर्वांश्च वेदान् साङ्गानपि
Râmot. 5. ये सर्वे वेदाः साङ्गाः सशाखाः (6)

साज्य

Jâbâla. 4. उद्धृत्य प्राश्नीयात् साज्यं हविरनामयम्

साञ्जीवीपुत्र

Bṛih. 6. 5. 2. प्राचीनयोगीपुत्रः साञ्जीवीपुत्रात्
— साञ्जीवीपुत्रः प्राश्नीपुत्रादासुरवासिनः
4. समानमा साञ्जीवीपुत्रात्
— साञ्जीवीपुत्रो माण्डूकायनेः

सात्त्व

Kṛish. 6. प्रोक्ता सात्त्वी च रुद्रस्य

सात्त्विक

Maitri. 5. 2. अस्य सात्त्विको ऽंशो ऽसौ ..विष्णुः
6. 38. सौरसौम्याग्नेयसात्त्विकानि मण्डलानि भित्त्वा
Gîtâ. 7. 12. ये चैव सात्त्विका भावाः
14. 16. सात्त्विकं निर्मलं फलम्
17. 2. सात्त्विकी राजसी चैव
4. यजन्ते सात्त्विका देवान्
11. इति मनः समाधाय स सात्त्विकः
17. सात्त्विकं परिचक्षते
20 तद्दानं सात्त्विकं स्मृतम्
18. 9. स त्यागः सात्त्विको मतः
20. तज्ज्ञानं विद्धि सात्त्विकम्
23. तत्सात्त्विकमुच्यते
26. कर्त्ता सात्त्विक उच्यते
30. बुद्धिः सा पार्थ सात्त्विकी
33. धृतिः सा पार्थ सात्त्विकी
37. तत्सुखं सात्त्विकं प्रोक्तम्

सात्त्विकप्रिय

Gîtâ. 17. 8. आहाराः सात्त्विकप्रियाः

सात्य

Bṛih. 2. 5. 12. अयमध्यात्मं सात्यः .पुरुषः

सात्यकि

Gîtâ. 1. 17. सात्यकिश्चापराजितः

सादरम्

Mukti. 2. 33. पावने शृणु सादरम्

साध्

Gauḍa. 4. 20. न हि साध्यसमो हेतुः सिद्धौ साध्यस्य युज्यते
Nṛisut. 9. एतद्धीदं सर्वं साधयति
Râmap. 59. तदधः साध्यमालिखेत्
Mukti. 2. तत्पुरुषप्रयत्नसाध्यम
— *vide* समाधि

साधक

Gauḍa. 2. 32. न बद्धो न च साधकः
Râmap. 20. सर्वेषां साधकानाम्
59. षष्ठयन्तं साधकं तथा

साधन

Vâsu. 1. मुक्तिसाधनं भवति
Mukti. 1. साधनचतुष्टयसम्पन्नाः
2. 50. तत्साधनमथो ध्यानम्

साधर्म्य

Gîtâ. 14. 2. मम साधर्म्यमागताः

साधान

Bṛih. 2. 2. 1. शिशुं साधानं सप्रत्याधानम्

साधार

Nṛisut. 3. अथ सकलः साधारः

साधारण

Bṛih. 1. 5. 1. एकमस्य साधारणम् 2.
2. तत्साधारणमन्नं यदिदमद्यते
Sarvop. 4. प्रमाणाप्रमाणसाधारणा
Râmap. 23. एष साधारणः क्रमः

साधिभूताधिदैव

Gîtâ. 7. 30. साधिभूताधिदैवं माम्

साधियज्ञ

Gîtâ. 7. 30. साधियज्ञं च ये विदुः

साधिष्ठ

Chhâ. 4. 9. 3. आचार्याद्धैव विद्या विदिता साधिष्ठं प्रापयति

साधु

Kaush. 3. 8. न साधुना कर्मणा भूयान् Bṛih. 4. 4. 22.
— एष ह्येव साधु कर्म कारयति
Chhâ. 2. 1. 1. समस्तस्य खलु साम्न उपासनं साधु यत् खलु साधु तत् सामेत्याचक्षते
2. तदुताप्याहुः साम्नैनमुपागादिति साधुनैनमुपागादित्येव
Chhâ. 2. 1. 3. अथोताप्याहुः साम नो बतेति यत्साधु भवति साधु बतेत्येव
4. स य एतदेवं विद्वान् साधु सामेत्युपास्ते ऽभ्याशो ह यदेनं साधवो धर्मा आ च गच्छेयुः
3. 19. 4. अभ्याशो ह यदेनं साधवो घोषा आ च गच्छेयुः
4. 1. 4. यत्किञ्च प्रजाः साधु कुर्वन्ति
7. 2. 1. साधु चासाधु च 7. 7. 1.
— न साधु नासाधु
Bṛih. 4. 4. 5. साधुकारी साधुर्भवति
5. 12. 1. किंस्विदेवैवं विदुषे साधु कुर्याम्
Tait. 2. 9. 1. किमहं साधु नाकरवम्
Kaṭha. 2. 1. श्रेय आददानस्य साधु भवति
Mahânâr. 23. 1. मानसेन मनसा साधु पश्यति
Mukti. 1. 7. साधु पृष्टं महाबाहो
44. साधुसंगतिरेव च
Gîtâ. 4. 8. परित्राणाय साधूनाम्
6. 9. साधुष्वपि च पापेषु
9. 30. साधुरेव स मन्तव्यः

साधुकारिन्

Bṛih. 4. 4. 5. साधुकारी साधुर्भवति

साधुप्रजावन्त्

Mahânâr. 22. 1. लोके साधुप्रजावांस्तन्तुं तन्वानः

साधुभाव

Gîtâ. 17. 26. सद्भावे साधुभावे च

साधुयुवन्

Tait. 2. 8. 1. युवा स्यात्साधुयुवा

साधुवृत्त

Áśrama. 4. साधुवृत्तेषु ब्राह्मणकुलेषु

साध्य

Chhâ. 3. 10. 1. यत्पंचमममृतं तत्साध्या उपजीवन्ति

3. साध्यानामेवैको भूत्वा

4. साध्यानामेव तावदाधिपत्यं स्वाराज्यं पर्येता

Muṇḍ.2. 1. 7. साध्या मनुष्याः पशवो वयांसि

Maitri. 7. 4. वरुणः साध्या उत्तरत उद्यन्ति

Gîtâ. 11. 22. रुद्रादित्या वसवो ये च साध्याः

साध्यसम

Gauḍa. 4. 20. सदा साध्यसमो हि सः

— न हि साध्यसमो हेतुः

साध्वलंकृत

Chhâ. 8. 8. 2. साध्वलङ्कृतौ सुवसनौ परिष्कृतौ 3.

8. 9. 1. शरीरे साध्वलङ्कृते साध्वलङ्कृतो भवति 2.

सानन्त

Râmap. 78. स सानन्तो दीर्घयुतः

सानु

Mahânâr. 6. 1. पवित्रे अधि सानो अव्ये

सानुज

Râmap. 93. सपत्नः सानुजः सर्वलोकी

सान्निध्य

Râmot. 3. श्रीरामसान्निध्यवशात्

साफल्य

Mukti. 2. 8. तदाभ्यासस्य साफल्यम्

सामत्व

Bṛih. 1. 3. 22. इति तत्साम्नः सामत्वम्

सामन्

Kaush. 1. 5. बृहद्रथन्तरे सामानी पूर्वौ पादौ

— ऋचश्च सामानि च शाचीनातानानि

2. 6. तत् सामेत्युपासीत

Chhâ. 1. 1. 2. ऋचः साम रसः साम्न उद्गीथो रसः

4. कतमत्कतमत्साम

5. प्राणः साम

— वाक् च प्राणश्चर्क् च साम च

1. 3. 4. यर्क् तत्साम तस्मादप्राणन्ननपानन् साम गायति यत् साम स उद्गीथः

8. येन साम्ना स्तोष्यन्स्यात्तत्सामोपधावेत्

1. 4. 3. तानु . . पर्यपश्यदृचि साम्नि यजुषि ते नु विस्वोर्ध्वा ऋचः साम्नो यजुषः

4. एवं सामैवं यजुः

1. 6. 1. अग्निः साम

— तदेतदेतस्यामृच्यध्यूढं साम तस्मादृच्यध्यूढं साम गीयते 2–5; 1. 7. 1—4.

— इयमेव सा ऽग्निरमस्तत् साम (similarly in 2–4).

2. वायुः साम

3. आदित्यः साम

4. चन्द्रमाः साम

5. यन्नीलं परःकृष्णं तत्साम 1. 7. 4.

6. यदेवैतदादित्यस्य शुक्लं भाः सैव सा ऽथ यन्नीलं परःकृष्णं तदमस्तत्साम

Chhā. 1. 6. 8. तस्यर्क् च साम च गेष्णौ
1. 7. 1. प्राणः साम
— वागेव सा प्राणो ऽमस्तत्साम (similarly in 2, 3.)
2. आत्मा साम
3. मनः साम
— यदेतदक्ष्णः शुक्लं भाः सैव सा यन्नीलं परः कृष्णं तदमस्तत्साम
5. य एषो ऽन्तरक्षिणि पुरुषो दृश्यते सैवर्क्तत्साम
7. य एतदेवं विद्वान् साम गायति 9.
1. 8. 4. का साम्नो गतिः
5. स्वर्गं वयं लोकं सामाभिसंस्थापयामः स्वर्गसंस्तावं हि साम
6. अप्रतिष्ठितं वै किल ते साम
7. प्रतिष्ठां वयं लोकं सामाभिसंस्थापयामः प्रतिष्ठासंस्तावं हि साम
8. अन्तवद्वै किल ते साम
1. 13. 4. अन्नादो भवति य एतामेवं साम्नामुपनिषदं वेद
2. 1. 1. समस्तस्य खलु साम्न उपासनं साधु यत् खलु साधु तत्सामेत्याचक्षते
2. तदुताप्याहुः साम्नैनमुपागादिति
3. अथोताप्याहुः साम नो वतेति
4. स य एतदेवं विद्वान् साधु सामेत्युपास्ते
2. 2. 1. पंचविधं सामोपासीत 3. 1; 4. 1; 5. 1; 6. 1.
3. पंचविधं सामोपास्ते 3. 2; 4. 2; 5. 2; 6. 2.

Chhā. 2. 7. 1. पंचविधं परोवरीयः सामोपासीत
2. पंचविधं परोवरीयः सामोपास्ते
2. 8. 1. सप्तविधं सामोपासीत 2. 9. 1; 2. 10. 1.
3. सप्तविधं सामोपास्ते 2. 9. 8; 2. 10. 6.
2. 9. 1. सर्वदा समस्तेन साम मां प्रति मां प्रतीति सर्वेण समस्तेन साम
2. हिंकारभाजिनो ह्येतस्य साम्नः
3. प्रस्तावभाजिनो ह्येतस्य साम्नः
4. आदिभाजीनि ह्येतस्य साम्नः
5. उद्गीथभाजिनो ह्येतस्य साम्नः
6. प्रतिहारभाजिनो ह्येतस्य साम्नः
7. उपद्रवभाजिनो ह्येतस्य साम्नः
8. निधनभाजिनो ह्येतस्य साम्नः
2. 21. 1. एतत्साम सर्वस्मिन् प्रोतम् 2.
2. 22. 1. विनर्दि साम्नो वृणे
2. 24. 3. वासवं सामाभिगायति
7. रौद्रं सामाभिगायति
11. स आदित्यं स वैश्वदेवं सामाभिगायति
3. 3. 1. सामान्येव मधुकृतः
2. एतानि सामान्येतं सामवेदमभ्यतपन्
4. 17. 2. सामान्यादित्यात्
3. स्वरिति सामभ्यः
6. यदि सामतो रिष्येत् . . साम्नामेव तद्रसेन साम्नां वीर्येण साम्नां यज्ञस्य विरिष्टं सन्दधाति

Chhâ. 6. 7. 2. ऋचः सोम्य यजूंषि सामानि

Brih. 1. 2. 5. ऋचो यजूंषि सामानि

5. 14. 2; Praśna. 2. 6.

1. 3. 22. एष उ एव साम वाग्वै साम

— एष सा चामश्चेति तत्साम्नः सामत्वम्

— समो ऽनेन सर्वेण तस्माद्धेव साम

— अश्नुते साम्नः सायुज्यं . . य एवमेतत्साम वेद

25. साम्नः . . स्वं वेद (bis).

26. साम्नः . . सुवर्णं वेद (bis).

27. साम्नः . . प्रतिष्ठां वेद (bis).

— न हैवालोक्यताया आशास्ति य एवमेतत्साम वेद

28. प्रस्तोता साम प्रस्तौति

1. 6. 1. एतदेषां साम 2, 3.

5. 13. 3. प्राणो वै साम . . साम्नः सायुज्यं सलोकतां जयति य एवं वेद

6. 4. 20. सामाहमस्मि ऋक्त्वम्

Tait. 1. 2. 1. साम सन्तानः

1. 5. 2. भुव इति सामानि

1. 8. 1. ओमिति सामानि गायन्ति

2. 3. 1. सामोत्तरः पक्षः

3. 10. 5. एतत्साम गायन्नास्ते

Maitri. 6. 5. ऋग्यजुः सामेति विज्ञानवती

33. ऋग्यजुः सामाथर्वाङ्गिरसः

Mahâ. 2; Siras. 4 (°रसम्)

Mund. 2. 1. 6. तस्मादृचः सामयजूंषि

Mahânâr. 12. 2. तानि सामानि स साम्नां मण्डलं स साम्नां लोकः

22. 1. आहवनीयः साम सुवर्गो लोको बृहत्

Praśna. 5. 5. स सामभिरुन्नीयते ब्रह्मलोकम्

Praśna. 5. 7. स सामभिर्यत्तत्कवयो वेदयन्ते

Nrip. 1. 2. तत्साम्नः प्रथमं पादं जानीयात् 4.

— तत्साम्नो द्वितीयं पाद जानीयात् 4.

— तत्साम्नस्तृतीयं पादं जानीयात् 4.

— तत्साम्नश्चतुर्थं पादं जानीयात् 4.

— ऋग्यजुःसामाथर्वाणः

3. तत्साम्नो ऽङ्गं वेद (ter).

— तस्मादिदं साङ्गं साम जानीयात् 5–7.

— द्वात्रिंशदक्षरं साम जानीयात्

4. मृत्युं चतुर्थस्याद्यं साम जानीयात्

— तस्मादिदं साम यत्र कुत्रचिन्नाचष्टे

5. नृकेसरिं . . परमं पदं साम जानीयात्

— मृत्युं चतुर्थस्यार्द्धान्त्यं साम जानीयात्

— इदं साम येन केनचिदाचार्यमुखेन यो जानीते

6. यो यजुर्वेदवाच्यस्तं साम जानीयात्

— नमा चतुर्थान्तार्द्धस्याद्यं साम जानीयात्

— तस्मादिदं साम सच्चिदानन्दमयं परं ब्रह्म

7. म्यहं चतुर्थस्यान्त्यं साम जानीयात्

2. 1. स सामभिः सामवेदः

Nrisut. 3; Sikhâ. 1.

— स साम्नश्चतुर्थः पादो भवति

Nṛip. 4. 2. न साम्नार्थो ऽस्ति यः सावित्रीं वेद

5. 9. स सामान्यधीते

Śiras. 1. सामाहमथर्वाङ्गिरसोहम्

Mukti. 1. 13. शाखाः साम्नः परन्तप

Gîtâ. 9. 17. ऋक् साम यजुरेव च

10. 35. बृहत्साम तथा साम्नाम्

साममध्यग

Nṛip. 1. 7. तस्मादिदं साममध्यगं जपति

साममय

Kaush. 2. 6. ऋङ्मये साममयमुद्गाता (प्रवयति)

Nṛip. 5. 2. ऋङ्मयं यजुर्मयं साममयम्

सामर

Râmap. 77. क्ष्वेलः प्रीतिश्च सामरा

सामर्थ्य

Gîtâ. 2. 36. निन्दन्तस्तव सामर्थ्यम्

सामवेद

Chhâ. 1. 3. 7. सामवेद एवोत्

3. 3. 1. सामवेद एव पुष्पम्

2. एतानि सामान्येतं सामवेदमभ्यतपन्

3. 15. 7. सामवेदं प्रपद्य इत्येव तदवोचम्

7. 1. 2. अध्येमि . . सामवेदम्

4. नाम वै . . सामवेदः

7. 2. 1. वाग्वै . . विज्ञापयति . . सामवेदम्

7. 7. 1. विज्ञानेन वै . . विजानाति . . सामवेदम्

Bṛih. 1. 5. 5. प्राणः सामवेदः

2. 4. 10. ऋग्वेदो यजुर्वेदः सामवेदः 4. 1. 2; 4. 5. 11; Maitri. 6. 32; Muṇḍ. 1. 1. 5.

Nṛip. 2. 1. स सामभिः सामवेदः Nṛisut. 3; Sikhâ. 1.

Brahmav. 7. सामवेदस्तथा चैश्च

Mahâ. 3. जागतं छन्दः सामवेदः

Kâlâg. 2. तृतीया रेखा सा . . सामवेदः

Mukti. 1. सामवेदगतानां . . उपनिषदाम्

Gîtâ. 10. 22. वेदानां सामवेदो ऽस्मि

सामशिरस्

Kaush. 1. 7. यजूदरः सामशिरा असौ

सामश्रवस्

Bṛih. 3. 1. 2. एताः सौम्योदज सामश्रवा ३ इति

सामाङ्ग

Nṛip. 1. 7. तस्मादिदं सामाङ्गं प्रजापतिः

सामान्य

Gauḍa. 1. 22. सामान्यं वेत्ति निश्चितः

Nṛisut. 9. वटबीजसामान्यवत्

— यथा वटबीजसामान्यमेकम्

सामासिक

Gîtâ. 10. 33. द्वन्द्वः सामासिकस्य च

सामीप्य

Mukti. 1. 23. मत्सामीप्यं भजत्ययम्

— सैव सालोक्यसारूप्यसामीप्यमुक्तिः

साम्पराय

Kaṭha. 1. 29. यत् साम्पराये महति ब्रूहि नस्तत्

2. 6. न साम्परायः प्रतिभाति बालम्

Nṛip. 2. 4. यमप्येति भुवनं साम्पराये

साम्य

Muṇḍ.3. 1. 3. परमं साम्यमुपैति
Gauḍa. 4. 80. तत्साम्यमजमद्वयम्
93. भजं साम्यं विशारदम् 100.
95. अजे साम्ये तु ये केचित्
Gîtâ. 5. 19. येषां साम्ये स्थितं मनः
6. 33. साम्येन मधुसूदन

साम्राज्य

Chhâ. 2. 24. 13. पश्येम त्वा वयं साम्राज्या-
येति

सायम्

Chhâ. 4. 6. 1. ता यत्राभि सायं बभूवुः
4. 7. 1 ; 4. 8. 1.
Mahânâr.22. 1. अग्निहोत्रं सायम्प्रातर्गृहाणां
निष्कृतिः
25. 1. यत्सायम्प्रातरत्ति
— यत्सायम्प्रातर्मध्यन्दिनं च
तानि सवनानि
Kaṭhaśru. 3. स यः सायम्प्राश्नीयात्
Nâr. 5. सायमधीयानः
Gopî. 4. य एतद्रहस्यं सायम्प्रातरध्या-
येत्

सायंहोम

Kaṭhaśru. 3. स यः सायं प्राश्नीयात् सो
ऽस्य सायंहोमः

सायकायन

Bṛih. 4. 6. 2. काषायणः सायकायनात्
— सायकायनः कौशिकायनेः

सायुज्य

Chhâ. 2. 20. 2. देवतानां सलोकतां सार्ष्टि-
तां सायुज्यं गच्छति
Bṛih. 1. 3. 22. अश्नुते साम्नः सायुज्यम्
1. 5. 23. सायुज्यं सलोकतां जयति
5. 13. 1—4.
Maitri. 4. 1. आत्मन्नेव सायुज्यमुपैति 4.
Mahânâr. 12. 3. ब्रह्मणः सायुज्यं . . एतासा-
मेव देवतानां सायुज्यं . .
आप्नोति
25. 1. आदित्यस्य सायुज्यं ग-
च्छति
— चन्द्रमसः सायुज्यं गच्छति
Nṛip. 1. 7. ब्रह्मणः सायुज्यं सलोकतां
यन्ति
Nâda. 15. षष्ठ्यामिन्द्रस्य सायुज्यम्
Nâr. 5. नारायणे सायुज्यमाप्नोति
Vâsu. 2. योगी मत्सायुज्यमाप्नोति
Mukti. 1. 15. स मत्सायुज्यपदवीं प्रा-
प्नोति
24. मत्सायुज्यं द्विजः . . भजेत
25. सैव सायुज्यमुक्तिः स्यात्

सायुज्यता, °त्व

Maitri. 6. 22. एतत्सायुज्यत्वं निर्वृतत्वम्
Kaṭhaśru. 2. देवानां . . सायुज्यतां गच्छ-
ति

सार

Mukti. 1. 44. सारमष्टोत्तरं शतम्

सारणी

Maitri. 7. 11. हृदयादायती . . सारणी

सारथि

Kaṭha. 3. 3. बुद्धिं तु सारथिं विद्धि
5. दुष्टाश्वा इव सारथेः
6. सदश्वा इव सारथेः
9. विज्ञानसारथिर्यस्तु
Amṛita. 2. विष्णुं कृत्वा तु सारथिम्
Nâr. 3. रुद्रं स सारथिं कृत्वा

सारूप्य

Mukti. 1. 21. मत्सारूप्यं भजत्ययम्
22. सैव सालोक्यसारूप्यमुक्तिः
23. सैव सालोक्यसारूप्यसामी-
प्यमुक्तिः

सार्गल

Bṛih. 6. 4. 23. इन्द्रस्यायं अजः कृतः सार्गलः

सार्द्धम्

Chhâ. 8. 9. 2. गाग्राजीः सार्द्धं विरोचनेन
Gauḍa. 4. 5. विवदामो न तैः सार्द्धम्
Râmap. 34. तेन सार्द्धं सुखं स्थिताः
45. तैः सार्द्धमादायाखांश्च
46. तदधीशेन सार्द्धम्

सार्पाद्य

Maitri. 6. 14. सार्पाद्यं श्रविष्ठार्द्धान्वं सौम्यम्

सार्वकामिक

Nṛip. 5. 1. सार्वकामिकं मोक्षद्वारम् 2.

सार्वभौम

Nâda. 12. सार्वभौमः प्रजायते

सार्ष्टिता

Chhâ. 2. 20. 2. देवतानां सलोकतां सार्ष्टितां सायुज्यं गच्छति
Mahânâr. 12. 3. एतासामेव देवतानां सायुज्यं सार्ष्टितां समानलोकतामाप्नोति
Kaṭhaśru. 2. देवानां सार्ष्टितां सालोक्यतां सायुज्यतां गच्छति

सालज्य

Kaush. 1. 3. सालज्यं संस्थानम् 5.

सालावृक

Kaush. 3. 1. अरुन्मुखान्यतीन् सालावृकेभ्यः प्रायच्छम्

सालोक्य

Mukti. 1. 17. सालोक्यादिविभावेन
19. सालोक्यमुक्तिमाप्नोति
22. सालोक्यसारूप्यमुक्तिः

Mukti. 1. 23. सालोक्यसारूप्यसामीप्यमुक्तिः

सालोक्यता

Kaṭhaśru. 2. देवानां सार्ष्टितां सालोक्यतां सायुज्यतां गच्छति

सावरा

Bṛih. 6. 4. 23. तमिन्द्र निर्जहि गर्भेण सावरां सहेति

सावित्र

Nṛip. 1. 3. सावित्रस्याष्टाक्षरं पदम् 4.2.
4. 2. अथ सावित्री गायत्री या यजुषा प्रोक्ता

सावित्री

Bṛih. 5. 14. 4. यामेवामूं सावित्रीमन्वाह
5. एके सावित्रीमनुष्टुभमन्वाहुः
— गायत्रीमेव सावित्रीमनुब्रूयात्
6. 3. 6. सर्वां च सावित्रीमन्वाह
Maitri. 6. 2. व्याहृतिभिः सावित्र्या च
Mahânâr. 13. 7. सावित्री गायत्री जगती
15. 1. सावित्रीमावाहयामि
Nṛip. 1. 3. सावित्रीं प्रणवं यजुर्लक्ष्मीं स्त्रीशूद्राय नेच्छन्ति
— सावित्रीं लक्ष्मीं यजुः प्रणवं यदि जानीयात् स्त्रीशूद्रः
4. 1. प्रणवं सावित्रीं .. अङ्गानि जानीयात्
2. न ह वा एतस्य ऋचा .. अर्थो ऽस्ति यः सावित्रीं वेद
Śiras. 1. सावित्र्यहं गायत्र्यहम्
6. ओङ्कारात् सावित्री सावित्र्या गायत्री
Mukti. 1. 37. सावित्र्यात्मा पाशुपतम्
1. *vide* जाबालि

सावृत

Râmap. 93. रमासहितः सावृतश्च (2 MSS. and Weber read संवृतश्च)

साशीतिक

Garbha. 5. साशीतिकं सन्धिशतम्

साष्टपत्र

Râmap. 62. वृत्तत्रयं साष्टपत्रं सरोजम्

साहङ्कार

Gîtâ. 18. 24. साहंकारेण वा पुनः

सि

Katha. 2. 1. उभे नानार्थे पुरुषं सिनीतः

सिंह

Kaush. 1. 2. सिंहो वा वराहो वा

Chhâ. 6. 9. 2. व्याघ्रो वा सिंहो वा 6. 10. 2.

Mahânâr. 3. 17. तन्नः सिंहः प्रचोदयात् Nrip. 4. 2.

Nrip. 2. 4. मृडा जरित्रे सिंह स्तवानः
— सिंहो वीर्यतमः श्रेष्ठतमश्च

Nrisut. 4. सिंहो ऽसौ परमेश्वरः
— संस्तभ्य सिंहम्
— सम्भक्ष्य सिंहेन
6. सिंहं शृङ्गेषु योजयेत्
7. उकारेण परमं सिंहमन्विष्य
— उत्तरार्द्धेन तं सिंहमाकृष्य
8. ओतश्च प्रोतश्च ह्ययमात्मा सिंहः
9. आत्मा सिंहश्चिद्रूप एव

सिंहनाद

Gîtâ. 1. 12. सिंहनादं विनद्योच्चैः

सिंहासनस्थ

Râmap. 48. ततः सिंहासनस्थः सन्

सिंहीकृ

Nrisut. 7. अकारं . . उकारपूर्वार्द्धमाकृष्य सिंहीकृत्य

सिकता

Brih. 1. 1. 1. ऊवध्यं सिकताः

सिच्

Ait. 4. 1. तद्यथा स्त्रियां सिञ्चति

Chhâ. 4. 15. 1. यद्यप्यस्मिन् सर्पिर्वोदकं वा सिञ्चन्ति (°ति in MSS.)
5. 10. 6. यो रेतः सिञ्चति

Mund. 2. 1. 5. पुमान् रेतः सिञ्चति योषितायाम्

सितरक्त

Chûl. 5. असिता सितरक्ता च

सितासित

Maitri. 2. 7. सितासितैः कर्मफलैरनभिभूत इव
3. 1. सितासितैः कर्मफलैरभिभूयमानः 2.
6. 30. सितासिताः कद्रुनीलाः

सिद्धत्व

Nrisut. 9. सिद्धत्वासिद्धत्वाभ्याम्

सिद्धि

Kaush. 3. 3. तस्यैषैव सिद्धिरेतद्विज्ञानम्

Gauda. 4. 18. यदि हेतोः फलात्सिद्धिः
— यस्य सिद्धिरपेक्षया
20. सिद्धौ साध्यस्य युज्यते

Amrita. 31. सिद्धिं कृत्वा तु मनसा चिन्तयेत्

Vâsu. 3. अपरोक्षात्मसिद्धये

Râmot. 4. सर्वेषां मुक्तिसिद्धये

Mukti. 2. कथं वा तत्सिद्धिः सिद्धा वा किं प्रयोजनम्
2. 12. तन्न सिद्धिं प्रयच्छन्ति

Gîtâ. 2. 49. सिद्ध्यसिद्ध्योः समो भूत्वा
3. 4. सिद्धिं समधिगच्छति
4. 12. कांक्षन्तः कर्मणां सिद्धिम्
— सिद्धिर्भवति कर्मजा
22. समः सिद्धावसिद्धौ च
7. 3. कश्चिद्यतति सिद्धये
12. 10. सिद्धिमवाप्स्यसि
14. 1. परां सिद्धिमितो गताः
16. 23. न स सिद्धिमवाप्नोति
18. 13. सिद्धये सर्वकर्मणाम्
26. सिद्ध्यसिद्ध्योर्निर्विकारः
45. सिद्धिं यथा विन्दति
46. सिद्धिं विन्दति मानवः
49. नैष्कर्म्यसिद्धिं परमाम्
50. सिद्धिं प्राप्तो यथा ब्रह्म . .
आप्नोति

सिध्

Kaush. 3. 7. न हि प्रज्ञापेता धीः काचन
सिध्येत्
8. न ह्यन्यतरतो रूपं किंचन
सिध्येत्
Gauḍa. 1. 11. द्वौ तौ तुर्ये न सिध्यतः
4. 30. अनादेरन्तवत्त्वं च संसार-
स्य न सेत्स्यति
43. जातिदोषा न सेत्स्यन्ति
Nṛisut. 9. आत्मैव सिद्धो ऽद्वितीयः
— सिद्धं हि ब्रह्म
— सिद्धं ह्यसिद्धं तत्
— आत्मा पुरतो हि सिद्धः
— सिद्धो निरविद्यः
Vâsu. 3. मद्भक्त्या सिध्यति स्वयम्
Mukti. 1. 26. केनोपायेन सिध्यति
Gîtâ. 7. 3. यततामपि सिद्धानाम्
10. 26. सिद्धानां कपिलो मुनिः
11. 22. महर्षिसिद्धसंघाः
22. गन्धर्वयक्षासुरसिद्धसंघाः
Gîtâ. 11. 36. नमस्यन्ति च सिद्धसंघाः
16. 14. सिद्धो ऽहं बलवान् सुखी

सिनीवाली

Bṛih. 6. 4. 21. गर्भं धेहि सिनीवालि

सिन्धु

Bṛih. 1. 1. 1. सिन्धवो गुदाः
6. 3. 6. मधु क्षरन्ति सिन्धवः
Mahânâr. 9. 8; 17. 7.
Muṇḍ. 2. 1. 9. अस्मात्स्यन्दन्ते सिन्धवः
सर्वरूपाः Mahânâr. 8. 5.
Mahânâr. 6. 2. नावेव सिन्धुं दुरितात्यग्निः
5. सिन्धुर्न नावा दुरितातिपर्षि

सिन्धुराज

Maitri. 6. 16. विग्रहवानेष कालः सिन्धु-
राजः प्रजानाम्

सीता

Râmap. 17. सीतारामौ तन्मयौ
24. उत्पन्नं सीतया भाति
36. तद्व्याजेनेक्षितुं सीताम्
44. सीतां दृष्ट्वा सुरान् हत्वा
Râmot. 8. सा सीता भवति ज्ञेया
Mukti. 1. 1. सीताभरतसौमित्रिशत्रु-
घ्नाद्यैः
34. परिव्राट् त्रिशिखी सीता
1. *vide* गारुड

सीमन्

Ait. 3. 12. स एतमेव सीमानं विदार्य

सीस

Chhâ. 4. 17. 7. त्रपुणा सीसं सीसेन लोहम्
1. सु (प्रसवे)

Chhâ. 3. 17. 5. तस्मादाहुः सोष्यत्यसोष्टेति
Bṛih. 6. 4. 22. दशमे मासि सूतवे
23. सोष्यन्तीमद्भिरभ्युक्षति

Maitri. 6. 16. यस्मादेवेमे चन्द्रर्क्षग्रहसंवत्सरादयः सूयन्ते

Mahânâr. 6. 1. बृहत्सोमो वावृधे सुवान इन्दुः

9. 6. प्रजावत्सावीः सौभगम्

Nyâsa. 2. संविभज्य सुतानर्थान्

Gitâ. 9. 10. सूयते सचराचरम्

2. सु (अभिषवे)

Chhâ. 5. 12. 1. तस्मात्तत्र सुतं प्रसुतमासुतं कुले दृश्यते

Bṛih. 2. 1. 3. अहरहर्ह सुतः प्रसुतो भवति

Mahânâr. 6. 2. जातवेदसे सुनवाम सोमम्

Maitri. 6. 7. शश्वत् सूयमानात् सूर्यः

सुकृत

Ait. 2. 3. सुकृतं वतेति पुरुषो वाव सुकृतम्

Kaush. 1. 4. तत्सुकृतदुष्कृते धुनुते वा तस्य प्रिया ज्ञातयः सुकृतमुपयन्ति

Chhâ. 8. 4. 1. न सुकृतं न दुष्कृतम्

Bṛih. 6. 4. 3. स्त्रीणां सुकृतं वृंक्ते .. आस्य स्त्रियः सुकृतं वृञ्जते

6. मयि तेज इन्द्रियं .. सुकृतम्

Tait. 2. 7. 1. तस्मात्तत्सुकृतमुच्यत इति

— यद्वैतत्सुकृतं रसो वै सः

Kaṭha. 3. 1. ऋतं पिबन्तौ सुकृतस्य लोके

Muṇḍ. 1. 2. 6. एष वः पुण्यः सुकृतो ब्रह्मलोकः

10. नाकस्य पृष्ठे ते सुकृते ऽनुभूत्वा

Gitâ. 2. 50. उभे सुकृतदुष्कृते

5. 15. न चैव सुकृतं विभुः

14. 16. कर्मणः सुकृतस्याहुः

सुकृतिन्

Gitâ. 7. 16. जनाः सुकृतिनो ऽर्जुन

सुकेशन्

Praśna. 1. 1. सुकेशा च भारद्वाजः 6. 1.

सुख

Chhâ. 7. 22. 1. यदा वै सुखं लभते ऽथ करोति .. सुखमेव लब्ध्वा करोति सुखं त्वेव विजिज्ञासितव्यमिति सुखं .. विजिज्ञासे

7. 23. 1. यो वै भूमा तत् सुखं नाल्पे सुखमस्ति भूमैव सुखम्

Kaṭha. 5. 12. तेषां सुखं शाश्वतं नेतरेषाम् Swet. 6. 12.

14. अनिर्देश्यं परमं सुखम्

Maitri. 4. 1. अक्षय्यं .. अनामयं सुखमश्नुते

6. 20. सुखमव्ययमश्नुते 34.

24. यत् सुखं चात्मसाक्षिकम्

30. अक्षय्यमपरिमितं सुखमाक्रम्य

34. चेतसः .. यत् सुखं भवेत्

Praśna. 4. 1. कस्यैतत् सुखं भवति

6. तदैतस्मिञ्छरीरे एतत्सुखं भवति

Gauḍa. 3. 5. तद्वज्जीवाः सुखादिभिः

45. नास्वादयेत् सुखं तत्र

47. अकथ्यं सुखमुत्तमम्

4. 82. सुखमाव्रियते नित्यम्

Sarvop. 4. सुखचैतन्यस्वरूपः

— अविशिष्टसुखस्वरूपः

Parama. 2. न सुखं न दुःखम्

— *vide* आदि

3. सुखे निस्पृहः

Gîtâ. 1. 32. न च राज्यं सुखानि च
33. राज्यं भोगाः सुखानि च
45. यद्राज्यसुखलोभेन
56. सुखेषु विगतस्पृहः
2. 66. अशान्तस्य कुतः सुखम्
4. 40. न सुखं संशयात्मनः
5. 21. विन्दत्यात्मनि यः सुखम्
— सुखमक्षयमश्नुते
6. 21. सुखमात्यन्तिकं यत्तत्
27. सुखमुत्तमम्
28. सुखेन ब्रह्मसंस्पर्शमत्यन्तं सुखमश्नुते
32. सुखं वा यदि वा दुःखम्
10. 4. सुखं दुःखं भवो ऽभावः
13. 6. इच्छा द्वेषः सुखं दुःखम्
14. 9. सत्त्वं सुखे सञ्जयति
27. सुखस्यैकान्तिकस्य च
16. 23. न सुखं न परां गतिम्
17. 8. *vide* विवर्द्धन
18. 36. सुखं त्विदानीं त्रिविधम्
37. तत्सुखं सात्त्विकं प्रोक्तम्
38. तत्सुखं राजसं स्मृतम्
39. सुखं मोहनमात्मनः

सुखदुःख

Kaush. 1. 7. केन सुखदुःखे इति शरीरेणेति
2. 15. सुखदुःखे मे त्वयि दधानीति पिता सुखदुःखे ते मयि दध इति पुत्रः
3. 5. तस्य सुखदुःखे परस्तात्प्रतिविहिता भूतमात्रा
6. प्रज्ञया शरीरं समारुह्य शरीरेण सुखदुःखे आप्नोति
7. न हि प्रज्ञापेतं शरीरं सुखं न दुःखं किंचन प्रज्ञापयेत्
— नाहमेतत्सुखं न दुःखं प्राज्ञासिषम्

Kaush. 3. 8. न सुखदुःखे विजिज्ञासीत सुखदुःखयोर्विज्ञातारं विद्यात्

Maitri. 6. 10. सुखदुःखमोहसंज्ञं . . इदं जगत्

Tejo. 14. न भयं सुखदुःखं च

Nyâsa. 4. नात्यर्थं सुखदुःखाभ्यां शरीरमुपतापयेत् Katha-śru. 4.

Parama. 2. *vide* आदि

Mukti. 2. कर्तृत्वभोक्तृत्वसुखदुःखादिलक्षणः

Gîtâ. 2. 38. सुखदुःखे समे कृत्वा
6. 7. शीतोष्णसुखदुःखेषु
12. 18.
13. 20. पुरुषः सुखदुःखानां भोक्तृत्वे हेतुः

सुखदुःखद

Gîtâ. 2. 14. शीतोष्णसुखदुःखदाः

सुखदुःखबुद्धि

Sarvop. 2. सुखदुःखबुद्ध्याभयः

सुखदुःखभाज्

Maitri. 6. 21. निरात्मकत्वान्न सुखदुःखभाग्भवति

सुखदुःखभोक्तृ

Kaivalya. 13. स्वप्ने स जीवः सुखदुःखभोक्ता

सुखदुःखसञ्ज्ञ

Gîtâ. 15. 5. द्वन्द्वैर्विमुक्ताः सुखदुःखसंज्ञैः

सुखदुःखहेतु

Śwet. 1. 2. आत्माप्यनीशः सुखदुःखहेतोः

Sarvop. 2. शब्दस्पर्शरूपरसगन्धाः सुखदुःखहेतवः

सुखबुद्धि

Sarvop. 2. इष्टविषये बुद्धिः सुखबुद्धिः

सुखम्

Katha. 1. 11. सुखं रात्रीः शयिता
Râmap. 34. तेन सार्द्धं सुखं स्थिताः
Gitâ. 5. 3. सुखं बन्धात्प्रमुच्यते
13. आस्ते सुखं वशी

सुखरूप

Kaivalya. 13. तमोभिभूतः सुखरूपमेति
Nrisut. 9. बुद्धः सुखरूप आत्मा

सुखसङ्ग

Gitâ. 14. 6. सुखसङ्गेन बध्नाति

सुखासनस्थ

Kaivalya. 4. विविक्तदेशे च सुखासनस्थः

सुखिन्

Gitâ. 1. 37. सुखिनः स्याम माधव
2. 32. सुखिनः क्षत्रियाः पार्थ
5. 23. स युक्तः स सुखी नरः
16. 14. सिद्धो ऽहं बलवान् सुखी

सुखेतर

Śwet. 1. 1. अधिष्ठिताः केन सुखेतरेषु वर्त्तामहे

सुगुप्त

Kaṭhaśru. 1. य आत्मानं क्रियाभिः सुगुप्तं करोति

सुग्रीव

Râmap. 42. सुग्रीवं स्थापयेत्ततः
— हरीनाहूय सुग्रीवः
51. भरताधस्तु सुग्रीवम्
53. सुग्रीवं भरतं तथा

सुघन

Mukti. 2. 62. अज्ञानसुघनाकारा

सुघोष

Gitâ. 1. 16. सुघोषमणिपुष्पकौ

सुचरित

Tait. 1. 11. 2. यान्यस्माकं सुचरितानि तानि त्वयोपास्यानि

सुज्ञान

Katha. 2. 9. प्रोक्तान्येनैव सुज्ञानाय प्रेष्ठ

सुतरसिद्धतरस्

Mahânâr. 6. 3. सुतरसिद्धतरसे नमः (2 MSS. omit द्ध)

सुतल

Aruṇeya. 1. *vide* तलातल

सुतीक्ष्ण

Kshur. 11. सुतीक्ष्णं बुद्धिनिर्मलम्
24. प्राणायामसुतीक्ष्णेन

सुतेजस्

Chhâ. 5. 12. 1. एष वै सुतेजा आत्मा
5. 18. 2. मूर्द्धैव सुतेजाः

सुदक्ष

Nrip. 2. 4. यतो वीरः कर्मण्यः सुदक्षः

सुदत्र

Bṛih. 6. 4. 27. वसुविद्यः सुदत्रः

सुदर्शन

Nrip. 5. 1. षडरं वा एतत् सुदर्शनं महाचक्रम्
— *vide* सुबद्ध
2. तदेव चक्रं सुदर्शनं महाचक्रम्
— षट्सु पत्रेषु षडक्षरं सुदर्शनं भवति

सुदामन्

Kṛish. 17. शमो मित्रं सुदामा यः
26. सुदामा नारदो मुनिः

सुदीप्त

Mund.2. 1. 1. यथा सुदीप्तात् पावकाद्वि-
स्फुलिङ्गाः

सुदुराचार

Gîtâ. 9. 30. अपि चेत्सुदुराचारः

सुदुर्दर्श

Gîtâ. 11. 52. सुदुर्दर्शमिदं रूपम्

सुदुर्लभ

Gîtâ. 6. 19. स महात्मा सुदुर्लभः

सुदुष्कर

Gîtâ. 6. 34. वायोरिव सुदुष्करम्

सुदूर

Mund.3. 1. 7. दूरात्सुदूरे तदिहान्तिके च

सुदृढ

Nrisut. 9. सैषा चित्रा सुदृढा बह्वङ्कुरा

सुद्युम्न

Maitri. 1. 4. *vide* आदि

सुधन्वन्

Brih. 3. 3. 1. सुधन्वाङ्गिरसः

सुधूम्रवर्णा

Mund.1. 2. 4. सुलोहिता या च सुधूम्रवर्णा

सुध्मात

Śwet. 2. 14. भ्राजते तत्सुध्मातम् (so
Nârâyaṇa; one MS. has
सुधातं; Śaṁkarânanda
explains सुधान्तम्)

सुनिर्मल

Śwet. 3. 12. सुनिर्मलामिमां शान्तिम्

सुनिर्वृत

Gauḍa. 4. 93. प्रकृत्यैव सुनिर्वृताः

सुनिश्चल

Maitri. 6. 34. मनः कृत्वा सुनिश्चलम्

सुनिश्चित

Mund.3. 2. 6. वेदान्तविज्ञानसुनिश्चितार्थाः
Mahânâr. 10. 6; Kaivalya. 3.

Gauḍa. 4. 92. सर्वे धर्माः सुनिश्चिताः
95. ये केचिद्भविष्यन्ति सुनि-
श्चिताः (विपश्चितः MSS.)

Gîtâ. 5. 1. तन्मे ब्रूहि सुनिश्चितम्

सुपथिन्

Brih. 5. 15. 1. अग्ने नय सुपथा राये
Îśâ. 18.

सुपर्ण

Brih. 3. 3. 2. इन्द्रः सुपर्णो भूत्वा
4. 3. 19. आकाशे श्येनो वा सुपर्णो
वा विपरिपत्य

Śwet. 4. 6. द्वा सुपर्णा सयुजा सखाया
Mund.3. 1. 1.

Chûl. 8. सुपर्णं पिप्पलाशनम्

सुपर्णपक्ष

Mahânâr. 3. 15. सुपर्णपक्षाय धीमहि

सुपर्णेय

Mahânâr.22. 1. प्राजापत्यो हारुणिः सुपर्णेयः

सुपूर्ण

Mukti. 2. 74. सुपूर्णभूमाहमितीह भावय

सुप्रतिष्ठ

Mukti. 1. 7. वेदान्ते सुप्रतिष्ठोऽहम्

सुप्रतिष्ठा

Śwet. 1. 7. तस्मिंस्त्रयं सुप्रतिष्ठाक्षरं च

सुप्रतिष्ठित

Mukti. 1. 9. वेदे वेदान्तः सुप्रतिष्ठितः

सुप्रतीक

Mahânâr.16. 7. सा मां मेधा सुप्रतीका जुषताम्

सुप्रपञ्चहीन

Nṛisut. 8. इहेदं सर्वं दृष्ट्वा सुप्रपञ्चहीनः (Nârâyaṇa also explains असुप्रपञ्चहीनः)

सुप्रशान्त

Gauḍa. 3. 37. सुप्रशान्तः सकृज्ज्योतिः

सुप्रसन्न

Gauḍa. 3. 42. सुप्रसन्नं लये चैव

सुप्रीत

Maitri. 2. 1. भगवाञ्छाकायन्यः सुप्रीतः

सुबद्ध

Nṛip. 5. 1. अरैर्वा एतत्सुबद्धं भवति (some MSS. read एतत्सुदर्शनम्)

सुबाल

Mukti. 1. 32. सुबालक्षुरिमन्त्रिका
1. *vide* मुक्तिका

सुभगा

Mahânâr. 3. 14. सुभगायै विद्महे

सुभिक्ष

Chhâ. 1. 10. 5. साम्र एव सुभिक्षा बभूव

सुभूता

Chhâ. 3. 15. 2, सुभूता नामोदीची

सुभृत

Kaṭha. 4. 8. गर्भ इव सुभृतो गर्भिणीभिः

सुमनस्

Kaṭha. 1. 10. शान्तसङ्कल्पः सुमना यथा स्यात्
Nîla. 6. सुमना असत्

सुमनस्यमान

Mahânâr.16. 4. विश्वाची भद्रा सुमनस्यमाना
Nyâsa. 1. सर्वश्रियं दधतु सुमनस्यमाना

सुमन्त्र

Râmap. 55. सुमन्त्रैरेभिरावृतः

सुमित्रिय

Mahânâr. 4. 13. सुमित्रिया न आप ओषधयः सन्तु

सुमेधस्

Bṛih. 6. 2. 3. कथं सुमेध इति
Tait. 1. 10. 1. सुमेधा अमृतो ऽक्षितः
Mukti. 1. 49. कुलीनाय सुमेधसे

सुयज्वन्

Chûl. 7. इज्यमानां सुयज्वभिः

सुयुक्त

Maitri. 4. 4. यः सुयुक्तो ऽजस्रं चिन्तयति

सुर

Maitri. 1. 4. स्थानादपसरणं सुराणाम्
6. 35. संस्फुरत्यसावन्तर्गः सुराणाम्
Yogat. 6. त्रयः सन्ध्यास्त्रयः सुराः
Kṛish. 1. ते होचुस्तं सुराः सर्वे
4. मोदितास्ते सुराः सर्वे
9. गोपगोपीसुरैः सह
10. शृंगमिन्द्रः सखा सुराः
12. दुर्जया सा सुरैः सर्वैः
13. बलं ज्ञानं सुराणां वै
Gîtâ. 2. 8. राज्यं सुराणामपि चाधिपत्यम्

सुरगण

Gîtâ. 10. 2. न मे विदुः सुरगणाः

सुरभि

Ohhâ 1. 2. 2. तस्मात्तेनोभयं जिघ्रति सुर-
भि च दुर्गन्धि च
9. नैवैतेन सुरभि न दुर्गन्धि
विजानाति

Mahânâr.16. 6 सा मां मेधा सुरभिर्जुषताम्
7. मेधा सुरभिर्विश्वरूपा

सुरसंघ

Gîtâ. 11. 21. अमी हि त्वां सुरसंघा वि-
शन्ति

सुरा

Chhâ. 5. 10. 9. सुरां पिबंश्च

सुरापान

Mahânâr. 19. 1. गोस्तेयं सुरापानम्
Kaivalya. 24. सुरापानात्पूतो भवति

सुराष्ट्र

Râmap. 55. विजयश्च सुराष्ट्रश्च

सुरूप

Chhâ. 2. 15. 2. विरूपांश्च सुरूपांश्च पशून-
वरुन्धे (all the MSS.
read सरूपांश्च)

सुरेन्द्रलोक

Gîtâ. 9. 20. ते पुण्यमासाद्य सुरेन्द्रलो-
कम्

सुरेश्वर

Gopî. 5. गोपीचन्दनमित्युक्तं द्वारव-
त्यां सुरेश्वरैः

सुलक्षण

Gopî. 5. चक्राकारं सुलक्षणम्

सुलभ

Gîtâ. 8. 14. तस्याहं सुलभः पार्थ

सुलोहिता

Muṇḍ.1. 2. 4. सुलोहिता या च सुधूम्रवर्णा

सुवःकालकर्णी

Mahânâr. 4. 9. भूर्लक्ष्मीर्भुवर्लक्ष्मीः सुवः
कालकर्णी Nṛip. 4. 2
(*vide* Śaṁkaras' commentary).

सुवर्, स्वर्

Kaush. 2. 14. आकाशात्मानः स्वरीयुः
— आकाशात्मा स्वरेति

Chhâ. 2. 23. 3. भूर्भुवः स्वरिति
3. 15. 3. स्वः प्रपद्ये ऽमुनामुनामुना
7. यदवोचं स्वः प्रपद्य इति
4. 17. 3. स्वरिति सामभ्यः
6. स्वः स्वाहेत्याहवनीये जु-
हुयात्

Bṛih. 5. 5. 3. स्वरिति प्रतिष्ठा 4.
6. 3. 3. स्वः स्वाहा..भूर्भुवः स्वः
स्वाहा 6.
6. 4. 25. स्वस्ते दधामि भूर्भुवः स्वः
सर्वं त्वयि दधामि

Tait. 1. 5. 1. भूर्भुवः स्वरिति..व्याहृतयः
— सुवरित्यसौ लोकः
2. सुवरित्यादित्यः
— सुवरिति यजूंषि
3. सुवरिति व्यानः
1. 6. 2. सुवरित्यादित्ये

Śwet. 2. 3. देवान् सुवर्यतः

Maitri. 6. 5. भूर्भुवःस्वरिति लोकवत्येषा
6. अनुव्याहरद्भूर्भुवः स्वरिति
— स्वरित्यस्याः शिरः
— एतस्माद्भूर्भुवः स्वरित्युपा-
सीत

Maitri. 6. 35. भूर्भुवः स्वरोम् Mahânâr. 13. 1; 15. 2, 3; Siras. 6; Prâṇâg. 1.

Mahânâr. 1. 9. अन्तरिक्षमथो सुवः 5. 7.
2. 6. परि दिशः परि सुवः
5. 9. द्यावापृथिव्योर्हिरण्मयं संभृतं सुवः स नः सुवः संशिशाधि
7. 1. सुवरादित्याय
— भूर्भुवः सुवश्चन्द्रमसे
— भूर्भुवः सुवरग्निरोम्
2. सुवरन्नमादित्याय
— भूर्भुवः सुवरन्नं चन्द्रमसे
— भूर्भुवः सुवरन्नमोम्
3. सुवरादित्याय च दिवे च
— भूर्भुवः सुवश्चन्द्रमसे च नक्षत्रेभ्यश्च
— भूर्भुवः सुवर्महरोम्
5. भूर्भुवः सुवश्छन्द ओम्
8. 1. भूर्भुवः सुवर्ब्रह्म
14. 1. भूर्भुवः सुवराप ओम्
15. 3. ओं भूर्भुवः सुवर्महः
22. 1. तपसऋषयः सुवरन्वविन्दन्
— दमेन ब्रह्मचारिणः सुवरगच्छन्

Śiras. 2. यो वै रुद्रः..यच्च स्वः
3. स्वस्ते शीर्षम्

Mahâ. 3. स्वरिति व्याहृतिः

Atmapra. 1. यस्मिँल्लोके स्वर्हितम्

Râmot. 5. भूर्भुवः स्वः (47 times).

सुवर्ग

Tait. 1. 3. 4. सन्धीयते..सुवर्गेण लोकेन

Mahânâr.21. 2. सत्येन न सुवर्गाल्लोकाच्च्यवन्ते

Mahânâr.22. 1. आहवनीयः साम सुवर्गो लोको बृहत्
— अग्निहोत्रं..सुवर्गस्य लोकस्य ज्योतिः

सुवर्गेय

Śwet. 2. 2. सुवर्गेयाय शक्त्या (one MS. reads स्वर्गेयाय and another, with *VS*, स्वर्ग्याय)

सुवर्चस्, सुवर्चस

Tait. 1. 10. 1. द्रविणं सुवर्चसम्

Muṇḍ.1. 2. 6. आहुतयः सुवर्चसः

सुवर्ण

Chhâ. 1. 6. 6. आप्रणखात्सर्व एव सुवर्णः
3. 19. 1. ते आण्डकपाले रजतं च सुवर्णं चाभवताम्
2. यत्सुवर्णं सा द्यौः
4. 17. 7. लवणेन सुवर्णं सन्दध्यात् सुवर्णेन रजतम्

Bṛih. 1. 3. 26. साम्नो यः सुवर्णं वेद भवति हास्य सुवर्णं तस्य वै स्वर एव सुवर्णम्

Sarvop. 4. सुवर्णविकारेषु सुवर्णमिव

सुवर्णघन

Sarvop. 3. सुवर्णघनवत्

सुवर्णज्योतिस्

Tait. 3. 10. 6. अहं विश्वं भुवनमभ्यभवां सवर्णज्योतीः Nṛip. 2. 4 (तिः)

सुवर्णविकार

Sarvop. 4. सुवर्णविकारेषु सुवर्णमिव

सुवर्णस्तेय

Kaivalya. 24. सुवर्णस्तेयात् पूतो भवति

सुवसन

Chhâ. 8. 8. 2. साध्वलङ्कृतौ सुवसनौ परिष्कृतौ, 3.

8. 9. 1. सुवसने सुवसनः, 2.

सुविज्ञेय

Katha. 1. 21. न हि सुविज्ञेयमणुरेष धर्मः

22. त्वं च मृत्यो यन्न सुविज्ञेयमात्थ

2. 8. न नरेणावरेण प्रोक्त एष सुविज्ञेयः

सुविभात

Nṛisut. 2. सर्वस्मात्पुरतः सुविभातम्

5. पुरतो ऽस्मात् सर्वस्मात् सुविभातम् 9.

6. सर्वस्य पुरतः सुविभातम्

8. अयं ह्यस्मात् सर्वस्मात्पुरतः सुविभातः

9. एतौ हि पुरस्तात्सुविभातमव्यवहार्यमद्वयम्

— सुविभात सकृद्विभातम्

सुविरूढमूल

Gîtâ. 15. 3. अश्वत्थमेनं सुविरूढमूलम्

सुविस्तर

Mukti. 1. 9. वेदा जाताः सुविस्तराः

सुविस्पष्ट

Nṛisut. 9. सुविस्पष्टस्तमसः परस्तात्

सुवीर

Mahânâr. 16. 4. बृहद्वदेम विदथे सुवीराः

सुवृष्टि

Chhâ. 7. 10. 1. यदा सुवृष्टिर्न भवति

— यदा सुवृष्टिर्भवति

सुशब्द

Dhyâna. 4. सुशब्दं चाक्षरे क्षीणे

सुशिक्षित

Gauḍa. 2. 8. यथैवेह सुशिक्षितः

सुशील

Mukti. 1. 49. मङ्गलाय सुशीलाय

सुषि

Chhâ. 3. 13. 1. प्राङ् सुषिः स प्राणः

2. दक्षिणः सुषिः स व्यानः

3. प्रत्यङ् सुषिः सो ऽपानः

4. उदङ् सुषिः स समानः

5. ऊर्ध्वः सुषिः स उदानः

Maitri. 7. 11. हृदयान्तर्गते सुषौ

सुषिर

Mahânâr.11. 7. सुषिरं चाप्यधोमुखम् (see हृदय); Brahma. 3.

9. तस्यान्ते सुषिरं सूक्ष्मम्

Garbha. 1. तत्सुषिरं तदाकाशम्

Brahma. 2. तत्सुषिरमाकाशम्

Amṛita. 26. सुषिरं मण्डलं विदुः

सुषुप्त

Bṛih. 2. 1. 19. यदा सुषुप्तो भवति

Mahânâr.18. 1. यत्सुषुप्तश्च जाग्रतश्चैनश्चकृम

Mâṇḍû. 5. यत्र सुप्तः..न कञ्चन स्वप्नं पश्यति तत्सुषुप्तम्

Nṛip. 4. 1; Nṛisut. 1; Râmot. 3.

Gauḍa. 3. 34. सुषुप्ते ऽन्यो न तत्समः

35. लीयते हि सुषुप्ते तत्

Nṛisut. 1. त्रयमप्येतत् सुषुप्तं स्वप्नं मायामात्रम्

— त्रयमत्रापि सुषुप्तं स्वप्नं मायामात्रम्

2. सुषुप्ते ऽजाग्रतमस्वप्नम्

Brahma. 1. एवं सुषुप्तो ब्रूते

2. जागरितं स्वप्नं सुषुप्तं तुरीयम्

Brahma. 2. सुषुप्ते रुद्रः
3. सुषुप्तं हृदयस्थं तु
Sarvop. 1. जाग्रत्स्वप्नसुषुप्तं तुरीयं च कथम्
— तदात्मनः सुषुप्तम्

सुषुप्तस्थान

Mâṇḍû. 5. सुषुप्तस्थान एकीभूतः
Nṛip. 4. 1; Nṛisut. 1. Râmot. 3.
11. सुषुप्तस्थानः प्राज्ञः
Nṛisut. 2. सुषुप्तस्थानश्चतुरात्मा प्राज्ञः

सुषुप्ति

Kaivalya. 17. जाग्रत्स्वप्नसुषुप्त्यादिप्रपञ्चम्
Brahmab. 11. जाग्रत्स्वप्नसुषुप्तिषु
Haṁsa. 2. लिङ्गे सुषुप्तिः

सुषुप्तिकाल

Kaivalya. 13. सुषुप्तिकाले सकले विलीने

सुषुम्णा

Kshur. 8. तत्र नाडी सुषुम्णा तु
17. सुषुम्णा तु परे लीना
18. सुषुम्णैका न छिद्यते

सुषुम्णाद्वार

Yogaśi. 7. द्वितीयं सुषुम्णाद्वारम्

सुषुम्नाख्य

Maitri. 6. 21. ऊर्ध्वगा नाडी सुषुम्नाख्या

सुषोमा

Mahânâr. 5. 4. आर्जीकीये शृणुह्या सुषोमया

सुष्वप

Brahma. 1. सुष्वपे इयेनाकाशवत्

सुसमाहित

Bṛih. 4. 3. 35. यथानः सुसमाहितम्

सुसमिद्ध

Maitri. 6. 28. सुसमिद्धस्य देहिनः

सुसीम

Kaush. 2. 8. यन्मे सुसीमं हृदयं दिवि चंद्रमसि श्रितम्
10. यत्ते सुसीमे हृदये श्रितम्

सुसुख

Gîtâ. 9. 2. सुसुखं कर्तुमव्ययम्

सुसूक्ष्म

Muṇḍ.1. 1. 6. सुसूक्ष्मं तदव्ययम्

सुस्थित

Nâda. 19. सुस्थितो योगचारेण
Nyâsa. 2. भोगांस्त्यजति सुस्थितान्

सुहय

Chhâ.5. 1. 12. यथा सुहयः पड्वीशशङ्कून् संखिदेत्

सुहव

Mahânâr.20. 3. हवे हवे सुहवं शूरमिन्द्रं ह्वयामि

सुहुत

Bṛih. 6. 4. 24. स्विष्टं सुहुतं करोतु नः
Mahânâr.22. 1. अग्निहोत्रं सायं प्रातः . . स्विष्टं सुहुतम्

सुहृद्

Śwet. 3. 17. सर्वस्य शरणं सुहृत्
Garbha. 4. पितरः सुहृदस्तथा
Kathaśru. 1. सुहृदो बन्धूननुमोदते
Gîtâ. 1. 27. श्वशुरान् सुहृदश्चैव
5. 29. सुहृदं सर्वभूतानाम्
6. 9. सुहृन्मित्रार्युदासीनमध्यस्थद्वेष्यबन्धुषु
9. 18. निवासः शरणं सुहृत्

सूकरयोनि

Chhâ. 5. 10. 7. श्वयोनिं वा सूकरयोनिं वा

सूक्तवाक

Prâṇâg. 3. शारीरयज्ञस्य..कः सूक्तवाकः
4. दन्तोष्ठौ सूक्तवाकः

सूक्ष्म

Mahânâr. 11. 9. तस्यान्ते सुषिरं सूक्ष्मम्
Kaṭha. 3. 12. दृश्यते त्वग्र्यया बुद्ध्या सूक्ष्मया
Śwet. 5. 12. स्थूलानि सूक्ष्माणि बहूनि चैव रूपाणि
6. 3. आत्मगुणैश्च सूक्ष्मैः
Maitri. 2. 5. स वा एष सूक्ष्मो ऽग्राह्यः
Muṇḍ.3. 1. 7. सूक्ष्माच्च तत्सूक्ष्मतरं विभाति
Kaivalya. 16. सूक्ष्मात् सूक्ष्मतरं नित्यम्
Gauḍa. 2. 23. सूक्ष्म इति सूक्ष्मविदः
Nṛisut. 2. स्थूलसूक्ष्मबीजसाक्षिभिः (ter); 3 (4 times).
9. सत्यं सूक्ष्मं परिपूर्णमद्वयम्
Brahmav. 11. पद्मसूत्रनिभा सूक्ष्मा
Śiras. 2. यो वै रुद्रः..यच्च सूक्ष्मम्
3. सूक्ष्मः पुरुषः सर्वम्
— प्राजापत्यं सौम्यं सूक्ष्मं पुरुषम्
— सूक्ष्मं सूक्ष्मेण..ग्रसति
— यच्छुक्लं तत् सूक्ष्मं यत् सूक्ष्मं तद्वैद्युतम्
4. कस्मादुच्यते सूक्ष्मम्
— सूक्ष्मो भूत्वा शरीराण्यधितिष्ठति
— तस्मादुच्यते सूक्ष्मम्
Amrita. 4. पदं सूक्ष्मं च गच्छति
Tejo. 1. स्थूलं सूक्ष्मं परं च यत्
Sarvop. 4. आकाशवत्सूक्ष्मः केवलः
Haṁsa. 2. तनु सूक्ष्म प्रचोदयात् (so 5 MSS.; two तन्नः सूक्ष्मः)
Vâsu. 3. देहादिरहितं सूक्ष्मम्

सूक्ष्मतर

Muṇḍ.3. 1. 7. सूक्ष्माच्च तत्सूक्ष्मतरं विभाति
Kaivalya. 16. सूक्ष्मात् सूक्ष्मतरं नित्यम्

सूक्ष्मत्व

Nṛisut. 1. सूक्ष्मत्वात् सूक्ष्मभुक्त्वाच्च
2. स्थूलत्वात् सूक्ष्मत्वाद्बीजत्वात् साक्षित्वाच्च (ter).
Gîtâ. 13. 15. सूक्ष्मत्वात्तदविज्ञेयम्

सूक्ष्मदर्शिन्

Kaṭha. 3. 12. दृश्यते...सूक्ष्मदर्शिभिः

सूक्ष्मप्रज्ञ

Nṛisut. 1. स्वप्नस्थानः सूक्ष्मप्रज्ञः
— न स्थूलप्रज्ञं न सूक्ष्मप्रज्ञम्

सूक्ष्मभुक्त्व

Nṛisut. 1. सूक्ष्मत्वात् सूक्ष्मभुक्त्वाच्च

सूक्ष्मभुज्

Nṛisut. 1. सूक्ष्मभुक् चतुरात्मा

सूक्ष्मयुत

Râmap. 78. सूक्ष्मयुतो विषः

सूक्ष्मविद्

Gauḍa. 2. 23. सूक्ष्म इति सूक्ष्मविदः

सूक्ष्मातिसूक्ष्म

Śwet. 4. 14. सूक्ष्मातिसूक्ष्मं कलिलस्य मध्ये

सूच्

Maitri. 3. 1. यथैवमस्यात्मनो महिमानं सूचयसि

सूचन

Brahma. 2. सूचनात्सूत्रमित्याहुः
Aruṇeya. 3. सूचनात्सूत्रमहमेव सूत्रम्

सूत

Bṛih. 4. 3. 37 उग्राः प्रत्येनसः सूतग्राम- ण्यः 38.

सूतपुत्र

Gîtâ. 11. 26. भीष्मो द्रोणः सूतपुत्रस्तथा- सौ

सूत्र

Chhâ. 6. 8. 2. यथा शकुनिः सूत्रेण प्रबद्धः
Bṛih. 2. 4. 10. उपनिषदः श्लोकाः सूत्राणि 4. 1. 2; 4. 5. 11; Maitri. 6. 32.
3. 7. 1. वेत्थ नु त्वं काप्य तत्सूत्रम्
— यो वै तत्काप्य सूत्रं वि- द्यात्
— तच्चेत्त्वं . . सूत्रमविद्वान्
— वेद वा अहं गौतम तत्सू- त्रम्
2. वायुर्वै . . तत्सूत्रं वायुना वै . . सूत्रेण . . सर्वाणि . . स- न्दृब्धानि
— वायुना हि गौतम सूत्रेण सन्दृब्धानि
Brahma. 2. त्रिवृत् सूत्रं च यन्महत्
— ब्रह्म तत्सूत्रमिति धारयेत्
— सूचनात्सूत्रमित्याहुः सूत्रं नाम परं पदम्
— तत्सूत्रं विदितं येन
— सूत्रे मणिगणा इव Gîtâ. 7. 7.
— तत्सूत्रं धारयेद्योगी
— ब्रह्मभावमयं सूत्रम्
— धारणात्तस्य सूत्रस्य
3. सूत्रमन्तर्गतं येषाम्
Brahma. 3. तैः सन्धार्यमिदं सूत्रम् (one MS. has बहिः for इदम्)
Aruṇeya. 1. यागं च सूत्रं च स्वाध्यायं च . . विसृजेत्
3. खल्वहं ब्रह्म सूत्रं सूचनात् सूत्रमहमेव सूत्रं ब्रह्मसूत्र- महमेव विद्वान्

सूत्रयन्त्र

Maitri. 6. 26. अप्सुचारिणः . . सूत्रयन्त्रे- णोद्धृत्य

सूत्रविद्

Brahma. 3. ते वै सूत्रविदो लोके

सूनु

Prâṇâg. 2. सर्वेषामेव सूनुर्भवति (4 MSS. have सूनम्)

सूनृता

Kaṭha. 1. 8. आशाप्रतीक्षे सङ्गतं सूनृ- तां च

सूरि

Śwet. 2. 5. वि श्लोक एतु पथ्येव सूरेः
Nṛip. 5. 10. तद्विष्णोः परमं पदं सदा पश्यन्ति सूरयः Aruṇeya. 5; Vâsu. 4; Skanda 15; Mukti. 2. 77.

सूर्य

Chhâ. 3. 17. 7. पश्यन्त उत्तरं देवं देवत्रा सूर्यम्
4. 4. 1. यदा सूर्यो ऽस्तमेति
4. 7. 3. सूर्यः कला
Bṛih. 1. 1. 1. सूर्यश्चक्षुः
1. 4. 10. अहं मनुरभवं सूर्यश्च
1. 5. 23. यतश्चोदेति सूर्यः Kaṭha. 4. 9.
5. 15. 1. पूषन्नेकर्षे यम सूर्य Îśâ. 16.

Bṛih. 6. 3. 6. मधुमाँ अस्तु सूर्यः Mahânâr. 9. 10.

Tait. 2. 8. 1. भीषोदेति सूर्यः Nṛip. 2.4.

Kaṭha. 5. 11. सूर्यो यथा सर्वलोकस्य चक्षुः

15. न तत्र सूर्यो भाति Śwet. 6. 14; Muṇḍ. 2. 2. 10.

6. 3. भयात्तपति सूर्यः

Maitri. 6. 5. प्राणो ऽग्निः सूर्या इति प्रतापवत्येषा

7. शश्वत्स्तूयमानात्सूर्यः

8. प्राणः प्रजानामुदयत्येष सूर्यः Praśna. 1. 8.

12. सूर्यो रश्मिभिराददात्यन्नम्

14. सूर्यो योनिः कालस्य

26. सूर्यान्मयूखाश्च तथैव, 31.

27. तेजश्चैवाभिसूर्ययोः

37. तत्सूर्यो रश्मिभिर्वर्षति

Muṇḍ.1. 2. 5. तं नयन्त्येताः सूर्यस्य रश्मयः

6. सूर्यस्य रश्मिभिर्यजमानं वहन्ति

11. सूर्यद्वारेण ते विरजाः प्रयान्ति

2. 1. 4. चक्षुषी चन्द्रसूर्यौ

5. तस्मादग्निः समिधो यस्य सूर्यः

6. सोमो यत्र पवते यत्र सूर्यः

Mahânâr. 1. 7. तत्सूर्यस्तदु चन्द्रमाः

3. 8. तन्नः सूर्यः प्रचोदयात्

10. 2. सूर्य एकं जजान

13. 1. घृणिः सूर्य आदित्य ओम्

14. 4. सूर्यश्च मा मन्युश्च

— सूर्ये ज्योतिषि जुहोमि

20. 7. ज्योतिष्कृदसि सूर्य

8. सूर्याय त्वा भ्राजस्वते

24. 1. वर्चोदास्त्वमसि सूर्यस्य

Praśna. 2. 5. एषो ऽग्निस्तपत्येष सूर्यः

Praśna. 2. 9. सूर्यस्त्वं ज्योतिषां पतिः

5. 5. स तेजसि सूर्ये सम्पन्नः

Nṛip. 1. 4. ऋग्यजुःसामाथर्वरूपः सूर्यः

4. 2. सूर्य इति त्रीणि

3. यो वै नृसिंहः..यश्च सूर्यस्तस्मै वै नमो नमः (28).

5. 10. यत्र सूर्यो न तपति

Brahmav. 11. सूर्यं भित्त्वा तदापरम्

12. सूर्यं भित्त्वा तु मूर्द्धनि

Śiras. 2. यो वै रुद्रः..यश्च सूर्यः

Mahâ. 1. न नक्षत्राणि न सूर्यः

Prâṇâg. 2. सूर्यो ऽग्निर्नाम

Nila. 19. ये च सूर्यस्य रश्मिषु

Dhyâna. 16. चन्द्राग्निसूर्ययोः

Yogaśi. 6. भिन्दन्ति योगिनः सूर्यम्

Haṁsa. 2. सूर्याय सोमाय

Râmot. 5. यो वै श्रीरामः..यश्च सूर्यः

Mukti. 1. 36. सूर्याख्यध्यात्मकुण्डिका

Gîtâ. 7. 8. प्रभास्मि शशिसूर्ययोः

15. 6. न तद्भासयते सूर्यः

सूर्यपूत

Śiras. 7. स सूर्यपूतो भवति Mahâ. 4.

सूर्यमण्डल

Maitri. 6. 30. यो भित्त्वा सूर्यमण्डलम्

Brahmav. 8. सूर्यमण्डलमाभाति (so all the MSS.)

सूर्यमण्डलाकृति

Prâṇâg. 2. सूर्यो ऽग्निर्नाम सूर्यमण्डलाकृतिः

सूर्यमरीचि

Yogat. 11. किञ्चित् सूर्यमरीचिवत्

सूर्यराज्य

Maitri. 6. 36. सूर्यराज्यं षोडशिना

सूर्यसङ्काश

Brahmav. 11. सा नाडी सूर्यसङ्काशा (one MS. reads सूत्रसङ्काशा)

सूर्यसहस्र

Gîtâ. 11. 12. दिवि सूर्यसहस्रस्य

सूर्याचन्द्रमस

Chhâ. 7. 12. 1. आकाशे वै सूर्याचन्द्रमसावुभौ

8. 1. 3. सूर्याचन्द्रमसावुभौ

Bṛih. 3. 8. 9. सूर्याचन्द्रमसौ विधृतौ तिष्ठतः

Mahânâr. 5. 7. सूर्याचन्द्रमसौ धाता यथा पूर्वमकल्पयत्

25. 1. एतौ वै सूर्याचन्द्रमसोर्महिमानौ ब्राह्मणो विद्वानभिजयति

Nṛip. 5. 2. सूर्याचन्द्रमसौ पार्श्वयोः (आसाते)

सूर्यात्मन्

Mukti. 1. *vide* गारुड

सृ

Bṛih. 6. 4. 5. यदोषधीरप्यसरद्यदपः

सृंका

Kaṭha. 1. 16. सृङ्कां चेमामनेकरूपां गृहाण

2. 3. नैतां सृङ्कां वित्तमयीमवाप्तः

सृज्

Ait. 1. 1. स ईक्षत लोकान्नु सृजै

2. स इमाँल्लोकानसृजत

3. लोकपालान्नु सृजै

2. 1. ता एता देवताः सृष्टाः

3. 1. अन्नमेभ्यः सृजै

Chhâ. 6. 2. 3. तत्तेजो ऽसृजत..तदपो ऽसृजत

4. ता अन्नमसृजन्त

7. 11. 1. तेज एव..अपः सृजते (bis).

Bṛih. 1. 2. 4. तमेतावतः कालस्य परस्तादसृजत

5. इदं सर्वमसृजत यदिदं किञ्च

— यद्यदेवासृजत तत्तदत्तुमध्रियत

1. 4. 4. आपिपीलिकाभ्यस्तत्सर्वमसृजत

5. अहं हीदं सर्वमसृक्षि

6. मुखाच्च..हस्ताभ्यां चाग्निमसृजत

— आर्द्रं तद्रेतसो ऽसृजत

— श्रेयसो देवानसृजत

— मर्त्यः सन्नमृतानसृजत

12. स विशमसृजत

13. स शौद्रं वर्णमसृजत पूषणम्

15. आत्मनो यद्यत्कामयते तत्तत्सृजते

1. 5. 21. प्रजापतिर्ह कर्माणि ससृजे तानि सृष्टानि..अस्पर्द्धन्त

4. 3. 10. रथान् रथयोगान्पथः सृजते

— आनन्दान् मुदः प्रमुदः सृजते

— वेशान्तान् पुष्करिण्यः स्रवन्त्यः सृजते

5. 5. 1. आपः सत्यमसृजन्त

6. 4. 2. स स्त्रियं ससृजे तां सृष्ट्वाध उपास्त

Tait. 2. 6. 1. तपस्तप्त्वेदं सर्वमसृजत..तत्सृष्ट्वा तदेवानुप्राविशत्

Śwet. 4. 5. बह्वीः प्रजाः सृजमानां सरूपाः
9. अस्मान्मायी सृजते विश्वमेतत्
5. 3. भूयः सृष्ट्वा पतयस्तथेशः
Maitri. 2. 6. बह्वीः प्रजा असृजत
7. 9. बृहस्पतिः..इमामविद्यामसृजत्
Muṇḍ. 1. 1. 7. यथोर्णनाभिः सृजते गृह्णते च
Mahânâr. 23. 1. मानसा ऋषयः प्रजा असृजन्त
Praśna. 6. 4. स प्राणमसृजत प्राणाच्छ्रद्धाम्
Gauḍa. 3. 23. भूततोऽभूततो वापि सृज्यमाने
Nṛip. 1. 1. तस्यान्तर्मनसि कामः समवर्त्ततेदं सृजेयमिति
— तेन वै सर्वमिदमसृजत
7. विश्वसृज एतेन वै विश्वमिदमसृजन्त यद्विश्वमसृजन्त तस्माद्विश्वसृजः
2. 2. अनुष्टुभा सर्वमिदं सृष्टम्
4. सर्वाणि भूतानि..अजस्रं सृजति (bis).
3. 1. माया..सर्वमिदं सृजति
Nṛisut. 9. देवताः कोशांश्च सृष्ट्वा
Brahma. 1. कथं सृजन्ति
3. सृजते संहरत्यपि
Nâr. 1. प्रजाः सृजेयेति
Gopî. 5. अभ्राम्यतेदं सृजेयमिति
— तैरिदमसृजत
— चतुर्दशलोकानसृजत
Kṛish. 22. यत्सृष्टमीश्वरेणासीत्
Gîtâ. 3. 10. सहयज्ञाः प्रजाः सृष्ट्वा
4. 7. तदात्मानं सृजाम्यहम्
13. चातुर्वर्ण्यं मया सृष्टम्
15. 14. लोकस्य सृजति प्रभुः

सृति

Bṛih. 4. 2. 3. अथैनयोरेषा सृतिः सञ्चरणी
6. 2. 2. द्वे सृती अशृणवं पितॄणामहं देवानामुत
Gîtâ. 8. 27. नैते सृती पार्थ जानन्

सृप्

Chhâ. 1. 12. 4. संरब्धाः सर्पन्ति
8. 6. 2. ता आसु नाडीषु सृप्ताः. तेऽमुष्मिन्नादित्ये सृप्ताः
3. तदा नाडीषु सृप्तो भवति
Bṛih. 3. 9. 22. हृदयादिव सृप्तः

सृम्

Râmap. 68. ह्रं सं भृं वृं लं शृं जृं च

सृष्टि

Bṛih. 1. 4. 5. अहं वाव सृष्टिरस्मि
— ततः सृष्टिरभवत्सृष्टयां हास्यैतस्यां भवति य एवं वेद
Gauḍa. 1. 7. स्वप्नमायास्वरूपेति सृष्टिः
8. इच्छामात्रं प्रभोः सृष्टिरिति सृष्टौ विनिश्चिताः
9. भोगार्थं सृष्टिरित्यन्ये
2. 28. सृष्टिरिति सृष्टिविदः
3. 15. सृष्टिर्या चोदितान्यथा
Gopî. 2. जगत्सृष्टिस्थित्यन्तकारिण्यः
Râmap. 14. सृष्टिस्थितिलयस्य

सृष्टिचिन्तक

Gauḍa. 1. 7. मन्यन्ते सृष्टिचिन्तकाः

सृष्टिप्रपञ्च

Sarvop. 4. अव्यक्तादिसृष्टिप्रपञ्चेषु

सृष्टिविद्

Gauḍa. 2. 28. सृष्टिरिति सृष्टिविदः

सेतु

Chhâ. 8. 4.. 1. आत्मा स सेतुर्विधृतिः
— नैतं सेतुमहोरात्रे तरतः
2. एतं सेतुं तीर्त्वा (bis).
Bṛih. 4. 4. 22. एष सेतुर्विधरणः Maitri. 7. 7.
Kaṭha. 3. 2. यः सेतुरीजानानाम्
Śwet. 6. 19. अमृतस्य परं सेतुम्
Muṇḍ. 2. 2. 5. अमृतस्यैष सेतुः

सेना

Kaush. 4. 7. अपराजिता सेनेति वा अहमेतमुपासे Bṛih. 2. 1. 6.
Nṛip. 2. 4. अन्यं ते ऽस्मन्निवपन्तु सेनाः
Râmap. 10. शक्तिसेनाकल्पना
— तस्य सेनादिकल्पना
Gîtâ. 1. 21. सेनयोरुभयोर्मध्ये 24; 2. 10.
27. सेनयोरुभयोरपि

सेनानी

Gîtâ, 10. 24. सेनानीनामहं स्कन्दः

सेव्

Tait. 1. 11. 2. यान्यनवद्यानि कर्माणि तानि सेवितव्यानि नो इतराणि
Kaivalya. 1. सदा सद्भिः सेव्यमानाम्
Nṛip. 1. 2. यक्षगन्धर्वाप्सरोगणैः सेवितमन्तरिक्षम्
— वसुरुद्रादित्यैः सर्वैः सेवितं दिवम्
Râmap. 82. प्रागुक्तमृषिसेवितम्
Gîtâ. 14. 26. भक्तियोगेन सेवते

सेवक

Râmap. 82. सेवकानां मोक्षकरम्

सेवा

Gîtâ. 4. 34. परिप्रश्नेन सेवया

सेवापर

Mukti. 1. 49. सेवापराय शिष्याय

सेवित्व

Gîtâ. 13. 10. विविक्तदेशसेवित्वम्

सैतव

Bṛih. 2. 6. 2. गौतमः सैतवप्राचीनयोग्याभ्याम्
— सैतवप्राचीनयोग्यौ पाराशर्यात्
4. 6. 2. गौतमः सैतवात्
— सैतवः पाराशर्यायणात्

सैन्धव

Bṛih. 6. 1. 13. यथा महासुहयः सैन्धवः
Maitri. 6. 35. तस्मिन्नेव यजमानाः सैन्धव इव व्लीयन्ते

सैन्धवखिल्य

Bṛih. 2. 4. 12. सैन्धवखिल्य उदके प्रास्तः

सैन्धवघन

Bṛih. 4. 5. 13. यथा सैन्धवघनो ऽनन्तरो ऽबाह्यः

सैन्य

Gîtâ. 1. 7. नायका मम सैन्यस्य

सोपलम्भ

Gauḍa. 4. 87. सवस्तु सोपलम्भं च
— अवस्तु सोपलम्भं च

सोम

Kaush. 2. 9. सोमो राजासि
4. 19. बृहत्पाण्डरवासः सोम राजन्निति Bṛih. 2. 1. 15 (बृहत्)

Chhâ. 2. 22. 1. निरुक्तः सोमस्य
3. 9. 1. तन्मरुत उपजीवन्ति सोमेन मुखेन
3. मरुतामेवैको भूत्वा सोमेनैव मुखेन
5. 4. 2. तस्या आहुतेः सोमो राजा संभवति
5. 5. 2. सोमं राजानं जुह्वति Brih. 6. 2. 10.
5. 10. 4. एष सोमो राजा
Brih. 1. 4. 6. आर्द्रं तद्रेतसो ऽसृजत तदु सोमः
— सोम एवान्नम्
11. इन्द्रो वरुणः सोमो रुद्रः
2. 1. 3. बृहन्पाण्डरवासाः सोमो राजेति
3. 9. 23. स सोमः कस्मिन्प्रतिष्ठितः
6. 2. 9. तस्या आहुत्यै सोमो राजा संभवति
16. यथा सोमं राजानमाप्यायस्वापक्षीयस्वेति . . भक्षयन्ति
6. 3. 3. सोमाय स्वाहा
Śwet. 2. 6. सोमो यत्रातिरिच्यते
Maitri. 6. 10. अग्निर्वै देवानामन्नादः सोमो ऽन्नम्
24. यत् . . सोमे ऽग्नौ विद्युति विभाति
35. यस्य हि सोमः प्राणा वा अप्ययङ्कुराः
38. रविमध्ये स्थितः सोमः सोममध्ये हुताशनः
7. 2. ग्रीष्मो व्यानः सोमो रुद्रा दक्षिणत उद्यन्ति
Mund. 2. 1. 5. सोमात्पर्जन्यः
6. सोमो यत्र पवते यत्र सूर्यः
Mahânâr. 6. 2. जातवेदसे सुनवाम सोमम्
Mahânâr. 9. 1. सोमः पवित्रमत्स्येति रेभन् 17. 8.
17. 6. यस्ते सोम प्रजावत्सो ऽभि सो अहम्
— यांस्ते सोम प्राणांस्ताञ्जुहोमि
— ते सोमं प्राप्नुवन्ति 7, 8.
20. 2. सोमं पिब वृत्रहन्
Nrip. 1. 4. तारापतिः सोमः
4. 3. यो वै नृसिंहः . . यश्च सोमस्तस्मै वै नमो नमः (29).
5. 5. स सोमं स्तम्भयति
Śiras. 2. यो वै रुद्रः . . यश्च सोमः
3. अपाम सोमम्
Haṁsa. 2. सूर्याय सोमाय
Râmot. 5. यो वै श्रीरामः . . यश्च सोमः (28).
Gîtâ. 15. 13. सोमो भूत्वा रसात्मकः

सोमदेवत

Brih. 3. 9. 23. किंदेवतो ऽस्यामुदीच्यां दिश्यसीति सोमदेवत इति

सोमपा

Mahânâr. 20. 5. सोमपा अभयंकरः
Gîtâ. 9. 20. त्रैविद्या मां सोमपाः पूतपापाः

सोमपान

Mahânâr. 25. 1. यत्पिबति तदस्य सोमपानम्

सोमपूत

Nrip. 5. 3. स सोमपूतो भवति Śiras. 7; Mahâ. 4.

सोमराजन्

Prâṇâg. 1. या ओषधयः सोमराज्ञीः (bis).

सोमराज्य

Maitri. 6. 36. सोमराज्यमुक्थेन

सोमलोक

Praśna. 5. 4. अन्तरिक्षं यजुर्भिरुन्नीयते सोमलोकं स सोमलोके विभूतिमनुभूय

Nṛip. 2. 1. यावसाने ऽस्य चतुर्थ्यर्द्धमात्रा सा सोमलोकः Nṛisut. 3.

Nâda. 14. सोमलोके महीयते

सोमसंज्ञ

Maitri. 6. 10 सोमसंज्ञो ऽयं भूतात्मा

सोमसवन

Chhâ. 8. 5. 3. अश्वत्थः सोमसवनः

सोमसूर्य

Siras. 3. सोमसूर्यः पुरस्तात्

सोमसूर्याग्नितेजस्

Brahmav. 9. तिस्रो मात्रास्तथा ज्ञेयाः सोमसूर्याग्नितेजसः

सोमांशु

Kaush. 1. 5. सोमांशव उपस्तरणम्

सोम्य

Chhâ. 4. 4. 4. किंगोत्रो नु सोम्यासीति

5. समिधं सोम्याहर

— इमाः सोम्यानुसंव्रज

4. 5. 1. प्राप्ताः सोम्य सहस्रं स्मः

4. 6. 3. ब्रह्मणः सोम्य ते पादं ब्रवाणि 4. 7. 3; 4. 8. 3.

4. 9. 2. ब्रह्मविदिव वै सोम्य भासि

4. 14. 1. एषा सोम्य ते ऽस्मद्विद्या

2. ब्रह्मविद इव सोम्य त मुखं भाति

— किं नु सोम्य किल ते ऽवोचन्निति

3. लोकान्वाव किल सोम्य ते ऽवोचन्

6. 1. 1. न वै सोम्य &c. (*passim*)

Bṛih. 3. 2. 13. आहर सोम्य हस्तम

Muṇḍ. 2. 1. 1. तथाक्षराद्विविधाः सोम्य भावाः

10. सो ऽविद्याग्रन्थिं विकिरतीह सोम्य

2. 2. 2. तद्वेद्धव्यं सोम्य विद्धि

3. लक्ष्यं . . सोम्य विद्धि

Praśna. 4. 7. यथा सोम्य वयांसि &c.

10. अक्षरं वेदयते यस्तु सोम्य

6. 2. अन्तःशरीरे सोम्य स पुरुषः

सोहम्भाव

Skanda. 11. सोहम्भावेन पूजयेत्

सौकर

Râmap. 73. बीजं च सौकरम्

सौकरायण

Bṛih. 4. 6. 2. माध्यन्दिनायनः सौकरायणात्

— सौकरायणः काषायणात्

सौक्ष्म्य

Maitri. 2. 7. अव्यक्तत्वात् सौक्ष्म्यात्

Gîtâ. 13. 32. सौक्ष्म्यात् — नोपलिप्यते

सौक्ष्म्यत्व

Maitri. 6. 14. सौक्ष्म्यत्वादेतत्प्रमाणम्

सौन्दर्य

Gopî. 5. सर्वलोकोत्कृष्टसौन्दर्यक्रीडाभोगाः

सौभग

Mahânâr. 6. 7. अस्मभ्यं च सौभगमायजस्व

9. 6. प्रजावत्सावीः सौभगम् 17.7.

सौभद्र

Gîtâ. 1. 6. सौभद्रो द्रौपदेयाश्च

18. सौभद्रश्च महाबाहुः

सौभर्

Bṛih. 2. 6. 3. वत्सनपाद्वाभ्रवः पयः सौभरात् 4. 6. 3.
— पन्थाः सौभरो ऽयास्यादाङ्गिरसात् 4. 6. 3.

सौभाग्य

Mukti. 1. 40. *vide* मुक्तिका
1. *vide* बह्वृच

सौमदत्ति

Gîtâ. 1. 8. सौमदत्तिस्तथैव च

सौमित्रि

Râmot. 3. सौमित्रिर्विश्वभावनः
Mukti. 1. 1. सीताभरतसौमित्रिशत्रुघ्नाद्यैः

सौम्य

Bṛih. 3. 1. 2. एता सौम्योदज
Maitri. 6. 11. सार्पाद्यं श्रविष्ठार्धान्तं सौम्यम्
38. सौरसौम्याग्नेयसात्त्विकानि
Mahânâr. 19. 1. तिलाः सौम्या वशानुगाः
Śiras. 3. सौम्यं सूक्ष्मं पुरुषम्
— सौम्यं सौम्येन . . मसति
Haṁsa. 2. सौम्ये रतिप्रीतिः
Gîtâ. 11. 51. रूपं तव सौम्यं जनार्दन

सौम्यगुणत्व

Garbha. 2. परस्परं सौम्यगुणत्वात् षड्विधो रसः

सौम्यत्व

Gîtâ. 17. 16. मनःप्रसादः सौम्यत्वम्

सौम्यवपुस्

Gîtâ. 11. 50. भूत्वा पुनः सौम्यवपुर्महात्मा

सौर

Maitri. 6. 2. स एषो ऽग्निर्दिवि श्रितः सौरः
6. 30. सौरं द्वारं भित्त्वा
38. सौरसौम्याग्नेयसात्त्विकानि

सौर्यायणिन्

Praśna. 1. 1. सौर्यायणी च गार्ग्यः 4. 1.

सौवर

Bṛih. 2. 5. 9. शाब्दः सौवरः . . पुरुषः

स्कन्द्

Bṛih. 6. 4. 4. सुप्तस्य वा जाग्रतो वा रेतः स्कन्दति
5. यन्मे ऽद्य रेतः पृथिवीमस्कान्त्सीत्

स्कन्द

Chhâ. 7. 26. 2. तं स्कन्द इत्याचक्षते
Śiras. 2. यो वै रुद्रः . . यश्च स्कन्दः
Mukti. 1. 34. दक्षिणा शरभं स्कन्दम्
1. *vide* सरस्वतीरहस्य
Gîtâ. 10. 24. सेनानीनामहं स्कन्दः

स्कन्ध

Chhâ. 2. 23. 1. त्रयो धर्मस्कन्धाः
Maitri. 7. 11. स्कन्धात्स्कन्धमनुसरति
Kâlâg. 1. शिरोललाटवक्षःस्कंधेषु

स्कम्भ

Chhâ. 11. स्कम्भो ऽथ पलितस्तथा

स्कम्भन

Mahânâr. 20. 13. वरुणस्य स्कंभनमसि

स्कम्भसर्जन

Mahânâr. 20. 13. वरुणस्य स्कंभसर्जनमसि

स्तन्

Chhâ. 2. 3. 1. स्तनयति स प्रतिहारः 2. 15. 1.
7. 11. 1. स्तनयति वर्षिष्यति वै
Bṛih. 1. 1. 1. यद्विधूनुते तत्स्तनयति

स्तन

Brih. 1. 5. 2. स्तनं वानुधापयन्ति
5. 8. 1. तस्याश्चत्वारः स्तनाः
— द्वौ स्तनौ देवा उपजीवन्ति
6. 4. 5. अन्तरेण स्तनौ वा भ्रुवौ वा निमृंज्यात्
27. एनं मात्रे प्रदाय स्तनं प्रयच्छति
— यस्ते स्तनः शशयः
Tait. 1. 6. 1. य एष स्तन इवालम्बते
Garbha. 4. पीता नानाविधाः स्तनाः
Brahma. 1. तमेव स्तन इव लंबते
Râmap. 22. दक्षवामयोः स्तनयोः

स्तनयित्नु

Kaush. 4. 2. स्तनयित्नौ शब्दः
6. य एवैष स्तनयित्नौ पुरुषस्तमेवाहमुपासे
Chhâ. 8. 12. 2. अभ्रं विद्युत्स्तनयित्नुरशरीराण्येतानि
Brih. 2. 5. 9. स्तनयित्नुः सर्वेषां भूतानां मध्वस्य स्तनयित्नोः सर्वाणि . . मधु
— स्तनयित्नौ . . अमृतमयः पुरुषः
3. 9. 6. स्तनयित्नुरेवेन्द्रः . . कतमः स्तनयित्नुः
5. 2. 3. दैवी वागनुवदति स्तनयित्नुर्ददद इति

स्तन्य

Yogat. 3. यः स्तन्यं पूर्वं पीत्वापि (3 MSS. have स्तनम्)

स्तंबशाखा

Maitri. 4. 3. स्तंबशाखेवापराणि

स्तम्भ्

Chhâ. 6. 1. 2. अनूचानमानी स्तब्धः 3.
Swet. 3. 9. वृक्ष इव स्तब्धो दिवि तिष्ठत्येकः Mahânâr. 10. 4.
Nṛip. 5. 5. सो ऽग्निं स्तंभयति
— स वायुं स्तंभयति
— स आदित्यं स्तंभयति
— स सोमं स्तंभयति
— स उदकं स्तंभयति
— स सर्वान्देवान् स्तंभयति
— स सर्वान् ग्रहान् स्तंभयति
— स विषं स्तंभयति
Gitâ. 16. 17. आत्मसम्भाविताः स्तब्धाः
18. 28. अयुक्तः प्राकृतः स्तब्धः

स्तु

Chhâ. 1. 3. 8. येन साम्ना स्तोष्यन् स्यात्
10. येन छन्दसा स्तोष्यन् स्यात्
— येन स्तोमेन स्तोष्यमाणः स्यात्
12. आत्मानमन्तत उपसृत्य स्तुवीत
— यत्कामः स्तुवीत
1. 10. 8. उद्गातॄनास्तावे स्तोष्यमाणानुपोपविवेश
1. 11. 3. एत एव समतिसृष्टाः स्तुवताम्
1. 12. 4. बहिष्पवमानेन स्तोष्यमाणाः
2. 22. 2. एतानि मनसा ध्यायन्नप्रमत्तः स्तुवीत
Brih. 3. 1. 10. कति . . स्तोत्रियाः स्तोष्यति
Maitri. 6. 9. ध्यानं प्रयोगस्थं मनो विद्वद्भिष्टुतम्
34. तस्मादग्निः . . स्तोतव्यः (bis).
38. न क्रोधान् स्तुन्वानः (न प्रशंसन् क्रोधम् MS.)

Praśna. 2. 4. ते प्रीताः प्राणं स्तुन्वन्ति

Nṛip. 1. 1. स्थिरैरङ्गैस्तुष्टुवांसस्तनूभिः 2. 4; Nṛisut. 1.

2. 4. स्तुहि श्रुतं गर्त्तसदं युवानम्

— मृडा जरित्रे सिंह स्तवानः

4. 3. कैर्मन्त्रैर्देवः स्तुतः प्रीतो भवति

— एतैर्द्वात्रिंशन्मन्त्रैर्नित्यं देवं स्तुवध्वम्

— एतैर्मन्त्रैर्नित्यं देवं स्तौति स देवं पश्यति Râmot. 5.

Chûl. 4. स्तूयते पुरुषार्थं च (so MSS., but Nârâyaṇa सूयते)

13. स्तूयते मंत्रसंयुक्तैरथर्वविहितैः

Śiras. 1. ते देवा ऊर्ध्वबाहवो रुद्रं स्तुवन्ति

Nyâsa. 4. स्तूयमानो न तुष्येत Kaṭhaśru. 4.

Kṛish. 8. स्तुवन्ति सततं यन्मे

Râmap. 34. अन्ति स्तुत्य देवाद्याः

35. स्तुवन्त्येवं हि ऋषयः

Râmot. 5. कैर्मन्त्रैः स्तुतः..प्रीतो भवति

— तुष्टाव परमेश्वरम्

— एतैः सप्तचत्वारिंशन्मन्त्रैर्नित्यं देवं स्तुवन्

Mukti. 1. 2. स्तूयमानमहर्निशम्

4. स्तुवन्तमप्रच्छ मारुतिः

Gitâ. 11. 21. स्तुवन्ति त्वां स्तुतिभिः पुष्कलाभिः

स्तुतशस्त्र

Chhâ. 3. 17. 3. स्तुतशस्त्रैरेव तदेति

स्तुति

Maitri. 5. 1. अथ यथेयं कौत्सायनी स्तुतिः

Râmap. 30. स्तुतिं चक्रुश्च जगतः पतिम्

Gitâ. 11. 21. स्तुवन्ति त्वां स्तुतिभिः पुष्कलाभिः

स्तृ

Kaush. 2. 13. पर्वतौ..तुस्तूर्षमाणौ न स्तृण्वीयाताम्

Bṛih. 6. 4. 12. प्रतिलोमं शरबर्हिः स्तीर्त्वा

स्तेन

Chhâ. 5. 10. 9. स्तेनो हिरण्यस्य

5. 11. 5. न मे स्तेनो जनपदे

Bṛih. 4. 3. 22. स्तेनो ऽस्तेनो भवति

Mahânâr. 5. 11. स्तेनो भ्रूणहा गुरुतल्पगः

Gitâ. 3. 12. यो भुंक्ते स्तेन एव सः

स्तेय

Kaush. 3. 1. न स्तेयेन न भ्रूणहत्यया

Chhâ. 6. 16. 1. स्तेयमकार्षीत्

स्तोत्र

Bṛih. 1. 3. 28. यानीतराणी स्तोत्राणि

स्तोत्रिया

Bṛih. 3. 1. 10. कति .. स्तोत्रियाः स्तोष्यति

स्तोभ

Chhâ. 1. 13. 3. अनिरुक्तस्त्रयोदशस्तोभः

1. स्तोम (= स्तुत्य)

Kaṭha. 2. 11. स्तोममहदुरुगायम्

2. स्तोम

Chhâ. 1. 3. 10. येन स्तोमेन स्तोष्यमाणः स्यात्तं स्तोममुपधावेत्

Mahânâr. 5. 4. इमं मे..स्तोमं सचता

Mahâ. 1. तस्य . . यज्ञः स्तोममुच्यते (so Nârâyaṇa and some MSS. · others यज्ञस्तोमम)

स्त्री

Ait. 4. 1. तद्यथा स्त्रियां सिञ्चति
2. तत्स्त्रिया आत्मभूयं गच्छति
3. तं स्त्री गर्भं बिभर्ति
Kaush. 1. 7. केन स्त्रीनामान्याप्नोतीति वाचेति
Kena. 25. स तस्मिन्नेवाकाशे स्त्रियमाजगाम
Chhâ. 2. 13. 1. स्त्रिया सह शेते स उद्गीथः
5. 2. 8. यदि स्त्रियं पश्येत् समृद्धं कर्मेति विद्यात्
9. यदा . . स्त्रियं स्वप्नेषु पश्यन्ति
8. 2. 9. सङ्कल्पादेव स्त्रियः समुत्तिष्ठन्ति
8. 12. 3. रममाणः स्त्रीभिर्वा
Bṛih. 1. 4. 3. तस्मादयमाकाशः स्त्रिया पूर्यते
3. 9. 11. तस्य का देवतेति स्त्रिय इति
4. 1. 6. मनसा वै स्त्रियमभिहार्यते
4. 3. 13. उतेव स्त्रीभिः सह मोदमानः
21. यथा प्रियया स्त्रिया सम्परिष्वक्तः
6. 4. 2. स स्त्रियं ससृजे
— तस्मात्स्त्रियमध उपासीत
3. आसां स स्त्रीणां सुकृतं वृङ्क्ते . . आस्य स्त्रियः सुकृतं वृञ्जते
6. श्रीर्ह वा एषा स्त्रीणाम्
Śwet. 4. 3. त्वं स्त्री त्वं पुमानसि
5. 10. नैव स्त्री न पुमानेषः
Kaivalya. 12. स्त्रियन्नपानादिविचित्रभोगैः
Śiras. 1. पुमानपुमान् स्त्रियश्चाहम्
Garbha. 3. मातु रेतोतिरेकात् स्त्री
Prâṇâg. 2. स्त्रियस्तिस्रः
Krish. 2. गोपांस्तस्त्रीश्च नो कुरु
14. शताधिकाः स्त्रियस्तथा
15. ब्रह्मरूपा ऋचः स्त्रियः
Râmap. 8. पुंस्त्र्यंगाद्यादिकल्पना
Gîtâ. 1. 41. स्त्रीषु दुष्टासु वार्ष्णेय
9. 32. स्त्रियो वैश्यास्तथा शूद्राः

स्त्रीपुंस्

Bṛih. 1. 4. 3. यथा स्त्रीपुमांसौ सम्परिष्वक्तौ
Nṛip. 1. 7. स्त्रीपुंसोर्वा

स्त्रीपुन्नपुंसक

Maitri. 6. 5. स्त्रीपुन्नपुंसकेति लिङ्गवती
Gauḍa. 2. 27. स्त्रीपुन्नपुंसकं लैङ्गाः

स्त्रीप्रज्ञ

Bṛih. 4. 5. 1. स्त्रीप्रज्ञैव तर्हि कात्यायनी

स्त्रीलोक

Chhâ. 8. 2. 9. स्त्रीलोकेन सम्पन्नो महीयते

स्त्रीलोककाम

Chhâ. 8. 2. 9. यदि स्त्रीलोककामो भवति

स्त्रीशूद्र

Nṛip. 1. 3. सावित्री प्रणवं यजुर्लक्ष्मीं स्त्रीशूद्राय नेच्छन्ति
— सावित्रीं लक्ष्मीं यजुः प्रणवं यदि जानीयात् स्त्रीशूद्रः

स्थण्डिल

Chhâ. 5. 2. 8. चर्मणि वा स्थण्डिले वा
Jâbâla. 6. शून्यागारदेवगृहतृणकूटवल्मीकवृक्षमूलकुलालशालाग्निहोत्रनदीपुलिनगिरिकुहरकन्दरकोटरनिर्झरस्थण्डिलेषु

स्थल

Śiras. 5. स्थलमिति भस्म

Vâsu. 2. ललाटादिद्वादशस्थलेषु

स्थविष्ठ

Chhâ. 6. 5. 1. यः स्थविष्ठो धातुः 2, 3.

Maitri. 2. 6. यो ऽयं स्थविष्ठो धातुरन्नस्य

6. 6. एषैवास्य . . स्थविष्ठा तनुः

स्था

Kaush. 2. 4. अपि वाताद्वा तिष्ठन् संभाषमाणः

4. 19. पिंगलस्याणिम्ना तिष्ठन्ति

Chhâ. 1. 3. 6. अन्नं थमन्ने हीदं सर्वं स्थितम्

3. 11. 1. एकल एव मध्ये स्थाता

6. 11. 1. मोदमानास्तिष्ठति

6. 12. 2. एतस्य . . अणिम्न एवं महान्यग्रोधस्तिष्ठति

7. 8. 1. बलेन वै पृथिवी तिष्ठति

— बलेन लोकास्तिष्ठति

8. 6. 1. ताः पिङ्गलस्याणिम्नस्तिष्ठन्ति

Brih. 2. 3. 1. द्वे वाव ब्रह्मणो रूपे . . स्थितं च यच्च

2. एतत्स्थितमेतत्सत् . . एतस्य स्थितस्यैतस्य सत एष रसः 4.

3. 5. 1. पाण्डित्यं निर्विद्य बाल्येन तिष्ठासेत्

3. 7. 3. यः पृथिव्यां तिष्ठन्पृथिव्या अन्तरः (similarly, in 4—23.)

3. 8. 9. सूर्याचन्द्रमसौ विधृतौ तिष्ठतः

— द्यावापृथिव्यौ विधृते तिष्ठतः

Brih. 3. 8. 9. संवत्सरा इति विधृतास्तिष्ठन्ति

3. 9. 28. परायणं तिष्ठमानस्य

4. 3. 9. तस्मिन्सन्ध्ये स्थाने तिष्ठन्

20. तावताणिम्ना तिष्ठन्ति

Iśâ. 4. तद्धावतो ऽन्यानत्येति तिष्ठन्

Katha. 4. 6. गुहां प्रविश्य तिष्ठन्तम्

7. गुहां प्रविश्य तिष्ठन्तीम्

12. मध्य आत्मनि तिष्ठति

6. 9. न सन्दृशे तिष्ठति रूपमस्य Swet. 4. 20; Mahânâr. 1. 11.

Swet. 2. 8. त्रिरुन्नतं स्थाप्य समं शरीरम्

16. प्रत्यङ्जनास्तिष्ठति 3. 2; Śiras. 5.

3. 2. एको हि रुद्रो न द्वितीयाय तस्थुः

9. वृक्ष इव स्तब्धो दिवि तिष्ठत्येकः Mahânâr. 10. 4.

16. सर्वमावृत्य तिष्ठति Gîtâ. 13. 13.

Maitri. 1. 2. ऊर्ध्वबाहुस्तिष्ठति

2. 4. स्वे महिम्नि तिष्ठति 6. 28.

6. प्रजापतिर्वा एको ऽग्रे ऽतिष्ठत्

— स्थाणुरिव तिष्ठमानाः

6. 19. निःसङ्कल्पस्ततस्तिष्ठेत्

20. प्रसन्नात्मात्मनि स्थित्वा 34.

28. स्वे महिम्नि तिष्ठमानं दृष्ट्वा

30. अपरिमितं सुखमाक्रम्य तिष्ठति

— निरध्यवसायो निःसङ्कल्पो निरभिमानस्तिष्ठेत्

— दीपवद्यः स्थितो हृदि

— ऊर्ध्वमेकः स्थितस्तेषाम्

Maitri. 6. 36. इमौ स्थितावात्मशुची
38. चैतन्यं स्वे महिम्नि तिष्ठमानं पश्यति
— रविमध्ये स्थितः सोमः
— तेजोमध्ये स्थितं सत्त्वं सत्त्वमध्ये स्थितो ऽच्युतः
Mund. 2. 1. 9. येनैष भूतैस्तिष्ठते ह्यन्तरात्मा Mahânâr. 8. 5.
Mahânâr. 2. 1. प्रत्यङ्मुखास्तिष्ठति सर्वतोमुखः
11. 6. तत्सर्वं व्याप्य नारायणः स्थितः Vâsu. 3.
8. नाभ्यामुपरि तिष्ठति
10. विभर्जास्तिष्ठन्नाहारम्
20. 6. ऊर्ध्व ऊ षु ण ऊतये तिष्ठा
Praśna. 2. 10. आनन्दरूपास्तिष्ठन्ति
Gauḍa. 1. 1. एक एव त्रिधा स्थितः
28. सर्वस्य हृदये स्थितम्
3. 22. कथं स्थास्यति निश्चलः 4. 8.
4. 63. दिक्षु वै दशसु स्थितान् 65.
Nṛipt. 1. 7. य इह स्थातुमपेक्षते
2. 4. सर्वगः सर्वतस्तिष्ठति
Brahmav. 10. प्रणवस्योपरि स्थिता
12. सर्वं व्याप्यैव तिष्ठति
Śiras. 4. ईशानमिन्द्र तस्थुषः
5. एको रुद्रो न द्वितीयाय तस्थौ
— बुद्ध्या सञ्चिन्तं स्थापयित्वा तु रुद्रे (bis).
Śikhâ. 2. परमात्मनि स्थाप्य
Brahma. 2. हृदि चैतन्ये तिष्ठति
Prâṇâg. 2. मूर्ध्नि तिष्ठति
— मुखे तिष्ठति
— हृदये तिष्ठति
— नाभ्यां तिष्ठति
Brahmab. 15. तावत्तिष्ठति पुष्करे

Amrita. 3. स्थित्वा रथपथस्थानम् (so 4 MSS. and Nârâyaṇa.)
18. उत्तराभिमुखः स्थितः
35. सदा व्यावृत्य तिष्ठति
Dhyâna. 4. नादे बिन्दोः परे स्थितम्
8. ब्रह्मविद्ब्रह्मणि स्थितः Gitâ. 5. 20.
9. स बाह्याभ्यन्तरे स्थितः
21. योगी योगपदे स्थितः
Tejo. 1. त्रिधातीतं हृदि स्थितम्
9. तद्व्योम परमं स्थितम्
Yogat. 6. स्थिताः सर्वे त्र्यक्षरे
9. हृदि स्थाने स्थितं पद्मम्
— तस्य मध्ये स्थितं मनः
Nyâsa. 5. श्रोत्रं स्थाप्य तथा भुवि
Gopî. 5. सर्वान् वेदान् .. ब्रह्मलोके स्थापयामास
Râmap. 17. स्थितानि च प्रहृतान्येव मेषु
30. पतिं कल्पतरौ स्थितम्
34. तेन सार्द्धं सुखं स्थिताः
42. सुग्रीवं स्थापयेत्ततः
47. विभीषणं तत्र स्थाप्य
Mukti. 2. 19. यस्तिष्ठति गतव्यथः
37. मनो मूलमिदं स्थितम्
Gitâ. 1. 14. महति स्यन्दने स्थितौ
21. रथं स्थापय मे ऽच्युत
24. स्थापयित्वा रथोत्तमम्
26. तत्रापश्यत्स्थितान्
53. यदा स्थास्यति निश्चला
72. स्थित्वास्यामन्तकाले ऽपि
3. 5. न हि कश्चित् .. जातु तिष्ठत्यकर्मकृत्
5. 18. येषां साम्ये स्थितं मनः
19. नस्माद्ब्रह्मणि ते स्थिताः
6. 10. रहसि स्थितः
14. ब्रह्मचारिव्रते स्थितः

Gîtâ. 6. 21. यत्र न चैवायं स्थितश्चलति तत्त्वतः
22. यस्मिन् स्थितो न . . विचाल्यते
10. 16. लोकानिमांस्त्वं व्याप्य तिष्ठसि
42. विष्टभ्याहमिदं . . स्थितो जगत्
13. 16. विभक्तमिव च स्थितम्
27. तिष्ठन्तं परमेश्वरम्
14. 18. मध्ये तिष्ठन्ति राजसाः
15. 10. उत्क्रामन्तं स्थितं वापि
18. 61. हृद्देशे ऽर्जुन तिष्ठति
73. स्थितो ऽस्मि गतसन्देहः

स्थाणु

Chhâ. 5. 2. 3. यद्यप्येनच्छुष्काय स्थाणवे ब्रूयात्
Bṛih. 6. 3. 7. अपि य एनं शुष्के स्थाणौ निषिञ्चेत् 8—12.
Katha. 5. 7. स्थाणुमन्ये ऽनुसंयन्ति
Maitri. 2. 6. स्थाणुरिव तिष्ठमानाः
Gîtâ. 2. 24. नित्यः सर्वगतः स्थाणुः

स्थान

Kaush. 1. 2. तेषु तेषु स्थानेषु प्रत्याजायते
Chh. 5. 10. 8. एतत्तृतीयं स्थानम्
Bṛih. 2. 4. 1. उद्यास्यन्वा अरे ऽहमस्मात्स्थानात्
4. 3. 9. एतस्य पुरुषस्य द्वे एव स्थाने
— सन्ध्ये स्थाने तिष्ठन्नेते उभे स्थाने पश्यति
11. शुक्रमादाय पुनरेति स्थानम्
4. 5. 2. प्रव्रजिष्यन्वा अरे ऽहमस्मात्स्थानादस्मि
Swet. 5. 11. स्थानेषु रूपाण्यभिसंप्रपद्यते
Maitri. 1. 4. स्थानादपसरणं ध्रुवाणाम्
6. 23. मूर्द्ध्नि स्थाने ततो ऽभ्यसेत्
Prasna. 3. 12. उत्पत्तिमायतिं स्थानम्
Gauḍa. 2. 5. स्वप्नजागरिते स्थाने
11. उभयोरपि . . स्थानयोः
Nṛip. 2. 3. उग्रं प्रथमं स्थानं जानीयात्
— वीरं द्वितीयं स्थानम्
— अहमित्येकादशं स्थानं जानीयात्
Brahmav. 3. स्थानं कालं लयं तथा
Kshur. 16. तयोर्मध्ये वरं स्थानम्
Garbha. 5. त्रीणि स्थानानि भवन्ति
Brahma. 2. पुरुषस्य चत्वारि स्थानानि भवन्ति
Amṛita. 34. प्राण आद्यो हृदि स्थाने
Dhyâna. 12. कुंभकेन हृदि स्थाने
Tejo. 5. परं गुह्यमिदं स्थानम्
6. त्र्यंबकं त्रिगुणं स्थानम्
7. उपाधिरहितं स्थानम्
Yogat. 9. हृदि स्थाने स्थितं पद्मम्
Piṇḍa. 2. कस्मिन् स्थाने व्यवस्थितः
Kâlâg. 1. किं द्रव्यं किं स्थानं कति प्रमाणम्
Jâbâla. 2. कतमं चास्य स्थानं भवति Râmot. 4.
Vâsu. 1. द्रव्यमंत्रस्थानादिसहितम्
Gîtâ. 5. 5. यत्सांख्यैः प्राप्यते स्थानम्
8. 28. योगी परं स्थानमुपैति चाद्यम्
9. 18. प्रभवः प्रलयः स्थानम्
18. 62. स्थानं प्राप्स्यसि शाश्वतम्

स्थानत्रय

Brahmab. 11. स्थानत्रयाद्व्यतीतस्य

स्थानिधर्म

Gauḍa. 2. 8. अपूर्वं स्थानिधर्मो हि

स्थानीय

Maitri. 7. 11. एतत्..प्रकाशप्रक्षेपकौष्ण्य-स्थानीयम्

स्थाने

Gitâ. 11. 36. स्थाने हृषीकेश तव प्रकीर्त्या

स्थालीपाक

Brih. 6. 4. 19. स्थालीपाकावृताज्यं चेष्टित्वा स्थालीपाकस्योपघातं जुहोति

Maitri. 6. 36. *vide* आदि

स्थावर

Ait. 5. 3. यत्किंचेदं प्राणि जंगमं च पतत्रि च यच्च स्थावरम्

Śwet. 3. 18. स्थावरस्य चरस्य च

Chûl. 17. यस्मिन् सर्वमिदं..स्थावरजङ्गमम्

Gâruḍa. 2. स्थावराणां जङ्गमानाम् (so margin of 2 MSS.)

Vâsu. 3. जङ्गमस्थावरेषु च

Râmot. 5. यत्स्थावरजंगमात्मकम् (18)

Gitâ. 10. 25. स्थावराणां हिमालयः
13. 26. सत्त्वं स्थावरजंगमम्

स्थावरान्त

Chûl. 16. ब्रह्माद्यं स्थावरान्तं च

स्थितधी

Gitâ. 2. 54. स्थितधीः किं प्रभाषेत
56. स्थितधीर्मुनिरुच्यते

स्थितप्रज्ञ

Gitâ. 2. 54. स्थितप्रज्ञस्य का भाषा
55. स्थितप्रज्ञस्तदोच्यते

स्थिति

Brih. 4. 1. 7. स्थितिरित्येनदुपासीत

Śwet. 6. 16. संसारमोक्षस्थितिबन्धहेतुः

Gauḍa. 2. 28. स्थितिरिति स्थितिविदः
3. 9. गत्यागमनयोरपि स्थितौ
4. 80. निश्चला हि तदा स्थितिः

Parama. 1. तेषां का स्थितिः
2. तस्य स्वयमेव स्थितिरिति

Gopî. 2. जगत्सृष्टिस्थित्यन्तकारिण्यः

Râmap. 14. सृष्टिस्थितिलयस्य च

Râmot. 3. उत्पत्तिस्थितिसंहारकारिणी

Mukti. 1. 8. वक्ष्यामि वेदान्तस्थितिम्
2. 63. स्थितिः सम्भृष्टबीजवत्

Gitâ. 2. 72. एषा ब्राह्मी स्थितिः पार्थ
6. 33. स्थितिं स्थिराम्
17. 27. यज्ञे तपसि दाने च स्थितिः

स्थितिता

Brih. 4. 1. 7. का स्थितिता..हृदयमेव

स्थितिविद्

Gauḍa. 2. 28. स्थितिरिति स्थितिविदः

स्थिर

Brih. 3. 9. 28. किनाटं स्नावतत्स्थिरम्

Kaṭha. 6. 11. स्थिरामिन्द्रियधारणाम्

Maitri. 2. 4. स्थिरः शाश्वतः 6. 28.
7. शुद्धः स्थिरोऽचलः
6. 23. स्थिरमचलममृतमच्युतम् 7. 3.

Nrip. 1. 1. स्थिरैरङ्गैस्तुष्टुवांसस्तनूभिः 2. 4; Nrisut. 1.

Gitâ. 6. 11. स्थिरमासनमात्मनः
13. धारयन्नचलं स्थिरः
33. स्थितिं स्थिराम्
12. 9. अथ चित्तं समाधातुं..स्थिरम्
17. 8. रस्याः स्निग्धाः स्थिरा हृद्याः

स्थिरबुद्धि

Dhyana. 8. स्थिरबुद्धिरसम्मूढः Gitâ. 5. 20.

स्थिरमति

Gitâ. 12. 19. अनिकेतः स्थिरमतिः

स्थिरमात्रादृढ

Kshur. 6. स्थिरमात्रादृढं कृत्वा

स्थिरस्थ

Parama. 3. ज्ञाने स्थिरस्थः

स्थिरस्थायिन्

Amrita. 22. स्थिरस्थायी विनिष्कम्पः

स्थिरा (=ज)

Râmap. 79. अथो ऽय स्थिरा स ए (5 MSS. read अथो ऽप्य-स्थिरेच्छया)

स्थूणा

Brih. 2. 2. 1. प्राणाः स्थूणान्नं दाम

स्थूल

Śwet. 5. 12. स्थूलानि सूक्ष्माणि बहूनि चैव रूपाणि

Gauḍa. 1. 4. स्थूलं तर्पयते विश्वम्

2. 23. स्थूल इति च तद्विदः

Nrisut. 2. स्थूलसूक्ष्मबीजसाक्षिभिः (ter) ; 3 (4 times).

Śiras. 2. यो वै रुद्रः . . यश्च स्थूलम्

Śikhâ. 1. स्थूलह्रस्वदीर्घप्लुतः

Amrita. 21. स्थूलातिस्थूलमात्रायाम्

Tejo. 1. स्थूलं सूक्ष्मं परं च यत्

Sarvop. 1. शब्दादीन् विषयान् स्थूलान्

स्थूलत्व

Nrisut. 1. स्थूलत्वात् स्थूलभुक्त्वाच्च

2. स्थूलत्वात् सूक्ष्मत्वाद्बीजत्वात् साक्षित्वाच्च (ter)

स्थूलप्रज्ञ

Nrisut. 1. जागरितस्थानः स्थूलप्रज्ञः — न स्थूलप्रज्ञं न सूक्ष्मप्रज्ञम्

स्थूलभुक्त्व

Nrisut. 1. स्थूलत्वात् स्थूलभुक्त्वाच्च

स्थूलभुज्

Mâṇḍû. 3. स्थूलभुग्वैश्वानरः Nrip. 4. 1 ; Râmot. 3.

Gauḍa. 1. 3. विश्वो हि स्थूलभुङ् नित्यम्

Nrisut. 1. स्थूलभुक् चतुरात्मा

स्थैर्य

Gitâ. 13. 7. स्थैर्यमात्मविनिग्रहः

स्ना

Śiras. 2. स सर्वेषु तीर्थेषु स्नातो भवति Mahâ. 4 ; Kâlâg. 2 ; Vâsu. 4.

स्नातक

Chûl. 8. स्नातकाध्वर्यवो हये

Jâbâla. 4. स्नातको वा ऽस्नातको वा

स्नान

Nyâsa. 4. स्नानं दानं तथा शौचम् Kaṭhaśru. 4.

Aruṇeya. 2. त्रिसन्ध्यादौ स्नानमाचरेत्

Skanda. 12. स्नानं मनोमलत्यागः

स्नानद्रव्य

Nyâsa. 4. स्नानद्रव्यमवारितम्

स्नानशाटी

Nyâsa. 4. पवित्रं स्नानशाटीं च Kaṭhaśru. 4.

स्नायु

Maitri. 1. 3. *vide* संघात

Garbha. 5. सनवकं स्नायुशतम्

स्नावन्

Brih. 3. 9. 28 किनाटं स्नावतत्स्थिरम् (so MSS. and printed text ; Bhâshya has स्नावबत्)

Tait. 1. 7. 1. चर्म मांसं स्नावास्थिमज्जा

Garbha. 2. मेदसः स्नावा स्नाग्नो ऽस्थीनि

स्निह्

Gîtâ. 17. 8. रस्याः स्निग्धाः स्थिरा हृद्याः

स्नुषा

Brahma. 2. तत्र . . स्नुषा न स्नुषा

स्नेह

Maitri. 3. 5. अन्तस्तृष्णा स्नेहो रागः

6. 36. वर्त्याधारस्नेहयोगात्

Nrip. 2. 4. स्नेहो यथा पललपिण्डमोतं प्रोतमनुप्राप्तं व्यतिषक्तः

Śiras. 4. यथा स्नेहेन पललपिण्डमिव

स्पन्द्

Gauḍa. 3. 29. स्पन्दते मायया मनः (bis).

4. 47. अलातस्पन्दितं यथा — विज्ञानस्पन्दितं तथा

49. अलाते स्पन्दमाने वै

51. विज्ञाने स्पन्दमाने वै

72. चित्तस्पन्दितमेवेदं (चित्तं स्पन्दति मे सर्वम् MSS.)

स्पर्ध्

Brih. 1. 3. 1. त एषु लोकेष्वस्पर्धन्त

1. 5. 21. तानि सृष्टान्यन्योन्येनास्पर्धन्त

— स ह हैवंविदा स्पर्धते

स्पर्श

Chhâ. 2. 22. 3. सर्वे स्पर्शा मृत्योरात्मानः

4. यद्येनं स्पर्शेषूपालभेत

5. सर्वे स्पर्शा लेशेनानभिनिहिता वक्तव्याः

Brih. 2. 4. 11. सर्वेषां स्पर्शानां त्वगेकायनम् 4. 5. 12.

3. 2. 9. स स्पर्शेनातिग्राहेण गृहीतस्त्वचा हि स्पर्शान् वेदयते

Katha. 4. 3. स्पर्शान् . . एतेनैव विजानाति

Garbha. 1. त्वक् स्पर्शो

Sarvop. 2. शब्दस्पर्शरूपरसगन्धाः

Parama. 2. न शब्दं न स्पर्शम्

Krish. 3. शश्वत्स्पर्शार्पिते ऽस्माकम्

Gîtâ. 5. 27. स्पर्शान्कृत्वा बहिर्बाह्यान्

स्पर्शन

Śwet. 5. 11. सङ्कल्पनस्पर्शनदृष्टिहोमैः

Gîtâ. 15. 9. श्रोत्रं चक्षुः स्पर्शनं च

स्पृ

Tait. 1. 4. 1. स मेन्द्रो मेधया स्पृणोतु

1. 7. 1. पांक्तेनैव पांक्तं स्पृणोति

2. 9. 1. आत्मानं स्पृणुते (bis)

स्पृश्

Ait. 3. 7. स्पृष्ट्वा हैवास्रमत्रप्स्यत्

11. यदि त्वचा स्पृष्टं . . को ऽहम्

Kena. 27. ते ह्येनन्नेदिष्ठं पस्पर्शुः

28. स ह्येनन्नेदिष्ठं पस्पर्श

Chhâ. 8. 6. 3. तं न कश्चन पाप्मा स्पृशति

8. 12. 1. अशरीरं वाव सन्तं न प्रियाप्रिये स्पृशतः

Brih. 4. 3. 29. यद्वै तन्न स्पृशति स्पृशन्वै तन्न स्पृशति . . न तु . . तदन्यद्विभक्तं यत्स्पृशेत्

Bṛih. 4. 3. 31. अन्यो ऽन्यत्स्पृशेत्
4. 4. 2. एकीभवति न स्पृशति
4. 5. 15. इतर इतरं स्पृशति .. तत्केन कं स्पृशेत्

Maitri. 6. 7. घ्राता द्रष्टा श्रोता स्पृशति च
— यत्र द्वैतीभूतं विज्ञानं तत्र .. चैवं स्पर्शयति
10. यद्वत्स .. कामिन्यः .. स्पृशतीन्द्रियार्थांस्तद्वद्यो न स्पृशति

Praśna. 4. 2. न स्पृशते नाभिवदते
8. त्वक् च स्पर्शयितव्यं च

Gauḍa. 4. 41. अग्निन्त्यान् भूतवत् स्पृशेत्

Nṛip. 5. 1. नात्मानं माया स्पृशति

Nṛisut. 4. शृङ्गप्रोतान् पदान् स्पृष्ट्वा

Nyâsa. 5. न त्वचं न स्पर्शयेत् (4 MSS. स्पर्शयति)

Parama. 3. हिरण्यं रसेन स्पृष्टम्
— न दृष्टं च न स्पृष्टं च न माद्यं च

Gîtâ. 5. 8. स्पृशन् जिघ्रन्

स्पृष्टि

Bṛih. 4. 3. 29. न हि स्प्रष्टुः स्पृष्टेर्विपरिलोपः

स्पृहा

Gauḍa. 1. 9. आप्तकामस्य का स्पृहा

Gîtâ. 4. 14. न मे कर्मफले स्पृहा
14. 12. लोभः प्रवृत्तिः .. अशमः स्पृहा

स्प्रष्टृ

Bṛih. 4. 3. 29. न हि स्प्रष्टुः स्पृष्टेर्विपरिलोपः

Maitri. 6. 11. यदि खल्वभाति .. स्प्रष्टा भवति

Praśna. 4. 9. एष हि द्रष्टा स्प्रष्टा श्रोता

स्फटिक

Śwet. 2. 11. खद्योतविद्युत्स्फटिकशशीनाम्

स्फुट

Gauḍa. 1. 20. उत्कर्षो दृश्यते स्फुटम्
2. 15. स्फुटा एव च ये बहिः

स्फुर्

Maitri. 6. 24. अलातचक्रमिव स्फुरन्तम्

Nṛisut. 4. वश्यां स्फुरन्तीमसतीं निपीड्य

स्फुलिङ्गिनी

Muṇḍ. 1. 2. 4. स्फुलिङ्गिनी विश्वरुची च देवी

स्मर

Kaush. 2. 4. अथातो दैवः स्मरः

Chhâ. 7. 13. 1. स्मरो वा आकाशाद्भूयः
— स्मरेण वै पुत्रान् विजानाति स्मरेण पशून् स्मरमुपास्व
2. स यः स्मरं ब्रह्मेत्युपास्ते यावत्स्मरस्य गतं तत्र
— अस्ति भगवः स्मराद्भूय इति स्मराद्वाव भूयो ऽस्तीति
7. 14. 1. आशा वाव स्मराद्भूयस्याशेद्धो वै स्मरो मन्त्रानधीते
7. 26. 1. आत्मतः स्मरः

स्मार

Mahânâr. 23. 1. स्मृत्या स्मारं स्मारेण विज्ञानम्

स्मृ

Kaush. 2. 4. स्मरन्ति हैवास्य

Chhâ. 7. 13. 1. न स्मरन्तो नैव ते कञ्चन शृणुयुः .. यदा वाव ते स्मरेयुरथ शृणुयुः

Chhâ. 7. 26. 2. पुनश्चैकादशः स्मृतः
8. 12. 3. नोपजनं स्मरन्निदं शरीरम्
Bṛih. 5. 15. 1. क्रतो स्मर कृतं स्मर क्रतो स्मर कृतं स्मर Iśâ. 17.
Maitri. 4. 2. न स्मरेत् परमं पदम्
6. 13. अन्नं संवननं स्मृतं..अन्नं भिषक् स्मृतम्
25. तस्माद्योग इति स्मृतः
34. मोक्षे निर्विषयं स्मृतम्
Gauḍa. 1. 10. देवस्तुर्यो विभुः स्मृतः
26. प्रणवश्च परः स्मृतः
2. 4. तथा जागरिते स्मृतम्
7. मिथ्यैव खलु ते स्मृताः 4. 32.
3. 1. तेनासौ कृपणः स्मृतः
4. 46. एवंधर्मा अजाः स्मृताः
88. लोकोत्तरमिति स्मृतम्
90. उपलम्भास्त्रिवु स्मृतः
94. तस्मात्ते कृपणाः स्मृताः
Nṛip. 2. 4. स्वभक्तानां स्मृत एव मृत्युं ..मारयति
Nṛisut. 8. सा..भास्वती स्मृता
Kshur. 15. तासां मध्ये वराः स्मृताः
Garbha. 3. पूर्वजातीः स्मरति
4. तदा न स्मरति जन्ममरणानि
Brahma. 3. क्रियाङ्गं तद्धि वै स्मृतम्
Nâda. 1. उकारस्तूत्तरः स्मृतः
2. अधर्मश्चोत्तरं स्मृतम्
Brahmab. 2. मुक्तं निर्विषयं स्मृतम्
21. तद्ब्रह्माहमिति स्मृतम्
Amṛita. 23. कालतो नियतः स्मृतः
Kṛish. 18. मेघघोषस्तु स स्मृतः
Mukti. 2. 1. पौरुषं द्विविधं स्मृतम्
Gîtâ. 3. 6. य आस्ते मनसा स्मरन्
6. 19. सोपमा स्मृता
8. 5. अन्तकाले च मामेव स्मरन्
Gîtâ. 8. 6. यं यं वापि स्मरन्भावम्
14. यो मां स्मरति नित्यशः
17. 20. तज्ज्ञानं सात्त्विकं स्मृतम्
21. तज्ज्ञानं राजसं स्मृतम्
23. निर्देशो ब्रह्मणस्त्रिविधः स्मृतः
18. 38. तत्सुखं राजसं स्मृतम्

स्मृति

Ait. 5. 2. मनीषा जूतिः स्मृतिः संकल्पः
Chhâ. 7. 26. 2. सत्त्वशुद्धौ ध्रुवा स्मृतिः
Maitri. 6. 31. बुद्धिर्धृतिः स्मृतिः प्रज्ञानम्
Mahânâr. 10. 3. स नो देवः शुभया स्मृत्या संयुनक्ति
23. 1. चित्तेन स्मृतिः स्मृत्या स्मारम्
Gauḍa 2. 36. अद्वैते योजयेत् स्मृतिम्
Prâṇâg. 4. स्मृतिर्दया क्षान्तिरहिंसा पत्नीसंयाजाः
Râmap. 74. निद्रायाः स्मृतिः
Gîtâ. 10. 34. स्मृतिर्मेधा धृतिः क्षमा
15. 15. मत्तः स्मृतिर्ज्ञानमपोहनं च
18. 73. नष्टो मोहः स्मृतिर्लब्धा

स्मृतिलंभ

Chhâ. 7. 26. 2. स्मृतिलंभे सर्वग्रन्थीनां विप्रमोक्षः

स्मृतिभ्रंश

Gîtâ. 2. 63. स्मृतिभ्रंशाद्बुद्धिनाशः

स्मृतिविभ्रम

Gîtâ. 2. 63. सम्मोहात्स्मृतिविभ्रमः

स्यन्द्

Chhâ. 2. 4. 1. याः प्राच्यः स्यन्दन्ते स उद्गीथः
6. 10. 1. पुरस्तात्प्राच्यः स्यन्दन्ते
Bṛih. 3. 8. 9. प्राच्यो ऽन्या नद्यः स्यन्दन्ते

Muṇḍ.2. 1. 9. अस्मात्स्यन्दन्ते सिन्धवः सर्वरूपाः Mahânâr. 8. 5.
3. 2. 8. यथा नद्यः स्यन्दमानाः
Praśna. 6. 5. यथेमा नद्यः स्यन्दमानाः

स्यन्दन

Gîtâ. 1. 14. महति स्यन्दने स्थितौ

स्रंस्

Gîtâ. 1. 30. गाण्डीवं स्रंसते हस्तात्

स्रक्ति

Chhâ. 3. 15. 1. दिशो ह्यस्य स्रक्तयः

स्रवन्ती

Bṛih. 4. 3. 10. न तत्र..स्रवन्त्यो भवन्त्यथ..स्रवन्त्यः सृजते

स्रष्टृ

Śwet. 4. 14. विश्वस्य स्रष्टारमनेकरूपम् 5. 13.

स्राम

Chhâ. 8. 9. 1. स्रामे स्रामः 2.
8. 10. 1. यदि स्राममस्रामः 3.
2. नास्य स्राम्येण स्रामः 4.

स्राम्य

Chhâ. 8. 10. 2. नास्य स्राम्येण स्रामः 4.

स्रु

Chhâ. 6. 11. 1. जीवन् स्रवेत् (ter).
Maitri. 6. 14. कालात्स्रवन्ति भूतानि
37. अतो यो रसो ऽस्रवत्
7. 1. तपन्ति वर्षन्ति स्रवन्ति 2—6.
Haṁsa. 2. पञ्चमे स्रवते तालु (so MSS.)

स्रुव

Kaush. 2. 3. स्रुवेणाज्याहुतीर्जुहोति
Bṛih. 6. 3. 13. औदुंबरः स्रुवः
Prâṇâg. 3. शारीरयज्ञस्य..कः स्रुवः
4. दक्षिणहस्तः स्रुवः

स्रोतस्

Swet. 1. 15. आपः स्रोतःसु Brahma. 3.
2. 8. स्रोतांसि सर्वाणि भयावहानि
Gitâ. 10. 31. स्रोतसामस्मि जाह्नवी

स्व

Ait. 4. 2. तत्स्त्रिया आत्मभूयं गच्छति यथा स्वमङ्गम्
Kaush. 4. 20. यथा श्रेष्ठिनं स्वास्तद्यथा श्रेष्ठी स्वैर्भुंक्ते यथा वा स्वाः श्रेष्ठिनं भुंजन्ति
Chhâ. 5. 1. 2. वसिष्ठो ह स्वानां भवति
5. आयतनं ह स्वानां भवति
6. 8. 1. स्वमपीतो भवति
7. 24. 1. स्वे महिम्नि यदि वा न महिम्नि
8. 3. 4. स्वेन रूपेणाभिनिष्पद्यते 8. 12. 3; Maitri. 2. 2.
8. 12. 2. स्वेन रूपेणाभिनिष्पद्यन्ते
Bṛih. 1. 3. 18. एनं स्वा अभिसंविशन्ति
— भर्ता स्वानां..भवति
— य एवंविदं स्वेषु प्रतिप्रतिर्बुभूषति
25. एतस्य साम्नो यः स्वं वेद भवति हास्य स्वं तस्य वै स्वर एव स्वम्
— अथो यस्य स्वं भवति
— भवति हास्य स्वं य एवमेतत्साम्नः स्वं वेद
1. 4. 11. अन्तत उपनिश्रयति स्वां योनिम्
— स्वां स योनिमृच्छति
15. स्वं लोकमदृष्ट्वा प्रैति
16. स्वाय लोकायारिष्टिमिच्छेत्

Bṛih. 2. 1. 18. स्वे जनपदे यथाकामं परिवर्त्तेत
— स्वे शरीरे यथाकामं परिवर्त्तते
3. 1. 2. स्वमेष ब्रह्मचारिणमुवाच
4. 3. 5. यत्र स्वः पाणिर्न विनिर्ज्ञायते
9. स्वेन भासा स्वेन ज्योतिषा
5. 3. 1. अभिहरन्त्यस्मै स्वाश्चान्ये च य एवं वेद
— ददत्यस्मै स्वाश्चान्ये च य एवं वेद
6. 1. 1. ज्येष्ठश्च श्रेष्ठश्च स्वानां भवति (bis).
2. वसिष्ठः स्वानां भवति (bis).
5. आयतनं स्वानां भवति (bis).
6. 4. 24. एधमानः स्वे गृहे
Kaṭha. 2. 23. तस्यैष आत्मा विवृणुते तनूं स्वाम् Muṇḍ. 3. 2. 3.
6. 17. तं स्वाच्छरीरात्प्रवृहेत्
Maitri. 2. 4. स्वे महिम्नि तिष्ठति 6. 28.
6. 8. स्वाऽश्शरीरादुपलभेतैनम्
27. स्वं योगश्च ततो ऽस्माकम्
28. स्वे महिम्नि तिष्ठमानं दृष्ट्वा
38. स्वे महिम्नि तिष्ठमानं पश्यति
Mahânâr. 5. 8. यत्पृथिव्यां रजः स्वम्
6. 7. स्वां चाग्ने तन्वं पिप्रयस्व
11. 11. सन्तापयति स्वं देहम्
Gauḍa. 2. 34. न स्वेनापि कथञ्चन
Nṛisut. 7. स्वे महिम्नि सदा समासते
Śiras. 1. तर्पयामि स्वेन तेजसा
Brahma. 1. याति स्वमालयम्
Prâṇâg. 1. स्वेन विधिनान्नं भूमौ निक्षिप्य
Prâṇâg. 2. स्वे शरीरे यज्ञं परिवर्त्तयामि
Parama. 1. स्वपुत्रमित्रकलत्रबन्ध्वादीन्
Vâsu. 2. स्वमात्मानं पश्यन्
3. स्वमात्मानं भावयेत् (bis).
— हृत्पंकजे स्वमात्मानम्
Râmap. 2. स्वोद्रेकतो ऽथवा
14. स्वेनैव भासते
22. स्ववाञ्छाविनियोगवान्
35. स्वनिवृत्त्यर्थम्
50. उदग्दक्षिणयोः स्वस्य
Mukti. 2. 38. मनसः स्वस्य निग्रहे
Gîtâ. 3. 33. सदृशं चेष्टते स्वस्याः प्रकृतेः
4. 6. प्रकृतिं स्वामधिष्ठाय
6. 13. सम्प्रेक्ष्य नासिकाग्रं स्वम्
7. 20. प्रकृत्या नियताः स्वया
9. 8. प्रकृतिं स्वामवष्टभ्य
18. 45. स्वे स्वे कर्मण्यभिरतः
60. निबद्धः स्वेन कर्मणा

स्वक

Maitri. 6. 31. स्वकैर्लिङ्गैरुपगृह्यः
Mukti. 2. 42. जयेदादौ स्वकं मनः
Gîtâ. 11. 50. स्वकं रूपं दर्शयामास भूयः

स्वकर्मन्

Swet. 5. 7. प्राणाधिपः सञ्चरति स्वकर्मभिः
Gîtâ. 18. 45. स्वकर्माभिरतः
46. स्वकर्मणा तमभ्यर्च्य

स्वकारण

Sarvop. 2. स्वकारणविज्ञानेन

स्वकृत

Muṇḍ. 1. 2. 1. एष वः पन्थाः स्वकृतस्य लोके

स्वगुण

Śwet. 1. 3. अपश्यन्देवात्मशक्तिं स्वगुणैर्निगूढाम्
5. 12. रूपाणि देही स्वगुणैर्वृणोति

स्वगुरु

Kaivalya. 5. भक्त्या स्वगुरुं प्रणम्य

स्वङ्गता

Râmap. 29. यश्चाणुश्च स्वङ्गतया (MSS. vary considerably).

स्वचक्षुस्

Gîtâ. 11. 8. अनेनैव स्वचक्षुषा

स्वचित्तस्थ

Śwet. 6. 5. देवं स्वचित्तस्थमुपास्य

स्वच्छन्द

Chûl. 6. स्वच्छन्देन वशानुगः

स्वजन

Nîla. 21. यः स्वजनान्नीलग्रीवो यः स्वजनान् हरिरुत (स्वजनानाम् in both places, is a variant).

Gîtâ. 1. 28. दृष्ट्वेमं स्वजनं कृष्ण
31. हत्वा स्वजनमाहवे
37. स्वजनं हि कथं हत्वा
45. हन्तुं स्वजनमुद्यताः

स्वतन्त्र

Maitri. 2. 4. अजः स्वतन्त्रः स्वे महिम्नि तिष्ठति 6. 28.
6. 38. स्वतन्त्रं चैतन्यं स्वे महिम्नि तिष्ठमानम्
7. 2. अपरप्रयोज्यः स्वतन्त्रः

स्वतन्त्रास्वतन्त्रत्व

Nṛisut. 9. सत्त्वमसत्त्वं च दर्शयति ..स्वतन्त्रास्वतन्त्रत्वेन

स्वतस्

Gauḍa. 4. 22. स्वतो वा परतो वापि

Nṛisut. 8. न हीदं सर्वं स्वत आत्मवत्

Mukti. 2. 22. चक्षुरादीन्द्रियं स्वतः

स्वतेजस्

Nṛip. 2. 4. सर्वाणि भूतानि स्वतेजसा ज्वलति

Gîtâ. 11. 19. स्वतेजसा विश्वमिदं तपन्तम्

स्वदारनिरत

Aśrama. 1. स्वदारनिरत ऋतुकालाभिगामी

स्वदीर्घाङ्ग

Râmap. 52. आदौ स्वदीर्घाङ्गैरेष संयुतः

स्वदेह

Śwet. 1. 14. स्वदेहमरणिं कृत्वा Dhyâna. 20.

Mukti. 2. 66. स्वदेहाशुचिगन्धेन
76. स्वदेहे कालसात्कृते

स्वधर्म

Maitri. 4. 3. स्वधर्मस्यानुचरणम्
— स्वधर्मस्य वा एतद्व्रतम्
— एष स्वधर्मो ऽभिहितो यो वेदेषु
— न स्वधर्मातिक्रमेणाश्रमी भवति

Gîtâ. 2. 31. स्वधर्ममपि चावेक्ष्य
33. ततः स्वधर्मं कीर्त्तिं च
3. 35. श्रेयान्स्वधर्मो विगुणः 18. 47.
— स्वधर्मे निधनं श्रेयः

स्वधा

Chhâ. 2. 22. 2. आगायेत्स्वधां पितृभ्यः

Mahânâr. 10. 2. येनादेकं स्वधया निष्टतक्षुः

Praśna 2. 8. पितॄणां प्रथमा स्वधा
Kathaśru. 2. त्वं स्वाहा त्वं स्वधा
— अहं स्वाहा अहं स्वधा
Gîtâ. 9. 16. स्वधाहमहमौषधम्

स्वधाकार

Bṛih. 5. 8. 1. स्वाहाकारो वषट्कारो हन्तकारः स्वधाकारः
— स्वधाकारं पितरः (उपजीवन्ति)

स्वधामन्

Maitri. 6. 30. तेन देवनिकायानां स्वधामानि प्रपद्यते

स्वधिति

Mahânâr. 9. 1. स्वधितिर्वनानाम् 17. 8.

स्वनवन्त्

Maitri. 6. 5. स्वनवत्येषास्य तनूर्या ओमिति

स्वनुष्ठित

Gîtâ. 3. 35. परधर्मात्स्वनुष्ठितात् 18. 47.

स्वप्

Kaush. 2. 5. जाग्रच्च स्वपंश्च संततं जुहोति
3. 3. यत्रैतत्पुरुषः सुप्तः स्वप्नं न कंचन पश्यति
4. 15. पुरुषः सुप्तः स्वप्नया चराति
19. तौ ह सुप्तं पुरुषमाजग्मतुः
— यदा सुप्तः स्वप्नं कंचन न पश्यति
Chhâ. 4. 3. 3. स यदा स्वपिति प्राणमेव वागप्येति
6. 8. 1. यत्रैतत्पुरुषः स्वपिति . . तस्मादेनं स्वपितीत्याचक्षते
8. 6. 3. सुप्तः समस्तः सम्प्रसन्नः स्वप्नं न विजानाति 8. 11. 1.

Bṛih. 2. 1. 15. तौ ह पुरुषं सुप्तमाजग्मतुः
16. यत्रैष एतत्सुप्तो ऽभूत् 17.
17. अथ हैतत्पुरुषः स्वपिति
4. 3. 11. असुप्तः सुप्तानभिचाकशीति
14. यानि ह्येव जाग्रत्पश्यति तानि सुप्तः
19. यत्र सुप्तो न कञ्चन कामं कामयते Mâṇḍû. 5; Nṛip. 4. 1; Nṛisut. 1; Râmot. 3.
6. 4. 4. सुप्तस्य वा जाग्रतो वा रेतः स्कन्दति
Katha. 5. 8. य एष सुप्तेषु जागर्त्ति
Maitri. 2. 5. सुप्तस्येवाबुद्धिपूर्वं विबोधः
7. 11. सुप्तः सुप्तात् परश्च यः
Mahânâr. 18. 1. यत्स्वपन्तश्च जाग्रतश्चैनश्चकृम
Praśna. 4. 1. एतस्मिन्पुरुषे कानि स्वपन्ति
2. स्वपितीत्याचक्षते
Kaivalya. 14. स एव जीवः स्वपिति
Gauḍa. 1. 16. अनादिमायया सुप्तः
Kathaśru. 4. देवागारेषु वा स्वपेत्
Gîtâ. 5. 8. स्वपन् श्वसन्

स्वपुत्रगृह

Aśrama. 4. स्वपुत्रगृहेषु भिक्षाचर्यं चरन्तः

स्वपुर

Râmap. 47. स्वपुरं तैर्जगाम सः

स्वप्न

Ait. 3. 12. तस्य त्रय आवसथास्त्रयः स्वप्नाः
Kaush. 3. 3. यत्रैतत्पुरुषः सुप्तः स्वप्नं न कंचन पश्यति
4. 2. स्वप्ने यमः
19. यदा सुप्तः स्वप्नं कंचन न पश्यति

Chhâ. 5. 2. 9. यदा कर्मसु काम्येषु स्त्रियं स्वप्नेषु पश्यति
8. 6. 2. स्वप्नं न विजानाति 8. 11. 1.
8. 10. 1. स्वप्ने महीयमानश्चरति
Bṛih. 4. 3. 7. स्वप्नो भूत्वेमं लोकमतिक्रामति
11. स्वप्नेन शारीरमभिप्रहत्य
15. आद्रवति स्वप्नायैव
16. स्वप्ने रत्वा चरित्वा
19. यत्र सुप्तः . . न कञ्चन स्वप्नं पश्यति Mâṇḍû. 5 ; Nṛip. 4. 1 ; Nṛisut. 1 ; Râmot. 3.
Kaṭha. 6. 5. यथा स्वप्ने तथा पितृलोके
Maitri. 4. 2. स्वप्न इव मिथ्यादर्शनम्
6. 25. स्वप्न इव यः पश्यति . . प्रणवाख्यम्
Praśna. 4. 1. कतर एष देवः स्वप्नान् पश्यति
5. अत्रैष देवः स्वप्ने महिमानमनुभवति
6. अत्रैष देवः स्वप्नान्न पश्यति
Kaivalya. 13. स्वप्ने स जीवः सुखदुःखभोक्ता
17. जाग्रत्स्वप्नसुषुप्त्यादिप्रपञ्चम्
Gauḍa. 1. 14. न निद्रां नैव च स्वप्नम्
15. अन्यथा गृह्णतः स्वप्नः
2. 1. वैतथ्यं सर्वभूतानां स्वप्न आहुर्मनीषिणः
3. वैतथ्यं तेन वै प्राप्तं स्वप्ने . . प्रकाशितम्
4. यथा तत्र तथा स्वप्ने
5. स्वप्नजागरिते स्थाने
7. स्वप्ने विप्रतिपद्यते 4. 32.
31. स्वप्नमाये यथा दृष्टे
Gauḍa 3. 29. यथा स्वप्ने द्वयाभासं स्पन्दते मायया मनः
30. अद्वयं च द्वयाभासं मनः स्वप्ने
4. 33. सर्वे धर्मा मृषा स्वप्ने
36. स्वप्ने चावस्तुकः कायः
37. तद्धेतुः स्वप्न इष्यते
39. स्वप्ने पश्यति तन्मयः
41. तथा स्वप्ने विपर्यासात्
61. यथा स्वप्ने द्वयाभासम्
62. द्वयाभासं चित्तं स्वप्ने
63. स्वप्नदृक् प्रचरन् स्वप्ने
Nṛisut. 1. त्रयमप्येतत् सुषुप्तं स्वप्नं मायामात्रम्
— त्रयमत्रापि सुषुप्तं स्वप्नं मायामात्रम्
2. स्वप्ने ऽजाग्रतमसुषुप्तम्
Brahma. 1. देवदत्तः स्वप्न आनन्दमभियाति
— भूयस्तेनैव स्वप्नाय गच्छति
2. जागरितं स्वप्नं सुषुप्तं तुरीयम्
— स्वप्ने विष्णुः
3. जाग्रत् स्वप्ने तथा जीवो गच्छति
— कण्ठे स्वप्नं विनिर्दिशेत्
Brahmab. 11. जाग्रत्स्वप्नसुषुप्तिषु
Sarvop. 1. जाग्रत्स्वप्नसुषुप्तं तुरीयं च कथम्
— तदात्मनः स्वप्नम् (so 2 MSS.; the rest have तन्मनःस्वप्नम्)
Haṁsa. 2. कर्णिकायां स्वप्नम्
Gîtâ. 18. 35. यया स्वप्नं भयं शोकम्

स्वप्नचारिन्

Maitri. 7. 11. चाक्षुषः स्वप्नचारी च

स्वप्नदृश्

Gauḍa. 4. 63. स्वप्नदृक् प्रचरन् स्वप्ने

स्वप्नदृक्चित्त

Gauḍa. 4. 64. स्वप्नदृक्चित्तमिष्यते

स्वप्नदृक्चित्तदृश्य

Gauḍa. 4. 64. स्वप्नदृक्चित्तदृश्यास्ते न विद्यन्ते ततः पृथक्

स्वप्ननिदर्शन

Chhâ. 5. 2. 9. समृद्धिं तत्र जानीयात्तस्मिन्स्वप्ननिदर्शने

स्वप्ननिद्रायुत

Gauḍa. 1. 14. स्वप्ननिद्रायुतावाद्यौ

स्वप्नमय

Gauḍa. 4. 68. यथा स्वप्नमयो जीवः

स्वप्नमायास्वरूप

Gauḍa. 1. 7. स्वप्नमायास्वरूपेति सृष्टिरन्यैर्विकल्पिता

स्वप्नया, स्वप्न्यया

Kaush. 4. 15. पुरुषः सुप्तः स्वप्नया चरति

Bṛih. 2. 1. 18. स यत्रैतत्स्वप्न्यया चरति

स्वप्नवत्

Gauḍa. 3. 10. संघाताः स्वप्नवत्सर्वे

Skanda. 3. स्वप्नवच्च विनश्यति

स्वप्नवृत्ति

Gauḍa. 2. 9. स्वप्नवृत्तावपि त्वन्तश्चेतसा कल्पितम्

स्वप्नस्थान

Bṛih. 4. 3. 9. सन्ध्यं तृतीयं स्वप्नस्थानम्

Mâṇḍû. 4. स्वप्नस्थानो ऽन्तःप्रज्ञः Nṛip. 4. 1; Râmot. 3.

10. स्वप्नस्थानस्तैजस उकारः

Nṛisut. 1. स्वप्नस्थानः सूक्ष्मप्रज्ञः

2. स्वप्नस्थानश्चतुरात्मा तैजसः

स्वप्नान्त

Chhâ. 6. 8. 1. स्वप्नान्तं मे सोम्य विजानीहि

Bṛih. 4. 3. 12. स्वप्नान्त उच्चावचमीयमानः

17. आद्रवति स्वप्नान्तायैव

18. स्वप्नान्तं च बुद्धान्तं च

34. एतस्मिन् स्वप्नान्ते रत्वा

Kaṭha. 4. 4. स्वप्नान्तं जागरितान्तं च

स्वप्रकाश

Nṛisut. 2. स्वराट् स्वयमीश्वरः स्वप्रकाशः

5. एष हि स्वप्रकाशो ऽसङ्गः

— तस्मादयं . . स्वप्रकाशो ब्रह्मैव

6. स्वप्रकाशमानन्दघनम्

— एवंवित् स्वप्रकाशं परमेव ब्रह्म भवति

8. एतदद्वयं स्वप्रकाशं . . आत्मैव

9. स्वप्रकाशोपि . . न विजानाति

— स्वप्रकाशे सर्वसाक्षिणि

— एक एव साक्षी स्वप्रकाशः

— मायया नासंविक्तिः स्वप्रकाशे

— अतो यूयमेव स्वप्रकाशाः (bis).

स्वप्रभ

Vâsu. 3. स्वप्रभं सच्चिदानन्दम्

स्वबान्धव

Gîtâ. 1. 37. धार्तराष्ट्रान् स्वबान्धवान्

स्वबीज

Nṛisut. 9. वटान् स्वबीजानुत्पाद्य (2 MSS. read सबीजान्)

स्वभ

Sikhâ. 1. रुचिरा भास्वतीं स्वभा (3 MSS. have शुभा)

स्वभक्त

Nrip. 2. 4. स्वभक्तानां स्मृत एव मृत्युमपमृत्युं च मारयति

स्वभाव

Swet. 1. 2. कालः स्वभावो नियतिः
5. 5. यश्च स्वभावं पचति विश्वयोनिः
6. 1. स्वभावमेके कवयो वदन्ति
Gauḍa. 1. 9. देवस्यैष स्वभावो ऽयम्
3. 22. स्वभावेनामृतो यस्य भावः 4. 8 (धर्मः)
4. 9. स्वभावं न जहाति या
Tejo. 7. स्वभावभावनाग्राह्यम्
Sarvop. 3. विज्ञानचिन्मात्रस्वभावः
Gîtâ. 2. 7. कार्पण्यदोषोपहतस्वभावः
5. 14. स्वभावस्तु प्रवर्त्तते
8. 3. स्वभावो ऽध्यात्ममुच्यते

स्वभावज

Gîtâ. 17. 2. देहिनां सा स्वभावजा
18. 42. ब्रह्मकर्म स्वभावजम्
43 क्षात्रं कर्म स्वभावजम्
44. वैश्यकर्म स्वभावजम्
— शूद्रस्यापि स्वभावजम्
60. स्वभावजेन . . स्वेन कर्मणा

स्वभावतस्

Swet. 6. 10. स्वभावतो देव एकः समावृणोति
Gauḍa. 4. 10. सर्वे धर्माः स्वभावतः
23. फलं चापि स्वभावतः
81. धर्मो धातुः स्वभावतः
Mukti. 2. 74. न मे ऽस्ति कश्चिद्विषयः स्वभावतः

स्वभावनियत

Gitâ. 18. 47. स्वभावनियतं कर्म

स्वभावप्रभव

Gitâ. 18. 41. स्वभावप्रभवैर्गुणैः

स्वभू

Râmap. 14. स्वभूर्ज्योतिर्मयः

स्वमहिमन्

Nrip. 2. 4. स्वमहिम्ना सर्वाँल्लोकान् . . उद्गृह्णाति
— स्वमहिम्ना सर्वाँल्लोकान् . . विरमति
— स्वमहिम्ना सर्वाँल्लोकान् . . स्वतेजसा ज्वलति

स्वमहिमस्थ

Nrisut. 9. आत्मा हि स्वमहिमस्थः

स्वमाया

Kaivalya. 13. स्वमायया कल्पितविश्वलोके
Gauḍa. 2. 12. कल्पयत्यात्मनात्मानमात्मा देवः स्वमायया
Krish. 25. धनुः शार्ङ्गं स्वमाया तत्

स्वमृत

Tait. 1. 10. 1. ऊर्ध्वपवित्रो वाजिनीव स्वमृतमस्मि

स्वयंज्योतिस्

Brih. 4. 3. 9. अयं पुरुषः स्वयंज्योतिर्भवति 14.
Sarvop. 3. आविर्भावतिरोभावहीनः स्वयंज्योतिः
Haṁsa. 2. सर्वत्रावस्थितः स्वयंज्योतिः

स्वयन्धीर

Kaṭha. 2. 5. स्वयन्धीराः पण्डितम्मन्यमानाः Maitri. 7. 9; Mund. 1. 2. 8.

स्वयम्

Kaush. 2. 13. यांश्च स्वयं द्वेष्टि
Bṛih. 4. 3. 9. स्वयं विहत्य स्वयं निर्माय
Tait. 2. 7. 1. तदात्मानं स्वयमकुरुत
Kaṭha. 1. 23. स्वयं च जीव शरदो यावदिच्छसि
Maitri. 6. 34. स्वयं तदन्तःकरणेन गृह्यते
Muṇḍ. 3. 2. 10. स्वयं जुह्वते एकर्षिम्
Praśna. 3. 5. चक्षुःश्रोत्रे मुखनासिकाभ्यां प्राणः स्वयं प्रातिष्ठते
Gauḍa. 2. 19. यया सम्मोहितः स्वयम्
4. 81. प्रभातं भवति स्वयम्
89. क्रमेण विदिते स्वयम्
Nṛip. 2. 4. स्वयं यतः कुतश्चिन्न बिभेति
— स्वयं भद्रो भूत्वा
Nṛisut. 4. तानग्रसत् स्वयम्
— नृसिंहः स्वयमुद्बभौ
9. माया चाविद्या च स्वयमेव भवति
— स्वयं गुणभिन्ना
Brahma. 2. स्वयममनस्कमश्रोत्रम्
Amṛita. 28. स्वयमुत्पद्यते ज्ञानम्
Sarvop. 2. स्वयं भावरहितम्
3. स्वयमेवमाविर्भावतिरोभावहीनः
Parama. 2. तस्य स्वयमेव स्थितिरिति (so MSS.)
Gâruḍa. 2. यदि वानन्तकः स्वयम्
— यदि वा वासुकिः स्वयम्
— यदि वा तक्षकः स्वयम्
— यदि वा कर्कोटकः स्वयम्
— यदि वा शंखपुलिकः स्वयम्
— यदि वा पद्मकः स्वयम्
— यदि वा महापद्मकः स्वयम्
— यदि वैलापत्रकः स्वयम्
Gâruḍa. 2. यदि वा महैलापत्रकः स्वयम्
— यदि वा कालिकः स्वयम्
— यदि वा कुलिकः स्वयम्
— यदि वा कंबलाश्वतरः स्वयम्
Vâsu. 3. मद्भक्त्या सिध्यति स्वयम्
Kṛish. 3. प्रोवाच भगवान् स्वयम्
18. यः शंखः स स्वयं विष्णुः
Râmap. 44. पुरं दग्ध्वा तथा स्वयम्
81. गुणान्तः सगुणः स्वयम्
Râmot. 4. तं प्रत्युवाच स्वयमेव याज्ञवल्क्यः
— यस्य कस्यापि वा स्वयम्
Mukti. 1. 42. °देशिकस्य मुखात्स्वयम्
2. 64. स्वयं केवलरूपतः
— ब्रह्म न ब्रह्मवित्स्वयम्
Gitâ. 4. 38. तत्स्वयं योगसंसिद्धः
10. 13. स्वयं चैव ब्रवीषि मे
15. स्वयमेवात्मनात्मानम्
18. 75. साक्षात्कथयतः स्वयम्

स्वयमविकार

Sarvop. 4. स्वयमविकाराद्विकारहेतौ निरूप्यमाणे

स्वयमीश्वर

Nṛisut. 2. स्वराट् स्वयमीश्वरः स्वप्रकाशः

स्वयम्प्रभ

Mukti. 2. 75. स्वयम्प्रभः सर्वगतो ऽहमव्ययः

स्वयम्भू

Bṛih. 2. 6. 3. ब्रह्म स्वयम्भु ब्रह्मणे नमः 4. 6. 3; 6. 5. 4.
Isâ. 8. परिभूः स्वयम्भूः
Kaṭha. 4. 1. पराञ्चि खानि व्यतृणत् स्वयम्भूः

Mahânâr. 12. 3. कतमः स्वयम्भूः
23. 1. स्वयम्भूः प्रजापतिः संवत्सर इति
Kshur. 2. यथोक्तं हि स्वयम्भुवा

स्वयोनि

Maitri. 6. 34. स्वयोना उपशाम्यते (bis). — स्वयोना उपशान्तस्य मनसः

स्वर्

vide सुवर्

स्वर

Chhâ. 1. 3. 2. स्वर इतीममाचक्षते स्वर इति प्रत्यास्वर इत्यमुम्
1. 4. 3. स्वरमेव प्राविशन्
4. एष उ स्वरो यदेतदक्षरमेतदमृतमभयम्
5. एतदेवाक्षरं स्वरममृतमभयं प्रविशति
1. 8. 4. का साम्नो गतिरिति स्वर इति होवाच स्वरस्य का गतिः
1. 13. 2. प्राणः स्वरः
2. 22. 3. सर्वे स्वरा इन्द्रस्यात्मानः — तं यदि स्वरेषूपालभेत
5. सर्वे स्वरा घोषवन्तो बलवन्तो वक्तव्याः
Bṛih. 1. 3. 25. तस्य वै स्वर एव स्वम् — वाचि स्वरमिच्छेत
Tait. 1. 2. 1. वर्णः स्वरः। मात्रा बलम्
Maitri. 7. 11. मन्द्रं जनयति स्वरम्
Mahânâr. 10. 7. यो वेदादौ स्वरः प्रोक्तः
Brahmab. 7. स्वरेण सन्धयेद्योगम्
Vâsu. 2. त्रयो वेदास्त्रयः स्वराः
Râmap. 62. विलिखेत्स्वरान्

स्वरवन्त्

Bṛih. 1. 3. 25. यज्ञे स्वरवन्तं दिदृक्षन्ते

स्वरसम्पन्न

Bṛih. 3. 25. वाचा स्वरसंपन्नयार्त्विज्यं कुर्यात्

स्वरसौष्ठव

Śwet. 2. 13. वर्णप्रसादं स्वरसौष्ठवं च

स्वराज्

Chhâ. 7. 25. 2. स स्वराड् भवति
Mahânâr. 11. 13. सो ऽक्षरः परमः स्वराट् Kaivalya. 8; Nṛip. 1. 4; Mahâ. 3.
14. 1. स्वराडापः
Nṛip. 1. 4. सम्राट् स्वराड् विराट्
Nṛisut. 2. स्वराट् स्वयमीश्वरः स्वप्रकाशः
7. स स्वराड् भवति य एवं वेद (ter).

स्वरूप

Maitri. 7. 11. एतद्वाव तत्स्वरूपम् (bis).
Sarvop. 3. स्वरूपलाभहेतुर्भूत्वा
4. सुखचैतन्यस्वरूपः
— अविशिष्टसुखस्वरूपः
Gopî. 5. गोपिकास्वरूपैः
Mukti. 1. 3. स्वरूपध्याननिरतम्
2. 60. स्वरूपं यज्जहाति तत्

स्वर्ग

Ait. 4. 6. स्वर्गे लोके सर्वान्कामानाप्त्वा 5. 4; Atmapra. 1.
Kaush. 1. 2. एतद्वै स्वर्गस्य लोकस्य द्वारं यच्चन्द्रमाः
2. 15. स्वर्गाँल्लोकान् कामानाप्नुहि
3. 2. आप्नोत्यमृतत्वमक्षितिं स्वर्गे लोके
4. 8. पूर्यते . . स्वर्गेण लोकेन
16. प्रजायते . . स्वर्गेण लोकेन

Kena. 34. अनन्ते स्वर्गे लोके . . प्रतितिष्ठति

Chhâ. 1. 8. 5. न स्वर्गं लोकमतिनयेदिति
— स्वर्गं वयं लोकं सामाभिसंस्थापयाम:

2. 22. 2. स्वर्गं लोकं यजमानाय

3. 13. 6. स्वर्गस्य लोकस्य द्वारपाः
— स्वर्गस्य लोकस्य द्वारपान् (bis).
— प्रतिपद्यते स्वर्गं लोकम्

8. 3. 3. अहरहर्वा एवंवित् स्वर्गं लोकमेति

Brih. 3. 1. 6. केनाक्रमेण . . स्वर्गं लोकमाक्रमते

4. 4. 8. तेन . . अपियन्ति ब्रह्मविदः स्वर्गं लोकम्

5. 3. 1. एति स्वर्गं लोकं य एवं वेद

Kaṭha. 1. 12. स्वर्गे लोके न भयं किञ्चनास्ति

Maitri. 6. 30. *vide* हेतु

Śiras. 1. देवा ह वै स्वर्गं लोकमायन्

Mukti. 2. यथा . . ज्योतिष्टोमेन स्वर्गम्

Gîtâ. 2. 37. हतो वा प्राप्स्यसि स्वर्गम्

स्वर्गकाम

Maitri. 6. 36. अग्निहोत्रं जुहुयात्स्वर्गकामः

स्वर्गति

Gîtâ. 9. 20. स्वर्गतिं प्रार्थयन्ते

स्वर्गद्वार

Gîtâ. 2. 32. स्वर्गद्वारमपावृतम्

स्वर्गनिवासिन्

Gauḍa. 2. 8. यथा स्वर्गनिवासिनाम्

स्वर्गपर

Gîtâ. 2. 43. कामात्मानः स्वर्गपराः

1. स्वर्गलोक *adj.*

Kaṭha. 1. 13. स्वर्गलोका अमृतत्वं भजन्ते

2. स्वर्गलोक

Kaṭha. 1. 12. शोकातिगो मोदते स्वर्गलोके

Gîtâ. 9. 21. ते तं भुक्त्वा स्वर्गलोकं विशालम्

स्वर्गवासिन्

Krish. 27. वैकुण्ठं स्वर्गवासिनम्

स्वर्गसंस्ताव

Chhâ. 1. 8. 5. स्वर्गसंस्तावं हि साम

स्वर्ग्य

Kaṭha. 1. 13. त्वमग्निं स्वर्ग्यमध्येषि
14. स्वर्ग्यमग्निं नचिकेतः प्रजानन्
19. एष तेऽग्निर्नचिकेतः स्वर्ग्यः

Maitri. 7. 8. अस्वर्ग्यैः सह स्वर्ग्यस्य

Kaṭhaśru. 2. स स्वर्ग्यो भवति

स्वर्दृश्

Śiras. 4. ईशानमस्य जगतः स्वर्दृशम्

स्वर्लोक

Nṛip. 5. 6. स स्वर्लोकं जयति

Nâda. 3. स्वर्लोकः कटिदेशे तु

Aruṇeya. 1. *vide* तपोलोक

स्वलीला

Krish. 25. धृतं पाणौ स्वलीलया

स्वल्प

Gîtâ. 2. 40. स्वल्पमप्यस्य धर्मस्य

स्ववपुस्

Parama. 2. स्ववपुः कुणपमिव दृश्यते

स्ववाचाग्नि

Aruṇeya. 2. गायत्रीं च स्ववाचाग्नौ समारोपयेत्

स्वशरीर

Nyâsa. 2. स्वशरीरे समारोपः
Parama. 1. स्वशरीरस्योपभोगार्थाय

स्वसिद्धान्त

Gauḍa. 3. 17. स्वसिद्धान्तव्यवस्थासु द्वैतिनो निश्चिता दृढम्

स्वसुत

Nṛisut. 4. स्वसुतान् गुणर्द्धान्

स्वसृ

Chhâ. 7. 15. 1. प्राणः स्वसा
2. स यदि..स्वसारं वा..किञ्चिद्भृशमिव प्रत्याह
8. 2. 4. स्वसारः समुत्तिष्ठन्ति

स्वसृलोक

Chhâ. 8. 2. 4. स्वसृलोकेन सम्पन्नो महीयते

स्वसृलोककाम

Chhâ. 8. 2. 4. यदि स्वसृलोककामो भवति

स्वसृहन्

Chhâ. 7. 15. 2. स्वसृहा वै त्वमसि
3. न स्वसृहासीति

स्वस्ति

Kaṭha. 1. 9. स्वस्ति मे ऽस्तु
Muṇḍ. 2. 2. 6. स्वस्ति वः पाराय तमसः परस्तात्
Mahânâr. 6. 4. त्वं पारया..स्वस्तिभिराति दुर्गाणि विश्वा
20. 3. स्वस्ति नो मघवा धात्विन्द्रः
11. स्वस्ति नो मघवा करोतु
Nṛip. 1. 1. स्वस्ति न इन्द्रः..स्वस्ति नः पूषा..स्वस्ति नस्तार्क्ष्यः..स्वस्ति नो बृहस्पतिर्दधातु Nṛisut. 1.
Kaṭhaśru. 4. स्वस्ति सर्वजीवेभ्यः
Skanda. 9. तथा मे स्वस्तिरायुषि
Gîtâ. 11. 21. स्वस्तीत्युक्त्वा महर्षिसिद्धसंघाः

स्वस्तिक

Amṛita. 18. पद्मकं स्वस्तिकं वापि

स्वस्तिदा

Mahânâr. 20. 5. स्वस्तिदा विशांपतिः

स्वस्थ

Maitri. 2. 7. प्रेक्षकवदवस्थितः स्वस्थश्च
Gauḍa. 3. 47. स्वस्थं शान्तं सनिर्वाणम्
Nyâsa. 1. स्वस्थो वाश्रमपारं गच्छेयम्
Gîtâ. 14. 24. समदुःखसुखः स्वस्थः

स्वातन्त्र्य

Maitri. 6. 22. असा अभिध्याता..स्वातन्त्र्यं लभते

स्वात्मन्

Nṛip. 4. 3. स्वात्मानं दर्शयति (bis); Râmot. 5.
Nṛisut. 2. अस्य सर्वस्य स्वात्मानं ददाति
— इदं सर्वं स्वात्मानं करोति
7. स्वात्मानमेषां ददाति
8. एष ह्यस्य सर्वस्य स्वात्मानमनुजानाति

स्वात्मबन्धहर

Nṛisut. 2. अविद्यातत्कार्यहीनः स्वात्मबन्धहरः Râmot. 3.

स्वात्मस्थ

Nṛisut. 9. अयोनि स्वात्मस्थमानन्दचिद्घनम्

1. स्वादु

Ait. 5. 1. येन वा स्वादु चास्वादु च विजानाति

Śwet. 4. 6. तयोरन्यः पिप्पलं स्वाद्वत्ति Muṇḍa. 3. 1. 1.

Maitri. 6. 10. बुद्ध्यादीनि स्वादुनि भवन्ति
— इन्द्रियार्थान् पञ्च स्वादुनि भवन्ति

2. स्वादु

Maitri. 6. 10. नहि बीजस्य स्वादुपरिग्रहो ऽस्तीति यावन्न प्रसूतिः

स्वाधिष्ठान

Hamsa. 1. स्वाधिष्ठानं त्रिः प्रदक्षिणीकृत्य

स्वाध्याय

Kaush. 1. 1. सदस्येव स्वाध्यायमधीत्य

Chhâ. 1. 12. 1. स्वाध्यायमुद्व्राज

8. 15. 1. शुचौ देशे स्वाध्यायमधीयानः

Tait. 1. 9. 1. स्वाध्यायप्रवचने (13 times).

1. 11. 1. स्वाध्यायान्मा प्रमदः
— स्वाध्यायप्रवचनाभ्यां न प्रमदितव्यम्

Parama. 1. यागस्वाध्यायं च
2. न स्वाध्यायं नाच्छादनं च

Âruṇeya. 1. यागं च सूत्रं च स्वाध्यायं च . .विसृजेत्

Gîtâ. 16. 1. स्वाध्यायस्तप आर्जवम्
17. 15. स्वाध्यायाभ्यसनं चैव

स्वाध्यायज्ञानयज्ञ

Gîtâ. 4. 28. स्वाध्यायज्ञानयज्ञाश्च यतयः

स्वाभाविक

Swet. 6. 8. स्वाभाविकी ज्ञानबलक्रिया च

Maitri. 5. 1. स्वार्थे स्वाभाविके ऽर्थे च

Gauḍa. 4. 9. सांसिद्धिकी स्वाभाविकी

स्वाराज्य

Kaush. 4. 20. श्रैष्ठ्यं स्वाराज्यमाधिपत्यं पर्यैत्
— श्रैष्ठ्यं स्वाराज्यमाधिपत्यं पर्येति

Chhâ. 2. 24. 12. पश्येम त्वा वयं स्वाराज्याय

3. 6. 4. आधिपत्यं स्वाराज्यं पर्येता 3. 7. 4; 3. 8. 4; 3. 9. 4; 3. 10. 4.

Tait. 1. 6. 2. आप्नोति स्वाराज्यम्

Maitri. 6. 36. स्वाराज्यमतिरात्रेण

स्वार्थ

Maitri. 5. 1. स्वार्थे स्वाभाविके ऽर्थे च

Mukti. 2. 22. प्रवर्त्तते बहिः स्वार्थे वासनामात्रकारणम्

स्वाव्यतिरिक्त

Nṛisut. 9. स्वाव्यतिरिक्तान् वटान् स्वबीजानुत्पाद्य
— स्वाव्यतिरिक्तानि परिपूर्णानि क्षेत्राणि दर्शयित्वा

स्वाश्रम

Maitri. 4. 3. स्वाश्रमेष्वेवानुक्रमणम्

स्वासन

Râmap. 86. पृथिव्यब्जे स्वासनाधः प्रकल्प्य

स्वाहा

Kaṭhaśru. 2. त्वं स्वाहा त्वं स्वधा
— अहं स्वाहा अहं स्वधा

स्वाहाकार

Bṛih. 5. 8. 1. तस्याश्चत्वारः स्तनाः स्वाहाकारो वषट्कारः &c.

Bṛih. 5. 8. 1. द्यौ स्तनौ देवा उपजीवन्ति स्वाहाकारं च वषट्कारं च

स्वाहाकृत

Mahânâr. 9. 11. स्वाहाकृतं वृषभ वक्षि हव्यम्

1. स्विद्

Chhâ. 6. 2. 3. यत्र क च शोचति स्वेदते वा पुरुषः

2. स्विद्

Chhâ. 1. 10. 4. न स्विदेते ऽप्युच्छिष्टा इति

Bṛih. 3. 9. 28. मर्त्यः स्विन्मृत्युना वृक्णः (bis).

Kaṭha. 1. 5. किं स्विद्यमस्य कर्त्तव्यम्

स्विष्ट

Bṛih. 6. 4. 24. अग्निष्टत्स्विष्टकृद्विद्वान् स्विष्टं सुहुतं करोतु नः

Mahânâr. 22. 1. अग्निहोत्रं सायं प्रातर्गृहाणां निष्कृतिः स्विष्टं सुहुतम्

स्विष्टकृत्

Bṛih. 6. 4. 24. अग्निः..स्विष्टकृत्

Mahânâr. 19. 2. अग्नये स्विष्टकृते स्वाहा

Nyâsa. 1. अग्नये स्विष्टकृत इति हुत्वा

स्वृ

Chhâ. 1. 5, 1. ओमिति ह्येष स्वरन्नेति 3.

स्वेद

Mahâ. 3. ललाटात्स्वेदो ऽपतत्

स्वेदज

Ait. 5. 3. स्वेदजानि चोद्भिज्जानि च

Gauḍa. 4. 63. अण्डजान् स्वेदजान् वापि 65.

स्वैरिन्

Chhâ. 5. 11. 5. न स्वैरी स्वैरिणी कुतः

हंस

Chhâ. 4. 1. 2. हंसा निशायामतिपेतुस्तद्धैवं हंसो हंसमभ्युवाद

4. 7. 1. हंसस्ते पादं वक्ता

2. तं हंस उपनिपत्याभ्युवाद

Kaṭha. 5. 2. हंसः शुचिषद्वसुः Mahânâr. 9. 3; 17. 8; Nṛip. 3. 1.

Śwet. 1. 6. तस्मिन् हंसो भ्राम्यते

3. 18. हंसो लेलायते बहिः

6. 15. एको हंसो भुवनस्यास्य मध्ये

Maitri. 6. 8. एष हि खल्वात्मा..हंसः 7. 7.

34. महद्धंसस्तेजोवृष:

35. अष्टपादं शुचिं हंसम्

Kshur. 22. पाशं छित्त्वा यथा हंसः

Chûl. 1. अष्टपादं शुचिर्हंसम्

8. उदासीनं ध्रुवं हंसम्

Tejo. 4. त्रिधामा हंस उच्यते

Piṇḍa. 2. हंसस्त्यक्त्वा गतो देहम्

Haṁsa. 1. हंसस्य गतिविस्तारम्

— हंसपरमहंसनिर्णयम्

— हंस हसेति

2. अथ हंस ऋषिः

— यदा हंसो नादे लीनो भवति

— एवं सर्वं हंसवशात् (bis).

— तस्मान्मनो हंसो विचार्यते (MSS. omit हंसो, but it is explained in Dîpikâ).

Âśrama. 4. कुटीचरा बहूदका हंसाः परमहंसाश्च

— हंसा एकदण्डधराः शिखावर्जिताः

Mukti. 1. 31. श्वेताश्वो हंस आरुणिः

— गर्भो नारायणो हंसः

1. *vide* मुक्तिका

हंसयोग

Nâda. 5. हंसयोगविचक्षणः (so most MSS.; other readings are हंसः, हंसं)

हंसात्मन्

Haṁsa. 2. हंसात्मानं ध्यायेत्

हठ

Mukti. 2. 46. हठान्नियमयन्ति ये
47. हठाच्चेतसो जयम्

हन्

Kaush. 3. 1. त्रिशीर्षाणं त्वाष्ट्रमहनम्
4. 20. अथ हत्वासुरान्

Chhâ. 1. 10. 1. मटचीहतेषु कुरुषु
6. 16. 1. स दह्यते ऽथ हन्यते
8. 1. 5. न वधेनास्य हन्यते
8. 10. 2, 4.
8. 10. 2. घ्नन्ति त्वेवैनम् 4.

Bṛih. 2. 4. 7. यथा दुन्दुभेर्हन्यमानस्य
4. 5. 8.
4. 3. 20. एनं घ्नन्तीव जिनन्तीव
5. 5. 3. हन्ति पाप्मानं जहाति च य एवं वेद 4.
6. 3. 1. घ्नन्ति पुरुषस्य कामान्

Kaṭha. 2. 18. न हन्यते हन्यमाने शरीरे Gîtâ. 2. 20.
19. हन्ता चेन्मन्यते हन्तुं हतश्चेन्मन्यते हतं..नायं हन्ति न हन्यते

Maitri. 3. 3. अयस्पिण्डः.. कर्तृभिर्हन्यमानः
— भूतात्मा..गुणैर्हन्यमानः
— अयस्पिण्डे हन्यमाने
6. 20. चित्तस्य हि प्रसादेन हन्ति कर्म शुभाशुभम् 34.
28. इमानि खलु भूतानि हन्ति

Maitri. 6. 28. तं हत्वा..ब्रह्मशालां विशेत्

Muṇḍ. 1. 2. 8. जंघन्यमानाः परियन्ति मूढाः

Mahânâr. 4. 2. शतं मे घ्नन्ति पापानि
6. त्वया हतेन पापेन
17. 6. ब्रह्महत्यां वा एते घ्नन्ति
7. भ्रूणहत्यां वा एते घ्नन्ति
8. वीरहत्यां वा एते घ्नन्ति
20. 2. जहि शत्रूंरप मृधो नुदस्व
4. विद्विषो विमृधो जहि
11. हन्तु पाप्मानं यो ऽस्मान्द्वेष्टि

Nṛisut. 4. स्वसुतान् गुणर्द्धान्..हत्वा
— शृङ्गप्रोतान्पदान्..हत्वा

Nîla. 23. विरूपाक्षेण बभ्रुणा..हतः
24. इमामस्य प्राशं जहि

Nyâsa. 4. घातयन्तीन्द्रियाणि Kaṭhaśru. 4 (some MSS. have तापयन्ति)

Gâruḍa. 2. हतं विषं..हतमिन्द्रस्य वज्रेण

Râmap. 37. असुरं हत्वा कबन्धम्
44. सीतां दृष्ट्वासुरान् हत्वा
46. तमाहवे हत्वा

Gîtâ. 1. 31. हत्वा स्वजनमाहवे
35. एतान्न हन्तुमिच्छामि घ्नतो ऽपि मधुसूदन
36. हत्वैतानाततायिनः
37. तस्मान्नार्हा वयं हन्तुम्
— स्वजनं हि कथं हत्वा
45. हन्तुं स्वजनमुद्यताः
46. धार्तराष्ट्रा रणे हन्युः
2. 5. हत्वार्थकामांस्तु गुरून्
6. यानेव हत्वा न जिजीविषामः
19. यश्चैनं मन्यते हतम्
— नायं हन्ति न हन्यते

Gîtâ. 2. 21. कं घातयति हन्ति कम्
37. हतो वा प्राप्स्यसि स्वर्गम्
3. 43. जहि शत्रुं महाबाहो
11. 34. मया हतांस्त्वं जहि
16. 14. असौ मया हतः शत्रुर्हनि-
ष्ये चापरानपि
18. 17. हत्वापि स इमाँल्लोकान्न
हन्ति न निबध्यते

हनु

Tait. 1. 3. 4. अधरा हनुः पूर्वरूपम्
— उत्तरा हनुरुत्तररूपम्

हनुमन्त्, हनू॰

Râmap. 43. ततस्ततार हनुमान्
50. हनुमन्तं च श्रोतारम् (so all MSS. but printed editions हनू॰)
Mukti. 1. 8. हनूमञ्छृणु वक्ष्यामि

हन्त

Mahânâr. 19. 2. मनुष्येभ्यो हन्ता
Nṛisut. 9. हन्तासङ्गा वयम्
Gîtâ. 10. 19. हन्त ते कथयिष्यामि

हन्तकार

Bṛih. 5. 8. 1. स्वाहाकारो वषट्कारो ह-
न्तकारः स्वधाकारः
— हन्तकारं मनुष्याः (उपजी-
वन्ति)

हन्तृ

Kaṭha. 2. 19. हन्ता चेन्मन्ये हन्तुम्
Gîtâ. 2. 19. य एनं वेत्ति हन्तारम्

हम्

Haṁsa. 2. हमिति बीजं स इति शक्तिः

हय

Bṛih. 1. 1. 2. हयो भूत्वा देवानवहत्
Kaṭha. 3. 4. इन्द्रियाणि हयानाहुः
Maitri. 2. 6. कर्मेन्द्रियाण्यस्य हयाः
Chûl. 8. स्नातकाध्वर्यवो हये
(4MSS. read हयेत् which is one of the 5 variants explained by Nârâyaṇa. He says, however, that हये is the traditional reading.)
Gîtâ. 1. 14. ततः श्वेतैर्हयैर्युक्ते

हयग्रीव

Mukti. 1. 39. शाट्यायनी हयग्रीवम्
1. *vide* गारुड

हर

Śwet. 1. 10. अमृताक्षरं हरः

1. हरि

Bṛih. 2. 5. 19. युक्ता ह्यस्य हरयः
— अयं वै हरयः
Nîlâ. 21. यः स्वजनान् हरिरुत
5. यस्य हरी अश्वतरौ
Râmap. 42. हरिनाहूय सुग्रीवः
Mukti. 1. 13. पञ्चाशद्भेदतो हरे

2. हरि

Mahânâr. 11. 2. विश्वं नारायणं हरिम्
Mahâ. 3.
Nṛip. 1. 4. स ब्रह्मा स शिवः स हरिः
Vâsu. 3. स्वमात्मानं भावयेन्मां परं
हरिम्
— ध्यायते हरिमव्ययम्
— हृदये चिन्तयेद्धरिम्
Kṛish. 11. गोपरूपो हरिः साक्षात्
Skanda. 2. संविन्मात्रस्थितो हरिः
Râmap. 1. जाते दशरथे हरौ
Mukti. 1. 3. स्वरूपध्याननिरतं..हरिम्
Gîtâ. 11. 9. महायोगेश्वरो हरिः
18. 77. रूपमत्यद्भुतं हरेः

हरिण

Maitri. 6. 8. विश्वरूपं हरिणं जातवेदसम् Praśna. 1. 8.

1. हरित

Bṛih. 4. 3. 20. हरितस्य लोहितस्य पूर्णाः
4. 4. 9. पिङ्गलं हरितं लोहितं च
Śwet. 4. 4. हरितो लोहिताक्षः

2. हरित

Bṛih. 6. 5. 3. असितो वार्षगणो हरितात्कश्यपात्
— हरितः कश्यपः शिल्पात् कश्यपात्

हरिततृण

Kaush. 2. 8. हरिततृणे वा प्रत्यस्यति

हरिश्चन्द्र

Maitri. 1. 4. *vide* आदि

हर्ष

Kaṭha. 2. 12. धीरो हर्षशोकौ जहाति
Parama. 2. *vide* आदि
Gîtâ. 1. 12. तस्य सञ्जनयन् हर्षम्
12. 15. हर्षामर्षभयोद्वेगैः
18. 27. हर्षशोकान्वितः

हव

Mahânâr. 20. 3. हवे हवे सुहवं शूरमिन्द्रं ह्वयामि

हविष्मन्त्

Kaṭha. 4. 8. हविष्मद्भिर्मनुष्येभिः
Śwet. 4. 22. हविष्मन्तः सदमित्त्वा हवामहे

हविस्

Ait. 2. 5. यस्यै कस्यै च देवतायै हविर्गृह्यते
Śwet. 4. 13. कस्मै देवाय हविषा विधेम Nṛip. 2. 4.

Maitri. 6. 16. होता भोक्ता हविर्मन्त्रः
34. यजमानो हविर्गृहीत्वा
37. यद्धविरग्नौ हूयते (यद्वाग्नौ MS.)
Mahânâr. 25. 1. यदश्नाति तद्धविः
Śiras. 1. हविर्हविषा . . तर्पयामि
Garbha. 5. कर्मेन्द्रियाणि हवींषि Prâṇâg. 4.
Prâṇâg. 2. हविरविष्कन्दी
3. शारीरयज्ञस्य . . कानि हवींषि
Jâbâla. 4. उद्धृत्य प्राश्नीयात् साज्यं हविरनामयम्
Gîtâ. 4. 24. ब्रह्मार्पणं ब्रह्म हविः

हव्यवाहन

Muṇḍ. 1. 2. 2. समिद्धे हव्यवाहने

हस्

Chhâ. 3. 17. 3. यद्धसति यज्जक्षति

हस्त

Kaush. 1. 7. केन कर्माणीति हस्ताभ्यामिति
3. 5. हस्तावेवास्या एकमङ्गमुदूल्हम्
6. प्रज्ञया हस्तौ समारुह्य हस्ताभ्यां सर्वाणि कर्माण्याप्नोति
7. न हि प्रज्ञापेतौ हस्तौ कर्म किंचन प्रज्ञापयेयाताम्
Bṛih. 1. 4. 6. हस्ताभ्यां चाभिमसृजत
2. 4. 11. सर्वेषां कर्मणां हस्तावेकायनम् 4. 5. 12.
3. 2. 8. हस्तौ वै ग्रहः . . हस्ताभ्यां हि कर्म करोति
13. आहर सोम्य हस्तम्
3. 8. 2. द्वौ बाणवन्तौ . . हस्ते कृत्वा

Tait. 3. 10. 2. कर्मेति हस्तयोः
Śwet. 3. 6. यामिषुं..हस्ते बिभर्षि
Nîla. 5.
Mahânâr. 10. 1. सप्त हस्तासो अस्य
14. 3. पापमकार्षं..हस्ताभ्यां 4.
Praśna. 4. 8. हस्तौ चादातव्यं च
Nîla. 13. याश्च ते हस्त इषवः
17. हस्ते बभूव ते धनुः
Yogasi. 2. हस्तौ पादौ च संयुतौ
Piṇḍa. 6. हस्ताङ्गुल्यः शिरो मुखम्
Aśrama. 4. शिक्यकमण्डलुहस्ताः
Gopî. 4. य एवं विद्वान् यतिहस्ते दद्यात्
Kâmap. 9. हस्ताः शंखादिभिर्युताः
Mukti. 2. 42. हस्तं हस्तेन सम्पीड्य
Gîtâ. 1. 30. गाण्डीवं स्रंसते हस्तात्

हस्तगृहीत

Chhâ. 6. 16. 1. पुरुषं ..हस्तगृहीतमानयन्ति

हस्तिन्

Ait. 5. 3. अश्वा गावः पुरुषा हस्तिनः
Bṛih. 4. 3. 20. हस्तीव विच्छाययति
5. 14. 8. कथं हस्ती भूतो वहसि
Gîtâ. 5. 18. ब्राह्मणे गवि हस्तिनि

हस्तिहिरण्य

Chhâ. 7. 24. 2. हस्तिहिरण्यं दासभार्यम्
Kaṭha. 1. 23. हस्तिहिरण्यमश्वान्

हस्त्यृषभ

Bṛih. 4. 1. 2. हस्त्यृषभं सहस्रं ददामीति 3—7.

हा (त्यागे)

Chhâ. 4. 16. 3. हीयते ऽन्यतरा
4. न हीयते ऽन्यतरा
6. 11. 2. यदेकां शाखां जीवो जहाति..द्वितीयां जहाति..तृतीयां जहाति..सर्वं जहाति
Bṛih. 2. 1. 10. नैनं पुरा कालात्प्राणो जहाति
3. 2. 12. किमेनं न जहाति
4. 1. 2. नैनं वाग्जहाति
3. नैनं प्राणो जहाति
4. नैनं चक्षुर्जहाति
5. नैनं श्रोत्रं जहाति
6. नैनं मनो जहाति
7. नैनं हृदयं जहाति
5. 5. 3. हन्ति पाप्मानं जहाति च 4.
Tait. 2. 5. 1. शरीरे पाप्मनो हित्वा
Kaṭha. 2. 1. हीयते ऽर्थाद्य उ प्रेयो वृणीते
12. धीरो हर्षशोकौ जहाति
Śwet. 4. 5. जहात्येनां भुक्तभोगाम्
Mahânâr. 9. 2.
5. 14. ते जहुस्तनुम्
Maitri. 4. 1. येनेदं हित्वात्मन्नेव सायुज्यमुपैति
Praśna. 3. 11. न हास्य प्रजा हीयते
Gauḍa. 3. 16. *vide* दृष्टि
4. 9. स्वभावं न जहाति या
90. हेयज्ञेयाप्यपाक्यानि
Śiras. 5. क्षमां हित्वा हेतुजालस्य मूलम् (bis).
Sarvop. 3. स्वयमेवमाविर्भावतिरोभावहीनः
Parama. 1. अयं ब्रह्माण्डं च हित्वा
2. ऽहर्षासूयाहंकारादींश्च हित्वा
Mukti. 2. 60. स्वरूपं यज्जहाति तत्
64. दर्शनादर्शने हित्वा
Gîtâ. 2. 33. ततः स्वधर्मं कीर्त्तिं च हित्वा
50. बुद्धियुक्तो जहातीह

हाइकार

Chhâ. 1. 13. 1. वायुर्हाइकारः

हाउकार

Chhâ. 1. 13. 1. अयं वाव लोको हाउकारः

हाटक

Parama. 3. हाटकादीनां नैव परिग्रहेत्

हानि

Gîtâ. 2. 65. हानिरस्योपजायते

हार

Chhâ. 4. 2. 3. हारेत्वा शूद्र तवैव सह गोभिरस्तु (see note to p. 295, Vol. iii, Muir's *Sanskrit Texts*).

हारिद्रुमत

Chhâ. 4. 4. 3. हारिद्रुमतं गौतमम्

हा३वु

Tait. 3. 10. 5. हा३वु हा३वु हा३वु

हिंस्

Ait. 4. 2. तस्मादेनां न हिनस्ति
Bṛih. 1. 4. 11. य उ एनं हिनस्ति
— यथा श्रेयांसं हिंसित्वा
5. 5. 1. नैनं विद्वांसमनृतं हिनस्ति
Śwet. 3. 6. मा हिंसीः पुरुषं जगत्
Muṇḍ. 1. 2. 3. आसप्तमांस्तस्य लोकान् हिनस्ति
Mahânâr. 2. 9. मा नो हिंसीज्जातवेदो गामश्वम्
Nîla. 5. मा हिंसीत्पुरुषान्मम
Gîtâ. 13. 28. न हिनस्त्यात्मनात्मानम्

हिंसक

Maitri. 7. 9. वेदादिशास्त्रहिंसकधर्माभिध्यानमस्तु

हिंसा

Maitri. 3. 5. हिंसा रतिर्द्विष्टिः
Brahma. 1. पुरुषः प्राणो हिंसा
Gîtâ. 18. 25. अनुबन्धं क्षयं हिंसाम्

हिंसात्मक

Gîtâ. 18. 27. लुब्धो हिंसात्मको ऽशुचिः

हिंकार

Kaush. 2. 11. गवां त्वा हिङ्कारेणाभिहिङ्करोमि
Chhâ. 1. 13. 2. प्रजापतिर्हिङ्कारः
2. 2. 1. पृथिवी हिङ्कारः 2. 17. 1.
2. द्यौर्हिङ्कारः
2. 3. 1. पुरोवातो हिङ्कारः
2. 4. 1. मेघो यत्संप्लवते स हिङ्कारः
2. 5. 1. वसन्तो हिङ्कारः 2. 16. 1.
2. 6. 1. अजा हिङ्कारः 2. 18. 1.
2. 7. 1. प्राणो हिङ्कारः
2. 8. 1. यत्किञ्च वाचो हुमिति स हिङ्कारः
2. 9. 2. तस्य यत्पुरोदयात्स हिङ्कारः
2. 10. 1. हिङ्कार इति त्र्यक्षरम्
2. 11. 1. मनो हिङ्कारः
2. 12. 1. अभिमन्थति स हिङ्कारः
2. 13. 1. उपमन्त्रयते स हिङ्कारः
2. 14. 1. उद्यन् हिङ्कारः
2. 15. 1. अभ्राणि संप्लवन्ते स हिङ्कारः
2. 19. 1. लोम हिङ्कारः
2. 20. 1. अग्निर्हिङ्कारः
2. 21. 1. त्रयी विद्या हिङ्कारः

हिंकारभाजिन्

Chhâ. 2. 9. 2. हिंकारभाजिनो ह्येतस्य साम्नः

हिंकृ

Chhâ. 1. 12. 4. ते ह समुपविश्य हिञ्चक्रुः
2. 9. 2. तस्मात्ते हिङ्कुर्वन्ति
Bṛih. 6. 3. 4. हिङ्कृतमसि हिङ्क्रियमाणमसि

हितकाम्या

Dhyâna. 1 योगिनां हितकाम्यया (one MS. omits.); Yogat. 1.
Gîtâ. 10. 1. वक्ष्यामि हितकाम्यया

हिततम

Kaush. 3. 1. यं त्वं मनुष्याय हिततमं मन्यसे
— एतदेवाहं मनुष्याय हिततमं मन्ये

हितपुत्र

Mukti. 1. 49. हितपुत्राय मारुते

हिता

Kaush. 4. 19. हिता नाम पुरुषस्य नाड्यः
Bṛih. 2. 1. 19. हिता नाम नाड्यः 4. 2. 3; 4. 3. 20.

हिमांशुप्रभा

Prâṇâg. 2. हिमांशुप्रभाभिः प्रजननकर्मा (3 MSS. have °प्रभुः one °प्रभाः and one °प्रभः)

हिमालय

Gîtâ. 10. 25. स्थावराणां हिमालयः

हिरण्मय

Chhâ. 1. 6. 6. य एषो ऽन्तरादित्ये हिरण्मयः पुरुषो दृश्यते
8. 5. 3. प्रभुविमितं हिरण्मयम्
Bṛih. 4. 3. 11. हिरण्मयः पुरुष एकहंसः 12.
5. 15. 1. हिरण्मयेन पात्रेण सत्यस्यापिहितं मुखम् Îśâ. 15; Maitri. 6. 35.
6. 4. 22. हिरण्मयी अरणी
Tait. 1. 6. 1. मनोमयो ऽमृतो हिरण्मयः
Maitri. 6. 1. य एषो ऽन्तरादित्ये हिरण्मयः पुरुषः Mahânâr. 12. 2.
8. अपिहितः सहस्राक्षेण हिरण्मयेनाण्डेन
Muṇḍ. 2. 2. 9. हिरण्मये परे कोशे
Mahânâr. 5. 9. एष मृत्यो हिरण्मयः.. हिरण्मयं..स्रुवः..संशिशाधि
Kaivalya. 20. हिरण्मयो ऽहम्
Nṛip. 1 4. अन्तरादित्ये हिरण्मयः पुरुषः
Mahâ. 3. तासु तेजो हिरण्मयमण्डम्

हिरण्य

Kaush. 2. 11. हिरण्यमस्तृतं भव
Chhâ. 5. 10. 9. स्तेनो हिरण्यस्य
Bṛih. 6. 2. 7. अस्ति हिरण्यस्यापात्तम्
Parama. 3. हिरण्यं रसेन दृष्टम्
— हिरण्यं रसेन स्पृष्टम्
— हिरण्यं रसेन ग्राह्यम्
— हिरण्यं यो न दृष्टं च न स्पृष्टं च न ग्राह्यं च

हिरण्यकेश

Chhâ. 1. 6. 6. हिरण्यश्मश्रुः हिरण्यकेशः

हिरण्यगर्भ

Śwet. 3. 4. हिरण्यगर्भं जनयामास पूर्वम्
4. 12. हिरण्यगर्भं पश्यत जायमानम् Mahânâr. 10. 3.
Maitri. 6. 8. एष हि खल्वात्मा..हिरण्यगर्भः 7. 7.

Mahânâr. 1. 12. अद्भ्यः सम्भूतो हिरण्यगर्भः
Nrisut. 1. तैजसो हिरण्यगर्भः 2.
9. सर्वाहम्मानी हिरण्यगर्भः
Mahâ. 4. इत्याह भगवान् हिरण्यगर्भः
Râmot. 5. यो वै श्रीरामः..यो हिरण्यगर्भः (37).

हिरण्यदंष्ट्र

Chhâ. 4. 3. 7. हिरण्यदंष्ट्रो बभसः

हिरण्यनाभ

Praśna. 6. 1. हिरण्यनाभः कौसल्यो राजपुत्रः

हिरण्यनिधि

Chhâ. 8. 3. 2. हिरण्यनिधिं निहितं..न विन्देयुः

हिरण्यपति

Mahânâr. 13. 4. नमः..हिरण्यपतये

हिरण्यबाहु

Mahânâr. 13. 4. नमो हिरण्यबाहवे

हिरण्यरूप

Mahânâr. 13. 4. नमः..हिरण्यरूपाय

हिरण्यवर्ण

Maitri. 6. 34. हिरण्यवर्णः शकुनः
Mahânâr. 13. 4. नमो हिरण्यबाहवे हिरण्यवर्णाय
16. 7. विश्वरूपा हिरण्यवर्णा

हिरण्यवस्थ

Maitri. 6. 1. यः पश्यतीमां हिरण्यवस्थात्

हिरण्यशृङ्ग

Mahânâr. 4. 11. हिरण्यशृङ्गं वरुणं प्रपद्ये

हिरण्यश्मश्रु

Chhâ. 1. 6. 6. हिरण्यश्मश्रुः हिरण्यकेशः

हीनतर

Muṇḍ. 1. 2. 10. इमं लोकं हीनतरं चाविशन्ति

हु

Kaush. 2. 3. स्रुवेणाज्याहुतीर्जुहोति
4. एता आज्याहुतीर्जुहोति
— वाचं ते मयि जुहोम्यसौ स्वाहा (similarly five times more).
5. प्राणं तदा वाचि जुहोति
— वाचं तदा प्राणे जुहोति
— जाग्रच्च स्वपंश्च संततं जुहोति
— अग्निहोत्रं न जुहवांचक्रुः
Chhâ. 2. 24. 5. अथ जुहोति 9, 14.
4. 17. 4. भूः स्वाहेति गार्हपत्ये जुहुयात्
5. भुवः स्वाहेति दक्षिणाग्नौ जुहुयात्
6. स्वः स्वाहेत्याहवनीये जुहुयात्
5. 2. 4. अमावास्यस्य हुत्वा 5.
5. 4. 2. एतस्मिन्नग्नौ देवाः श्रद्धां जुह्वति Brih. 6. 2. 9.
5. 5. 2. देवाः सोमं राजानं जुह्वति Brih. 6. 2. 10.
5. 6. 2. देवा वर्षं जुह्वति
5. 7. 2. देवा अन्नं जुह्वति Brih. 6. 2. 12.
5. 8. 2. देवा रेतो जुह्वति Brih. 6. 2. 13.
5. 19. 1. यां प्रथमामाहुतिं जुहुयात्तां जुहुयात्प्राणाय स्वाहेति (similarly 4 times more).
5. 24. 1. य इदमविद्वानग्निहोत्रं जुहोति यथाङ्गारानपोह्य भस्मनि जुहुयात्तादृक् तत्स्यात्

Chhâ. 5. 24. 2. य एतदेवं विद्वानग्निहोत्रं जुहोति 3.
— तस्य . . सर्वेष्वात्मसु हुतं भवति
4. आत्मनि हैवास्य तद्वैश्वानरे हुतं स्यात्

Bṛih. 1. 4. 16. यज्जुहोति यद्यजते तेन देवानां लोकः
1. 5. 2. हुतं च प्रहुतं च
— जुह्वति च प्र च जुह्वति
— संवत्सरं पयसा जुह्वत्
— यदहरेव जुहोति
3. 1. 8. कति . . आहुतीर्होष्यति
— या हुता उज्ज्वलन्ति या हुता अतिनेदन्ते या हुता अधिशेरते
3. 8. 10. यो वा एतदक्षरं गार्ग्यविदित्वास्मिँल्लोके जुहोति
4. 1. 2. इष्टं हुतमाशितं पायितम् 4. 5. 11.
6. 2. 2. यतिथ्यामाहुत्यां हुतायाम्
11. एतस्मिन्नग्नौ देवा वृष्टिं जुह्वति
14. देवाः पुरुषं जुह्वति
16. ते पुनः पुरुषाग्नौ हूयन्ते
6. 3. 1. मन्थं सन्नीय जुहोति
— तेभ्यो ऽहं भागधेयं जुहोमि
2. अग्नौ हुत्वा मन्थे संस्रवमवनयति (20 times).
13. आज्यस्य जुहोति
6. 4. 12. शरभृष्टीः . . जुहुयात्
— मम समिद्धे ऽहौषीः (four times).
19. स्थालीपाकस्योपघातं जुहोति . . इति हुत्वा . . प्राश्नाति
24. पृषदाज्यस्योपघातं जुहोति
— मयि प्राणांस्त्वयि मनसा जुहोमि

Maitri. 6. 26. उदरे ऽग्नौ जुहोति
— अनामये ऽग्नौ जुहोति
36. अग्निहोत्रं जुहुयात् स्वर्गकामः
37. एषाग्नौ हुतमादित्यं गमयति
— यद्धविरग्नौ हूयते तदादित्यं गमयति
38. अग्निहोत्रं जुह्वानो लोभजालं भिनत्ति

Muṇḍ. 1. 2. 2. श्रद्धया हुतम्
3. अविधिना हुतम्
3. 2. 10. स्वयं जुह्वत एकर्षिम्

Mahânâr. 5. 10. अहमेवाहं मां जुहोमि
9. 11. स्वाहाकृतं वृषभवक्षि हव्यम्
14. 3. सत्ये ज्योतिषि जुहोमि
4. सूर्ये ज्योतिषि जुहोमि
15. 8. अमृतं जुहोमि (5 times)
9 (5 times).
16. 1. अमृतं हुतम् (5 times).
17. 6. यांस्ते सोम प्राणांस्ताञ्जुहोमि
25. 1. यदस्य विज्ञानं तज्जुहोति

Praśna. 3. 5. हुतमन्नं समं नयति

Siras. 3. हुतमहुतं दत्तमदत्तम्

Prâṇâg. 1. अमृतं प्राणे जुहोमि
— अङ्गुष्ठेन च प्राणे जुहोति
— तृष्णीमेकामेकऋषौ जुहोति
2. अग्निहोत्रं जुहोमीति

Nyâsa. 1. अग्नये स्विष्टकृत इति हुत्वा
— अग्नावरणी हुत्वा
— आज्याहुतीर्जुहुयात्

Kaṭhaśru. 3. द्वादशरात्रं पयसाग्निहोत्रं जुहुयात्
— दारुपात्राण्यग्नौ जुहुयात्
— मृन्मयाण्यप्सु जुहुयात्
— भूः स्वाहेत्यप्सु जुहुयात

Jâbâla. 4. यद्यग्निं न विन्देदप्सु जुहुयात्
— सर्वाभ्यो देवताभ्यो जुहोमि स्वाहेति हुत्वा
Gitâ. 4. 24. ब्रह्माग्नौ ब्रह्मणा हुतम्
26. संयमाग्निषु जुह्वति
— इन्द्रियाग्निषु जुह्वति
27. आत्मसंयमयोगाग्नौ जुह्वति
29. अपाने जुह्वति प्राणम्
30. प्राणान्प्राणेषु जुह्वति
9. 16. अहमग्निरहं हुतम्
27. यज्जुहोषि ददासि यत्
17. 28. अश्रद्धया हुतं दत्तम्

हुंकार

Chhâ. 1. 13. 3. सञ्चरो हुंकारः
Râmap. 74. हुंकारं चात्र रामस्य

हुतसंवित्क

Nṛisut. 3. ज्ञो ऽमृतो हुतसंवित्कः

हुताशन

Maitri. 6. 38. सोममध्ये हुताशनः

हुम्

Chhâ 2. 8. 1. यत्किंच वाचो हुमिति स हिंकारः
Nṛip. 2. 2. ओं कवचाय हुम्

1. हृ

Kaush. 1. 1. स्वाध्यायमधीत्य हरामहे
2. 1. सर्वा देवताः. . बलिं हरन्ति 2. 2.
— सर्वाणि भूतानि . . बलिं हरन्ति 2. 2.
Chhâ. 2. 21. 4. सर्वा दिशो बलिमस्मै हरन्ति
5. 9. 2. तं प्रेतं दिष्टमितो ऽग्नय एव हरन्ति
Bṛih. 4. 1. 2. नाननुशिष्य हरेतेति 3—7.
Bṛih. 5. 11. 1. यं प्रेतमरण्यं हरन्ति
6. 2. 14. अथैनमग्नये हरन्ति
Kaṭha. 1. 7. हर वैवस्वतोदकम्
Mahânâr. 4. 1. सर्वं हरतु मे पापम्
6. मृत्तिके हर मे पापम्
20. 1. तेभ्यो बलिं पुष्टिकामो हरामि
Praśna. 2. 7. प्रजास्त्विमा बलिं हरन्ति
Nṛisut. 4. शृङ्गप्रोतान्पदान् स्पृष्ट्वा हत्वा (हत्वा Nârâyaṇa).
Kṛish. 13. तेषां ज्ञानं हृतं क्षणात्
Gitâ. 2. 60. हरन्ति प्रसभं मनः
67. तदस्य हरति प्रज्ञाम्
6. 44. ह्रियते ह्यवशो ऽपि सः

2. हृ

Bṛih. 5. 3. 1. त्र्यक्षरं हृदयमिति हृ इत्येकमक्षरम्

हृतज्ञान

Gitâ. 7. 20. कामैस्तैस्तैर्हृतज्ञानाः

हृत्पंकज

Vâsu. 3. हृत्पङ्कजे स्वमात्मानम्

हृत्पद्म

Atmapra. 1. हृत्पद्ममध्ये सर्वं तत्प्रज्ञानेत्रम्

हृत्पद्मस्थ

Vâsu. 3. हृत्पद्मस्थं ततो ऽभ्यसेत् (two MSS. read हृत्पद्मे तु)

हृत्पुण्डरीक

Kaivalya. 5. हृत्पुण्डरीकं विरजं विशुद्धम्

हृत्पुष्कर

Maitri. 6. 1. एषो ऽन्तरे हृत्पुष्कर एवाश्रितः 2.

हृत्स्थ

Gîtâ. 4. 42. हृत्स्थं ज्ञानासिनात्मनः

हृद्

Chhâ. 8. 3. 3. स वा एष आत्मा हृदि तस्यैतदेव निरुक्तं हृद्यय-मिति तस्माद्धृदयम्

Bṛih. 4. 3. 7. हृद्यन्तर्ज्योतिः पुरुषः

4. 4. 7. कामा ये ऽस्य हृदि श्रिताः Katha. 6. 14.

Katha. 6. 9. हृदा मनीषा मनसाभिक्लृप्तः Śwet. 13. 3; 4. 17, 20; Mahânâr. 1. 11.

Swet. 2. 8. हृदीन्द्रियाणि मनसा सन्निवेश्य

Maitri. 6. 27. हृद्याकाशमयं कोशम्

30. दीपवद्यः स्थितो हृदि

34. हृद्यादित्ये प्रतिष्ठितः

— हृदि यावद्गतक्षयम्

7. 11. खजाभियोगाद्धृदि सम्प्रयुक्तम्

Mahânâr. 13. 3. वोत्रेम शान्तमं हृदे

24. 1. ज्ञात्वा तमेवं मनसा हृदा च

Praśna. 3. 6. हृदि ह्येष आत्मा

Gauḍa. 1. 2. आकाशे च हृदि प्राज्ञः

Nṛip. 1. 1. हृदि प्रतीष्य कवयो मनीषा

Kshur. 3. मनो हृदि निरुध्य च Gîtâ. 8. 12.

Siras. 3. हृदि प्राणाः प्रतिष्ठिताः Brahma. 2.

— हृदि त्वमसि यो नित्यम्

Garbha. 5. हृदि दक्षिणाग्निः

Brahma. 2. हृद्याकाशे तद्विज्ञानमाकाशम्

— तद्वेद्यं हृद्याकाशम्

Brahma. 2. हृदि प्राणश्च ज्योतिश्च

— हृदि चैतन्ये तिष्ठति

Brahmab. 4. सन्निरुद्धं मनो हृदि

5. यावद्धृदि गतं क्षयम्

Amṛita. 34. प्राण आद्यो हृदि स्थाने

Dhyâna. 12. कुम्भकेन हृदि स्थाने

Tejo. 1. विश्वातीतं हृदि स्थितम्

Yogaśi. 3. हृत्कृत्वा परमेष्ठिनम्

Yogat. 9. हृदि स्थाने स्थितं पद्मम्

Piṇḍa. 6. हृत्कंठं तालु जायते

Râmap. 61. लिखेद्बीजं हृदादिभिः

Mukti. 2. 40. वलन्ति हृदि वासनाः

51. प्राणो यावन्नाभ्युदितो हृदि

Gîtâ. 13. 17. हृदि सर्वस्य धिष्ठितम्

15. 15. सर्वस्य चाहं हृदि सन्निविष्टः

हृदन्तर

Maitri. 2. 6. हृदन्तरादकृतार्थो ऽमन्यत

हृदय

Ait. 1. 4. हृदयं निरभिद्यत हृदयान्मनः

2. 4. चंद्रमा मनो भूत्वा हृदयं प्राविशत्

5. 2. यदेतद्धृदयं मनश्चैतत्

Kaush. 2. 8. यन्मे सुसीमं हृदयं दिवि चन्द्रमसि श्रितम्

10. हृदयमभिमृशेद्यत्ते सुसीमे हृदये श्रितम्

11. हृदयादधिजायसे Bṛih. 6. 4. 9.

4. 19. हृदयात्पुरीततमभिप्रतन्वन्ति

Chhâ. 3. 12. 4. यदिदमस्मिन्नन्तःपुरुषे हृदयम्

9. यो ऽयमन्तर्हृदय आकाशः

3. 13. 1. एतस्य हृदयस्य पंच देवसुषयः

Chhâ. 3. 14. 3. एष म आत्मान्तर्हृदये 4.
5. 18. 2. हृदयं गार्हपत्यः
8. 1. 3. तावानेषो ऽन्तर्हृदय आकाशः
8. 3. 4. हृद्ययमिति तस्माद्धृदयम्
8. 6. 1. या एता हृदयस्य नाड्यः
6. शतं चैका च हृदयस्य नाड्यः Kaṭha. 6. 16.

Bṛih. 2. 1. 17. य एषो ऽन्तर्हृदय आकाशः 4. 2. 3; 4. 4. 22. Tait. 1. 6. 1.
19. हृदयात्पुरीततमभिप्रतिष्ठन्ते
2. 4. 11. सर्वासां विद्यानां हृदयमेकायनम् 4. 5. 12.
3. 9. 11. हृदयं लोकः 14, 16, 17.
20. कस्मिन्नु रूपाणि.. हृदये .. हृदयेन हि रूपाणि जानाति हृदये ह्येव रूपाणि
21. कस्मिन्नु श्रद्धा ..हृदये.. हृदयेन हि श्रद्धां जानाति हृदये ह्येव श्रद्धा
22. कस्मिन्नु रेतः..हृदये हृदयादिव सृप्तो हृदयादिव निर्मित इति हृदये ह्येव रेतः
23. कस्मिन्नु सत्यं.. हृदये.. हृदयेन हि सत्यं जानाति हृदये ह्येव सत्यम्
24. कस्मिन्नु वाक्..हृदय इति कस्मिन्नु हृदयं प्रतिष्ठितम्
4. 1. 7. हृदयं वै ब्रह्मेति (bis).
— हृदयमेवायतनम्
— का स्थितिता..हृदयमेव
— हृदयं वै..आयतनं हृदयं वै..प्रतिष्ठा हृदये ह्येव सर्वाणि भूतानि प्रतिष्ठितानि
— हृदयं वै..परमं ब्रह्म

Bṛih. 4. 1. 7. नैनं हृदयं जहाति
4. 2. 3. य एषो ऽन्तर्हृदये लोहितपिण्डः
— यदेतदन्तर्हृदये जालकम्
— हिता नाम नाड्यो ऽन्तर्हृदये
— हृदयादूर्ध्वा नाड्युच्चरति
4. 3. 22. तीर्णो हि तदा सर्वाञ्छोकान् हृदयस्य
4. 4. 1. हृदयमेवान्ववक्रामति
2. एतस्य हृदयस्याग्रं प्रद्योतते
5. 3. 1. एष प्रजापतिर्यद्धृदयम्
— तदेतत् त्र्यक्षरं हृदयमिति
5. 6. 1. अन्तर्हृदये यथा व्रीहिर्वा

Kaṭha. 6. 15. हृदयस्येह ग्रन्थयः
17. सदा जनानां हृदये संनिविष्टः Swet. 3. 13; 4. 17.

Maitri. 6. 17. यश्चायं हृदये यश्चासा आदित्ये स एष एकः 7. 7.
7. 7. एष हि खल्वात्मान्तर्हृदये
11. हृदयादायती तावत्..सारणी

Muṇḍ.2. 1. 4. हृदयं विश्वम्
2. 2. 7. हृदयं संनिधाय .. परिपश्यन्ति

Mahânâr. 11. 7. हृदयं चाप्यधोमुखम् (3 MSS. read सुषिरं); Mahâ. 3 (हृदये).
8. हृदयं तद्विजानीयात् Brahma. 3.
25. 1. हृदयं यूपः

Gauḍa. 1. 28. सर्वस्य हृदये स्थितम्
Nṛip. 2. 2. ओं हृदयाय नमः
Nṛisut. 3. उकारं विष्णुं हृदये
Kshur. 4. किञ्चिद्धृदयमुन्नतम्

Siras. 5. बालाग्रमात्रं हृदयस्य मध्ये
6. मूर्द्धानमस्य संसीव्य . . हृदयं च यत्
Garbha. 2. हृदये ऽन्तराग्निः
— वायुतो हृदयं प्राजापत्यात् क्रमात्
5. हृदयं पलान्यष्टौ
Brahma. 2. नाभिर्हृदयं कण्ठं मूर्द्धा
Prâṇâg. 2. हृदयमन्वालभ्य जपेत्
— दक्षिणाग्निर्भूत्वा हृदये तिष्ठति
Nâda. 4. जनलोकस्तु हृदये
Nyâsa. 5. संस्थाप्य हृदयं तपः
Hamsa. 2. हृदये ऽष्टदले हंसात्मानं ध्यायेत्
— हृदयाद्यङ्गन्यासकरन्यासौ
Vâsu. 2. ललाटकण्ठहृदयबाहुमूलेषु
— शिरोललाटहृदयेषु
3. हृदये चिन्तयेद्धरिम्
Skanda. 8. शिवस्य हृदयं विष्णुर्विष्णोश्च हृदयं शिवः
Mukti. 1. 38. हृदयं कुण्डली भस्म
1. *vide* सरस्वतीरहस्य
2. 20. हृदयेनात्तसर्वेहः
Gîtâ. 1. 19. हृदयानि व्यदारयत्
2. 3. क्षुद्रं हृदयदौर्बल्यम्

हृदयग्रन्थि

Muṇḍ.2. 2. 8. भिद्यते हृदयग्रन्थिः
Mukti. 2. 13. हृदयग्रन्थयो दृढाः

हृदयज्ञ

Chhâ. 7. 2. 1. हृदयज्ञं चाहृदयज्ञं च
7. 7. 1.
— न हृदयज्ञो नाहृदयज्ञः

हृदयकमल

Vâsu. 3. हृदयकमलमध्ये वा

हृदयस्थ

Brahma. 3. सुषुप्तं हृदयस्थं तु
Vâsu. 3. हृदयस्थोर्ध्वपुण्ड्रमध्ये

हृदयान्तर्गत

Maitri. 7. 11. हृदयान्तर्गते सुषौ

हृदिन्द्रियस्थ

Garbha. 2. हृदिन्द्रियस्थानीति

हृदिस्थ

Śwet. 4. 20. हृदा हृदिस्थं मनसा य एनमेवं विदुः (This is the reading of printed text, but it has very little support).
Śiras. 3. हृदिस्था देवताः सर्वाः
Brahma. 2.

हृद्ग्रन्थि

Sarvop. 2. तल्लिङ्गशरीरं हृद्ग्रन्थिरित्युच्यते

हृद्देश

Gitâ. 18. 61. हृद्देशे ऽर्जुन तिष्ठति

हृद्द्वार

Amṛita. 26. हृद्द्वारं वायुद्वारं च

हृद्य

Gîtâ. 17. 8. रस्याः स्निग्धाः स्थिरा हृद्याः

हृद्याकाश

Bṛih. 2. 5. 10. अयमध्यात्मं हृद्याकाशः

हृम्

Râmap. 68. हं यं भृं वृं लं शृं जृं च

हृष्

Râmap. 40. तेन हृष्टः कपीन्द्रो ऽसौ

Gîtâ. 11. 45. अदृष्टपूर्वं हृषितो ऽस्मि दृष्ट्वा
12. 17. यो न हृष्यति न द्वेष्टि
18. 76. हृष्यामि च मुहुर्मुहुः
77. हृष्यामि च पुनः पुनः

हृषीकेश

Gîtâ. 1. 15. पाञ्चजन्यं हृषीकेशः
21. हृषीकेशं तदा वाक्यम्
24. एवमुक्तो हृषीकेशः
2. 9. एवमुक्त्वा हृषीकेशम्
10. तमुवाच हृषीकेशः
11. 36. स्थाने हृषीकेश तव प्रकीर्त्या
18. 1. त्यागस्य च हृषीकेश

हृष्टरोमन्

Gîtâ. 11. 14. हृष्टरोमा धनञ्जयः

हेति

Nîla. 16. परि ते धन्वनो हेतिरस्मान्वृणक्तु
17. या ते हेतिर्मीढुष्टम

हेतु

Chhâ. 1. 3. 5. एतस्य हेतोर्व्यानमेवोद्गीथमुपासीत
Swet. 5. 12. संयोगहेतुः
6. 5. संयोगनिमित्तहेतुः
16. संसारमोक्षस्थितिबन्धहेतुः
17. नान्यो हेतुर्विद्यत ईशनाय
Maitri. 6. 30. तस्मात् सर्गस्वर्गापवर्गहेतुर्भगवानसावादित्यः
Kaivalya. 10. ब्रह्म परमं याति नान्येन हेतुना
Gauḍa. 2. 1. संवृतत्वेन हेतुना
5. प्रसिद्धेनैव हेतुना
3. 26. अग्राह्यभावेन हेतुना
4. 14. हेतोरादिः फलं येषामादिर्हेतुः फलस्य च 15.
— हेतोः फलस्य चानादिः
Gauḍa. 4. 16. संभवे हेतुफलयोः
17. न ते हेतुः प्रसिद्ध्यति
— अप्रसिद्धः कथं हेतुः
18. यदि हेतोः फलात्सिद्धिः फलसिद्धिश्च हेतुतः
20. न हि साध्यसमो हेतुः
23. हेतुर्न जायते ऽनादेः
37. तद्धेतुः स्वप्न इष्यते
53. द्रव्यं द्रव्यस्य हेतुः स्यात्
76. यदा न लभते हेतून्
78. हेतुं पृथगनाप्नुवन्
Brahmab. 9. हेतुदृष्टान्तवर्जितम्
Sarvop. 3. स्वरूपलाभहेतुर्भूत्वा
Parama. 2. संशयविपरीतमिथ्याज्ञानानां यो हेतुः
Gîtâ. 1. 35. त्रैलोक्यराज्यस्य हेतोः
9. 10. हेतुनानेन कौन्तेय
13. 20. कार्यकारणकर्तृत्वे हेतुः
— भोक्तृत्वे हेतुरुच्यते
18. 15. पञ्चैते तस्य हेतवः

हेतुजाल

Siras. 5. क्षमां हित्वा हेतुजालस्य मूलम् (bis).

हेतुत्व

Gauḍa. 4. 37. तद्धेतुत्वात्तु तस्यैव सज्जागरितमिष्यते

हेतुफलाजाति

Gauḍa. 4. 54. एवं हेतुफलाजातिं प्रविशन्ति मनीषिणः

हेतुफलावेश

Gauḍa. 4. 55. यावद्धेतुफलावेशः 56.
— क्षीणे हेतुफलावेशे 56.

हेतुफलोद्भव

Gauḍa. 4. 55. तावद्धेतुफलोद्भवः
— नास्ति हेतुफलोद्भवः

हेतुमन्त्

Gitâ. 13. 4. हेतुमद्भिर्विनिश्चितैः

हेत्वभाव

Gauḍa. 4. 76. हेत्वभावे फलं कुतः

हेमन्त

Chhâ. 2. 5. 1. हेमन्तो निधनम् 2. 16. 1.
Maitri. 6. 33. वसन्तो ग्रीष्मो वर्षाः शरद्धेमन्तः
7. 5. हेमन्तशिशिरा उदानः.. ऊर्ध्वा उद्यन्ति
Mukti. 2. 41. पद्मिन्य इव हेमन्ते

हेमपुण्डरीक

Atmapra. 1. तस्य य आत्मा हेमपुण्डरीकमध्ये

हेमाभ

Râmap. 27. हेमाभया द्विभुजया
28. हेमाभेनानुजेनैव

हैमवत

Kena. 25. उमां हैमवतीम्

होतृ

Kaush. 2. 6. यजुर्मय ऋङ्मयं होता (प्रत्रयति)
Chhâ. 4. 16. 2. वाचा होताध्वर्युरुद्गातान्यतराम्
Brih. 3. 1. 2. जनकस्य वैदेहस्य होताश्वलो बभूव
— प्रष्टुं दध्रे होताश्वलः
3. होत्रर्त्विजाग्निना वाचा वाग्वै यज्ञस्य होता
— सो ऽयमग्निः स होता
7. कतिभिरयमद्यर्ग्भिर्होतास्मिन्यज्ञे करिष्यति
10. होताश्वल उपरराम
Katha. 5. 2. अन्तरिक्षसद्धोता Mahânâr. 9. 3; 17. 8; Nṛip. 3. 1.
Maitri. 6. 16. होता भोक्ता हविर्मन्त्रः
Mahânâr. 6. 7. सनाच्च होता नव्यश्च सत्सि
25. 1. दक्षिणा वाग्घोता
Prâṇâg. 3. शारीरयज्ञस्य..को होता
4. होता चित्तम्

होतृषदन

Chhâ. 1. 5. 5. इति होतृषदनाद्धैवापि दुरुद्गीथमनुसमाहरति

होत्रा

Śwet. 2. 4. वि होत्रा दधे वयुनावित्

होम

Śwet. 5. 11. सङ्कल्पनस्पर्शनदृष्टिहोमैः
Muṇḍ. 2. 1. 8. सप्तार्चिषः समिधः सप्त होमाः
Nṛip. 5. 2. अनुष्टुभा होमं कुर्यात्
Râmot. 4. जपहोमार्चनादिभिः

होमय

Prâṇâg. 2. यज्ञपरिवृताहुतीर्होमयति

होमीय

Chhâ. 5. 19. 2. यद्भक्तं प्रथममागच्छेत्तद्धोमीयम्

होहोयि

Chhâ. 4. 1. 2. होहोयि भल्लाक्ष भल्लाक्ष (2 MSS. have भोभोयि)

ह्रद

Kaush. 1. 3. एतस्य ब्रह्मलोकस्यारो ह्रदः
4. स आगच्छत्यारं ह्रदम्

ह्रस्व

Nṛip. 3. 1. ह्रस्वा वा दीर्घा वा प्लुता वेति
— यदि ह्रस्वा भवति
Śikhâ. 1. स्थूलह्रस्वदीर्घप्लुतः

ह्रादुनि

Chhâ.5. 5. 1. ह्रादुनयो विस्फुलिंगाः Brih. 6. 2. 10.

ह्री

Brih. 1. 5. 3. ह्रीर्धीर्भीरित्येतत्सर्वं मन एव Maitri. 6. 30.

Tait. 1. 11. 3. श्रिया देयं ह्रिया देयम्

Râmap. 66. विलिखेत्केसरे ह्रियम्

Gitâ. 16. 2. मार्दवं ह्रीरचापलम्

ह्लादिनी (= द)

Râmap. 75. ह्लादिन्यथो दीर्घा समानदा

Râmap. 77. सप्रतिष्ठा ह्लादिनी त्वक्

ह्वे

Brih. 6. 4. 22. तं ते गर्भं हवामहे दशमे मासि सूतवे

Śwet. 4. 22. हविष्मन्तः सदमित्त्वा हवामहे

Mahânâr. 6. 6. अग्निमुग्रं हुवेम परमात्सधस्थात्

9. 5. विधर्त्तारं हवामहे

20. 3. ह्वयामि शक्रं पुरुहूतमिन्द्रम्

Addenda and Corrigenda.

Page 7. *s. v.* अक्ष्णया, read °क्ष्णयाकृतम्

Page 11*a*. After quotation from Muṇḍ. 2. 1. 7, add Praśna 1. 7, and *dele* that quotation in line 14 of next column.

Page 60*a*. After line 13, insert 6. 4. 13. त्रिरात्रान्त आप्लुत्य

Page 73. *s. v.* अन्योन्यदृश्य read °दृश्ये ते

Page 74*a*, line 8. Read वामदेव्यम्

Page 76*b*, line 7. After Mahânâr. insert 13. 1; and *dele* line 21.

Page 78*b*. In the quotation from Gîtâ. 6. 22, read लब्ध्वा

Page 106*a*. In line 11, read ऽमृतोपमम्

Page 139*b*, line 2. Read अहृदयस्य

Page 149*b*. After line 3, insert —अन्यतात्मानो वै ते ऽम्बराः

Page 157*b*. In Gîtâ. 11. 31, read आख्याहि

Page 172*b*, line 4. Read °श्चतुर्दश

Page 175*b*, *s. v.* आत्मशुद्धि, *dele* the second quotation.

Page 185. Under the word आध्यायिक add the following:—

Nṛip. 5. 10. अथर्वशिरःशिखाध्यायिकेन

— अथर्वशिरःशिखाध्यायिकशतम्

— मन्त्रराजाध्यायिकस्य

Page 267. *s. v.* एकादशन् Transfer the first example to the heading एकादश and read पुनश्चैकादश:

Page 443*a*, line 16. Read देवी

Page 553*b*. In line 8, read °दशः